Hal Foster Rosalind Krauss Yve-Alain Bois Benjamin H. D. Buchloh David Joselit

Arte dal 1900

TERZA EDIZIONE

MODERNISMO
ANTIMODERNISMO
POSTMODERNISMO

ZANICHELLI

Hal Foster Rosalind Krauss Yve-Alain Bois Benjamin H. D. Buchloh David Joselit

Arte dal 1900

TERZA EDIZIONE

MODERNISMO
ANTIMODERNISMO
POSTMODERNISMO

Edizione italiana a cura di Elio Grazioli

con 884 illustrazioni,
579 a colori

ZANICHELLI

Titolo originale: *Art since 1900. Modernism, Antimodernism, Postmodernism*

Traduzione di Elio Grazioli, in collaborazione con Eva Fabbris (1980-1989,1990-2003), Marta Grazioli (1916a, 1921a, 1925d, 1955a, 1959a, 1972c, 1975b, 1977b, 1997, 2015) e Lucia Tozzi (1930-1939, 1960-1969, 1970, 1973, 1974, 1975)

Realizzazione editoriale:
- Redazione: Anna Tonini
- Impaginazione: Buysschaert&Malerba, Milano

Copertina:
- Progetto grafico: studio 8vo, Bologna
- Realizzazione: Roberto Marchetti e Francesca Ponti
- Immagine di copertina: Michelangelo Pistoletto, *Venere degli stracci*, 1967. Marmo e stracci, 90 x 250 x 140 cm. Collezione Cittadellarte – Fondazione Pistoletto, Biella. Foto: Courtesy Philadelphia Museum of Art

Prima edizione italiana: settembre 2006
Seconda edizione italiana: ottobre 2013
Terza edizione italiana: 2017

Ristampa:
5 4 3 2 1   2017 2018 2019 2020 2021

Grazie a chi ci segnala gli errori.
Segnalate gli errori e le proposte di correzione su www.zanichelli.it/correzioni
Controlleremo e inseriremo le eventuali correzioni nelle ristampe del libro. Nello stesso sito troverete anche l'errata corrige, con l'elenco degli errori e delle correzioni.

Stampato e rilegato in Cina

Sommario

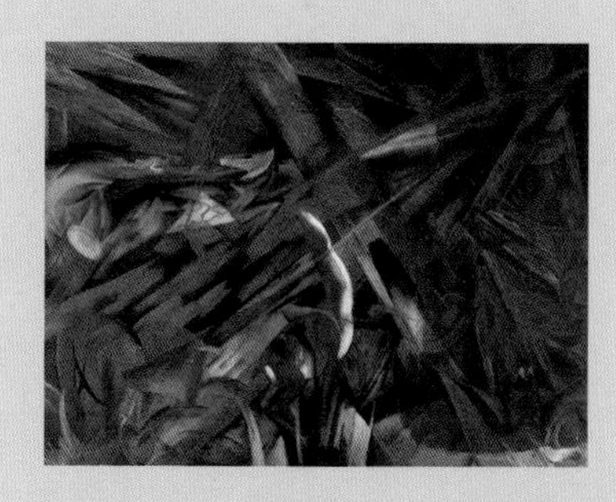

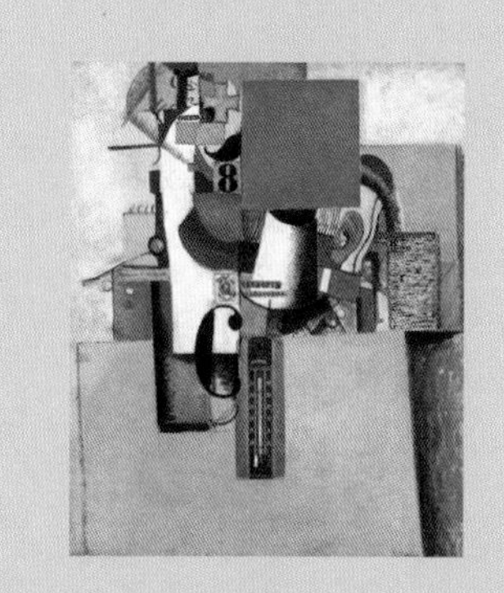

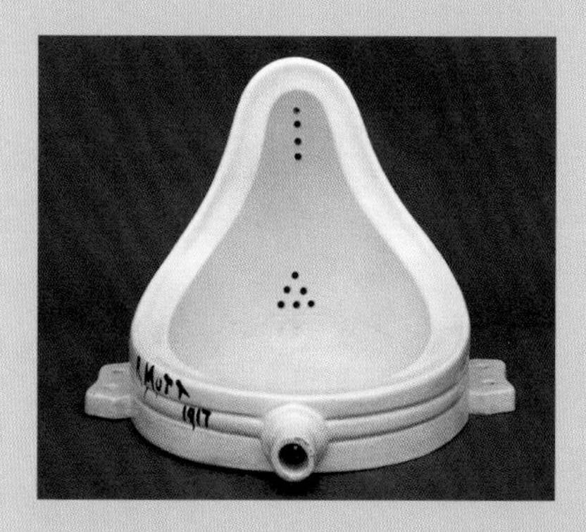

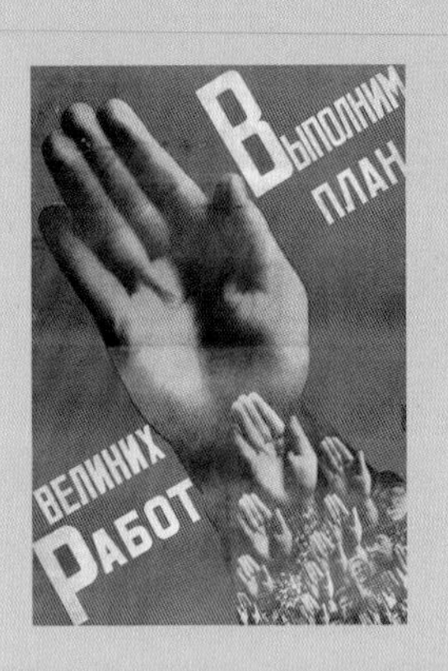

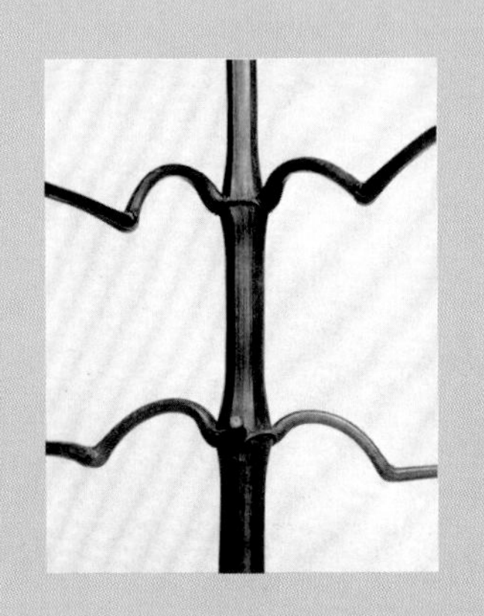

1920–1929

1950–1959

424 1951 La seconda mostra di Barnett Newman fallisce: l'artista viene abbandonato dai colleghi espressionisti astratti e solo più tardi sarà salutato come padre dai minimalisti.

430 1953 Il compositore John Cage collabora all'*Impronta di pneumatico* di Robert Rauschenberg: in un gruppo di opere di Rauschenberg, Ellsworth Kelly e Cy Twombly la traccia indicale è sviluppata come arma contro il segno espressivo.

435 1955a Nella loro prima esposizione a Tokyo, gli artisti del gruppo Gutai propongono una nuova interpretazione del dripping di Jackson Pollock che si ricollega alla tradizione giapponese e interpreta alla lettera l'espressione "pittura d'azione".

441 1955b La mostra *Il movimento* alla galleria Denise René a Parigi lancia l'Arte cinetica.

447 1956 La mostra *Questo è il domani* a Londra segna il culmine delle ricerche sui rapporti tra arte, scienza, tecnologia, design e cultura popolare intraprese dall'Independent group, precursore della Pop art inglese.

453 1957a Due piccoli gruppi d'avanguardia, l'Internazionale lettrista e il Bauhaus immaginista, si fondono per formare l'Internazionale situazionista, il movimento più politicamente impegnato del dopoguerra.
box • Due tesi da *La società dello spettacolo*

460 1957b Ad Reinhardt scrive *Dodici regole per una nuova accademia*: mentre in Europa i paradigmi dell'avanguardia in pittura vengono riformulati, negli Stati Uniti Reinhardt, Robert Ryman, Agnes Martin e altri indagano il monocromo e la griglia.

466 1958 *Bersaglio con quattro facce* di Jasper Johns esce sulla copertina della rivista *Artnews*: per alcuni artisti, come Frank Stella, Johns rappresenta un modello di pittura in cui figura e sfondo sono fusi in un'unica immagine-oggetto, per altri introduce l'uso dei segni quotidiani e delle ambiguità concettuali.
box • Ludwig Wittgenstein

473 1959a Lucio Fontana tiene la sua prima retrospettiva: usa associazioni kitsch per mettere in questione l'idealismo modernista, critica proseguita poi da Piero Manzoni.

477 1959b Bruce Conner espone *BAMBINO* alla San Francisco Art Association, una figura mutilata su un seggiolone, realizzata per protestare contro la pena capitale: sulla West Coast viene sviluppata da Conner, Wallace Berman, Ed Kienholz e altri una pratica dell'assemblage e dell'ambientazione più scabrosa dei suoi equivalenti di New York, Parigi e altrove.

483 1959c Il Museo d'Arte Moderna di New York inaugura *Nuove immagini dell'uomo*: l'estetica esistenzialista prosegue in una strategia della figurazione da Guerra fredda nell'opera di Alberto Giacometti, Jean Dubuffet, Francis Bacon, Willem de Kooning e altri.
box • Arte e Guerra fredda

488 1959d *Osservazioni* di Richard Avedon e *Gli americani* di Robert Frank stabiliscono i parametri dialettici della fotografia della Scuola di New York.

494 1959e Il manifesto neoconcretista viene pubblicato a Rio de Janeiro su una doppia pagina del quotidiano *Jornal do Brasil*, sostituendo l'interpretazione razionalista dell'astrazione geometrica prevalente all'epoca con una fenomenologica.

1960–1969

504 1960a Il critico Pierre Restany riunisce a Parigi un gruppo di artisti eterogenei, dando vita al Nouveau réalisme e rivoluzionando i concetti di collage, readymade e monocromo.
box: La neoavanguardia

509 1960b Clement Greenberg pubblica *La pittura modernista*, imprimendo una svolta al proprio pensiero critico destinato a influenzare il dibattito degli anni Sessanta.
box • Leo Steinberg: il quadro "piano di stampa"

515 1960c Roy Lichtenstein e Andy Warhol cominciano a utilizzare fumetti e pubblicità come fonti di ispirazione per i dipinti, seguiti da James Rosenquist, Ed Ruscha e altri: nasce la Pop art americana.

520 1961 A dicembre Claes Oldenburg apre nell'East Village di New York *Il negozio*, un "ambiente" che imitava l'allestimento dei negozi poveri del quartiere, in cui ogni oggetto esposto era in vendita: durante l'inverno e la primavera successivi, dieci "happening" del Ray Gun Theater di Oldenburg ebbero luogo all'interno di *Il negozio*.

526 1962a A Wiesbaden, nella Germania occidentale, George Maciunas organizza il primo di una serie di eventi internazionali che precedettero la costituzione del movimento Fluxus.

534 1962b A Vienna Günter Brus, Otto Mühl, Hermann Nitsch e altri artisti formano il gruppo dell'Azionismo viennese.

540 1962c Sulla scia della pubblicazione di *Pionieri dell'arte in Russia* di Camilla Gray si rianima l'interesse occidentale per i principi costruttivisti di Vladimir Tatlin e Aleksandr Rodčenko, che vengono elaborati in maniera differente da artisti più giovani come Dan Flavin, Carl Andre, Sol LeWitt e altri.
box • *Artforum*

545 1962d Clement Greenberg è il primo a riconoscere il lato astratto della Pop art, una caratteristica che resterà a lungo nell'opera dei suoi principali esponenti e dei continuatori.

551 1963 Dopo avere pubblicato due manifesti con il pittore Eugen Schönebeck, George Baselitz espone a Berlino *La grande notte nelle fogne*.

556 1964a Il 20 luglio, nel ventesimo anniversario del fallito attentato contro Hitler, Joseph Beuys pubblica un'autobiografia fittizia e genera un'esplosione di violenza al *Festival della nuova arte* ad Aachen, nella Germania occidentale.

562 1964b *I tredici uomini più ricercati* di Andy Warhol è installato provvisoriamente sulla facciata dello State Pavilion della World's Fair di New York.

568 1965 Donald Judd pubblica *Oggetti specifici*: il Minimalismo viene teorizzato da parte dei suoi due più importanti esponenti, Judd e Robert Morris.
box • Maurice Merleau-Ponty

572 1966a Marcel Duchamp completa l'installazione *Dati...* al Philadelphia Museum of Art: con la rivelazione di questa sua nuova opera la crescente influenza che esercitava sui giovani artisti arriva al culmine.

576 1966b Apre a New York la mostra *Astrazione eccentrica*: le opere di Louise Bourgeois, Eva Hesse, Yayoi Kusama e altri cercano un'alternativa espressiva al linguaggio della scultura minimalista.

581 1967a Con la pubblicazione di *Un tour dei monumenti di Passaic* Robert Smithson indica l'"entropia" come concetto generativo della pratica artistica degli anni Sessanta.

585 1967b Il critico italiano Germano Celant allestisce la prima mostra dell'Arte povera.

591 1967c Nella loro prima apparizione, quattro artisti del gruppo francese BMPT dipingono in pubblico, ripetendo esattamente da tela a tela una semplice configurazione liberamente prescelta da ogni singolo artista: la loro forma di pittura concettuale è l'ultimo degli attacchi all'astrattismo "ufficiale" della Francia del dopoguerra.

597 1968a Due grandi musei dedicati all'arte più avanzata dell'Europa e dell'America degli anni Sessanta – lo Stedelijk Van Abbemuseum di Eindhoven e lo Städtisches Museum Abteiberg di Mönchengladbach – espongono il lavoro di Bernd e Hilla Becher, situandoli tra gli esempi più rilevanti dell'arte e della fotografia concettuale.

603 1968b L'Arte concettuale appare nelle pubblicazioni di Sol LeWitt, Dan Graham e Lawrence Weiner, mentre Seth Siegelaub organizza le sue prime mostre.
box • **Riviste d'artista**
box • **Noncuranza**

610 1969 La mostra *Quando le attitudini diventano forma* a Berna e Londra offre un panorama degli sviluppi postminimalisti, mentre *Antiillusione: procedure/materiali* a New York si occupa di Arte processuale, i cui tre principali aspetti sono elaborati da Richard Serra, Robert Morris ed Eva Hesse.

1970–1979

616 1970 Michael Asher realizza il suo *Progetto per il Pomona College*: l'ascesa dell'Arte site-specific apre un ambito a metà tra la scultura modernista e l'Arte concettuale.

621 1971 Il museo Guggenheim cancella la mostra di Hans Haacke e rifiuta il contributo di Daniel Buren alla sesta edizione della Guggenheim International Exhibition: le pratiche di critica istituzionale incontrano la resistenza della generazione minimalista.
box • **Michel Foucault**

625 1972a Marcel Broodthaers installa il suo *Museo d'Arte Moderna, Dipartimento delle Aquile, Sezione delle Figure* a Düsseldorf, in Germania.

630 1972b L'esposizione internazionale *Documenta 5* a Kassel, in Germania, segna l'accoglienza istituzionale favorevole dell'Arte concettuale in Europa.

636 1972c Esce *Imparare da Las Vegas*: ispirati da Las Vegas e dalla Pop art, gli architetti Robert Venturi e Denise Scott Brown si astengono dalla "papera", o edificio come forma scultorea, a favore dello "shed decorato", in cui i simboli pop sono messi in primo piano, impostando così i termini stilistici del design postmoderno.

644 1973 The Kitchen Center for Video, Music and Dance apre uno spazio a New York: la Video art rivendica il proprio spazio istituzionale all'incrocio tra arte visiva e performance, televisione e cinema.

649 1974 Con *Trafitto*, in cui Chris Burden è legato a un Maggiolino Volkswagen, la performance americana raggiunge il limite estremo della presenza fisica e molti suoi adepti abbandonano, moderano o in qualche modo trasformano la sua pratica.

654 1975a Nel momento in cui la regista Laura Mulvey pubblica *Piacere visivo e cinema narrativo*, artiste femministe come Judy Chicago e Mary Kelly sviluppano posizioni differenti sulla rappresentazione delle donne.
box • **Riviste di teoria**

660 1975b Ilya Kabakov completa la sua serie di album *Dieci personaggi*, un importante monumento del Concettualismo moscovita.

668 1976 A New York l'apertura del P.S.1 coincide con la mostra *Re Tut* al Metropolitan Museum: importanti cambiamenti nella struttura istituzionale del mondo dell'arte sono testimoniati sia dagli spazi alternativi sia dalle esposizioni "blockbuster".

672 1977a La mostra *Immagini* identifica un gruppo di giovani artisti le cui strategie di appropriazione e le cui critiche all'originalità avanzano la nozione di "postmodernismo".

676 1977b Harmony Hammond difende l'astrazione femminista sulla nuova rivista *Heresies*.

1980–1989

688 1980 La Metro Pictures apre a New York: emerge un nuovo gruppo di gallerie che espongono giovani artisti impegnati ad interrogare l'immagine fotografica e il suo uso nel giornalismo, nella pubblicità e nella moda.
box • **Jean Baudrillard**

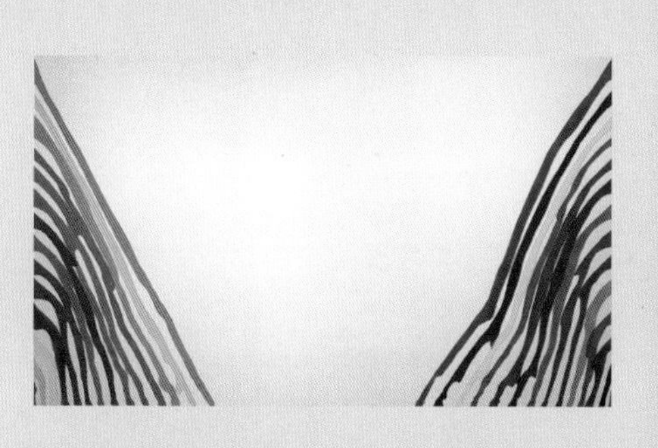

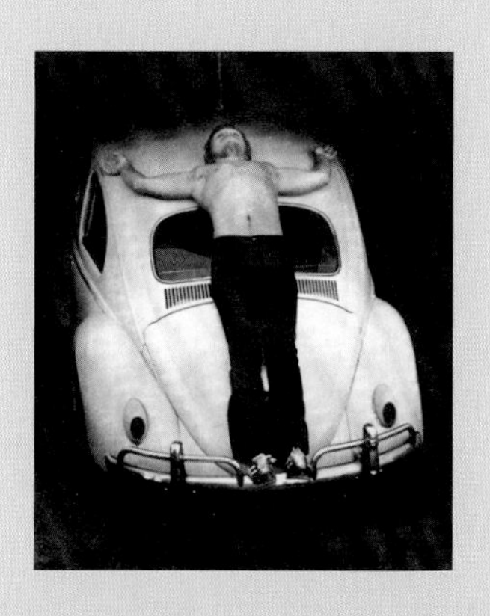

692 1984a Victor Burgin tiene la conferenza *L'assenza della presenza: Concettualismo e postmodernismi*: la pubblicazione di questo e di altri saggi di Allan Sekula e Martha Rosler definisce un nuovo approccio alle eredità del fotoconcettualismo anglo-americano e alla scrittura di storia e teoria della fotografia.

698 1984b Fredric Jameson pubblica *Il postmoderno, o la logica culturale del tardo capitalismo*, mentre il dibattito sul postmodernismo si estende oltre gli ambiti di arte e architettura fino alla politica culturale e si divide in due posizioni opposte.
box • Cultural studies

702 1986 A Boston apre *Finale di partita: referenza e simulazione nella pittura e nella scultura recenti*: mentre alcuni artisti giocano sul collasso della scultura in merce, altri sottolineano l'importanza di design ed esposizione.

707 1987 Viene organizzata la prima azione ACT-UP: la crisi dell'Aids riaccende l'attivismo in arte, mentre gruppi e interventi politici diventano d'attualità e si sviluppa un nuovo tipo di estetica gay.
box • Le battaglie per l'arte negli Stati Uniti

714 1988 Gerhard Richter dipinge *18 ottobre 1977*: gli artisti tedeschi credono possibile un rinnovamento della pittura di storia.
box • Jürgen Habermas

719 1989 Apre a Parigi *Les Magiciens de la terre*, una selezione di opere d'arte provenienti da diversi continenti: il discorso postcoloniale e i dibattiti multiculturali influenzano sia la produzione che la presentazione dell'arte contemporanea.
box • Arte aborigena

1990–1999

726 1992 Fred Wilson presenta *Minando il museo* a Baltimora: la critica alle istituzioni si estende al di là del museo e un ampio numero di artisti adatta un modello antropologico di arte progettuale basato sulla ricerca sul campo.
box • Interdisciplinarietà

732 1993a Martin Jay pubblica *Lo sguardo basso*, una riflessione generale sulla denigrazione della visione nella filosofia moderna: questa critica del visivo è esplorata da diversi artisti contemporanei.

737 1993b Mentre viene demolita *Casa* di Rachel Witheread, un calco di una villetta a schiera di Londra, un gruppo di artiste donne raggiunge la fama in Gran Bretagna.

741 1993c A New York, la Biennale del Whitney Museum mette in primo piano lavori incentrati sull'identità, mentre emerge una nuova forma di arte politicizzata degli artisti afro-americani.

747 1994a Un'esposizione delle opere di Mike Kelley mette in luce un interesse diffuso per le condizioni di regressione e abiezione, mentre Robert Gober, Kiki Smith e altri usano figure del corpo in frammenti per affrontare questioni di sessualità e morte.

752 1994b William Kentridge completa *Felix in esilio*, unendosi a Raymond Pettibon e altri nel dimostrare la rinnovata importanza del disegno.

756 1997 Santu Mofokeng espone *L'album fotografico nero / Guardami: 1890-1950* alla Seconda Biennale di Johannesburg.

764 1998 Un'esposizione di video-proiezioni di grandi dimensioni di Bill Viola gira molti musei: l'immagine proiettata diventa un formato diffuso nell'arte contemporanea.
box • La spettacolarizzazione dell'arte
box • McLuhan, Kittler e i nuovi media

2000–2015

773 2001 Un'esposizione delle opere della maturità di Andreas Gursky al Museum of Modern Art di New York segna il nuovo prevalere di una fotografia pittorica, spesso elaborata con mezzi digitali.

778 2003 Con esposizioni come *Stazione utopia* e *Zona d'urgenza*, la Biennale di Venezia esemplifica la natura informale e discorsiva di molte recenti produzioni artistiche e curatele.

784 2007a Parigi riconosce l'importanza dell'artista americano Christian Marclay per il futuro dell'arte d'avanguardia con una grande retrospettiva alla Cité de la Musique; Sophie Calle è invitata a rappresentare la Francia alla Biennale di Venezia; intanto la Brooklyn Academy of Music commissiona al sudafricano William Kentridge le scenografie per la loro produzione del *Flauto magico*.
box • Brian O'Doherty e il "white cube"

790 2007b *Non monumentale: L'oggetto nel XXI secolo* apre al New Museum di New York: la mostra segna un nuovo interesse per l'assemblage e l'accumulazione tra la generazione più giovane di scultori.

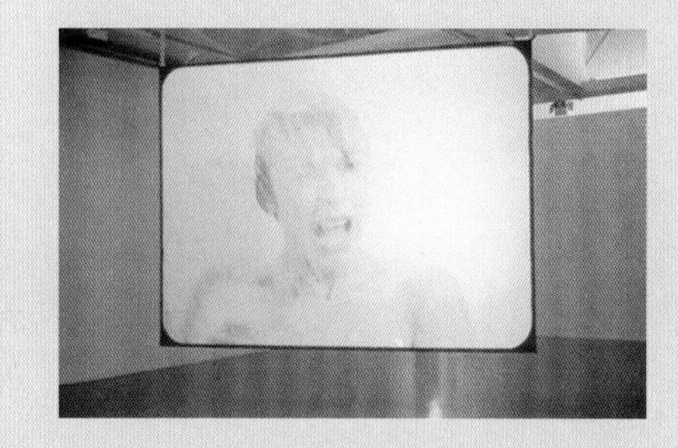

New world

WHEN
IS THIS
GOING TO END

Istruzioni per l'uso

Arte dal 1900 è stato progettato con chiarezza per permetterti di seguire lo sviluppo dell'arte nel XX secolo e fino ai giorni nostri. Ecco le caratteristiche che ti aiuteranno a trovare la strada lungo il libro.

Ogni capitolo ha come titolo un anno ed è incentrato su un momento chiave della storia dell'arte del XX secolo. Può essere la creazione di un'opera di particolare importanza, la pubblicazione di un testo di riferimento, l'apertura di una mostra cruciale o un altro evento significativo. Quando un anno comporta due o più capitoli, questi vengono identificati come 1900a, 1900b e così via.

2009b

Jutta Koether allestisce *Lux Interior* alla galleria Reena Spaulings di New York, una mostra che introduce performance e installazione al centro del contenuto della pittura: l'impatto delle reti anche sui media estetici più tradizionali si diffonde tra gli artisti in Europa e negli Stati Uniti.

2000–2015

Con un caratteristico gioco di perversioni che legano la pittura alla pasta, l'artista tedesco Martin Kippenberger (1953-97) identificò in un'intervista del 1990-91 il problema pittorico più importante sollevato a partire dalle serigrafie di Warhol degli anni Sessanta: "Appendere semplicemente un quadro alla parete e dire che è arte è terribile. Tutta la rete è importante! Anche gli spaghetti... Quando dici arte, tutto il possibile ne fa parte. In una galleria lo è anche il pavimento, l'architettura, il colore delle pareti". Nell'opera di Kippenberger, che comprendeva pittura e scultura così come molte pratiche ibride tra le due, i limiti di un singolo oggetto vennero costantemente sfidati. Già nel suo primo progetto pittorico del 1976-77, *Uno di voi, un tedesco a Firenze* [1], Kippenberger spostò l'attenzione dalle singole opere eseguendo velocemente un centinaio di tele in bianco e nero, tutte delle stesse dimensioni, che riproducevano istantanee o ritagli di giornali. La sua intenzione era di realizzare abbastanza quadri perché impilati avrebbero raggiunto la sua statura. Qui dipingere comprende diversi tipi di rete insieme: ogni singola tela fa parte di un "raggruppamento famigliare"; tutte sono assimilate all'economia fluida dell'informazione fotografica, che sia la fotografia personale o il documento giornalistico; e la dimensione della serie era indicizzata sulle caratteristiche fisiche dell'artista – cioè la sua statura – così come sulle sue attività quotidiane, in quanto segnata dalla scelta di soggetti che potevano essere stati presi da qualsiasi tedesco appassionato, benché eccentrico, residente a Firenze.

Se prendiamo in parola Kippenberger, sorge una domanda significativa: come può la pittura incorporare reti multiple che la contestualizzano? Questo problema di fine XX secolo, la cui rilevanza non ha fatto che aumentare con il passaggio al XXI e la crescente ubiquità delle reti digitali, va insieme a una sequenza di ▲ sfide moderniste alla pittura. All'inizio del secolo scorso il Cubismo spinse i limiti di ciò che poteva essere un segno pittorico coerente mostrando i requisiti minimi della coerenza visiva. A metà del ● secolo l'astrattismo gestuale, riassunto dall'Espressionismo astratto, sollevò la questione di come la rappresentazione potesse assumere lo statuto di puro contenuto – consistente in nient'altro che pura pittura applicata sulla tela. E infine, negli anni Sessanta un'intera ■ gamma di procedimenti fotomeccanici introdotti dalla Pop art e relativi artisti negli Stati Uniti e in Europa esplorarono il rapporto tra immagine dipinta e riproduzione meccanica (più recentemente

I riferimenti alle opere nel testo rimandano con chiarezza all'illustrazione di cui si parla.

1 • Martin Kippenberger, *Senza titolo*, dalla serie *Uno di voi, un tedesco a Firenze*, 1976-77
Olio su tela, ognuno 50 x 50 cm

▲ 1911, 1913, 1921a ● 1947b, 1949, 1951 ■ 1960c, 1964b, 1967c

810 2009b | Reti sociali della pittura

I simboli a fianco del testo indicano che altri capitoli collegati possono interessarti. I corrispondenti rimandi posti al piede della pagina rinviano ai capitoli attinenti. In questo modo puoi seguire il tuo percorso attraverso il libro, concentrandoti per esempio sulla storia della fotografia o della scultura o sullo sviluppo dell'astrattismo nelle sue diverse forme.

I box danno informazioni su personaggi chiave, concetti importanti e problematiche del momento storico. Un'elaborazione ulteriore dei termini usati è disponibile nel glossario alla fine del libro.

Rrose Sélavy

Uno dei disegni di Duchamp per il *Grande Vetro* pubblicato nella *Scatola verde* mostra le due parti dell'opera associate alle scritte MAR (che sta per *mariée* [sposa]) nella parte alta e CEL (per *célibataires* [celibi]) nella parte bassa. Attraverso l'identificazione con i protagonisti del *Vetro* (MAR + CEL = Marcel) Duchamp pensò di assumere una personalità femminile. Come raccontò a Pierre Cabanne:

> Cabanne: *Rrose Sélavy è nata nel 1920, mi pare.*
> Duchamp: *Infatti. Cercavo di cambiare la mia identità e la prima idea che mi venne fu di prendere un nome ebreo [...] Non trovai un nome ebreo che mi piacesse in modo particolare o che mi tentasse, e all'improvviso ebbi un'altra idea: perché non cambiare sesso? Era molto più semplice. Il nome Rrose Sélavy venne da qui [...]*
> *Cabanne: È andato molto lontano nel suo cambiamento di sesso, fino a farsi fotografare vestito da donna.*
> *Duchamp: L'ha fatta Man Ray quella fotografia [...]*

Avendo fermato il lavoro sul *Grande Vetro* nel 1923, Duchamp trasferì la sua attività artistica su questo nuovo aspetto e stampò dei biglietti da visita indicando come nome e professione: "Rrose Sélavy, Ottico di precisione". Le opere che realizzò come "ottico" sono macchine con dischi ottici rotanti – la *Semisfera rotante* e i *Rotorilievi* – e film come *Anemic Cinema*.

C'è un modo di comprendere l'impresa di Rrose Sélavy come insidia all'estetica kantiana in cui l'opera d'arte apre uno spazio visivo collettivo che riconosce la simultaneità dei punti di vista di tutti gli spettatori che la guardano, una molteplicità il cui giudizio parla con una voce universale, come direbbe Kant. Al contrario l'"ottica di precisione" di Duchamp, come i buchi nella porta della sua installazione *Étant données*, era disponibile per un solo spettatore alla volta. Organizzata come illusione ottica, era chiaramente la proiezione visiva solitaria dello spettatore posto nella giusta posizione per coglierla. Così i *Rotorilievi* – un gruppo di cartoncini stampati – ruotavano come dischi visivi su un fonografo, con i loro disegni di spirali concentriche che si espandono all'infuori come un palloncino che si gonfia e poi rovesciano il loro moto apparente all'indentro in un movimento di risucchio. Alcuni sembravano occhi o seni tremanti in uno spazio illusorio; un altro sfoggiava un pesce rosso che sembra nuotare in una vasca da cui sia stato tolto il tappo cosicché il pesce sta per essere risucchiato nel tubo di scarico. In questo senso lo scambio di Duchamp con Rrose e le sue attività segna una svolta da un interesse per la macchina (la "macchina celibe", la Macinatrice di cioccolato) a uno per l'ottica.

1910–1919

La decade è indicata sul lato di ogni pagina.

con l'immagine. La prospettiva aveva specificamente posto tale ▲ osservatore nel preciso punto più favorevole; ma anche il Cubismo e il Fauvismo, trovando altri modi per dare unità allo spazio pittorico, hanno mantenuto un soggetto umano unificato: l'osservatore/interprete dell'opera.

L'implicazione finale dello spostamento dell'ambito di queste operazioni da parte di Duchamp dall'iconico all'indicale diventa chiara in questo contesto. Al di là della sua rottura con il "pittorico" e del rifiuto dell'"abilità", al di là del suo spostamento di significato dal codice ripetibile all'evento unico, l'aspetto dell'indice come commutatore ha infatti implicazioni anche sullo statuto del soggetto, di colui che dice "io", in questo caso di Duchamp "stesso". Perché, come soggetto del vasto autoritratto messo insieme da *Tu m'*, Duchamp si dichiara soggetto diviso, frammentato, attraversato dalla frattura assiale tra i due poli dello spazio pronominale, così come si è scisso nei due poli sessuali in alcuni autoritratti fotografici *en travesti* e firmandosi "Rrose Sélavy" **[5]**. Assumendo il detto di Rimbaud "Je est un autre" (Io è un altro), la frammentazione della soggettività è stata forse il suo gesto più radicale. RK

Ulteriori indicazioni di letture alla fine di ogni capitolo ti permettono di continuare lo studio rimandandoti ad alcuni libri e testi chiave sull'argomento, tra cui i documenti storici di primaria importanza e i testi più recenti. Una bibliografia generale e un elenco di utili siti web forniscono alla fine del libro risorse supplementari per la tua ricerca.

ULTERIORI LETTURE:

Roland Barthes, *Il messaggio fotografico e Retorica dell'immagine*, trad. it. in *L'ovvio e l'ottuso*, Einaudi, Torino 1985

Marcel Duchamp, *Scritti*, trad. it. Abscondita, Milano 2005

Thierry de Duve, *Nominalisme pictural. Marcel Duchamp, la peinture et la modernité*, Minuit, Paris 1984

Thierry de Duve (a cura di), *The Definitively Unfinished Marcel Duchamp*, MIT Press, Cambridge (Mass.) 1991

Rosalind Krauss, *Note sull'indice*, trad. it. in *L'originalità dell'avanguardia e altri miti moderni*, Fazi, Roma 2007

Robert Lebel, *Marcel Duchamp* (1959), Belfond, Paris 1985

Francis M. Naumann and Hector Obalk (a cura di), *Affect t / Marcel.: The Selected Correspondence of Marcel Duchamp*, Thames & Hudson, London 2000

▲ 1906, 1907, 1911, 1912, 1921a

La data e il titolo del capitolo appaiono al piede di ogni pagina.

Duchamp dipinge *Tu m'*, il suo ultimo quadro | 1918 **177**

Prefazione: guida alla lettura

Questo libro è organizzato come una successione di importanti eventi, ognuno legato a una data corrispondente, e può così essere letto come un resoconto cronologico dell'arte del XX e XXI secolo. Ma, come i pezzi di un puzzle che possono dare una grande varietà di immagini, i suoi 130 capitoli possono essere collegati in modi diversi per adattarsi alle esigenze particolari di ogni lettore.

Prima di tutto, si possono costruire alcuni racconti secondo le linee nazionali. Per esempio, all'interno del periodo prima della guerra, la storia dell'arte francese si dispiega attraverso la scultura figurativa, la pittura fauvista, il collage cubista e gli oggetti surrealisti, mentre quella tedesca è tracciata nei termini di pittura espressionista, fotomontaggio dadaista, design Bauhaus e pittura e fotografia della Nuova oggettività. L'avanguardia russa è seguita dai suoi primi esperimenti con le nuove forme e i nuovi materiali, attraverso il suo coinvolgimento diretto nella trasformazione politica, fino alla sua finale soppressione sotto Stalin. Nel frattempo gli artisti inglesi e americani sono seguiti nella loro ambivalente oscillazione tra le esigenze degli idiomi nazionali e l'attrazione per lo stile internazionale.

Come alternativa a tali racconti nazionali, il lettore può tracciare sviluppi transnazionali. Per esempio, sempre all'interno dello stesso periodo prima della guerra, si può mettere a fuoco il fascino degli oggetti tribali, l'emergere della pittura astratta o la diffusione di un linguaggio costruttivista delle forme. Le diverse incarnazioni del Dadaismo da Zurigo a New York o il vario impegno di artisti modernisti nel design possono essere paragonati tra loro. Più in generale si possono raggruppare capitoli che trattano il grande esperimento del modernismo in quanto tale, o che discutono le reazioni violente contro questa idea, soprattutto nei regimi totalitari. Ministorie di diversi media possono essere prodotte non solo per quanto riguarda le forme tradizionali della pittura e della scultura, ma anche secondo le nuove modalità particolari dell'arte del XX e XXI secolo, come il collage e il montaggio, l'oggetto trovato e il readymade, il cinema e il video e le tecnologie digitali. Per la prima volta una discussione sulla fotografia – sia del suo sviluppo sia come forza che trasforma radicalmente gli altri media – è ricostruita nel testo.

Un terzo approccio può raggruppare capitoli collegati per interessi tematici, all'interno dei periodi prima o dopo la guerra, o passando dall'uno all'altro. Per esempio l'impatto dei mass-media sull'arte moderna può venire valutato dal *Primo manifesto futurista*, pubblicato in un giornale a grande tiratura come *Le Figaro*, nel 1909, attraverso la critica situazionista della cultura consumista in Francia dopo la Seconda guerra mondiale, fino alla figura dell'artista come celebrità ai nostri giorni e all'uso dell'avatar come strategia artistica. Allo stesso modo le istituzioni che hanno formato l'arte del XX secolo possono venire analizzate sia da molto vicino sia a volo d'uccello. Per esempio si può passare in rassegna la scuola principale del design modernista, il Bauhaus, dalle sue incarnazioni tra le due guerre in Germania alla sua vita ulteriore negli Stati Uniti. Oppure si può seguire la storia delle esposizioni, dai Salon parigini prima della Prima guerra mondiale, passando per le mostre propagandistiche del 1937 (compresa *Arte degenerata* voluta dai nazisti), fino alle forme di esposizione dirompente del dopoguerra e alle grandi panoramiche internazionali (come *Documenta* 5 nel 1972 in Germania). Il complesso rapporto tra arte e politica nel XX e XXI secolo può venir studiato attraverso ogni capitolo. Si può disegnare un approccio attraverso letture per ogni argomento come il rapporto tra avanguardie di prima e dopo la guerra, o tra modelli artistici modernisti e postmodernisti.

Insieme a tali racconti di forme e temi, altri sottotesti nella storia dell'arte del XX e XXI secolo possono essere fatti emergere. Particolarmente importanti per gli autori sono i metodi teorici che hanno strutturato le molteplici pratiche di questa arte. Uno degli approcci è la critica psicanalitica, incentrata sugli effetti soggettivi dell'opera d'arte. Un altro metodo è la storia sociale dell'arte, che si occupa dei contesti sociali, politici ed economici. Un terzo cerca di chiarire la struttura interna dell'opera – non solo come è *fatta* (nella versione formalista di questo approccio), ma anche come *significa* (nella sua versione strutturalista). Infine, il poststrutturalismo è spiegato per criticare la descrizione strutturalista della comunicazione come trasmissione neutra di un messaggio. Per i poststrutturalisti tale trasmissione (che sia in università o in una galleria d'arte) non è mai neutra, ma stabilisce sempre qual è la persona che ha il "diritto" di parlare. Vari capitoli presentano applicazioni di questi quattro metodi al lavoro, soprattutto quando il loro sviluppo è legato a quello dell'arte in questione. Per ogni metodo critico viene anche fornita un'introduzione che abbozza la sua storia e ne definisce i termini, mentre un quinto considera l'impatto della globalizzazione sulla pratica dell'arte e della storia dell'arte.

Come ci si può aspettare, questi metodi talvolta si scontrano: la focalizzazione soggettiva della critica psicanalitica, l'enfasi contestuale della storia sociale dell'arte, l'interesse specifico dell'approccio formalista e strutturalista e l'attenzione post-strutturalista sul "diritto di parlare" dell'artista non possono essere facilmente conciliati tra loro. In questo libro queste tensioni non vengono mascherate da una storia ininterrotta unificata da un'unica voce; sono invece drammatizzate dai cinque autori, ognuno dei quali ha una diversa fedeltà a questi metodi. A questo riguardo *Arte dal 1900* è "dialogico", nel senso dato a questo termine dal teorico russo Michail Bachtin: ogni atto discorsivo è strutturato dalle posizioni a cui si confronta, come risposta agli altri interlocutori a cui si oppone o che cerca di convincere. I segni di questo dialogo sono molteplici nel libro. Essi appaiono nei diversi tipi di prospettiva che un autore può privilegiare di volta in volta, o nei diversi modi con cui uno stesso soggetto – vedi l'astrattismo – può essere trattato da varie voci. La conversazione è supportata inoltre da riferimenti incrociati che agiscono come indicatori di intersezioni tra i capitoli. Questo "intertesto" non solo permette a due diverse posizioni di coesistere, ma anche, forse in rapporto alla terza prospettiva fornita dal lettore, li lega dialetticamente.

Naturalmente nuovi orientamenti comportano nuove omissioni. Alcuni artisti e movimenti, argomento di altri libri, sono trattati poco qui e ogni lettore troverà dolorose esclusioni – e questo per ognuno dei quattro autori. Ma siamo anche convinti che la ricchezza del dialogo, così come illumina diverse sfaccettature dei dibattiti, lotte, scoperte e ritorni dell'arte del XX e XXI secolo, compensa almeno un poco le parti della storia che sono state trascurate. Il nostro uso delle sintesi che introducono ogni capitolo riconosce sia la forza che la debolezza del nostro approccio globale, per cui questa forma telegrafica può essere vista sia come mero segnale di un evento complesso – da cui è dunque estratto – sia come segno emblematico della complessità stessa della storia di cui è il precipitato evocativo.

Gli autori desiderano riconoscere la precedenza della struttura pedagogica anticipata in *A New History of French Literature* di Denis Hollier e la sua importanza per questo testo. È oggi pratica diffusa – nell'editoria, nell'insegnamento e nella prassi curatoriale – dividere l'arte del XX secolo in due parti separate dalla Seconda guerra mondiale. Diamo atto a questa tendenza e allo stesso tempo crediamo che un argomento cruciale per ogni storia dell'arte sia il dialogo complesso tra avanguardie di prima e dopo la guerra. Per raccontare questa storia è necessario restituire nello stesso tempo l'intero sviluppo del XX secolo. Del resto tale panorama è essenziale anche per molte altre storie a cui abbiamo qui dato voce.

Hal Foster
Rosalind Krauss
Yve-Alain Bois
Benjamin H. D. Buchloh
David Joselit

Introduzioni

In queste cinque introduzioni gli autori di *Arte dal 1900* espongono alcuni dei metodi teorici di interpretazione dell'arte del XX e XXI secolo. Ciascuno di loro descrive lo sviluppo storico di una particolare metodologia e spiega la sua rilevanza per la produzione e la ricezione dell'arte del periodo.

Gli ultimi cento anni sono stati segnati da grandi cambiamenti nei dibattiti sia privati che pubblici sull'arte, la sua natura e le sue funzioni. Questi cambiamenti vanno inquadrati anche nei termini delle altre storie: l'emergere di nuove discipline accademiche fa coesistere nuovi modi di pensare e di parlare intorno alla produzione culturale con nuovi modi di espressione.

Abbiamo scritto le introduzioni metodologiche che seguono per identificare e analizzare le diverse convenzioni, approcci e progetti intellettuali che sottendono il nostro progetto nel suo insieme. La nostra intenzione è stata quella di presentare i diversi contesti teorici che si possono ritrovare nel libro e spiegare il loro rapporto con le opere e le pratiche discusse nei singoli capitoli. Per questa ragione, ogni introduzione inizia con una sintesi della modalità critica, situandola con precisione nel suo contesto storico e intellettuale, prima di procedere a una breve discussione della sua importanza per la produzione e interpretazione dell'arte. Sia che queste introduzioni vengano lette come saggi autonomi, sia insieme ad altri testi che trattano, le singole modalità critiche daranno forma e svilupperanno la comprensione così che ogni lettore potrà elaborare un approccio personale al libro e all'arte del periodo trattato.

1 La psicanalisi nel modernismo e come metodo

1 • Hannah Höch, *Quella dolce, da un museo etnografico*, 1926 ca.
Fotomontaggio con acquarello, 30 x 15 cm

In questo collage – di una serie che combina fotografie trovate di scultura tribale e donne moderne – Höch gioca su associazioni in atto nella teoria psicanalitica e nell'arte modernista: idee del "primitivo" e del sessuale, delle altre razze e dei desideri inconsci. Sfrutta queste associazioni per suggerire il potere della "Donna nuova", ma sembra anche schernirle, facendo letteralmente a pezzi le immagini, smontandole e ricostruendole, esponendole come costruzioni.

La psicanalisi è stata sviluppata da Sigmund Freud (1856-1939) e dai suoi seguaci come una "scienza dell'inconscio" nei primi anni del XX secolo, nello stesso momento in cui sorgeva l'arte modernista. Come per altri metodi interpretativi presentati in queste introduzioni, la psicanalisi condivide con l'arte modernista uno sfondo storico e si interseca con essa in vari modi lungo tutto il XX secolo. Per prima cosa, gli artisti hanno attinto direttamente dalla psicanalisi – talvolta per esplorare visivamente le sue idee, come spesso nel Surrealismo degli anni Venti e Trenta, e talaltra per criticarle teoricamente e politicamente, come sovente nel femmi- ▲ nismo degli anni Settanta e Ottanta. In secondo luogo, la psicanalisi e l'arte modernista hanno condiviso diversi interessi, come il fascino delle origini, dei sogni e delle fantasie, del "primitivo", del bambino e del malato di mente, e più recentemente dei meccanismi ● della soggettività e della sessualità, per fare solo qualche esempio [**1**]. In terzo luogo, molti termini psicanalitici sono entrati nel vocabolario di base dell'arte e della critica del XX e XXI secolo (come rimozione, sublimazione, feticismo, sguardo). Qui voglio concentrarmi sui legami storici e sulle applicazioni metodologiche, e agganciarmi, quando è il caso, ai capitoli in cui sono discussi.

Collegamenti storici con l'arte

La psicanalisi emerse nella Vienna di artisti come Gustav Klimt, ■ Egon Schiele e Oscar Kokoschka, durante il declino dell'Impero austro-ungarico. Con la secessione di questi artisti dall'Accademia, questo fu il tempo della rivolta edipica nell'arte avanzata, con esperimenti pittorici soggettivi che hanno attinto dai sogni regressivi e dalle fantasie erotiche. La Vienna borghese non tollerò tali esperimenti, perché suggerivano una crisi della stabilità dell'io e delle istituzioni sociali, una crisi che Freud era pronto ad analizzare.

Questa crisi non fu specifica solo di Vienna; per quanto riguarda la sua rilevanza per la psicanalisi, fu forse ancor più evidente nell'attrazione per le cose "primitive" dei modernisti in Francia e in Germania. Per alcuni artisti questo "primitivismo" comportò un "andare all'origine" del tipo realizzato da Paul ◆ Gauguin nei Mari del Sud. Per altri fu incentrato sulla revisione formale delle convenzioni occidentali della rappresentazione, come quella intrapresa, con l'aiuto degli oggetti africani, da Pablo

▲ 1924, 1930b, 1931a, 1942b, 1975a ● 1903, 1907, 1922, 1977b, 1987, 1994a ■ 1900a ◆ 1903

2 • Meret Oppenheim, *Oggetto* (detto anche *Colazione in pelliccia*), 1936
Tazza, piattino e cucchiaio rivestiti di pelliccia, altezza 7,3 cm

Per realizzare quest'opera Meret Oppenheim ha semplicemente ricoperto una tazza, un piattino e un cucchiaio comprati a Parigi con la pelliccia di una gazzella cinese. Mescolando attrazione e repulsione, quest'opera sgradevole è la quintessenza del Surrealismo, perché adatta il dispositivo dell'oggetto trovato per esplorare l'idea di "feticcio", che la psicanalisi intende come un oggetto improbabile investito di un potente desiderio deviato dal suo vero fine. Qui l'apprezzamento dell'arte non è più materia di disinteressata conversazione all'ora del tè, essa è sfrontatamente interrotta da un'oscena allusione ai genitali femminili, che ci costringe a pensare al rapporto tra estetica ed erotismo.

3 • André Masson, *Figura*, 1927
Olio e sabbia, 46 x 33 cm

Nella pratica surrealista della "scrittura automatica" l'autore, libero dal controllo razionale, "opera sotto dettatura" del suo inconscio. L'uso da parte di André Masson di strani materiali e segni gestuali, che talvolta quasi dissolvono la distinzione tra figura e sfondo, propose un metodo per perseguire l'"automatismo psichico", aprendo la pittura a nuove esplorazioni non solo dell'inconscio ma anche della forma e del suo opposto.

▲ Picasso e Henri Matisse a Parigi. Quasi tutti i modernisti proiettarono sulle popolazioni tribali una purezza di visione artistica che venne associata alla semplicità della vita istintiva. Questa proiezione è la fantasia primitivista *par excellence* e la psicanalisi vi partecipò fornendo dei modi per interrogarla (così Freud vide le popolazioni tribali come in qualche modo fissate agli stadi preedipici o infantili).

Per quanto strano possa sembrare oggi, per alcuni modernisti l'interesse per gli oggetti tribali proseguì in quello per l'arte dei bambini e dei malati di mente. A questo riguardo, *L'attività plastica dei malati di mente*, una collezione di opere di psicotici presentata ● nel 1922 dallo psichiatra tedesco Hans Prinzhorn (1886-1933), fu di particolare importanza per artisti come Paul Klee, Max Ernst e Jean ■ Dubuffet. La maggior parte dei modernisti (fra)intese l'arte dei malati di mente come una parte segreta dell'avanguardia artistica, direttamente espressiva dell'inconscio e sfida radicale alle convenzioni. Gli psicanalisti svilupparono una comprensione più complessa delle rappresentazioni paranoiche come proiezioni della ricerca di un ordine assoluto e disperato, e delle immagini schizofreniche come sintomi di radicale autodislocazione. Queste stesse interpretazioni avevano il loro parallelo nell'arte modernista.

Una linea importante di collegamento corre dall'arte dei malati di mente, attraverso i primi collage di Ernst, alla definizione del Surrealismo come "accostamento di due realtà più o meno diverse", come la ◆ presentò il suo leader André Breton **[2]**. La psicanalisi influenzò il Surrealismo nelle sue concezioni dell'immagine come una sorta di sogno, a sua volta inteso da Freud come una distorta scrittura per immagini di un desiderio deviato, e dell'oggetto come una sorta di sintomo, che Freud intese come un'espressione corporea di un desiderio rimosso; ma ci sono molte altre affinità. Tra i primi a studiare Freud, i surrealisti cercarono di simulare gli effetti della follia nella scrittura automatica e nell'arte **[3]**. Nel suo primo *Manifesto del Surrealismo* (1924) Breton descrisse il Surrealismo come un "automatismo psichico", una scrittura liberatrice delle pulsioni inconsce "in assenza di ogni controllo esercitato dalla ragione". Ebbene, proprio qui emerge un problema che ha segnato il rapporto tra

▲ 1903, 1907 ● 1922 ■ 1946 ◆ 1924, 1930b, 1931a, 1942b

4 • Karel Appel, *Una figura*, 1953
Olio e matite colorate su carta, 64,5 x 49 cm

Dopo la Seconda guerra mondiale persistette un interesse per l'inconscio tra artisti come il pittore olandese Karel Appel, membro di Cobra (acronimo per le città di provenienza degli artisti del gruppo: Copenaghen, Bruxelles, Amsterdam); allo stesso tempo la questione della psiche fu ridisegnata dagli orrori dei campi di concentramento e della bomba atomica. Come altri gruppi, Cobra giunse a rifiutare l'inconscio freudiano esplorato dai surrealisti come troppo individualistico: come parte di una svolta generale verso la nozione di "inconscio collettivo" sviluppata da Carl Jung, gli artisti di Cobra indagarono le figure totemiche, i temi mitici e i progetti di collaborazione in una ricerca spesso angosciata non solo di un "uomo nuovo" ma anche di una nuova società.

psicanalisi e arte fino ad oggi: o il legame tra psiche e opera d'arte è posto come troppo diretto e immediato, con il risultato che si perde la specificità dell'opera, o come troppo conscio e calcolato, come se la psiche potesse semplicemente essere illustrata dall'opera. (Anche gli altri metodi in queste introduzioni affrontano problemi di mediazione e di causalità che in realtà permeano tutta la critica e la storia dell'arte.) Benché Freud sapesse poco di arte modernista (il suo gusto era conservatore e la sua collezione andava dall'arte antica a quella asiatica), la conosceva abbastanza da essere sospettoso nei confronti di entrambe le tendenze. Ai suoi occhi l'inconscio non era liberatorio – al contrario – e proporre un'arte libera dalla repressione, o almeno dalle convenzioni, significava rischiare la psicopatologia, o pretendere di farlo in nome dell'arte psicanalitica (questa la ragione per cui definì i surrealisti degli "assoluti psicolabili").

Comunque, dall'inizio degli anni Trenta l'associazione di una parte dell'arte modernista con i "primitivi", i bambini e i malati di mente era in atto, come lo era la sua affinità con la psicanalisi. Allo stesso tempo però questi collegamenti arrivarono anche nelle mani dei nemici, nel modo più catastrofico in quelle dei nazisti, ▲ che nel 1937 vollero sbarazzare il mondo da questi abomini "degenerati", che condannarono anche come "ebrei" e "bolscevichi". Certo, il nazismo fu un'orrenda regressione e gettò un drappo funebre sulle esplorazioni dell'inconscio ben oltre la Seconda guerra mondiale. Le diverse varietà di Surrealismo si protrassero comunque nel dopoguerra e un certo interesse per l'inconscio persistette tra gli artisti associati all'Informale, all'Espressionismo ● astratto e a Cobra **[4]**. Però, invece dei difficili meccanismi della psiche individuale esplorati da Freud, l'attenzione si spostò sugli archetipi redentivi di un "inconscio collettivo" immaginato dallo psichiatra svizzero Carl Jung (1875-1961), un vecchio apostata della psicanalisi. (Per esempio, Jackson Pollock trovò nell'analisi junghiana delle tematiche che influenzarono la sua pittura.)

Almeno in parte per reazione alla retorica soggettiva dell'Espressionismo astratto, molta arte degli anni Sessanta fu decisamente antipsicologica, interessata invece alle immagini ■ culturali readymade, come la Pop art, o alle forme geometriche date, come il Minimalismo. Allo stesso tempo, nel coinvolgimento dell'arte minimalista, processuale e performativa con la fenomenologia ci fu una riapertura al soggetto corporeo che preparò ◆ quella al soggetto psicologico nell'arte femminista. Quest'ultimo coinvolgimento però fu ambiguo, perché anche se le femministe usarono la psicanalisi, lo fecero soprattutto in funzione critica, "come un'arma" (secondo il grido di battaglia della regista Laura Mulvey) diretta contro l'ideologia patriarcale che segnava anche la psicanalisi. Freud infatti aveva associato la femminilità alla passività e nella sua famosa analisi del complesso d'Edipo, un nodo di rapporti in cui il bambino si pensa che desideri la madre finché viene minacciato dal padre, non c'è uno scioglimento parallelo per la bambina, come se nel suo schema le donne non potessero raggiungere la piena soggettività. Jacques Lacan (1901-81), lo psicanalista francese che propose un'importante interpretazione di Freud, identificò la donna come tale con la mancanza rappre-

▲ 1937a ● 1946, 1947b, 1949a, 1949b, 1957a ■ 1960c, 1964b, 1965 ◆ 1969, 1974, 1975a, 1977b

5 • Barbara Kruger, *Il tuo sguardo colpisce un lato della mia faccia*, 1981
Riporto fotografico su vinile, 139,7 x 104,1 cm

La psicanalisi aiutò alcune artiste femministe negli anni Ottanta a criticare le strutture di potere non solo dell'arte alta ma anche della cultura di massa: particolare attenzione fu rivolta a come le immagini in entrambe le sfere sono strutturate per uno spettatore maschio eterosessuale, per uno "sguardo maschile" autorizzato al piacere di guardare, con le donne perlopiù figuranti come oggetti passivi di questo sguardo. Nelle sue opere di quel periodo, l'artista americana Barbara Kruger giustappose immagini trovate e frasi critiche (talvolta cliché rovesciati di senso) per interrogare questa reificazione, mettere le donne nel posto dello spettatore e aprire lo spazio ad altri modi di fare e guardare immagini.

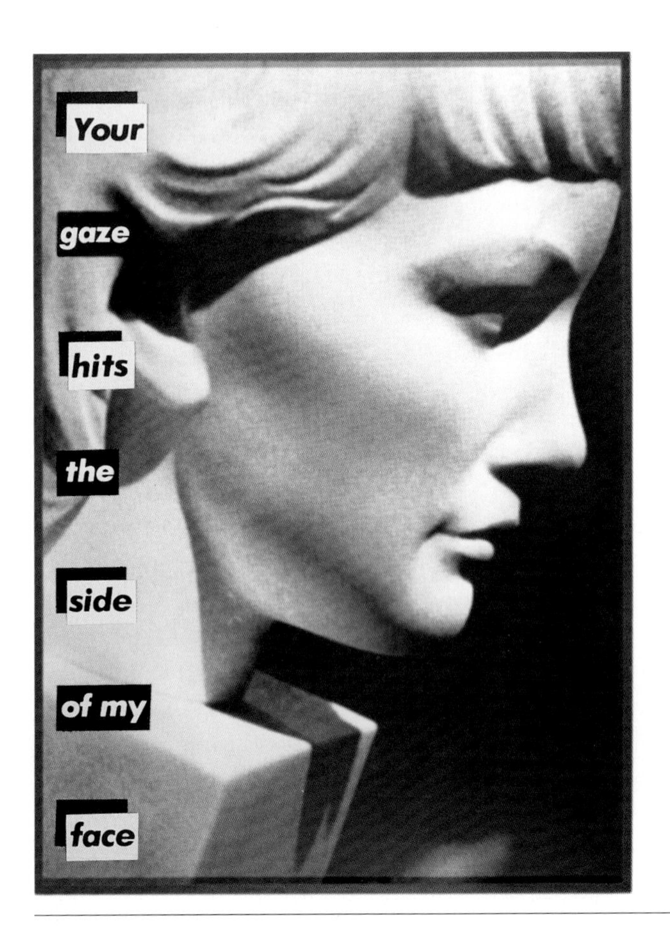

sentata dalla castrazione. Per molte femministe tuttavia Freud e Lacan hanno comunque fornito analisi efficaci della formazione del soggetto nell'ordine sociale. Se non esiste una femminilità naturale, sostennero queste femministe, allora non esiste neppure un patriarcato naturale, ma solo una cultura storica adattata alla struttura psichica, ai desideri e alle angosce, del maschio eterosessuale, e perciò vulnerabile alla critica femminista **[5, 6]**. Infatti alcune femministe hanno insistito che la marginalità stessa delle donne rispetto all'ordine sociale, come l'ha descritta la psicanalisi stessa, le pone come sue critiche più radicali. Negli anni Novanta questa analisi fu estesa da artisti e critici gay e lesbiche che volevano smascherare il lavoro psichico dell'omofobia, così come dagli autori ▲ postcoloniali per svelare la posizione razzista delle altre culture.

Approcci alternativi a Freud

Naturalmente si possono criticare Freud e Lacan e tuttavia rimanere nell'orbita della psicanalisi. Gli artisti e i critici hanno avuto affinità anche con altre scuole, soprattutto con la psicanalisi dei "rapporti con l'oggetto" associata a Melanie Klein (1882-1960) e D. W. Winnicott (1896-1971) in Gran Bretagna, che influenzarono studiosi di estetica come Adrian Stokes (1902-72) e Anton Ehrenzweig (1909-66) e, indirettamente, la ricezione di artisti come ● Henry Moore e Barbara Hepworth. Dove Freud vedeva stadi preedipici (orale, anale, fallico, genitale) che il bambino attraversa, Klein vedeva posizioni che rimangono aperte nella vita adulta. Nel suo resoconto queste posizioni sono dominate dalle fantasie originarie del bambino, che comportano aggressione violenta dei genitori così come ansia depressiva per queste stesse aggressioni, con un'oscillazione tra visioni di distruzione e di riparazione.

Per alcuni critici questa psicanalisi corrispose a una parziale svolta nell'arte degli anni Novanta, cioè al passaggio dal rapporto ■ del desiderio sessuale con l'ordine sociale all'interesse per le pulsioni corporee in rapporto alla vita e alla morte. Dopo la moratoria sulle immagini di donne nell'arte femminista degli anni Settanta e Ottanta, le nozioni kleiniane influenzarono un modo di intendere questa riapparizione del corpo spesso in forma martoriata. Un fascino per il trauma, sia personale che collettivo, rafforzò questo interesse per il corpo "abietto", che portò artisti e critici a interessarsi anche degli ultimi testi della psicanalista francese Julia Kristeva (nata nel 1941). Certo, i fattori sociali – l'epidemia diAids ◆ soprattutto – hanno influenzato quest'estetica del lutto e della malinconia. Oggi la psicanalisi rimane una fonte per la critica d'arte, ma il suo ruolo nel fare arte è lungi dall'essere chiaro.

Livelli di critica freudiana

La psicanalisi è emersa dal lavoro clinico, dall'analisi dei sintomi dei pazienti reali (si discute molto sul modo in cui Freud ha maneggiato questo materiale, compresi sogni suoi) e il suo uso nell'interpretazione dell'arte porta i segni sia delle forze che delle debolezze di questa fonte. Innanzitutto vi è l'interrogativo basilare

▲ 1977b, 1989, 1993c, 1994a ● 1989, 1993c, 1994a ■ 1994a ◆ 1987

di chi e che cosa debba occupare la posizione del paziente: l'opera, l'artista, lo spettatore, il critico, o qualche combinazione o rapporto tra loro. Poi viene la complessa questione dei livelli di un'interpretazione freudiana dell'arte, che sintetizziamo in tre: interpretazioni simboliche, resoconti di processi e analogie con la retorica.

I primi tentativi della critica freudiana furono dominati dalle interpretazioni simboliche dell'opera d'arte, come se fosse un sogno ad essere decodificato secondo un messaggio latente sotto un contenuto manifesto: "Questa non è una pipa, è un pene". Questo genere di critica è complementare a un tipo di arte che traduce un sogno o una fantasia in termini pittorici: l'arte allora diventa la codifica di un indovinello, la critica la sua decifrazione e l'intero esercizio è illustrativo e circolare. Benché Freud avesse subito sottolineato che i sigari spesso sono sigari, ha anche praticato questo tipo di decifrazione, che si adatta altrettanto bene al metodo tradizionale della storia dell'arte noto come "iconografia" – un'interpretazione dei simboli in un dipinto che si rifà ai testi –, un metodo che la maggior parte dell'arte modernista lavorò a frustrare (attraverso l'astrattismo, le tecniche del caso e così via). A questo riguardo lo storico italiano Carlo Ginzburg ha dimostrato un'affinità epistemologica tra psicanalisi e storia dell'arte basata sulla cultura dell'intenditore, perché entrambi i discorsi riguardano il tratto sintomatico o il dettaglio espressivo (cioè un gesto idiosincratico) che può rivelare allo psicanalista un conflitto nascosto nel paziente e all'intenditore l'attribuzione dell'opera a un artista In tali interpretazioni l'artista è la fonte ultima a cui i simboli puntano: l'opera è presa come espressione sintomatica e usata come tale in analisi. Così, nel suo studio del 1910 intitolato *Un ricordo d'infanzia di Leonardo da Vinci,* Freud ci portava dai sorrisi enigmatici della *Gioconda* e delle Vergini Marie a supporre nell'artista un ricordo riguardante la madre perduta. In questo modo Freud e i suoi seguaci cercarono segni di disturbi psichici in arte. Questo non significa che Freud vede l'artista come uno psicopatico, infatti sostiene che l'arte è un modo per evitare tale condizione. "L'arte libera l'artista dalle sue fantasie", commenta la filosofa francese Sarah Kofman, "proprio in quanto 'creazione artistica' aggira la nevrosi e sostituisce il trattamento psicanalitico". È però vero che tale critica freudiana tende alla "psicobiografia", cioè a disegnare un profilo dell'artista in cui la storia dell'arte è rimodellata come caso di studio psicanalitico.

Se le interpretazioni simboliche e i racconti psicobiografici posso essere riduttivi, il pericolo può essere mitigato se si fa attenzione ad altri aspetti di Freud. Nella maggior parte dei casi Freud intende il segno meno come simbolico – nel senso di direttamente espressivo di un senso, di un significato o di una realtà – che come sintomatico, cioè una sorta di emblema allegorico in cui desiderio e rimozione sono intrecciati. Inoltre egli non vede l'arte come una semplice revisione di ricordi o fantasie preesistenti; tra l'altro, può essere anche, come suggerisce Kofman, "un 'sostituto' originario" di tali scene, attraverso cui veniamo a conoscerle *per la prima volta* (è quello che fa Freud nel suo studio su Leonardo). Infine la psicobiografia è messa produttivamente in dubbio dal fatto stesso che il resoconto psicanalitico dell'inconscio, dei suoi effetti di scissione,

6 • Lynda Benglis, *Senza titolo*, 1974 (dettaglio)
Fotografia a colori, 25 x 26,5 cm

Con il sorgere del femminismo negli anni Sessanta e Settanta, alcune artiste attaccarono le gerarchie patriarcali non solo nella società in generale ma nel mondo dell'arte in particolare: la psicanalisi figurò sia come arma – perché offriva intuizioni profonde sul rapporto tra sessualità e soggettività – sia come bersaglio – perché tendeva ad associare le donne non solo alla passività ma anche alla mancanza. In questa fotografia, usata in una celebre pubblicità di una mostra, l'artista americana Lynda Benglis schernì gli atteggiamenti da macho di alcuni artisti minimalisti e postminimalisti, così come il crescente marketing dell'arte contemporanea; allo stesso tempo afferra il "fallo" in un modo che letteralizza la sua associazione con la pienezza e il potere e insieme lo parodizza.

pone anche ogni intenzionalità – ogni autorialità, ogni biografia – in dubbio produttivo.

La critica freudiana non riguarda soltanto la decodifica simbolica di significati nascosti, la semantica della psiche; meno ovviamente è anche impegnata nelle dinamiche di questi processi, nella comprensione delle energie sessuali e delle forze inconsce che operano nel fare e nel guardare l'arte. A questo secondo livello dell'interpretazione psicanalitica Freud rivede il vecchio concetto filosofico di "gioco estetico" secondo la sua nozione di "principio di piacere", che in *Precisazioni sui due principi dell'accadere psichico* (1911) ha definito in opposizione al "principio di realtà":

L'artista è originariamente un uomo [sic] che si distacca dalla realtà giacché non riesce ad adattarsi alla rinuncia al soddisfacimento pulsionale che la realtà inizialmente esige, e lascia che i suoi desideri di amore e di gloria si realizzino nella vita della fantasia. Egli trova però la via per ritornare dal mondo della fantasia alla realtà, poiché grazie alle sue doti particolari trasfigura le sue fantasie in una nuova specie di "cose vere", che vengono fatte valere dagli uomini come preziose immagini riflesse della realtà. Così in certo modo egli diventa davvero l'eroe, il sovrano, il creatore, il prediletto che bramava diventare, e questo senza percorrere la faticosa e tortuosa via della trasformazione effettiva del mondo esterno. Può tuttavia raggiungere un tale risultato soltanto perché altri uomini provano la sua stessa insoddisfazione per la rinuncia imposta dalla realtà, e perché dunque questa insoddisfazione che risulta dal fatto che il principio di piacere è stato sostituito dal principio di realtà è essa stessa parte del reale.

Tre anni prima, in *Il poeta e la fantasia* (1908), Freud si era interrogato su come l'artista vince la nostra resistenza nei confronti di questa attività che potremmo altrimenti definire solipsistica, se non semplicemente inappropriata:

[Il poeta] ci seduce mediante il godimento puramente formale, e cioè estetico, che egli offre nella presentazione delle sue fantasie. Tale godimento, che ci viene offerto per rendere con esso possibile la liberazione, da fonti psichiche più profonde, di un piacere maggiore, può esser detto premio di seduzione o piacere preliminare. Io sono convinto che [...] il vero godimento dell'opera poetica provenga dalla liberazione di tensioni nella nostra psiche.

Rivediamo alcuni (pre)concetti di queste affermazioni. Prima di tutto l'artista evita alcune delle "rinunce" che il resto di noi accetta e indulge in alcune fantasie di cui noi ci dobbiamo privare. Ma noi non gliene vogliamo per questa sua esenzione per tre ragioni: le sue finzioni riflettono comunque delle realtà; sono nate dalla stessa insoddisfazione che proviamo anche noi; siamo sedotti dal godimento che proviamo nella soluzione delle tensioni formali dell'opera, godimento che ci fa attingere alle fonti più profonde del piacere nella soluzione delle nostre tensioni psichiche interne. Si noti che per Freud l'arte nasce dal distacco dalla realtà, come dire che è essenzialmente conservatrice in rapporto all'ordine sociale, piccola compensazione estetica per la rinuncia istintuale. Forse questa è un'altra ragione per cui era sospettoso nei confronti dell'arte modernista, così interessata a non "sublimare" le energie istintuali, cioè a non deviarle dagli scopi sessuali alle forme culturali, ma ad andare nella direzione opposta, quella di "desublimare" le forme culturali e aprirle a quelle forze destrutturanti.

Sogni e fantasie

Mentre la semantica dell'interpretazione simbolica può essere troppo particolare, questo interesse per le dinamiche del processo estetico può essere troppo generale. Un terzo livello di critica freudiana può evitare entrambi gli estremi: l'analisi della retorica dell'opera d'arte in analogia con produzioni visive della psiche quali i sogni e le fantasie. Di nuovo, Freud comprese il sogno come un compromesso tra un desiderio e la sua rimozione. Questo compromesso è negoziato dal "lavoro onirico", che traveste il desiderio, per ingannare la rimozione, attraverso la "condensazione" di alcuni suoi aspetti e lo "spostamento" di altri. Il lavoro onirico allora trasforma i frammenti distorti in immagini visive con un occhio alle "condizioni di rappresentabilità" in sogno e infine rivede (è l'"elaborazione secondaria") le immagini per assicurare che stiano unite in un racconto. Questa retorica delle operazioni può essere applicata alla produzione di immagini – così pensarono i surrealisti – ma con ovvi pericoli per simili analogie. Anche quando Freud e i suoi seguaci scrissero di arte (o di letteratura), erano interessati a dimostrare dei punti della teoria psicanalitica e solo secondariamente a comprendere gli oggetti della pratica artistica, cosicché nel loro discorso non mancarono applicazioni forzate.

C'è un altro problema più profondo a proposito delle analogie tra psicanalisi e arte visiva. Con il suo primo collega Josef Breuer (1842-1925) Freud fondò la psicanalisi come "cura della parola". L'innovazione tecnica della psicanalisi fu quella di fare attenzione al *linguaggio* sintomatico, non solo dei sogni come forma di scrittura ma anche dei lapsus, delle "associazioni libere" dei pazienti e così via. Inoltre, per Freud la cultura era essenzialmente un'elaborazione dei desideri in conflitto radicati nel complesso d'Edipo, elaborazione che è primariamente narrativa, benché non sia chiaro come la narrazione possa esprimersi in forme statiche come la pittura, la scultura e il resto. Queste sottolineature rendono la psicanalisi inadatta alle questioni dell'arte visiva. Inoltre l'interpretazione lacaniana di Freud è ancora più linguistica; il suo celebre motto – "l'inconscio è strutturato come un linguaggio" – significa che i processi psichici di condensazione e spostamento sono strutturalmente identici ai tropi linguistici della "metafora" e ▲ della "metonimia". Nessuna analogia con la retorica sembra tuttavia colmare la divisione categoriale tra psicanalisi e arte.

Ancora: secondo sia Freud che Lacan, gli eventi cruciali nella formazione del soggetto sono scene visive. Per Freud l'io è prima

▲ Introduzione 3

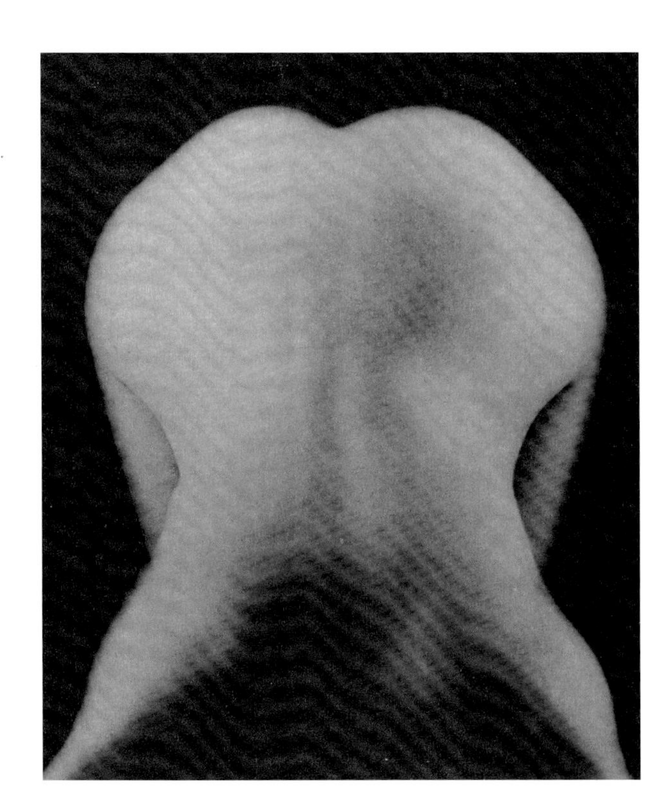

7 • Lee Miller, *Nudo piegato in avanti*, Parigi 1931 ca.
La psicanalisi è interessata alle scene traumatiche, siano reali o immaginarie, che segnano profondamente il bambino, scene in cui per esempio scopre la differenza sessuale, scene che sono spesso visive ma anche in sé dubbie. Per diverse volte nel XX secolo, artisti come i surrealisti negli anni Venti e Trenta e le femministe nei Settanta e Ottanta si sono rivolti a immagini e scenari del genere come modi per mettere in discussione gli assunti sulla visione, i punti di vista sul sesso e così via. Nella fotografia dell'artista americana Lee Miller, talvolta associata ai surrealisti, non è subito chiaro quello che vediamo: un corpo? un maschio o una femmina? O qualche altra categoria di essere, immaginare e sentire?

un'immagine del corpo, che, per Lacan nel suo famoso *Lo stadio dello specchio* (1936/49), l'infante inizialmente incontra in un riflesso che presenta una fragile coerenza, una coerenza visiva come immagine. Anche la critica psicanalitica Jacqueline Rose ci avverte a proposito della "messa in scena" di tali eventi come "momenti in cui la percezione *frana* [...] o in cui il piacere del guardare si rovescia nel registro dell'*eccesso*". I suoi esempi sono due scene traumatiche che la psicanalisi postula per il bambino. Nella prima scena il bambino scopre la differenza sessuale – le bambine non hanno il pene e perciò egli può perdere il suo –, una percezione che "frana" perché implica questa grave minaccia. Nella seconda scena è testimone del rapporto sessuale tra i genitori, che lo affascina come risposta alle domande sulla sua origine. Freud le chiamava "scene primarie" – primarie sia perché sono fondamentali sia perché riguardano le origini. Come suggerisce Rose, tali scene "dimostrano la complessità di uno spazio essenzialmente visivo" in modi che possono essere "usati come prototipi teorici per sconvolgere ancora una volta le nostre certezze" – come infatti furono usate, a diversi ▲ fini, in certa arte surrealista degli anni Venti e Trenta **[7]** e in certa arte femminista dei Settanta e Ottanta. Il punto importante è però questo: "Ogni volta l'accento cade su un problema visivo. La sessualità si trova meno nel contenuto di ciò che viene visto che nella soggettività dello spettatore". Qui è dove la psicanalisi ha dato il meglio per l'interpretazione dell'arte, modernista o meno. Il suo resoconto degli effetti dell'opera sul soggetto, sia dell'artista che dello spettatore (incluso il critico), pone infine l'opera nella posizione dell'analista ancor più che dell'analizzato.

In conclusione bisogna tener fermi due punti: considerare la psicanalisi storicamente, come un oggetto in un campo ideologico spesso condiviso dall'arte modernista, e applicarla teoricamente, come un metodo per comprendere aspetti importanti di questa arte, per descriverne parti pertinenti. Questa doppia focalizzazione ci permette di criticare la psicanalisi e insieme di applicarla. Questo progetto verrà comunque ulteriormente complicato, non solo dalle difficoltà della speculazione psicanalitica, ma anche dalle controversie che la circondano costantemente. Alcuni casi clinici di Freud e di altri furono senza dubbio manipolati e alcuni dei concetti sono contestati dalla scienza come non più validi: questi fatti inficiano la psicanalisi come metodo di interpretazione dell'arte d'oggi? Come per gli altri metodi introdotti qui, la verifica sarà nell'aderenza e nei risultati degli argomenti che ne trarremo. Qui, come il critico psicanalitico Leo Bersani ci ricorda, i nostri "momenti di collasso teorico" possono essere inseparabili da quelli di "verità psicanalitica".

ULTERIORI LETTURE:

Leo Bersani, *The Freudian Body: Psychoanalysis and Art*, Columbia University Press, New York 1986

Sigmund Freud, *Saggi sull'arte, la letteratura e il linguaggio*, trad. it. Bollati Boringhieri, Torino 1991

Sarah Kofman, *The Childhood of Art: An Interpretation of Freud's Aesthetics*, trad. ingl. Columbia University Press, New York 1988

Jean Laplanche e Jean-Bertrand Pontalis, *Enciclopedia della psicanalisi*, trad. it. Laterza, Roma-Bari 1987

Jacqueline Rose, *Sexuality in the Field of Vision*, Verso, London 1986

Hal Foster

▲ 1924, 1930b, 1931a, 1975a

2 La storia sociale dell'arte: modelli e concetti

Le recenti storie dell'arte, in particolare degli storici americani e inglesi a partire dagli anni Settanta, si rifanno a modelli critici distinti (per esempio formalismo, semiotica strutturalista, psicanalisi, storia sociale dell'arte, femminismo) assorbiti e integrati in modi vari. Questa situazione rende talvolta difficile, se non inutile, insistere su una coerenza metodologica. La complessità dei vari intrecci individuali e delle loro forme integrate indica prima di tutto la natura problematica di ogni pretesa che un singolo particolare modello venga accettato come unico valido o dominante nei processi interpretativi di storia dell'arte. Anche il nostro tentativo di integrare un'ampia varietà di posizioni metodologiche annulla il precedente rigore teorico che aveva garantito un certo grado di precisione nel processo di analisi e di interpretazione storica. Quella precisione ora sembra persa in una sempre più complessa trama di eclettismo metodologico.

Le origini delle metodologie

Tutti i modelli erano stati inizialmente formulati come tentativi di andare oltre i precedenti approcci (soggettivi) umanisti alla critica e all'interpretazione. Erano motivati dal desiderio di porre lo studio di tutti i tipi di produzione culturale (come letteratura o arti visive) su una base di metodo e di visione solidamente scientifica, invece che lasciare che la critica dipendesse dai vari approcci più o meno soggettivi della fine del XIX secolo, come i metodi biografici, psicologici o storicisti.

▲ Proprio come i primi formalisti russi fecero della struttura linguistica di Ferdinand de Saussure la matrice dei loro sforzi per comprendere la formazione e le funzioni della rappresentazione culturale, così gli storici che tentarono di interpretare opere d'arte in chiave psicanalitica cercarono di trovare una mappa della ● formazione del soggetto artistico nei testi di Sigmund Freud. Difensori di entrambi i modelli sostennero che potevano garantire una comprensione verificabile dei processi di produzione e ricezione estetica, e promisero di ancorare saldamente il "significato" dell'opera d'arte alle operazioni convenzionali del linguaggio e/o al sistema dell'inconscio, sostenendo che il significato estetico o poetico opera in modo analogo alle altre convenzioni linguistiche e strutture narrative (per esempio il racconto popolare, la fiaba) o, nei termini dell'inconscio, come nelle teorie di Freud e Jung, in modo analogo al lapsus e al sogno, al sintomo e al trauma.

La storia sociale dell'arte, fin dall'inizio nel primo decennio del XX secolo, aveva la stessa ambizione di rendere più rigorose e verificabili l'analisi e l'interpretazione dell'opera d'arte. Ancora più importante, i primi storici sociali dell'arte (studiosi marxisti come l'anglo-tedesco Francis Klingender [1907-55] e l'anglo-ungherese Frederick Antal [1887-1954]) cercarono di porre la rappresentazione culturale all'interno delle strutture di comunicazione della società, prima di tutto nel campo della produzione ideologica al sorgere del capitalismo industriale. Del resto, ispiratrice filosofica della storia sociale dell'arte era la scientificità del Marxismo stesso, una filosofia che aveva preteso fin dall'inizio non solo di analizzare e interpretare i rapporti economici, sociali e ideologici, ma anche di fare della scrittura della storia – della sua storicità – un contributo al più ampio progetto di cambiamento sociale e politico.

Questo progetto critico e analitico di storia sociale dell'arte produsse un certo numero di concetti chiave che discuterò più avanti: vorrei anche cercare di dare le loro definizioni originali e i cambiamenti seguenti che subirono, per riconoscere la sempre maggiore complessità della terminologia, che risulta in parte dalla crescente differenziazione dei concetti filosofici del pensiero marxista. Allo stesso tempo, diventerà evidente che alcuni di questi concetti chiave sono presentati non perché furono importanti nei primi anni del XX secolo, ma per la loro obsolescenza nel presente e nel passato recente. Questo perché l'efficacia metodologica di alcuni modelli di analisi è stata altrettanto sovradeterminata di quella degli altri modelli metodologici che hanno temporaneamente dominato l'interpretazione e la scrittura della storia dell'arte in diversi momenti del XX secolo.

Autonomia

▲ Il filosofo e sociologo tedesco Jürgen Habermas (nato nel 1929) ha definito la formazione della sfera pubblica borghese in generale e lo sviluppo delle pratiche culturali in questa sfera come dei processi sociali di differenziazione soggettiva che portano alla costruzione storica dell'individualità borghese. Questi processi garantiscono l'identità individuale e lo statuto storico di soggetto

▲ Introduzione 3, 1915 ● Introduzione 1 ▲ 1988

1 • John Heartfield, *Urrà, il burro è finito!*, copertina di *AIZ*, 9 dicembre 1935
Fotomontaggio, 38 x 27 cm

L'opera di John Heartfield, insieme a quella di Marcel Duchamp e El Lisickij, segna uno degli spostamenti di paradigma più importanti nell'epistemologia del modernismo del XX secolo. Riconfigurando il fotomontaggio e costruendo nuove narrazioni testuali, stabilì l'unico modello di pratica artistica come azione comunicativa nell'età della propaganda di massa. Denunciato come tale dalle ideologie intrinsecamente conservatrici dei formalisti e dei modernisti che difendevano i modelli obsoleti dell'autonomia, indicò di fatto la necessità storica di un cambiamento di pubblico e di forme di diffusione. Inevitabilmente diventò il singolare esempio più importante di contropropaganda in opposizione all'apparato mediale egemonico degli anni Trenta, l'unica voce nell'avanguardia visiva ad opporsi al sorgere del nazismo come forma di capitalismo imperialista.

autodeterminato e autoregolato. Una delle condizioni necessarie dell'identità borghese fu la capacità del soggetto di pensare l'autonomia estetica, di provare un piacere senza interesse.

Questo concetto di autonomia estetica fu tanto intrinseco alla differenziazione della soggettività borghese quanto lo fu alla differenziazione della produzione culturale secondo le sue caratteristiche tecniche e procedurali, portando alla fine all'ortodossia modernista della specificità mediale. Inevitabilmente l'autonomia servì perciò da concetto fondativo durante il primo decennio del modernismo europeo. Dal programma di Théophile Gautier dell'*art pour l'art* e dalla concezione della pittura di Édouard Manet come progetto di autoreferenzialità percettiva, l'estetica dell'autonomia culmina nella poetica di Stéphane Mallarmé negli anni Ottanta del XIX secolo. Concependo l'opera d'arte come una pura esperienza autosufficiente e autoreferenziale ▲ – definita da Walter Benjamin come una teologia dell'arte –, l'estetismo produsse nel pensiero formalista dell'inizio del XX secolo concezioni simili che sarebbero più tardi diventate la doxa dell'autoreferenzialità pittorica dei critici e storici formalisti. Queste andavano dalle interpretazioni dell'Impressionismo di Roger Fry – in particolare dell'opera di Cézanne – alle teorie neokantiane del ● Cubismo analitico di Daniel-Henry Kahnweiler, all'opera di Clement Greenberg (1909-94) nel dopoguerra. Ogni tentativo di trasformare l'autonomia in una condizione transstorica, se non addirittura ontologica, dell'esperienza estetica è tuttavia profondamente problematico. Diventa infatti evidente a un'analisi più ravvicinata che la formazione del concetto stesso di autonomia estetica era lungi dall'essere autonoma. Prima di tutto infatti l'estetica dell'autonomia è stata determinata dal contesto filosofico dell'Illuminismo (il concetto di disinteresse di Immanuel Kant [1724-1804]), mentre contemporaneamente operava in opposizione alla rigida strumentalizzazione dell'esperienza che emergeva dalla nascita della classe mercantile capitalista.

Nel campo della rappresentazione culturale, il culto dell'autonomia liberò le pratiche linguistiche e artistiche dal pensiero mitico e religioso tanto quanto le emancipò dalla necessità di adulazione politica e di dipendenza economica sotto un mecenatismo feudale rigidamente controllore. Mentre il culto dell'autonomia può essere nato con l'emancipazione della soggettività borghese dall'egemonia aristocratica e religiosa, l'autonomia vide anche le strutture teocratiche e gerarchiche di quel mecenatismo come aventi una propria realtà. L'estetica modernista dell'autonomia costituì così la sfera sociale e soggettiva dal cui interno un'opposizione contro la totalità di attività interessate e di forme strumentalizzate di esperienza poteva essere espressa in atti artistici di aperta negazione e rifiuto. Paradossalmente tuttavia questi atti di opposizione, nella loro ineluttabile condizione di eccezioni estreme delle regole universali, confermarono di fatto il regime di totale strumentalizzazione. Si potrebbe formulare il paradosso che un'estetica dell'autonomia è così la più alta forma strumentalizzata di esperienza non strumentalizzata sotto il capitalismo liberale borghese.

▲ 1935 ● 1906, 1911, 1942a, 1960b

2 • El Lisickij e Sergej Senkin, *Il compito della stampa è l'educazione delle masse*, 1928
Fregio fotografico per l'esposizione internazionale *Pressa*, Colonia

Come Heartfield, El Lisickij trasformò l'eredità del collage e del fotomontaggio secondo le necessità di una nuova collettività industrializzata. Soprattutto nel nuovo tipo di progettazione dell'allestimento, che sviluppò negli anni Venti in opere come il padiglione sovietico per l'esposizione internazionale *Pressa*, diventò evidente che Lisickij era uno dei primi (e pochi) artisti degli anni Venti e Trenta a comprendere che gli spazi d'architettura pubblica (cioè di ricezione collettiva simultanea) e lo spazio di pubblica informazione erano collassati in nuovi spazi della sfera della cultura di massa. Perciò Lisickij, esemplare "artista-produttore", come Walter Benjamin definì il nuovo ruolo sociale dell'artista, pose la sua pratica all'interno degli stessi parametri e modi di produzione di una nascente sfera pubblica proletaria.

Lo studio della fase critica dell'estetica dell'autonomia del XIX secolo, da Manet a Mallarmé, riconoscerebbe che questo paradosso è la struttura formativa reale stessa del loro genio pittorico e poetico. Entrambi definiscono la rappresentazione modernista come forma avanzata di critica autoreferenziale e definiscono il loro artificio ermetico assimilandolo e opponendolo alle forme emergenti di rappresentazione strumentalizzata di cultura di massa. Tipicamente, il concetto di autonomia fu formato sia dalla logica strumentale della razionalità borghese sia in opposizione ad essa, imponendo rigidamente le esigenze di quella razionalità nella sfera della produzione culturale attraverso il suo impegno di critica empirica. In questo modo un'estetica dell'autonomia contribuì a una delle trasformazioni più importanti dell'esperienza dell'opera d'arte, iniziando lo spostamento che Benjamin nei suoi saggi degli anni Trenta chiamò la transizione storica dal valore cultuale al valore espositivo. Questi saggi sono universalmente considerati testi fondativi della teoria estetica della storia sociale dell'arte.

Il concetto di autonomia servì anche a idealizzare la nuova forma di distribuzione dell'opera d'arte, ora che era diventata una merce liberamente distribuita nel mercato borghese degli oggetti e dei beni di lusso. Così l'estetica dell'autonomia fu tanto generata dalla logica capitalista della produzione di merci quanto pretese di opporvisi. Infatti il teorico marxista Theodor W. Adorno (1903-69) sostenne ancora alla fine degli anni Sessanta che l'indipendenza artistica e l'autonomia estetica potevano, paradossalmente, essere garantite solo nella struttura di merce dell'opera d'arte.

Antiestetica

Peter Bürger (nato nel 1936) ha sostenuto nel suo importante, benché problematico, saggio *Teoria dell'avanguardia* (1974), che il nuovo insieme di pratiche antiestetiche sorse nel 1913 come contestazione dell'estetica dell'autonomia. Secondo Bürger le avanguardie storiche dopo il Cubismo tentarono tutte di "integrare arte e vita" e di sfidare l'"istituzione autonoma dell'arte". Bürger vede questo progetto antiestetico come centro delle rivolte di ▲ Dadaismo, Costruttivismo russo e Surrealismo francese. Tuttavia, piuttosto che focalizzarsi su un'integrazione nebulosa di arte e vita (integrazione mai sufficientemente definita in nessun momento della storia) o su un ulteriore dibattito astratto sulla natura dell'istituzione dell'arte, sembra più produttivo concentrarsi qui sulle strategie che questi stessi avanguardisti hanno diffuso: in particolare le strategie di introdurre fondamentali cambiamenti nella concezione del pubblico e della rappresentanza, di rovesciare la gerarchia borghese di valore di scambio e valore d'uso estetico, e, cosa forse ancora più importante, di pensare le pratiche culturali in funzione di un'emergente sfera pubblica internazionale proletaria all'interno delle nazioni industriali avanzate.

Un simile approccio non solo ci permette di differenziare più adeguatamente questi progetti d'avanguardia, ma ci aiuta anche a comprendere che il sorgere di un'estetica della riproduzione tecnica (in diametrale opposizione a un'estetica dell'autonomia) emerge nello stesso periodo degli anni Venti in cui la sfera pubblica borghese comincia a venir meno. All'inizio viene sostituita dalle ● forze progressiste di una sfera pubblica proletaria (come fu nelle prime fasi dell'Unione Sovietica e della Repubblica di Weimar), per essere seguita, naturalmente, dal sorgere della sfera pubblica di ■ massa, o nelle sue versioni totalitarie fasciste e comuniste degli anni Trenta, o in quelle dei regimi del dopoguerra dell'industria culturale e dello spettacolo, emersi con l'egemonia degli Stati Uniti e la cultura largamente dipendente della ricostruzione europea.

L'antiestetica smantella l'estetica dell'autonomia a tutti i livelli: sostituisce l'originalità con la riproduzione tecnica, distrugge l'aura di un'opera e la modalità contemplativa dell'esperienza estetica mettendo al loro posto l'azione commutativa e le aspirazioni alla percezione collettiva simultanea. L'antiestetica (come l'opera di ◆ John Heartfield **[1]**) definisce le sue pratiche artistiche come temporalmente e geograficamente specifiche (invece che transstoriche), partecipative (invece che emanazione unica di una forma eccezionale di conoscenza). L'antiestetica opera inoltre come estetica ▲ utilitaria (per esempio nell'opera dei produttivisti sovietici **[2]**), ponendo l'opera d'arte in un contesto sociale dove assume una varietà di funzioni produttive, come di informazione ed educazione o di istruzione politica, servendo i bisogni di un'autocostituzione culturale per il pubblico emergente del proletariato industriale, che era stato precedentemente escluso dalla rappresentazione culturale sia al livello della produzione che a quello della ricezione.

Classe, rappresentanza e attivismo

Le premesse centrali della teoria politica marxista sono state i concetti di classe e di coscienza di classe, fattori determinanti che guidano i processi storici. Le classi servirono in diversi momenti della storia come agenti di cambiamento storico, sociale e politico (per esempio l'aristocrazia, la borghesia, il proletariato e la classe più potente del XX secolo, la *petite bourgeoisie*, paradossalmente la più dimenticata dai testi classici marxisti). È stata un'idea di Marx che la classe fosse definita da un'unica condizione cruciale: la situazione del soggetto in rapporto ai mezzi di produzione.

Così l'accesso privilegiato, o meglio il possesso e controllo dei mezzi di produzione fu la condizione costitutiva dell'identità di classe borghese alla fine del XVIII secolo e per tutto il XIX. Per contrasto, durante lo stesso periodo, le condizioni di proletarizzazione identificano quei soggetti che rimarranno per sempre economicamente, legalmente e socialmente esclusi dall'accesso ai mezzi di produzione (che comprendono naturalmente anche gli strumenti di educazione e l'acquisizione di abilità professionali avanzate).

Le questioni riguardanti il concetto di classe sono centrali per la storia sociale dell'arte, a partire dall'identità di classe dell'artista fino alla domanda se la solidarietà di classe o l'identificazione artistica con le lotte delle classi oppresse e sfruttate della modernità possa realmente fare da supporto politico dei movimenti rivoluzionari o di opposizione. I teorici politici marxisti hanno spesso guardato questo tipo di alleanza culturale con notevole scetticismo. Questa modalità di alleanza di classe ha inoltre determinato praticamente tutta la produzione artistica politicamente motivata della modernità, poiché pochissimi artisti e intellettuali, se mai ce ne sono stati, sono venuti realmente da condizioni di vita proletarie. L'identità di classe diventò ancora più complicata rispetto a come la coscienza di classe di singoli artisti si radicalizzò in certi momenti (per esempio le rivoluzioni del 1848 e del 1917 o le lotte antiimperialiste del 1968) e gli artisti assunsero posizioni di solidarietà con le classi oppresse di quei momenti storici **[3]**. Poco dopo, tuttavia, sull'onda della loro assimilazione culturale, gli stessi artisti assunto posizioni di complicità o di attiva affermazione dell'ordine costituito, di fatto fornendo la sua legittimazione culturale.

Anche questo punta alla necessaria intuizione che i registri di produzione artistica e i loro rapporti latenti o manifesti con l'attivismo politico sono infinitamente più differenziati di quanto gli argomenti per la politicizzazione dell'arte possono generalmente

▲ 1916a, 1920, 1921b, 1924, 1930b, 1931a ● 1921b, 1923, 1925b, 1930a ■ 1934a, 1937a, 1957a, 1960c ◆ 1920, 1937c ▲ 1921b

3 • Tina Modotti, *Manifestazione di lavoratori, Messico, 1° maggio*, 1929
Stampa al platino, 20,5 x 18 cm

L'opera dell'italo-americana Modotti in Messico evidenzia l'universalità dell'impegno politico e sociale tra gli artisti radicali degli anni Venti e Trenta. Abbandonando il suo apprendistato di fotografia "diretta" modernista sul modello di Edward Weston, in Messico Modotti riorienta il proprio lavoro per fare della fotografia un'arma di lotta politica del contadino e della classe lavoratrice messicani contro gli eterni abusi e inganni dell'oligarchia che governa il paese. Estendendo la tradizione del *Taller Grafico Popular* per incitare ora quella classe con i mezzi della rappresentazione fotografica, Modotti comprende tuttavia la necessità di fare dello sviluppo specifico locale e irregolare delle forme di comprensione e di cultura artistica le basi del proprio lavoro. Per questo non adottò mai le forme apparentemente più avanzate del fotomontaggio politico, ma rimase nei limiti della figurazione realista necessari ai messaggi politici nel contesto geopolitico in cui si trovava. Allo stesso tempo, come indica l'immagine *Manifestazione di lavoratori*, fu ben lontana dal cadere nei realismi conciliatori e compensatori della fotografia "diretta" e della Nuova oggettività. Quella che sarebbe stata una pura griglia modernista di manufatti industriali ripetuti serialmente nell'opera dei suoi corrispettivi storici (come Alfred Renger-Patzsch) diventò uno dei più convincenti tentativi fotografici degli anni Venti e Trenta di rappresentare la presenza sociale e l'attivismo politico delle masse lavoratrici e contadine come reali produttori delle risorse economiche di un paese.

aver sostenuto. Non siamo semplicemente di fronte a un'alternativa tra una pratica politicamente consapevole o attivista, da un lato, e una cultura puramente affermativa ed egemonica (come la chiama il filosofo marxista italiano Antonio Gramsci [1891-1937]) dall'altro. Inoltre, la funzione della cultura egemonica è chiaramente quella di sostenere il potere e legittimare le forme di percezione e di comportamento della classe dominante attraverso la rappresentazione culturale, mentre le pratiche culturali d'opposizione articolano la resistenza al pensiero gerarchico, sovvertono le forme privilegiate di esperienza e destabilizzano i regimi dominanti di visione e percezione così come le nozioni forti del potere egemonico.

Se ammettiamo che alcune forme di produzione culturale possono assumere il ruolo di rappresentanza (per esempio quella di informazione e istruzione, quella di critica e controinformazione), allora la storia sociale dell'arte è di fronte a una delle sue condizioni più precarie, se non di crisi: se dovesse allineare il suo giudizio estetico alla condizione di solidarietà politica e all'alleanza di classe, resterebbe inevitabilmente con poche figure eroiche in cui il rapporto tra coscienza di classe, rappresentanza e alleanza rivoluzionaria poteva realmente essere accertato. Questi esempi includerebbero allora Gustave Courbet e Honoré Daumier nel ▲ secolo XIX, Käthe Kollowitz e John Heartfield nella prima metà del ● XX e artisti come Martha Rosler **[4]**, Hans Haacke **[6]** e Allan Sekula nella seconda metà.

Così, riconoscere che la conformità tra interessi di classe e coscienza politica rivoluzionaria nelle pratiche artistiche della modernità può essere considerata più una condizione eccezionale che una necessità, lascia gli storici sociali dell'arte in un'alternativa difficile: o escludere dalla considerazione la maggior parte delle pratiche artistiche reali di ogni momento specifico del modernismo, ignorando sia gli artisti sia la loro produzione a causa della loro mancanza di impegno, di coscienza di classe e di correttezza politica, oppure riconoscere la necessità che diversi altri criteri (oltre la storia sociale e politica) entrino nel processo di analisi storica e critica.

Poiché l'unico mezzo di sopravvivenza del proletariato è la vendita della propria forza lavoro come qualsiasi altra merce, producendo un grande accumulo di surplus per la borghesia imprenditoriale o per l'impresa, è dunque con la condizione stessa del lavoro e del lavoratore che gli artisti radicali dal XIX secolo in ■ poi, da Courbet ai produttivisti, si confrontano. La maggior parte la affrontano non a livello di iconografia (in effetti la quasi totale assenza di rappresentazione del lavoro alienato è la regola nel modernismo), ma piuttosto attraverso la perpetua domanda se il lavoro della produzione industriale e quello della produzione culturale possano e debbano essere messi in relazione e, se sì, come: per analogia? in opposizione dialettica? per complementarietà? per mutua esclusione? I tentativi marxisti di teorizzare questo rapporto (e i tentativi dello storico sociale dell'arte di giungere a definire queste teorizzazioni) sono molto vari: dall'estetica utilitaria-produttivista che afferma la necessità della costituzione del soggetto nella produzione di valore d'uso (come nel Produttivismo

▲ 1920, 1937c ● 1971, 1972b, 1984a ■ 1921b

4 • Martha Rosler, *Cucina con striscia rossa, dalla serie Portare in casa la guerra: Il bello della casa*, 1967–72
Fotomontaggio stampato come fotografia a colori, 61 x 50,8 cm

Rosler è una dei pochissimi artisti del dopoguerra ad aver colto l'eredità del fotomontaggio politico degli anni Trenta. La sua serie *Portare in casa la guerra: Il bello della casa*, iniziata nel 1967, risponde esplicitamente alla situazione sia storica che artistica. Innanzitutto l'opera faceva parte di una crescente opposizione culturale e politica contro la guerra imperialista americana in Vietnam. Invece che creare opere come singoli fotomontaggi, Rosler le concepì come una serie per la riproduzione e diffusione in una quantità di pubblicazioni di controinformazione per aumentare la visibilità e l'impatto delle immagini. Aveva chiaramente compreso l'eredità di Heartfield e la dialettica tra forme di distribuzione e iconografia della cultura di massa.
In secondo luogo, Rosler contrastò esplicitamente il punto di vista concettuale per cui la fotografia serviva puramente come documento neutro di autocritica analitica o come traccia indicale delle azioni spazio-temporali del soggetto. Identificava invece la fotografia come *uno* dei vari strumenti discorsivi della produzione di ideologia nell'arsenale della cultura di massa. Inserendo improvvise immagini documentarie della guerra in Vietnam nel mondo domestico americano apparentemente felice e opulento, Rosler non solo rivela l'intricato intreccio di forme domestiche e militari del consumo nel capitalismo avanzato, ma sfida chiaramente la credibilità della fotografia come supporto veritiero di informazione autentica.

▲ sovietico, nel Bauhaus tedesco e in De Stijl) a un'estetica di contro-produzione ludica (come nelle contemporanee pratiche del ● Surrealismo) che nega il lavoro in quanto valore e che esso abbia una qualche presa sul territorio dell'arte. Quest'ultima estetica vede la pratica artistica come l'unica esperienza in cui risplenda la possibilità di forme storiche disponibili di esistenza non alienata e non strumentalizzata, o per la prima volta o come reminiscenza celebrativa della felicità dei rituali, dei giochi o del fare infantile.

Non è un caso che il modernismo abbia il più delle volte evitato la rappresentazione del lavoro alienato, a parte l'opera di grandi fotografi attivisti come Lewis Hine, per il quale l'abolizione del lavoro minorile era lo scopo del progetto. Per contrasto, ogni volta che la pittura o la fotografia nel XX secolo hanno celebrato la forza lavoro o il forte lavoratore, si potrebbe – e si può – star sicuri di essere in compagnia di ideologie totalitarie, fasciste, staliniste o corporativiste. L'eroicizzazione del corpo soggetto al lavoro fisico alienato serve ad istillare il rispetto collettivo per le condizioni intollerabili di assoggettamento e come falsa celebrazione di quel lavoro serve anche a naturalizzare quello che si dovrebbe analizzare criticamente in termini di sua potenziale trasformazione, se non di abolizione definitiva. All'inverso, la facile accettazione delle pratiche artistiche come mera opposizione giocosa manca di riconoscere non solo la pervasività del lavoro alienato come forma che governa l'esperienza collettiva, ma accetta inoltre prematuramente la relegazione della pratica artistica a pura esenzione assoluta dal principio di realtà.

Ideologia: riflessione e mediazione

Il concetto di ideologia ha avuto un ruolo importante nell'estetica di György Lukács (1885-1971), che scrisse una delle teorie estetiche marxiste della letteratura più coerenti del XX secolo. Benché si sia riferito raramente alla produzione visiva, la teoria di Lukács ha avuto un grande impatto sulla formazione della storia sociale dell'arte nella sua seconda fase negli anni Quaranta e Cinquanta, in particolare sull'opera del suo collega ungherese Arnold Hauser (1892-1978) e del marxista austriaco Ernst Fischer (1889-1972).

Il concetto chiave di Lukács fu quello di riflessione, che stabiliva un rapporto piuttosto meccanico tra le forze della base economica e politica e la sovrastruttura ideologica e istituzionale. L'ideologia era definita come forma rovesciata della coscienza o – peggio – mera falsa coscienza. Inoltre il concetto di riflessione sosteneva che i fenomeni di rappresentazione culturale erano in definitiva puri fenomeni secondari della politica di classe e degli interessi ideologici di un particolare momento storico. Così l'analisi di Lukács sostenne una comprensione della produzione culturale come operazione storica dialettica e interpretò alcune pratiche culturali (per esempio il romanzo borghese e il suo realismo) come il compimento delle forze progressiste borghesi. Quando arrivò allo sviluppo di un'estetica proletaria, Lukács diventò un sostenitore del pensiero reazionario, convinto che la preservazione dell'eredità della cultura borghese doveva costituire un valore integrato nel

▲ 1917b, 1921b, 1923 ● 1924, 1930b, 1931a

Homes for America

5 • Dan Graham, *Case per l'America*, da *Arts Magazine*, 1967
Stampa, 74 x 93 cm

La pubblicazione di una delle prime opere di Graham in forma di articolo sulle pagine di un'importante rivista d'arte americana segna uno dei momenti chiave dell'Arte concettuale. Prima di tutto, la presunta ricerca radicale del modernismo (e del Concettualismo) di un'autoreferenzialità empirica e critica è rigirata su se stessa e sul contesto di presentazione e distribuzione. L'articolo di rivista di Graham anticipa il fatto che l'informazione cruciale sulle pratiche artistiche è sempre già mediata dalle forme di distribuzione commerciale e di massa. Conseguentemente Graham integra la dimensione della distribuzione nella concezione stessa dell'opera. Il modello di autoreferenzialità si sposta dialetticamente dalla tautologia alla critica discorsiva e istituzionale. Ciò che distingue il suo approccio ai problemi del pubblico e della distribuzione dai precedenti modelli dell'avanguardia storica è lo scetticismo e la precisione con cui pone le sue operazioni esclusivamente all'interno della sfera discorsiva e istituzionale delle condizioni date di produzione artistica (invece che di un progetto di utopica trasformazione sociale e politica). Inoltre la scelta di case prefabbricate di periferia del New Jersey espande il soggetto della Pop art dalla mera citazione della cultura di massa e dell'iconografia mediale a una nuova attenzione per gli spazi architettonici e sociali e allo stesso tempo rivela che l'organizzazione spaziale del livello più basso dell'esperienza suburbana quotidiana e del consumo architettonico aveva già prefigurato i principi della struttura seriale o modulare interattiva che avevano definito l'opera scultorea dei suoi predecessori, i minimalisti.

realismo proletario nascente. Il compito del Realismo socialista nell'idea di Lukács era contemporaneamente di preservare il potenziale rivoluzionario del progressismo borghese che era stato tradito e di gettare le fondamenta di una nuova cultura proletaria che aveva effettivamente preso possesso degli strumenti borghesi di produzione culturale.

A partire dalle teorizzazioni sull'ideologia degli anni Sessanta, gli studiosi di estetica e gli storici dell'arte hanno non solo differenziato le teorie generali dell'ideologia, ma anche elaborato le domande su come la produzione culturale si rapporta all'apparato dell'ideologia in generale. Soprattutto la questione se la pratica artistica operi all'interno o all'esterno delle rappresentazioni ideologiche ha preoccupato gli storici sociali dell'arte degli anni Settanta, prospettando riposte diverse a seconda della teoria dell'ideologia a cui aderivano. Così, per esempio, gli storici dell'arte che seguivano il modello della prima fase marxista di Meyer Schapiro (1904-96) continuarono ad operare sotto l'assunto che la rappresentazione culturale è il riflesso speculare degli interessi ideologici di una classe dominante (per esempio l'idea di Schapiro che l'Impressionismo fosse l'espressione del tempo libero della borghesia). Secondo Schapiro queste rappresentazioni non esprimono puramente l'universo mentale della borghesia, lo investono anche di un'autorevolezza culturale per rivendicare e mantenere la sua legittimità politica come classe dominante.

Altri hanno preso la storia marxista dell'arte di Schapiro come punto di partenza, ma hanno anche adottato le complesse idee che sviluppò nel suo lavoro posteriore. Egli prese allora in considerazione questioni molto più complesse di mediazione tra arte e ideologia, riconoscendo che le formazioni estetiche sono relativamente autonome, invece che completamente dipendenti o corrispondenti agli interessi ideologici. Un risultato della teorizzazione più complessa dell'ideologia fu il tentativo di situare le rappresentazioni artistiche come forze dialettiche all'interno del loro specifico momento storico. Ovvero: in alcuni casi una particolare pratica può benissimo esprimere il sorgere di una coscienza progressista non solo in un artista individuale, ma anche nel progressismo di una classe governante e nella sua autodefinizione nei termini di un progetto di educazione borghese e di giustizia sociale ed economica in espansione (vedi, per esempio, il testo classico di Thomas Crow [nato nel 1948] *Modernismo e cultura di massa*, riguardante la concezione dialettica del linguaggio del Divisionismo neoimpressionista e il suo drastico passaggio dall'affiliazione alla politica anarchica radicale a uno stile indulgente).

Storici sociali dell'arte degli anni Settanta come Crow e T. J. Clark (nato nel 1945) concepirono la produzione di rappresentazione culturale sia come dipendente dall'ideologia di classe sia come generativa di modelli ideologici di opposizione. Così il resoconto più esauriente della pittura modernista del XIX secolo e delle sue cangianti fortune nel più ampio apparato della produzione ideologica si può ancora trovare nel complesso e differenziato approccio alla questione dell'ideologia nei lavori di

6 • Hans Haacke, *Sondaggio MoMA*, 1970
Installazione con partecipazione del pubblico:
due scatole di acrilico trasparente, ognuna 40 x 20 x 10 cm,
equipaggiate con contatore fotoelettrico, testo

Per la mostra *Informazione* al Museo d'Arte Moderna di New York nel 1970 Haacke installò una delle sue prime nuove opere che trattano dei "sistemi sociali", intitolate sia *Sondaggi* sia *Profili dei visitatori*. In queste installazioni, gli spettatori tradizionalmente passivi diventano partecipanti attivi. La sottomissione da parte di Haacke dei processi di produzione e ricezione alle forme elementari del sondaggio statistico e dell'informazione positivista è una chiara risposta ai principi reali che governano l'esperienza in quella che Adorno aveva chiamato la "società dell'amministrazione". Allo stesso tempo l'opera di Haacke, come quella di Graham, sposta l'attenzione dall'analisi critica delle strutture interne di significato dell'opera ai contesti istituzionali esterni. Così Haacke riposiziona l'Arte concettuale in un nuovo rapporto critico con le condizioni socio-economiche che determinano l'accesso e la disponibilità dell'esperienza estetica, una pratica più tardi definita "critica istituzionale". *Sondaggio MoMA* di Haacke è un notevole esempio di tale spostamento, poiché mette lo spettatore a confronto con l'improvvisa visione del grado in cui il museo come spazio presunto neutro e garante dell'autonomia e della gratuità estetica è invece intrecciato agli interessi economici, ideologici e politici. L'opera ricostituisce anche una condizione di responsabilità e di partecipazione per lo spettatore che va oltre i modelli di coinvolgimento precedentemente proposti da artisti della neoavanguardia, mentre riconosce i limiti delle aspirazioni politiche degli spettatori e la portata psichica a livello di esperienza e autodeterminazione.

Clark, il maggiore storico sociale dell'arte della fine del XX secolo. Nelle analisi di Clark dell'opera di Daumier e Courbet, per esempio, ideologia e pittura sono ancora concepite nei rapporti dialettici che Lukács aveva suggerito nei suoi testi sull'opera letteraria del XVIII e XIX secolo, cioè come un'espressione delle forze progressiste della classe borghese in un processo di maturazione della propria identità per compiere le promesse della Rivoluzione francese e della cultura illuminista in generale.

Il successivo lavoro di Clark *La pittura della vita moderna: Parigi nell'arte di Manet e dei suoi seguaci* (1984), per contrasto, non discute soltanto l'estrema difficoltà di situare l'opera di Manet e di Seurat in un simile rapporto chiaro e dinamico con le forze progressiste di un particolare segmento della società. Clark invece affronta anche il compito di applicare la ritrovata complessità del rapporto tra ideologia e produzione artistica e di integrarla con la metodologia della storia sociale dell'arte che aveva sviluppato fino a quel punto. Questa crisi teorica risultò indubbiamente in gran parte dalla scoperta da parte di Clark dell'opera del marxista lacaniano Louis Althusser (1918-90). La concezione dell'ideologia di Althusser resta ancora la più produttiva, in particolare per la sua capacità di porre i fenomeni estetici e artistici in una posizione di relativa autonomia rispetto alla totalità dell'ideologia. Questo non solo perché Althusser teorizza l'ideologia come una totalità di rappresentazioni linguistiche in cui il soggetto è costituito, in una versione politicizzata del pensiero lacaniano dell'ordine simbolico; forse ancor più importante è la distinzione di Althusser tra totalità dell'apparato di stato ideologico (e delle sue sottosfere in tutti i campi della rappresentazione) ed esplicita esenzione delle rappresentazioni artistiche (nonché del pensiero scientifico) da quella totalità di rappresentazioni ideologiche.

Cultura popolare contro cultura di massa

Uno dei dibattiti più importanti tra gli storici sociali dell'arte riguarda la questione di come la cosiddetta arte alta o le pratiche d'avanguardia si rapportano alle emergenti formazioni della cultura di massa della modernità. Mentre è certamente condiviso che queste formazioni cambiano continuamente (poiché le interazioni tra le due metà dei sistemi di rappresentazione vengono continuamente riconfigurate), è invece rimasto un dibattito difficile, il cui risultato è indicativo del particolare tipo di marxismo abbracciato dai critici della cultura di massa. Si parte dal più violento rifiuto delle formazioni della cultura di massa nell'opera di Adorno, la cui radicale condanna del jazz è ora universalmente criticata come forma di alessandrinismo eurocentrico, che era – peggio di tutto – largamente dipendente dalla totale mancanza di reale informazione dell'autore sui fenomeni musicali che disprezzava.

L'approccio opposto ai fenomeni della cultura di massa fu in un primo tempo sviluppato in Gran Bretagna, nell'opera di Raymond Williams (1921-88), la cui importante distinzione tra cultura popolare e cultura di massa produsse i tentativi seguenti da parte di storici della cultura come Stuart Hall (1932-2014) di sostenere

7 • Gerhard Richter e Konrad Lueg/Fischer, ***Vivere con Pop - Dimostrazione per un Realismo capitalista*****, al Möbelhaus Berges, Düsseldorf, 11 ottobre 1963**

Nel 1963 Gerhard Richter e Konrad Lueg (che più tardi, col nome di Konrad Fischer, diventerà uno dei più importanti mercanti d'Europa della generazione minimal e concettuale) realizzarono una performance in un grande magazzino di Düsseldorf. Essa diede inizio a una variante tedesca del riorientamento internazionale delle avanguardie verso la cultura di massa che – a partire dalla fine degli anni Cinquanta – aveva gradualmente sostituito le forme di astrattismo del dopoguerra in Gran Bretagna, Francia e Stati Uniti. Il neologismo "Realismo capitalista", coniato da Richter in quest'occasione, riverbera l'orrendo "altro" realismo, la variante socialista che aveva costituito il contesto in cui Richter era stato educato fino al 1961 nella Germania comunista. Lo spettacolo di noia e passività sullo sfondo di un sistema totalizzante di oggetti di consumo prese l'opera di Piero Manzoni come *uno* dei suoi riferimenti, cioè l'idea che la pratica artistica vada situata più che mai negli spazi interstiziali tra oggetti di consumo, luoghi dello spettacolo e atti ostentati di negazione artistica. Ma la sua voluta passività malinconica fu anche un contributo specificamente tedesco al riconoscimento che le forme avanzate di consumo non solo determinavano il comportamento in un modo che era stato precedentemente determinato dai sistemi di fede religiosa o politica, ma che in questo particolare contesto storico della Germania servivano anche come autorizzazione collettiva a reprimere e dimenticare la recente massiccia conversione della popolazione al nazismo.

un approccio infinitamente più differenziato nell'analisi dei fenomeni della cultura di massa. Hall sostenne che lo stesso movimento dialettico che gli studiosi di estetica e gli storici dell'arte avevano scoperto nello spostamento graduale dei fenomeni stilistici dal rivoluzionario ed emancipativo al regressivo e politicamente reazionario poteva essere rilevato anche nella produzione della cultura di massa: qui prenderebbe posto una continua oscillazione dall'iniziale contestazione e trasgressione all'eventuale affermazione nel processo di acculturazione industrializzata. Hall rese inoltre plausibile che un primo passo fondamentale per vincere la fissazione eurocentrica sulla cultura egemonica (che sia altoborghese o d'avanguardia) era l'accettazione che diversi pubblici comunicano all'interno di diverse strutture di tradizione, convenzione linguistica e forme comportamentali di interazione. Quindi, secondo il nuovo approccio dei "*cultural studies*", la specificità di indirizzo ed esperienze del pubblico va posta al di sopra di tutte le pretese – tanto autoritarie quanto numinose – di criteri universalmente validi di giudizio estetico, cioè della gerarchia canonica il cui scopo ultimo e latente resta sempre la conferma della supremazia della cultura bianca, maschile e borghese.

Sublimazione e desublimazione

Il modello degli "studi culturali" che William e Hall elaborarono e che diventò poi famoso come Birmingham Centre for Contemporary Cultural Studies pose le fondamenta della maggior parte del lavoro di oggi. Anche se non sappiamo se si occupò dell'opera dei marxisti inglesi, la reazione di Adorno sarebbe stata senza dubbio quella di accusare il loro progetto di essere una desublimazione posta al centro stesso dell'esperienza estetica, della sua concezione e giudizio critico. La desublimazione per Adorno comporta la distruzione della soggettività; il suo scopo è quello di smantellare i processi di complessa formazione della coscienza, il desiderio di autodeterminazione politica e di resistenza e infine di annullare l'esperienza stessa, perché venga completamente controllata dalle esigenze del tardo capitalismo.

Un altro studioso marxista di estetica piuttosto diverso, Herbert Marcuse (1898-1979), concepì la desublimazione in modo quasi opposto, sostenendo che la struttura dell'esperienza estetica consiste nel desiderio di minare l'apparato di repressione libidinale e di generare un momento anticipatorio di esistenza liberata dai bisogni e dalle necessità strumentalizzanti. L'estetica freudiano-marxista di Marcuse di liberazione libidinale fu situata al polo opposto dell'estetica ascetica di Adorno di dialettica negativa. Adorno non mancò di punire pubblicamente Marcuse per quelli che egli vedeva come gli sconvolgenti effetti dell'edonistica cultura consumista americana sul suo pensiero.

Qualunque siano le ramificazioni della reinterpretazione marcusiana della desublimazione, quest'ultima può essere riscontrata nelle pratiche d'avanguardia sia prima che dopo la Seconda guerra mondiale. Lungo tutta la modernità le strategie artistiche resistono e negano le pretese date per scontate di virtuosismo tecnico, di abilità eccezionali e di conformità ai modelli storici stabiliti. Negano all'estetica qualsiasi statuto privilegiato e la sviliscono attraverso gli strumenti della destrutturazione, del ricorso ▲ all'abietto o all'iconografia della cultura bassa, o attraverso l'enfatica messa in primo piano dei procedimenti e dei materiali che reintroducono nello spazio dell'esperienza artistica le dimensioni ripudiate dell'esperienza corporea rimossa.

La neoavanguardia

Uno dei problemi principali dello scrivere di storia sociale dell'arte dopo la Seconda guerra mondiale deriva da una condizione di asincronicità. I critici americani in particolare erano da un lato impazienti di stabilire la loro prima cultura egemonica d'avanguardia del XX secolo; tuttavia nel corso di quel progetto mancarono non solo di riconoscere che la ricostruzione di un modello di cultura d'avanguardia prodotto in quelle circostanze avrebbe intaccato inevitabilmente lo statuto dell'opera, ma anche che avrebbe ancor più profondamente modificato la scrittura critica e storica ad essa associata.

Nella tardo-modernista *Teoria estetica* (1970) di Adorno il concetto di autonomia mantiene un ruolo centrale. Diversamente ● dalla ripresa del concetto da parte di Clement Greenberg in favore di una versione americana dell'estetica tardo-modernista, l'estetica di Adorno opera secondo un principio di doppia negazione. Da un lato il tardo modernismo di Adorno nega la possibilità di un accesso rinnovato a un'estetica dell'autonomia, una possibilità annichilita dalla distruzione finale del soggetto borghese dopo il nazismo e l'Olocausto. Dall'altro lato, l'estetica di Adorno nega anche la possibilità di una politicizzazione delle pratiche artistiche nella prospettiva rivoluzionaria dell'estetica marxista. Secondo Adorno, l'arte politicizzata servirebbe solo da alibi e impedirebbe un reale cambiamento politico, poiché le circostanze politiche per una politica rivoluzionaria non sono di fatto accessibili nel periodo della ricostruzione della cultura nel dopoguerra.

Per contrasto, il modernismo americano e le pratiche di quella ■ che Peter Bürger ha chiamato la neoavanguardia – più concretamente difese da Greenberg e dal suo discepolo Michael Fried (nato nel 1939) – potevano sostenere le loro pretese solo a prezzo di un sistematico *Geschichtsklitterung*, un tentativo evidente di scrivere la storia dalla prospettiva degli interessi dei vincitori, ripudiando sistematicamente le principali trasformazioni verificatesi nella concezione dell'arte alta e della cultura d'avanguardia discusse sopra (per esempio l'eredità del Dadaismo e delle avanguardie russe e sovietiche). Ma, ancor peggio, questi critici mancarono di vedere che la produzione culturale dopo l'Olocausto non poteva semplicemente tentare di stabilire una continuità della pittura e scultura moderniste. Il modello di Adorno di una dialettica negativa (notoriamente sintetizzata nel suo verdetto sull'impossibilità della poesia lirica dopo Auschwitz) e la sua teoria estetica – in aperta opposizione al neomodernismo di Greenberg – suggerirono l'ineluttabile necessità di ripensare la stessa condizione precaria della cultura in generale.

Sembra che l'efficacia e i successi della storia sociale dell'arte siano più evidenti in quelle situazioni storiche in cui le mediazioni reali tra classi, interessi politici e forme culturali di rappresentazione sono esplicitamente dichiarate e dunque relativamente verificabili. La loro capacità unica di ricostruire i racconti intorno a queste situazioni rivoluzionarie o fondative della modernità rende i resoconti degli storici sociali dell'arte le interpretazioni più interessanti dei primi cento anni di modernismo, da David nell'opera di Crow agli inizi del Cubismo in quella di Clark.

Tuttavia, quando arriva alle pratiche d'avanguardia come l'astrattismo, il Dadaismo o l'opera di Duchamp, il cui *telos* intrinseco era stato quello di distruggere i rapporti tradizionali soggetto /oggetto e di registrare la distruzione delle forme tradizionali di esperienza, sia a livello di narrazione sia a quello di rappresentazione pittorica, i tentativi della storia sociale dell'arte di mantenere la coerenza del racconto storico spesso si rivelano incongruenti o incompatibili con le strutture e le morfologie a disposizione, quando non falsamente restaurative. Una volta che le forme estreme di particolarizzazione e frammentazione infatti sono diventate l'interesse formale centrale in cui la soggettività postborghese trova i suoi resti correlati di figurazione, il desiderio interpretativo di reimporre visioni totalizzanti sui fenomeni storici appare a volte reazionario e altre volte paranoico nella sua imposizione di strutture di significato e di esperienza. Dopo tutto, la radicalità di queste pratiche artistiche aveva implicato non solo il rifiuto di tener conto di tali visioni, ma anche la formulazione di sintassi e strutture in cui né la narrazione né la figurazione potrebbero ancora sussistere. Perché il loro significato possa ancora sussistere, richiederebbe esiti che vanno inevitabilmente al di là del contesto di causalità deterministica.

ULTERIORI LETTURE:

Frederick Antal, *Classicism and Romanticism*, trad. it. Einaudi, Torino 1975
Frederick Antal, *Hogarth e l'arte europea*, trad. it. Einaudi, Torino 1990
T. J. Clark, *Farewell to an Idea*, Yale University Press, New Haven-London 1999
T. J. Clark, *Image of the People: Gustave Courbet and the 1848 Revolution*, Thames & Hudson, London 1973
T. J. Clark, *The Absolute Bourgeois: Artists and Politics in France, 1848-1851*, Thames & Hudson, London 1973
T. J. Clark, *The Painting of Modern Life: Paris in the Art of Manet and his Followers*, Thames & Hudson, London 1984
Thomas Crow, *Painters and Public Life in 18th-Century Paris*, Yale University Press, New Haven-London 1985
Thomas Crow, *The Intelligence of Art*, University of North Carolina Press, Chapel Hill (N.C.) 1999
Serge Guilbaut, *How New York Stole the Idea of Modern Art: Abstract Expressionism, Freedom, and the Cold War*, University of Chicago Press, Chicago-London 1983
Nicos Hadjinicolaou, *Art History and Class Struggle*, Pluto Press, London 1978
Arnold Hauser, *Storia sociale dell'arte*, trad. it. Einaudi, Torino 1956
Fredric Jameson (a cura di), *Aesthetics and Politics*, New Left Books, London 1977
Fredric Jameson, *Modern Art: 19th and 20th Century, Selected Papers, vol. 2*, George Braziller, New York 1978
Meyer Schapiro, *Romanesque Art, Selected Papers*, vol. 1, George Braziller, New York 1977
Meyer Schapiro, *Theory and Philosophy of Art: Style, Artist, and Society, Selected Papers*, vol. 4, George Braziller, New York 1994

Benjamin H. D. Buchloh

▲ 1968b, 2007b ● 1942a, 1960b ■ 1960a

3 Formalismo e Strutturalismo

Nel 1971-72 il teorico della letteratura Roland Barthes (1915-80) tenne un seminario annuale dedicato alla storia della semiologia, la "scienza generale dei segni" che era stata concepita come estensione della linguistica dallo svizzero Ferdinand de Saussure (1857-1913) nel suo *Corso di linguistica generale* (pubblicato postumo nel 1916) e contemporaneamente, con il nome di semiotica, dal filosofo americano Charles Sanders Peirce (1839-1914) nei suoi *Scritti* (anch'essi pubblicati postumi dal 1931 al 1958). Barthes era stato una delle voci principali dello Strutturalismo dalla metà degli anni Cinquanta alla fine dei Sessanta, insieme all'antropologo Claude Lévi-Strauss (1908-2009), il filosofo Michel Foucault (1926-84) e lo psicanalista Jacques Lacan, e come tale aveva grandemente contribuito alla risurrezione del progetto semiologico, che aveva chiaramente esposto in *Elementi di semiologia* (1964) e *L'analisi del racconto* (1966), ma aveva anche seriamente minato quello stesso progetto nei suoi libri più recenti, *S/Z*, *L'impero dei segni* (entrambi del 1970) e *Sade, Loyola, Fourier* (1971).

La curiosità degli uditori di Barthes (io tra loro) era immensa: in quel periodo di tumulto intellettuale segnato da un generale desiderio edipico di liquidare il modello strutturalista, si aspettavano ▲ che li aiutasse a comprendere lo spostamento da A, Strutturalismo, a B, Poststrutturalismo (termine che descrive bene il lavoro di Barthes in quel periodo, ma che non fu mai accettato da nessuno dei suoi autori). Pregustavano una ricostruzione cronologica: logicamente, come in un racconto, dopo una presentazione dei concetti di Saussure e Peirce, sarebbe stata discussa l'opera della scuola di critica letteraria dei formalisti russi, attivi dal 1915 circa al blackout ● stalinista del 1932; poi, dopo che uno dei suoi membri, Roman Jakobson, aveva lasciato la Russia, quella del Circolo linguistico di Praga raggruppato intorno a lui; quindi quella dello Strutturalismo francese e infine, come conclusione, si sarebbe occupato del deco-■ struttivismo di Jacques Derrida.

Il pubblico di Barthes ebbe quello che si aspettava, ma non senza una grande sorpresa. Invece di cominciare con Saussure, iniziò la sua ricostruzione con un'analisi della critica ideologica proposta, dagli anni Venti in poi, dal drammaturgo marxista tedesco Bertolt Brecht (1898-1956). Benché Barthes, non meno dei suoi colleghi, avesse ceduto al sogno di oggettività scientifica quando il movimento strutturalista era all'apice, ora implicitamente difendeva un approccio soggettivo. Non più interessato a mappare una disciplina, cercò invece di raccontare la storia della *propria* avventura semiologica, che era cominciata con la scoperta dei testi di Brecht. Venendo da qualcuno il cui attacco al biografismo (l'interpretazione di un'opera letteraria attraverso la vita del suo autore) era sempre stato mordace, il gesto era volutamente provocatorio. (L'enorme polemica generata dall'antibiografismo di *Su Racine* [1963], che aveva chiuso il suo *Critica e verità* [1966], brillante risposta di Barthes ai suoi detrattori, e che aveva radicalmente trasformato più di qualunque altra i tradizionali studi letterari in Francia, era ancora ben presente nelle menti di tutti.) Ma c'era un motivo strategico anche nel suo inizio brechtiano, un motivo che diventa evidente quando si guarda al saggio in cui Barthes aveva discusso Saussure per la prima volta.

Il mito, oggi era un postscritto all'antologia di cammei sociologici che Barthes aveva scritto tra il 1954 e il 1956 e pubblicato con il titolo *Miti d'oggi* (1957). Il corpo principale del libro era stato scritto in modo brechtiano: lo scopo dichiarato era di rivelare, sotto la pretesa "naturalezza" dell'ideologia *petit-bourgeoise* trasmessa dai media, ciò che era determinato storicamente. Ma in *Il mito, oggi* Barthes presentò l'opera di Saussure, appena riscoperta, come portatrice di strumenti nuovi per il tipo di analisi ideologica brechtiana che conduceva da tempo. Quello che forse sorprende di più, retrospettivamente, è che l'esposizione di Barthes della semiologia di Saussure comincia con una difesa del formalismo. Poco ▲ dopo aver accennato a Andrej Ždanov e alla sua condanna stalinista del formalismo e del modernismo come decadenza borghese, Barthes scrive: "Meno terrorizzata dallo spettro del 'formalismo', la critica storica sarebbe stata forse meno sterile; avrebbe capito che [...] più un sistema è specificamente definito nelle sue forme, e più si piega alla critica storica. Parodiando una nota espressione, dirò che poco formalismo allontana dalla Storia, ma che molto riporta ad essa". In altre parole, fin dall'inizio Barthes concepì quello che presto sarebbe stato chiamato Strutturalismo come parte di una più ampia corrente formalista del pensiero del XX secolo. Per questo negò i rimproveri degli antiformalisti secondo cui i critici formalisti, aggirando il "contenuto" per analizzare le forme, si ritiravano dal mondo e dalle sue realtà storiche nella torre d'avorio di un "eterno presente" umanista.

▲ Introduzione 4 ● 1915 ■ Introduzione 4 ▲ 1934a

"La semiologia è una scienza delle forme, perché studia certe significazioni indipendentemente dal loro contenuto": questa la definizione che precede immediatamente il passaggio citato sopra. I segni sono dunque organizzati in insiemi di opposizioni che determinano il loro significato, indipendentemente da ciò a cui si riferiscono; ogni attività umana condivide almeno un sistema di segni (generalmente di volta in volta diversi), le cui regole possono essere stabilite; in quanto produttore di segni, l'uomo è per sempre condannato alla significazione, incapace di sfuggire dalla ▲ "casa-prigione del linguaggio", per usare la formula di Fredric Jameson. Niente di ciò che l'uomo emette è insignificante: anche dire "niente" comporta un significato (o meglio diversi significati, che cambiano secondo il contesto, che è a sua volta strutturato).

Decidendo nel 1971 di presentare questi assiomi come derivati da Brecht (invece che da Saussure, come aveva fatto nel 1957), Barthes aveva un'intenzione polemica: puntava al legame storico tra modernismo e consapevolezza che il linguaggio è una struttura di segni. Infatti, benché la sua stella fosse un po' sbiadita in quegli anni, Brecht era comunque visto nell'Europa del dopoguerra come uno dei più importanti scrittori modernisti. Nelle sue numerose dichiarazioni aveva sempre attaccato il mito della trasparenza del linguaggio, che dominava la pratica teatrale fin da Aristotele; i dispositivi autoriflessivi e antiillusionisti come il montaggio che interrompevano il flusso dei suoi spettacoli miravano a ostacolare l'identificazione dello spettatore con il personaggio e, come diceva, a produrre un effetto di "distanziazione" e di "straniamento".

Il primo esempio che Barthes commentò nel suo seminario del 1971-72 fu un testo in cui lo scrittore tedesco analizzava pazientemente i discorsi di Natale del 1934 di due capi nazisti (Hermann Goering e Rudolf Hess). Quello che colpì Barthes fu l'estrema attenzione di Brecht per la forma dei testi nazisti, che aveva seguito parola per parola per elaborare il suo contraddittorio. Brecht definì con precisione l'efficacia di questi discorsi nel flusso senza fratture della loro retorica: la cortina fumogena con cui Goering e Hess mascherarono la loro logica difettosa e il cumulo di bugie era la melliflua continuità del loro linguaggio, che funzionava come un forte ed efficace adesivo.

Brecht insomma fu un formalista, impaziente di dimostrare che il linguaggio non è uno strumento neutrale fatto per veicolare in modo trasparente concetti direttamente da una mente a un'altra, ma che ha una propria materialità e che questa materialità è sempre carica di significati. Ma respinse con forza l'etichetta di formalista quando fu affibbiata alla letteratura moderna nel suo insieme dal filosofo marxista György Lukács, che scriveva in Unione Sovietica in un periodo in cui chiamare qualcuno formalista equivaleva a firmare la sua sentenza di morte. Violento oppositore da allora del modernismo in generale – ma in particolare della tecnica del montaggio che Sergej Ejzenštejn inventò nel cinema e Brecht adattò al teatro, e al monologo interiore che conclude l'*Ulisse* di James Joyce –, Lukács aveva proposto i romanzi realisti del XIX secolo (quelli di Balzac in particolare) come modello da emulare, soprattutto se si deve scrivere dal punto di vista "proletario". È piuttosto Lukács ad essere "formalista", scrisse Brecht nella sua confutazione. Nel richiamarsi a un romanzo del XIX secolo con un contenuto "rivoluzionario", ma scritto in una forma di un secolo prima, una forma che appartiene a un'epoca prima dell'autoriflessività e dell'antiillusionismo del modernismo, Lukács aveva di fatto feticizzato la forma.

Così il termine "formalista" diventò un insulto che Lukács e Brecht si lanciarono a vicenda, ma la parola non aveva lo stesso significato per ciascuno di loro. Per Brecht formalista era chi non sapeva vedere che la forma è inseparabile dal contenuto, chi credeva che la forma è un puro supporto; per Lukács lo era chi credeva che la forma agisce sul contenuto. L'imbarazzo di Brecht per il termine tuttavia ci costringe a una pausa, soprattutto perché lo stesso imbarazzo è cresciuto nella storia e critica d'arte a partire dai primi anni Settanta. (È particolarmente degno di nota in questo contesto che anche il critico d'arte al cui nome è più associato il formalismo in America, Clement Greenberg, nutrisse ▲ timori simili: "Qualunque siano le sue connotazioni in russo, il termine ne ha acquisito di irriducibilmente volgari in inglese", ha scritto nel 1967.) Per comprenderne l'ambivalenza, è utile ricordare il detto di Barthes: "poco formalismo allontana dalla Storia, ma molto riporta ad essa". Ciò che infatti irritò Brecht nel "formalismo" di Lukács fu il suo rifiuto sia della storia sia di ciò che il linguista danese Louis Hjelmslev chiamerebbe la "forma del contenuto", cioè il fatto che la struttura stessa dei romanzi di Balzac era basata sulla visione del mondo di una particolare classe sociale in una particolare congiuntura della storia dell'Europa occidentale. In breve, Lukács aveva praticato solo un formalismo "ristretto", la cui analisi rimane al livello superficiale della forma in quanto tale, o morfologia.

L'antiformalismo che fu prevalente nel discorso della critica d'arte negli anni Settanta può così essere spiegato in gran parte da una confusione tra due tipi di formalismo, uno che si occupa essenzialmente di morfologia (che chiamo formalismo "ristretto") e uno che intende la forma come struttura, cioè il tipo abbracciato da Brecht quando dichiarò la "continuità" dei discorsi di Goering e Hess parte essenziale della loro macchina ideologica. La confusione fu ricomposta dalla parziale svolta di Greenberg. Mentre le sue analisi del ruolo dialettico dei dispositivi trompe-l'oeil nelle nature ● morte cubiste di Georges Braque **[1]** o quello dell'allover dei drip■ping di Jackson Pollock vanno messe in conto alla versione strutturale, dalla metà degli anni Cinquanta il suo discorso rimandò più alla modalità morfologica promulgata all'inizio del XX secolo ◆ dagli scrittori inglesi Clive Bell e Roger Fry. La distinzione tra questi due formalismi è essenziale a un recupero del formalismo (come Strutturalismo) dal magazzino delle idee dismesse.

Strutturalismo e storia dell'arte

Benché il modello linguistico-semiologico fornito da Saussure diventasse la fonte d'ispirazione del movimento strutturalista negli anni Cinquanta e Sessanta, la storia dell'arte aveva già sviluppato

▲ 1984b

▲ 1942a, 1960b ● 1911 ■ 1949a, 1960b ◆ 1906

1 • Georges Braque, *Violino e brocca*, 1910
Olio su tela, 117 x 73 cm

Uno dei caratteri del formalismo è l'attenzione ai procedimenti retorici, al significato degli strumenti stessi di significazione. Esaminando questo quadro di Braque, Clement Greenberg notò il dispositivo del chiodo realistico con l'ombra dipinta *sopra* i volumi sfaccettati disposti sulla superficie del quadro. Appiattendo il resto dell'immagine e al tempo stesso spingendola indietro in profondità, il chiodo in *trompe-l'oeil* fu per l'artista uno strumento per insinuare un dubbio sul modo illusionistico tradizionale di rappresentare lo spazio.

metodi strutturali da quando questo modello era diventato noto negli anni Venti. Così i primi critici letterari che possono essere ▲ detti strutturalisti – i formalisti russi – furono particolarmente consapevoli dei loro antecedenti storici (molto più che di Saussure, che scoprirono solo dopo aver scritto molti dei loro lavori apripista). ● Fu il Cubismo ad aiutare per primo i formalisti russi a sviluppare le loro teorie: attaccando deliberatamente l'epistemologia della rappresentazione, il Cubismo (e l'astrattismo sulla sua scia) sottolineò il vuoto che separa la referenza e il significato e chiese una comprensione più sofisticata della natura dei segni.

Il ruolo giocato dalla storia dell'arte e dalla pratica dell'avanguardia nella formazione di un pensiero strutturalista è poco noto oggi, ma è importante per i nostri scopi, soprattutto riguardo alle accuse di astoricismo spesso lanciate allo Strutturalismo. Infatti si può anche dire che la nascita della storia dell'arte come disciplina dati dal momento in cui fu in grado di strutturare la grande quantità di materiale che aveva trascurato per ragioni puramente ideologiche ed estetiche. Può sembrare strano oggi che l'arte barocca del XVII secolo, per esempio, sia caduta nell'oblio durante i secoli XVIII e primo XIX, fino a quando Heinrich Wölfflin (1864-1945) la riabilitò nel suo *Rinascimento e Barocco* (1888). Risolutamente opposto all'estetica normativa dominante di Joachim Winckelmann (1717-68), per cui l'arte greca era la pietra di paragone insuperabile per la produzione artistica seguente, Wölfflin cercò di mostrare che l'arte barocca andava giudicata con criteri non solo diversi, ma decisamente opposti a quelli dell'arte classica. Questa idea, che il significato storico di un linguaggio stilistico si manifesta attraverso il suo rifiuto di un altro (in questo caso, del precedente) portò Wölfflin a pensare "una storia dell'arte senza nomi" e a stabilire l'insieme di opposizioni binarie che costituisce il cuore del suo famoso libro *Concetti fondamentali di storia dell'arte*, che apparve nel 1915: lineare/pittorico, superficie/profondità, forma chiusa/forma aperta, molteplicità/unità, chiarezza/non chiarezza.

La tassonomia formalista di Wölfflin tuttavia faceva ancora parte di un discorso teleologico e idealista, modellato sulla visione della storia di Hegel, secondo cui la successione degli eventi è prescritta da un insieme di leggi predeterminate. (All'interno di ogni "epoca artistica" Wölfflin vedeva sempre la stessa evoluzione da lineare a pittorico, da superficie a profondità, ecc., che gli permetteva di spiegare come si passava da un'"epoca" alla seguente, negando in questo modo come cause i fattori storici non artistici.) Ma se l'idealismo di Wölfflin gli impedì di trasformare il suo formalismo in uno strutturalismo, è ad Alois Riegl (1858-1905) che si deve la prima piena elaborazione di un'analisi meticolosa delle forme come migliore accesso a una storia sociale della produzione, significazione e ricezione artistica.

Come Wölfflin aveva fatto con l'epoca barocca, così Riegl intraprese la riabilitazione delle epoche artistiche che erano state messe da parte come decadenti, soprattutto la produzione della tarda antichità (*Arte tardoromana*, 1901). Ma fece più di Wölfflin per far avanzare la causa di una storia dell'arte anonima, che tracci l'evoluzione di sistemi formali-strutturali più che studiare i prodotti di

▲ 1915 ● 1911, 1912, 1921a

singoli artisti: se le opere famose di Rembrandt e Frans Hals figurano nel suo ultimo libro, *Il ritratto di gruppo in Olanda* (1902), lo fanno come prodotti finali di una serie che esse ereditano e trasformano. Il relativismo storico di Riegl fu radicale e ricco di conseguenze, non solo perché gli permise di ignorare la distinzione tra arte alta e bassa, maggiore e minore, pura e applicata, ma perché gli fece intendere ogni *documento* artistico come un *monumento* da analizzare e porre in rapporto con altri appartenenti alla stessa serie. In altre parole, Riegl dimostrò che è solo dopo che l'insieme di codici usati (o modificati) da un oggetto d'arte è stato mappato nei suoi minimi dettagli che si può discutere il significato dell'oggetto e il modo in cui si rapporta alle altre serie (per esempio alla storia delle formazioni sociali, della scienza e così via), un'idea che sarà importante sia per i formalisti russi che per Michel Foucault. È perché Riegl intendeva il significato strutturato da un insieme di opposizioni (e non veicolato in maniera trasparente) che fu in grado di sfidare il ruolo determinante solitamente dato al referente nel discorso sull'arte fin dal Rinascimento.

Una crisi della referenza

Tale crisi della referenza fornì la scintilla iniziale al Formalismo russo intorno al 1915. Il bersaglio polemico dei formalisti russi fu l'idea simbolista che la poesia risieda nelle immagini che suscita, indipendenti dalla sua forma linguistica. Ma fu attraverso il loro confronto con il Cubismo, poi con i primi quadri astratti di Kasimir ▲ Malevič e gli esperimenti poetici dei suoi amici Velemir Klebnikov e Aleksej Kručenik – poesie i cui suoni si riferiscono solo alla natura fonetica del linguaggio stesso – che i formalisti russi scoprirono, senza aver mai sentito parlare di Saussure, quello che lo studioso svizzero aveva chiamato la "natura arbitraria del segno". Rimandi al Cubismo abbondano nei testi di Roman Jakobson, in particolare quando cerca di definire il linguaggio poetico come opposto al linguaggio della comunicazione nell'uso quotidiano. In *Che cos'è la poesia?*, una conferenza tenuta nel 1933, scrive:

> *[La poeticità] può essere denudata e resa autonoma, come sono denudati e autonomi i procedimenti tecnici, per esempio, nelle tele cubiste – si tratta però di un caso speciale [...] Ma in che cosa si manifesta la poeticità? – Nel fatto che la parola è sentita come parola e non come scoppio d'emozione. E ancora nel fatto che le parole e la loro sintassi, il loro significato, la loro forma esterna ed interna, non sono un indifferente rimando alla realtà, ma acquistano peso e valore propri. [...] Senza paradosso non c'è dinamica di concetti, né dinamica di segni, il rapporto fra concetto e segno si automatizza, si arresta il corso degli avvenimenti, la coscienza della realtà si atrofizza.*

Le ultime righe si riferiscono al dispositivo dell'*ostranenie*, o "rendere strano", figura retorica la cui concettualizzazione da parte di Viktor Šklovsky (1893-1984) in *L'arte come procedimento* (1917) è la prima pietra miliare del Formalismo russo (la somiglianza di questa nozione con l'"effetto di straniamento" non è fortuita). Secondo Šklovsky la funzione principale dell'arte è di defamiliarizzare la nostra percezione, che si è automatizzata, e sebbene Jakobson respingerà poi questa prima teoria della defamiliarizzazione, è così che veniva interpretato all'epoca il Cubismo. A ragione, poiché si ▲ può dire che la prima fase, cosiddetta "africana", del Cubismo era radicata in una deliberata pratica dello straniamento. Lo testimonia lo stesso Pablo Picasso (1881-1973): "In quel periodo dicevano che facevo i nasi storti, anche in *Les Demoiselles d'Avignon*, ma io dovevo fare i nasi storti, così vedevano che si trattava di nasi. Ero sicuro che poi avrebbero visto che non erano storti".

Per Šklovsky ciò che caratterizza ogni opera d'arte è l'insieme di "procedimenti" attraverso cui ha riorganizzato il "materiale" (il referente), straniandolo. ("Procedimento", mai definito con precisione, era un termine generale con cui indicava qualsiasi soluzione stilistica o costruzione retorica, a tutti i livelli del linguaggio: fonetico, sintattico o semantico.) Più tardi, quando dedicò particolare attenzione a opere come il "romanzo" del XVIII secolo *Tristram Shandy* di Laurence Sterne, in cui lo scrittore si concentra più sulla parodia dei codici del racconto che sulla trama stessa, Šklovsky cominciò a concepire non solo la nostra percezione del mondo ma anche il linguaggio quotidiano della comunicazione come "materiale" che la letteratura risistema, benché l'opera d'arte rimanesse per lui una somma di procedimenti attraverso cui il "materiale" veniva dis-automatizzato. Per Jakobson invece i "procedimenti" erano non semplicemente ammassati in un'opera, ma interdipendenti, collegati in un sistema, e avevano una funzione costitutiva, ognuno contribuendo alla specificità e all'unità dell'opera, come ogni osso ha un ruolo nello scheletro. Ogni nuovo procedimento artistico inoltre, od ogni nuovo sistema di procedimenti, deve essere compreso o come rottura rispetto al precedente che si era svuotato e automatizzato, oppure come suo svelamento (messa a nudo), come se fosse lì da tempo ma non visto: in breve, ogni procedimento artistico (e non il mondo in generale o il linguaggio della comunicazione quotidiana) può diventare il "materiale" straniato dal seguente. Come risultato, ogni procedimento per Jakobson è sempre carico semanticamente, un segno complesso che comporta molti strati di connotazioni.

È questa seconda nozione dell'*ostranenie* che Jakobson aveva in mente quando parlava dell'isolamento dei vari procedimenti in un'opera cubista come "caso speciale": mettendo a nudo i meccanismi tradizionali della rappresentazione pittorica, il Cubismo svolse per Jakobson e colleghi la stessa funzione che la nevrosi aveva giocato per la scoperta dell'inconscio da parte di Freud. Come il caso speciale (patologico) della nevrosi aveva portato Freud alla sua teoria generale dello sviluppo psicologico dell'uomo, il caso speciale (defamiliarizzante) del Cubismo fu preso dai formalisti russi come supporto per la loro concezione strutturale antimimetica del linguaggio poetico.

A posteriori, tuttavia, possiamo vedere che non è possibile attribuire uno statuto di "normalità" agli strumenti tradizionali della rappresentazione pittorica che il Cubismo combatté e mise a nudo:

▲ 1915

▲ 1907

li porrebbe come sorta di norma astorica con cui tutte le pratiche pittoriche dovrebbero misurarsi (riportandoli, di fatto, a Winckelmann). Vedendo il rischio di essenzializzazione di questo semplice dualismo (norma/eccezione), Jakobson diventò più sospettoso dei postulati normativi su cui era basato il suo primo lavoro (l'opposizione tra linguaggio d'uso comune come norma e quello letterario come eccezione). Ma seppe ancora trarre vantaggio dal modello psicanalitico secondo cui la *disfunzione* ci aiuta a comprendere la *funzione*. Infatti uno dei suoi principali contributi all'ambito della critica letteraria – la dicotomia tra polo metaforico e polo metonimico del linguaggio – fu il risultato diretto della sua analisi dell'afasia, un disturbo del sistema nervoso centrale caratterizzato dalla perdita parziale o totale della capacità di comunicare. Notò che la maggior parte dei disturbi afasici riguardava o "la selezione delle entità linguistiche" (la scelta di *quel* suono invece di *questo*, di *quella* parola invece di *questa*) o "la loro combinazione in unità linguistiche di un grado più alto di complessità". I pazienti che soffrono del primo tipo di afasia (che Jakobson chiamò "disordine della similarità") non riescono a sostituire un'unità linguistica con un'altra e la metafora risulta a loro inaccessibile; i pazienti che soffrono del secondo tipo di afasia ("disordine della contiguità") non riescono a situare un'unità linguistica nel suo contesto e per loro la metonimia (o sineddoche) non ha senso. I poli della similarità e della contiguità erano direttamente presi da Saussure (corrispondono nel suo *Corso* ai termini *paradigma* e *sintagma*), ma Jakobson li legava espressamente ai concetti freudiani di spostamento e condensazione: così come il limite tra queste due attività dell'inconscio per Freud rimaneva poroso, gli estremi polari di Jakobson non precludono l'esistenza di forme ibride o intermediarie. Ma ancora una volta è l'opposizione dei due termini a strutturare l'immenso campo della letteratura mondiale. E non solo la letteratura: l'arte surrealista per lui era essenzialmente metaforica e il Cubismo essenzialmente metonimico.

La natura arbitraria del segno

Prima abbiamo esaminato un'opera cubista da un punto di vista strutturale, volgiamoci ora al famoso *Corso* di Saussure e alla sua esposizione inaugurale di quella che chiamò l'arbitrarietà del segno. Saussure andò ben oltre la nozione convenzionale di arbitrarietà come assenza di ogni legame "naturale" tra il segno (la parola "albero") e il suo referente (l'albero reale), anche se egli sarebbe stato l'ultimo a negare questa assenza, attestata fin dalla semplice esistenza di tante lingue. Per Saussure l'arbitrarietà comportava non solo il rapporto tra segno e referente, ma anche quello tra significante (il suono che emettiamo quando pronunciamo la parola "albero" o le lettere che tracciamo quando la scriviamo) e il significato (il concetto di albero). Il suo bersaglio principale era la concezione adamitica del linguaggio (dall'Adamo della Genesi: il linguaggio come insieme di nomi di cose), che chiamò "chimerica", perché presuppone l'esistenza di un numero invariabile di significati che ricevono in ogni lingua una veste formale diversa.

Questo punto di vista permise a Saussure di separare il problema della referenzialità da quello della significazione, intesa come l'introduzione nell'espressione (che chiamò *parole*, opposta a *langue*, che indica la lingua in cui il segno è espresso) di un legame arbitrario ma necessario tra un significante e un significato "concettuale". Scriveva nel più famoso passaggio del suo *Corso*:

> *Tutto ciò che precede si risolve nel dire che nella lingua non vi sono se non differenze. Di più: una differenza suppone in generale dei termini positivi tra i quali essa si stabilisce; ma nella lingua non vi sono che differenze senza termini positivi. [...] ciò che vi è di idea [significato] o di materia fonica [significante] in un segno importa meno di ciò che vi è intorno ad esso negli altri segni.*

Questo significa non solo che il segno linguistico non significa da solo, ma che il linguaggio è un sistema in cui tutte le unità sono interdipendenti. "Vedi" e "vide" hanno significati diversi (benché solo due lettere abbiano cambiato di posto), ma il significato del presente in "vedi" può esistere solo se opposto al significato del passato in "vide": semplicemente non si potrà identificare (e dunque comprendere) un segno linguistico se la mente non tiene conto degli opposti all'interno del sistema a cui appartiene, eliminando velocemente i simili mentre valuta il contesto dell'espressione (perché "vedi" è opposto non solo a "vide", ma anche a "guardi", "osservi", o anche – lasciando il campo semantico della visione – a "canti", "cammini" e così via). In breve, la caratteristica essenziale di qualsiasi segno è quella di essere ciò che altri segni non sono. Ma, aggiunge Saussure,

> *Dire che tutto è negativo nella lingua, è vero soltanto del significato e del significante presi separatamente: dal momento in cui si considera il segno nella sua totalità, ci si trova in presenza di una cosa positiva nel suo ordine.*

In altre parole, il significante acustico e il significato "concettuale" sono differenziali per negazione (si definiscono attraverso ciò che non sono), ma dalla loro combinazione risulta un fatto positivo, "la sola specie di fatti che il linguaggio possiede", cioè il segno. Quest'affermazione può sembrare strana, dato che altrove Saussure ha ovunque insistito sulla natura *oppositiva* del segno: non reintroduce qui improvvisamente una qualità sostantiva, quando tutta la sua linguistica si basa sulla scoperta che "il linguaggio è forma e non sostanza"?

Tutto ruota intorno al concetto di *valore*, uno dei più complessi e controversi in Saussure. Il segno è positivo perché ha un valore determinato da ciò con cui può essere paragonato e scambiato all'interno del proprio sistema. Questo valore è assolutamente differenziale, come il valore di un biglietto da cento euro in rapporto a quello da cinquanta, ma conferisce al segno "qualcosa di positivo". Il valore è un concetto economico per Saussure; permette lo scambio di segni all'interno di un sistema, ma è anche ciò che

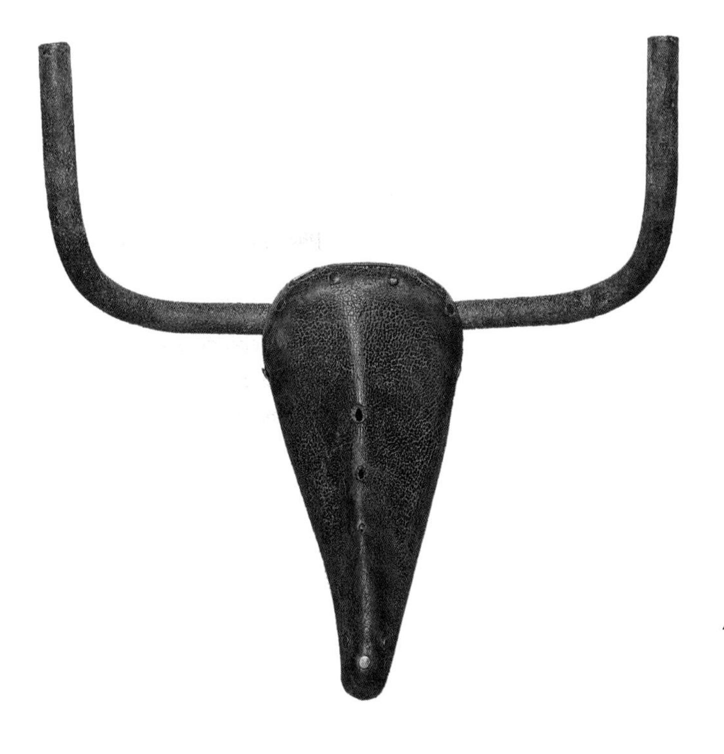

2 • Pablo Picasso, *Testa di toro*, 1942
Assemblage (sella e manubrio di bicicletta), 33,5 x 43,5 x 19 cm

Benché non avesse mai letto Saussure, Picasso scoprì nei propri termini visivi ciò che il padre della linguistica strutturale aveva chiamato "arbitrarietà del segno". Dato che i segni sono definiti dalla loro opposizione agli altri segni all'interno di un sistema dato, qualcosa può stare per qualcos'altro, se si conforma alle regole del sistema in questione. Usando il manubrio e la sella di una bicicletta, Picasso resta all'interno dell'ambito della rappresentazione, definendo il minimo richiesto per una combinazione di elementi disparati che vada letto come testa cornuta di un toro, mentre allo stesso tempo dimostra il potere metaforico dell'assemblaggio.

ostacola il loro scambio con segni appartenenti a un altro sistema.

Per spiegare la sua idea di valore Saussure invocò la metafora degli scacchi. Se, durante una partita, viene perso un pezzo, qualsiasi altro pezzo può sostituirlo provvisoriamente; i giocatori possono arbitrariamente scegliere qualsiasi sostituto, qualsiasi oggetto e perfino, dipende dalla loro capacità di ricordare, l'assenza di un oggetto. Per questo è la funzione del pezzo all'interno di un sistema a conferire il suo valore (così come è la posizione del pezzo in ogni istante della partita a dargli il suo significato di scambio). "Se aumenti il linguaggio con un segno", scrive Saussure, "diminuisci nella stessa proporzione il [valore] degli altri. Reciprocamente, se vengono scelti solo due segni [...] tutti i significati [possibili] dovranno essere divisi tra quei due segni. Uno designerebbe una metà degli oggetti, l'altro l'altra metà". Il valore di ognuno dei due segni sarebbe enorme.

Leggendo queste righe, non sorprenderà che Jakobson e i ▲ formalisti russi siano arrivati a conclusioni simili attraverso l'analisi del Cubismo – quello di Picasso in particolare, che dimostrava quasi maniacalmente l'interscambiabilità dei segni all'interno del sistema pittorico e il cui giocare sul gesto minimo richiesto per trasformare una testa in una chitarra o una bottiglia, in una serie di collage realizzati nel 1913, sembra una diretta illustrazione della ● dichiarazione di Saussure. La trasformazione metaforica indica che, *contra* Jakobson, Picasso non si è limitato al polo metonimico. Sembra invece gradire particolarmente strutture composite, che sono sia metaforiche che metonimiche. Un caso esemplare è la scultura del 1942 *Testa di toro* **[2]**, dove la congiunzione (metonimia) di un manubrio e una sella di bicicletta ha prodotto una metafora (la somma delle due parti di bicicletta sono come una testa di toro), ma tali rapide trasformazioni basate sulle due operazioni strutturaliste della sostituzione e della combinazione sono moltissime nella sua opera. Come dire che il Cubismo di Picasso fu un'"attività strutturalista", per usare le parole di Barthes: non solo operò un'analisi strutturale della tradizione figurativa dell'arte occidentale, ma costruì strutturalmente nuovi oggetti.

Un esempio è l'invenzione di Picasso dello spazio come nuovo materiale della scultura. Che le costruzioni cubiste che Picasso creò nel 1912-13 rappresentino un momento chiave nella storia della scultura è stato spesso ammesso, ma non sempre vengono compresi i mezzi con cui Picasso ha articolato di nuovo lo spazio. In sintesi: fino alla *Chitarra* di Picasso del 1912 **[3]** la scultura occidentale, sia modellata che fusa, era consistita in una massa, un volume che si distaccava dallo spazio circostante neutro o riportata alla condizione di bassorilievo. Aiutato dalla scoperta dell'arte africana, Picasso comprese che la scultura occidentale era paralizzata dalla paura di essere inghiottita dallo spazio reale degli oggetti (nel sistema postrinascimentale della rappresentazione era essenziale che l'arte rimanesse sicuramente collocata fuori dal mondo in un ambito etereo di illusioni). Invece che cercare di eliminare la differenza, come avrebbe fatto di lì a poco Marcel Duchamp con il ■ readymade, Picasso rispose alla sfida facendo dello spazio uno dei materiali della scultura. Parte del corpo della sua *Chitarra* è un

▲ 1915 ● 1912 ■ 1914

3 • Pablo Picasso, *Chitarra*, autunno 1912
Costruzione con lastre di metallo, corde e filo di ferro, 77,5 x 35 x 19,3 cm

Per lo Strutturalismo i segni sono oppositivi e non sostanziali, cioè la loro forma e significato sono esclusivamente definiti dalla loro differenza da tutti gli altri segni dello stesso sistema e non significherebbero niente se isolati. Con la pura giustapposizione per contrasto di vuoto e superficie nella sua scultura – che segna la nascita del cosiddetto "Cubismo sintetico", la cui più importante invenzione formale sarebbe stata il collage – Picasso trasforma un vuoto in un segno della forma di una chitarra e un cilindro sporgente in un segno del suo buco. Così facendo, trasforma una non sostanza – lo spazio – in un materiale della scultura.

volume virtuale, la cui superficie esterna non vediamo (è immateriale), ma che intuiamo attraverso la posizione di altri piani. Come Saussure aveva scoperto per i segni linguistici, Picasso trovò che i segni scultorei non dovevano essere sostanzializzati. Lo spazio vuoto poteva facilmente essere trasformato in un segno differenziale e così combinato con ogni tipo di altri segni: niente più paura dello spazio, disse Picasso ai suoi colleghi scultori, dategli forma.

Tuttavia, come aveva notato Jakobson, il Cubismo è un "caso speciale" in cui i procedimenti possono venire separati (in un quadro cubista l'ombreggiatura è enfaticamente indipendente dal contorno, per esempio) e pochi artisti in questo secolo sono stati altrettanto buoni strutturalisti quanto Picasso nel suo periodo cubista. Un altro candidato proposto dai critici strutturalisti fu ▲ Piet Mondrian (1872-1944). Infatti, riducendo deliberatamente dal 1920 il suo vocabolario pittorico a pochissimi elementi – linee orizzontali e verticali nere, superfici di colori primari e di "non colori" (bianco, nero o grigio) – e producendo un'opera estremamente varia all'interno di tali parametri limitati **[4]**, Mondrian dimostrò l'infinitezza combinatoria di qualsiasi sistema. Nella terminologia saussuriana si può dire che, poiché la nuova *langue* pittorica consisteva in una manciata di elementi e regole ("niente simmetria" era una di esse), le possibilità derivanti da tale spartano linguaggio (la sua *parole*) diventavano tanto più evidenti: aveva limitato il corpus dei possibili segni pittorici all'interno del suo sistema, ma questa stessa limitazione accresceva immensamente il loro "valore".

Nonostante il fatto che Mondrian sembri uno strutturalista *avant la lettre*, non fu il tipo strutturale di analisi formale, ma piuttosto quello morfologico ad essere proposto per primo nello studio della sua arte. Questo formalismo morfologico, principalmente interessato agli schemi compositivi di Mondrian, è rimasto impressionistico in sé, benché ci abbia dato eccellenti descrizioni dell'equilibrio o disequilibrio dei piani nelle sue opere, della vivacità dei colori, dello staccato ritmico. Alla fine questo approccio rimase tautologico, soprattutto nel suo ottuso rifiuto di discutere il "significato", e non è un caso che fu a lungo preferita un'interpretazione iconografica simbolista, anche se andava contro a ciò che l'artista stesso aveva detto.

Una lettura strutturale dell'opera di Mondrian cominciò a emergere solo negli anni Settanta. Essa esamina la funzione semantica giocata da varie combinazioni di elementi pittorici nell'evoluzione dell'opera dell'artista e cerca di comprendere come un apparentemente rigido sistema formale ha generato significati diversi. Invece che assegnare un significato fisso a questi elementi, come aveva cercato di fare l'interpretazione simbolista, è in grado di mostrare, per esempio, che dai primi anni Trenta il vocabolario pittorico "neoplastico" che aveva coniato nel 1920 e usato da allora si era trasformato in una macchina autodistruttiva destinata ad abolire non solo la figura, come aveva fatto prima, ma i piani di colore, le linee, le superfici e per estensione ogni possibile identità; in altre parole, che l'arte di Mondrian provoca un nichilismo epistemologico di intensità crescente. In breve, se i critici e gli storici dell'arte fossero stati più attenti allo sviluppo formale della

▲ 1913, 1917a, 1944a

sua opera, avrebbero potuto cogliere il rapporto, che dal 1930 si sentì propenso a trattare anche nei suoi testi, tra ciò che cercava di realizzare pittoricamente e le sue idee politiche anarchiche. Allo stesso modo avrebbero compreso che, se la sua classica opera neoplastica era stata guidata da un ethos strutturale, durante l'ultimo decennio della sua vita questo ethos si era diretto verso la decostruzione dell'insieme di opposizioni binarie su cui era basata la sua arte: avrebbero visto che, come Barthes, Mondrian aveva cominciato come praticante dello Strutturalismo per diventare poi uno dei suoi più formidabili critici. Ma avrebbero dovuto essere versati nello Strutturalismo stesso per diagnosticare il suo attacco.

Due aspetti dell'arte di Mondrian dopo il 1920 spiegano perché la sua arte diventò un oggetto ideale per un approccio strutturalista: primo, era un corpus chiuso (non solo piccolo nel suo insieme, ma, come abbiamo già detto, il numero di elementi pittorici usato era molto limitato); secondo, la sua opera era agevolmente distribuita in serie. I primi due passi metodologici di qualsiasi analisi strutturale sono la definizione di un corpus chiuso di oggetti da cui può essere dedotto un insieme di regole ricorrenti e, all'interno di questo corpus, la costituzione tassonomica di serie: infatti è solo dopo l'esame delle varie serie di cui è propriamente costituita l'opera di Mondrian che uno studio più elaborato del significato di queste opere è diventato possibile. Ma ciò che un'analisi strutturale può fare con la produzione di un singolo artista, può farlo anche al microlivello della singola opera, come hanno ampiamente dimostrato i formalisti russi o Barthes, o al macrolivello di un intero ambito, come ha mostrato Claude Lévi-Strauss nei suoi studi su vasti insiemi di miti. Il metodo resta lo stesso, cambia solo la scala dell'oggetto d'inchiesta: in ogni caso, vanno distinte le "unità" discrete in modo che i loro rapporti possano essere compresi ed emergano i loro significati oppositivi.

Il metodo ha però i suoi limiti, perché presuppone la coerenza interna del corpus d'analisi, la sua unità – ragione per cui produce i suoi risultati migliori quando si occupa di un singolo oggetto o di una serie limitata per varietà. Grazie a una forte critica delle nozioni stesse di coerenza interna, corpus chiuso e autorialità, ▲ quello che ora viene chiamato "Poststrutturalismo", mano nella ● mano con le pratiche letterarie e artistiche dette "postmoderniste", ha smussato la preminenza di cui hanno goduto Strutturalismo e formalismo negli anni Sessanta. Ma, come chiariscono diversi capitoli di questo volume, il potere euristico delle analisi strutturali e formaliste, soprattutto dei momenti canonici del modernismo, non va assolutamente scartato.

4 • Piet Mondrian, *Composizione con rosso, blu, nero, giallo e grigio*, 1921
Olio su tela, 39,4 x 35 cm

Permutazione e combinazione sono gli strumenti con cui ogni discorso è generato e in quanto tali costituiscono i due aspetti principali di quella che Barthes ha chiamato l'"attività strutturalista". Nelle sue opere Mondrian verifica, come farebbe uno scienziato, se e come la nostra percezione di un quadrato centrale si modifica secondo i cambiamenti di ciò che lo circonda.

ULTERIORI LETTURE:

Roland Barthes, *Miti d'oggi* (1957), trad. it. Einaudi, Torino 1994
Roman Jakobson, *Che cos'è la poesia?* (1933), trad. it. in *Poetica e poesia*, Einaudi, Torino 1985, e *Due aspetti del linguaggio e due tipi di disturbi dell'afasia* (1956), trad. it. in *Corso di linguistica generale*, Einaudi, Torino 1967
Fredric Jameson, *The Prison-House of Language: A Critical Account of Structuralism and Russian Formalism*, Princeton University Press, Princeton 1972
Thomas Levin, *Walter Benjamin and the Theory of Art History*, in *October*, n. 47, inverno 1988
Ferdinand de Saussure, *Corso di linguistica generale*, trad. it. Laterza, Bari 1967

Yve-Alain Bois

▲ Introduzione 4 ● 1972c, 1977a, 1984b

4 Poststrutturalismo e decostruzione

Per tutti gli anni Sessanta, gli ideali giovanili si scontrarono con il cinismo ufficiale, finché le tensioni sfociarono nella rivolta del 1968, quando, in reazione alla Guerra del Vietnam, i movimenti studenteschi di tutto il mondo – a Berkeley, Berlino, Milano, Parigi, Tokyo – entrarono in azione. Un volantino studentesco che circolava per Parigi nel Maggio 1968 dichiarava la natura del conflitto:

> *Ci rifiutiamo di diventare insegnanti al servizio di un meccanismo di selezione sociale in un sistema educativo che opera a spese dei figli della classe operaia, di diventare sociologi che diffondono slogan per le campagne elettorali governative, di diventare psicologi incaricati di convincere "gruppi di lavoratori" a "funzionare" secondo gli interessi dei capi, di diventare scienziati la cui ricerca sarà usata secondo gli esclusivi interessi dell'economia del profitto.*

Dietro questo rifiuto c'era l'accusa che l'università, a lungo considerata il luogo di una ricerca autonoma, disinteressata e "libera", si era trasformata in parte interessata di una sorta di ingegneria sociale imputata sia al governo che all'industria.

I termini di questa accusa e la sua negazione che le diverse funzioni sociali – ricerca intellettuale o pratica artistica – potessero essere autonome o disinteressate non poteva mancare di avere ripercussioni al di fuori dell'università. Influenzarono immediatamente il mondo dell'arte. A Bruxelles, per esempio, Marcel ▲ Broodthaers (1924-76) e altri artisti belgi si unirono agli studenti nell'occupazione della Salle de Marbre del Palais des Beaux-Arts, "liberandolo" temporaneamente dalla sua precedente amministrazione. Inoltre, in un altro gesto modellato sull'azione dei movimenti studenteschi, Broodthaers cofirmò delle dichiarazioni trasmesse al pubblico in forma di volantini. Una di esse annunciava, per esempio, che l'Associazione Libera (come si autodefinivano gli occupanti) "condanna la commercializzazione di qualsiasi forma d'arte considerata come oggetto di consumo". Questo modo di rivolgersi al pubblico, che aveva usato già dal 1963, diventò sempre più la base del suo lavoro, che realizzò nel nome di un museo fittizio, il *Museo d'Arte Moderna*, sotto l'egida del quale accumulò una dozzina di sezioni – come la "Sezione del XIX secolo" e il "Dipartimento delle Aquile" **[1]** – e al cui servizio si rivolgeva al pubblico attraverso una serie di "Lettere aperte". Le precedenti separazioni all'interno del mondo dell'arte – tra produttori (artisti) e distributori (musei o gallerie), tra critici e autori, tra quelli che parlano e quelli di cui si parla – furono radicalmente sfidate dal museo di Broodthaers, un'operazione che comportò una costante meditazione, parodistica ma profonda, sui vettori degli "interessi" che passano per le istituzioni culturali, strumenti tutt'altro che disinteressati del potere.

Questo atteggiamento di riprendersi la parola da parte di chi avrebbe dovuto essere solo oggetto del discorso, e conseguentemente di sfidare le divisioni istituzionali e sociali che fanno da supporto alle divisioni del potere, aveva altre fonti oltre alla politica studentesca. C'era anche la rivalutazione delle premesse, delle ipotesi, di varie discipline accademiche collettivamente chiamate scienze umane, che si cristallizzarono intorno al 1968 in quello che fu chiamato Poststrutturalismo.

Il "disinteresse" non esiste

▲ Lo Strutturalismo – posizione metodologica francese dominante contro cui si ribellò il Poststrutturalismo – aveva visto ogni attività umana data – il linguaggio, per esempio, o i sistemi di parentela in una società – come un sistema regolato che è più o meno autonomo, una struttura che si automantiene e le cui leggi operano secondo certi principi formali di reciproca opposizione. Questa idea di una struttura autoregolata, le cui operazioni di messa in ordine sono formali e riflessive – cioè che derivano da e insieme organizzano i dati materiali del sistema stesso –, è chiaramente basata sulla concezione modernista delle diverse e separate discipline e media artistici. Come dimostra questo parallelo, le battaglie intellettuali e teoriche del 1968 sono perciò molto importanti per gli sviluppi del mondo dell'arte negli anni Settanta e Ottanta.

Il Poststrutturalismo crebbe sul rifiuto di accordare allo Strutturalismo la sua premessa che ogni sistema è autonomo, con regole e operazioni che cominciano e finiscono all'*interno* dei limiti di quel sistema. In linguistica, questo atteggiamento estese lo studio limitato delle strutture linguistiche a quei modi con cui i linguaggi sfociano nell'azione, i cosiddetti *commutatori* e *performativi*.

▲ 1972a

▲ Introduzione 3

1 • Marcel Broodthaers, *Museo d'Arte Moderna, Dipartimento delle Aquile, Sezione delle Figure (L'aquila dall'oligocene ad oggi)*, 1972
Veduta dell'installazione

Come direttore del suo museo, Broodthaers organizzò la "Sezione pubblicità" per *Documenta*, ma anche come materiale di particolare ricchezza per esposizioni in altri musei, come quella alla Städtische Kunsthalle di Düsseldorf nel 1972. La collezione era composta di oggetti diversi, dalle aquile prese dai materiali della cultura di massa (per esempio stampate sui tappi di Champagne) a oggetti preziosi (come le *fibulae* romane), tutti con l'etichetta "Questa non è un'opera d'arte". Come ha spiegato Broodthaers nel catalogo, la didascalia sposava le idee di Duchamp (il readymade) con quelle di Magritte (la sua decostruttiva "Questa non è una pipa", iscritta nel quadro *Il tradimento delle immagini* del 1929). Il dipartimento del museo responsabile di questa esposizione era la "Sezione delle Figure".

I commutatori sono parole come "io" e "tu", dove il referente di "io" (cioè la persona che parla) si sposta dall'uno all'altro in una conversazione. I performativi sono quelle espressioni verbali che, con l'essere espresse, mettono letteralmente in atto il loro significato, come quando una persona annuncia "faccio questo" mentre lo fa. Il linguaggio, si sosteneva, non è semplicemente un materiale della trasmissione di messaggi o della comunicazione di informazioni, mette l'interlocutore anche in obbligo di replicare. Impone così un ruolo, un atteggiamento, un intero sistema discorsivo (regole di comportamento e di potere, così come di codifica e decodifica) al destinatario dell'atto linguistico. Del tutto a parte dal contenuto di qualsiasi dato scambio verbale, dunque, la sua stessa messa in atto implica l'accettazione (o il rifiuto) dell'intero contesto istituzionale di quello scambio, i suoi "presupposti", come li ha chiamati lo studioso di linguistica Oswald Ducrot, all'inizio del 1968:

> *Il rifiuto dei presupposti costituisce un atteggiamento polemico molto diverso dalla critica di ciò che è messo avanti: specificamente implica sempre una grande dose di aggressività che trasforma il dialogo in un confronto tra persone. Rifiutando i presupposti del mio interlocutore, squalifico non solo l'interlocuzione stessa, ma anche l'atto enunciativo da cui procede.*

Una forma del rifiuto postsessantottino dei presupposti fu che gli studenti dell'università francese insistettero nel rivolgersi ai professori con la forma confidenziale del "tu" e con il nome di battesimo. Basarono questa richiesta sull'abrogazione dei presupposti da parte dell'università stessa, quando essa chiamò la polizia (che storicamente non aveva giurisdizione all'interno degli edifici della Sorbona) per espellere con la forza gli studenti occupanti.

Diversamente dall'idea di disciplina accademica (o di opera d'arte) autonoma, il cui contesto è considerato necessariamente esterno – una sorta di appendice non necessaria – la nozione performativa del linguaggio pone il contesto nel cuore stesso dell'atto linguistico. Lo scambio verbale infatti, si sosteneva, è fin dall'inizio l'atto di imporre (o di non imporre) al destinatario un insieme di presupposti. Parlare è così molto più che la semplice (e neutrale) trasmissione di un messaggio, è anche la messa in atto di un rapporto di forza, un movimento che modifica il diritto di parlare del destinatario. Gli esempi usati da Ducrot furono l'esame universitario e l'interrogatorio di polizia.

Sfidare il contesto

Il linguista strutturalista francese Émile Benveniste (1902-76) aveva già fatto più di chiunque altro per introdurre questa trasformazione del modo in cui il linguaggio doveva essere visto negli anni Sessanta. Dividendo i tipi di scambio verbale in *narrativo* da un lato e *discorsivo* dall'altro, indicò di ognuno le caratteristiche precipue: la narrazione (o scrittura della storia) impiega tipica-

2 • Daniel Buren, *Photo-souvenir: Dentro e fuori dal contesto*, 1973 (dettagli)
Installazione in situ, galleria John Weber, New York

A partire dai primi anni Settanta Buren ha ridotto la sua pratica pittorica a una sorta di readymade: tele ritagliate da un tessuto a strisce bianche e grigie prodotto industrialmente (usato per le tende degli edifici degli uffici statali francesi) che "personalizzava" con una mano di pittura su una delle strisce esterne. Per l'installazione alla galleria John Weber fece correre le tele attraverso la galleria e fuori dalla finestra attraverso la strada, come delle specie di bandiere pubblicitarie dell'esposizione stessa.

mente la terza persona e si limita alla forma temporale del passato; per contrasto, il discorso, cioè la comunicazione diretta, impiega il tempo presente e la prima e seconda persona (i commutatori "io" e "tu"). Il discorso è segnato dunque dai fatti esistenziali della sua trasmissione attiva, della necessaria presenza in esso sia dell'emittente che del destinatario.

Lo storico e filosofo francese Michel Foucault, che nel 1969 insegnava al Collège de France, sviluppò ulteriormente questa idea. Applicando il termine "discorso" di Benveniste a quella che era sempre stata intesa come comunicazione neutra dell'informazione didattica di una data disciplina dipartimentale e – come la narrazione – limitata alla trasmissione di informazione "oggettiva", Foucault assunse la posizione opposta per cui i "discorsi" sono sempre intrisi di rapporti di potere, e perfino di esercizi di forza. Il sapere, secondo questo ragionamento, cessa di essere il contenuto autonomo di una disciplina e diventa ora *disciplinare*, cioè segnato dalle operazioni di potere. Il "discorso" di Foucault inoltre, come i "presupposti" di Ducrot, è un riconoscimento del contesto discorsivo che forma l'atto di interlocuzione, istituzionalmente, come i rapporti di potere che operano in un'aula scolastica o in una stazione di polizia.

▲ Il riprendersi la parola di Broodthaers, in veste di "direttore di museo", realizza il tipo di sfida ai contesti istituzionali che post-strutturalisti come Foucault stavano teorizzando in quel periodo. Infatti Broodthaers realizzò la sua opera fuori da quello stesso contesto, rappresentando i rituali di compartimentazione amministrativa e parodiando il modo con cui quei comportamenti creano a loro volta insiemi di "sapere". Poiché i contesti erano fatti per essere mostrati, non fuori dall'opera ma al suo stesso interno, ciò che si instaurò fu la "legittimità stessa di un dato atto di parola in gioco". Sotto ogni pezzo esposto del Museo, il Dipartimento
● delle Aquile poneva l'etichetta magrittiana: "Questa non è un'opera d'arte".

Broodthaers non fu l'unico a prendere questa decisione di operare fuori dalla cornice dei contesti istituzionali. Da questa pratica infatti derivò quella che sarà chiamata "critica delle istituzioni", che incentrava l'attenzione sui contenitori presunti neutri della cultura e interrogava questa supposta neutralità. L'artista
■ francese Daniel Buren, per esempio, adottò una strategia di sfida del potere dei contesti rifiutandosi di lasciare i loro presupposti impliciti, nascosti, separati. La sua arte invece, emersa negli anni Settanta, fu quella di marcare tutte le divisioni attraverso cui il potere opera. Nel 1973 espose *Dentro e fuori dal contesto* **[2]**. Opera in diciannove sezioni, ognuna composta da una tela a strisce bianche e grigie (senza né telaio né cornice), la "pittura" di Buren si estendeva per quasi trenta metri a partire dalla galleria John Weber di New York e continuando fuori dalla finestra attraverso la strada, come delle bandiere appese per una parata, fino all'edificio di fronte. Il contesto a cui si riferisce il titolo dell'opera era ovviamente quello istituzionale della galleria, un contesto che funziona per garantire certe cose sugli oggetti che contiene. Queste cose – come la rarità, l'autenticità, l'originalità e l'unicità – sono parte del

▲ 1972a ● 1927a, 1972a ■ 1967c, 1971

3 • Robert Smithson, *Un non luogo (Franklin, New Jersey)*, 1968
Recipienti di legno dipinto, calcare, stampa alla gelatina d'argento e testo su carta a grafite e lettere trasferibili, montato su cartoncino. Insieme dei recipienti, 41,9 x 208,9 x 261,6 cm; lavoro a parete, 103,5 x 78,1 cm.

I *Non luoghi* di Smithson sono stati giustamente collegati ai diorami del Museo di Storia Naturale di New York, in cui campioni tratti dal mondo naturale sono portati nel museo come oggetti di esposizione che necessariamente contaminano la "purezza" dello spazio estetico. I recipienti o contenitori di questi *Non luoghi* sono un ironico commento del Minimalismo, che accusano di un estetismo che artisti minimalisti come Donald Judd e Robert Morris avrebbero energicamente negato.

valore dell'opera implicitamente asserite dallo spazio della galleria. Questi valori, che fanno parte di ciò che separa l'arte dagli altri oggetti nella nostra cultura, oggetti che non sono né rari né originali né unici, servono poi per affermare l'arte come sistema autonomo all'interno di quella cultura.

Inoltre rarità, unicità e così via sono anche i valori a cui la galleria dà un prezzo, in un atto che cancella ogni fondamentale differenza tra ciò che si vende e la merce di qualsiasi altro spazio commerciale. Poiché le pitture tutte a strisce identiche (a loro volta appena distinguibili dalle tende prodotte commercialmente) fendevano il contesto della galleria per passare al di là dei suoi confini fuori della finestra, Buren sembrava chiedere allo spettatore di definire a che punto smettevano di essere "pitture" (oggetti rari, originali, ecc.) e cominciavano a essere parte di un altro sistema di oggetti: bandiere, panni appesi ad asciugare, pubblicità della mostra dell'artista, addobbi di carnevale. Metteva cioè alla prova la legittimità del potere del sistema di dar valore all'opera.

La questione dei contesti era anche al centro della riflessione di ▲ Robert Smithson sul rapporto tra paesaggio, o luogo naturale, e suo contenitore estetico, che l'artista chiamava "non luogo". In una serie di opere intitolate appunto *Non luoghi* Smithson importò nello spazio della galleria materiale minerale – rocce, sassi, ardesia – preso da luoghi specifici, ponendolo dentro recipienti geometrici, ognuno collegato visivamente, attraverso la sua forma, a un segmento di mappa esposta sulla parete, che indicava l'area d'origine dei frammenti **[3]**. L'ovvio atto di natura estetizzante, e di trasformazione del reale in sua rappresentazione attraverso le operazioni del recipiente geometrico per fare della materia grezza delle rocce un segno – trapezio – che "sta per" il punto di estrazione delle rocce e dunque per le rocce stesse, è ciò che Smithson affida al sistema degli spazi del mondo dell'arte: le sue gallerie, i suoi musei, le sue riviste.

Le strutture a ziggurat dei recipienti e delle mappe di Smithson possono implicare che si tratti solo di un ironico gioco formale ad essere in discussione in questo aspetto della sua opera, ma i recipienti graduati si riferivano anche a una sorta di storia naturale che poteva essere letta nel paesaggio, i successivi stadi di estrazione del minerale dall'iniziale abbondanza al progressivo esaurimento. Era questa storia naturale a non poter essere rappresentata all'interno dei contesti del discorso del mondo dell'arte, concentrato com'è a raccontare un'altra storia, quella della forma, della bellezza, dell'*auto*referenzialità. Perciò parte della strategia di Smithson fu di contrabbandare un altro modo estraneo di rappresentazione nel contesto della galleria, un modo che prese dal museo di storia naturale, dove le rocce e i recipienti e le mappe non sono capricciose astrazioni estetizzate, ma le basi di un sistema di sapere completamente diverso: un modo di mappare e comprendere le idee sul "reale".

Lo sforzo di fuggire dal contenitore estetico, di rompere le catene del contesto istituzionale, di sfidare gli assunti (e dunque gli impliciti rapporti di potere) stabiliti dai presupposti del mondo dell'arte, fu così messo negli anni Settanta in relazione con i luoghi

▲ 1967a, 1970

4 • Richard Long, *Un cerchio in Irlanda*, 1975

Uscendo nel paesaggio per prendere i materiali dei suoi *Non luoghi*, Smithson introdusse l'idea che il paesaggio stesso potesse essere un medium scultoreo. Opere nel paesaggio furono il risultato di questa suggestione, in cui artisti come Richard Long, Walter De Maria, Christo o Michael Heizer operarono direttamente sul paesaggio, spesso facendo delle fotografie della loro realizzazione. Questa dipendenza dal documento fotografico fu la conferma della predizione di Walter Benjamin nel suo saggio del 1936 *L'opera d'arte nell'epoca della sua riproducibilità tecnica*.

specifici – galleria, museo, cava, montagne scozzesi, costa californiana – che l'opera d'arte servì a *ricontestualizzare*. Questo atto di ricontestualizzazione significò realizzare un tipo peculiare di rovesciamento. Le vecchie idee estetiche per cui i luoghi usati per contestualizzare (per quanto invisibilmente, implicitamente), ora sorvolavano questi luoghi reali come altrettanti fantasmi esorcizzati, mentre il luogo stesso – le sue pareti bianche, i suoi porticati neoclassici, i suoi siti pittoreschi, le sue colline ondulate e i suoi affioramenti rocciosi **[4]** – diventava il supporto materiale di un nuovo tipo di rappresentazione. Questa rappresentazione era l'immagine dei contesti istituzionali stessi, ora spinti alla visibilità come se un nuovo tipo di potente fluido avesse rivelato informazioni prima segrete da un negativo fotografico inerte.

La doppia seduta di Derrida

Jacques Derrida (1930-2004), un filosofo che insegnava all'École Normale Supérieure di Parigi, raccolse la radicalizzazione della linguistica strutturale di Benveniste e Foucault per forgiare la propria versione del Poststrutturalismo. Cominciò dai termini stessi dello Strutturalismo, in cui il linguaggio è segnato da una ▲ fondamentale ambivalenza nel cuore del segno linguistico. Secondo la logica strutturalista il segno è composto dalla coppia significante e significato, ma è il significato (il referente o concetto,

▲ Introduzione 3

come un gatto o l'idea di "gatto") ad essere privilegiato sulla pura forma materiale del significante (le lettere *g, a, t, t, o* scritte o dette). Questo perché il rapporto tra significante e significato è arbitrario: non c'è ragione per cui *g, a, t, t, o* significhino la "gattità"; qualsiasi altra combinazione di lettere poteva fare altrettanto, come dimostra l'esistenza di diverse parole per "gatto" in lingue differenti ("*chat*", "*cat*", "*Katze*", ecc.).

Ma questa disparità tra significante e significato non è l'unica al cuore del linguaggio. Un'altra ad emergere dal modello strutturalista è l'ineguaglianza dei termini che compongono coppie oppositive come "giovane/vecchio" o "uomo/donna". Questa ineguaglianza è tra termine *marcato* e termine *non marcato*. La metà marcata della coppia porta nella trasmissione più informazione della metà non marcata, come nel binomio "giovane/ vecchio" e nell'affermazione "Giovanni è altrettanto giovane di Maria". "Altrettanto giovane di" implica giovinezza, mentre "Giovanni è altrettanto vecchio di Maria" non implica né giovinezza né età avanzata. È il termine non marcato ad aprirsi più facilmente all'ordine superiore di sintesi, una condizione che diventa chiara se guardiamo il binomio "uomo/ donna", in cui "uomo" è la metà non marcata della coppia (come in "umano", "umanità", ecc.).

Che il termine non marcato si spinga al di là del suo partner nella posizione di maggiore generalità fa sì che possieda un implicito potere, istituendo così una gerarchia all'interno della struttura apparentemente neutra della coppia. Fu la determinazione di Derrida a non continuare a lasciare che questa ineguaglianza restasse non detta, ma invece a dirla, a "marcare" il termine non marcato, usando "ella" come pronome generale che indica una persona e – nella teorizzazione della "grammatologia" (vedi più avanti) – a mettere il significante in posizione di superiorità sul significato. Questo marcare il non marcato Derrida lo chiamò "decostruzione", un rovesciamento che ha senso solo all'interno dello stesso contesto strutturalista che vuole porre al centro della sua attività, rincorniciando quella cornice.

Il libro di Derrida *Della grammatologia* (1967), che ebbe una grande influenza, procedeva da tale operazione decostruttiva per marcare il non marcato e così mettere in vista la cornice invisibile. Se paragoniamo lo statuto di "egli dice" con quello di "egli scrive", vediamo che "dice" è non marcato, mentre "scrive", in quanto termine specifico, è invece marcato. La "grammatologia" di Derrida intende marcare il discorso (*logos*) e in tal modo rovesciare questa gerarchia, così come analizzare le fonti del privilegio del discorso sulla scrittura. Questa analisi era cominciata con la tesi di dottorato di Derrida, *La voce e il fenomeno*, in cui analizzava la condanna della scrittura da parte del fenomenologo Edmund Husserl (1859-1938) come alterazione della trasparenza e dell'immediatezza del pensiero a se stesso. Analizzando il privilegio del *logos* sul segno destituito della traccia mnestica (scrittura, *grammé*), Derrida sviluppò la logica di quello che chiamò *supplemento*, un soccorso cresciuto in aiuto o estensione o complemento della voce umana, ma che paradossalmente finisce col sostituirla. Questa gerarchia sta anche sotto il termine *derridiano* di *différance*, indistinguibile fonicamente da *différence*, parola francese che sta per quella "differenza" su cui il linguaggio è basato. La *différance*, che può essere colta solo nella sua forma scritta, si riferisce precisamente all'operazione della traccia in scrittura e della spaziatura che apre sulla pagina l'articolazione di un segno con l'altro. Questa spaziatura permette non solo il gioco della differenza tra significanti che è la base del linguaggio ("gatto", per esempio, può funzionare come segno e assumere il suo valore nel sistema linguistico solo perché differisce da "tatto" e da "getto"), ma anche il dispiegamento temporale di significati (il significato essendo elaborato nel tempo attraverso la ripetizione graduale di una frase): la *différance* non solo differisce, dunque, ma rimanda, temporalizza.

Se la decostruzione è il marcare il non marcato, che talvolta Derrida chiamava rimarcatura, il rincorniciare le cornici prese la forma analitica del saggio *Il parergon*, che si occupa dell'importante trattato di Immanuel Kant *Critica del giudizio* (1790), un trattato che non solo fonda la disciplina dell'estetica, ma prepara efficacemente il modernismo con la sua convinzione della possibilità dell'autonomia delle arti, dell'autofondazione dell'opera d'arte e dunque della sua indipendenza dalle condizioni del suo contesto. Kant sostiene infatti che il "giudizio", il risultato dell'esperienza estetica, va separato dalla "ragione"; non dipende dal giudizio cognitivo, ma deve rivelare, afferma Kant, la condizione paradossale di "finalità senza scopo". È questa la fonte dell'autonomia dell'arte, il suo disinteresse, il suo distacco dall'uso e dalla strumentalizzazione. La ragione fa uso di concetti allo scopo di raggiungere la conoscenza; l'arte, in quanto autofondata, deve abiurare i concetti, riflettendo invece sulla pura finalità della natura come concetto trascendentale (e dunque non empirico). Kant sostiene che la logica dell'opera (l'*ergon*) è interna (o specifica) ad essa, cosicché ciò che è esterno (il *parergon*) è solo un ornamento estraneo e, come la cornice su un quadro o le colonne di un edificio, puro superfluo o decorazione. L'argomento di Derrida invece è che l'analisi kantiana del giudizio estetico come autofondativo non è essa stessa autofondata, ma importa una cornice dal precedente saggio del filosofo, *Critica della ragion pura* (1781), una cornice cognitiva su cui costruire la sua logica trascendentale. Così la cornice non è estrinseca all'opera, ma viene da *fuori* a costituire il dentro come dentro. Questa è la funzione parergonale della cornice.

Il rincorniciare la cornice di Derrida fu forse più eloquentemente esposto nel suo testo del 1969 *La doppia seduta*, che si riferisce a una doppia lettura che diede dell'opera del poeta francese Stéphane Mallarmé (1842-98). La prima pagina del saggio mostra la sensibilità quasi modernista di Derrida per lo statuto del significante, una sensibilità parallela al prudente accertamento poststrutturalista delle "verità" dello Strutturalismo **[5]**. Simile a un monocromo modernista, la pagina si presenta come un mormorio di lettere grigie poiché riproduce una pagina dal *Filebo* di Platone, un dialogo dedicato alla teoria della mimesi (rappresentazione,

SOCRATES: And if he had someone with him, he would put what he said to himself into actual speech addressed to his companion, audibly uttering those same thoughts, so that what before we called opinion (δόξαν) has now become assertion (λόγος).—PROTARCHUS: Of course.—SOCRATES: Whereas if he is alone he continues thinking the same thing by himself, going on his way maybe for a considerable time with the thought in his mind.—PROTARCHUS: Undoubtedly.—SOCRATES: Well now, I wonder whether you share my view on these matters.—PROTARCHUS: What is it?—SOCRATES: It seems to me that at such times our soul is like a book (Δοκεὶ μοι τότε ἡμῶν ἡ ψυχὴ βιβλίῳ τινὶ προσεοικέναι).—PROTARCHUS: How so?—SOCRATES: It appears to me that the conjunction of memory with sensations, together with the feelings consequent upon memory and sensation, may be said as it were to write words in our souls (γράφειν ἡμῶν ἐν ταῖς ψυχαῖς τότε λόγους). And when this experience writes what is true, the result is that true opinion and true assertions spring up in us, while when the internal scribe that I have suggested writes what is false (ψευδῆ δ ὅταν ὁ τοιοῦτος παρ ἡμῖν γραμματεὺς γράψῃ), we get the opposite sort of opinions and assertions. —PROTARCHUS: That certainly seems to me right, and I approve of the way you put it—SOCRATES: Then please give your approval to the presence of a second artist (δημιουργὸν) in our souls at such a time.—PROTARCHUS: Who is that?—SOCRATES: A painter (Ζωγράφον) who comes after the writer and paints in the soul pictures of these assertions that we make.—PROTARCHUS: How do we make out that he in his turn acts, and when?—SOCRATES: When we have got those opinions and assertions clear of the act of sight ('όψεως) or other sense, and as it were see in ourselves pictures or images (εἰκόνας) of what we previously opined or asserted. That does happen with us, doesn't it?—PROTARCHUS: Indeed it does.—SOCRATES: Then are the pictures of true opinions and assertions true, and the pictures of false ones false?—PROTARCHUS: Unquestionably.—SOCRATES: Well, if we are right so far, here is one more point in this connection for us to consider.—PROTARCHUS: What is that?—SOCRATES: Does all this necessarily befall us in respect of the present (τῶν ὄντων) and the past (τῶν γεγονότων), but not in respect of the future (τῶν μελλόντων)?—PROTARCHUS: On the contrary, it applies equally to them all.—SOCRATES: We said previously, did we not, that pleasures and pains felt in the soul alone might precede those that come through the body? That must mean that we have anticipatory pleasures and anticipatory pains in regard to the future.—PROTARCHUS: Very true.—SOCRATES: Now do those writings and paintings (γράμματά τε καὶ ξωγραφήματα), which a while ago we assumed to occur within ourselves, apply to past and present only, and not to the future?—PROTARCHUS: Indeed they do.—SOCRATES: When you say 'indeed they do', do you mean that the last sort are all expectations concerned with what is to come, and that we are full of expectations all our life long?—PROTARCHUS: Undoubtedly.—SOCRATES: Well now, as a supplement to all we have said, here is a further question for you to answer.

MIMIQUE

Silence, sole luxury after rhymes, an orchestra only marking with its gold, its brushes with thought and dusk, the detail of its signification on a par with a stilled ode and which it is up to the poet, roused by a dare, to translate! the silence of an afternoon of music; I find it, with contentment, also, before the ever original reappearance of Pierrot or of the poignant and elegant mime Paul Margueritte.

Such is this PIERROT MURDERER OF HIS WIFE composed and set down by himself, a mute soliloquy that the phantom, white as a yet unwritten page, holds in both face and gesture at full length to his soul. A whirlwind of naive or new reasons emanates, which it would be pleasing to seize upon with security: the esthetics of the genre situated closer to principles than any! (no)thing in this region of caprice foiling the direct simplifying instinct... This — "The scene illustrates but the idea, not any actual action, in a hymen (out of which flows Dream), tainted with vice yet sacred, between desire and fulfillment, perpetration and remembrance: here anticipating, there recalling, in the future, in the past, *under the false appearance of a present*. That is how the Mime operates, whose act is confined to a perpetual allusion without breaking the ice or the mirror: he thus sets up a medium, a pure medium, of fiction." Less than a thousand lines, the role, the one that reads, will instantly comprehend the rules as if placed before the stageboards, their humble depository. Surprise, accompanying the artifice of a notation of sentiments by unproffered sentences — that, in the sole case, perhaps, with authenticity, between the sheets and the eye there reigns a silence still, the condition and delight of reading.

175

5 • Jacques Derrida, *Dissemination*, trad. ingl. di Barbara Johnson, pagina 175 (*The Double Session*)

Derrida, la cui teoria decostruttivista consisteva in un attacco al visivo – in quanto forma di presenza che la sua idea di spazializzazione come aspetto del differire (o *différance*) voleva smantellare –, spesso inventò sorprendenti metafore visive per i suoi concetti.
Qui l'inserimento di *Mimica* di Mallarmé in un angolo del *Filebo* di Platone suggerisce, visivamente, l'idea di piega o raddoppiamento, che Derrida produce come nuovo concetto di mimesi, in cui il doppio (o copia di secondo ordine) non raddoppia nessun singolo (o originale).
Un altro esempio si trova nel saggio *Parergon*, dove una successione di cornici grafiche è introdotta in un testo incentrato sulla funzione della cornice nell'opera d'arte, una cornice che cerca di essenzializzare l'opera come autonoma, ma che non fa altro che collegarla al suo contesto o non-opera.

imitazione). Nell'angolo in basso a destra di questo campo grigio però Derrida inserisce un altro testo, anch'esso consacrato all'idea di mimesi: *Mimica* di Mallarmé, racconto di uno spettacolo cui il poeta aveva assistito di un famoso mimo, basato sul testo *Pierrot assassino della sua donna*. In occasione della conferenza, dietro a Derrida, sulla lavagna, era apparsa un'introduzione tripartita, sospesa sopra le sue parole, disse, come un lampadario di cristallo:

l'antre de Mallarmé
L'"entre" de Mallarmé
L'entre-deux "Mallarmé"

Poiché in francese non vi è distinzione fonica tra *antre* ed *entre*, questo ornamento testuale dipende dalla sua forma scritta, allo stesso modo di *différance*, che dev'essere scritto per indicare il suo significato. Questa condizione omofonica è essa stessa "tra due", come nell'"*entre-deux*" di Mallarmé, un tra che Derrida paragona alla piega nella pagina, una piega che trasforma la singolarità del supporto materiale in una doppiezza ambigua (una piega materializzata a sua volta dall'inserzione di *Mimica* nell'angolo del *Filebo*).

Nel testo stesso *La doppia seduta* Derrida gioca, come ogni buon modernista, con la condizione materiale dei numeri che emergono dalle definizioni di mimesi di Platone e Mallarmé. La definizione di Platone ruota intorno al numero quattro, mentre quella del poeta intorno al doppio, dunque al numero due. Sempre come un buon modernista Derrida materializza la classica partita a quattro, intendendola come una cornice: Platone dice che (1) il libro imita il dialogo silenzioso dell'anima con sé; (2) il valore del libro non è intrinseco, ma dipende dal valore di ciò che imita; (3) la verità del libro può essere dedotta, basata sulla veridicità della sua imitazione; (4) l'imitazione del libro è costituita dalla forma del doppio. Così la mimesi platonica doppia ciò che è singolo (o semplice) e, essendo deducibile, si istituisce all'interno delle operazioni di verità. L'imitazione di Mallarmé, d'altro canto, doppia ciò che è già doppio o multiplo ed è per questo indeducibile: tra-due. Il testo dello spettacolo mimico che Mallarmé racconta in *Mimica* parla della scoperta da parte di Pierrot dell'adulterio di sua moglie Colombina, di cui decide di vendicarsi uccidendola. Non volendo essere catturato, tuttavia, rifiuta le normali possibilità del veleno, dello strangolamento o dell'arma da fuoco, perché tutte lasciano delle tracce. Dopo aver dato un calcio a un sasso per la frustrazione, si massaggia il piede per calmare il dolore e senza volerlo si fa il solletico. Mentre ride, gli viene l'idea di uccidere Colombina col solletico, così morirà ridendo. Nello spettacolo l'assassinio è mimato dall'attore che fa entrambe le parti: il diabolico solleticatore e la vittima che ride convulsamente, contorcendosi dal piacere. Poiché una morte simile è impossibile, l'imitazione imita non ciò che è semplice ma un multiplo, esso stesso pura funzione del significante, un giro di frase ("morire ridendo", "essere solleticato fino alla morte") più che una realtà. Come scrive Mallarmé: "La scena non illustra che l'idea, non un'azione effettiva, in un imene (donde procede il Sogno) vizioso ma sacro, fra il desiderio e

6 • Louise Lawler, *Pollock e zuppiera*, 1984
Cibachrome, 40,6 x 50,8 cm

Fotografando opere d'arte all'interno degli spazi allestiti per loro dai collezionisti, Lawler produce immagini come se fossero illustrazioni di interni per *Vogue* o un altro periodico di arredamento di lusso. Sottolineando la mercificazione dell'opera d'arte, le immagini di Lawler si focalizzano anche sull'incorporazione dell'opera da parte del collezionista nel suo spazio domestico, facendone in tal modo l'estensione della propria soggettività. Il dettaglio del groviglio pittorico di Pollock è così messo in rapporto con l'intricato design della zuppiera, come forma di *interpretazione* personale del collezionista.

il compimento, la perpetrazione e il suo ricordo: qui sopravanzando, là rammemorando, al futuro, al passato, *in un'apparenza falsa di presente*. Così opera il Mimo. La cui azione si limita ad un'allusione perpetua, senza rompere il ghiaccio: esso installa, in tal modo, un ambiente, puro, di finzione".

L'imitazione che si piega su ciò che è già doppio, o ambiguo, non entra perciò nell'ambito della verità. È una copia senza modello e la sua condizione è segnata dal termine *simulacrum*: una copia senza originale, "un'apparenza falsa di presente". La piega attraverso cui la cornice platonica è trasmutata nel doppio (o tra-due) mallarmeano è paragonata sia dal poeta che dal filosofo alla piega o fenditura di un libro, sempre sessualizzata per Mallarmé, da cui la sua espressione "vizioso ma sacro". Questa è la piega – "apparenza falsa di presente" – che Derrida chiamerà *imene*, o a cui si riferirà a volte come "invaginamento", grazie alla quale la condizione della cornice sarà portata all'interno dell'argomento, che a sua volta la incornicerà.

L'arte nell'età del simulacro

Termini come *parergon*, supplemento, *différance* e *rimarcatura* fondarono la nuova pratica artistica nella scia del modernismo. Tutte queste idee – dal simulacro alla cornice della cornice – diventarono i punti fissi non solo del Poststrutturalismo ma anche della pittura postmodernista. David Salle, che è forse il più rappresentativo di quella pittura, si sviluppò in un contesto di giovani artisti che erano molto critici nei confronti della pretesa tradizionale dell'arte di trascendere le condizioni della cultura di massa. Questo ▲ gruppo – che inizialmente includeva anche Robert Longo, Cindy Sherman, Barbara Kruger, Sherrie Levine e Louise Lawler **[6]** – era affascinato dal rovesciamento tra realtà e rappresentazione effettuatosi nella cultura dell'informazione della fine del XX secolo.

Le rappresentazioni, si sosteneva, invece di venire *dopo* la realtà, come sua imitazione, ora la precedono e costruiscono. Le nostre emozioni "reali" imitano quelle che vediamo al cinema o leggiamo in un romanzo pulp; i nostri desideri "reali" sono strutturati per noi dalle immagini della pubblicità; il "reale" della nostra politica è prefabbricato dalle notizie televisive e dai film hollywoodiani; i nostri stessi io "reali" sono congerie e ripetizioni di tutte quelle immagini, tenuti insieme dai loro racconti non dal nostro fare. Analizzare questa struttura della rappresentazione che precede il suo referente (la cosa nel mondo reale che si suppone di copiare) indusse questo gruppo di artisti a interrogarsi sui meccanismi della cultura dell'immagine: le sue basi nella riproduzione meccanica, la sua funzione come ripetizione seriale, il suo statuto di multiplo senza originale.

Pictures fu il nome dato a questo lavoro all'inizio della sua diffusione dal critico Douglas Crimp. Vi esaminò per esempio il ● modo in cui Cindy Sherman, ponendo una serie di "autoritratti" fotografici in varie vesti e situazioni diverse, tutte con l'atmosfera dei film degli anni Cinquanta e riferite a immagini di eroine cinematografiche stereotipate – donna in carriera, isterica ipertesa, la

▲ 1975a, 1977a, 1980, 1984b ● 1977a

bella del Sud, la ragazza della porta accanto –, aveva proiettato il suo io come sempre mediato e sempre costruito da un "quadro" che la precedeva, come una copia senza originale. Le idee che Crimp e altri critici versarono in teorie poststrutturaliste giunsero a sostenere che questo lavoro comportava una seria interrogazione delle nozioni di autorialità, originalità e unicità, pietre miliari della cultura estetica istituzionalizzata. Riflessa negli specchi delle fotografie di Sherman, che creano un orizzonte di citazioni che arretra senza fine e da cui l'autore "reale" scompare, questi critici videro quella che Foucault e Barthes avevano analizzato negli anni Cinquanta e Sessanta come "morte dell'autore".

L'opera di Sherrie Levine fu posta nello stesso contesto, poiché rifotografava fotografie di Elliot Porter, Edward Weston e Walker Evans e le presentava come opera "propria", interrogando con il suo atto di pirateria lo statuto di queste figure come fonti autorali dell'immagine. In questa sfida è implicita un'interpretazione dell'immagine "originale" – che fossero le fotografie di Weston del torso nudo del giovane figlio Neil o i selvaggi paesaggi technicolor di Porter – come essa stessa già pirata da sempre, in un gioco senza fine di prese a prestito dal grande archivio delle immagini – il classico torso greco, la pittoresca campagna percorsa dal vento – che ha già segnato i nostri sguardi. A questo tipo di rifiuto radicale delle concezioni tradizionali di autoralità e originalità, un atteggiamento critico reso inequivocabile dalla sua posizione ai margini della legalità, è stato attribuito il nome di "Arte di appropriazione". Questo tipo di opere, che costruisce una critica delle forme di proprietà e finzioni di intimità e controllo, vennero identificate come forma radicale di Postmodernismo.

La questione di dove porre questa tattica di "appropriazione" dell'immagine largamente diffusa negli anni Ottanta – se nell'ambito radicale, come critica della rete di potere che penetra nella realtà, che la struttura già da sempre, o in quello conservatore, come ritorno entusiasta alla figurazione e all'artista come creatore di immagini – assume un'altra dimensione quando guardiamo la strategia con gli occhi delle artiste femministe. Lavorando sia con il materiale fotografico appropriato dalla banca di immagini della cultura di massa sia con la forma dell'approccio diretto a cui spesso la pubblicità fa ricorso – per blandire, aggredire o predicare all'osservatore e lettore, rivolgendosi a lui con il "tu" –, Barbara Kruger elabora un altro dei presupposti del discorso estetico, un'altra delle sue cornici istituzionali. È la cornice del genere, dell'assunto non detto tra artista e spettatore che entrambi sono ▲ maschi. Articolando questo assunto in un'opera come *Il tuo sguardo colpisce un lato della mia faccia* (1981), dove il testo del messaggio appare in staccato sull'immagine di una statua classicheggiante di donna, Kruger lo inserisce in un'altra parte della cornice presupposta: il messaggio trasmesso tra i due poli che la linguistica classica indica come "emittente" e "ricevente" e assume come neutri, ma presuppone maschi, è qui un messaggio messo in gioco da qualcosa che possiamo chiamare un partner sempre silenzioso, cioè la forma simbolica della Donna. Seguendo un'analisi linguistica poststrutturalista del linguaggio e del genere, l'opera di Kruger è dunque interessata alla donna come uno di quei soggetti che non parla, ma è sempre parlata. È, come scrive la critica Laura Mulvey, strutturalmente "costretta al suo posto di latrice, non di autrice, di senso".

È la ragione per cui Kruger, in quest'opera, non si appropria del diritto di parlare come ha fatto Broodthaers nelle sue lettere aperte, ma preferisce l'"appropriazione". La donna, in quanto "latrice di senso", è il luogo di una serie infinita di astrazioni – è "natura", "bellezza", "terra natia", "libertà", "giustizia" – che danno forma all'ambito linguistico e culturale patriarcale; è la riserva di significati da cui vengono le dichiarazioni. In quanto artista donna Kruger riconosce questa posizione come termine silenzioso attraverso l'atto di "rubare" il suo discorso, di non avanzare mai diritti di diventare l'"autrice del senso".

Questa questione del rapporto della donna con il campo simbolico del discorso e con il significato della sua espropriazione strutturale in quel campo era diventata lo strumento di altre opere ▲ importanti di femministe. Una di esse, *Documento postparto* (1973-79) di Mary Kelly, traccia il legame dell'artista con il proprio figlio per cinque anni della sua crescita e i 135 materiali espositivi che registrano il rapporto madre-figlio. Questa registrazione però è effettuata esplicitamente sulla falsariga dell'esperienza femminile dell'autonomia del bambino maschio quando viene in possesso del linguaggio, volendo esaminare il modo in cui il bambino stesso è feticizzato dalla madre attraverso il suo senso della mancanza.

Due modalità di assenza strutturano il campo dell'esperienza estetica alla fine del XX secolo e nel XXI. Una di esse possiamo descriverla come assenza della realtà stessa che si ritira dietro lo schermo illusorio dei media, risucchiata nel tubo vuoto di un monitor televisivo, estratta come molti stampati da un link di computer. L'altra è l'invisibilità dei presupposti linguistici o istituzionali, un'apparente assenza sotto cui il potere è all'opera, un'assenza che artisti da Mary Kelly, Barbara Kruger e Cindy ● Sherman a Hans Haacke, Daniel Buren e Richard Serra cercano di portare alla luce.

ULTERIORI LETTURE:

Roland Barthes, *Saggi critici*, trad. it. Einaudi, Torino 1966
Roland Barthes, *L'ovvio e l'ottuso*, trad. it. Einaudi, Torino 1985
Douglas Crimp, *Pictures*, in *October*, n. 8, primavera 1979
Jacques Derrida, *Della grammatologia*, trad. it. Jaca Book, Milano 1998
Jacques Derrida, *Parergon*, trad. it. in *La verità in pittura*, Newton Compton, Roma 1981
Jacques Derrida, *La disseminazione*, trad. it. Jaca Book, Milano 1989
Michel Foucault, *L'archeologia del sapere*, trad. it. Rizzoli, Milano 1996
Michel Foucault, *Che cos'è un autore?*, trad. it. in *Scritti letterari*, Feltrinelli, Milano 1971
Mary Kelly, *Post-Partum Document*, Routledge & Kegan Paul, London 1983
Laura Mulvey, *Visual Pleasure and Narrative Cinema*, in *Visual and Other Pleasures*, Indiana University Press, Bloomington 1989
Craig Owens, *The Allegorical Impulse: Towards a Theory of Postmodernism*, in *October*, nn. 12 e 13, primavera e estate 1980
Ann Reynolds, *Reproducing Nature: The Museum of Natural History as Nonsite*, in *October*, n. 45, estate 1988

Rosalind Krauss

▲ Introduzione 1

▲ 1975a ● 1967c, 1969, 1970, 1971, 1972b, 1993a

5 Globalizzazione, reti e aggregati come forme

Lo scambio culturale transregionale è antico quanto la storia dell'umanità. Il termine "globalizzazione", d'altra parte, si riferisce a uno sviluppo storico specifico normalmente datato a metà degli anni Novanta, quando i mercati finanziari si svincolarono dalle regole a un grado mai visto prima attraverso la politica economica nota come neoliberalismo. Messe sotto pressione da agenzie non governative come la Banca Mondiale e il Fondo Monetario Internazionale, molte nazioni in via di sviluppo aprirono – o "liberalizzarono" – i mercati per attrarre investimenti stranieri, in un processo che li espose a una notevole influenza politica dell'Occidente e alla volatilità finanziaria che raggiunse livelli di debito insostenibili. L'obiettivo di tali politiche era di permettere al capitale, compreso quello delle multinazionali, di spostarsi più agevolmente da un posto all'altro, alla ricerca della manodopera più bassa e dei mercati più vantaggiosi. Abiti venduti in Europa e negli Stati Uniti, per esempio, possono essere realizzati per un anno in Cina e l'anno seguente in Pakistan in condizioni di lavoro che sarebbero inaccettabili per i lavoratori occidentali, mentre servizi d'affari subappaltati possono essere forniti dall'India all'intero mondo anglofono. Culturalmente la globalizzazione ha portato a due condizioni diametralmente opposte: la prima, all'omogenizzazione o a quella che spesso è chiamata "McDonaldizzazione" della vita; la seconda, a una più grande diversità e accresciuta consapevolezza della differenza culturale grazie all'aumentato e accelerato contatto tra regioni geograficamente distanti. È nei termini di questo paradosso – crescente omogeneità infrastrutturale da un lato e coscienza diffusa della diversità culturale dall'altro – che è sorto un mondo dell'arte globalizzato. Le sue forze contrastanti, una in direzione dell'uniformità e l'altra della differenza, vanno riconosciute e accuratamente affrontate nell'approccio all'arte contemporanea globale.

Dobbiamo essere consapevoli che l'adozione dell'arte moderna nelle varie parti del mondo è avvenuta in momenti diversi. Le ▲ avanguardie europee dei primi del XX secolo, tra cui Cubismo, Costruttivismo e Surrealismo, si può dire che erano impegnate a rappresentare o meglio a sfidare criticamente l'esperienza dello sviluppo irregolare della modernizzazione dalla fine del XIX secolo alla metà del XX (compresa la rapida industrializzazione e l'urbanizzazione di massa). In intere regioni, tra cui significative aree dell'Asia e dell'Africa, l'arte moderna europea venne introdotta come linguaggio tardo ma egemonico e neocoloniale, in realtà opposto alla forma di protesta d'avanguardia. In questi luoghi l'arte moderna venne generalmente usata come agente di modernizzazione culturale ed economica invece che come opposizione alle sue molte devastanti conseguenze. A questo proposito non parrà una coincidenza che il boom internazionale dell'arte ▲ contemporanea cinese e russa sia stato contemporaneo alla liberalizzazione del mercato di questi Paesi alla fine degli anni Ottanta e Novanta. Un fiorente mercato dell'arte può servire come ariete di un parternariato ben sviluppato nell'economia globale neoliberale, così come prestigioso segno di sviluppo culturale attrattivo non solo per i turisti ma per gli investimenti stranieri. Quando ci riferiamo all'"arte moderna" o "contemporanea", dunque, stiamo elidendo una vasta gamma di distinte dialettiche visive, ognuna con la sua storia e semantica locale. Queste ultime possono essere vicendevolmente intelligibili, ma nondimeno restano notevolmente diverse – e spesso anche contraddittorie.

Non una ma molte storie

Prendiamo un esempio di questa complessità. Durante la dinastia Meiji in Giappone (1868-1912) emersero due tipi opposti di pittura: *nihonga*, o pittura di stile giapponese [**1**], che sorse in opposizione a *yōga*, o pittura di stile occidentale, che usava l'olio su tela ed era influenzata da movimenti europei come l'Impressionismo e il Postimpressionismo [**2**]. Mentre la *nihonga* cercava di preservare i temi e i materiali tipicamente giapponesi, la *yōga* può essere vista come moderna nei suoi sforzi di adattare le tecniche tradizionali alle condizioni contemporanee. L'opposizione tra forme modernizzate di tradizioni indigene nella *nihonga* e reinvenzioni "indigenizzate" delle forme europee moderne in *yōga* persistette fino alla metà del XX secolo nella dinamica sottesa a uno ● dei movimenti più noti del Giappone del dopoguerra, Gutai, dove il gestualismo associato alle antiche tradizioni del disegno ad inchiostro è adattato in parte come risposta alle pratiche occidentali ■ dell'Espressionismo Astratto [**3**]. Benché Gutai assomigli superficialmente alla "pittura di tipo americano", gli artisti giapponesi della metà del secolo espressero atteggiamenti significativamente

▲ 1911, 1912, 1921a, 1921b, 1924, 1925a, 1926, 1927a, 1928a, 1930b, 1931a, 1934b, 1942b   ▲ 1975b, 2010a   ● 1955a   ■ 1947b, 1949a, 1951

2 • Kuroda Seiki, *In riva al lago*, 1897
Olio su tela, 69 x 84,7 cm

Lo stile *yōga*, letteralmente "pittura di stile occidentale", comprendeva opere prodotte con varie tecniche, materiali e teorie sviluppate in Occidente, in contrasto con lo stile *nihonga* indigeno. Fra gli artisti *yōga*, Seiki, che studiò a Parigi per un decennio dalla metà degli anni Ottanta, emulò i tratti della pittura impressionista e postimpressionista europea e americana. Come tale, lo stile rappresenta un lato dello scambio bilaterale di culture visive tra Giappone e Europa nella seconda metà del XIX secolo.

1 • Hishida Shunso, *Gatto e fiori di pruno*, 1906
Colore su seta su rotolo di pergamena, 1180 x 498 cm

Hishida Shunso, uno dei principali rappresentanti dello stile *nihonga*, integrò le millenarie tradizioni e convenzioni dell'arte giapponese con un interesse più moderno per il realismo, caratterizzato dal suo uso di gradazioni di colore invece del più restrittivo disegno lineare monocromo della pittura tradizionale giapponese.

3 • Artisti Gutai, supervisionati da Michel Tapié e Yoshihara Jiro, mentre preparano l'*International Sky Festival* di Osaka nel 1960

Come scrive Yve-Alain Bois in questo libro, Yoshihara formò il gruppo Gutai, di cui fu sia il mentore che il sostenitore finanziario, nel 1954. Era stato ispirato dal famoso articolo apparso su *Life* nel 1949 dedicato a Jackson Pollock, che diventò il metro con cui Yoshihara avrebbe giudicato l'opera dei suoi giovani discepoli. Il critico francese Michel Tapié, il campione dell'*art informel* in Francia, diventò un consigliere e un difensore di Gutai, organizzando mostre e scrivendo testi che cooptavano il gruppo come parte del movimento globale *informel* – naturalmente dominato e guidato da autori occidentali. E tuttavia, nonostante fosse "considerato, in modo un po' condiscendente, una pura discendenza orientale dell'Espressionismo astratto", come afferma Bois, l'opera ludica e trasgressiva di Gutai fu di fatto il prodotto di un contesto particolare e specifico: le tradizioni e i rituali unici della società e cultura giapponese.

diversi nei confronti della materia e dell'arte rispetto ai loro contemporanei americani, enfatizzando l'incontro dell'artista con il suo materiale a discapito della realizzazione di quadri della tradizione occidentale, che era ancora l'obiettivo dell'Espressionismo Astratto. In Cina vi fu un incontro simile di tradizioni indigene e occidentali nel Movimento di Nuova Cultura dagli anni Venti in poi, ma la loro interazione venne pressoché interrotta dalla violenta espurgazione della pittura tradizionale cinese durante la Rivoluzione Culturale (1966-76) in cui un derivato dello stile figurativo del Realismo Socialista sovietico venne adottato come arte ▲ ufficiale dal Presidente Mao. Dopo questo periodo di "tabula rasa" negli anni Ottanta, il mondo dell'arte cinese venne a conoscenza dell'arte e della teoria occidentali attraverso la sempre crescente traduzione di testi, e questo portò negli anni Novanta a una fioritura di arte contemporanea cinese di successo commerciale e ● circolazione globale; alcuni dei più noti autori di questo periodo ostentarono riferimenti kitsch alla Rivoluzione Culturale influenzati da varie pratiche occidentali di arte pop e di appropriazione. ■

Ciò che queste brevi, parziali e molto schematiche genealogie intendono indicare è che idiomi visivi apparentemente paragonabili – come pittura a olio, pittura a inchiostro, o anche Realismo Socialista e Pop Art – possono apparire simili se presentati uno accanto all'altro in situazioni come le mostre "blockbuster", biennali e fiere, ma di fatto derivano da storie ben distinte, quando non contraddittorie. Riconoscere sia ciò che è comune sia ciò che è specifico di tali pratiche è una sfida metodologica fondamentale nello scrivere la storia dell'arte moderna e contemporanea "globale".

Un modo per affrontare tale sfida consiste nello sviluppare una storia dell'arte mondiale multipolare. Mentre sembra ovvio e raggiungibile in condizioni cosmopolite di globalizzazione, questo traguardo finisce con l'essere in pratica molto difficile, in parte perché gli schieramenti geopolitici del XX secolo erano organizzati come una successione di strutture bipolari, e più recentemente monolitiche, che hanno influenzato profondamente le infrastrutture così come il sistema di valutazione critica sotteso al mondo dell'arte globale. Durante la fine del XIX secolo gran parte del mondo in via di sviluppo sperimentò la colonizzazione in vari modi, formali e informali. Subito dopo il periodo di decolonizzazione di metà del XX secolo – e dunque forse come suo risultato – le alleanze mondiali furono forzatamente riorganizzate in un'opposizione da Guerra Fredda che contrappose l'Unione Sovietica, come leader del mondo comunista, contro la promozione dei valori democratici degli Stati Uniti. La semplicistica e manichea divisione ebbe effetti drammatici sulle pratiche artistiche globali, non da ultimo perché isolò intere regioni del mondo dalle altre. A dispetto degli sforzi di costruire un movimento di nazioni non allineate e di relative politiche culturali, la pressione politica ebbe la meglio e l'esca degli aiuti economici attrasse una vasta porzione del mondo nell'orbita sia degli Stati Uniti sia dell'Unione Sovietica tra la Seconda guerra mondiale e il 1989. Molti di questi paesi vennero devastati dagli effetti di guerre per procura non così

▲ 1934a ● 2010a ■ 1960c, 1977a, 1986

4 • Kwon Young-woo, *Senza titolo*, 1977
Carta coreana su compensato, 116,8 x 91 cm

Kwon Young-woo (1926-2013) fu un pioniere della *tansaekhwa*, che significa "pittura monocromatica". Dalla metà degli anni Sessanta fin dentro gli anni Settanta, artisti come Young-woo manipolarono diversi materiali, tra cui la tela inzuppata e la carta strappata, in modi innovativi per creare una forma distintamente coreana di arte astratta in bianco, crema, marrone, nero o altri colori neutri. Benché non fu mai un gruppo ufficiale con un numero ben definito di membri o un manifesto, *tansaekhwa* fu il primo movimento artistico coreano ad essere riconosciuto sulla scena mondiale. Il suo successo internazionale fu in parte dovuto al fatto che molti dei suoi rappresentanti vissero, studiarono e lavorarono a Parigi, ma divenne rilevante anche l'associazione con Lee Ufan, un artista coreano residente in Giappone che fu il principale teorico della tendenza *Mono-ha* dell'arte giapponese, essa stessa influenzata dall'Arte povera e dall'Arte processuale.

fredde sparse per il mondo – in Vietnam, America Centrale e Afghanistan per citarne qualcuna. Con la fine della Guerra Fredda è stato ampiamente accettato che esiste soltanto una superpotenza mondiale – gli Stati Uniti – e che il suo potere quasi imperiale è espresso non nel colonialismo strutturale di amministrazione governativa esplicita, bensì attraverso la pressione economica (spesso in collaborazione con la Banca Mondiale e il Fondo Monetario Internazionale) e la continua "azione di polizia" militare.

Un mondo dell'arte globale?

Il mondo dell'arte "ufficiale" o egemone, il cui potere economico e infrastrutturale è ancora concentrato nelle nazioni sviluppate, può anche sembrare monolitico. Malgrado le loro ubicazioni remote, i suoi avamposti si assomigliano tra loro architettonicamente e ▲ programmaticamente (portando i musei del mondo a desiderare di attingere a una rosa di architetti star o "starchitetti"). Le opere d'arte in mostra tendono a condividere un idioma formale appartenente a quello che può essere definito uno stile internazionale. A partire dalla fine degli anni Sessanta gli artisti di tutti i continenti • hanno adattato il lessico dell'Arte concettuale a un'ampia varietà di questioni e temi locali e storicamente particolari – formando proposizioni testuali, inscenando azioni e combinando componenti readymade invece di produrre oggetti nuovi o "originali". ■ Tali opere tendono a enfatizzare procedure documentarie o basate su ricerche; sono spesso strutturate in serie e possono combinare una varietà di media che vanno dal testo al video. Indipendentemente dal loro contenuto specifico, tali opere di "artisti globali" devono comunicare oltre confine se vogliono emigrare con successo da un luogo a un altro. Questo sistema, che tende alla concentrazione di potere attraverso requisiti formali stabiliti per passare nella circolazione globale, reinscrive il nuovo "ordine imperiale" all'interno dei mercati apparentemente aperti e dei beni fungibili. Vi sono naturalmente molti tipi di pratiche artistiche fiorenti su tutto il globo che non entrano in circolazione nel mondo "ufficiale" dell'arte globale, o solo raramente e al di fuori della categoria dell'arte: così gli oggetti indigeni, l'arte outsider o le curiosità. Anche quando si guadagnano l'accesso al regno dell'arte contemporanea, la cornice di riferimento e i valori secondo cui le opere emergenti dalle culture inconsuete vengono giudicati non sono necessariamente adattati a quelli in gioco nei mercati neoliberali. Questo perché il "mondo dell'arte" – come configurazione mista composta di istituzioni mercantili quali case d'asta, gallerie e fiere; istituzioni pubbliche quali musei e spazi indipendenti; e luoghi di informazione che vanno dalle riviste tradizionali alle newsletter a una gamma più ampia di aggregatori e blog – tende verso principi uniformi di giudizio. Dobbiamo rimanere consapevoli del fatto che quella che chiamiamo "arte contemporanea globale" può soltanto indicare un sottoinsieme della produzione mondiale di arte.

Nel suo importante libro *Asia come metodo* Kuan-Hsing Chen critica quella specie di standard di giudizio implicito associato al globalismo – per cui l'Asia, per esempio, è vista in opposizione

▲ 1972c, 2015 • 1967c, 1968a, 1968b, 1970, 1971, 1972a, 1972b, 1975b, 1984a ■ 1992, 1997, 2003, 2010b

5 • Catalogo della Terza Biennale dell'Avana, 1989

Gli anni Ottanta videro la nascita di un nuovo tipo di esposizione che ridefiniva il modello stabilito della biennale internazionale. Da notare in particolare sono le biennali dell'Avana, del Cairo e di Istanbul, tutte fondate in quel decennio. Queste nuove istituzioni avevano una concezione globale e un'ambizione politica, e tentavano di sfidare le diseguali relazioni di potere in gioco nel mondo dell'arte e più in generale nella società. Il tema principale della Terza Biennale dell'Avana del 1989 era "Tradizione e contemporaneità nelle arti del Terzo Mondo". Fu una delle prime mostre su larga scala ad aspirare a una portata internazionale al di fuori del sistema dell'arte europeo e nordamericano, e ospitò trecento artisti da quarantuno Paesi. In sintonia con la sua natura globale, incluse l'arte popolare tradizionale accanto ad artisti riconosciuti, estendendo così il territorio dell'arte contemporanea anche ad altre vie.

dicotomica all'Occidente – a favore di un'analisi interregionale più sottile. Scrive: "Il potenziale dell'Asia come metodo è il seguente: usando l'idea di Asia come un punto di ancoraggio immaginario, le società in Asia possono diventare punti di riferimento l'una per l'altra, cosicché la comprensione di sé può essere trasformata e la soggettività ricostruita". Nel contesto della storia dell'arte il libro di Joan Kee *L'arte coreana contemporanea: Tansaekhwa e l'urgenza del metodo*, del 2013, persegue un tale obiettivo tracciando la storia della *tansaekhwa*, o pittura monocroma coreana, attraverso la triangolazione di impulsi che la caratterizza durante gli anni Settanta, fra la stessa Corea in rapido sviluppo, i cui artisti desideravano tanto di entrare a far parte del nuovo mondo dell'arte giapponese quanto di mantenere un'identità distinta; il Giappone, centro artistico emergente, potente e sofisticato; e Parigi, consolidata capitale dell'arte visiva europea, il cui riconoscimento di un artista coreano rimaneva molto importante per la sua reputazione. Una delle significative distinzioni che Kee introduce è che, mentre molti autori della scena artistica giapponese erano particolarmente interessati a stabilire una consapevolezza dell'arte contemporanea asiatica in opposizione a quella occidentale – con il Giappone a rappresentare implicitamente l'"Asia" –, in Corea, d'altra parte, stabilire un'identità nazionale rimaneva estremamente importante, come indicato per esempio dalla qualità distintiva della bianchezza dei monocromi *tansaekhwa* (che era associato all'eredità coreana) [**4**]. Paradossalmente l'infrastruttura artistica giapponese, allora più sviluppata di quella coreana, offriva uno strumento rilevante per stabilire un programma visibile di esposizioni utile ad affermare l'identità coreana. La lezione di Chen e Kee è importante ben al di là dell'Asia: descrivendo la storia dell'arte moderna e contemporanea globale, non possiamo accontentarci di indicare il passaggio di artisti di varie regioni del mondo oltre la soglia degli standard globali; dobbiamo invece imparare a comprendere le complesse storie in cui le reti globali e locali sono articolate. Così alcuni studiosi preferiscono il termine "translocale" in opposizione a "globale" per indicare l'eterogenea mescolanza di culture, infrastrutture ed estetiche che ogni mondo dell'arte riunisce.

Nuove reti, nuovi modelli

Il periodo intorno al 1989 ha segnato uno spostamento nelle politiche globali, caratterizzato da eventi storici "sismici" come il collasso della Guerra Fredda, le proteste di Piazza Tienanmen a Beijing e il riconoscimento dell'African National Congress, che in ▲ definitiva portò allo smantellamento dell'apartheid in Sud Africa. Fu anche l'anno di due esposizioni esemplari, la Terza Biennale • dell'Avana e *Les Magiciens de la terre* a Parigi, che ruppero con l'eurocentrismo del mondo dell'arte internazionale sebbene, piuttosto paradossalmente, spianassero la strada a un'esplosione mondiale di biennali e fiere d'arte internazionali. Dato che questo libro include una voce dedicata a *Les Magiciens de la terre*, vorrei concentrarmi qui sulla Biennale dell'Avana. Essa si distingue perché emerge e produce un nuovo modello per l'arte del Terzo

▲ 1997 • 1989

6 • Un workshop pubblico sulla stampa organizzato in occasione della Terza Biennale dell'Avana, Calle Cuba, L'Avana, 1989

Uno degli eventi effimeri della Biennale fu organizzato dal workshop sulla stampa presso il locale Taller de Serigrafía Artística René Portocarrero: un evento pubblico nel centro storico dell'Avana, durante il quale vennero realizzate enormi incisioni facendo passare un compressore stradale sulle lastre di stampa. I partecipanti potevano disporre sotto le lastre degli oggetti personali che vi rimanevano impressi.

Mondo (un termine usato dagli organizzatori, che da allora è stato ampiamente sostituito da categorie meno gerarchiche come "Sud globale" o "mondo in via di sviluppo"). La Terza Biennale dell'Avana intendeva esplicitamente realizzare quello che Chen propone di chiamare *Asia come metodo*: costruire una rete orizzontale all'interno di regioni marginalizzate dal mondo dell'arte internazionale ufficiale, cioè America Latina, Africa e Asia [**5**]. Invece di scrivere storie basate sulla presunzione che un Centro (l'Occidente) trasmette le forme, istituzioni e valori estetici a una Periferia (il resto del mondo), gli organizzatori dell'Avana si dedicarono a una seria ricerca in luoghi vasti ma malrappresentati, costruendo in parte sulla loro esperienza nella produzione delle due precedenti biennali, che, benché materialmente più grandi, furono meno centrate tematicamente e curatorialmente della versione del 1989. Lo scopo dell'evento era reso possibile dalla particolare posizione di Cuba come stato comunista che, benché cliente e *protégé* dell'Unione Sovietica, era anche dedito a comunicare ed esportare la propria rivoluzione il più ampiamente possibile, soprattutto, benché non esclusivamente, in America Latina. Di conseguenza, benché la Biennale avesse un badget ridotto rispetto agli standard europei o statunitensi, poté trarre vantaggio dalle ampie reti culturali e diplomatiche cubane, che abbracciavano gran parte del cosiddetto Terzo Mondo, per creare contatti con comunità di artisti che avevano precedentemente lavorato in relativo isolamento.

Le innovazioni introdotte dalla Terza Biennale dell'Avana furono triplici. Prima: sviluppò una nuova struttura che non era più basata sul modello competitivo dei padiglioni o presentazioni nazionali che caratterizzava le più venerande biennali di Venezia e San Paolo. La nazione come principio organizzativo venne sostituita da concetti e temi che legavano diverse strutture: nel 1989 il tema fu "Tradizione e contemporaneità". Diversamente dalle biennali precedenti (e dalle sue due prime edizioni), inoltre, i premi vennero aboliti per ridurre la competitività tra i diversi e non commensurabili tipi di opere in esposizione. La seconda importante innovazione fu di includere la cosiddetta arte folk o tradizionale. Questa decisione era al centro degli sforzi degli organizzatori di prendere in considerazione questioni sollevate dal loro tema, dato che la cultura delle nazioni in via di sviluppo è spesso assimilata in modo stereotipato agli artisti folkloristici autodidatti o ad artefatti religiosi come maschere o icone. Incentrandosi sui significati ideologici della tradizione in opposizione al contemporaneo, questa biennale (e in larga misura anche *Les Magiciens de la terre*) ▲ dimostrò che ciò che appare tradizionale agli occhi occidentali può di fatto costituire una complessa risposta alle condizioni contemporanee formulate in idiomi storici, ma servendo gli stessi obiettivi e propositi di altre forme d'arte contemporanea. Infine, una terza innovazione della Biennale dell'Avana fu la sua enfasi sull'interazione diretta tra artisti, e tra loro e il pubblico in generale attraverso conferenze, dibattiti e workshop. In aggiunta all'esposizione principale *Tres Mundos*, la Biennale comprendeva quattro nuclei tematici, o *núcleos*, il quarto dei quali era interamente dedi-

▲ 1989

7 • Vedute di installazioni della mostra *Concettualismo globale: punti di origine, anni Cinquanta-Ottanta*, Queens Museum of Art, 1999, che mostrano le sezioni dell'Australia e della Nuova Zelanda (in alto), del Giappone (al centro) e della Russia (in basso)

Curata da Jane Farver, Rachel Weiss, Luis Camnitzer e un gruppo di curatori internazionali, *Concettualismo globale* prese vita come esposizione dell'arte latinoamericana. Crebbe però in una più ampia mostra delle pratiche concettuali di altre parti del mondo che erano generalmente poco note al pubblico occidentale. Collegati tra loro in mille modi, questi movimenti isolati erano emersi dalle loro specifiche condizioni locali. Come ricorda Farver, fin dall'inizio i curatori intesero "il territorio del 'globalismo' come un territorio che ha molteplici centri e nel quale gli eventi locali divengono fattori determinanti".

cato agli eventi effimeri [**6**]. Sotto molti punti di vista uno degli effetti a lungo termine più significativi della Biennale fu la vitalità del dibattito che ispirò sull'"arte del Terzo Mondo". Tale enfasi sull'esposizione internazionale come opportunità per la connessione e il dialogo ha avuto un enorme impatto sulle esposizioni seguenti, che ▲ hanno spesso organizzato elaborate piattaforme mondiali per dibattere e interscambiare, quindi estendere la portata di un'esposizione al di là dei suoi ambiti fisici.

Per quanto importante sia stata la Terza Biennale dell'Avana ● nello stabilire nuovi tipi di reti, la sua struttura tentacolare e multifocale non si è potuta conciliare con nessuna immagine unitaria di arte contemporanea globale. Questa è diventata da allora la sfida delle grandi mostre internazionali e delle storie accademiche. Quando l'obiettivo storico è di andare al di là dell'identità nazionale ed etnica o del luogo fisico come contesti privilegiati per un'opera d'arte, per parlare di una storia veramente globale della disseminazione e migrazione dell'arte *attraverso* i confini di tali identità, è difficile determinare quale tipo di metodologia sia appropriata. In anni recenti un approccio efficace è stato quello di tracciare le variazioni di un particolare formato estetico come passa attraverso una varietà di contesti culturali. Per esempio l'esposizione *Concettualismo globale: punti di origine, anni Cinquanta-Ottanta* e relativo catalogo, organizzata dal Queens Museum of Art di New York nel 1999, fu un eccellente modello per ■ indicare ciò che vi era di comune nelle pratiche concettuali in giro per il mondo senza cancellare le loro differenze [**7**]. L'obiettivo ultimo di una storia dell'arte globale non è solo quello di sviluppare una più ampia gamma di storie locali, basate su una nuova ricerca e la competenza di una più diversificata professione di storici dell'arte, ma anche di sviluppare metodi per vedere al di là dell'*innovazione* formale (che tende a prioritizzare la prima enunciazione di un idioma estetico) e valorizzare invece che la sua *transitività* (o, in altri termini, come il loro significato venga precisamente prodotto tramite spostamenti). A partire da tale criterio la nozione di "derivato" come designazione negativa di opere d'arte andrebbe sostituita con il valore semantico di un'espressione radicata in un particolare contesto storico e culturale.

L'aggregato come idea e forma

Tradizionalmente, uno degli scopi primari della storia dell'arte è stato lo scoprire se una particolare epoca storica, come l'attuale momento di globalizzazione, generi il suo insieme unico di forme e pratiche estetiche. Prendere una simile decisione è particolarmente difficile riguardo all'arte contemporanea, poiché la sua vicinanza temporale consente una prospettiva storica troppo stretta. Vorrei comunque proporre l'"aggregatore" come una di tali forme. È istruttivo sfogliare le definizioni di "aggregato" nell'*Oxford English Dictionary*. La prima voce dice: "Costituito dalla collezione di molte particelle o unità in un unico corpo, massa o insieme; collettivo, intero, totale". In termini legali, un aggregato è un "Composto di molti individui uniti in un'associa-

▲ 1997, 2003, 2009a, 2010a ● 2009a, 2009b ■ 1967c, 1968a, 1968b, 1970, 1971, 1972a, 1972b, 1975b, 1984a

zione", e grammaticalmente significa "collettivo". In ogni senso, un aggregato seleziona e configura elementi relativamente autonomi. Esso presenta dunque un obiettivo correlato al concetto politico di moltitudine come è stato sviluppato dai filosofi Paolo Virno, Antonio Negri e Michael Hardt. La moltitudine, definita da questi teorici come una forza sociale resistente interna alla globalizzazione, è distinta sia dalla cittadinanza nazionale sia dall'appartenenza di classe delle tradizionali indicazioni marxiane. Invece di fare causa comune su un'identità unificata (come un americano, per esempio, o un proletario), le moltitudini sono costituite da individui indipendenti provenienti da una varietà di comunità e luoghi che condividono condizioni o provocazioni. Come scrivono Hardt e Negri:

> *Il concetto di moltitudine intende dunque dimostrare, in primo luogo, che una teoria economica delle classi non deve per forza essere unitaria o pluralista. La moltitudine è una molteplicità irriducibile: non è mai possibile appiattire le singole differenze sociali che la costituiscono in qualche identità, unità, uniformità o indifferenza. [...] Questa è la definizione della moltitudine da cui siamo partiti: singolarità che agiscono in comune.*

Non è necessario sottoscrivere per intero le pretese utopiche di Hardt e Negri sulla moltitudine per riconoscere la sua struttura esemplare. Come un motore di ricerca, la moltitudine aggrega entità eterogenee (in questo caso persone) attraverso l'azione di un filtro. Che il filtro della moltitudine sia una rivendicazione sociale condivisa (come i diritti di immigrazione) lo rende non meno omologo agli algoritmi e al posizionamento delle pagine più cinicamente usati come filtri da motori di ricerca come Google. Entrambi sono meccanismi con cui le singole entità (persone e oggetti) possono agire in comune.

Con la drammatica espansione dell'arte contemporanea ▲ globale, aggregatori di contenuti online come Contemporary Art Daily o e-flux sono emersi come le fonti principali di informazione artistica mondiale. Questi servizi aiutano a compensare la limitata capacità di viaggio intorno al globo per seguire l'arte contemporanea anche per i meno privilegiati e peripatetici. I loro criteri di selezione sono più intuitivi e meno matematicamente sofisticati degli algoritmi di Google – "curano" piuttosto che calcolare le loro inclusioni. E mentre il termine denota a mala pena tali strumenti della rete, la logica dell'aggregatore è presente a diverse scale del mondo dell'arte d'oggi: dalle opere d'arte individuali costituite da un insieme di componenti discreti, spesso readymade, fino alle biennali e fiere d'arte. Queste ultime differiscono dalle convenzionali presentazioni museali nella loro struttura che è appunto esplicitamente aggregativa: esse forniscono uno spazio comune a padiglioni singoli e autonomi e a esposizioni nazionali (nel caso delle biennali) e a gallerie partecipanti (nel caso delle fiere), invece che cercare di sintetizzare le loro presentazioni in un tema o una narrazione generali, come nella maggior parte delle installazioni museali. Due strutture sintattiche interrelate ricorrono attraverso queste scale, dall'opera d'arte individuale alle più grandi fiere d'arte. Innanzitutto l'aggregato è un format che ospita ed evidenzia la singolarità fra i suoi elementi – i componenti non hanno bisogno di essere integrati in una "composizione" complessiva a cui andrebbero subordinati. In secondo luogo l'aggregatore fornisce una sorta di spazio comune in cui questi elementi singoli sono tenuti insieme in un'associazione produttiva, benché spesso contraddittoria.

Infatti la virtù degli aggregati è la loro capacità di fornire piattaforme dove le differenze tra elementi semiautonomi possono essere evidenziate e, si spera, negoziate attraverso la riflessione. Le loro contraddizioni non sono risolte, ma piuttosto messe in evidenza per provocare un onesto e aperto dialogo tra varie posizioni. Esempi di tale strategia abbondano nell'arte recente, tra cui ▲ le "tavole di lavoro" dell'artista messicano Gabriel Orozco composte da diversi oggetti distinti, costruiti o trovati; l'uso di ● piedistalli e forme biologiche dell'americana Rachel Harrison per sostenere un insieme di oggetti e dipinti; o il catalogo degli oggetti contenuti nella casa di sua madre dell'artista cinese Song Dong, posti sul pavimento della galleria intorno al facsimile della struttura in cui erano precedentemente collocati. Dacché gli elementi in tali opere non sono integrati in una composizione coerente ma invece aumentano la disparità concettuale, gli aggregati sollecitano la domanda di come possa venire stabilito un terreno comune all'interno di un campo discontinuo di oggetti singoli e spesso ideologicamente saturi. La forma dell'aggregato qui descritta differisce in tal modo da due dei suoi parenti affini moderni: il ■ montaggio e l'archivio. Nel montaggio gli elementi individuali sono sussunti all'interno di una logica compositiva complessiva; anche se le diverse fonti dei suoi elementi costituenti rimangono evidenti, questi componenti tipicamente non mantengono la qualità disarmante di indipendenza di un aggregato, che sembra sempre in pericolo di cadere a pezzi. E diversamente da un archivio, il cui principio di selezione è inclusivo rispetto a un tema, un'istituzione, un periodo o un evento, gli aggregati procedono da un principio oscuro di selezione intuitiva, mettendo in scena confronti tra una varietà di oggetti che incarnano valori o epistemologie del tutto differenti. Un archivio, d'altra parte, serve a collezionare, conservare e anche costituire la prova come un pilastro di stabilità epistemologica.

Vorrei discutere in concreto almeno un esempio della logica degli aggregati. Slavs and Tatars sono un collettivo di artisti la cui opera è impegnata direttamente in questioni di globalizzazione in riferimento a una regione geopolitica spesso trascurata: quella che definiscono come l'area a est del Muro di Berlino e a ovest della Grande Muraglia cinese, che testimonia uno dei contesti ideologici epici del XX secolo, tra Islam e Comunismo. Attraverso testi (esposti in libri o in artefatti diversi) e oggetti, il gruppo esplora, tra altri temi, espressioni sincretiche dell'Islam sviluppato nell'Asia centrale sotto le politiche sovietiche di repressione religiosa. Spesso Slavs and Tatars aumentano l'asincronia di questa

▲ 2009a

▲ 1989 ● 2007b ■ 1920, 1997, 2003, 2010b

8 • Slavs and Tatars, veduta dell'installazione *Non Mosca non Mecca*, Palazzo della Secessione, Vienna, 2012

Nelle loro mostre e nei loro testi Slavs e Tatars assemblano un insieme di idee, artefatti e oggetti culturali che sembrano essere raccolti in viaggi in tempi e luoghi distanti: una forma visiva, si potrebbe dire, di scrittura di viaggio. Alla domanda se le loro presentazioni, che sono basate su ricerche estese, possano essere descritte come archivistiche, gli artisti rispondono che preferiscono vederle come "restaurative". Spiegano così l'impulso che sottende la loro pratica: "Nonostante la sua recente rinascita o promiscuità critica [...] la parola 'archivistico' richiama ancora una polverosa collezione di documenti e testimonianze e l'aura che accompagna questo materiale. Noi crediamo che sia altrettanto importante essere irriverenti con le fonti quanto rispettarle. Cioè riconfigurarle, risituarle, reinterpretarle e far collidere il materiale archivistico con l'intento di renderlo urgente e rilevante – non solo per gli specialisti del campo, non solo per gli intellettuali, ma anche per il profano che pure può esserne interessato".

collisione ideologica attraverso la citazione di testi medievali come mezzo per evidenziare fili mistici nell'arte moderna e contemporanea secondo la logica di ciò che chiamano "sostituzione". Infatti nel catalogo per la mostra *Non Mosca non Mecca* del 2012 descrivono la loro opera come esplicitamente aggregativa: "La collisione di diversi registri, voci, mondi e logiche prima considerati antitetici, incommensurabili o semplicemente inadatti a stare sulla stessa pagina, frase o spazio è cruciale per la nostra pratica". Questo desiderio di portare "diversi registri" sulla "stessa pagina, frase o spazio" è quello che ho identificato come impulso dell'aggregatore a fornire una piattaforma dove cose diverse possono occupare uno spazio comune. Nella versione di *Non Mosca non Mecca* al Palazzo della Secessione di Vienna il gruppo ha realizzato un'esposizione basata sulle storie transregionali di frutti dell'Asia Centrale, tra cui albicocca, mora, caco, anguria, mela cotogna, fico, melone, melograno e ciliegia, che argutamente chiamano "La Facoltà dei Frutti".

74 Slavs and Tatars

75 *Not Moscow Not Mecca*

THE APRICOT

17th century Armenian tile. *Armenien: Wiederentdeckung einer alten Kulturlandschaft*, 1995

A small, yellowish fruit, cleaved down the middle, is caught up in a custody battle of seismic proportions—and the claimants could not be more mismatched. In one corner, a country whose only instance of independence before 1991 dates to the first century CE; in the other, the world's most populous nation. In the middle, like a child unwilling to choose between (a petite) mommy and (towering) daddy, the apricot tries to please, providing medicinal relief to both. According to an old Armenian tradition, over twelve maladies can be treated with the flesh and seeds of the apricot. The Hayer (Հայեր) have raised their orange, blue, and red flag on the genus and species (*Prunus armeniaca*) with a dollop of Biblical bathos to boot: Noah was not just any tree hugger, but an apricot-tree hugger (the only one to make it into the Ark).

The invigilator of the Nodira museum in Kokand goes to great lengths to shake some apricots from the tree in the courtyard, Uzbekistan, 2011

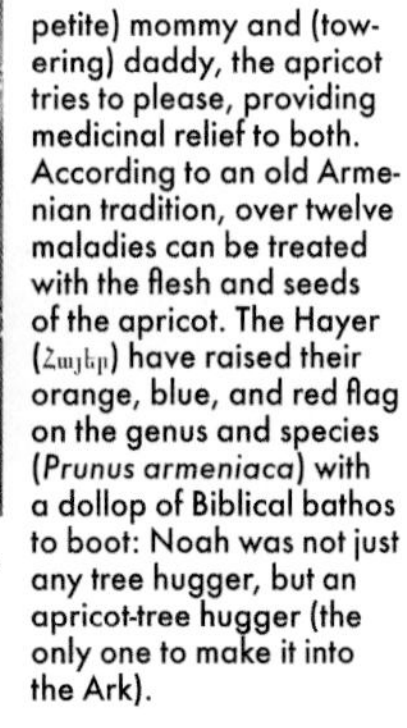

The Chinese, though, give the Caucasus, a land renowned for its poetic streak, a run for its (highly leveraged) money. Via the velvety skinned fruit, the Middle Kingdom brings together what might seem two disparate worlds to Western eyes – that of medicine and education – for a one-two punch of holistic healing for the body and brain alike. It is no coincidence that the fruits here hail from Xinjiang, aka Uighuristan, the westernmost region of China, sometimes lumped into Central Asia under the contested name of East Turkestan. A particularly lyrical way of addressing a doctor in Mandarin is "Expert of the Apricot Grove." Dong Feng, a doctor in the third century CE, asked his patients to plant apricot trees instead of paying fees. The legend lived on for centuries: When patients sought treatment, they said they were going to the Xong Lin, or Apricot Forest. Meanwhile, school children, in lieu of flowers, often bring their teachers dried apricots to bless the 'apricot altar' or 'educational circle.'

Apricots drying in Capadoccia, photo by Bjørn Christian Tørrissen

My Courtyard by M. Saryan. Source: Iskusstvo Armenii, 1962

Between the diasporic duels of the Armenians and the Chinese, a third contender permits a welcome turn of triangulation, one which helps us to move beyond the partisan battles over the precocious, early-ripening fruit. For much of the Latin American world, apricots are called *damasco*, in reference to their Syrian origins and the early-twentieth-century migrations to that region from the Middle East.

If the fresh fruit incites juicy rivalries, the dried version doesn't disappoint either. When thinking of Damascus today, we turn helplessly to the Turks to will their former Ottoman influence over the restive Syrian capital. In far rosier times, they would turn to the pitted yellow prune and say—*bundaniyisi Şam'dakayısı*—the only thing better than this is an apricot in Damascus.

THE MULBERRY

A worm with a voracious but selective appetite has proven to have had more of a Eurasian geographical bite than Ghenghis Khan himself. Gobbling up all the white mulberry tree leaves in its path, the castoffs of every little silkworm's metamorphosis

Uzbek girls in Khan-Atlas patterned textiles. *Sovetsky Soyuz Uzbekistan*, 1967

9 • Slavs and Tatars, pagine dal libro d'artista
***Non Mosca non Mecca*, 2012**

La presentazione in galleria comprendeva insiemi di frutti readymade (o simil-readymade) distribuiti su piattaforme specchianti a forma di croce tra velata allegoria e splendente cornucopia [**8**]. Hanno prodotto anche un libro, che in parte documenta le affascinanti storie di come questi frutti crescono in varie culture dell'Asia Centrale, sia dal punto di vista agricolo sia attraverso miti e leggende. L'opera di Slavs and Tatars adatta così diverse strategie fondamentali dell'Arte concettuale: l'*interrogazione* (come incarnano le asincronie storiche dell'Asia Centrale i frutti?), il *documento* (attraverso un resoconto delle associazioni culturali e di migrazione geografica di ogni frutto pubblicato nel libro d'artista [**9**]) e il *readymade* (manifesto nei frutti "reali e immaginari" disposti sulle piattaforme). Ma la sintassi dell'opera stabiliva singolari profili paralleli tra cose adiacenti; la loro compresenza fisica e diversità concettuale introduce la questione della comunanza, rendendo così *Non Mosca non Mecca* aggregativa secondo la definizione formulata più sopra.

Data la vasta scala della produzione artistica contemporanea globale e l'ampia gamma di storie culturali da cui proviene, ogni tentativo di lettura ordinata e coerente risulterà nel migliore dei casi speculativo. La sfida principale nel confrontare l'arte contemporanea realizzata in condizioni di globalizzazione è di tenere insieme due evidenti qualità contraddittorie: la prima, un linguaggio internazionale condiviso di forme estetiche parlato in comune; la seconda, la texture e le sfumature di storie e dialettiche diverse che possono far sì che la stessa immagine o format significhino cose enormemente diverse. Ogni adattamento della singolarità all'interno di uno spazio comune sarà sempre – anche nel mondo della politica e della finanza – un'arte piuttosto che una scienza.

ULTERIORI LETTURE

Luis Camnitzer, Jane Farver e Rachel Weiss, *Global Conceptualism: Points of Origin, 1950s-1980s*, Queens Museum of Art, New York 1999

Kuan-Hsing Chen, *Asia As Method: Toward Deimperialization*, Duke University Press, Durham (NC) 2010

Michael Hardt e Antonio Negri, *Moltitudine. Guerra e democrazia nel nuovo ordine imperiale*, Rizzoli, Milano 2004

Joan Kee, *Contemporary Korean Art: Tansaekhwa and the Urgency of Method*, University of Minnesota, Minneapolis 2013

Gao Minglu, *Total Modernity and the Avant-Garde in Twentieth-Century Chinese Art*, MIT Press, Cambridge (Mass.) 2011

Slavs and Tatars, *Not Moscow Not Mecca*, Secession, Vienna 2012

Rachel Weiss et al., *Making Art Global (Part 1); The Third Havan Biennial 1989*, Afterall Books, London 2011

Bert Winther-Tamaki, *Maximum Embodiment: Yōga, The Western Painting of Japan*, University of Hawaii Press, Honolulu 2012

David Joselit

1900–1909

1900a

Sigmund Freud pubblica *L'interpretazione dei sogni*: a Vienna la nascita dell'arte espressiva di Gustav Klimt, Egon Schiele e Oskar Kokoschka coincide con quella della psicanalisi.

Sigmund Freud nell'epigrafe alla sua *Interpretazione dei sogni* dichiara: "Se non otterrò dai Celesti, solleverò l'Acheronte". Con questa citazione dall'*Eneide* il viennese fondatore della psicanalisi intendeva "descrivere i percorsi delle pulsioni represse". Sta proprio qui, riteniamo, il legame tra l'intrepido esploratore dell'inconscio e gli arroganti innovatori dell'arte che furono Gustav Klimt (1862-1918), Egon Schiele (1890-1918) e Oskar Kokoschka (1886-1980). Perché anch'essi hanno sollevato l'Acheronte, nei primi anni del secolo, attraverso l'espressione liberatoria degli istinti repressi e dei desideri inconsci.

Questi artisti sollevarono l'Acheronte, ma non fu una semplice liberazione. Un'espressione senza ostacoli è rara in arte ed evitata dalla psicanalisi. Freud non l'avrebbe in nessun caso sostenuta: collezionista conservatore di antichi oggetti egizi e asiatici, era diffidente nei confronti degli artisti modernisti. Il legame tra questi quattro contemporanei viennesi è meglio descritto dalla nozione di "lavoro del sogno" sviluppato da Freud nell'*Interpretazione dei sogni*. Secondo questo studio epocale il sogno è un "rebus", un frammentato racconto per immagini, un desiderio segreto che preme per venire espresso e insieme un censore interiore che cerca di reprimerlo. Tale conflitto è spesso suggerito nei dipinti più provocatori di Klimt, Schiele e Kokoschka, che sono frequentemente ritratti: una lotta tra espressione e rimozione nel modello come nel pittore. Forse più di qualsiasi altro stile modernista, quest'arte pone lo spettatore nella posizione dell'interprete psicanalitico.

Ribellione edipica

Sebbene Parigi sia più celebrata come capitale dell'arte modernista, Vienna fu testimone di molti avvenimenti paradigmatici delle avanguardie del cambio di secolo. Il primo fu l'atto stesso di "secessione": il ritiro dall'Accademia di Belle Arti nel 1897 di un gruppo di diciannove artisti (tra cui Klimt) e architetti (tra cui Joseph Maria Olbrich [1867-1908] e Josef Hoffmann [1870-1956]) e la formazione di un proprio gruppo, con tanto di proprio edificio **[1]**. In opposizione alla vecchia guardia accademica, la Secessione difendeva il nuovo e il giovane fin nel nome dello stile internazionale che adottò, detto Art nouveau in francese e Jugendstil in tedesco (letteralmente: "stile giovane"). Tipico delle avanguardie era anche che tale difesa provocasse grande scandalo. Prima di tutto, nel 1901 l'Università di Vienna rifiutò un cupo dipinto sull'argomento della filosofia che aveva commissionato a Klimt, il quale rispose con un secondo dipinto sull'argomento della medicina che era ancora più provocatorio. Poi, nel 1908 la Scuola di Arti e Mestieri dopo una rappresentazione del suo sinistro dramma di passione e violenza *Assassino, speranza delle donne* espulse Kokoschka – primo bando della sua lunga vita di nomade. Infine, nel 1912 le autorità accusarono Schiele di sequestro e corruzione di minore, lo imprigionarono per ventiquattro giorni e bruciarono diversi suoi disegni esplicitamente sessuali.

1 • Joseph Maria Olbrich, *Palazzo della Secessione viennese*, 1898
Veduta dell'entrata principale

Queste controversie non erano inscenate per il divertimento della borghesia; indicavano una vera spaccatura tra realtà privata e moralità pubblica nella Vienna del tempo. La nuova arte emerse infatti quando l'Impero austroungarico era al collasso; fu sintomatica, come ha suggerito lo storico Carl E. Schorske, della "crisi dell'ego liberale" del vecchio ordine. Vi è qui un altro collegamento con Freud: più che una liberazione del sé, quest'arte attesta un conflitto all'interno del soggetto individuale nei confronti delle sue discusse autorità, l'accademia e lo stato – in termini freudiani il

Super-Io che osserva tutti noi –, "una crisi della cultura caratterizzata da un'ambigua combinazione di ribellione edipica collettiva e di ricerca narcisistica di un nuovo sé" (Schorske).

Questa crisi non fu affatto tempestiva o uniforme. C'erano differenze non solo tra Secessione e Accademia, ma anche tra l'estetica espressionista di giovani pittori come Schiele e Kokoschka e l'ethos Art nouveau di artisti della Secessione come Klimt, che invocavano un'"opera d'arte totale". (Questa *Gesamtkunstwerk* ebbe il suo esempio nel Palazzo Stoclet a Bruxelles, progettato da Hoffmann nel 1905 con mosaici murali arborei creati da Klimt **[2]**.) La Secessione era divisa anche internamente. Nei suoi atelier di artigianato (*Werkstätte*) promosse le arti decorative, che spesso ▲ altri stili modernisti sopprimeranno ("decorativo" diventò un termine molto imbarazzante per molti esponenti dell'arte astratta); per esempio Klimt usò media arcaici come la tempera e la foglia d'oro o il mosaico. Dall'altra parte, nel suo uso espressivo della linea e del colore, la Secessione incoraggiò anche esperimenti modernisti di forme astratte. Fu così che cadde in contraddizione, in uno stile tra il figurativo e l'astratto, in uno stato d'animo tra il malessere fin de siècle e la *joie de vivre* di inizio secolo. Questo conflitto è perlopiù evocato da quella linea nervosa, quasi nevrastenica che Klimt ha passato a Schiele e Kokoschka.

In queste tensioni con lo stile Art nouveau della Secessione il grande critico tedesco Walter Benjamin (1892-1940) intravide più tardi una contraddizione fondamentale tra le basi individuali dell'arte artigianale e quelle collettive della produzione industriale:

> *L'apoteosi dell'anima solitaria appare come la sua [dell'Art nouveau] meta; l'individualismo è la sua teoria. In van de Velde la casa appare come espressione della personalità. L'ornamento è, per questa casa, ciò che la firma è per il quadro. Ma il vero significato dello stile Art nouveau non appare in questa ideologia. Esso è l'ultimo tentativo di sortita dell'arte assediata dalla tecnica nella sua torre d'avorio: un tentativo che mobilita tutte le riserve dell'interiorità. Essa trova la sua espressione nel linguaggio lineare medianico, nel fiore come simbolo della natura nuda e vegetativa, che si oppone all'ambiente tecnicamente armato.*

Se l'Art nouveau rappresentò l'ultima sortita da parte dell'Arte, la Secessione segnalò l'abbraccio totale della Torre d'avorio, come esemplificato dal suo bianco edificio, pieno di ornamenti floreali sulla facciata e con la cupola a griglie, concepito dal suo progettista Olbrich come "un tempio dell'arte che vuole offrire un rifugio tranquillo ed elegante all'amante dell'arte". Dunque, anche mentre rompeva con l'Accademia, la Secessione lo faceva solo per ritrarsi in uno spazio ancora più puro di autonomia estetica. E ancora, con un'ulteriore contraddizione, pretendeva che tale autonomia fosse espressione dello spirito del suo tempo, come affermato dal motto scritto sotto la cupola: "A ogni epoca la sua arte, all'arte la sua libertà". Vi è qui, come potevano dire i contemporanei storici dell'arte, il "volere artistico" (*Kunstwollen*) stesso di questo nuovo movimento.

2 • Josef Hoffmann, Palazzo Stoclet, Bruxelles, 1905-11
Sala da pranzo: decorazioni murali di Gustav Klimt, mobili di Josef Hoffmann

Una sfida tinta di impotenza

Il primo presidente della Secessione viennese fu Gustav Klimt, il cui percorso artistico passò dalla cultura storica dell'Impero austroungarico, attraverso la ribellione avanguardista contro la tradizione al cambio di secolo, a una ritrattistica ornamentale dell'alta società viennese dopo che la rivolta modernista gli apparve, alla fine, sconfitta. Suo padre, un incisore, lo aveva mandato alla Scuola di Arti e Mestieri, da cui uscì come decoratore di interni nel 1883, proprio quando venivano completati i monumentali edifici della centrale Ringstrasse della Vienna ristrutturata. I suoi primi lavori comprendono dipinti allegorici per due edifici della nuova Ringstrasse – un dipinto di figure teatrali (tra cui Amleto) per il soffitto del Teatro municipale (1886-88) e uno di allegorie della cultura (tra cui Atena) per il corridoio del Kunsthistorisches Museum (1891). Nel 1894, a partire da questi successi, la nuova Università di Vienna gli commissionò tre dipinti per i soffitti – con le rappresentazioni della Filosofia, della Medicina e della Giurisprudenza – sul tema illuminista del "trionfo della Luce sulle Tenebre". Klimt lavorò sul progetto ad intermittenza per i dieci anni seguenti, esponendo il primo dipinto, *Filosofia*, nel 1900. Durante questo periodo fu comunque impegnato nella Secessione e il quadro finito non fu esattamente quello che l'Università si aspettava. Invece che un pantheon di filosofi, Klimt presentò un tormentato flusso di corpi mescolati attraverso uno spazio amorfo sorvegliato da un'oscura sfinge al centro e da una testa luminosa (che evocava Medusa più che Atena) in fondo. In quel mondo erano le Tenebre che sembravano trionfare sulla Luce.

Se in quest'opera aveva messo in dubbio la filosofia razionalista, nella seguente, presentata nel 1901, Klimt derise la medicina tera-

▲ 1910

3 • Gustav Klimt, *Giurisprudenza*, 1903–7
Olio su tela, dimensioni sconosciute (distrutto nel 1945)

peutica. Qui la Medicina è rappresentata come un altro inferno, con ancora più corpi, alcuni immersi in un torpore sensuale, altri ammassati con cadaveri e scheletri – una fantasmagoria grottesca dell'"unità della vita e della morte, dell'interpenetrazione della vitalità istintiva e della dissoluzione personale" (Schorske). Schiaffo ancora più forte in faccia all'Università, anche questo dipinto fu rifiutato e Klimt ammonito. La sua replica fu l'elaborazione della rappresentazione finale della Giurisprudenza **[3]** in un ultimo inferno di punizione criminale, con tre grandi e intense furie intorno a una figura maschile emaciata, tutte nude nella buia parte bassa e tre piccole impassibili grazie togate in una ieratica parte alta. Queste figure allegoriche di Verità, Giustizia e Legge assistono severamente la vittima maschile, che, circondata dai tentacoli di una piovra, è alla mercé delle tre furie della punizione (una dorme dimentica, una spalanca gli occhi vendicativa, la terza ammicca come per adescare). Qui la punizione appare psicologizzata come castrazione: l'uomo è emaciato, la testa china, il pene vicino alle fauci della piovra. In un certo senso è questo uomo sottomesso che Schiele e Kokoschka cercheranno di liberare, benché anche nella loro arte rimanga svilito. "La sua stessa sfida era tinta dello spirito dell'impotenza", scrive Schorske di Klimt, ed è altrettanto vero di Schiele e Kokoschka.

Queste committenze fallite segnarono una crisi generale nell'arte pubblica del tempo: chiaramente il gusto del pubblico e la pittura progressista si erano separati. Per lo più Klimt si distaccò dall'avanguardia per dipingere ritratti realistici dell'elegante alta società, persone decorative su sfondi decorativi. La sua rinuncia lasciò a Schiele e Kokoschka il compito di sondare "le pulsioni represse", che essi fecero nella forma spesso di figure angosciate prive di riferimento storico e di contesto sociale. (Guardare le sue figure, osservò una volta Schiele, significa "guardare dentro".) Scettici nei confronti delle raffinatezze decorative dell'Art nouveau, sia Schiele che Kokoschka si volsero ai pittori postimpressionisti e simbolisti come precedenti espressivi. (Come in altre capitali, le ▲ retrospettive di Vincent van Gogh e Paul Gauguin ebbero grande influenza, così come le mostre alla Secessione del norvegese Edvard Munch [1863-1944] e dello svizzero Ferdinand Hodler [1853-1918].)

Ritrattistica sintomatica

Cresciuto in una famiglia borghese di funzionari delle ferrovie, Egon Schiele incontrò Klimt nel 1907 e presto adattò la sinuosa linea sensuale del suo mentore al proprio modo di disegnare angolare e nervoso; nei dieci anni che precedettero la sua morte (Schiele morì nell'epidemia di influenza spagnola del 1918) produsse circa trecento dipinti e tremila opere su carta. In rossi sanguigni e bruni terrosi, pallidi gialli e lugubri neri, Schiele tentò di dipingere il pathos direttamente in paesaggi malinconici con alberi avvizziti così come in disperate immagini di madri e figli addolorati. Più famosi sono i suoi disegni di ragazze adolescenti, spesso sessualmente esposte, e i suoi autoritratti, talvolta in posizioni altrettanto esplicite. Se Klimt e Kokoschka esplorarono il legame reciproco tra pulsioni masochiste e sadiche, Schiele indagò un'altra coppia freudiana di piaceri perversi: il voyeurismo e l'esibizionismo. Spesso fissa così intensamente – lo specchio, noi – che la differenza tra il suo sguardo e il nostro minaccia di dissolversi, ed egli sembra diventare l'unico osservatore, il solitario voyeur della propria esibizione. Ma per lo più Schiele non sembra tanto provocatoriamente orgoglioso della propria immagine quanto piuttosto pateticamente esposto nel suo stato rovinoso.

Prendiamo il suo *Autoritratto nudo in grigio con bocca aperta* **[4]**. La figura richiama la vittima emaciata della *Giurisprudenza* ora girata davanti e più giovane. Ha infranto liberamente, altrettanto liberamente è stato infranto: le sue braccia non sono intere, sono amputate. Più che un angelo in volo è uno spaventapasseri dalle ali tarpate e tagliate a colpi di coltello. La sua leggera asimmetria evidenzia altre opposizioni: sebbene maschio, il suo pene è retratto e il suo torso più femminile che altro. Con quegli occhi cerchiati, il suo volto assomiglia a una maschera mortuaria e la

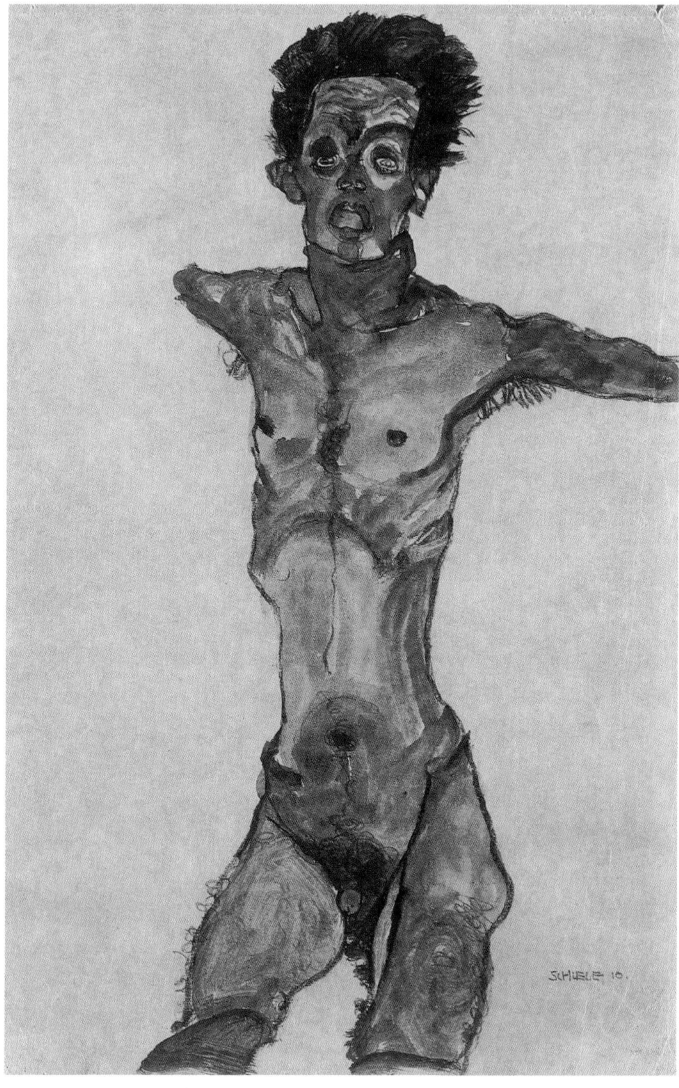

4 • Egon Schiele, *Autoritratto nudo in grigio con bocca aperta*, 1910
Gouache e matita su carta, 44,8 x 31,5 cm

▲ 1903, 1906

sua bocca aperta può essere interpretata sia come urlo vitale che come apertura mortifera. Questo autoritratto sembra catturare il momento in cui la vitalità e la mortalità si incontrano in nevrotica morbosità.

Questa trasformazione della figura è l'eredità primaria dell'arte viennese del periodo. Può sembrare conservatrice rispetto ad altra arte modernista, ma trent'anni dopo spinse i nazisti a condannarla ▲ come "degenerata". Ormai esaurita la sua funzione di ideale classico (il nudo accademico) e di tipo sociale (il ritratto di genere), la figura diventa qui una cifra di disturbo psicosessuale. Senza influenza diretta di Freud, questi artisti hanno sviluppato una sorta di ritrattistica sintomatica che ha ampliato l'espressiva rappresentazione di persone di van Gogh, una ritrattistica che evoca meno i desideri dell'artista che le rimozioni del modello, indirettamente, attraverso tic e tensioni fisiche. Qui, quello che la linea assottigliata, spesso emaciata, era in Klimt e Schiele, è la linea agitata, spesso graffiata, in Kokoschka: un segno di affioramento tortuoso di un conflitto soggettivo.

Anch'egli influenzato da Klimt, Oskar Kokoschka sviluppò ulteriormente questa ritrattistica sintomatica di Schiele e indagò ancora di più la sua dimensione dirompente, fino al punto di venir costretto a lasciare del tutto Vienna. Durante le sue tribolazioni Kokoschka fu sostenuto dall'architetto e critico modernista Adolf Loos (1870-1933), già famoso per i suoi progetti austeri e le polemiche feroci, e il ritratto che Kokoschka fece nel 1909 a questo grande purista si può dire che catturi la loro "comunanza di opposti" **[5]**. Simile per alcuni aspetti stilistici (come gli occhi cerchiati) all'autoritratto di Schiele, il quadro evoca una soggettività che è comunque piuttosto diversa. Loos, vestito, guarda dentro di sé: è composto, ma in un certo senso è sotto pressione. Infatti, più che espresso, spinto a uscire, il suo essere sembra compresso, premuto verso l'interno. Autoposseduto, in entrambi i sensi del termine, trattiene le proprie energie con un'intensità che sembra deformare le sue mani contorte.

Un anno prima del ritratto, Loos aveva pubblicato la sua ● diatriba contro l'Art nouveau della Secessione; intitolato *Ornamento e delitto* (1908), si può anche leggere come "Ornamento *è* delitto". Loos considerava l'ornamento non solo erotico all'origine, ma escrementizio e, sebbene giustificasse tale amoralità nei ■ bambini e nei "selvaggi", scrisse che "l'uomo del nostro tempo, che per un suo intimo impulso imbratta i muri con simboli erotici, è un delinquente o un degenerato". Non per niente, in questa terra a cui lo scrittore Robert Musil aveva dato il soprannome scatologico di "Cacania", Freud aveva pubblicato il suo primo testo su "carattere ed erotismo anale" nel 1908. Ancora, mentre Freud voleva soltanto *comprendere* i fini antropologici della repressione delle pulsioni anali, Loos voleva *imporli*: "Si può misurare la civiltà di un popolo dal grado in cui sono sconciate le pareti delle latrine", scriveva. "L'evoluzione della civiltà è sinonimo dell'eliminazione dell'ornamento dall'oggetto d'uso". Loos non aveva simpatia per la psicanalisi; il suo amico e compatriota Karl Kraus (1874-1936) una volta la definì "la malattia di chi pensa che sia la cura". Ma,

5 • Oskar Kokoschka, *Ritratto dell'architetto Adolf Loos*, 1909
Olio su tela, 73,7 x 92,7 cm

come Freud, Loos immaginava l'anale come una zona confusa di indistinzione e questa era la ragione per cui pensava che le arti applicate della Secessione e le violente esplosioni dell'Espressionismo fossero escrementizie. Contro tale confusione, Loos e Kraus esigevano una pratica autocritica in cui ogni arte, linguaggio e disciplina fosse più distinta, specifica e pura. Va anche ricordato che Vienna era la patria non solo di pittori dirompenti come Klimt, Schiele e Kokoschka, ma anche di voci in altri ambiti come ▲ Loos in architettura, Kraus nel giornalismo, Arnold Schoenberg (1874-1951) in musica e Ludwig Wittgenstein (1889-1951) in filosofia (che scrisse che "la filosofia è la critica del linguaggio"). Già all'inizio del secolo, dunque, troviamo a Vienna un'opposizione fondamentale per molta parte del modernismo seguente: quella tra libertà espressive e rigorose limitazioni. HF

ULTERIORI LETTURE:

Walter Benjamin, *Baudelaire e Parigi*, trad. it. in Angelus Novus, Einaudi, Torino 1962
Allan Janik e Stephen Toulmin, *Wittgenstein's Vienna*, Simon and Schuster, New York 1973
Adolf Loos, *Ornamento e delitto*, trad. it. in *Parole nel vuoto*, Adelphi, Milano 2001
Carl E. Schorske, *Vienna fin de siècle*, trad. it. Bompiani, Milano 1981
Kirk Varnedoe, *Vienna 1900: Art, Architecture, and Design, Museum of Modern Art*, New York 1985

▲ 1937a ● 1962b ■ 1903, 1922

▲ 1958

1900b

Henri Matisse visita Rodin nel suo atelier parigino, ma rifiuta lo stile scultoreo dell'artista più anziano.

Nel 1900, quando Henri Matisse (1869-1954) fece visita a Auguste Rodin (1840-1917) nel suo studio, il sessantenne artista era una figura di spicco. Rodin aveva goduto a lungo di una notevole reputazione del solo scultore che era stato capace di ringiovanire un medium moribondo dopo un intero secolo di tediosi monumenti accademici e statue di cattivo gusto. Ma la sua produzione scultorea era divisa, come ha notato lo storico dell'arte americano Leo Steinberg, tra quella pubblica e quella privata: mentre la sua fama era largamente basata sulle sue opere in marmo, che a loro modo continuavano più che sovvertire la tradizione accademica, la parte più vasta e innovativa della produzione (composta di numerosi gessi raramente fusi in bronzo) era custodita nel segreto del suo studio. Il suo *Monumento a Balzac*, con la grossa colonna del corpo coperto da un pastrano che lo priva di qualsiasi attributo espressivo tradizionale, fu forse la prima scultura pubblica in cui Rodin rivelò il suo stile privato: la sua inaugurazione nel 1898, che creò enorme scandalo, può essere considerata la nascita della scultura moderna. Rodin aveva lavorato assiduamente al monumento per sette anni e rimase ferito (per quanto forse non del tutto sorpreso) quando fu liquidato come "crudo abbozzo" dai membri della Société des Gens de Lettres che lo aveva commissionato e venne cinicamente caricaturizzato dalla stampa (sarebbe stato installato nella sua attuale posizione a Parigi solo nel 1939). Rodin rispose ai critici erigendo un padiglione all'Esposizione Universale del 1900, tenutasi in vari luoghi sparsi per Parigi dall'aprile al novembre di quell'anno, con una retrospettiva delle sue opere: per Matisse e molti altri a questo punto Rodin rappresentò l'ideale romantico dell'artista incompreso, che rifiuta di sottomettersi alle pressioni della società borghese.

La leggenda vuole che quando Matisse, incoraggiato da un ammiratore che era uno dei molti assistenti di Rodin, visitò il vecchio scultore, portasse con sé una selezione di suoi rapidi disegni dal vero da sottoporgli, ma questi non piacquero molto a Rodin. Il consiglio che diede – che Matisse si "preoccupasse" di più dei suoi disegni e aggiungesse dettagli – trovò un orecchio risolutamente sordo: non c'era molta differenza tra questo precetto e l'insegnamento della Scuola di Belle Arti che Matisse aveva già definitivamente rigettato (e che si aspettava che anche Rodin sprezzasse).

Sulle orme del maestro

Ma qualunque indicazione Matisse cercasse da Rodin sul suo metodo di disegno, la sua visita deve essere stata indotta soprattutto dalla curiosità per la pratica scultorea di Rodin. Non è sicuro se Matisse stesse già lavorando a *Il servo* [1], ma, che sia il motivo reale della visita o il suo immediato effetto, questa scultura segna sia il primo serio confronto di Matisse con l'arte di Rodin, sia il suo

1 • Henri Matisse, *Il servo*, 1900-03 (fusione 1908)
Bronzo, altezza 92,4 cm

definitivo congedo da essa, perché è la risposta diretta al mutilato *Uomo che cammina* **[2]** di Rodin, che era stato esposto come studio per un *San Giovanni Battista*, insieme al molto più addomesticato e anatomicamente intero *San Giovanni* stesso, nel padiglione del 1900. Usando lo stesso modello – tal Bevilaqua, a lungo noto per essere il preferito di Rodin – approssimativamente nella stessa posa, Matisse sottolineò sia il debito sia le differenze da Rodin, una dialettica ulteriormente acuita dall'amputazione delle braccia del *Servo* in occasione della sua fusione in bronzo nel 1908.

Anche se l'*Uomo che cammina* di Rodin non sta veramente camminando – come ha fatto notare Leo Steinberg, entrambi i piedi sono ancorati a terra, più come quelli di un "pugile che sta sferrando un colpo" – l'illusione è quella di un'energia trattenuta: il movimento è bloccato, ma la figura è pronta a scattare. *Il servo* di Matisse invece è irrimediabilmente statico, trattenuto. Lo spettatore non è mai tentato di immaginare la figura in movimento, di animarla nella sua mente. Il corpo stesso sembra malleabile: le proporzioni sgraziate del modello sono accentuate dalla curva sinuosa tracciata nello spazio dalla figura nel suo insieme, un'ondulazione generale derivante dal ventre prominente e che attraversa l'intero corpo in altezza, su per il torace rientrante e la schiena incurvata fino alla testa inclinata e giù allo stinco destro che fa da interruzione sotto il ginocchio piegato in dentro. Non suggerisce nessun tipo di tensione, né nello spazio mentale né in quello fisico: uno dei primi antimonumenti risolutamente modernisti, questa scultura afferma la propria autonomia di oggetto.

Questo non significa che *Il servo* non debba niente al mestiere di Rodin. L'impressione stessa di malleabilità della scultura deriva in gran parte dalla superficie agitata dell'opera, un carattere stilistico essenziale dell'arte "privata" di Rodin e che segna una delle rivoluzioni più importanti della tradizione della scultura occidentale fin dall'antichità – una tradizione che chiedeva allo scultore di "dar vita" al marmo (il mito di Pigmalione), che gli faceva credere (o meglio *pretendeva* di far credere) che la sua statua fosse dotata di vita organica. Mentre il Rodin pubblico è interamente erede di questa tradizione, quello privato è un maestro dell'"arte processuale", la sua scultura essendo un vero e proprio catalogo dei procedimenti, accidentali o meno, che compongono l'arte del modellato e della fusione. La ferita aperta sul dorso dell'*Uomo che cammina*, la grande scalfittura su quella della *Figura che vola* (1890-91), le escrescenze sulla fronte del suo *Baudelaire* del 1898 e molte altre "anomalie" praticate dentro il bronzo attestano la determinazione di Rodin nel trattare il procedimento scultoreo come un linguaggio i cui segni sono manipolabili. In altre parole, il Rodin pubblico afferma la trasparenza della scultura come linguaggio, mentre quello privato insiste sulla sua opacità, la sua materialità.

Matisse, senza dubbio stimolato da questi esempi, accentua l'agitazione della superficie di *Il servo*; ammassa discontinuità muscolari, concependo tutta la sua scultura come un'accumulazione di forme rotonde più o meno piccole o di colpi di spatola su cui la luce indugia. Ma così facendo va troppo lontano e si avvicina allo stile di Medardo Rosso (1858-1928), l'italiano autoproclamatosi rivale di

2 • Auguste Rodin, *Uomo che cammina*, 1900
Bronzo, 84 x 51,5 x 50,8 cm

Rodin, che si definiva impressionista e aspirava ad imitare le pennellate impressioniste nelle sue sculture di cera. Diversamente da quella di Rodin, la scultura di Rosso è pittorica e rigidamente frontale. L'effetto di smaterializzazione della luce sulle superfici, il modo in cui i contorni delle figure sono divorati dall'ombra e possono essere visti solo da un punto di vista, sono caratteri che Matisse rifiuta nel momento stesso in cui flirta con la loro possibilità.

Il servo, uno dei due pezzi con cui Matisse impara l'arte della scultura (necessitò tra le trecento e cinquecento sessioni di posa con il modello!), è dunque un'opera paradossale: nella sua imitazione incontrollata dei segni "processuali" di Rodin, Matisse è più realista del re. L'agitazione stessa della superficie rischia pericolosamente di distruggere l'integrità della figura e il suo arabesco totale, e di trasformarla, come farebbe Rosso, in un surrogato pittorico. Da allora Matisse avrebbe capito meglio il principio della materialità di Rodin e mai più abusato in questa direzione. Quasi tutti i suoi futuri bronzi avrebbero continuato a mostrare i segni della manipolazione della creta, senza mettere, però, in pericolo la fisicità della scultura. Forse l'esempio più singolare di questo effetto è l'esagerazione della fronte di *Jeannette V* **[3]**, che ebbe un tale impatto su Picasso quando la scoprì nel 1930 che cominciò ad emularla in una serie di teste o di busti modellati subito dopo.

Matisse si allontana

Durante la sua visita a Rodin, Matisse imparò anche ciò che distingueva fondamentalmente la sua estetica da quella del maestro: "Non capivo come Rodin potesse lavorare al suo *San Giovanni*, tagliando la mano e innescandola su un piolo; la lavorava in dettaglio, tenendola con la mano sinistra, pare, comunque tenendola staccata dall'insieme, poi la riattaccava al braccio; poi ancora le cercava una direzione, in rapporto al movimento generale. Già vedevo per me stesso soltanto un lavoro di architettura generale, che sostituisce i dettagli esplicativi con una sintesi viva e suggestiva". Matisse aveva già capito di non essere un "realista" quando aveva modellato un giaguaro da un'opera dello scultore francese del XIX secolo Antoine-Louis Barye e non era riuscito a capire l'anatomia di un gatto scuoiato che si era procurato per l'occasione (*Giaguaro che divora una lepre* [1899-1901], l'altra scultura con cui imparò quest'arte e disse addio alla somiglianza anatomica). Così non fu la pura artificialità del metodo di Rodin ad irritare Matisse, ma la sua combinazione di frammenti innestati tra loro e il suo amore sconfinato per la figura parziale.

4 • Aristide Maillol, *Il Mediterraneo*, 1902–5
Bronzo, 104,1 x 114,3 x 75,6 cm base inclusa

Come dire che Matisse ignorò uno degli aspetti più moderni ▲ della pratica di Rodin, quello che invece Constantin Brancusi avrebbe emulato e raffinato (non è un caso che Brancusi, dopo un breve apprendistato nello studio di Rodin, sia fuggito sotto la spinta di una vera e propria "ansietà da influenza", sostenendo che "non cresce niente all'ombra dei grandi alberi"). Si può anche dire che l'aspetto taglia-e-incolla della scultura di Rodin, per cui il calco di una stessa figura o frammento di figura è riutilizzato in gruppi diversi e diversamente orientato nello spazio, rappresenta il primo passo di quello che sarebbe diventato, con le costruzioni ▲ cubiste di Picasso, uno dei tropi principali dell'arte del XX secolo.

3 • Henri Matisse, *Jeannette V*, 1916
Bronzo, altezza 58 cm

Matisse resistette alla frammentazione metonimica di Rodin e in qualche modo la sua scultura rappresenta l'approccio opposto. Tale desiderio di pensare la figura come un intero indivisibile si sviluppò con altri scultori in una modalità accademica, soprattutto quando si legò a un insistito attaccamento al motivo tradizionale del nudo femminile. Accadde per esempio con i nudi rotondi di Aristide Maillol (1861-1944) **[4]** o le silhouette molto più magre, dall'altra parte del Reno, di Wilhelm Lehmbruck (1881-1919) – entrambi fortemente rivolti alla tradizione greco-romana e decisi a usare, al contrario di Rodin e Matisse, superfici lucide con cui il bronzo sembra imitare il marmo. La riaffermazione dell'intero generò anche una sorta di scultura ibrida che potremmo dire pseudocubista, o proto-Art déco: Jacques Lipchitz, Raymond Duchamp-Villon e Henri Laurens a Parigi e, • fino a un certo punto, Jacob Epstein e Henri Gaudier-Brzeska in Gran Bretagna produssero tutti opere che sembrano rifarsi al metodo di articolazione cubista, ma in effetti magnificano la solidità della massa, mentre la discontinuità dei piani rimane al livello superficiale di veste stilistica e non coinvolge mai veramente il volume nello spazio.

Il tratto fondamentale che distingue le loro opere da quelle di Matisse è che sono completamente frontali – fatte per essere viste da un unico punto (o talvolta quattro distinti, nel caso di Maillol o Laurens) – mentre quelle di Matisse significativamente non lo

▲ 1927b

▲ Introduzione 3, 1912 • 1925a, 1934b

5 • Henri Matisse, *Nudo di schiena (I)*, 1909 ca.
Bronzo, 188,9 x 113 x 16,5 cm

6 • Henri Matisse, *Nudo di schiena (II)*, 1916
Bronzo, 188,5 x 121 x 15,2 cm

sono. Comprendere questo è utile a considerare quello che lo storico dell'arte tedesco-americano Rudolf Wittkower propose, insieme all'esempio di Rodin, come una delle due uniche strade offerte alla generazione di Matisse dalla scultura del XIX secolo, cioè le teorie dello scultore tedesco Adolf von Hildebrand (1847-1921), per quanto sia improbabile che Matisse abbia mai conosciuto Hildebrand, se non per sentito dire. Hildebrand riteneva che tutta la scultura è un rilievo travestito, fatto di tre piani di profondità, la cui leggibilità dev'essere immediatamente accessibile da un punto di vista stabilito, fisso. (Ai suoi occhi la grandezza di Michelangelo sta nel fatto che ci permette sempre di cogliere la presenza virtuale del blocco di marmo: le sue figure sono "serrate" tra il fronte e il retro della massa originale di pietra). Un rilievo reale è ancora meglio, scriveva Hildebrand, poiché da questo punto di vista le figure (incorniciate) sono virtualmente libere dalle ansietà dello spazio infinito circostante. In breve, Hildebrand pensava in termini di piani (e sprezzava il modellato come troppo fisico).

Eppure nella serie dei quattro *Nudi di schiena* realizzati tra il 1909 e il 1931, Matisse trasgredì le istruzioni di Hildebrand (qui in effetti era più che mai vicino a Rodin, il cui altro famoso monumento "fallito", *La Porta dell'Inferno*, è un'opaca confusione di forme contro cui l'occhio, lasciato senza possibile progressione in profondità, può solo bruscamente arrestarsi). Come era concepito da Hildebrand e dall'intera tradizione accademica, il rilievo presuppone uno sfondo che rappresenti uno spazio immaginario da cui la figura emerge, con le conoscenze anatomiche dell'osservatore che provvedono a tutte le necessarie informazioni riguardanti ciò che è nascosto alla vista.

Lo sfondo del rilievo funziona come il piano pittorico nel sistema elaborato nel Rinascimento da Leon Battista Alberti: è un piano virtuale, considerato trasparente. Sotto certi riguardi, in effetti, i *Nudi di schiena* possono essere visti come una risposta ironica a Hildebrand per il fatto che la figura viene gradualmente identificata con la parete che la sorregge e

7 • Henri Matisse, *Nudo di schiena (III)*, 1916
Bronzo, 189,2 x 111,8 x 15,2 cm

8 • Henri Matisse, *Nudo di schiena (IV)*, 1931
Bronzo, 188 x 112,4 x 15,2 cm

produce: nel *Nudo di schiena (I)* **[5]** la figura si appoggia alla parete (realistica giustificazione della strana posa che ignora così volutamente le convenzioni del genere); nel *Nudo (II)* **[6]** la differenziazione tra il modellato della schiena e il trattamento dello sfondo comincia a offuscarsi (in determinate condizioni di luce la colonna vertebrale scompare quasi del tutto); nel *Nudo (III)* **[7]** la figura è quasi completamente allineata con i bordi del "supporto"; nel *Nudo (IV)* **[8]** è diventata una semplice modulazione del supporto stesso (non c'è differenza tra la treccia e lo spazio che prosegue tra le gambe: semplicemente un diverso grado di sporgenza). In breve, se per una volta Matisse scolpì qui realmente come un pittore (come sostenne sempre con forza), non dimenticò in nessun senso la rivoluzione pittorica che aveva realizzato prima: prese a prestito dalla sua pittura l'antiillusionismo e l'effetto "decorativo" (il termine di Matisse per *allover*) ▲ che la caratterizzano. Inutile dire quanto questo sia ben lontano da Hildebrand.

Ma i *Nudi di schiena*, essendo dei rilievi, sono un'eccezione. La maggior parte dei bronzi di Matisse chiede all'osservatore di muoversi intorno ad essi. Un caso significativo è *La serpentina* **[9]**. Se i critici hanno da tempo notato che il titolo si riferisce alla "S" tracciata dalla figura nello spazio e alla riduzione della sua anatomia a delle corde, è spesso sfuggita l'allusione alla *figura serpentinata,* un principio stabilito da Michelangelo e portato all'estremo dal Manierismo. Matisse comunque era pienamente consapevole del suo debito storico ("Maillol lavorava con la massa come gli antichi, mentre io lavoro con l'arabesco, come gli artisti del Rinascimento", amava dire). Negli ultimi anni della sua vita, notando che il modello di *La serpentina* (preso da una fotografia) era "una piccola donna paffuta", spiegò che aveva finito "col farla in quel modo perché tutto fosse visibile, indipendentemente dal punto di vista". Parlò anche di "trasparenza", fino a suggerire che l'opera anticipava la rivoluzione cubista. Ma Matisse si sbagliava su questo punto, almeno per due ragioni.

▲ 1910

9 • Henri Matisse, *La serpentina*, 1909
Bronzo, 56,5 x 28 x 19 cm

L'inaccessibile "cosa in sé"

Abbiamo visto che Matisse rigettava (con Rodin) l'ideale della trasparenza immaginaria del materiale amata sia dalla tradizione accademica che da Hildebrand, ma quando qui parla di trasparenza ha in mente altri due significati del termine. Uno contiene il sogno riferito di una trasparenza *ideazionale*, cioè di un pieno e immediato possesso del significato dell'opera d'arte; l'altro indica, in linguaggio da atelier, l'uso del vuoto da parte degli scultori moderni. Iniziamo dall'ultimo: la trasparenza di *La serpentina* non ha niente a che vedere con il modo in cui il vuoto a partire dalla ▲ famosa *Chitarra* di Picasso dell'autunno 1912 è diventato nella scultura cubista uno degli elementi costitutivi in un sistema di opposizioni. In *La serpentina* il vuoto è soltanto un effetto secondario della posa e Matisse non l'ha più usato in seguito. L'altro significato della trasparenza è più importante, perché quello che accade realmente è l'opposto di ciò che pretende Matisse: non si può *mai* vedere tutto in una volta; qualunque sia il punto di vista, non si può *mai* cogliere pienamente il significato dell'opera. Muovendosi intorno a *La serpentina* si vede una sorta di fisarmonica spaziale che continuamente si espande e si contrae (o, per usare un'altra metafora, gli spazi negativi si aprono e si chiudono come ali di farfalla). Si è continuamente sorpresi dalla molteplicità di aspetti ogni volta assolutamente imprevedibili. Da dietro la sua minuscola testa di insetto (di una mantide religiosa?) rivela una massa di capelli che appare come uno shock; le giunture degli arabeschi formati dal torso, dalle braccia e dalla gamba sinistra frangono incessantemente il corpo senza mai negare la sua linea verticale (la gamba destra è rigorosamente parallela al sostegno verticale su cui poggia il gomito). In breve, si può girare intorno a *La serpentina* centinaia di volte, ma non si riesce mai a possederla a pieno; la sua danza curvilinea nello spazio assicura la sua interezza, ma anche la sua distanza: questa interezza, quella della cosa in sé, ci è resa inaccessibile.

È proprio qui che si definisce con precisione la differenza più importante tra la scultura di Matisse e l'arte di Michelangelo, per esempio, o del Giambologna, a cui è stata paragonata. Perché anche Giambologna ci forza a muoverci intorno alle sue sculture, ma arriva sempre un momento in cui il viaggio intorno all'opera raggiunge un evidente punto finale, sempre un momento in cui si capisce cosa accade. La ragione è semplice: da una parte, le distorsioni prodotte dal *contrapposto* rimangono sempre all'interno dei limiti della conoscenza anatomica (grazie a cui "dominiamo" una determinata gamba molto allungata o un ginocchio disegnato in un modo impossibile e leggiamo la figura come una forma continua); dall'altra, i gesti rappresentati hanno sempre una qualche giustificazione, che sia realistica o retorica (come una bagnante che si china o la *Sabina* il cui gesto patetico, di invocazione al cielo di salvarla dal gigante che la rapisce, completa la spirale del gruppo più famoso dello scultore). Matisse si preoccupa poco di tutto questo, dell'anatomia (la ignora, seguendo la lezione imparata dal Rodin privato) o dei gesti evocativi.

10 • Henri Matisse, *Nudo sdraiato I (Aurora)*, 1907
Bronzo, altezza 34,5 cm

Il fatto che non ci sia un acme nella nostra circumnavigazione intorno a una scultura di Matisse, né nessun punto di vista privilegiato in nessun momento, spiega la difficoltà che si prova quando si cerca di fotografarla: soltanto un film, forse, renderebbe giustizia all'assenza di spigoli che caratterizza il flusso di Matisse. Consapevole di questa difficoltà, l'artista ha offerto un aiuto ai fotografi. Non sorprende che non abbia mai scelto una veduta frontale (mostrava le sue cinque *Jeannette* di profilo, per esempio, o da dietro). Oppure, se l'ha fatto, è stato quando l'asse della figura non era organizzato frontalmente. Sembra che ciò che lo interessava di più era di trovare il punto di vista più eccentrico e inatteso, che è spesso quello da cui gli arabeschi chiudono la scultura su se stessa (e che fornisce quindi l'informazione minima sulla sua contorsione). Matisse ha preso spesso molte fotografie della stessa opera e sembrava provar piacere nelle forti discordanze tra loro. Scelse tre punti di vista per *Nudo sdraiato I* **[10]**: frontale (come si vede sullo sfondo del quadro *La lezione di musica* [1916-17] della Fondazione Barnes); di tre quarti da dietro, che piega su se stesso il braccio alzato in una semplice verticale e rivela il "casco" dei capelli; ma anche in pieno profilo (con davanti i piedi), da un'angolatura che allarga l'intera figura, schiaccia il torso e la rotondità della coscia, gonfia le spalle e soprattutto blocca ogni accesso al ventre. È come se lo facesse di proposito, stuzzicando il nostro desiderio per la sua pienezza e dichiarando la sua necessaria incompletezza, che è la condizione stessa della modernità. YAB

ULTERIORI LETTURE:

Adolf von Hildebrand, *Il problema della forma*, trad. it TEA, Milano 1996

Rosalind Krauss, *Passaggi. Storia della scultura da Rodin alla Land Art*, trad. it. Bruno Mondadori, Milano 1998

Isabelle Monod-Fontaine, *The Sculpture of Henri Matisse*, Thames & Hudson, London 1984

Leo Steinberg, *Rodin*, in *Other Criteria: Confrontations with Twentieth-Century Art*, Oxford University Press, London-Oxford-New York 1972

Rudolf Wittkower, *La scultura raccontata da Rudolf Wittkower*, trad. it. Einaudi, Torino 1985

▲ Introduzione 3, 1912

1903

Paul Gauguin muore nelle Isole Marchesi, nel Pacifico meridionale: il ricorso all'arte tribale e all'immaginazione primitivista in Gauguin influenza le prime opere di André Derain, Henri Matisse, Pablo Picasso ed Ernst Ludwig Kirchner.

Quattro pittori della fine del XIX secolo hanno influenzato più di ogni altro i modernisti all'inizio del XX: Georges Seurat (1859-91), Paul Cézanne (1839-1906), Vincent van Gogh (1853-90) e Paul Gauguin (1848-1903). Ognuno proponeva una nuova purezza in pittura, ma ciascuno lo fece con priorità diverse: Seurat ne sottolineò gli effetti ottici, Cézanne la struttura pittorica, van Gogh privilegiò la dimensione espressiva, Gauguin il potenziale visionario. Più che per lo stile, Gauguin influenzò come persona: padre del "primitivismo" modernista, riformulò la vocazione degli artisti romantici come una ricerca visionaria tra le culture tribali. Ispirati dal suo esempio, alcuni artisti modernisti tentarono di assimilare il modo di vita primitivo. Due espressionisti tedeschi, Emil Nolde (1867-1956) e Max Pechstein (1881-1955), lavorarono nel Pacifico del Sud emulando Gauguin, ▲ mentre altri due, Ernst Kirchner (1880-1938) e Erich Heckel (1883-1970), reinterpretarono la vita primitiva nei loro studi o in scenari naturali. Ma molti modernisti attinsero dall'arte tribale: alcuni, come Henri Matisse e Pablo Picasso, lo fecero in modo profondo e strutturale; altri, in modo più superficiale e illustrativo.

Tutti questi artisti cercarono di contestare le convenzioni europee che sentivano come repressive e tutti immaginarono il primitivo come un mondo esotico dove stile e io potevano essere rimodellati. Qui il primitivismo va ben al di là dell'arte: è una fantasia, un intero insieme di fantasie sul ritorno alle origini, la fuga nella natura, la liberazione degli istinti e così via, tutto proiettato nelle culture tribali di altre razze, soprattutto di Oceania e Africa. Ma anche come costruzione fantastica il primitivismo ebbe effetti reali: era non solo parte del progetto globale dell'imperialismo europeo (da cui dipendevano le vie d'accesso alle colonie e la stessa comparsa degli oggetti tribali nelle metropoli), ma anche parte delle strategie dell'avanguardia. Come i precedenti recuperi *all'interno* dell'arte occidentale (per esempio la riscoperta dell'arte medievale nel XIX secolo da parte di artisti come i preraffaelliti), questi soggiorni primitivisti *fuori* dall'arte occidentale erano strategici: sembravano offrire un modo non solo di superare le vecchie convenzioni accademiche, ma anche di andare oltre i recenti stili avanguardisti (per esempio il Realismo, l'Impressionismo, il Neo-impressionismo), che erano considerati legati ad argomenti strettamente moderni o a problemi puramente visivi.

Pastiche primitivista

Gauguin giunse tardi alla sua ricerca primitivista, solo dopo aver abbandonato una buona posizione alla Borsa di Parigi nel 1883, a trentacinque anni. Inizialmente lavorò in Bretagna, nella Francia dell'Ovest, insieme ad altri artisti simbolisti come Émile Bernard (1868-1941), una prima volta nel 1886 e poi nel 1888, dopo un fallito viaggio a Panama e in Martinica nel 1887. Gauguin fu ispirato ad andare a Tahiti in parte dai "villaggi nativi" costruiti come scene da zoo all'Esposizione Universale del 1889 a Parigi; inoltre rimase molto colpito dallo spettacolo del Selvaggio West di Buffalo Bill. Per tutta la sua retorica di purezza, il primitivismo fu spesso un misto di kitsch e di luoghi comuni (la leggenda racconta che Gauguin arrivò a Tahiti con in testa un cappello da cowboy). A parte un ritorno a Parigi per diciotto mesi alla fine del 1893 per curare la vendita delle sue opere, visse a Tahiti dal 1891 fino al viaggio finale alle Isole Marchesi nel 1901. Gauguin si spinse dunque al di là della cultura popolare della Bretagna fino al paradiso tropicale di Tahiti (tale era il suo statuto leggendario, almeno a partire dal *Supplemento al Viaggio di Bougainville* di Denis Diderot, del 1796) e poi alle Marchesi, che vide come un posto di sacrifici e cannibalismo, oscuro complemento alla luminosa Tahiti. In questo modo Gauguin intese il suo viaggio nello spazio come un viaggio indietro nel tempo: "La civiltà ha perso pian piano di significato per me", scrisse nelle sue memorie tahitiane *Noa-Noa* (1893). Questa identificazione, come se *più lontano* dall'Europa equivalesse a *più indietro* nella civiltà, è una caratteristica del primitivismo, anzi dell'ideologia razzista dell'evoluzione culturale che all'epoca era ancora diffusa.

Anche Gauguin propose una rivalutazione parziale di questa ideologia. Così nelle sue opere pittoriche e nei suoi scritti il primitivo diventa il puro e l'europeo il corrotto. Nel "regno del denaro", scrisse sull'Europa appena prima del suo primo viaggio a Tahiti, "tutto è corrotto, anche l'uomo, anche le arti". Questa è la ragione sia del suo rifiuto stilistico del Realismo sia della sua romantica critica al capitalismo, posizioni che i suoi seguaci espressionisti condivideranno. Certo, rovesciare questa opposizione di primitivo ed europeo non significava cancellarla o decostruirla. I due termini rimasero a lungo in uso e la sua revisione di questo binomio mise

▲ 1908

1 • André Derain, *La danza*, 1905–6
Olio e tempera su tela, 179,5 x 228,6 cm

Gauguin in una posizione ambigua. "Io sono l'indiano e l'uomo della sensibilità [insieme]", scrisse a Mette, la moglie abbandonata, con una speciale enfasi sulla sua parziale origine peruviana. Il suo mito della purezza tahitiana sfidò anche gli eventi sociali. Nel 1891, dopo dieci anni come colonia francese, Tahiti difficilmente era il "paradiso sconosciuto" dove "vivere è cantare e amare" e difficilmente i tahitiani erano una nuova razza dopo il biblico Diluvio, come li presentò Gauguin nelle pagine di *Noa-Noa*.

Se la Polinesia era poliglotta, altrettanto lo era la sua arte. Meno purista che eclettico, Gauguin si rivolse all'arte nobile di Perù, Cambogia, Giava ed Egitto più che a quella tribale dell'Oceania e dell'Africa. ("Nobile" e "tribale" suggeriscono diversi ordini sociopolitici, sebbene entrambi siano ora quasi altrettanto contestati del termine "primitivo"). Spesso soggetti di queste varie culture appaiono in strani insiemi; le donne tahitiane nel suo *Giorno di mercato* (1892), per esempio, siedono in pose derivate da una pittura tombale dell'Egitto della XVIII dinastia. Né il suo arrivo a Tahiti trasformò significativamente il suo stile: rimasero gli audaci contorni che Gauguin aveva derivato dalle sculture in pietra delle chiese bretoni, così come i forti colori che trasse dalle stampe giapponesi. Così molti suoi soggetti: la spiritualità visionaria delle donne bretoni di *La visione dopo il sermone* (1888), per esempio, diventa la santa semplicità della tahitiana in *Ti salutiamo o Maria* (1891), solo che qui l'innocenza pagana piuttosto che la fede popolare ridefinisce la grazia cristiana. Tale sincretismo stilistico e di soggetti può suggerire una commistione primordiale di pulsione estetica e religiosa attraverso le culture (questa possibilità interessò anche altri primitivisti, come Nolde), ma punta anche a un paradosso di molta arte primitivista, che spesso persegue la purezza e l'originarietà attraverso l'ibrido e il pastiche. Il primitivismo infatti è sovente altrettanto mescolato stilisticamente di quanto lo è ciò che ideologicamente gli si oppone, ed è proprio questa costruzione eclettica che Gauguin lasciò in eredità ai suoi seguaci.

Manovre avanguardiste

Una grande retrospettiva di Gauguin si tenne al Salon d'Automne a Parigi nel 1906, anche se artisti come Picasso avevano già comin-

L'esotico e il naïf

Il primitivismo non fu il primo esotismo dell'Europa moderna: anche versioni fantastiche dell'Oriente abbondarono in arte e letteratura. Il XVIII secolo ha visto una moda della porcellana cinese (*chinoiserie*) e gli artisti del XIX furono attratti dapprima dall'Africa del Nord e dal Medio Oriente (Orientalismo) e poi dal Giappone (*japonisme*). Queste fascinazioni spesso seguirono le conquiste storiche (per esempio la campagna napoleonica in Egitto nel 1798 e l'apertura forzata del Giappone al commercio straniero nel 1853) e le vie imperiali (cioè gli artisti francesi tendevano a recarsi nelle colonie francesi, i tedeschi in quelle tedesche e così via). Ma tali luoghi erano più "geografie immaginarie" (secondo l'espressione di Edward Said dal suo libro *Orientalismo* del 1978), cioè erano mappe spazio-temporali in cui venivano proiettate ambivalenza psicologica e ambizione politica. Così l'arte orientalista spesso descrisse il Medio Oriente come antico, una culla della civiltà, ma anche come decadente, corrotto, femmineo, bisognoso di un governo imperiale. Il Giappone era noto per essere un'antica cultura, ma i *japonistes* videro il suo passato come innocente, secondo una visione pura che, conservata nelle stampe, ventagli e paraventi, poteva aprire nuovi orizzonti agli europei offuscati dalle convenzioni occidentali della rappresentazione. Il primitivismo proiettò un'origine ancora più primordiale, ma anche qui il primitivo era diviso in un selvaggio pastorale e nobile (nel paradiso sensuale dei tropici, spesso associato all'Oceania) e uno sanguinario e ignobile (nel cuore sessuale delle tenebre, solitamente collegato all'Africa). Ognuno di questi teatri esotici persiste tutt'oggi, mutato o variato, e altri vi si sono aggiunti, propagati, come fu già allora, dai mass-media.

Gli avanguardisti fecero appello a queste geografie immaginarie per ragioni tattiche. Gli impressionisti e postimpressionisti avevano già preso il Giappone, come sostenne una volta Picasso; così la sua generazione si impadronì invece dell'Africa, benché altri come Matisse e Paul Klee amarono anche gli scenari orientalisti; allo stesso modo i surrealisti si volsero all'Oceania, Messico e Pacifico del Nordovest. La regola che un passo fuori dalla tradizione è anche una strategia interna ad essa vale anche per il frequente rivolgersi all'arte popolare – che siano i crocifissi di Gauguin e Breton, Vasilij Kandinskij e le vetrate bavaresi, o Kasimir Malevi e Vladimir Tatlin e le icone bizantine.

Un caso particolare è quello della celebrazione modernista dell'artista "naïf", come Henri Rousseau (1844-1910), noto anche come Il Doganiere, così chiamato da quello che fu il suo lavoro per cinquant'anni. L'arte naïf era spesso associata all'arte dei bambini e a quella tribale e popolare in quanto incolta e intuitiva. Eppure Rousseau era un parigino, non un contadino, che, lungi dall'essere all'oscuro dell'arte accademica, tentò una rappresentazione realistica basata sulle fotografie d'atelier e le composizioni da Salon. In parte la sua pittura sembrò surreale ai suoi contemporanei avanguardisti semplicemente perché era tecnicamente goffa. Guillaume Apollinaire racconta che Rousseau misurava i dettagli dei suoi modelli, poi trasferiva le misure direttamente sulla tela, cercando un effetto realistico, per ottenerne solo uno surreale. Anche i suoi quadri con foreste hanno un'intensità inquietante, come fossero piante d'appartamento trasformate, con ogni ramo e foglia meticolosamente rilevata e riportata per intero sulla tela, in una foresta misteriosamente animata. Rousseau era sincero, come lo erano gli apprezzamenti dei suoi amici modernisti – tra cui Picasso, che ospitò un banchetto in suo onore nel 1908. Sincere sì, ma, di nuovo, queste identificazioni erano spesso tattiche e temporanee. Qui l'ultima parola va lasciata al sociologo Pierre Bourdieu: "L'artista va d'accordo con il 'borghese' per un riguardo: preferisce l'ingenuità alla 'pretenziosità'. Il merito essenziale della 'gente comune' è che non ha nessuna delle presunzioni d'arte (o di potere) che ispirano invece le ambizioni della 'piccola borghesia'. La loro indifferenza riconosce tacitamente il monopolio. Questo perché, nella mitologia dell'artista e dell'intellettuale, le cui strategie di raggiro e di doppia negazione li riportano indietro ai gusti e alle opinioni 'popolari', la 'gente' gioca spesso un ruolo non diverso da quello del contadino nelle ideologie conservatrici dell'aristocrazia in declino".

ciato a studiarlo fin dal 1901. Già in un quadro come *La danza* **[1]** – una composizione ritmica di donne ornamentali ambientate in un'immaginaria scena tropicale con tanto di pappagallo e serpente – André Derain (1880-1954) trattò il primitivismo di Gauguin come se fosse un giardino fauvista di libertà decorativa e sensualità femminile. Anche Matisse dipinse idilli simili in *Lusso, calma e* ▲ *voluttà* (1904-5) e *La gioia di vivere* (1905-6), ma le sue scene sono più pastorali che primitiviste e, come Picasso, quando si occupò direttamente di arte tribale nel 1906, il suo interesse fu più formale che tematico. Ironicamente questo interesse formale portò sia Matisse che Picasso lontano da Gauguin al tempo della sua retrospettiva. Interessati a rafforzare le basi strutturali della loro arte, entrambi si volsero da Gauguin e dai motivi oceanici a Cézanne e agli oggetti africani, che lessero nei termini l'uno dell'altro – in parte per difendersi dall'eccessiva influenza di ciascun termine. Infatti ● Picasso insisterà più tardi che gli oggetti africani – che egli, come Matisse, collezionava – furono "testimonianze" più che "modelli" dello sviluppo della sua arte (riconsiderazione difensiva dell'importanza dell'arte tribale che anche altri primitivisti faranno).

Le traiettorie primitiviste di Matisse e Picasso furono divergenti. Inizialmente entrambi si interessarono alla scultura egizia che ▲ videro al Louvre. Ma Picasso si volse presto ai rilievi iberici, i cui contorni essenziali influenzarono i suoi ritratti del 1906-7, mentre Matisse, che era sempre più coinvolto dalla dimensione orientalista della pittura francese, viaggiò nell'Africa del Nord. Dalla fine del 1906, comunque, entrambi gli artisti erano pronti a imparare dalle maschere e figure africane. "Van Gogh aveva le stampe giapponesi", notò una volta Picasso sinteticamente, "noi avevamo l'Africa". Ma, di nuovo, svilupparono lezioni diverse dalla loro arte. Mentre la ● scultura africana fu cruciale per il collage e in particolare per la costruzione cubista, Matisse la usò per rivendicare un'alternativa plastica al Cubismo. Soprattutto ammirava le sue "proporzioni e

▲ 1906 ● 1907 ▲ 1907, 1911 ● Introduzione 3, 1912

l'invenzione dei piani". Questo è evidente nelle sue sculture del periodo, come *Due negre* (1908), che hanno le grandi teste, seni tondi e natiche prominenti di molte figure africane. Ma "proporzioni e invenzione dei piani" sono evidenti anche nei suoi quadri coevi, dove aiutano Matisse a semplificare il disegno e a liberare il colore dalle funzioni descrittive. Lo si può riscontrare nella sua principale tela primitivista, *Nudo blu: Ricordo di Biskra* (1907), che, ▲ come il suo corrispettivo scultoreo, *Nudo sdraiato I* (1907), è una revisione radicale del nudo accademico.

Da quando Édouard Manet (1832-83) mise il nudo accademico – dalle Veneri di Tiziano alle Odalische di Ingres – sul modesto divano di una prostituta parigina in *Olympia* (1863), la pittura d'avanguardia puntò le sue rivendicazioni trasgressive sulla sovversione di quel genere più di ogni altro. Gauguin copiò l'*Olympia* su tela **[2]** come in una fotografia, che portò poi a Tahiti come una sorta di talismano, e dipinse la sua adolescente compagna tahitiana Teha'amana in una scena che cita il quadro di Manet. Ma *Lo spirito dei morti veglia* **[3]** richiama *Olympia* più per reinventarla. Per lo storico dell'arte Griselda Pollock è una "manovra avanguardista"

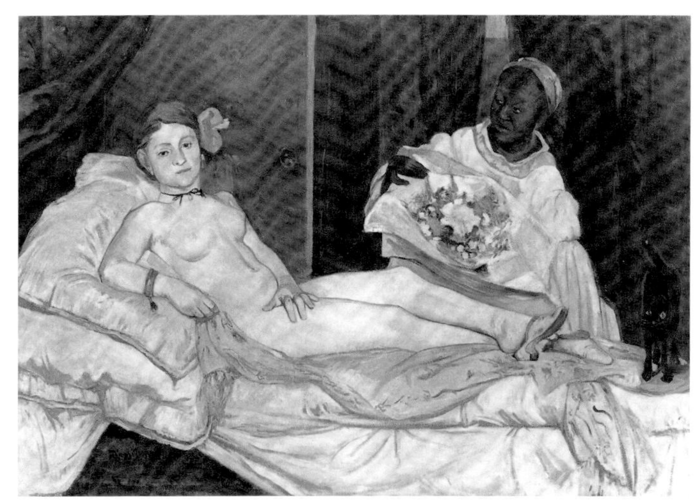

2 • Paul Gauguin, *Copia dell'Olympia di Manet*, 1890–1
Olio su tela, 89 x 130 cm

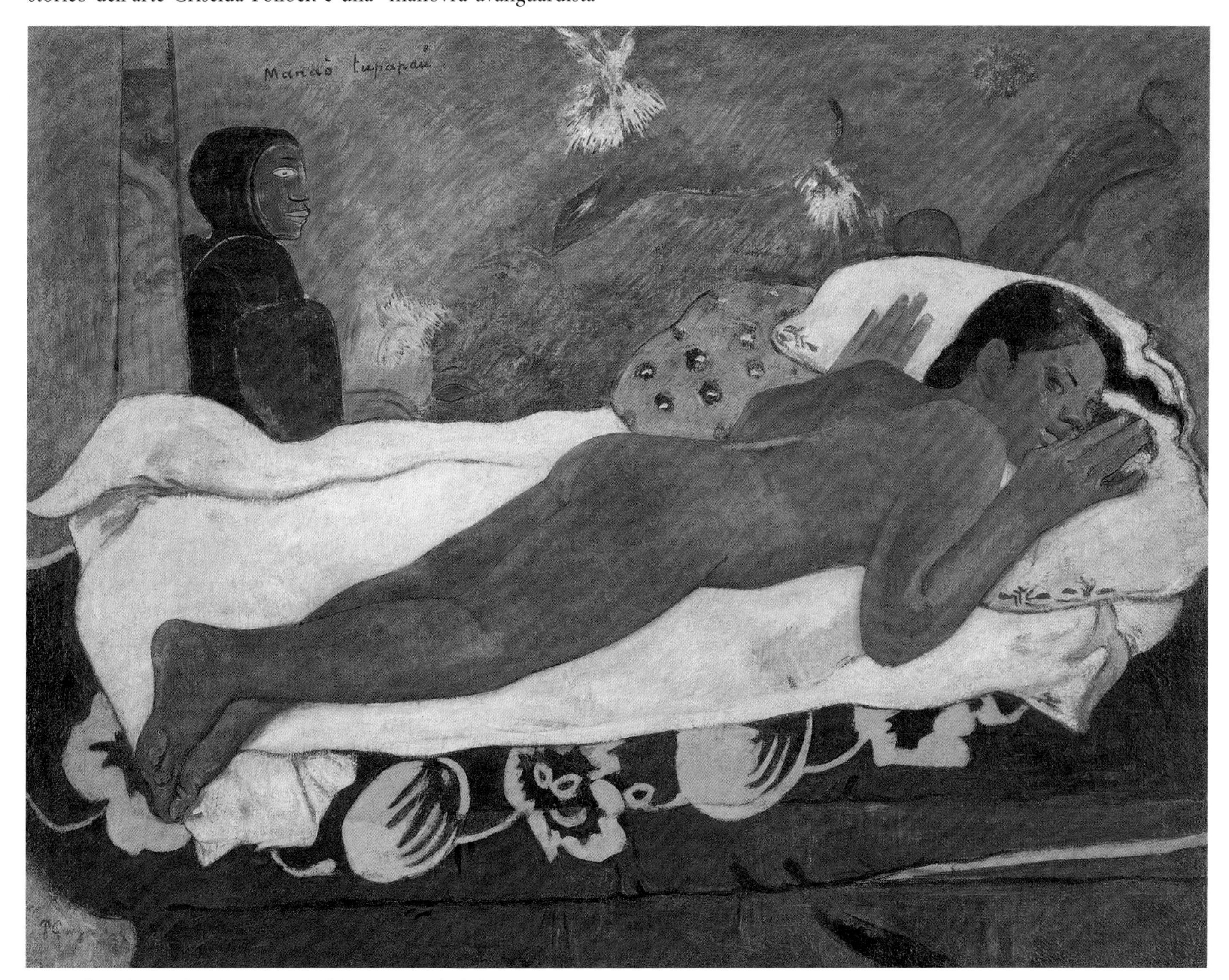

3 • Paul Gauguin, *Lo spirito dei morti veglia (Manao tupapau)*, 1892
Olio su sacco montato su tela, 73 x 92 cm

▲ 1900b

che condensa insieme tre movimenti: Gauguin si *riferisce* a una tradizione, qui non solo a quella del nudo accademico ma anche alla sua sovversione avanguardista; mostra anche *deferenza* per i suoi maestri, qui non solo Tiziano e Ingres ma anche Manet; e infine propone la sua *differenza*, una sfida edipica a tutti questi paterni precedenti, una rivendicazione dello statuto di maestro al ▲ loro fianco. Chiaramente anche Matisse con *Nudo blu*, Picasso con *Les Demoiselles d'Avignon* (1907) e Kirchner con *Ragazza sotto un ombrello giapponese* **[4]** si sono impegnati in una competizione pittorica sia con i loro predecessori artistici, sia l'uno con l'altro, una competizione basata, come fu, su corpi di donne. Ogni artista guarda fuori dalla tradizione occidentale – rivolgendosi all'arte tribale, immaginando un corpo primitivo – come modo per avanzare all'interno di quella stessa tradizione. Col senno di poi, questo fuori, questo altro, viene allora incorporato nella dialettica formale dell'arte modernista.

Prima Gauguin rivisita Manet, rilavora la sua cruda scena di una prostituta parigina nella visione immaginaria di un tahitiano "spirito dei morti". Inverte le figure, sostituisce l'inserviente nera con il corpo nero della ragazza. Gauguin inoltre evita il suo sguardo (è cruciale: Olympia ci restituisce il nostro sguardo, fissa lo spettatore maschio come fosse un cliente) e ruota il suo corpo in modo da esporre le natiche (anche questo è cruciale: è una posizione sessuale che Teha'amana, diversamente da Olympia, non controlla, mentre lo fa lo spettatore maschio implicito). È con questo doppio precedente di *Olympia* e di *Lo spirito dei morti* che, in veloce successione dopo la retrospettiva di Gauguin, Matisse, Picasso e Kirchner si battono. Nel *Nudo blu: Ricordo di Biskra* **[5]** Matisse sposta la più recente versione della prostituta/primitiva in un luogo orientalista, l'oasi di Biskra nell'Africa del Nord (che ha visitato nel 1906), le cui linee dello sfondo e le fronde delle palme fanno eco ai contorni del braccio ricurvo e delle prominenti natiche del nudo. Così facendo richiama il termine odalisca in questa particolare dialettica del corpo primitivo (un'odalisca era una schiava, solitamente una concubina, nel Vicino Oriente, una figura immaginaria per molti artisti del XVIII secolo); eppure, come notato più sopra, la sua figura è più africana che orientalista (come se, per sottolineare questo punto, Matisse avesse aggiunto poi il sottotitolo nel 1931). Così, anche se riprende la posa dell'*Olympia*, Matisse approfondisce anche la primitivizzazione della sessualità femminile iniziata da *Lo spirito dei morti*, il cui segno principale è la natica prominente (resa tale dalla violenta rotazione della gamba sinistra intorno al pube). In questo modo il *Nudo blu* va oltre sia Manet sia Gauguin: altra vittoria modernista sul campo di battaglia del nudo di prostituta/primitiva.

4 • Ernst Ludwig Kirchner, *Ragazza sotto un ombrello giapponese*, 1909
Olio su tela, 92,5 x 80,5 cm

Ambivalenza primitivista

Esposto con grande clamore nel Salon des Indépendants del 1907, *Nudo blu* divenne per Picasso il grande rivale di *Les Demoiselles d'Avignon*, che restituisce il corpo primitivo al bordello e così "risolve" prostituta e primitiva in un'unica figura. Picasso poi moltiplica questa figura per cinque – tre nella maniera iberica e due in quella africana – e le solleva verticalmente al piano frontale della tela, da cui guardano lo spettatore con una provocazione sessuale che va ben oltre non solo Gauguin e Matisse ma anche Manet. In *Ragazza sotto un ombrello giapponese* anche Kirchner (che non può aver visto *Les Demoiselles d'Avignon*) risponde al *Nudo blu*; inverte la posa, ma mantiene la notevole rotazione del corpo che solleva le natiche. Kirchner recupera anche la scena orientalista del *Nudo blu* con ingredienti *japoniste* come il parasole. Ma l'elemento espressivo della scena è il fregio delle figure abbozzate dietro il nudo. Esso richiama la tappezzeria che decorava il suo studio con esplicite immagini sessuali, alcune ispirate dalle travi delle case della colonia tedesca di Palau che Kirchner aveva studiato nel museo etnografico di Dresda. In questo fregio Kirchner rende manifesta una fantasia di erotismo anale soltanto implicita nel *Nudo blu* e rivela così anche una dimensione narcisistica del primitivismo che non è semplicemente formale – e forse non così evidente a un primo sguardo. Infatti la prostituta/primitiva è un'immagine così carica di senso non solo perché infrange un genere accademico, ma anche perché provoca grande ambiguità riguardo alle differenze sessuali e razziali.

Sebbene sottoposta come una prostituta, Olympia controlla il suo sesso, che copre con la mano, e questo parziale potere è cruciale nell'effetto provocatorio del quadro. Nello *Spirito dei morti* Gauguin spazza via questo potere femminile: Teha'amana è prona, sottomessa allo sguardo dello spettatore. Ma la tradizione del corpo primitivo non riguarda semplicemente la supremazia voyeuristica. Gauguin inventò una storia di terrore religioso per accompagnare il

▲ 1907

5 • Henri Matisse, *Nudo blu: Ricordo di Biskra*, 1907
Olio su tela, 92,1 x 142,5 cm

suo quadro, ma questo non ci distoglie dal suo significato sessuale: *Lo spirito dei morti* è un sogno di supremazia sessuale, ma questa supremazia non è reale; la sua realizzazione pittorica può anche compensare una sua assenza sentita nella vita reale. Questo suggerisce che il quadro lavora su un'ansietà o un'ambivalenza che Gauguin segretamente, forse inconsciamente, intuiva. Questa ambivalenza – forse insieme un desiderio e un timore della sessualità femminile – è ancora più presente nel *Nudo blu* e Matisse se ne difende ancora più attivamente. "Se incontrassi una donna del genere per strada", affermò inequivocabilmente quando il suo quadro venne attaccato, "scapperei dalla paura. In ogni caso io non creo un essere umano, ma un quadro". Kirchner non sembra avere avuto bisogno di una simile difesa; alla fine, in *Ragazza sotto un ombrello giapponese* ha esibito una fantasia erotica senza molte ansie – ma anche senza molta forza.

Fu il genio problematico di Picasso a condurlo ad elaborare la sua ambivalenza sessuale e razziale in esperimenti tematici e formali. In effetti *Les Demoiselles* disegnano due scene di memoria l'una dentro l'altra: una visita lontana a un bordello di Barcellona (dove abitava da studente) e una recente al Museo etnografico del Trocadéro di Parigi (ora Musée de l'Homme), entrambe apparentemente traumatiche per Picasso – la prima dal punto di vista sessuale, la seconda da quello razziale, in modi che il quadro fa reagire. L'incontro nel museo etnografico fu importante: a parte altri effetti, Picasso trasformò subito *Les Demoiselles*. Visite del genere – a oggetti tribali esposti in musei, fiere, circhi e simili – furono importanti per molti primitivisti e alcune vennero poi in effetti raccontate come incontri traumatici in resoconti in cui il pieno significato dell'arte tribale viene rivelato retrospettivamente solo per essere in parte negato (di nuovo la pretesa che tali oggetti siano "testimonianze", non "modelli"). In una versione del racconto della sua visita al Trocadéro Picasso chiamò *Les Demoiselles* il suo "primo quadro di esorcismo". Questo termine è suggestivo in direzioni che egli stesso non aveva previsto, perché molto primitivismo modernista usa l'arte tribale e i corpi primitivi soltanto per esorcizzarli formalmente, così come riconosce le differenze sessuali, razziali e culturali solo per negarle feticisticamente. HF

ULTERIORI LETTURE:

Stephen F. Eisenman, *Gauguin's Skirt*, Thames & Hudson, London-New York 1997

Hal Foster, *Prosthetic Gods*, MIT Press, Cambridge (Mass.) 2004

Sander L. Gilman, *Difference and Pathology: Stereotypes of Sexuality, Race and Madness*, Cornell University Press, Ithaca 1985

Robert Goldwater, *Primitivism in Modern Art* [1938], Vintage Books, New York 1967

Jill Lloyd, *German Expressionism: Primitivism and Modernity*, Yale University Press, New Haven-London 1991

Griselda Pollock, *Avant-Garde Gambits 1883-1893: Gender and the Colour of Art History*, Thames & Hudson, London-New York 1992

William Rubin (a cura di), *Il primitivismo nell'arte del XX secolo*, trad. it. Mondadori, Milano 1985

1906

Paul Cézanne muore a Aix-en-Provence, nel Sud della Francia: facendo seguito alle retrospettive di Vincent van Gogh e Georges Seurat dell'anno precedente, la morte di Cézanne proietta il Postimpressionismo nel passato storico, con il Fauvismo come suo erede.

Henri Matisse amava molto una massima di Cézanne: "Guardatevi dai maestri influenti!". La citava spesso quando parlava delle questioni di eredità e di tradizione. Facendo notare che Cézanne aveva rivisitato Poussin per sfuggire al fascino di Courbet, si vantava del fatto di non "avere mai evitato l'influenza altrui", enfatizzando l'importanza di Cézanne nella sua formazione (fu "una sorta di dio della pittura", "il maestro di tutti noi"; "se Cézanne ha ragione, ce l'ho anch'io" e così via). Ma la pretesa di Matisse di essere abbastanza forte da assimilare l'esempio di un maestro senza soccombergli è insincera quando si riferisce a Cézanne. Diversamente dall'amico, e futuro seguace, Charles Camoin (1879-1965), che fece visita disinvoltamente diverse volte all'anziano pittore di Aix, Matisse era acutamente consapevole del potenziale pericolo che Cézanne rappresentava per giovani ammiratori come lui. Osservando *Natura morta con putto I*, o *Places des Lices, Saint-Tropez*, entrambi dipinti nell'estate del 1904, non si può non pensare a un'affermazione di mezzo secolo più tardi (una delle sue ultime): "Quando si imita un maestro, la sua tecnica reprime l'imitatore e forma intorno a lui una barriera che lo paralizza".

I quattro evangelisti del Postimpressionismo

Fu nel 1904 che Cézanne, tagliato fuori da un mondo che lo aveva ridicolizzato per tutta la vita, raggiunse infine la celebrità. Grandi articoli vennero pubblicati su di lui (in particolare un testo di Émile Bernard [1868-1941]); altri mercanti oltre a Ambroise Vollard, suo unico sostenitore ufficiale dal 1895, cominciarono a investire su di lui (ebbe una mostra personale a Berlino); e in autunno una miniretrospettiva della sua opera (con trentun quadri) venne presentata al Salon d'Automne, una delle due esposizioni parigine annuali in quel periodo (tre anni dopo, nel 1907, il suo equivalente primaverile, il Salon des Indépendants, sarebbe culminato con un'esposizione doppia per grandezza).

Un documento del 1905 apre uno spiraglio sull'atmosfera del mondo dell'arte parigino dell'epoca. *Inchiesta sulle tendenze attuali nelle arti plastiche* del poeta e critico Charles Morice presentava le risposte a un questionario che il suo autore aveva spedito a vari artisti di tendenze diverse. La domanda che ricevette le repliche più lunghe e appassionate fu: "Che cosa pensa di Cézanne?" (Matisse non si preoccupò di dare la sua ovvia risposta). La crescente fama di Cézanne era dunque inarrestabile: alla sua morte, nell'ottobre 1906, era così diffusa che il suo principale sostenitore, il pittore teorico Maurice Denis (1870-1943) – che lo aveva paradossalmente visto come salvatore della tradizione moribonda del classicismo francese – poté approfittarne per denigrare e criticare l'opera di molti suoi seguaci, sia perché troppo pedissequamente derivata sia, nel caso di Matisse, come vero e proprio tradimento.

L'*Inchiesta* di Morice ci aiuta a situare nel suo contesto questa improvvisa attenzione per Cézanne. Aveva chiesto direttamente: "L'Impressionismo è finito?". Poi, più diplomaticamente: "Siamo alla vigilia di qualcosa?" e "Il pittore deve aspettarsi qualcosa dalla natura o deve solo chiederle i mezzi plastici per realizzare il suo pensiero?". Queste domande furono seguite dalla richiesta di un giudizio sull'opera di Whistler, Fantin-Latour e Gauguin, oltre a quella di Cézanne. Se ci si poteva aspettare il quesito su Gauguin, poiché Morice era stato a lungo un convinto alleato del pittore (era ▲ stato anche coautore di *Noa-Noa*), quelle riguardanti Whistler e Fantin-Latour, che testimoniavano dell'attiva partecipazione di Morice al movimento simbolista vent'anni prima, erano incongrue (come confermarono le risposte). Un critico di maggior buon senso avrebbe aggiunto i nomi di van Gogh e Seurat a quelli di Cézanne e Gauguin in un questionario come quello, perché così sarebbe diventato evidente che il forte "Sì" della nuova generazione alla sequenza di domande antiimpressioniste di Morice era un effetto cumulativo dell'opera coeva di questo quartetto.

Si sarebbe notato che van Gogh e Seurat erano morti da tempo – il primo nel 1890, il secondo l'anno seguente – e che Gauguin, morto nel 1903, era stato lontano per più di dieci anni. Non sorprenderà che, dei quattro evangelisti del Postimpressionismo, Cézanne fosse il più presente in quel momento. Comunque, per Matisse e i suoi compagni era urgente fare i conti con tutti loro. Tra il 1903 e la morte di Cézanne nel 1906, van Gogh, Gauguin e Seurat erano stati celebrati da diverse retrospettive (con il loro seguito di pubblicazioni), talvolta con il diretto coinvolgimento di Matisse. E mentre i rapporti personali tra questi quattro padri della pittura modernista erano stati guastati dall'ostile ignorarsi, se

▲ 1903

non dall'aperto conflitto, ora sembrava possibile cogliere ciò che avevano in comune.

I loro epigoni diretti avevano già fatto un po' di lavoro per quanto riguardava la teoria dell'arte. Sia Denis che Bernard avevano difeso una sintesi tra l'arte di Gauguin e quella di Cézanne; ma l'avvenimento più importante per Matisse e compagni fu la pubblicazione di *Da Eugène Delacroix al Neoimpressionismo* di Paul Signac su *La Revue blanche* nel 1898. Questo trattato non solo presentava il metodo di Seurat (indifferentemente detto "Divisionismo" o "Neoimpressionismo") in un modo ordinato e accessibile, ma, come dichiara il titolo, era concepito come un resoconto teleologico, come una genealogia del "nuovo" in arte dai primi del XIX secolo in poi. Sorprendentemente vi era poca enfasi sul sogno di Seurat o sulle teorie fisiologiche dell'ottica su cui era basato – l'idea che l'occhio umano può compiere qualcosa come l'inverso della scomposizione prismatica della luce, cioè risintetizzare i colori "divisi" sulla retina per ottenere la luminosità del sole – forse perché Signac aveva già confessato a se stesso che si trattava di una chimera. Piuttosto Signac insisteva sui "contributi" di Delacroix e degli impressionisti, che avrebbero preparato la strada della totale emancipazione del colore puro compiuta dal Neoimpressionismo. In tale contesto, le pennellate idiosincratiche e atomistiche di Cézanne (un colore per pennellata, ognuno mantenuto separato) erano ritenute un contributo importante che ribadiva il divieto di mescolare i colori che era stata la pratica comune durante l'Impressionismo.

Il primo incontro di Matisse con il vangelo di Signac fu prematuro. Dopo un viaggio a Londra per vedere i quadri di Turner (su consiglio del mentore di Cézanne, il vecchio Camille Pissarro), si era diretto in Corsica, dove la sua arte – allora una forma oscura e non risolta di Impressionismo – volse all'"epilettico", come scrisse d'impulso a un amico, in seguito all'improvvisa scoperta della luce del Sud. In diversi dipinti che realizzò in Corsica e poi a Toulouse nel 1898 e 1899, le pennellate febbrili sono ispessite dall'impasto e i colori perdono ineluttabilmente la loro incandescenza per diventare paste mescolate direttamente sulla tela. L'assioma cardine del Postimpressionismo (di qualunque fede), che si deve "organizzare la sensazione", secondo la celebre frase di Cézanne, arrivò a Matisse via Signac precisamente a questo punto. Ma il suo tentativo, nei mesi successivi, di seguire il procedimento minuzioso richiesto dal sistema divisionista rimase frustrato. Questo fallimento esacerbò il suo desiderio di comprendere il Postimpressionismo nel suo insieme (va notato che acquistò alcuni lavori dei suoi maestri – allora un sacrificio finanziario notevole per lui – incluso un piccolo quadro di Gauguin e, soprattutto, *Tre bagnanti* di Cézanne, un dipinto di metà o fine degli anni Settanta che conservò come un talismano fino al momento in cui lo donò alla città di Parigi nel 1936).

Vivere insieme a queste opere e non perdere mai una mostra di postimpressionisti costituì la parte più importante della formazione modernista di Matisse prima del suo secondo periodo divisionista. Gradualmente comprese che, a dispetto delle grandi differenze nella loro arte, i quattro postimpressionisti principali avevano tutti sottolineato che per celebrare colore e linea, per valorizzare la loro funzione espressiva, dovevano diventare indipendenti dagli oggetti che rappresentano. Questi artisti mostrarono dunque a Matisse che l'unico modo per affermare questa autonomia degli elementi di base della pittura era prima di tutto quello di isolarli (come farebbe un chimico) e poi ricombinarli in una nuova sintesi. Sebbene Seurat avesse sbagliato cercando di applicare questo metodo sperimentale all'immaterialità della luce, quell'irraggiungibile Santo Gral della pittura, il suo processo di analisi e sintesi sfociò in un'apoteosi delle componenti fisiche non mimetiche della pittura ed era appunto tale ritorno agli elementi basilari che governavano il Postimpressionismo in generale che ora Matisse era pronto a cogliere. Il Divisionismo infatti, unica branca postimpressionista diventata un metodo esplicito, era un buon punto da cui ripartire. Quando Signac lo invitò a passare l'estate del 1904 a Saint-Tropez, Matisse stava saggiando i vari dialetti postimpressionisti, ma era un modernista molto più maturo che nel 1898. Anche se ora era più duro per Matisse fare l'apprendista, era comunque il momento giusto.

È il momento per Matisse di mettersi alla guida dei fauves

Per quanto riguardava Signac, l'ansioso e riluttante Matisse stava infine rivelandosi il suo miglior pupillo: Signac acquistò *Lusso, calma e voluttà* **[1]**, il quadro più importante che Matisse finì a Parigi dopo il suo ritorno da Saint-Tropez ed espose al Salon des Indépendants del 1905 (dove sia van Gogh che Seurat avevano una retrospettiva). Fu il soggetto idilliaco a sedurre in particolare Signac – cinque ninfe nude fanno il picnic sulla spiaggia sotto gli occhi della signora Matisse seduta vestita e di una bambina avvolta in un asciugamano? O fu il titolo derivato da Charles Baudelaire (1821-67), un raro rimando letterario diretto nell'opera di Matisse? In ogni caso Signac preferì non notare i contorni fortemente colorati sparsi in tutta la composizione in sfida al suo sistema. Ma quando Matisse spedì *La gioia di vivere* al Salon des Indépendants dell'anno seguente, Signac si irritò precisamente per quegli elementi e per i piani di colore uniforme. Intanto, tra questi due avvenimenti, lo scandalo fauve aveva avuto luogo all'infausto Salon d'Automne del 1905.

Come ha notato il critico e pittore inglese Lawrence Gowing: "Il Fauvismo tra le rivoluzioni del XX secolo fu quella meglio preparata". Ma si può aggiungere che fu anche una delle più brevi: durò solo una stagione. È vero, la maggior parte dei fauvisti si era frequentata per anni e aveva a lungo considerato il più anziano Matisse come suo leader (tra il 1895 e il 1896 Albert Marquet [1875-1947], Henri Manguin [1874-1949] e Charles Camoin erano suoi colleghi nello studio di Gustave Moreau, l'unica oasi di libertà alla Scuola di Belle Arti, e quando si spostò all'Académie Carrière dopo la morte di Moreau nel 1898, incontrò André Derain, che presto gli fece conoscere Maurice de Vlaminck [1876-1958]). Ma la scintilla iniziale può essere rintracciata nella visita di Matisse a Vlaminck, su sollecitazione di Derain, nel febbraio 1905.

1 • Henri Matisse, *Lusso, calma e voluttà*, 1904–5
Olio su tela, 98,3 x 118,5 cm

Matisse aveva allora appena finito *Lusso, calma e voluttà*, di cui era giustamente orgoglioso, ma fu subito sconvolto dalla violenza coloristica dell'opera di Vlaminck. Avrebbe impiegato l'intera estate, che passò con Derain a Collioure, vicino alla frontiera spagnola, per andare oltre la gratuita audacia di Vlaminck. Spronato dalla presenza di Derain, dipinse senza interruzioni per quattro mesi consecutivi. I risultati di questa campagna sorprendentemente produttiva furono le opere chiave di quello che presto si sarebbe chiamato Fauvismo.

Alla vista dei marmi accademici di uno scultore ora dimenticato al centro della stanza dove erano esposte le opere di Matisse e dei suoi amici Derain, Vlaminck, Camoin, Manguin e Marquet al Salon d'Automne del 1905, un critico esclamò: "Donatello chez les fauves!" (Donatello tra le belve!). L'etichetta rimase attaccata – forse l'episodio battesimale più celebrato del XX secolo – in larga parte perché il clamore fu notevole. Le tele fauve di Matisse – in particolare *Donna col cappello* **[2]**, dipinto poco dopo il ritorno da Collioure – provocò l'ilarità della folla come nessun'altra opera dall'esposizione dell'*Olympia* di Manet nel 1863 e neppure la ▲ notizia che questo infame quadro era stato acquistato (da Gertrude e Leo Stein) bastò a calmare il sarcasmo della stampa. Non solo i compagni di Matisse beneficiarono dell'improvvisa fama, ma l'idea che egli fosse alla testa di una nuova scuola di pittura si cristallizzò e così la sua arte diventò un modello (i primi fauve furono presto raggiunti da altri come Raoul Dufy [1877-1953], Othon Friesz [1879-1949], Kees van Dongen [1877-1968] e, per un breve • periodo, Georges Braque [1882-1963]). Ma mentre gli accoliti, con l'eccezione di Braque, si buttarono per sempre nello sfruttamento (e banalizzazione) del linguaggio pittorico inventato nell'estate del 1905, per Matisse l'esplosione di Collioure fu solo l'inizio: segnò il momento in cui finalmente portò a termine la sintesi delle quattro vie del Postimpressionismo che lo avevano incantato e preparò il terreno per il suo sistema, la cui prima manifestazione pittorica pienamente matura sarebbe stata *La gioia di vivere*.

▲ 1907 • 1911, 1912, 1921a, 1944b

Roger Fry (1866-1934) e il Gruppo di Bloomsbury

Il sostenitore più appassionato della pittura francese d'avanguardia nel mondo anglofono all'inizio del XX secolo fu senza dubbio l'artista e critico inglese Roger Fry. Fu lui che con la sua mostra *Manet e i postimpressionisti* alla Grafton Gallery nel 1910 introdusse per primo l'opera di Cézanne, van Gogh, Gauguin, Seurat, Matisse e altri a un incredulo pubblico londinese, nel processo di conio del nome oggi familiare di Postimpressionismo. Alla prima mostra fece seguito una seconda nel 1912, sempre alla Grafton Gallery, intitolata *La seconda mostra dei postimpressionisti*.

Fry fu uno dei più importanti membri del Gruppo di Bloomsbury, una comunità di artisti e scrittori nella Londra del primo decennio del XX secolo che includeva la scrittrice Virginia Woolf e il marito Leonard; la sorella, la pittrice Vanessa Bell, e il suo compagno Duncan Grant; i fratelli Strachey, James e Lytton, entrambi scrittori; e l'economista John Maynard Keynes.

L'estetismo di Fry e la sua passione per l'arte francese d'avanguardia fecero da modello per parte del Gruppo di una vita dedicata all'analisi della sensazione e della coscienza. Come ha scritto il poeta Stephen Spender: "Non guardare i pittori impressionisti e postimpressionisti francesi come sacrosanti, non essere un agnostico e un liberale con tendenze socialisteggianti in politica, significava porsi al di fuori di Bloomsbury". Nel suo saggio del 1938 *Le mie prime convinzioni* Keynes cerca di ricostruire la sensibilità del Gruppo:

> *Niente importava salvo gli stati mentali, nostri o altrui, certo, ma soprattutto i nostri. Questi stati mentali non erano associati all'azione o a imprese o reazioni. Consistevano in appassionati stati di contemplazione e comunione senza tempo, senza "prima" né "poi". Il loro valore dipendeva, secondo il principio di unità organica, dallo stato degli affetti come un tutto che non può essere diviso e analizzato in parti.*

L'esempio che dà Keynes di tale stato è l'innamoramento:

> *Gli argomenti adatti alla contemplazione e comunione appassionata erano la persona amata, la bellezza e la verità; e gli oggetti principali nella vita erano l'amore, la creazione, il piacere estetico e l'esercizio della conoscenza.*

Il ricordo di Fry di Virginia Woolf illustra molte caratteristiche di Bloomsbury citate da Keynes, come l'esercizio degli "appassionati stati di contemplazione e comunione senza tempo", il cui valore "dipendeva, secondo il principio di unità organica, dallo stato degli affetti". Così descrive le conferenze di Fry alla Queen's Hall dell'Università di Cambridge nel 1932 e l'effetto che ebbero sul pubblico:

> *Bastava che indicasse un dettaglio in un'immagine e sussurrasse la parola "plasticità" perché si creasse un'atmosfera magica. Nonostante l'abito da sera sembrava un frate digiunatore con una corda intorno alla vita: era la religione delle sue convinzioni. "Diapositiva, prego", diceva, e sullo schermo appariva un'immagine in bianco e nero: Rembrandt, Chardin, Poussin, Cézanne. Il conferenziere indicava: la sua bacchetta, tremante come l'antenna di un insetto miracolosamente sensibile, si posava su qualche "frase ritmica", qualche sequenza, qualche diagonale. E allora mostrava al pubblico: "dettagli simili a pietre preziose; acquamarine; e topazi che giacciono nelle pieghe del suo abito di raso; lo schiarire delle luci in pallori evanescenti". In qualche modo la diapositiva in bianco e nero diventava radiosa nella penombra e assumeva la grana e la tessitura della tela reale.*
> *Procedeva poi come fosse la prima volta che vedeva quell'immagine. Forse era questo il segreto del suo ascendente sul pubblico. Si assisteva al nascere e al formarsi della sensazione; metteva a nudo il momento stesso della visione. Così, con pause e scatti, il mondo della realtà spirituale emergeva da una diapositiva dopo l'altra – da Poussin, Chardin, Rembrandt, Cézanne – dai suoi monti e le sue pianure, tutto collegato, tutto in qualche modo fatto unità e integrità, sopra il grande schermo della Queen's Hall.*

La convinzione di Fry che l'esperienza estetica possa essere comunicata inducendo l'interlocutore a cogliere l'unità organica di un'opera, e l'idea di "plasticità" che la accompagna, portò a uno stile di esposizione verbale incentrato esclusivamente sui caratteri formali dell'opera. Per questo i suoi scritti sono stati definiti "formalisti". Cercando invece di trasmettere la ricerca di immediatezza percettiva di Fry, Woolf riferisce le sue parole mentre guardava dei quadri: "Ho passato il pomeriggio al Louvre. Ho cercato di dimenticare tutte le mie idee e teorie e di guardare tutto come se non l'avessi mai visto prima. [...] Solo così si possono fare scoperte. [...] Ogni opera dev'essere un'esperienza nuova e senza nome". Si può ritrovare questa scoperta di Fry di un'"esperienza nuova e senza nome" nei saggi che ha scritto, raccolti in parte nei volumi *Visione e progetto* (1920) e *Trasformazioni* (1926).

2 • Henri Matisse, *Donna col cappello*, 1905
Olio su tela, 81,3 x 60,3 cm

Il sistema di Matisse

Ciò che colpisce innanzitutto nella produzione fauve di Matisse è il progressivo abbandono della pennellata divisionista: dell'insegnamento di Signac Matisse mantiene l'uso del colore puro e l'organizzazione della superficie pittorica attraverso i contrasti di coppie di complementari (che assicura la tensione coloristica dell'immagine), ma abbandona il più riconoscibile comune denominatore di Cézanne e Seurat: la loro ricerca di un segno grafico convenzionale (il tocco puntinista, la pennellata costruttiva) che può essere usato indifferentemente per le figure e per lo sfondo. Altri importanti caratteri del Postimpressionismo vennero invece convocati: da Gauguin e van Gogh le stesure piatte e non modulate di colore non mimetico e i contorni spessi dotati di ritmo proprio; dai disegni di van Gogh una differenziazione dell'effetto del segno lineare attraverso variazioni nello spessore e nella vicinanza tra loro; da Cézanne una concezione della superficie pittorica come campo totalizzante dove tutto, anche le aree bianche non dipinte, giocano un ruolo costruttivo nel sostenere l'energia dell'immagine.

Il momento in cui Matisse "supera" Cézanne – e smette di imitarlo, come ha fatto in passato – è anche quello del suo addio al tedio del puntinismo: mentre Signac aveva invitato a riempire la composizione esterna ad ogni area (o più precisamente, ad ogni linea di demarcazione) scelta come punto di partenza, la miriade di puntini essendo pazientemente aggiunti secondo una sequenza preordinata dalla "legge dei contrasti", Matisse scopre di non poter seguire questo miope procedimento. Come ha chiarito con una delle sue tele non finite della stagione fauve, *Ritratto della signora Matisse* **[3]**, Matisse, come Cézanne, lavora su tutte le zone del quadro insieme e distribuisce i contrasti di colore in modo che echeggino in tutta la superficie (si noti, per esempio, il modo in cui la triade arancio/verde-ocra/rosso-rosa è disseminata e ravviva di volta in volta i verdi vicini). È un processo graduale, certo, ma riguarda il livello di saturazione del colore: l'armonia dei colori è dapprima determinata in modo tenue e controllato (fu a questo punto che il *Ritratto della signora Matisse* venne interrotto), poi viene infiammata e tutte le parti della tela sono portate simultaneamente al grado più alto. Il pubblico del Salon d'Automne avrebbe trovato *Donna col cappello* meno offensivo se Matisse avesse esposto insieme ad esso quest'opera interrotta? I tocchi brillanti di vermiglione, il ventaglio multicolore, la maschera arcobaleno del volto, lo sfondo arlecchino, la dissoluzione dell'unità del cappello stesso in un informe mazzo di fiori, l'anatomia vista al telescopio, come in uno zoom, tutto questo sarebbe sembrato meno arbitrario alla folla ilare se Matisse le avesse concesso una dimostrazione del suo metodo di lavoro? Niente di meno sicuro. *La finestra aperta* **[4]**, forse la tela fauve ora più celebrata, non fu

3 • Henri Matisse, *Ritratto della signora Matisse*, 1905
Olio su tela, 46 x 38 cm

4 • Henri Matisse,
***La finestra aperta*, 1905**
Olio su tela, 55,2 x 46,4 cm

meno denigrata al Salon, pur essendo meno aggressiva delle altre e più trasparente sui procedimenti di realizzazione: è facile cogliere le coppie di colori complementari che la strutturano, la fanno vibrare ed espandere visivamente, e costringono il nostro sguardo a non fermarsi mai su nessun punto.

Poco dopo il Salon fauve, Matisse, riflettendo sui risultati degli ultimi mesi, si imbatté in un assioma che sarebbe rimasto una delle linee guida della sua vita. Lo si può sintetizzare nell'affermazione: "Un centimetro quadrato di blu non è altrettanto blu di un metro quadrato dello stesso blu", e infatti, parlando dei piani rossi del suo *Interno a Collioure (La Siesta)* del 1905-06, Matisse si meravigliò del fatto che, sebbene sembrino di una gradazione diversa, vengono tutti direttamente dallo stesso tubetto. Scoprire che i rapporti di colore sono soprattutto rapporti di grandezza della superficie fu una svolta. Colpito da una dichiarazione di Cézanne sull'unità fondamentale di colore e disegno, si era lamentato con Signac che nel suo lavoro, e in particolare in *Lusso, calma e voluttà*, così amato dal più anziano artista, le due componenti fossero divise e perfino in contraddizione. Ora, attraverso la sua equazione "qualità = quantità", come ha spesso sostenuto, capiva perché per Cézanne l'opposizione tradizionale tra colore e disegno fosse necessariamente annullata: poiché ogni singolo colore può essere modulato da un puro cambio di proporzioni, ogni divisione di una superficie è in sé un procedimento coloristico. "Ciò che conta di più con i colori sono i rapporti. Grazie ad essi e solo grazie ad essi un disegno può essere intensamente colorato senza bisogno di colore reale", ha scritto Matisse. Infatti è molto probabile che Matisse abbia fatto questa scoperta sul colore mentre lavorava su una serie di incisioni in bianco e nero all'inizio del 1906, e l'abbia poi applicata o verificata in *La gioia di vivere* **[5]**.

5 • Henri Matisse, *La gioia di vivere*, 1906
Olio su tela, 174 x 240 cm

Un parricidio in pittura

La gioia di vivere, il quadro più grande e ambizioso che aveva dipinto da tempo, costituì l'unica sua opera presentata al Salon des Indépendants del 1906. Sei mesi dopo lo scandalo fauve, la scommessa era grande: o tutto o niente, e Matisse progettò con cura la sua composizione nel modo più accademico, stabilendo dapprima la scena a partire dagli abbozzi realizzati a Collioure e poi disponendovi, ad una ad una, le figure o i gruppi di figure che aveva studiato separatamente. Ma se l'elaborazione di questa vasta macchina è stata accademica, il risultato non lo fu. Non erano mai state usate superfici di colore puro su così vasta scala, con tanti violenti urti di toni primari; mai contorni così spessi, dipinti anche in toni chiari, avevano danzato come liberi arabeschi; mai anatomie erano state così "deformate", corpi fusi l'uno nell'altro come fossero di mercurio – eccetto forse nelle stampe di Gauguin, che Matisse aveva appunto rivisto durante l'estate. Con questa bomba volle definitivamente voltare una pagina della tradizione pittorica occidentale. E per essere sicuro che il messaggio arrivasse, lo rafforzò attraverso un attacco cannibalistico a livello iconografico.

Gli studiosi hanno diligentemente dato la caccia al vasto apparato delle fonti che Matisse ha convocato in questa tela. Ingres è predominante (ci fu una sua retrospettiva al Salon d'Automne del 1905, con il suo *Bagno turco* e *L'età dell'oro* in bella evidenza), come il quartetto dei postimpressionisti; ma anche Pollaiolo, Tiziano, Giorgione, Agostino Carracci, Cranach, Poussin, Watteau, Puvis de Chavanne, Maurice Denis e molti altri sono stati invitati a questo banchetto ecumenico. Nuovi ospiti possono ancora venire scoperti; l'intero pantheon della pittura occidentale sembra qui citato – fino alle origini stesse, dacché anche la pittura preistorica delle caverne può venire rintracciata nei contorni delle capre sulla destra. Il miscuglio delle fonti va di pari passo con la disunità stilistica della tela e alle discrepanze di scala – e ulteriori regole della tradizione pittorica che Matisse ha deliberatamente sconvolto.

Non è tutto: al di là della fantasia paradisiaca delle ninfe che si divertono, al di là del tema felice (la gioia di vivere), il quadro ha un risvolto oscuro. Perché se il genere pastorale a cui la tela si riferisce stabiliva un legame diretto tra la bellezza fisica, il piacere visivo e l'origine del desiderio, era anche basato su un solido ancoraggio della differenza sessuale – qualcosa che, come ha mostrato Margaret Werth, Matisse invece sconvolge qui in diversi modi. Werth comincia con l'osservare che il pastore col flauto, l'unica figura maschile del quadro, era stato precedentemente concepito come nudo femminile; poi nota che gli attributi sessuali dell'altro flautista, il grande nudo in primo piano, anch'egli chiaramente femminile in uno studio, sono stati soppressi; che tutte le figure hanno una controparte o formano coppie, ma che tutte – a parte il pastore e il nudo "alla Ingres" sulla sinistra che guarda lo spettatore – sono disanatomizzati. (Il culmine di questo attacco sadico al corpo è fornito dalla coppia che si bacia in primo piano, due corpi – uno di sesso indeterminato – virtualmente fusi con un'unica testa.) Il carattere di montaggio della composizione, con le "transizioni disgiuntive caratteristiche delle immagini dei sogni o delle allucinazioni", portano Werth a costruire un'interpretazione psicanalitica del quadro come schermo fantasmatico, immagine polisemica che fa apparire una serie di pulsioni sessuali contraddittorie corrispondenti alla sessualità polimorfa infantile scoperta da Freud (narcisismo, autoerotismo, sadismo, esibizionismo) – un catalogo che ruota intorno al complesso di Edipo e all'angoscia di castrazione che lo accompagna.

A tutti i livelli (formale, stilistico, tematico), il quadro è parricida. I danzatori di *La gioia di vivere* celebrano la caduta definitiva dell'autorità temuta – quella del canone accademico legiferato dalla Scuola di Belle Arti. Ma Matisse ci lascia intendere che la libertà che ne risulta non è senza rischi, perché chiunque uccide il padre simbolico è lasciato senza guida e deve continuamente reinventare la propria arte per tenerla viva. È così che questo quadro apre le porte dell'arte del XX secolo. YAB

ULTERIORI LETTURE:

Roger Benjamin, Matisse's "Notes of a Painter": Criticism, Theory, and Context, 1891-1908, UMI Research Press, Ann Arbor 1987

Catherine C. Bock, Henri Matisse and Neo-Impressionism 1898-1908, UMI Research Press, Ann Arbor 1981

Yve-Alain Bois, Matisse and Arche-drawing, in Painting as Model, MIT Press, Cambridge (Mass.) 1990, e On Matisse, in October, n. 68, primavera 1994

Judi Freeman (a cura di), The Fauve Landscape, Abbeville Press, New York 1990

Richard Shiff, Mark, Motif, Materiality: The Cézanne Effect in the Twentieth Century, in Felix **Baumann et al.**, Cézanne: Finished/Unfinished, Hatje Cantz Verlag, Ostfildern-Ruit 2000

Margaret Werth, Engendering Imaginary Modernism: Henri Matisse's "Bonheur de vivre", in Genders, n. 9, autunno 1990

1907

Con le incoerenze stilistiche e gli influssi primitivisti di *Les Demoiselles d'Avignon* Pablo Picasso lancia l'attacco più formidabile contro la rappresentazione mimetica.

Les Demoiselles d'Avignon di Picasso **[1]** è diventato un mito: è un manifesto, un campo di battaglia, un araldo dell'arte moderna. Pienamente consapevole di produrre un'opera importante, Picasso scommise tutto sulla sua elaborazione: tutte le sue idee, tutta la sua energia, tutto il suo sapere. Ora vediamo *Les Demoiselles d'Avignon* come uno dei quadri più "costruiti" e giusta attenzione viene data ai sedici abbozzi e numerosi studi in tecniche diverse che Picasso dedicò alla sua progettazione – senza contare i disegni e quadri prodotti nella sua scia, in cui l'artista esplorò ulteriormente un'intera gamma di strade aperte dal quadro durante la sua genesi.

Ma se nessun altro quadro moderno è stato così discusso nell'ultimo quarto di secolo – con lunghi saggi e un'intera mostra con un catalogo di due volumi per celebrarlo – questa pletora di commenti viene dopo un singolare vuoto di dibattito. Il quadro infatti rimase a lungo in una quasi oscurità – si potrebbe perfino dire che vi si facesse *resistenza*. (Un aneddoto su di essa: sembra che alla fine degli anni Venti, due decenni dopo il completamento del quadro, il collezionista Jacques Doucet intendesse lasciarlo in eredità al Louvre, ma che il museo rifiutò l'offerta, come aveva fatto con i Cézanne del lascito Gustave Caillebotte nel 1894). Il tardivo riconoscimento è la materia prima di cui sono fatte le leggende, ma ciò che è particolare in questo caso è che la differita ricezione del quadro non è solo legata, ma anche ispirata dal suo soggetto e dalla sua struttura formale: *Les Demoiselles* è soprattutto un'opera sullo sguardo, sul trauma generato da un appello visivo.

Le circostanze ebbero un ruolo in questo spettacolare ritardo, a partire dal fatto che il quadro non ebbe quasi pubblico per trent'anni. Finché nel 1924 Doucet non lo acquistò da Picasso per una sciocchezza – su suggerimento di André Breton e con immediato pentimento dell'artista – *Les Demoiselles* aveva lasciato lo studio di Picasso solo una o due volte, e poi solo durante la Prima guerra mondiale: per due settimane nel luglio 1916 in una mostra semiprivata organizzata dal critico André Salmon al Salon d'Antin (in occasione della quale il quadro ricevette l'attuale titolo) e probabilmente nella mostra congiunta di Picasso e Matisse nel gennaio-febbraio 1918, organizzata dal mercante Paul Guillaume e con un catalogo con ▲ prefazione di Guillaume Apollinaire. Nell'autunno e inverno 1907 amici e visitatori avevano visto il quadro nello studio di Picasso immediatamente dopo che era stato finito, ma l'accesso ad esso venne rapidamente meno (a causa dei numerosi traslochi di Picasso, spesso in stanze piccolissime, e del suo incomprensibile desiderio di mostrare sempre l'ultimo risultato della sua proteiforme e cangiante produzione, la tela era raramente visibile anche dalla cerchia degli intimi dell'artista, come testimonia la scarsità dei loro commenti). Una volta in possesso di Doucet, il quadro era visibile solo su appuntamento, finché venne venduto dalla vedova a un mercante nell'autunno del 1937. Portato immediatamente a New York, venne acquistato dal Museo d'Arte Moderna, dove diventò il pezzo più prezioso del museo: fine della vita privata di *Les Demoiselles.*

La vicenda critica segue all'incirca lo stesso paradigma. Il quadro non era neppure specificamente nominato nei rari primi articoli che gli hanno dedicato un brano (di Gelett Burgess nel 1910, André Salmon nel 1912 e Daniel-Henry Kahnweiler nel 1916 e 1920). Inoltre venne riprodotto molto raramente prima del suo approdo a New York: dopo il pezzo giornalistico di Burgess (*Il selvaggio a Parigi*, nel numero del maggio 1910 di *Architectural Record*), la sua riproduzione non venne pubblicata fino al 1925 sulla rivista *La Révolution surréaliste* (certo non un bestseller), e per apparire in una monografia sull'artista dovette attendere il *Picasso* di Gertrude Stein uscito nel 1938. Poco dopo, *Picasso: quarant'anni della sua arte* di ● Alfred H. Barr, che fece da catalogo alla retrospettiva di Picasso del 1939 al Museo d'Arte Moderna di New York, iniziò il processo di canonizzazione di *Les Demoiselles.* Ma il testo seminale di Barr, che ricevette un ritocco definitivo nel 1951, quando venne rivisto per la pubblicazione di *Picasso: cinquant'anni della sua arte*, e che diventò l'interpretazione corrente del quadro, consolidò più che abbattere i muri della resistenza che avevano circondato l'opera fin dal suo concepimento. La visione di Barr non venne fondamentalmente mai contestata finché nel 1972 ■ non apparve il testo di Leo Steinberg (1920-2011) *Il bordello filosofico.* Nessun testo precedente ha fatto tanto per cambiare lo statuto di *Les Demoiselles* e tutti gli studi seguenti non sono che sviluppi di esso.

▲ 1911, 1912 ● 1927c ■ 1960b

1 • Pablo Picasso, *Les Demoiselles d'Avignon*, giugno-luglio 1907
Olio su tela, 243,8 x 233,7 cm

Un "quadro di transizione"?

Prima della pubblicazione dello studio di Steinberg l'opinione diffusa era che *Les Demoiselles* fosse il "primo quadro cubista" (e dunque, come sostiene Barr, un "quadro di transizione", forse più importante per ciò che annuncia che come opera in sé). Barr ha ignorato il corollario di questa idea presente nel resoconto di Kahnweiler, cioè che il quadro è stato lasciato non finito, ma questa idea era comunque accettata da tutti e diversi autori l'avevano citata criticando la "mancanza di unità" dell'opera. La discrepanza stilistica tra la parte sinistra e quella destra del quadro era vista come dovuta al rapido spostamento di interesse di Picasso dalla scultura iberica arcaica, che lo aveva aiutato a finire *Ritratto di Gertrude Stein* **[2]** alla fine dell'estate 1906, all'arte africana, con cui aveva infine avuto un nuovo impatto durante una visita al Museo etnografico del Trocadéro in piena elaborazione di *Les Demoiselles*.

2 • Pablo Picasso, *Ritratto di Gertrude Stein*, fine dell'estate 1906
Olio su tela, 100 x 81,3 cm

Gertrude Stein (1874-1946)

Figlia minore di una famiglia ebrea americana dell'alta borghesia, la scrittrice Gertrude Stein passò i suoi primi anni in Europa, la sua gioventù a Oakland e il periodo universitario a Harvard e alla Johns Hopkins Medical School, prima di raggiungere il fratello maggiore Leo a Parigi nell'inverno del 1904-5. Acquistando *Donna col cappello* di Matisse al Salon des Indépendants del 1905, i due fratelli cominciarono a collezionare avidamente pittura d'avanguardia e a ricevere artisti e scrittori nella loro casa in Rue de Fleurus. Profondamente influenzata dal senso per la composizione modernista, che, seguendo la sua visione di Cézanne, intendeva come accentuazione uniforme, senza gerarchia interna, né centro né "cornice", decise di catturare "l'oggetto in quanto oggetto" ugualmente importante e vivo in ogni suo aspetto: "Sempre e sempre, si deve scrivere l'inno alla ripetizione". Tra il 1906 e il 1911, in corrispondenza con lo sviluppo del Cubismo, mise in opera questo principio formale nel suo lungo romanzo *C'era una volta gli americani*. Nel 1910 Leo si rivoltò contro Picasso e le sue "ambigue faccende" cubiste e nel 1913 divise la collezione spostando la sua metà a Firenze.

Gertrude continuò a vivere in Rue de Fleurus con la compagna di tutta la vita Alice B. Toklas. I suoi ricordi della speciale amicizia con Picasso si possono leggere in *Matisse, Picasso e Gertrude Stein* (1933), *Picasso* (1938) e *L'autobiografia di Alice B. Toklas* (1933).

La ricerca delle fonti non si ferma qui: Barr ha nominato Cézanne, Matisse e El Greco; altri aggiungono Gauguin, Ingres e Manet.

Sebbene Barr abbia pubblicato tre degli studi preliminari di Picasso per *Les Demoiselles* e abbia avuto espressioni compiaciute per essi, non ha prestato attenzione ai molti altri già disponibili nel catalogo ragionato di Christian Zervos. Nel suo primo stato la composizione consisteva di sette figure disposte in una sistemazione teatrale derivata dalla tradizione barocca, con gli usuali tendaggi aperti sulla scena **[3]**. Al centro un personaggio vestito da marinaio è seduto tra cinque prostitute, che voltano tutte la testa verso un intruso, uno studente di medicina che entra sulla sinistra con un teschio in mano (in alcuni studi sostituito da un libro). Per Barr di questo morboso scenario, che ha visto come "una sorta di *memento mori* allegorico o di sciarada" sul prezzo del peccato, si può fare tranquillamente a meno perché Picasso stesso lo ha presto abbandonato. Nella versione finale, ha scritto Barr, "tutte le implicazioni di un contrasto morale tra virtù (l'uomo con il teschio) e vizio (l'uomo circondato da cibo e donne) sono state eliminate a favore di una composizione puramente formale di figure, che diventa sempre più disumanizzata e astratta".

Nel suo testo Steinberg abbandona la maggior parte di queste interpretazioni, che da allora sono diventate puri luoghi comuni. Il quadro non può essere ridotto a una "composizione puramente formale di figure", che ne farebbe (in accordo con la visione poco sofisticata del Cubismo di quel tempo) un semplice precursore di cose a venire. Picasso aveva sì abbandonato il "*memento mori* allegorico", ma non le tematiche sessuali del dipinto (che è senza dubbio la ragione per cui Steinberg prende a prestito come titolo del suo testo uno dei primi titoli dato al quadro dagli amici di Picasso, "Le Bordel philosophique"). Inoltre la mancanza di unità stilistica di *Les Demoiselles* non era un risultato della fretta, ma una strategia deliberata: fu una decisione presa in seguito, certo, ma in accordo con l'eliminazione delle due figure maschili e l'adozione di un formato verticale quasi quadrato, meno "scenico" di quello di tutti gli studi della composizione generale del quadro. E il ▲ richiamo primitivo all'arte africana non era un caso (Picasso era stato introdotto all'arte africana da Matisse nel 1906 **[4]**, mesi prima della decisione di spostare i visi simili a maschere delle due *demoiselles* sulla destra dal modello "iberico" a quello "africano" **[5]**): corrispondeva all'organizzazione tematica del quadro, anche se Picasso negò poi il suo significato.

Rifiutando il "*memento mori*" di Barr, Steinberg cambiò i termini dell'allegoria poi scartata da Picasso da "morte versus edonismo" a "cultura fredda e distaccata versus domanda di sesso". Sia il libro che il teschio presenti negli studi di Picasso indicano che lo studente di medicina è l'unico a non partecipare; non guarda neppure le *demoiselles*. Come il timido marinaio, è lì per essere iniziato dalle spaventose femmine. La sua androginia in diversi

▲ 1903

Sotto a sinistra
4 • Fotografia di Picasso nel suo studio al Bateau-Lavoir, Parigi 1908

Sotto a destra
5 • Pablo Picasso, *Studio per la testa della Demoiselle accovacciata*, giugno-luglio 1907
Gouache su carta, 63 x 48 cm

3 • Pablo Picasso, *Studente di medicina, marinaio e cinque nudi in un bordello* (studio per *Les Demoiselles d'Avignon*), marzo-aprile 1907. Disegno a matite colorate, 47,6 x 76,2 cm

abbozzi contrasta molto con il suo attributo fallico: il *porron* (una fiasca di vino con beccuccio eretto) posto sul tavolo. Presto il marinaio scomparve e lo studente subì un mutamento di sesso. Nella tela finita è sostituito dal nudo in piedi che apre la tenda sulla sinistra. Inversamente, i corpi di molte *demoiselles* erano mascolini in molti disegni. Ce n'è abbastanza dunque per sostenere che, mentre lavorava al quadro, l'interesse tematico di Picasso ruotò intorno alla questione primordiale della differenza sessuale e a quella della paura del sesso. Così il suo problema sembra essere stato come rimanere sul tema mentre rinunciava all'allegoria.

È qui che la separazione stilistica della tela finale entra in gioco, e non solo, ma anche il completo isolamento delle cinque prostitute e la soppressione di coordinate spaziali chiare. (A uno sguardo ravvicinato, le discrepanze sono ancora più forti di quanto ha notato Barr, e non riguardano solo la parte destra "africana" del quadro: la mano della *demoiselle* in piedi che ha sostituito lo studente all'estrema sinistra sembra staccata dal corpo e il libro degli schizzi rivela, come nota Steinberg, che la sua immediata vicina, più spesso vista come in piedi, è in realtà distesa, anche se è stata verticalizzata e resa parallela alla superficie del quadro.) Mentre nel primo scenario i personaggi reagiscono all'entrata dello studente e lo spettatore guarda la scena da fuori, nel quadro finito "questa regola dell'arte narrativa tradizionale lascia il posto a un controprincipio antinarrativo: le figure vicine non condividono né uno spazio né un'azione comune, non comunicano né interagiscono, ma si relazionano singolarmente, direttamente, con lo spettatore. [...] L'evento, l'epifania, l'improvvisa entrata è ancora il tema – ma ruotato di 90 gradi verso lo spettatore concepito come polo opposto del quadro". In altre parole, è la mancanza di unità stilistica e scenica a legare il quadro allo spettatore: al centro del quadro è lo sguardo spaventoso delle *demoiselles*, in particolare di quelle con i volti volutamente mostruosi sulla destra. Il loro "africanismo", in accordo con l'ideologia del tempo che faceva dell'Africa il "continente oscuro", è un espediente per respingere lo spettatore. (Un'antica parola derivata dal greco e che significa "avere il potere di scacciare il male" descrive particolarmente bene lo sguardo intimidatorio dei nudi di Picasso: *apotropaico*.) La complessa struttura del quadro, come ha mostrato William Rubin nel più lungo studio mai dedicato all'opera (che enfatizza la profonda angoscia di morte di Picasso), riguarda il legame che esiste tra Eros e Thanatos, cioè tra il sesso e la morte.

Il trauma dello sguardo

▲ Ci spostiamo ora in territorio freudiano, uno sviluppo recente nella letteratura dedicata al quadro. Molti scenari psicanalitici che trattano della "scena primaria" e del "complesso di castrazione" si applicano particolarmente bene a *Les Demoiselles d'Avignon*. Ci aiutano a comprendere sia la soppressione dell'allegoria che la brutalità del quadro finito. Pensiamo qui sia al sogno infantile del paziente più famoso di Freud, Sergej Pankejeff (1887-1979) – l'Uomo dei Lupi **[6]** – in cui il bambino si vedeva pietrificato alla finestra aperta, fissato da lupi immobili (il sogno era l'effetto dello shock della scena primaria [l'essere stato testimone di un rapporto sessuale tra i genitori]) – sia al breve testo di Freud sulla testa di Medusa, con tutti i suoi molteplici significati. Questi ultimi includono l'idea che la testa di Medusa è l'organo sessuale femminile – la cui vista suscita angoscia di castrazione nel giovane maschio – l'immagine della castrazione (decapitazione) e la sua negazione, da una parte attraverso la moltiplicazione dei peni (la capigliatura composta da serpenti) e dall'altra attraverso il suo potere di trasformare chi guarda in pietra, ovvero, in altre parole, in un fallo eretto, benché morto.

Anche di fronte al quadro di Picasso l'osservatore è inchiodato al pavimento dalle prostitute che gli si rivolgono più violentemente, come osserva Steinberg, di qualsiasi altro quadro da *Le Meniñas* di Velazquez in poi. Spostandosi dal modo "narrativo" (l'allegoria) a quello "iconico", per usare i termini di Rubin, cioè dalla tonalità storica dei racconti ("C'era una volta") all'ingiunzione personale ("Guardami, ti sto guardando"), Picasso evidenziò la fissità della posizione dell'osservatore basata sulla prospettiva monoculare su cui la pittura occidentale è stata fondata, e contemporaneamente la demonizzò, rilanciandola come pietrificazione. Il potere mai diminuito di *Les Demoiselles d'Avignon* risiede in questa operazione detta "ritorno del rimosso": in essa Picasso mise in risalto le pulsioni libidiche contraddittorie all'opera nell'atto stesso del guardare, facendo del suo stesso quadro una testa di Medusa. I quadri di bordello fanno parte di una lunga tradizione del genere dell'arte erotica (una tradizione che Picasso conosceva bene: aveva a lungo ammirato i monotipi di Degas e desiderato di collezionarne – un sogno che poté realizzare solo alla fine della vita). Queste scene quasi pornografiche vogliono gratificare il voyeurismo dell'appassionato d'arte maschio eterosessuale. Picasso rovescia questa tradizione: interrompendo il racconto, lo

6 • Disegno di Sergej C. Pankejeff del suo sogno infantile (1910 ca.), pubblicato in Sigmund Freud, *Dalla storia di una nevrosi infantile*, 1918

▲ Introduzione 1, 1900a

7 • Pablo Picasso, *Tre donne*, 1908
Olio su tela, 200 x 178 cm

sguardo delle sue *demoiselles* sfida lo spettatore (maschio) facendogli sapere che la sua comoda posizione, fuori dalla scena narrativa, non è così sicura come può pensare. Nessuna meraviglia che il quadro abbia suscitato resistenza così a lungo.

Uno dei suoi primi avversari capì senza dubbio, almeno in parte, cosa stava accadendo: Matisse s'infuriò quando vide il quadro (i resoconti dicono che rise a crepapelle, ma è lo stesso). Fu un po' come Poussin che disse di Caravaggio (a cui dobbiamo la migliore rappresentazione della testa di Medusa e che al tempo era criticato per non essere capace di "comporre una vera storia") che era "nato per distruggere la pittura". Senza dubbio la rivalità fu un pungolo che aguzzò la vista a Matisse come già aveva stimolato quella di Picasso, perché proprio un anno e mezzo prima Matisse ▲ aveva completato *La gioia di vivere*, la cui tematica è per molti versi vicina a quella del quadro di Picasso (vi si legge la stessa fantasia conflittuale che ruota intorno al complesso di castrazione). Matisse sapeva che quella tela (che Picasso vedeva ogni volta che pranzava a casa di Gertrude e Leo Steinberg) aveva impressionato molto il giovane collega, soprattutto per il suo sincretismo che si appropria di una quantità di rimandi storici. Per Picasso, una delle sfide più devastanti dev'essere stato il modo energico con cui Matisse aveva citato *Il bagno turco* di Ingres, che aveva colpito entrambi al Salon d'Automne del 1905: com'era addomesticato l'"ingrismo" del suo periodo rosa in confronto, in particolare *L'harem* dipinto a Gosol nell'estate del 1906, appena pochi mesi prima di iniziare *Les Demoiselles d'Avignon* e solo poche settimane prima di "dipingere in faccia" il ritratto di Gertrude Stein! Intanto Matisse si era lanciato in un'altra sfida: poco dopo aver introdotto • Picasso all'arte africana aveva dipinto il suo *Nudo blu*, la prima tela che disestetizzava esplicitamente il tradizionale motivo del nudo femminile attraverso il "primitivismo". Ora Picasso combinava entrambi i gesti di parricidio contro la tradizione occidentale: giustapponendo fonti contraddittorie in un miscuglio che annullava il loro decoro e il loro significato storico, e allo stesso tempo ricorrendo ad altre culture. Sia in *La gioia di vivere* che in *Les Demoiselles d'Avignon* il parricidio era astutamente legato alla tematica edipica, ma Picasso, incentrando il suo attacco sulla condizione stessa dell'osservatore, aveva portato molto più lontano la battaglia contro la mimesi.

La crisi della rappresentazione

Possiamo ora tornare all'interpretazione diffusa presteinberghiana che *Les Demoiselles* siano state il "primo" quadro cubista. Mentre è sicuramente sbagliata se si legge il primo Cubismo come una sorta di stilizzazione geometrica dei volumi, l'interpretazione ha senso se il Cubismo è inteso come un'interrogazione radicale delle regole della rappresentazione. Innestando un volto simile a una maschera iberica sul busto di Gertrude Stein, concependo un volto come un segno che può essere preso in prestito da un vasto repertorio, Picasso ha messo in questione le convenzioni illusionistiche della rappresentazione. Ma in *Les Demoiselles* ha spinto molto più avanti l'idea che i segni cambiano di posto e di combinazione, e che il loro significato dipende dal contesto, benché non l'abbia indagata fino in fondo. Questo sarebbe stato il compito del Cubismo nel suo insieme, la cui origine può essere allora situata nelle *Tre donne* del 1908 **[7]**, in cui Picasso cercò di fornire un unico segno unitario (il triangolo) per ogni elemento del quadro, qualunque cosa fosse destinato a rappresentare. Ma diversi studi per il volto della *demoiselle* accovacciata sulla destra – il punto più sorprendente dell'attacco all'idea stessa di bellezza femminile – rivelano che aveva già intuito le infinite possibilità metaforiche del sistema segnico che aveva inventato: in questi studi vediamo come la faccia si stia trasformando in un torso **[5]**. Anche questi esperimenti amorfici vennero messi da parte e si dovette aspettare la ▲ seconda disamina dell'arte africana da parte di Picasso nei suoi collage, nel 1912, perché tutte le implicazioni della sua spinta semiologica venissero realizzate. *Les Demoiselles d'Avignon* fu dunque un evento traumatico, e il suo effetto profondo si fece sentire su Picasso anche più tardi: ci volle l'intera avventura del Cubismo per poter dire perché l'aveva fatto. YAB

ULTERIORI LETTURE:

William Rubin, *From "Narrative" to "Iconic" in Picasso: The Buried Allegory in "Bread and Fruit on a Table" and the Role of "Les Demoiselles d'Avignon"*, in *The Art Bulletin*, n. 4, dicembre 1983

William Rubin, *The Genesis of "Les Demoiselles d'Avignon"*, in *Studies in Modern Art* (numero speciale dedicato alle Demoiselles d'Avignon), Museum of Modern Art, New York, n. 3, 1994 (cronologia di Judith Cousins e Hélène Seckel, antologia critica dei testi storici di Hélène Seckel)

Hélène Seckel (a cura di), *Les Demoiselles d'Avignon*, Réunion des Musées Nationaux, Paris 1988

Leo Steinberg, *The Philosophical Brothel* (1972), seconda edizione in *October*, n. 44, primavera 1988

▲ 1906 ● 1903 ▲ 1912

1908

Wilhelm Worringer pubblica *Astrazione ed empatia*, che oppone l'arte astratta a quella figurativa come il ritiro dal mondo all'impegno in esso: l'Espressionismo tedesco e il Vorticismo inglese elaborano questa polarità psicologica in modi diversi.

"Ho sorpreso un pensiero solitario", scrisse dal fronte della Prima guerra mondiale (dove presto sarebbe stato ucciso) l'espressionista tedesco Franz Marc (1880-1916), "posato come una farfalla nel cavo della mano; il pensiero che già molto tempo fa vissero uomini che possedevano la seconda vista e amavano l'astratto come noi. Nei nostri musei etnici ci sono alcune cose silenziose che ci guardano con occhi familiari. Come furono possibili questi prodotti di una pura volontà di astrazione?" Per quanto strano, questo pensiero non era del tutto nuovo: Marc fa eco alle "corrispondenze" del poeta francese Charles Baudelaire e le idee di un'affinità tra le arti astratte, degli artisti tribali come alter ego dell'artista moderno e di una primordiale volontà di astrazione sono tutte in armonia con una dissertazione scritta nel 1908 dallo storico dell'arte tedesco Wilhelm Worringer (1881-1965). Il collegamento non è accidentale, come chiarisce un'altra lettera di Marc. Agli inizi del 1912 scrive infatti al collega russo Vasilij Kandiskij (1866-1944), con cui nel 1911 a Monaco ha fondato l'associazione di artisti Der Blaue Reiter (Il Cavaliere azzurro): "Sto leggendo *Astrazione ed empatia* di Worringer, una bella testa, di cui abbiamo molto bisogno. Pensiero meravigliosamente disciplinato, conciso e attuale, molto attuale".

Worringer non era precisamente un avvocato degli espressionisti tedeschi. Quando furono attaccati da un antimodernista sciovinista nel 1911, li difese come annunciatori di una nuova era caratterizzata dall'assunzione di forme elementari, dall'interesse per l'arte tribale e, soprattutto, dal rifiuto della "visione razionalista" che egli riteneva troppo dominante dal Rinascimento fino alla pittura neoimpressionista. Per il resto Worringer lasciò nel vago i termini della sua affiliazione; per esempio, nella prefazione del 1910 ad *Astrazione ed empatia* notò soltanto un "parallelismo" con "i nuovi traguardi dell'espressione". Comunque questo parallelismo indicava una "necessità interiore" del momento e questa tendenza metafisica era condivisa dagli artisti del Cavaliere azzurro, che spesso scrissero della loro arte in termini di "risveglio spirituale". Questo era ancora più evidente nell'*Almanacco del Cavaliere azzurro* che Marc e Kandinskij pubblicarono nel 1912 con in copertina l'immagine di un cavaliere azzurro di Kandinskij ispirata dalle immagini popolari di San Giorgio [**1**]. Oltre a opere espressioniste, questa influente raccolta di saggi e illustrazioni presentò l'arte tribale del Pacifico del Nordest, Oceania e Africa, l'arte dei bambini, il teatro

1 • Vasilij Kandinskij, studio finale per la copertina dell'*Almanacco del Cavaliere azzurro*, 1911. Acquarello, inchiostro di china e matita su carta, 27,6 x 21,9 cm

d'ombre egizio, maschere e stampe giapponesi, sculture e incisioni medievali tedesche, arte popolare russa e vetri votivi bavaresi. Kandinskij era particolarmente interessato a queste due ultime forme, mentre la sua compagna Gabrielle Münter (1877-1962) era fortemente attratta dall'arte dei bambini, la cui immediatezza emotiva cercava di trasportare nei propri quadri.

Un approccio metafisico all'arte era praticato anche da Die Brücke (Il Ponte), l'altro importante gruppo di espressionisti tedeschi. ▲ Capitanato da Ernst Ludwig Kirchner, era stato fondato a Dresda nel 1905 e comprendeva Fritz Beyl (1880-1966), Erich Heckel e Karl Schmidt-Rottluff (1884-1976), tutti ex studenti di architettura e dispersi a Berlino otto anni dopo. La tendenza meta-

▲ 1903

fisica è già chiara dai nomi dei due gruppi: Il Cavaliere azzurro era il nome di una tradizionale figura della rivelazione cristiana ("Al cospetto delle nuove opere rimaniamo come in sogno", scrisse Marc in un prospetto per l'*Almanacco*, "sentendo nell'aria il galoppo dei Cavalieri dell'Apocalisse"), mentre Il Ponte derivava il nome da Friedrich Nietzsche, che aveva affermato in *Così parlò Zarathustra* (1883-92) che "l'uomo è una fune tesa tra l'animale e il Superuomo – una fune su un abisso [...] egli è un ponte, non una meta". L'Espressionismo tedesco echeggiò gli interessi metafisici di *Astrazione ed empatia* anche in altri modi. Come Worringer, Marc espresse il mondo naturale come il luogo di un flusso primario, mentre per Kirchner il mondo urbano era un luogo di vitalità primitiva, ma questa insistenza sull'*espressione* non corrispose completamente con la concezione dell'astrazione di Worringer.

Stili opposti

Astrazione e empatia sviluppa due nozioni – *Einfühlung* o "empatia", derivata dallo psicologo e filosofo tedesco Theodor Lipps (1851-1914), e *Kunstwollen* o "volere artistico", derivato dallo storico dell'arte viennese Alois Riegl – per collegare diversi stili artistici a differenti "stati psichici". Attraverso la storia e la cultura, sostiene Worringer, due stili opposti – la rappresentazione naturalistica e l'astrazione geometrica – hanno espresso due atteggiamenti opposti – un impegno empatico nel mondo e un ritiro disgustato da esso. "Mentre la precondizione per la spinta all'empatia è un felice rapporto panteistico di confidenza tra l'uomo e i fenomeni del mondo esterno", scrive Worringer, "la spinta all'astrazione è il prodotto di una grande inquietudine interna ispirata all'uomo dai fenomeni del mondo esterno [...] Possiamo descrivere questo stato come un immenso orrore spirituale per lo spazio". Questa condizione di orrore di fronte alla natura (Worringer era influenzato da Georg Simmel [1858-1918], il grande sociologo tedesco dell'alienazione) è molto diversa dallo ▲ stato di intimità con la natura che Gauguin, per esempio, proiettava sul primitivo. Secondo Worringer, l'uomo primitivo vede la natura come un caos ostile: "dominato da un immenso bisogno di tranquillità", l'artista tribale si rivolge all'astrazione come a "un rifugio dalle apparenze". Questa idea permette a Worringer di costruire una gerarchia problematica di cultura (come delineato in *La forma nel Gotico* [1910], il seguito di *Astrazione ed empatia*), con il primitivo al livello più basso. Il moderno tuttavia non era posto al livello più alto: al contrario, "caduto in basso per orgoglio di conoscenza, l'uomo [moderno] è ora come perso e indifeso di fronte al mondo come l'uomo primitivo". Di conseguenza, secondo Worringer, anche l'artista moderno cerca di arrestare e separare il flusso dei fenomeni, di astrarre e preservare la stabilità delle forme: spinto dalla "necessità interiore" e dall'"orrore dello spazio", anch'egli si volge all'astrazione. Questo resoconto è molto diverso dalle posteriori celebrazioni dell'arte astratta, il cui umanesimo trionfale Worringer sfida in anticipo.

Ma questa versione dell'astrazione si addice veramente al Cavaliere azzurro, come Marc e Kandinskij **[2]** pensavano? Forse fu più importante per Il Ponte, se si sostiene che Kirchner e colleghi usarono gli elementi astratti – colori irreali, prospettive inconsuete – per registrare la "necessità interiore" e l'"orrore dello

2 • Vasilij Kandinskij, *Con tre cavalieri*, 1911
Inchiostro e acquerello su carta, 25 x 32 cm

▲ 1903

spazio". Come Worringer, Kirchner dipinse spesso la modernità come primitiva, non solo nella figura della prostituta primitiva ▲ ereditata da Manet e Gauguin via Matisse e Picasso, ma anche nelle strade della città moderna dove, per osservatori come Simmel, la prostituta era emblema di una generale regressione. Proprio come il mondo naturale, secondo Worringer, appariva caotico ai primitivi, così, secondo Kirchner, anche il mondo urbano appariva caotico ai moderni (l'industrializzazione tedesca fu veloce e furibonda durante le prime due decadi del secolo). In *La strada, Dresda* **[3]** Kirchner evoca Dresda come un confronto vitale ma agitato: masse disordinate delimitano il quadro e bloccano la sua espansione, mentre alcune figure, per lo più donne con volti che sembrano maschere, piombano su di noi (la bambina è particolarmente strana). Con il suo spazio distorto e arancio-rosso sporco, il quadro è tinto di ansietà spesso associata alla pittura di Edvard Munch, il precursore norvegese degli espressionisti. Allo stesso tempo le figure suggeriscono anche l'"atteggiamento *blasé*" che Simmel ascriveva alla "vita mentale" della città moderna. "Il tipo metropolitano", sostenne Simmel in un famoso saggio del 1903, "sviluppa un organo che lo protegge contro le correnti minacciose e le contraddizioni del suo ambiente esterno". *La strada* può evocare una corrente simile nella linea elettrica che corre intorno alle figure e lungo la strada in arancio, verde e blu. In parte stimolo nervoso, in parte scudo protettivo, questa linea isola gli abitanti della città e insieme li collega: suggerisce un tipo paradossale di alienazione che unisce. Questo effetto diventa ancora più estremo nelle "Strade" che Kirchner dipinse a Berlino dopo il suo trasferimento in questa città, con altri membri del Ponte, nel 1911: i colori dei quadri diventano più aspri, le prospettive più perverse (adattò ● Cubismo e Futurismo ai suoi intenti) e le figure (spesso prostitute e loro clienti) sono più ansiosi-*blasé*. Se qui vi è un nuovo tipo di bellezza moderna, come ha sostenuto lo storico dell'arte Charles Haxthausen, è anche, almeno in parte, una bellezza terribile.

Ancora, per Worringer l'astrazione serviva ad alleviare gli shock provocati dal caos del mondo. Kirchner, d'altra parte, accostò l'astrazione per registrare questo stimolo, dunque per intensificarlo. L'astrazione del Cavaliere azzurro è ulteriormente diversa: Marc si mosse attraverso l'astrazione alla ricerca di un legame con il mondo naturale, mentre Kandinskij cercava una comunione con il regno spirituale. Per entrambi l'isolamento degli esseri umani era un problema da superare, non una condizione da approfondire. "Noi cerchiamo", scrisse Kandinskij nel 1909, "forme artistiche che rivelino la compenetrazione di queste forze collegate tra loro". Piuttosto che astrazione *contro* empatia, dunque, il Cavaliere azzurro proponeva un'estetica dell'astrazione *come* empatia – con la natura e/o con lo spirito. (Da questo punto di vista erano in linea con l'"empatia astratta" già suggerita dallo Jugendstil o dall'Art Nouveau a Monaco che avevano influenzato Kandinskij). Gli artisti del Cavaliere azzurro cercarono un'equazione di sentimento e forma, una riconciliazione tra "necessità interiore" e mondo esterno; Kandinskij insisteva che i "contenuti" stessi della sua arte sono "ciò che lo spettatore *vive* o *sente* sotto l'effetto delle *combinazioni di forma e colore* del

3 • Ernst Ludwig Kirchner, *La strada, Dresda*, 1908
Olio su tela, 150,5 x 200 cm

quadro". Questa è una delle ragioni per cui assunsero la musica, che ebbe grande spazio nell'*Almanacco*, come paragone estetico. Di nuovo, questo non significava rovesciare i poli worringeriani di astrazione e empatia, ma riunirli: come afferma Kandinskij nell'*Almanacco*: "Realismo = Astrazione; Astrazione = Realismo".

Compenetrazione panteistica

Se Kandinskij aspirava a un mondo trascendente dello spirito, Marc scavava nel mondo immanente della natura. Guidato innanzitutto da Gauguin, Marc definì il suo progetto nel 1910 come "una compenetrazione panteistica nel flusso di sangue pulsante nella natura, negli alberi, negli animali, nell'atmosfera". Per tracciare questo flusso elaborò due tipi di disegno: prima una linea fluente, organica e ariosa influenzata da Matisse e Kandinskij; poi una più costretta, geometrica e nervosa influenzata da Picasso e ▲ Robert Delaunay (come Kirchner, Marc adattò il Cubismo ai suoi fini). Anche Marc escogitò un simbolismo del colore per modulare gli stati del flusso: il blu era "severo" e "spirituale", il giallo "gentile" e "sensuale", il rosso "brutale" e "grave". Sebbene questo sistema intuitivo fosse sessualizzato in maniera schematica (il blu era maschile, il giallo femminile), permise a Marc, nei pochi anni che gli rimasero, di produrre un numero di quadri di animali tra i più belli della tradizione occidentale. Essi comunque non comportano tanto un'"animalizzazione dell'arte" (Marc) quanto un'umanizzazione della natura: più che una comunione empatica con la natura, suggeriscono una proiezione espressiva da parte dell'artista. Nel 1853 lo studioso di estetica inglese John Ruskin aveva criticato questo tipo di proiezione come "errore patetico"; poco dopo il 1913 anche Marc si interrogò sulla questione:

> *Esiste idea più misteriosa per un artista che immaginare come la natura si riflette negli occhi di un animale? Come vede il mondo un cavallo, come un'aquila, o un cane? [...] Chi sa se il*

▲ 1903, 1907 ● 1909, 1911 ▲ 1913

daino vede il mondo in modo cubista? È il daino che vede, dunque il paesaggio deve essere "dainomorfo". La logica artistica di Picasso, Kandinskij, Delaunay, Burliuk [artista russo associato al Cavaliere azzurro], ecc. è perfetta. Essi non "vedono" il daino e non gli importa. Proiettano il loro mondo interiore – che è il nome di una condanna. Il naturalismo fornisce l'oggetto. Il predicato [...] è raramente trattato.

Piuttosto che un'espressione imposta, Marc cercò un'astrazione empatica che potesse ricomporre pittoricamente sé e l'altro. Un ideale senza dubbio impossibile, ma un quadro come *Il destino degli animali* **[4]** evoca una sorta di "compenetrazione panteistica". Qui però il punto comune tra umano e animale sembra essere il dolore o l'angoscia – anche gli alberi sembrano macellati. Infatti sul retro della tela Marc ha annotato: "e tutti gli esseri ardono di sofferenza", come se, allo stesso modo della tensione urbana in Kirchner, la sofferenza naturale in Marc fosse qualcosa che unisce tutte le creature. E ancora, la disperazione stessa di quest'opera indica la definitiva *separazione* tra gli esseri: dopo tutto, la sofferenza è individuale e solitaria nei suoi effetti. Nella sua ricerca dell'empatia Marc raggiunge i suoi limiti: l'altro animale è rivelato precisamente come altro, inumano, al di là dell'empatia. Anche questo non è astrazione contro empatia, ma neppure astrazione come empatia. L'empatia ha fallito e l'astrazione diventa qui il segno di questo limite.

Disumanizzazione come diagnosi

Alla fine, il modello di astrazione contro empatia si addice meno all'Espressionismo tedesco che al Vorticismo inglese, un movimento – così chiamato dal poeta e critico Ezra Pound (1885-1972) e diretto dal prolifico pittore-scrittore Wyndham Lewis (1882-▲ 1957) – che incluse tra gli altri gli scultori Jacob Epstein (1880-1959) e Henri Gaudier-Brzeska (1891-1915) e il pittore David Bomberg (1890-1957). Il legame con Worringer non è così tenue come può sembrare. Nel gennaio 1914 il poeta e critico T. E. Hulme (1883-1917), un associato al Vorticismo, tenne una conferenza a Londra intitolata *L'arte moderna e la sua filosofia* che adattò *Astrazione e empatia* in difesa del Vorticismo. Hulme – che, come Gaudier-Brzeska e Marc, sarebbe morto nella guerra che di fatto mise fine sia al Vorticismo che all'Espressionismo – divideva l'arte

4 • Franz Marc, *Il destino degli animali*, 1913
Olio su tela, 194,3 x 261,6 cm

▲ 1934b

moderna in due stili opposti – quello organico (la sua versione dell'empatia) e quello geometrico (la sua versione dell'astrazione). Come Worringer, sosteneva dunque che questi stili corrispondono a due opposti "atteggiamenti" – un "insipido ottimismo", dominante dal Rinascimento, che pone l'uomo al centro della natura, e un antiumanesimo inflessibile, emergente nell'arte vorticista, che valorizza "un senso di separazione di fronte alla natura esterna".

"Ciò che lui diceva", affermò Lewis di Hulme, "io lo *facevo*" – benché, di nuovo, fosse stato Worringer a porre i termini estetici per entrambi. In *Nuovi ego*, un testo pubblicato su *Blast* (1914), il giornale al vetriolo del Vorticismo, Lewis presentò la propria parabola worringeriana. Essa riguarda due figure complementari, un "selvaggio civilizzato" e un "cittadino moderno"; nessuno dei due è "sicuro", poiché entrambi vivono in una "indeterminatezza di spazio". Anche il selvaggio civilizzato è capace di alleviare la sua insicurezza con un'arte della figura astratta a "semplice nero proiettile umano", mentre il cittadino moderno vede che "la vecchia forma dell'egotismo non si addice molto alle condizioni che prevalgono oggi". Lewis conclude la sua parabola con un credo worringeriano: "Tutto chiaro, emozioni ben definite fanno assegnamento sull'elemento della stranezza e della sorpresa, e sul distacco primitivo. La disumanizzazione è la diagnosi principale del Mondo". Gli espressionisti erano d'accordo con questa diagnosi, ma Lewis vedeva la disumanizzazione come una soluzione ancor più che come un problema: per sopravvivere alla propria disumanizzazione, l'età moderna deve disumanizzare ancora di più; deve portare al limite "la stranezza e la sorpresa, e il distacco primitivo".

Lewis raramente rinunciò del tutto alla figura umana. I suoi primi "disegni" spesso manifestano una tensione tra figura e contesto, come se il corpo, mai sicuro, fosse preso tra definizione, erompendo come forma autonoma, e dispersione, venendo invaso dallo spazio. Lentamente, comunque, Lewis astrae la figura, come per temprarla in un "semplice nero proiettile umano". Talvolta questo indurimento sembra venire dall'esterno, come nel *Vorticista* (1912), in cui il corpo pare scolpito in forma astratta da un mondo ostile. Talvolta sembra venire dall'interno, come in *Disegno vorticista* (1914 ca.), in cui il corpo sembra guidato all'astrazione da una volontà innata. In una figura particolarmente concentrata, *Il nemico delle stelle* **[5]**, i due tipi di corazza sembrano convergere. Da un lato, con una testa simile a un ricevitore, la figura pare reificata dall'esterno, la pelle trasformata in uno scudo; dall'altro, priva di organi e braccia, pare anche reificata dall'interno, con la sua struttura ossea trasformata in "alcuni astratti rapporti meccanici" (come ha notato una volta Hulme di queste figure). Comunque questo "nemico delle stelle" è l'opposto del Cavaliere azzurro che Kandinskij evoca su un pendio teso verso il cielo: qui Lewis suggerisce un'astrazione della figura che è davvero antiempatica. HF

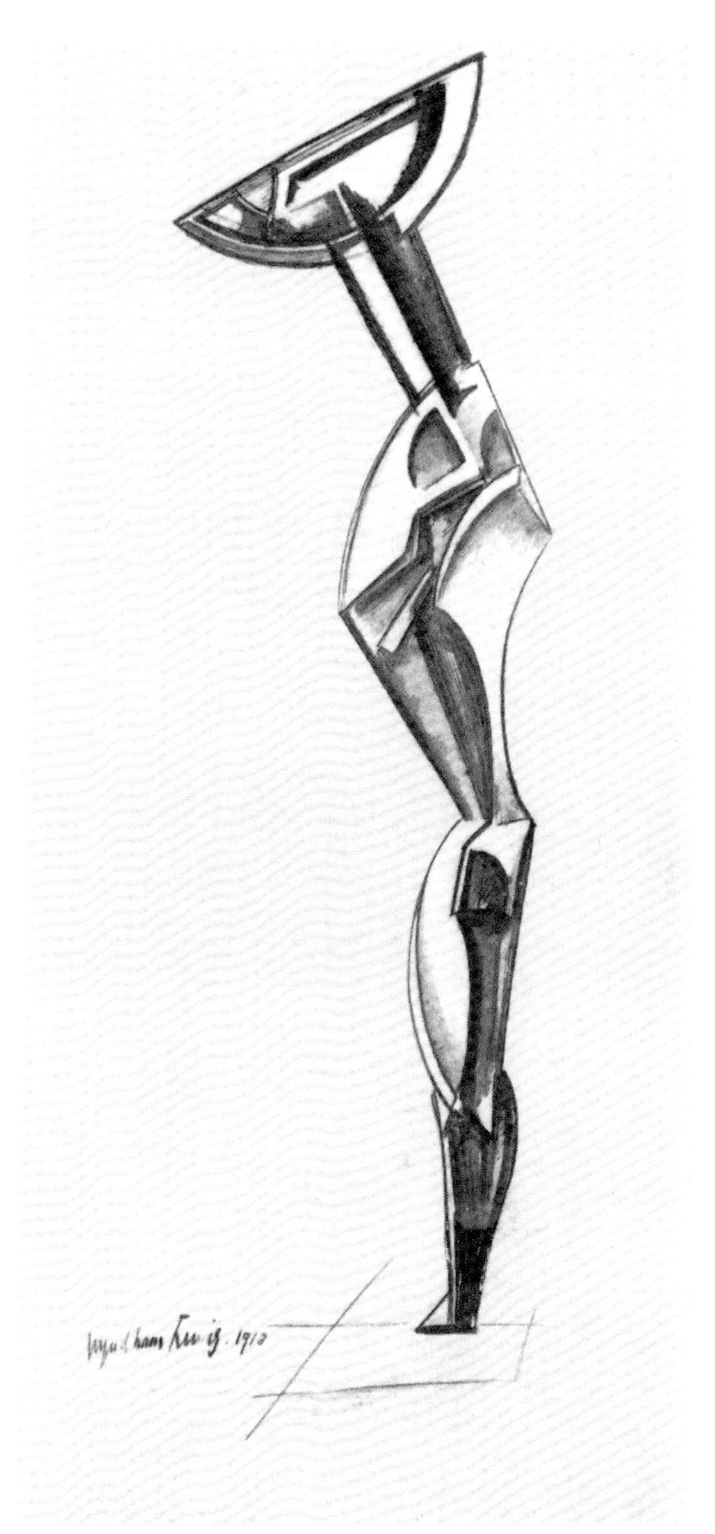

5 • Wyndham Lewis, *Il nemico delle stelle*, 1913
Penna e inchiostro su carta, 44 x 20 cm

1900–1909

ULTERIORI LETTURE:

Charles W. Haxthausen (a cura di), *Berlin: Culture and Metropolis*, University of Minnesota Press, Minneapolis 1990

T. E. Hulme, *Speculations: Essays on Humanism and the Philosophy of Art* (1924), Routledge & Kegan Paul, London 1987

Fredric Jameson, *Fables of Aggression: Wyndham Lewis, the Modernist as Fascist*, University of California Press, Berkeley-Los Angeles 1979

Vasilij Kandinskij e Franz Marc, *Il Cavaliere Azzurro*, trad. it. SE, Milano 1988

Jill Lloyd, *German Expressionism: Primitivism and Modernity,* Yale University Press, New Haven-London 1991

Rose-Carol Washton Long (a cura di), *German Expressionism: Documents from the End of the Wilhelmine Empire to the Rise of the National Socialism,* University of California Press, Berkeley-Los Angeles 1995

Wilhelm Worringer, *Astrazione e empatia*, trad. it. Einaudi, Torino 1975

1909

F. T. Marinetti pubblica a Parigi il manifesto futurista sulla prima pagina di *Le Figaro*: per la prima volta l'avanguardia si lega alla cultura dei media e sfida apertamente la storia e la tradizione.

Il 20 febbraio 1909 Filippo Tommaso Marinetti (1876-1944) pubblicò il suo *Manifesto di fondazione del Futurismo*, il primo manifesto futurista, sulla prima pagina del quotidiano francese *Le Figaro* [**1**]. Questo evento segnò l'uscita pubblica del Futurismo enumerando in diversi punti il suo specifico programma.

Prima di tutto mostrò che fin dall'inizio il Futurismo voleva affermare il legame dell'avanguardia con la cultura di massa. In secondo luogo dimostrò la convinzione che d'ora innanzi le tecniche e le strategie operative della cultura di massa sarebbero state essenziali per la diffusione delle pratiche avanguardiste; la sola decisione di pubblicare il manifesto su un quotidiano a grande tiratura in Francia dimostrava il triplo nodo di pubblicità, giornalismo e forme di distribuzione di massa. Terzo, indicò che il Futurismo era fin dall'inizio impegnato in una fusione delle pratiche artistiche con le forme avanzate della tecnologia in un modo che il Cubismo, ▲ che si confrontava con questioni simili nello sviluppo del collage, non avrebbe mai veramente abbracciato. Gli slogan del Futurismo che celebravano "il dinamismo congenito", "la rottura dell'oggetto" e "la luce distruttrice di forme", esaltando anche la macchina, dichiaravano che un'automobile in corsa è "più bella della Vittoria di Samotracia": questo significava preferire l'oggetto industrializzato all'unicità della statua di culto. Infine, sebbene non ancora visibile nel 1909, preparò la via al rovesciamento degli assunti tradizionali e della tendenza innata dell'avanguardia all'associazione con la politica di sinistra, progressista, se non marxista. Per il Futurismo significò diventare, nell'Italia del 1919, il primo movimento d'avanguardia del XX secolo ad avere un proprio progetto politico e ideologico assimilato alla formazione dell'ideologia fascista.

Dal fossato alla trincea

A livello di modelli artistici, lo sfondo del Futurismo è complesso. Le sue fonti vanno cercate nel simbolismo francese del XIX secolo, ● nella pittura neoimpressionista o divisionista e nel Cubismo di inizio secolo, che stava evolvendo contemporaneamente con il Futurismo ed era senz'altro noto alla maggioranza degli artisti del movimento italiano. Ciò che fu specificamente italiano nella formazione del Futurismo, tuttavia, fu il ritardo di questa avanguardia modernista. Così, al momento della prima pubblicazione del manifesto, le figure chiave della sua pittura, come Umberto Boccioni (1882-1916), Giacomo Balla (1871-1958) e Carlo Carrà (1881-1966), stavano ancora lavorando in maniera piuttosto *retardataire* a un divisionismo stile 1880. Nessuna delle strategie emerse ▲ a Parigi nella scia delle scoperte di Cézanne, o nello sviluppo del Fauvismo o del primo Cubismo entrarono nella pittura futurista ai suoi inizi, cioè prima del 1910. Il Futurismo inoltre fu caratterizzato dall'eclettismo con cui queste strategie d'avanguardia tardivamente scoperte vennero adattate. Infatti la fretta con cui vennero poi rappezzate per riformulare una nuova estetica pittorica e scultorea è indicativa di quello stesso eclettismo.

Nella scia del manifesto di Marinetti seguirono molti altri manifesti futuristi, scritti da artisti che si erano uniti al gruppo. Tra di essi vi furono il *Manifesto tecnico della pittura futurista*, pubblicato nel 1910 e firmato da Boccioni, Balla, Carrà, Luigi Russolo (1885-1947) e Gino Severini (1883-1966); il *Manifesto tecnico della scultura futurista*, pubblicato nel 1912 da Boccioni; *Fotodinamismo futurista*, pure pubblicato nel 1912 dal fotografo Anton Giulio Bragaglia; un manifesto della musica futurista nel 1912 di Francesco Balilla Pratella (1880-1955); *L'arte dei rumori* di Russolo nel 1913; e un manifesto di architettura futurista nel 1914 da Antonio Sant'Elia (1888-1916).

Come dichiarato in questi documenti, le strategie del Futurismo vertevano intorno a tre punti centrali. Primo, era posta enfasi sulla sinestesia (la rottura dei confini tra i diversi sensi, per esempio tra vista, udito e tatto) e la cinestesia (la rottura della distinzione tra il corpo fermo e il corpo in movimento). Secondo, il Futurismo cercò di costruire un'analogia tra il significato pittorico e le tecnologie della visione e della rappresentazione, come quelle sviluppate dalla fotografia – in particolare in forme come la cronofotografia – e dal primo cinema. Terzo, la rigorosa condanna della cultura del passato da parte del Futurismo, il suo violento attacco contro l'eredità della tradizione borghese, generò l'affermazione altrettanto appassionata del bisogno di integrare arte e tecnologie avanzate, anche quella della guerra, aprendo così il movimento al fascismo.

La sottolineatura della sinestesia e della cinestesia derivò direttamente dalla critica dell'estetica borghese secondo cui pittura e scultura erano tradizionalmente intese come arti statiche. In oppo-

▲ 1912 ● 1907, 1911 ▲ 1906, 1907

LE FIGARO

Gaston CALMETTE
Directeur-Gérant

H. DE VILLEMESSANT
Fondateur

« Loué par ceux-ci, blâmé par ceux-là, me moquant des sots, bravant les méchants, je me hâte de rire de tout... de peur d'être obligé d'en pleurer. » (BEAUMARCHAIS.)

SOMMAIRE

Le Futurisme

Manifeste du Futurisme

F.-T. Marinetti.

LA VIE DE PARIS

« Le Roi » à l'Élysée... Palace

Un Monsieur de l'Orchestre.

Échos

La Température

Les Courses

A Travers Paris

RUPTURE

Louis Marsolleau.

Nouvelles à la Main

Le Masque de Fer.

Le complot Caillaux

1900–1909

1 • Prima pagina di *Le Figaro*, 20 febbraio 1909

2 • Giacomo Balla, *Ragazza che corre sul balcone*, 1912
Olio su tela, 125 x 125 cm

sizione ad essa il Futurismo cercò di integrare l'esperienza della simultaneità, della temporalità e del movimento fisico nei limiti dell'oggetto artistico. Tale tentativo di rendere la percezione del movimento un elemento essenziale della rappresentazione del corpo nello spazio fu ispirato dalla scoperta da parte del Futurismo della "cronofotografia" dello scienziato francese Étienne-Jules Marey, una prima forma di stroboscopia. Paradossalmente, tuttavia, fu la letteralità con cui Balla e Boccioni usarono un idioma pittorico divisionista per interpretare il congegno scientifico di Marey a segnare la loro opera come stranamente in ritardo e limitata, poiché lo statuto stesso della pittura come oggetto singolo e statico non venne mai veramente sfidato dai pittori futuristi. Inoltre, cercando di adattare la cronofotografia alla propria arte, i futuristi confinarono il significante pittorico in un rapporto puramente *mimetico* con l'ambito tecnologico – per esempio descrivendo il movimento attraverso contorni sfocati – invece che in uno *strutturale*, adottando per esempio le forme seriali della produzione industriale.

Futuro senza passato

Balla fu senza dubbio il pittore più interessante del movimento, anche se all'epoca del primo manifesto del 1909 stava ancora lavorando in uno stile molto tradizionale, applicando letteralmente i metodi divisionisti alla percezione della luce e dello spazio urbano. Si guardi il quadro *Lampada ad arco* (1909-10), dove la giustapposizione di natura e cultura è programmaticamente fissata nell'opposizione tra una lanterna di strada e la luna, e dove il dinamismo delle onde luminose è eseguito in una maniera penosamente letterale con cunei simili a rondini che si espandono dalla fonte luminosa, variati cromaticamente come se si spostassero dall'iridescenza al centro del quadro verso la completa assenza di colore ai margini, rappresentazione del buio della notte.

Dal 1912 Balla ha ridefinito la sua sintassi pittorica adattando i contorni ripetitivi caratteristici della cronofotografia alle proprie rappresentazioni di oggetti. Quadri come *Ragazza che corre sul balcone* **[2]** o *Dinamismo di un cane al guinzaglio* **[4]**, entrambi del 1912, sono significativi per il modo letterale in cui iscrivono la simultaneità della percezione del movimento nell'organizzazione spaziale del quadro. Nel 1913 Balla fa il passo di abbandonare del tutto la rappresentazione cercando un modo più adatto per descrivere velocità, temporalità, movimento e trasformazione visiva, portandolo a uno dei primi modelli validi di pittura non rappresentativa. Cancellata ogni figurazione, queste opere sono dedite sia alla ripetizione di un'armatura strutturale che articola sequenza e velocità, sia a un idioma cromatico non figurativo che abbandona ogni riferimento al colore locale. La matrice compositiva e coloristica così formata non fa più parte di quella che possiamo chiamare la trasformazione della prospettiva rinascimentale in un ▲ nuovo spazio fenomenologico operata dal Cubismo; Balla realizza piuttosto una trasformazione dello spazio pittorico in uno spazio meccanico, ottico, o temporale, attraverso strategie completamente non figurative.

4 • Giacomo Balla, *Dinamismo di un cane al guinzaglio*, 1912
Olio su tela, 89,9 x 109,9 cm

3 • Umberto Boccioni, *Forme uniche nella continuità dello spazio*, 1913 (fusione 1931). Bronzo, 111,2 x 88,5 x 40 cm

Due esempi della scultura di Boccioni chiariscono il rapporto dei futuristi con la percezione cinestetica degli oggetti nello spazio. Il primo, *Forme uniche nella continuità dello spazio* **[3]**, nella sua peculiare ambiguità tra il robot e la figura anfibia, cerca ancora una volta di incorporare nel corpo scultoreo le tracce visibili nella cronofotografia di Marey. Inoltre, nello stesso tempo in cui inserisce la fluidità della percezione in una rappresentazione statica, genera il caratteristico ibrido tra contiguità spaziale e oggetto scultoreo singolo, olistico. In *Dinamismo di un cavallo in corsa + case* **[5]** la sensibilità futurista all'adattamento illusionistico della fotografia del movimento è rifiutata a favore di un oggetto statico in cui gli effetti di simultaneità e di cinestesia sono prodotti dalla mera giustapposizione di materiali diversi e dal grado di frammentazione in cui sono presentati. Diversamente da *Forme uniche nella continuità dello spazio*, che mantiene i metodi tradizionali del modellato e della fusione, l'opera incorpora materiali prodotti industrialmente, come dichiarato dal manifesto scritto dall'artista: cuoio, frammenti trovati di vetro, pezzi di metallo, elementi

▲ 1911

Eadweard Muybridge (1830-1904) ed Étienne-Jules Marey (1830-1904)

L'inglese Eadweard Muybridge e il francese Étienne-Jules Marey sono legati nel tempo e nel lavoro: non solo condividono le stesse date di nascita e di morte, ma sono insieme i pionieri dello studio fotografico del movimento secondo modi che hanno influenzato sia lo sviluppo dell'arte futurista che la moderna razionalizzazione del lavoro e, si può dire, dello spazio-tempo in generale.

Noto dapprima come fotografo di paesaggi dell'America occidentale e centrale, Muybridge fu coinvolto nel 1872 da Leland Stanford, il milionario ex governatore della California, in una disputa sull'andatura dei cavalli. Muybridge fotografò allora dei cavalli a Palo Alto grazie a una batteria di macchine fotografiche e sistemò le immagini in file secondo una griglia che poteva essere esaminata sia orizzontalmente che verticalmente.

Un libro, *Il cavallo in movimento*, curato da Stanford, apparve nel 1882, lo stesso anno in cui Muybridge partì per un giro di conferenze in Europa. A Parigi fu accolto da Marey, dal famoso fotografo Nadar, dal pittore accademico Ernest Meissonier e dal grande fisico Hermann von Helmholtz – indicativi della portata dell'interesse per il suo lavoro che registrava le unità percettive al di là dei limiti della vista umana.

Diversamente da Muybridge, che si considerava un artista, Marey era un fisico di formazione che aveva prima lavorato sui metodi grafici di registrazione del movimento. Quando nel 1878 vide per la prima volta il lavoro di Muybridge nella rivista scientifica *La Nature*, si rivolse alla fotografia come al modo più preciso e neutro di registrazione del movimento. Marey inventò il primo fucile fotografico con un nastro circolare che realizzava delle fotografie in una serie di quasi-istantanee scattate da un unico punto di vista. Poi usò un disco forato disposto davanti alla macchina fotografica per rompere il movimento in una serie di intervalli che venivano registrati su un'unica lastra; fu questo lavoro che descrisse per la prima volta come "cronofotografia". Per evitare la sovrapposizione Marey vestì i suoi soggetti interamente di nero, con strisce metalliche fissate lungo le braccia e le gambe (per gli animali furono usate strisce di carta). Insieme all'unico punto di vista, questo dispositivo di fatto restituì coerenza spazio-temporale al campo visivo altrimenti frammentato. Era più scientifico dell'approccio di Muybridge, ma era meno radicale nella frammentazione dell'apparente continuum della visione.

Fu questa frammentazione ciò che più interessò i modernisti: i futuristi nel loro perseguimento di una velocità sovversiva e artisti come Marcel Duchamp nella loro ricerca di dimensioni spazio-temporali mai viste prima. Ma può essere che, come Muybridge e Marey, questi artisti fossero anche coinvolti da una moderna dialettica che andava ben oltre il loro lavoro individuale, una dialettica moderna di rinnovamento incessante della percezione, di liberazione perpetua e ridisciplinamento della visione che sarebbe continuata per tutto il XX secolo?

5 • Umberto Boccioni, *Dinamismo di un cavallo in corsa + case*, 1914-15
Gouache, olio, cartone, rame e ferro dipinto, 112, 9 x 115 cm

preformati di legno. Una delle prime sculture non figurative del XX secolo, essa è più correttamente paragonabile alla scultura ▲ astratta che produceva in Russia in quel periodo Vladimir Tatlin.

Dato il collage come tecnica principale nella serie di tentativi contraddittori del Futurismo di fondere la sensibilità avanguardista con la cultura di massa, *Manifestazione interventista* **[6]** di Carrà è un esempio centrale dell'estetica futurista, che raggiunse il suo momento culminante appena prima dello scoppio della guerra. L'opera infatti contiene tutto ciò in cui il Futurismo era più coinvolto: l'eredità della pittura divisionista, la frammentazione ● cubista dello spazio percettivo tradizionale, l'inserimento di ritagli di giornali e materiali trovati dalla pubblicità, la suggestione della cinestesia attraverso una dinamica visiva resa dalla costruzione del collage sia come vortice sia come matrice di linee di forza che si incrociano in diagonali reciprocamente contrapposte; e infine, ma non di minore importanza, la giustapposizione della dimensione fonetica del linguaggio con i suoi significanti grafici.

Abbastanza tipicamente, l'azione fonetica del linguaggio in *Manifestazione interventista* è in quasi tutti i casi onomatopeica. Imitando direttamente i suoni delle sirene (il gemito evocato con "HU-HU-HU-HU"), gli stridii dei motori e delle mitragliatrici ("TRrrrrrrr" o "traaak tatatraak"), le urla delle persone ("EVVIVAAAA"), è molto diversa dall'analisi strutturale delle componenti fonetiche, testuali e grafiche del linguaggio nella poesia cubofutu- ■ rista russa o nei calligrammi di Apollinaire. La giustapposizione di slogan di guerra antitedeschi ("Abbasso l'Austro-Ungheria") con materiale pubblicitario trovato o la concatenazione di dichiarazioni patriottiche ("Italia Italia") con frammenti musicali, continuano la tecnica del collage cubista ma trasformano questa estetica in un nuovo modello di istigazione e propaganda della cultura di massa. La sua celebrazione della guerra è ulteriormente registrata nei colpi di tamburo evocati dalle parole "Zang Tumb Tuum".

Una liberazione del linguaggio: le *parole in libertà*

Zang Tumb Tuum del 1914, la prima raccolta di "parole in libertà" di Marinetti era introdotto dal manifesto di poesia futurista, di poco precedente, *Distruzione della sintassi – Immaginazione senza fili – Parole in libertà*. Usando un insieme di variazioni espressive tipografiche e ortografiche e un'organizzazione spaziale destrutturata, *Zang Tumb Tuum* cerca di esprimere visioni, suoni e odori dell'esperienza del poeta a Tripoli. Questa affermazione delle "parole in libertà" emerse da un lungo e complicato dialogo con la poesia simbolista della fine del XIX secolo e i suoi eredi francesi dell'inizio del XX. Sebbene profondamente influenzato e dipendente dall'esempio di Mallarmé, Marinetti dichiarò pubblicamente la sua opposizione al progetto del poeta francese. Insistendo che le parole devono essere liberate dai modelli statici ed esoterici di linguaggio di cui si era occupato Mallarmé, Marinetti promosse una nuova dinamica dell'"immaginazione senza fili" intesa ad assimilare la simultaneità della percezione con i nuovi suoni della pubblicità e dell'esperienza tecnologica. *Parole in libertà* è la

6 • Carlo Carrà, *Manifestazione interventista*, 1914
Tempera e collage su cartone, 38,5 x 30 cm

▲ 1914 ● 1911, 1912 ■ 1912

dichiarazione programmatica di Marinetti in cui tutte le tradizionali catene a cui il linguaggio è stato soggetto – lessico, produzione di significato, sintassi, grammatica – sono presumibilmente rotte a favore di una azione puramente fonetica, testuale, grafica. Ma in realtà, contro la volontà di Marinetti, il rapporto mimetico con l'apparato tecnologico lega questo modello di poesia ancora di più ai caratteri tradizionali della rappresentazione linguistica.

Fu questa la ragione di uno dei conflitti che sorsero tra ▲ Marinetti e l'avanguardia russa quando il poeta italiano si recò a Mosca nel 1914 per "convertire" al Futurismo. Quello che i poeti cubofuturisti russi criticarono in Marinetti fu il rapporto manifestato nelle sue opere tra poesia e operazioni linguistiche mimetiche, in particolare il suo uso dell'onomatopea – formazione di parole che imitano i suoni associati all'atto o agli oggetti denotati. A quel tempo i futuristi russi erano già giunti a una interpretazione ● strutturalista della logica arbitraria del linguaggio, imponendo una stretta separazione sia della fonetica che della grafica dei segni – il modo in cui il linguaggio suona e quello in cui si mostra – dal mondo naturale a cui quei segni possono riferirsi. I futuristi russi furono così insistenti nel fare di questa separazione il soggetto della loro scrittura che la portarono fino a costruire una ■ nuova poesia antisemantica e antilessicale.

Fascismo e Futurismo

La nascita del fascismo in Italia alla fine della Prima guerra mondiale mette al centro del Futurismo l'orientamento ideologico e politico. La celebrazione della tecnologia, la posizione antipassatista, la rigorosa condanna della cultura tradizionale, la deformazione violenta dell'eredità della cultura borghese, erano elementi essenziali del Futurismo fin dal suo inizio. Ma ora venivano legati a un'altrettanto appassionata affermazione della necessità di integrare arte e guerra all'istanza più avanzata della tecnologia. Se nel primo manifesto Marinetti aveva costruito un mito delle origini per il movimento futurista – vi racconta il momento del suo risveglio quando, correndo con la sua macchina sportiva, si rovesciò nel fango di uno stagno per poi riemergerne, rinato, come artista postsimbolista e poeta futurista –, esso aveva già annunciato un profondo coinvolgimento con l'irrazionalità della violenza e del potere.

L'adesione di Marinetti alla tecnologia industriale avanzata e all'estetica della macchina lo indusse a salutare lo scoppio della guerra come una grande purificazione in linea con il totale astio nei confronti della tradizione e dell'individualismo culturale borghese. Primo avanguardista a proporre deliberatamente la distruzione della tradizione, Marinetti dichiarò la propria guerra invitando all'abbattimento delle istituzioni culturali – sale da concerto, teatri, biblioteche, musei. Così facendo, pose la cultura futurista in prima linea nella frattura da poco emersa tra avanguardia e tradizione, organizzando l'avanguardia come scena dell'annichilimento della continuità e della memoria storiche. Inoltre, l'ulteriore tentativo di Marinetti nel dopoguerra di sincronizzare arte e tecnologia avanzata con l'ideologia fascista è stata l'unica occasione nella storia delle avanguardie del XX secolo in cui un legame tra questi elementi è stato posto esplicitamente nella prospettiva della politica reazionaria di destra.

Nell'abbraccio del fascismo da parte di Marinetti – che si candidò senza successo al parlamento come membro del Partito fascista nel 1919 e alla fine diventò consigliere culturale di Mussolini – emerse uno dei problemi chiave delle avanguardie del XX secolo. È la questione se le pratiche d'avanguardia si situano ancora all'interno della sfera pubblica borghese o se devono puntare a contribuire alla formazione di sfere pubbliche diverse nella cultura di massa, che siano fasciste (se mai ne esistono) o ▲ proletarie (scopo degli artisti russi e sovietici di questo periodo). ● In alternativa, come nel caso del Dadaismo, l'avanguardia chiamerà a raccolta per la distruzione della sfera pubblica borghese, incluse le sue istituzioni e formazioni discorsive.

Con la morte accidentale di Boccioni nel 1916, quella in battaglia di Sant'Elia nello stesso anno e il cambiamento radicale nell'orientamento politico ed estetico da parte di Severini e Carrà nello stesso periodo, il Futurismo perde il suo carattere di movimento d'avanguardia (benché Marinetti continui a perseguire un ordine del giorno futurista in arte, letteratura e politica lungo tutti gli anni Venti e Trenta). Severini, che viveva a Parigi, abbandonò le sue strategie pittoriche cubo-divisioniste nel 1916 e adottò forme pure e classiche ispirate dall'arte rinascimentale italiana. Ritornando alla tradizione in questo modo, e usando la pittura ■ quattrocentesca come matrice di *italianità*, fu oracolo della successiva, graduale secessione dell'ideologia fascista dalle pratiche ◆ moderniste. L'ideologia nazionalista avrebbe invece accettato di legarsi alle radici delle culture locali, le cui origini avrebbe cercato di riscoprire.

L'incontro tra Carrà e Giorgio de Chirico in un ospedale militare di Ferrara nel 1917 creò un'altra occasione di controreazione all'interno dell'avanguardia. Carrà era già inquieto sotto il giogo del Futurismo e aveva scritto che non gli interessavano più i "giochi emotivi da elettricisti". Ora era preso dall'attenzione di de Chirico per la forma **[7]**. Praticamente dall'oggi al domani Carrà abbandonò tutti i progetti futuristi per darsi alla Metafisica del meno giovane amico. In questo senso, la scoperta di de Chirico va considerata come un elemento integrale del pensiero d'avanguardia italiano del periodo. Volgendosi alla solidità geometrica di pittori "primitivi" come il Doganiere Rousseau e degli artisti del primo Rinascimento come Giotto e Paolo Uccello, Carrà parlava di loro come dei creatori di "mondi plastici", o meglio di "tragedie plastiche". Il suo testo su Giotto pubblicato su *La Voce* (1915) si rivolgeva a Giotto come a un uomo dedito alla "pura plastica", un "visionario trecentista" che riportò in vita "il silenzio magico delle forme". Giotto, scriveva, si dedicò all'"originaria solidità delle cose". La celebrazione della solidità formale come antidoto alla disintegrazione futurista ripete i termini con cui la pittura modernista ha originariamente sviluppato la stabilità pittorica in reazione alla ricerca dell'evanescenza luminosa. "Noi che ci

▲ 1915 ● Introduzione 3 ■ 1915

▲ 1921b ● 1916a, 1920, 1925c ■ 1919 ◆ 1937a

7 • Giorgio de Chirico, *Le muse inquietanti*, 1925
Olio su tela, 97 x 67 cm

8 • Carlo Carrà, *La musa metafisica*, 1917
Olio su tela, 90 x 66 cm

sentiamo figli non degeneri di una grande razza di costruttori", scriveva Carrà nel catalogo della sua mostra del 1917 a Milano, "abbiamo sempre perseguito figura e termini corposi e precisi e quella atmosfera ideale, senza la quale il quadro non supera le elucubrazioni del tecnicismo e della analisi episodica del reale esterno". Così Carrà rigettava Impressionismo e imitazione futurista dei suoi effetti. Nel 1918 teorizzò poi il metodo che insieme a de Chirico aveva sviluppato nel testo *Contributo a una nuova arte metafisica*.

La musa metafisica **[8]** di Carrà dimostra la sua assimilazione del repertorio visivo dechirichiano. Sulle assi inclinate di una scena poco profonda, pone il manichino in gesso di una tennista insieme a solidi geometrici e a scene dipinte con mappe ed edifici. In realtà tutti i quadri esposti a Milano condividevano il silenzio serale dei cortili e delle piazze di de Chirico, interrotto solo da lunghe ombre isolate.

Dopo il rumore, il silenzio; dopo la celebrazione degli spostamenti di massa imposti dalla guerra, l'elogio della sensibilità aristocratica della tradizione. L'uscita di Carrà e Severini dai ranghi futuristi per diventare i principali seguaci di de Chirico fu il primo e forse più intenso esempio dell'anti o contromodernismo che si diffuse subito dopo in Europa in vari movimenti paralleli, a ▲ cui venne dato il nome collettivo di "*rappel à l'ordre*". Paradossalmente fu nell'arte di de Chirico e Carrà che la dimensione di memoria storica così violentemente messa sotto accusa ed erosa nei primi quattro anni di attività futurista tornava come una vendetta per diventare il punto centrale della loro pratica. BB/RK

ULTERIORI LETTURE:

Luciano Caruso (a cura di), *Manifesti, proclami, interventi e documenti teorici del Futurismo 1909-1944,* SPES, Firenze 1980

Anne Coffin Hanson (a cura di), *The Futurist Immagination,* Yale University Press Art Gallery, New Haven 1983

Pontus Hulten (a cura di), *Futurismo & Futurismi,* Bompiani, Milano 1986

Marianne Martin, *Futurist Art and Theory 1909-1915,* Claredon Press, Oxford 1968

Christine Poggi, *In Defiance of Painting,* Yale University Press, New Haven-London 1992

▲ 1919

1910 – 1919

1910

La danza II e *La musica* di Henri Matisse vengono censurate al Salon d'Automne di Parigi: in questi quadri Matisse porta all'estremo il suo concetto di decorazione, creando un vasto e coloratissimo campo visivo difficile da guardare.

"La mia pittura mi ha ributtato per strada!", confessò Matisse a un amico molto sorpreso della sua visita improvvisa. Due giorni prima questo amico lo aveva lasciato mentre preparava il suo materiale con grande cura e, fatta scorta di cibo, aveva promesso di rinchiudersi un mese per portare a termine un'importante commissione – ma ora Matisse sentiva di non poter più aggiungere un solo tratto alla tela dipinta con grande impeto. Il quadro in questione era o *Natura morta sivigliana* o *Natura morta spagnola* **[1]**, entrambi dipinti "in uno stato febbrile" nel dicembre del 1910 durante un soggiorno in Spagna. "È il lavoro di un uomo agitato", aveva dichiarato successivamente Matisse riferendosi alle due opere: effettivamente in tutta la sua produzione non ci sono tele altrettanto impetuose di queste due nature morte.

Vale la pena ricordare le circostanze della loro realizzazione. Tornando a Parigi inebriato da un viaggio a Monaco, dove aveva visto la più grande esposizione mai dedicata all'arte islamica, Matisse doveva affrontare l'unanime responso negativo (l'unico a sostenerlo ▲ fu il poeta Guillaume Apollinaire, per il quale però non provava grande simpatia) a *La danza II* **[2]** e a *La musica* **[3]**, presentate al Salon d'Automne del 1910, la vetrina annuale di arte contemporanea istituita sette anni prima. Da allora si abituò al tumulto che circondava la sua opera, in qualche misura perfino ad approfittarne, ma questa volta la critica ostile lo aveva colpito duramente. Non solo lo coglieva in un momento difficile (suo padre era morto il giorno dopo il suo ritorno a Parigi), ma ebbe anche effetti immediati sul suo coraggioso e fedele mecenate, il collezionista russo Sergej Ščukin, che aveva commissionato le due grandi opere e seguito con entusiasmo il loro progredire. Quando Ščukin arrivò a Parigi nel mezzo del clamore pubblico, esitò e decise di rifiutarle. (A questo si aggiunse il fatto che i mercanti di Matisse presero in prestito il suo atelier per mostrare l'opera che avevano convinto Ščukin ad acquistare al posto della sua, un grande studio di Puvis de Chavannes).

Sentendosi in colpa, sulla strada di ritorno per Mosca Ščukin mandò un telegramma che annullava le sue decisioni e chiedeva che *La danza II* e *La musica* venissero spedite subito, seguito da una lettera di cancellazione dell'acquisto del Puvis e di scuse. L'improvviso rischio della fine del sostegno di Ščukin era scongiurato, ma Matisse rimase impressionato dal voltafaccia. Rimuginando sull'incostanza dei collezionisti e il tradimento dei mercanti, partì per la Spagna, dove per un mese intero non riuscì né a dormire né a lavorare. Là ricevette l'ultima commissione di Ščukin per due nature morte (che sarebbero state pagate molto bene) e la notizia che *La danza II* e *La musica* erano giunte a Mosca (Ščukin scriveva: "Spero di farmele piacere un giorno").

1 • Henri Matisse, *Natura morta spagnola*, 1910-11
Olio su tela, 89 x 116 cm

Piuttosto che adattare il suo stile alla nuova commissione, Matisse fece una grande scommessa – un vero e proprio "o tutto o niente" – portando all'estremo le sue caratteristiche, cioè la profusione decorativa che aveva caratterizzato molte sue opere degli anni precedenti, come *Armonia in rosso* del 1908, che già apparteneva a Ščukin. Come se non avesse niente da perdere (e non era proprio il suo caso), Matisse si rifiutò di compiacere alla concezione neoclassica della decorazione rappresentata da Puvis: era come se Matisse stesse avvertendo il suo mecenate – che si era preoccupato della nudità delle figure di *La danza II* e di *La musica* e di quello che allora era chiamato il loro carattere "dionisiaco" – che una natura morta poteva essere visivamente altrettanto inquietante. Si potrebbe anche sostenere che, proponendo a Ščukin *Natura morta sivigliana* e *Natura morta spagnola* subito dopo i due pannelli che il collezionista russo aveva trovato così difficili, Matisse alternasse deliberatamente due modelli – uno austero e uno affollato – come

▲ 1911, 1912

2 • Henri Matisse, *La danza II,* 1910
Olio su tela, 260 x 391 cm

per dimostrare che erano due lati di una stessa medaglia. Le opere già parte della collezione di Ščukin suggeriscono che questa sia stata una strategia coerente di Matisse (basta paragonare *I giocatori di bocce* del 1908 e *Ninfa e satiro* del 1909 con *Armonia in rosso*, acquistati poco prima); anche gli acquisti successivi seguirono lo stesso schema (si paragonino l'austera *Conversazione* del 1912 con *La famiglia del pittore* o *L'atelier rosa* del 1911, acquistati insieme).

Un'"estetica dell'accecamento"

Sia *Natura morta sivigliana* che *Natura morta spagnola* sono opere difficili da guardare: chi le guarda non può fissarle a lungo a causa dei pullulanti arabeschi e dei lampi di colore intenso. Come già era ▲ accaduto con *La gioia di vivere*, ma qui anche di più, questi dipinti sembrano cambiare davanti agli occhi; niente sembra che sia lì per restarvi. Fiori, frutta e vasi scoppiano come bolle che si dissolvono nell'intricato e vorticoso sfondo non appena si cerca di isolarli. La centralità della figura è smantellata: l'osservatore si sente costretto a guardare a tutto insieme, ma allo stesso tempo ad affidarsi alla visione periferica a scapito del controllo sull'insieme.

Ora paragoniamo questa turbolenza con *La musica* **[3]**. A prima vista niente può essere più diverso dalla frenetica natura morta della sobrietà di quest'ampia composizione. Ma la differenza si riduce, una volta prese in considerazione le dimensioni reali. Perché, quando si è di fronte agli oltre dieci metri quadrati saturi di colore e al fregio dei suoi cinque musicisti distribuiti sulla superficie, ancora una volta ci si imbatte in un'aporia percettiva: o si prova a guardare le figure ad una ad una e non si riesce a farlo a causa del richiamo del colore puro del resto della tela; oppure, al contrario, si cerca di gettare uno sguardo sul vasto sfondo e allora non ci si può sottrarre alle vibrazioni ottiche causate dalle forme rosse delle figure contrastanti con lo sfondo blu e verde che deviano lo sguardo dal campo visivo. Figure e sfondo si annullano l'un l'altro in un crescendo di energie – cioè l'opposizione su cui si basa la percezione è qui deliberatamente destabilizzata – e la nostra vista finisce offuscata, accecata per eccesso.

Questa "estetica dell'accecamento" era in atto già dal 1906 ed era il risultato dei complessi rapporti di Matisse, durante l'epoca d'oro ▲ del Fauvismo, con l'eredità del Postimpressionismo. Ma assunse una nuova urgenza intorno al 1908, momento in cui Matisse vi rifletteva nelle sue famose *Note di un pittore*, uno dei manifesti artistici più articolati del XX secolo. Qui, tra le altre cose, Matisse definiva la diffrazione dello sguardo come nucleo del suo concetto di espressione: "Per me l'espressione non consiste nella passione che si accenderà su un volto o che si affermerà con un movimento violento. L'espressione si esprime attraverso la composizione del

▲ 1906
▲ 1906

3 • Henri Matisse, *Musica*, 1910
Olio su tela, 260 x 389 cm

mio quadro: lo spazio che occupano i corpi, gli spazi che li circondano, le proporzioni, tutto ne fa parte". In altre parole, come ha cercato di dire per tutta la vita, "espressione e decorazione sono un'unica e identica cosa".

Matisse risponde al più giovane Picasso

Molti fattori hanno contribuito all'improvvisa accelerazione dell'affinamento artistico e teorico di Matisse intorno al 1908. Uno di questi, forse il più importante, fu la competizione con Picasso. ▲ Nell'autunno del 1907 egli aveva visto *Les Demoiselles d'Avignon*, la ● risposta diretta di Picasso ai suoi *La gioia di vivere* e *Nudo blu*. Il quadro aveva messo a disagio Matisse, tra l'altro perché aveva portato il primitivismo più avanti di qualsiasi suo tentativo precedente, e doveva dunque rispondere.

La sua prima risposta fu la grande tela *Bagnanti con la tartaruga* **[4]**, una delle sue opere più oscure e misteriose (il primitivismo del nudo in piedi nel centro è stato notato da tutti i commentatori). Replicando all'"effetto Medusa" di Picasso, Matisse ha distolto dallo spettatore l'occhiataccia dei suoi giganteschi nudi – non senza segnalare che una pura ritirata al regime tradizionale di identificazione mimetica non era più un'opzione disponibile (su questo punto era d'accordo con Picasso). Il quadro non è la rappresentazione di una scena bucolica, né un'allegoria. Cosa fanno allora queste grandi creature? Danno da mangiare a una tartaruga che nemmeno guardano? Non si capisce il motivo delle loro azioni, non più di quanto sembrino in grado di comunicare loro stesse. Si lascia che lo spettatore rifletta sull'"espressione" enigmatica del nudo in piedi o della sua vicina seduta. Ma nessun indizio è fornito dal contesto. Per la prima volta nell'opera di Matisse la scena è ridotta a fasce modulate di colore piatto, come nei mosaici bizantini: verde per l'erba, blu per l'acqua, blu-verde per il cielo scuro. Un paesaggio insignificante ci sta davanti, un mondo inabitabile, in cui non siamo stati invitati.

Ščukin aveva colto la profonda malinconia di quest'opera e, deluso di aver saputo che era stata venduta a un altro collezionista, ne chiese a Matisse una simile. Questa fu *I giocatori di bocce*, un'opera molto meno potente, ma indicativa della direzione che Matisse aveva intrapreso. Il paesaggio è spoglio come in *Bagnanti con la tartaruga* (anche se lo spettro coloristico è molto più luminoso), ma ora i ritmi formali mettono in movimento la composizione (le tre capigliature scure delle teste dei tre giocatori sono ironicamente ripetute dalle loro tre bocce verdi). Qui non ci sono espressioni misteriose: le facce distorte di *Les Demoiselles d'Avignon* di Picasso non interessano più a Matisse; i tratti dei giocatori sono stenografici.

▲ 1907 ● 1903, 1906

Il ritmo visivo, la cui funzione era ancora embrionale in *Bagnanti con la tartaruga*, ora è l'elemento che unifica la tela.

Il passo successivo fu *Armonia in rosso* **[5]**, la prima realizzazione completamente riuscita di quello che sarebbe diventato il programma pittorico di tutta la sua vita: una superficie così tesa che il nostro sguardo vi rimbalza sopra; una composizione così disseminata, così piena di echi in tutte le direzioni, che non possiamo guardarla in maniera selettiva; un dedalo così energico che sembra sempre espandersi lateralmente. Matisse fece un ultimo tentativo di pittura nello stile centripeto di Picasso nella sua *Ninfa e satiro* della fine del 1908 (ancora per Ščukin), una delle sue pochissime opere ad avere una tematica violenta. Ma doveva rimanere un'eccezione (accompagnata soltanto da una serie di disegni e tele mai finite sullo stesso tema, del 1935, e dagli studi per il pannello in ceramica delle *Stazioni della Croce* per la cappella di Vence nel 1949): dopo di ciò, non ci sarà più richiesto di guardare ad una azione da una certa distanza, ma saremo confrontati a una parete dipinta che impone su di noi la saturazione dei suoi colori.

Una certa forma di violenza è infatti implicita in questo tipo di indirizzo. Oggi, dopo tante pagine che celebrano Matisse pittore della "gioia" (o, inversamente, che gli rimproverano il suo "edonismo"), il tipo di aggressività incarnata dalla sua arte è velata. Ma la reazione ferocemente negativa che ricevette all'epoca – e che ▲ continuò a crescere dall'accoglienza di *Lusso, calma e voluttà* al Salon des Indépendants del 1905, passando per lo scandalo del Fauvismo nello stesso anno e le grida che accolsero *La gioia di vivere* nel 1906 e *Nudo blu* nel 1907, fino alla quasi universale condanna di *La danza II* e di *La musica* nel 1910 – è un chiaro indizio che stava toccando un nervo scoperto. Ciò che diventò evidente fu che la concezione di "decorazione" di Matisse apparve all'epoca come uno schiaffo in faccia alla tradizione, sia a quella della pittura che a quella del guardare.

4 • Henri Matisse, *Bagnanti con la tartaruga*, 1908
Olio su tela, 179,1 x 220,3 cm

▲ 1906

5 • Henri Matisse, *Armonia in rosso*, 1908
Olio su tela, 180 x 220 cm

"Decorazioni" ipnotiche

Non fu un caso che i mercanti di Matisse fossero stati così rapidi ad offrire a Ščukin un Puvis al posto delle sue due opere. Grandi aspettative erano riposte nel concetto di "decorazione" in quel periodo: il Salon del 1910 aveva segnato l'apice dei dibattiti su questo argomento iniziati già nei primi anni del secolo (si pensava che potesse riaffermare la grandezza dell'arte francese dopo la crisi della rappresentazione aperta dal Postimpressionismo e approfondita da Fauvismo e Cubismo). Un ritorno a Puvis era auspicato – composizioni "decorative" rivestite di retorica neoclassica –, ma era proprio ciò che Matisse rifiutava. Definire "pannelli decorativi" *La danza II* e *La musica* fece infuriare i critici: i quadri non erano stati fatti per allietare l'occhio né per decorare una parete; erano anzi il crudo prodotto di un folle, baccanali come manifesti pubblicitari che minacciavano di uscire dalla cornice.

Il colore particolarmente forte era ovviamente una delle cause principali delle critiche, ma non avrebbe forse avuto quell'impatto se le opere non avessero avuto quelle dimensioni (non solo la grandezza, ma anche lo scarso numero di elementi contenuti: in ogni tela c'erano solo cinque figure dello stesso color "aragosta", come fu definito allora, e due zone di sfondo – il blu del cielo e il verde della terra). Infatti l'impatto cromatico di *La danza II* e di *La musica*, che ▲ non ebbe eguali fino alle grandi tele di Mark Rothko e Barnett Newman verso la fine degli anni Quaranta, dette la conferma del principio di Matisse secondo cui "un centimetro quadrato di blu è meno blu di un metro quadrato dello stesso blu".

Ma se il decentramento anticlassico di queste opere veniva ritenuto minaccioso e criticato in *La musica* ancor più che in *La danza II*, è anche perché con esse Matisse trovò finalmente un modo per emulare a pieno, anche se con mezzi diversi, l'atteggiamento • apotropaico di *Les Demoiselles d'Avignon* di Picasso. Sebbene sia spoglio come *La musica*, *La danza II* aiuta a chiarire il concetto di "decorazione" in Matisse. Guardando quest'opera, siamo costretti a un movimento senza fine, impossibilitati a rompere con lo sguardo il cerchio rotante del suo febbrile arabesco. L'unica via di fuga di fronte a questa frenesia ipnotica consiste nel sottrarsi, come aveva fatto anche Matisse, spaventato dalle sue nature morte spagnole. *La musica* è ancora più potente, sebbene in un modo più sottile, nella sua interdizione di affrontarla in modo sereno.

Come *Les Demoiselles d'Avignon* di Picasso, questo quadro è cominciato come scena generica: cinque musicisti (tra cui una donna) si guardano interagendo. Nella tela finale le figure, ora tutti uomini, sono sottoposte alla stessa rotazione di novanta gradi che Leo Steinberg ha notato nel quadro di Picasso: immobili, ignorandosi tra loro, guardano verso di noi con sguardo terrificante. Matisse stesso si disse spaventato da quello che chiamò il "silenzio" di questa tela: in contrasto con il movimento irrequieto di *La danza II*, in *La musica* tutto sembra paralizzato. I buchi neri delle bocche dei tre cantori sono senza dubbio inquietanti (indicano quasi più la morte che il suono); l'archetto del violinista sospeso prima di iniziare è davvero sinistro. Nella sua recensione al Salon, Yakov Tugenhold, uno dei più dotati critici d'arte russi del periodo (Ščukin prestava molta attenzione ai suoi testi), descrisse le figure di *La musica* come "uomini-lupo ipnotizzati dalla melodia primordiale dei primi strumenti". Nessuna metafora critica poteva dire meglio come in questa tela Matisse rappresenti lo stesso territorio freudiano descritto anche da Picasso nella scena del bordello, perché, anche più di *Les Demoiselles d'Avignon*, *La musica* è molto ▲ simile all'immagine del sogno dell'Uomo dei Lupi. Va però aggiunta una precisazione alla metafora di Tugenhold: non sono i musicisti ma gli spettatori ad essere ipnotizzati.

Questa ipnosi è basata su un pendolo nella nostra percezione che ci fa spostare dall'incapacità di mettere a fuoco le figure a quella di cogliere l'intero campo visivo, un'oscillazione che definisce l'invenzione stessa del concetto di "decorazione" in Matisse ed è particolarmente difficile da ottenere in una composizione così spoglia. Non sorprenderà dunque che Matisse abbia poi preferito il modo sovraffollato come mezzo più sicuro per mantenere in movimento lo sguardo dello spettatore. Va notato comunque che non ha mai rinunciato del tutto alla versione più spoglia e che questa ebbe un ruolo importante nella sua produzione in diversi momenti chiave della sua carriera, soprattutto quando era in gioco la rivalità con Picasso. Uno di questi momenti fu quando stava cercando di imparare il linguaggio del Cubismo, dal 1913 al 1917 (dopo di che si ritirò a Nizza e nell'Impressionismo fino al 1931, quando le commissioni di illustrare un libro di Mallarmé e di un murale sul tema della danza per la Fondazione Barnes lo riportarono all'estetica della sua giovinezza). Agli anni "cubisti" di Matisse datano opere come *Porta- finestra a Collioure* (1914) o *La tenda gialla* (1915 ca.), così sorprendentemente simili, ancora una volta, alle opere di Rothko e Newman, o *La finestra blu* (1913) e *La lezione di piano* (1916), la cui • atmosfera onirica colpì il poeta surrealista André Breton.

Le opere immediatamente successive a *La danza II* e a *La musica* presero comunque un'altra direzione. Dopo le due "agitate" nature morte spagnole vennero i grandi interni del 1911, *L'atelier rosso*,

▲ 1947b, 1951 • 1907

▲ 1907 • 1924

6 • Henri Matisse, *Natura morta con melanzane*, 1911
Olio su tela, 212 x 246 cm

Natura morta con melanzane **[6]**, *L'atelier rosa*, *La famiglia del pittore* (le ultime due subito acquistate da Ščukin). Meno frenetiche delle tele di Siviglia, e molto più grandi, esplorano lo stesso universo isotropico in espansione. In *L'atelier rosso* un bagno monocromo di rosso allaga lo spazio, annullando qualsiasi possibilità di un contorno; in *La famiglia del pittore* la moltiplicazione dei pattern decorativi attorno alla figura ci fa dimenticare i forti contrasti di colore, come quello tra il nero assoluto del vestito della figura in piedi e il giallo limone del libro che tiene in mano; in *La natura morta con melanzane*, il più sottovalutato ma più radicale di tutta la serie, tutto coopera a farci smarrire: la ripetizione pulsante del motivo floreale che invade pavimento e pareti e sfuma la loro stessa demarcazione, il riflesso nello specchio che mescola coloristicamente il paesaggio fuori dalla finestra e confonde i livelli di realtà, il ritmo sincopato e le diverse dimensioni dei tessuti ornamentali, le pose delle due sculture (una sul tavolo, l'altra sulla mensola del caminetto) che rimano con gli arabeschi del paravento. Le tre melanzane che danno il titolo all'opera sono nell'esatto centro della tela, ma Matisse ci ha resi ciechi riguardo ad esse e solo attraverso uno sforzo consapevole le possiamo, solo fugacemente, individuare. YAB

ULTERIORI LETTURE:

Alfred H. Barr, *Matisse: His Art and His Public*, Museum of Modern Art, New York 1971

Yve-Alain Bois, *Matisse's Bathers with a Turtle*, in *Bulletin of the Saint Louis Art Museum*, n. 3, estate 1998

Yve-Alain Bois, *On Matisse: The Blinding*, in *October*, n. 68, primavera 1994

John Elderfield, *Describing Matisse: A Retrospective*, Museum of Modern Art, New York 1992

Jack D. Flam, *Matisse: The Man and His Art, 1869-1918*, Cornell University Press, Ithaca-New York-London 1986

Alastair Wright, *Arche-tectures: Matisse and the End of (Art) History*, in *October*, n. 84, primavera 1998.

1911

Pablo Picasso restituisce le teste iberiche “prese in prestito” al Louvre, trasforma il suo stile primitivista e insieme a Georges Braque inizia il Cubismo analitico.

Nel 1907, l’anno in cui il poeta e critico Guillaume Apollinaire l’aveva assunto come segretario, il giovane furfante Géry Pieret chiedeva regolarmente agli artisti e scrittori amici di Apollinaire se volevano qualcosa dal Louvre. Loro, naturalmente, pensavano che si riferisse al negozio del Louvre. In realtà lui intendeva proprio il museo, dal quale aveva già rubato alcuni oggetti nelle sezioni meno frequentate.

Fu di ritorno da uno di questi furti che Pieret offrì due teste iberiche arcaiche a Picasso, che aveva scoperto questo tipo di scultura nel 1906 in Spagna e a cui si era ispirato per il ritratto della ▲ scrittrice americana Gertrude Stein. Sostituendo la fisionomia prismatica di quella scultura – gli occhi fissi dalle pesanti palpebre, il piano continuo della fronte fino al naso, gli spigoli paralleli che formano la bocca – alla faccia del modello, Picasso era convinto che quella maschera impassibile fosse “più vera” e più somigliante alla Stein di qualsiasi riproduzione fedele all’aspetto reale. Era dunque molto felice di acquistare quei talismani; e “le teste di Pieret” divennero la base per i tratti dei tre nudi sulla sinistra di ● *Les Demoiselles d’Avignon*.

Ma nel 1911, quando Pieret ripiombò disastrosamente nelle ■ vite di Apollinaire e di Picasso, il primitivismo era già stato superato dallo sviluppo del Cubismo e dunque le teste erano uscite da tempo dagli interessi dell’artista, se non dallo sfondo dei suoi pensieri. L’improvviso problema di Picasso fu che alla fine di agosto del 1911 Pieret aveva portato la sua ultima “acquisizione” dal Louvre agli uffici del *Paris Journal*, vendendo al giornale la sua storia su come fosse facile rubare dal museo. Poiché proprio una settimana prima il Louvre aveva perduto la sua opera più preziosa, la *Monna Lisa* di Leonardo, e una fitta rete di indagini era iniziata da parte della polizia parigina, Apollinaire e Picasso furono in preda al panico finché non consegnarono le teste iberiche al giornale, che, pubblicando fedelmente tutta la storia, portò le autorità sia dal poeta che dall’artista. Furono interrogati, Apollinaire molto più a lungo di Picasso, ma poi vennero rilasciati senza accuse.

Lo sviluppo dell’analisi

Alla fine del 1911 la distanza artistica che separava Picasso dal primitivismo a cui le teste erano state di ispirazione era ormai grande. Le teste iberiche e le maschere africane che Picasso aveva usato come modelli tra il 1907 e il 1908 erano state un mezzo di “distorsione”, per usare il termine dello storico dell’arte ▲ Carl Einstein quando, nel 1929, cercò di analizzare lo sviluppo del Cubismo. Ma questa distorsione “stilizzatrice”, scrisse Einstein, ● diede l’avvio “a un periodo di analisi e di frammentazione, poi a uno di “sintesi”. *Analisi* fu la parola applicata anche alla frantumazione della superficie degli oggetti e alla loro fusione con lo spazio quando Daniel-Henry Kahnweiler, mercante di Picasso durante il periodo cubista, scrisse il primo resoconto attendibile del movimento, *L’ascesa del Cubismo* (1920). Così il termine *analitico* venne legato al Cubismo e “Cubismo analitico” divenne la rubrica sotto cui mettere la trasformazione che Picasso e Braque avevano realizzato nel 1911. Perché in quel periodo avevano spazzato via la prospettiva unificata di secoli di pittura naturalista e avevano invece inventato un linguaggio pittorico che avrebbe tradotto tazze di caffè, bottiglie di vino, volti, busti, chitarre e tavoli in tanti piccoli piani leggermente inclinati.

Guardando a qualsiasi opera della fase “analitica” del Cubismo, per esempio *Daniel-Henry Kahnweiler* di Picasso **[1]** del 1910 o *Il Portoghese (L’emigrante)* di Braque **[2]** del 1911-12, si notano molte caratteristiche importanti. Primo, c’è una strana riduzione della tavolozza del pittore, dall’intero spettro coloristico a un sobrio monocromo: il quadro di Braque è tutto ocra e terre come una fotografia virata in seppia; quello di Picasso soprattutto peltro e argento con riflessi di rame. Secondo, vi è un estremo appiattimento dello spazio visivo, come se un rullo avesse spremuto il volume dai corpi, facendo esplodere i contorni per cui lo spazio può fluire senza sforzo dentro i bordi erosi. Terzo, vi è il vocabolario visivo usato per descrivere i resti materiali di questa esplosione.

È quest’ultimo in particolare, data la sua propensione per la geometria, ad avere determinato l’appellativo di “cubista”. Esso consiste, da una parte, in piani poco profondi posti più o meno paralleli alla superficie del dipinto, la leggera inclinazione resa con chiazze di luce e ombra tremolanti sull’intero campo, che oscurano il bordo di un piano e illuminano l’altro, ma senza che ne risulti un’unica fonte di luce; dall’altra parte, stabilisce un reticolo lineare che suddivide l’intera superficie, in certi punti identifica-

▲ 1907 ● 1907 ■ 1903 ▲ 1930b ● 1921a

bile con i bordi dell'oggetto descritto – per esempio il bavero della giacca di Kahnweiler o il profilo della sua mandibola, o la manica del Portoghese o il manico della sua chitarra –, in altri punti con i bordi di piani che, come impalcature, strutturano lo spazio, e in altri ancora con segni verticali o orizzontali che non descrivono niente ma proseguono il reticolo ripetitivo della griglia. Infine ci sono piccole notazioni di dettagli naturalistici, come l'arco singolo dei baffi di Kahnweiler o quello doppio della catena del suo orologio.

Date le informazioni molto ridotte che se ne ricavano sulle figure e sul loro sfondo, le interpretazioni cresciute intorno al Cubismo di Picasso e Braque in questo periodo sono estremamente curiose. Sia Apollinaire nel suo saggio *I pittori cubisti* (1913), sia gli artisti Albert Gleizes (1881-1953) e Jean Metzinger (1883-1956) nel loro libro *Sul Cubismo*, sia altri critici e poeti legati al movimento, come André Salomon (1881-1969) o Maurice Raynal (1884-1954), tutti gli scrittori tentarono di giustificare questo allontanamento dal realismo sostenendo che ciò che l'osservatore ricavava era una *maggiore* e non una minore conoscenza dell'oggetto rappresentato. Facendo notare che la visione naturale è limitata in quanto non possiamo mai vedere per intero l'oggetto tridimensionale da ogni punto di vista – il massimo che vediamo di un cubo per esempio sono tre facce –, sostenevano che il Cubismo superava questo handicap rompendo con la prospettiva unica per mostrare simultaneamente fronte e retro, cosicché possiamo percepire l'oggetto da qualsiasi punto, cogliendolo concettualmente come la ricomposizione delle vedute che avremmo se ci muovessimo realmente intorno ad esso. Ponendo la superiorità della conoscenza concettuale rispetto al realismo meramente percettivo, questi scrittori inevitabilmente gravitarono verso il linguaggio scientifico, descrivendo la rottura con la prospettiva come un passaggio alla geometria non euclidea, o la simultaneità di distinte posizioni spaziali come una funzione della quarta dimensione.

Le leggi della pittura in quanto tale

Kahnweiler, che aveva esposto nel 1908 i paesaggi di Braque che avevano dato nome al Cubismo (il critico-giornalista Louis Vauxcelles scrisse che Braque aveva ridotto "tutto a figure geometriche, a cubi") e che era mercante di Picasso dal 1909, usò un argomento molto diverso riguardo al Cubismo, di gran lunga più adatto a spiegare l'aspetto attuale dei dipinti. Allontanato a causa dello scoppio della Prima guerra mondiale dalla sua galleria di Parigi e dal movimento artistico che aveva seguito così da vicino, Kahnweiler usò il suo tempo in Svizzera per riflettere sul significato del Cubismo e scrivere la sua interpretazione nel 1915-16.

Sostenendo che il Cubismo era interessato esclusivamente a dare unità all'oggetto pittorico, *L'ascesa del Cubismo* definisce tale unità come la fusione necessaria di due opposti apparentemente inconciliabili: i volumi rappresentati degli oggetti "reali" e la bidimensionalità dell'oggetto fisico del pittore ("reale" come nient'altro per l'artista), che è la tela piatta del quadro. Ragionando che lo strumento pittorico per rappresentare il volume è sempre stato l'ombreggiatura che dà rilievo illusionistico alle forme, e che l'ombreggiatura è solo una questione di tonalità grigie, Kahnweiler comprese la logica di bandire il colore dall'"analisi" cubista e di risolvere in parte il problema utilizzando l'ombreggiatura contro la sua stessa natura, creando cioè il minor rilievo possibile affinché il volume rappresentato sia molto più conciliabile con la bidimensionalità della superficie. Spiegò inoltre la logica di rompere l'involucro dei volumi chiusi per annullare i vuoti tra i bordi degli oggetti e proclamare così la continuità inviolata della superficie della tela. Se concluse dichiarando che "questo nuovo linguaggio ha dato nuova libertà alla pittura", non fu per

Guillaume Apollinaire (1880-1918)

Figlio illegittimo di un membro della piccola nobiltà polacca, Guillaume Apollinaire de Kostrowitzky crebbe sulla Riviera francese nel *demimonde* cosmopolita. A 17 anni, molto influenzato dai poeti Paul Verlaine e Stéphane Mallarmé, compose una "rivista" manoscritta anarco-simbolista tutta di sue poesie e testi. Divenne presto una figura attiva nell'avanguardia parigina che comprendeva allora Alfred Jarry e André Salmon, e incontrò Picasso nel 1903. Insieme a Salmon e a Max Jacob formò il gruppo noto come la *bande à Picasso*. Cominciò a scrivere d'arte nel 1905 e divenne un assiduo sostenitore della pittura più avanzata. Pubblicò *I pittori cubisti* nel 1913, lo stesso anno della sua più importante raccolta di poesie *Alcools*. Allo scoppio della Prima guerra mondiale si arruolò nell'esercito francese e fu mandato al fronte all'inizio del 1915. Da lì scrisse una quantità di cartoline agli amici con annotazioni e *calligrammi*, le poesie graficamente sperimentali che pubblicò poi nel 1918.

Colpito da una scheggia di granata in trincea all'inizio del 1917, venne operato e tornò a Parigi. Nel 1917 tenne la conferenza *Lo spirito nuovo e i poeti* e nel 1918 mise in scena *Le mammelle di Tiresia*, testi entrambi anticipatori dell'estetica surrealista. Ammalatosi a causa delle ferite, morì dell'influenza che invase Parigi nel novembre 1918.

1 • Pablo Picasso, *Daniel-Henry Kahnweiler*, autunno-inverno 1910
Olio su tela, 100,6 x 72,8 cm

sostenere la supremazia del concetto sui dati empirici della realtà – come nell'interpretazione del Cubismo di Apollinaire che si appoggiava alla scienza moderna – ma per garantire l'autonomia e la logica interna dell'oggetto pittorico.

Questa interpretazione, che evitava le ragioni extrapittoriche, ▲ fu condivisa da coloro che, come Piet Mondrian, assunsero il nuovo stile come base per sviluppare un'arte puramente astratta. Non che Mondrian rifiutasse il mondo moderno, come gli sviluppi in campo scientifico e industriale, ma era convinto che per un pittore essere moderno significasse prima di tutto capire la logica del proprio ambito e renderla visibile nella propria opera. Tale teoria sarebbe emersa più avanti come dottrina del "modernismo" ● (opposto a modernità) che il critico americano Clement Greenberg avrebbe enunciato nei primi anni Sessanta sostenendo che la pittura modernista aveva adottato l'approccio del razionalismo scientifico e della logica illuminista limitando la sua pratica all'area "di propria competenza" e spiegando così – attraverso "ciò che è unico e irriducibile di ogni arte particolare" – le leggi della pittura invece di quelle della natura.

Non sorprenderà dunque che l'interpretazione di Greenberg dello sviluppo del Cubismo venisse a rafforzare quella di Kahnweiler. Tracciando una progressione continua verso la compressione dello spazio pittorico, a partire da *Les Demoiselles d'Avignon* fino ■ all'invenzione del collage nel 1912, Greenberg vide il Cubismo analitico come la fusione crescente di due tipi di bidimensionalità: quella "rappresentata", per cui i piani inclinati spingono gli oggetti frammentati sempre più a ridosso della superficie, e quella "letterale" della superficie stessa. Se nel 1911, in un quadro come *Il Portoghese* di Braque **[2]**, diceva Greenberg, i due tipi di bidimensionalità rischiavano di diventare indistinguibili, per cui la griglia sembra articolare solo un'unica superficie e un'unica bidimensionalità, i cubisti risposero aggiungendo espedienti illusionistici, ma solo quelli che, a differenza della prassi pittorica tradizionale, "non ingannano l'occhio". Tali espedienti consistettero in cose come un "chiodo" dipinto che sembra bucare la tela e proiettare un'ombra finta sulla superficie "sottostante", o le lettere stampigliate del *Portoghese* che, col loro evidente essere "sopra" la superficie della tela (risultato della loro applicazione semimeccanica), spingono i piccoli tocchi di ombreggiatura e le forme geometriche sfaccettate indietro nel campo del rilievo rappresentato, appunto "sotto" quella superficie.

Una montagna da scalare

Ricordando il fatto che Braque ha adottato questi espedienti prima di Picasso – non solo le lettere stampigliate e i chiodi che appendono illusionisticamente la tela alla parete, ma anche l'effetto di venatura di legno degli imbianchini – Greenberg ha istituito una competizione interna tra i due artisti, rompendo la loro "*cordée*", auto-proclamata cordata di alpinisti in esplorazione di nuovi territori pittorici (la loro collaborazione fu così intensa che spesso non firmarono le proprie opere). La visione di una gara di bidimensionalità venne ulteriormente incrementata dalla questione di chi dei due avesse assimilato per primo la lezione dell'ultimo Cézanne adottando la tecnica del trapasso visivo tra oggetti adiacenti (detto *passage* in francese), versione anticipatrice della pratica cubista di bucare l'involucro spaziale degli oggetti.

2 • Georges Braque, *Il Portoghese (L'emigrante)*, autunno 1911-inizio 1912
Olio su tela, 114,6 x 81,6 cm

Ora che i nostri occhi si sono via via abituati a questo gruppo di dipinti, siamo in grado di notare le differenze tra le opere dei due artisti, la grande attenzione per la trasparenza in Braque e la qualità più densa e tattile di Picasso, sottolineata dal suo interesse per le possibilità scultoree del Cubismo. Questo senso della densità e ▲ questa attenzione al tatto fecero protestare il critico d'arte Leo Steinberg contro la fusione delle storie dei due artisti e di conseguenza la confusione della nostra visione delle opere individuali.

Infatti l'evidente interesse di Picasso per un qualche residuo di profondità – più manifesto nei paesaggi che dipinse a Horta de Ebro nel 1909 **[3]** – fa sembrare particolarmente incompleto lo schema dello sviluppo del Cubismo verso un progressivo appiattimento dello spazio pittorico. In queste opere, dove sembra che guardiamo da sotto in su – le case salgono verso la cima di una montagna, per esempio, con i piani strombati di tetti e muri che si allineano alla

▲ 1913, 1917a, 1944a ● 1942a, 1960b ■ 1907, 1912 ▲ 1907, 1960b

3 • Pablo Picasso, *Case sulla collina, Horta de Ebro*, estate 1909
Olio su tela, 65 x 81,5 cm

4 • Pablo Picasso, *Donna con mandolino (Fanny Tellier)*, primavera 1910
Olio su tela, 100,3 x 73,6 cm

superficie frontale del quadro – e insieme, in totale contraddizione, improvvisamente gettati all'ingiù attraverso il baratro spaziale aperto tra le case, non è la bidimensionalità ad essere in discussione, ma qualcos'altro. Si potrebbe chiamarla frattura tra l'esperienza tattile e quella visiva, questione che ha ossessionato la psicologia del XIX secolo con il problema di come riunire in un'unica percezione multiforme i pezzi distinti di informazione sensoriale.

Questo problema entra anche negli scritti sul Cubismo, per esempio quando Gleizes e Metzinger scrivono in *Sul Cubismo* che "la convergenza che la prospettiva ci insegna a rappresentare non può evocare l'idea di profondità", cosicché "per costruire lo spazio pittorico dobbiamo fare ricorso a sensazioni tattili e motorie". Comunque l'idea di una composizione spaziale simultanea, soluzione che essi pensavano il Cubismo avesse raggiunto, era molto lontana dai risultati ottenuti da Picasso a Horta de Ebro, dove, ▲ come insisteva Gertrude Stein, è nato il Cubismo stesso. I quadri di Horta lacerano la composizione, rendono profondo qualcosa di tattile, un oggetto di sensazione corporea, un tuffo vertiginoso al centro dell'opera, e rendono visibile qualcosa come un velo (e così stranamente compresso alla bidimensionalità di uno schermo): la disposizione delle forme corre sempre parallela al nostro piano visivo formando quel velo luccicante, come una tendina, che James Joyce ha definito il "diafano".

Così, se da parte sua Picasso *era* stato interessato all'ultimo Cézanne, il centro della sua attenzione ricadeva ora su qualcosa di diverso dall'interesse di Braque per l'effetto conciliatorio del *passage*. Era invece sull'effetto di separazione delle ultime opere di Cézanne, come quando in molte nature morte gli oggetti sul tavolo sono sospesi nello spazio visivo mentre il pavimento su cui sta il tavolo, avvicinandosi alla posizione del pittore e dell'osservatore, sembra proseguire sotto i nostri piedi. Così facendo, le opere mettono in scena la separazione dei canali sensoriali – da visivo a tattile – e pongono l'artista di fronte al problema dello scetticismo visivo, cioè che l'unico strumento a sua disposizione è la vista, ma quella profondità è qualcosa che la vista non può mai *vedere* direttamente. Il poeta e critico Maurice Raynal fu particolarmente colpito da questo scetticismo nel 1912, quando si riferì all'"idealismo di Berkeley" e parlò dell'"inadeguatezza" e dell'"errore" della pittura dipendente dalla visione. Come abbiamo visto, la coerente posizione di questo critico consisteva nel sostituire la "concezione" alla visione e così "riempire il vuoto della nostra vista". Picasso comunque non è mai sembrato interessato a riempire questo vuoto, lo esasperò anzi, come un malato che non vuole guarire.

A differenza della concentrazione di Braque sulla natura morta, Picasso ritornò più volte sul ritratto. Perseguì l'analisi del modo in cui il rapporto tattile con i suoi modelli – le amanti e gli amici più stretti – era destinato a sparire dietro il velo visivo del "diafano" con le sue forme frontali; ma allo stesso tempo espresse il suo sgomento con zone di ombreggiatura "ingiustificate", una vellutata voluttà sempre più distaccata dai volumi che formalmente dovrebbero descrivere. Lo si può vedere dietro il braccio e il seno destri di Fanny Tellier (la modella di *Donna con mandolino*

▲ 1907

5 • Pablo Picasso, *Natura morta con sedia impagliata*, 1912
Olio e tela incerata su tela, corda, 27 x 34,9 cm

[**4**]) o nell'area intorno al mento e all'orecchio di Kahnweiler.

In nessun'altra opera questa disgiunzione tra visivo e tattile è così assoluta *e* così sinteticamente espressa come in *Natura morta con sedia impagliata* [**5**] che Picasso dipinse nella primavera del 1912, ormai alla fine del Cubismo analitico. Incollando una corda intorno a una tela ovale, Picasso creò una piccola natura morta che sembra allo stesso tempo inserita nella cornice scolpita di un normale quadro, quindi messa in rapporto al campo verticale del nostro piano visivo, e composta sulla superficie di un tavolo ovale, il cui bordo scolpito è rappresentato dalla stessa corda e la cui copertura è data letteralmente da un ritaglio incollato di tela cerata. Come il tuffo all'ingiù a Horta, la visione dall'alto del tavolo è rappresentata qui come unica alternativa, un'orizzontale in diretta opposizione alla verticale del "diafano", una prospettiva concreta che dichiara il tattile separato dal visivo.

L'impegno di Braque sulla trasparenza rivela invece la sua fedeltà al lato visivo delle arti, la sua obbedienza alla tradizione della pittura-diafano. Il suo *Omaggio a J. S. Bach* (1911-12) pone un violino (segnalato dai fori a "*f*" e dalla chiocciola) su un tavolo dietro a un leggio su cui sta la partitura intitolata "J. S. Bach" (in rima con il nome Braque). A causa dell'ombreggiatura irregolare ogni oggetto si legge chiaramente dietro l'altro e la natura morta cade davanti ai nostri occhi come una tendina di pizzo. RK

ULTERIORI LETTURE:

Yve-Alain Bois, *The Semiology of Cubism*, in Lynn Zelevansky (a cura di), *Picasso and Braque: A Symposium*, Museum of Modern Art, New York 1992

Clement Greenberg, *The Pasted-Paper Revolution*, in *The Collected Essays and Criticism, Vol. Four: Modernism with a Vengeance, 1957-1969*, University of Chicago, Chicago 1993

Daniel-Henry Kahnweiler, *The Rise of Cubism*, trad. ingl. Wittenborn-Schultz, New York 1949

Rosalind Krauss, *The Motivation of the Sign*, in Lynn Zelevansky (a cura di), *Picasso and Braque: A Symposium*, Museum of Modern Art, New York 1992

Christine Poggi, *In Defiance of Painting*, Yale University Press, New Haven-London 1992

Robert Rosenblum, *Cubism and Twentieth-Century Art*, Harry N. Abrams, New York 1960

William Rubin, *Cézannisme and the Beginnings of Cubism*, in William Rubin (a cura di), *Cézanne: The Late Work*, Museum of Modern Art, New York 1977

Leo Steinberg, *Resisting Cézanne: Picasso's "Three Women"*, in *Art in America*, n. 6, novembre-dicembre 1978.

1912

Il collage cubista è inventato durante una serie di circostanze ed eventi concomitanti: lo sviluppo dell'ispirazione della poesia simbolista, la nascita della cultura popolare e le proteste socialiste contro la guerra nei Balcani.

Se il modernismo si alleò coerentemente allo "shock del nuovo", la forma che assunse in poesia venne espressa da ▲ Guillaume Apollinaire nell'estate del 1912, quando all'improvviso cambiò il titolo del suo libro in uscita dal simbolista *Eau de vie* al più popolare *Alcools* e subito scrisse una nuova poesia da aggiungere alla raccolta. Questa poesia, *Zona*, registrava la scossa che la modernità aveva procurato ad Apollinaire celebrando i giochi linguistici dei manifesti pubblicitari e delle insegne stradali.

L'annuncio di Apollinaire giunse nel momento stesso in cui una prima avanguardia letteraria si stava trasformando in istituzione attraverso la nuova rivista *La Nouvelle Revue Française (N.R.F.)* e il sostegno di scrittori come André Gide, Paul Valéry e soprattutto – grazie al dotto saggio di Albert Thibaudet a lui dedicato – Stéphane Mallarmé. Ma ciò che Apollinaire indicava era che la barricata che il Simbolismo – e Mallarmé in particolare – aveva cercato di erigere tra giornalismo e poesia era ora caduta. Basta leggere *Zona*: "Leggi i volantini i cataloghi i manifesti che cantano a voce alta / Ecco la poesia stamani e per la prosa ci sono i giornali / Ci sono le dispense da 25 centesimi piene di avventure poliziesche".

I giornali, che *Zona* celebrava come fonte per la letteratura, risultano il punto di svolta anche per il Cubismo, in particolare per quello di Picasso che, nell'autunno 1912, trasformò il Cubismo analitico nel nuovo medium del collage. Se *collage* significa letteralmente "incollare", Picasso aveva certo già avviato questo ● procedimento prima con la sua *Natura morta con sedia impagliata*, un quadro cubista analitico in cui aveva incollato un pezzo di tela cerata stampata industrialmente. Ma il mero incollaggio di materiale estraneo a una concezione pittorica immutata – come nel caso ■ del pittore futurista Gino Severini, che nel 1912 fissò lustrini veri sulle sue frenetiche rappresentazioni di danzatrici – era del tutto diverso dalla strada seguita dal Cubismo una volta che Braque introdusse **[1]**, e Picasso riprese, l'integrazione di forme di carta relativamente grandi sulle superfici dei disegni cubisti.

Con questo sviluppo – chiamato *papier collé* – l'intero vocabolario del Cubismo cambiò di colpo. Erano finiti i piani inclinati con frammenti di modellato, talvolta disposti agli angoli, talaltra liberamente fluttuanti o gravitanti verso una sezione della superficie squadrata dell'opera. Al loro posto ora c'erano carte di varia forma e figura: carte da parati, giornali, etichette di bottiglie, partiture musicali, anche pezzi di vecchi disegni riciclati. Coprendo il resto come su una scrivania o un tavolo da lavoro, questi fogli si allineano alla frontalità della superficie di supporto; così, oltre a segnalare appunto la condizione frontale della superficie, dichiarano anche che essa è sottile come un foglio, profonda tanto quanto la distanza tra il recto e il verso.

Visivamente, tuttavia, le operazioni del *papier collé* vanno contro questa pura letteralità, come quando, per esempio, diversi fogli si combinano e forzano a leggere la superficie dello sfondo come elemento frontale, definendolo – contro le caratteristiche materiali della sua posizione – come superficie dell'oggetto principale sul tavolo della natura morta, una bottiglia di vino forse, o uno strumento musicale **[2]**. Il gioco visivo di tale "rovesciamento di figura e fondo" è stato anche un carattere del Cubismo analitico, ma il collage andò oltre nella dichiarazione di una rottura con quella che – per usare il termine semiologico – può essere chiamata l'"iconicità" stessa.

La rappresentazione visiva ha sempre presupposto che il suo ambito fosse l'"iconico", cioè di possedere alcuni livelli di somiglianza con la cosa rappresentata. Questione di "apparenza", la somiglianza può sopravvivere a diversi livelli di stilizzazione e rimanere intatta come sistema coerente di rappresentazione: quel quadrato attaccato a quel triangolo rovesciato unito a quelle forme a zigzag producono, diciamo, le identità visive di testa, torso e gambe. Quello che sembrava non avere niente a che fare con l'iconico era l'ambito che i semiologi chiamano "simbolico", con cui indicano i segni completamente arbitrari (perché in nessun modo somiglianti al referente) che costituiscono, per esempio, il linguaggio verbale: le parole *cane* e *gatto* non possiedono un legame né visivo né auditivo con i significati che rappresentano o con gli oggetti a cui si riferiscono.

Spazzar via

È adottando appunto questa forma arbitraria del "simbolo" che il collage di Picasso dichiarò la sua rottura con l'intero sistema della rappresentazione basato sull'"apparenza". L'esempio più chiaro lo porta fino a disporre due forme di carta da giornale in modo che si veda che sono state tagliate, a puzzle, da un'unica pagina di partenza **[2]**. Uno di questi ritagli sta in una zona su cui passa il disegno a carboncino che rappresenta un violino, cosicché le righe

▲ 1911 ● 1911 ■ 1909

stampate del giornale fanno da sostituto del legno dello strumento. L'altro, sospeso nella parte alta destra del collage, si dichiara invece non come continuazione del suo "gemello" ma suo opposto contraddittorio, poiché le righe stampate di *questo* frammento indicano ora quel tipo di colorazione tratteggiata o sfumata con cui i pittori hanno tradizionalmente indicato l'atmosfera luminosa, organizzando così il pezzo di giornale come segno che sta per "sfondo" in rapporto alla "figura" del violino.

▲ Usando quello che i semiologi chiamano un "paradigma" – un'opposizione binaria con cui ogni metà della coppia prende significato *non* significando l'altra – la manipolazione di questa coppia attraverso il collage indica che ogni elemento nell'opera vuole significare di essere completamente funzione di un insieme di contrasti negativi piuttosto che dell'identificazione positiva dell'"apparenza". Perché anche se i due elementi sono stati letteralmente tagliati dallo stesso pezzo, il sistema di opposizioni in cui sono ora posti mette il significato dell'uno – opaco, frontale, oggettivo – in contrasto con quello dell'altro – trasparente, luminoso, amorfo. Il collage di Picasso fa così funzionare gli elementi dell'opera secondo la definizione linguistico-strutturale del segno come "relativo, oppositivo e negativo". Così facendo, il collage sembra non solo avere assunto la condizione visiva arbitraria dei ● segni verbali ma anche partecipare a (o, secondo il linguista di

1 • Georges Braque, *Piatto con frutta e bicchiere*, 1912
Carboncino e papier collé, 62 x 44,5 cm

2 • Pablo Picasso, *Violino*, 1912
Papier collé e carboncino, 62 x 47 cm

origine russa Roman Jakobson, iniziare) una rivoluzione nella rappresentazione occidentale che va al di là del visivo per estendersi al letterario, e all'economia politica.

Al di là del modello aureo

Infatti, se il significato del segno arbitrario è stabilito dalla convenzione invece che da ciò che può sembrare la verità naturale dell'"apparenza", esso può a sua volta essere collegato al denaro simbolico delle banche moderne, il cui valore è una funzione della legge più che un valore "reale" di conio, come una data quantità d'oro o argento o un rapporto di cambio con un metallo prezioso. Gli studiosi di letteratura hanno così stabilito un parallelo tra il naturalismo come condizione estetica e il modello aureo come sistema economico in cui i segni monetari, come quelli letterari, erano considerati trasparenti alla realtà che li assicurava.

Se il senso di questo parallelo è quello di preparare il critico letterario all'abbandono modernista del modello aureo e alla sua adozione dei segni "simbolici" – arbitrari in sé e dunque convertibili a qualsiasi insieme di valori attraverso una matrice significante o un insieme di regole – nessuno ha realizzato questa frattura con il naturalismo linguistico altrettanto radicalmente o presto quanto Stéphane Mallarmé, nella cui poesia e prosa il segno linguistico è

▲ Introduzione 3 ● Introduzione 3, 1915

trattato come selvaggiamente "polisemico", o produttivo di molteplici – e spesso opposti – significati.

Giusto per restare sul termine *oro*, Mallarmé lo usò non solo per esplorare il metallo e i concetti collegati di ricchezza o luminosità, ma anche per approfittare del fatto che la parola francese per oro ("*or*") è identica all'avverbio "ora, adesso"; questo la rende produttiva di una sorta di deviazione temporale o logica del flusso di linguaggio che il poeta giunse ad indagare, non tanto a livello del significato quanto a quello del supporto materiale del segno (il significante). Così nella poesia *Or*, questo elemento appare ovunque, sia da solo che incorporato in parole più lunghe, un significante che talvolta si piega sul suo significato – "*trésOR*" – ma più spesso no – "*dehOR*", "*fantasmagORique*", "*hORizon*", "*majORe*", "*hORs*" –, sembrando in tal modo dimostrare che è l'incontrollabilità stessa dell'espansione fisica di *or* a farne un significante veramente libero dal modello aureo di ogni suo più diverso significato.

C'è un paradosso nell'uso di questo esempio all'interno di un resoconto più vasto della modernità – che include il collage di Picasso – come qualcosa di stabilito dall'arbitrarietà dell'economia basata sul denaro simbolico. Mallarmé dispiega infatti il segno stesso di ciò che il denaro simbolico pretende di sostituire, cioè l'(antiquato) oro, per celebrare la libera circolazione del senso nel nuovo sistema. Anche il valore che egli continua a far corrispondere all'oro non è quello del vecchio naturalismo, ma quello del sensuale materiale del linguaggio poetico in cui niente è trasparente al senso senza passare attraverso la carne del significante, il suo profilo visivo, la sua musica: /oro/ = suono; *or* = sono*re*. Era questo l'oro poetico che Mallarmé esplicitamente contrastava con ciò che chiamava il *numéraire*, o vuoto valore contante, del giornalismo in cui, ai suoi occhi, il linguaggio aveva raggiunto il grado zero del mero strumento di registrazione.

Esplorando i margini

L'interpretazione del collage di Picasso è, nel contesto della storia dell'arte, un campo di battaglia in cui diverse parti della discussione precedente si sono opposte l'una all'altra. Da una parte c'è il legame tra Picasso e Apollinaire, il più grande amico del pittore e suo più attivo apologeta, che supporterebbe il modello di un Picasso che ha l'atteggiamento del "fare il nuovo" (o, come lo chiamava Apollinaire, un *esprit nouveau*) attraverso giornalismo e giornali – quasi, effettivamente, gettando in faccia a Mallarmé la "poesia dell'oggi". Enfatizzando l'entusiasmo di Apollinaire per ciò che era moderno, sia nel senso di effimero sia in opposizione alle forme tradizionali d'esperienza, questa posizione lega l'uso dei giornali e altri *papiers* da parte di Picasso a un attacco contro il medium da belle arti della pittura a olio e le sue pretese di durata e unità compositiva. La condizione altamente instabile del giornale condanna fin dall'inizio il collage alla transitorietà; mentre le procedure di stendere, spillare e incollare i *papiers collés* assomigliano ai modi del design commerciale più che ai protocolli delle belle arti.

3 • Pablo Picasso, *Tavolo con bottiglia, bicchiere di vino e giornale*, autunno-inverno 1912
Papier collé, carboncino e gouache, 62 x 48 cm

Questa posizione vedrebbe anche Picasso, come Apollinaire, impegnato in un'esperienza estetica ai margini del socialmente regolato, poiché soltanto da quella posizione gli artisti avanzati potevano costruire un'immagine di libertà. Come ha sostenuto lo storico dell'arte Thomas Crow, questo ha di conseguenza indirizzato l'avanguardia verso le forme "basse" di intrattenimento e gli spazi non irrigimentati (per Henri de Toulouse-Lautrec [1864-1901] fu il crepuscolare locale notturno, per Picasso era il caffè proletario), anche se, per ironia della sorte, tale indagine ha sempre finito con il consegnare questi spazi a un'ulteriore socializzazione e mercificazione da parte delle stesse forze cui l'artista voleva sfuggire.

Se questi argomenti sostengono l'assunzione da parte di Picasso dei valori "bassi" e "moderni" del giornale, sono gli stessi commentatori a descrivere le sue ragioni di sfruttamento di questo materiale come principalmente politiche. Picasso, affermano, ritaglia le colonne dei giornali per poter leggere gli articoli scelti, molti dei quali nell'autunno del 1912 riferivano della guerra nei Balcani. Questo è vero, certo, a livello di titoli – un primo collage **[3]** ci si presenta con "*Un coup de thé[âtre], la Bulgarie, la Serbie, le Monténégro sign[ent]*" (Colpo di scena, Bulgaria, Serbia, Montenegro firmano) – ma anche del piccolo carattere in cui i resoconti di guerra sono raggruppati intorno al tavolo da caffè e raccontano di

4 • Pablo Picasso, *Bicchiere e bottiglia di Suze*, 1912
Papier collé, gouache e carboncino, 65,4 x 50,2 cm

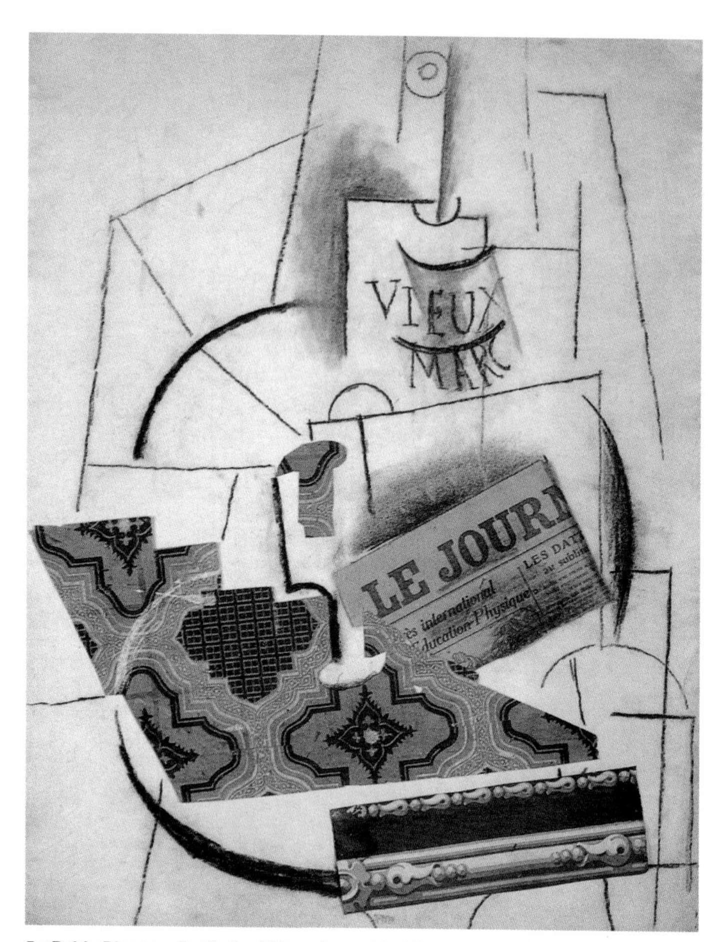

5 • Pablo Picasso, *Bottiglia di Vieux Marc, bicchiere e giornale*, 1913
Carboncino e papier collé, 63 x 49 cm

una manifestazione contro la guerra a Parigi [4]. Nel dare quelle che considera le ragioni di Picasso, la storica dell'arte Patricia Leighten ha sostenuto che egli mette così in contatto il lettore/spettatore con una realtà politicamente tesa nei Balcani; o che, diversamente, presenta al lettore/spettatore una sorta di discussione animata in un caffè parigino dove vanno i lavoratori per leggere le notizie del giorno, non potendosi permettere l'acquisto di un giornale; o, ancora, che Picasso sta separando l'intenzionale cacofonia del giornale – nell'intento di servire le notizie come altrettanti spettacoli separati – e usando il collage come "controdiscorso" che avrebbe il potere di ricomporre le storie separate nel racconto coerente della manipolazione del campo sociale da parte del capitale.

Con queste proposte ci siamo progressivamente allontanati dall'idea di collage come agente di rottura del vecchio sistema di rappresentazione naturalistico, "iconico". Se infatti immaginiamo Picasso che compone gli articoli di giornale per illustrare una realtà lontana, o che li usa per descrivere delle persone che discutono in un caffè, o che li sistema in un quadro ideologico coerente dove fino a quel momento c'era solo confusione, penseremo a segni visivi che si collegano direttamente alle cose che si suppone descrivano. L'unica innovazione di Picasso sarebbe allora quella di sistemare i suoi disputanti con nuvolette da fumetto per i loro argomenti come in una perfetta scena intorno a un tavolo più o meno convenzionalmente disegnato. Abbiamo cioè un esempio di artista politicamente impegnato (sebbene l'atteggiamento politico di Picasso in questo periodo sia aperto a discussioni), ma abbiamo perso l'innovatore al livello dell'intera storia della rappresentazione da cui eravamo partiti.

Qui è dove Mallarmé sfida Apollinaire, anche l'Apollinaire che sembrò rispondere al collage di Picasso con l'invenzione della propria fusione del verbale con il visivo nei *calligrammi*, che iniziò nel 1914. Disponendo segni scritti in immagini grafiche, i *calligrammi* diventano infatti doppiamente "iconici": le lettere compongono per esempio la forma grafica di un orologio da tasca semplicemente rafforzando a livello visivo ciò che esprimono in forma testuale: "Manca cinque a mezzogiorno, infine!"[8]. E se in tal modo i *calligrammi* assumono l'impostazione grafica delle pubblicità o dei logo dei prodotti, tradiscono comunque ciò che vi è di più radicale nella sfida di Picasso alla rappresentazione: il suo rifiuto dell'ambigua "icona" a favore del gioco mutazionale senza fine del "simbolo".

Come il gioco mutazionale di Mallarmé, dove niente è mai un'unica cosa – come quando i significanti dividono, doppiano "*son or*" (il suo oro) con "*son or*" (il suono "*or*" e implicitamente la *sonor*ità della poesia) – i segni di Picasso mutano visivamente ripiegando una cosa nell'altra per produrre la coppia oppositiva del paradigma. Come nel precedente *Violino*, questo è evidente in *Bottiglia di Vieux Marc, bicchiere e giornale* [5], dove una forma come di berretto a busta, ritagliata da una pagina di giornale, si legge come *trasparenza* interferendo sia con il bordo del bicchiere di vino sia con il suo contenuto liquido, mentre sotto, il profilo rovesciato del ritaglio del "berretto a busta" registra l'*opacità* dello stelo e della base dell'oggetto, dichiarandosi figura (non importa quanto spettrale) contro lo sfondo della tovaglia di carta da parati. Il paradigma è espresso perfettamente, poiché i significanti – identici nella forma – producono l'uno il significato dell'altro, mentre la loro opposizione nello spazio (diritto in alto/rovescio in basso) echeggia il loro rovesciamento semantico.

Se il gioco del significato visivo nei collage è dunque mutazionale, anche il gioco testuale innescato dall'uso del giornale da parte di Picasso è ritagliato liberamente dalla fissità di ogni "interlocutore" alla cui voce, opinione o posizione ideologica possiamo attribuirla. Infatti non appena decidiamo che Picasso ha preso un articolo dalle pagine finanziarie per denunciare lo sfruttamento dei lavoratori, e dunque per "parlare" attraverso questo prelievo, dobbiamo ricordare che Apollinaire, fingendo di scrivere per una rivista finanziaria semifraudolenta, era famoso per le sue false informazioni sul mercato azionario e che la voce che il collage nasce da qui può facilmente essere "sua".

Così Picasso ha lasciato parlare lo stesso Mallarmé dalle superfici di vari collage, come quando *Au Bon Marché* accosta a una voce come quella di Fernande Olivier (ex compagna di Picasso) – che parla di biancheria e pizzi – le diverse voci che Mallarmé usava come pseudonimi nella sua elegante rivista di moda *La Dernière Mode*, o quando il titolo *Un coup de thé* suona come quello della poesia più radicale di Mallarmé *Un coup de dés*.

Molto è stato detto del ricorso di Picasso ai modelli di distorsione ▲ e di semplificazione offerti dall'arte tribale africana. Kahnweiler insisteva comunque che fu una particolare maschera della collezione di Picasso ad "aprire gli occhi al pittore". Questa maschera Grebo della Costa d'Avorio è una collezione di "paradigmi".

La ricerca di Picasso nell'ambito della scultura costruita mostra l'effetto dell'esempio Grebo. Fatta di pezzi di lamiera, corda e filo • metallico, la sua *Chitarra* del 1912 **[6]** definisce la forma dello strumento attraverso una singola superficie di metallo da cui sporge il foro della cassa, proprio come gli occhi della maschera Grebo. Ogni piano si staglia contro la superficie-rilievo come figura contro lo sfondo, una forma di paradigma che il precedente *Violino* aveva indagato. Il primo collage a riflettere la lezione della maschera Grebo è *Chitarra, partitura e bicchiere* **[7]**, in cui ogni pezzo si legge come stagliato sul ritaglio piano del fondo: la luna nera del bordo più basso della chitarra si doppia come sua ombra sul tavolo su cui poggia; il foro della cassa sembra proiettarsi come un tubo solido davanti al corpo dello strumento. RK

ULTERIORI LETTURE:

Yve-Alain Bois, *Kahnweiler Lesson*, in *Painting as Model*, MIT Press, Cambridge (Mass.) 1990

Yve-Alain Bois, *The Semiology of Cubism*, in Lynn Zelevansky (a cura di), *Picasso and Braque, A Symposium*, Museum of Modern Art, New York 1992

Thomas Crow, *Modernism and Mass Culture*, in Serge Guilbaut, Benjamin H. Buchloh e David Solkin (a cura di), *Modernism and Modernity*, The Press of the Nova Scotia College of Art and Design, Halifax 1983

Rosalind Krauss, *The Picasso Papers*, Farrar, Strauss & Giroux, New York 1998

Patricia Leighten, *Re-Ordering the Universe: Picasso and Anarchism, 1897-1914*, Princeton University Press, Princeton 1989

Robert Rosenblum, *Cubism and Twentieth-Century Art*, Harry N. Abrams, New York 1960

7 • Pablo Picasso, *Chitarra, partitura e bicchiere*, autunno 1912
Papier collé, gouache e carboncino, 47,9 x 36,5 cm

6 • Costruzione montata nello studio di Picasso al 5bis di Rue Schoelcher, 1913
Maquette in cartoncino per *Chitarra* (distrutta)

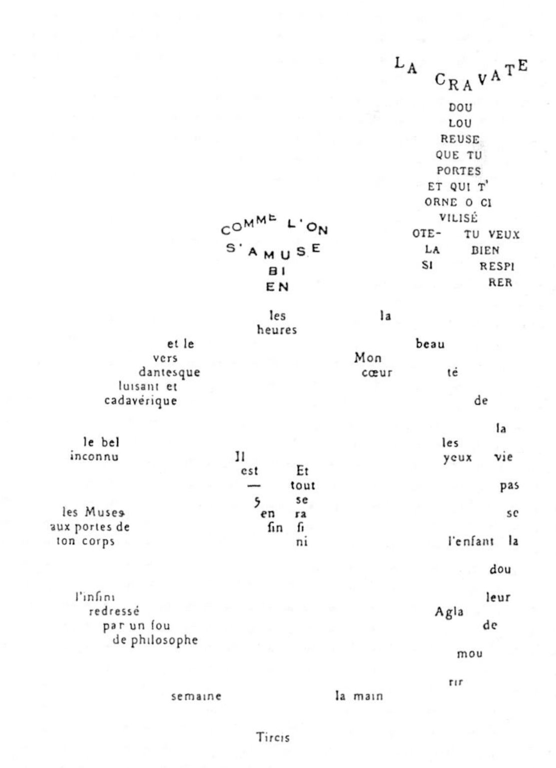

8 • Guillaume Apollinaire, *La cravatta e l'orologio*, 1914
Da *Calligrammes: Poèmes de la paix et de la guerre, 1913-16, Part I: Ondes*, 1925

▲ 1907 • Introduzione 3

1913

Robert Delaunay espone le sue *Finestre* a Berlino: i primi problemi e paradigmi dell'astrazione vengono elaborati in diverse parti d'Europa.

"Cézanne ha rotto la fruttiera", ha notato Robert Delaunay (1895-1941), "e noi non la reincolleremo un'altra volta, come fanno i cubisti". Questo appello all'astrattismo è abbastanza chiaro, benché il suo sviluppo reale fosse piuttosto complicato: centrato sulla pittura, l'astrattismo fu guidato da diverse motivazioni, metodi e modelli. Alcuni artisti approfondirono l'aspetto pittorico dell'Impressionismo, altri la dimensione espressiva del Postimpressionismo; altri ancora il linearismo dell'Art ▲ nouveau. La "fruttiera" infranta di Cézanne e Picasso influenzò molti pittori dell'arte non rappresentazionale; le ampie campiture di colore di Matisse ispirarono altri e anche le nette forme geometriche della scultura africana servirono da importante provocazione, talvolta integrate o sostituite dall'arte popolare (e, in Russia, dalle icone religiose). Nel 1912-13 tali precedenti e provocazioni portarono al riconoscimento dell'astrattismo come un valore, perfino una necessità, in sé. Poiché l'astrazione è primordiale nelle arti di tante culture, non è questione di una singola origine o di una prima astrazione: in questo senso l'astrazione fu tanto scoperta quanto ● inventata. In un famoso aneddoto Vasilij Kandinskij ha raccontato come una notte, tornando nel suo studio di Murnau, in Germania (siamo nel 1910), non riusciva a riconoscere un suo quadro rovesciato in penombra, scoprendo attraverso questa esperienza il potenziale espressivo delle forme astratte.

Se non esiste un unico padre dell'astrattismo, ne esistettero però molte ostetriche, in particolare il francese Delaunay, la russa Sonia Terk (1885-1979; sposò Delaunay nel 1910), l'olandese Piet ■ Mondrian e i russi Kandinskij e Kasimir Malevič (1878-1935). Gli ultimi tre hanno spesso il posto d'onore, ma altri astrattisti furono anche il ceco František Kupka (1871-1957), il francese Fernand Léger (1881-1955), i raggisti russi Michail Larionov (1881-1964) e Natalia Gončarova (1881-1962), il vorticista inglese Wyndham Lewis, i futuristi italiani Giacomo Balla e Gino Severini, ◆ lo svizzero-tedesco Paul Klee (1879-1940), l'alsaziano Hans Arp (1888-1966), la svizzera Sophie Taeuber (1889-1943; sposò Arp nel 1921), i sincromisti americani Morgan Russell (1886-1953) e Stanton Macdonald-Wright (1890-1973), e altri ancora come l'americano Arthur Dove (1880-1946), che chiamò le sue quasi-astrazioni "estrazioni". Questa lista evidenzia due punti: l'astrattismo fu internazionale e molti dei suoi innovatori non si formarono nell'avanguardia parigina. Perché avrebbero dovuto? ▲ Sebbene Matisse e Picasso avessero aperto la via all'astrazione, furono troppo coinvolti nel mondo degli oggetti – o, più precisamente, nel gioco visivo di figure e segni che esso offre – per entrare nell'astrazione assoluta. D'altro lato, Kandinskij, Malevič, Mondrian, Klee e Kupka si formarono in culture (russa, olandese, tedesca, ceca) i cui imperativi metafisici e/o pulsioni iconoclaste possono aver reso l'astrazione meno aliena.

Da questo punto di vista la Russia fu particolarmente importante come crogiolo dell'astrattismo. Vi erano importanti ● collezioni di pittura d'avanguardia (la Ščukin da sola vantava trentasette Matisse e quaranta Picasso), ampie esposizioni d'arte internazionale non solo a San Pietroburgo e Mosca ma anche nelle città di provincia, e un insieme di gruppi impazienti di assimilare le lezioni di Simbolismo, Fauvismo, Futurismo e Cubismo, così come di rielaborare l'arte popolare, il disegno dei bambini e le icone medievali (una mostra di icone restaurate si tenne a Mosca nel 1913). Questi ultimi interessi erano forti in Larionov, che era attratto dalle sculture lignee note come *lubki*, e Gončarova, i cui primi quadri della vita contadina riflettevano le forme semplici e i contorni marcati delle sculture, ricami e smalti contadini. Larionov e Gončarova erano anche molto attivi nell'organizzazione di mostre (*Il fante di quadri* nel 1910 e *La coda dell'asino* nel ■ 1912 furono le più importanti); e, ispirati da Cubismo e Futurismo, si spostarono dagli esperimenti primitivisti verso una forma di astrattismo segnata da linee frammentate e colori luminosi – uno stile che Larionov chiamò Raggismo per il modo in cui la superficie del quadro sembra segnata da molteplici raggi di luce che lo attraversano, cristallizzano e talvolta si dissolvono. La struttura di questi quadri deve molto al Cubismo, ma il dinamismo è futurista (come la retorica che li supportava) e questa combinazione di sfaccettature cubiste e movimento futurista si risolse in quadri che di fatto furono tra i primi astrattisti. Solo poche di queste opere tuttavia vennero realizzate prima che Larionov e Gončarova fuggissero dalla guerra a Parigi (dove disegnarono ◆ spesso le scene e i costumi per i Balletti russi di Sergej Djagilev).

Anche se l'astrattismo ha abbandonato il rapporto mimetico con il mondo, non ha necessariamente abbracciato la natura "arbitraria" del segno visivo indagata dal collage e dalla costruzione

▲ 1903, 1906 ● 1908 ■ 1908, 1915, 1917a, 1944a ◆ 1908, 1909, 1916a, 1918, 1922, 1925c ▲ 1906, 1910, 1911, 1912 ● 1910 ■ 1909, 1911 ◆ 1919

▲ cubisti. Gli artisti astrattisti possono aver rifiutato di descrivere le cose del mondo, ma spesso aspirarono a evocare concetti trascendentali – come la "sensibilità", lo "spirito" o la "purezza" – in questo modo sostituendo un tipo di fondamento, una forma di autorità, con un altro. (In un testo influente come *Lo spirituale nell'arte* [1911] Kandinskij chiamò questa nuova autorità "necessità interiore" e altri seguirono con espressioni simili.) Tale insistenza sulle verità trascendentali tradisce il timore che l'astrattismo possa essere arbitrario in due sensi ulteriori. Primo, arbitrario nel senso di *decorativo*: in una conferenza del 1914 a Colonia Kandinskij mise in guardia che l'astrattismo "ornamentale" potesse essere d'ostacolo piuttosto che produrre l'effetto artistico trascendentale richiesto. Secondo, arbitrario nel senso di *insignificante*: di fronte all'accusa, reale o temuta, che l'astrattismo non significhi niente, i suoi sostenitori spesso compensavano con rimandi tendenziosi ai significati assoluti – trascendentali per Kandinskij, rivelatori per ● Malevič, utopistici per Mondrian e così via. Quando non definito in simili termini grandiosi, l'astrattismo era spesso definito negativamente – contro l'arte basata sulla mimesi (vista come accademica) e contro il design decorativo (visto come una forma bassa o applicata). Ma molte eccezioni caratterizzano questa regola. Per esempio, in che categoria mettere le griglie di Sophie Taeuber **[1]**, che talvolta basava queste opere (che anticipano le prime astrazioni modulari di Mondrian) sulle composizioni quasi ■ spontanee di quadrati ritagliati di Hans Arp? Da parte sua Arp li chiamava "probabilmente i primi esempi di 'arte concreta'", e insieme "puri e indipendenti" e "elementari e spontanei". Sono arte alta? Bassa? Di ambizioni trascendentali? Decorativa? Programmatica? Aleatoria? Queste opere complicarono simili opposizioni gerarchiche quasi ancor prima che fossero poste.

1 • Sophie Taeuber, *Orizzontale Verticale*, 1917
Acquarello, 23 x 15,5 cm

Definizioni e dibattiti

Le definizioni standard favoriscono l'idea di astrazione come idealizzazione. L'*Oxford English Dictionary* offre "senza materia", "ideale" e "teoretico" per l'aggettivo *astratto*, e "dedurre", "togliere" e "svincolare" per il verbo. Appropriati per alcuni artisti che evocavano stati ideali di distanza dal mondo, questi significati non soddisfano altri che privilegiavano i termini opposti – la materialità della pittura su tela, o la mondanità del design utilitario. Questa tensione tra imperativi idealisti e materialisti attraversa l'astrattismo modernista e non è risolta da termini collegati come "non oggettiva" o "pura". L'astrazione si avvicina per definizione al non oggettivo; d'altro canto molti artisti cercarono dopo tutto l'"oggettività" – per fare un'arte "concreta" e "reale" come un oggetto del mondo. Così Delaunay, Léger, Arp, Malevič e Mondrian dichiararono l'astrattismo come il più *realista* degli stili. Così, ancora, l'astrattismo era spesso promosso come "puro", raffinamento finale dell'arte per l'arte; d'altra parte la purezza era spesso associata alla riduzione dei materiali costitutivi di un medium, la materia pittorica e la tela, che sono difficili da vedere come puri. Infine queste tensioni sono interne all'astrazione stessa, che è meglio definita come categoria che gestisce tali contraddizioni, le tiene in sospeso o le confronta in un gioco dialettico.

L'opposizione materialista/idealista dominò anche i discorsi sull'astrattismo. Alcuni artisti erano guidati da filosofie platoniche, hegeliane o spiritualiste. Per esempio Malevič, Kandinskij, ▲ Mondrian e Kupka erano influenzati dalla teosofia, che sosteneva (tra l'altro) che l'uomo evolve dallo stato fisico a quello spirituale attraverso una serie di stadi che possono essere illustrati da forme geometriche; in *Evoluzione* (1911) Mondrian immaginò la sublimazione geometrica di una figura femminile secondo questo modo. Forse paradossalmente, alcuni artisti videro nella scienza un supporto della versione idealista dell'astrazione. "Perché continuare a seguire la natura", chiedeva Mondrian nel 1919, "quando molti altri campi la escludono?" A questo riguardo la geometria ● non euclidea interessò artisti diversi come Malevič e Marcel Duchamp per la sua concezione non prospettica dello spazio e la sua idea antimaterialista della forma. Inoltre vennero stabilite analogie con altre arti, soprattutto con la musica. "Tutta l'arte", notò lo studioso inglese di estetica Walter Pater, "aspira costantemente alla condizione di musica"; così era ancora per alcuni artisti

▲ 1912 ● 1908, 1915, 1917a, 1944a ■ 1918
▲ 1908, 1915, 1917a ● 1914, 1915, 1918, 1935, 1942b, 1966a, 1993a

della prima generazione dell'astrattismo. (Questo indica un ulteriore paradosso: può l'essenza di un'arte, la pittura, fondarsi su quella di un'altra, come la musica?) Klee e Kupka erano attratti dalla musica barocca e classica, in particolare Johann Sebastian ▲ Bach; Kandinskij da quella tardo-romantica e moderna, soprattutto Richard Wagner e Arnold Schoenberg. Infatti Kandinskij usava come titoli delle sue prime astrazioni categorie della musica – "Improvvisazioni", "Impressioni", "Composizioni" – che influenzarono anche la sua sottolineatura del tono coloristico, del ritmo lineare, del "basso continuo" (una nozione derivata da Goethe) e dell'immediatezza del sentire. Anche Kupka sottolineò l'analogia simbolista tra la musica pura e la pittura pura, con l'implicazione che tale arte può agire direttamente "sull'anima" senza la distrazione del contenuto o dell'argomento; la sua grande tela *Amorpha, Fuga in due colori* **[2]** è spesso citata come primo quadro non figurativo esposto pubblicamente a Parigi, al Salon d'Automne del 1912, benché fosse ispirata in parte dai movimenti di una palla multicolore (un giocattolo della sua figliastra), altrettanto che dai moti celesti dei pianeti (che hanno influenzato anche i suoi precedenti ● *Dischi di Newton*). Da parte sua Mondrian adorava il jazz; trovò il suo ritmo sincopato analogo al suo equilibrio asimmetrico di superfici di colore e la sua resistenza alla narrazione melodica parallela alla sua resistenza alla lettura temporale dell'arte visiva.

2 • František Kupka, *Amorpha, Fuga in due colori*, 1912
Olio su tela, 211,8 x 220 cm

Altri artisti astrattisti furono guidati da interessi materialisti. Qualcuno guardava all'astrattismo come unico modo adeguato al diventare astratto del mondo-oggetto in un mondo trasfigurato dai nuovi modi di produzione della merce, dalla diffusione e dalla riproduzione delle immagini. Il progetto di catturare la crescente mobilità di prodotti, persone e immagini nella città moderna non ■ era strettamente futurista; indirizzò anche artisti come Léger a un tipo paradossale di astrattismo realista. Nel suo *Contrasto di forme* **[3]** vediamo una simbiosi di forme astratte umane e meccaniche come descrizioni geometriche della tela stessa. Infatti, alla fine del decennio Léger concepirà una pittura, in analogia con la macchina, come un dispositivo di parti interrelate. Già nel 1913 riferiva l'astrattismo della sua pittura, così come la separazione modernista delle arti, alla divisione capitalista del lavoro – condizione moderna che cercava di trasformare in valore modernista:

> *Ogni arte si isola e si limita al proprio ambito. La specializzazione è una caratteristica moderna, e l'arte pittorica come tutte le altre manifestazioni del genio umano deve subirne la legge; è logica, perché imponendo ad ognuna la restrizione al proprio fine, permette di intensificare le realizzazioni. L'arte pittorica vi guadagna in realismo. Il concetto moderno non è dunque un'astrazione passeggera buona solo per qualche iniziato; è l'espressione totale di una nuova generazione di cui condivide le necessità e alle cui aspirazioni risponde.*

3 • Fernand Léger, *Contrasto di forme*, 1913
Olio su tela, 55 x 46 cm

◆ Il Cubismo fu il primo stile a rappresentare questo paradosso di un'arte che appare sia astratta che realista, e rimase il crogiolo degli artisti più astratti. Ma "il Cubismo non accettò le conseguenze

▲ 1908 ● 1917a, 1944a ■ 1909 ◆ 1911, 1912, 1921a

4 • Piet Mondrian, *Quadro n. 2 / Composizione VII*, 1913
Olio su tela, 104,5 x 111,1 cm

logiche delle proprie scoperte", notò Mondrian in un'analisi retrospettiva condivisa da altri, "non si diresse verso la propria meta, cioè l'espressione della plastica pura". Così nel 1912-13 alcuni ▲ artisti spinsero l'aspetto "analitico" del Cubismo fino alla dissoluzione del soggetto. Lo fecero o coordinando le linee alla griglia implicita della tela, come Mondrian in un'opera come *Quadro n. 2 / Composizione VII* **[4]**, o attraverso gli effetti prismatici del colore visto come luce, come Delaunay nelle *Finestre simultanee sulla città* **[5]**. Se Mondrian spiegò la griglia in un modo che andava oltre le superfici sfaccettate del Cubismo, Delaunay intensificò il colore in un modo alieno alla sua tavolozza scura. Intanto altri artisti spinsero avanti l'aspetto "sintetico" del Cubismo: le forme piatte del collage cubista sono il precedente immediato delle superfici di colore astratte di Malevič, mentre gli elementi reali della costruzione cubista, che Picasso mostrò a Vladimir Tatlin a Parigi nella ▲ primavera del 1914, provocarono la sua "analisi costruttivista dei materiali". Il passaggio dal Cubismo diventò quasi un prerequisito per i successori: "Dall'analisi [cubista] del volume e dello spazio degli oggetti all'organizzazione [costruttivista] degli elementi", scrisse la russa Ljubov Popova (1889-1924) in un'annotazione del 1922, come se questo sviluppo fosse già un catechismo.

Nella maggior parte dei casi un elemento pittorico era reso dominante, ciascuno secondo il proprio fine: così il privilegiare • verticali e orizzontali in Mondrian, il colore come luce in Delaunay,

▲ 1911

▲ 1912 • 1914, 1921b

le geometrie monocrome in Malevič. Presto questi elementi vennero ulteriormente raffinati in due paradigmi relativamente ▲ stabili di pittura astratta: la griglia e il monocromo. In larga misura vennero fissati perché la griglia lavorò a cancellare le opposizioni primordiali di linea e colore, figura e sfondo, motivo e cornice (fu il genio di Mondrian a esplorare queste possibilità), e il monocromo lavorò a negare i due paradigmi dominanti della pittura occidentale dal Rinascimento: la finestra e lo specchio (fu la tracotanza di Malevič ad annunciare la fine di queste antiche categorie).

Nel 1913, mentre procedono verso la griglia e il monocromo, Delaunay e Malevič forniscono un istruttivo contrasto. Delaunay per lo più derideva i modelli estrinseci alla pittura: "Non parlo mai di matematica né mi occupo di spirito", "Mi spaventano la musica e il rumore". Interessato solo alle "realtà pittoriche", guardava al colore come centro di tutti gli aspetti della pittura: "il colore dà profondità (non prospettica, non sequenziale ma simultanea) e forma e movimento". A questo scopo Delaunay sviluppò "la legge dei contrasti simultanei" – che gli artisti francesi da Delacroix a Seurat avevano adattato da un trattato del 1839 del chimico Michel-Eugène Chevreul – nella propria nozione di *simultanéisme*. Oltre ai contrasti di colore, questa "simultaneità" riguardava l'immediatezza tra immagine pittorica e immagine retinica, dunque la simultaneità trascendentale delle arti visive opposte alla temporalità mondana delle arti verbali (un'opposizione persistente nell'estetica moderna a partire dal filosofo illuminista Gotthold Ephraim Lessing [1729-81] • ai critici della tarda modernità Clement Greenberg e Michael Fried). Per alcuni di questi interessi a Delaunay si collegano Morgan Russell e Staton Macdonald-Wright, attivi a Parigi negli stessi anni. Anch'essi trattarono la luce nei termini del colore prismatico, benché tenessero conto degli effetti della proiezione spaziale e anche della durata temporale cui Delaunay tendeva a resistere; si interessarono anche alle analogie musicali dell'astrattismo che Delaunay respingeva.

5 • Robert Delaunay, *Finestre simultanee sulla città*, 1911–12
Olio su tela e legno, 46 × 60 cm

Delaunay fece la sua scoperta nella serie delle *Finestre*, ventitré tra quadri e disegni eseguiti nel 1912, tredici dei quali vennero esposti a ▲ Berlino nel gennaio 1913 (aveva già esposto con Il Cavaliere azzurro a Monaco). In occasione di questa mostra Klee tradusse un testo di Delaunay intitolato *La luce*, che presentava una serie di equivalenze tra colore, luce, occhio, mente e anima. Nella sua estetica la pittura è la "finestra" di tutte queste "trasparenze", un medium astratto in *im*mediatezza, dissolto in ciò che media. In questo modo Delaunay rifiutò duramente il vecchio paradigma del quadro-finestra; al contrario, lo *purificò*: la realtà della visione viene liberata nell'astrattismo della pittura. Prendiamo *Finestre simultanee sulla città* **[5]**, che stabilisce il modello compositivo della serie. La Torre Eiffel, il motivo centrale dell'opera, è ora un residuo, i suoi archi verdi sono presi in un gioco di superfici di colore opaco e trasparente spinto al di là delle sfaccettature cubiste verso una griglia postcubista (che Delaunay, nel modo neoimpressionista di Seurat, estende alla cornice). Le finestre sono così al contempo referenziali, pittoriche e oggettive; riconciliano il "soggetto sublime" di Parigi con la "struttura autoevidente" della pittura, come ha notato il poeta e critico • Guillaume Apollinaire, un grande sostenitore del pittore. Delaunay rese opaco il medium solo per farlo scomparire a favore sempre dell'immediatezza trasparente. In effetti le *Finestre simultanee sulla città* sono finestre senza tende, come occhi senza palpebre: il colore, come la luce, è qui quasi accecante. Il passo seguente fu quello di rinunciare alle finestre per presentare la pittura in diretta analogia con la retina. È quello che Delaunay fece in *Disco* **[6]**, la più pura delle astrazioni del periodo, un tondo di sette fasce concentriche divise in quarti, con i primari e complementari più intensi più vicini al centro. Benché talvolta liquidato come pura dimostrazione della teoria dei colori – come mappa di colori – *Disco* contiene spunti per l'astrattismo (assoluta non referenzialità e otticità, struttura e composizione) che non sarebbero stati sviluppati pienamente per altri cinquant'anni o più.

Il 1913 fu un anno significativo anche per Sonia Terk Delaunay che, già attiva nel design (soprattutto di libri e tessuti), illustrò la *Prosa della Transiberiana e della piccola Jeanne de France* del poeta d'avanguardia Blaise Cendrars **[7]**. Pubblicato su un'unica striscia di carta lunga due metri piegata in dodici parti, questo libro-oggetto combinava l'astrattismo d'avanguardia con la tipografia (lo stesso testo era in dieci caratteri diversi e vi era inclusa una mappa ferroviaria) per evocare la simultaneità prismatica della vita moderna. Spesso esposta e riprodotta, la copertina del libro ebbe molta influenza (Terk ha influenzato i modernisti tedeschi quasi quanto il marito) e il suo successo incoraggiò l'artista ad applicare gli stessi ritmi "simultaneisti" ad altri progetti: abiti, manifesti, anche lampadine inventate per diffondere luce colorata nelle strade di Parigi.

▲ 1917a, 1944a, 1957b • 1942a, 1960b
▲ 1908 • 1911, 1912

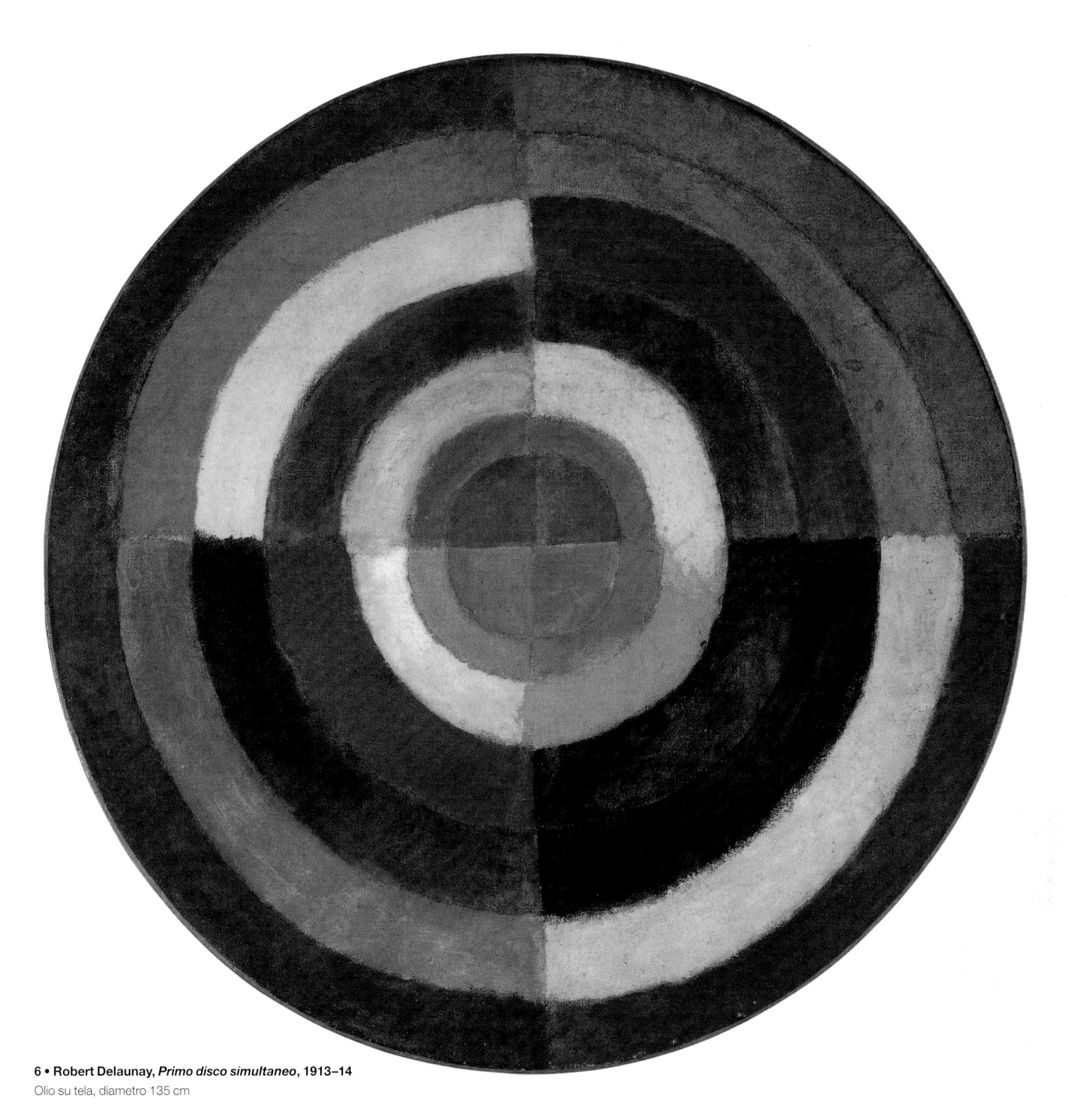

6 • Robert Delaunay, *Primo disco simultaneo*, 1913–14
Olio su tela, diametro 135 cm

Malevič intraprese invece un'altra strada: non purificò il quadro-finestra, ma lo dipinse fuori. Il suo primo quadro completamente astratto, *Quadrato nero* (1915), lo riferì a un suo schizzo per il fondale di un'opera futurista, *Vittoria sul sole* (1913), opposta tanto all'arte simbolista ("il vecchio luogo comune del bel sole", ironizzò il suo compositore V. N. Matjušin) quanto al teatro naturalista. Qui Malevič pose, in una scatola prospettica, un quadrato diviso diagonalmente in un triangolo nero in alto e uno bianco in basso per evocare la "vittoria sul sole", l'eclisse della luce da parte del buio, forse la sopraffazione della visione empirica e dello spazio prospettico da parte della visione trascendentale e dell'infinito modernista **[8]**. Con questo schizzo inizia il conto alla rovescia per la sua privata *tabula rasa*: l'altra faccia di questo "grado zero della forma", annunciò Malevič, è "la supremazia della sensibilità pura nell'arte creativa" – da qui il nome del suo stile astrattista, Suprematismo.

Così Delaunay e Malevič sembrano opposti: il primo proclama la trasparenza della finestra al colore-luce, il secondo la vittoria sul sole nel trionfo del quadrato nero. Entrambi sono sacerdoti della pura visione e questo li rende opposti che si appartengono l'un l'altro. Anche se Delaunay frammenta il soggetto nel suo colore-luce, mentre Malevič lo oscura attraverso la sua eclisse di sole, entrambi

▲ 1915

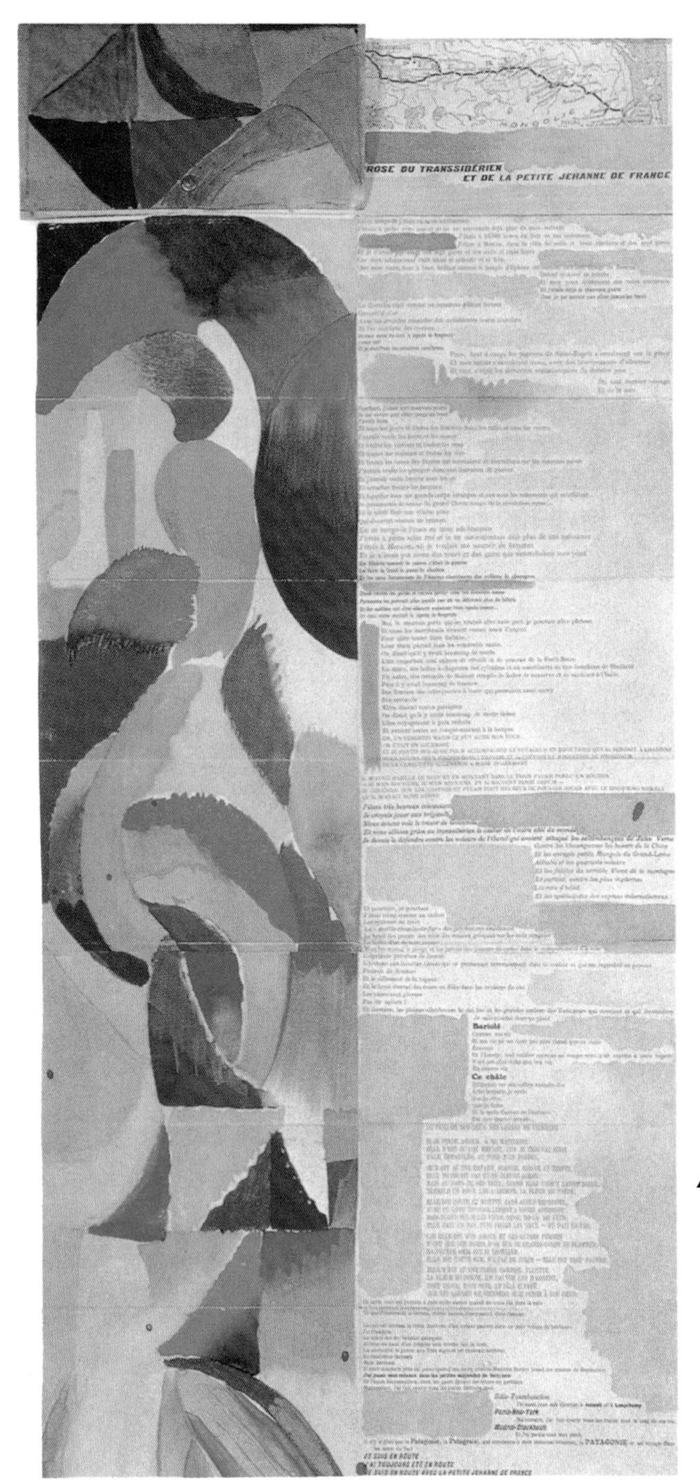

7 • Sonia Terk Delaunay, *Prosa della Transiberiana e della piccola Jeanne de France*, 1913
Acquarello su carta, 193,5 x 37 cm

cancellano il rapporto con la realtà soltanto per affermarne un altro, più alto, e in questa trasformazione sono raggiunti da altri come Kandinskij e Mondrian, per i quali l'astrazione è l'apoteosi del reale, non il suo crollo. Possono rendere opaco il medium, materiali autoevidenti come tela e pittura, ma lo fanno per renderlo ancora più trasparente – alla sensibilità, allo spirito o alla purezza, a tutto ciò che questi astrattismi sono di volta in volta chiamati a significare.

8 • Kasimir Malevič, bozzetto per *Vittoria sul sole*, atto 2, scena I, 1913
Graffite su carta, 21 x 27 cm

Alla fine l'astrattismo è un modo paradossale che sospende tali opposizioni: tra effetto spirituale e progetto decorativo, tra superficie materiale e finestra ideale, tra lavoro singolo e ripetizione seriale (privi di referente esterno, i quadri astratti tendono ad essere letti internamente, nei termini di un altro quadro, a gruppi, e sono spesso anche intitolati in tal modo: *Senza titolo 1, 2, 3...*). La contraddizione materialista/idealista è forse la più profonda di tutte: la pittura come superficie coperta di materia, il medium svelato nella sua materialità empirica, contro la pittura come mappa di un ordine trascendentale, finestra sul mondo dello ▲ spirito. Per il filosofo francese Michel Foucault tuttavia questo rapporto è più complementare che contraddittorio: il pensiero moderno, egli afferma, spesso comprende entrambi i tipi di investigazione, empirica e trascendentale, ed entrambi i tipi di disposizione, materialista e idealista. Nondimeno questa tensione è *sentita* come una contraddizione non solo nell'arte modernista, ma anche nella cultura moderna in generale, e suggerisce una ragione per cui questa cultura ha privilegiato artisti che, come Mondrian, sanno tenere insieme i due poli, che offrono soluzioni estetiche a questa contraddizione apparente. HF

ULTERIORI LETTURE:

Yve-Alain Bois, *Malevitch: le carré, le degré zero*, in *Macula*, n. 1, 1978
Robert Delaunay, *Scritti sull'arte*, trad. it. Amadeus, Montebelluna 1986
Michael Compton (a cura di), *Towards a New Art: Essays in the Background of Abstract Art 1910-1920*, Tate Gallery, London 1980
Gordon Hughes, *The Structure of Vision in Robert Delaunay's "Windows"*, in *October*, n. 102, autunno 2002
Rosalind Krauss, *Grids*, in *The Originality of the Avant-Garde and Other Modernist Myths*, MIT Press, Cambridge (Mass.) 1985
Fernand Léger, *Funzioni della pittura*, trad. it. Abscondita, Milano 2005
Kasimir Malevič, *Suprematismo*, trad. it. De Donato, Bari 1969

▲ 1971

1914

Vladimir Tatlin realizza le sue costruzioni e Marcel Duchamp propone i suoi readymade, il primo come trasformazione del Cubismo, il secondo come rottura con esso; entrambi come critiche complementari ai media tradizionali dell'arte.

▲ Gli anni 1912-14 furono molto importanti per l'avanguardia. Nuove forme di pittura come l'astrattismo e il collage ruppero con la pittura di rappresentazione, e nuove forme di oggetti come la costruzione e il readymade sfidarono la scultura figurativa e la stessa centralità del corpo umano, sostituita ora da nuove esplorazioni dei materiali industriali e dei prodotti commerciali. Questi sviluppi furono interni all'arte modernista, ma furono anche influenzati da eventi esterni, come la crescita dell'industrializzazione e della mercificazione della vita quotidiana, molto più avanzate nella Parigi di Duchamp (1887-1968) che nelle Mosca e San Pietroburgo di Vladimir Tatlin (1885-1953). Allo stesso tempo questi nuovi oggetti sembrarono quasi anticipare tali trasformazioni: le prime costruzioni di Tatlin precedettero la Rivoluzione russa del 1917, mentre i primi readymade di Duchamp precedettero la cultura della merce degli anni Venti. "Ciò che accadde dal punto di vista sociale nel 1917", scrisse Tatlin, "era stato realizzato nel nostro lavoro di pittori nel 1914, quando 'materiali, volume e costruzione' furono assunti come fondamenti". Tali fondamenti materialisti furono realizzati ● nell'arte costruttivista, sostiene Tatlin, *prima* che venissero affermati nella società comunista.

Anche le rotture segnate dalla costruzione e dal readymade non furono né occasionali né causali come spesso si pensa. Gli storici dell'arte preferiscono l'aspetto teatrale dell'evento importante: Duchamp, spinto dai fratelli a ritirare il suo quadro cubista *Nudo che scende le scale n. 2* [**1**] dal Salon des Indépendants nella primavera del 1912, abbandona del tutto la pittura; Tatlin, in occasione di una visita a Parigi nella primavera del 1914, vede le costruzioni cubiste di Picasso e passa direttamente ai suoi rilievi. Questi eventi sono reali, ma non furono semplici cause. Il readymade e la costruzione vanno piuttosto visti come risposte complementari a due sviluppi complessi: primo, Duchamp e Tatlin stavano rispondendo in diversi modi a una crisi della rappresentazione segnata dal Cubismo; secondo, quella crisi aveva rivelato una verità sull'arte "borghese", sia accademica che d'avanguardia, a cui i due artisti pure volevano rispondere, e cioè di essere considerata autonoma, separata dalla vita sociale, istituzione in sé. "La categoria *arte come istituzione* non venne inventata dai movimenti d'avanguardia", ■ scrive il critico tedesco Peter Bürger in *Teoria dell'avanguardia*

1 • Marcel Duchamp, *Nudo che scende le scale n. 2*, 1912
Olio su tela, 147 x 89,2 cm

▲ 1912, 1913 ● 1921b ■ 1960a

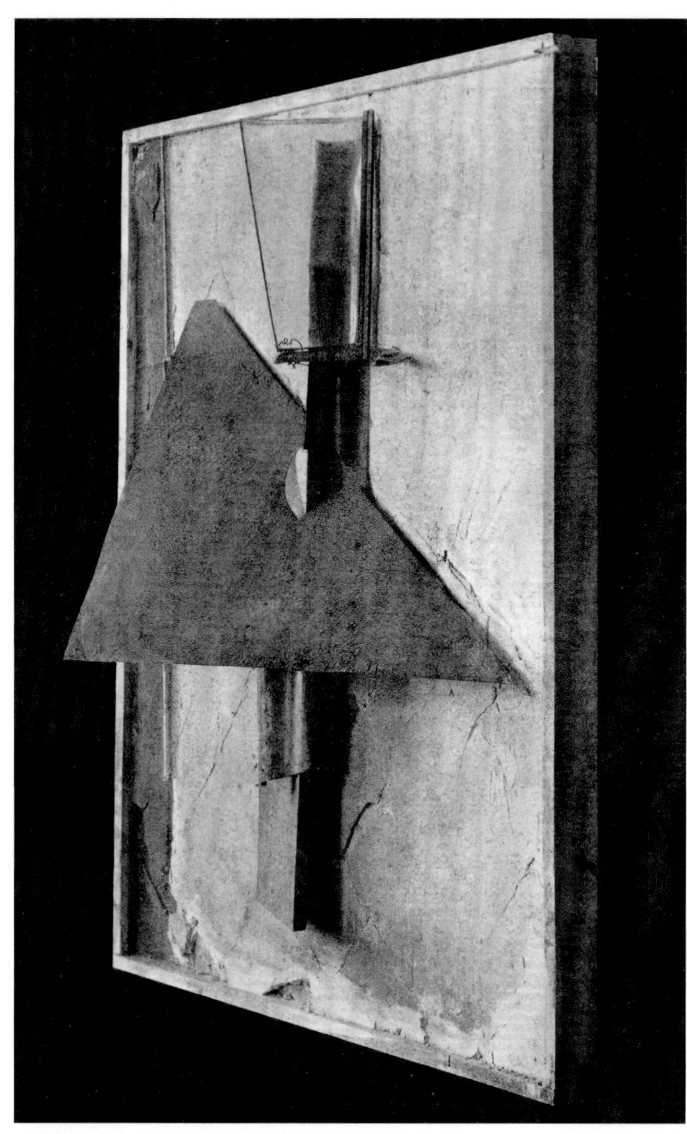

2 • Vladimir Tatlin, *Selezione di materiali: ferro, stucco, vetro, asfalto*, 1914
Dimensioni sconosciute

(1974). "Ma diventò riconoscibile solo dopo che i movimenti d'avanguardia avevano criticato lo statuto autonomo dell'arte nella società borghese sviluppata". Secondo Bürger, una volta individuata come segno di libertà artistica, l'autonomia diventò il marchio della sua "inefficacia sociale" e questo indusse a sua volta l'"autocritica dell'arte" avanzata paradigmaticamente da Duchamp e Tatlin.

Il materiale detta la forma

Tatlin era nato nella città ucraina di Khar'kov da madre poetessa e padre ingegnere esperto in ferrovie americane. Già attivo nell'avanguardia cubo-futurista dal 1907-8, Tatlin fu marinaio (probabilmente un carpentiere di navi) fino al 1914-15. Questi fatti sono più che aneddotici: il suo lavoro era orientato dai poli parentali di poesia e ingegneria e diretti dal suo acuto senso per i materiali artigianali. Il suo soggiorno a Parigi nel 1914 fu rivelatore – probabilmente vide costruzioni di Picasso come *Chitarra* ▲ (1912) –benché fosse già informato del Cubismo dalla grande ▲ Collezione Ščukin di Mosca. Questo è evidente fin dai suoi primi quadri come *Il marinaio: autoritratto* (1911-12), che mostra delle sfaccettature quasi cubiste. Già le sue prime figure monumentali si aprono però una strada verso la superficie bidimensionale in un modo che allude più agli antichi quadri russi che a quelli dei cubisti contemporanei, non solo alle stampe popolari famose nell'ambiente cubo- futurista, ma anche alle icone religiose, la cui tavolozza scura, l'applicazione della pittura e la materialità pura piacevano a Tatlin. Lo scultore e critico Vladimir Markov ha suggerito il perché già nel 1914: "Ricordiamoci delle icone; sono decorate con aureole di metallo, cornici, frange e rivestimenti; il quadro stesso è decorato con pietre preziose e metalli, ecc. Tutto questo demolisce la nostra concezione attuale della pittura". In questa rilettura modernista dell'icona medievale la materialità stessa vanifica qualsiasi illusione del mondo reale e indirizza così "le persone alla bellezza, alla religione, a Dio". Nelle sue costruzioni Tatlin invertì la direzione di questo antiillusionismo per dirigere l'osservatore non a un trascendente regno di Dio, ma a una realtà immanente dei materiali. Infatti usò l'icona russa ● come Picasso aveva usato la maschera africana: come una "testimonianza" del suo sviluppo analitico dei precedenti modernisti, come guida a un'arte non più dominata dalla somiglianza.

Il suo primo rilievo conosciuto, *La bottiglia* (1913, ora perduto), resta una natura morta cubista, con materiali diversi usati per significare diversi oggetti (per esempio il vetro per la bottiglia). Messo in cornice, è più una composizione pittorica che una costruzione, benché il suo repertorio di legno, metallo e vetro sia già in opera. In *Selezione di materiali: ferro, stucco, vetro, asfalto* **[2]**, Tatlin è ormai alla soglia del Costruttivismo. La cornice rimane, ma i materiali non sono più assemblati pittoricamente. Un triangolo di ferro si proietta nello spazio, in contrasto con una bacchetta di legno disposta ad angolo sulla superficie di stucco; sopra e sotto vi sono due ulteriori giustapposizioni di metallo curvato e vetro ritagliato. *Selezione* ha il carattere di una dimostrazione: prima elenca i suoi materiali, poi permette alle loro proprietà intrinseche di suggerire forme appropriate. "Il materiale detta le forme, e non l'opposto", scrisse il critico Nicolaj Tarabukin in una definizione del Costruttivismo del 1916 basata su opere del genere. "Legno, metallo, vetro, ecc. impongono diverse costruzioni". Per Tatlin, il legno lavorato era quadrato e piano, e così suggeriva forme rettilinee; il metallo poteva essere ritagliato e curvato, e così suggeriva forme curve; il vetro era un po' tra i due, con una trasparenza che può mediare tra superfici interne ed esterne. Com'è diverso questo materialismo dall'ambiguità delle costruzioni cubiste! Lontano dall'"arbitrarietà", Tatlin cerca di rendere le sue costruzioni "necessarie" attraverso questa "verità dei materiali", un'estetica ultramodernista che tendeva ad essere anche un'etica e, dopo la Rivoluzione russa, anche una politica.

Non fu una riduzione positivista ai materiali, come sarà spesso nelle versioni dell'estetica del dopoguerra. Insieme alle costruzioni cubiste e alle icone russe, vi era qui infatti un terzo modello: i contemporanei esperimenti linguistici di poeti "transrazionali" ■ come Aleksej Kručenik e Velemir Klebnikov, il cui *Zangezi* Tatlin

▲ Introduzione 3, 1912

▲ 1910 ● 1903, 1907 ■ Introduzione 3, 1915

messi a nudo come sono nella pittura cubista", ha scritto Jakobson) prima che venga detto qualsiasi cosa sul loro significato.

Nel suo *L'arte come procedimento* (1917) Viktor Šklovsky, importante membro dell'Opoyaz, formulò uno dei primi concetti dell'analisi letteraria formalista: *ostranenie*, o "straniamento". A lungo sfruttato dai poeti *zaum*, l'*ostranenie* segna bene la prima convergenza di punti di vista tra critici formalisti e poeti e pittori d'avanguardia, più in particolare la loro comune opposizione a una concezione del linguaggio che lo riduce al suo puro valore di strumento: per la comunicazione, per la narrazione, per l'insegnamento e così via. Il loro credo condiviso produsse anche nuove collaborazioni: non solo i formalisti russi erano i difensori più strenui della poesia *zaum*, ma sia Jakobson che Šklovsky furono ardenti apologeti del Suprematismo di Malevič; e Malevič non ▲ solo disegnò le scene e i costumi per l'opera di Kručenik *Vittoria sul sole*, ma scrisse anche poesie *zaum* per tutta la vita. La fonte vera di questo parallelo fu la fede di pittori e critici nel potere dell'arte di rinnovare la percezione. Per il critico formalista questo significava mostrare come l'uso del linguaggio da parte di un autore differisce dall'uso comune, come il linguaggio comune è "straniato" nel testo; Šklovsky chiamò tale spostamento critico uno dei "dispositivi" estetici dello svelamento. Per il pittore questo significava "dis-automatizzare" la visione per mettere l'osservatore di fronte al fatto che i segni pittorici non sono trasparenti ai loro referenti, ma hanno un'esistenza propria, che sono "palpabili", come direbbe Jakobson.

Il Suprematismo di Malevič: il grado zero della pittura

Dopo una veloce educazione autodidatta attraverso gli "ismi" dell'arte moderna – dal Simbolismo all'Impressionismo, al Postimpressionismo, al Cubismo, al Futurismo – Malevič tentò di creare un movimento *zaum* di pittura. Dapprima si concentrò su ● un aspetto particolare che aveva colto nell'estetica del collage del Cubismo sintetico, cioè la discrepanza di scala e di stile che esso permette. Così, in *Mucca e violino* (1913), un piccolo realistico profilo di una mucca, come preso da un'enciclopedia per bambini, è dipinto sopra l'immagine molto più grande di un violino, a sua volta posta sopra un gruppo di superfici geometriche colorate. Poco dopo Malevič ritenne l'assurdità "transrazionale" di queste giustapposizioni insufficiente per cogliere, in modo formalista, il "pittorico" in quanto tale – che chiamava "il grado zero della pittura".

Terminò la sua fase *zaum* con due tipi di esperimenti (poi proseguiti dai suoi numerosi seguaci) destinati a spingere fino al limite la nozione stessa contro cui combatteva, quella di trasparenza del linguaggio pittorico, essenziale in ogni concezione mimetica della pittura. Uno di questi esperimenti consisteva nella semplice iscrizione di una frase, o un titolo, al posto della rappresentazione degli oggetti nominati. Ci sono molte di queste proposizioni nominaliste che non sono mai andate al di là dello stadio di disegno, come l'annotazione "Combattere sul boulevard" appuntata di fretta e cerchiata su un pezzo di carta. Il secondo di questi tentativi *zaum* consisteva nel collage di interi oggetti reali, come un termometro o un francobollo, che trasformano il quadro in una busta, come in *Combattente della Prima Divisione, Mosca* del 1914 **[1]**. In entrambi i casi (iscrizione nominalista e oggetti readymade), l'enfasi ironica è posta sulla tautologia: l'unico segno puramente trasparente è quello che si riferisce alla parola in sé, all'oggetto in sé. Il bottone sulla copertina della Rozanova per *Zaumnaya gniga* probabilmente si riferisce all'assemblage di Malevič, ma anche ai rilievi di Ivan Puni (1892-1956), un altro seguace di Malevič (per esempio a *Rilievo con piatto* del 1919). Anche il quadro *Bagni* (1915) di Puni combina assemblage e nominalismo, essendo insieme il segno-insegna di un bagno pubblico (dunque un oggetto) e l'iscrizione della parola "bagno".

Ma più che le disgiunzioni estetiche del collage, sono le grandi indivise superfici di colore ad essere più sorprendenti in opere di Malevič come *Composizione con Monna Lisa* (1914), in cui l'unico elemento figurativo, una copia del quadro di Leonardo, è abbozzato in rosso. Sono queste superfici di colore che Malevič "isolerà" dando vita alla propria versione dell'astrattismo, che chiamerà Suprematismo. Il momento fondante del Suprematismo fu nel dicembre 1915, alla mostra *0.10* a Pietrogrado (sottotitolata "Ultima mostra futurista di pittura", la mostra doveva il suo titolo ▲ al fatto che i dieci partecipanti – tra cui Vladimir Tatlin, che espose il suo primo controrilievo ad angolo – cercarono tutti di definire il "grado zero", il centro irriducibile, il minimo essenziale della pittura o della scultura).

1 • Kasimir Malevič, *Combattente della Prima Divisione, Mosca*, 1914
Olio e collage su tela, 53,6 x 44,8 cm

▲ 1913 ● 1912

▲ 1914, 1921b

▲ Così, quasi metà secolo prima di Clement Greenberg, Malevič affermò che la condizione "zero" della pittura nella cultura del suo tempo è di essere bidimensionale e delimitata. Da questa riduzione critica deriva l'enfasi di Malevič sulla qualità della tessitura delle sue superfici, la sua attenzione per la fattura pittorica, ma anche la sua predilezione per il quadrato, una forma da tempo concepita, come attesta il suo nome latino, come risultato di uno dei più semplici atti geometrici di delimitazione (*quadrum* significa sia "quadrato" che "quadro"). Dalla identificazione della figura del quadrato con lo sfondo dell'immagine stessa – per esempio nel *Quadrato nero* di Malevič che incombe sopra gli altri quadri alla mostra *0.10*, parodiando la posizione delle icone nelle case tradizionali russe **[2]** – si sviluppa nell'opera di Malevič la ricerca in quella che Michael Fried, scrivendo nel 1965 dei quadri neri di • Frank Stella, chiamerà "struttura deduttiva", in cui l'organizzazione interna del quadro – la posizione e la morfologia delle sue figure – è dedotta, e dunque ne è segno indicale, dalla forma e dalle proporzioni del suo supporto. La *Croce rossa* del 1915 di Malevič, i suoi *Quattro quadrati* (una delle prime griglie regolari dell'arte del XX secolo) e molte altre "non composizioni" presentate a *0.10* sono quadri indicali, in cui cioè la divisione della superficie del quadro e i segni che contiene non sono determinati dall'"interiorità" o dallo stato d'animo dell'artista (come nel caso di ▲ Kandinskij), ma dalla logica del "grado zero": si riferiscono direttamente allo sfondo materiale del quadro stesso che essi disegnano.

Straniare con il colore

Malevič non era un positivista (rimase sempre fedele a un punto di vista antirazionalista che lo portò, soprattutto nei suoi ultimi testi dopo la Rivoluzione, a chiudersi in una posizione mistica). Anche nella più "deduttiva" delle sue tele si è sempre premurato che i suoi quadrati fossero un po' obliqui in modo che (in virtù dello *straniamento*) si potesse notare la loro assoluta semplicità e leggerli come ostinatamente "uno" (sia unici che interi) più che identificarli come figure geometriche. Ciò che più lo interessava infatti, come ripeteva spesso, era l'"intuizione".

Una delle strade più sicure per raggiungere questo modo non verbale, non articolato, di comunicazione in pittura era il colore, la pura espansione delle superfici di pigmento saturo. La passione di Malevič per il colore ebbe un ruolo importante nella sua rapida evoluzione dal Cubismo all'astrattismo, come nelle opere di Matisse,

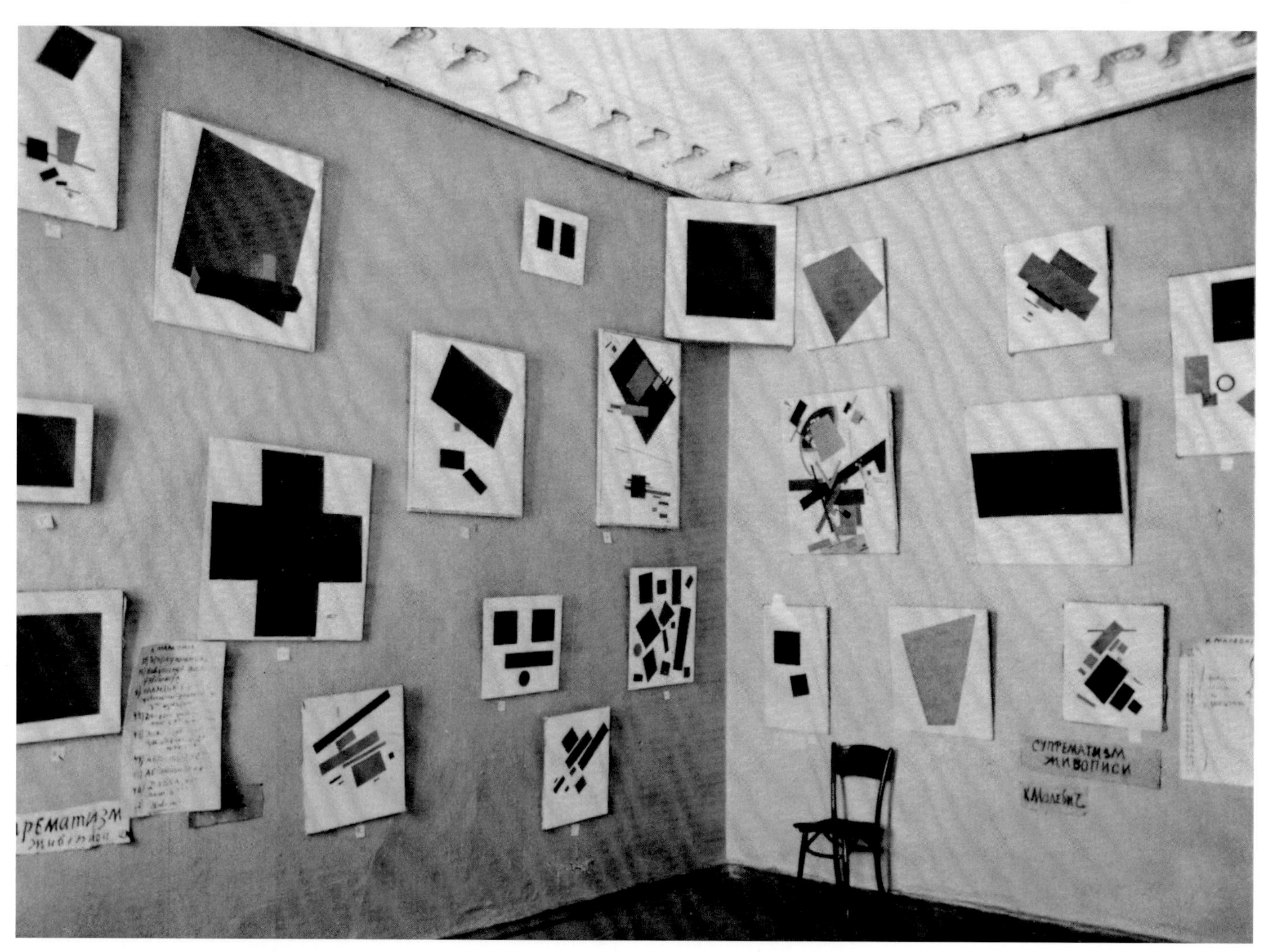

2 • Veduta della mostra *0.10*, Pietrogrado 1915
Black Square di Malevič è posizionato nell'angolo della stanza sopra gli altri suoi dipinti.

▲ 1942a, 1960b ● 1958 ▲ 1908, 1913

▲ pure scoperto nella Collezione Ščukin. Ma a dispetto del suo entusiasmo per le tattiche di *ostranenie* nell'uso del colore arbitrario del maestro francese, Malevič giunse presto alla conclusione (attraverso l'insegnamento del pensiero "analitico" del Cubismo) che il colore non è mai "isolato" e percepito come tale (cioè non regna mai "supremo") senza prima essere liberato da qualsiasi legame di contenuto che non sia la sua stessa radianza.

Fu questo desiderio di esplorare il "colore" in sé, di scoprire il suo "grado zero", a permettere a Malevič di congedarsi dalla struttura deduttiva. Perché accanto al *Quadrato nero* o al *Quadrato rosso* [**3**], che era esposto con l'ironico titolo *zaum Contadina: Suprematismo* (ora è sottotitolato *Realismo pittorico di una contadina in due dimensioni*), si potevano vedere molti quadri alle pareti di *0.10* in cui rettangoli di tutte le dimensioni e di vari colori fluttuano su fondi bianchi. Per un breve periodo questi quadri permisero a Malevič quello che più tardi avrebbe chiamato "suprematismo aereo", opere che avrebbe egli stesso criticato severamente per il loro ritorno all'illusionismo e la loro diretta allusione a un'immaginazione cosmica come vedendo la Terra dallo spazio [**4**].

● Fu l'artista americano degli anni Sessanta Donald Judd, uno dei più severi critici dell'illusionismo in pittura e sempre pronto a segnalare quanto di esso restava nelle opere dei pionieri dell'astrattismo e nei loro seguaci degli anni Venti e Trenta, il primo a reinscrivere questi agitati quadri nella cornice teorica della logica formalista (*ostranenie*). Recensendo una retrospettiva di Malevič nel 1974, Judd notò che in quelle tele i colori non "si combinano; si possono solo raggruppare a tre o a due in modo che due o tre mattoni facciano un insieme". Questi gruppi, scrive Judd, "non sono armonici, non fanno un colore ulteriore o un tono generale". In altre parole, i rapporti di colore non sono compositivi. L'allusione ai mattoni, alla "cosa vicina a un'altra" del Minimalismo, è molto acuta. Ma i colori non sono neppure casuali; affermano la loro indipendenza dall'insieme attraverso il loro raggruppamento separato che previene qualsiasi organizzazione percettiva delle forme in un ordine gestaltico (e ammette scontri, quasi giustapposizioni "kitsch", come quello tra rosso e rosa).

Dopo lo zero...

Dal 1917-18, mentre le direttive politiche della Rivoluzione d'Ottobre facevano aumentare le commesse agli artisti dell'avanguardia russa – l'unico gruppo artistico ad aver dato il suo supporto fin dall'inizio –, Malevič trovò sempre più difficile giustificare ideologicamente la sua attività pittorica. Le sue inclinazioni politiche, vicine all'anarchia, che vedeva come perfettamente congruenti con la sua estetica, non gli erano di grande aiuto dopo la repressione bolscevica di una rivolta anarchica a Kronstadt nel 1918. Il suo momentaneo addio alla pittura costituisce una delle esperienze limite dell'arte del XX secolo, il momento in cui il "grado zero" è quasi tangibile – lì, sulla tela. Le opere in questione sono vari quadri in cui una forma "bianca" (bianco avorio per la precisione) fluttua, alle soglie della visibilità,

3 • Kasimir Malevič, *Quadrato rosso (Realismo pittorico di una contadina in due dimensioni)*, 1915
Olio su tela, 53 x 53 cm

4 • Kasimir Malevich, *Costruzione suprematista*, 1915-16
Olio su tela, 88 x 70 cm

▲ 1910 ● 1965

sullo spazio bianco della tela **[5]**. Non mostrando quasi nient'altro che le più piccole differenze di tono, e i segni sensuali della pennellata, questi quadri "bianco su bianco" erano talvolta anche esposti su un soffitto bianco, evidenziando così la loro potenziale sparizione nello spazio architettonico.

Malevič ebbe molti incarichi culturali e di propaganda dopo la Rivoluzione (dal progetto delle collezioni di un nuovo museo a quello di manifesti), ma la sua attività principale fu quella di insegnante. Nel 1919, essendo stato rimosso Chagall dalla testa dell'Istituto d'Arte Popolare di Vitebsk, ed essendosi assicurato ▲ l'aiuto del più giovane El Lisickij (1890-1941), fondò la scuola Unovis (Sostenitori della Nuova Arte). La produzione pittorica dei suoi pupilli, molti di loro giovanissimi, fu per lo più epigonica – è strano immaginare le classi non riscaldate della Unovis piene di esuberanti quadri con quadrati rossi, in piena crisi economica, guerra civile e miseria! – ma fu qui che Malevič cominciò a sviluppare, con i suoi studenti, la sua concezione dell'architettura, che continuò attivamente all'Istituto per lo Studio e la Cultura dell'Arte Contemporanea di Leningrado (o Ginchuk), di cui fu eletto direttore nel 1922. Poiché non c'era domanda di nuovi edifici, l'architettura era studiata come linguaggio, nello stesso modo in cui Malevič aveva analizzato le componenti della pittura: Qual è il grado zero dell'architettura? Dove finisce l'architettura se viene svuotata di funzione? I risultati della sua ricerca, modelli di città e residenze ideali dette *architektoniki*, con la loro moltiplicazione di travi a sbalzo e la loro interrogazione dell'opposizione classica di pilastro e architrave, ebbero un immediato impatto sull'emergente Stile internazionale (in particolare dopo la loro pubblicazione, grazie a El Lisickij, in diverse riviste europee alla metà degli anni Venti).

Mentre la pittura astratta, la poesia *zaum* e la critica formalista, ora ritenuta borghese ed elitaria, diventavano sempre più il bersa- ▲ glio della censura politica nella Russia sovietica, la ricerca architettonica, anche se utopica come quella di Malevič e dei suoi seguaci, rimase relativamente libera. Ma subito dopo la morte di Lenin (nel 1924) la repressione culturale cominciò a chiudere tutti gli ambiti di attività culturale e anche l'*architektoniki* di Malevič dovette pagare il tributo alle proporzioni eroiche neoclassiche richieste dagli scagnozzi di Stalin. Malevič, pur insegnando ancora (ma con sempre meno studenti) e dedicando molta energia a scrivere (ma per lo più senza pubblicare), ricominciò a dipingere alla fine degli anni Venti. Ma poiché l'astrazione ora era quasi un crimine politico, si impegnò in uno strano cammino a ritroso della propria evoluzione pittorica, tornando non solo al Cubo-futurismo ma perfino all'Impressionismo, anche retrodatando notevolmente questa produzione tardiva come fosse della sua giovinezza. Questa manifesta falsificazione, che confonde gli storici, è invece in accordo con il credo modernista della sua • ricerca del grado zero: come Mondrian, Malevič pensava che ogni arte vada definita nella propria essenza eliminando le convenzioni non necessarie e che ogni opera d'arte, nel suo percorso evolutivo, debba essere un passo più avanti della precedente – che significa che ognuna ha la propria data in questa progressione. Un ritorno all'indietro è sempre possibile all'interno di questa logica, ma sarebbe stato moralmente sbagliato presentare come datato 1928 qualcosa che potrebbe essere stato fatto nel 1912. (Allo stesso modo, quando intorno al 1920 Mondrian fu costretto a dipingere fiori per ragioni economiche, appose a queste opere "commerciali" la sua firma dei primi anni del secolo.)

Comunque le ultime opere di Malevič, dei primi anni Trenta, non sono predatate. Grezzi pastiche di ritratti rinascimentali a colori violenti, ma spesso con un piccolo emblema suprematista (le decorazioni geometriche di una cintura o un cappello), questi quadri sono pieni di ironia. Diversamente da de Chirico, Malevič ■ non sta qui salutando il "ritorno all'ordine", ma, condannato alla figurazione e alla concezione mimetica della pittura contro cui aveva combattuto per tutta la vita, sta "straniando" la pratica stessa del ritratto, dandole un senso di distanza storica, negata dai suoi censori, tra l'epoca del ritrattismo genuino e la sua. YAB

5 • Kasimir Malevič, *Pittura suprematista (Bianco su bianco)*, 1918
Olio su tela, 79,3 x 79,3 cm

ULTERIORI LETTURE:

Troels Andersen, *Malevich*, Stedelijk Museum, Amsterdam 1970
Victor Erlich, *Russian Formalism*, Yale University Press, New Haven-London 1981
Paul Galvez, *Avance Rapide*, in *Cahiers du Musée national d'art moderne*, n. 79, primavera 2002
Roman Jakobson, *My Futurist Years*, Marsilio Publishers, New York 1997
Gerald Janecek, *The Look of Russian Literature: Avant-Garde Visual Experiments, 1900- 1930*, Princeton University Press, Princeton 1984
Anna Lawton (a cura di), *Russian Futurism Through its Manifestoes 1912-1928*, Cornell University Press, Ithaca (N.Y.)-London 1988
Kasimir Malevič, *Suprematismo*, trad. it. Abscondita, Milano 2000
Krystyna Pomorska, *Russian Formalist Theory and its Poetic Ambiance*, Mouton, The Hague-Paris 1990
Angelica Rudenstine (a cura di), *Kazimir Malevich 1878-1935*, National Gallery of Art, Washington 1990

▲ 1926, 1928a, 1928b

▲ 1934a ● 1913, 1917a, 1944a ■ 1909, 1919, 1924

1916a

Nasce a Zurigo il movimento internazionale del Dadaismo in duplice risposta alla catastrofe della Prima guerra mondiale e alle provocazioni del Futurismo e dell'Espressionismo.

Il Dadaismo comprese una gamma così vasta di pratiche, politiche e luoghi, da apparire difficilmente come un insieme coerente, ammesso che abbia cercato di esserlo: la maggior parte dei suoi partecipanti derise infatti qualsiasi tipo di ordine e di coerenza (dice la leggenda che la parola "Dada" fu pescata a caso dal dizionario tedesco-francese). L'idea dadaista di un assalto anarchico a tutte le convenzioni artistiche prese subito fuoco. A dispetto della sua breve vita – all'inizio degli anni Venti era per lo più esaurito o ▲ variamente confluito nel Surrealismo in Francia e nella Neue Sachlichkeit in Germania – ebbe non meno di sei importanti basi operative: Zurigo, New York, Parigi, Berlino, Colonia e Hannover, alcune delle quali collegate tramite riviste, artisti itineranti e ambi▲ziosi promotori come Tristan Tzara e Francis Picabia. Nato in duplice risposta alla catastrofe della Prima guerra mondiale e alle ● provocazioni del Futurismo e dell'Espressionismo, il Dadaismo prese di mira la cultura borghese, che incolpava del macello della guerra; per molti versi questa cultura era già morta per il Dadaismo, che si levò a danzare sulla sua tomba (Hugo Ball, una delle figure principali del gruppo di Zurigo, una volta chiamò il Dadaismo una "messa da requiem" del tipo più ribaldo). In breve, i

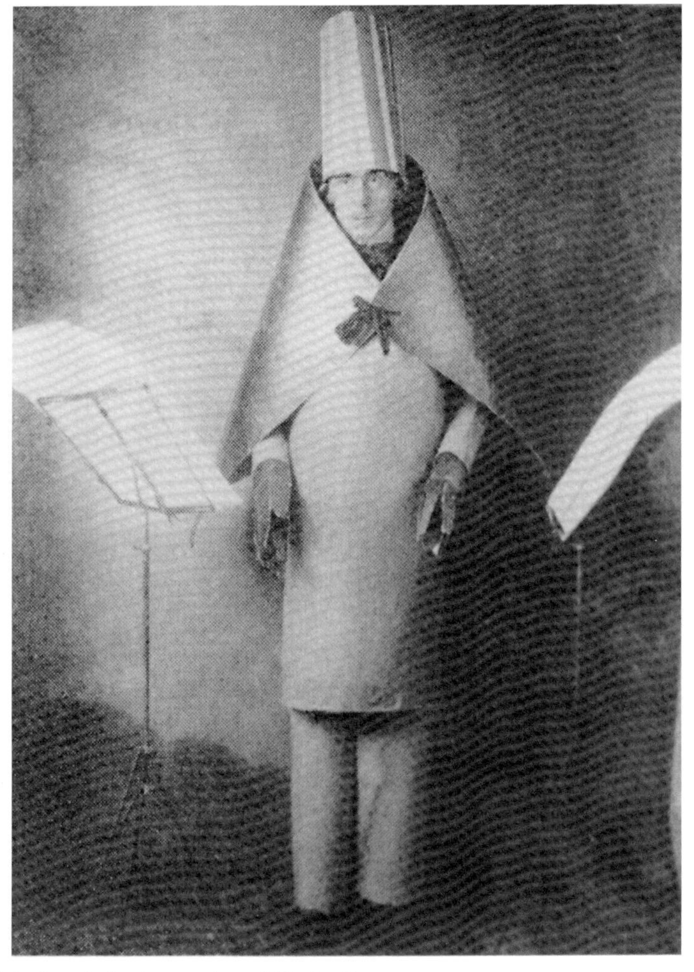

1 • Hugo Ball nel suo costume di *Magico Vescovo* al Cabaret Voltaire, Zurigo, giugno 1916

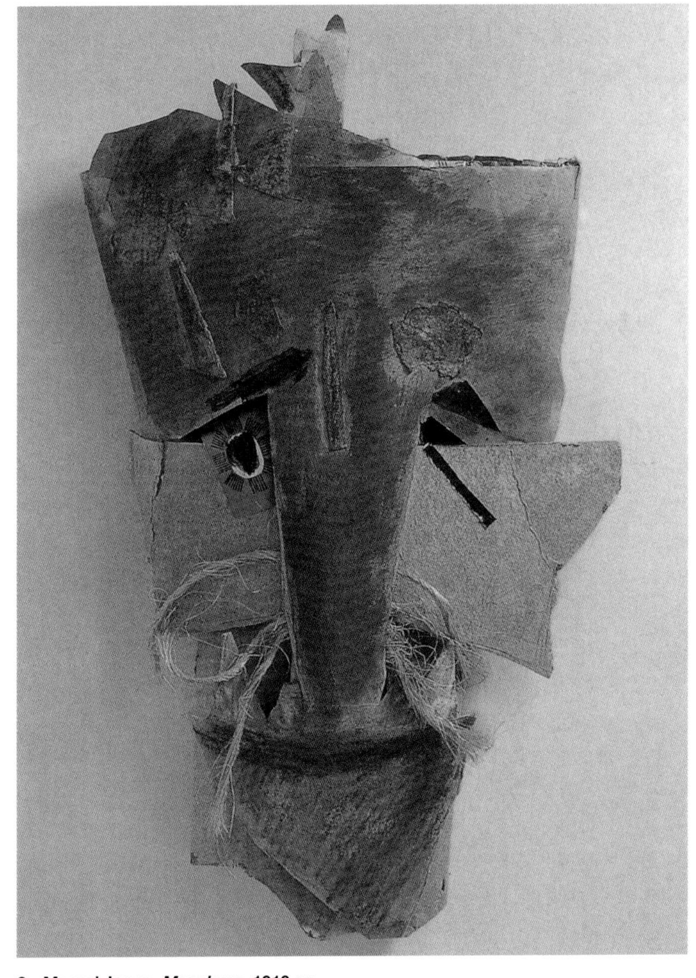

2 • Marcel Janco, *Maschera*, 1919 ca.
Carta, cartone, corde, gouache e pastello, 45 x 22 x 5 cm

▲ 1924, 1925b, 1929, 1930b, 1931a

▲ 1916b, 1919 ● 1908, 1909

dadaisti combatterono contro ogni norma, anche e soprattutto quelle al loro interno ("Dada è anti-Dada" era uno dei ritornelli preferiti) e lo fecero, a Zurigo, con bizzarri spettacoli, esposizioni e pubblicazioni.

Una farsa del nulla

Il gruppo internazionale di poeti, pittori e registi cinematografici attratti nella Svizzera neutrale prima o durante la guerra, comprendeva i tedeschi Ball (1886-1927), Emmy Hennings (1885-1948), Richard Huelsenbeck (1892-1974) e Hans Richter (1888-1976), i rumeni Tristan Tzara (1896-1963) e Marcel Janco ▲ (1895-1984), l'alsaziano Hans Arp, la svizzera Sophie Taeuber e lo svedese Viking Eggeling (1880-1925). Zurigo era un rifugio importante anche per altre avanguardie: James Joyce lì visse per un periodo, così come Vladimir Lenin – proprio dall'altra parte della via del Cabaret Voltaire che fece da quartier generale dei dadaisti. Col nome del grande scrittore satirico francese del XVIII secolo (autore del *Candido*, una denuncia delle idiozie del suo tempo), il Cabaret fu fondato il 5 febbraio 1916 come scherno degli "ideali della cultura e dell'arte": "il nostro *Candido* contro questi tempi", scrisse Ball nel suo straordinario diario, *La fuga dal tempo*. "La gente si comportava come se niente fosse, come se tutta questa carneficina fosse un trionfo". I dadaisti mirarono a rappresentare la crisi in modo isterico, ma anche, in mezzo a questo caos, "a prestare attenzione, al di là delle barriere della guerra e del nazionalismo, ai pochi spiriti indipendenti che vivevano per altri ideali" (Ball). Circondati dai poster espressionisti e dai quadri primitivisti di Janco e Richter, questi provocatori recitarono manifesti contraddittori (sia futuristi che espressionisti), poesie in francese, tedesco e russo (cioè in linguaggi di diverse parti in guerra) e canti quasi-africani; escogitarono concerti con macchine da scrivere, timpani, rastrelli e coperchi. "Un pandemonio assoluto", lo definì retrospettivamente Arp. "La gente intorno a noi grida, ride e gesticola. La nostra risposta sono sospiri amorosi, raffiche di singhiozzi, poesie, muggiti e miagolii da bruitisti medievali. Tzara dimena il didietro come il ventre di una danzatrice orientale. Janco suona un violino invisibile, si china e gratta. La signora Hennings, con una faccia da Madonna, fa delle spaccate. Huelsenbeck batte senza sosta il grande tamburo, con Ball che lo accompagna al piano pallido come un fantasma. Ci siamo dati il titolo onorario di Nichilisti".

Ma non erano solo dei nichilisti. I dadaisti misero in scena i disagi dell'esilio in modi quasi solipsistici ("Tristan Tzara", lo pseudonimo di Sami Rosenstock, allude a "triste in questo luogo"), ma formarono anche una comunità di artisti impegnati in politiche internazionaliste e linguaggi universali (che Richter e Eggeling, per esempio, cercarono nel cinema astratto). Erano distruttivi nello spirito, ma spesso anche affermativi; regressivi nell'atteggiamento, ma talvolta anche redentivi; per Ball il termine "Dada" teneva insieme tutte queste caratteristiche: "In rumeno Dada significa sì sì, in francese cavallo a dondolo. Per i tedeschi è un'indicazione di ingenuità ebete, la nutrice e il passeggino". Se alcuni dadaisti furono nichilisti, altri come Ball avevano inclinazioni mistiche, condizione paradossale che lasciò i suoi segni nel loro rapporto ▲ con il linguaggio. Come i futuristi quali Marinetti, i dadaisti come Ball volevano liberare il linguaggio dalla sintassi e dalla semantica convenzionali in un suono bruto (in questo anche il dadaista • tedesco Kurt Schwitters ebbe un ruolo importante). L'interesse dadaista per la poesia sonora si differenziò però molto dall'espressione irrazionale futurista: nelle sue "parole in libertà" lo sciovinista Marinetti lavorava a immergere il linguaggio nella matrice corporea di tutti i sensi e nella produzione di significato intesa come forza, mentre il pacifista Ball cercava di svuotare il linguaggio non solo del senso convenzionale, ma anche di quella ragione strumentale che aveva sottoscritto la carneficina della guerra. "Un verso di poesia è una possibilità per sbarazzarsi di tutto lo sporco che aderisce a questo maledetto linguaggio", scrisse Ball. "Ogni parola detta e cantata dice almeno una cosa: che quest'epoca umiliata non si è guadagnata il nostro rispetto". Se Ball ha lavorato a infrangere il linguaggio, ha però anche cercato di recuperare la parola come "*logos*", di trasformare il linguaggio in "immagini magiche complesse".

La breve vita del Cabaret Voltaire finì bruscamente il 23 giugno 1916, con una leggendaria performance di Ball **[1]** raccontata nel suo *La fuga dal tempo*:

> *Le gambe in un cilindro di cartone lucido blu che saliva fino ai fianchi e mi faceva sembrare un obelisco. Sopra vestivo un enorme cappotto ritagliato nel cartone, rosso all'interno e oro fuori. [...] Avevo anche un alto cappello da strega a strisce blu e bianche. [...] Fui portato in scena al buio e cominciai lentamente e solennemente: 'gadji beri bimba / glandridi lauli lonni cadori / gadjama bim beri glassala / glandridi galssala tuffm i zimbrabim / blassa galassasa tuffm i zimbrabim...' [...] Poi notai che la mia voce non aveva altra scelta che prendere un'antica cadenza di lamentazione sacerdotale, quel tipo di canto liturgico che si sente in tutte le chiese cattoliche dell'Est e dell'Ovest. [...] Per un momento sembrò come se apparisse un pallido volto disorientato nella mia maschera cubista, come una faccia metà spaventata e metà curiosa di un bambino di dieci anni che trema e dondola sulle parole del prete nei requiem e nelle messe della sua parrocchia. [...] Bagnato di sudore, venni portato fuori scena come un magico vescovo.*

Nella sua performance Ball è in parte sciamano e in parte sacerdote, ma anche bambino mandato in trance dal rituale magico. Questo "parco di folli emozioni" fu testimone di altri spettacoli con costumi fantastici e bizzarre maschere, spesso progettate per l'occasione da Janco **[2]**; anche Sophie Taeuber contribuì con materiale scenico e pezzi di danza. "Il potere motorio di queste maschere ci trasportava irresistibilmente", notò Ball delle maschere che vedeva come equivalenti moderni di quelle dell'antico teatro greco e giapponese. "Semplicemente chiedevano che chi

▲ 1913, 1918, 1925c, 1925d

▲ 1909 • 1926

le indossava cominciasse a muoversi in una danza tragico-assurda".

Chiaramente Ball vedeva Dada come un avanguardistico rito di possessione e di esorcismo. Il dadaista "soffre delle dissonanze [del mondo] fino all'autodisintegrazione [...] combatte contro l'agonia e gli spasimi della morte di quest'epoca". Ball infatti guardò al dadaista come a un mimo traumatizzato che assume le terribili contraddizioni di guerra, rivolta ed esilio, e li esagera in una parodia buffonesca. "Chiamo Dada una farsa del nulla in cui sono implicate tutte le domande più profonde", annotò meno di due settimane prima della sua performance del Magico Vescovo, "un atto da gladiatore, un gioco di squallidi resti". Qui Dada mima la dissonanza e la distruzione per purificarle in qualche modo, o almeno trasformare lo shock in una sorta di protezione che comporta comunque una grossa dose di terrore e di agonia. "L'orrore del nostro tempo, il contesto paralizzante degli eventi, si è fatto visibile", disse una volta Ball delle maschere di Janco; e della poesia di Huelsenbeck aveva questo da dire: "La testa di Gorgone di un terrore senza limiti ride della fantastica distruzione".

Esausto, Ball lasciò Zurigo appena dopo la sua performance e Tzara prese il suo posto come istigatore del Dadaismo zurighese. Tzara era l'"antitesi naturale di Ball", come ha notato Richter, tanto dandy nel suo atteggiamento di disgusto quanto Ball era disperato. Il suo modello di promotore d'avanguardia era Marinetti: Tzara non solo accentuò gli aspetti futuristi del Dadaismo, ma organizzò ▲ Dada come Marinetti aveva fatto con il Futurismo – con manifesti, una rivista, perfino una galleria. Nel suo contraddittorio sviluppo, il Dadaismo zurighese dunque diventò più un miscuglio caotico di altri stili che un movimento artistico con uno proprio. Nel terzo numero di *Dada* (1918) Tzara pubblicò il *Manifesto Dada*, che iscrisse il movimento nella mappa delle avanguardie europee; • coinvolse anche Picabia da New York e insieme prepararono la campagna dadaista a Parigi dopo la guerra. Quando la guerra finì, infatti, finì anche il Dadaismo zurighese, dato che i rifugiati erano tornati liberi di spostarsi.

Senso e senza senso

"Dada è per il senza senso", ha scritto una volta Arp, "che non significa non senso". È una distinzione importante per l'astrazione dadaista praticata da Arp e Taeuber, gli artisti chiave della seconda fase del Dada zurighese. Mentre altri dadaisti come Tzara e Picabia pretendevano che Dada non significasse niente (eccetto forse il niente), Arp e Taeuber suggerirono che potesse significare quasi nulla. "Dada è senza senso come la natura", continuava Arp; "Dada è per il senso infinito e i mezzi definiti". Cioè è altrettanto pieno di significato, altrettanto infinito di senso quanto lo è la natura – o in effetti altrettanto vuoto. Ma come può un'opera essere al tempo stesso piena e nulla, infinita e definita? Consideriamo i molti rilievi che Arp ha prodotto nei suoi anni Dada (e dopo): costituiti di pezzi diversi di legno dipinto incollati insieme, sono composizioni astratte che suggeriscono nondimeno forme biomorfe (umane, animali, vegetali) **[3]**. In questo modo essi sono specifici, quasi referenziali (come i loro titoli spesso suggeriscono – un torso, un uccello, ecc.), mentre sono anche metamorfici, aperti all'associazione.

Arp e Taeuber si incontrarono nel 1915 a Zurigo, dove Taeuber insegnava design tessile alla Scuola di Arti Applicate. Più esattamente si incontrarono nel novembre del 1915 alla galleria Tanner, dove, insieme a due amici olandesi (Otto e Adya van Rees), Arp aveva una mostra di arazzi e collage. "Queste opere sono costruite con linee, superfici, forme e colori", scriveva Arp all'epoca, come a sottolineare che erano risolutamente astratte, non riguardanti né il ▲ gioco dei significati, come invece i collage cubisti (che conosceva), • né "la verità dei materiali", come nei primi esperimenti costruttivisti (che non conosceva). Le sue astrazioni avevano un altro scopo: "Esse cercano di trascendere l'umano e attingere all'infinito e all'eterno. Sono una negazione dell'egotismo umano". Questo antiindividualismo diventò un principio centrale per Arp e Taeuber: l'uno e l'altra impegnarono la loro opera astratta contro l'"egotismo" che aveva causato la guerra.

Questa posizione guidò Arp e Taeuber sotto diversi riguardi. Primo, li rese scettici nei confronti della pittura da cavalletto, che era troppo individualistica nella produzione e nella ricezione ("[la] vedevamo come caratteristica di un mondo pretenzioso e

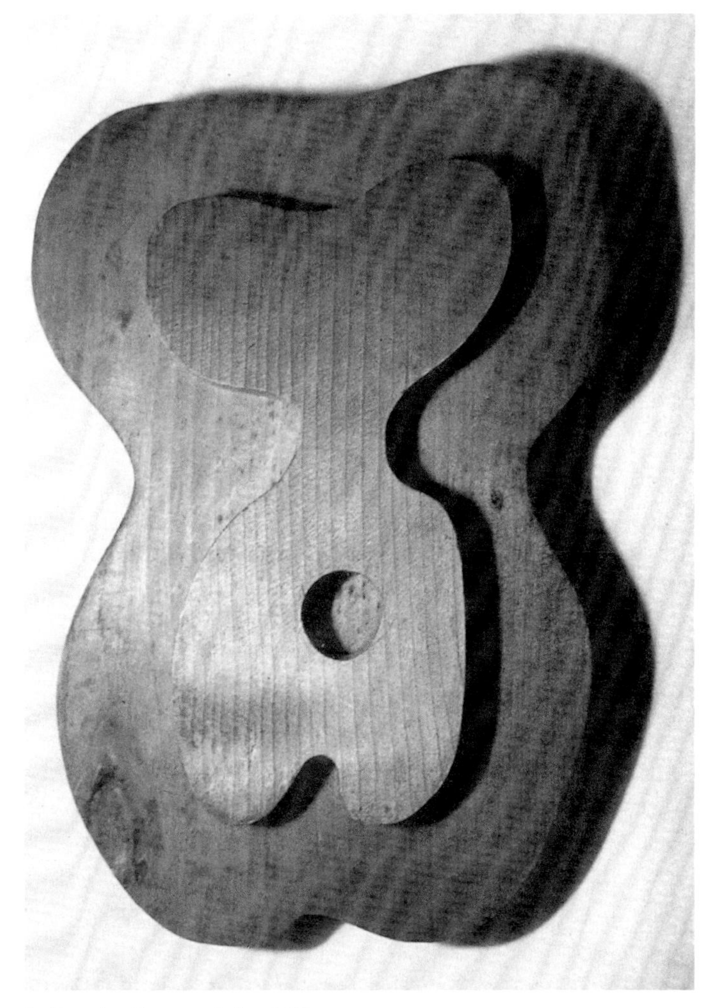

3 • Hans Arp, *Torso, ombelico*, 1915
Legno, 66 x 43,2 x 10,2 cm

▲ 1909 • 1916b, 1919 ▲ 1912 • 1914

Le riviste dadaiste

Il gruppo di artisti e poeti che gravitarono a Zurigo allo scoppio della Prima guerra mondiale fondò subito *Cabaret Voltaire* (1916), la rivista attraverso cui Dada seppe farsi conoscere in Europa e negli Stati Uniti. Se l'arte per la psicanalisi è sublimazione – un modo di elevarsi al di sopra degli istinti animali che formano la parte oscura della psiche – Dada vide se stessa come desublimante e ironizzò sulle ambizioni spirituali della poesia e della pittura. Nella sua breve storia del movimento, Richard Huelsenbeck scrisse: "Il *dichter* [poeta] tedesco è il tipico imbecille. [...] Non capisce che gigantesca ipocrisia il mondo ha fatto dello 'spirito'".

Dal 1917 venne pubblicata, sempre a Zurigo, anche *Dada*, curata da Tristan Tzara. Seguì subito *Dadaco*, un'antologia con opere visive dadaiste, come i fotomontaggi di George Grosz. Che la stessa parola "*dada*" fosse una provocazione è annunciato da un articolo su *Dadaco* che comincia: "Che cos'è Dada? Un'arte? Una filosofia? Una politica? Una polizza antincendio? O una religione di stato? È davvero un'energia? O non è niente del tutto?".

Il movimento dadaista negli Stati Uniti sfociò presto nel *Ridgefield Gazook* di Man Ray, pubblicato dal 1915, così come in *New York Dada*, il periodico prodotto da Marcel Duchamp. Il carattere internazionale delle riviste dadaiste è ulteriormente illustrato da *Merz* di Kurt Schwitters a Hannover e *391* di Francis Picabia pubblicato a Barcellona. In Francia *La Nouvelle Revue Française* riprende la pubblicazione nel 1919 (dopo essere stata soppressa durante la guerra) accusando la "nuova scuola" di non senso evidenziato dalla "ripetizione infinita di sillabe mistiche 'dada dada dada da'". Lo scrittore francese André Gide partecipò al dibattito con un articolo che annunciava: "Il giorno in cui la parola Dada fu trovata, non rimase nient'altro da fare. Tutto ciò che si scrisse successivamente mi parve un po' noioso. [...] Niente sembrava all'altezza di DADA. Queste due sillabe avevano raggiunto lo scopo dell'"inanità sonora', un assoluto non senso".

Così nel romanzo di Gide *I falsari* (1926), Strouvilhou immagina cosa possa essere una rivista dadaista quando dice: "Se io accetto di dirigere una rivista, sarà per far scoppiare degli otri, per svalutare tutti i bei sentimenti e questi assegni cambiari: le parole". Nel primo numero annuncia (con in mente il collage *L.H.O.O.Q.* di Duchamp) che ci sarà "una riproduzione della *Monna Lisa* con un paio di baffi stampati in faccia". È il collegamento di astrazione e non senso a venire associato, nel romanzo di Gide, allo svuotamento di significato del segno: "Se conduciamo bene il nostro affare", afferma Strouvilhou, "non vi do neppure due anni di tempo, perché un poeta di domani si creda disonorato se quello che vuole dire risulta intelligibile. Il senso, il significato, saranno considerati come antipoetici. Propongo di agire sotto il segno dell'illogismo".

presuntuoso"). Secondo, li portò a collaborare, soprattutto nei pezzi a collage o in legno, che erano talvolta indicati come "a due", altro modo che sfidava l'autorialità individuale **[4]**. Terzo, la posizione antiegotista indirizzò Arp e Taeuber verso la griglia (furono forse i primi a usarla in modo così diretto). Implicita nella composizione delle opere a collage e intrinseca nel supporto delle opere in legno, la griglia è un ordine dato che dà forma a queste opere, di nuovo in modo antiautografico; anche l'evocazione del pattern ornamentale qui mette in dubbio l'individuazione artistica. Infine, questa posizione li spinse a sperimentare procedure quasi-automatiche. Già nel 1914 Arp aveva prodotto piccoli lavori in lana, con forme geometriche o curvilinee orientate in orizzontale o in verticale. Come le opere in legno realizzate da Taeuber qualche anno dopo, queste opere non solo soltanto ripetitive nel processo ma talvolta simmetriche nella forma; anche questo le rende quasi senza autore, come se fossero elaborate soltanto dal medium o dal pattern.

▲ Arp sperimentò anche le tecniche aleatorie, come nei famosi collage del 1916-17 che consistono in pezzi di carta rettangolari "composti secondo le leggi del caso". Questa frase fu tuttavia un'aggiunta posteriore ai titoli (Arp l'appose talvolta dopo il 1930, ● in pieno contesto surrealista) e il caso è in queste opere a mala pena l'opposto del controllo: gli elementi individuali e la composizione generale sono abbastanza controllati. Questo è vero anche dei disegni quasi-automatici del 1915-20, dove i segni iniziali a penna spesso appaiono sotto o accanto alle principali figure ad inchiostro **[5]**. Per Arp il caso poteva indicare l'individuale altrettanto del controllo (per i suoi collage egli sostituì presto un taglierino alle forbici, che "troppo facilmente rivelano la vita della mano") e rimase ambiguo sull'aleatorietà.

Un'arte del silenzio

Per Arp e Taeuber l'astrazione non era soltanto antiindividualista nello spirito ma anche antisemantica nell'intento. "Tutte queste opere derivavano dalle forme più semplici", ha scritto Arp; sono "realtà, pure e indipendenti, senza significato". Tuttavia quest'"arte del silenzio" (come la chiamava) non è semplicemente negativa, essa comporta invece una decostruzione delle opposizioni, perché le astrazioni per Arp e Taeuber non sono completamente singole o doppie nell'autorialità, non proprio progettate o aleatorie nel processo, né ordinate o casuali nella composizione, non sono del tutto estetiche o utilitarie nell'orientamento, o pure o applicate come arte. Possiedono quel tanto di un termine da mettere in dubbio l'altro – giusto abbastanza ordine per non apparire casuali, abbastanza interesse estetico da non sembrare utilitarie e così via. Questa struttura neutra frustra il nostro abituale modello di comprensione basato sulla binarietà e mira a un'altra logica. Vista in questo modo, allora, l'"arte del silenzio" di Arp e Taeuber è contro il significato e l'interpretazione, ma in un modo che intende aprire entrambi. "Una volta non eri né l'uno né l'altro, ora sei tutto", ha scritto Meister Eckhart, il teologo tedesco del

▲ 1918 ● 1924, 1930b, 1931a

4 • Hans Arp e Sophie Taeuber, *Senza titolo (Collage a due)*, 1918
Collage di carte, legno e foglia d'argento su cartone, 82 x 62 cm

5 • Hans Arp, *Dada*, 1920 ca.
Inchiostro e matita su carta, 26,7 × 20,8 cm

Medioevo. Questo pensiero era caro a Arp e può essere preso come motto di queste astrazioni in generale.

Tale sospensione degli opposti è all'opera anche nelle sue incisioni del 1916-20 e negli oggetti di Taeuber del 1916-18. Come nei tessuti, le forme nelle incisioni sono spesso ripetute e anch'esse esitano tra la figurazione e l'astrazione: alcune ricordano pattern ornamentali, mentre altri assomigliano a figure con corone regali o collari ecclesiastici. Da un lato, dunque, queste forme sono interamente convenzionali – di fatto tanto banali da apparire svuotate di significato –, mentre, d'altro lato, evocano emblemi di autorità politica o suggeriscono significati religiosi. Qui la tensione al nulla delle astrazioni di Arp e Taeuber è più estrema: forme vuote che connotano anche segni auratici di potere (cimieri, scettri), pattern sottotono che suggeriscono anche, come dice Arp, "meditazioni, mandala, segnaletiche".

Gli oggetti di Taeuber sono come incisioni di Arp elaborate a tutto tondo. Anch'essi sono figurativi e insieme astratti, utilitari e estetici, perfino rituali (dei quattro esistenti, due sono sottotitolati *Tazza* e *Portacipria Dada* e due *Anfora* e *Calice*), fatti a mano ma non segnati (lavorati al tornio, sono regolari nella fattura e dipinti uniformemente) e così via. In breve, questi oggetti sono anch'essi "né questo né quello" e in questa ambiguità non soltanto si oppongono alle tradizionali categorie della scultura, come la figura e il monumento, ma differiscono anche dai nuovi modelli di oggetti del periodo, come il readymade, la costruzione e il feticcio.

Dunque perché virare le corone alla stramberia, come fa Arp nelle sue incisioni, o i calici ad arnesi, come fa Taeuber con i suoi oggetti? Perché svuotare di senso ciò che altrimenti sembra pieno di significato? Di nuovo, una convinzione di base di Dada, soprattutto a Zurigo, era che la guerra mondiale avesse manifestato una volta per tutte la totale corruzione della civiltà borghese, in particolare del suo linguaggio – una crisi completa nell'ordine simbolico con ramificazioni insieme politiche, sociali, religiose e artistiche. Come abbiamo visto, l'insistenza sulla mancanza di significato in Dada, sullo svuotamento di senso nella sua arte, testi e performance, può essere intesa come un'esagerazione, un'esacerbazione sminuente di questo stato generale di cose. Allo stesso tempo questo svuotamento era anche una purificazione di una civiltà diventata barbarica: "Quegli anni", ha scritto Arp guardando indietro, "sono stati per noi come una purificazione, come degli esercizi spirituali". Questa purificazione riguardò soprattutto il linguaggio, sia visivo che verbale, che doveva essere frantumato e/o ridotto al grado zero.

Comunque, se il significato andava in un primo momento svuotato, l'operazione richiamava in un secondo momento un rinnovamento, con il collasso del vecchio senso raccolto in qualche modo come un'apertura di un senso nuovo. Tale è la scommessa della doppiezza nelle astrazioni di Arp e Taeuber che oscillano tra un eccesso di significato e un niente assoluto. In particolare in questa poetica Arp talvolta sembra riprendere un'origine mitica del linguaggio, come un Adamo dadaista che risorge dalle rovine della guerra a nominare di nuovo il mondo. Questa scena ricorda l'esplosione di significato all'alba dell'uomo immaginata una volta da Claude Lévi-Strauss. "Il linguaggio è nato necessariamente tutto d'un tratto", scrive in un saggio sul collega antropologo Marcel Mauss. "È impossibile che le cose abbiano cominciato a significare progressivamente. In seguito a [questa] trasformazione [...] si è verificato un passaggio da uno stadio, in cui niente aveva senso, a un altro, in cui ogni cosa ne possedeva uno". In questo ipotetico momento, sostiene Lévi-Strauss, vi è un surplus di significazione, una sconnessione tra significanti e significati, tale che un significante può fluttuare come "una semplice forma o, più esattamente, un simbolo allo stato puro, suscettibile, perciò, di caricarsi di qualsivoglia contenuto simbolico". Tale era, secondo Lévi-Strauss, il termine polinesiano *mana* negli importanti testi di Mauss. "Dada" è anch'essa una parola *mana* e vi sono molte forme *mana* in Arp e Taeuber, come "ombelico" nei rilievi di lui o "nuvola" nelle sue poesie o in molti oggetti di lei. HF

ULTERIORI LETTURE:

Jean Arp, *Arp on Arp, Essays, Memories*, trad. ingl. Viking Press, New York 1972

Hugo Ball, *La fuga dal tempo*, trad. it. Campanotto, Pasian di Prato (UD) 2006

Leah Dickerman (a cura di), *Dada*, National Gallery of Art, Washington 2005

Ruth Hemus, *Dada's Women*, Yale University Press, New Haven-London 2009

Richard Huelsenbeck, *Memoirs of a Dada Drummer*, trad. ingl. Viking Press, New York 1974

Robert Motherwell (a cura di), *The Dada Painters and Poets* (1951), Harvard University Press, Cambridge (Mass.) 1989

Bibiana Obler, *Intimate Collaborations. Kandinsky and Münter*, Arp and Taeuber, Yale University Press, New Haven-London 2014

Hans Richter, *Dada: arte e antiarte*, trad. it. Mazzotta, Milano 1977

▲ 1925c ● 1925c

1916b

Paul Strand entra nelle pagine della rivista *Camera Work* di Alfred Stieglitz: l'avanguardia americana si forma intorno a un complesso rapporto tra la fotografia e le altre arti.

▲ Che Alfred Stieglitz (1864-1946) sia stato ritratto da Francis Picabia nel 1915 in forma di macchina fotografica [1] non ha sorpreso nessuno nel mondo dell'arte d'avanguardia, certamente non a New York ma neppure a Parigi. Nel 1915 infatti la rivista di Stieglitz *Camera Work* (pubblicata dal 1903) era ormai famosa su entrambe le sponde dell'Atlantico e la sua galleria al 291 della Quinta Avenue a Manhattan, che aveva cambiato nome nel 1908 da The Little Galleries of the Photo-Secession a semplicemente 291, aveva ospitato importanti mostre di Matisse (1908, 1910 e 1912), Picasso (1911, 1914 e 1915), Brancusi (1914) e Picabia (1915).

Molte contraddizioni attraversano tuttavia il "volto" del ritratto di Stieglitz. Per prima cosa, lo spirito dadaista della forma meccanomorfa non ha niente a che vedere con le convinzioni estetiche di Stieglitz; la sua fede in valori americani quali sincerità, onestà e innocenza si scontra clamorosamente con la rappresentazione ironica di Picabia del soggetto umano come macchina. Dall'altro lato, di conseguenza, l'impegno di Stieglitz a favore dell'autenticità, nella forma di rispondenza alla natura di un dato medium, lo aveva posto in diretto contrasto con la pratica fotografica del suo tempo. Il risultato fu che dal 1911 la galleria 291 non espose più opere fotografiche (con l'unica eccezione di una mostra dello stesso Stieglitz del 1913 in coincidenza con l'Armory Show). Agli occhi di Stieglitz cioè, modernismo e fotografia erano dolorosamente diventati antitetici.

Fu solo quando il giovane Paul Strand (1890-1976) si presentò a Stieglitz con le fotografie che aveva realizzato nel 1916 che il più anziano poté vedere la giustificazione della propria posizione. Vide infatti l'opera di Strand come una dimostrazione che i valori del modernismo e quelli della "fotografia diretta" potevano fondersi completamente sulla superficie di una singola stampa. Stieglitz decise dunque di allestire una mostra delle fotografie di Strand alla 291 e di risuscitare *Camera Work*, che languiva dal gennaio 1915. Nell'ottobre 1916 pubblicò il numero 48 e nel giugno 1917 concluse il progetto con il numero 49/50. Entrambi i numeri furono intesi come monumenti a Strand e a un rinnovato senso della definitiva riunione della fotografia al modernismo autentico. Con questo Stieglitz concluse il suo investimento a favore dell'avanguardia e si dedicò alla propria pratica fotografica.

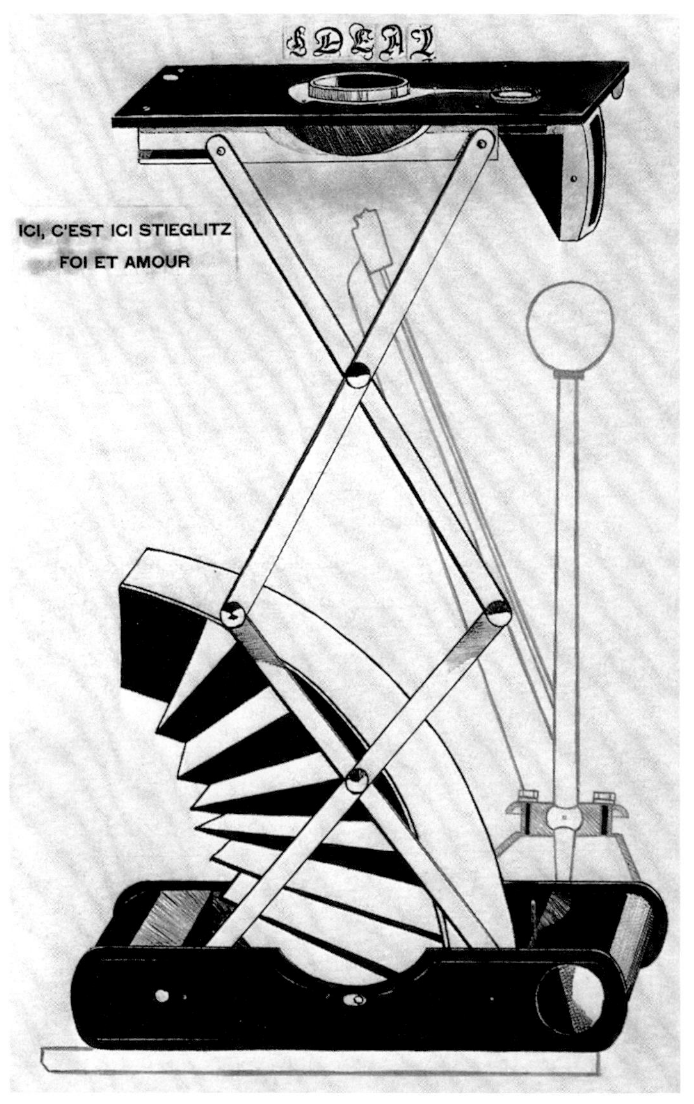

1 • Francis Picabia, *Ici, c'est ici Stieglitz*, 1915
Penna e inchiostro rosso su carta, 79,5 x 50,8 cm

Lo zigzag peculiare di questa traiettoria era cominciato a Berlino, dove Stieglitz si era iscritto a ingegneria nel 1882. Un corso di fotochimica introdusse il giovane americano alla fotografia, un medium a cui si dedicò subito, benché non avesse ricevuto nessuna precedente preparazione artistica. "Arrivai alla fotografia veramente con animo libero", spiegò poi. "Non esiste-

▲ 1914, 1916a, 1919

vano scorciatoie né un 'mondo dell'arte' in fotografia. Cominciai dal vero e proprio abc".

Nel 1889 Stieglitz aveva realizzato *Raggi di sole - Paula – Berlino* **[2]**, un'opera che nella sua ricchezza di dettagli era ben al di là del linguaggio che dominava in tutta la fotografia con ambizioni estetiche della fine del XIX secolo e primo decennio del XX. Definita "pittorialista", questa fotografia scommetteva il futuro del medium sull'imitazione dei tratti della pittura e si impegnava dunque in effetti vari di sfocato (leggera sfocatura, lenti appannate) e di lavorazione manuale ("disegno" sui negativi con gomma bicromata) per manipolare il più possibile l'immagine finale.

Incentrata invece sul "vero e proprio abc" della fotografia, *Raggi di sole - Paula - Berlino* non solo mobilita uno stretto realismo per staccarsi dalla simulazione pittorialista dell'"arte", ma realizza anche un'invenzione di valori e di meccanismi specifici del medium stesso. Uno di questi meccanismi è la fotomeccanica in sé, per cui la luce entra nella macchina fotografica attraverso un otturatore per lasciare una traccia permanente sull'emulsione sensibile del negativo. Dando corpo a questa luce in forma di sequenza di raggi che attraversano il campo visivo con un disegno striato di ombra e luce, *Raggi di sole* identifica le finestre attraverso cui la luce del sole entra nella stanza buia (o *camera oscura*) con l'otturatore.

Niente è più lontano dai vari modi impressionisti di presentare la luce da cui dipende sia la tecnica che il soggetto stesso di una data pittura, ancor più per la concatenazione delle immagini rappresentate nella stanza stessa. In essa è messo in scena il rapporto della fotomeccanica con la riproduzione meccanica – la duplicazione e serializzazione dell'immagine –, poiché la giovane donna che scrive al tavolo volge la testa verso un ritratto incorniciato (probabilmente di lei stessa) che identifichiamo come una fotografia, perché sulla parete alle sue spalle vediamo il suo esatto duplicato affiancato da due paesaggi che tradiscono la loro identità come fotografie nella loro condizione di gemelli identici. Il fatto che la riproducibilità sia contenuta nell'immagine di *Paula* la fa rimbalzare, implicitamente, su *Paula* stessa, che infatti si ritrova anch'essa sulla stessa parete. In questo senso *Paula* è un gioco di scatole cinesi, una dimostrazione della riproduzione come serie potenzialmente infinita del medesimo.

L'Armory Show

Il 15 febbraio 1913 si inaugurò una mostra sponsorizzata dall'Associazione dei pittori e scultori americani nell'arsenale del 69° Reggimento della Guardia Nazionale di New York. Ribattezzata "Armory Show", l'intenzione dei suoi organizzatori era di portare l'arte europea più avanzata a conoscenza degli artisti americani, che sarebbero stati messi a confronto con le loro controparti. Lo sforzo di trovare opere del genere in tutta Europa toccò agli impresari della mostra, Arthur B. Davies e Walt Kuhn, membri dell'ala più importante dell'avanguardia americana, un gruppo di pittori realisti denominato Gli Otto (l'operazione più radicale della galleria 291 di Stieglitz era nota perlopiù solo agli addetti ai lavori). Per sviluppare la mostra dell'avanguardia internazionale il circuito incluse anche la visita di *Sonderbund International* a Colonia, della *Seconda mostra dei postimpressionsiti* di Roger Fry a Londra e di altre mostre all'Aia, Amsterdam, Berlino, Monaco e Parigi, dove Gertrude Stein e altri americani introdussero Davies e Kuhn presso mercanti come Daniel-Henry Kahnweiler e Ambroise Vollard o artisti come Constantin Brancusi, Marcel Duchamp e Odilon Redon.

L'offensiva contro le 420 opere esposte, espressa dalla stampa e montata rapidamente durante il mese di durata della mostra, portò a un record di pubblico (88.000 presenze). Famose battute sulla *Signorina Pogany* di Brancusi ("un uovo sodo in equilibrio su un cubetto di zucchero"), sul *Nudo che scende le scale* di Duchamp ("un'esplosione in una fabbrica di petardi"), sul *Nudo blu* di Matisse ("una sfrontatezza compiaciuta") diedero in parte il tono della situazione. Ma l'altra parte era data dal salto di gusto degli artisti e collezionisti americani che videro le opere raccolte come una rivelazione. Così, mentre il titolo del *Sun* segnalava ironicamente la chiusura della mostra come un sollievo – "Migrano i cubisti, piangono in migliaia" – il successo della mostra, che passò anche a Chicago e Boston, inaugurò l'interesse per l'arte avanzata, che invaderà grandi magazzini, società e gallerie private (tra il 1913 e il 1918 ci saranno quasi 250 esposizioni). Un altro effetto immediato fu la revoca della tassa del 15 % sull'importazione d'arte che esisteva da quasi vent'anni, una battaglia legale combattuta dall'avvocato e collezionista John Quinn. Questo permise all'arte europea di entrare negli Stati Uniti, ma preparò anche la scena per il famoso caso doganale dell'*Uccello nello spazio* di Brancusi nel 1927, in cui lo statuto stesso dell'arte modernista diventò una questione legale.

Stieglitz dà vita alla Photo-Secession

Stieglitz non si imbatté in nient'altro di valido in riviste e mostre fotografiche né in Europa né poi in America, quando vi tornò nel 1890. Iscrittosi al New York Camera Club, non aveva altra scelta che battersi *per* il Pittorialismo piuttosto che contro, poiché era solo nelle mani di alcuni suoi autori (come Clarence White [1871-▲ 1925] ed Edward J. Steichen [1879-1973]) che la fotografia era presa sul serio come valido mezzo di espressione artistica. Dal 1897 Stieglitz cominciò a editare *Camera Notes* come forum del gruppo pittorialista che sosteneva contro la vigorosa opposizione dei membri più conservatori del Camera Club di New York, che si era recentemente fuso con la Society of Amateur Photographers per formare il Camera Club di New York, sponsor della rivista. Nel ▲ 1902, sul modello delle altre "secessioni", il gruppo si separò dal Club e si costituì come Photo-Secession, guidato da Stieglitz, che fondò *Camera Work* come suo braccio editoriale nel 1903 e, con l'incoraggiamento e l'assistenza di Steichen, aprì The Little Galleries of the Photo-Secession nel 1905.

Presto comunque l'antipatia naturale di Stieglitz per la manipolazione pittorialista e la sua convinzione invece che la qualità fotografica deve nascere da un approccio "diretto" al medium, aprì

▲ 1959d

▲ 1900a

2 • Alfred Stieglitz, *Raggi di sole - Paula - Berlino*, 1889
Stampa alla gelatina d'argento, 22 x 16,2 cm

una spaccatura tra lui e i confratelli della Photo-Secession. Stieglitz confessò a Steichen che non vedeva venire da parte dei fotografi opere abbastanza forti per riempire la galleria e fece affidamento sul giovane amico, ora stabilitosi a Parigi, il quale fu d'accordo che la scelta dovesse necessariamente passare dalla fotografia alla ▲ pittura e scultura moderne. A partire dai disegni di Rodin che Steichen scelse nel 1908, le selezioni proseguirono sempre più audaci, • che fossero influenzate da Leo e Gertrude Stein o dagli organizzatori americani dell'Armory Show del 1913, che avevano perlustrato l'Europa in cerca delle opere più avanzate. Così l'impegno di Stieglitz nella fotografia diretta si sincronizzò progressivamente con la fede nel Cubismo e nell'arte africana invece che con i tardi valori simbolisti del Pittorialismo celebrati dal ritratto di Rodin di Steichen.

Niente infatti può offrire un contrasto maggiore che *Rodin e Il pensatore* di Steichen **[3]** e *Il ponte di terza classe* di Stieglitz **[4]**: il primo è un sacrificio volontario del dettaglio all'effetto drammatico dei profili (quello dello scultore a confronto con quello ripiegato di *Il pensatore*) contro i lineamenti sfocati del *Victor Hugo* di Rodin, che, come un dio, fa da enigmatico sfondo; il secondo è un gioco di forme straordinariamente intenso. Scattato dal ponte più alto di un transatlantico, *Il ponte di terza classe* scruta giù nell'intrico di forme umane visivamente separate dalla sfilata dei passeggeri borghesi sopra di esso dalla luminosa diagonale di uno scalandrone. La separazione delle classi non può dunque essere mantenuta più energicamente, anche se l'imparziale sguardo meccanico del fotografo, che tiene tutto a fuoco, produce una ridistribuzione di "ricchezze" sulla superficie dell'immagine, ridistribuzione data dalla traduzione formale in ritmo di forme ovali (i cappelli di paglia, i berretti illuminati, le ciminiere) sulla superficie della stampa.

Sarà questo principio del ritmo, ma ora svuotato del suo contenuto sociale e, quasi, di qualsiasi contenuto riconoscibile, che

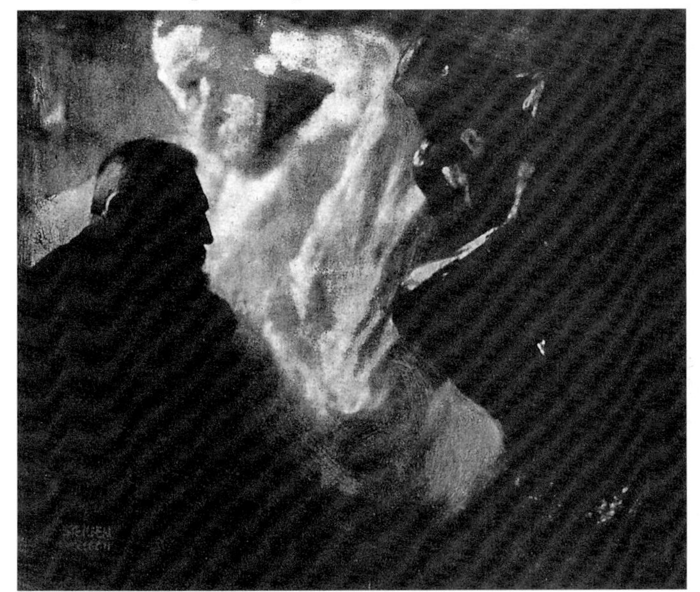

3 • Edward Steichen, *Rodin e Il pensatore*, 1902
Stampa alla gomma bicromata

4 • Alfred Stieglitz, *Il ponte di terza classe*, 1907
Fotoincisione, 33,5 x 26,5 cm

Stieglitz ritroverà nell'opera di Strand dell'estate del 1916, dopo avere sperimentato il Pittorialismo per qualche anno. Che fosse *Astrazione, Scodelle* o *Astrazione, Ombre del portico, Twin Lakes, Connecticut* **[5]** Strand controllava talmente il gioco di luce da gettare una profonda ambiguità sull'immagine – dove il concavo si confonde con il convesso o il verticale con l'orizzontale – senza niente dell'implacabile asprezza del fotografico in sé. Infatti l'"astrattismo" fotografico di Strand non sembra dipendere dall'irriconoscibilità degli oggetti fotografati. È l'esperienza di una sorta di ipervisione – di concentrazione superiore a qualsiasi tipo normale di sguardo – che va al di là della mera registrazione di questo o quell'oggetto, quello che si può trovare nella presentazione di Strand di cose comuni, come *La staccionata bianca* (1916), una fila di picchetti su un terreno scuro.

La scossa trasmessa a Stieglitz dalla fotografia di Strand fu rafforzata dalla sua crescente convinzione che il modernismo non era più esclusiva proprietà dell'Europa. Infatti nello stesso periodo ▲ ebbe un'altra rivelazione da una serie di disegni di Georgia O' Keeffe (1887-1986) intitolati *Linee e spazi a carboncino*, che gli vennero mostrati da un amico e che espose nel 1916. Gli acquerelli astratti che O'Keeffe fece poi nel 1917, inondati da una sorta di pura luminosità, costituirono l'ultima mostra della galleria 291.

Nel 1918 Stieglitz avviò una nuova fase della sua vita e della sua arte. Vivendo ora con O'Keeffe e passando le estati con lei a Lake George, tornò con nuova intensità alla fotografia. In alcuni casi

▲ 1900b • 1907 ▲ 1927c

5 • Paul Strand, *Astrazione, Ombre del portico, Twin Lakes, Connecticut*, 1916
Stampa al platino, 32,8 x 24,4 cm

sembrò voler superare Strand nella purezza abbagliante di quel tipo fotografico di "ipervisione", in altri tornò a quel genere di investigazione che aveva aperto con *Raggi di sole - Paula - Berlino*, cioè la pura risposta alla domanda "Che cos'è una fotografia?".

L'astrattismo del taglio

Giunta più radicalmente sotto forma di una serie di immagini di nuvole che Stieglitz realizzò tra il 1923 e 1931, intitolate *Equivalenti* **[6]**, la risposta a questa domanda fu segnata dalla spinta all'unità che si trova in molte risposte moderniste allo stesso tipo di domanda ontologica: "Che cos'è...?". La risposta di Stieglitz ora si incentra sulla natura del taglio o inquadratura: la fotografia è qualcosa di necessariamente ritagliato da un insieme più ampio. Estratto dalla struttura continua del cielo, ogni *Equivalente* si mostra come pura funzione del taglio, non semplicemente perché il cielo è vasto e la fotografia ne è solo una parte, ma perché il cielo ▲ è essenzialmente non composto. Come i readymade di Duchamp, queste immagini non cercano di scoprire rapporti compositivi fortuiti in un oggetto altrimenti indifferente; il taglio piuttosto opera olisticamente su ogni parte dell'immagine nello stesso tempo, facendo risuonare in essa il singolo messaggio che è stato radicalmente spostato da un contesto a un altro, attraverso il solo atto del tagliare, dislocare, staccare.

Questa separazione dell'immagine dal suo sfondo (in questo caso il cielo) è poi raddoppiata dal fatto che l'immagine risultante produce in noi spettatori la sensazione di essere stati a nostra volta vertiginosamente tagliati via dal nostro "sfondo". Il disorientamento causato dalla verticalità delle nuvole, come se spargessero taglienti schegge in tutta l'immagine, risiede nel nostro non comprendere che cosa è sopra e che cosa sotto, o perché questa fotografia che sembra appartenere tanto *al* mondo non contiene l'elemento più primitivo del nostro rapporto con quel mondo, cioè il nostro senso dell'orientamento, il nostro radicamento alla Terra.

Volendo squilibrare o sradicare, Stieglitz naturalmente omette qualsiasi indicazione di Terra o di orizzonte dell'immagine. Così gli *Equivalenti* fluttuano letteralmente. Ma ciò che perdono a questo livello letterale, ritorna a quello formale, poiché molte delle immagini sono fortemente vettoriali (danno cioè un senso di direzione): zone di luce delimitano quelle buie, producendo un asse, come la separazione di luce e buio creata dalla linea d'orizzonte che organizza il nostro rapporto con la Terra. Anche questa eco formale del nostro orizzonte naturale è allora assunta nell'opera per venire subito negata e trasformata nella verticalità inabitabile delle nuvole.

A questo punto il taglio o inquadratura diventò per Stieglitz il modo di enfatizzare la trasposizione assoluta ed essenziale della realtà da parte della fotografia; essenziale non perché l'immagine fotografica è diversa dalla realtà, essendo bidimensionale o in bianco e nero o piccola, ma perché, come insieme di segni tracciati dalla luce sulla carta, viene mostrata come non avente orientamento "naturale" sulle direzioni assiali del mondo reale più di quei segni in un libro che conosciamo come scrittura. È in questa "equivalenza" che la fotografia "diretta" e il modernismo si ricongiungono senza sforzo. RK

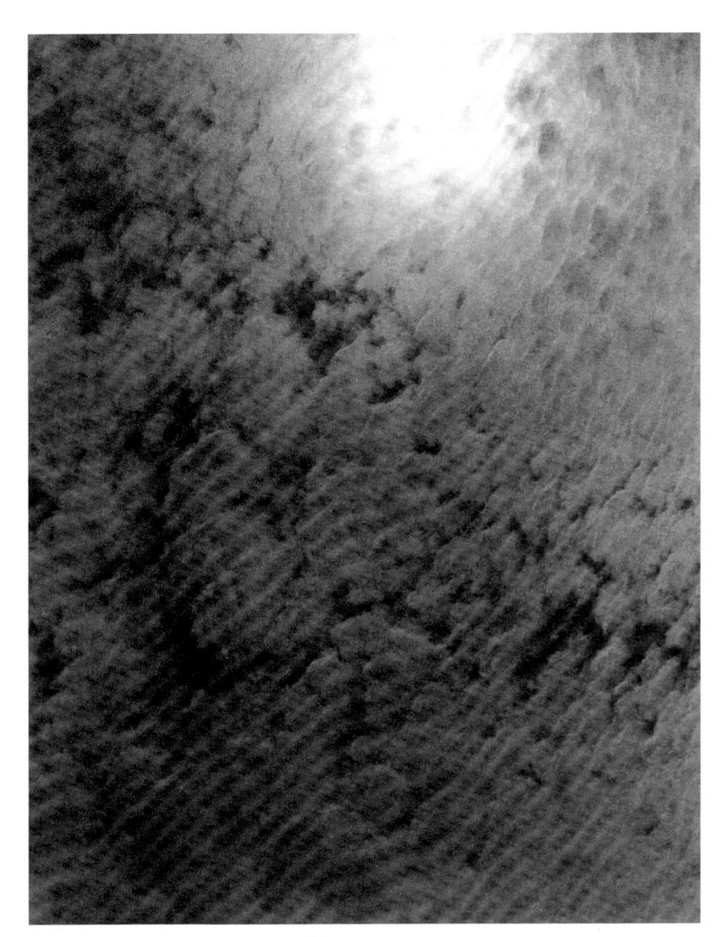

6 • Alfred Stieglitz, *Equivalente*, 1927 ca.
Stampa alla gelatina d'argento, 9,2 x 11,7 cm

ULTERIORI LETTURE:

Michela Vanon (a cura di), *Camera Work. Un'antologia*, Einaudi, Torino 1981
Maria Morris Hambourg, *Paul Strand, Circa 1916*, Metropolitan Museum of Art, New York 1998
William Innes Homer, *Alfred Stieglitz and the American Avant-Garde*, N.Y. Graphic Society, Boston 1977
Dickran Tashjian, *Skyscraper Primitives: Dada and the American Avant-Garde, 1910-1925*, Wesleyan University Press, Middletown (Conn.) 1975
Allan Trachtenberg, *From "Camera Work" to Social Work*, in *Reading American Photographs*, Hill and Wang, New York 1989
Jay Bochner, *Art American Lens: Scenes from Alfred Stieglitz's New York Secession*, MIT Press, Cambridge (Mass.) 2005
Malcolm Daniel, *Steiglitz, Steichen, Strand*, Yale University Press, New Haven-London 2010

▲ 1914

1917a

Dopo due anni di intensa ricerca, Piet Mondrian apre una propria via all'Astrattismo e inventa il Neoplasticismo.

Quando, nel luglio 1914, Mondrian tornò in Olanda per una visita alla famiglia, il suo soggiorno fu sorpreso dallo scoppio della Prima guerra mondiale, che lo tenne lontano da Parigi per cinque lunghi anni. Se era andato nella capitale francese all'inizio del 1912 con uno scopo in mente, era quello di approfondire il Cubismo. Ignaro del recente cambio di rotta ▲ dovuto all'innovativo uso cubista del collage, con le sue conseguenze per lo status del segno mimetico, Mondrian spostò indietro l'orologio all'estate del 1910. In quel particolare momento della storia del Cubismo, sia Picasso che Braque, che si erano trovati al limite di una pittura completamente astratta, avevano fatto marcia indietro. Prima reintrodussero frammenti di referenzialità nei loro quadri (come la cravatta e i baffi nel *Ritratto di* ● *Daniel-Henry Kahnweiler*), aggiunsero poi parole, sparse sul piano pittorico, che puntavano a rendere tutto il resto tridimensionale a paragone con esse, assicurando così che il carattere mimetico dell'immagine fosse almeno accennato.

Leggendo questo Cubismo analitico con le lenti del Simbolismo di fine secolo misto alla Teosofia (una dottrina occultista e sincretista che combinava varie religioni e filosofie orientali e occidentali, molto popolare in Europa al cambio di secolo), Mondrian diventò presto cosciente che proprio ciò che Picasso e Braque temevano di più (l'astrazione e la bidimensionalità) era precisamente ciò che egli cercava, perché si accordava alla categoria di "universale", centrale nel suo sistema di convinzioni. Adottando un punto di vista frontale, Mondrian trovò un modo di tradurre i suoi soggetti favoriti (prima alberi poi architetture – in particolare, nel 1914, muri spogli di edifici in attesa di demolizione) in una più ■ rigorosa versione ortogonale della griglia cubista. Attraverso questi strumenti, quella che chiamava la *particolarità* di un'immagine è vinta e l'illusione spaziale sostituita dalla "verità", dall'opposizione di verticale e orizzontale che è l'essenza "immutabile" di tutto. Il metodo è infallibile, pensava Mondrian in quel periodo: tutto può essere ridotto a un denominatore comune; ogni figura può essere digitalizzata in uno schema di unità orizzontali e verticali e così disseminata sulla superficie; e ogni gerarchia (e ogni centralità) può essere abolita. La funzione dell'immagine ora diventa quella di rivelare la struttura del mondo, intesa come riserva di opposizioni binarie; inoltre, e ancora più importante, quella di mostrare come

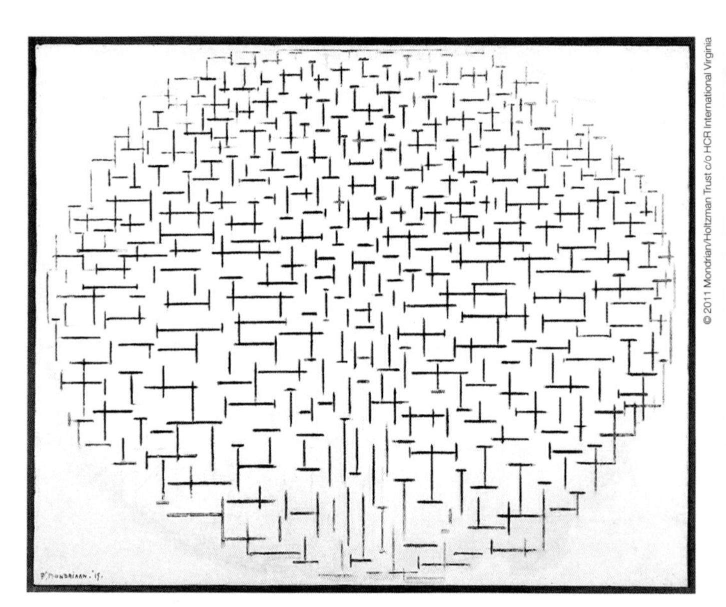

1 • Piet Mondrian, *Composizione n. 10 in bianco e nero*, 1915
Olio su tela, 85 x 108 cm

queste opposizioni possano neutralizzarsi a vicenda in un equilibrio senza tempo.

Fu a questo punto, nel 1914, che Mondrian tornò in Olanda, dove, al contrario della sua situazione isolata in Francia, trovò un notevole seguito. Già all'inizio, nel 1908, quando aveva voltato le spalle al naturalismo olandese e abbracciato il modernismo, si era subito messo alla testa dell'avanguardia locale. Riunendosi ai vecchi amici teosofi nella sua solita sede estiva – la colonia di artisti di Domburg – cercò di applicare la sua tecnica digitale ai soggetti che prima di partire per Parigi aveva dipinto in vari stili postimpressionisti – la chiesetta gotica, il mare, i moli. Risultano solo due quadri di questo gruppo di studi (uno del 1915, *Composizione n. 10 in bianco e nero* [1], più noto come *Molo e oceano*; l'altro, *Composizione 1916*), ma insieme segnano un cambiamento.

Uno dei fattori più importanti in questo spostamento fu l'avvicinamento di Mondrian alla filosofia di Hegel, che lo aiutò a rompere con l'intrinseco carattere statico della digitalizzazione e con l'idea neoplatonica di verità essenziali nascoste sotto un mondo di illusioni. Se infatti la teoria dialettica di Hegel è fondata sulle opposizioni, non cerca però la loro neutralizzazione. È al

▲ 1912 ● 1911 ■ 1913

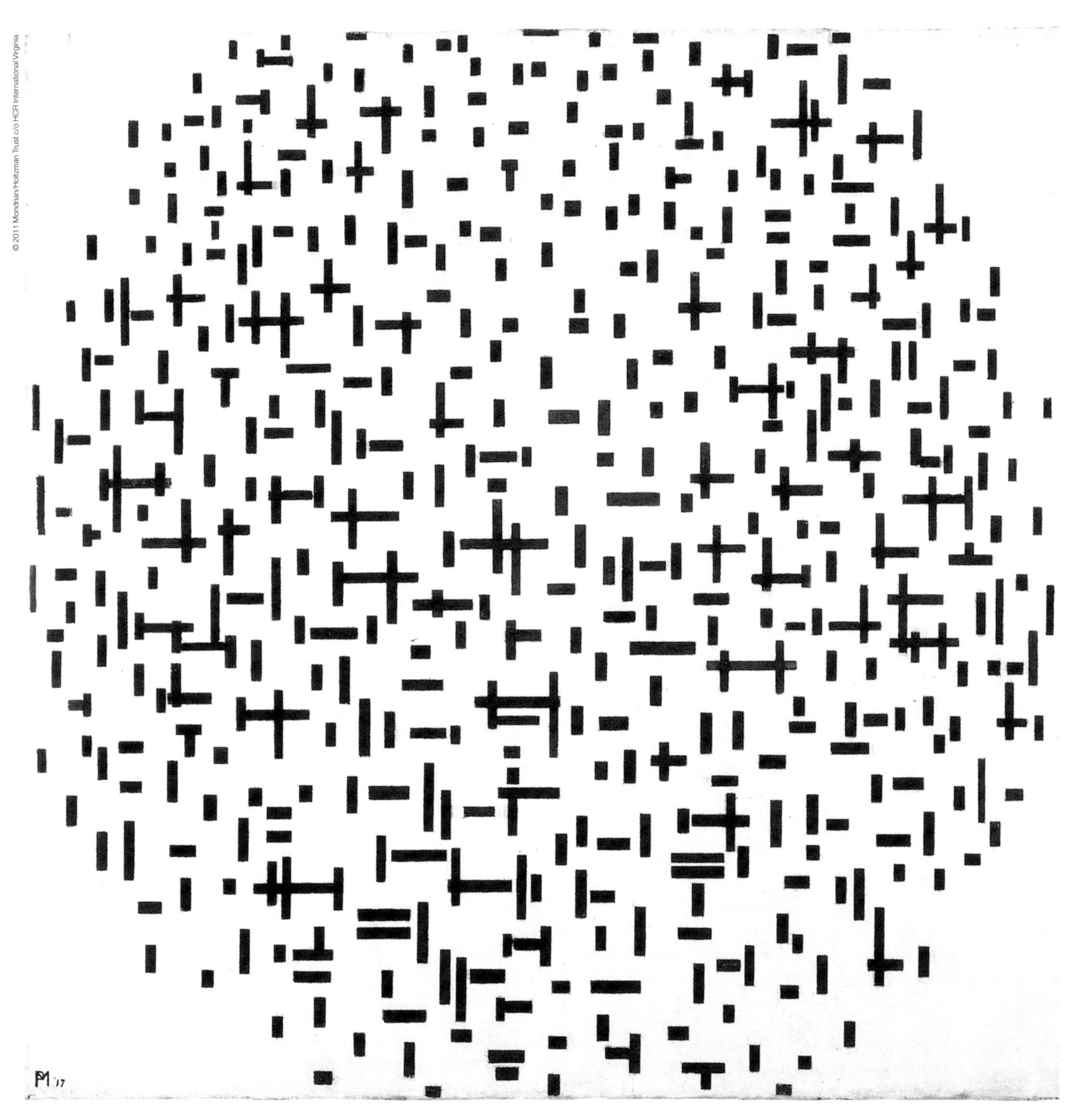

2 • Piet Mondrian, *Composizione di linee*, 1916-17
Olio su tela, 108 x 108 cm

contrario un sistema dinamico mosso da tensioni e contraddizioni. Il motto di tutta la vita di Mondrian coniato allora – "ogni elemento è determinato dal suo contrario" – viene direttamente da Hegel. Il risultato non è più la trasposizione (o, trattandosi di un modo per stabilire un insieme di segni arbitrari che trasporranno il mondo reale in un codice, un termine migliore sarebbe *transcodifica*) del mondo visibile in uno schema geometrico, ma la messa in atto su tela delle leggi della dialettica che governano il mondo, visibile o no.

Sebbene sia *Composizione n. 10 in bianco e nero* che *Composizione 1916* fossero basate su disegni che avevano messo a punto il metodo di digitalizzazione, queste tele ora lo abbandonarono, così come abbandonarono la simmetria che ne risultava (da questo momento la simmetria è bandita dall'opera di Mondrian). Nei disegni "più e meno" che portarono al primo di questi quadri, Mondrian esplorò la struttura cruciforme che risulta dall'intrusione verticale del molo visto da sopra nell'orizzontalità dei riflessi sul mare. Ma invece del cruciforme stesso, quello che vediamo nel quadro sono la sua gesta-

▲ zione e dissoluzione simultanee – cosa perfettamente colta da Theo van Doesburg (1883-1931) quando scrisse di quest'opera in una recensione che la sua "metodica costruzione prende corpo 'divenendo' più che 'essendo'". Benché quasi subito dopo averla completata Mondrian giudicasse severamente *Composizione 1916* per l'eccessiva enfasi su un'unica direzione (la verticale), tutti i riferimenti alla facciata della chiesa erano stati soppressi: non è più lo spettacolo del mondo ad essere transcodificato, ma sono gli elementi dell'arte pittorica stessa a venire digitalizzati: linea, colore, superficie, ognuno ridotto alla sua cifra di base. Sebbene Mondrian non abbia mai rinunciato alla sua originaria posizione spiritualista, la sua arte ora diventò, e rimase, una delle esplorazioni più elaborate della materialità della pittura, un'analisi dei suoi significanti. Questo salto dialettico dall'idealismo estremo all'estremo materialismo è un • carattere comune nell'evoluzione di molti pionieri dell'astrattismo.

Il principio di riduzione di Mondrian è quello della massima tensione: una linea retta non è nient'altro che una "curva tesa". La stessa tesi vale per le superfici (la più piatta è la più tesa) e sarà presto applicata al colore. Che Mondrian abbia aspettato più di quattro anni (fino al 1920) prima di adottare la triade dei colori primari (rosso, giallo e blu, usati insieme a nero, grigio e bianco) non toglie niente al fatto che sapesse già in quel momento che era un'inevitabile conseguenza della sua logica. Prima doveva purificarsi completamente dell'idea, derivata da Goethe, del colore come materia che sporca la purezza (leggi: spiritualità) della luce – era l'ultimo resto di rappresentazione, forse perché il suo carattere mimetico, rivestito di simbolismo, era più duro da svelare. Ma questo ritardo non impedì a Mondrian, quando cominciò a lavorare alla *Composizione di linee* **[2]** nel 1916, di immergersi nella pura astrazione.

Una volta liberata da qualsiasi obbligo referenziale, l'opera di Mondrian evolse a piena velocità. *Composizione di linee*, finita all'inizio del 1917, radicalizza il dinamismo delle due opere precedenti, accentuando la tensione tra una casualità originaria e un ordine non gerarchico voluto. Ma con essa Mondrian comprese che una componente importante del linguaggio pittorico rimaneva ancora passiva nella sua opera. Perché, sebbene la figura stessa, totalmente dispersa dalla griglia e assorbita in essa, è ora così del tutto atomizzata che è costretta a rimanere virtuale – ogni gruppo di unità lineari è in competizione per catturare l'attenzione –, lo sfondo bianco sotto queste linee nere o grigio scuro non è ancora completamente "teso". È otticamente attivato dai rapporti geometrici che virtualmente collegano i singoli elementi del quadro, ma in sé rimane uno spazio vuoto che attende di essere riempito da una figura – e questo, comprese ora Mondrian, finirà solo se lo sfondo cesserà di esistere in quanto sfondo. Come dire che l'opposizione tra figura e sfondo – condizione stessa della rappresentazione – deve essere abolita se si vuole completare un programma estetico di astrazione pura. Fu a trovare i mezzi per realizzare questo che Mondrian si dedicò negli anni tra il 1917 e il 1920.

In una serie di tele immediatamente posteriori a *Composizione di linee* Mondrian eliminò qualsiasi sovrapposizione di piani. Nel primo di questi dipinti, l'estensione laterale è concepita come antidoto all'illusione atmosferica, ma presto Mondrian comprese che i piani di colore fluttuanti, che appaiono come se scivolassero lateralmente fuori dal quadro, presuppongono ancora la neutralità dello sfondo. Allineando gradualmente i rettangoli colorati e, ancora più importante, finendo la serie dividendo anche gli spazi interstiziali in rettangoli di vari toni di bianco, eliminò dunque la nozione stessa di interstizio passivo.

Il passo finale in questa rapida marcia verso l'abolizione dello sfondo in quanto tale fu la griglia modulare, che Mondrian indagò in nove tele tra il 1918 e il 1919. Usando le proporzioni della tela come base della sua divisione in unità regolari, Mondrian venne a patti con una struttura deduttiva che annulla, teoricamente, qualsiasi proiezione di un'immagine a priori sulla superficie. Non c'è differenza tra sfondo e non sfondo (o, in altre parole, lo sfondo è la figura, il campo è l'immagine). L'intera superficie della tela è diventata una griglia, ma questa griglia non è più un'impalcatura cubista costruita in uno spazio vuoto, poiché ogni zona della tela è ora trasformata in un'unità rettangolare commensurabile.

Questo non significa comunque che ogni unità ha uguale peso: in tutta questa serie di tele modulari, che comprende i suoi primi quattro quadri cosiddetti "a diamante", Mondrian non abbandonò mai l'opposizione tra unità marcate (da uno spesso "contorno" o dal colore) e unità non marcate. Questo potrebbe sorprendere se non fosse per l'hegelismo di Mondrian: ci deve essere una tensione dinamica al centro di ogni opera, cosa che una griglia uniforme automaticamente non permette. (È proprio perché la continuità uniforme di una griglia regolare annulla il pathos di una tensione ▲ che un pittore come Ad Reinhardt, e molti minimalisti dopo di lui, prediligeranno questa forma.) Così nelle opere meno compositive di Mondrian, le cosiddette *Composizione a scacchiera con colori scuri* e *Composizione a scacchiera con colori chiari* **[3]**, c'è un chiaro senso di lotta tra i dati "oggettivi" del modulo operativo e il gioco "soggettivo" della distribuzione dei colori. Perché si manifesti l'"universale", deve ancora essere contenuto un senso di "particolarità"– almeno per ora.

Questi due quadri sono gli ultimi del genere. Appena finiti, nella primavera del 1919, Mondrian tornò a Parigi convinto di avere scoperto con le sue griglie modulari la risposta definitiva alla maggior parte dei problemi pittorici affrontati dai continuatori del Cubismo. Ma l'atmosfera nella capitale francese era cambiata, • come esemplificato dalla mostra di opere neoclassiche di Picasso. Questo sicuramente aiutò Mondrian a comprendere che l'assoluta "eliminazione del particolare" era un sogno utopico e dunque che la soluzione della griglia modulare, per la sua stessa radicalità, era, se non una falsa pista, comunque troppo avanti per il tempo – qualcosa per il futuro forse, quando le condizioni di percezione sarebbero cambiate, ma qualcosa che nessuno sapeva sfruttare nella situazione presente. Inoltre Mondrian cominciò a capire che le griglie modulari non si accordavano con le sue teorie e convinzioni perché basate sulla ripetizione (per Mondrian non c'era differenza tra il ritmo ripetitivo di una macchina e quello delle

▲ 1917b, 1928a, 1937b • 1913

▲ 1957b • 1919

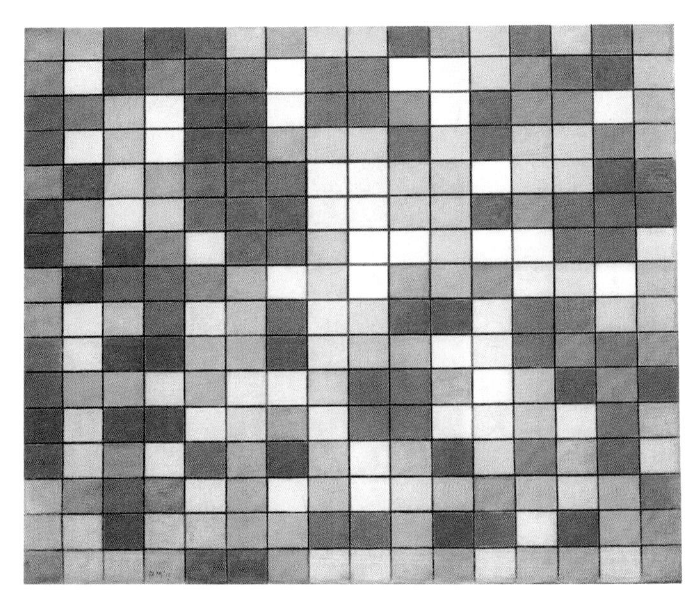

3 • Piet Mondrian, *Composizione con griglia 9: Scacchiera con colori chiari*, 1919
Olio su tela, 86 x 106 cm

stagioni), e poiché il reticolo (la divisione in una rete di quadrati) genera effetti ottici illusionistici (tutte le illusioni sono fatti di natura), sentì che contraddicevano doppiamente la sua denuncia teorica del "naturale".

L'invenzione del Neoplasticismo

Dalla fine del 1920 lo stile maturo di Mondrian, che chiamò "Neoplasticismo", era pronto. La sua invenzione era il risultato di un intenso periodo di lavoro durante il quale estirpò gradualmente la modularità. Il compito difficile che ora si poneva era di reintrodurre la composizione senza restaurare l'opposizione gerarchica di figura e sfondo. La strada che scelse veniva dalla stessa logica che aveva dato vita alle griglie regolari, ma ora all'inverso. Il nuovo equilibrio non si sarebbe basato sulla promessa di un livellamento di tutte le unità, ma sulla loro discordanza. Le illusioni ottiche ora sarebbero state eliminate completamente, non solo gli effetti di tremolio visivo indotto dal raggrupparsi di linee nere alle intersezioni delle griglie ma anche, alla fine, la possibilità stessa di contrasti di colore: i piani di colore cessano di essere vicini e d'ora in poi sono più spesso disposti alla periferia del quadro. Non c'è più opposizione tra figura e sfondo che nelle griglie modulari, ma ora ogni unità, chiaramente differenziata (è a questo punto che appaiono i colori primari), punta a minare la centralità delle altre.

Composizione in giallo, rosso, nero, blu e grigio **[4]**, il primo tipico quadro neoplastico, dimostra l'efficacia del nuovo metodo di Mondrian. Benché la logica degli equilibri abbia richiesto un grande quadrato centrale, noi non la percepiamo come tale. In questo linguaggio pittorico, con la sua ostilità per l'idea di *Gestalt* (o forma intesa come separazione della figura dallo sfondo), niente, neppure una forma facilmente riconoscibile (rettangolo, quadrato) posta sull'asse di simmetria, deve prevalere nell'attenzione. D'ora in poi ogni quadro neoplastico sarà un modello microcosmico, un oggetto pratico-teorico in cui i poteri distruttivi del pensiero dialettico sono ogni volta messi alla prova di nuovo. *Ogni volta di nuovo* va qui sottolineato, perché, diversamente dalla maggior parte dei pittori nella tradizione dell'arte astratta, Mondrian non ha mai lavorato secondo una formula – non c'è mai niente di predeterminato nelle sue composizioni, ciascuna concepita, in maniera dialettica, come un passo in avanti rispetto alla precedente, e orientata verso lo stesso fine: creare al proprio interno un nuovo genere di equilibrio, un equilibrio in tensione, in cui ogni elemento è dotato di massima energia, e che egli esponeva in termini molto simili a quelli usati nel dopoguerra dagli strateghi militari in difesa della teoria della deterrenza (Mutual Assured Distruction).

Gli anni immediatamente seguenti l'avvento del Neoplasticismo saranno i più produttivi di Mondrian (un quinto della produzione è stato dipinto tra la fine del 1920 e la metà del 1923). Non lavorò esattamente in serie, ma ritornò continuamente a tre tipi di composizione che modificava e trasformava, il minimo cambiamento in un'area necessitando una completa riformulazione dell'intero quadro. Questo fatto è reso più evidente dal drastico assottigliamento del vocabolario pittorico di Mondrian, ora limitato a superfici di colori primari e elementi di "non colori" (linee nere, superfici bianche e, più raramente, grigie). I tre tipi compositivi, molto diversi l'uno dall'altro, erano basati sull'idea che un elemento che sembrava dominare il quadro doveva essere messo in discussione dalle azioni combinate di tutti gli altri elementi (quelli dominanti potevano essere un grande quadrato o quasi quadrato nell'area centrale, come nel primo quadro neoplastico appena ricordato; o due linee che sezionano il quadro, anch'esse vicine all'area centrale; o una grande superficie "aperta", colorata o no, in uno degli angoli, delimitata solo su due lati). Proprio perché la radicale limitazione del vocabolario pittorico era una diretta conseguenza del suo principio di "equilibrio dinamico" (un concetto che formulerà solo negli anni trenta), il numero di elementi presenti in una singola opera poteva anche essere ridotto al fine di aumentare la parte di ogni elemento nella tensione. Nella più pura delle sue opere, *Composizione a losanga con due linee* del 1931 **[5]**, due linee nere di diverso spessore, una verticale e l'altra orizzontale, attraversano una superficie quadrata bianca posizionata su un vertice, e si incrociano non lontano dal bordo sinistro in basso. L'opera è in apparenza così semplice che all'inizio l'origine della sua affascinante tensione è difficile da cogliere: l'"incrocio", al contrario di quello che si è tentati di credere (precisamente a causa delle abitudini percettive, che l'arte di Mondrian non smette mai di combattere), *non* è disposto simmetricamente lungo un asse obliquo che dividerebbe il quadro in due parti specchianti. È solo *quasi* così. Le quattro superfici bianche sono diverse – differenza massima nel caso del triangolo piccolo in basso a sinistra e del grande pentagono che occupa la parte più ampia della tela, e minima nel caso dei due quadrangoli irregolari ad entrambi i lati del dipinto. Quest'ultima quasi impercettibile differenza, come quella dello spessore delle sbarre nere, è ciò che annulla subliminalmente la risoluzione potenzialmente statica della simmetria e

1917b

Nell'ottobre 1917 la rivista *De Stijl* è pubblicata da Theo van Doesburg nella cittadina olandese di Leida. Appare con scadenza mensile fino al 1922, poi senza regolarità. L'ultimo numero esce nel 1932 come omaggio postumo a van Doesburg, appena dopo la sua morte in un sanatorio svizzero.

Ci sono tre modi per definire De Stijl e tutti e tre vennero usati da Theo van Doesburg in un articolo retrospettivo del 1927 sul movimento: 1) come una *rivista*, 2) come un *gruppo* di artisti riuniti intorno alla rivista e 3) come un'*idea* condivisa dai membri di questo gruppo. La prima definizione è la più conveniente, perché è dedotta da un corpus ben definito. È innegabile che la rivista sia l'incarnazione più importante del movimento: la sua reputazione come primo periodico mai dedicato all'astrattismo in arte è ben meritata. Inoltre era il più importante legame tra i membri del gruppo, che erano geograficamente dispersi e, in alcuni casi, non si sono mai incontrati tra loro. Infine lo stesso eclettismo della rivista, la sua apertura a tutti gli aspetti dell'avanguardia europea, può indurre a dubitare che De Stijl avesse una qualche identità specifica come movimento. Secondo questa definizione, tutto ciò che appare in *De Stijl* è "De ▲ Stijl". Ma raggruppare i dadaisti Hugo Ball, Hans Arp e Hans Richter, il futurista italiano Gino Severini, il costruttivista russo El Lisickij e lo scultore Constantin Brancusi tra i "principali collaboratori" di *De Stijl*, come fa van Doesburg nel 1927, senza parlare dell'inclusione di Aldo Camini e I. K. Bonset (cioè van Doesburg stesso in veste futurista e dadaista), significa mancare ciò che costituiva la forza e l'unità del *gruppo*.

Infatti è la seconda definizione – De Stijl come gruppo – ad essere la più comunemente accettata. Essa stabilisce una semplice gerarchia, basata sulla precedenza storica, tra una manciata di padri fondatori olandesi e un eteroclita distaccamento di nuove reclute cosmopolite, che si unirono in tempi diversi a riempire i vuoti lasciati dai membri defezionati. In termini generali i padri fondatori sono quelli che hanno firmato il *Primo Manifesto* di De • Stijl, pubblicato nel novembre del 1918: i pittori Piet Mondrian e Vilmos Huszar, ungherese, gli architetti Jan Wils e Robert van't Hoff, lo scultore belga Georges Vantongerloo, il poeta Antony Kok e naturalmente van Doesburg, l'*homme-orchestre*, l'unico vero legame tra i membri del gruppo e la molla principale del movimento. A questi nomi si devono aggiungere quelli del pittore Bart van der Leck (che aveva già lasciato De Stijl prima della pubblicazione del manifesto) e degli architetti Gerrit Rietveld e J. J. P. Oud (il primo non si è mai unito al gruppo benché avesse prodotto una versione non colorata della *Sedia rosso e blu*, che nella sua forma dipinta sarebbe diventata il marchio del movimento; il secondo non firmò mai nessun testo collettivo). Da parte loro, le nuove reclute, con l'eccezione dell'architetto Cornelius van Eesteren, perseguirono carriere indipendenti da De Stijl e vennero solo brevemente associati al movimento quando si stava già avvicinando alla fine del suo corso. Per esempio il musicista americano George Antheil; i creatori di rilievi César Domela e Friedrich Vordemberge-Gildewart; l'architetto e scultore Frederick Kiesler; e l'industrial designer Werner Gräff. Ma, nonostante la sua utilità, questa seconda definizione finisce con l'essere solo lievemente più precisa della prima, basata com'è su quello che sembra un puro criterio circostanziale di inclusione. Non può spiegare, per esempio, la defezione di van der Leck dal movimento nel suo primo anno, o quella di Wils e di van't Hoff nel secondo, di Oud nel quarto, di Huszar e Vantongerloo nel quinto e infine di Mondrian nel 1925.

Rimane dunque la terza definizione, De Stijl come *idea*: "è dall'idea di De Stijl che gradualmente si è sviluppato il movimento De Stijl", ha scritto van Doesburg nel suo articolo retrospettivo. Benché questa definizione sembri la più vaga delle tre, finisce, per la sua natura concettuale (opposta al carattere empirico delle altre due), con l'essere la più restrittiva. Quanto segue è una breve presentazione di tale "idea".

Il principio di De Stijl

De Stijl fu un movimento tipicamente modernista, la cui teoria era basata su due pilastri ideologici del modernismo: lo storicismo e l'essenzialismo. Lo storicismo perché concepiva la sua produzione come culmine logico dell'arte del passato e perché profetizzava in termini quasi hegeliani l'inevitabile dissoluzione dell'arte in una sfera onnicomprensiva (la "vita" o l'"ambiente"). Essenzialismo perché il motore di questo lento processo storico era una *ricerca ontologica*: ogni arte doveva "realizzare" la propria "natura" purificandosi di tutto ciò che non era specifico, rivelando i suoi materiali e codici e lavorando così in direzione di un "linguaggio plastico universale". Niente di tutto questo era particolarmente originale, benché la sua formulazione da parte di De Stijl si fosse sviluppata abbastanza presto. La specificità di De Stijl sta altrove, cioè

▲ 1909, 1916a, 1920, 1921b, 1926, 1927b • 1917a, 1944a

1 • Bart van der Leck, *Composizione 1916, n. 4 (Trittico della miniera)*, 1916
Olio su tela, 110 x 220 cm

nell'idea che un *unico principio generativo* possa essere applicato a tutte le arti senza compromettere la loro integrità, e inoltre che è soltanto sulle basi di tale principio che l'autonomia di ogni arte può venire assicurata.

Sebbene mai esplicitamente formulato da nessuno dei membri del movimento, il principio comportava due operazioni che possiamo chiamare *elementarizzazione* e *integrazione*. L'elementarizzazione è la scomposizione di ogni pratica in componenti discrete e la loro riduzione a pochi elementi irriducibili. L'integrazione è l'articolazione esaustiva di questi elementi in un insieme non gerarchico sintatticamente indivisibile. La seconda operazione riposa su un principio strutturale (come i fenomeni di linguaggio verbale, gli elementi visuali acquistano significato solo attraverso le loro differenze da un altro). Questo principio è totalizzante: nessun elemento è più importante di un altro e nessuno sfugge all'integrazione. La modalità dell'articolazione derivante da ▲ questo principio non è additiva (come per esempio nel Minimalismo) ma esponenziale (da qui il rifiuto della ripetizione da parte di De Stijl). Un esempio perfetto di elementarizzazione-cum-integrazione è fornito dal logo di De Stijl stesso: come ha notato Michael White, le lettere erano "composte da blocchi separati ed evitavano qualsiasi previa associazione tipografica".

Tale principio generale spostò rapidamente la domanda ontologica – "Qual è l'essenza della pittura/architettura?" – spingendo gli artisti a considerare la questione della delimitazione, di ciò che distingue un'opera d'arte dal suo contesto. Come risultato, tutti i pittori di De Stijl si interessarono alla cornice e al formato del polittico: per esempio *Composizione 1916, n. 4* di van der Leck (noto come *Trittico della miniera*) **[1]**. La logica di questo spostamento comporta qualcosa del genere: in quanto elemento costitutivo di ogni forma di pratica artistica, il limite (cornice, bordo, margine, base) deve essere sia *elementarizzato* sia *integrato*; ma la sua integrazione rimarrà incompleta finché interno ed esterno (che il limite articola) non abbiano un denominatore comune, cioè finché anche l'esterno non sia stato assoggettato allo stesso trattamento. Così l'utopia ambientale di De Stijl, per quanto ingenua possa sembrare oggi, non era un mero sogno ideologico, ma un corollario del principio generale del movimento.

Un sistema di opposizioni

De Stijl fu inizialmente una congrega di pittori, a cui gli architetti si unirono più tardi, e furono i pittori a porre le fondamenta del "principio generale" di De Stijl. Sebbene soltanto Mondrian fosse riuscito a tradurre del tutto in pratica questo principio, con l'ela- ▲ borazione della sua opera neoplastica a partire dal 1920, sia van der Leck che Huszar contribuirono alla sua formulazione. È noto che van der Leck fu il primo a *elementarizzare* il colore (Mondrian prese da lui il suo uso dei colori primari), ma non fu mai in grado di compiere l'*integrazione* di tutti gli elementi delle sue tele. Per quanto "astratti" possano sembrare i suoi dipinti, non abbandonò mai una concezione illusionista dello spazio: lo sfondo bianco si comporta come una zona neutra, un contenitore vuoto che esiste prima dell'iscrizione delle forme. Così non sorprende che van der Leck abbia lasciato il movimento nel 1918 per "tornare" alla figurazione: quando gli altri pittori ebbero risolto il problema dello sfondo, van der Leck trovò che non parlavano più la sua stessa lingua.

▲ 1965

▲ 1917a, 1944a

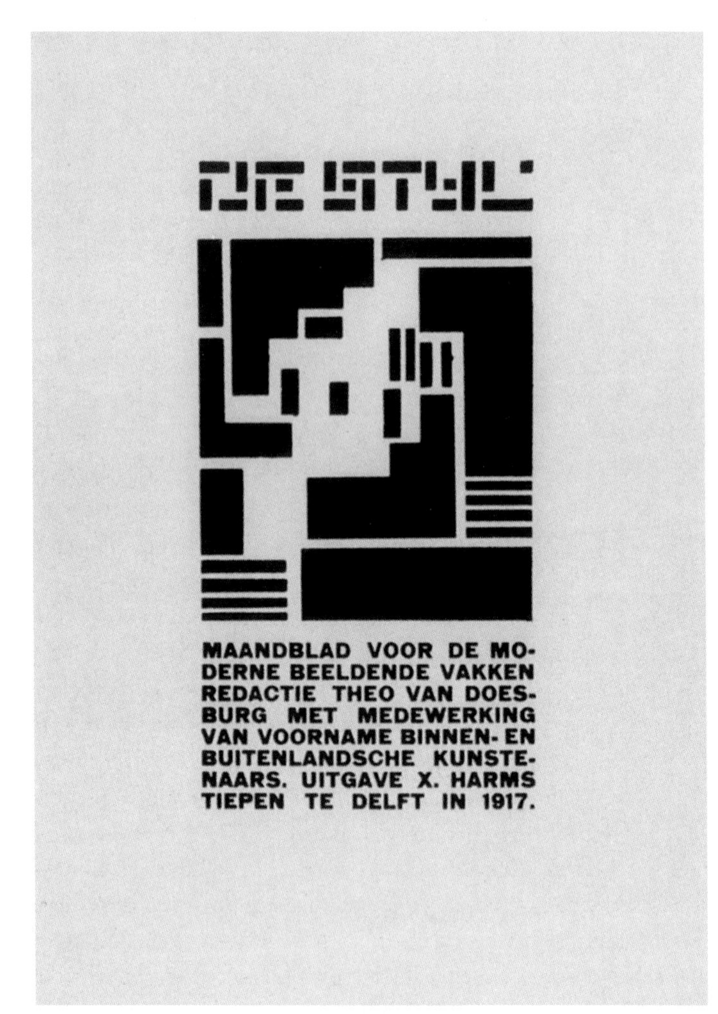

2 • Vilmos Huszar, copertina di *De Stijl*, vol. 1, n. 1, 1917
Stampa tipografica su carta, 26 x 19 cm

Per quanto riguarda Huszar, una manciata di composizioni – tra cui il progetto di copertina del 1917 per il primo numero di *De Stijl* **[2]** e una tela del 1919 intitolata *Falce e sega* (l'unico dipinto ad essere stato riprodotto a colori su *De Stijl*) – rivela il suo unico contributo al movimento, cioè l'*elementarizzazione* dello sfondo, o meglio del rapporto figura-sfondo, che ridusse a un'opposizione binaria. Sfortunatamente si fermò qui e dopo un breve tentativo di usare la griglia modulare nello stesso momento in cui la stava esplorando Mondrian (nessuna di queste opere di Huszar è sopravvissuta), tornò alla concezione illusionista dello spazio di van der Leck che aveva emulato fin dall'inizio.

▲ Avendo assimilato la lezione del Cubismo mentre era a Parigi nel 1912-14, Mondrian fu più veloce degli altri a risolvere la questione dell'astrazione, così poté dedicare tutta la sua attenzione all'*integrazione*. Il suo primo interesse, dopo la scelta dei colori primari, fu di unire figura e sfondo in un'entità inseparabile. Basti dire che ripulì il suo vocabolario pittorico dello "sfondo neutro" soltanto dopo aver usato una griglia modulare in nove tele (1918-19). Benché questo dispositivo gli permettesse di risolvere un'opposizione essenziale non considerata dagli altri di De Stijl – quella di colore/non colore –, lo trovò regressivo perché era basato sulla ripetizione e privilegiava soltanto un tipo di rapporto tra le varie parti del dipinto (principio generativo univoco). Di ritorno da 2Parigi a metà del 1919, spese l'anno e mezzo seguente a liberarsi della griglia regolare: il primo quadro veramente neoplastico ▲ data alla fine del 1920.

Van Doesburg, al contrario, ebbe bisogno della griglia per tutta la vita; per lui costituì una garanzia contro l'arbitrarietà della composizione. A dispetto delle apparenze e delle formulazioni che talvolta esibivano pretese "matematiche", van Doesburg rimase paralizzato dalla questione dell'astrazione: per essere "astratta" una composizione deve essere "giustificata" da computi "matematici", la sua configurazione geometrica deve essere *motivata*. Prima arrivò alla formula della griglia (attraverso il suo lavoro nell'arte decorativa, soprattutto nelle vetrate), questa ossessione lo fece esitare tra il sistema pittorico di Huszar e quello di van der Leck. Poi lo portò a interessarsi alla stilizzazione dei motivi naturali (un ritratto, una natura morta, o anche una mucca). Cercò sempre di applicare questo tipo di "spiegazione" alle sue composizioni a griglia (come nell'assurda presentazione che fece, nel 1919, della sua *Composizione in dissonanza* come *astrazione da* "una giovane donna nello studio dell'artista").

Ma era una falsa pista, perché, al contrario di Mondrian, van Doesburg fu sedotto dal sistema della griglia per la sua natura *proiettiva* (le sue griglie sono generalmente non modulari – cioè le loro superfici non sono moduli le cui proporzioni sono generate da quelle della tela; sono applicate *sul* quadro piano, le cui caratteristiche materiali non hanno importanza). La natura proiettiva a priori della griglia di van Doesburg getta luce sulla famosa lite sull'"Elementarismo" (termine estremamente inappropriato scelto da van Doesburg per titolare la sua introduzione della linea obliqua nel vocabolario formale del Neoplasticismo nel 1925, come per esempio nella *Contro-composizione XVI in dissonanza*) che portò Mondrian a lasciare De Stijl. Ma se Mondrian rifiutò il "miglioramento" di van Doesburg, come lo chiamava, non era tanto perché non si atteneva alla regola formale dell'ortogonalità (che egli stesso aveva infranto nei suoi quadri "a losanga") quanto perché in un sol colpo distruggeva gli sforzi del movimento di realizzare una totale *integrazione* di tutti gli elementi della pittura. Perché, scorrendo sulla superficie della tela, le diagonali di van Doesburg ristabiliscono una distanza tra la superficie immaginariamente mobile che descrivono e la superficie del quadro su cui sono applicate, e ci troviamo una volta di più davanti allo spazio illusionista di van der Leck. Per un evoluzionista come Mondrian era come se l'orologio avesse girato all'indietro di otto anni. In poche parole, l'impegno di van Doesburg in pittura non assumeva il principio *generale* di elementarizzazione e integrazione che caratterizzava De Stijl. Comunque, vi sono due ambiti in cui lavorò più efficacemente nella direzione dell'elaborazione di questo principio: quello dell'arte degli *interni* e quello dell'*architettura*.

L'importanza data agli interni dagli artisti di De Stijl deriva sia dalla loro analisi dei limiti della pittura sia dalla sfiducia nella nozione tradizionale di arte applicata. L'idea diffusa di De Stijl

▲ 1911, 1913
▲ 1917a

come movimento che applicò una soluzione formale a ciò che oggi chiamiamo "design" è sbagliata: l'arte decorativa non interessava gli artisti di De Stijl, con l'eccezione temporanea, nel caso di van Doesburg e Huszar, delle vetrate. Se le arti dovevano rimanere fedeli al principio di De Stijl, non potevano semplicemente essere applicate l'una all'altra, ma dovevano unirsi per creare un insieme indivisibile. La posta in gioco era considerevole e quasi tutte le liti interne al movimento risultarono da una lotta di potere tra pittori e architetti su questo punto. L'invenzione dell'arte di interni come forma d'arte ibrida non fu facile; come ha mostrato Nancy Troy, si sviluppò in due direzioni teoriche.

L'interno come forma d'arte

La prima direzione: soltanto quando un'arte ha definito i limiti del proprio campo, quando ha raggiunto il più alto grado possibile di autonomia e scoperto i suoi strumenti artistici specifici – cioè attraverso un processo di autodefinizione e differenziazione dalle altre arti – scoprirà ciò che ha in comune con un'altra forma d'arte. Questo denominatore comune è ciò che porta alla combinazione delle arti, alla loro integrazione. Così i membri di De Stijl pensarono che architettura e pittura potevano andare mano nella mano perché condividono un elemento di base, quello della planarità (della parete o del piano pittorico). Van der Leck è particolarmente eloquente su questo punto, ma l'idea si trova anche nei testi di Oud, Mondrian e van Doesburg nei primi anni di pubblicazione di *De Stijl*. Da questa prima direzione proviene la totalità dei progetti coloristici di interni, per la maggior parte non realizzati, di van der Leck, i primi interni di Huszar e van Doeburg, l'atelier parigino di Mondrian e il suo *Progetto di Salotto per Madame B..., a Dresda* del 1926. Queste opere condividono una concezione dell'architettura statica: ogni stanza è trattata isolatamente, come una somma di facce, una scatola a sei lati, spiegabile con il fatto che in ogni caso l'artista lavorava all'interno dei confini di un'architettura preesistente.

La seconda direzione è la conseguenza di una collaborazione intrapresa e diventata aspra, la prima genuina collaborazione tra un pittore e un architetto De Stijl – cioè il lavoro di gruppo di van Doesburg e Oud per la casa di vacanze di De Vogt del 1917 (a Noordwijkerhout) e più tardi per il complesso Spangen a Rotterdam (1918-21). Se questa collaborazione sfociò in un divorzio creativo (Oud rifiutò gli ultimi progetti coloristici di van Doesburg per Spangen), è perché, a dispetto del tentativo di van Doesburg di integrare il colore nell'architettura (in ogni edificio, sia dentro che fuori, le porte e le finestre erano concepite secondo una sequenza contrappuntistica di colori), la solennità convenzionale dell'architettura portò il pittore a progettare il suo schema di colore indipendentemente dalla struttura. Questo schema era concepito in rapporto all'intero edificio, la parete non essendo più l'unità di base, e dunque in opposizione ai singoli elementi dell'architettura. Vi è qui un paradosso: era *precisamente* perché l'architettura simmetrica e ripetitiva di Oud era *assolutamente* antitetica al principio di De Stijl che van Doesburg fu indotto a inventare un tipo di integrazione *negativa* basata sull'abolizione visiva dell'architettura attraverso la pittura.

"L'architettura riunisce, collega – la pittura slega, scioglie", scriveva van Doesburg nel 1918. Così, l'obliqua "elementarista" – che fa la sua prima apparizione in uno studio di colori di van Doesburg del 1923 per una "hall di università" di van Eesteren **[3]**; poi un anno dopo in un progetto per una "flower room" nella Villa Mallet-Stevens a Hyères; infine su grande scala nel 1928 per il Café Aubette di Strasburgo – è ogni volta lanciata come un attacco contro una situazione architettonica preesistente. Mentre l'obliqua contraddiceva il principio di *integrazione* nel regno della pittura,

3 • Theo van Doesburg, *Progetto per un'Università ad Amsterdam Sud*, 1922
Matita, gouache e collage su cartoncino, 64 x 146 cm

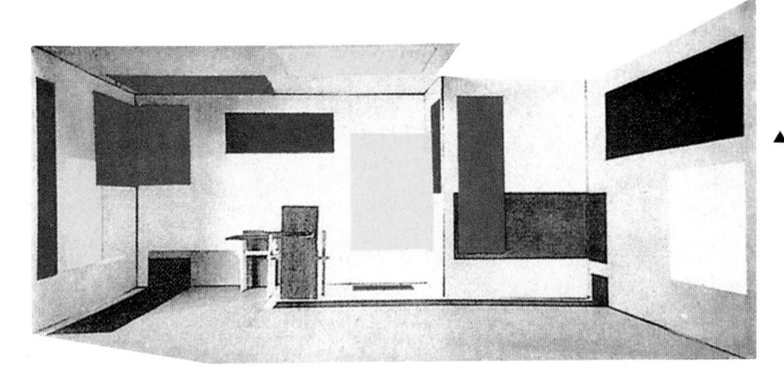

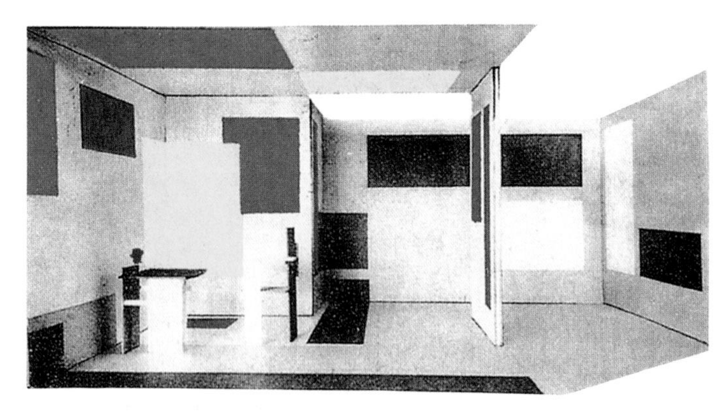

4 • Vilmos Huszar and Gerrit Rietveld, *Composizione spaziale di colori per un'esposizione*, Berlino, 1923, da *L'architecture vivante*, autunno 1924

esaudiva quel principio nel nuovo ambito dell'interno astratto. Qui non è "applicato", ma è piuttosto un elemento con una funzione (ironicamente, una antifunzionale), quella della mimetizzazione dello scheletro di orizzontali e verticali dell'edificio (il suo aspetto anatomico, "naturale"). Tale mimetizzazione era, per van Doesburg, assolutamente necessaria se l'interno doveva funzionare come un insieme astratto non gerarchico.

Ma l'obliqua non era l'unica soluzione a questo nuovo compito integrativo, come Huszar e Rietveld dimostrarono nel loro straordinario Padiglione di Berlino del 1923 **[4]**: l'articolazione stessa delle superfici architettoniche (pareti, pavimento, soffitto) poteva essere *elementarizzata* usando l'angolo come agente visivo di continuità spaziale. In questo interno, piani colorati dipinti sulle pareti non si fermano dove le superfici delle pareti si incontrano, ma proseguono, continuano oltre l'angolo, creando una sorta di spostamento spaziale e obbligando lo spettatore a far ruotare il proprio corpo o sguardo. Non solo la pittura ha risolto un problema puramente architettonico – la circolazione nello spazio – ma, dato che lo spazio architettonico non preesisteva, questo progetto di un padiglione segnò la nascita della vera architettura De Stijl.

L'architettura De Stijl

Il contributo di De Stijl all'architettura è quantitativamente molto meno importante di quello che generalmente si pensa: le due piccole case costruite da Robert van't Hoff nel 1916 (prima della fondazione del movimento) sono dei piacevoli e talentosi pastiche di Wright; le costruzioni di Jan Wils flirtano un po' con l'Art Déco; come per Oud, la sua opera più interessante, eseguita dopo che aveva rotto ▲ con van Doesburg, ha molto più della Neue Sachlichkeit che di De Stijl (si potrebbe anche dire che il suo funzionalismo annulla ogni superficiale caratteristica che possa avere del linguaggio di De Stijl). Di fatto il contributo architettonico di De Stijl consiste soltanto nei progetti esposti da van Doesburg e van Eesteren nel 1923 alla Galerie de l'Effort Moderne a Parigi, diretta da Léonce Rosenberg, e nell'opera di Gerrit Rietveld. Riguardo i primi, una discussione sull'attribuzione iniziata da van Eesteren ha confuso le acque. L'attribuzione qui è la questione sbagliata: quello che è essenziale è che c'è una differenza formale evidente tra il primo progetto (un elegante *hôtel particulier* che anticipa di diversi anni l'International Style) e gli altri due (una *maison particulière* e una *maison d'artiste*), perché la differenza è la diretta conseguenza dell'intervento non del pittore (che lavorò a tutti e tre) ma della *pittura*: il modello del primo progetto è bianco, gli altri due sono policromi. Il punto di partenza dei due ultimi progetti fu infatti la possibilità di concepire simultaneamente la loro articolazione

5 • Theo van Doesburg, *Analisi architettonica Controcostruzione*, 1923
Stampa ritoccata a gouache, 51,5 x 61 cm

▲ 1925b

coloristica e spaziale. E la pretesa alta e insieme enigmatica di van Doesburg che, in questi progetti, il colore diventi "materiale di costruzione" non è puramente retorica: è il colore infatti a permettere alla superficie della parete in quanto tale di venire *elementarizzata*, culminando nell'invenzione di un nuovo elemento architettonico – l'unità indivisibile dello *schermo*. Come dimostra van Doesburg nei pionieristici disegni "analitici" assonometrici che realizzò per la mostra **[5]**, lo schermo combina due funzioni visive contraddittorie (di profilo sembra un linea che scompare, frontalmente è una superficie che blocca la recessione spaziale) e questa contraddizione promuove l'interpenetrazione visiva dei volumi e la fluidità della loro articolazione. Così il desiderio di integrare pittura e architettura, di stabilire una coincidenza perfetta tra gli elementi basilari di pittura (il colore piano) e architettura (la parete) portò a una scoperta architettonica importante – pareti, pavimento, soffitto come superfici senza spessore, che possono essere duplicate o nascoste come schermi e fatte scivolare l'una sull'altra nello spazio.

Van Doesburg non si sbagliava quando dichiarava che Casa Schröder di Rietveld (1924) era l'unico edificio ad aver realizzato i principi formulati nei due ultimi progetti per Rosenberg, dove però lo schermo è usato in un modo molto più esteso, perché Rietveld era riuscito a *elementarizzare* quella che era rimasta una *bête noire* per van Doesburg: la struttura stessa dell'edificio. I progetti Rosenberg trattano la struttura da un punto di vista costruttivo (per il quale van Eesteren esige responsabilità). Cioè la struttura è ancora trattata come "naturale", anatomica, motivata, e soprattutto funzionale. Mentre l'elementarizzazione della superficie della parete ha permesso a van Doesburg e van Eesteren di fare un uso intenso delle superfici orizzontali ad aggetto (la mensola è uno degli elementi formali più distintivi dei progetti), l'invenzione di Rietveld fu quella di sovvertire, la maggior parte delle volte con una trasformazione minima, l'opposizione portante/portato su cui si basa qualsiasi struttura costruttiva. La Casa Schröder è piena di inversioni che sovvertono l'etica funzionalista dell'architettura modernista, la più famosa delle quali è la finestra ad angolo che, una volta aperta, manda violentemente all'aria l'asse strutturale costituito dall'intersezione di due pareti. I mobili di Rietveld sono basati sullo stesso modello: nella famosa *Sedia rossa e blu* **[6]**, per esempio, uno degli elementi verticali supporta (il bracciolo) ed è al tempo stesso supportato (appoggiato a terra). Che sia architettura o mobile, Rietveld intese le sue opere come sculture, come oggetti indipendenti addetti a "separare, limitare e portare a scala umana una parte dello spazio illimitato", come scrisse nel 1957. Questo è in opposizione diretta ai testi sugli interni dei primi numeri di *De Stijl*, che erano incentrati sull'architettura come chiusura. Con Rietveld tutto è dispiegato in modo da stimolare il nostro desiderio intellettuale a smontare i suoi mobili o architetture nelle loro componenti; ma noi non impareremmo niente da questa operazione (probabilmente neppure come riassemblare le parti), perché l'unicità di quest'opera risiede nell'articolazione di questi elementi, nella loro integrazione. YAB

ULTERIORI LETTURE:

Nancy Troy, *The De Stijl Environment*, MIT Press, Cambridge (Mass.) 1983

Carel Blotkamp et al., *De Stijl: The Formative Years*, MIT Press, Cambridge (Mass.) 1986

Michael White, *De Stijl and Dutch Modernism*, Manchester University Press, Manchester 2003

Hans L. V. Jaffé (a cura di), *De Stijl*, Thames & Hudson, London 1970

Gladys Fabre e Doris Wintgens Hötte (a cura di), *Van Doesburg and the International Avant-Garde*, Tate Publishing, London 2009

6 • Gerrit Rietveld, *Sedia rosso e blu*, 1917-18
Legno dipinto, 86 x 64 x 68 cm

1918

Marcel Duchamp dipinge *Tu m'*: il suo ultimo dipinto riassume le direzioni intraprese nel suo lavoro, come l'uso del caso, l'invenzione del readymade e lo statuto della fotografia come "indice".

Marcel Duchamp sbarcò a New York nel 1915 sull'onda della fama del suo *Nudo che scende le scale n. 2* (1912), il quadro più famoso dell'Armory Show del 1913. ▲ Che rappresentasse "un bruto che scende le scale" o "un'esplosione in una fabbrica di petardi", questo quadro cubista, che aveva fatto da testa di ponte per l'avanguardia nel Nuovo Mondo, aveva assicurato il benvenuto al suo autore presso i mecenati e collezionisti d'arte di Manhattan e dintorni – figure come Walter Arensberg, le sorelle Stettheimer e Katherine Dreier. Non sorprende dunque che Dreier abbia chiesto a Duchamp nel 1918 di realizzare un lungo dipinto, come un fregio, che andava sopra gli scaffali della sua libreria, qualcosa come la commissione di pannelli decorativi che Hamilton Easter Field aveva fatto a Picasso nel 1910. Quello che sorprende è che Duchamp abbia accettato.

Dal suo arrivo in America Duchamp aveva infatti abbandonato la pittura a olio. L'ambiziosa opera su cui aveva cominciato a lavorare nel 1915, *La Sposa messa a nudo dai suoi celibi, anche* (noto anche come *Grande Vetro*), non era, tecnicamente parlando, un dipinto **[1]**. Appoggiato su cavalletti nel piccolo appartamento prestatogli da Arensberg, era un grande vetro composto di due pannelli ai cui disegni di una grande enigmaticità si dedicava con molti materiali curiosi: la polvere che si era depositata sull'opera nei mesi di inattività era stata "fissata" in alcuni punti; oppure pezzi o fili di piombo erano incollati sulla superficie; o ancora, dell'argento era stato applicato in una data zona e poi accuratamente grattato via in modo da lasciare un tracciato di linee specchianti. Benché l'esecuzione fosse meticolosa quando effettivamente svolta, Duchamp vi lavorava solo sporadicamente – l'opera fu completata nel 1923. Passava invece la maggior parte del tempo a creare un clima concettuale intorno alla sua opera attraverso una quantità di note che appuntava, alcune già dal 1911, altre datate 1915, che pubblicò più tardi nella cosiddetta *Scatola verde* (1934).

La nota intitolata "Prefazione", e dunque dotata di una sorta di ascendente sulle diverse idee del *Grande Vetro*, è scritta come uno strano sillogismo: "Dati: 1° la caduta d'acqua, 2° il gas di illuminazione, determineremo le condizioni del Riposo istantaneo [...] di una successione di fatti diversi [...]"; dove il Riposo istantaneo, si legge in un'appendice alla nota, equivale all'"espressione extrarapida". Ora, se questa "Prefazione" ci fornisce alcune chiavi di ciò a cui Duchamp pensava mentre faceva *invece* di dipingere, queste risiedono nei termini *istantaneo* ed *extrarapida*. Infatti nel 1914 Duchamp aveva già "pubblicato" un gruppo di quindici note ponendo i facsimile dei pezzi di carta su cui erano state scritte in scatole normalmente contenenti lastre fotografiche di vetro, le cui avanzate qualità tecniche erano indicate dall'etichetta con scritto "extrarapida" o "esposizione extrarapida".

Se all'inizio può sembrare contraddittorio pensare al *Grande Vetro* come a una fotografia – così imponente, intricato e, per usare un'espressione di Duchamp, dall'"apparenza allegorica" rispetto alle piccole dimensioni e all'immediatezza documentaria dell'istantanea – dobbiamo comunque tenere in mente due cose. La prima è l'intenso "realismo" degli oggetti fissati nel vetro, non solo per il loro senso di solidità ma anche per la forte prospettiva usata per delinearli (e, di conseguenza, lo spazio che li contiene). La seconda è l'impenetrabilità dell'"allegoria" stessa, espressa da un lato dall'aggeggio meccanico che ospita i Celibi e, dall'altro, dal guscio metallico e dalla nuvola amorfa della Sposa.

Tu schiacci il tasto...

Negli anni prima che le *Note* di Duchamp fossero pubblicate, l'unica chiave di questo misterioso racconto era il lungo ma non esplicito titolo, più una dichiarazione di fatto – una sposa viene denudata dai suoi (?) celibi – che una spiegazione del senso. Anche dopo la loro pubblicazione comunque il mistero non fu svelato, ma solo disseminato di interpretazioni sempre più elaborate: "la spogliazione della sposa è un'allegoria dell'amore cortese", "è una sorta di purificazione alchemica – materia che si trasforma in spirito", "è il nostro accesso alla quarta dimensione", ecc. Poiché nessuna di queste interpretazioni porta a una "soluzione" definitiva ma solo indietro al fatto bruto della solidità della presentazione "realistica" di questi oggetti, andiamo invece incontro al carattere fotografico che collega i due aspetti del vetro: il suo verismo e la sua muta resistenza all'interpretazione. Le fotografie infatti non contengono la loro interpretazione come possono fare i dipinti con i loro protocolli compositivi. Piuttosto, presa direttamente dalla realtà, la fotografia è la manifestazione di un fatto che spesso per la sua spiegazione dipende da un testo aggiunto, come la didascalia.

▲ 1914, 1916b

1 • Marcel Duchamp, *La Sposa messa a nudo dai suoi celibi, anche (Grande Vetro)*, 1915-23
Olio, vernice, piombo e polvere su vetro, 276,9 x 175,9 cm

Riferendosi alla fotografia come problema strutturale, nei primi anni Sessanta il critico e semiologo francese Roland Barthes ha chiamato questo carattere basilare della fotografia la sua condizione di "messaggio senza codice". Barthes metteva così in contrasto la natura del segno fotografico con segni di altro tipo: dipinti o mappe, o parole. Dato che le parole emergono da un fondo di linguaggio organizzato dalle sue regole grammaticali e dal suo compendio lessicale, questi particolari segni appartengono a un sistema altamente codificato. È solo dall'interno di quel sistema che viene loro attribuito il significato, poiché essi né assomigliano alla cosa a cui si riferiscono (come le immagini) né sono letteralmente causati da essa (come le orme) e dunque il loro rapporto con il significato è puramente arbitrario e convenzionale. Per marcare questa loro differenza da altri tipi di segni, i semiologi li chiamano *simboli*.

Alle immagini, dall'altra parte, hanno dato il nome di *icona*, poiché sono legate ai loro referenti non per convenzione, ma attraverso l'asse della somiglianza. Anch'esse però possono essere composte o manipolate per incorporare significati codificati: i colori nazionali, per esempio, o la disposizione scenica attraverso cui riconosciamo l'Ultima Cena.

È l'ultimo di questi tre tipi di segno, l'*indice*, a resistere alla completa codificazione, poiché non può essere riorganizzato o ricomposto internamente. L'indice è infatti letteralmente *causato* dal suo referente e così ha un legame materiale con esso: come la banderuola spinta in una certa direzione dal vento, o la febbre indotta nel corpo dai virus, o i cerchi lasciati sul tavolo da bicchieri freddi. Perciò, se la fotografia è un messaggio senza codice, questo la pone nella stessa classe delle orme e dei sintomi medici, e la distanzia dal soffitto della Cappella Sistina, per quanto somigliante (o iconica) una fotografia possa anche essere. È il fatto di essere una traccia prodotta fotochimicamente – l'indice dell'oggetto a cui il medium sensibile alla luce è stato esposto – ciò che conta per i semiologi.

Questo è ciò che contava anche per Duchamp, sembra. Sulla superficie del *Grande Vetro* infatti l'indice è ripetuto in diversi modi. Non solo le sette forme coniche dei Setacci (parte dell'apparato dei Celibi in cui il desiderio maschile viene condensato) sono stati realizzati fissando la polvere depositata sul vetro per mesi (indice del tempo che passa), ma i nove Spari (raggi del desiderio che penetrano nel regno della Sposa) sono tracce di dove hanno colpito la superficie nove fiammiferi sparati con un cannoncino giocattolo; o ancora, i tre Pistoni di corrente d'aria (i riquadri dentro la forma simile a una nuvola sospesa sopra la Sposa) sono forme ottenute appendendo un quadrato di tessuto da una finestra aperta e fotografandone tre volte le deformazioni causate dal vento e poi usando i profili risultati come matrici.

Dal punto di vista della procedura, l'esecuzione dei Pistoni ha seguito quella dei *Tre Rammendi-tipo* **[2]**, un precedente lavoro che Duchamp realizzò lasciando cadere dall'altezza di un metro tre fili lunghi un metro su una superficie su cui era fissata l'intera configurazione casuale di ciascuno, e poi tutte e tre sono state usate per ritagliare degli stampi che dovevano servire da alquanto curiose "unità di misura", dacché ognuno ha un profilo diverso e risulta di una "lunghezza" diversa. A questa operazione artigianale del caso, i Pistoni aggiunsero soltanto l'intervento più meccanico dell'otturatore della macchina fotografica e della stampa.

Ma i *Tre Rammendi-tipo* sottolineano in che senso l'indice – l'unica traccia o precipitato di un evento o, in questo caso, di una casualità –, essendo un "messaggio senza codice", fa resistenza al linguaggio. Un linguaggio infatti dipende dai suoi segni (per esempio dalle parole) per rimanere stabile al di là della loro continua ripetizione: anche se un dato contesto può riconfigurare la connotazione o anche il significato di una parola, la sua forma (o significante) deve essere la stessa per ogni sua iterazione. Questo è ancor più vero per le unità di misura – come metri e centimetri – in cui sia il significante sia il significato devono rimanere costanti da un contesto all'altro. L'unità di misura di Duchamp ironicamente non "standard", che cambia di lunghezza da un caso all'altro, sfida dunque il codice che misura la sua precisione e il suo significato.

Una nota della *Scatola verde* collega esplicitamente i due sistemi – linguistico e numerico – immaginando quelle che Duchamp chiama "parole prime": "Condizioni di un linguaggio: la ricerca di 'parole prime' ('divisibili' soltanto per se stesse e per l'unità)". L'impossibilità dei rapporti del numero primo con il resto del sistema numerico – non essendo divisibile per altri numeri e non dividen-

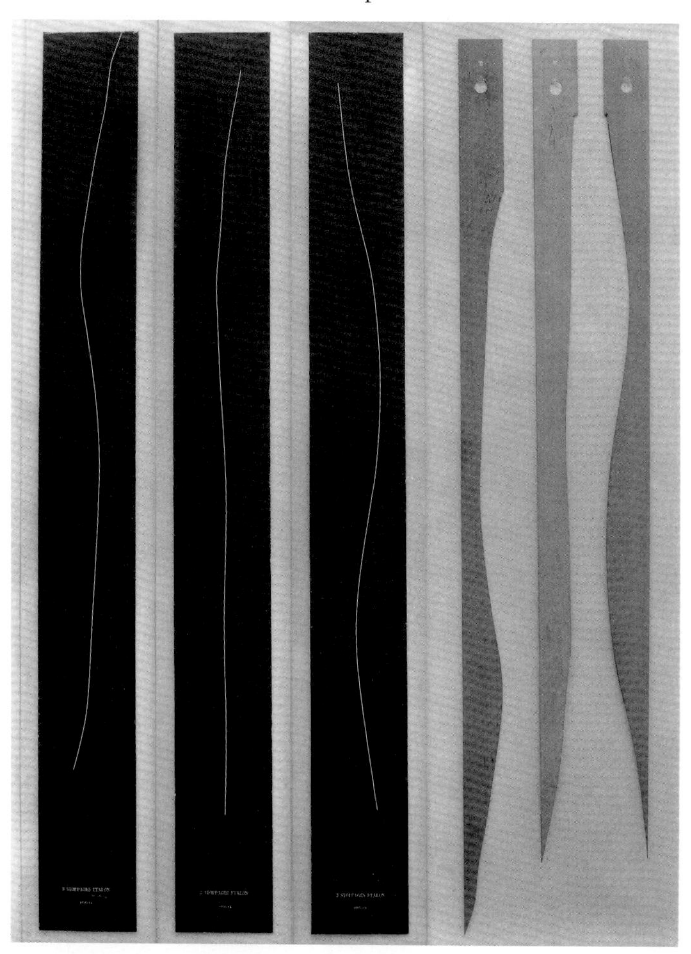

2 • Marcel Duchamp, *Tre Rammendi-tipo*, 1913-14
Spago, colla e pittura su vetro in scatola di legno, 28,2 x 129,2 x 22,7 cm

▲ Introduzione 3

dosi in essi – è così collegata esplicitamente a un tipo di segno linguistico che resiste alla "combinatoria del linguaggio" – le regole che permettono sia a un piccolo gruppo di suoni di combinarsi in un grande numero di parole che costituiscono un vocabolario, sia la combinazione di queste parole in numeri infiniti di frasi. La "parola prima" può essere pensata come un indice piantato dentro un sistema linguistico, un segno di un evento specifico, come quando un bambino viene battezzato con un nome proprio – che appartiene dunque unicamente a lui – o quando punto il dito verso qualcosa e dico "questo", nominando così (ma solo per il caso specifico del mio indicare) un oggetto particolare: questo libro, questa mela, questa sedia.

Panorama dell'indice

Se dunque partiamo guardando il *Grande Vetro* secondo il modello della fotografia, ciò che subito iniziamo a comprendere è che per Duchamp la categoria del fotografico è a sua volta contenuta nel modello più generale dell'indice, che può essere visivo (istantanee, per esempio, ma anche fumo, impronte digitali, ecc.) o verbale ("questo", "qui", "oggi"). Inoltre capiamo anche che l'indice implica non solo uno spostamento nel tradizionale tipo di segno impiegato dagli artisti visivi (da iconico a indicale), ma anche un profondo cambiamento nel processo artistico. L'indice infatti, essendo la traccia di un evento, può essere il precipitato di una casualità, come nelle deformazioni registrate dai Pistoni di corrente d'aria del *Grande Vetro*. Così Duchamp si riferisce esplicitamente ai *Tre Rammendi-tipo* come "caso in scatola". Ma il caso, naturalmente, esclude il desiderio dell'artista tradizionale di comporre la propria opera, di prepararla passo dopo passo. Abrogando la composizione, l'uso del caso annulla anche l'idea di abilità che è sempre stata associata alla definizione stessa di artista. Abbracciando qualcosa di ancor più radicale dello slogan della Kodak "Tu schiacci il tasto e noi facciamo il resto", l'uso del caso di Duchamp meccanizza l'operare artistico (l'artista è spersonalizzato come una macchina fotografica) e lo svuota di abilità (non c'è bisogno di niente, neanche di una macchina fotografica).

La possibilità del ricorso al caso di Duchamp fu subito colta da altri artisti interessati alle strategie di cancellazione della composizione nell'operare artistico. Uno di questi fu Hans Arp, il dadaista, che intorno al 1915 cominciò a realizzare dei collage strappando dei pezzi di carta e lasciandoli cadere su una superficie **[3]**. Un altro fu Francis Picabia, che gettò dell'inchiostro su una pagina ottenendo una macchia informe che intitolò *La Santa Vergine* (1920). Producendo questa congiunzione blasfema di segno insignificante e formula sacra, Picabia era andato oltre il procedimento di implementazione del caso di Arp per aderire alla sua estensione duchampiana all'ambito del significato, o meglio di un cortocircuito nel campo del senso.

Un'altra nota della *Scatola verde* di Duchamp mette insieme caso, fotografia e svuotamento linguistico. Intitolata "Precisare i readymade", dichiara che il readymade sarà qualunque oggetto in

3 • Hans Arp, *Collage di quadrati composti secondo le leggi del caso*, 1916-17
Collage di carte colorate, 48,6 x 34,6 cm

cui incapperà l'artista in un momento prestabilito. Chiamandolo "una sorta di appuntamento", la nota lo paragona a un'istantanea (la registrazione indicale di un evento) ma dice anche che è "come un discorso pronunciato in occasione di qualsiasi cosa ma alla tal ora", cioè un evento linguistico la cui inappropriatezza meccanizzata lo rende senza senso.

Se abbiamo visto le note di Duchamp mettere spesso insieme vari aspetti delle implicazioni dell'indice, questa tendenza a sintetizzare è ancora più evidente nel quadro d'addio realizzato per Katherine Dreier. Perché *Tu m'* **[4]**, una sorta di riassunto della produzione post-cubista di Duchamp, è infatti un panorama dell'indice nelle sue molteplici forme. Molti dei suoi readymade – la *Ruota di bicicletta* (1913) e lo *Scolabottiglie* (1916) –, essi stessi indici o tracce degli "appuntamenti" a cui Duchamp li ha incontrati, sono proiettati sulla tela sotto forma delle loro ombre (altro tipo di indice). I *Tre Rammendi-tipo* appaiono sia in forma dipinta che come serie di profili tracciati con le loro matrici. La rappresentazione ben rifinita di una mano che indica, il dito *indice* proteso verso la destra come a indicare lo scolabottiglie con il gesto "questo", introduce la forma verbale dell'indice che è infine evocata nel titolo dell'opera: *Tu m'*.

▲ 1913, 1916a, 1925c ● 1916b, 1919 ▲ 1914

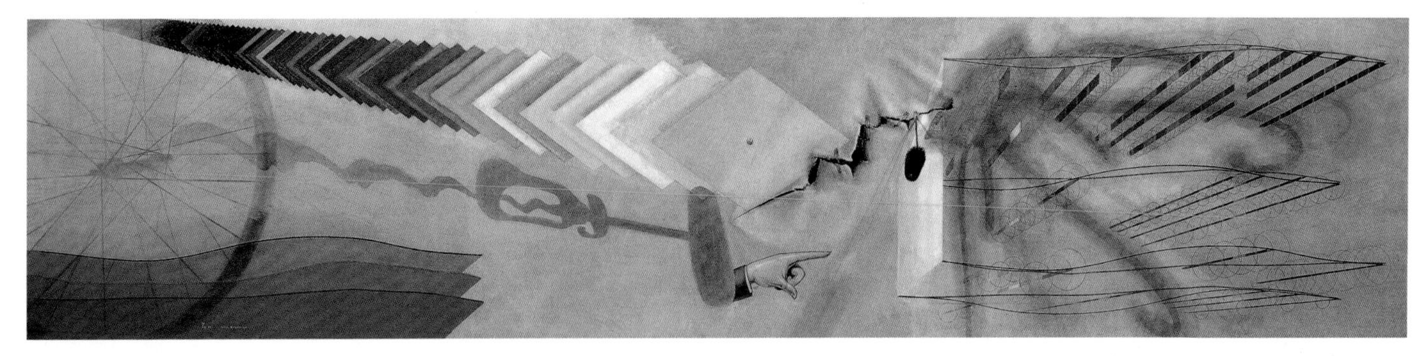

4 • Marcel Duchamp, *Tu m'*, 1918
Olio e graffite su tela con spazzolino lavabottiglie, spille di sicurezza, bullone, 69,9 x 311,8 cm

Così come *questo* o *quello* sono parole indicali collegate a un referente solo all'interno di un contesto occasionale di un dato atto di indicazione, così i pronomi personali *tu* e *io* sono indicali in modo simile, collegati al loro referente nel contesto cangiante di un evento verbale. Solo chi dice "io" infatti riempie il pronome nel momento in cui lo dice, tempo in cui il suo interlocutore è nominato come "tu", che diventa a sua volta "io" prendendo l'altro posto nella conversazione. È perché il significato dei pronomi personali si sposta in questo modo – nominando ora un partecipante a un colloquio ora l'altro – che i linguisti hanno chiamato questi tipi indicali di parole "*shifters*" (commutatori).

Che cosa significa comunque che in *Tu m'* Duchamp evoca contemporaneamente i due lati del colloquio, come se avesse confuso lo scenario linguistico occupandone entrambi i poli: "Tu m'..."? Si può collegarlo a un'altra nota della *Scatola verde* che consiste in un piccolo disegno per il *Grande Vetro* con la Sposa nella parte alta associata alla scritta MAR (che sta per *mariée*) e i Celibi nella parte bassa con la scritta CEL (per *célibataires*). Messe insieme, naturalmente, queste due sillabe formano il "Marcel" con cui Duchamp nomina se stesso, benché stranamente scisso e raddoppiato come nel caso di *Tu m'*.

Se il modo iconico della rappresentazione è significativamente cambiato nello spostamento dal naturalismo alle forme moderniste come il Cubismo o il Fauvismo, e se la prospettiva del precedente sistema è stata sottoposta agli attacchi della distruzione modernista, comunque all'interno della rappresentazione iconica alcune cose rimangono costanti. Una di queste è l'assunzione di un soggetto od osservatore unificato come colui che entra in contatto

5 • Marcel Duchamp e Man Ray, *Belle Haleine, Eau de Voilette*, 1921
Bottiglietta di profumo con etichetta collage in scatola di cartone, 16,3 x 11,2 cm

Rrose Sélavy

Uno dei disegni di Duchamp per il *Grande Vetro* pubblicato nella *Scatola verde* mostra le due parti dell'opera associate alle scritte MAR (che sta per *mariée* [sposa]) nella parte alta e CEL (per *célibataires* [celibi]) nella parte bassa. Attraverso l'identificazione con i protagonisti del *Vetro* (MAR + CEL = Marcel) Duchamp pensò di assumere una personalità femminile. Come raccontò a Pierre Cabanne:

Cabanne: *Rrose Sélavy è nata nel 1920, mi pare.*
Duchamp: *Infatti. Cercavo di cambiare la mia identità e la prima idea che mi venne fu di prendere un nome ebreo [...]*
Non trovai un nome ebreo che mi piacesse in modo particolare o che mi tentasse, e all'improvviso ebbi un'altra idea: perché non cambiare sesso? Era molto più semplice. Il nome Rrose Sélavy venne da qui [...]
Cabanne: È andato molto lontano nel suo cambiamento di sesso, fino a farsi fotografare vestito da donna.
Duchamp: L'ha fatta Man Ray quella fotografia [...]

Avendo fermato il lavoro sul *Grande Vetro* nel 1923, Duchamp trasferì la sua attività artistica su questo nuovo aspetto e stampò dei biglietti da visita indicando come nome e professione: "Rrose Sélavy, Ottico di precisione". Le opere che realizzò come "ottico" sono macchine con dischi ottici rotanti – la *Semisfera rotante* e i *Rotorilievi* – e film come *Anemic Cinema*.

C'è un modo di comprendere l'impresa di Rrose Sélavy come insidia all'estetica kantiana in cui l'opera d'arte apre uno spazio visivo collettivo che riconosce la simultaneità dei punti di vista di tutti gli spettatori che la guardano, una molteplicità il cui giudizio parla con una voce universale, come direbbe Kant. Al contrario l'"ottica di precisione" di Duchamp, come i buchi nella porta della sua installazione *Étant données*, era disponibile per un solo spettatore alla volta. Organizzata come illusione ottica, era chiaramente la proiezione visiva solitaria dello spettatore posto nella giusta posizione per coglierla. Così i *Rotorilievi* – un gruppo di cartoncini stampati – ruotavano come dischi visivi su un fonografo, con i loro disegni di spirali concentriche che si espandono all'infuori come un palloncino che si gonfia e poi rovesciano il loro moto apparente all'indentro in un movimento di risucchio. Alcuni sembravano occhi o seni tremanti in uno spazio illusorio; un altro sfoggiava un pesce rosso che sembra nuotare in una vasca da cui sia stato tolto il tappo cosicché il pesce sta per essere risucchiato nel tubo di scarico. In questo senso lo scambio di Duchamp con Rrose e le sue attività segna una svolta da un interesse per la macchina (la "macchina celibe", la Macinatrice di cioccolato) a uno per l'ottica.

con l'immagine. La prospettiva aveva specificamente posto tale ▲ osservatore nel preciso punto più favorevole; ma anche il Cubismo e il Fauvismo, trovando altri modi per dare unità allo spazio pittorico, hanno mantenuto un soggetto umano unificato: l'osservatore/interprete dell'opera.

L'implicazione finale dello spostamento dell'ambito di queste operazioni da parte di Duchamp dall'iconico all'indicale diventa chiara in questo contesto. Al di là della sua rottura con il "pittorico" e del rifiuto dell'"abilità", al di là del suo spostamento di significato dal codice ripetibile all'evento unico, l'aspetto dell'indice come commutatore ha infatti implicazioni anche sullo statuto del soggetto, di colui che dice "io", in questo caso di Duchamp "stesso". Perché, come soggetto del vasto autoritratto messo insieme da *Tu m'*, Duchamp si dichiara soggetto diviso, frammentato, attraversato dalla frattura assiale tra i due poli dello spazio pronominale, così come si è scisso nei due poli sessuali in alcuni autoritratti fotografici *en travesti* e firmandosi "Rrose Sélavy" **[5]**. Assumendo il detto di Rimbaud "Je est un autre" (Io è un altro), la frammentazione della soggettività è stata forse il suo gesto più radicale. RK

ULTERIORI LETTURE:

Roland Barthes, *Il messaggio fotografico e Retorica dell'immagine*, trad. it. in *L'ovvio e l'ottuso*, Einaudi, Torino 1985
Marcel Duchamp, *Scritti*, trad. it. Abscondita, Milano 2005
Thierry de Duve, *Nominalisme pictural. Marcel Duchamp, la peinture et la modernité*, Minuit, Paris 1984
Thierry de Duve (a cura di), *The Definitively Unfinished Marcel Duchamp*, MIT Press, Cambridge (Mass.) 1991
Rosalind Krauss, *Note sull'indice*, trad. it. in *L'originalità dell'avanguardia e altri miti moderni*, Fazi, Roma 2007
Robert Lebel, *Marcel Duchamp* (1959), Belfond, Paris 1985
Francis M. Naumann and Hector Obalk (a cura di), *Affect t / Marcel.: The Selected Correspondence of Marcel Duchamp*, Thames & Hudson, London 2000

▲ 1906, 1907, 1911, 1912, 1921a

1919

Pablo Picasso tiene a Parigi la sua prima mostra personale in tredici anni: l'inizio del pastiche nella sua opera coincide con una diffusa reazione antimodernista.

Quando Wilhelm Uhde, il collezionista e mercante tedesco d'arte d'avanguardia francese, entrò nella galleria di Pierre Rosenberg nel 1919, rimase sbalordito. Invece del potente stile che aveva visto sviluppare da Picasso negli anni precedenti lo ▲ scoppio della Prima guerra mondiale – prima il Cubismo analitico, di cui esempio importante fu appunto il ritratto che Picasso gli fece ● nel 1910, poi il collage e infine il Cubismo sintetico (la forma che il collage prese quando fu ritradotto in olio su tela) – Uhde si trovò di fronte uno strano miscuglio.

Da una parte c'erano ritratti neoclassici, riecheggianti le maniere di Ingres, Corot, l'ultimo Renoir, cioè l'intera parata di artisti francesi del XIX secolo influenzati dalla tradizione classica, dall'antichità greca e romana attraverso il Rinascimento fino all'opera di pittori francesi del XVII secolo come Poussin **[1]**. Dall'altra c'erano nature morte cubiste, ma ora di una forma compromessa, impregnate di prospettive spaziali e abbellite da una tavolozza decorativa di rosa e blu cerulei. Ricorda Uhde:

> *Mi trovai in presenza di un grande ritratto in quella nota come maniera alla Ingres; la convenzionalità, la sobrietà dell'atteggiamento parevano studiate e sembravano reprimere qualche segreto. [...] Cosa significavano i quadri che vidi in quell'occasione? Erano un interludio, un gesto splendido ma senza significato...?*

Cercando di vedere quello che considerava un autotradimento di Picasso come una mera parentesi, un momentaneo venir meno delle sue vere energie creative, Uhde comunque sospettò che l'artista si fosse arreso a qualcosa di più sinistro, alla paura ispirata dalla xenofobia innescata dal nazionalismo francese durante la guerra, un odio per qualsiasi cosa straniera che si era già manifestato in una campagna culturale prima della guerra, in cui il Cubismo venne collegato al nemico in arrivo e sprezzato con l'etichetta di "*boche*" (crucco). Così Uhde continua le sue speculazioni sulle ragioni di quello che aveva visto:

> *Fu nel periodo in cui gli uomini erano invasati d'odio [...] che [Picasso] sentì che tanti gli puntavano contro il dito, rimproverandogli di avere simpatie filotedesche e accusandolo di essere segretamente connivente con il nemico? [...] Tentò esplicitamente di schierarsi dalla parte francese e questi quadri attestano il tormento del suo animo?*

Tra le molte cose che emergono da questo scenario, le due più ovvie riguardano l'enormità della rottura che Uhde percepì nell'arte di Picasso e, dato questo, la sua convinzione che la spiegazione andava cercata in una causa esterna alla logica dell'opera.

A Uhde si unirono molti storici nel cercare tale spiegazione, anche se non tutti d'accordo con lui sulla natura di questa causa esterna. Per chi è dalla parte di Uhde nel guardare alla politica la spiegazione è collegata al *rappel à l'ordre* (ritorno all'ordine), una reazione diffusa nel dopoguerra contro ciò che era visto come promozione avanguardista di mezzi espressivi anarchici e antiumanisti e un abbraccio invece di un classicismo degno della tradizione francese (o "mediterranea").

Picasso, il maggiore esponente dell'avanguardia, stava ora seguendo la rotta di questo massiccio "ritorno"? La sua nave non sapeva più tenere la barra contro l'ondata della reazione storica? Per alcuni studiosi la vera data della conversione di Picasso mette in dubbio la spiegazione del *rappel à l'ordre*. Picasso infatti aveva già cominciato ad adottare uno stile classico *durante* la guerra, come per esempio nei ritratti del 1915 di Max Jacob **[2]** e di Ambroise Vollard. Questi studiosi cercano piuttosto nelle circostanze della vita privata di Picasso. Citano il suo isolamento, con amici e alleati ▲ artistici come Braque e Apollinaire che erano al fronte e Eva Gouel, la compagna degli anni prima della guerra, che moriva di cancro; menzionano la sua crescente irrequietezza nei confronti dello stile cubista che diventava sempre più una formula e, nelle mani degli epigoni minori, sempre più banale; vedono la sua eccitazione nello sguazzare nel mondo elegante dei Balletti russi, con i suoi tipi eccentrici come Sergej Djagilev, le sue eleganti ballerine e la sua brillante clientela; infine vedono il suo soccombere al fascino di Olga Koklova, la ballerina dei Balletti russi che Picasso sposerà nel 1918 e che gli permetterà di integrarsi in quel mondo di ricchezze e piaceri per il quale l'avanguardia era giusto un'altra forma di *chic*.

Se queste due spiegazioni – una sociopolitica, l'altra biografica – sono in disaccordo reciproco, si accordano però nel guardare *al di fuori* dell'opera di Picasso. In questo condividono una interpreta-

▲ 1911 ● 1912, 1921a

▲ 1911, 1912, 1921a

1 • Pablo Picasso, *Olga Picasso in poltrona*, 1917 (dettaglio)
Olio su tela, 130 x 88,8 cm

zione della natura della spiegazione causale e per questo sono entrambe opposte a un'altra posizione, che insiste che lo stile del dopoguerra può essere dedotto logicamente dal Cubismo stesso, il cui codice genetico, come nello sviluppo di un organismo, è del tutto interno e più o meno impermeabile ai fattori esterni. Il principio che questa parte vede al lavoro – interno al Cubismo stesso – è il collage, l'innesto di materiale eterogeneo sulla superficie formalmente omogenea dell'opera d'arte. Se il collage, sostengono, può incollare scatole di fiammiferi e biglietti da visita, carta da parati e giornali nell'ambito del Cubismo, perché non può essere esteso all'innesto di tutta una serie di stili "estranei", cosicché Poussin sarà rifatto nella maniera di una scultura greca arcaica o le composizioni realistiche del pittore francese del XVII secolo Le Nain saranno presentate nei vivaci puntini del divisionismo di Seurat? In definitiva, sostengono i difensori di questa posizione, non c'è bisogno di spiegare il cambiamento di Picasso perché niente è veramente cambiato; il principio del collage rimane lo stesso, cambia un po' soltanto il materiale "estraneo".

Contestualisti contro internalisti

La divisione radicale tra questi due partiti di studiosi ci mette di fronte alla questione del metodo storico. La spiegazione contestuale si pone contro la teoria della crescita dell'individualità creativa determinata dall'interno, cosicché ogni posizione sente che l'altra è cieca ad alcuni fatti. I contestualisti, per esempio, vedono che l'altra

Sergej Djagilev (1872-1929) e i Balletti russi

Alla fine del XIX secolo, il compositore tedesco Richard Wagner teorizzò il compimento del suo teatro lirico nei termini del *Gesamtkunstwerk*. L'idea di un'"opera d'arte totale" indica il coordinamento di tutti i sensi – suono, spettacolo, narrazione – in un unico continuum. L'antimodernismo della posizione di Wagner consiste nella sua negazione dell'obbligo di un'opera di rivelare i limiti del proprio medium e di cercare la possibilità di significare all'interno di quei limiti. Wagner non ha però mai realizzato un vero e proprio *Gesamtkunstwerk*; il compito di farlo venne lasciato a un'altra forma di teatro musicale e al rappresentante di un altro paese. Durante la prima parte del XX secolo, Sergej Djagilev, direttore dei Balletti russi, riunì tutti i talenti dell'avanguardia in una sontuosa impresa: i suoi compositori andarono da Igor Stravinskij e Erik Satie a Darius Milhaud e Georges Auric; i suoi coreografi furono Massine e Nijinskij; i suoi scenaristi e costumisti furono Picasso, Georges Braque e Fernand Léger tra gli altri.

Lo scrittore Jean Cocteau descrive l'incontro combinato da lui stesso nel 1919 tra Djagilev e Picasso per convincere il secondo a collaborare al suo balletto *Parade*:

> *Capii che a Parigi c'erano una destra e una sinistra artistiche, che si ignoravano o sdegnavano reciprocamente per ragioni di nessun valore e che era del tutto possibile metterle insieme. La questione era convertire Djagilev alla pittura moderna e i pittori moderni, soprattutto Picasso, all'estetica sontuosa e decorativa del balletto: tirar fuori i cubisti dal loro isolamento, convincerli ad abbandonare il loro ermetico folclore di Montmartre, con pipe, pacchetti di sigarette, chitarre e vecchi giornali [...] la scoperta di una soluzione a metà strada accordò il gusto per il lusso e il piacere al rinato culto della "chiarezza" francese riesploso già prima della guerra [...] è stata questa la storia di* Parade.

La "sontuosa estetica decorativa" a cui si riferisce Cocteau era una magnifica struttura Art nouveau, ingioiellata e dorata come una lampada Tiffany o un interno orientale. Per *Parade* Picasso e Satie vollero sfidare la propensione del designer dei Balletti russi Léon Bakst per lo splendore orientalista, sostituendovi l'ascetico grigio delle scene e dei costumi cubisti e liberando suoni di macchine da scrivere e canzonette popolari sul pubblico sbigottito, che rispose con urla e insulti: "*métèques*" [metechi] e "*boches*" [crucchi]. Cocteau, che era orgoglioso della propria eleganza e della propria comprensione culturale snob per l'eventuale ineleganza altrui, aveva come motto: "Devi sapere quanto lontano ti puoi spingere". Ma con *Parade* lui e Djagilev sembrano essere andati troppo oltre e il pubblico, insieme agli sponsor del balletto – la contessa di Chabrillon e le contesse di Chavigné e di Beaumont – non vollero aspettare per fargliela sapere.

Le compagnie di ballo da allora si considerarono eredi delle ambizioni dell'avanguardia artistica. Una in particolare fu quella dei Balletti svedesi, il cui direttore, Rolf de Maré, si rivolse a Francis Picabia per il progetto delle scene di *Relâche* (1924), titolo che era già uno scherno nei confronti del pubblico perché significa "spettacolo cancellato". La scena di Picabia consistette in più di trecento fari di automobile puntati verso il pubblico e accesi tutti insieme alla fine di uno degli atti in un'abbagliante sadica furia accecante.

parte rifiuta di fare i conti con il contenuto reazionario innescato dal Neoclassicismo e con il bisogno di trovare la fonte di tale reazione; gli internalisti si vedono legittimati dalla data precoce del cambiamento di Picasso, dimostrando come questa doveva essere motivata da qualcosa di interno alla sua volontà creativa e di continuo, senza fratture problematiche, con i precedenti problemi del Cubismo.

Gli storici positivisti tra noi (o gli impulsi positivisti in ciascuno di noi) vorrebbero sciogliere il nodo di questa questione esibendo un documento che risolva la discussione: una lettera di Picasso, per esempio, o una dichiarazione in un'intervista in cui dice che cosa significa questo cambiamento di stile per lui o che cosa intendeva con esso. Tuttavia esistono raramente cose del genere per quanto riguarda Picasso e, anche nelle poche occasioni in cui esistono, dobbiamo comunque *ancora* interpretarle. In questo caso, per esempio, Picasso sembra dalla parte degli internalisti quando, in risposta alla domanda postagli a Roma nel 1917 dal direttore svizzero Ernest Ansermet sul perché dipingeva contemporaneamente in due stili completamente opposti (cubista e neoclassico), Picasso semplicemente ribatté: "Non vede? I risultati sono uguali!".

Ma ci sono storici dell'arte che non possono accettare questa risposta, che li costringerebbe a confessare la propria cecità a proposito della differenza tra modernismo e pastiche, o tra autenticità e frode. L'arte modernista scommette la sua autenticità sul progressivo svelamento della realtà strutturale e materiale (e dunque oggettivamente dimostrabile) di un dato medium artistico, mentre il pastiche – l'imitazione flagrante da parte di un artista dello stile di un altro – snobba questa nozione di una logica pittorica interna dichiarata, spinge certe opzioni al di là dei limiti e sostiene che tutte sono aperte allo spirito creativo. Così il Cubismo e il pastiche del Neoclassicismo non possono essere "uguali" e il nostro problema storico va riformulato chiedendoci che cosa può aver fatto sì che Picasso, già nel 1915, pensasse che lo fossero.

2 • Pablo Picasso, *Max Jacob*, 1915
Matita su carta, 33 x 25 cm

A questo punto diventa importante comprendere che era già iniziata, appena prima della guerra, una battaglia sull'eredità del Cubismo. Da una parte c'erano artisti – come Piet Mondrian, ▲ Robert Delaunay o František Kupka (o, in Russia, Kasimir Malevič) – che credevano che tale eredità consistesse nell'astrazione pura, passo logico dopo la riduzione ascetica della griglia del Cubismo • analitico. Dall'altra c'erano quelli, come Marcel Duchamp e (per un breve periodo) Francis Picabia, che vedevano il Cubismo sfociare nella meccanizzazione dell'arte in un'ovvia estensione del collage nel readymade. Lo sviluppo del Cubismo di Picabia in quest'ultima direzione raggiunge la forma cosiddetta "meccanomorfa" degli oggetti industriali (come candele d'automobile o parti di turbine o macchine fotografiche) freddamente rifatte in disegno tecnico e ■ dichiarate come ritratti (del fotografo Alfred Stieglitz, del critico Marius de Zayas o della "ragazza americana in stato di nudità" **[3]**). Molte di queste opere sono del 1915 e apparvero sulla rivista *291*, che Picasso aveva sicuramente visto.

Ora, se queste due opzioni erano ciò che l'avanguardia vedeva come sviluppo logico del Cubismo, non erano però le possibilità che Picasso accettava come destino della "sua" invenzione. Sempre contrario all'astrazione, si opponeva anche a qualsiasi meccanizzazione dello sguardo (come, secondo alcuni, nella fotografia) o del fare (come nel readymade).

Così, se l'inizio preciso dell'opzione classicista di Picasso – 1915 – va contro l'idea esternalista di causa e a favore di quella di un fattore interno all'opera, questa stessa data introduce un'interpretazione internalista che, lungi dal reprimere la forma reazionaria antimodernista del suo pastiche, spiega *sia* la sua continuità con il Cubismo *sia* la sua completa rottura con esso. Nell'estate del 1915 infatti Picasso si confrontò con le conseguenze logiche del Cubismo nei ritratti meccanomorfi di Picabia: disegnati meccanicamente, freddamente impersonali, readymade. Ma nel dar forma al proprio rifiuto di queste conseguenze, Picasso si imbarcò in una strana serie di ritratti dei suoi amici in cui cominciò a rimestare immagine dopo immagine, nella posa, nell'illuminazione, nel trattamento e, in particolare, nella lavorazione della linea, che, stranamente invariante e graficamente insensibile, sembrava prodotta più come atto del tracciare che come registrazione del vedere **[4]**.

È allora possibile descrivere il neoclassicismo di Picasso con le stesse parole usate per i disegni meccanomorfi di Picabia: disegnati meccanicamente, freddamente impersonali, readymade. Non c'è ragione per cui il classicismo non possa essere adottato come strategia per sollevarsi al disopra del livello industriale dell'oggetto di

▲ 1913, 1915, 1917a ● 1914, 1918 ■ 1916b

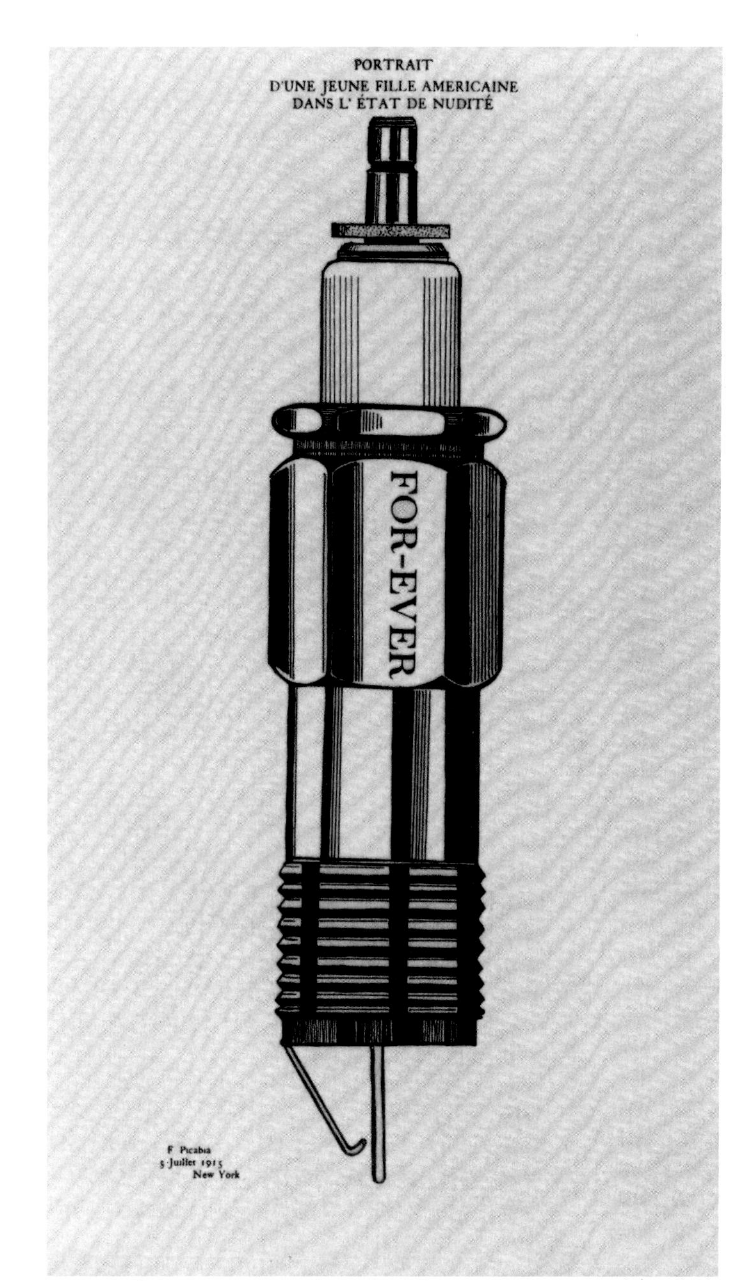

3 • Francis Picabia, *Ritratto di una ragazza americana in stato di nudità*, 1915
Riprodotto in *291*, n. 5/6, luglio-agosto 1915

massa, che il readymade esaltava e di cui la pittura e la scultura astratte facevano a loro modo parte adottando il principio della produzione seriale o abbassando il livello dell'abilità di esecuzione. Ma nell'assunzione da parte di Picasso tale strategia fallisce: nelle sue mani il classicismo finisce con il ripetere i risultati della posizione che disprezza, una posizione – ripetiamo – che si pretendeva in continuità con il Cubismo, *interna* ad esso, più che esterna.

Altri modelli di storia

È ingenuo credere che le interpretazioni storiche siano semplicemente una registrazione dei fatti che gli storici estraggono dagli archivi. I fatti vanno organizzati, soppesati, interrogati; per farlo tutti gli storici (consapevolmente o meno) fanno ricorso a un modello che dà forma ai fatti stessi. Abbiamo visto il modello contestualista sostenere, con maggiore o minore sofisticatezza, che l'espressione culturale è l'effetto di cause esterne a quella che la sfera estetica (erroneamente) promuove come "autonomia" del proprio ambito di produzione. Abbiamo visto poi gli internalisti ritagliare il loro modello nella forma di organismo indipendente, che sia l'intenzione creativa dell'artista o lo sviluppo coerente di una tradizione artistica. Il caso che possiamo chiamare "pastiche Picasso" suggerisce l'uso di un altro modello, più chiaramente delineato da Freud nelle teorie psicanalitiche che aveva sviluppato in quel periodo. Questo modello, che Freud chiamò "reazione-formazione", intendeva descrivere una curiosa trasformazione degli impulsi repressi che sembrava negare quelle basse pulsioni libidiche sostituendole con il loro esatto opposto: il comportamento "alto", retto, giusto. Ma questo opposto, fa notare Freud, è di fatto un modo di continuare il comportamento proibito contrabbandandolo sotto forme ripulite, sublimate. La personalità anale trasforma così l'impulso esplosivo per lo sporco negli esiti ritentivi dell'avarizia o della scrupolosità ossessiva; il masturbatore infantile finisce col diventare un lavatore compulsivo, i cui gesti di strofinare e sfregare continuano i primi desideri sotto una forma accettabile (benché fuori controllo). Inoltre, prosegue Freud, la reazione-formazione incassa una "seconda vincita".

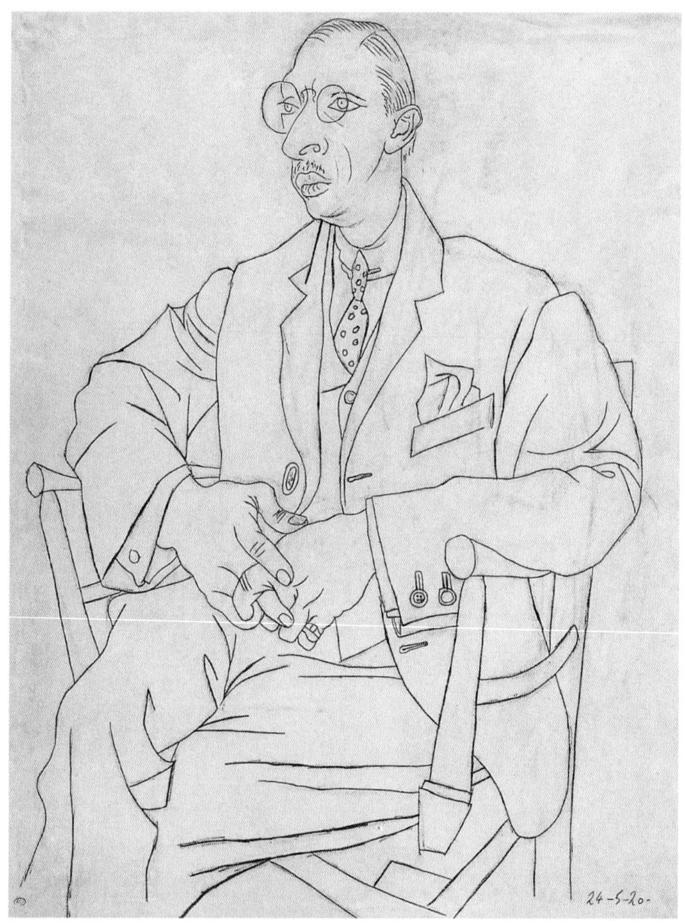

4 • Pablo Picasso, *Igor Stravinskij*, 1920
Matita e carboncino, 61,5 x 48,2 cm

Il soggetto, cioè, non solo è in grado, furtivamente, di soddisfare le proprie pulsioni, ma ora il suo comportamento diventa socialmente accettato.

Ci sono due vantaggi nell'usare il modello reazione-formazione per il pastiche Picasso. Primo, esso spiega il legame dialettico – l'unità nell'opposizione – tra il Cubismo e il suo "altro" neoclassico. Secondo, produce una struttura che aiuta a rendere conto della forma di molte altre pratiche antimoderniste del secolo, incluso il *rappel à l'ordre*, ma anche la pittura reazionaria da Giorgio de ▲ Chirico al successivo Picabia. Mostra cioè il grado a cui quegli antimodernismi sono a loro volta condizionati esattamente da quei risultati del modernismo che vorrebbero ripudiare o reprimere.

Ai casi di de Chirico e Picabia (e della Metafisica), va aggiunto quello di Juan Gris, lo spagnolo che, emigrato a Parigi nel 1906, incontrò Picasso e subito intraprese la via del Cubismo. Il suo *Ritratto di Picasso* (1912) evidenzia la sua idea del nuovo stile come applicazione di una griglia geometrica a una rappresentazione relativamente realistica che rompe i contorni e frammenta i volumi. ● Invece della griglia ortogonale favorita da Picasso e Braque, Gris adottò quella diagonale che implicava le linee declinanti prospettiche che il Cubismo aveva abbandonato. Le pennellate che Gris usa nel ritratto riflettono le superfici punteggiate del Cubismo analitico, così come la tavolozza limitata ai colori sordi del modellato e delle ombreggiature del volume. Questa superficie punteggiata cedette presto il posto a una molto più smaltata quasi metallica. Le superfici indurite dello stile di Gris durante gli anni Dieci echeggiano l'interesse di Picabia per il meccanomorfo. Anche lo stile di Gris fu attratto dall'estetica della superficie lavorata industrialmente: nel suo *Giornale e fruttiera* **[5]** le texture finto-legno e luce riflessa sono tradotte nel linguaggio ripetitivo e meccanico dell'illustrazione commerciale. Gris pensava a questo modo indurito come a una forma di classicismo ed era così che vedeva la sua opera anche Daniel-Henry Kahnweiler, il più grande interprete contemporaneo del Cubismo. RK

5 • Juan Gris, *Giornale e fruttiera*, 1916
Olio su tela, 92 x 60 cm

Rappel à l'ordre

Il *rappel à l'ordre* costituì un richiamo a tornare alle presunte regole classiche dell'arte francese, nel corso del quale i suoi sostenitori aprirono un'offensiva contro il Cubismo. Gli inizi di questo ritorno sono assegnati a date diverse, la più tarda al saggio omonimo di Jean Cocteau del 1923, quella più anticipatrice al testo *Dopo il Cubismo*, pubblicato nel 1918 dal pittore Amédée Ozenfant e dall'architetto Charles-Édouard Jeanneret. Ma quello che tutti i richiami all'ordine hanno in comune è l'idea che il periodo anteguerra fosse il regno del caos, di una sensualità decadente – che andava sostituita dalla purezza del razionalismo classico – e di un imbarbarimento della cultura francese da parte dell'influenza tedesca. Così Ozenfant e Jeanneret richiamarono gli artisti alla sezione aurea e ad altre forme di proporzione classica in una sorta di "neo Pitagorismo". "La Scienza e la grande Arte hanno in comune l'ideale della generalizzazione", scrivevano, sostenendo che se "i greci trionfarono sui barbari" fu perché cercarono la bellezza intellettuale sotto quella sensoriale.

Sono comunque due versioni diverse del classicismo, quelle rappresentate dai due testi citati. La prima, il Purismo, ha un aspetto moderno, stilizzato, e parla il linguaggio della scienza e delle leggi generali della proporzione, sostiene che l'artista-designer deve dedicarsi all'industria e produrre per essa i tipi generali associati alle forme classiche. La seconda ha un carattere reazionario, Antichi Maestri, e ricicla i temi e i generi dell'arte neoclassica che vuole far rivivere. Il tema della maternità diventa uno dei preferiti – ripreso da ex cubisti come Gino Severini così come da riformatori come Albert Gleizes – e insieme la tradizione della Commedia dell'arte. I clown e gli arlecchini di Severini, dipinti nei primi anni Venti in duri contorni e su superfici leccate del più accademico classicismo, ne sono esempi decisivi.

ULTERIORI LETTURE:
Benjamin H. D. Buchloh, *Figures of Authority, Ciphers of Regression*, in *October*, n. 16, primavera 1981
Rosalind Krauss, *The Picasso Papers*, Strauss & Giroux, New York 1998
Kenneth Silver, *Esprit de Corps*, Princeton University Press, Princeton 1989

▲ 1909, 1924 ● 1911

1920–1929

226 1925b Il curatore Gustav F. Hartlaub organizza la prima mostra della Neue Sachlichkeit alla Kunsthalle di Mannheim: variazione delle tendenze internazionali del *rappel à l'ordre*, questo nuovo "Realismo magico" segna la fine dell'Espressionismo e del Dadaismo in Germania. BB

232 1925c Oskar Schlemmer pubblica *Il teatro del Bauhaus*, presentando il manichino e l'automa come modelli dell'attore moderno; altri artisti, soprattutto donne aderenti a Dada, esplorano il potenziale allegorico della bambola e della marionetta. HF

238 1925d Il 3 maggio si tiene a Berlino una proiezione pubblica di cinema d'avanguardia intitolata *Il cinema assoluto*: in programma ci sono opere sperimentali di Hans Richter, Viking Eggeling, Walter Ruttmann e Fernand Léger, che continua il progetto di astrazione con mezzi filmici. HF

244 1926 A Hannover, in Germania, vengono realizzati la *Stanza espositiva* di El Lisickij e il *Merzbau* di Kurt Schwitters, l'architettura del museo come archivio e l'allegoria dello spazio modernista come melanconia concepite dialetticamente dal costruttivista e dal dadaista. BB

248 1927a Dopo aver lavorato come artista commerciale a Bruxelles, René Magritte si unisce al movimento surrealista a Parigi, dove la sua arte gioca con le forme della pubblicità e le ambiguità del linguaggio e della rappresentazione. RK

252 1927b Constantin Brancusi realizza una fusione in acciaio del *Neonato*: la sua scultura ingaggia una battaglia tra modelli di arte alta e di produzione industriale, che culmina con il processo negli Stati Uniti al suo *Uccello nello spazio*. RK

256 1927c Charles Sheeler riceve da Ford l'incarico di documentare il suo nuovo stabilimento di River Rouge: i modernisti nordamericani sviluppano un rapporto lirico con l'età della macchina, che Georgia O'Keeffe estende al mondo naturale. HF
box • Il MoMA e Alfred H. Barr, Jr. HF

262 1928a La pubblicazione di *Unismo in pittura* di Wladyslaw Strzeminski, seguito nel 1931 da un libro sulla scultura scritto insieme a Katarzyna Kobro, *La composizione dello spazio*, segna l'apogeo dell'internazionalizzazione del Costruttivismo. YAB

268 1928b La pubblicazione di *Die neue Typographie* di Jan Tschichold conferma l'impatto della produzione dell'avanguardia sovietica sulla tipografia e la pubblicità nei paesi capitalisti dell'Europa occidentale e ratifica l'emergere di uno stile internazionale. YAB

274 1929 L'esposizione *Film e fotografia*, organizzata dal Deutscher Werkbund e tenutasi a Stoccarda dal 18 maggio al 7 luglio, offre un panorama delle pratiche e dei dibattiti fotografici internazionali: la mostra segna l'apice della fotografia del XX secolo e l'emergere di una nuova teoria critica e storiografia del medium. BB

1920

Si tiene a Berlino la Fiera Dada: la polarizzazione tra cultura d'avanguardia e tradizioni culturali porta alla politicizzazione delle pratiche artistiche e all'emergere del fotomontaggio come nuovo medium.

La Fiera Dada tenutasi nel giugno 1920 alla galleria del Dr. Otto Burchard di Berlino fu la prima apparizione pubblica del gruppo di artisti – vari per progetti e origine – che costituì il movimento ufficiale dadaista berlinese. Il fatto che l'evento venisse annunciato come una fiera invece che come una mostra, dimostra che fin dall'inizio la parodia dell'esposizione di merci, a livello di allestimento e di grande presentazione commerciale, voleva evidenziare l'intenzione dadaista di trasformare radicalmente sia la struttura dell'esposizione sia gli oggetti d'arte in essa **[1]**.

Alcuni degli oggetti principali della fiera – soprattutto *Taglio con coltello da cucina attraverso il ventre gonfio di birra della Repubblica di Weimar* di Hannah Höch (1889-1978) **[2]**, *Tatlin a casa* (1920) e *Testa meccanica (Spirito del Tempo)* di Raoul Hausmann (1886-1971) **[3]**, e i contributi in collaborazione tra Georg Grosz ▲ (1893-1959) e John Heartfield (Helmut Herzfelde) (1891-1968) – indicano la diversità delle strategie impiegate dal nuovo gruppo. In contatto con l'opera sia dei futuristi italiani sia dell'avanguardia ● russa, il Dadaismo berlinese si situava all'intersezione di una revisione critica del modernismo tradizionale, da una parte, e di un'adesione manifesta alla nuova sintesi di arte d'avanguardia e tecnologia, dall'altra. Ma più specificamente il Dadaismo berlinese era anche in opposizione radicale con l'avanguardia locale, ■ cioè con il modello egemonico dell'Espressionismo tedesco. Era l'ethos espressionista, con le sue mire umanitarie universali, e la sua pratica, con la sua fervente volontà di fondere spiritualità e astrazione, a passare sotto scrutinio e subire le devastanti critiche dei dadaisti.

Dada: distrazione e distruzione

Sotto l'impatto della Prima guerra mondiale, in cui l'Espressionismo aveva giocato un ruolo incisivo ma alla fine fallito di richiamo ai supposti termini dell'esistenza umana, Dada si pose esplicitamente contro tale aspirazione della pratica artistica. Questo atteggiamento apparve erroneamente a molti come una forma di nichilismo, ma quella che va invece sottolineata è la natura positiva della critica dadaista. Contro l'impegno espressionista di fondere estetica e spiritualità, Dada costruì un modello di

1 • La Prima Fiera Internazionale Dada al Kunstsalon Dr. Otto Burchard, Berlino, giugno 1920

antiestetica; contro il richiamo all'universalità dell'esperienza umana che assimila l'estetica alla mistica, Dada enfatizzò le forme estreme di secolarizzazione politica della pratica artistica.

La maggior parte del gruppo dadaista berlinese si legò alla sinistra, identificandosi agli intenti del Partito comunista al punto che Heartfield e Grosz divennero membri del partito quando venne fondato in Germania nel 1919. Sotto questa prospettiva è importante riconoscere che il Dadaismo berlinese fu un progetto di avanguardia esplicitamente politicizzata fino ad allora sconosciuto nel contesto tedesco. Comunque questo asse del progetto va da una critica dei concetti borghesi di arte alta a un modello di propaganda attivista, dall'assunzione di esempi francesi di pratiche ▲ protodadaiste – come quelle di Duchamp e Picabia – allo sviluppo sistematico delle tecniche del montaggio, intese a minare il crescente potere della cultura di massa dell'industria nella Repubblica di Weimar.

La simultaneità di oggetti, immagini e superfici dei primi lavori di Heartfield e Grosz a partire dal 1918 (andati distrutti) ha un chiaro precursore nel Cubismo, ma questo primissimo fotomontaggio berlinese è esplicitamente concepito come derisione dell'approccio estetico e apolitico del Cubismo al potere emer-

▲ 1937c ● 1909, 1915, 1921b ■ 1908
▲ 1914, 1916b, 1918, 1919

2 • Hannah Höch, ***Taglio con coltello da cucina attraverso il ventre gonfio di birra della Repubblica di Weimar*****, 1919 ca.**
Collage, 114 x 89,8 cm

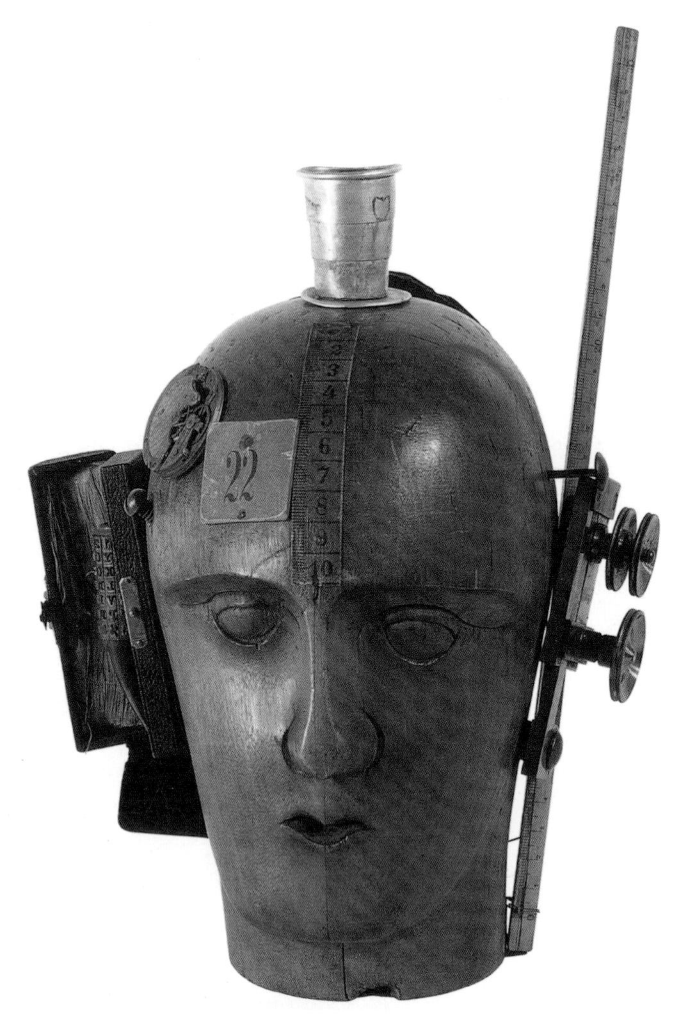

3 • Raoul Hausmann, *Testa meccanica (Lo Spirito del Tempo)*, 1920 ca.
Legno, cuoio, alluminio e ottone, 32,5 x 21 x 20 cm

gente dell'immaginario di massa. Nel 1919, immediatamente dopo questa parodia del collage di Picasso, Heartfield, Hausmann, Höch e Grosz – insieme e collaborando – svilupparono i loro primi progetti di fotomontaggio [**4**].

Questi erano paralleli allo sviluppo simultaneo del fotomontaggio nell'Unione Sovietica da parte di Gustav Klutsis e Aleksandr ▲ Rodčenko. Benché entrambi i gruppi rivendicassero l'invenzione del medium, il fotomontaggio in realtà era nato negli anni Novanta dell'Ottocento come tecnica pubblicitaria. Del resto, nel loro primo testo sul montaggio, Hausmann e Höch si riferiscono ai modelli popolari di combinazione e trasformazione delle immagini come loro fonti di ispirazione e indicano le cartoline che i soldati spedivano a casa dal fronte quali esempi da cui avevano preso spunto.

Una delle opere chiave del 1919 è *Taglio con coltello da cucina* di Höch [**2**]: l'intera gamma di ambiguità tecniche e strategiche che formano il fotomontaggio è in evidenza. Da una resa narrativa ironica a un dispiegamento puramente strutturale del materiale testuale, tutte le possibilità diventano nell'opera di Höch gli assi di un'operazione dialettica all'interno del fotomontaggio stesso. In *Taglio con coltello da cucina* la narrazione iconica consiste in un inventario dettagliato delle figure chiave del mondo pubblico della Repubblica di Weimar. Esse vanno da figure politiche come Friedrich Ebert, il Presidente socialdemocratico responsabile dell'assassinio dei membri dello Spartakist Bund, in particolare di Rosa Luxemburg (1870-1919) e Karl Liebknecht (1871-1919), insieme al suo Ministro degli Interni Gustav Noske (che compare anche in un fotomontaggio posteriore di Heartfield), a figure del mondo della cultura come Albert Einstein, Käthe Kollwitz (1867-1945) e la danzatrice Niddy Impekoven, tutte disseminate sulla superficie dell'opera secondo il principio di distribuzione non gerarchica, non compositiva e aleatoria, mescolati a una varietà di frammenti testuali che spesso invocano le sillabe senza senso "dada". Secondo Huelsenbeck "dada" fu trovato inserendo un coltello nelle pagine di un dizionario; anche altre storie sull'origine del termine "dada" sono state raccontate, per esempio dai ▲ dadaisti del Cabaret Voltaire.

Ma, nel contesto della Repubblica di Weimar o in quello dell'Unione Sovietica, ciò che lega Heartfield, Grosz, Höch e Hausmann da un lato e Rodčenko e Klutsis dall'altro, è prima di tutto la scoperta del ruolo della fotografia nel mondo visivo come risultato della crescente diffusione di immagini fotografiche nella cultura di massa. In secondo luogo, entrambi i gruppi condividono una produzione non semantica di significato intesa a distruggere l'omogeneità visiva e testuale, a enfatizzare la materialità del significante al di là della presunta leggibilità universale dei significati sia testuali che iconici, e a sottolineare la rottura e la discontinuità delle forme temporali e spaziali dell'esperienza. L'intento critico di questo attacco alogico alla struttura stessa della leggibilità era l'intenzione di smantellare le rappresentazioni mitiche promosse dalla ● produzione di massa di pubblicità e immaginario della merce. Infine il fotomontaggio rappresenta il desiderio condiviso di costruire un nuovo tipo di oggetto d'arte, effimero, che non pretende né una forza innata né un valore trans-storico, che si colloca invece in una prospettiva di intervento e di rottura. Questo definisce la dimen-

4 • George Grosz e John Heartfield, *Vita e attività nella città universale alle 12,05*, 1919
Fotomontaggio, dimensioni sconosciute

▲ 1921b, 1935

▲ 1916a ● 1928b

sione politica della decisione dei praticanti del fotomontaggio di realizzare arte con il medium stesso della cultura di massa invece che al di fuori o in opposizione ad esso, come nel caso della pretesa dell'arte astratta di ritirarsi nei valori specifici del medium pittorico o scultoreo. Queste le strategie che collegano le attività dei membri di entrambi i gruppi intorno al 1919.

Dal fotomontaggio alle nuove narrazioni

Il fotomontaggio sviluppò nella Germania di Weimar una gamma di opzioni che portò i suoi autori in direzioni diverse. Nel caso di Hausmann l'enfasi fu sempre più testuale, con il segno verbale smontato in frammenti grafici e fonetici **[5]**, mentre nell'opera di Höch la centralità dell'immagine fotografica sostituisce le frammentazioni strutturali che caratterizzano la disgiunzione degli elementi testuali, a vantaggio di un tipo di fotomontaggio sempre più omogeneo, in cui solo due o tre frammenti vengono usati a formare figure enigmatiche.

John Heartfield, un terzo membro dell'originario gruppo dadaista berlinese, abbandonò presto quella che criticò come la dimensione "avanguardista" del modello estetizzante del fotomontaggio, il cui carattere di non senso egli rifiutò a favore di un nuovo tipo di fotomontaggio di intervento comunicativo. In questa nuova forma il fotomontaggio voleva raggiungere la parte dell'emergente classe operaia che la Sinistra sperava che sarebbe diventata la sfera pubblica proletaria. A questo pubblico era rivolta una strategia in cui tutte le tecniche del primo montaggio vengono rovesciate: la disgiunzione è sostituita dalla narrazione; la discontinuità delle parti, delle superfici e dei materiali è sostituita da un'omogeneità costruita artificialmente, risultato delle accurate tecniche aerografiche di Heartfield; le forme estreme di frammentazione del linguaggio che isolavano il grafema o il fonema vengono abbandonate a favore dell'inserimento di didascalie con la funzione di costruire un'informazione che abbia una forma dialettica. Questo tipo di commento, che agisce attraverso inattese giustapposizioni di tipi diversi di informazione storica e politica, è simile a quello che Bertolt Brecht sviluppò in seguito nella sua ▲ tecnica di montaggio teatrale che, come l'opera di Heartfield, voleva essere un'iniziazione alla dialettica.

L'opera di Heartfiled criticò implicitamente anche il primo fotomontaggio berlinese per essere sfociato alla fine in un insieme di oggetti che possedevano lo statuto di opere d'arte tradizionali come qualsiasi altra opera individuale su carta o su tela. Il tentativo di Heartfield di creare un'opera nell'emergente sfera pubblica proletaria intendeva invece cambiare propriamente la forma di diffusione del fotomontaggio, facendone il veicolo di un medium stampato e dunque uno strumento di cultura di massa.

Il momento più importante del percorso di Heartfield fu l'incontro con Willi Münzenberg, che lo assunse come grafico dell'*Arbeiter Illustrierte Zeitung*, l'organo del Partito comunista • fondato in opposizione alla stampa illustrata vecchio stile. L'*AIZ*, come venne chiamato, voleva in particolare sfidare il *Berliner Illustrierte Zeitung*, che aveva una circolazione di centinaia di migliaia di copie e poteva legittimamente essere definito uno dei primi esempi di mass-media, che fece da modello a riviste come *Life* o *Paris Match*. L'*AIZ* fu dunque concepito come strumento di controcultura di massa.

Fino alla sua partenza da Berlino dopo la salita al governo dei nazisti nel 1933, Heartfield realizzò la maggior parte delle proprie opere per *AIZ*, o per copertine di libri pubblicati dal fratello Weiland Herzfelde e la sua casa editrice Malik-Verlag. Un esempio tipico del suo spostamento dall'estetica del fotomontaggio dadaista berlinese rappresentato da Höch e Hausmann può essere *Il volto del fascismo*, per la copertina di *Italia in catene*, pubblicato nel 1928 dal Partito comunista. Benché giustapposizione, rottura e frammentazione siano in opera anche qui, sono realizzate secondo una nuova coerenza in grado di servire contemporaneamente a scopi diversi. La testa di Mussolini è fusa con il teschio che la penetra dall'interno e le vignette che la circondano fondono sulla parte destra immagini di vittime della violenza con quelle di digni-

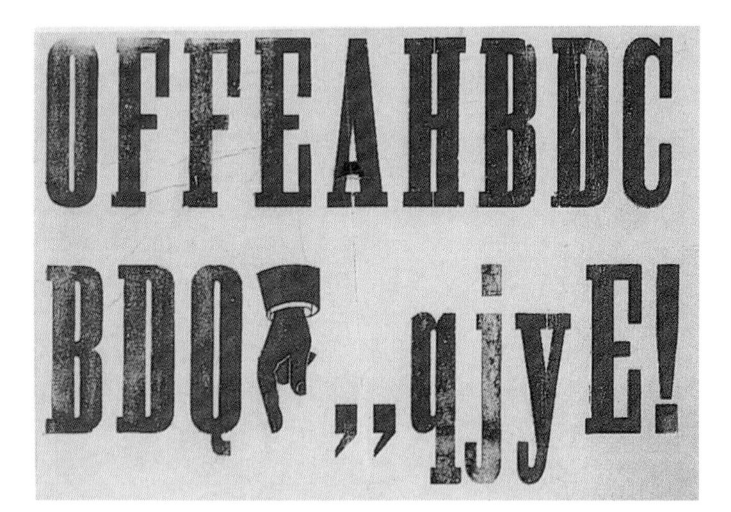

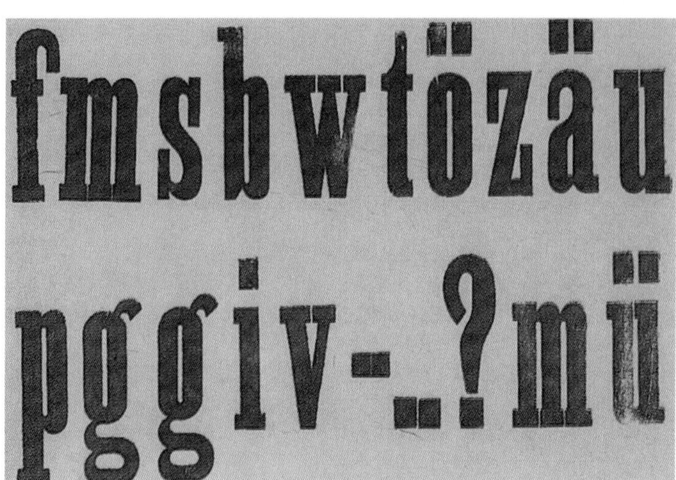

5 • Raoul Hausmann, *Off* e *fmsbw*, 1918
Manifesti di poesia fonetica, 32,5 x 47,5 cm

▲ Introduzione 3 ● 1930a

6 • John Heartfield, *Il significato del saluto di Hitler: il piccolo uomo chiede grandi regali. Motto: Milioni venite a me!*, 1932
Fotomontaggio, 38 x 27 cm

tari del Papa della Chiesa cattolica e sulla parte sinistra capitalisti borghesi in cilindro con bande armate fasciste di strada. Questa tecnica di fusione era l'alternativa a quella che Heartfield criticava come costruzione di mere giustapposizioni senza senso che provocavano rottura e shock ma non comportavano un orientamento politico, né momenti di improvvisa rivelazione.

La fusione di opposti nell'opera di Heartfield nel 1928, cinque anni prima della presa di potere del nazismo, è particolarmente sorprendente perché indica come alcuni intellettuali erano del tutto consapevoli della minaccia crescente per le istituzioni borghesi e la politica democratica e del bisogno di sviluppare progetti culturali in strategie di opposizione e di resistenza. Questo è ancora più evidente in due immagini che Heartfield progettò per *AIZ* nel 1932, che ritraggono il presidente del Partito nazionalsocialista tedesco, Adolf Hitler, un anno prima della sua elezione a Cancelliere. In entrambe le immagini Hitler è rappresentato come una marionetta, una figura falsa e artificiale che esegue gli interessi del capitale. Nella prima, *Adolf, il Superuomo. Inghiotte oro e sputa stupidaggini*, il corpo di Hitler è visto ai raggi X con una svastica al posto del cuore, una Croce di ferro invece del fegato e la colonna vertebrale composta di monete d'oro, illustrando chiaramente l'idea politica che era la classe imprenditrice tedesca a finanziare il Partito nazista per scongiurare ed eventualmente liquidare la rivoluzione proletaria iniziata nel 1919 con la formazione del primo Partito comunista in territorio tedesco. La seconda immagine, *Il significato del saluto di Hitler: il piccolo uomo chiede grandi regali. Motto: Milioni venite a me!* **[6]**, rende questo punto ancora più evidente, per cui Hitler è rappresentato come una figura in miniatura che sta davanti a un'enorme e anonima figura di "grassone" che passa un mazzo di banconote nella piccola mano alzata dell'ometto, producendo in tal modo un'ironica reinterpretazione del "saluto hitleriano". Estremamente semplificata, grottesca, comica e perciò tanto più sbalorditiva, questa forma di argomentazione intendeva chiarire i legami politici ed economici altrimenti imperscrutabili che correvano tra i grandi affari e il capo del fascismo tedesco, visto come forza opposta e forma violenta di oppressione delle tendenze socialiste e comuniste nella Repubblica di Weimar. L'ipotesi che *AIZ*, la cui diffusione all'epoca era di 350.000 copie, avesse un effetto propagandistico si rivelò falsa, perché gran parte della classe operaia che aveva formalmente votato comunista, avrebbe votato per il Partito nazista nel 1933, dando così il colpo finale alle aspirazioni gauchiste della Repubblica di Weimar.

Non sorprenderà che Heartfield sia stato uno dei primi artisti ▲ ricercati dalla Gestapo dopo la salita al potere di Hitler. Nel 1933 partì per Praga, dove i suoi polemici sforzi didattici e propagandistici contro il regime di Hitler furono così grandi che Hitler intervenne presso il governo ceco per far chiudere le mostre di Heartfield a Praga.

Dalla semiosi alla comunicazione

Nell'evoluzione parallela del fotomontaggio nei contesti di Weimar e sovietico i cambiamenti che emersero intorno al 1925 mirarono a trasformare le strategie iniziali. Le tecniche di shock alogico, di distruzione del significato, di accentuazione autoreferenziale della dimensione grafica e fonetica del linguaggio attraverso l'enfasi sulla frammentazione vennero rilanciate ora all'interno del progetto radicale della creazione di una sfera pubblica proletaria. Se dalla metà degli anni Venti un progetto culturale chiave delle avanguardie fu la trasformazione del pubblico, esso richiese a sua volta un ritorno alle forme di linguaggio e immagine in cui la riconoscibilità visiva e la leggibilità sono al massimo. Il tipo di fotomontaggio che Heartfield e Klutsis produssero allora era incentrato sui valori di informazione e comunicazione. L'alogismo, lo shock e la rottura delle opere precedenti vennero scartati come scherzi troppo borghesi e avanguardisti; la loro posizione antiartistica era vista come un atto di pura opposizione alla sfera pubblica borghese e un modello di cultura già sorpassato. Il compito specifico ora assegnato al fotomontaggio fu non tanto la distruzione della pittura e della scultura, o della cultura come sfera separata e autonoma, ma fornire al pubblico di massa immagini didattiche di informazione e politicizzazione.

▲ 1937c

Un esempio viene da una serie di fotomontaggi e manifesti che Klutsis realizzò tra il 1928 e il 1930 **[7]**, in cui la metonimia di una mano alzata è usata come emblema di partecipazione politica e immagine chiave della rappresentazione reale delle masse nell'atto del voto. Sostituendo il corpo intero con una sua parte, la mano chiaramente "sta per" il soggetto che la alza, così come la singola mano, nei cui contorni si vede una moltitudine di altre mani simili, "sta per" l'unità d'intenti prodotta da un singolo rappresentante che parla per un intero elettorato. Variazioni sull'immagine con diverse iscrizioni testuali vennero usate per scopi diversi: una per chiamare a partecipare alle elezioni dei soviet; un'altra per un appello alle donne a diventare attive con il loro voto. La metonimia della mano come segno di partecipazione fisica e politica nel processo collettivo è un esempio centrale di come la strategia iniziale del fotomontaggio di rottura e frammentazione sia stata trasformata nel tempo.

Heartfield e Klutsis diventarono dunque con il fotomontaggio i primi membri dell'avanguardia a invocare la propaganda come modello artistico. Quasi tutte le discussioni dell'arte del XX secolo hanno evitato questo termine, che era visto in diretta opposizione alla definizione modernista di opera d'arte. *Propaganda* implica manipolazione, politicizzazione e una strumentalità pura che annuncia la distruzione della soggettività. La pratica di Heartfield e Klutsis intervenne anche nelle istituzioni e nelle forme di distribuzione che erano precedentemente connesse a ciò che poteva essere chiamato arte. Per contrasto, essi tentarono la trasformazione di un'estetica dell'oggetto singolo in una interna alla diffusione di massa delle riviste stampate, e uno spostamento dallo spettatore privilegiato alle masse partecipative allora emergenti attraverso la rivoluzione industriale dell'Unione Sovietica o il cambiamento delle condizioni industriali nella Germania di Weimar. Furono queste aspirazioni a formare la struttura reale e il contesto storico in cui si sarebbe avviata la formazione di un'estetica della sfera pubblica proletaria. La propaganda come opposizione delle forme esistenti di propaganda della sempre più crescente cultura di massa, cioè della pubblicità, va chiaramente riconosciuta come progetto consapevole intrapreso dal Dadaismo e dalle avanguardie russe per abolire le contraddizioni mantenute dal modello avanguardista borghese di pura e astratta opposizione alle forme esistenti di cultura di massa. BB

7 • Gustav Klutsis, *Realizziamo il piano dei grandi progetti*, 1930
Manifesto litografato, dimensioni sconosciute

ULTERIORI LETTURE:

Hanne Bergius, *Das Lachen Dadas*, Anabas Verlag, Giessen 1989

Hanne Bergius, *Montage und Metamechanik: Dada Berlin*, Gebrüder Mann Verlag, Berlin 2000

Brigid Doherty, *The Work of Art and the Problem of Politics in Berlin Dada*, in Leah Dickerman (a cura di), "Dada", numero speciale, *October*, n. 105, estate 2003

Brigid Doherty, *We are all Neurasthenics, or the Trauma of Dada Montage*, *Critical Inquiry*, vol. 24, n. 1, autunno 1997

Leah Dickerman (a cura di), *Dada*, National Gallery of Art, Washington 2005

1921a

Con *I tre musici* Pablo Picasso adotta il classicismo di Nicolas Poussin nello sviluppo del Cubismo sintetico, lo stile dominante del modernismo postbellico.

Fra le molte invenzioni formali del collage cubista vi fu quella del rovesciamento figura-fondo: lo scatto visivo di un piano emergente, avanzante, che improvvisamente retrocede sullo sfondo dietro un altro prima di tornare in un istante verso l'alto. Questo indietro-e-avanti spesso creava un'oscillazione tra solido e ▲ vuoto, come quando il buco bianco di *Chitarra, partitura e bicchiere* di Pablo Picasso del 1912, situato sopra lo sfondo di carta da parati sottostante, visivamente si ritrae nella posizione al di sotto dello sfondo fino a produrre la forte illusione di un buco scavato in profondità. L'effetto è ancora più evidente nel suo *Bottiglia di Vieux Marc* dell'anno seguente, dove la silhouette del bicchiere di vino situato dietro *Le Journal* si spinge sopra il livello stesso del giornale come risultato della forma decorativa del suo contenuto liquido. Questo rimescolamento tra sopra e sotto, con la posizione ambigua che crea, produce l'effetto visivo di modellatura tonale: l'esperienza di una convessità del volume che avanza e retrocede dallo sporgere dalla superficie alla recessione al di sotto di essa. Lo scatto del rovesciamento figura-fondo stimola così un'illusione ottica che riproduce la sfumata e leggera profondità ● stessa delle piccole sfaccettature inclinate del Cubismo analitico, ma con mezzi più economici.

Se il collage è subentrato al Cubismo analitico nell'accedere alle forme semplificate degli oggetti riconoscibili, il Cubismo sintetico ora subentra al collage stesso con piani ancora più semplificati che adottano i pattern dei loghi dei prodotti e il brillante piglio tipografico della pubblicità moderna. Inoltre, nell'operazione formale del rovesciamento figura-fondo del collage, questi piani sintetici semplificati sono comunque in grado di sostenere gli effetti pittorici di analisi spaziale.

Il ritorno del rimosso

Benché questa premonizione della profondità non fosse sufficiente a introdurre uno spazio illusionistico, la simmetria dei collage cubisti del 1912 e 1913 – il loro asse centrale di bottiglie e violini affiancati da silhouette di chitarre e bicchieri – suggeriva anche la forma simmetrica delle composizioni classiche. *Et in Arcadia Ego* di Nicolas Poussin, del 1637-38, è uno dei celebri esempi che dimostra come tali composizioni fossero usate nell'arte classica per esprimere non solo l'effetto di spazio pittorico ma anche un senso di racconto visivo. Il quadro distribuisce due coppie di pastori idealizzati sui due lati di una tomba in una scena tripartita nel tentativo di dare l'impressione di un'antica narrazione mitica. Questa struttura tripartita diventò uno dei blocchi costruttivi della pittura di storia, la tradizione della rappresentazione pittorica come racconto di una successione di battaglie, incoronazioni, giuramenti e funerali famosi.

Ma alla fine del XIX secolo e nei primi del XX la risposta dell'emergente modernismo fu un enfatico "No!" a ogni convenzione accademica e le sue innovazioni formali portarono sempre più avanti questo rifiuto della narrazione: la compressione spaziale di Édouard Manet rese impraticabile la scena teatrale e l'appiattimento dello spazio pittorico dell'Impressionismo con la sua chiusa nebbia di colori rese il paesaggio evanescente. Tutte queste innovazioni costituirono dei precedenti del modo con cui la griglia cubista ridusse la "narrazione" a nient'altro che un'iterazione autoreferenziale dei fatti materiali della pittura: la sua forma rettangolare, la sua distribuzione laterale, la sua bidimensionalità letterale. Il Cubismo proseguì così il silenzio imposto dal primo modernismo. Lo proseguì, cioè, finché il Cubismo sintetico del dopoguerra improvvisamente adottò il linguaggio delle composizioni classiche del genere di Poussin.

I tre musici di Picasso **[1]** non solo segue la composizione tripartita di *Et in Arcadia Ego*, ma produce anche la propria illusione di spazio attraverso il rovesciamento ora familiare di figura e fondo. Sulla sinistra le gambe bianche di Pierrot emergono come figura solo per ritrarsi sotto lo sporgere di grembo e tavolo per diventare sfondo della gamba del tavolo che avanza. Le braccia delle figure sporgono in avanti per afferrare i loro strumenti (clarinetto, chitarra) come se fossero i contorni neri di una carta stampata, avanzando dal bordo di un piano su cui un'altra indicazione li richiama di nuovo indietro. Nel caso del Pierrot, è il pattern della maschera indaco dell'Arlecchino (il musico centrale) attaccata al torso e volto più sotto di Pierrot a formare una figura sporgente che fa ritirare la cotta bianca di Pierrot sullo sfondo. La complessa figura del piano indaco è visivamente unita alla fascia verticale che biforca l'abito del monaco sulla destra, così come implicitamente si collega all'angolo più a sinistra sotto le gambe di Pierrot a creare

▲ 1912 ● 1911

1 • Pablo Picasso, *I tre musici*, 1921
Olio su tela, 200,7 x 222,9 cm

sia una figura che uno sfondo fluttuante sopra i piani dei musici. Ma un'altra superficie circonda sia la figura-fondo indaco sia il trio di musici; è il fondale marrone della scena – un ambiente sfidato dalla figura indaco, che ora sfida a sua volta in ogni interstizio tra le forme (in particolare la macchia marrone che copre il volto di Arlecchino immediatamente sotto la sua maschera). La figura indaco che vibra avanti e indietro nello sfondo su cui poggia compie in continuazione questo rovesciamento. Con le striature decorative dei loro costumi, soprattutto quelli dell'abito trapuntato di Arlecchino, il quasi monocromo grigio del Cubismo analitico si è ritirato dietro i forti colori e le simmetrie del Cubismo del dopoguerra, ora definito sintetico.

L'ingresso del classicismo poussiniano nello spazio cubista venne esteso nella svolta sintetica di metà anni Venti dalle frequenti rappresentazioni di Picasso del pittore nel suo studio con la modella. Assegnando il proprio ambito ad ogni partecipante a questa narrazione della creazione estetica, i dipinti sono divisi nella familiare composizione tripartita per mostrare l'artista da un lato, la modella dall'altro, con la tela al centro, come in *Pittore e modella* del 1928 [**2**]. Non contento di coreografare puramente la tripletta nello studio, Picasso inscena anche l'atto della rappresentazione, là dove il profilo della modella appare sulla superficie della tela come se vi fosse proiettata la sua ombra – così come appare l'ombra di uno dei pastori sul lato della tomba in *Et in Arcadia Ego*.

2 • Pablo Picasso, *Pittore e modella*, 1928
Olio su tela, 129,8 x 163 cm

Ma Picasso non aveva bisogno di separare i partecipanti del suo racconto dell'atto della creazione per rappresentare individualmente artista, tela e modella. Nel suo *Arlecchino* del 1915 **[3]** sovrappose i tre in vero stile sintetico, che aveva appena cominciato a sviluppare. Il pittore rappresenta se stesso come Arlecchino nel suo abito a losanghe, la testa stagliata su uno sfondo geometrico che forma il suo braccio e il cavalletto. Le forme curvilinee sono ritagliate in questo sfondo a suggerire la forma della tavolozza dell'artista, cosicché il braccio che la afferra cattura il pittore nel suo stesso "atto". La rappresentazione continua nel quadrato bianco sulla destra del quadro, suggerendo una tela su cui è debolmente proiettata una pallida ombra del modello. I tre livelli fluttuano tra loro per cui ora l'artista, ora la tavolozza, ora la tela è figura sullo sfondo degli altri.

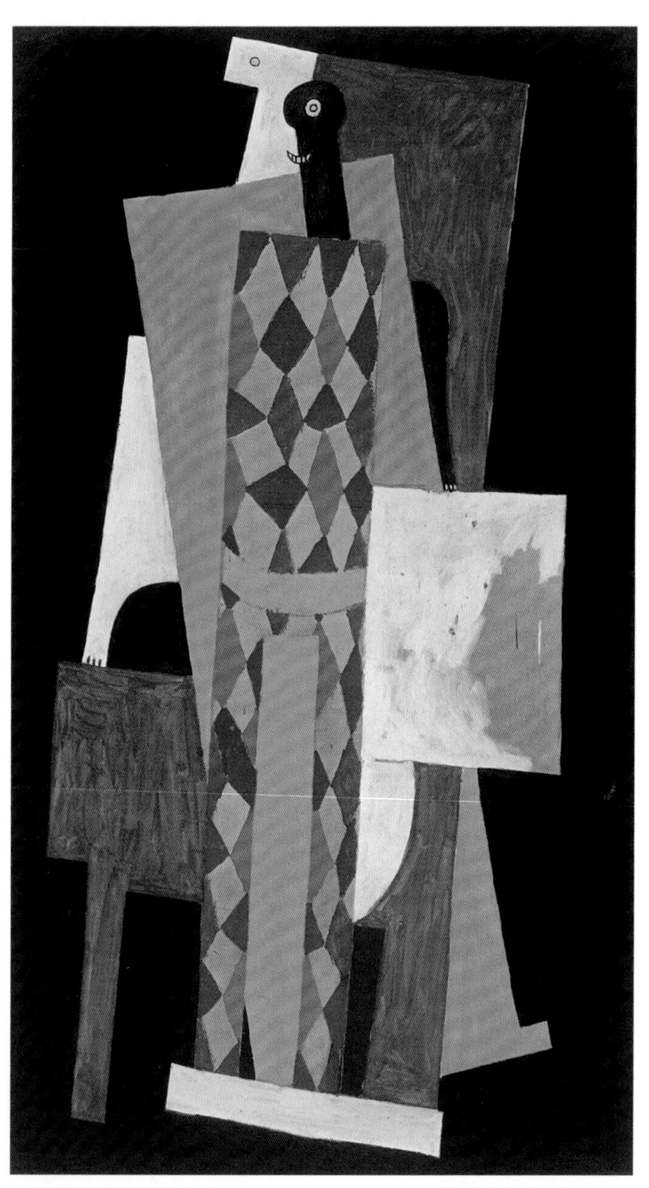

3 • Pablo Picasso, *Arlecchino*, 1915
Olio su tela, 183,5 x 105 cm

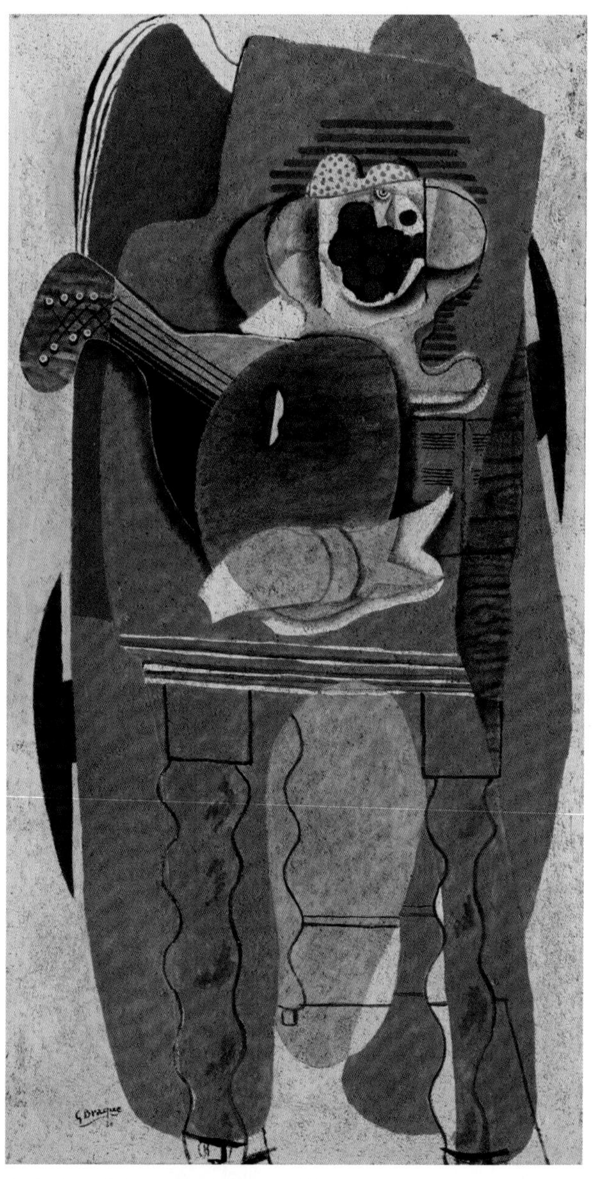

4 • Georges Braque, *Il tavolo grigio*, 1930
Olio e sabbia su tela, 145 x 76 cm

5 • Juan Gris, *Arlecchino con chitarra*, 1919
Olio su tela, 116 x 89 cm

Come ci si poteva aspettare, la soluzione dell'Arlecchino di Picasso fornì il pattern per l'opera sintetica di Georges Braque del dopoguerra e degli anni Venti. Riprendendo la composizione di una figura con un liuto o altro strumento a corde che aveva utilizzato in *Il Portoghese*, Braque suggerisce il corpo della figura come un'ombra, essa stessa più spesso superficie di un tavolo **[4]**. Contro quest'ombra si stagliano gli elementi familiari della natura morta ▲cubista: giornale, chitarra, fruttiera. Anche Juan Gris ha assunto questa versione condensata di artista/tela/modello nel suo *Arlecchino con chitarra* del 1919 **[5]**. La chitarra dell'Arlecchino e l'ombra rappresentano la stessa premonizione della tavolozza dell'artista nel quadro di Picasso; la tela appare nel rettangolo incurvato sotto il braccio destro della figura e il modello sembra proiettare la sua ombra nel profilo del volto della figura. Se l'atelier dell'artista può essere una forma contratta di narrazione, ciò nonostante prolunga la determinazione modernista di raffigurare le operazioni del medium stesso: il lavoro di creazione, i limiti della rappresentazione, gli elementi del medium estetico.

Come abbiamo visto, i due tipi di composizione che emergono nel Cubismo sintetico del Picasso del dopoguerra dividono la tela in tre parti, come in *I tre musici*, o sovrappongono gli elementi nell'intreccio di figura e fondo, come in *Arlecchino*. Nella sua

Scene di vita in Boemia

Il Cubismo fu una costante rielaborazione della natura morta. Gli oggetti familiari posati su tavoli di bar dallo stile analitico vennero riposizionati dalla variante sintetica nelle soffitte degli artisti. Questi spazi erano lo squallido territorio al centro di "Boemia", il mitico quartiere dove gli artisti si riunivano insieme a personaggi non convenzionali ad ostentare i disagi della creazione e la loro precaria esistenza ai margini della società. Le nature morte postbelliche di Picasso erano inscenate in ambienti simili, con pareti e soffitto inclinati verso abbaini che si aprivano su tetti e cielo. Balconi in ferro battuto rimavano con pannelli di legno consumato sotto tavoli a comprimere lo spazio della stanza, a svuotarlo. La posizione delle nature morte nelle stanze collegava così il Cubismo del XX secolo con gli interni domestici della pittura olandese del XVII. Gli storici dell'arte hanno visto queste sontuose opere come l'orgoglioso sfoggio della ricchezza della classe media, con le committenze ai loro pittori di raffigurare i beni preziosi accumulati da tutto il mondo. Il supporto di questa lussureggiante ostentazione fu la circolazione del capitale necessaria allo sviluppo dell'individuo borghese, il prototipo del soggetto democratico. La soffitta d'artista è così l'erede di questa idea di individuo libero, e il mito di Boemia – il paese della libertà estetica – crebbe intorno ad essa.

Nel libro *Picasso e Verità* T.J. Clark sostiene che la Prima guerra mondiale condannò Boemia alla morte, ponendo fine sia al suo irrequieto creatore sia al soggetto individuale liberato che abitava le soffitte della Boemia. Infatti con Braque e Apollinaire di stanza sul fronte nei primi anni della guerra, l'entourage di Picasso si era svuotato, tutti erano fuori Parigi. La morte di Apollinaire nel 1918 poi giunse come un duro colpo per Picasso, che venne più tardi invitato a realizzare un monumento in memoria dell'amico. La sua proposta arrivò fino a dei bozzetti e diverse maquette di ferro alte una cinquantina di centimetri – "disegni nello spazio", come li chiamò Daniel-Henry Kahnweiler – che produsse nel 1928 con Julio González. Il lavoro a reticolo aperto della scultura proposta, con i suoi contorni di un corpo ovale e braccia triangolari che avanzano ad afferrare il rettangolo di una tela, ripeteva elementi dell'*Arlecchino* del 1915, anch'esso una rappresentazione dell'artista nello studio. In questo modo la trasparenza e le forme di questo monumento ad Apollinaire erano il compianto anche delle soffitte di Parigi e dei loro abitanti bohémien.

Il monumento si riferisce a una risposta che gli storici dell'arte danno al puzzle posto dall'eclisse del primo Cubismo analitico con l'inizio del periodo sintetico nell'opera di Picasso. Secondo questa spiegazione Picasso è visto come impaziente nei confronti degli epigoni del Cubismo, con le loro chitarre senza fine su tavoli piedistalli, fruttiere, pipe e sacchetti del tabacco, sfruttando il rigore al di là del potere di scioccare dello stile. Nelle sue mani, comunque, il Cubismo non aveva perso nessuna delle sue capacità di causare polemica. La commissione rifiutò i suoi progetti come troppo astratti per un monumento, che rimase irrealizzato per quattro decenni. Fosse stato completato e installato come previsto, avrebbe almeno commemorato un'altra Boemia parigina, quella brulicante di caffè e nightclub, atelier e ballerine, compresa la seminuda Joséphine Baker, che stava allora ipnotizzando gli spettatori con i suoi inebrianti e scandalosi spettacoli.

▲1911, 1912, 1919

6 • Fernand Léger, *La città*, 1919
Olio su tela, 231,1 x 298,4 cm

adozione dello stile sintetico Fernand Léger usa entrambe le soluzioni. Le sue esplorazioni dell'ambiente urbano di Parigi, come in *La città* del 1919 **[6]**, convertivano pubblicità e segnali stradali nell'oscillazione figura/fondo, con lettere a stampinatura e fasci biforcati di luci di strada che producono sia la frammentazione della confusione urbana sia la leggera profondità della tela del Cubismo analitico. Ma nei suoi quadri delle "Colazioni" adottò la struttura tripartita. Forse fu la sua preferenza per le forme piene ▲ del nudo classico a guidare questa scelta, come in *Tre donne (La grande colazione)* del 1921, dove ogni figura è dichiaratamente indipendente, separata dallo sfondo attraverso il contrasto formale tra il contorno della spalla e dell'avambraccio con il divano dietro di lei. Questo particolare dipinto rimanda anche a un racconto dell'antichità classica che è stato esplorato da pittori e scultori perlomeno dal Rinascimento, secoli prima del Cubismo, quello delle Tre Grazie. Nelle raffigurazioni visive di questo racconto della mitologia greca, le tre sorelle di Zeus – che rappresentano la bellezza, il fascino e la gioia – sono disposte in cerchio e spesso nude. Il soggetto ha permesso agli artisti di presentare il nudo femminile da diverse angolature attraverso la rotazione del corpo della modella a 360 gradi davanti all'osservatore. La *Colazione* di Léger affronta lo stesso tema con il nudo a destra nella posizione frontale, quello a sinistra di lato e la figura centrale da dietro. Lo stesso Picasso adottò il motivo delle Tre Grazie in *Tre danzatrici* del 1925, dando un ulteriore esempio di come l'intreccio del rovesciamento figura-fondo di *Arlecchino* permetta al Cubismo di entrare nella narrazione e viceversa. Ma se le Tre Grazie aprono il Cubismo allo spazio del mito classico, lo aprono anche a un'altra forma di narrazione, quella del tempo.

La storia della quarta dimensione

Talvolta ci si è riferiti alla fase analitica del Cubismo come "ermetica", tanto dettagliata era diventata la frammentazione delle forme fisiche che distinguere la fronte dal volto o il mento dal naso era diventato quasi impossibile ad occhi inesperti. I difensori del

▲ 1925a

Cubismo sentirono urgente spiegare questo stile frammentato di rappresentazione come una risposta collettiva alla novità dell'esperienza moderna e dargli uno statuto associandolo alle ultime scoperte nella scienza e nella geometria. A questo fine, nel suo saggio del 1911 *Cubismo e tradizione*, il pittore Jean Metzinger puntò all'innovazione del continuum spazio-temporale della quarta dimensione, che poteva servire a narrativizzare il Cubismo, scrivendo:

> *[I cubisti] avevano già estirpato il pregiudizio che condannava il pittore a rimanere immobile di fronte all'oggetto, a una distanza fissa da esso, e a considerare la tela non più di una fotografia retinica più o meno modificata dalla "sensazione personale". Si sono permessi di muoversi intorno all'oggetto, per darne, sotto il controllo dell'intelligenza, una rappresentazione concreta, composta di diversi aspetti successivi. Formalmente il quadro ha preso possesso dello spazio; ora regna anche sul tempo. In pittura ogni audacia è legittima se tende ad aumentare il potere del quadro come dipinto. Disegnare, in un ritratto, gli occhi di fronte, il naso di trequarti e la bocca di profilo, può molto bene – purché l'autore abbia un certo tatto – accrescere prodigiosamente la somiglianza e allo stesso tempo, a un incrocio nella storia dell'arte, mostrarci la strada giusta.*
>
> *La tecnica dei "cubisti" è chiara e razionale. Sono pittori consapevoli del miracolo che si compie quando la superficie di un quadro produce Spazio.*

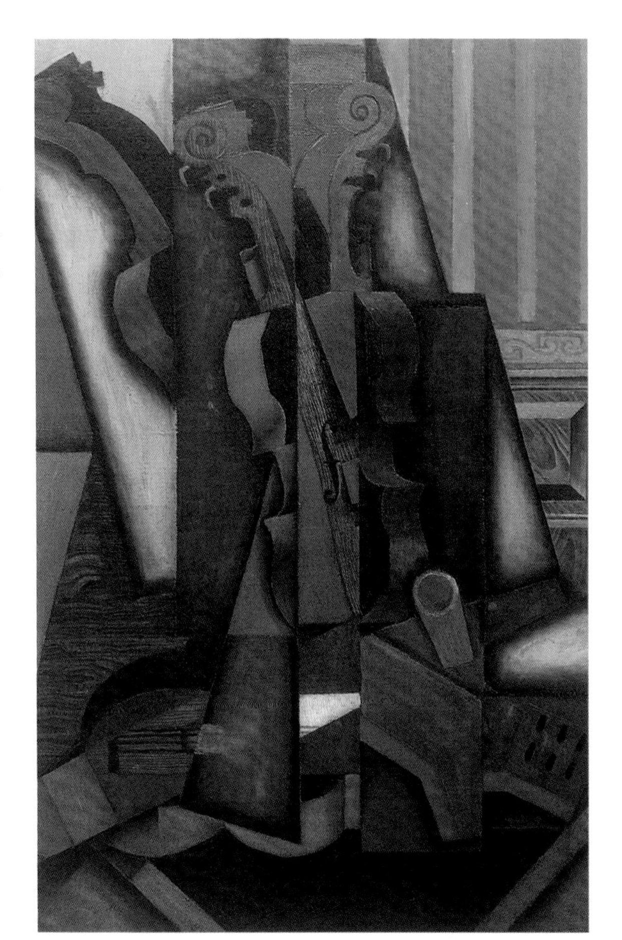

7 • Juan Gris, *Violino e chitarra*, 1913
Olio su tela, 100 x 65,5 cm

Quando Gris realizzò un ritratto cubista analitico del suo amico Picasso nel 1912, seguì la formula, disegnando "gli occhi di fronte, il naso di trequarti e la bocca di profilo". La sua imposizione di una griglia diagonale a reticolo sull'intera superficie rafforza l'esperienza al suo interno del piccolo sfolgorio di sfaccettature inclinate che lega questa rappresentazione alla scrupolosa opera di analisi percettiva dello stesso Picasso. Ma già nel 1913 Gris aveva cominciato ad adottare le forme più grandi e decorative del Cubismo sintetico in un triplice violino **[7]** che sembra – tipo le Tre Grazie – presentare all'osservatore le vedute di due lati dello strumento a fianco del suo fronte e producendo così la formula standard secondo cui i cubisti "si erano permessi di muoversi intorno all'oggetto, per darne, sotto il controllo dell'intelligenza, una rappresentazione composta di diversi aspetti successivi".

Non fu comunque il Cubismo ad abbracciare pienamente il movimento di Metzinger intorno all'oggetto così come la sua rappresentazione "composta di diversi aspetti successivi", ma il Futurismo. Nei primi due decenni del secolo il filosofo e intellettuale Henri Bergson fece scalpore a Parigi con le sue conferenze al Collège de France, entusiasticamente accolte da studenti e artisti, oltre che vecchie signore bene. La sua importante opera *Memoria e materia*, che aveva pubblicato nel 1896, trasformò le idee estetiche del capofila futurista Filippo Tommaso Marinetti nel riconsiderare lo spazio come un continuum di questi stessi "aspetti". Il discorso di Bergson aveva insistito sulla distinzione tra spazio e tempo facendo osservare che lo spazio è misurato secondo unità identiche ognuna necessariamente distinta dall'altra (come i centimetri su un righello), mentre il tempo, sosteneva, è immutabilmente fuso nell'esperienza: il presente retrospettivamente sovrapposto al passato e prospetticamente proiettato nel futuro. La spinta verso una rappresentazione di tale fusione non soltanto determinò la ripetizione dei contorni continui di Giacomo Balla, ▲ ma portò anche Umberto Boccioni a concepire un'opera quale *Sviluppo di una bottiglia nello spazio* (1913) come una spirale che ruota come un nautilo davanti all'osservatore per tradurre in lui l'esperienza del muoversi intorno all'oggetto.

Ma il rovesciamento figura-fondo delle maggiori opere sintetiche di Picasso, Braque e Gris permise alla pittura di mantenere la sua ostinata frontalità, il tremolio dei piani che illusionisticamente avanzano e retrocedono aprendo l'implicazione minima di una profondità che nessun osservatore poteva penetrare per "muoversi intorno all'oggetto" e così afferrarne i "diversi aspetti successivi". Non importa se Picasso e Braque si sentirono traditi dai loro presunti seguaci, essi rimasero sempre fedeli alla logica formale che richiedeva a un quadro di rimanere parallelo e immobile davanti agli occhi dell'osservatore. RK

ULTERIORI LETTURE

T.J. Clark, *Picasso and Truth,* Princeton University Press, Princeton (N.J.) 2013
Yve-Alain Bois, *Picasso 1917-1937. L'Arlecchino dell'arte,* trad. it. Skira, Milano 2008

▲ 1909

1921b

I membri dell'Istituto d'Arte e Cultura di Mosca definiscono il Costruttivismo come logica risposta alle esigenze della nuova società collettivista.

Il 22 dicembre 1921 Varvara Stepanova (1894-1958) tenne una conferenza intitolata *Sul Costruttivismo* ai suoi colleghi dell'Inkhuk – l'Istituto d'Arte e Cultura di Mosca, un'istituzione statale di ricerca fondata nel maggio 1920 sotto gli auspici del Dipartimento di Belle Arti (IZO) del Commissariato Popolare dell'Istruzione (Narkompros). Era quasi un anno che il primo ▲ direttore dell'Istituto, Vasilij Kandinskij, si era dimesso, perché il suo programma, basato sulla psicologia, era stato rifiutato come obsoleto (se non controrivoluzionario) da un gruppo emergente di nuovi arrivati al fianco di Aleksandr Rodčenko (1891-1956).

1920–1929

Come impiegati statali salariati, gli artisti e teorici d'avanguardia che costituivano il pubblico di Stepanova dovevano attenersi alla routine burocratica e registrare stenograficamente l'animata discussione che seguì la conferenza. Da essa si vede chiaramente che quel che era in gioco quella sera di dicembre era non tanto il resoconto retrospettivo del Costruttivismo offerto da Stepanova quanto l'ansiosa domanda sul futuro: l'artista sovietico come intende giustificare la propria esistenza una volta che ha abbandonato volontariamente ogni attività artistica, ma non ha una conoscenza tecnica adatta alla produzione industriale? (Si noti qui la presenza femminile: non c'è forse altro movimento artistico nella prima metà del secolo in cui le donne abbiano esercitato un ruolo così importante.)

Il critico marxista Boris Arvatov (1896-1940), presto divenuto uno dei maggiori sostenitori del Produttivismo, ha sintetizzato bene il portato storico del momento. L'artista non sarà di nessuna utilità all'industria finché non acquisirà una qualche istruzione in un istituto politecnico, sostenne, ma ha comunque una funzione a livello ideologico:

> *È utopico ma dobbiamo dirlo. E ogni volta che lo diciamo dobbiamo evitare ogni dogmatismo e non essere ciechi, affermare che invece è reale e necessario. Nessuno ci potrà rimproverare per questo. Dobbiamo spiegare che questa dottrina [il Costruttivismo] ha prodotto grandi cose. È vero che la situazione è drammatica, come ogni situazione rivoluzionaria. È la situazione di un uomo sulla riva di un fiume che deve attraversare. Dobbiamo gettare le fondamenta e costruire un ponte. Allora il ruolo storico sarà svolto.*

Alla fine del 1921 i costruttivisti erano a un bivio. Dalla primavera di quell'anno la Nuova Politica Economica (NEP) di Lenin, caratterizzata da un ritorno parziale al libero mercato, aveva gradualmente sostituito la programmazione centralizzata dominante durante la guerra civile, un sistema che aveva direttamente beneficiato i membri dell'avanguardia artistica come una ricompensa per il loro precedente ed entusiastico supporto alla Rivoluzione. I costruttivisti sapevano che i giorni dell'Inkhuk dove potevano condurre liberamente i loro "esperimenti di laboratorio" erano finiti e abbracciarono i cambiamenti sopravvenuti. Il ponte menzionato da Arvatov (quello tra "arte" e "produzione") fu a lungo nelle preoccupazioni di tutti (la sua necessità era stata già patrocinata con grande retorica nelle pagine dell'*Iskusstvo Kommuny* [L'arte della Comune], l'organo ufficiale dell'IZO pubblicato dal dicembre 1918 all'aprile 1919), ma ora si poteva cogliere una diversa accelerazione. Un mese prima della conferenza, seguendo un appello di Osip Brik, un membro della prima ▲ ora dell'Opoyaz, a trasferirsi fuori dalla giurisdizione del Narkompros in quella del Ministero dell'economia, i costruttivisti dell'Inkhuk avevano collettivamente deciso di abbandonare il "cavallettismo" e passare alla "produzione". (La parola "cavallettismo" deriva naturalmente da "pittura da cavalletto", ma era usata per descrivere qualsiasi tipo di oggetto artistico autonomo, inclusa la scultura). Nel gruppo, gli esponenti più radicali del programma produttivista predicevano anche la fine dell'arte tout court: il ponte di Arvatov andava costruito per raggiungere l'altra riva, ma andava poi distrutto perché inutile una volta raggiunta la terra promessa. In larga misura questo rimase il credo e le ansie emerse quella sera di dicembre del 1921 si dimostrarono ben fondate. Ma se la leggerezza con cui i costruttivisti avevano rassegnato le dimissioni da artisti ora suona come una sorta di folle negazione, non può certo essere vista comunque come suicida. C'era una logica nell'autoimmolazione che costituiva l'apice di un intero anno di sperimentazione.

"Il primo monumento senza barba"

La nascita del Costruttivismo giunse come risposta diretta al modello del *Monumento alla Terza Internazionale* di Vladimir

▲ 1908, 1913

▲ 1915

Tatlin, spesso detto semplicemente la *Torre* [**1**]. Commissionato all'inizio del 1919, il modello fu esposto a Pietrogrado l'8 novembre 1920 (terzo anniversario della Rivoluzione d'Ottobre), prima di essere portato a Mosca, dove fu rimontato nell'edificio che ospitava l'ottavo Congresso dei Soviet proprio mentre veniva discusso il piano di elettrificazione della Russia di Lenin. Da un resoconto dettagliato, scritto dal critico e storico dell'arte Nikolaj Punin, pubblicato in occasione della presentazione dell'opera e da numerose dichiarazioni dell'artista stesso sappiamo che, mentre il modello era una grande scultura di legno alta tra i 215 e i 250 cm, il monumento finito doveva essere un'enorme costruzione di metallo e vetro alta più di 33 metri – un terzo della Torre Eiffel, all'epoca l'edificio più alto del mondo e impresa di ingegneria che ▲ Tatlin aveva molto ammirato in occasione del suo viaggio a Parigi, prima della Prima guerra mondiale. L'elemento più singolare del famoso progetto di Tatlin era la sua struttura inclinata consistente in due spirali coniche inserite l'una nell'altra e una complessa trama di assi oblique e verticali che incorniciavano quattro volumi geometrici di vetro sospesi l'uno sull'altro nel suo interno inclinato. Ognuno di questi volumi doveva essere una costruzione indipendente sede di una parte del Comintern (l'organizzazione sovietica incaricata di "diffondere la rivoluzione" negli altri paesi) e ognuno doveva ruotare a una velocità diversa. Il tempo di rotazione del volume più basso e più grande, un cilindro destinato a

1 • Vladimir Tatlin, Primo modello del *Monumento alla Terza Internazionale* nella prima Accademia delle Arti, Pietrogrado, 1920. Legno, altezza 548,6-640 cm ca.

Le istituzioni sovietiche

Come già durante la Rivoluzione francese nel XVIII secolo, trovare un nome per una nuova istituzione, o rinominarne una vecchia, diventò una questione politicamente molto importante nella Russia rivoluzionaria, dai primi giorni dell'insurrezione del febbraio 1917 fino alla salita al potere di Lenin nell'ottobre dello stesso anno e all'era staliniana seguita alla sua morte nel 1924. La frenesia battesimale del giovane stato sovietico non contagiò solo le organizzazioni ufficiali, ma anche i molti gruppi d'avanguardia che si erano moltiplicati negli anni Dieci, all'apice del Cubo-futurismo. I nomi più assurdi di questi gruppi prerivoluzionari (come Il fante di quadri e La coda d'asino) sentivano troppo del passato simbolista che volevano deridere. Bisognava escogitare una nuova forma linguistica per segnalare che un'era radicalmente nuova stava cominciando e, sia per il potere bolscevico che per quella piccola frangia dell'intellighenzia che si mise subito al suo servizio, l'acronimo diventò il significante primario di questa *tabula rasa*: era sia sintetico che "poeticamente" insolito.

La natura politica di questo espediente linguistico era già stata stabilita con il conio del Proletkult (Cultura proletaria) nel 1906. Benché questa organizzazione abbia preoccupato Lenin al punto da escludere nel 1909 dal Partito bolscevico il suo capo Aleksandr Bogdanov, fu solo dopo i "dieci giorni che fecero tremare il mondo" che si avviò veramente. Il nuovo governo parò il colpo fondando un dipartimento ombrello, il Narkompros (Commissariato popolare dell'istruzione), con a capo il liberale Anatolij Lunačarskij, il cui ambito comprendeva gli affari culturali, la propaganda e l'educazione, e a cui facevano riferimento tutti i gruppi artistici – incluso il recente Komfuts (Futuristi comunisti). Nel gennaio 1918 venne creato l'IZO, la sezione arti visive del Narkompros, e situato a Pietrogrado sotto la supervisione di David Šterenberg, un eclettico pittore modernista francofilo che fece del suo meglio per soddisfare le diverse tendenze dell'avanguardia sovietica e per riorganizzare i musei d'arte dell'URSS. Il suo delegato a Mosca era Tatlin.

Tra le molte nuove istituzioni lanciate dal Narkompros vi furono la Svomas (Liberi studi statali), fondata nel 1918 e sostituita nel 1920 dal Vkhutemas (Laboratori tecnici e artistici statali), che si possono dire gli equivalenti sovietici del Bauhaus, la scuola di design recentemente aperta in Germania; l'Inkhuk (Istituto di cultura artistica), fondato a Mosca nel 1920 (il suo primo direttore fu Kandinskij, subito costretto alle dimissioni da Rodčenko), e il suo corrispettivo a Pietrogrado, il Ginkhuk, dove Malevič trovò rifugio dopo la chiusura della sua scuola a Vitebsk, l'Unovis (sostenitori della Nuova Arte), nel 1922. Anche dopo il ripristino degli affari privati da parte del NEP nel 1921, l'ingerenza del governo nelle questioni culturali non diminuì, né la sua propensione per gli acronimi: nel 1922 l'Inkhuk diventò parte del Rakhn (Accademia russa delle scienze d'arte), dove perse presto i suoi confini, e l'Akhrr (Associazione degli artisti della Russia rivoluzionaria) cominciò la sua vigorosa ascesa che finirà dieci anni dopo nella brutale imposizione del Realismo socialista come linea ufficiale in tutte le arti.

▲ 1914

ospitare le "assemblee legislative" dell'Internazionale, era di un anno; quello del secondo, una piramide obliqua per la compagine esecutiva, sarebbe stato di un mese; quello del terzo, un cilindro per i servizi di propaganda, di un giorno; e quello del volume più in alto, una piccola sfera aggiunta più tardi nell'elaborazione del progetto, sarebbe dovuto essere probabilmente di un'ora.

Tatlin e i suoi amici (in particolare il suo portavoce ufficiale Punin) svilupparono tre argomenti a favore della costruzione reale del monumento nella grande scala progettata. Primo, rispetto ai pugni nell'occhio eretti in varie piazze a commemorare la Rivoluzione, esso era assolutamente "moderno" (il poeta Vladimir Majakovskij celebrò il progetto come "primo monumento senza barba"), che per Tatlin significava in stretta obbedienza al principio della "cultura dei materiali" (cioè della "verità dei materiali") ▲ che aveva sviluppato nei suoi rilievi del 1914-17. Secondo, era un oggetto produttivista interamente funzionale (Majakovskij lo chiamò anche "primo oggetto di Ottobre"), andando oltre, in un altro senso, la Torre Eiffel, il cui principale uso era quello di antenna radio. Terzo, come ogni monumento pubblico, era concepito come un faro simbolico: illustrava il "dinamismo" come ethos della Rivoluzione.

All'Inkhuk, la formazione del Gruppo di lavoro di analisi oggettiva secondo Rodčenko e i suoi amici, che provocò le dimissioni da direttore di Kandinskij, aveva preceduto solo di qualche settimana l'esposizione del monumento di Tatlin. Data l'enorme attenzione che questo progetto ricevette a Mosca, non sorprende che il Gruppo di lavoro si focalizzasse sui problemi che aveva sollevato. Il fatto che fosse un progetto sperimentale che difficilmente si sarebbe mai costruito (benché dichiarato tecnicamente possibile da un gruppo di tecnici sovietici) non li scoraggiò – al contrario, il fatto stesso che un progetto potesse avere un simile impatto era un incoraggiamento per il "lavoro sperimentale". Mettendo per il momento tra parentesi il problema della produzione e della funzionalità, i membri del Gruppo di lavoro si concentrarono su due altri aspetti del modello, la sua "verità dei materiali" (o *faktura*) e il suo dinamismo simbolico (o *struttura*), che erano visti da Rodčenko e dagli altri come contraddittori nel progetto di Tatlin. Sentivano che a livello materiale, e contrariamente alla convinzione di Tatlin, niente giustificava l'uso formale di una spirale e l'appello a un'iconografia d'altri tempi. Il *Monumento* era un'impresa romantica, sostenevano, elaborata da un artista solitario nel segreto del suo studio e con gli strumenti tradizionali del mestiere; la sua organizzazione formale rimaneva un segreto indecifrabile che puzzava di "individualismo borghese": non era una costruzione, ma una composizione d'autore.

Il dibattito costruzione/composizione

Ma questi termini erano troppo vaghi e avevano bisogno di essere definiti correttamente: dal 1° gennaio alla fine di aprile 1921 il Gruppo di lavoro condusse un lungo dibattito centrato appunto sulle nozioni di costruzione e composizione. Ogni partecipante doveva dimostrare, attraverso un paio di disegni, che cosa intendeva con queste due parole opposte. A parte i disegni di Nikolaj Ladovskij (1881-1941) e Karl Ioganson (1890 ca.-1929) – che proposero entrambi come "costruzione" ciò che sarebbe meglio chiamare "struttura deduttiva", cioè una divisione formale della superficie dettata dalle proprietà dei materiali (forma, proporzione, dimensione) di quella stessa superficie – il portfolio che ne risultò è piuttosto deludente. L'opposizione era confusa o con un cambiamento di tecnica (lo *sfumato* per la composizione, il segno netto per la costruzione) o con l'evocazione di un cambiamento di

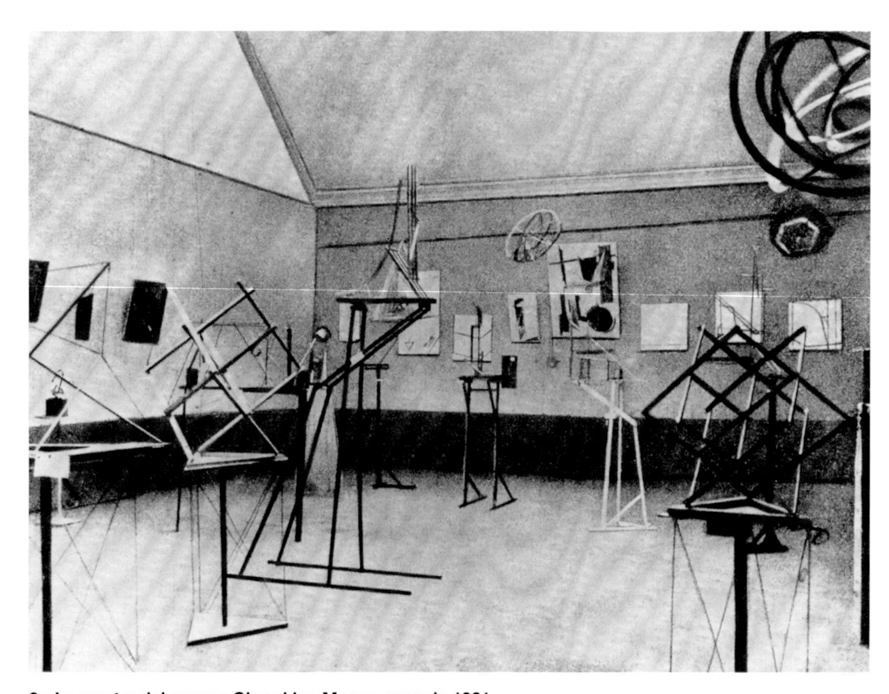

2 • La mostra del gruppo Obmokhu, Mosca, maggio 1921
Lo *Studio in equilibrio* di Karl Ioganson è visibile all'estrema sinistra.

3 • Karl Ioganson, *Studio in equilibrio*, 1921 ca.
Materiali e dimensioni sconosciute (distrutto)

▲ 1914

medium (l'abbozzo di un quadro in opposizione a quello di una scultura); oppure, soprattutto nel caso di Vladimir Stenberg (1899-1982), la costruzione era semplicemente intesa come l'apparenza di macchina. Le dichiarazioni scritte e molte discussioni che accompagnarono la produzione di questi disegni sono invece molto illuminanti. Dopo molte polemiche, talvolta accese, fu raggiunto un consenso: la costruzione era basata su un metodo o un'organizzazione "scientifica" che non ammetteva "nessun materiale o elemento superfluo"; o, per dirla in termini semiologici, una costruzione era un segno "motivato", in cui cioè l'arbitrarietà è evitata, la forma e il significato sono determinati (motivati) dal rapporto tra i suoi diversi materiali (per cui non può per esempio essere basato su elementi iconografici), mentre una composizione era appunto "arbitraria".

Questa conclusione sembra un risultato piuttosto modesto per quattro mesi di intensa discussione, la sua retorica era senza dubbio ingenua ("superfluo" = "arido" = "epicureismo borghese" = "moralmente condannabile"), ma è da questo prolisso dibattito che il Costruttivismo nacque come movimento: il termine stesso emerse durante il dibattito e Rodčenko lo monopolizzò subito, nel marzo 1921, per forgiare con i suoi alleati più stretti il Gruppo di lavoro dei costruttivisti (formato da cinque scultori, o meglio creatori di "costruzioni spaziali" – egli stesso, Ioganson, Konstantin Meduneckij [1899-1935 ca.], Vladimir Stenberg e suo fratello Georgij [1900-33] – cui si unirono Stepanova e, fuoruscito dall'Inkhuk, l'agitatore culturale Aleksej Gan [1889-1940]). Gan, che era appena stato espulso dal Narkompros per il suo estremismo, era stato subito incaricato di scrivere il programma costruttivista e i verbali di varie discussioni all'interno del Gruppo intorno alla sua oscura terminologia. La prosa confusa e polemica di Gan (il suo libro *Costruttivismo* apparve nel 1922) non è di grande aiuto per chiarire il pensiero del Gruppo e l'idea di affidare a una figura così marginale la posizione centrale di portaparola fu una scelta infelice (sarà di particolare danno molto più tardi di fronte alla furia repressiva dei commissari di Stalin, ma distorcerà a lungo anche la visione degli storici del movimento). Molto più importante è l'attività artistica degli altri membri fondatori come immediata conseguenza del dibattito su costruzione e composizione.

Un addio all'arte

Un evento chiave è la loro partecipazione alla seconda mostra dell'Obmokhu (Società dei Giovani Artisti), nel maggio 1921, che consistette principalmente di "costruzioni spaziali" **[2]**. Anche se soltanto due di queste sculture sono sopravvissute, questa leggendaria esposizione è ben documentata. Né le opere dei fratelli

4 • Aleksandr Rodčenko, *Costruzione ovale sospesa n. 12*, 1920 ca.
Compensato parzialmente dipinto con alluminio e filo metallico, 61 x 84 x 47 cm

Stenberg, che assomigliano a ponti metallici, né le sculture policrome di Meduneckij (una delle quali fu acquistata da Katherine Dreier alla *Prima esposizione russa* a Berlino nel 1922 e oggi è alla Yale University Art Gallery di New Haven) rispondono alla stretta definizione di costruzione emersa dal dibattito. Le prime non vanno al di là della concezione di Tatlin della "verità dei materiali"; le seconde sono chiaramente in debito nei confronti dei quadri di ▲ Malevič. Ma le sculture sospese di Rodčenko e la serie di *Croci spaziali* di Ioganson testimoniano un grande passo avanti compiuto in brevissimo tempo. Entrambe le serie furono concepite come dimostrazioni di un metodo "scientifico" (cioè al tempo stesso dialettico, materialista e comunista): non c'erano concezioni a priori (nessuna immagine presa a prestito), ogni aspetto dell'opera era determinato dalle sue condizioni materiali.

Nel caso delle sculture sospese di Rodčenko, un singolo foglio di compensato ricoperto di pittura d'alluminio era ritagliato in forme concentriche (cerchi, esagoni, rettangoli o ellissi – quest'ultima è l'unico esempio sopravvissuto della serie **[4]**). Queste erano poi ruotate in profondità per creare vari volumi geometrici tridimensionali: la scultura può facilmente essere ricondotta alla sua origine bidimensionale, mettendo così a nudo il suo processo di produzione. Le opere di Ioganson esponevano la stessa trasparenza pedagogica, in una in particolare **[3]**, disposta su una base triangolare e consistente in tre aste mantenute nello spazio dalla tensione di una corda che le collegava. Ioganson tentò di dare forma visiva e misurabile al "superfluo" che ogni costruzione vorrebbe sradicare: la corda era più lunga di quanto richiesto, ma questo "superfluo", fissato alla fine del percorso e mollemente pendente, aveva anche una funzione dimostrativa (per abbassare le tre aste a punta, e così trasformare la scultura, bastava lasciar andare di più la corda). In altre parole, in contrasto con i segreti d'atelier dell'artista borghese, la "logica" di produzione e la struttura deduttiva della scultura venivano decantate in opposizione alla feticizzazione dell'ispirazione artistica.

Lo stesso si può dire delle sculture modulari di Rodčenko realizzate subito dopo la mostra dell'Obmokhu, ognuna formata di blocchi di legno della stessa dimensione e con la superficie talvolta uguale all'elevazione. La logica formale che presiede a queste opere, ancora una volta una struttura deduttiva, è vicina a ● quella messa in atto dai minimalisti quarant'anni dopo (Carl Andre ne decanterà i pregi quando le loro fotografie saranno diffuse in Occidente). Non è un caso che tale logica abbia avuto effetti simili in entrambi i periodi storici, per quanto dissimili siano i contesti della Russia rivoluzionaria e della New York di fine anni Cinquanta, per quanto riguarda lo statuto della pittura. Portata all'estremo in questo medium, la direzione riduttiva che i costruttivisti Inkhuk avevano intrapreso poteva sfociare soltanto o nella pura griglia o nel puro monocromo: all'interno dei parametri dell'astrattismo, ogni altra possibilità pittorica avrebbe implicato un'opposizione tra figura e fondo, facendo così sorgere uno spazio immaginario, una composizione, un "superfluo". Così ■ come Donald Judd condannerà la pittura per la sua incapacità di disfarsi completamente dell'illusionismo, Rodčenko disse addio a quest'arte dopo aver mostrato il suo famoso trittico monocromo alla mostra *5 x 5 = 25* nel settembre 1921 **[5]**: "Ho portato la pittura alle sue logiche conclusioni ed esposto tre tele: rossa, blu e gialla", scrisse più tardi. "Ho affermato: È finita. I colori di base. Ogni superficie è una superficie e non ci deve più essere rappresentazione".

5 • Aleksandr Rodčenko, *Puro colore rosso, puro colore giallo, puro colore blu*, 1921
Olio su tela, 62,5 x 52,5 cm ciascuno

Il gesto iconoclasta di Rodčenko diventò presto un punto di riferimento mitico (definito "l'ultimo quadro", è descritto come ▲ punto di svolta da Nikolaj Tarabukin, un critico formalista della prima ora e diventato il più acuto ideologo del gruppo Inkhuk, nel suo trattato del 1923 *Dal cavalletto alla macchina*): con esso una pagina della storia era stata voltata, un punto di non ritorno era stato raggiunto. L'analisi non era più all'ordine del giorno: ora l'unica strada praticabile era quella di "entrare nella produzione". La conferenza del dicembre 1921 della Stepanova era un servizio funebre. L'elaborazione di una piattaforma produttivista sarebbe stata l'occupazione centrale di Rodčenko e amici durante i primi mesi del 1922.

Il passaggio alla propaganda

Ma a dispetto del loro entusiasmo e della loro volontà di "lavorare in fabbrica", i costruttivisti-diventati-produttivisti dovevano scontrarsi con una realtà deprimente: nella Nuova politica economica

▲ 1915 ● 1962c, 1965 ■ 1965

▲ 1914, 1915

di Lenin non potevano più contare sul supporto totale dello stato. Con loro grande dispiacere, i loro servizi non erano più benvenuti: o erano visti come una fastidiosa interferenza dal nuovo gruppo imprenditoriale dei direttori di produzione, o derisi come intellettuali parassiti dai lavoratori. Stepanova e Ljubov Popova crearono con successo una linea di progetti tessili che furono prodotti in serie (forse l'unico successo dell'utopia produttivista, ma comunque un risultato minore); anche Tatlin riuscì a lavorare in una fabbrica, ma non sopportò a lungo il compito che gli era richiesto (semplicemente di decorare oggetti) e nessuno degli oggetti funzionali che progettò una volta tornato in studio venne mai realizzato industrialmente (così un'orrenda stufa destinata a ridurre l'uso del combustibile, una sedia di legno che è paradossalmente una delle sue sculture più eleganti e una leonardesca macchina per volare, una sorta di bicicletta alata che chiamò *Letatlin*, dalla contrazione del suo nome con il verbo "*letat*", volare). La divisione del lavoro, che i costruttivisti, da buoni marxisti, avevano dapprima fustigato come causa di alienazione, ma poi paradossalmente appoggiata quando Lenin la dichiarò essenziale alla ricostruzione della Russia, si rivoltò contro di loro. Soltanto Ioganson, che era stato il più tecnicamente creativo dei costruttivisti, riuscì a partecipare attivamente alla produzione di oggetti: fu assunto come inventore. In un altro contesto il suo talento avrebbe fatto furore (le sue sculture Obmokhu erano simili alle strutture estensibili proposte da Kenneth Snelson e Buckminster Fuller alla fine degli anni Quaranta, chiamate "sistemi tensori" e oggi considerate un passo importante nella storia della tecnologia costruttiva). Ma non c'era nessuno all'epoca in grado di riconoscere che per una volta il ponte evocato da Arvatov era stato varcato; in totale la produzione dell'irriducibile Produttivismo è molto scarsa.

Il nuovo ethos lasciato in eredità all'inizio del 1922 diede comunque importanti frutti: non nella produzione di oggetti funzionali quotidiani, ma nel campo della propaganda. Se l'utilità era il motto, e anche se l'industria non vedeva il modo di utilizzare gli artisti, alla fine furono ingaggiati per pubblicizzare la Rivoluzione (o gli oggetti prodotti, senza il loro aiuto, nelle fabbriche di stato). Dai primi anni Venti in poi, la creazione di manifesti, scene teatrali, stand propagandistici, allestimenti e grafica editoriale diventò il ▲ campo privilegiato dei costruttivisti, e con continui successi. Come aveva predetto Tarabukin, le loro realizzazioni in ambito ideologico (quello dell'immagine della Rivoluzione) diventarono la loro eredità più importante. Piuttosto che presiedere alla produzione di oggetti, avevano dato forma all'ideologia della Produzione: alla fine avevano trovato una nicchia all'interno della sempre maggiore divisione del lavoro della Russia sovietica. YAB

ULTERIORI LETTURE:

Richard Andrews e Milena Kalinovska (a cura di), *Art Into Life: Russian Constructivism 1914-1932,* Henry Art Gallery, University of Washington e Rizzoli, Seattle-New York 1990

Maria Gough, *In the Laboratory of Constructivism: Karl Ioganson's Cold Structures,* in *October*, n. 84, primavera 1998

Selim Khan-Magomedov, *Rodchenko: The Complete Work*, MIT Press, Cambridge (Mass.) 1987

Christina Lodder, *Russian Constructivism,* Yale University Press, New Haven-London 1983

▲ 1928b

1922

Hans Prinzhorn pubblica *L'attività plastica dei malati di mente*: nelle opere di Paul Klee e Max Ernst viene esplorata l'"arte dei malati di mente".

Nel primo decennio del secolo molti modernisti attinsero ▲ all'arte "primitiva", mentre altri si rifecero anche all'arte dei ● bambini (per esempio gli espressionisti del Cavaliere azzurro). All'inizio degli anni Venti un terzo interesse – l'arte dei malati di mente – completò l'insieme di modelli esotici. Oggi può ■ sembrare strano, ma per modernisti come Paul Klee erano tre modelli naturali, guide necessarie nella ricerca delle "origini primarie dell'arte". È un paradosso della ricerca modernista: l'*immediatezza* espressiva va perseguita attraverso la *mediazione* di forme complesse come quelle degli oggetti tribali e delle immagini schizofreniche.

1920–1929

La rivalutazione dell'arte dei malati di mente seguì quella dell'arte primitiva. Ignorata fino ad allora o vista solo in termini diagnostici, era pronta per una nuova attenzione. La maggior parte dei modernisti la guardò solo per adattarla ai propri fini: come sfida intrinsecamente espressiva e audace alle convenzioni o direttamente rivelatrice dell'inconscio, quale peraltro in gran parte non era. Anche i romantici avevano visto il primitivo, il bambino e il malato di mente come figure del genio creativo libero dalle catene della civiltà, ma nella versione modernista di questo trio il medium si spostò dal verbale (letteratura) al visivo (pittura e scultura) e la ripresa dell'arte dei malati di mente venne condizionata dalla sua denigrazione dopo il Romanticismo. Dalla metà del XIX secolo infatti quest'arte era vista come segno di "degenerazione" psico-fisica piuttosto che come modello di ispirazione poetica. Una figura chiave in questo senso è lo psichiatra italiano Cesare Lombroso, il quale, insieme al suo seguace ungherese Nax Norau, piegò questa nozione ideologica ai discorsi più diversi. Lombroso intendeva la follia come una regressione a uno stadio primitivo di sviluppo psico-fisico – modello che anticipò l'associazione fobica di primitivo, bambino e malato di mente, che perdurò nel XX secolo a fianco di quella idilliaca dei tre come innocenti creativi. In *Genio e follia* (1877), uno studio di 107 pazienti, metà dei quali disegnavano o dipingevano, Lombroso mostrò questa degenerazione nelle sue "assurde" e "oscene" forme di rappresentazione.

Grandi maestri schizofrenici

Il discorso della degenerazione, così come l'interpretazione diagnostica dell'arte dei malati di mente, passò dalla psichiatria alla psicanalisi emersa alla fine del XIX secolo. Come il suo prede- ▲ cessore francese Jean-Martin Charcot, Sigmund Freud estese questo approccio rovesciandolo, cioè cercando segni di nevrosi o di psicosi nelle opere di grandi maestri "sani" come Leonardo o Michelangelo. Al cambio di secolo, con il lavoro clinico del tedesco Emil Kraepelin e dello svizzero Eugen Bleuler, era al centro dell'attenzione la schizofrenia, vista come un rapporto interrotto con il sé, manifestato in una dissociazione del pensiero o nella perdita degli affetti – comunque in una scissione della soggettività segnata da un'incapacità di creare immagini. Questo approccio diagnostico fu contestato solo gradualmente, prima con *L'arte dei folli* (1907) di Marcel Réja, pseudonimo dello psichiatra francese Paul Meunier, che esaminò l'arte dei malati di mente per analizzare la natura dell'attività artistica in sé, e poi con *L'attività plastica dei malati di mente: Contributo alla psicologia e psicopatologia della configurazione* (1922) di Hans Prinzhorn, che proseguì questa linea di ricerca in un modo che interessò molti artisti modernisti.

Significativamente Prinzhorn aveva studiato storia dell'arte (all'Università di Vienna) prima di passare alla psichiatria e occasionalmente alla psicanalisi. Questo tirocinio unico nel suo genere portò la Clinica psichiatrica di Heidelberg ad assumerlo nel 1918; qui studiò e arricchì la sua collezione d'arte a qualcosa come 4.500 opere di 435 pazienti, la maggior parte schizofrenici, prese da varie istituzioni. Insieme a 187 immagini provenienti da questa collezione, il suo libro conteneva una "parte teorica", dieci studi di casi di "grandi maestri schizofrenici", e una sintesi dei "risultati e problemi". Era dunque molto selettivo, e spesso anche contraddittorio. Da una parte Prinzhorn non pretendeva di essere diagnostico e vedeva le sei "spinte" attive nella rappresentazione schizofrenica presenti in ogni composizione artistica, dall'altra non cercava di essere estetico e metteva in guardia contro qualsiasi equazione diretta con l'arte dei "sani" e, anche se chiamava i suoi dieci favoriti "grandi maestri", nel titolo usava il termine arcaico *Bildnerei* ("attività plastica" o "creazione di immagini") per distinguerlo da *Kunst* ("arte"). Prinzhorn si riferiva tuttavia a van Gogh, Henri Rousseau, James Ensor, Erich Heckel, Oskar Kokoschka, ● Alfred Kubin (che pure studiò l'arte dei malati di mente), Emil Nolde e Max Pechstein. Ulteriori collegamenti vennero poi fatti prima dai modernisti e in seguito dai nemici del modernismo – il

▲ 1903, 1907 ● 1908 ■ 1913, 1925c

▲ Introduzione 1, 1900a ● 1900a, 1903, 1908

Zwei „Heilige"!!

Die obere heißt „Die Heilige vom inneren Licht" und stammt von Paul Klee. Die untere stammt von einem Schizophrenen aus einer Irrenanstalt. Daß diese „HeiligeMagdalena mit Kind" immer noch menschenähnlicher aussieht als das Machwerk von Paul Klee, das durchaus ernst genommen werden wollte, ist sehr aufschlußreich.

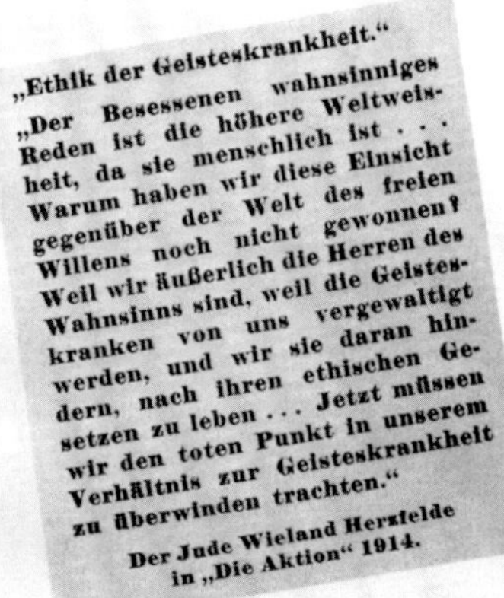

„Ethik der Geisteskrankheit."
„Der Besessenen wahnsinniges Reden ist die höhere Weltweisheit, da sie menschlich ist . . . Warum haben wir diese Einsicht gegenüber der Welt des freien Willens noch nicht gewonnen? Weil wir äußerlich die Herren des Wahnsinns sind, weil die Geisteskranken von uns vergewaltigt werden, und wir sie daran hindern, nach ihren ethischen Gesetzen zu leben ... Jetzt müssen wir den toten Punkt in unserem Verhältnis zur Geisteskrankheit zu überwinden trachten."
Der Jude Wieland Herzfelde in „Die Aktion" 1914.

1 • Paul Klee, *Il santo della luce interna*, 1921, giustapposto a un'opera di uno schizofrenico sconosciuto, nel catalogo della mostra *Arte degenerata*, 1937 (i testi sono tradotti qui sotto)

2 • Paul Klee, *Prospettiva di stanza con personaggi*, 1921
Acquarello e olio su carta, 48,4 x 31,5 cm

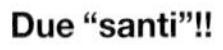

Due "santi"!!
Quello sopra è intitolato *Il santo della luce interna* ed è di Paul Klee.
Quello sotto è di uno schizofrenico di un asilo psichiatrico. Che però questa *Santa Maria Maddalena e bambino* sembri più umana del pasticciato tentativo di Paul Klee, che voleva essere assolutamente preso sul serio, è molto significativo.

"Etica della malattia mentale"
"Il discorso folle degli ossessivi è la più alta saggezza, poiché è umano [...] Perché dovremmo inserirlo nel mondo della libera volontà? Perché, con superficialità, noi controlliamo la follia, facciamo violenza ai malati di mente e impediamo loro di vivere secondo le loro regole etiche [...] Ora dobbiamo cercare di vincere la cecità nel nostro rapporto con la malattia mentale".

L'ebreo Wieland Herzfelde in "Die Aktion" 1914.

▲ più tristemente famoso nel 1937 nella mostra nazista *Arte degenerata* che attaccò modernisti come Klee associandoli alla follia [**1**].

Come suggeriscono i suoi rimandi, Prinzhorn era interessato all'arte espressionista; anche i suoi modelli storici e filosofici lo disponevano alla psicologia dell'espressione. Così le sei "spinte" che governano l'"attività plastica dei malati di mente" sono spinte verso l'espressione, il gioco, l'elaborazione ornamentale, l'ordine strutturato, la copia ossessiva e i sistemi simbolici, la cui interazione determina ogni immagine. Ma qui, di nuovo, Prinzhorn rischiò la contraddizione. Le spinte verso l'espressione e il gioco suggeriscono infatti un soggetto aperto al mondo in un modo che le altre spinte non fanno; al contrario, la coazione alla decorazione, all'ordine, alla copia e alla costruzione di sistemi suggeriscono un ● soggetto in difesa dal mondo, non in empatia con esso. Anche se Prinzhorn pose le prime spinte come correttive delle altre, ammise questa differenza essenziale tra artista e schizofrenico:

> *L'artista più solitario rimane comunque in contatto con la realtà. [...] Lo schizofrenico invece è distaccato dall'umanità e*

▲ 1937a ● 1908

per definizione non vuole né può ristabilire il contatto con essa. [...] Noi percepiamo nei suoi quadri il completo isolamento autistico e il raccapricciante solipsismo che va di gran lunga al di là dei limiti delle alienazioni psicopatiche e crediamo di aver trovato in essi l'essenza della configurazione schizofrenica.

I modernisti più coinvolti dall'arte dei malati di mente furono Klee, il dadaista tedesco poi surrealista Max Ernst (1891-1976) e ▲ Jean Dubuffet (1901-85), il fondatore francese dell'Art brut; tutti conoscevano bene *L'attività plastica dei malati di mente*. Klee e Ernst inventarono spesso sistemi fantastici che mescolavano forme di scrittura e disegno – del tipo che Kraepelin una volta denigrò come "la macedonia di immagini e parole" della rappresentazione schizofrenica. Sperimentarono anche distorsioni fisiche che evocano moti psichici più che giochi formali. Talvolta Klee ingrandì gli occhi o le teste delle sue figure (un carattere comune anche nell'arte dei bambini) o alterò altri tratti in schemi ornamentali (una tendenza della rappresentazione schizofrenica notata da Prinzhorn), come i capelli a cartigli e le ali del suo *Angelus* ● *Novus*, un disegno posseduto da Walter Benjamin, per il quale era un angelo allegorico della storia vista come catastrofe. Altre volte Klee ripeteva alcune parti in maniera ancora più frammentata, come interpretando alla lettera un senso schizofrenico di autodislocazione; Dubuffet farà spesso la stessa cosa.

L'apparente ansia per l'immagine del corpo può indurre un trattamento paradossale dei contorni in Klee e Ernst come nell'arte schizofrenica. Talvolta i contorni sono cancellati o esagerati, e a volte al punto di un'ulteriore cancellatura, come se, nell'intento di sottolineare le linee tra sé e il mondo necessarie a un senso di autonomia, queste distinzioni venissero annullate. Nella *Prospettiva di stanza con personaggi* **[2]** Klee evoca un collasso di figura e fondo, una fusione di soggetto e spazio. L'ansia per i contorni può anche indurre un movimento opposto a questo collasso, una visione paranoica del mondo come estraneo e ostile nella sua estraneità. Ernst evoca questa alienazione in *La camera da letto del signore* **[3]**, dove sia gli strani occupanti sia lo spazio obliquo sembrano guardare minacciosamente l'artista e lo spettatore, come se una fantasia da trauma, a lungo repressa, fosse tornata improvvisamente a impossessarsi del suo "signore".

I mondi intermedi

Nel 1920, in pieno coinvolgimento nell'arte dei malati di mente, Klee scrisse il suo *Credo creativo* che comincia: "L'arte non riproduce il visibile, rende visibile". Questo principio indica lo statuto speciale del primitivo, del bambino e del malato di mente per Klee: personaggi di un "mondo intermedio" che "esiste tra i mondi che cogliamo con i sensi", essi "hanno ancora – o hanno riscoperto – la capacità di vedere". Questa capacità è visionaria per Klee e, come già nel 1912 sul *Cavaliere azzurro*, la credeva necessaria per "riformare" l'arte. Proprio come Prinzhorn voleva vedere l'arte schizofrenica come espressiva, scoprendo poi che è più spesso radicalmente *in*espressiva, cioè espressiva solo di rifiuto, così Klee voleva vedervi un'innocenza della visione, scoprendovi solo un'in-

3 • Max Ernst, *La camera da letto del signore*, 1920 ca.
Collage, gouache e matita su una pagina di libro scolastico, 16,3 x 22 cm

▲ 1924, 1946, 1959c ● 1935

tensità che spesso confina con il terrore, terrore del soggetto perso nello spazio, come in *Prospettiva di stanza con personaggi*, o di oggetti visibili che diventano soggetti che guardano, come in *La camera da letto del signore*.

▲ Secondo Oskar Schlemmer, suo collega al Bauhaus, Klee conosceva la collezione di Heidelberg prima che Prinzhorn ne parlasse in una conferenza vicino a Stoccarda nel luglio 1920; secondo un altro collega, Lothar Schreyer, Klee riprese un'opera riprodotta in *L'attività plastica dei malati di mente* in una sua pubblicazione del 1922 – e questo in un'istituzione, il Bauhaus, rinomata per il suo razionalismo. "Conosci questa eccellente opera di Prinzhorn, vero?", affermò Klee secondo Schreyer. "È un bel Klee. E anche questo, e quest'altro. Guarda questi dipinti religiosi. C'è una profondità e un potere d'espressione che non ho mai ottenuto in soggetti religiosi. Arte veramente sublime. Una visione spirituale diretta". Quando Klee illustra "soggetti religiosi", come i suoi "angeli", "fantasmi" e "profeti", spesso non ottiene questo "potere d'espressione". Lo coglie invece quando evoca "una visione spirituale diretta", un'espressione che "rende visibile". Proprio qui però Klee corre il rischio di una visione originaria che, lungi dall'essere innocente, è allucinatoria – il rischio di un'immagine che possiede l'artista. Questo stato, anch'esso "diretto" e "sublime", è evocato in alcune rappresentazioni schizofreniche come la *Figura ostensorio* di Johann Knüpfer **[4]**, uno dei dieci "grandi maestri" di Prinzhorn che Klee conosceva. Un "ostensorio" è qualcosa che "rende visibile": nella Chiesa cattolica romana è un contenitore aperto o trasparente in cui l'ostia è esposta alla venerazione. Ma questa "figura ostensorio" è mostruosa, un'immagine che, oscura per noi, appare invece troppo trasparente alla "visione religiosa" del suo autore schizofrenico, la cui intensità risplende in tutte le direzioni. Alcuni Klee colgono un barlume di questa stessa intensità, che brucia la sua idea innocente dell'arte dei malati di mente.

4 • Johann Knüpfer, *Figura ostensorio*, 1903-10
Matita e inchiostro su foglio scritto, 20,9 x 16,4 cm

Ernst non si faceva illusioni sull'innocenza della rappresentazione schizofrenica; al contrario, sfruttava i suoi disturbi per i propri fini antifondativi, cioè per rompere il "principio di identità" in arte e nel sé. Ancor prima della Prima guerra mondiale aveva incrociato l'arte dei malati di mente durante i suoi studi all'Università di Bonn (che comprendevano psicologia); a un certo punto progettò un libro su tali immagini. "Colpirono profondamente il giovane", scrisse Ernst nel suo trattato-d'arte-cum-autoanalisi *Oltre la pittura* (1948). "Solo più tardi però egli scoprì certi 'procedimenti' che lo aiutarono a penetrare in questa terra di nessuno". Già nei suoi primi collage dadaisti realizzati a Colonia Ernst non solo assunse una figura quasi-autistica, Dadamax, ma immaginò anche il corpo in forma quasi-schizofrenica come una macchina disgiuntiva, disfunzionale. Queste schematiche immagini alienate sono più caustiche degli ironici ritratti meccanomorfi degli amici ● dadaisti Duchamp e Picabia, perché rappresentano i disturbi narcisistici prodotti dalla guerra (in cui Ernst era stato ferito). In un collage basato su una bozza di stampa trovata, *Piccola macchina autocostruita* **[5]**, il corpo è un bizzarro apparecchio rotto. Sulla sinistra c'è una figura cilindro con molte aperture, sulla destra un personaggio tripode, che allude a una macchina fotografica e a un fucile, come se il soggetto della modernità militar-industriale fosse ridotto a due funzioni: quelle di macchina di registrazione e di macchina per uccidere. Sotto scorre un resoconto confuso di questa "anatomia" corazzata, in tedesco e in francese, che mescola sesso e scatologia come farebbe un bambino o uno schizofrenico. Questa "piccola macchina autocostruita" è quindi la reminiscenza di un sostituto meccanico di un io guastato, come si trova in alcune immagini schizofreniche, ma un sostituto che debilita ulteriormente questo io. Nel suo autoritratto alienato, dunque, Ernst evoca il *progresso* del soggetto militar-industriale come una *regressione* a funzioni danneggiate e a pulsioni sconnesse.

Fantasie da trauma

Questi primi collage (che comprendono, come in *La camera da letto del signore*, interventi su illustrazioni prese da libri scolastici) ▲ furono cruciali per la definizione dell'immagine surrealista. Essi

▲ 1923, 1925c ● 1916b, 1919 ▲ 1924

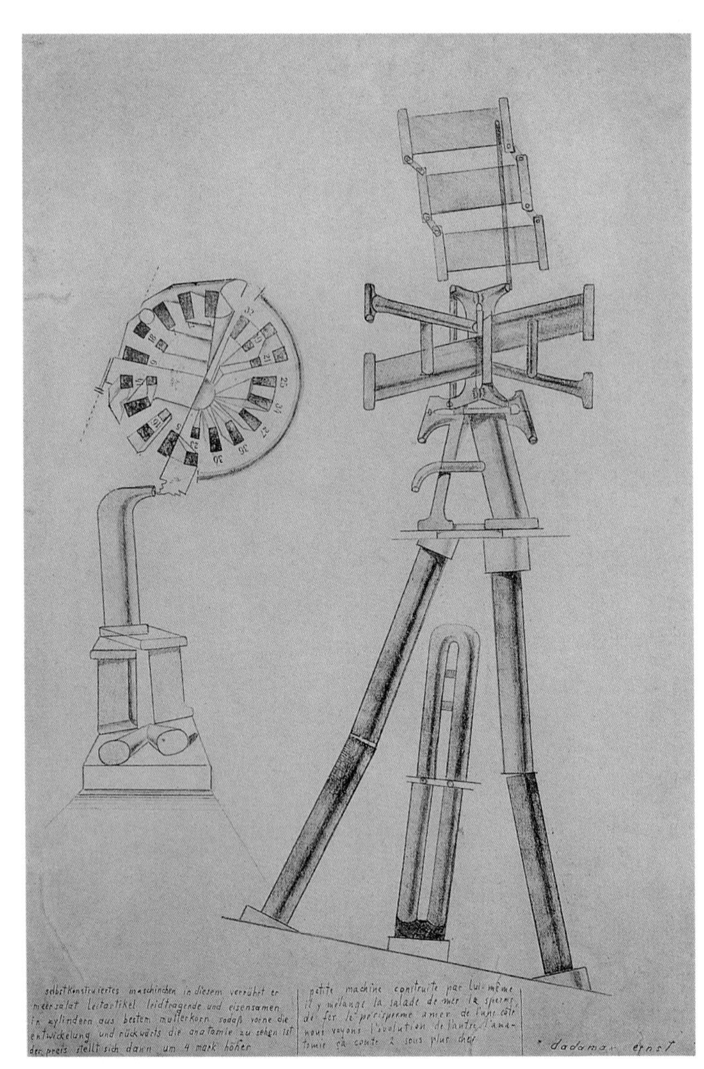

5 • Max Ernst, *Piccola macchina autocostruita*, 1920 ca.
Tecnica mista su carta, 46 x 30,5 cm

"introducevano una struttura visiva completamente originale", scrisse André Breton quando furono esposti per la prima volta a Parigi nel 1921, "e allo stesso tempo corrispondevano esattamente alle intenzioni di Lautréamont e Rimbaud in poesia". Lautréamont è il poeta del XIX secolo eroe del Surrealismo, i cui enigmatici versi – "bello come l'incontro fortuito di una macchina da cucire e un ombrello su un tavolo di anatomia" – vennero adottati come suo motto estetico. Già il poeta francese Pierre Reverdy aveva definito la poetica surrealista come "due realtà, più o meno distanti tra loro, tenute insieme". Ora, con l'esempio dei collage di Max Ernst, anche Breton poté definire l'arte surrealista come "l'accostamento di due realtà più o meno diverse". Tale giustapposizione è uno dei principi del collage, ma, come notò appunto Ernst, "non è la colla a fare il collage", anche altri "procedimenti" possono produrre questo effetto catalitico. La chiave è il legame tra una frammentazione nella rappresentazione e una nella soggettività, ed è difficile immaginare questa estetica di s/connessione senza il modello dell'arte schizofrenica. Infatti, quando Ernst si spostò a Parigi nel 1922 per raggiungere i futuri surrealisti, portò con sé una copia di *Creatività della malattia mentale* come dono per Paul Éluard, che nello stesso anno collaborò con Breton a una simulazione poetica della follia intitolata *Immacolata concezione*.

Ernst collega frammentazioni di immagine e di sé in *Oltre la pittura*. Il libro si apre con una "visione del dormiveglia" datata "dai 5 ai 7 anni", in cui il piccolo Max vede suo padre fare dei segni "gioiosamente osceni" su un pannello. Questo primo incontro con la pittura è fissato nei termini di una "scena primaria", che Freud aveva definito come la fantasia di rapporto tra i genitori attraverso cui il bambino indaga sulle proprie origini. Ernst usa questo tropo della scena primaria nei racconti delle origini di tutti i procedimenti "oltre la pittura" che ha introdotto nel repertorio surrealista – collage, *frottage* (immagine prodotta per sfregamento), *grattage* (immagine prodotta grattando) e così via. Con questi procedimenti cercò di "desublimare" l'arte, di aprirla alle pulsioni e ai moti psico-sessuali. Ancora, il suo ideale allucinatorio sembra sotteso dalla rappresentazione schizofrenica: "Fui sorpreso", scrive Ernst di questi esperimenti, "dall'improvvisa tensione delle mie facoltà visionarie e della successione allucinante di immagini contraddittorie che si sovrapponevano le une alle altre con la tenacia e la velocità proprie dei ricordi sentimentali".

In questo modo Ernst lavorò non solo per introdurre in arte le fantasie da trauma, ma anche per svilupparle come teoria generale della pratica estetica: "Come spettatore l'autore assiste [...] alla nascita della sua opera. [...] Il compito del pittore consiste [...] nel *proiettare ciò che si vede in lui*". Anche qui, con in mente la scena primaria, Ernst pone l'artista sia come attore all'interno sia come voyeur dall'esterno della scena della propria arte, sia come creatore attivo delle proprie fantasie sia come ricettore passivo delle proprie immagini. Le fascinazioni visive e le confusioni sessuali della scena primaria regolano non solo la sua definizione di collage – "l'accoppiamento di due realtà non accoppiabili su un piano in apparenza estraneo" – ma anche la descrizione della sua intenzione: disturbare "il principio di identità", "abolire" la finzione dell'"autore" unitario e sovrano. Le sue immagini provocatorie creano questa frammentazione più formalmente che tematicamente. Per esempio, anche *La camera da letto del signore* allude a una scena primaria: è nella s/connessione formale dell'immagine – le contraddizioni di scala, la prospettiva ansiogena, la folle giustapposizione (tavolo, letto, armadio, albero; balena, pecora, orso, pipistrello, pesce, serpente) – che la fantasia da trauma è evocata e gli effetti paranoici prodotti. Sono questi i "'procedimenti' che aiutano a penetrare in questa terra di nessuno" della rappresentazione schizofrenica. HF

ULTERIORI LETTURE:

Max Ernst, *Scritture*, trad. it. Rizzoli, Milano 1972
Hal Foster, *Prosthetic Gods*, MIT Press, Cambridge (Mass.) 2004
Sander L. Gilman, *Difference and Pathology: Stereotypes of Sexuality, Race, and Madness*, Cornell University Press, Ithaca (Mass.) 1985
Felix Klee, *Vita e opera di Paul Klee*, trad. it. Einaudi, Torino 1971
Hans Prinzhorn, *L'arte dei folli: l'attività plastica dei malati di mente*, trad. it. Mimesis, Milano 1991
Werner Spies, *Max Ernst Collages: The Invention of the Surrealist Universe*, trad. ingl. Harry N. Abrams, New York 1991

1923

Il Bauhaus, la scuola più influente dell'arte e del design modernista nel XX secolo, tiene la sua prima esposizione pubblica a Weimar, in Germania.

Il Bauhaus iniziò con la Repubblica di Weimar nel 1919 e finì per mano dei nazisti nel 1933. Sviluppò al di fuori del movimento Arts and Crafts la fusione della Scuola di Arti e Mestieri di Weimar, iniziata nel 1904 da Henry van de Velde (1863-1957), artista-architetto belga di ambito Art nouveau, e dell'Accademia di Belle Arti, che si separò di nuovo dal Bauhaus un anno dopo, nel 1920. Come scrisse nel 1923 il primo direttore del Bauhaus, l'architetto tedesco Walter Gropius (1883-1969), "[John] Ruskin e [William] Morris in Gran Bretagna, van de Velde in Belgio, ▲ [Joseph Maria] Olbrich, [Peter] Behrens e altri in Germania, e infine il Deutscher Werbund misero le basi di una riunione tra le arti creative e il mondo industriale", ma questa "riunione" fu il progetto del Bauhaus molto più che dei suoi antecedenti Arts and Crafts e Art nouveau; il suo abbraccio del "mondo industriale" segnò la fine di fatto di questi movimenti.

● Tale abbraccio iniziò nel 1922-23. L'olandese Theo van Doesburg, figura cardine di De Stijl, aveva visitato la scuola nel 1921-22 e nel 1922 venne a Weimar anche il costruttivista russo ■ El Lisickij per il *Congresso costruttivista-dadaista* (organizzato da van Doesburg). Ma la svolta verso il design industriale fu assicurata solo dall'assunzione come insegnante dell'artista ungherese ◆ László Moholy-Nagy (1895-1946) nel 1923. Nel 1925, dopo un cambio conservatore nel governo di Weimar, il Bauhaus si spostò a nord nella città industriale di Dessau, dove il suo coinvolgimento nel design industriale aumentò. Nel 1928 Gropius fu sostituito come direttore dall'architetto svizzero Hannes Meyer (1889-1954), un convinto marxista sotto il quale, ironicamente, la scuola ottenne un successo solo commerciale. A causa di problemi politici, comunque Meyer fu sostituito a sua volta nel 1930 dall'architetto tedesco Mies van der Rohe (1886-1969), che nel 1932, dopo un'ulteriore recrudescenza conservatrice nel governo regionale, spostò il Bauhaus a Berlino. Un anno più tardi, appena dopo la salita al potere di Hitler, i nazisti ne sospesero le attività. Che la chiusura fosse tra le prime soppressioni volute dai nazisti è il testamento della forza dell'idea del Bauhaus, che non finì lì. Essa infatti si propagò con l'emigrazione degli insegnanti e degli studenti (Gropius, per esempio, diventò direttore del dipartimento di architettura dell'Università di Harvard dal 1938 al 1952). Le reincarnazioni del dopoguerra si realizzarono negli Stati Uniti con ▲ Moholy-Nagy, così come in Europa, e il Bauhaus continuò ad avere una vita postuma in Occidente non solo in molte scuole d'arte e di architettura, ma anche in innumerevoli copie dei suoi mobili e allestimenti, oggetti e accessori, grafiche e impaginazioni.

I fondamenti di materiale e forma

Nell'atto di fondazione Gropius definì il Bauhaus come un "vasto sistema" con "l'attività teorica di un'accademia d'arte combinata con l'attività pratica di una scuola di arti e mestieri". L'idea del Bauhaus fu così di unire le discipline di belle arti e arti applicate e quella del costruire in una nuova *Gesamtkunstwerk* o "opera d'arte totale" – benché la scuola non avesse un dipartimento di architettura fino al 1927. Il suo curriculum iniziale consisteva di due parti principali **[1]**. La prima era l'istruzione in laboratori artigianali: scultura, carpenteria, metallo, ceramica, vetro, pittura murale e tessuto – quest'ultimo svolto da un raro istruttore femmina, la dotata Gunta Stölzl (1897-1983). La seconda era l'istruzione in

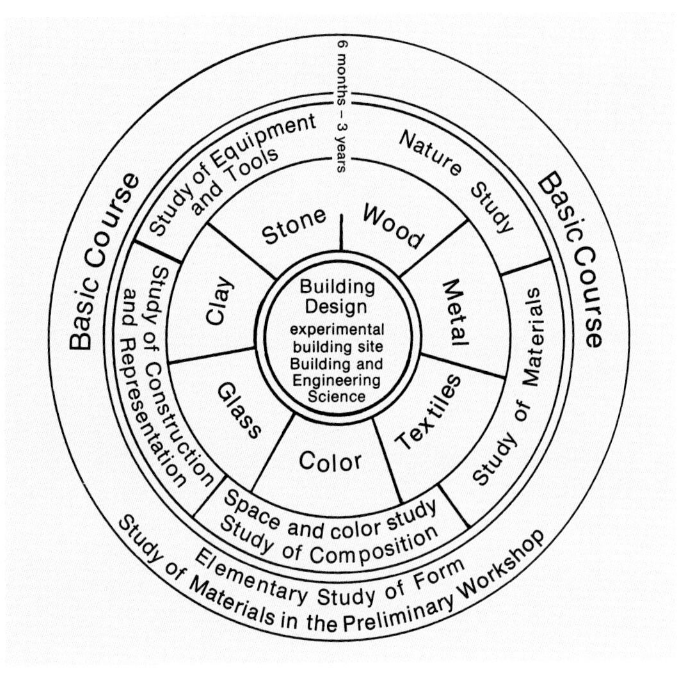

1 • Curriculum del Bauhaus di Weimar, 1923

▲ 1900a ● 1917b, 1928a, 1937b ■ 1926, 1928a ◆ 1928b, 1929, 1947a ▲ 1947a, 1957a

"problemi formali" artistici: studio della natura; insegnamenti in materiali, strumenti, costruzione e rappresentazione; teoria dello spazio, colore e composizione. "Insegnanti di laboratorio" – artigiani – assicuravano il primo ciclo, mentre "insegnanti di forma" – artisti – il secondo, benché molti dei secondi partecipassero anche ai laboratori. Nonostante gli sforzi di parità, gli insegnanti di laboratorio sono rimasti sconosciuti, mentre quelli di forma ▲ comprendono celebri artisti del XX secolo come Vasilij Kandinskij e Paul Klee.

Nel 1919 Gropius poté assegnare solo tre incarichi: il mistico pittore svizzero Johannes Itten (1888-1967), che sviluppò il corso preliminare per tutti gli studenti; il pittore tedesco-americano Lyonel Feininger (1871-1956), che aveva uno stile cubista con linee angolari quasi-gotiche **[2]**; e lo scultore tedesco Gerhard Marcks (1889-1981), che diventò insegnante di ceramica. L'ondata ● seguente portò i bauhausiani più noti. Oskar Schlemmer (1888-1943), che arrivò alla fine del 1920, diventò insegnante di scultura e, dopo il 1923, anche di teatro; realizzò pure dei murali (molti all'interno del Bauhaus), a cui le sue figure astratte tipo marionette in bassorilievo geometrico si adattavano bene. Anche Klee arrivò alla fine del 1920, seguito da Kandinskij all'inizio del 1922. Benché gli inizi espressionisti del Bauhaus fossero in conflitto con la ▲ tendenza costruttivista dopo l'arrivo di Moholy-Nagy, la maggior parte degli artisti era modernista, nel senso che tutti cercavano di rivelare i fondamenti di materiali, forme e processi. Fu questa analisi a segnare il cuore del curriculum del Bauhaus e tutti gli insegnamenti posteriori che ispirò. Questo è vero anche per i laboratori artigianali: "Non volevamo fondare il nostro laboratorio [di tessuto] su un romanticismo sentimentale, né in opposizione alle macchine tessili", dichiarò Stölzl retrospettivamente. "Volevamo piuttosto sviluppare la più grande varietà di tessuti con i mezzi più semplici, e così permettere agli studenti di realizzare le loro idee".

2 • Lyonel Feininger, *Cattedrale del futuro*, 1919
Silografia per il Programma del Bauhaus, dimensioni sconosciute

Si può evocare la varietà di questa analisi attraverso i corsi offerti dalle figure più celebri. Klee e Kandinskij tennero un corso di progettazione in tandem. Entrambi avevano tendenze metafisiche, ma sapevano anche essere analitici. Per Klee la teoria doveva emergere dalla pratica: "l'intuizione unita alla ricerca" era il credo del suo insegnamento come della sua arte. Incoraggiò gli studenti a sviluppare tecniche artistiche corrispondenti ai processi naturali – per cercare "il divenire delle forme", "gli antecedenti del visibile". Come Kandinskij, cominciò con le nozioni base di punto e linea, che vedeva come attivi, passivi o neutri. Benché valorizzasse la varietà emotiva della linea (la sua famosa definizione di un disegno è "una linea che fa una passeggiata"), apprezzò soprattutto l'armonia compositiva. Così fece anche Kandinskij e da questo punto di vista entrambi presero la musica a paragone dell'arte astratta (Klee era anche un violinista dotato).

● Come Klee, Kandinskij sviluppò una psicologia degli elementi pittorici, ma la sua pedagogia fu più dogmatica, in parte perché era più affermato sia come artista che come professore (aveva redatto ■ il programma per l'Istituto d'Arte e Cultura di Mosca – Inkhuk – nel 1920). Il suo insegnamento era incentrato sugli aspetti analitici del disegno e gli effetti emotivi del colore. Nel primo corso chiedeva agli studenti di astrarre dagli oggetti: prima ridurre una natura morta a una semplice forma, poi trasformare questa forma in un disegno e infine prendere le linee di tensione del disegno come basi per una composizione astratta. Nel secondo corso insegnava una teoria del colore strutturata su opposti come giallo e blu (vedeva il giallo caldo e centrifugo, il blu invece freddo e centripeto) con l'idea che si può sviluppare un linguaggio visivo più immediato di qualsiasi comunicazione verbale. Creò una psicologia della linea (per esempio, le verticali sono calde, le orizzontali fredde) e combinò queste nozioni di linea e colore in una teoria generale della composizione. Un questionario distribuito da Kandinskij ne suggerisce gli intenti: chiese ai colleghi bauhausiani di riempire un triangolo, un quadrato e un cerchio vuoti con i colori che ogni forma suggeriva; la risposta (esatta) secondo lui era rispettivamente giallo, rosso e blu. Per tutti la sua pretesa di fare della sua teoria un sistema rimase, se non arbitraria, soggettiva, come la pittura che da essa derivò. Infatti ciò che sia il sistema sia la

▲ 1908, 1913, 1922, 1925c ● 1925c
▲ 1928b, 1929 ● 1908, 1913 ■ 1921b

pittura rivelavano, più che una "necessità interiore" dello spirito o una legge universale della composizione, come pretendeva, erano l'ansia per l'arbitrarietà dell'astrattismo e un tentativo di rifondarla in senso apodittico.

Dall'artigianato all'industria

La battaglia reale del Bauhaus si svolse non nelle classi di progettazione ma nel *Vorkurs*, un corso preparatorio semestrale richiesto a tutti i nuovi studenti. Il suo primo istruttore fu Itten, che, influenzato da Kandinskij già prima del suo arrivo, analizzò anch'egli gli effetti psicologici di linea e colore, che egli vedeva in termini quasi mistici. Benché i suoi studenti investigassero i materiali naturali e disegnassero diagrammi di opere degli antichi maestri, veniva loro richiesto anche di catturare lo spirito di queste cose. Quando Moholy-Nagy sostituì Itten come responsabile del *Vorkurs* nel 1923, tutto sembrò cambiare – eccetto forse le basi etiche dell'insegnamento. Mentre Itten si vestiva come un monaco e aborriva le macchine, Moholy-Nagy vedeva come un ingegnere e dichiarava che la macchina era "l'anima di questo secolo". Finirono gli esercizi di meditazione con i materiali naturali e gli antichi maestri, cominciarono le analisi costruttiviste dei nuovi media e delle tecniche industriali. Autodidatta, Moholy-Nagy era versatile nella ▲ sua produzione artistica. Realizzò collage e fotomontaggi, fotografie e fotogrammi (fotografie senza macchina fotografica in cui vari oggetti sono disposti sulla carta sensibile ed esposti alla luce), costruzioni di metallo e "modulatori-spazio-luce" **[3]** (costruzioni cinetiche con luci) e così via. Mentre Itten aveva fatto diagrammi da capolavori, la leggenda vuole che Moholy-Nagy una volta ordinasse quadri geometrici da una fabbrica di insegne, letteralmente telefonando l'ordine. In tutti questi esperimenti Moholy-Nagy fu assolutamente analitico e logico, impegnato a comprendere "la nuova cultura della luce". Se gli studenti erano stanchi del comportamento mistico di Itten al momento delle sue dimissioni in ottobre 1922, furono scioccati dal rigore razionalista di Moholy-Nagy. Ma quando dimissionò a sua volta nel 1928, questo rigore era diventato sinonimo dell'idea stessa di Bauhaus e fu portato ● negli Stati Uniti dopo la Seconda guerra mondiale da Josef Albers, suo collaboratore nel *Vorkurs* e fedele sostenitore dei principi del Bauhaus.

Tutte le storie del Bauhaus sottolineano lo spostamento pedagogico dall'artigianato preindustriale al design industriale. Il primo passo è evidente nel programma del 1919 scritto da Gropius per annunciare l'apertura della scuola ("Architetti, scultori, pittori, dobbiamo tornare tutti all'artigianato!"), mentre il secondo è datato 1923, quando Gropius tenne una conferenza, *Arte e tecnologia: una nuova unità*, in occasione della prima mostra del Bauhaus, che voleva appunto illustrare il nuovo approccio. Gli studi specifici si adattarono al cambiamento passando da una nozione medievalista dell'artigianato a una industriale. La prima venne avanzata subito dopo la Prima guerra mondiale per sfuggire al "dilettantismo" dell'arte accademica, riunire le discipline e le

3 • László Moholy-Nagy, *Modulatore-spazio-luce*, 1930
Scultura cinetica di acciaio, legno e altri materiali con motore elettrico, 151 x 70 x 70 cm

4 • Joost Schmidt, manifesto per la mostra del Bauhaus, tenutasi a Weimar, luglio-settembre 1923

▲ 1929 ● 1947a

pratiche artigianali sotto l'idea di *Gesamtkunstwerk* e così ricollegare non solo gli artisti agli artigiani, ma entrambi ai lavoratori e al *Völk* (il popolo). La seconda fu avanzata a metà degli anni Venti come preparazione necessaria al nuovo artista-designer, ora che la produzione industriale era ripresa dopo la guerra.

L'evidenza di questa trasformazione è lampante. Il marchio originale del Bauhaus, disegnato da Karl Peter Röhl (1890-1969), era una sottile figura espressionista con emblemi di artigianato in una cornice di legno; nel 1921 fu sostituito da un netto profilo costruttivista con lettering Bauhaus disegnato da Schlemmer. Nel 1919 il programma del Bauhaus era illustrato dalla silografia gotico-cubista della "cattedrale del futuro" di Feininger **[2]**; nel 1923 la mostra del Bauhaus fu annunciata da un manifesto litografato razionalista di Joost Schmidt (1893-1948) che espandeva il volto costruttivista di Schlemmer in una figura che è insieme umana, macchina e pianta architettonica **[4]**. Fino ad allora l'edificio emblematico del Bauhaus era una casa di legno in stile Arts and Crafts costruita a Berlino da Gropius e Adolf Meyer (1881-1929) per il mercante di legname Adolf Sommerfeld; nel 1923, per la mostra del Bauhaus, Georg Muche (1895-1987), che era arrivato al Bauhaus più da mistico alla Itten, costruì una concreta e metallica "macchina per abitare". Ma il segno reale dello spostamento pedagogico fu la sostituzione del mistico Itten e del suo corso centrale basato su esercizi di meditazione con il tecnofilo Moholy-Nagy e il suo corso basato sull'analisi strutturale. La trasformazione fu resa istituzionale nel 1925, quando il Bauhaus si trasferì in un edificio modernista progettato da Gropius a Dessau **[5]** e venne rinominato "istituto di design" con un nuovo programma e un ufficio brevetti e commercio.

La trasformazione non è dunque in discussione, la questione è piuttosto come intenderla. Né soluzione estemporanea né ordinata transizione, lo spostamento da "artigianato" a "industria" fu causato da forze contraddittorie preesistenti al Bauhaus. (Queste ▲ forze furono attive anche, per esempio, nel Deutscher Werkbund, un'associazione di artisti e industriali fondata dall'architetto Hermann Muthesius nel 1907, in cui Henry van de Velde sosteneva le basi artigianali della progettazione, mentre Muthesius insisteva sui prototipi industriali.) Così, più che un'opposizione personale, Itten e Moholy-Nagy registrarono una contraddizione storica, come fece la discrepanza tra una prima vocazione artigianale di Gropius e l'impegno tecnologico della sua architettura, sia prima (come nella sua grande fabbrica di scarpe Fagus del 1911) che poi. In linea di principio il Bauhaus fu sempre socialista, ma il suo socialismo cambiò secondo lo sviluppo di questa contraddizione socioeconomica. Nel suo primo periodo, benché guardasse a modelli del passato come le gilde medievali, proclamava anche un'utopia futura di artisti-artigiani uniti sotto il segno della costruzione. Nel secondo periodo questa futuristica alleanza diventò uno dei principi fondativi del design industriale. In un certo senso, la sua contraddizione storica è insita nello stesso termine "Bauhaus": benché per noi oggi evochi il design modernista – architettura razionalista, mobili tubolari, tipografia sans-serif e così via – il nome in realtà deriva dal medievale *Bauhütte*, loggia dei costruttori.

5 • Walter Gropius, gli edifici del Bauhaus, Dessau, 1925 ca.

La crisi e la chiusura

"Originariamente il Bauhaus fu fondato con visioni da cattedrale del socialismo e i laboratori furono stabiliti sul modello delle logge di costruttori di cattedrali", scrisse Schlemmer nel novembre 1922. "Oggi dobbiamo pensare nel migliore dei casi nei termini della casa. [...] Di fronte alla difficile situazione economica è nostro compito diventare pionieri della semplicità". Come all'epoca intuì Schlemmer, le due posizioni di base del Bauhaus rispondevano a due diverse Germanie: un paese anarchico del 1919 che, straziato da una guerra persa, con un kaiser abdicato e una rivoluzione fallita, disperava di poter ricostruire una comunità culturale; e una fragile repubblica del 1923 che, rovinata dall'inflazione, disperava allo stesso modo di potersi modernizzare industrialmente. Lungi dal morire nel 1919, il movimento Arts and Crafts era salutato come rimedio alla divisione del lavoro e ai conflitti di classe evidenziati dalla guerra. Associazioni di artisti-architetti come il Novembergruppe (in onore della fallita rivoluzione del novembre 1918 in Germania) e l'Arbeitsrat für Kunst (Consiglio dei Lavoratori per l'Arte) mantennero un "anticapitalismo romantico" in primo piano nel dibattito intorno alla fondazione del Bauhaus. "Con tutti i suoi lati negativi", scrisse Gropius nel 1919, che apparteneva a entrambi i gruppi, "il bolscevismo resta probabilmente l'unica via per creare le condizioni preliminari di una nuova cultura". Cosa accadde nel 1923 per fargli abbandonare il suo romanticismo artigianale, proporre una "nuova unità" di arte e tecnologia, patrocinare il design industriale e cercare partner capitalisti?

Più tattico che opportunista, Gropius cercava di tenere aperto il Bauhaus attraverso crisi e controversie, sia interne che esterne. Prima del 1923, mentre l'inflazione rovinava l'economia tedesca (lo studente-insegnate del Bauhaus Herbert Bayer [1900-85] disegnò un biglietto da un milione di marchi nel 1923), un

▲ 1929

6 • Marcel Breuer, *Sedia*, 1922
Legno di pero

programma di artigianato aveva senso. A partire dal 1923 invece la moneta veniva rivalutata e all'inizio del 1924 partì il piano Dawes di prestito dagli Stati Uniti; l'industria tedesca riprese lentamente e subito esplose con investimenti stranieri e nuove tecnologie. Fu in questo breve periodo di relativa prosperità, continuato fino al crollo di Wall Street del 1929, che il Bauhaus si spostò al design industriale. La posizione paradossale della Germania tra est e ovest ▲ aiutò il suo riorientamento: gli esperimenti culturali del Costruttivismo russo ispirarono grande interesse (lo testimonia anche la ripetuta presenza di El Lisickij in Germania), ma anche le tecniche industriali del fordismo americano (l'autobiografia di Henry Ford fu un bestseller in Germania nel 1923). Di fatto il Bauhaus adattò l'aspetto ideologico del primo per moderare la logica economica del secondo: che altro poteva fare dopo una rivoluzione fallita in uno stato controllato dai capitalisti? In ogni caso, dopo il suo trasferimento a Dessau, i "maestri" diventarono "istruttori", i laboratori centrati sull'esperienza dei materiali diventarono laboratori tecnici basati sul principio di funzionalità e la preparazione fu presto divisa in due tipi: lavoro sulle tecniche di costruzione e lavoro sui prototipi industriali. Pratiche come la scultura in legno, il vetro istoriato e la ceramica furono sospese, metallo e carpenteria furono integrati e il corso di stampa passò sotto quello di progettazione (in cui eccelse in particolare Bayer).

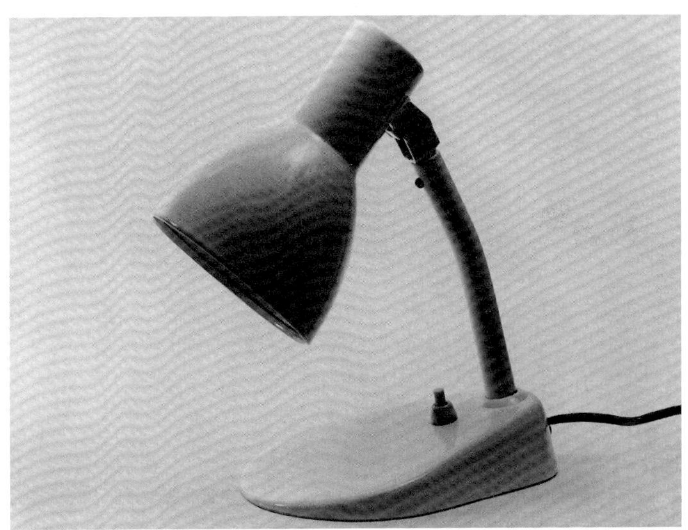

7 • Marianne Brandt e Hein Briedendiek, lampada, 1928
Progetto per Körting & Mathiesen

L'interazione reale con l'industria fu limitata, ma non quanto nel Costruttivismo russo, che aveva a che fare con un'industria ▲ priva di materie prime e sospesa tra indirizzi rigidamente comunisti e altri riformisti capitalisti. Dal 1924 il Bauhaus ebbe solo venti contratti con aziende tedesche, molti dei quali erano di pubblicità. Questo non per negare lo splendore del design Bauhaus o la sua grande influenza sulla produzione seguente: accanto ai famosi oggetti di Moholy-Nagy e alle sedie di Marcel Breuer (1902-81) **[6]**, il lavoro di Marianne Brandt (1893-1983) è straordinario per qualità e varietà; sebbene più nota per le sue stoviglie, i suoi più grandi successi furono le lampade (con la base a cuneo e il riparo a campana della sua lampada da lettura **[7]** stabilì il modello per il decennio seguente e innovative furono anche altre lampade, come quelle da soffitto opache e di vetro smerigliato). Si vuole qui suggerire che il nuovo traguardo della partecipazione industriale non fu raggiunto più del vecchio traguardo della riabilitazione dell'artigianato. Entrambi erano infatti risposte a un problema storico che il Bauhaus non poteva risolvere da solo: come controllare la divisione del lavoro tra discipline artistiche e pratiche artigianali, da una parte, e dall'altra come adattare entrambe alla modernizzazione capitalista della Germania, intensiva perché tardiva. I nazisti imposero una soluzione diversa, in cui le forze opposte che il Bauhaus aveva cercato di moderare – l'atavismo verso un passato mistico teutonico e l'accelerazione verso un futuro industriale capitalista – vennero legate forzatamente in un composto mortale. HF

ULTERIORI LETTURE:
Herbert Bayer et al., *Bauhaus 1919-1928*, Museum of Modern Art, New York 1938
Eva Forgács, *The Bauhaus Idea and Bauhaus Politics*, Central Europea University Press, Budapest 1995
Marcel Franciscono, *Walter Gropius and the Creation of the Bauhaus in Weimar*, University of Illinois Press, Urbana 1971
László Moholy-Nagy, *Pittura Fotografia Film*, trad. it. Einaudi, Torino 1987
Frank Whitford, *Bauhaus*, Thames & Hudson, London-New York 1984
Hans Wingler (a cura di), *The Bauhuas: Weimar, Dessau, Berlin, Chicago*, MIT Press, Cambridge (Mass.) 1969

▲ 1926, 1928b

▲ 1921b

1924

André Breton pubblica il primo numero di *La Révolution surréaliste*, stabilendo i termini dell'estetica surrealista.

Cresciuto come giovane poeta nelle condizioni infauste della Francia della Prima guerra mondiale, André Breton (1896-1966) fu profondamente segnato da due eventi legati fra loro: il primo fu il suo servizio come attendente medico al reparto malati per traumi di guerra dell'ospedale Val de Grâce di Parigi, il secondo fu l'incontro con la sensibilità dadaista nella persona di Jacques Vaché, un *révolté* irriducibile e convinto dell'assurdità totale della vita.

L'ardente accoglienza riservata alle idee della psicanalisi – l'inconscio, il principio del piacere, il potere espressivo del sintomo e dei sogni, l'angoscia di castrazione, la pulsione di morte – derivò dalla sua esperienza con le vittime di traumi profondamente disturbate. La natura stessa dei loro traumi – l'angoscia che possa accadere qualcosa a cui non si è preparati – ha qualcosa a che vedere con le assurde idee di Vaché. L'idea della vita come serie di shock imprevedibili e incontrollabili fu sostenuta da Breton e Vaché come se si andasse al cinema entrando e uscendo da proiezioni in rapida successione e senza riguardo per il programma, producendo così un collage casuale di esperienze visive e narrative assolutamente fuori controllo. Pochi anni dopo Breton porterà questo atteggiamento di apertura a ciò che può accadere – o *disponibilité* – nel lavoro poetico di *I campi magnetici* (1920), che scrisse insieme a Philippe Soupault come esercizio di flusso di coscienza e che compose, in questo senso, "automaticamente".

Quando venne il momento di separarsi dalle attività dadaiste ▲ svolte a Parigi dal poeta rumeno Tristan Tzara, che dopo la fine della guerra e del Cabaret Voltaire si era trasferito da Zurigo in Francia, Breton usò la forma avanguardista del manifesto per esporre i termini di quello che annunciava come nuovo movimento. "SURREALISMO, s. m.", diceva la sua definizione, "Automatismo psichico puro [...] dettato del pensiero, con assenza di ogni controllo esercitato dalla ragione, al di là di ogni preoccupazione estetica e morale". Le due vie tracciate dal manifesto per catturare i prodotti dell'automatismo psichico furono 1) il tipo di scrittura automatica che avevano indagato *I campi magnetici* e 2) i racconti irrazionali dei sogni. Il primo atto del nuovo movimento fu infatti quello di creare un ufficio centrale in cui raccogliere tali racconti (forniti dai suoi giovani adepti) e una rivista, *La Révolution surréaliste*, in cui pubblicarli.

Niente di questo era molto promettente, diciamo così, dal punto di vista delle arti visive, e infatti il primo direttore della rivista, Pierre Naville (che lasciò il movimento nel 1927 per diventare il segretario di Lev Trockij), aprì il fuoco sull'idea del rapporto con le belle arti o con le raffinatezze di stile: "Del gusto", scrisse nel primo numero della rivista (1925), "conosco solo il disgusto. [...] Nessuno ignora più che non esiste una *pittura surrealista*; né i segni della matita dettati dal gesto casuale né l'immagine che riproduce le figure del sogno [...] Ma ci sono degli *spettacoli* [...] la strada, i chioschi, le automobili, i lampioni che si stagliano contro il cielo"; in accordo con la sua domanda di eventi di cultura di massa invece che di "arte", Naville illustrò la rivista soprattutto con fotografie, molte delle quali anonime.

Ma Breton, che era un esteta – era stato lui a fare da mediatore ▲ nella vendita di *Les Demoiselles d'Avignon* di Picasso a Jacques Doucet, ad acquistare opere cubiste dallo stock di Daniel-Henry Kahnweiler sequestrato dal governo durante la guerra e messo all'asta nel 1921 e 1922, infine a raccogliere una straordinaria collezione di arte tribale –, rispose all'attacco sostituendo Naville alla fine del 1925. Subito cominciò a pubblicare a puntate il testo *Il Surrealismo e la pittura*, in cui avanzò diritti di Surrealismo su vari ● artisti come surrealisti-senza-saperlo (Picasso e Giorgio de Chirico **[1]**), su un gruppo di figure dadaiste come primi surrealisti ■ (Max Ernst e Man Ray [1870-1976]) e infine su un gruppo di giovani artisti come surrealisti in crescita (André Masson [1896-◆ 1987] e Joan Miró [1893-1983]).

Insistendo che l'automatismo psichico può infatti venire anche dal pennello o dalla matita, Breton diede il benvenuto alla produzione senza controllo dei disegni automatici e ai dipinti di sabbia di Masson, ai "quadri di sogni" sgocciolati e spruzzati di Miró, ai *frottages* da trance di Ernst. La trasposizione delle "poesie" scritte collettivamente che miravano a creare "automaticamente" immagini sorprendenti (dette *cadavre exquis* dal loro primo esempio: "i cadaveri squisiti bevono vino nuovo") ai giochi di disegno collettivo gli sembrò un passo ovvio. Ma allo stesso tempo Breton insisteva anche sull'importanza della nozione di sintomo o traccia o indice come evidenza lampante di ciò che sta dietro la realtà e registra un disturbo sulla sua superficie. Questo significò che di fatto egli estese la fiducia di Naville nella fotografia non solo nei

▲ 1916a

▲ 1907 ● 1909 ■ 1922, 1930b, 1931a ◆ 1930b, 1931b, 1942a, 1942b numeri seguenti della rivista, ma anche nelle pagine dei suoi tre "romanzi" autobiografici, il primo dei quali, *Nadja*, uscì nel 1928.

Dalla scrittura automatica alla fotografia il salto sembra grande: la prima è irrazionale e caotica, mentre la seconda è meccanica e organizzata secondo quello stesso mondo che l'inconscio cerca di smembrare. Anche nel testo *Il Surrealismo e la pittura* entrambi i poli sono rappresentati: l'automatismo dalle sgocciolature e velature ▲ dei dipinti di Miró o dai meandri dei disegni automatici di Masson, la fotografia dalle stampe di Man Ray, spesso riprodotte su *La Révolution surréaliste*, o dei realistici quadri di sogni di Ernst, come *Due bambini sono minacciati da un usignolo* **[2]**.

È questa schizofrenia stilistica che ha reso il Surrealismo così ambiguo per molti storici dell'arte. Da un lato, una tendenza iconografica, guardando all'eterogeneità del movimento, ha dato una lettura tematica delle sue opere raccogliendole sotto varie categorie: alcune hanno riferimenti psicanalitici, come l'angoscia di castrazione (che produce la paura dei genitali femminili e fantasie che ruotano intorno all'idea di *vagina dentata*) e il feticismo; altre si rapportano alla bruciante esperienza della Prima guerra mondiale, come la desolazione e il disorientamento in trincea o le fisionomie grottesche dei feriti o il desiderio di regredire a uno stadio primitivo di umanità. Dall'altro lato, un certo tipo di modernismo rivendica le parti della produzione visiva surrealista che sembrano accettabilmente astratte – Miró e il *frottage* di Ernst – mentre si sbarazza di tutto quanto sembra retrogrado e antimodernista perché troppo suadentemente realistico – altre cose di Ernst, gli ultimi (e ripetitivi) ▲ de Chirico e Magritte, e i quadri di sogno iperrealistici di Salvador Dalí dopo il 1930 **[3]**.

2 • Max Ernst, *Due bambini sono minacciati da un usignolo*, 1924
Olio su tavola in cornice originale, 69,9 x 57,2 cm

1 • Giorgio de Chirico, *Il cervello del bambino*, 1914
Olio su tela, 80 x 65 cm

Che Miró si presti a questa tendenza modernista è abbastanza facile da vedere. Dopo aver iniziato alla fine degli anni Dieci a Barcellona come pittore di derivazione fauve e aver poi assorbito la lezione del Cubismo, arrivò a Parigi all'inizio degli anni Venti e nel 1923 si era ormai assimilato al circolo di poeti e artisti intorno a Breton. I "quadri di sogni" che dipinse fino al 1925 erano reinterpretazioni erotiche dell'opera di Matisse del 1911, con quelle campiture di colore intenso sparso liberamente ovunque e il disegno disincarnato al loro interno. Se nel caso di Matisse il disegno era realizzato in linee negative o "riserve" (come in *L'atelier rosso* [1911]), in Miró era una sorta di calligrafia che convertiva tutti i corpi nella trasparenza e assenza di peso della scrittura. Le onde blu, in cui lo spazio è senza limiti e gli oggetti fluttuano come spirali di fumo, e in cui i corpi sembrano punti interrogativi o segni dell'infinito – solo il piccolo tratto rosso all'incrocio della figura a forma di otto indica che il senso di questo segno grafico è di unire le due cellule in un contatto erotico **[4]** – si adattano bene a un racconto modernista di "progresso" formale.

Ma se il trattamento iconografico del Surrealismo sembra insufficiente, rimanendo cieco di fronte allo splendore formale dell'arte di Miró, l'approccio modernista sembra altrettanto schematico. Esso non può né produrre un'interpretazione che

▲ 1931b

▲ 1927a

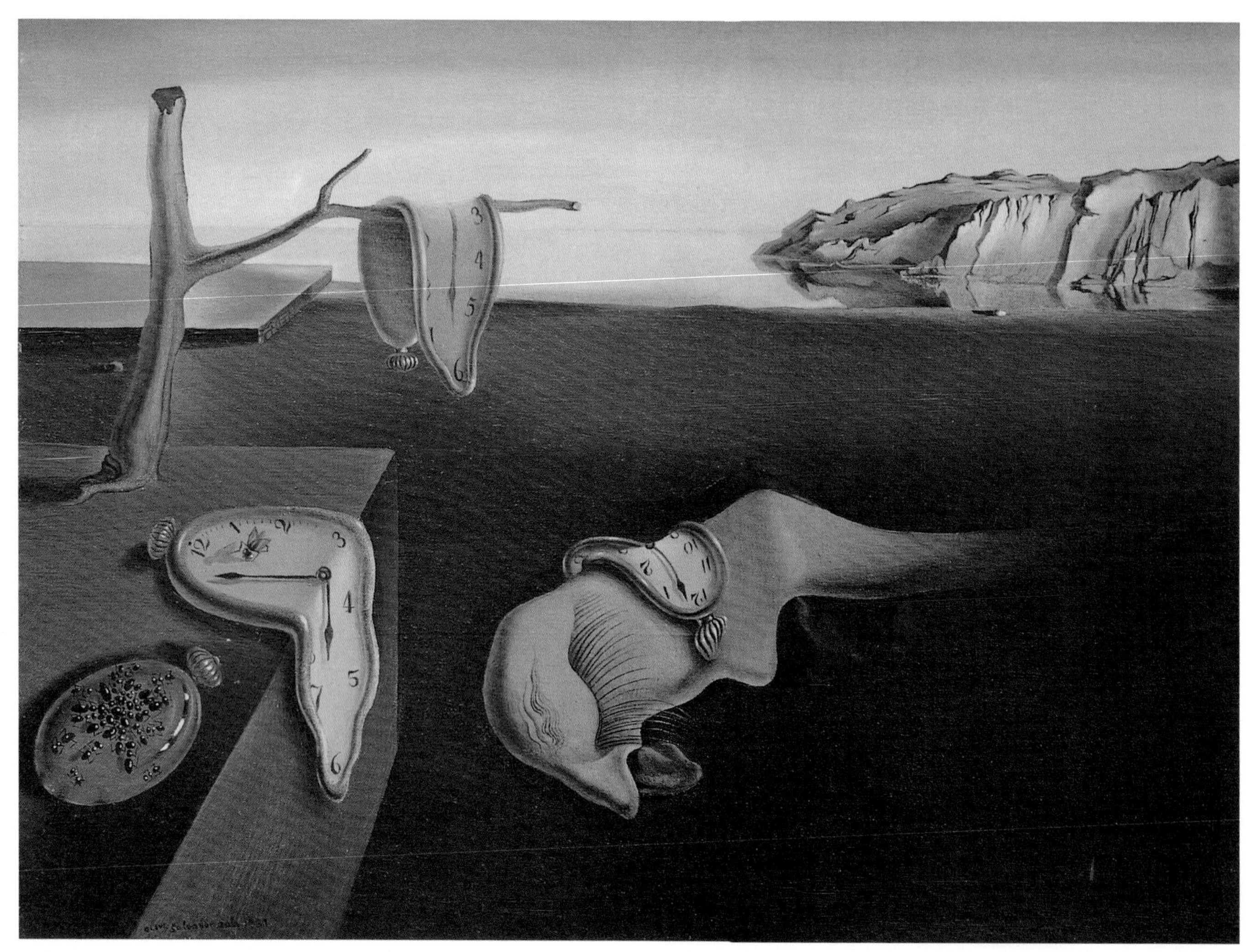

3 • Salvador Dalí, *La persistenza della memoria*, 1931
Olio su tela, 24,1 x 33 cm

▲ colleghi Miró ai suoi colleghi del movimento – da Masson a Dalí, a fotografi surrealisti come Raoul Ubac (1910-85) e Hans Bellmer (1902-75) – né può risolvere la questione strutturale per cui, a livello del significante (della forma dell'espressione), non c'è coerenza nella grande varietà dell'attività surrealista.

La terza alternativa è usare delle categorie che Breton ha sviluppato per teorizzare il Surrealismo ed estrarne la *struttura*, creando in tal modo da un lato un insieme di principi formali (come la tecnica del *doppio*) che possono essere permutati in tutta una serie di stili visivi diversi e, dall'altro, una comprensione del modo in cui tali categorie reinterpretano i problemi psicanalitici o sociostorici. Ad esempio possiamo prendere il "caso oggettivo", una variante dell'"automatismo psichico" e strumento per ottenere il risultato finale a cui Breton aspirò come surrealista, cioè il "meraviglioso".

Breton descrive il caso oggettivo come punto di incrocio di due catene causali, la prima soggettiva, interna alla psiche umana, e la seconda oggettiva, funzione degli eventi reali. In questa congiunzione, così apparentemente imprevista, si scopre che da ogni lato è al lavoro una sorta di determinismo: dal lato del reale il soggetto sembra atteso, poiché ciò che il mondo offre in questo momento è un "segno" specificamente indirizzato a lui; mentre dal lato del soggetto c'è un desiderio inconscio che lo guida inconsapevolmente verso quel segno, anzi che lo costituisce come tale, e permette al segno di venire decifrato dopo l'accaduto.

La semiosi del Surrealismo

Benché *Nadja* sia costruito come una trama di casi oggettivi, l'illustrazione più chiara di come esso funzioni è presentata all'inizio di un altro romanzo autobiografico, *L'Amour fou* (1937). Qui Breton racconta che va al Mercato delle pulci di Parigi e porta a casa un cucchiaio di legno con una scarpetta scolpita all'estremità del manico [**5**]. Pur non piacendogli, mette l'oggetto sul tavolo e allora si ricorda di un altro oggetto che aveva inutilmente chiesto ad ▲ Alberto Giacometti di scolpire qualche tempo prima. L'oggetto, un posacenere a forma di scarpetta di vetro, doveva esorcizzare l'espressione senza senso che gli girava per la testa come un motivetto insistente: "*cendrier-Cendrillon*" (posacenere-Cenerentola). Improvvisamente, scrive, comincia a vedere il cucchiaio appena acquistato come una serie di scarpette, ognuna doppio della precedente (l'incavo del cucchiaio come davanti della scarpetta, il manico come parte intermedia e la scarpetta scolpita come tacco;

▲ 1930b, 1931b, 1942a

▲ 1931a, 1959c

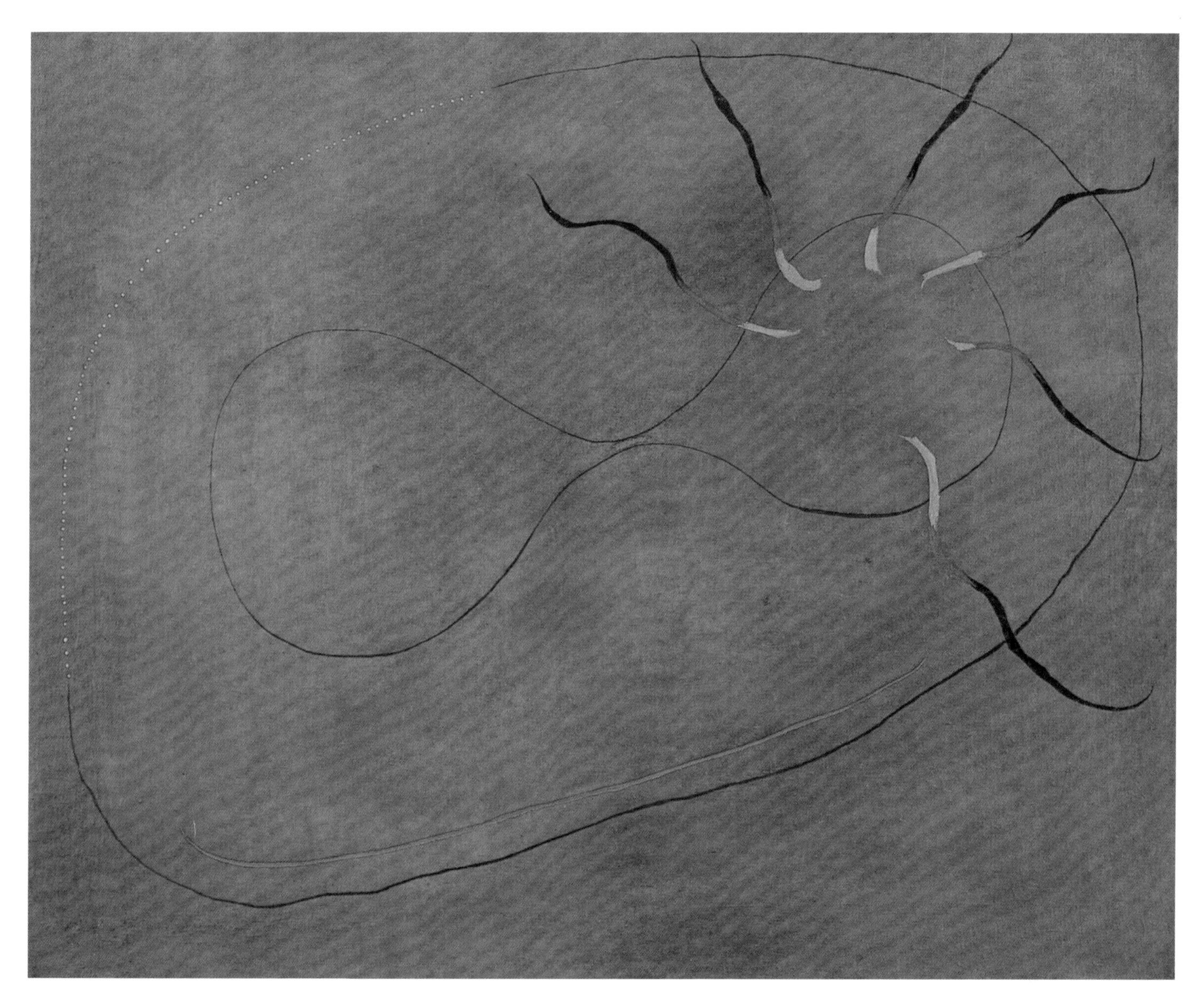

4 • Joan Miró, *Il bacio*, 1924
Olio su tela, 73 x 93 cm

poi la scarpetta stessa come davanti, sezione intermedia e tacco; ancora – immaginariamente – il *suo* tacco come contenente un'altra scarpetta; e così via).

Breton intende semioticamente questa struttura in cui un oggetto è rispecchiato da un altro, il doppio facendo da rappresentazione del primo – la vede cioè come un segno. In questo è completamente ortodosso, poiché i segni sono sempre descritti come doppi fantasmi delle cose che rappresentano, ma, soprattutto, questa condizione di doppio è a sua volta all'origine del linguaggio stesso, come quando un bambino, ripetendo un suono – "ma-ma", "pa-pa", "ca-ca" –, improvvisamente comprende che il secondo suono, raddoppiando il primo, si ripercuote sul primo facendone un significante (cioè non un suono casuale ma un'espressione significativa) e lo costituisce come supporto di un significato intenzionale.

Il cucchiaio-scarpetta è allora il mondo condensato in un segno. Ma, punto cruciale, questo segno non era solo indirizzato *a* Breton, era voluto *da* lui grazie al potere del suo desiderio incon-

5 • Man Ray, il cucchiaio-scarpetta di Breton, 1934
Da *L'Amour fou* di André Breton (1937)

scio. Egli infatti associava questo segno-materiale ai propri pensieri inconsci, che, a lui ignoti, lo avevano condotto ad assumere il ruolo di un principe che cerca la sua bella. Segue poi il racconto dell'incontro di Breton con il soggetto di questo "folle amore", un incontro i cui dettagli scopre con grande stupore che erano stati "predetti" tutti da una poesia automatica che aveva scritto un decennio prima e che ora inconsciamente ripete nel presente. Così, se il "segno" del mondo è strutturato attraverso il doppio, anche l'inconscio opera in base allo stesso principio. Freud ha descritto questo meccanismo come coazione a ripetere; negli anni Sessanta, lo psicanalista francese Jacques Lacan l'ha reinterpretato semioticamente affermando che l'inconscio è strutturato come un linguaggio. Il doppio è dunque la condizione formale delle pulsioni inconsce.

Il fatto che la fotografia sia una funzione del doppio – non solo "rispecchia" il suo oggetto ma, tecnicamente, le sue stampe sono dei multipli – ne fece un veicolo perfetto per il Surrealismo, che sfruttò questo aspetto con l'uso della doppia esposizione, della stampa sovrimpressa, delle giustapposizioni di negativo e positivo della stessa immagine e doppi montaggi per produrre questo senso del mondo raddoppiato come segno. Il primo numero di *La Révolution surréaliste* conteneva diverse fotografie di Man Ray in cui era in opera il doppio **[6]**.

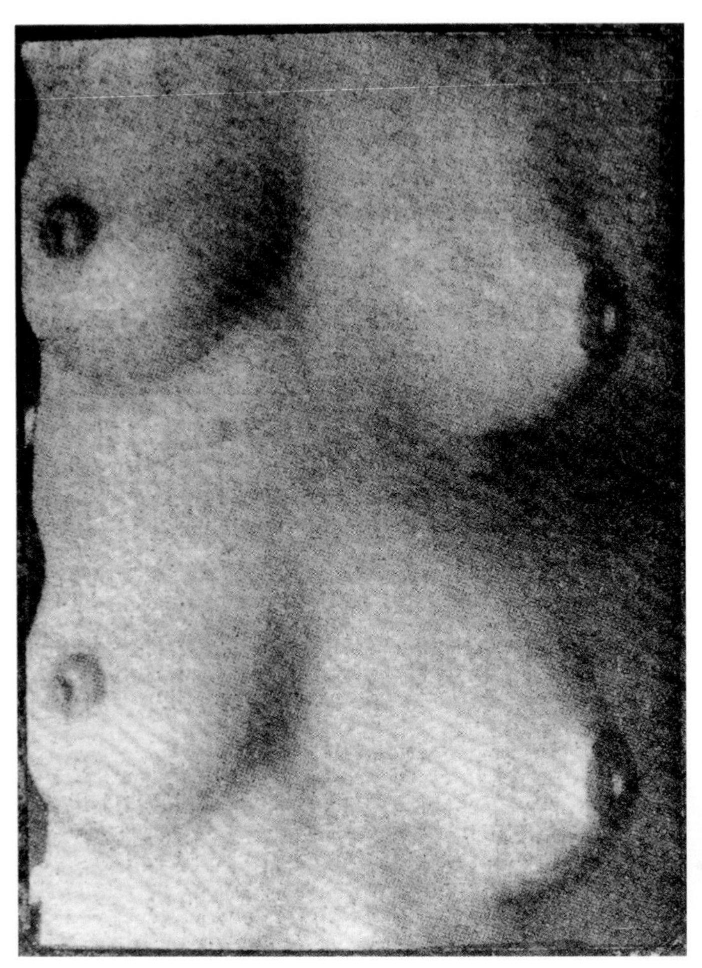

6 • Man Ray, *Senza titolo*, 1924
Pubblicata in *La Révolution surréaliste*

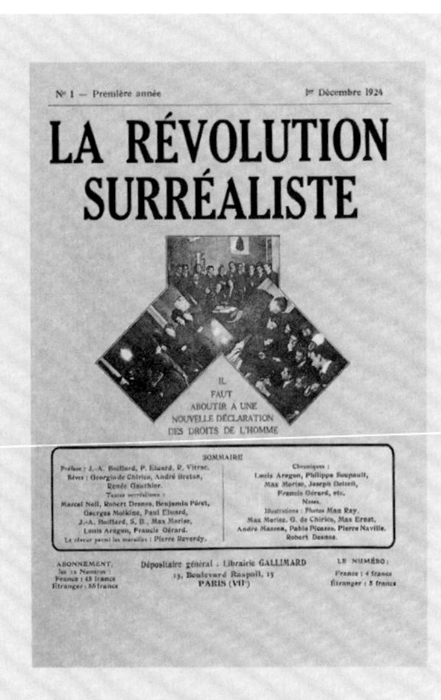

Le riviste surrealiste

La *Révolution surréaliste*, la rivista che fu il sostegno del movimento surrealista, durò dieci anni, a partire dal 1924, diventando dopo il numero 12, nel 1929, *Le Surréalisme au service de la révolution*, a sua volta sostituita poi dall'esteticamente più ambizioso *Minotaure*. All'inizio era divisa da un dibattito interno tra André Breton e il primo direttore, Pierre Naville. Quest'ultimo disegnò orgogliosamente la copertina di LRS sul modello della rivista di scienze del XIX secolo *La Nature*, la cui "natura positivista" corrispondeva al carattere di documentazione della rivista surrealista – con i suoi resoconti di sogni e risposte a questionari su problemi come "Il suicidio è una soluzione?". Naville inoltre chiamò gli uffici della rivista la "centrale" surrealista, imitando i quartier generali delle cellule del Partito comunista. Un collage di tre fotografie dei membri del movimento riuniti alla *centrale* campeggiavano sul primo numero di LRS (dicembre 1924). Il posto della fotografia era assicurato sia sulla copertina sia sulle pagine della rivista, perché Naville era interessato all'immaginario anonimo popolare ed era programmaticamente ostile all'arte. Ma quando Breton assunse la direzione della rivista cominciò a pubblicare in quattro parti il suo testo *Il Surrealismo e la pittura*, in cui mostrò come la genesi della produzione visiva surrealista (nell'opera di Picasso) avesse prodotto artisti come Miró, Arp, Ernst e Masson.

Il carattere documentario della rivista non venne però abbandonato del tutto. Breton celebrò il "50° anniversario della scoperta dell'isteria" con la pubblicazione di fotografie dei pazienti di Charcot all'ospedale della Salpêtrière. Il passaggio da *LSR* alla seguente *LSASDLR* fu costituito dal secondo manifesto del Surrealismo, sempre di Breton, in cui dichiarò l'espulsione di molti dei membri originari del movimento, in particolare di quelli che, lasciata la *centrale*, si unirono poi a Georges Bataille e alla sua rivista radicale *Documents*. Annunciando sulla copertina che i campi dei suoi interessi andavano dall'etnografia all'archeologia e alla cultura popolare, oltre alle arti, *Documents* celebrò la versione di Bataille del "disgusto" di Naville con l'esplorazione di quello che chiamò l'*informe*.

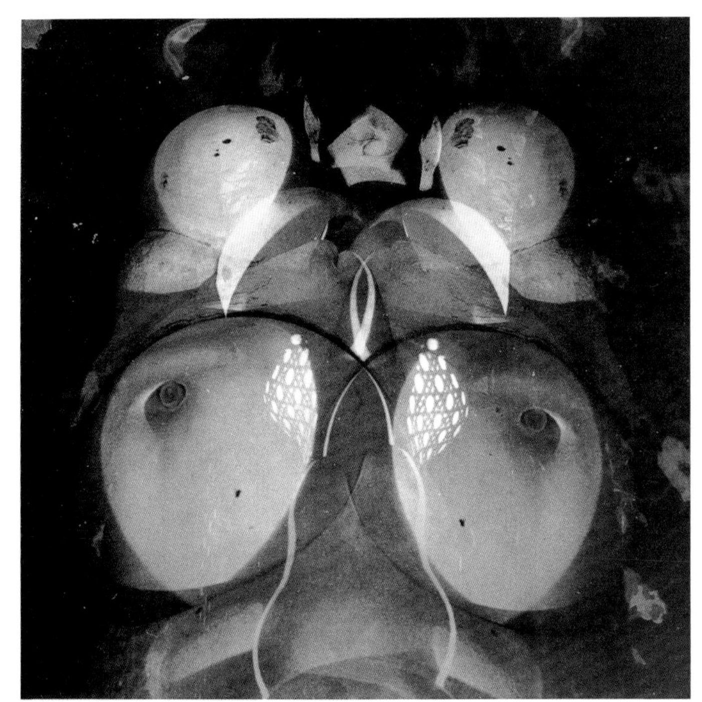

7 • Hans Bellmer, *Bambola*, 1938

Ma il doppio, come si è notato, ha un altro contenuto psicanalitico, un aspetto del quale Freud discute nel suo testo *Il perturbante* (1919). I fantasmi, materia stessa del perturbante, sono dei doppi del vivente, ed è quando i corpi viventi sono doppiati da quelli senza vita – come nel caso degli automi o dei robot, o talvolta delle ▲ bambole, o delle persone in stato di trance – che assumono l'aspetto perturbante di fantasmi. Che i doppi producano questa condizione è dovuto, spiega Freud, al ritorno di precedenti stati di angoscia. Uno di essi deriva dal senso infantile di onnipotenza in cui il bambino si crede capace di proiettare il proprio controllo nel mondo circostante, scoprendo poi che questi doppi di sé gli si rivolgono contro minacciandolo e attaccandolo. Un altro è l'angoscia di castrazione, in cui, in modo simile, la paura prende la forma di un doppio fallico. Più in generale, dice Freud, tutto ciò che ricordiamo della nostra coazione interna a ripetere ci colpisce come perturbante.

Che Hans Bellmer abbia basato gli inizi del proprio lavoro artistico interamente su una bambola costruita per l'occasione, che sistemava in varie situazioni e poi fotografava, ha a che fare con questa operazione del perturbante. Non solo la bambola è legata a questa esperienza, ma il trattamento che ne fa Bellmer dimostra che il modo in cui la bambola appare allo spettatore dipende dalle operazioni sia del sogno sia del caso oggettivo, e inoltre la proietta, attraverso il doppio fotomeccanico, come emblema dell'angoscia di castrazione: femmina tumescente raddoppiata come organo maschile **[7]**. Il doppio perturbante, benché slegato dalla figura • della bambola, fu sfruttato anche dal belga René Magritte.

Si noti come la descrizione freudiana dell'esperienza del perturbante ci riporti direttamente alla ricetta di Breton per il caso oggettivo. "La ripetizione involontaria", scrive Freud, "rende perturbante ciò che di per sé è innocuo, e ci insinua l'idea della fatalità, dell'ineluttabilità, laddove normalmente avremmo parlato soltanto di 'caso'". E in rapporto al caso oggettivo in *Nadja*, dove l'attrazione di Breton per Nadja stessa è in parte dovuta alla sua capacità di predire quando la situazione casuale si verificherà, Freud ricorda la tendenza dei suoi pazienti nevrotici ad avere "presentimenti" che "di solito si rivelavano fondati", un fenomeno che collega al ritorno della primitiva onnipotenza dei pensieri. All'esempio comune che accade alla maggior parte delle persone delle ripetizioni "perturbanti" dello stesso numero (data di nascita, indirizzo, numero di telefono di un nuovo amico), Freud risponde: "Chi non è solidamente corazzato contro le tentazioni della superstizione si sentirà incline ad attribuire a questo ostinato ritorno del medesimo numero un significato misterioso, a vedervi per esempio un segno dell'età che gli sarà consentito raggiungere".

Il caso oggettivo dunque fornisce uno sfondo comune alla pratica fotografica surrealista come ai "quadri di sogni" di Miró, perché, come la prima, i secondi sono basati sulle onde di colore che producono un segno del desiderio del sognatore. L'ha riconosciuto lo stesso Miró in un suo straordinario quadro di questo periodo in cui ha messo una macchia di blu ceruleo intenso su uno sfondo bianco e sopra ha scritto: "Questo è il colore dei miei sogni", ma nell'angolo in alto a sinistra ha scritto a lettere molto più grandi: "Foto". Da qualche parte sulla superficie materiale del quadro le catene del reale e dell'inconscio si incontrano. RK

ULTERIORI LETTURE:

Hal Foster, *Compulsive Beauty*, MIT Press, Cambridge (Mass.) 1993
Roman Jakobson, *Why "Mama" and "Papa"* (1959), trad. ingl. in *Selected Writings*, Mouton, The Hague 1962
Rosalind Krauss e Jane Livingston, *L'Amour fou: Surrealism and Photography*, Abbeville Press, New York 1986
William Rubin, *Dada and Surrealism Art*, Harry N. Abrams, New York 1968
Sidra Stich (a cura di), *Anxious Vision: Surrealist Art*, Abbeville Press, New York 1990

▲ 1925c ● 1927a

1925a

Mentre la mostra dell'Art déco a Parigi ufficializza la nascita del kitsch moderno, l'estetica della macchina di Le Corbusier diventa l'incubo del modernismo e il dopolavoro operaio di Aleksandr Rodčenko propone un nuovo rapporto tra uomini e oggetti.

"Quanto a questa famosa *Esposizione*, probabilmente non vale la pena vederla. Costruiscono certi padiglioni! Sono brutti anche da lontano e da vicino sono un vero orrore". ▲ Nelle lettere scritte da Parigi alla moglie (l'artista Varvara Stepanova), il costruttivista russo Aleksandr Rodčenko non moderò i termini sull'Esposizione Internazionale delle Arti Decorative del 1925 – da cui deriva il nome Art déco. Pur essendo d'accordo con i lavoratori francesi che considerarono la scintillante mostra di merci di lusso alquanto immorale in quei tempi di difficoltà finanziarie, la principale eccezione del suo sprezzo fu il Padiglione sovietico di Konstantin Mel'nikov, a cui aveva contribuito con lo schema dei colori, bianco, nero, grigio e rosso: "Il nostro padiglione sarà il più bello per la sua novità", scrisse radiante. Anche se infarcito di orgoglio nazionale, il giudizio di Rodčenko sulla fiera non fu l'unico. Definendo l'Esposizione un "totale fallimento", sia dal punto di vista sociale che da quello estetico, il critico francese Waldemar George scelse solo cinque edifici che potevano "essere detti propriamente moderni": oltre al padiglione di Mel'nikov, nominava il teatro di Gustave Perret, la Hall d'entrata di un'ambasciata e il Padiglione del turismo di Robert Mallet-Stevens, e il manifesto di Le Corbusier, il Padiglione dell'Esprit Nouveau, cosiddetto dalla rivista che l'architetto svizzero dirigeva dal 1920.

Il grande magazzino del modernismo

Il progetto dell'Esposizione era in discussione fin dal 1907 nei circoli politici francesi – da quando il successo di diverse fiere internazionali, soprattutto a Torino nel 1902 e a Milano nel 1906, aveva cancellato il ricordo delle grandi celebrazioni di Parigi del 1900. Ma a dare la spinta definitiva fu la formidabile partecipazione del Deutscher Werkbund al Salon d'Automne di Parigi del 1910, che aveva messo in luce la fiorente collaborazione tra designer e industria in Germania. L'arte decorativa francese era in declino, affermava un rapporto ufficiale della Società degli Artisti Decoratori del 1911, e la crisi era dovuta alla mancanza di immaginazione e alla dipendenza servile nei confronti del passato glorioso e stava per soccombere alla concorrenza straniera. Un contesto internazionale, concludeva il rapporto, avrebbe fatto da incentivo alla necessaria riforma della produzione e indotto i designer e gli industriali a pensare alle nuove condizioni create dall'accelerazione dell'età della macchina, invece che evitarlo deliberatamente; l'associazione tradizionale tra arti decorative e lusso sarebbe finita; ne sarebbe seguita una vera e propria "democratizzazione dell'arte" e l'arte alla fine avrebbe riguadagnato la sua "vera funzione sociale", persa ormai dal Medioevo. Pianificata per il 1915, la fiera fu rimandata diverse volte (prima a causa della guerra, poi della crisi finanziaria e politica che ne derivò) e finì con l'aprirsi un decennio dopo. Nel frattempo il controllo dell'impresa era passato dall'organizzazione professionale dei designer ai grandi commercianti, con i quattro principali grandi magazzini parigini al timone. Ognuno aveva il proprio padiglione, tutti costruiti sullo stesso modello: un tempio simmetrico in cui si entrava da una porta monumentale in un interno diviso in stanze sovraffollate intorno a una hall centrale.

I designer non furono gli unici sconfitti dagli attacchi degli interessi commerciali. La scelta del luogo della fiera – nella stessa area della precedente del 1900 al centro di Parigi – segnò il fallimento dei riformatori sociali (tra cui molti architetti, come Le Corbusier) che avevano cercato di convincere il governo che la fiera andava concepita come un campo di prova per gli scottanti problemi degli alloggi di massa nella Francia del dopoguerra. Invece che creare una gara d'architettura sul modello di complesso abitativo in un'area vuota, che sarebbe stata abitata dopo la chiusura della fiera – una strategia favorita dal Deutscher Werkbund negli anni Venti – il comitato dell'esposizione decise di autorizzare la costruzione di padiglioni temporanei come vetrine per i prodotti stranieri o per quelli delle province francesi e delle gilde nazionali, e altrettanto per ogni compagnia privata in grado di pagare il considerevole affitto.

L'immenso successo turistico della fiera fu direttamente proporzionale alla sua mediocrità artistica. Per la maggior parte, le sue architetture consistettero in versioni aerodinamiche o geometrizzate degli stili del passato e quasi tutti gli oggetti di lusso esposti potevano essere stati disegnati un quarto di secolo prima. Infatti, ▲ mentre i mobili innovativi proposti da De Stijl o dal Bauhaus erano stati banditi, gli unici prodotti stranieri accettati (e largamente imitati) furono quelli usciti dal Wiener Werkstätte, fondato nel 1903. Sorprendentemente, molti dei migliori designer che oggi associamo all'Art déco (come Eileen Gray o Pierre Chareau) non

▲ 1921b ● 1929 ▲ 1917b, 1923

parteciparono o contribuirono con interni molto tradizionali. "Di fatto", suggerisce Nancy Troy, "l'esposizione può essere descritta nel suo insieme come un tentativo di collegare la vita contemporanea in Francia con un passato perduto o in via di sparizione. I lunghi viali bordati di aiole che separavano simmetricamente gli edifici davano un senso di stabilità e di ordine che la Francia non aveva ancora ritrovato sette anni dopo la fine della guerra, e l'ostentata opulenza della maggior parte dei padiglioni era in evidente contrasto con la situazione finanziaria in cui l'esposizione era stata programmata". Si potrebbe aggiungere che anche se la maggioranza dei visitatori era della classe media, che all'epoca corrispondeva a poco meno di un terzo della popolazione francese, pochi potevano permettersi il suo contenuto. La fiera era un luogo dell'immaginario, dove si sognava una vita da ricchi prima di precipitarsi al grande magazzino più vicino in cerca di imitazioni economiche del piatto, della teiera o del centro tavola che si era desiderato. La strategia commerciale era quella della *haute couture*, né sorprende, data la spettacolare partecipazione dei maggiori *couturier* come Paul Poiret.

L'età della macchina di Le Corbusier

Il critico più accanito dell'Esposizione fu Le Corbusier. Dopo una lunga battaglia burocratica gli era stato permesso di costruire il suo Padiglione dell'Esprit Nouveau ai margini della fiera **[1]**. Consisteva di due parti: la prima, ariosa e immersa nella luce, si presentava come un'unità a due piani estratta dal (mai costruito) Immeubles-Villas, un complesso di appartamenti con giardino che aveva concepito nel 1922; la seconda era una rotonda senza finestre, che ospitava le sue idee sull'urbanistica, in particolare lo scandaloso progetto per Parigi, il Plan Voisin (cosiddetto dal nome del suo principale sponsor) in cui proponeva di radere al suolo il centro di Parigi, salvo pochi importanti monumenti storici, e di rifare il suo caotico palinsesto urbano con una vasta area verde interrotta da alte torri situate a intervalli regolari. Il Plan Voisin fu una pura provocazione e produsse nella stampa la reazione attesa, mentre la sezione delle abitazioni, che pur aveva un intento altrettanto polemico, fu criticata meno duramente.

Dall'inizio della Prima guerra mondiale Le Corbusier aveva sferzato architetti e designer per il loro rifiuto di prendere in considerazione le nuove condizioni di produzione dovute alla macchina, un rifiuto fattosi particolarmente evidente con la rapida evoluzione dei processi di meccanizzazione risultata dall'impegno bellico. Anche quando venivano applicate nuove modalità di costruzione e usati nuovi materiali, questo non coinvolgeva l'aspetto formale del progetto, che restava quasi invariabilmente una maschera superficiale che copriva la struttura architettonica nello stile storico preferito dal cliente. Per Le Corbusier l'Art déco rappresentava il trionfo di questa falsificazione: non solo la pretesa dei suoi designer (che il loro compito fosse l'estetizzazione dei prodotti di massa) era una menzogna, ma, fosse anche stata vera, erano le sue premesse ad essere sbagliate. Il suo Padiglione dell'Esprit Nouveau intendeva soprattutto dimostrare che con la pura azione dell'"evoluzione meccanica" (un'idea ispirata a Darwin) l'industria era in grado di creare un nuovo tipo di bellezza: ostacolarla era un modo sicuro per distruggerla.

Il padiglione fu dunque costruito usando elementi standard dei materiali più nuovi, inclusa la parete sperimentale a pannelli di paglia coperta di cemento. Senza nessun tipo di decorazione, la regolarità modulare della distribuzione dei sostegni verticali sottolineava le variazioni della struttura (qui una parete, là un'apertura) mentre, secondo Le Corbusier, soddisfaceva subliminalmente il "naturale desiderio di ordine" del visitatore. Ma il più efficace peana all'industria fu la scelta degli arredi, comunque radi: dai ripiani e armadi (unità di stoccaggio detti "*casiers standards*") alle sedie (in particolare le famose poltroncine Thonet, il cui design risale al XIX secolo), ai vasi di vetro (recipienti da laboratorio), la maggior parte erano oggetti già disponibili sul mercato e direttamente attribuibili alle sfere pubbliche del quotidiano, dal lavoro (ufficio, laboratorio) al tempo libero (caffè). In realtà alcuni di questi oggetti erano stati modificati, ma senza attenuare l'attacco fondamentale di Le Corbusier ai suoi colleghi Art déco che dominavano in fiera e al loro ideale di appartamento borghese come insieme omogeneo per cui tutto dev'essere fatto secondo le consuetudini.

L'interesse di Le Corbusier per la standardizzazione industriale risale al 1917, quando legge i *Principi di organizzazione scientifica* di Frederick W. Taylor. In questo libro, pubblicato nel 1911 e tradotto in Francia l'anno seguente, Taylor propone l'organizzazione razionale del lavoro come modo per massimizzare i profitti e generare sviluppo, anche se può significare trattare i lavoratori come macchine. Henry Ford avrebbe subito risposto (nel 1913) con l'invenzione della catena di montaggio, presentando questa nuova forma di schiavitù come una promessa di maggiore tempo libero per le masse. Fino alla fine degli anni Venti, con sorprendente ingenuità politica, Le Corbusier credette fermamente che se

1 • Le Corbusier, interno del Padiglione dell'Esprit Nouveau, 1925
Sullo sfondo *La balaustra* di Fernand Léger vicino a una natura morta di Le Corbusier.

la produzione industriale fosse stata riformata secondo i principi di Taylor e Ford, tutti i mali del dopoguerra sarebbero svaniti da soli. Vide l'architettura moderna, posta a metà strada tra l'arte (senza funzione) e l'industria, come una componente essenziale di tale riforma. E anche se in queste diatribe contro le arti decorative aveva sempre insistito sulla necessità di salvaguardare l'autonomia dell'arte, la sua teoria e pratica pittorica rimasero per buona parte legate a una nozione feticista di standardizzazione. Così il suo primo omaggio al taylorismo apparve in *Dopo il Cubismo* (1918), il libro che scrisse con Amédée Ozenfant per lanciare il loro movimento che chiamarono Purismo.

L'addomesticamento del Cubismo

Contrariamente alle rivendicazioni di Charles-Étienne Jeanneret (cioè Le Corbusier, che non aveva ancora adottato lo pseudonimo) e Ozenfant, il Purismo non è affatto un "post-Cubismo". Consiste piuttosto in una mera accademizzazione del Cubismo paradossalmente basata su un completo fraintendimento dell'impresa di ▲ Braque e Picasso. Per i due pittori puristi il Cubismo era pura decorazione: "se un quadro cubista è bello", scrivevano, "lo è nello stesso modo di un tappeto". Benché il Cubismo facesse ampio uso di forme geometriche, sostenevano Ozenfant e Jeanneret, lo faceva senza ricorrere a nessuna legge – le sue composizioni erano arbitrarie, non controllate da nessuno "standard". Le straordinarie analisi di Braque e Picasso della rappresentazione pittorica come sistema arbitrario di segni sfuggivano completamente ai puristi, che vedevano nel Cubismo soltanto una blanda geometrizzazione della realtà che andava "corretta", esattamente come le strutture della catena di montaggio prevenivano qualsiasi comportamento errato da parte dei lavoratori.

Non era una cosa del tutto nuova. Già nell'ottobre 1912 un gruppo di artisti aveva organizzato il Salon de la Section d'Or con l'esplicito programma di presentare al pubblico una versione del Cubismo addomesticato dai principi "universali" dell'"armonia geometrica" attraverso il ritorno alla Grecia classica e alle radici della tradizione della pittura francese, da Poussin a Ingres, a Cézanne e Seurat. Contemporaneamente uno dei partecipanti, Raymond Duchamp-Villon, presentava al Salon d'Automne la sua facciata della Casa cubista, un progetto che è forse il punto di partenza del fenomeno Art déco. Concepita da André Mare, uno dei designer più coinvolti nella futura fiera del 1925, fu riempita di opere di colleghi di Duchamp-Villon della Section d'Or: i fratelli Marcel Duchamp e Jacques Villon, ma anche Albert Gleizes e Jean Metzinger, autori di *Del Cubismo* (1912) (un libro a lungo considerato la base teorica del Cubismo nonostante le proteste di Picasso e Braque). La decorazione delle sue tre stanze non fu però particolarmente memorabile. Il suo evidente eclettismo voleva essere un gesto definitivo contro il design Art nouveau (considerato "internazionale", che allora significava "tedesco") e in questo ebbe successo, ma solo per aver sposato il credo nazionalista di un revival Luigi-Filippo (non proprio un ritorno all'*ancien régime*, essendosi sviluppato sotto una monarchia borghese, questo stile era decantato come vero ultimo stile francese). La facciata di Duchamp-Villon sfruttò questo revival e rivelò ancor più chiaramente che il modernismo della Casa cubista era solo cosmetico: la decorazione non era molto più di un pastiche di una versione XIX secolo della facciata di un *hôtel particulier* XVIII secolo, incipriato di sfaccettature angolari.

Nel contesto del dopoguerra la corrente nazionalista di questo Cubismo accademico fiorì sotto l'egida di quello che era stato chiamato "ritorno all'ordine": l'"aggiustamento" del Cubismo era parte dell'ideologia della ricostruzione, insieme a un interesse rinato per la *latinità* della Francia e a un indirizzo pubblico che favoriva l'aumento della natalità. Data la sua reazione sconvolta alla comparsa ▲ nel 1915 dei primi *pastiche* di Picasso da Ingres, che segnano ● appunto l'inizio del "ritorno all'ordine", può sorprendere che Juan Gris si sia poi unito ai suoi ranghi. Anche se i collage di Gris dell'anteguerra sono imprese di ambiguità spaziale e ingegno plastico non minori di quelle dell'amico e mentore spagnolo, il suo credo rivela un razionalismo latente che risulta ben lontano dall'attacco di Picasso contro la tradizione della rappresentazione mimetica: "Cézanne trasforma una bottiglia in un cilindro", scrisse, "io ho cominciato con un cilindro per creare una bottiglia". In altre parole, la geometria viene prima: gli oggetti, per essere inclusi nella composizione, devono adattarsi a una griglia a priori.

I quadri di Ozenfant e Jeanneret seguono la stessa logica (benché la loro giustificazione, diversamente da Gris, fosse un appello all'organizzazione taylorista) e non è un caso che Le Corbusier includesse una tela di Gris nel suo padiglione. Infatti, per tutti i loro quadri – inevitabilmente delle nature morte **[2]** e per la maggior parte di formato determinato dalla sezione aurea – Ozenfant e Jeanneret stabilirono una griglia di linee regolatrici. Questi "*tracés régulateurs*" definivano la posizione di "oggetti-tipo" (per così dire i fortunati sopravvissuti all'"evoluzione meccanica"), spesso rappresentati sia in piano sia in elevazione e direttamente allusivi a forme architettoniche (una caraffa diventa una colonna dorica, il collo di una

2 • Charles-Édouard Jeanneret (Le Corbusier), *Natura morta purista*, 1922
Olio su tela, 65 x 81 cm

▲ 1911, 1912, 1921a

▲ 1919 ● 1919

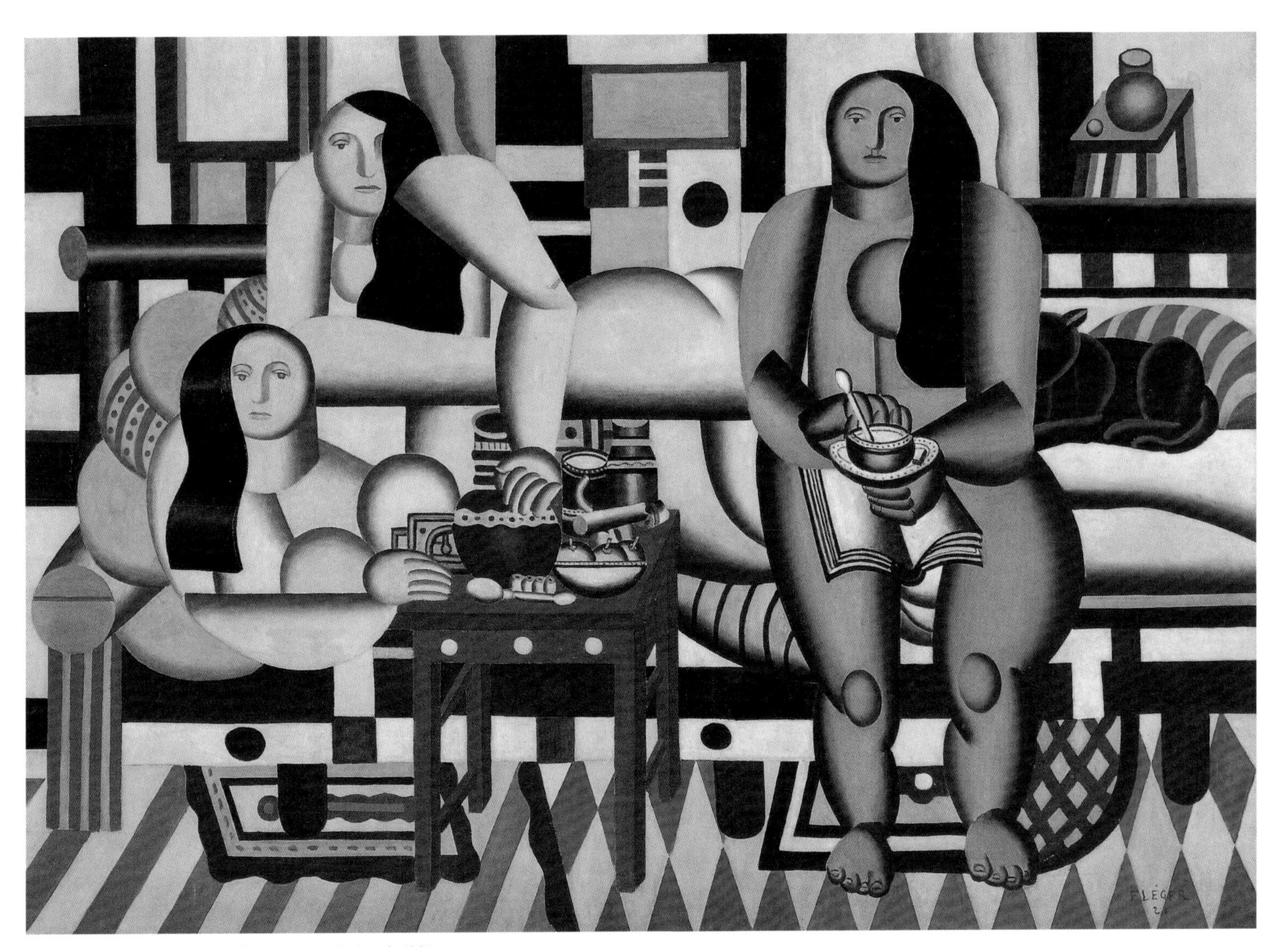

3 • Fernand Léger, *Tre donne (La grande colazione)*, 1921
Olio su tela, 183,5 x 251,5 cm

bottiglia una ciminiera). I volumi sono ridotti a prismi, con accentuazione del modellato, più marcato ora che gli oggetti sono resi per piani di colore piatti come lo sfondo, che le diagonali dominano e che i colori non sono mai stridenti: il tono generale è quello del buon gusto, ma piuttosto insulso, trattenuto.

Va qui menzionato un altro pittore le cui opere erano incluse nel padiglione di Le Corbusier del 1925, Fernand Léger. Benché anche il suo lavoro avesse risentito dell'ideologia del "ritorno all'ordine", fu l'unico artista francese a condividere, e perfino esasperare, l'adulazione dell'architetto per la macchina. Sebbene Léger non abbia mai emulato l'arte di Picasso, prese dal Cubismo analitico una delle sue principali strategie (usare un unico elemento descrittivo per ogni ▲ oggetto rappresentato) per realizzare nel 1913 le sue prime opere mature, una serie di quadri intitolati *Contrasti di forme*. Al limite dell'astrattismo, questi quadri erano concepiti come accumuli di volumi tubolari di colore vivo, la cui rotondità metallica è indicata da lumeggiature bianche. L'entusiasmo per la macchina di Léger non diminuì, quasi inspiegabilmente, quando fu spedito al fronte durante la Prima guerra mondiale, nonostante gli orrori a cui assistette e che disegnò in abbondanza, tutti dovuti alla pura potenza dell'armamento moderno. Tornò dalla guerra con un cieco desiderio di spogliare la macchina dell'immagine distruttiva che aveva agli occhi dei contemporanei. Gli elementi tubolari vennero gradualmente sostituiti da parti di anatomia umana più riconoscibili **[3]**; le figure, quasi tutte monocrome, modellate schematicamente e in scene di tempo libero, sono in contrasto con lo sfondo colorato e dinamico, spesso un paesaggio urbano di forme geometriche popolate da manifesti pubblicitari stilizzati.

La balaustra **[4]** è forse uno dei quadri più leggibili di Léger di questo periodo e, a parte il colore vistoso, il più vicino all'estetica purista, che è senza dubbio la ragione per cui Le Corbusier lo scelse per il suo padiglione. Come ha notato Carol Eliel, l'elemento centrale può essere letto sia come balaustra sia come bottiglia; la forma sulla sinistra, con la sua bianca apertura circolare superiore, assomiglia ai camini di fabbriche o di transatlantici illustrati sull'*Esprit Nouveau* e comuni nei paesaggi di Léger del periodo; il bordo verticale del libro suggerisce una colonna classica; le "quattro verticali nella parte alta della balaustra, immerse in uno sfondo luminoso, possono essere lette come quattro ciminiere o silos, mentre la forma orizzontale al margine sinistro del quadro suggerisce il movimento di una catena di montaggio o i denti di una pellicola cinematografica". Quest'ultimo rimando è partico-

▲ 1913

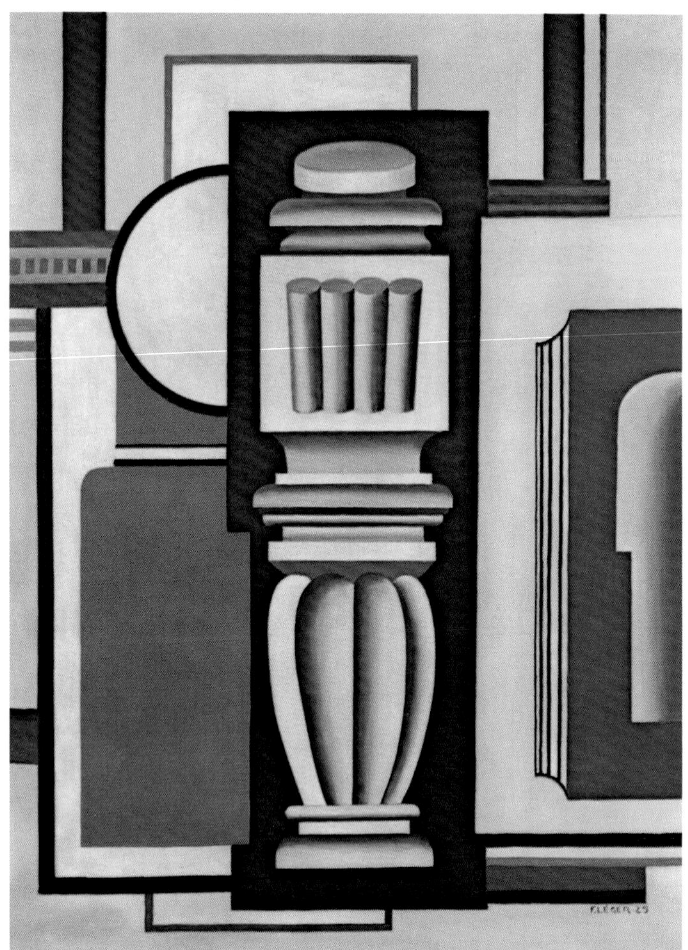

4 • Fernand Léger, *La balaustra*, 1925
Olio su tela, 129,5 x 97,2 cm

Déco nera

L'associazione di negritudo e disimpegno animò la vita artistica della Rive Gauche, in particolare nel quartiere dei locali notturni, Montparnasse, dove il jazz riempì l'aria con deliziose dissonanze e la musica frenetica diventò la colonna sonora di ubriachi che danzavano fino a notte profonda. Spettacoli di varietà come quelli di Joséphine Baker, che ballava mezza nuda, sottolinearono questo rapporto, che comunque diede presto il via a un'esperienza molto diversa della forma nera. La si potrebbe chiamare "Déco nera" o uso estetizzato delle forme e motivi tribali nelle arti decorative. Per i costumi e le scene del balletto *La creazione del mondo* (1923) Fernand Léger sfruttò i forti profili e ripeté motivi della scultura primitiva. L'intera panoplia dei mobili e accessori Art déco seguì questo esempio guida in cui motivi d'argento erano combinati con la lucentezza di legni d'ebano e pellicce di leopardo giustapposte a pelli di coccodrillo. Dove arrivava questo lusso, subito seguivano gli artisti e l'influenza della Déco nera su scultori come Constantin Brancusi e Jacques Lipchitz è ben visibile, come su architetti quali Le Corbusier e Jean Prouvé. Per tutti la Déco nera fu un potente coktail che mescolava Africa "primitiva" e America dell'età della macchina.

larmente significativo, poiché Léger ha appena finito il suo film ▲ *Balletto meccanico* **[5]**, che fu, se non proprio il primo, comunque uno dei più consapevoli attacchi mai lanciati contro il cinema narrativo. Con la sua assurda ripetizione di spezzoni trovati (una donna sale una scalinata ventitré volte), la caleidoscopica moltiplicazione di occhi, palle, cappelli e altre forme circolari, la celebrazione pulsatile di movimenti lineari, la scomposizione e ricomposizione di corpi e volti, la danza di triangoli, cerchi e parti di macchine, *Balletto meccanico* è la più notevole scorribanda di Léger nell'astrazione. Per contrasto, e benché fatto togliere dalla parete su richiesta del governo, il murale di Mallet-Stevens esposto nella Hall d'entrata per un'ambasciata sembra trattenuto. Ispirato • da De Stijl (in particolare da *Ritmo di un ballo russo* di van Doesburg, del 1918), appartiene a un gruppo di opere, tutte datate tra il 1924 e il 1925, che Léger concepì come decorazione murale, secondo lui l'unica sede possibile di astrattismo pittorico.

Architettura o rivoluzione/architettura come rivoluzione

Fosse stato distante dalla cultura borghese quanto credeva, Léger avrebbe potuto riflettere sul ben diverso progetto della partecipazione sovietica all'Esposizione, concepita come propaganda del regime sovietico e destinata a provare che la Rivoluzione era più equipaggiata dell'Occidente capitalista per rispondere alla domanda di ricostruzione del dopoguerra. La partecipazione comportava due parti: il Padiglione sovietico di Konstantin Mel'nikov **[6]** e il Dopolavoro operaio di Rodčenko, costruito dentro quel monumento del kitsch novecentesco che è il Grand Palais.

Il padiglione di Mel'nikov fu di gran lunga l'edificio più audace della fiera. In pianta consisteva in un rettangolo allungato, diviso diagonalmente da una doppia scalinata esterna che faceva da strada che si percorreva prima di entrare in ognuno dei due volumi triangolari ai suoi lati. Triangoli e oblique ascendenti erano onnipresenti. Mel'nikov aveva creato un omaggio in forme architettoniche al "cuneo rosso" della Rivoluzione, altrettanto dinamico

5 • Fernand Léger e Dudley Murphy, fotogramma da *Balletto meccanico*, 1924

▲ 1925d ● 1917b

▲ di quello del famoso manifesto del 1918 di El Lisickij *Colpisci i bianchi con il cuneo rosso*. I colori rosso, bianco e grigio delle pareti esterne e delle tettoie (oblique) incrociate sulle scalinate facevano da rigido contrasto con la trasparenza delle vetrate delle facciate principali; il materiale volutamente povero (legno dipinto) e la modalità semplice, quasi ludica, di assemblaggio in tempo record di tutte le parti, spedite da Mosca, furono una chiara stoccata alla pompa magna della maggior parte dei padiglioni della fiera e dei loro esterni decorati di piastrelle smaltate o marmi.

Benché meno effervescente, l'interno di Rodčenko era anch'esso una critica al lusso capitalista e soprattutto alla venerazione capitalista della sfera privata, perché implacabilmente connotato come spazio collettivo **[7]**. Il Dopolavoro operaio era un'invenzione recente del nascente regime sovietico. Esportando l'idea – e sicura di non passare inosservata commissionando il progetto a uno dei più attivi artisti costruttivisti – la nuova Repubblica socialista voleva dimostrare che la Rivoluzione sovietica, lungi dall'essere barbara, aveva creato una nuova cultura e si preoccupava che i lavoratori disponessero di tempo libero, diversamente che nei paesi capitalisti.
● Fedele ai principi delle sue sculture astratte del 1921, Rodčenko enfatizzò due aspetti dei suoi mobili di legno (dipinti con gli stessi colori dell'edificio di Mel'nikov): la trasparenza della loro costruzione (senza imbottiture, tutte le giunture in evidenza) e la trasformabilità. "Enfaticamente mobili", scrive Leah Dickerman, "gli oggetti del Dopolavoro dovevano essere costruiti dal fruitore stesso, sia per convenienza sia per esigenze funzionali diverse. Il tavolo di lettura poteva essere spostato da una posizione inclinata, come supporto di lettura, a una orizzontale, per creare un'ampia superficie di lavoro; i cilindri rotanti con le fotografie permettevano la visione di molte immagini in uno spazio molto piccolo; la superficie della tavola degli scacchi ruotava in verticale per consentire ai giocatori l'accesso ai sedili a muro". La vera star di questo inno alla polifunzionalità fu lo schermo smontabile per conferenze e proiezioni con il suo traliccio estensibile a volontà in tutte le direzioni e la cura che Rodčenko dedicò al progetto rivela che concepì il suo Dopolavoro come spazio mediale in cui i lavoratori potessero avere informazioni e intervenire su di esse.

7 • Interno del Dopolavoro operaio di Aleksandr Rodčenko, costruito per l'Esposizione Internazionale delle Arti Decorative nel Grand Palais, Parigi, 1925

6 • Il Padiglione sovietico di Konstantin Mel'nikov all'Esposizione Internazionale delle Arti Decorative a Parigi, 1925

La disposizione a catena di montaggio delle due file di sedie intorno al tavolo del Dopolavoro non era meno influenzata dai principi di Taylor delle mensole da negozio di "oggetti standard" con cui Le Corbusier aveva arredato il suo padiglione, ma Rodčenko non condivise la cieca fede dell'architetto nella macchina come garanzia di futuro benessere per l'uomo medio. Allo stesso tempo il suo Dopolavoro mostrò (*contra* Léger) che il futuro dell'astrattismo non era la decorazione e propose un nuovo rapporto degli uomini con gli oggetti, in cui non sarebbero stati sempre consumatori ma copartecipanti nel gioco a scacchi della vita. Mentre *Verso una nuova architettura* di Le Corbusier finiva con l'alternativa "architettura o rivoluzione", Rodčenko, fedele al programma costruttivista, formulò lo slogan "architettura *come* rivoluzione" con ogni centimetro quadrato del suo Dopolavoro. Entrambi i sogni, ci racconta poi la storia, si trasformarono in incubi. YAB

ULTERIORI LETTURE:

Carol S. Eliel, *Purism in Paris, 1918-1925*, in *L'Esprit Nouveau: Purism in Paris, 1918-1925*, Los Angeles County Museum of Art, Los Angeles 2001

Leah Dickerman, *The Propagandizing of Things*, in *Aleksandr Rodchenko*, Museum of Modern Art, New York 1998

Christina Kiaer, *Rodchenko in Paris*, in *October*, n. 75, inverno 1996

Mary McLeod, *Architecture or Revolution: Taylorism, Technocracy, and Social Change*, in *Art Journal*, vol. 42, n. 2, estate 1983

Nancy Troy, *Modernism and the Decorative Arts in France: Art Nouveau to Le Corbusier*, Yale University Press, New Haven 1991

▲ 1926, 1928a, 1928b ● 1921b

1925b

Il curatore Gustav F. Hartlaub organizza la prima mostra della Neue Sachlichkeit alla Kunsthalle di Mannheim: variazione delle tendenze internazionali del *rappel à l'ordre*, questo nuovo "Realismo magico" segna la fine dell'Espressionismo e del Dadaismo in Germania.

Secondo la diagnosi di Antonio Gramsci, la breve vita della Repubblica di Weimar (1919-33) indica più di ogni altro periodo del XX secolo che "la crisi consiste precisamente nel fatto che mentre il vecchio muore il nuovo non è ancora nato. Nell'interregno appare una grande varietà di sintomi morbosi". I primi cinque anni della nuova repubblica furono segnati dal perpetuo scompiglio economico e politico, dalla disorganizzazione e disillusione sociale. Dopo il 1924 una relativa stabilità dell'economia diede un minimo (e illusorio) senso di solidità alla cultura democratica della Repubblica, finché fu di nuovo infranto nel 1929 con la crisi economica mondiale e definitivamente distrutto nel 1933 con l'adesione della Germania al fascismo e l'avvento di Hitler. Anche durante gli anni "austeri" dal 1924 al 1929, compreso il cruciale periodo della Neue Sachlichkeit, la maggior parte dei membri dell'intellighenzia, se non la popolazione in generale, si percepì come parte di quella che lo storico della letteratura Helmut Lethen ha chiamato un'esistenza sperimentale "tra due guerre".

Il nome "Neue Sachlichkeit", un po' inadeguatamente tradotto con "Nuova oggettività" o "Nuova austerità", fu coniato da Gustav Friedrich Hartlaub, direttore della Kunsthalle di Mannheim, per annunciare la mostra delle nuove opere figurative di un gruppo di pittori tedeschi. Inizialmente prevista per il 1923, l'esposizione si svolse dal 14 giugno al 13 settembre 1925 e comprese opere di Max Beckmann (1884-1950), Otto Dix (1891-1969), George Grosz, Alexander Kanoldt (1881-1939), Carlo Mense (1886-1965), Kay H. Nebel (1888-1953), Georg Scholz (1890-1945) e Georg Schrimpf (1889-1938). Nell'annuncio del suo progetto Hartlaub definì la Nuova oggettività piuttosto lapidariamente come opera governata dalla "fedeltà a una realtà positivamente tangibile". Non fu il solo a vedere questa nuova tendenza al realismo nella pittura tedesca. Nello stesso anno in cui aprì *Neue Sachlichkeit*, il critico e storico dell'arte Franz Roh pubblicò *Postespressionismo: Realismo magico*, proponendo un nuovo nome – Realismo magico – per descrivere lo stile emergente, ma il successo della mostra di Mannheim fece prevalere quello di Hartlaub.

Fin dall'inizio Hartlaub, Roh e altri critici come Paul Westheim riconobbero che la Nuova oggettività era profondamente divisa: la spaccatura venne identificata, come scrisse Hartlaub, nell'opposizione ▲ tra "l'ala destra dei neoclassici come Picasso e l'ala sinistra dei pittori *veristi* come Beckmann, Grosz, Dix", cioè nell'opposizione tra Ingrismo (dal pittore dell'inizio del XIX secolo Ingres) e Verismo. Questi critici riconobbero anche il limite a cui il ritorno alla figurazione degli artisti tedeschi (e l'ostentata influenza dell'Espressionismo ● e del Dadaismo) era dovuto, almeno in parte, ai loro recenti incontri con gli antimodernismi francese e italiano. Già nel 1919 Westheim aveva affermato su *Das Kunstblatt*: "Caratteristico dell'opera di Carlo Carrà [...] come di un gruppo di giovani artisti, è un realismo (*verismo*) idiosincratico e intransigente, che cerca una linea meticolosa che elimini qualsiasi traccia di maniera individuale. In Germania, com'è noto, Grosz e Davringhausen seguono un percorso simile". Nel 1921 poi Westheim commentò la risonanza dello stile "ingrista" di Picasso in Germania, riprendendo l'argomento anche nel settembre 1922 con un numero speciale di *Das Kunstblatt* che conteneva un questionario sul "Nuovo realismo".

Dal manichino al machino

Il tempo e luogo dell'incontro tedesco con la pittura metafisica sono stabiliti con precisione, essendo avvenuto, come accade spesso nel XX secolo, sulle pagine di una rivista. In questo caso si trattò della rivista italiana *Valori plastici*, edita dal 1918 dal critico e collezionista Mario Broglio. Il terzo numero, del 1919, era dedicato ■ interamente all'opera di Giorgio de Chirico, Carlo Carrà e Giorgio Morandi. Lo videro Max Ernst, George Grosz, Georg Schrimpf e Henrich Maria Davringhausen (1894-1970) nella galleria e libreria di Monaco di Hans Goltz, distributore tedesco di *Valori plastici*. Questo incontro portò non solo all'immediata pubblicazione di un portfolio di litografie *metafisiche* di Max Ernst intitolato *Fiat Modes, Pereat Ars* (1919), ma anche alle prime esposizioni di Davringhausen nel 1919 e Grosz nel 1920 alla galleria di Goltz.

◆ L'iconografia del *manichino* metafisico venne drammaticamente trasformata nelle mani degli artisti della Nuova oggettività in quella di un *machino*. Quella che in de Chirico era un'allegoria della perduta capacità dell'artista di creare figure, riapparve in Grosz come l'"Automa repubblicano", il particolare ibrido tra manichino da sarto e robot in cui la nuova identità del "*servo*

▲ 1919 ● 1908, 1916a, 1920 ■ 1909, 1924, 1944b ◆ 1925c

civile", la personalità dell'autoritario colletto bianco, apparve catturata alla perfezione [**1**]. Il critico della letteratura *neusachlich* Walter Benjamin descrive così questi tipi nel suo testo *Malinconia di sinistra*:

> *[...] quelle bambole tristi e pesanti che camminano calpestando cadaveri. Con la solidità della loro corazza, la lentezza della loro marcia, la cecità delle loro azioni, esse sono il convegno che carro armato e cimice si sono dati nell'uomo.*

Ma anche nel suo adattamento, la morfologia del *manichino/machino* resta fluida, spostandosi agevolmente dal vincitore al vinto. L'automa autoritario di un'immagine diventa il corpo industrialmente meccanizzato o corazzato in un'altra; o, dopo il 1918, con sei milioni di soldati tornati dalla guerra, immagine dopo immagine incontriamo il corpo-macchina come corpo protesico, il mutilato di guerra (come per esempio nell'opera del gruppo dei Progressisti di Colonia, come in *Portfolio del mutilato* di Heinrich Hoerle del 1920 o in *I mutilati di guerra* di Dix [1920]). L'esclusione della fotografia dalla mostra di Hartlaub e dallo studio di Roh (anche se, quattro anni dopo, Roh pubblicherà la famosa antologia di fotografia modernista *Foto-Auge*) indica che gli scopritori della "nuova oggettività" volevano vedere la loro verità stabilita prima di tutto con i mezzi tradizionali della pittura. Così Hartlaub chiudeva la sua introduzione alla mostra affermando che:

> *Ciò che mostriamo è che l'arte esiste ancora [...] che è viva, nonostante la situazione culturale che sembra ostile all'essenza dell'arte come di rado in altre epoche. Dunque, artisti disillusi, spesso rassegnati fino al cinismo – essendosi quasi arresi dopo un periodo di smisurata, quasi apocalittica speranza –, questi artisti hanno cominciato in piena catastrofe a riflettere su ciò che è più immediato, certo e duraturo: la* verità e il mestiere.

1 • George Grosz, *I pilastri della società*, 1926
Olio su tela, 200 x 108 cm

Questo disperato desiderio di oggettività della verità transstorica, lo si può trovare anche in dichiarazioni di altri critici. Scrivendo su *Der Cicerone* nel 1923, Willi Wolfradt, ancora una volta opponendo Ingrismo a Verismo, sostenne che entrambi condividevano "il concetto di chiarezza, il primo in un senso più formale e il secondo in uno più oggettivo. Nell'Ingrismo la definizione di chiarezza è derivata dall'antichità, nel Verismo dalla macchina. E benché i due mondi possano apparire incompatibili, in entrambi è *la verità oggettiva a dominare*". Questa opposizione tra verità del mestiere e dell'antichità, da una parte, e verità della macchina dall'altra, ha dato tuttavia origine a un gruppo ben più fondamentale di conflitti. Prima di tutto lo scisma sociale tra un'adesione entusiasta alla modernizzazione industriale secondo le linee dei molto decantati "americanismo" e "fordismo" (fonte di continue mode e culti nella Germania di Weimar) e una reazione violenta e pessimista contro questi processi di meccanizzazione e razionalizzazione industriale. Questa reazione si radicò prima di tutto nella classe media sempre più disoccupata e proletarizzata, aprendo la via al sorgere di ideologie antimoderniste, quando non etniche e razziste, di "ritorni" a fantasmi di origini pure e autenticità incontaminate. Citando la famosa distinzione del sociologo tedesco Ferdinand Tönnies (1855-1936) tra *Gemeinschaft* (comunità) e *Gesellschaft* (società), i nuovi ideologi della destra conservatrice promisero un ritorno a sistemi preindustriali, a forme mitiche di organizzazione sociale e di produzione artigianale, gettando così le fondamenta per il fascismo del 1933.

Questo conflitto fu esacerbato dall'opposizione tra la concezione borghese dell'arte alta e i bisogni proletari di una cultura di massa progressista ed emancipatrice. Non solo la sfera dell'alta cultura presunta autonoma diventò sempre più precaria (e perciò più feticizzata), ma anche le precedenti forme di rapporti sociali e di cultura popolare vennero sostituite da una cultura proletaria di ▲ massa e un apparato mediale. Diversamente dall'avanguardia sovietica, che fu contemporaneamente sottoposta a una trasformazione molto simile da estetica modernista radicale e sperimentale a sistematica indagine su cosa significa una nuova cultura d'avanguardia prerivoluzionaria in una sfera pubblica proletaria in sviluppo, gli artisti della Nuova oggettività non avevano di fronte una società rivoluzionaria altrettanto omogenea. Prima di tutto, la Repubblica di Weimar, come affermò il romanziere Alfred Döblin (1878-1957), arrivò senza un manuale di istruzioni, intendendo che la nuova cultura democratica della "nazione tardiva" andava creata per tentativi ed errori. Secondo, a differenza dell'Unione Sovietica, la Repubblica di Weimar dopo il 1919 – a dispetto delle aspirazioni rivoluzionarie – era stata strutturata come una società di classe, anche se del tipo in cui gli strati sociali prima oppressi si ritrovarono improvvisamente con più potere economico e politico di quanto avrebbero mai immaginato sotto il precedente regime del Kaiser Guglielmo. Dunque Weimar, politicamente organizzata intorno a principi di democrazia sociale, diventò la democrazia non solo di una borghesia oligarchica recentemente arricchita, ma anche di una piccola borghesia economicamente senza potere e arrabbiata, e di un proletariato che oscillava perpetuamente tra radicalismo rivoluzionario e imborghesimento fascista. Ernst Bloch, nel suo libro del 1935 *Eredità del nostro tempo*, fu il primo a sostenere che la Nuova oggettività, più che rivelare un nuovo volto della collettività, mimetizzava di fatto un capitalismo involuto che aveva adottato principi socialisti come la pianificazione dell'economia, l'edilizia popolare e un senso diffuso di uguaglianza, ma senza rinnegare il primato di un'economia del profitto. Queste condizioni di reificazione universalmente dominanti – secondo Bloch – avevano dato vita alla seduzione della Nuova oggettività così come alla vacuità delle sue rappresentazioni.

Dai frammenti alle figure

Merita attenzione il fatto peculiare che la Nuova oggettività aveva tra i suoi membri più importanti sia degli espressionisti come Beckmann e Dix sia dei dadaisti come Grosz e Schad. Dopo tutto, ● l'Espressionismo era stato il momento in cui il soggetto umanista e pacifista si era rappresentato in una messa in scena della finalità, ■ mentre i dadaisti acceleravano e celebravano la fine della soggettività borghese in un grottesco travestimento di pratiche e pretese culturali. Ci si può dunque chiedere quali siano state le motivazioni di questi artisti nell'abbandonare le aspirazioni espressioniste o le derisioni dadaiste a favore di un ibrido di oggettività apparente. Queste estreme ambiguità di transizione sono particolarmente evidenti in un numero di opere importanti realizzate intorno al 1919-20, come *La notte* di Beckmann **[2]**, i quadri cruciali di Dix dello stesso anno come *I mutilati di guerra* o il poco più tardo *I pilastri della società* di Grosz, del 1926 **[1]**.

La notte è non solo un esempio classico di Espressionismo diventato *neusachlich*, ma anche di incapacità (o rifiuto) progressista di fare un'analisi della situazione politica; evoca invece e sintetizza – con un atto di deviazione umanista – la catastrofe universale della "condizione umana". Mentre l'opera di Beckmann ha chiaramente riconosciuto le esperienze tragiche della fallita rivoluzione tedesca del 1919, con i suoi brutali assassini dei leader marxisti Rosa Luxemburg e Karl Liebknecht tra molti altri, questa rappresentazione di una scena criptica di confusione sadomasochista pone l'operaio rivoluzionario (probabilmente un ritratto nascosto di Lenin) sullo stesso piano di violenta perpetrazione del piccolo borghese fascista. Tipicamente, il lamento umanista di Beckmann sulla bestialità umana non basta a compensare l'indulgenza duramente repressa ma pienamente esposta nelle scene sadiche che pretende di rivelare.

Queste ambiguità sono affrontate diversamente nelle opere più importanti dello stesso periodo di Dix, come *I mutilati di guerra, I giocatori di carte* e *Prager Strasse* (1920), o nei *Pilastri della società* di Grosz. Qui il soggetto è descritto sia come mutilato, vittima fisicamente annichilita della guerra imperialista, sia come minaccioso imbroglione che infligge le stesse condizioni di lacerazione psicologica e trauma psichico. Il vincitore e il vinto sono rappresentati attraverso sistemi simili, iconografici, morfologici e formali, di deformazione, frammentazione e letterali tagli fisici. Assistiamo dunque a un duplice congedo nei contorni ben chiusi e nei corpi pienamente modellati della Nuova oggettività: il primo abbandona le angolosità e le fratture espressioniste a vantaggio di una rinnovata interezza della figura; il secondo letteralizza la semiologia del taglio e della frammentazione del fotomontaggio e del collage dadaisti e ne fa strumenti chirurgici, sia per mettere a nudo, come in Dix, il corpo protesico traumatizzato e l'esistenza banale del soggetto, sia, come in Grosz, per togliere letteralmente il coperchio dalle teste dei rappresentanti dei poteri direttivi statali, religiosi e militari, rivelando i recessi più intimi dei loro crani zeppi di giornali o grotteschi mucchi di feci fumanti. Queste parodie della radicalità semiotica del Cubismo illustrano contemporaneamente la bancarotta del soggetto borghese e l'ammissione che il soggetto proletario non può ancora essere presentato come attore unitario di una storia nuova.

L'incapacità degli artisti della Nuova oggettività di assumere una posizione di identità e azione di classe diventò la terza ragione fondamentale delle spaccature interne del movimento, che coprirono l'intero spettro delle contraddizioni: dagli adattamenti tedeschi della pittura metafisica antimodernista italiana o del francese ▲ *rappel à l'ordre* (come in Schrimpf, Mense, Kanoldt) agli sviluppi radicali dell'estetica dadaista da parte di Grosz e John Heartfield verso una nuova cultura della sfera pubblica proletaria; o dai cinici e nostalgici tentativi dell'ex-dadaista Christian Schad di posare da Antico Maestro della ritrattistica (anche se i ritratti rappresentano per la maggior parte *bohémiens* e aristocratici ai

▲ 1921b ● 1908 ■ 1916a, 1920

▲ 1909, 1919

2 • Max Beckmann, *La notte*, 1918-19
Olio su tela, 133 x 154 cm

margini della nuova gerarchia sociale) alle tipologie del proletariato fornite da Franz Wilhelm Seiwert (1894-1933) e Gerd Arntz (1900-1988) nel contesto dei Progressisti di Colonia (Seiwert, scrivendo su *AZ*, la rivista del gruppo, suggeriva nel 1928 che la Nuova oggettività non fosse né nuova né oggettiva, ma piuttosto l'opposto). Arntz avrebbe collaborato a disegnare nel 1928 i pittogrammi per Isotype, linguaggio di segni che analizza le condizioni dei rapporti sociali, politici ed economici nei libri del sociologo radicale viennese Otto Neurath.

Sembra dunque che questi conflitti tra arte alta e cultura di massa, e tra identità di classe e rapporti sociali, fossero letteralmente esposti nell'opposizione tra una rinnovata enfasi sui fondamenti artigianali della produzione artistica da un lato e un impegno nell'emergente apparato di riproduzione tecnica (cioè fotografica) e di distribuzione culturale di massa, dall'altro. Non sorprende che il luogo dove questa battaglia fu combattuta più attivamente sia stato il ritratto, apparentemente uno dei generi pittorici più venerandi (benché già decisivamente decostruito dal ▲ Cubismo analitico).

Il ritratto "oggettivo", il soggetto "umano"

Al centro della Nuova oggettività troviamo una tipologia enormemente complessa (e numerosa) di concezioni del ritratto. A partire dai ritratti postespressionisti di Beckmann, che rimase impegnato lungo tutta la sua opera in un'obsoleta analisi del sé, l'artista sembra essere stato incapace di abbandonare non solo l'idea di una soggettività umanistica e automotivata, ma anche la convinzione che la sua funzione fosse quella di fornire forme privilegiate di conoscenza e visione. L'*Autoritratto con modella* di Schad **[3]** porta

▲ 1911

questi tropi del ritratto a un livello di ostentata autocoscienza in cui diventano quasi grotteschi. In un freddo confronto, rappresenta se stesso nelle vesti e nella posa di un maestro del Rinascimento (come nella camicia trasparente del *Ritratto allegorico* di Bartolomeo Veneto [1507]). Ma il realismo fotografico della rappresentazione della propria fisionomia urbana e il gioco manierato sulla trasparenza del tessuto e l'opacità della pelle, contraddicono manifestamente qualsiasi pretesa di continuità storica che sia il genere e l'iconografia dell'autoritratto sia l'imitazione delle tradizioni più abili della pittura possono stabilire. La sua equivoca compagna (che oscilla, come spesso in Schad, tra la prostituta e l'aristocratica *bohémienne*, tra la travestita e la *femme fatale*) è decorata in questo caso con un sadico taglio sul volto, senza dubbio inflitto dalla brama di possesso del maschio, segnandone chiaramente la modernità.

All'altro estremo dello spettro della ritrattistica della Nuova oggettività si può trovare la derisione quasi ossessiva del genere da parte di Dix. Galvanizzando la sua eredità espressionista con l'acido della caricatura, Dix spogliò le sue modelle di qualsiasi pretesa e rappresentò la loro soggettività sia come vittima sia come parte attiva della struttura sociale. Nel suo ritratto della giornalista Sylvia von Harden [**4**], gli attributi della Donna Nuova (aria goffa, sigaretta, abito da ragazzina alla moda e drink) sono contemporaneamente celebrati e derisi, in maniera più evidente nella gesticolazione delle mani ipertrofiche. Questo atteggiamento di estrema ambiguità domina anche uno dei ritratti relativamente più rari dipinti da George Grosz nella sua fase Neue Sachlichkeit, il ritratto dello scrittore e critico Max Hermann Neisse [**5**]. A differenza dell'iperbole caricaturale di Dix, Grosz sembra stavolta aver raffreddato la sua passione per la caricatura come antimodello modernista, a cui l'amico storico Eduard Fuchs lo aveva introdotto nel decennio precedente. Questa intensificata ambiguità tuttavia, in cui fotografia e caricatura sembrano ritrovare le loro origini storiche comuni, non può essere più appropriata per un modello paradigmaticamente *neusachlich* come il critico Max Hermann Neisse, i cui scritti si sarebbero spostati subito dopo dal sostegno di poeti del Partito comunista come R. Becher a quello dell'espressionista conservatore, per non dire fascista, Gottfried Benn.

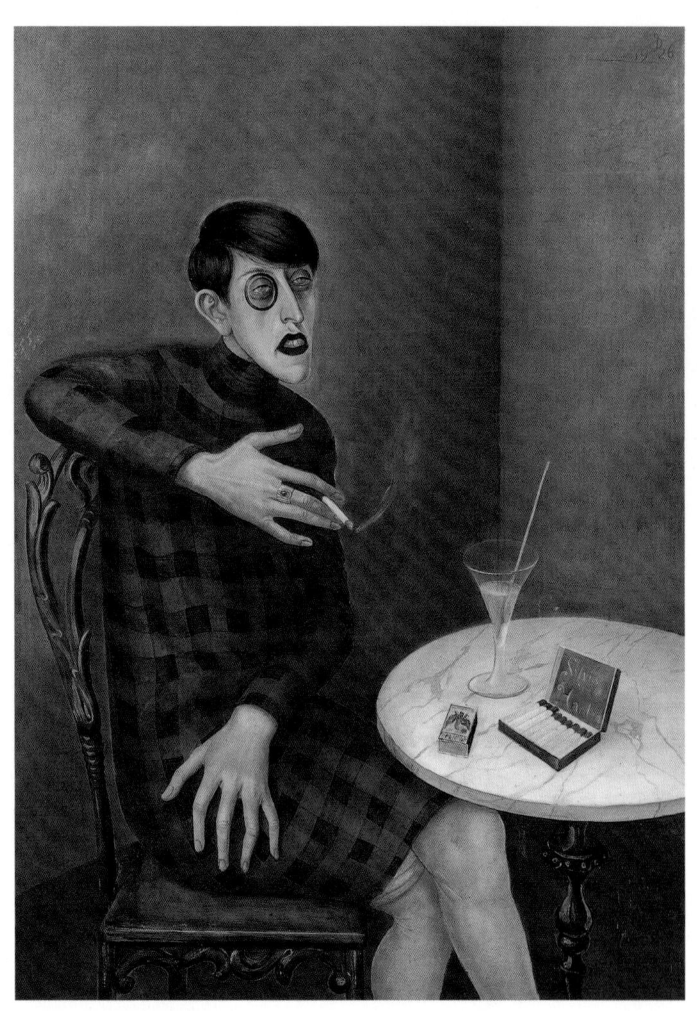

4 • Otto Dix, *Ritratto della giornalista Sylvia von Harden*, 1926
Tecnica mista su tela, 120 x 88 cm

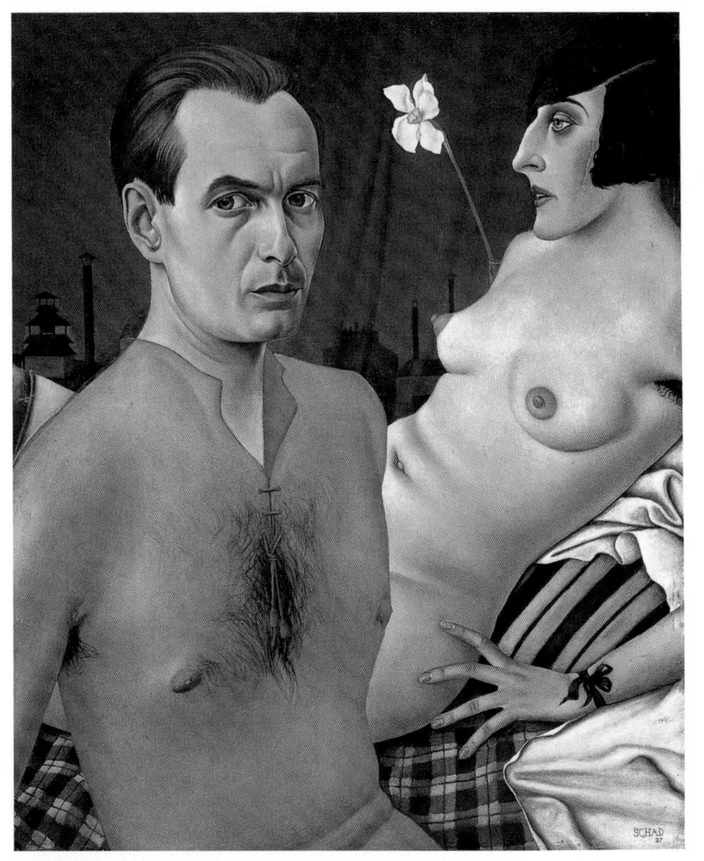

3 • Christian Schad, *Autoritratto con modella*, 1927
Olio su tela, 76 x 61,5 cm

Grosz, che si era descritto come "un carattere di ghiaccio", era stato esplicito nel suo cambiamento di approccio al soggetto e alla sua rappresentazione. Aveva scritto in un testo intitolato *Su alcuni miei quadri recenti*, su *Das Kunstblatt* nel 1921:

Sto cercando ancora una volta di dare un'immagine totalmente realistica del mondo. [...] Se ci si sforza di sviluppare uno stile lucido e limpido, si finisce inevitabilmente nei

5 • George Grosz, *Il poeta, Max Hermann Neisse*, 1927
Olio su tela, 59,4 x 74 cm

dintorni di Carrà. Invece tutto mi separa da lui, che vuole essere apprezzato in termini metafisici e la cui problematica è del tutto borghese. [...] L'uomo *nei miei quadri non è più rappresentato con una profonda analisi della sua confusa psiche, ma come concetto collettivo, quasi meccanico. Il destino individuale non ha più nessuna importanza.*

È diventato evidente, anche se soltanto abbastanza di recente, che nella battaglia tra fotografia e pittura, macchina e antichità, le seconde hanno perso. Questo è ancora più vero sul terreno del ▲ ritratto, dove il vero genio della Nuova oggettività è August Sander, il cui sistematico archivio della molteplicità di possibili posizioni sociali venne registrato proprio a ridosso del fascismo che voleva annichilirle tutte. Qui l'archivio fotografico è infinitamente più importante di qualsiasi tentativo pittorico menzionato per la storia del ritratto in termini di crisi della soggettività del XX secolo. Helmut Lethen ha descritto la fotografia di questo periodo come "uno strumento di definizione" che ha creato le "fisionomie fotografiche della Modernità in cui le firme individuali sono state assorbite dalle condizioni di riproduzione tecnica". BB

ULTERIORI LETTURE:

Anton Kaes et al., *The Weimar Republic Sourcebook*, University of California Press, Berkeley-Los Angeles 1994
Helmut Lethen, *Cool Conduct: The Culture of Distance in Weimar Germany*, University of California Press, Berkeley-Los Angeles 2002
Detlev Peukert, *The Weimar Republic*, Hill and Wang, New York 1989
Wieland Schmied, *L'histoire d'une influence: Pittura Metafisica et Nouvelle Objectivité*, in Jean Clair (a cura di), *Les Réalismes 1919-1939*, Musée National d'Art Moderne, Paris 1981
Wieland Schmied, *Neue Sachlichkeit and the Realism of the Twenties*, in Catherine Lampert (a cura di), *Neue Sachlichkeit and German Realism of the Twenties*, Hayward Gallery, London 1978

▲ 1929, 1935, 1968a

1925c

Oskar Schlemmer pubblica *Il teatro del Bauhaus*, presentando il manichino e l'automa come modelli dell'attore moderno; altri artisti, soprattutto donne aderenti a Dada, esplorano il potenziale allegorico della bambola e della marionetta.

▲ Perché vi furono tanti artisti negli anni Dieci e Venti – associati a Dada, Surrealismo o Neue Sachlichkeit, Futurismo, Costruttivismo o Bauhaus – attratti da figure come la bambola e la marionetta, il manichino e l'automa? Raramente trattati come arte per sé (per esempio, Paul Klee non ha mai esposto le cinquanta marionette che fece a mano per suo figlio tra il 1916 e il 1925), questi giocattoli e curiosità erano così affascinanti, in larga parte, perché erano così ambigui. Evocanti al tempo stesso i tempi preistorici (i primi oggetti votivi ed effigi della morte assomigliano a bambole) e la vita contemporanea (il soggetto moderno come una costruzione da manipolare), queste figure possedevano anche qualcosa dell'interesse da outsider per l'arte popolare e qualcosa del potere effettivo dell'arte tribale. Allo stesso tempo, ancora, erano distinti da questi altri oggetti dell'entusiasmo modernista.

Giocattoli filosofici

Alcuni degli artisti qui in questione furono influenzati dai celebri testi di Heinrich von Kleist, R. T. A. Hoffmann, Charles Baudelaire, Rainer Maria Rilke e Sigmund Freud, che furono anch'essi attratti da bambole e marionette. In un influente saggio intitolato *Sul teatro di marionette* (1810) Kleist presenta la marionetta come l'immagine stessa dell'innocenza: "La grazia appare più pura in questa forma umana che al tempo stesso non ha coscienza e ne ha infinita. Cioè nella marionetta o in dio". Così anche Baudelaire, nella *Morale del giocattolo* (1853), riflette sul paradosso di una figura inerte dotata di una forza speciale, qui a vantaggio del bambino, per il quale il giocattolo rappresenta non solo "il primo concreto esempio di arte" ma anche "il primo stimolo metafisico". Tuttavia questo stimolo può diventare aggressivo, anche sadico, secondo Baudelaire, se il bambino cerca "di cogliere e vedere l'anima" del giocattolo, sbattendolo, pestandolo, infine aprendolo, distruggendolo solo per scoprire la sua assoluta mancanza di anima. "Questo momento segna l'inizio dello stupore e della melanconia", conclude il poeta.

Anche Rilke vede la bambola come un oggetto di intensa ambivalenza nel suo testo del 1914 *Sulle bambole di cera di Lotte Pritzel* (Pritzel era un fabbricante di Monaco di figurine emaciate ed • erotiche per adulti, ben noto agli artisti che realizzavano bambole, come Emmy Hennings e Hans Bellmer). Inizialmente la bambola attrae la nostra profonda simpatia come un oggetto speciale, o come un amico intimo, scrive Rilke, ma "presto capiamo che non possiamo fare di essa né una cosa né una creatura umana, e in questo momento essa diventa per noi qualcosa di ignoto"; quindi viene "smascherata come un terribile corpo estraneo di cui abbiamo rigettato il nostro più genuino calore". Infine, alcuni anni dopo in *Il perturbante* (1919) ▲ Freud teorizza l'ambivalenza che tali figure spesso provocano. Influenzato in parte da famosi racconti di Hoffmann sugli automi, Freud sostiene che questi oggetti producono una confusione tra l'animato e l'inanimato, l'umano e il non umano, che noi registriamo come misteriosa o perturbante, perché suggeriscono che ciò che ci è più estraneo – come la morte – è talvolta evocato da ciò che ci è più familiare – come la bambola favorita.

In questo modo figure come le marionette e gli automi vennero a rappresentare valori quasi opposti: da un lato, i principi della razionalità e causalità difesi dall'Illuminismo e, dall'altro, esperienze dell'irrazionale e del meraviglioso esplorate da romantici come Hoffmann. Queste associazioni divergenti persistettero nel periodo modernista. In Futurismo, Costruttivismo e Bauhaus queste figure spesso appaiono lucenti, quasi perfette, come prefigurazioni del nuovo (super)uomo futuro; mentre in Dada, Surrealismo e Neue Sachlichkeit sono solitamente rotti e in frammenti, come insiemi di parti discordanti, in amara risposta agli ideali tecnologici promossi dai movimenti precedenti. In questo caso, anche quando prodotte a partire da abbozzi, bambole, marionette e simili appaiono talvolta degli emblemi di una fanciullezza privata o relitti di un passato collettivo, nella cui veste possono comunicare un senso di aura o, anche, di perturbamento. (La possibile connessione qui tra il rimosso psicologico e il fuori moda sociale fu di particolare interesse per i surrealisti, che cercarono oggetti dimenticati evocanti tali associa- • zioni nei mercatini e altri luoghi marginali; Walter Benjamin era interessato alle vecchie bambole per ragioni simili.) Infatti, anche quando presentate come portenti di un futuro tecnologico, figure come marionette e automi possono risultare ambigue e ambivalenti; fu in questo periodo, dopo tutto, che venne inventato il "robot", sorta di aggiornamento del mostro Frankestein come macchina-lavoratore che corre freneticamente, rivoltandosi con intenzioni omicide contro il suo creatore umano. (Il termine fu coniato dal commediografo ceco Karel Čapek, che sviluppò questo tema nel 1921 nel suo *R.U.R. (I robot universali di Rossum)*, mentre Fritz Lang offrì la sua incarna-

▲ 1909, 1914, 1916a, 1920, 1921b, 1923, 1924, 1925b, 1931a ● 1924
▲ Introduzione 1 ● 1935

zione più intensa nel robot vamp Maria, che istiga le masse lavoratrici a una disastrosa ribellione nel suo film del 1927 *Metropolis*).

Date queste molteplici forme, nessun motivo o significato in particolare può essere ascritto all'apparizione di bambole e marionette nell'arte modernista. Possiamo comunque vedere queste figure come altrettante riflessioni sullo statuto cambiato delle relazioni oggettuali nell'Europa moderna degli anni Dieci e Venti, soprattutto i rapporti dell'uomo con le macchine e le merci in un periodo di intensa industrializzazione, guerra internazionale e consumismo frenetico. A entrambi i poli della produzione e del consumo questa nuova economia politica fu spesso identificata con gli Stati Uniti – da un lato con le sue procedure fordiste di lavoro industriale e dall'altro con le sue nuove forme di intrattenimento di massa, ▲ come il jazz e il cinema. Infatti "americanismo" diventò il termine sintetico per la Seconda rivoluzione industriale che invase l'Europa in questo periodo, portando con sé nuovi mezzi di trasporto e di riproduzione (come automobili, aerei, fotogiornalismo e cinema d'azione), che insieme formarono la "nuova visione" promulgata • poi da modernisti come László Moholy-Nagy. (Fu per ragioni del genere che alcuni artisti vennero anche attratti dagli studi fotodinamici di Eadweard Muybridge e Étienne-Jules Marey.) In questo contesto gli automi e i manichini che appaiono in vari movimenti del periodo assumono una valenza allegorica, come figure caricate di orrore o di piacere per il pervasivo divenire-macchina e divenire-merce del soggetto moderno. Alcuni artisti derisero queste ▲ condizioni, come fecero dadaisti quali Max Ernst nei suoi caustici ritratti di uomini come automi disfunzionali, mentre altri se ne • entusiasmarono, come fecero futuristi quali F. T. Marinetti nelle sue iperboliche celebrazioni del nuovo uomo prostetico elevato allo statuto sovrumano di ordigno-macchina.

1 • Emmy Hennings con una bambola, 1917
Fotografo sconosciuto

2 • Hannah Höch con una bambola, 1921
Fotografo sconosciuto

In modo altrettanto importante le bambole e le marionette che pure appaiono in questo periodo puntano a una nuova dimensione performativa nella pratica artistica, particolarmente pronunciata nell'opera delle artiste donne aderenti a Dada. A Zurigo Sophie Taeuber e Emmy Hennings, che realizzarono rispettivamente marionette e pupazzi, furono presenze brillanti, mentre a Berlino anche Hannah Höch interagì con bambole fatte da lei (cosa importante, tutte e tre furono fotografate con le loro creazioni **[1-3]**). Per queste donne, tali figure furono veicoli di gioco di ruolo,

▲1927c ● 1923, 1928b, 1929 ▲ 1922 ● 1909

3 • Sophie Taeuber con *Testa Dada*, 1920
Fotografo sconosciuto

di messa in scena e modelli di test di femminilità, di esplorazione del desiderio e dell'identità femminile – un interesse sollecitato dalla loro associazione con importanti dadaisti maschi (Taeuber era sposata con Hans Arp e Hennings con Hugo Ball, mentre Höch ebbe una lunga relazione con Raoul Hausmann). Certamente anche gli uomini possono usare le bambole per esplorare il desiderio maschile, e alcuni l'hanno fatto in maniera stravagante: Oskar Kokoschka ha realizzato una bambola a grandezza naturale, con cui si mostrava in pubblico a cene e al lavoro, mentre Bellmer fotografò ▲ le sue *Poupées* rielaborate in varie scene evocative di fantasie sado- • masochiste. Intanto altri come Marcel Duchamp e Francis Picabia suggerivano scenari meno letterali di erotica (s)connessione nelle loro "macchine celibi" – scenari che indicano i possibili effetti della meccanizzazione e mercificazione sulla sessualità moderna. Tutti questi temi – la dimensione performativa dell'arte, la bambola e il pupazzo come esempi primordiali e intensi di rappresentazione, il ruolo della differenza sessuale nel creare immagini, i possibili legami tra tecnologia e sessualità – hanno anche un'influenza sull'arte contemporanea, che può essere alla base del rinnovato interesse per artisti come Taeuber, Hennings e Höch in anni recenti.

Teatro popolare e parodia psicanalitica

Emmy Hennings realizzò pupazzi e bambole di stracci come parte della propria variegata carriera di artista, poeta e performer [1]. Le sue bambole appaiono malconce, quasi spettrali, mentre i suoi pupazzi sono rozzi, come bambole di stracci, simili alle sgargianti maschere prodotte da Marcel Janco per le performance al Cabaret ▲ Voltaire di Zurigo, dove Hennings era l'attrazione. Nel suo periodo pre-Dada aveva lavorato come chanteuse a Monaco, dove incontrò Lotte Pritzel, che influenzò il suo lavoro con le bambole. Hennings si esibì occasionalmente con le sue creazioni e si identificò sempre con esse: fotografata con le sue bambole, si riferiva ad esse nei suoi testi. Una volta scrisse: "Quando l'uomo vive, agisce, è un automa, una bambola, è sensibile come una bambola". Come è suggerito qui, le sue bambole e pupazzi sembravano rappresentare uno spostamento psicologico per Hennings – uno sdoppiamento con una speciale risonanza sulla sua vita di artista: "Siedo qui di fronte allo specchio e vedo riflessa questa bambola. So così che posso sdoppiarmi".

Si sa poco delle bambole prodotte da Hennings e non molto di quelle realizzate da Hannah Höch – benché ne espose due nella famosa Fiera Dada di Berlino del 1920. Fatte di pezzi di tessuto cuciti insieme, con perline e bottoni per occhi e capezzoli, e ammassi di fili per capelli, queste bambole sembrano pazze, vicine all'arte dei folli più che ai giocattoli dei bambini; in qualche modo anticipano anche le figure tribali che Höch assembla nelle sue provocatorie serie di fotomontaggi "Da un museo etnografico" (1929). Sedute su una scatola di legno vicino all'entrata della Fiera, le due bambole introducevano la mostra Dada (che esponeva la maggior parte dei più famosi esempi di manichini agghindati) come un luogo di gioco trasgressivo e regressivo al tempo stesso, suggerendo inoltre un mondo disinibito di rabbia e finzione.

Come Hennings, Höch venne fotografata con le sue creazioni e anche lei esibì un'ambigua identificazione con esse. In due fotografie con un'altra bambola, Höch posa in guisa di madre seduta che tiene il suo bambino e di danzatrice in coppia con il suo partner (il suo costume rima con quello della bambola [2]). Sono qui suggeriti due temi, dialetticamente legati tra loro, sviluppati nelle sue immagini più importanti di questo periodo. Da un lato, Höch suggerisce che il soggetto moderno è svuotato dalla meccanizzazione e dalla mercifi- • cazione; il suo famoso collage *Taglio con coltello da cucina attraverso il ventre gonfio di birra della Repubblica di Weimar* (1919 circa) è un panorama di questa trasformazione di personaggi tedeschi appena dopo la caduta del Kaiser, che appare qui precisamente come una bambola rotta, rappresentanti della nascente cultura di Weimar (per esempio Hausmann spunta come un piccolo robot penzolante dal corpo spezzato del Kaiser). Dall'altro lato, Höch presenta questa trasformazione anche come una liberazione; lo stesso collage è sia una gioiosa esplosione del nuovo ordine che una brutale autopsia del vecchio regime. I suoi fotomontaggi dei primi anni Venti con soggetti femminili sono dialettici allo stesso modo: presentano la "donna nuova" dell'era come soggetta agli stereotipi culturali e ai desideri fabbricati e imposti dall'esterno, e allo stesso tempo, anche se questa donna è una costruzione, è mostrata possedere un'abilità propria – anche quella di trasformare la propria immagine costruita, come Höch stessa fa con queste opere.

Altrettanto importante come per Hennings e Höch, il realizzare pupazzi e simili fu centrale per Sophie Taeuber, che era esperta nei

▲ 1924 • 1918, 1919
▲ 1916a •1920

mestieri artigianali (insegnò per tredici anni alla Scuola di arti applicate e mestieri di Zurigo, aiutando anche Arp). Per un allestimento nel 1918 del *Re cervo* del satirico veneziano del XVIII secolo Carlo Gozzi al Teatro di marionette di Zurigo, Taeuber produsse non meno di diciassette marionette dipinte in legno e metallo a forme geometriche (perlopiù cilindri e coni) talvolta replicate nell'assurda moda di Dada (aggiunse copricapi, tessuti, perle e piume per caratterizzare sessualmente o comunque distinguere alcune delle figure **[4]**). Per questa produzione il racconto di Gozzi dell'intrigo di corte venne radicalmente trasformato: trasferito in una foresta fuori Burghölzli, l'ospedale psichiatrico dell'Università di Zurigo dove lavorava Carl Jung, un apostata di Freud, la pièce divenne una parodia della psicanalisi – delle sue pretese di autorità così come delle micidiali lotte allora in corso. Qui il re e i suoi cari sono alla mercé di tre personaggi, Freud Analytikus, Dr. Komplex (che rappresenta Jung) e l'affascinante Urlibido, in lotta fra loro per il controllo sui reali. Non è chiaro per chi parteggiavano Taeuber e amici; benché Zurigo fosse il quartier generale dell'analisi junghiana e sua sorella lavorasse come segretaria di Jung, Dr. Komplex appare non meno ridicolo di Freud Analytikus (entrambi con copricapo sportivo e gonne).

Come altri dadaisti zurighesi, Taeuber si interessò al rito. Preparata da Rudolf von Laban, grande innovatore della danza moderna, partecipò sia come coreografa che come danzatrice al Cabaret Voltaire, e una fotografia sopravvissuta la mostra che danza selvaggiamente con una maschera di Janco e un costume di Arp, mentre un'altra la cattura insieme ad altri danzatori in abiti degli indiani Hopi disegnati da lei. Questo suggerisce che Taeuber favorì l'universo junghiano della regressione rituale (come fece Ball) e le sue marionette possono infatti essere viste come archetipi junghiani. Tuttavia, anche quando addobbate, le sue figure sono stranamente nude, e la nota di parodia della psicologia del profondo è difficile non vederla, soprattutto se gli oggetti sono pupazzi da manipolare, e alcuni hanno sembianze di robot (qui viene in mente Max Ernst, soprattutto il suo uomo stantuffo di *Il cappello fa l'uomo* o *La piccola macchina autocostruita* [entrambi del 1919]).

Questa impressione è approfondita da diverse *Teste Dada* che Taeuber costruì nei due anni seguenti le marionette di *Re cervo* (ne restano solo quattro). Realizzati al tornio, due di questi pezzi di legno dipinto presentano una testa ovoidale con un naso trapezoidale e un collo cilindrico posta su una base formata da due coni rovesciati, mentre le altre due hanno geometrie leggermente diverse; tutt'e quattro sono colorate con pattern decorativi quasi proto-Art déco (una ha inciso sopra "1920 Dada" **[3]**). Come ha notato Anne Umland, queste teste sono "antimonumentali e antimimetiche" e "fanno un'abile parodia delle caratteristiche storiche dei ritratti a busto". Due portano il sottotitolo *Ritratto di Hans Arp*, ma non offrono nessuna indicazione del perché sarebbero rappresentazioni di Arp, così spoglie e non soggettive come sono (Taeuber potrebbe averle firmate "la donna che scambiò suo

4 • Sophie Taeuber, *Dr. Komplex*, 1918
Legno dipinto, ottone e metallo, 38,5 x 18,5 cm

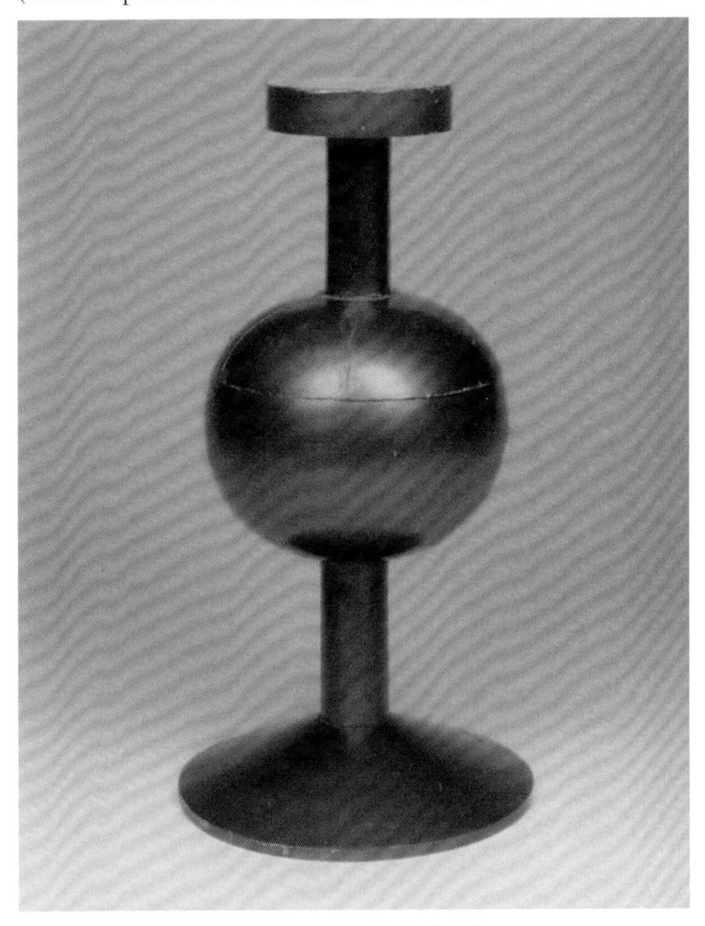

5 • Sophie Taeuber e Hans Arp, *Senza titolo (Anfora)*, 1917
Legno dipinto, altezza 30 cm

marito per un cappello"). Da questo punto di vista le teste sono vicine a un altro gruppo di sculture di legno realizzate da Taeuber con a Arp tra il 1916 e il 1918 [5]. Queste opere evocano oggetti domestici – sono sottotitolate "calice", "*poudrier*", "ciotola" e così via – ma sono anche risolutamente neutre, un misto di negazioni: non estetiche, non utilitarie, non figurative, non astratte, non liberamente inventate, non readymade...

Paul Klee iniziò i suoi pupazzi fatti a mano dopo la visita a Zurigo del giugno 1916, quando può aver visto le prime marionette di Taeuber; ma i suoi sono molto più espressivi, realizzati per il figlio Felix. I primi otto dei cinquanta pupazzi (ne sono rimasti trenta) furono realizzati per il suo nono compleanno; Klee riprese a farne dopo la guerra, con un secondo gruppo nel 1919, e quando Felix diventò uno studente al Bauhaus nell'autunno del 1921 nuove figure si aggiunsero ogni anno per rappresentazioni fino al 1925. Già membro del Cavaliere azzurro, Klee condivise l'interesse degli espressionisti per l'arte popolare, un interesse che i pupazzi manifestano: il primo gruppo è basato su personaggi della versione tedesca del teatro di Punch e Judy visti nelle fiere (i Klee li conoscevano dall'Auer Dult, un tradizionale mercato delle pulci di Monaco). L'eroe è Kasperl, un tipo volgare ma scaltro che è solitamente assistito dalla moglie Gretl e dall'amico Sepperl in battaglie infinite con la Morte, il Diavolo, la Nonna, il Poliziotto e il Coccodrillo – battaglie da cui Kasperl esce solitamente vincitore. Del primo gruppo realizzato da Klee rimane solo un pupazzo, Morte; con il suo teschio bianco dominato dalle grandi macchie nere per le cavità oculari e una griglia orizzontale di denti stretti, è uno spettro impressionante.

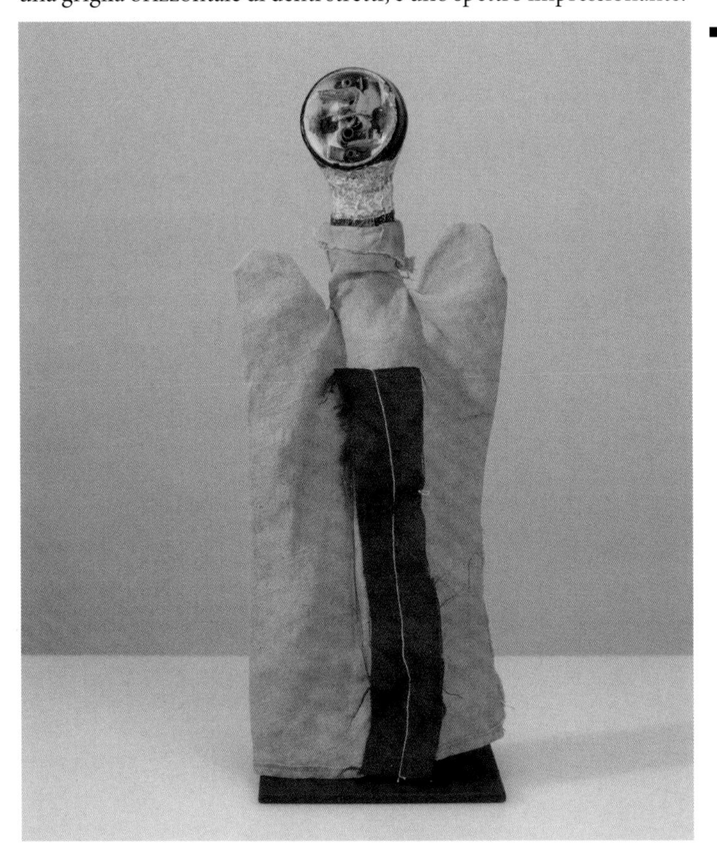

6 • Paul Klee, *Fantasma elettrico*, 1923
Rocchetto elettrico di ceramica, metallo, gesso, tessuto, dipinto e smaltato, altezza 38 cm

Le famiglie borghesi possedevano spesso piccoli teatri di Kasperl e Gretl e Felix realizzava i suoi spettacoli a casa, per cui Klee forniva anche le scene in miniatura (Felix divenne poi un direttore di teatro e d'opera). Con il tempo Klee aggiunse nuovi personaggi ai primi, alcuni basati su conoscenze personali (vi incluse anche un autoritratto), altri su stereotipi pubblici (come il Nazionalista Tedesco, il Contadino Russo, il Francese Barbuto). Tutte le teste sono lavorate in gesso, che talvolta è modellato con garza e poi dipinto; come per i Kasperl e Gretl delle fiere, i vestiti sono fatti di scampoli (occasionalmente Klee era assistito da un vero fabbricante di bambole, Sasha von Sinner). Come le altre opere viste qui, i pupazzi fatti a mano non sono mimetici; in realtà alcuni assomigliamo alle figure di fantasmi, spesso grottesche o spettrali, che ▲ appaiono nei disegni e dipinti di Klee. Se non altro, i pupazzi che realizzò al Bauhaus sono più radicali nel loro utilizzo non mimetico di strani materiali e oggetti trovati (conchiglie, reti, scatole di fiammiferi, ecc.), che possono riflettere i suoi esperimenti nel ● *Vorkurs* del Bauhaus di quel periodo. *Fantasma elettrico* (1923) è il più strano del gruppo [6]: sorta di versione Bauhaus della Morte, il suo corpo è segnato da una striscia verticale di tessuto rosso e il suo collo di gesso sostiene una testa che è un rocchetto elettrico di ceramica. È quello che uno spettro popolare sembra in un'era tecnologica o Klee suggerisce che la tecnologia moderna possiede un proprio genere di perturbante?

La trasfigurazione della forma umana

■ Già insegnante di scultura al Bauhaus, nel 1923 Oskar Schlemmer fu nominato anche insegnante di teatro. Da un lato, come Klee, era interessato ai tipi del teatro popolare: "Il numero di costumi teatrali genuini sono rimasti molto pochi", scrive Schlemmer in *Il teatro del Bauhaus* (1925), il quarto della serie dei Bauhaus Books pedagogici. "Sono costumi standardizzati della *commedia dell'arte*: Arlecchino, Pierrot, Colombina, ecc.; e sono rimasti semplici e autentici fino ai giorni nostri". Dall'altro lato, era preso nella svolta tecnologica – la nuova visione – che si sentì al Bauhaus all'arrivo di Moholy-Nagy nel 1923, che segna anche *Il teatro del Bauhaus*. "La storia del teatro è la storia della trasfigurazione della forma umana", sostiene Schlemmer, in linea con Moholy-Nagy, e "il nuovo potenziale della tecnologia" ha provocato "le fantasie più audaci". Da questo punto di vista Schlemmer fu più interessato a quelle che vedeva come le forze chiave del tempo – astrazione in arte e meccanizzazione nella società – e ad elaborare nuovi rapporti tra uomo e spazio. Secondo Schlemmer il vecchio teatro illusionista subordinava lo spazio all'uomo, la scena al dramma umano, mentre il nuovo teatro astratto doveva rovesciare questa gerarchia e legare l'uomo allo spazio. Il modo più diretto per farlo era rendere l'uomo più architettonico nella forma, fare dell'uomo un'"architettura ambulante", ma Schlemmer avanzò due altri modelli molto più pratici: la forma umana ridisegnata sia in figure geometriche per esprimere determinate leggi del movimento, che chiamava "l'organismo tecnico" o "l'automa", sia in termini funzionali per esprimere certe leggi del

▲ 1922 ● 1923 ■ 1923

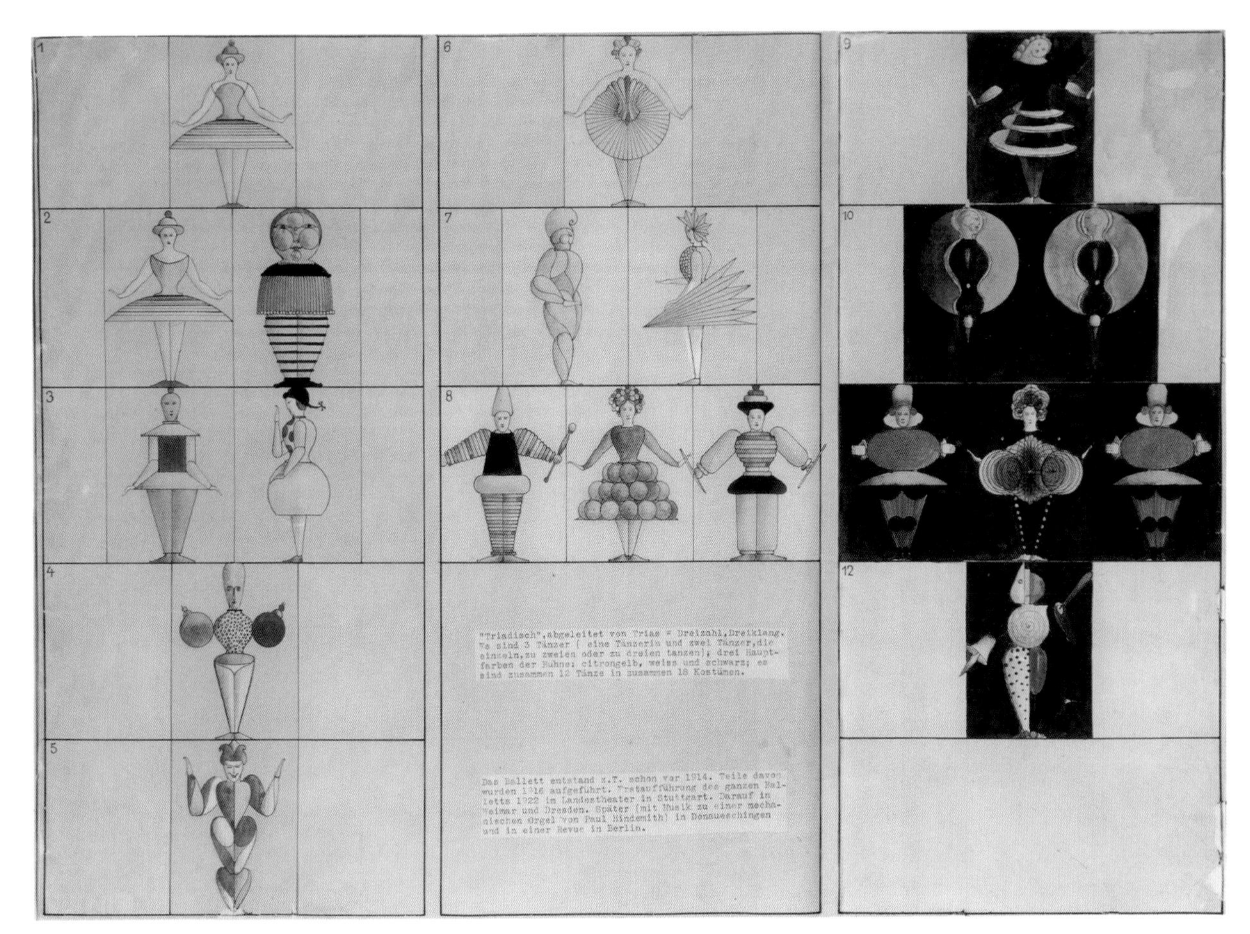

7 • Oskar Schlemmer, *Figura-progetto per il primo Balletto triadico*, 1924
Matita, inchiostro, acquerello e gouache, 38,1 x 53,3 cm

corpo, che chiamava "la marionetta". Condotto in questa direzione dal suo "tentativo di liberare l'uomo dai suoi limiti fisici", Schlemmer favorì l'automa e la marionetta in particolare perché "permettono qualsiasi tipo di movimento". Qui poi, come Kleist e Hoffmann, Schlemmer (che cita entrambi) vede le figure della marionetta e dell'automa come immagini di grazia divina e potere perturbante, non di oppressione meccanica – benché si possa discutere se i suoi attori alla fine trasmettano una nuova libertà. (Da questo punto di vista i suoi esperimenti divergono dal teatro rivoluzionario di Vsevolod Mejerchol'd e altri in Unione Sovietica nello stesso periodo, che realizzavano spettacoli che mostravano scene ▲ antillusionistiche con artisti come Liubov Popova, Varvara Stepanova e Aleksandra Ekster; questo tipo di teatro sostituì il realismo psicologico del teatro borghese con una tecnica "biomeccanica" di recitazione che, di fatto, adattò il taylorismo alla scena.)

Il *Balletto triadico* (1923) fu la più famosa delle produzioni di Schlemmer al Bauhaus **[7]**. Detto "triadico" perché era eseguito in tre parti da tre danzatori (due dei quali maschi), il balletto includeva dodici diverse danze eseguite in non meno di diciotto costumi diversi, perlopiù costituiti da abiti imbottiti e carta pesta rigida in colori metallici. Alcuni personaggi della *commedia dell'arte* amati da Schlemmer vi sono ancora leggibili, come lo sono alcuni tipi di balletto classico, ma ci sono anche clown e giullari riadattati così come un cavaliere robotico. Schlemmer descrive la prima parte del balletto, stagliato contro un fondale giallo, come un "gaio burlesque", la seconda parte, su una scena rosa, come "cerimoniosa e solenne", e la terza, su scena nera, come "una fantasia mistica". Il *Balletto triadico* contiene così aspetti di teatro popolare, varietà e rito medievale, come se queste diverse forme culturali – e le forze sociali conflittuali che essi registrano – potessero essere riconciliate in un nuovo modello di performance nell'età della macchina. "Non lamentiamoci della meccanizzazione, gioiamo piuttosto della matematica!" Schlemmer esorta i suoi contemporanei nel saggio del 1926 *La matematica della danza*, dove sublima la meccanizzazione "come strumento per una sostanza che è spirituale, astratta, metafisica e infine religiosa in natura". Se *Fantasma elettrico* suggerisce quanto improbabile sia la combinazione tra tradizione popolare e modernità tecnologica, il *Balletto triadico* fa che lo stesso tentativo di riconciliazione sembri come "la più audace delle fantasie". HF

ULTERIORI LETTURE:
Leah Dickerman (a cura di), *Dada, National Gallery of Art,* Washington 2005
Hal Foster, *ProstheticGods,* MIT Press, Cambridge (Mass.) 2004
Ruth Hemus, *Dada's Women,* Yale University Press, New Haven-London 2009
Juliet Koss, *Modernism After Wagner,* University of Minnesota Press, Minneapolis 2010
Andreas Marti (a cura di), Paul Klee: Hand Puppets, Zentrum Paul Klee, Bern 2006
Anne Umland e Adrian Sudhalter (a cura di), *Dada in the Collection of the Museum of Modern Art,* Museum of Modern Art, New York 2008

▲ 1913, 1921b

1925d

Il 3 maggio si tiene a Berlino una proiezione pubblica di cinema d'avanguardia intitolata *Il cinema assoluto*: in programma ci sono opere sperimentali di Hans Richter, Viking Eggeling, Walter Ruttmann e Fernand Léger, che continua il progetto di astrazione con mezzi filmici.

Una delle origini del cinema astratto è stata la pittura astratta; ovvero, più precisamente, uno dei suoi scopi è stato quello di muovere quella pittura, animare in qualche modo le sue immagini. Spinti da analogie con la musica già avanzate da pittori astratti come Vasilij Kandinskij e František Kupka, i pionieri del "cinema assoluto", che comprendevano il russo-danese-finlandese Léopold Survage (1879-1968), lo svedese Viking Eggeling e i tedeschi Hans Richter (1888-1976) e Walter Ruttmann (1887-1941), spesso pensavano in termini di ritmo e contrappunto e in forme come fughe e sinfonie. Di fatto la nozione di "cinema assoluto" fu modellata sull'idea di "musica assoluta" coniata da Richard Wagner a metà del XIX secolo; a lungo vista come riferimento ultimo delle arti, la musica era presa a paragone di un medium incentrato prima di tutto sui propri caratteri espressivi. Sotto alcuni aspetti, dunque, il cinema astratto era nato da un matrimonio tra pittura d'avanguardia e musica postwagneriana, spesso traendo le sue forme visive dalla prima e i suoi ritmi temporali dalla seconda, tutto con l'intento di evitare (i suoi praticanti dicevano "trascendere") sia le restrizioni referenziali della fotografia diretta sia le convenzioni narrative del cinema popolare.

Ritmi di colore e luce

Una prima istanza di questa elaborazione dell'astrazione, quella che non comporta né cinepresa né celluloide, è il progetto del 1913 *Ritmo colorato* di Survage, che in quel periodo viveva a Parigi. Esso consiste in più di cento disegni di forme non oggettive in vivaci acquerelli su sfondo nero (la maggior parte dei fogli sono circa 36 x 27 centimetri). Concepite per essere viste in sequenza, queste forme "spazzano lo spazio", come diceva Survage, e talvolta sembrano estendersi al di là dei bordi del foglio, che finiamo col considerare quasi come uno schermo cinematografico. Come ci spostiamo da un foglio all'altro, le forme cambiano: talvolta dritte, talaltra curve; talvolta divise, talaltra combinate tra loro; talvolta come in primo piano, talaltra come in campo lungo [1]. Ma, anche se *Ritmo colorato* mima la rappresentazione filmica in questi modi, non presenta nessun referente e non fornisce una scala. Possiamo

1 • Léopold Survage, *Ritmo colorato*, 1913
Acquerelli e inchiostro su cartoncino nero, 36 x 26,6 cm ognuno

▲ 1908, 1913

2 • Viking Eggeling, *Sinfonia diagonale*, 1921-24
Film d'animazione in 16 mm, bianco e nero, muto, durata 7 minuti

immaginare corpi e spazi che sono piccoli o grandi – movimenti di microorganismi, per esempio, o strade di luce celestiale – ma rimangono proiezioni nella mente dell'osservatore. Ed è una proiezione anche in un altro senso che emerge qui come il soggetto stesso del film: luminose su uno sfondo nero, le forme colorate suggeriscono una luce prismatica proiettata nel buio, cioè suggeriscono il cinema nella sua forma più astratta – e forse più avanzata (Survage anticipa qui il cinema a colori).

Survage progettò di riprendere i suoi acquerelli (sapeva che ne servivano molti di più per fare un film di una qualche lunghezza) e la compagnia cinematografica francese Gaumont ne fu interessata per un certo periodo, ma lo scoppio della Prima guerra mondiale bloccò il progetto. Comunque il suo "cinema su carta" venne presto sviluppato da altri. A Parigi dal 1911 al 1915 Eggeling conobbe Survage e anch'egli produsse disegni astratti, la maggior parte a matita su carta, che furono anche composti come scatti separati di lunghe sequenze. Eggeling si riferiva a questi rotoli, il più delle volte di formato orizzontale, come "rotoli dipinti"; alcuni sono lunghi fino a quindici metri. Dal 1918 fu attivo a Zurigo, dove diventò presto amico di Hans Richter, uno dei capofila di ▲ Dada; nel 1919, quando Dada tramontò nella città svizzera, i due si spostarono a Berlino, dove lavorarono negli anni seguenti, sia separatamente che insieme, nella casa di famiglia di Richter. "Qui, nella sua più alta perfezione, vi era un livello di organizzazione visiva paragonabile al contrappunto in musica", scrisse Richter del suo primo incontro con i rotoli dipinti di Eggeling, "una specie di libertà controllata o disciplina emancipata, un sistema al cui interno si poteva dare al caso un significato comprensibile. Questo era esattamente ciò per cui ero pronto".

Eggeling fu in grado di filmare solo un rotolo prima della sua prematura morte nel maggio del 1925, giusto sedici giorni dopo le proiezioni di *Il cinema assoluto* all'UFA Palast di Berlino. Per *Sinfonia diagonale* (1921-24), che fu mostrato in quell'occasione, disegnò linee nere su carta bianca cosicché, se filmate e proiettate, sarebbero apparse come figure bianche su fondo nero: questo duplica in maniera diretta la nostra esperienza di base della luce e del buio del cinema **[2]**. Per ogni sequenza Eggeling cominciava con un disegno completo, lo filmava, poi ne mascherava una parte con carta stagnola, lo riprendeva di nuovo, e così via. In certi punti alternava questo processo di sottrazione con uno di addizione, togliendo la mascherina al disegno in crescendo, che anche allora filmava; altre volte, ancora, riprendeva in uno specchio in modo che le forme riapparissero ma in posizione invertita. Per tutto il film emergono linee bianche, si combinano velocemente in

▲ 1916a, 1920, 1925c, 1926

3 • Hans Richter, *Ritmo 21*, 1921
Film in 35 mm, bianco e nero, muto, durata 3 minuti

complesse figure, poi si ritirano una ad una, infine spariscono completamente per essere sostituite da altre – e tutto questo accade come se Eggeling non avesse parte nella produzione. A volte le figure suggeriscono notazioni musicali o diagrammi architettonici, ma alla fine *Sinfonia diagonale* suggerisce meno associazioni di *Ritmo colorato*. Siamo lasciati con l'impressione non solo di forme astratte ma anche di un movimento autonomo – queste linee sembrano pulsare di vita propria.

Eggeling posizionava le sue forme sull'obliqua – quindi la diagonale di *Sinfonia diagonale* – in modo da rendere dinamico il rettangolo dello schermo. Questo tipo di contrappunto era essenziale alla sua opera, come vide subito Richter: "Eggeling ha cercato di scoprire che 'espressioni' una forma può e deve prendere sotto le varie influenze degli 'opposti': piccolo contro grande, luce contro oscurità, uno contro molti, alto contro basso, e così via". Questa lettura è ancora più adatta ai suoi film astratti, tre dei quali Richter realizzò in quel periodo: *Ritmo 21* (1921), che venne mostrato con il suo titolo originale *Film ist Rhythmus* alla seconda tornata di proiezioni di *Il cinema assoluto*, una settimana dopo la prima; *Ritmo 23* (1923) e *Ritmo 25* (1925). *Ritmo 21* stabilisce il linguaggio anche per gli altri due: prima singolarmente poi in combinazione, rettangoli bianchi emergono dal fondo nero, muovendosi orizzontalmente attraverso lo schermo, talvolta espandendosi e avanzando, talaltra contraendosi e retrocedendo **[3]**; a intermittenza i rettangoli virano al nero e lo sfondo diventa bianco, ma il pattern di base dei rettangoli in movimento, trasformazione e rovesciamento rimane costante. Se Eggeling favorì la linea e così l'aspetto pittorico del cinema astratto, Richter privilegiò il piano e dunque la dimensione spaziale, dimensione che assume profondità quando i piani avanzano e retrocedono. Ancora più di Eggeling dunque, Richter presenta l'astrazione filmica come un perpetuo diagramma di spazio cinematico. Ma in nessun caso questo diagramma è esangue; infatti possiede una sorta di pulsazione che si può associare al pompare di un cuore (in quello di Eggeling) o il movimento del sesso (in quello di Richter) – come se il corpo venisse evacuato come figura solo per tornare precisamente come ritmo.

I rettangoli dei film *Ritmo* duplicano la cornice, e questa riflessività è centrale per il loro effetto. Ma i film non sono medium-specifici in modo riduttivo; infatti per Richter le forme sono meno importanti degli intervalli tra di esse. "Giunsi a prendere parti dello schermo rettangolare e a muovere queste *parti* insieme o l'una contro l'altra", scrisse di *Ritmo 21*. "Questi rettangoli non sono *forme*, sono parti del movimento. [...] [I]l rapporto tra le posizioni diventò la cosa da percepire, non la forma singola o individuale. Non si deve più vedere la forma dell'oggetto ma il rapporto. In questo modo si vede un tipo di ritmo". È questo diverso modo di intendere gli elementi fondamentali del film che fa dei *Ritmo* gli esempi quintessenziali del cinema astratto. Certamente permisero a Richter sia il controllo delle forme sia la motivazione del loro significato: "Una linea verticale era resa significativa dall'orizzontale, una linea spessa diventava più spessa grazie a una sottile, una definita era più chiara contro una indefinita, e così via. Tutte queste scoperte diventarono significative alla luce della nostra convinzione che un preciso rapporto polare di opposti era la chiave di un ordine, e una volta compreso questo ordine sapevamo di poter controllare questa nuova libertà".

Un medium astratto per un mondo astratto

Questa ambizione di definire le componenti di base del cinema era ▲ affine allo spirito delle intenzioni del movimento De Stijl riguardo alla pittura e al design, e infatti Richter e Eggeling furono vicini a Theo van Doesburg, il capofila del gruppo, che fece loro visita a Berlino per diverse settimane alla fine del 1920, non molto prima che *Ritmo 21* venisse realizzato e *Sinfonia diagonale* avesse inizio. In De Stijl l'analisi di una data forma d'arte era soltanto il primo passo del processo; il passo seguente, quello chiave, era di integrare

▲ 1917b

questo medium decostruito con altre forme in un nuovo insieme delle arti, un aggiornato *Gesamtkunstwerk* (un progetto simile ▲ animava *G: Materiali per una forma-creazione elementare*, un • periodico sincretico dadaista e costruttivista in parti uguali che Richter fondò ed editò dal 1923 al 1926). Se il cinema astratto agli inizi si modellava su pittura e musica, presto coinvolse anche l'architettura. "Lo spazio degli spettatori di *Ritmo 21* si fonde con lo spazio del film", ha scritto lo storico del cinema Philippe-Alain Michaud. "Gli spettatori non guardano più il film come una rappresentazione teatrale, lo vivono visivamente. Il film diventa architettura, lo schermo diventa l'unità ultima dell'architettura". È questo un concetto allargato di cinema astratto, rappresentato a *Il cinema assoluto* dal primo pezzo del programma di sessanta minuti, uno spettacolo multimediale del tedesco Ludwig Hirschfeld-Mack (1893-1965), un membro del Bauhaus. Nella sua *Sonatina di colori in tre parti – Giochi di colori riflessi* (1925) quattro persone azionavano un congegno chiamato "organo di colori" che proiettava forme geometriche attraverso filtri ottici e altri dispositivi su uno schermo trasparente, tutto con accompagnamento musicale. Questo *Lichtspiel*, o "gioco di luci", era in linea con le idee avanzate da László Moholy-Nagy nel suo *Pittura Fotografia Film* (1925), in cui il docente del Bauhaus anticipava ■ un'eventuale smaterializzazione dell'arte – dalla pittura astratta a un'"espressione ottica" come tale – attraverso strumenti di nuove tecnologie della luce.

Questa era una tendenza interna al cinema assoluto: non solo fare film astratti ma estendere questa astrazione filmica nel mondo in generale. Un'altra tendenza puntava a uno scopo simile ma da direzione opposta, poiché comportava di filmare il mondo industrial-capitalista visto come *già* astratto nei suoi modi. Questo ▲ approccio era esemplificato in *Il cinema assoluto* da *Balletto meccanico* (1924) di Fernand Léger, che collaborò con il regista americano Dudley Murphy e il compositore americano George Antheil (anche l'artista americano Man Ray fece da assistente). *Balletto meccanico* presenta una panoplia di dispositivi cinematici – primi piani, dissolvenze, aperture, prismi, scatti fermi, sequenze ripetute di riprese nuove o trovate – ma che appaiono come elementi espressivi a tutti gli effetti, liberati da qualsiasi narrazione **[4]**. Tuttavia, diversamente dalla maggior parte dei suoi colleghi nell'ambito del cinema astratto, Léger non si astenne dalla figura umana; al contrario, inscenò persone in movimento delirante con oggetti, precisamente in un "balletto meccanico" guidato da un nucleo palpitante composto da pianoforti percussivi e sirene ululanti. Il film comincia con un cartone animato di Charlie Chaplin, la comica epitome dell'uomo dell'età della macchina, poi si sposta su una sequenza di Katherine Murphy (moglie di Murphy) su un'altalena; questa sequenza è ripetuta capovolta; poi, in un movimento vertiginoso, la cinepresa ruota sull'altalena. Subito ogni genere di persone e cose prende a girare e turbinare – uomini di città su piste di parchi dei divertimenti, pistoni, ruote e

4 • Fernand Léger e Dudley Murphy, fotogrammi da *Balletto meccanico*, 1924
Film in 35 mm, bianco e nero, muto, durata 12 minuti

▲ 1928a • 1916a, 1920, 1921b, 1925c, 1926, 1928a ■ 1929 ▲ 1925a

5 • Dziga Vertov, fotogramma da *L'uomo con la macchina da presa*, 1929
Film in 35 mm, bianco e nero, durata 68 minuti

ingranaggi in officine, e cappelli, scarpe, bottiglie di vino e pentole e padelle su mensole. *Balletto meccanico* diventa così una danza di analogie tra geometrie astratte, parti meccaniche, oggetti quotidiani e presenze e arti umani (vediamo primi piani ripetuti di Kiki di Montparnasse, una star del demi-monde parigino, soprattutto la sua bocca con rossetto e gli occhi con mascara, così come un cancan di gambe femminili slegate dai corpi). Il cinema è un eccellente parallelo del mondo moderno, suggerisce Léger, dato che entrambi sono definiti dal movimento meccanico, e deve tendere all'astrazione perché così fa questo mondo; di fatto il cinema può essere il medium ideale per l'età della macchina anche perché è insieme industriale e commerciale.

▲ Formatosi come disegnatore di architetture, Léger fu un pioniere della pittura astratta, anche se i suoi quadri di prima della guerra sono costituiti da elementi che sembrano derivare da parti di corpo o di macchine o di entrambi. E così egli insistette sempre che i suoi quadri sviluppati dopo la guerra erano "realisti" – tutte interpretazioni oggettive della vita moderna consegnata alla produzione industriale e al consumo commerciale – e dipinse il suo ambiente urbano precisamente come un panorama di meccanismi, prodotti, persone e segni frammentati. Col tempo questo ambiente diede forma anche al suo modello di pittura: come una macchina, la sua pittura diventò un dispositivo di parti correlate e, come un prodotto, un soggetto dai contorni chiari, colori brillanti ▲ e superfici lucenti. Léger, come il suo collega Le Corbusier, era attratto dagli oggetti emblematici dell'industria capitalista, e i processi che governano questi "tipi di oggetti" sembrano governare anche la sua arte; anche le sue figure umane appaiono soggette alla meccanizzazione e mercificazione – in una parola, era attratto dall'astrazione capitalista. È su questo modo di modellare la figura umana sulla macchina e sulla merce che è fondato il "balletto meccanico" del suo film.

In *Lo spettacolo*, un saggio pubblicato nel 1924, lo stesso anno in cui fu prodotto *Balletto meccanico*, Léger descrive un mondo in cui domina una nuova mobilità della visione e "lo shock dell'effetto sorpresa" detta la regola, e sostiene che l'artista deve non solo "far concorrenza" a queste condizioni, ma anche "orchestrarle": "Si è trovato quello di far concorrenza, di rinnovare meccanicamente l'uomo-spettacolo. [...] [Q]uel gigantesco spettacolo [...] è male orchestrato; o meglio non lo è affatto. L'intensità della strada logora i nervi e rende folli. Consideriamo il problema in tutta la sua ampiezza, organizziamo lo spettacolo esterno". Qui, ha sostenuto lo storico del cinema Malcolm Turvey, "proprio come Richter non accetta né rigetta il razionalismo della modernità, Léger non

▲ 1913, 1921a, 1925a

▲ 1925a

ripudia né abbraccia la frammentazione della percezione nella modernità". Léger rappresenta piuttosto l'"effetto sorpresa" di questo spettacolo – in parte al di là di un piacere per la sua vitalità (ancor più di quanto facciano le forme in *Sinfonia diagonale* e *Ritmo 21*, gli oggetti in *Balletto meccanico* sembrano diventare vivi), in parte per assorbire il suo "shock" e in parte per spingere questo spettacolo oltre, con la speranza che i soggetti moderni possano in qualche modo passare tutti insieme attraverso di esso a un altro tipo di ordine sociale (per Léger questo ordine sarebbe quello comunista).

Léger non era solo in questo progetto. Per esempio nel 1927 Walter Ruttmann produsse *Berlino: Sinfonia per una grande città*, un nuovo genere di documentario che alterna immagini astratte con scatti fotografici di vita quotidiana in una metropoli industriale. (Ruttmann era rappresentato a *Il cinema assoluto* con tre film astratti, *Giochi di luce Opus I*, *II* e *III*, in cui, come Eggeling e Richter, enfatizza il ritmo musicale, anche se diversamente da quelli con forme che sono sia colorate sia espressive.) Anche altri autori sfruttarono i dispositivi del cinema astratto in uno sforzo concertato non meramente a rappresentare la vita moderna, ma anche a mettere in atto le sue prospettive mediate in modi che la fotografia (per non parlare della pittura) non poteva fare. Esemplare qui è il regista sovietico noto come Dziga Vertov (David Abelevich Kaufman, 1896-1954), il cui *Uomo con la macchina da presa* (1929) si qualifica pure come una "sinfonia di una città" **[5]**. In effetti, già al momento di *Il cinema assoluto*, il regista sovietico si ammantò della qualifica di cinema avanzato. Fin dal 1925 Sergei Eisenstein (1898-1948) aveva proposto la sua teoria del montaggio come un sistema di "attrazioni", che solleva il cinema da ogni residua dipendenza dalla musica o dalla pittura, una teoria che mise in pratica in *La corazzata Potemkin* dello stesso anno, che fu un successo internazionale. All'interno dell'avanguardia, inoltre, il ▲ cinema astratto venne sfidato dai film dadaisti e surrealisti che, benché poco narrativi in ogni senso convenzionale, erano anche molto lontani dall'astrazione. (Una di queste produzioni, *Entr'acte*, una collaborazione tra il regista René Clair, l'artista • Francis Picabia e il compositore Erik Satie, fu la quinta, finale e in qualche modo incongrua proiezione a *Il cinema assoluto*.)

A questo proposito, benché *Il cinema assoluto* raccogliesse un grande interesse (esaurì i posti del capiente teatro Palast sulla Kurfürstendamm, la più grande sala cinematografica della Germania del tempo), segnò una fine tanto quanto un inizio. Inoltre Eggeling morì molto poco dopo l'evento, Richter passò a dirigere altri tipi di film, sia documentari che narrativi, e Ruttmann rigettò ben presto il cinema astratto in sé. Altri registi, come il tedesco Oskar Fischinger (1900-67), proseguirono con gli esperimenti astrattisti, ma la maggior parte fu presto costretta ad adattare questi strumenti agli scopi della pubblicità o del cinema hollywoodiano, o di entrambi. (Ruttmann utilizzò l'animazione astratta per un breve film per i pneumatici delle automobili già nel 1922; più avanti assistette anche Leni Riefenstahl per il più grande dei film di propaganda di tutto il Nazismo, *Il trionfo della volontà* [1935]). Per la maggior parte, il "cinema assoluto", nato dalla pittura astratta circa nel 1913, venne ucciso dall'avvento del suono sincronizzato circa nel 1929, che permise al cinema di essere catturato da un emergente studio system dedicato alle narrazioni basate sul teatro o il romanzo. E la generale repressione della sperimentazione modernista negli anni Trenta, soprattutto in Germania, inferse il colpo mortale. Tuttavia, come altre forme d'avanguardia represse a quel tempo, il cinema astratto ritornò nel periodo postbellico con i movimenti del "cinema strutturalista" e del "cinema allargato" degli anni Cinquanta e Sessanta, ma questa è un'altra storia. HF

ULTERIORI LETTURE:

Timothy Brenton (a cura di), *Hans Richter: Encounters*, LACMA, Los Angeles 2013
Leah Dickerman (a cura di), *Inventing Abstraction, 1910-1925*, Museum of Modern Art, New York 2012
Fernand Léger, *Funzioni della pittura*, trad. it. Abscondita, Milano 2005
Standish D. Lawder (a cura di), *Il cinema cubista*, trad. it. Costa & Nolan, Genova 1983
Hans Richter, *Dada: arte e antiarte*, trad. it. Mazzotta, Milano 1977
Malcolm Turvey, *The Filming of Modern Life: European Avant-Garde Film of the 1920s*, MIT Press, Cambridge (Mass.) 2011

▲ 1916a, 1920, 1924, 1927a, 1930b • 1916b, 1919

1926

A Hannover, in Germania, vengono realizzati la *Stanza espositiva* di El Lisickij e il *Merzbau* di Kurt Schwitters: l'architettura del museo come archivio e l'allegoria dello spazio modernista come melanconia sono concepite dialetticamente dal costruttivista e dal dadaista.

Nel luglio del 1919 Kurt Schwitters (1887-1948) si liberò sia della sua formazione di paesaggista e ritrattista accademico sia del suo recente passato di espressionista dichiarando pubblicamente la sua scoperta di un nuovo modo di fare pittura. Il nome che diede a questo nuovo progetto fu *Merz*, una sillaba tolta dalla parola *Kommerz*, che aveva casualmente tratto da una pubblicità della Kommerzbank di Hannover vista passeggiando per la sua città natale. Fu a partire da quel frammento che Schwitters sviluppò un'estetica del collage e della segmentazione fonetica, testuale e grafica, che diventò uno dei contributi chiave del Dadaismo tedesco.

Agli inizi, tuttavia, Schwitters mantenne tutti i modi dell'estetica espressionista e futurista che avevano tanto influenzato l'avanguardia tedesca alla fine degli anni Dieci. Nelle prime opere Merz, come in *Giri dei mondi* (1919), si vedono sia i vettori e le linee forza del Cubo-futurismo sia lo schema cromatico della pittura espressionista. Quello che cambia radicalmente è l'inserzione da parte di Schwitters di sfondi metallici, di legni e altri rifiuti raccolti per strada **[1]**. Morfologicamente e formalmente si può anche arrivare a ▲ sentirvi un'eco distante delle opere meccanomorfe di Francis Picabia. Inoltre, come accadrà in tutte le sue reazioni, l'influenza – ● che sia dell'Espressionismo, del Cubismo, del Futurismo o del Dadaismo di Picabia – è trasformata in quella che si potrebbe definire una risposta "melanconica". Con la sua resistenza alla completa trasformazione della pittura in oggetto tecnologico, o all'assimilazione delle forme meccanomorfe alle forme della composizione, o agli ambiziosi ideali umanitari dell'Espressionismo, Schwitters si pone come artista che ritorna a un'interpretazione allegorica dell'utopia tecno-scientifica, contrapponendole una posizione di contemplazione melanconica.

I rifiuti nell'opera di Schwitters non convinsero come credibile impegno dadaista e già all'inizio del 1919 il leader del circolo ■ dadaista berlinese Richard Huelsenbeck denunciò Schwitters come "il Biedermeier" del Dadaismo tedesco (in riferimento allo stile tedesco di inizio XIX secolo, termine usato spesso in senso peggiorativo per dire convenzionale o borghese), richiamando in tal modo l'attenzione sull'interesse evidente di Schwitters per una continuazione della pittura come spazio di esperienza contemplativa. Come Schwitters stesso non si è mai stancato di dire, gli oggetti tecnologici e i materiali trovati, presenti nella sua opera, servivano solo a concepire un nuovo tipo di *pittura*. Non furono mai teorizzati come readymade che sostituiscono la pittura, o come morfologie che negano la validità del disegno, o come oggetti cromatici che smantellano l'eredità dell'intensità visiva dell'arte espressionista. In ogni caso lo scopo ultimo di Schwitters rimase quello di concepire una "pittura dell'esperienza contemporanea", come la chiamava.

Un cambiamento simile avvenne nei disegni dello stesso periodo. Qui il linguaggio espressionista di profili angolari e frastagliati fu improvvisamente giustapposto alla stampigliatura di timbri da ufficio trovati, che Schwitters aveva raccolto e ora usava come elementi di disegno meccanico. Inoltre, come nei collage, l'enfasi è posta sulla costruzione di un oggetto interpretabile prima di tutto come poetico e pittorico, non riducendo mai la struttura composi-

1 • Kurt Schwitters, *Merzbild Rossfett*, 1919 ca.
Assemblage, 20,4 x 17,4 cm

▲ 1916b, 1919 ● 1908, 1909, 1911, 1912, 1916a, 1921a ■ 1916a, 1920

tiva o l'ordine di lettura a immagine completamente omogeneizzata e meccanicamente prodotta, come nei ritratti meccanomorfi di ▲ Picabia. I disegni di Schwitters agiscono invece attraverso la tensione tra iscrizione manuale e produzione testuale meccanica.

Un'ambiguità corrispondente può essere rintracciata nella pratica di poesia sonora astratta di Schwitters. Questo progetto cominciò, com'è noto, con *A Anna Blume*, un capolavoro del verso alogico tedesco nella scia di scrittori dell'inizio del XX secolo come Christian Morgenstern. Ma se nella sua penetrante e comica esclamazione e nel suo evidente rimando la scrittura di Schwitters è la prima delle derisioni dadaiste sia del pathos espressionista che del sentimentalismo della letteratura tedesca di inizio secolo, la sua posizione resta comunque ambigua. Ancora una volta, invece che puntare sull'autoreferenzialità linguistica che la poesia cubofuturista russa stava forgiando nel contesto della teoria formalista del ● linguaggio, la poesia di Schwitters si pone in un rapporto ambivalente nei confronti di un radicale smantellamento della narrazione e della rappresentazione. Lo stesso vale per la sua posizione riguardo allo smembramento dei testi poetici che figure dadaiste ■ come Raoul Hausmann stavano producendo in quel periodo a Berlino, le quali mettevano in primo piano il grafema invece del fonema, facendo della poesia il soggetto di una struttura completamente non lessicale.

La dichiarazione costante di Schwitters di non avere ambizioni politiche, di volere che la sua opera fosse situata all'interno della tradizione pittorica, che il suo scopo era del tutto estetico e volto a un nuovo ordine plastico e formale, lo pone ancora più lontano dal Dadaismo berlinese. Rimanendo a Hannover, salvo brevi interruzioni, e sviluppando un proprio progetto, Schwitters diventò presto il centro di una scena avanguardista separata, con gli amici e i collaboratori raccolti intorno a lui. Il direttore di museo Alexander Dorner, in particolare, diventò l'organizzatore e curatore cruciale nel portare le attività dell'avanguardia internazionale nella provinciale Hannover.

Schwitters e Lisickij collaborano

Nel 1925 Dorner invitò il costruttivista russo El Lisickij a tornare in Germania per produrre un'importante installazione per la Landesgalerie di Hannover (Lisickij aveva studiato architettura e ingegneria a Darmstadt dal 1909 al 1914 e aveva soggiornato in Germania per lunghi periodi nei primi anni Venti, mentre collaborava a diversi progetti). Schwitters venne in contatto per la prima volta con Lisickij e con il Costruttivismo e il Produttivismo russi nel 1922 e i due artisti diventarono amici e collaboratori. Nel 1923 ◆ Schwitters invitò Lisickij a diventare il designer e coeditore del numero 8/9 della sua rivista *Merz* **[2]**, pubblicata nell'aprile 1924 e intitolata "Nasci" ("nascere" o "diventare"), che fu un'esplicita alleanza programmatica di ideali costruttivisti e dadaisti. Mentre a sguardi posteriori sembra inverosimile che questi due modelli potessero fornire le basi di uno scambio fruttuoso, è precisamente nella collaborazione tra Lisickij e Schwitters nel 1926 che la produttività di tale incontro può venire più adeguatamente rintracciata.

2 • El Lisickij, progetto di copertina per *Merz*, n. 8-9, aprile-luglio 1924

Da allora entrambi gli artisti andarono sempre più trasformando i loro progetti da opere pittoriche o scultoree in investigazioni dello spazio architettonico. Nella sua *Stanza Proun* per la Grande Esposizione d'Arte di Berlino del 1923, per esempio, Lisickij aveva trasformato per la prima volta le sue idee in forme tridimensionali, progettando pareti e soffitto con forme geometriche e rilievi **[3]**. Un ulteriore passo fu il tentativo di Dorner di teorizzare nuove forme di esposizione, di ridisegnare gli spazi tradizionali del museo a favore di una presentazione più adeguata delle opere pittoriche e scultoree dell'avanguardia. Lisickij aveva già progettato uno spazio per esporre l'arte astratta all'Esposizione Internazionale di Dresda del 1926. Per questo suo primo progetto aveva enfatizzato le pareti su cui le opere sarebbero state appese installando listelli verticali di legno, spaziati in modo regolare sulle superfici e dipinti di bianco, grigio e nero, e disponendo i quadri su di essi. Per colmo d'ironia, il progetto della mostra di Dresda del 1926 fu affidato al reazionario architetto tedesco Heinrich Tessenow, che sarebbe presto diventato famoso per la sua difesa del ritorno dell'architettura a un regionalismo antimodernista.

Fu il progetto preliminare di Lisickij per Dresda a far decidere Dorner a invitare il russo a Hannover e fu lì che Lisickij produsse una seconda versione della stanza per l'esposizione d'arte astratta, cosiddetta *Stanza espositiva* **[4]**. Durante questa visita prolungata a

▲ 1916b, 1919 ● 1915 ■ 1920 ◆ 1928b

3 • El Lisickij, *Stanza Proun*, 1923 (ricostruzione del 1965)
300 x 300 x 260 cm

Hannover, Schwitters e Lisickij approfondirono ulteriormente la loro amicizia. Anche Schwitters si era spostato dalla pittura e dal collage al suo primo progetto architettonico, che sarebbe diventato famoso come *Merzbau* **[5]**. A partire dallo studio al pianoterra della sua abitazione, trasformò gradualmente tutti gli aspetti dello spazio cubico tradizionale della stanza domestica in una struttura spaziale sempre più distorta e multiprospettica, installando rilievi di legno dipinto e aggiungendo oggetti vari e altre forme negli spazi che si creavano.

L'opposizione tra *Merzbau* e *Stanza espositiva* e lo stretto legame tra i loro autori produce uno dei momenti più sconcertanti della storia dell'avanguardia tedesca della metà degli anni Venti. Un collegamento tra i due è la loro attenzione per la questione della tattilità e l'esperienza corporea in rapporto all'opera d'arte. Il progetto di Lisickij per esporre la pittura e la scultura d'avanguardia nel museo si focalizzò infatti sulla richiesta di Dorner di un nuovo modo partecipativo di lettura e di visione. L'intento di Dorner era di riconcepire il museo come spazio di collaborazione tra autore, oggetto e spettatore, mediata dall'incremento dell'esperienza tattile. Nell'installazione che Lisickij progettò, con la sua accentuazione delle cassettiere e delle mensole che lo spettatore può aprire e muovere, coinvolto così nel riposizionarsi come spettatore o nel posizionare l'oggetto in un nuovo rapporto, tattilità e tangibilità erano chiari elementi di un modo radicalmente diverso di interazione percettiva, che trasforma lo spazio contemplativo del museo in archivio.

Ma quello che Dorner non aveva previsto fu il contributo specifico che Lisickij introdusse nel progetto della *Stanza espositiva*. La trasformazione dello spazio espositivo, dei suoi dispositivi e delle sue convenzioni, gli permise di articolare una reale trasformazione storica dell'istituzione museale, così come dello statuto dell'oggetto

4 • El Lisickij, *La stanza astratta: Stanza espositiva* alla Landesgalerie, Hannover, 1927-28 (veduta dell'installazione del 1935)

in essa esposto. La nuova situazione, cioè, trasformava l'opera d'arte da oggetto di origine cultuale a uno di puro valore espositivo, da oggetto di intelligibilità transstorica a uno di specificità storica, del tipo necessario ai fini archivistici. Queste idee sulla necessità di trasformare il museo nelle sue funzioni, nel suo pubblico e nella sua definizione istituzionale erano emerse in Unione Sovietica già nel 1919, quando gli artisti discussero il riposizionamento dell'oggetto estetico dal culto all'esposizione e la trasformazione degli spazi espositivi da rituali ad archivistici.

A parte l'interesse condiviso per la tattilità, tuttavia, il *Merzbau* di Schwitters rovesciò ogni singolo aspetto dell'approccio di Lisickij, che possiamo definire trasformazione razionalista dell'ultimo residuo ritualistico nell'esposizione e lettura dell'opera d'arte. In contrasto con essa, lo spazio del *Merzbau* fu riconcepito come specificamente rituale, con l'oggetto e la sua esposizione fusi in una tensione quasi wagneriana verso il *Gesamtkunstwerk*, dove tutti i sensi, tutti gli elementi percettivi, si uniscono in una forma intensa di interazione visiva, cognitiva e somatica – cioè fisica – con gli oggetti, le strutture e i materiali. Il tentativo di Schwitters di costruire una caverna, o un *Bau*, comportò tutte le connotazioni che il termine ha in tedesco: dalla tana d'animale (significato originario di *Bau*) ▲ alla famosa dichiarazione del Bauhaus in cui sono evocate le gilde medievali della comunità e municipalità costruttrici di cattedrali in una società preindustriale e la relativa struttura

▲ 1923

della collettività. Queste fonti si fondevano nelle continue inserzioni di oggetti, superfici e materiali nell'esposizione globale, che enfatizzavano la dimensione somatica della percezione. Così Schwitters inserì anche gli scarti delle secrezioni corporee (bottiglie di urina, per esempio, o ciuffi di capelli degli amici), che raccolse e integrò nei vari strati della struttura. Fabbricò in tal modo uno spazio evidentemente non razionale, non archivistico, non istituzionale, in cui venne concepita una certa regressione alla totalità di uno spazio architettonico inconscio, e lo chiamò *La cattedrale della miseria erotica*.

Due estremi del design d'avanguardia

Il *Merzbau* di Schwitters e la *Stanza espositiva* di Lisickij possono dunque venir teorizzati come i due estremi delle possibilità del progetto d'avanguardia negli anni Venti. Chiaramente, né Schwitters né Lisickij appartengono all'utopismo di uno spirito Bauhaus che aveva cercato nello stesso periodo di trasformare la vita quotidiana e l'architettura domestica attraverso la razionalizzazione e una forma di consumo democratico. Schwitters avrebbe continuato per tutta la vita il *Merzbau*. Dopo che quello di Hannover venne distrutto dai bombardamenti degli Alleati nel 1943, Schwitters ne installò una seconda versione in Norvegia (dove era emigrato nel ▲ 1937 dopo che sue opere erano state esposte nella mostra *Arte degenerata* a Monaco), e una terza – il *Merzbarn* – vicino a Ambleside nel nord della Gran Bretagna, appena prima della sua morte nel 1948. L'idea di uno spazio di radicale razionalizzazione era rifiutato ad ogni livello. Questo progetto di spazio voleva arrivare fino alla sfera più intima della vita quotidiana, dove la funzione regna sovrana, dove le attività quotidiane sono sottoposte a pianificazione, controllo e al principio di efficienza. Alla luce di questo, il *Merzbau* di Schwitters proponeva uno spazio di assoluta inefficienza, totale disfunzione, completo rifiuto dell'esperienza spaziale soggetta a razionalità, trasparenza e strumentalità. Enfatizzando lo spazio come grotta e casa di tipo diverso, Schwitters creò uno spazio secolarizzato ma contemporaneamente spazio rituale delle funzioni corporee, del recupero del corpo esterno e in opposizione a una sfera pubblica rigorosamente controllata.

Nonostante l'apparenza, anche lo spazio di Lisickij è molto diverso dall'ambito funzionale del Bauhaus, soprattutto grazie al suo adattamento teorico delle condizioni radicalmente trasformate di percezione dell'opera d'arte. Lo spazio di Lisickij, cioè, è in un certo senso un programma di ridefinizione teorica dell'istituzione museale. Se è stato frainteso come puro dispositivo dinamico di esposizione di arte astratta, a cui farebbe da supporto con il suo design aerodinamico, questa errata interpretazione va controbattuta sottolineando fino a che punto Lisickij abbia visto come il museo andasse trasformato sempre più in pura istituzione di storicizzazione e ordine archivistico. Così, nel momento in cui riconosceva che le modalità cognitive e percettive ancora ferme alla pittura da cavalletto non potevano più essere salvate o riscattate da forme più avanzate di astrattismo, sottoponeva le promesse dell'avanguardia a una critica interna. Guardando alla modalità espositiva delle opere dell'astrattismo nella *Stanza espositiva* si può riconoscere che vi è già una certa operazione critica. Questo perché i rilievi di Lisickij – strutture a parete, espositori, pannelli mobili – diventano l'opera d'arte estrema, mentre i quadri astratti, in tutta la loro radicalità, si dimostrano mere illustrazioni di un'estetica già superata. BB

5 • Kurt Schwitters, *Il Merzbau di Hannover: La colonna Merz*, 1923
Tecnica mista, dimensioni sconosciute (distrutto)

ULTERIORI LETTURE:
Elizabeth Burns Gamard, *Kurt Schwitters' Merzbau*, Princeton Architectural Press, Princeton 2000
John Elderfield, *Kurt Schwitters*, Thames & Hudosn, London 1985
Joan Ockman, *The road no taken: Alexander Dorner's way beyond art*, in R. E. Somol (a cura di), *Autonomy and Ideology: Positioning an Avant-Garde in America*, The Ponacelli Press, New York 1997
Nancy Perloff e Brian Reed (a cura di), *Situation El Lissitzky: Issues and Debates*, Getty Research Institute, Los Angeles 2003
Henning Rischbieter (a cura di), *Die Zwanziger Jahre in Hannover*, Kunstverein, Hannover 1962

▲ 1937a

1927a

Dopo aver lavorato come artista commerciale a Bruxelles, René Magritte si unisce al movimento surrealista a Parigi, dove la sua arte gioca con le forme della pubblicità e le ambiguità del linguaggio e della rappresentazione.

Mentre era ancora a Bruxelles, René Magritte (1898-1967) gestiva uno studio specializzato in arte commerciale, grafica e pubblicità, nel garage sotto casa; in seguito, a Parigi si è spesso dedicato alla grafica e alla pubblicità per mantenersi. Per alcuni critici il suo stile figurativo privo di espressione è sempre stato pericolosamente vicino a quello dell'arte commerciale, ma la sua esperienza in questo campo può anche dar conto del suo interesse costante per il rapporto tra forme visive e forme verbali e per l'interazione – spesso l'interferenza – tra questi due modi di evocare un oggetto o di suggerire un'idea. Può anche spiegare la sua successiva propensione a realizzare i quadri più importanti in varie copie. La sua opera più famosa, *Il tradimento delle immagini* **[1]**, in cui sotto l'immagine di una pipa figura la didascalia "Ceci n'est pas une pipe" (Questa non è una pipa), fu realizzata in almeno cinque versioni, una volta come grande insegna. Un altro quadro, *L'impero della luce* (1952), in cui una casa buia illuminata da lampioni in un paesaggio notturno ha però lo sfondo di un cielo diurno, fu rifatto in sedici versioni ad olio e sette a gouache (la prima nel 1949, l'ultima nel 1964). Nel 1965 plagiò la propria *Grande famiglia* (1963) – immagine di un oggetto (in questo caso un uccello, nel *Seduttore* una nave) fatto della materia del suo ambiente (qui le nuvole, là le onde) – per realizzare l'uccello per la pubblicità della Sabena Airlines.

La potenziale complementarietà di arte alta e arte commerciale dipendeva dalla natura della cultura di massa. Stimolato dalla pubblicità, il desiderio di una merce diventava desiderio non tanto di un oggetto unico quanto di una di numerose copie. Come ▲ scrisse Walter Benjamin nel suo *L'opera d'arte nell'epoca della sua riproducibilità tecnica* (1936), tale desiderio pretende di ricavare un senso di equivalenza "anche da un oggetto unico mediante la riproduzione". Traendo l'idea stessa di unicità e di distanza (quella che Benjamin chiama "aura") dall'esperienza vissuta, la cultura della merce prepara contemporaneamente alle seduzioni dell'immaginario mediatico e allo spettacolo di un artista che plagia la propria stessa opera.

Tutto nella posizione surrealista, tuttavia, sembrerebbe voler evitare il prodotto di massa e il prefabbricato. Tutto sembrerebbe teso al momento irripetibile dello shock in cui l'oggetto più banale della vita quotidiana viene reinfuso di un potere sorprendente e ▲ rivelatore – che André Breton chiamò "il meraviglioso" e teorizzò come "caso oggettivo". Poiché gli artisti surrealisti si prestarono al design di gioielli, di vetrine di grandi magazzini e di scenari hollywoodiani durante gli anni Trenta e dopo la guerra, la commercializzazione del movimento urtò la generazione degli artisti del dopoguerra come un tradimento della missione surrealista di trasformare la realtà per creare una coscienza rivoluzionaria. Nel 1962, in occasione della retrospettiva di Magritte a Knokke-le-Zoute, in Belgio, Marcel Mariën (1920-93), un surrealista belga della seconda generazione e direttore di *Naked Lips*, diffuse un volantino tra gli abbonati della rivista intitolato "Grandi sconti" e falsamente firmato "Magritte". In alto al foglio era riprodotta una banconota belga con la testa di Magritte montata sopra quella del re Leopoldo I. Sotto si fa lamentare Magritte che i suoi quadri vengono usati per una sporca speculazione, venduti come pellicce o gioielli. "Ho deciso di mettere fine a questo vergognoso sfruttamento del mistero", conclude il testo, "mettendolo a portata di tutte le borse. Sotto si troveranno i dettagli necessari [un vaglia postale] che, come spero, condurrà ricchi e poveri insieme al cospetto del mistero genuino. (Le spese di spedizione non sono incluse nel prezzo)".

Coazione a ripetere

È possibile tuttavia sostenere che l'interesse di Magritte per il multiplo non fu causato da un allentamento della "purezza" della sua vocazione surrealista. Molti dei suoi primi quadri sono internamente composti attraverso il ricorso al multiplo. Il suo ritratto di Paul Nougé (1895-1967) del 1928 raddoppia una singola immagine del poeta belga, mentre *Il cielo assassino* **[2]** sospende lo stesso cadavere insanguinato di uccello per quattro volte sullo sfondo di una scogliera rocciosa. Si può perfino dire che ciò che permette di identificare Magritte come surrealista è l'idea che una forma di raddoppiamento abita la sua opera fin dall'inizio, infondendovi una versione della pratica surrealista del doppio legato ai concetti • freudiani di perturbante e di coazione a ripetere.

Freud ha identificato il sentimento del perturbante con il senso del ritorno di qualcosa di arcaico e ha collegato l'angoscia che lo accompagna alla coazione a ripetere della pulsione di morte; il

▲ 1935

▲ 1924 ● Introduzione 1, 1924

1 • René Magritte, *Il tradimento delle immagini*, 1929
Olio su tela, 60 x 81 cm

perturbante può così essere considerato una sorta di eruzione del non vivente al centro stesso della vita: un ritorno del morto vivente. È questo carattere a soffondere l'immaginario magrittiano di una serie come quella di *La condizione umana* **[3]**, in cui il quadro mostra un paesaggio su cui è sovrapposto un quadro dello stesso paesaggio, i bordi della rappresentazione interna fusi con quello che ora si riconosce come lo statuto "puramente" rappresentativo dell'immagine globale, formalmente intesa come trasparentemente reale. Così il doppio morto (la rappresentazione) erompe nella realtà vivente minacciandone la solidità, succhiandone la sostanza, come i vampiri che tornano attraverso gli specchi.

Nel contesto del Surrealismo, Roger Caillois ha offerto un esempio alternativo di spettralità del morto vivente. Con il caso del mimetismo animale, in cui la mantide religiosa offre una vertiginosa prospettiva di morte che imita la vita che imita la morte, si ▲ apre una stanza degli specchi che negli anni Sessanta sarà identificata col termine *simulacro*. Come l'animale morto che "mima la morte", il simulacro offre un caso di somiglianza in cui viene rotto un cruciale filo interno tra cose simili: la "vita" nell'esempio della mantide religiosa, l'"assenza di peccato" nell'esempio dell'umanità dopo la Caduta (l'uomo era originariamente fatto ad immagine di Dio, dopo la Caduta non Gli assomiglia più). Nei due esempi però c'è un'ultima corte d'appello che permetterà di distinguere l'insetto vivo dalla sua copia morta o l'innocente dal peccatore, mentre l'ultimo stadio simulacrale è invece quello dove non c'è modo di differenziare la copia dall'originale, la morte dalla vita. È ▲ uno stadio di multipli *senza* originali. Michel Foucault invocherà questo stadio alla fine di *Questa non è una pipa*, il suo testo del 1968 su Magritte e il simulacro: "Verrà un giorno in cui l'immagine stessa col nome che porta sarà disidentificata dalla similitudine indefinitamente trasferita lungo una serie. Campbell, Campbell, Campbell, Campbell [riferimento alle scatole di minestra di Andy Warhol]".

Fu nello stesso periodo dei primi anni Sessanta, quando ai suoi colleghi belgi sembrava che Magritte avesse ceduto al nemico, che Foucault sviluppò una teoria della letteratura positivamente basata sull'idea di simulacro (benché in modo slegato dal Surrea-

▲ 1930b

▲ 1971

2 • René Magritte, *Il cielo assassino*, 1927
Olio su tela, 73 x 100 cm

lismo). Un esempio di questo lavoro, il suo libro *La morte e il labirinto* (1963) che tratta dello scrittore Raymond Roussel, era noto a Magritte, anch'egli interessato ai procedimenti di Roussel per estrarre il senso dalle parole (come il morto succhia la vita dall'essere vivente). Nel 1966 l'attenzione di Magritte fu attratta anche dal nuovo libro di Foucault, *L'ordine delle cose*, il cui titolo coincideva con quello di una sua mostra in corso. I due si scambiarono delle lettere nel 1966; l'interesse di Foucault lo portò a rivolgersi nel 1968 direttamente all'opera di Magritte.

Usando *Il tradimento delle immagini* di Magritte come oggetto esemplare del suo saggio, l'analisi di Foucault verteva su quello che in francese si chiama "oggetto-lezione". Si tratta della parte dell'insegnamento di grammatica in cui, dice Foucault, un insegnante disegna un'immagine alla lavagna e sotto scrive il suo nome. Questa combinazione di immagine e nome, Foucault la chiama un *lieu commun*, uno "spazio comune", cioè letteralmente la pagina, o uno "sfondo comune", riferendosi alla convenzione che assumiamo fin dal nostro primo abbecedario ("A come albero, B come banco, C come...") e poi dalle spiegazioni scritte, dalle voci del dizionario o dei manuali scientifici di tutti i tipi. È una convenzione in cui la striscia di spazio bianco che separa lo spazio dell'illustrazione da quello del testo di fatto li lega con la potente ▲ colla di quello che il filosofo Ludwig Wittgenstein ha talvolta chiamato un "gioco linguistico" e altre volte una "forma di vita".

Il potere di questa convenzione sta prima di tutto nel fatto che la rappresentazione scompare nell'oggetto-lezione. Così scrive Foucault: "Pur essendo il deposito, su un foglio o su una lavagna, di un po' di mina di piombo o di una sottile polvere di gesso, esso non 'rinvia' come una freccia o un indice puntato a un certo [oggetto] che si trovi lontano o altrove; esso *è* [quell'oggetto]". In secondo luogo, il rapporto codificato nella coppia immagine-didascalia è quello di verità: tra l'immagine (come copia) e il modello nel mondo a cui è trasparente. Per questa ragione il "luogo comune" fa da base alla conoscenza: "È lì", scrive Foucault, riferendosi alla striscia di spazio che collega immagine e didascalia, "su quei pochi millimetri di spazio bianco, sulla sabbia calma della pagina, che si allacciano tutte le relazioni di designazione, nominazione, descrizione, classificazione".

Sfidando apparentemente la banalità del luogo comune, la tradizione modernista del "calligramma" è secondo Foucault ▲ solo un tentativo nascosto di rafforzarla. Quando Guillaume Apollinaire dispone una poesia sulla pioggia in righe verticali che imitano la pioggia stessa, crede di aver collassato la struttura duale del luogo comune in un tipo più alto di sintesi in cui la parola "pioggia" scompare nel suo oggetto reso nuovamente presente sulla pagina. Affermando che questa trasparenza è futile, poiché leggere la poesia ci distoglie dall'immagine che forma e guardare l'immagine ci fa ignorare le parole, Foucault

▲ 1958

▲ 1911, 1912

3 • René Magritte, *La condizione umana*, 1933
Olio su tela, 100 x 81 cm

sostiene che il calligramma serve comunque a Magritte come punto di partenza, perché quel che accade in *Il tradimento delle immagini* è una forma di "calligramma disfatto".

Il calligramma è disfatto quando la sostanza della scrittura – "questa non è una pipa" – e quella dell'immagine sono in modo evidente prodotti della stessa mano (qui la schematicità dello stile di Magritte serve a questo scopo). Ma questo calligramma è disfatto perché cancella ironicamente l'insistenza tautologica dell'immagine-poesia e al tempo stesso il contenuto di verità dell'oggetto-lezione. Tale cancellazione riguarda l'operazione di *questa* nell'opera, che funziona in almeno tre modi simultaneamente, producendo infine una confusione che annulla del tutto l'operazione stessa. *Questa* in "Questa non è una pipa" indica la parola *pipa* e dunque la non somiglianza tra parola e immagine? O indica se stessa, la parola *questa*, e dunque la non somiglianza tra questa forma di linguaggio e la rappresentazione? Oppure indica l'oggetto-lezione come intero e dunque la non somiglianza tra esso e il modello mondo-reale a cui si suppone che sia trasparente? Essendo queste non somiglianze tutte vere, ciò che decade in questa manovra ironica è la "verità" che il linguaggio cerca di codificare nella forza primaria del lato indicale del linguaggio cristallizzata nel termine *questa*.

Tornando allo spazio bianco che lega oggetto e didascalia, Foucault conclude che, se "il calligramma ha riassorbito questo interstizio", il calligramma-suo-malgrado di Magritte riapre "la trappola che il calligramma aveva chiuso su ciò di cui parlava. Ma, di colpo, la cosa stessa è volata via. [...] la trappola è stata rotta sul vuoto: l'immagine e il testo cadono ciascuno dalla propria parte, secondo la gravitazione che è loro tipica. Essi non hanno più uno spazio comune". E se l'oggetto (il modello mondo-reale) scompare dal luogo della conoscenza come garanzia del suo valore di verità che lo sottende ma sempre trasparente ad esso, ciò che ne deriva è la condizione simulacrale, un mondo di multipli senza originale.

Il museo disfatto

Rivelatosi come giovane poeta negli anni Quaranta nell'orbita di Magritte e di altri surrealisti belgi come Paul Nougé, Marcel ▲ Mariën e Christian Dotremont, Marcel Broodthaers inizialmente condivise il giudizio su Magritte espresso in "Grandi saldi". Ma nel corso della realizzazione del suo *Museo d'Arte Moderna* dopo il 1968, Broodthaers cominciò ad accostare l'idea di un'operazione linguistica simulacrale e Magritte, mediato dal testo di Foucault, diventò strategicamente importante. Così in *L'aquila dall'oligocene ad oggi*, la mostra del suo *Museo d'Arte Moderna, Dipartimento delle aquile* montata nel 1972 a Düsseldorf, espose centinaia di oggetti tutti accompagnati da un'etichetta che diceva "Questa non è un'opera d'arte". Spiegando la didascalia come formula ottenuta dalla contrazione di un'idea di Marcel Duchamp e di una antitetica • di Magritte, Broodthaers riprodusse *Fontana* di Duchamp e *Il tradimento delle immagini* di Magritte su due pagine frontali del catalogo della mostra e raccomandò al lettore di leggere *Questa non è una pipa* di Foucault.

Due modi di intendere questa "contrazione" sono, primo, di vedere l'intero contesto istituzionale in cui l'opera d'arte è situata come oggetto-lezione a cui puntava il readymade di Duchamp, poiché è quel contesto ad assumere l'oggetto – orinatoio, pettine, attaccapanni – per conferirgli lo statuto di arte; secondo, cogliere il modo in cui la lezione è confusa dalle varie frecce del "calligramma sciolto" di Magritte, che indicano ora l'etichetta stessa (come non opera d'arte), ora gli oggetti in mostra, molti dei quali, come aquile imbalsamate od oggetti vari con sopra stampata un'aquila, sono non estetici in sé (e dunque non opere d'arte), e ora l'insieme della mostra nella sua condizione di "finzione". Se infatti Duchamp ha voluto esporre l'istituzione del museo come convenzione, Broodthaers ora la espone come simulacro. RK

ULTERIORI LETTURE:

Thierry de Duve, *Echoes of the Readymade: Critique of Pure Modernism*, in *October*, n. 70, autunno 1994

Michel Foucault, *Questa non è una pipa*, trad. it. SE, Milano 1988

Denis Hollier, *The Word of God: "I'am dead"*, in *October*, n. 44, primavera 1988

David Sylvester e Sarah Whitefield, *René Magritte: Catalogue Raisonné*, 5 volumi, Menil Foundation-Philip Wilson Publishers, London-Houston 1992-97

▲ Introduzione 4, 1972a ● 1914

1927b

Constantin Brancusi realizza una fusione in acciaio del *Neonato*: la sua scultura ingaggia una battaglia tra modelli di arte alta e di produzione industriale, che culmina con il processo negli Stati Uniti al suo *Uccello nello spazio*.

Durante le quattro settimane del 1917 in cui Constantin Brancusi (1876-1957) fu uno dei cinque assistenti del più famoso ▲ scultore francese, Auguste Rodin, fu esposto a due fenomeni antitetici. Primo, come membro di un contingente di "indicatori" – operatori di strumenti del tipo calibro usati per trasferire un'idea dal modello di gesso al blocco di marmo (spesso ingrandendo o riducendo le dimensioni) – vide la parodia dell'"originale" estetico attraverso una sorta di catena di montaggio. Secondo, come diplomato di talento assunto da Rodin appena uscito dall'École des Beaux-Arts, sperimentò l'altro aspetto della pratica del maestro in cui, come per magia, Rodin coglieva i gesti più effimeri di una troupe di danzatori balinesi traducendo la delicatezza dei loro movimenti nei puri ondeggiamenti dell'argilla.

Questo secondo aspetto, opposto di fatto al primo, conteneva la quintessenza di quella che Walter Benjamin avrebbe chiamato ● "aura", cioè l'unicità di qualcosa catturata in un particolare momento e spazio, una qualità irripetibile che risuona nell'unicità del medium, risultato di un tocco personale. Collegando l'aura alle primissime fonti dell'arte nel rito religioso, Benjamin indicò la necessità che l'oggetto di culto fosse un originale per ottenere il suo effetto, come invece non possono sostituti e copie. La secolarizzazione non ha fatto niente per diminuire l'importanza dell'originale dotato di aura e dal Rinascimento al Romanticismo si è pagato un prezzo sempre più alto non solo per l'originalità di una data concezione d'artista, ma anche per l'idea che la linea o la pennellata che traducevano quella concezione fossero inimitabili. I danzatori di Rodin, colti al volo in un grumo di argilla che portava l'impronta del maestro, si può dire che siano l'esempio supremo di questo desiderio. I suoi marmi e bronzi in varie copie, d'altro canto, puntano invece al tipo di industria dell'arte – con il suo traffico di repliche – che caratterizza la decorazione, piuttosto che le Belle Arti.

La nascita del mondo

Fuggendo dallo studio di Rodin dopo appena un mese, Brancusi adottò un approccio alla scultura che si può definire l'esatto opposto di questa industrializzazione. Lavorando con legno e pietra di recupero (era troppo povero per acquistare altri materiali), cominciò a farlo senza l'intermediario del modello di argilla o gesso, scolpendo direttamente nel blocco. L'onestà estetica di tale "scultura diretta" è riscontrabile a due livelli: innanzi tutto risponde alla natura specifica del materiale, senza comportare nessun trasferimento dall'argilla alla pietra o al bronzo come nella concezione della scultura tradizionale, inoltre l'immediatezza di questa risposta fa resistenza alla replica, escludendo la produzione di multipli.

1 • Constantin Brancusi, *Prometeo*, 1911
Marmo, 13,8 x 17,8 x 13,7 cm

L'ethos della scultura diretta comporta altre associazioni, tutte gradite a Brancusi, che cominciò ad assumere sempre più l'aspetto di un contadino rumeno, con lunga barba, grembiule da lavoro e sandali. Le tradizioni rurali della scultura lignea del suo paese natale rafforzavano la sua posizione antiistituzionale, dando ulteriore supporto all'influenza della scultura africana o primitiva evidente nella sua opera a partire dal 1914. Che subendo tale influenza stesse meramente seguendo il resto dell'avanguardia parigina, prima nel ▲ suo entusiasmo per Paul Gauguin e poi per un primitivismo più vasto, era una cosa che Brancusi non amava ammettere, convinto di essere fuori dalla corrente storica del modernismo e immerso nella presunta atemporalità e universalità del proprio lavoro.

▲ 1900a ● 1935

▲ 1903, 1907

È infatti questa ricerca del non storicamente mediato che sembra alla base dello sviluppo dell'arte di Brancusi per cui inseguì forme di sempre maggiore semplificazione e purezza. Il percorso di una singola idea dimostra tale ricerca della riduzione: da un torso realistico di fanciullo, la testa piegata in una carezza tra spalla e guancia (*Il supplice II*, 1907), a una testa improvvisamente isolata in un semplice ovale disteso su un lato (*Testa di bambino che dorme*, 1908), a una sfera a cui una piccola aggiunta a mo' di lacrima produce collo e guancia con sorprendente economia di mezzi e rompe appena la superficie sferica con un accenno di tratti facciali **[1]**, a una forma d'uovo piegata longitudinalmente e smussata su un lato **[2]** a suggerire allo stesso tempo l'uovo e il suo momento di scissione in diverse cellule, a un ovoide prono completamente liscio. Molti ammiratori di Brancusi videro questo come un tipo di Platonismo: così Ezra Pound scrisse un precoce elogio delle opere come "chiavi-base al mondo della forma", vedendo nel talento di Brancusi un genio che libera la forma eidetica – l'"idea" pura – dalla materia fisica del blocco iniziale.

La grande rifinitura che Brancusi applicava alle sue opere, a partire dalla versione in bronzo di *Prometeo* nel 1911, in cui la mano meticolosa (e abile) che lucida porta la superficie a una lucentezza specchiante, è solo un supplemento al senso di perfezione. Così, quando una versione in bronzo lucidato di *Scultura per ciechi*, ora intitolata *L'inizio del mondo* **[3]**, è esposta su un piano di acciaio altrettanto lucido, le superfici specchianti concentrano sotto la superficie riflettente l'effetto di incapsulamento dell'"idea".

La stessa rifinitura venne applicata all'*Uccello nello spazio*, prima realizzato in marmo lucido nel 1923 e poi in bronzo lucidato nel 1924 (poi di nuovo in bronzo nel 1927 **[4]**, 1931 e 1941). Questa scultura, delicatamente allungata come una piuma, è in parte corpo d'uccello, in parte ala dispiegata e in parte visione dell'agile ascesa in volo. Nella sua condensazione del gesto sembra tornare a quell'aspetto dell'opera di Rodin che non aveva compromesso la sua aura: quegli impareggiabili danzatori usciti dalle sue dita.

Con questa menzione di Rodin tuttavia qualcosa di opposto entra nella discussione su Brancusi. Infatti, come il maestro, questo rustico "contadino" aveva bisogno della propria squadra di assistenti per lucidare alla perfezione marmi e bronzi, e come Rodin anch'egli aveva l'abitudine di produrre molte delle sue opere in piccole "edizioni"; inoltre, questi oggetti scintillanti con le loro forme un poco africane e il loro misto di flessuosi contorni metallici e piedistalli merlati di legno, possono facilmente scivolare nella familiare somiglianza ai più eleganti linguaggi decorativi, ▲ per esempio Art déco, il matrimonio tipico degli anni Venti di cromo e acciaio inossidabile, ebano e pelle di zebra, primitivismo e industrializzazione. Lungi dall'essere universale e senza tempo, l'opera di Brancusi partecipa così al fenomeno tutto storico dei cambiamenti stilistici e, cosa più "degradante", alla porta girevole

2 • Constantin Brancusi, *Neonato II*, 1927
Acciaio inossidabile 17.2 × 24.5 × 17 cm

3 • Constantin Brancusi, *L'inizio del mondo*, 1924
Bronzo, 17,8 x 28,5 x 17,6 cm

▲ 1925a

degli stili nota come moda – versione dell'"industria dell'arte" ancora più compromessa di quella di Rodin.

Niente può tradire questo collegamento più direttamente della commissione che Brancusi ricevette dal Visconte di Noailles, che voleva una versione grande dell'*Uccello nello spazio* per il giardino della sua ricca casa di campagna. Progettata dall'architetto alla moda Robert Mallet-Stevens, la residenza era in puro stile Art déco, un misto di cemento, vetro e cromo; la scultura di Brancusi, alta 45 metri, fu deciso che dovesse essere realizzata in acciaio. Jean Prouvé, un architetto che era stato un pioniere nell'uso di questo materiale, si incaricò del progetto e seguì la fusione di prova del *Neonato* **[2]** prima di tentare la monumentale fusione dell'altra opera.

Il risultato della prova è un puro paradosso, in parte solido platonico, in parte cuscinetto a sfera. Apparentemente non c'è differenza tra questa fusione del 1927 e il bronzo del 1923. Ma il punto è che, permettendo che la sua "idea" venisse sottoposta all'industrializzazione – usando un materiale creato per la produzione di massa, il cui scintillio non ha niente a che vedere con l'aura e tutto con la moltiplicazione –, Brancusi produsse una critica retroattiva della propria posizione estetica. Non solo le sue superfici sono compromesse dall'accostamento alla decorazione, ma il suo coinvolgimento nella serializzazione è una versione del metodo industriale. Proprio perché sottopose il ristretto numero dei suoi temi a riduzioni formali sempre più grandi, lavorò di fatto serialmente: una volta stabilito il repertorio di forme (dal 1923), le ripeté sempre di più, con variazioni minime, fino alla morte nel 1957.

Nello stesso periodo in cui Brancusi lavorava con Prouvé, un evento scosse il mondo dell'arte dall'altra parte dell'Atlantico. ▲ Quando Edward Steichen cercò di portare a New York la versione da lui appena acquistata dell'*Uccello nello spazio* per una retrospettiva dell'opera di Brancusi, gli ufficiali della dogana americana classificarono la scultura come un utensile da cucina e dunque un oggetto prodotto in serie, non originale, che richiedeva il pagamento di una tassa d'importazione. La decisione venne ribadita qualche settimana dopo, quando Marcel Duchamp entrò nel porto di New York con un grande Brancusi con sé. Non bastarono le numerose proteste. Il titolo "L'arte di Brancusi non è arte, dichiarano gli uomini della Dogana federale" occupò le prime pagine dei giornali del gennaio 1927. Fu solo quando quei signori, armati di importanti avvocati ed esperti d'arte, portarono il caso in tribunale nell'ottobre 1927 che la delibera venne rovesciata e la corte ammise che qualcosa era cambiato in arte tanto da poter dichiarare l'opera di Brancusi esente da tasse. Secondo la sentenza:

> *Da tempo si è sviluppata una corrente artistica cosiddetta moderna, i cui esponenti tentano di rappresentare delle idee astratte invece che imitare gli oggetti naturali. [...] L'oggetto ha linee armoniose e simmetriche e, a dispetto di una certa difficoltà ad assimilarlo a un uccello, è comunque piacevole da guardare e molto decorativo. Ritenendolo al di là dell'apparenza produzione originale di uno scultore professionista [...] accettiamo le proteste e troviamo che l'oggetto ha diritto ad entrare liberamente.*

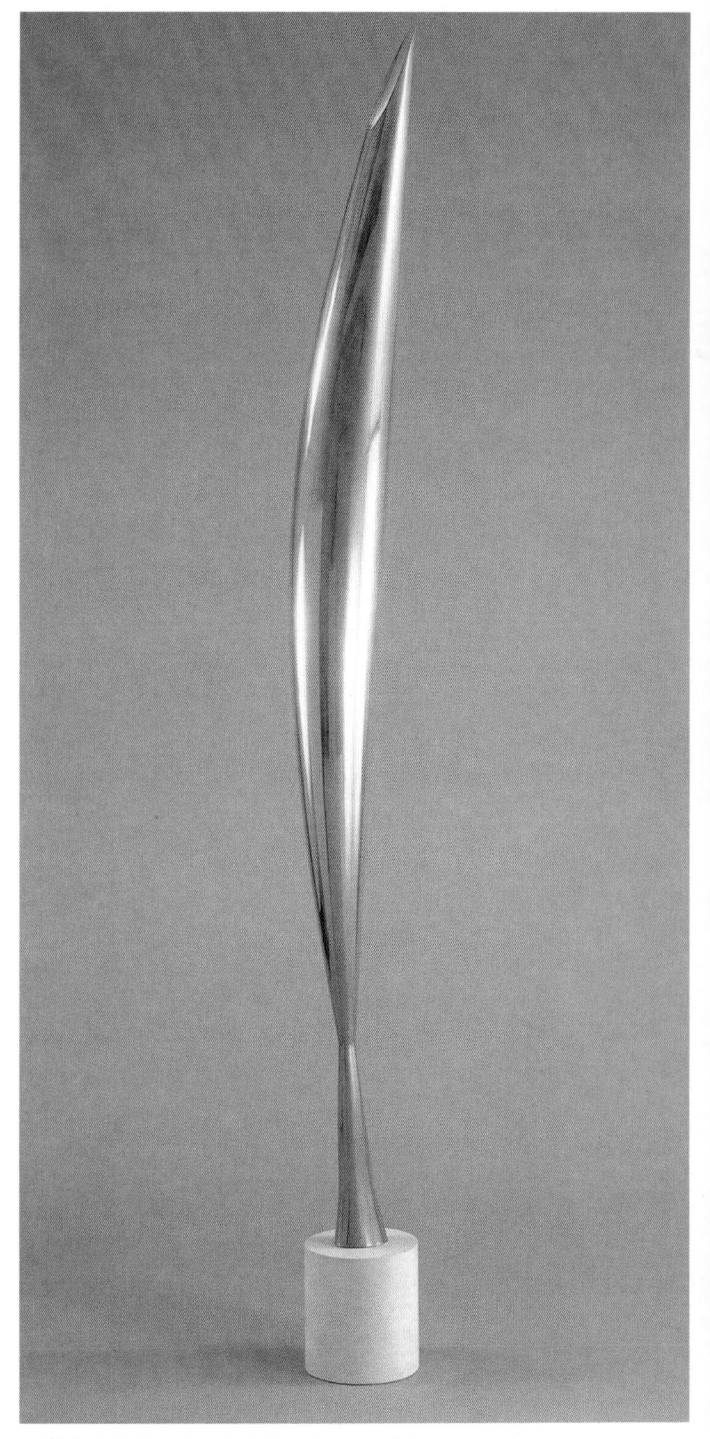

4 • Constantin Brancusi, *Uccello nello spazio*, 1927
Bronzo, altezza 184,1 cm

Accettando gli argomenti dei critici, collezionisti e direttori di musei schierati a suo favore, il giudice accettò l'idea che l'opera di Brancusi fosse redenta dalla sua astrazione e purezza formale. I filistei che lavoravano per l'ufficio doganale furono così esposti al ridicolo. Ma la storia ha spesso degli assi nella manica, uno dei quali è lo strano rapporto tra questo "contadino" rumeno purista e il padre del readymade. Brancusi incontrò per la prima volta Duchamp in presenza di Léger, si racconta, a una fiera dell'aeronautica a Parigi nel 1912. Sorpreso di fronte a un'elica, Duchamp chiese al nuovo amico se pensava di poter fare meglio. La risposta

▲ 1916b, 1959d

di Brancusi, si può sostenere, fu non solo l'*Uccello nello spazio* – in parte elica e in parte suggestione mallarméana – ma l'intera ambiguità dello sviluppo della sua opera, un aspetto della quale gli uomini della dogana avevano colto infallibilmente.

I legami tra Duchamp e Brancusi non si limitarono a questa doppia elica in cui il readymade industriale incrocia l'idea di "arte" come concetto inviolato. I due erano legati anche da una comune ambiguità tra puro e impuro a livello sessuale, poiché il matrimonio di Duchamp tra l'industrialmente impersonale e l'erotico ▲ – *Fontana*, *Foglia di vite femmina*, l'intera scena del *Grande Vetro*, ecc. – trova eco nell'unione mistica di Brancusi tra l'astratto e il libidinale. Si veda il caso di *Principessa X* **[5]**, censurata per oscenità al Salon des Indépendants del 1920: la purezza della riduzione del torso femminile ai due ovoidi dei seni collegati da un cilindro ricurvo del collo all'ovoide della testa venne interpretata – tra gli altri da Picasso – come puramente fallica. Benché rifiutasse qualsiasi collegamento, Brancusi da parte sua continuò a fotografare l'opera da un'angolatura che sottolineava questa associazione. Infatti i tipi di riduzione a cui sottoponeva il corpo umano sembravano fare inesorabilmente parte della logica dell'oggetto parziale, in cui l'intero corpo, metonimicamente rappresentato da una sua parte purificata, assume sempre il carattere di un organo sessuale. Questo è particolarmente vero per la serie di torsi maschili (1917-24) elegantemente stilizzati, che finiscono sospesi tra una rappresentazione fallica e il "gomito" di tubo idraulico.

È possibile anzi prendere questo rimando alla sessualità e reinterpretarlo nei termini di un'iconografia del corpo (maschile) che si crea da solo. Diventa allora importante notare che ad essere maschile nel *Torso* di Brancusi è la forma fallica globale, mentre il flessuso corpo in sé, senza pene, è praticamente femminile. Questa bisessualità, così notevole in *Principessa X*, viene letta da questa strategia interpretativa come fantasia di supremazia maschile che comporta l'elusione del corpo femminile in un sogno di autorigenerazione onnipotente, rigenerazione che può allora essere applicata a tutta l'opera di Brancusi, con l'*Uccello nello spazio* ora visto come versione della fenice immortale e i *Neonati* come un modo di scavalcare la femmina in un atto di partenogenesi.

Questa strategia interpretativa sposa l'erotismo della scultura di Brancusi con la spinta modernista all'autonomia, cosicché l'autocreazione biologica diventa l'analogo "inconscio" del desiderio formale di creare un oggetto autodeterminato. Questo significa tuttavia tagliar fuori l'erotismo delle sculture di Brancusi dalla logica industriale che funziona come loro (diversissimo) "inconscio". Un'ultima storia di legame tra Brancusi e Duchamp chiarirà lo strano funzionamento di tale logica.

La storia comincia con la morte nel 1924 di John Quinn, uno dei più entusiasti collezionisti di Brancusi. Per salvare i prezzi di Brancusi dalla catastrofe di tante opere disponibili sul mercato tutte in una volta, intervenne Duchamp che, insieme allo scrittore Henri-Pierre Roché, acquistò le ventinove opere della collezione Quinn a un prezzo di favore. Se dunque Duchamp smise di fare arte all'inizio degli anni Venti, aveva comunque acquisito un bel gruppo di opere di un altro artista, della cui vendita fu in grado di vivere. Brancusi fu insomma una pedina nel gioco di Duchamp in tutti i ruoli della struttura istituzionale dell'arte, dall'artista al critico al direttore di museo all'editore, e ora al mercante. Nel 1933 quando gli chiesero se pensasse che i pittori fossero diventati troppo professionali, Duchamp replicò che dovevano esserlo ancora di più, ma che tra i mercanti un po' di dilettantismo sarebbe stato benvenuto. Fu lui il perfetto "mercante" dilettante con un unico artista in scuderia; e Brancusi fu, apparentemente, contento della situazione: l'inconscio dell'arte presentato come puro commercio. RK

ULTERIORI LETTURE:

Friedrich Teja-Bach, Margit Rowell e Ann Temkin, *Brancusi*, Philadelphia Museum of Art, Philadephia 1995

Anna Chave, *Constantin Brancusi: Shifting the Bases of Art*, Yale University Press, New Haven-London 1994

Sydney Geist, *Brancusi: A Study of the Sculpture*, Grossman, New York 1968, e *Rodin/Brancusi*, in Albert E. Elsen (a cura di), *Rodin Rediscovered*, National Gallery of Art, Washington 1981

Carola Giedion-Welcker, *Constantin Brancusi*, George Braziller, New York 1959

Rosalind Krauss, *Passaggi*, trad. it. Bruno Mondadori, Milano 1998

5 • Constantin Brancusi, *Principessa X*, 1915-16
Bronzo, 61,7 x 40,5 x 22,2 cm

▲ 1914, 1918

1927c

Charles Sheeler riceve da Ford l'incarico di documentare il suo nuovo stabilimento di River Rouge: i modernisti nordamericani sviluppano un rapporto lirico con l'età della macchina, che Georgia O'Keeffe estende al mondo naturale.

1920–1929

Quando in *Il ponte* (1930) il poeta americano Hart Crane (1899-1932) salutò il ponte di Brooklyn come "arpa e altare" su cui celebrare un nuovo "mito a Dio", il suo elogio riportò indietro alla visione estatica del suo eroe, il poeta del XIX secolo Walt Whitman. Agli avanguardisti di New York però la celebrazione di questo frutto dell'ingegneria, già anticipata dalla rappresentazione cubista e cubo-futurista di John Martin (1870-1953) e Joseph Stella (1877-1946), poteva anche ricordare l'ironica ▲ difesa fatta da Marcel Duchamp dopo che il suo orinatoio *Fontana* fu rifiutato dalla Società degli Artisti Indipendenti nel 1917, e cioè che i due più grandi contributi americani alla civiltà fossero stati i suoi impianti idraulici e i suoi ponti. Un complimento e un insulto • insieme! Anche se dadaisti come Duchamp e Picabia usarono la macchina sarcasticamente, in una maniera opposta alle esaltazioni liriche di Crane, Stella e altri artisti nordamericani dell'età della macchina credettero comunque che icone della modernità come le macchine industriali, i ponti sospesi e i grattacieli facessero degli Stati Uniti "il paese dell'arte del futuro" (Duchamp) e di New York "la città cubista e futurista". Sono queste infatti le icone, oltre alla fabbrica e alla città, che diventarono le immagini dell'arte nordamericana dell'età della macchina. Così, quando Morton Schamberg (1881-1918) intitolò un groviglio di tubature *Dio* (1916), qualcuno potè prenderlo meno per una satira dadaista della religione dell'arte che per un feticcio moderno della pratica non indegna di un piccolo culto.

La macchina come altare modernista

Gli Stati Uniti possono aver posseduto le icone della modernità, ma i suoi artisti mancavano degli stili principali del modernismo. Per questo si sentirono al tempo stesso sorpresi e in ritardo rispetto ai modernisti europei, condizione che il viaggio oltreoceano di artisti negli anni Dieci e Venti complicò ulteriormente. (Il ■ transatlantico, celebrato da Le Corbusier come modello di design funzionale nel suo famoso manifesto *Verso un'architettura* [1923] e descritto da Charles Demuth [1883-1935] in *Paquebot "Paris"* [1921-22] e da Charles Sheeler [1883-1965] in *Il ponte superiore* [1929], fu il veicolo di questa traversata.) Scontenti del confuso realismo dei loro compatrioti più anziani, alcuni artisti americani

1 • Marsden Hartley, *La croce di ferro*, 1915
Olio su tela, 121 x 121 cm

viaggiarono in Europa alla ricerca dell'arte modernista, mentre altri l'avevano già vista a New York nella controversa Armory ▲ Show del 1913 o nelle varie esposizioni alle gallerie 291 e de Zayas. Di fatto l'incontro nordamericano con il modernismo avvenne perlopiù negli Stati Uniti, dove Duchamp, Picabia e altri erano fuggiti durante la Prima guerra mondiale. Al tempo New York era la capitale temporanea dell'avanguardia, che gravitava soprattutto intorno a due salotti: quello di Steinglitz e l'altro dei collezionisti • Walter e Louise Arensberg (dove Duchamp incontrò Man Ray, l'americano che diventò presto centrale sia per il Dadaismo che per il Surrealismo). In questi ambienti, americani come Marin, Stella, Arthur Dove e Marsden Hartley (1877-1943), che avevano già sperimentato diversi stili modernisti **[1]**, si mescolarono con gli europei coinvolti nel Dadaismo. Questo contesto fornì il contraddittorio miscuglio che artisti come Demuth e Scheeler cercarono di districare: un disegno industriale già valorizzato dai dadaisti ma spogliato della loro ironia e un semiastrattismo lirico sviluppato in modi

▲ 1914 ● 1916b, 1918, 1919 ■ 1925a
▲ 1916b ● 1918, 1930b, 1931a

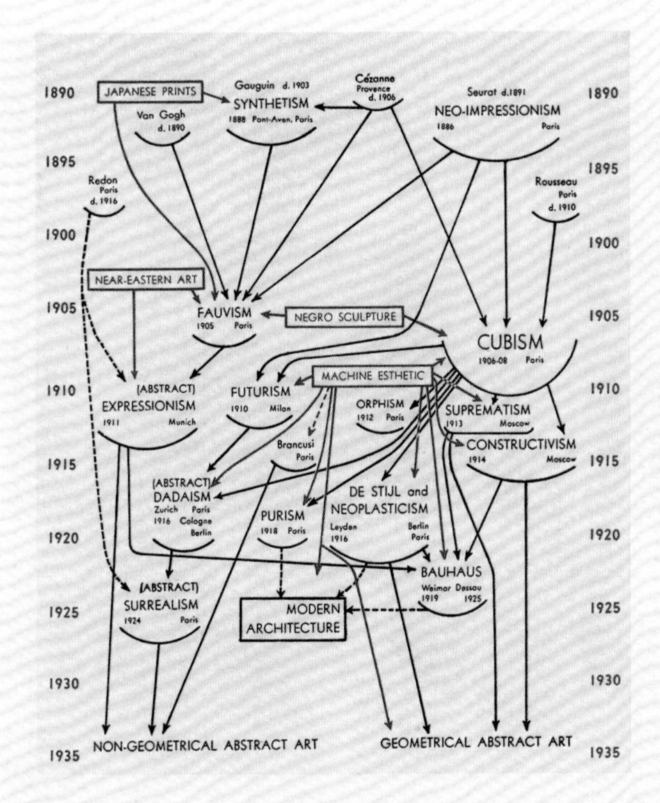

Il MoMA e Alfred H. Barr, Jr.

Il 7 novembre 1929, solo pochi giorni dopo il crollo della Borsa, il Museo d'Arte Moderna di New York inaugurò una mostra di maestri postimpressionisti (Cézanne, van Gogh, Gauguin) in sei piccole sale al 730 della Quinta Avenue.

Frutto delle menti di tre collezioniste, Abby Aldrich Rockfeller (moglie di John D. Jr.), Lillie P. Bliss (sorella del Segretario degli Interni) e Mary Quinn Sullivan, il MoMA fu inaugurato nello stesso periodo del Museo Whitney dell'Arte Americana (fondato da Gertrude Vanderbilt Whitney nel 1931), il Museo di Pittura Non-oggettiva (prima incarnazione del Museo Guggenheim, aperto da Solomon E. Guggenheim e dalla baronessa Hilla Rebay von Ehrenweisen nel 1939) e la Fondazione Barnes (insediata da Albert C. Barnes vicino a Filadelfia nel 1922, benché aperta al pubblico solo dopo la sua morte) – tutti progetti culturali di ricchi americani ispirati in parte dall'Armory Show del 1913 e da difensori dell'arte modernista come Alfred Stieglitz e Walter Arensberg. Con A. Conger Goodyear come presidente, il MoMA dichiarò di voler esporre "i grandi maestri moderni – americani ed europei – da Cézanne ai giorni nostri" e "creare un museo pubblico permanente" di tale arte. (Un programma di design e di formazione fu poi sollecitato alla nuova istituzione dai rettori dell'Università dello Stato di New York.)

Vi è qui un paradosso costante dell'arte avanzata negli Stati Uniti: il suo lancio avvenne spesso dalle sale dei musei e in questo senso fu fin dall'inizio istituzionale. D'altro canto, l'ambito museologico dell'arte moderna era del tutto nuovo, tanto che il MoMA scelse come direttore un ventisettenne professore d'arte del Wellesley College di nome Alfred H. Barr, Jr. (1902-81). Barr era titolare dal 1927 del primo corso negli Stati Uniti di arte del XX secolo; nell'inverno 1927-28 aveva studiato in Europa esperienze radicali di arte, architettura e design, come De Stijl in Olanda, il Costruttivismo in Unione Sovietica e il Bauhaus in Germania. Barr sembra aver assorbito e rigettato questi modelli in quasi uguale misura. Propose una struttura del MoMA con dipartimenti non solo di pittura e scultura, stampe e disegni, ma anche di arte commerciale, arte industriale, design, cinema e fotografia (che fu esposta molto più di quanto si pensi oggi). Tuttavia i finanziatori ridimensionarono il suo progetto sostenendo che avrebbe confuso il pubblico e Barr finì con l'acconsentire.

Un compromesso fu raggiunto anche sul sistema espositivo. Barr rifiutò i tradizionali raggruppamenti decorativi di opere disordinate, ma non era propenso a esperimenti come quelli di El Lisickij e altri in Europa. Praticò invece una disposizione ben spaziata di oggetti sistemati per soggetto e stile su grandi pareti e pavimenti. L'effetto fu quello di creare una dimensione estetica che appariva sia autonoma che storica: le opere erano, secondo le sue parole, "isolabili senza sforzo [...] per suggerire l'atmosfera di un periodo" e allo stesso tempo suggerivano una "sequenza cronologica quasi perfetta". Per Barr lo stile era il principale mezzo di comprensione dell'arte moderna e l'influenza era il motore principale. Probabilmente vi fu guidato dal suo professore di Princeton, Charles Rufus Morey, che aveva usato uno schema evolutivo simile per raccontare l'arte medievale, ma Barr applicò il sistema all'arte del XX secolo in modo così efficace che fu subito adottato da altre istituzioni.

La prima epitome di questa museologia fu la mostra *Cubismo e arte astratta* nel 1936. Da un lato Barr introdusse il pubblico americano a una vasta gamma di pratiche europee d'avanguardia (fotografia, architettura, pubblicità, cinema e arredamento, oltre a pittura e scultura); dall'altro, il logo dell'esposizione fu l'immagine di copertina dell'ambizioso catalogo, che consisteva in un grafico delle tante avanguardie prima incanalate in alcuni movimenti principali – Surrealismo, Purismo, Neoplasticismo, Bauhaus, Costruttivismo – poi ulteriormente ridotte a "Astrattismo geometrico" e "Astrattismo non geometrico".

Dal 1939, quando si spostò in un nuovo edificio sulla 53a Strada, il MoMA cominciò a esercitare un diritto di proprietà su questi flussi dei movimenti artistici e la sua storia delle influenze stilistiche fu presto interpretata anche come una proiezione sull'arte del futuro.

Benché il progetto iniziale fosse quello di trasferire o vendere alcune opere ad altre istituzioni, il MoMA decise di tenere tutte le acquisizioni e nel 1958 aprì un allestimento permanente della collezione. Barr fu sollevato dalla direzione del museo nel 1943, ma mantenne una posizione di rilievo e nel 1947 fu ristabilito alla testa delle collezioni, posizione in cui rimase fino al suo ritiro nel 1967.

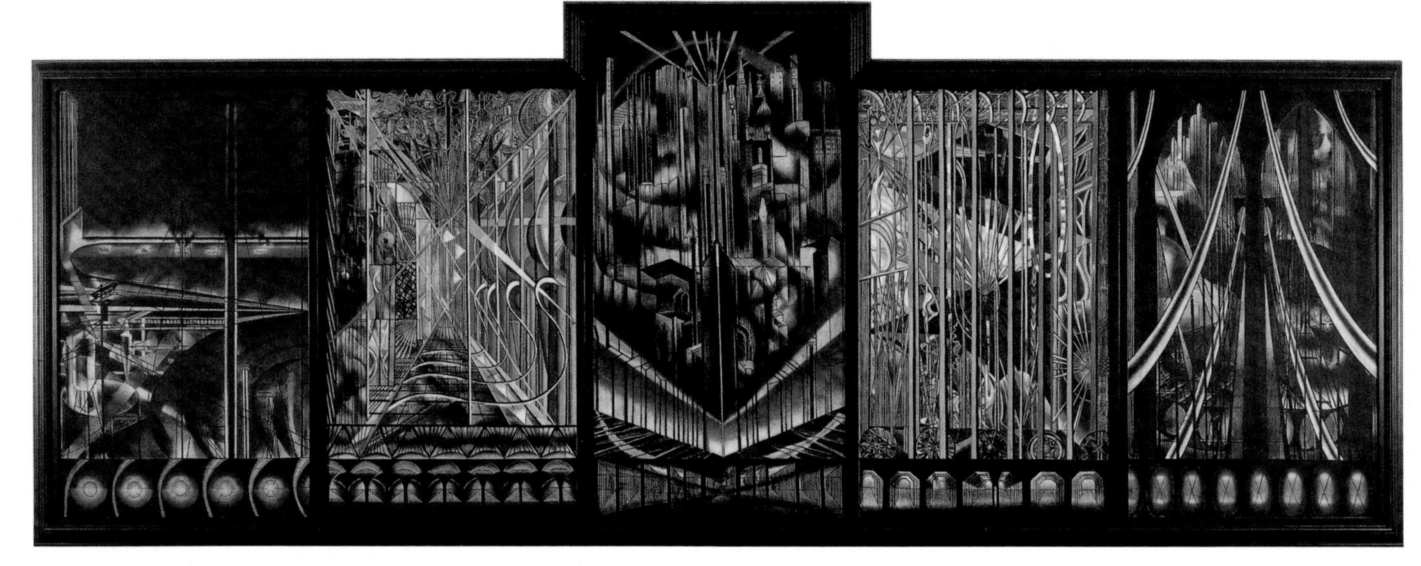

2 • Joseph Stella, *New York reinterpretata: La voce della città*, 1920-22
Olio e tempera su tela, quattro pannelli 224,8 x 137,2 cm, pannello centrale 252,1 x 137,2 cm

diversi da Dove, Hartley, Marin e Stella. A questa combinazione andava aggiunto un criterio fotografico di precisione stabilito da ▲ Stieglitz ed esemplificato da Paul Strand. Molti di questi giovani artisti, che sarebbero stati chiamati "precisionisti", lavorarono anche come fotografi e Sheeler collaborò con Strand a una breve celebrazione filmica di New York intitolata *Manahatta* nel 1919.

Stilisticamente Joseph Stella fu più cubo-futurista che precisionista, ma nessun racconto dell'arte dell'età della macchina può omettere opere come la sua *New York reinterpretata: La voce della città* **[2]**, un dipinto su cinque pannelli, ognuno alto più di due metri, che evoca la città attraverso grandi dimensioni, luci notturne e potenza della linea. Qui Stella vede New York come un circuito di movimenti, con ogni pannello dedicato a un luogo di trasporto. I due pannelli sulla sinistra sono "Il porto" e "La Via Bianca I" (il grande viale di Manhattan come una moderna Via Lattea); sulla destra sono "La Via Bianca II" (un'ode particolare a Broadway) e "Il ponte" (suo tema preferito); al centro, su un pannello un po' più alto degli altri, sono "I grattacieli", che evocano l'isola di Manhattan come prua di una nave, vascello di luce in un mare di oscurità. Come l'espressionista Marc aveva fatto con la ● natura, Stella usa una linea cubo-futurista per dare vita alla città, per darle una "voce", per renderla più che umana. Come Crane, Stella vide in New York l'"apoteosi" della "nuova civilizzazione", con il ponte come suo "altare", e il suo dipinto è una sorta di pala d'altare moderna in cui la città appare come una cattedrale, con grattacieli, ponti e strade invece di colonne, volte e navate.

■ Nel Bauhaus la macchina venne opposta alla Chiesa; nella *Biografia di Henry Adams* (1900) Adams mise in contrasto la dinamo e la Madonna come emblemi di epoche completamente diverse. Qui invece gli opposti sono fusi: questa è la scommessa dell'arte dell'età della macchina, che una soggettività spirituale (o almeno lirica) possa realizzarsi non in opposizione alla macchina o alla città (come avevano pensato gli espressionisti) ma per mezzo loro. Questa immagine americana della metropoli è molto diversa dall'idea europea del sociologo tedesco Georg Simmel, per il quale gli shock urbani vengono elusi da un soggetto "*blasé*". Come Crane, Stella sollecita invece un'adesione "entusiasta" alla città. Ma questo abbraccio, che, come Crane, Stella vede in termini sia sessuali sia religiosi, era impossibile da sostenere, come suggerisce la natura troppo ricercata sia di *Il ponte* che di *New York reinterpretata*.

Compito del poeta moderno, scrisse una volta Crane, è di "acclimatare" la macchina – formula ambigua che indica un problema costante dell'arte dell'età della macchina. Deve "tecnologicizzare" le forme tradizionali (come *Il ponte* fa con l'epica o *New York reinterpretata* con la pala d'altare) o deve "tradizionalizzare" gli sviluppi tecnologici attraverso tali forme, che vengono così aggiornate? Alla fiera dell'aeronautica di Parigi del 1912 Duchamp ▲ fece notare a Brancusi: "La pittura è finita. Chi può fare meglio di quest'elica? Dimmi, puoi farlo?". I precisionisti tentarono di farlo attraverso uno stile monumentale che combinava la precisione associata alla fotografia con l'astrazione derivata dal Cubismo – ingredienti che si regolavano e trasformavano l'un l'altro. Per esempio, il "Cubismo" di Demuth e Sheeler non è "analitico", nel senso che l'oggetto non è frammentato. Al contrario, le proiezioni bidimensionali dei camini in *Il ponte superiore* di Sheeler e dei silos in *Il mio Egitto* di Demuth **[3]** solidificano l'oggetto, semplificano la sua struttura e definiscono i suoi contorni, in tal modo chiarendo, invece che complicare, la nostra visione. Allo stesso tempo queste immagini sono quasi fotografiche. Le forme sono stilizzate e gli spazi appiattiti, le ombre evidenziate e le tonalità trasformate – più in Demuth, che è più lirico di Sheeler. L'architettura allora non è solo un soggetto importante per quest'arte, ha influenzato anche il suo modo di vedere. *Il ponte superiore*, ha notato una volta Sheeler, fu dipinto "come fa l'architetto che completa il proprio progetto prima che inizino i lavori", con uno studio completo della struttura e una chiara presentazione della prospettiva.

Su questa questione dell'architettura lo scambio Europa-America diventò reciproco. Con i suoi ponti e fattorie l'America

▲ 1916b ● 1908 ■ 1923 ▲ 1914, 1927b

industriale non era solo un gigantesco readymade per dadaisti come Duchamp e Picabia, era anche un modello polemico di progettazione funzionale per architetti modernisti come Walter ▲ Gropius e Le Corbusier. Nel *Deutscher Werkbund Yearbook* del 1913 Gropius pubblicò sette pagine di fotografie di fattorie americane e silos, una delle quali Le Corbusier ritoccò poi (per rimuovere i dettagli non modernisti) nella sua rivista purista *L'Esprit Nouveau* nel 1919 e di nuovo in *Verso l'architettura*. Nessuno di loro aveva visitato gli Stati Uniti, ma avevano bisogno di questa "Atlantide reale", come la chiamò lo storico dell'architettura Reyner Banham, perché le sue "fattorie e silos erano un'iconografia di riferimento, un linguaggio di forme, per cui si potevano fare promesse, affermare l'adesione al credo modernista e tracciare la via verso un'utopia tecnologica". Come sostenere meglio un'architettura funzionalista che indicando la sua preesistenza "primitiva" nelle strutture utilitarie degli Stati Uniti? In questa allegoria europea, l'America industriale non era solo futuristica ma anche quasi preistorica. Talvolta era associata, attraverso ● la cultura nera, all'Africa esotica, soprattutto in Francia, dove Le Corbusier partecipò al culto "tecno-primitivo" del jazz, e talvolta all'antico Egitto, soprattutto in Germania, dove Gropius stabilì la connessione attraverso l'architettura monumentale (per esempio i silos come moderne piramidi). Lo storico dell'arte Wilhelm Worringer fece implicitamente quest'associazione con l'Egitto in ■ *Astrazione e empatia* del 1908, che Gropius lesse nel 1913, ed esplicitamente in *Arte egizia* del 1927, che prese a prestito un'illustrazione americana da Gropius. L'associazione fu adottata nello stesso anno anche da Demuth in *Il mio Egitto*, un esemplare quadro precisionista di silos della sua città natale, Lancaster in Pennsylvania (altri precisionisti come Ralston Crawford [1906-78] dipinsero i silos di Buffalo favoriti da Gropius). Il titolo *Il mio Egitto* può sembrare ironico, ma i silos sono rappresentati con orgoglio, da sotto, con masse geometriche illuminate da precisi fasci di luce. È come se Demuth pretendesse che questi silos fossero anche dei monumenti all'epoca e suggerisse un altro mito della modernità, quello della monumentalità. Per Worringer l'antico Egitto rappresentava un "volere artistico" teso all'astrazione, che esprimeva una fuga angosciata dal mondo caotico, ansietà che egli vedeva nell'astrattismo modernista. Può la monumentalità dell'opera precisionista indicare un'ambivalenza rispetto al mondo della macchina tanto dinamico da diventare disgregante e un'inclinazione alla stasi e alla stabilità contro il caos moderno? Come notò una volta Strand, "il controllo spirituale sulla macchina" era la principale preoccupazione di questa generazione di artisti.

I precisionisti rappresentarono icone moderne, ma furono modernisti? Non si spinsero mai fino alla pura astrazione, invece usarono le semplificazioni per rappresentare il mondo più precisamente possibile. Fu per questa ragione che il Precisionismo fu anche chiamato Realismo cubista. "Fu Sheeler", notò de Zayas, "a provare che il Cubismo esiste in natura e che la fotografia può registrarlo", e che la pittura basata sulla fotografia può farlo altrettanto bene. Questo ritorno alla chiarezza e alla stabilità, questa riconciliazione

3 • Charles Demuth, *Il mio Egitto*, 1927
Olio su tavola, 90,8 x 76,2 cm

della rappresentazione e dell'astrazione, accosta il Precisionismo ▲ all'antimodernista "ritorno all'ordine" di molta arte europea degli anni Venti. Di fatto ha molto più in comune con lo stile noto come ● Nuova oggettività in Germania, benché senza la sua critica del complesso industrial-militare che produsse la Prima guerra mondiale. Infatti il Precisionismo fu superentusiasta della modernità capitalista anche dopo il crollo della Borsa del 1929, e questo lo avvi- ■ cina a un altro movimento ambiguo, il Purismo di Le Corbusier e Ozenfant. Anche questo stile cercò di razionalizzare l'arte e di classicizzare la macchina – di estetizzare non solo i prodotti della macchina ma anche il modo meccanicistico di vedere, cioè valorizzando il "precisionismo" della produzione di massa. Sotto questo ◆ riguardo entrambi i movimenti si differenziarono dal Costruttivismo russo, perché invece che trasformare l'arte di fronte all'industria, lavorarono a fare dell'industria un'immagine per l'arte. Anche il Precisionismo si oppose alle implicazioni estetiche della riproduzione meccanica, ma, invece che trasformare la pittura di fronte alla fotografia, lavorò ad assimilare la fotografia nella pittura – a usare la sua apparente trasparenza nei confronti dell'oggetto per rendere la pittura più immediata e illusionistica possibile (i precisionisti furono anche detti gli "immacolati", come in "immacolata concezione", puri, senza macchia). Mentre altri modernisti mettevano in primo piano il medium pittorico, Sheeler ammise "il suo sforzo [...] di eliminare l'intercettazione del medium tra lo sguardo dello spettatore e l'opera dell'artista", di "mettere avanti [l'oggetto] con estrema chiarezza, grazie a un'abilità tanto precisa da risultare invisibile".

▲ 1923, 1925a ● 1925a ■ 1908

▲ 1919 ● 1925b ■ 1925a ◆ 1921b

4 • Charles Sheeler,
***Paesaggio americano*, 1931**
Olio su tela, 61 x 78,7 cm

5 • Stuart Davis,
***Casa e strada*, 1931**
Olio su tela, 66 x 107,3 cm

L'epitome di questo "illusionismo capitalista" è l'opera realizzata da Sheeler per la Ford Motor Company. Intorno alla metà degli anni Venti lo stabilimento di Highland Park dove si assemblava il Modello T era cresciuto troppo, così Ford costruì River Rouge, a una ventina di chilometri da Detroit, dove produrre il Modello A. Il complesso industriale più grande del mondo, con ventitré edifici, centosessanta chilometri di rotaie, 53.000 macchine e 75.000 operai, era un luogo di produzione automobilistica totale, dalla fusione dell'acciaio alla rifinitura delle vetture. Nel 1927 Sheeler ricevette l'incarico di fotografare la nuova fabbrica. In sei settimane realizzò trentadue fotografie ufficiali, nove delle quali furono pubblicate su riviste. (*Vanity Fair* ne riprodusse una, *Nastri trasportatori incrociati*, con la didascalia "Li conoscerai dalle loro opere" e si riferì a River Rouge come a "un altare americano del dio Obiettivo produzione di massa".) Sheeler espose alcune fotografie come opere e ne usò altre per trarne quadri in cui appaiono pochissimi operai e nessun lavoro faticoso o segni di sfruttamento. In breve, egli identificò la prospettiva artistica con la sorveglianza tecnocratica e conciliò la composizione paesaggistica con i principi di organizzazione del lavoro tayloristi e fordisti. Nelle sue composizioni la frammentazione e la reificazione del lavoro e dei lavoratori, che il critico marxista György Lukács definì nel 1923 i primi effetti della catena di montaggio, sono magicamente minimizzati. Sheeler intitolò così alcuni panorami di River Rouge *Paesaggio classico*, come se l'impianto fosse un idillio.

L'apice di questo lavoro è *Paesaggio americano* **[4]**, dove il paesaggio è ridisegnato come produzione industriale, l'America come razionalizzazione del lavoro e la natura come trasporto e trasformazione delle materie prime in automobili. In primo piano, all'inizio della produzione, c'è una scala a pioli, simbolo dell'obsolescenza dell'uomo preindustriale. Sullo sfondo, alla fine della produzione, sta una ciminiera il cui fumo si mescola con le nuvole. Qui il mondo culmina in una fabbrica, dove non è più questione della macchina che invade il "Paradiso terrestre d'America" (secondo la frase dello storico Leo Marx) ma della macchina *come* quel Paradiso. Questo è l'effetto ideologico dell'arte dell'età della macchina: essa rappresenta l'industria capitalista, ma soltanto per nascondere lo sfruttamento del lavoro dietro un "meccanismo occulto", una struttura monumentale, una bella immagine. Quest'arte spiritualizza, monumentalizza e naturalizza un momento storico come "età della macchina": New York cattedrale gloriosa, i silos piramidi egizie, una fabbrica paesaggio classico.

Alcuni artisti non sottoscrissero questo programma monumentalista. Benché Stuart Davis (1894-1964) evocasse anch'egli la vita urbana dell'età della macchina, lo fece attraverso simboli del consumo invece che attraverso icone della produzione. In uno stile ▲ colorato derivato dal Cubismo sintetico Davis dipinse la città come un manifesto pubblicitario dai ritmi, superfici e segni vistosi **[5]**, ma lo fece in un modo che recupera il collage e non è né polemico nei confronti dell'arte alta né critico della cultura di massa. In effetti Davis evitò la macchina per mettere in evidenza la merce, secondo ● una soluzione artistica che prefigura la Pop art.

6 • Georgia O'Keeffe, *Iris nero III*, 1926
Olio su tela, 91,4 x 75,9 cm

Fu lasciato a Georgia O'Keeffe di salvare la soggettività lirica che alcuni artisti sperarono di poter strappare dalle grinfie dell'età della macchina, ma per farlo dovette abbandonare le immagini di produzione e di consumo. Dopo un decennio di soggiorni intermittenti a New York, abbandonò la città e riscoperse nel paesaggio desertico del Sudest americano un rapporto con oggetti e immagini che riaffermava invece che sopraffare il corpo **[6]**. Una fantasia maschile di ▲ autocreazione aleggia sull'età della macchina dai ritratti meccanomorfi dei dadaisti agli idilli della produzione dei precisionisti. Con i suoi fiori e paesaggi tendenti all'astratto, O' Keeffe, un'artista che sembra senza precedenti, ricattura l'autocreazione per la propria arte della natura e insieme disturba il tipo maschile di questo immaginario. Così facendo, costruisce un'identità alternativa per gli artisti americani, soprattutto per le donne, che abbandona l'età della macchina e i miti della modernità. HF

ULTERIORI LETTURE:

Reyner Banham, *A Concrete Atlantis: U.S. Industrial Building and European Modern Architecture 1900-1925*, MIT Press, Cambridge (Mass.) 1986

Leo Marx, *The Machine in the Garden: Technology and the Pastoral Ideal in America*, Oxford University Press, New York 1964

Terry Smith, *Making the Modern: Industry, Art, and Design in America*, University of Chicago Press, Chicago 1993

Gail Stavitsky et al., *Precisionism in America: 1915-1941*, Montclair Art Museum, Montclair (N.J.) 1994

Karen Tsujimoto, *Images of America: Precisionist Painting and Modern Photography*, San Francisco Museum of Art/University of Washington Press, Seattle 1982

Anne M. Wagner, *Three Artists (Three Women): Modernism and the Art of Hesse, Krasner, and O'Keeffe*, University of California Press, Berkeley 1996

▲ 1921a ● 1960c, 1964b ▲ 1916b

1928a

La pubblicazione di *Unismo in pittura* di Wladyslaw Strzeminski, seguito nel 1931 da un libro sulla scultura scritto insieme a Katarzyna Kobro, *La composizione dello spazio*, segna l'apogeo dell'internazionalizzazione del Costruttivismo.

L'*assedio della Russia è giunto alla fine*: questo il titolo dell'editoriale che lanciava il primo numero di *Vešc"/Gegenstand/Objet*, una "rivista internazionale d'arte moderna" trilingue, pubblicata nel 1922 da due membri dell'avanguardia russa che in quel periodo vivevano a Berlino: l'artista ▲ costruttivista El Lisickij e lo scrittore Ilya Ehrenburg (1891-1967). La fine del blocco imposto dalle nazioni occidentali allo scoppio della Rivoluzione di Ottobre del 1917 era ancora solo una speranza quando il manifesto fu scritto (il numero doppio inaugurale di *Vešc"* è datato marzo-aprile), ma che venne esaudita qualche settimana dopo. Il 16 aprile 1922, urtando la maggior parte dei paesi occidentali forzati ad accettare il blitz diplomatico e presto o tardi a seguire la sua causa, la Germania firmò il Trattato di Rapallo, riconoscendo il governo sovietico di Mosca. Né Lisickij né Ehrenburg erano esperti politici, ma non era necessaria una particolare esperienza per sentire che il muro d'isolamento dietro cui la Russia sovietica era stata posta dal 1917 stava per cadere e che la Germania, la grande perdente della Prima guerra mondiale, sarebbe stata il primo paese a tendere una mano a questo paria della comunità internazionale.

Russi a Berlino

Diversamente da Ehrenburg, che aveva viaggiato in Europa per alcuni mesi (per motivi di studio) prima di stabilirsi a Berlino nell'autunno del 1921, Lisickij vi arrivò direttamente da Mosca via Varsavia alla vigilia del nuovo anno. Ehrenburg era più un viaggiatore che un fervente bolscevico, mentre Lisickij considerava suo dovere propagandare i nuovi sviluppi dell'arte sovietica in Occidente. Non è mai stato provato che l'artista russo abbia ricevuto un mandato ufficiale, ma certamente aveva almeno il tacito supporto di Anatoly Lunačarsky, ministro della cultura e dell'educazione • (Narkompros, o Commissariato Popolare dell'Istruzione, istituito nel 1917): sarebbe stato scelto per fare la grafica del catalogo della mostra apripista *Prima mostra d'arte russa*, finanziata dal governo russo e tenuta alla galleria van Diemen nell'ottobre e novembre 1922 [**1**]. Sia Ehrenburg che Lisickij furono immediatamente sedotti da Berlino, allora formidabile crogiolo culturale e ideologico, pieno di pacifisti e di gruppi di sinistra, alcuni ancora

1 • El Lisickij, bozzetto preparatorio per la copertina del catalogo della *Prima mostra d'arte russa*, 1922
Gouache, inchiostro e grafite su carta, 27 x 19 cm

fiduciosi di rivivere la rivolta del gennaio 1919 che aveva sconvolto la città per una stagione prima di essere brutalmente repressa con l'assassinio dei capofila marxisti Karl Liebknecht e Rosa Luxemburg. In alcune settimane i due artisti russi stabilirono contatti ▲ con i maggiori esponenti dell'avanguardia berlinese, in particolare con i dadaisti più politicizzati, ma anche con molti artisti di paesi artificialmente creati dal Trattato di Versailles, che ufficializzò la caduta dell'Impero austro-ungarico alla fine della Prima guerra

▲ 1926 ● 1921b ▲ 1920

mondiale. I russi erano il gruppo più grande di immigranti, contrariamente a quanto ci si potrebbe aspettare, relativamente pochi di loro erano fedeli al regime zarista deposto (i Russi bianchi, come venivano chiamati, preferirono Parigi); molti erano delusi della politica di Lenin o avevano fuggito la terribile miseria e la guerra civile del 1918-21, ma speravano ancora di poter tornare un giorno al loro paese e contribuire al suo sviluppo.

Non esisteva probabilmente forma di produzione artistica che colpisse la curiosità dell'intellighenzia cosmopolita raccolta a Berlino più di quella dell'avanguardia russa. Le comunicazioni con il resto dell'Europa si erano interrotte all'inizio del 1914, benché qualche informazione avesse cominciato a filtrare dal 1920 in poi (soprattutto attraverso il primo libro sull'argomento mai pubblicato in Occidente, *Nuova arte in Russia 1914-1919*, scritto dal giovane giornalista sovietico stabilito a Vienna Konstantin Umanskij) e avesse alimentato il già vasto interesse per la "nuova arte russa".

I responsabili di *Vešč'* erano ben consapevoli che il momento era perfetto, come testimonia il primo paragrafo dell'editoriale:

L'uscita di Vešč' è un altro segno che lo scambio di conoscenze pratiche, realizzazioni e "oggetti" tra giovani artisti russi ed europei occidentali è iniziato. Sette anni di esistenza separata hanno mostrato che il fondo comune di intenzioni e iniziative artistiche in vari paesi non è semplicemente un effetto di cambiamento, un dogma o una moda passeggera, ma un inevitabile accompagnamento della maturazione dell'umanità. L'arte oggi è internazionale, benché mantenga tutti i sintomi e le particolarità locali. I fondatori della nuova comunità artistica stanno rafforzando i legami tra la Russia della triste situazione postrivoluzionaria e l'Occidente del disgraziato Lunedì nero del dopoguerra e lo fanno al di là di qualsiasi distinzione artistica, psicologica, economica o razziale. Vešč' è il punto di incontro di due linee di comunicazione adiacenti.

Il programma che seguiva, efficacemente impaginato da Lisickij su tre colonne parallele (una per ogni lingua: tedesco, francese e russo) punteggiato dalla ripetizione del titolo della rivista in neretto, conteneva una condanna delle "tattiche negative dei ▲ dadaisti" (paragonate a quelle dei futuristi dell'anteguerra) come di quelle dei produttivisti russi:

Non abbiamo niente in comune con i poeti che sostengono in versi che non si possono più scrivere versi, o con i pittori che usano la pittura come mezzo di propaganda dell'abbandono della pittura. L'utilitarismo primitivo è lungi dall'essere la nostra dottrina. Vešč' considera la poesia, la forma plastica, il teatro come "oggetti" di cui non si può fare a meno.

Questo non significava che *Vešč'* propugnasse un ritorno all'arte per l'arte, proseguivano i direttori: per loro "ogni opera organizzata – che sia una casa, una poesia o un quadro – è un 'oggetto' diretto a un particolare scopo, che è calcolato non per distrarre le persone dalla loro vita, ma per invitarle a dare un contributo all'organizzazione della vita stessa". Così *Vešč'* prometteva di "fornire esempi nei prodotti industriali, nelle nuove invenzioni, nel linguaggio quotidiano e in quello dei giornali, nei gesti dello sport, ecc. – insomma in tutto ciò che è adatto come materiale per l'artista creativo consapevole del nostro tempo". Le parole chiave erano "organizzazione" e "costruzione": contrariamente a quanto credevano i produttivisti, l'arte rinuncia al proprio potere ideologico se è completamente sottomessa alla produzione industriale, ma sia l'arte che la produzione industriale possono funzionare come modelli l'una dell'altra. Che cosa abbia da guadagnare la seconda da questo rapporto resta vago nell'editoriale, ma secondo i suoi autori i recenti sviluppi della produzione artistica offrono una lezione chiara: la sua forza derivava in gran parte dall'essere un'impresa collettiva e dal fatto che ogni opera era concepita secondo un piano, seguendo regole definite dai materiali, e non mero risultato dell'ispirazione soggettiva.

Benché *Vešč'* avesse un ruolo importante nel pubblicizzare l'arte d'avanguardia russa, va notato che la maggior parte dei contributi fu pubblicata in russo (un'importante eccezione è la ▲ lunga recensione di Lisickij delle "mostre in Russia", illustrata da un servizio fotografico della mostra Obmokhu del 1921, pubblicata in tedesco). Il sogno dei direttori era di fare da intermediari tra Est e Ovest e fornire così delle munizioni ai loro colleghi in Russia, che temevano già che la Nuova linea economica di Lenin, indetta nel 1921 e che patrocinava il ritorno degli "specialisti borghesi", avrebbe segnato il loro destino. Informare l'avanguardia sovietica di progetti simili in vari paesi europei significava incoraggiare i suoi membri a resistere: non erano soli. Così, nella massa di informazione del primo numero di *Vešč'* si leggeva l'annuncio di una mostra internazionale di *Arte progressiva* tenutasi a Düsseldorf.

I direttori di *Vešč'* presero parte attiva al Congresso Internazionale degli Artisti Progressisti in coincidenza con la mostra di Düsseldorf (29-31 maggio 1922), durante il quale consolidarono i • loro legami con il movimento olandese De Stijl e con altri gruppi che lavoravano su premesse simili in paesi come la Romania, la Svizzera, la Svezia e la Germania **[2]**. Con Hans Richter (un ex dadaista che ora faceva film costruttivisti) e Theo van Doesburg, la mente direttrice di De Stijl (che aveva appena pubblicato il suo manifesto sull'*Arte monumentale* nel primo numero di *Vešč'*), Lisickij formò la Sezione internazionale dei costruttivisti. In una dichiarazione "di minoranza" concepita in diretta contrapposizione al credo umanista della risoluzione del Congresso, i tre coautori protestarono contro l'assenza di definizione del termine "artista progressista": "Noi definiamo artista progressista colui che combatte e rifiuta la tirannia della soggettività in arte, la cui opera non è basata sull'arbitrarietà lirica, che accetta i nuovi principi di creazione artistica – l'organizzazione degli strumenti d'espressione per produrre risultati che siano universalmente comprensibili". Inoltre sferzarono l'ideologia corporativista che alimentava l'ambizione del Congresso di creare quella che essi vedevano come "un'impresa internazionale per l'esposizione della

▲ 1909, 1921b

▲ 1921b ● 1917b

2 • El Lisickij (quarto da destra) e Theo van Doesburg (terzo da destra) al Congresso Internazionale degli Artisti Progressisti a Düsseldorf, 1922

pittura". Contro tale "linea coloniale borghese", affermarono: "Noi rigettiamo la concezione attuale di un'esposizione: un negozio pieno di oggetti senza rapporti tra loro, tutto in vendita. Oggi ci troviamo tra una società che non ha bisogno di noi e una che non esiste ancora; l'unico scopo di un'esposizione è di dimostrare ciò che vogliamo realizzare (illustrato attraverso progetti, disegni e modelli) o ciò che abbiamo già realizzato". La definizione di arte che conclude la dichiarazione conferma la costituzione di una lingua franca del Costruttivismo: "L'arte è, come la scienza e la tecnologia, un metodo di organizzazione che si applica alla totalità della vita".

La *Prima mostra d'arte russa* alla galleria van Diemen non fu esattamente una mostra costruttivista – vi erano rappresentate ▲ tutte le tendenze dell'arte russa, compreso il nascente "Realismo socialista" – ma fornì la prima occasione a un pubblico curioso di scoprire la prodigiosa attività dell'avanguardia russa in tutti i media, dalle tele suprematiste di Malevič e dei suoi pupilli ai progetti teatrali degli amici di Rodčenko e alle sculture dell'Obmokhu, senza dimenticare i quadri astratti di Lisickij, che egli chiamava *proun* (acronimo basato sulla frase russa "per l'affermazione della nuova arte") e che fecero molta sensazione **[4]**. La mostra ebbe un immenso successo, con la sezione costruttivista a fare la parte da leone nell'attenzione della stampa. Lisickij contribuì non poco a questo trionfo, prendendo parte a tutti i dibattiti pubblici che accompagnarono l'esposizione e impegnandosi in un tour di conferenze in diverse città dell'Olanda e della Germania. La sua entusiastica conferenza sulla *Nuova arte russa* rimane ancor oggi una delle analisi più lucide dello sviluppo dell'avanguardia russa dal 1910 al 1922.

L'impatto della mostra alla galleria van Diemen fu immediato. Non solo le gallerie d'arte commerciali di Berlino (come Der Sturm), fino ad allora aggrappate all'Espressionismo come forma d'arte genuinamente tedesca, si precipitarono ad aprire le loro porte all'arte della nuova avanguardia, ma vi fu anche la creazione (o la conversione al Costruttivismo) di una miriade di riviste d'avanguardia dei paesi est-europei, tutti chiaramente indebitati con il modello russo su cui la maggior parte raccolse informazioni dai corrispondenti di Berlino. Fra le molte vi furono *Zenit* prima a Zagabria e poi a Belgrado, *Revue Devetsilu*, *Zivot* e *Pasmo* a Praga, *Zwrotnica* e *Blok* a Varsavia, *Contimporanul* a Bucarest – per non parlare di riviste di architettura come *G-Material zur elementaren Gestaltung* a Berlino e *ABC* a Basilea, che Lisickij aiutò a lanciare. (Un caso particolare fu *MA* [nome anche di un gruppo di artisti e scrittori] di Lajos Kassák, che iniziò le pubblicazioni nel 1916 a Budapest e si spostò a Vienna durante la repressione che seguì la fine della repubblica proletaria ungherese: appena diventato direttore Moholy-Nagy, che lasciò Vienna per Berlino nel novembre 1919, *MA* si trasformò in uno dei difensori più ardenti della posizione costruttivista.)

Questo non significa che gli artisti raggruppati intorno a queste piccole riviste si svegliarono improvvisamente da un lungo sonno toccati dalla bacchetta magica del Costruttivismo russo. In realtà molti cercavano da anni di resuscitare una cultura d'avanguardia che nei loro paesi era stata fermata dagli eventi della Prima guerra mondiale, ma per la maggior parte la loro produzione post-cubista aveva perso la direzione, che fornì loro a quel punto l'incontro con l'arte russa. La brillante interpretazione del ▲ Cubismo data da Malevič aveva nutrito un'intera generazione di artisti russi, anche se poi avevano rigettato la sua posizione estetica; senza necessariamente esserne coscienti, i giovani componenti di questa "internazionale" emergente si nutrirono di un racconto coerente (dal Cubismo al Suprematismo al Costruttivismo) che fornì i principi d'azione di cui più avevano bisogno. Alcuni di questi nuovi convertiti realizzarono opere molto originali: un'importante eccezione è quella dell'ungherese László Peri (1899-1967), i cui quadri di forme geometriche su tavole o tele sagomate, occasionalmente anche su lastre di cemento, sono particolarmente sorprendenti **[3]**; un'altra è costituita dai quadri di Wladyslaw Strzeminski (1893- 1952) e dalle sculture della moglie Katarzyna Kobro (1898-1951), la collaborazione tra i quali fu la principale forza motrice dell'avanguardia polacca degli anni Venti e primi Trenta.

3 • László Peri, *Costruzione spaziale in tre parti*, 1923
Cemento dipinto, parte 1: 60 x 68 cm; parte 2: 55,5 x 70 cm; parte 3: 58 x 58 cm

▲ 1934a

▲ 1915

4 • El Lisickij, *Proun R.V.N.2*, 1923
Tecnica mista su tela, 99 x 99 cm

Chiamare Kobro e Strzeminski "nuovi convertiti" sarebbe oggi un errore: prima di tutto, nati rispettivamente a Mosca e a Minsk, avevano una conoscenza diretta dell'avanguardia russa, in particolare dell'arte di Malevič, con cui avevano studiato nella Svomas e poi si erano mantenuti in stretto contatto, spesso partecipando agli avvenimenti artistici tenutisi all'Unovis, la scuola di Malevič (dove molto probabilmente incontrarono Lisickij); in secondo luogo, arrivati in Polonia nel 1922, non condivisero l'entusiasmo dei loro concittadini per l'irrigidimento del Costruttivismo in Produttivismo. Il primo testo importante di Strzeminski, *Note sull'arte russa*, uscì a Cracovia nel 1922 appena prima della conferenza di Lisickij. Offrendo una rigorosa analisi dell'arte di Malevič, Strzeminski metteva in guardia contro qualsiasi strumentalizzazione dell'arte, un pericolo che egli vedeva non solo nella posizione produttivista, ma già in quella costruttivista. Aderendo alla dichiarazione della Sezione internazionale dei costruttivisti,

▲ 1921b

secondo cui l'opera d'arte era un oggetto la cui costruzione doveva obbedire a un certo numero di regole per evitare la "tirannia della soggettività", subito concepì come proprio compito quello di identificare tali regole.

L'Unismo

Alla fine degli anni Venti, avendo rapidamente asceso i ranghi dell'avanguardia polacca, Strzeminski propose una teoria matura e completa che chiamò Unismo (pubblicata nel 1928 come *Unismo in pittura*) e che costituisce una delle teorie più sofisticate dell'arte astratta. Una breve sintesi è necessaria. Secondo la teoria dell'Unismo in ogni medium, e in ognuno diversamente, l'artista deve cercare di creare un'opera d'arte "reale" (un'opera che abbia un'esistenza "reale", che non faccia affidamento su alcun tipo di trascendenza). Ogni opera d'arte la cui configurazione formale non è motivata dalla sua condizione fisica (formato, materiali e così via) è arbitraria, nel senso che la composizione origina da una visione a priori concepita dall'artista prima della sua reale incarnazione nella materia, prima dell'esistenza fisica dell'opera. Tali composizioni arbitrarie (che Strzeminski chiama "barocche") rappresentano sempre un dramma di tesi e antitesi, la cui soluzione, la sintesi, mira al convincimento. (Strzeminski era cosciente del fatto che l'organizzazione pittorica che chiamiamo composizione, teorizzata per la prima volta nel Rinascimento italiano, era stata presa dall'arte della retorica.) Ma, continua, ogni sintesi "barocca" è una soluzione necessariamente falsa perché il problema che risolve è fondato sulle opposizioni metafisiche artificialmente sovrapposte alla materia (l'opposizione figura-sfondo, per esempio) e dunque non "reali". Ogni traccia di dualismo deve essere espulsa se si vuole evitare l'idealismo della composizione e realizzare una vera costruzione (inutile dire che la dialettica di Mondrian venne rifiutata da Strzeminski).

La bidimensionalità pittorica, la deduzione formale dalla struttura e l'abolizione dell'opposizione figura-sfondo sono perciò le tre condizioni principali dell'Unismo in pittura. Quando una forma non è motivata dal formato della tela fluttua, creando un dualismo di figura-sfondo ed entrando così nel campo del "barocco" (anche se Malevič era lodato per il *Quadrato nero*, la maggior parte delle sue composizioni apertamente dinamiche erano criticate severamente).

Inspiegabilmente Strzeminski fece molta fatica a mettere in pratica la sua teoria. La sua volontà di sopprimere tutti i contrasti, formulata fin dal 1924, avrebbe dato origine a un tipo monocromatico di pittura, ma questo non prima del 1932 (più di dieci anni ▲ dopo il trittico *Rosso, giallo e blu* di Rodčenko e solo per poche opere). Ma per controllare il monocromo doveva trovare un mezzo per "dividere" la superficie dei quadri, un mezzo che non poteva essere "arbitrario" e soggettivo. La sua invenzione, formulata nel 1928 – che riapparirà nei quadri neri del 1959 di Frank • Stella, benché senza nessuna conoscenza del precedente storico – fu la "struttura deduttiva", per usare l'espressione coniata da Michael Fried nel 1965 a proposito dell'opera di Stella: le proporzioni di tutte le divisioni formali interne alla tela sono determinate dalla *ratio* delle sue dimensioni reali.

5 • Wladyslaw Strzeminski, *Composizione architettonica 9c*, 1929 ca.
Olio su tela, 96 x 60 cm

Nelle straordinarie serie di quadri derivati da questo principio, la superficie è divisa in due o tre piani (i cui colori erano ritenuti di uguale intensità) e l'articolazione negativo-positivo sospende la gerarchia figura-sfondo **[5]**. La divisione è dunque proporzionale al formato del quadro, ma l'uso occasionale di curve, che sembrerebbe impossibile in una struttura deduttiva (in un formato ortogonale), mostra che Strzeminski aveva addolcito il suo programma e reintrodotto una certa dose di "arbitrarietà" per amore di varietà. Questo avrebbe portato a una grande crisi che sarebbe emersa paradossalmente solo dopo aver tentato con l'aiuto di Kobro di trasporre la teoria dell'Unismo nel campo della scultura.

Cominciò, secondo la nozione modernista di specificità di ogni medium, ponendo la differenza radicale tra l'oggetto pittorico e quello scultoreo: il primo ha "limiti naturali" al di sotto dei quali

▲ 1921b • 1958

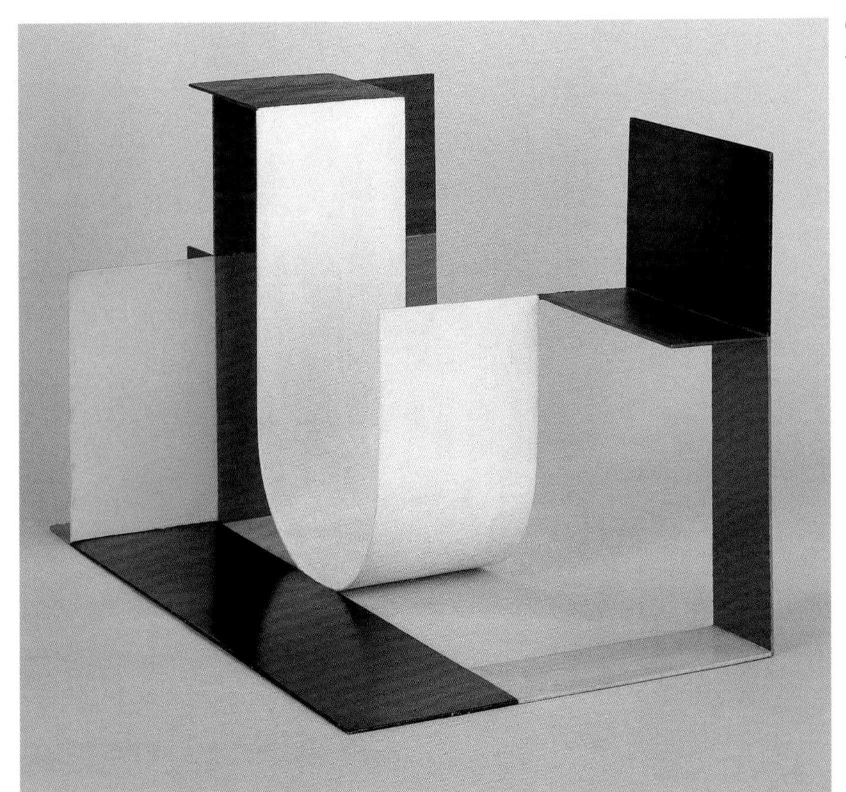

6 • Katarzyna Kobro, *Composizione spaziale #4*, 1929
Acciaio dipinto, 40 x 64 x 40 cm

non può andare (le dimensioni reali della tela), il secondo non ha tale sorte e l'"unità" che deve stabilire è con la "totalità dello spazio". Per realizzarla, l'oggetto scultoreo non deve porsi come una figura in uno sfondo vuoto (non può essere un monumento), ma incorporare lo spazio come uno dei suoi materiali. Per non essere "un corpo estraneo nello spazio" deve "creare il prolungamento dello spazio" che materializza attraverso i suoi assi. Più facile dirlo che farlo, ma Kobro andò dritto allo scopo. La vera invenzione delle opere di Kobro dopo il 1925, tutte fatte di piani intersecanti ortogonali o curvi, sta nei due metodi che usò per impedire alle sue sculture di essere viste come figure nello spazio o figure separate dallo spazio, due metodi basati su quella che possiamo chiamare una disgiunzione sintattica estrema. Il primo metodo fu la policromia: il contrasto stridente dei colori primari fa esplodere la scultura nelle tre dimensioni, prevenendola dal diventare un profilo unificato, perché ogni lato di ogni piano è dipinto diversamente. Il secondo metodo implicava la percezione temporale della scultura dacché l'osservatore le gira intorno, Kobro essendo particolarmente attenta a far sì che si veda sempre diversamente da ogni punto di vista e che nessuna angolazione possa essere dedotta da un'altra. La combinazione di questi due metodi disgiuntivi è notevolmente efficace nelle opere che Kobro produsse dal 1929 al 1930, come *Composizione spaziale #4* **[6]**, che, simili in questo senso alle tele uniste di Strzeminski, potrebbero facilmente venir datate 1960.

Strzeminski fu abbastanza rigoroso da comprendere che, ponendo l'assenza di qualsiasi "limite naturale" all'oggetto scultoreo, aveva sollevato una questione importante per la sua teoria della pittura. Si era chiesto: "Se la divisione del quadro è determinata dalle sue dimensioni, qual è allora la motivazione di tali dimensioni?" La risposta che diede creò un circolo vizioso che ignorava il principio unista della specificità di ogni medium: traendolo dalla "natura" dell'architettura, della quale Strzeminski scrisse che "il ritmo omogeneo del suo movimento deve essere in funzione delle dimensioni dell'uomo", stabilì e propose per tutte le arti una sorta di proporzione ideale (8/5). Dimostrando, suo malgrado, che è impossibile sradicare completamente l'arbitrarietà dalla produzione artistica, Strzeminski ritornò a un ideale umanista che l'Unismo aveva precisamente cercato di distruggere. Il monocromo fu il suo passo seguente, ma da allora la metafora sociale che era stata al centro dell'impresa di Strzeminski – la sua concezione dell'oggetto pittorico non gerarchico, "omogeneo", in cui tutte le parti sono uguali e interdipendenti come modello per la società a venire – si era indebolito. Condannando la ridondanza estetica, Strzeminski preferì tradire l'Unismo piuttosto che ripetersi. L'ascesa di Hitler in Germania e di Stalin in Russia furono l'ultima goccia che mise a tacere il suo impulso utopico. Passò gli ultimi venti anni della sua vita a insegnare, disegnando paesaggi biomorfi per hobby. Morì un anno dopo Kobro, nel 1952, senza avere rinunciato ai principi dell'Unismo ma con la piena consapevolezza che erano altrettanto idealisti di ciò contro cui aveva combattuto. YAB

ULTERIORI LETTURE:

Stephen Bann, *The Tradition of Constructivism*, Thames & Hudson, London 1971
Yve-Alain Bois, *Strzeminski and Kobro: In Search of Motivation*, in *Painting as Model*, MIT Press, Cambridge (Mass.) 1990
El Lissitzky, *New Russian Art*, in Sophie Lissitzky-Kuppers, *El Lissitzky: Life, Letters, Texts*, Thames & Hudson, London 1968
Krisztina Passuth, *Les avant-gardes de l'Europe centrale*, Flammarion, Paris 1988
Ryszard Stanislawski, *Constructivism in Poland*, Folkwang Museum e Kröller-Müller Museum, Essen-Otterlo 1973
Manfredo Tafuri, *La sfera e il labirinto*, Einaudi, Torino 1980

1928b

La pubblicazione di *Die neue Typographie* di Jan Tschichold conferma l'impatto della produzione dell'avanguardia sovietica sulla tipografia e la pubblicità nei paesi capitalisti dell'Europa occidentale e ratifica l'emergere di uno stile internazionale.

Quando *Die neue Typographie* di Tschichold (1902-74) apparve nel giugno 1928, pubblicato dall'editore ufficiale del sindacato dell'editoria tedesca, la sua ricezione fu molto meno sensazionale di quanto ci si aspettasse (benché il libro si sia venduto bene e fu presto esaurito). Molto meno, in ogni caso, di quella del suo immediato antecedente, il numero speciale della rivista *Typographische Mitteilungen* pubblicato sullo stesso argomento e dallo stesso organo solo tre anni prima, che aveva generato molto dibattito nella rivista. Intitolato *elementare typographie* e curato dal giovane Tschichold (aveva ventitré anni), questo numero speciale scosse il mondo tradizionale della tipografia tedesca, in cui era cresciuto, introducendolo alle opere e ▲ teorie di El Lisickij e László Moholy-Nagy, e a una quantità di illustrazioni di Kurt Schwitters, Herbert Bayer, Max Burchartz e altri membri dell'avanguardia "costruttivista internazionale", per non parlare del virulento manifesto di Tschichold stesso e della sua introduzione che cercava di collocare nel contesto storico la nuova tendenza che difendeva. Era il 1925, l'anno in cui il Bauhaus si spostava a Dessau, ma le cose poi evolsero molto in fretta nella Germania di Weimar. Leggendo *Die neue Typographie* nel 1928, senza prevedere il destino della "nuova tipografia" nella Germania nazista pochi anni dopo (sarebbe stata dichiarata "degenerata"), si potrebbe facilmente immaginare che Tschichold avesse vinto la sua battaglia.

Il libro in sé è una straordinaria impresa ed è difficile trovare il suo equivalente in altri ambiti artistici. Copiosamente illustrato, progettato secondo le stesse "leggi" che pone, propone al tempo stesso un resoconto storico della nascita della nuova tipografia, una difesa e illustrazione dei suoi principi essenziali (con un richiamo all'universalità che, di fatto, contraddice il loro fondamento storico), e un manuale del fai-da-te. Per illustrare le regole specifiche che Tschichold stabilisce per il design del logo, delle intestazioni, delle buste (con o senza finestrella), cartoline, biglietti da visita, manifesti, giornali, riviste illustrate, libri e molti altri prodotti, ognuno trattato in una sezione separata e in grande dettaglio, il libro oppone molti esempi di layout giusti o sbagliati, poiché "copiare puramente le forme esterne della nuova tipografia significherebbe creare un nuovo formalismo ancora più sbagliato e vecchio". La strategia non è del tutto nuova (un decennio prima ▲ Theo van Doesburg l'aveva usata nella sua rivista *De Stijl*, in cui oppose una vivace composizione a griglia di Vilmor Huszar a una piatta griglia "scomposta" dello stesso formato), ma Tschichold è implacabile. Fornisce anche molte dimostrazioni di design tradizionale o pseudomoderno (un manifesto per i corsi di educazione permanente offerti dalla città di Monaco, una pubblicità per una rivista locale), la versione "prima" e "dopo" accuratamente accostate in brusco contrasto.

Di fatto si potrebbe giustamente dire che *niente* era completamente nuovo in *Die neue Typographie.* È una sintesi estremamente lucida, ben organizzata e ben argomentata, dei principi che sono stati messi avanti e in pratica dal 1922 circa da tutti gli artisti che Tschichold aveva già selezionato per *elementare typographie.* È scrupolosamente onesto nel dichiarare i suoi debiti, citare i vari manifesti che precedono il suo, illustrare ampiamente l'opera dei suoi colleghi e anche restituire con discrezione i crediti dovuti, soprattutto quando riattribuisce a Man Ray l'invenzione del "foto- ● gramma" (la fotografia astratta realizzata senza macchina fotografica) che Moholy-Nagy aveva avocato a sé, un "furto" che danneggiò permanentemente i rapporti dell'artista ungherese con Lisickij.

Per riassumere gli assiomi della "nuova tipografia" posti da Tschichold, una breve storia è necessaria, seguendo la sua stessa procedura: dopo una breve introduzione che è un tipico inno modernista all'età della macchina, comprendente un quasi obbligatorio atto di fede che quest'età di progresso sociale porterà a un'umanità condivisa, i primi tre capitoli di *Die neue Typographie* sono dedicati a un resoconto storico. "La vecchia tipografia (1440-1914)" è trattata per prima, seguita da un capitolo sulla "nuova arte" e infine da una dettagliata cronaca dell'avvento della "nuova tipografia" vera e propria.

Come ci si aspettava, la "vecchia tipografia" è trattata con grande severità, con una particolare ostilità per lo storicismo di quelli che Tschichold definisce sdegnosamente gli "artisti del libro" del XIX secolo, che approfittarono dei nuovi progressi tecnici della litografia, fotografia e fotolitografia per riempire i loro progetti di una profusione di ornamenti. I movimenti che reagirono a questa ■ abbondante produzione sono descritti brevemente – cioè l'Arts and Craft di William Morris, lo Jugendstil e anche il rinnovato e

▲ 1923, 1926

▲ 1917b ● 1929, 1930a ■ 1900a

1 • F. T. Marinetti, pagina da *Les Mots en liberté futuriste*, 1919

semplificato Biedermeier che nacque dalle sue ceneri – ma ognuno è scartato come non adatto al mondo moderno. Morris è ridicolizzato per il suo inequivocabile rifiuto della macchina; lo Jugendstil è criticato per la sua ingenua fascinazione per i motivi naturali e la sua indifferenza per la materialità del medium tipografico su cui impose questi motivi; e lo stile neo-Biedermeier, elogiato per la sua autorestrizione (in particolare quella di Peter Behrens, l'architetto ▲ nel cui ufficio crebbe Walter Gropius), è condannato per la sua fedeltà al vecchio precetto della simmetria. Comunque sia lo Jugenstil che il Biedermeier sono raccomandati per la loro adozione dei caratteri romani invece dell'alfabeto Fraktur, comunemente usato in Germania fin dal Rinascimento ma quasi illeggibile per il lettore non tedesco. Abilmente, furtivamente, Tschichold ha così messo le basi per i principi che articola più avanti nel libro (a favore della meccanizzazione, contro l'imposizione aprioristica di qualsiasi forma – design floreale, simmetria – sul medium tipografico, contro il nazionalismo).

Il racconto del modernismo dato nel capitolo sulla "nuova arte" risulta oggi francamente banale – da Manet e Cézanne all'arte astratta e alla fotografia degli anni Venti (su cui Tschichold proget- • terà un libro insieme a Franz Roh l'anno seguente). Per l'epoca, tuttavia, era notevolmente beninformato, soprattutto nel suo trattamento di Dada e del Costruttivismo russo. Ancora più istruttivo, come ci si aspettava, è il capitolo dedicato alla "nuova tipografia". Con caratteristico aplomb, Tschichold rende omaggio al poeta ■ F. T. Marinetti, fondatore del Futurismo, "per aver fornito il preludio del passaggio dalla tipografia ornamentale a quella funzionale". Citando per esteso il manifesto tipografico di Marinetti del 1913 contenuto nel suo famoso libro *Les Mots en liberté futuriste* del 1919 [1], Tschichold riproduce una delle sue tavole notoriamente concepite come uno spartito musicale, benché non lineare, in cui il formato e l'orientamento delle lettere danno l'indicazione del volume e del tono di voce da tenere quando si legge la poesia ad alta voce: "Per la prima volta la tipografia diventa qui l'espressione funzionale del suo contenuto". Curiosamente Tschichold si trattiene dal criticare il pittorialismo di Marinetti (soprattutto la funzione mimetica del carattere stampato quando pretende di essere la trascrizione tipografica del rumore industriale e urbano); è piuttosto alla tipografia dadaista che rivolge questo rimprovero, prendendo come esempio un invito disegnato da Tristan Tzara per la "Soirée du coeur à barbe", un evento Dada ▲ tenutosi a Parigi nel luglio 1923. Abbastanza veloce sul Dada berlinese (Grosz, Heartfield e Huelsenbeck sono menzionati, ma la poesia fonetica di Raoul Hausmann no), saluta Schwitters, in • particolare per le sue *Tesi sulla tipografia* pubblicate nel numero speciale di *Merz* dedicato alla "Typoreklame" nella primavera del 1924 (un intervento a doppia pagina del quale è riprodotto più avanti nel libro di Tschichold, dedicato a una pubblicità della Pelikan [2], l'inchiostro per il quale Lisickij realizzò uno dei suoi migliori fotogrammi, pure riprodotto). Tschichold sbriga il Bauhaus con un'unica frase (tanto più sorprendentemente dacché la produzione dei suoi partecipanti, non solo Moholy-Nagy [3] e Bayer ma anche Joost Schmidt, figurano abbondantemente nel ■ libro) e fa l'elogio di van Doesburg e *De Stijl* in un unico paragrafo, prima di concludere con l'opera di Lisickij, chiaramente dipinto come il maggiore eroe di questa storia (con più opere riprodotte nel libro di ogni altro artista o designer).

L'impulso dell'avanguardia sovietica

Infatti, lungo *Die neue Typographie*, l'arrivo dell'artista russo in Germania alla fine del 1921 e la sua instancabile attività nei tre anni seguenti è implicitamente presentata come la causa principale del cambiamento radicale della tipografia tedesca. È vero che più tardi si attribuirà sempre la scoperta di Tchichold della "nuova ◆ tipografia" alla sua visita al Bauhaus in occasione della famosa

2 • Kurt Schwitters, pubblicità per l'inchiostro Pelikan, in *Merz*, n. 11, 1924

▲ 1923 ● 1929 ■ 1909
▲ 1920 ● 1926 ■ 1917b ◆ 1923

3 • László Moholy-Nagy, *Bauhausbucher 14: Von Material zu Architektur*, 1929
Copertina del libro

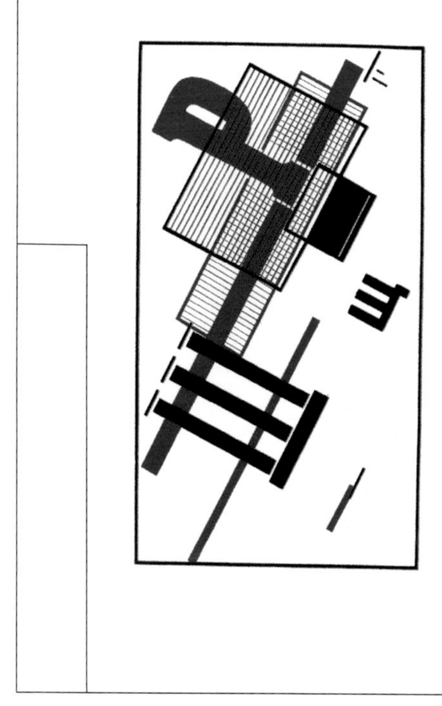
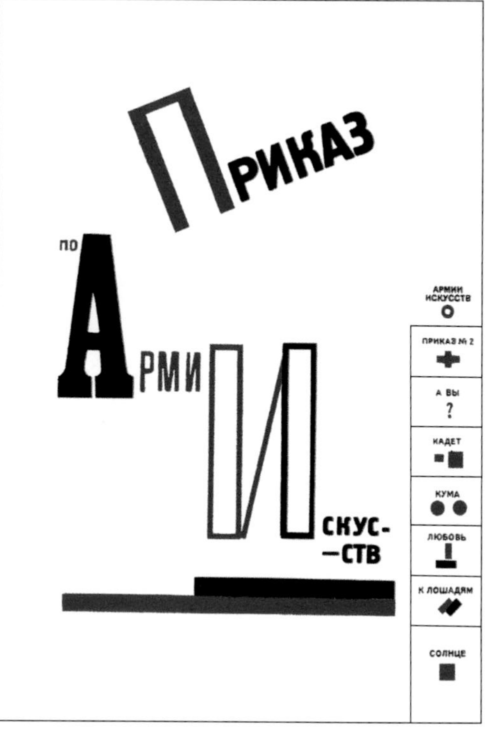

4 • El Lisickij, "L'esercito arte", intervento su doppia pagina per *Per la voce* di Vladimir Mayakovskij, 1922

mostra dell'estate del 1923, ma allora aveva soltanto completato il suo apprendistato in design tradizionale: benché ancora molto timida, l'innovazione del Bauhaus di Weimar – prima della conversione di Moholy-Nagy e del suo studente Bayer al linguaggio costruttivista – deve essere apparsa al giovane Tschichold come un tonante grido di battaglia. Introdotto poco dopo all'opera di Lisickij, soprattutto al layout del suo giornale *Vešč'/ Gegenstand/Objet* (1922-23) e ancor più al libro di poesie di Mayakovskij intitolato *Per la voce*, che considerò a lungo un capolavoro insuperabile **[4]**, Tschichold diventò subito un difensore del design d'avanguardia sovietica, tessendo le lodi non solo dell'opera di Lisickij ma anche di quella di Aleksandr Rodčenko, in particolare ▲ della sua versione del libro di Mayakovskij *Su questo* (1923), salutato come il primo volume illustrato unicamente con fotomontaggi.

Il giudizio di Tschichold sul ruolo eminente di Lisickij è sicuramente corretto. La brusca trasformazione della tipografia di Schwitters subito dopo il suo incontro con l'artista russo è evidente, e lo stesso si può dire di Moholy-Nagy e van Doesburg: una spia ne è che ognuno di loro adotta immediatamente le spesse linee nere e i contrasti enfatici che caratterizzano il layout di *Vešč'* (Schwitters in *Merz*, il cui numero 8/9, intitolato "Nasci", è cofirmato insieme a Lisickij nella primavera del 1924 **[5]**; Moholy-Nagy nella sua "sceneggiatura tipofotografica" intitolata *Dinamica della metropoli*, contenuta nel suo libro del 1925 *Pittura Fotografia Film*; e van Doesburg nel suo progetto per *Mecano*, il periodico Dada che aveva lanciato con lo pseudonimo di I. K. Bonser). Certo, se questi artisti furono subito sedotti dal modello Lisickij, è perché corrispondeva a ciò che essi stessi cercavano di formulare nel loro lavoro ma ognuno scontrandosi con le proprie difficoltà: Schwitters perché non riusciva ad abbandonare l'effetto collage casuale della tipografia dadaista; Moholy-Nagy perché, a dispetto del suo recente entusiasmo per l'astrazione geometrica e l'età della macchina, non aveva ancora liberato la sua produzione tipografica dalla tradizione espressionista da cui era influenzato; e van Doesburg perché, oltre ai layout dadaisti che aveva emulato in ▲ *Mecano*, l'unica altra fonte che aveva a disposizione era la griglia neoplastica, che, abbastanza stranamente, non aveva mai saputo come adattare ai fini grafici, ma che trovava troppo statica (su questo punto Lisickij e Schwitters lo smentirono con le pagine interne di "Nasci", in cui vari frammenti fotografici sono collegati da linee nere o grigie su un aperto campo bianco, animato dalla distribuzione asimmetrica delle masse).

Lisickij era uno degli artisti più strutturato della sua generazione (la sua famosa "Conferenza sull'arte russa", che tenne in diverse città tedesche e olandesi nel 1922, rimase a lungo il miglior resoconto, e l'analisi più intelligente, della prima arte sovietica). Era anche un ardente pedagogo, "che usava sempre la sua infallibile matita per dimostrare ogni idea che esponeva", per citare la sua futura moglie e prima biografa Sophie Lissitzky-Küppers. Inutile dire che i suoi precetti, già riverberati dai manifesti di Schwitters e Moholy-Nagy, echeggiano direttamente nei "principi della nuova tipografia" compresi nel secondo capitolo del libro di Tschichold.

Forma dalla funzione

Il primo di questi principi, che chiaramente partecipa del taylorismo ottimistico del periodo, è quello che si riferisce alla *razionalizzazione*, *meccanizzazione* e *standardizzazione*. "L'uomo

▲ 1921b, 1935

▲ 1917b

moderno deve assorbire ogni giorno una massa di carta stampata" che va per quantità al di là di qualsiasi sua abitudine e la cui lettura richiede dunque un cambio radicale di velocità. Inoltre, questa necessaria accelerazione a livello di ricezione richiede dalla carta stampata stessa che sia più efficientemente (velocemente) leggibile e più visivamente accattivante per uscire dal grigiore universale del mondo della stampa e competere con altri stimoli visivi (il che viene fatto senza nessuno scrupolo rispetto alla pubblicità). "Il nuovo libro richiede un nuovo scrittore. Penne e calamai sono morti", ha scritto Lisickij nel suo manifesto *Topografia della tipografia*, pubblicato dapprima sul numero 4 di *Merz* (luglio 1923) e ripreso per esteso da Tschichold. Non vi è niente di inatteso in questa introduzione: l'inno alla tecnologia concepita come una "sorta di seconda natura" è piena vulgata costruttivista ("tecnologia e natura seguono le stesse leggi di economia, precisione, minimo attrito e così via"). Inoltre, poiché era anche pittore, Tschichold è più preciso dei suoi colleghi nella richiesta di nuove tecniche: può comprendere in pieno i limiti imposti su artisti come Lisickij e altri dagli strumenti tradizionali della compositrice tipografica, e sente anche più di loro l'urgenza che l'industria della stampa sviluppi macchine in grado di tener testa ai loro desideri di una "fototipografia" pienamente sviluppata, in cui testo e immagini non siano solo visualmente ma anche tecnologicamente equivalenti.

Il secondo principio è quello della *motivazione* e qui, con l'aiuto dell'ethos di Lisickij, importato dai dibattiti che avevano infiammato l'avanguardia sovietica qualche anno prima, Tschichold è in grado di scavalcare un ostacolo sulla strada della tipografia funzionale. Fino ad allora la motivazione in tipografia, seguendo la famosa opposizione di de Saussure tra segni motivati (come la pittura figurativa) e segni arbitrari (come le parole), era stata intesa in termini di rappresentazione mimetica. Inoltre, poiché i segni tipografici come le lettere sono arbitrari, le uniche cose che possono "imitare" in sé, attraverso le dimensioni e l'orientamento, sono alcune proprietà dei suoni che esse trascrivono; possono poi anche, attraverso la disposizione grafica sulla pagina, imitare schematicamente la forma di un oggetto. (Il primo caso è quello delle parole in libertà di Marinetti, i cui segni grafici – come GRAAAACQ – sono concepiti come trasposizione di rumori della strada attraverso un codice implicito secondo cui maiuscolo e neretto lo restituiscono più alto di minuscolo e corsivo; il secondo caso è ▲ quello dei *calligrammi*, un'antica tradizione rivista agli inizi degli anni Dieci dal poeta francese Guillaume Apollinaire, e non particolarmente in accordo con le richieste della "lettura veloce"). I futuristi russi, in particolare Velemir Klebnikov e Aleksej Kručenik, e molti dadaisti (Hausmann su tutti), sognarono tutti di liberare il linguaggio dalla schiavitù dell'imitazione, per celebrare "la lingua in quanto tale", creando una poesia di puro suono (suoni che non si riferiscono a niente in particolare se non a se stessi e formano un nuovo linguaggio – che essi pensano spesso come "universale" poiché non dipende da nessuna lingua nazionale). Ma questo sopprimeva soltanto uno strato della motivazione mimetica: i suoni stessi non imitavano niente, ma le lettere che li trascrivevano sulla pagina erano concepiti come loro rappresentazione grafica – e viceversa, nel caso più frequente in cui

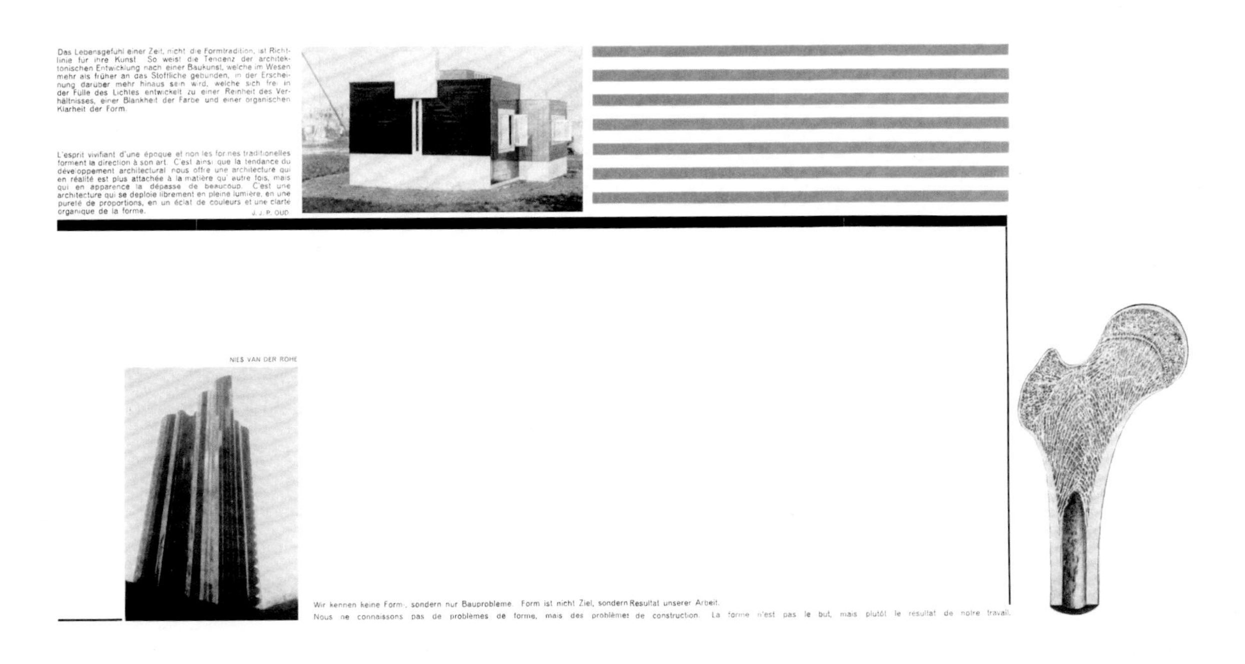

5 • El Lisickij, intervento su doppia pagina per "Nasci", *Merz*, n. 8/9, aprile-luglio 1924

▲ 1912

lo scritto venga per primo e la sua versione vocale per seconda. Infatti il manifesto del 1913 di Kručenik e Klebnikov *La lettera in quanto tale* si rifà alla dubbia disciplina della grafologia per giustificare la loro produzione stranamente anti età della macchina di libri fatti a mano: poiché "una parola scritta a mano o in un particolare carattere non è uguale alla stessa parola scritta in altra forma", sarà scritta dal poeta stesso in modo che il "manoscritto, idiosincraticamente influenzato dall'umore, trasmetta questo umore al lettore indipendentemente dalle parole".

Con Tschichold la "motivazione" abbandona l'ambito della mimesi ed entra in quello della teleologia: qualcosa è motivato non perché assomiglia a qualcos'altro, ma perché la sua forma è determinata dal suo fine. Un punto di svolta è il già menzionato progetto di Lisickij del libro *Per la voce* di Mayakovskij: contrariamente a quanto più spesso si pensa di questo piccolo gioiello tipografico, non sono le pagine di apertura di ogni poesia, concepite come *calligrammi*, a rispettare il fatto di essere destinate alla lettura ad alta voce (come indica il titolo), ma l'indice a margine che aiuta il lettore a trovare velocemente la poesia che cerca. "La Nuova Tipografia si distingue dalla vecchia per il fatto che il suo primo obiettivo è quello di sviluppare la forma visiva della funzione del testo. [...] La funzione del testo stampato è la comunicazione, l'enfasi (il valore delle parole) e la sequenza logica dei contenuti", scrive Tschichold, che continua: "Il tipografo deve avere molta cura di studiare come il suo lavoro viene e deve essere letto. È vero che normalmente leggiamo dall'alto a sinistra al basso a destra [in Occidente], ma questa non è una legge". Che la funzione del testo determini la sua forma stampata spiega l'avversione del "nuovo tipografo" per la simmetria: essa è una forma a priori, applicata alla lettura senza la minima considerazione per la natura del testo. Inoltre (e questo è ovviamente detto con in mente la pubblicità), a causa di questo persistente dominio, tutto ciò che se ne discosta catturerà l'occhio. "La Nuova Tipografia progetta così la materia testuale che guidi l'occhio da una parola o gruppo di parole al seguente [...] attraverso l'uso di diverse dimensioni, pesi, posizioni nello spazio, colore, ecc." Vi è qualcosa di spudoratamente autoritario nelle produzioni della "nuova tipografia": essa dice allo sguardo dove andare (nessuna sorpresa che i campi che ha rapidamente conquistato siano stati la propaganda politica e la pubblicità).

Il terzo principio posto da Tschichold – tipicamente modernista – è quello della *specificità del medium*: per essere funzionale e razionale, la tipografia deve essere ripulita da tutte le importazioni estranee, la più madornale delle quali è la decorazione gratuita (prendendo spunto dal campo dell'architettura, in cui il discorso modernista era ormai maturato in un canone, Tschichold evocò un saggio del 1898 di Adolf Loos contro l'ornamento). Certo, ciò che può essere considerato essenziale della tipografia era particolarmente duro da fissare in un momento in cui la tecnologia era in rapida trasformazione, ma le condizioni tecniche non erano l'unico parametro assunto: come Lisickij era orgoglioso del fatto che per comporre *Per la voce* aveva usato soltanto i materiali tradizionali trovati nel negozio per tipografi, Tschichold accennò che il carattere tipografico che aveva usato per il suo libro era soltanto il migliore a disposizione a quel tempo – dunque i materiali sono meno importanti del come vengono usati. Inoltre la materialità del medium tipografico consiste in gran parte negli elementi rimossi dalla "vecchia tipografia" (come la bidimensionalità della pittura fu rimossa dalla pittura premodernista). Un esempio calzante è la regola: "La Nuova Tipografia usa l'effettività dello 'sfondo' [notare le virgolette] piuttosto liberamente e considera gli spazi bianchi sulla carta come elementi formali così come le aree nere del carattere". A prima vista sembra una pura eco della lotta contro la gerarchia figura/sfondo che ha giocato un ruolo così importante in ambito pittorico a partire da Cézanne e Seurat (ed era più esattamente articolato nelle opere dei membri di De Stijl intorno al 1918 e, nello stesso momento in cui veniva pubblicato il libro di Tschichold, in quella del pittore – e tipografo – costruttivista polacco Wladyslaw Strzeminski). ▲ Ma il modernismo pittorico era solo un alleato benvenuto su questo punto: il principio che in materia di stampa i "bianchi" sono altrettanto significativi delle parole era già stato formulato da tempo nell'ambito del linguaggio e per estensione della grafica, in particolare dal poeta francese Stéphane Mallarmé nella prefazione al suo *Un colpo di dadi* (1897), senza dubbio il primo capolavoro della tipografia moderna (a cui Marinetti – con riluttanza – e Apollinaire – volentieri – erano entrambi chiaramente debitori).

Un carattere per la modernità

Tra le "convenzioni necessarie" che il credo modernista abbracciato da Tschichold era pronto a fustigare vi era l'uso dei caratteri serif. Tschichold arrivò fino a pretendere che i caratteri sans serif fossero gli unici corrispondenti alla velocità della vita moderna (velocità di produzione così come di ricezione) e dunque che il loro uso dovesse essere *esclusivo* – eccetto, come ammette, nel caso della parodia. Tschichold non era solo in questa appassionata difesa del sans serif – Moholy-Nagy e Bayer al Bauhaus erano stati tra i suoi più ardenti promotori **[6]** – e retrospettivamente la prevalenza di caratteri sans serif nella tipografia funzionale dell'epoca sembra una risposta diretta all'onnipresenza del Fraktur (un carattere che, si potrebbe dire, è tutto serif) nel mondo della stampa tedesca, mentre il lavoro dei tipografi di altri paesi felicemente prendeva spunto dai loro colleghi tedeschi senza entrare in un penoso dibattito sull'identità nazionale.

Un'altra caratteristica specificamente tedesca che giocò un ruolo nella formazione ideologica della tipografia funzionale è la particolare circostanza del linguaggio scritto tedesco secondo cui tutti i sostantivi devono avere l'iniziale maiuscola. Anche se Jakob Grimm vi si era già opposto nel XIX secolo (e aveva chiesto che, come in inglese o in altre lingue che usano l'alfabeto romano, le maiuscole fossero usate solo per i nomi propri e all'inizio di frase), il primo a sostenere l'attacco contro questa usanza – in pratica ancor oggi – fu il libro del 1920 *Sprache und Schrift*, scritto

▲ 1917b, 1928a

6 • Herbert Bayer, manifesto della mostra *Kandinsky Jubiläums-Austellung zum 60. Geburtstag*, 1926

dall'ingegnere Walter Porstmann (1886-1959), uno degli eroi di Tschichold che ideò la standardizzazione DIN del formato della carta su cui ci basiamo ancora oggi (tra le altre cose il formato A4 ne è un diretto discendente).

L'urgenza di standardizzazione, che occupa una larga porzione del compendio di Tschichold, si diffonde nella seconda parte pratica del suo libro – la parte che probabilmente causò il suo immediato successo. Abbandonando il protagonismo dei precedenti capitoli, Tschichold si rivela un grande pragmatista. I formati e le proporzioni standardizzati sono discussi per ogni tipo di voce tipografica che figura sulla sua lunga lista, generosamente riempiti con esempi riusciti realizzati da lui o dai suoi colleghi e innumerevoli consigli per il tipografo neofita (inclusi gli errori da evitare e il come), una bibliografia e una lista di fornitori – anche l'indirizzo personale di tutti gli autori di cui sono riprodotte le opere (è sorprendente quanti lettori scrissero a Lisickij e che queste lettere lo raggiunsero a Mosca). Qui forse si trova l'aspetto veramente originale del libro di Tschichold: essendo tra le altre cose un manuale, segnala che non ha niente a che fare con Utopia, che appartiene al mondo reale. Naturalmente le vaghe pretese quasi socialiste seminate qua e là non sono mere cortine fumogene – allora era possibile credere che la forma di un libro potesse aiutare a cambiare il mondo! – anche se, come nota Robin Kinross, vennero derise in una recensione pubblicata su *bauhaus*, la rivista della scuola la cui direzione era passata all'architetto marxista Hannes Meyer. Ma proprio come Gropius, il predecessore di Meyer, era stato acuto nel sottolineare che i prodotti del Bauhaus potevano essere tutti realizzati meccanicamente (e aveva ampiamente pubblicizzato i pochi successi della scuola in questo ambito), Tschichold volle essere sicuro che l'industria ricevesse il suo messaggio, non importa se l'ammicco al capitalismo e al consumismo della sua enfasi sulla pubblicità contraddiceva le sue vedute politiche.

Diversamente da tutti gli artisti che celebrò nel suo libro, Tschichold era un tipografo professionista (cioè non aveva un'altra attività) e come tale era molto meglio equipaggiato dei suoi colleghi per trovare difetti nei suoi precetti. Diversamente da Bayer, per esempio, non giunse mai a eliminare *tutte* le maiuscole (Bayer attaccò il dogma per tutta la vita, rendendo tutti i suoi testi di difficili lettura, contrariamente a quanto seriamente credeva, da quando la soppresse anche all'inizio di frase); e solo nel 1935 Tschichold non ebbe più scrupoli di usare i caratteri serif per la copertina del suo *Typographische Gestaltung*, come per provare che si può creare un progetto moderno anche usando caratteri vecchi (molto meglio in ogni caso, avverte in questo libro, che quando i caratteri sans serif vengono usati male). Dalla fine degli anni Trenta la tradizione in cui Tschichold era cresciuto lo riagguantò. Esiliato in Svizzera dopo la salita al potere di Hitler, gradualmente rinunciò a tutti i principi che aveva così eloquentemente difeso. Da quando si trasferì in Inghilterra per diventare capodesigner di Penguin Books, fu uno dei più strenui oppositori della "nuova tipografia" e molte copertine di suoi libri svilupparono una misteriosa somiglianza con alcuni di quelli ▲ che erano stati attaccati in *Die neue Typographie*. Quando Max Bill lo accusò di tradimento, nel 1946, giunse fino a tacciare il credo dei tipografi modernisti, incluso il suo precedente, come "non così lontano dall'illusione di 'ordine' che guidò il Terzo Reich". Una pagina, tristemente, era stata voltata. YAB

ULTERIORI LETTURE:
Herbert Specer, *Pioneers of Modern Typography*, edizione rivista, MIT Press, Cambridge (Mass.) 2004
Sophy Lissitzky-Küppers, *El Lissitzky: Life-Letters-Texts*, Thames & Hudson, London 1968
Ruari McLean, *Jan Tschichold: Typographer*, David R. Godine, Boston 1975
Cjristopher Burke, *Active Literature: Jan Tschichold and New Typography*, Hyphen Press, London 2007
Richard Kostelanetz (a cura di), *Moholy-Nagy*, Allen Lane, London 1971
Arthur A. Cohen, *Herbert Bayer: The Complete Work*, MIT Press, Cambridge (Mass.) 1984

▲ 1937b, 1959e, 1967c

1929

L'esposizione *Film e fotografia*, organizzata dal Deutscher Werkbund e tenutasi a Stoccarda dal 18 maggio al 7 luglio, offre un panorama delle pratiche e dei dibattiti fotografici internazionali: la mostra segna l'apice della fotografia del XX secolo e l'emergere di una nuova teoria critica e storiografia del medium.

In parte a causa dell'impatto della Prima guerra mondiale, la cultura visiva della Germania di Weimar si è sempre più focalizzata sull'immagine fotografica e filmica in tutte le sue varianti: alcuni autori hanno sostenuto che fu per staccarsi dai modelli tradizionali di produzione culturale che prevalevano ancora in Francia, Inghilterra e Italia alla fine degli anni Venti. Organizzata da Gustav Stotz (assistito dall'architetto Bernhard Pankok, dal designer grafico Jan Tschichold e altri) per conto del Deutscher Werkbund (fondato nel 1907 per collegare industria, artigianato e produzione artistica), *Film e fotografia* **[1]** mostrò la grande varietà delle pratiche fotografiche internazionali. Più di 200 fotografi esposero 1.200 fotografie, ogni sezione nazionale con un proprio curatore. Edward Weston e Edward Steichen curarono la sezione ▲ degli Stati Uniti, che incluse opere di Weston stesso, suo figlio Brett • Weston, Charles Sheeler **[2]** e Imogen Cunningham; Christian Zervos presentò Eugène Atget e Man Ray per la Francia; il designer ■ e grafico olandese Piet Zwart prese in carico la sezione olandese e ◆ belga; El Lisickij selezionò la rappresentanza dell'Unione Sovietica; mentre Moholy-Nagy e Stotz curarono la sezione tedesca, con opere, tra gli altri, di Aenne Mosbacher **[3]**, Aenne Biermann **[4]**, Erhardt Dorner e Willi Ruge. Moholy-Nagy concepì e disegnò anche la prima stanza che introduceva la storia e le tecniche della fotografia, e in un'altra, un proprio spazio espositivo separato, mostrò i principi e i materiali del suo *Pittura Fotografia Film*, pubblicato dalle edizioni del Bauhaus nel 1925.

Non sorprenderà che sia stato proprio a questo punto che si sono formate le identità professionali dei nuovi fotografi, produttori di immagini della vita quotidiana, degli eventi politici, di avvenimenti comuni, di turismo, moda e consumi. D'altro canto, le "identità" artistiche e quelle funzionali si separarono sempre più. È importante riconoscere che *Film e fotografia* ebbe successo perché fornì la sintesi di tutte queste tendenze della fotografia degli anni Venti. Prima di tutto, dalla nascita delle riviste illustrate la fotografia era emersa come il nuovo medium dell'informazione politica e storica (con l'unica concorrenza dei cinegiornali settimanali), corrispondente alla formazione della cultura di Weimar. Collaborando a riviste illustrate come il *Berliner Illustrierte Zeitung* (*BIZ*) o l'*Ullstein UHU*, che furono i precursori di *Paris Match* in Francia e *Life* negli Stati Uniti, i fotografi introdussero nuove risorse informative di enorme importanza. In secondo ▲ luogo, la fotografia aveva acquisito un ruolo centrale nel progetto, sviluppo ed espansione della pubblicità e dell'industria della moda, rivolta alla nuova classe medio-bassa dei (spesso femminili) colletti bianchi di Berlino e altri grandi centri urbani industrializzati. In terzo luogo, emerse un nuovo modello antitetico, un tipo di controinformazione in opposizione al fotogiornalismo, alla pubblicità fotografica e alla propaganda dei prodotti.

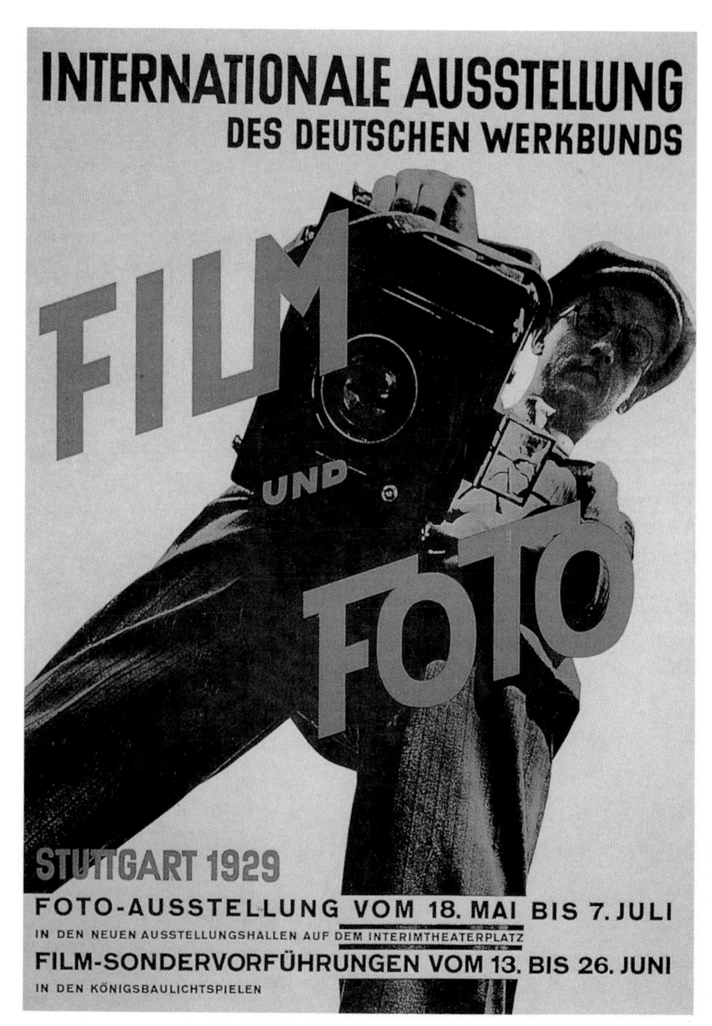

1 • Autore sconosciuto, *Film e fotografia*, 1929
Manifesto, litografia su carta, 84,1 x 58,4 cm

▲ 1916b, 1927c, 1959d • 1924, 1930b, 1931a, 1935 ■ 1926, 1928a, 1928b ◆ 1923, 1947a ▲ 1930a

2 • Charles Sheeler, *Fienile in Pennsylvania*, 1915 ca.
Stampa alla gelatina d'argento, 19,1 x 23,9 cm

La propaganda dei prodotti e la sfera pubblica proletaria

Questo modello si era sviluppato come risultato dei tentativi di abolire la specializzazione professionale di produzione di immagini ideologiche e per rendere gli strumenti della fotografia immediatamente disponibili alla classe lavoratrice. Organizzato a un livello notevole dal Partito comunista tedesco, il Movimento Fotografico dei Lavoratori mise in grado il lavoratore anonimo di partecipare al processo emergente di autorappresentazione politica e culturale. Organizzò le sue funzioni educative e agitatrici nei Club Fotografici dei Lavoratori e nella rivista di Willi Münzenberg *Der Arbeiter Fotograf*, pubblicata dal 1926. "La fotografia come un'arma" diventò lo slogan che venne coniato in opposizione alla sempre crescente importanza della fotografia nell'indottrinamento della sfera pubblica di massa con le ideologie del consumo e della commercializzazione del linguaggio visivo della vita quotidiana. Opportunamente dunque, la mostra *Film e fotografia* allargò i tradizionali parametri artistici della fotografia includendo il fotogiornalismo, la pubblicità e la fotografia amatoriale, nonché ▲ il fotomontaggio politico di John Heartfield, benché ancora principalmente definiti dal contrasto estetico tra il concetto di "Nuova visione" di Moholy-Nagy e il progetto di "fotografia fotografica" di Albert Renger-Patzsch (1897-1966), le immagini tecnicamente ▲ perfette della Nuova oggettività. Moholy-Nagy e Renger-Patzsch avevano espresso per la prima volta le loro opposte concezioni del "nuovo" medium e della specificità delle sue convenzioni estetiche nel 1927, sul primo numero della rivista *Das Deutsche Lichtbild*. Mentre Moholy-Nagy dava priorità alle dimensioni tecniche, ottiche e chimiche per mettere in primo piano le qualità sperimentali e costruttive della fotografia, Renger-Patzsch insisteva sul suo realismo quasi ontologico: "In fotografia si deve partire dall'essenza dell'oggetto e cercare di rappresentarla con i soli mezzi fotografici, che si tratti di un essere umano, un paesaggio, un'architettura o altro" **[5]**. Più tardi Renger-Patzsch affermò che "il segreto della buona fotografia è che può avere qualità artistiche esattamente come un'opera d'arte nonostante il suo realismo. Perciò lasciamo l'arte agli artisti e cerchiamo di creare la fotografia con i mezzi della fotografia, che possiede le proprie qualità artistiche senza dover ricorrere a quelle dell'arte".

Lo sviluppo autoriflessivo del medium secondo Moholy-Nagy, comprendente i fotogrammi, le sovrapposizioni, i dispositivi scientifici della macrofotografia e dei raggi X, come quelli cinematografici della rapida alternanza di dettagli e campi lunghi, andava di pari passo con la sua sottolineatura delle diversità chimiche, ottiche e tecniche dei procedimenti fotografici. Sostenne che la

▲1920, 1937c

▲ 1925b

3 • Aenne Mosbacher, *Corallo*, 1928

4 • Aenne Biermann, *Posacenere*, 1928 ca.

fotografia senza macchina fotografica fu una sua "invenzione". Anche se il fotogramma era stato usato poco prima da artisti come ▲ Christian Schad e Man Ray (e naturalmente era già conosciuto dai tempi di Anna Atkins e William Fox Talbot nel XIX secolo), fu Moholy-Nagy a ridefinirlo praticamente, teoricamente e filosoficamente. Associando il fotogramma non solo allo spazio perfettamente non prospettico, lo vide anche come concreta incarnazione del suo progetto di usare "la luce invece del pigmento", di articolare "lo spazio attraverso la luce" e di fornire l'evidenza fotografica di uno "spazio-tempo continuo".

Tutte queste strategie venivano da un ottimismo che considerava la visione fotografica come una potente espansione della vista naturale, come sua protesi tecnica. Moholy-Nagy aveva sostenuto in *Pittura Fotografia Film* che "l'apparecchio fotografico è in grado di perfezionare, in particolare di integrare il nostro strumento ottico, l'occhio. Questo principio è già messo in atto in alcuni esperimenti scientifici, quali lo studio del movimento (passo, salto, galoppo) e di forme zoologiche, botaniche e minerali (ingrandimenti, fotografie al microscopio). [...] Ciò risulta anche dalle cosiddette riprese fotografiche 'scorrette': viste dall'alto, dal basso, di scorcio, che nella loro casualità ci sorprendono". **[6]** Chiaramente il libro sperimentale di Moholy-Nagy e la sua sezione ▲ espositiva a *Film e fotografia* ispirarono Walter Benjamin che nel 1931 scrisse (nella sua cruciale recensione di alcuni dei libri di fotografia appena menzionati intitolato *Breve storia della fotografia*) che "la natura che parla alla macchina fotografica è una natura diversa da quella che parla all'occhio".

Naturalizzare la tecnologia

L'abolizione modernista dello spazio a prospettiva centrale nella pittura cubista aveva portato a una forma di fotografia che estetizzava le angolature e le discontinuità spaziali della modernità. Le vedute pittoriche a volo d'uccello di paesaggi o figure furono sostituite dal diagramma e dal dettaglio. Nella loro coazione ad assimilare tutte le forme di esperienza ai principi che governano l'ordine tecnocratico, i fotografi scoprirono che anche i principi della costruzione modernista erano ontologicamente prefigurati negli ordini naturali delle piante e delle pietre. Questi paragoni fotografici tra strutture naturali e tecnologiche condussero alla scoperta dell'opera di Karl Blossfeldt (1865-1932) e alla pubblicazione nel 1928 della sua collezione di fotografie, *Le forme primarie dell'arte*, che verranno viste come precedenti della fotografia della Nuova oggettività.

Blossfeldt, che aveva studiato da scultore, aveva lavorato come insegnante di disegno alla Kunstgewerbeschule a Berlino dal 1898. Pian piano usò sempre di più la fotografia al posto del calco delle piante che facevano da modelli da cui gli studenti acquisivano le abilità fondamentali del disegno naturalista e del progetto funzionalista (nelle tradizioni stabilite dall'architetto, docente e teorico Gottfried Semper e da Theodor Haeckel a metà del secolo XIX). Le sue prime fotografie di piante furono pubblicate nel 1896 e, mantenendo gli identici o simili strumenti tecnici, norme e principi fotografici per i trent'anni seguenti, Blossfeldt produsse un enorme archivio di tavole delle estreme differenziazioni delle formazioni delle singole piante **[7]**, prima di tutto come strumenti di insegnamento per le sue lezioni di disegno. Fu solo nel 1928, quando il mercante d'arte Karl Nierendorf iniziò la pubblicazione di *Le forme primarie dell'arte* con Ernst Wasmuth a Berlino, che Blossfeldt fu scoperto come il grande pioniere dell'estetica emer-

▲ 1918, 1925b, 1930b, 1931a

▲ 1935

5 • Albert Renger-Patzsch, *Testa di serpente*, 1925

gente della Nuova oggettività; fu così che l'anno seguente Moholy-Nagy lo incluse nella sala d'entrata della mostra *Film e fotografia*.

Facendo del dettaglio microscopico e della serie scientifica le strutture epistemiche dell'osservazione fotografica, Blossfeldt sviluppò il modello di una tipologia fotografica che riecheggerà ▲ negli anni Sessanta nell'opera di Bernd e Hilla Becher. Al tempo della Nuova oggettività, negli anni Venti, le fotografie di Blossfeldt erano celebrate come dimostrazione che la costruzione tecnica modernista e l'identità di funzione e ornamento avevano un fondamento in natura. Ancora più importante, l'immaginario magico di Blossfeldt di dettagli di piante rispondeva al desiderio di riconciliare l'esperienza frammentata di spazio e tempo nelle condizioni del lavoro industrializzato con un'esperienza ontologica di ritmi ed evoluzioni naturali. Se la contemplazione visiva della macchina poteva servire a bandire la sua presenza minacciosa e alienante naturalizzandola attraverso gli strumenti fotografici, allora la rivelazione dettagliata di una natura prodotta serialmente e strutturalmente avrebbe confortato lo spettatore nella scoperta della profonda unità degli ordini e delle strutture naturali e di quelle realizzate dall'uomo. Franz Roh, il critico che pubblicò il fondamentale libro *Foto-occhio* nel 1929 ad accompagnamento dell'esposizione *Film e fotografia*, aveva già affermato in un testo sull'arte postespressionista del 1927 che "mentre l'espressione era appena stata scoperta nel movimento della vita, ora ne scopriamo il potere già nel silenzio dell'essere stesso, quando ascoltiamo attentamente i *suoni originari* di una pura entità che è giunta pienamente in essere". Nel suo saggio del 1931 Benjamin associò Blossfeldt alla sobrietà di Atget e scelse le sue fotografie non solo come primi esempi dell'emancipazione della fotografia dal Pittorialismo, ma anche come evidenza del suo accesso privilegiato all'inconscio ottico.

Da allora la natura sarebbe stata assimilata alla tecnologia e la tecnologia naturalizzata, o, come scrisse Thomas Mann nella sua recensione del libro di Renger-Patzsch *Il mondo è bello* del 1928: "Ma, ora che l'esperienza psichica diventa preda della tecnologia, la tecnologia diventerà sentimentale?". Il libro di Renger-Patzsch decorato da un emblema che combina le strutture di un'agave e quella di un palo telegrafico in una discutibile pretesa di corrispondenza, doveva inizialmente essere intitolato *Le cose*. Fu Carl Georg Heise, l'autore della prefazione e curatore della prima mostra di Renger-Patzsch in un museo nel 1927, a suggerire il titolo più enfatico, segnalando senza volerlo ai critici il carattere essenzialmente affermativo della Nuova oggettività.

La risposta di Walter Benjamin fu devastante, centrando i problemi della fotografia della Nuova oggettività di Renger-Patzsch più lucidamente di chiunque altro: "La creatività della fotografia è la sua abdicazione alla moda. *Il mondo è bello*: questo è il suo motto. Questo motto smaschera l'atteggiamento di una fotografia che è capace di montare dentro la totalità del cosmo un qualunque barattolo di conserve, ma che non è in grado di afferrare nessuno dei contesti umani in cui essa si presenta e che così, anche quando affronta i soggetti più gratuiti, è più una prefigurazione della loro vendibilità che della loro conoscenza. Ma poiché il vero volto di questa creatività fotografica è la réclame o l'associazione, la legittima risposta ad essa è lo smascheramento o la costruzione".

Il soggetto seriale

La fotografia della Nuova oggettività fu certamente determinata da un ampio spettro di promesse e interessi sociali contraddittori, e la sua definizione come nuovo tipo di "visione tecnologica" si presta in modo ideale a tutti questi fini. Prima di tutto l'estetica fotografica di Weimar costituì un freno antiespressionista iniziato nella Germania di Weimar intorno al 1925 in risposta alla generale stabilità politica ed economica del periodo. In secondo luogo, come estetica a sfondo tecnologico, fece parte di un più ampio processo di modernizzazione in cui le pratiche fotografiche stesse si adeguarono a un contesto sociale in rapido cambiamento, la creazione cioè di una sfera pubblica di massa e di forme di industrializzazione in grande avanzamento.

Il pensiero estetico tedesco tradizionale, basato sul rapporto dialettico del soggetto con la natura, si stava spostando verso un'estetica in cui il primato della natura veniva sostituito dal desiderio di legare il lavoro dell'artista al progresso dell'industria e della tecnologia. Infine – ed è forse l'aspetto più importante – solo la fotografia, con la sua capacità di selezionare, rappresentare e presentare gli oggetti come assolutamente autentici, può fornire le immagini di un processo di consumo globale: solo la fotografia, con la sua struttura intrinsecamente feticista, può registrare l'impatto del feticismo del consumo sull'esperienza quotidiana del ▲ soggetto (che diventerà il progetto del Surrealismo più che della Nuova oggettività). Come ha acutamente osservato Herbert Molderings, i fotografi della Nuova oggettività scoprirono il loro progetto estetico solo "quando diventò evidente che il principio seriale e l'aumento della ripetizione definivano la produzione

▲ 1968a

▲ 1924, 1931a

6 • **László Moholy-Nagy, *Berlino*, 1928**

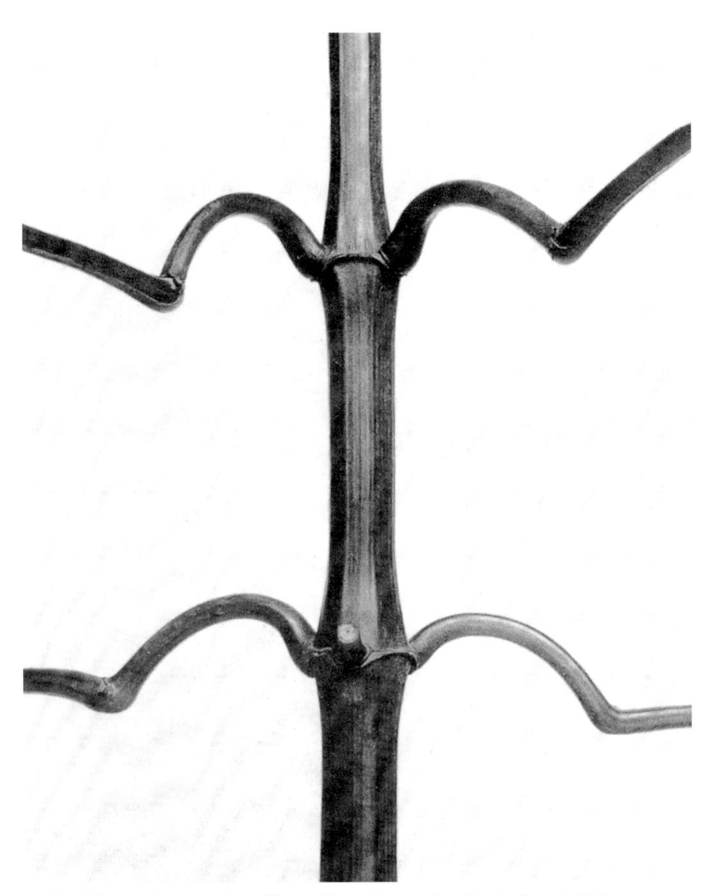

7 • Karl Blossfeldt, ***Impatiens Glandulifera; Balsamine, Springkraut*****, 1927**
Stampa ai sali d'argento, dimensioni sconosciute

industriale in generale. D'ora innanzi il ritmo della standardizzazione e dell'accumulazione degli oggetti eternamente identici avrebbe segnato tutte le immagini del nuovo fotografo".

▲ Paradossalmente August Sander (1867-1964), senza dubbio il più grande fotografo della Nuova oggettività e una delle grandi figure della storia della fotografia, non fu incluso nella mostra *Film e fotografia*. Sander, che aveva installato un atelier di ritratti all'inizio degli anni Dieci, aveva sottolineato che la fotografia va ripulita del kitsch pittorialista per ottenere quella che chiamava la "fotografia esatta". All'inizio degli anni Venti Sander aveva poi iniziato un progetto a lungo termine che voleva essere una documentazione esauriente intitolata *Uomini del XX secolo*. Questo ● progetto – come quello sulla Parigi in via di sparizione di Atget – costituì un archivio di decine di migliaia di negativi (gran parte dei quali furono distrutti prima dai nazisti e poi dalle bombe alleate). Sander previde un'eventuale pubblicazione nella forma di quarantacinque portfolio di venti immagini ciascuno che avrebbero rappresentato e classificato i membri della società weimariana secondo la loro professione e classe sociale.

La fine di un archivio

Quando una selezione preliminare dell'opera venne pubblicata nel 1929, con il titolo *Volti del nostro tempo* e un'introduzione dello scrittore Alfred Döblin, diventò subito evidente che quello di Sander non era né il solito progetto di ritratti né un'impresa fotografica che poteva essere assimilata all'estetica della Nuova oggettività. Ancora una volta fu l'acume di Walter Benjamin a situare il progetto di Sander nel contesto storico più consono. Definendolo un atlante di esercizi fisiognomici o un manuale su cui esercitarsi (un *Übungsatlas*), Benjamin pose *Volti del nostro tempo* in sorprendente ma storicamente preciso confronto con i nuovi (anti)-ritratti della cultura fotografica e cinematografica dell'Unione Sovietica. In entrambi i casi, sostenne Benjamin, era emersa la necessità di una nuova forma ritrattistica in cui non solo una nuova classe sociale trovasse la propria rappresentazione (come nel cinema sovietico), ma in cui inoltre l'interesse per una comprensione scientifica della collettività sociale sostituisse le false pretese di autonomia del soggetto borghese.

Sander fu strettamente associato al gruppo dei Progressisti di Colonia, il cui impegno nella formulazione di una concezione radicalmente diversa del soggetto e di una nuova sfera pubblica proletaria li aveva portati a un crescente interesse per la tipologia sociale. Uno dei fondatori del gruppo, l'artista di Colonia Franz Wilhelm Seiwert aveva pubblicato nel 1921 una serie di silografie intitolate *Sette ritratti del nostro tempo*, che aveva ispirato il titolo di Sander.

Mentre gli storici della fotografia si sono sorpresi che *Volti del nostro tempo* di Sander venisse confiscato e distrutto dal governo nazista nel 1934, la ragione sembra relativamente chiara. Prima di tutto, il progetto di Sander di una tipologia scientifica della comunità sociale decostruiva la salvaguardia tradizionale del ritratto singolo borghese, sostituendolo con un archivio fotografico collettivista, inaccettabile per un regime totalitario emergente basato sulla distruzione dell'identità politica di classe e della collettività. In secondo luogo, l'*Übungsatlas* di Sander consegnava un ultimo sguardo a una società straordinariamente differenziata e all'asincrona diversità delle posizioni del soggetto che la prima democrazia liberale tedesca aveva permesso. Con la distruzione del libro di Sander e delle sue tavole fotografiche, i nazisti cercarono non solo di sradicare la memoria di quella democrazia, ma – cosa più importante – di liquidare fin dall'inizio qualsiasi possibilità di un'analisi fotografica dei rapporti sociali e del loro impatto sulla formazione del soggetto. BB

ULTERIORI LETTURE:

George Baker, *August Sander: Photography between Narrativity and Stasis*, in *October*, n. 76, primavera 1996

Ute Eskildsen e Jan-Christopher Horak (a cura di), *Film und Foto der Zwanziger Jahre*, Verlag Gerd Hatje, Stuttgart 1979

Heinz Fuchs, *Die Dinge, die Sachen, die Welt der Technik*, in *Fotografie 1919-1979 Made in Germany*, Umschau, Frankfurt 1979

Gert Mattenklott, *Karl Blossfeldt: Fotografischer Naturalismus um 1900 und 1930*, in *Karl Blossfeldt*, Schirmer/Mosel, Munich 1994

Herbert Molderings, *Uberlegungen zur Fotografie der Neue Sachlichkeit und des Bauhauses*, in Molderings, Keller e Ranke (a cura di), *Beitraege zur Gischichte und Aesthetik der Fotografie*, Anabas Verlag, Giessen 1979

Karl Steinorth (a cura di), *Internationale Ausstellung des Deutschen Werkbundes "Film und Foto, 1929"*, Deutsche Verlag-Anstaldt, Stuttgart 1979

▲ 1935 ● 1935

1930–1939

282 1930a L'avvento del consumo di massa e delle riviste di moda nella Germania di Weimar degli anni Venti e Trenta crea nuovi contesti per la produzione e la distribuzione di immagini fotografiche e contribuisce a fare emergere un gruppo di importanti fotografe. BB

287 1930b Georges Bataille recensisce *L'arte primitiva* in *Documents*, evidenziando al tempo stesso una lacerazione nel rapporto tra l'avanguardia e il primitivismo e una spaccatura all'interno del Surrealismo. RK
box • Carl Einstein YAB

292 1931a Alberto Giacometti, Salvador Dalí e André Breton pubblicano testi sull'"oggetto a funzionamento simbolico" nella rivista *Le Surréalisme au service de la révolution*: il Surrealismo estende l'estetica del feticismo e della fantasia al regno della produzione. HF

297 1931b Dacché Joan Miró riafferma il suo voto all'"assassinio della pittura" e i delicati mobile di Alexander Calder sono sostituiti dagli impassibili *stabile*, la pittura e la scultura europee mostrano una nuova sensibilità che riflette il concetto batailliano di "informe". RK

303 1933 Il ritratto di Lenin nei murales dipinti da Diego Rivera al Rockefeller Center fa scoppiare uno scandalo: il Muralismo messicano produce opere pubbliche di contenuto politico in varie località americane, stabilendo un precedente per un'avanguardia politica negli Stati Uniti. AD

308 1934a Nel Primo Congresso degli Scrittori Sovietici, Andrej Ždanov fissa la dottrina del Realismo socialista. BB

314 1934b In *Gli obbiettivi dello scultore* Henry Moore propone un'estetica britannica del taglio diretto in scultura che media tra figurazione e astrazione e tra Surrealismo e Costruttivismo. HF

319 1935 Walter Benjamin abbozza *L'opera d'arte nell'epoca della sua riproducibilità tecnica*, André Malraux inizia *Il museo immaginario* e Marcel Duchamp comincia a costruire la *Scatola-in-valigia*: la riproducibilità tecnica, emergendo nell'arte attraverso la fotografia, fa sentire il suo impatto sull'estetica, la storia dell'arte e la pratica artistica. RK

324 1936 Walker Evans, Dorothea Lange e altri fotografi vengono incaricati, nel contesto delle politiche del New Deal di Franklin D. Roosevelt, di documentare l'America rurale nella morsa della Grande Depressione. RK
box • Works Progress Administration RK

329 1937a Le potenze europee competono tra di loro nei padiglioni nazionali di arte, commercio e propaganda all'Esposizione Universale di Parigi, mentre i nazisti aprono a Monaco la mostra *Arte degenerata*, una pesante condanna dell'arte modernista. HF

334 1937b Naum Gabo, Ben Nicholson e Leslie Martin pubblicano a Londra *Circle*, consolidando l'istituzionalizzazione dell'astrattismo geometrico. YAB

338 1937c Pablo Picasso presenta *Guernica* nel padiglione della Repubblica spagnola all'Esposizione Internazionale di Parigi. BB

1930a

L'avvento del consumo di massa e delle riviste di moda nella Germania di Weimar degli anni Venti e Trenta crea nuovi contesti per la produzione e la distribuzione di immagini fotografiche e contribuisce a fare emergere un gruppo di importanti fotografe.

Non è un caso che tra i più importanti fotografi europei e americani degli anni Venti e Trenta figuri un numero sorprendente di donne. La nota domanda posta da Linda Nochlin in un saggio del 1972 intitolato *Perché non è esistita nessuna grande artista donna?* dovrebbe essere rovesciata, relativamente a quel periodo, in *Perché negli anni Venti e Trenta c'erano così tante donne fotografe?*

Sono molti e contrastanti i fattori che vanno presi in considerazione per spiegare questo fenomeno e parlare dell'opera di alcune di queste fotografe. In generale si potrebbe sostenere che la fotografia ha fornito l'accesso a un apparato tecnico e scientifico di produzione delle immagini, scalzando una volta per tutte la regola patriarcale ed elitaria che aveva indicato l'eccezionale abilità manuale, se non il virtuosismo, come unico criterio valido in arte. La fotografia – in quanto riorganizzazione tecnico-scientifica delle immagini – si era casualmente saldata a una generale riformulazione del concetto di sublimazione maschile posto alla base dell'identità artistica. Questo appare evidente, ad esempio, nella svolta paradigmatica all'interno dell'opera di Florence Henri (1893- 1982), avvenuta in seguito alla frequentazione dei corsi di ▲ László Moholy-Nagy al Bauhaus di Dessau nel 1927 (insieme a quelli di Vasilij Kandinskij e di Paul Klee).

Resasi conto che la fotografia era diventata lo strumento fondamentale della produzione delle immagini nel contesto dell'industrializzazione della vita quotidiana, Henri assimilò i principi e la pratica della "Nuova visione" fotografica di Moholy-Nagy. Ritornata a Parigi, scrisse all'amica Lou Scheper:

> *Dopo il Bauhaus, Parigi mi appare incredibilmente fuori moda. Non subisco più il suo fascino [...] Sto fotografando [...] Sono stufa di dipingere senza approdare a nulla e ho una straordinaria quantità di idee sulla fotografia.*

Le tensioni e le tendenze incarnate nell'opera delle fotografe di Weimar emergono con chiarezza dal paragone degli autoritratti di due tra le più importanti fotografe degli anni Venti. L'*Autoritratto con Ikarette* del 1925 **[1]** di Germaine Krull (1897-1985) costruisce l'immagine dell'autrice attraverso un complesso amalgama di tropi della modernità: in primo luogo, la frammentazione del corpo e il metonimico primo piano indicale delle mani che compiono l'atto di registrazione fotografica; poi la sovrapposizione, o meglio la sostituzione, della macchina fotografica al volto della fotografa, che fa collassare l'occhio e il congegno ottico (il mirino) in una simbiosi meccanomorfica. E infine, il tropo della "nuova donna" emancipata, nel quale l'esibizione dell'apparato tecnico è bilanciato dall'altrettanto ostentata esibizione della sigaretta, offre un altro emblema universale di indipendenza.

All'opposto, l'*Autoritratto* del 1930 **[2]** di Lotte Jacobi (1896-1990) non solo emerge da un drammatico chiaroscuro pittorico, ma anche da un concetto molto più tradizionale del ritratto e della fotografia. L'introspezione indagatrice con cui Jacobi fronteggia l'apparecchio fotografico sembra guidata da *desideri* e *dubbi* sulla reale praticabilità del ritratto e sulla stessa credibilità di questo genere, in cui per secoli la rappresentazione del soggetto era stata fissata. Nel ritratto di Jacobi il protagonista non è ancora l'apparecchio fotografico in sé, ma piuttosto un soggetto artistico, pur se tormentato e senza speranza. In più, il tentativo di Jacobi di mantenere un rapporto gerarchico tra il soggetto e un apparato tecnologico (presumibilmente al suo servizio) è magicamente contestato dall'occhio luccicante della macchina con l'iscrizione tipografica che emerge dal buio dello studio, e ancora di più dall'ostentatamente illuminato cavetto dell'autoscatto che unisce macchina e autore come un cordone ombelicale.

La "nuova donna" come fotografa

Spiegazioni più concrete riguardo all'accresciuto numero di donne fotografe si possono ricercare nelle trasformazioni storiche delle istituzioni professionali ed educative. Fino alla fine dell'Ottocento il tradizionale percorso per l'educazione fotografica consisteva nell'apprendistato presso lo studio di un fotografo professionista (Jacobi, ad esempio, imparò la professione nel laboratorio del padre e del nonno). Due istituzioni della Germania guglielmina prevedevano dei corsi di fotografia, mentre la maggior parte delle accademie di belle arti negava ancora l'accesso alle donne. La prima era l'Istituto per l'Educazione Fotografica della Lette Verein (fondato nel 1890 per l'istruzione professionale delle donne fotografe, aveva cominciato con 13 studentesse e ne contava 337 nel

▲ 1923, 1929

1 • Germaine Krull, *Autoritratto con Ikarette*, 1925
Stampa alla gelatina d'argento, 20 x 15,1 cm

2 • Lotte Jacobi, *Autoritratto*, Berlino, 1930 ca.
Stampa alla gelatina d'argento, 32,1 x 25,1 cm

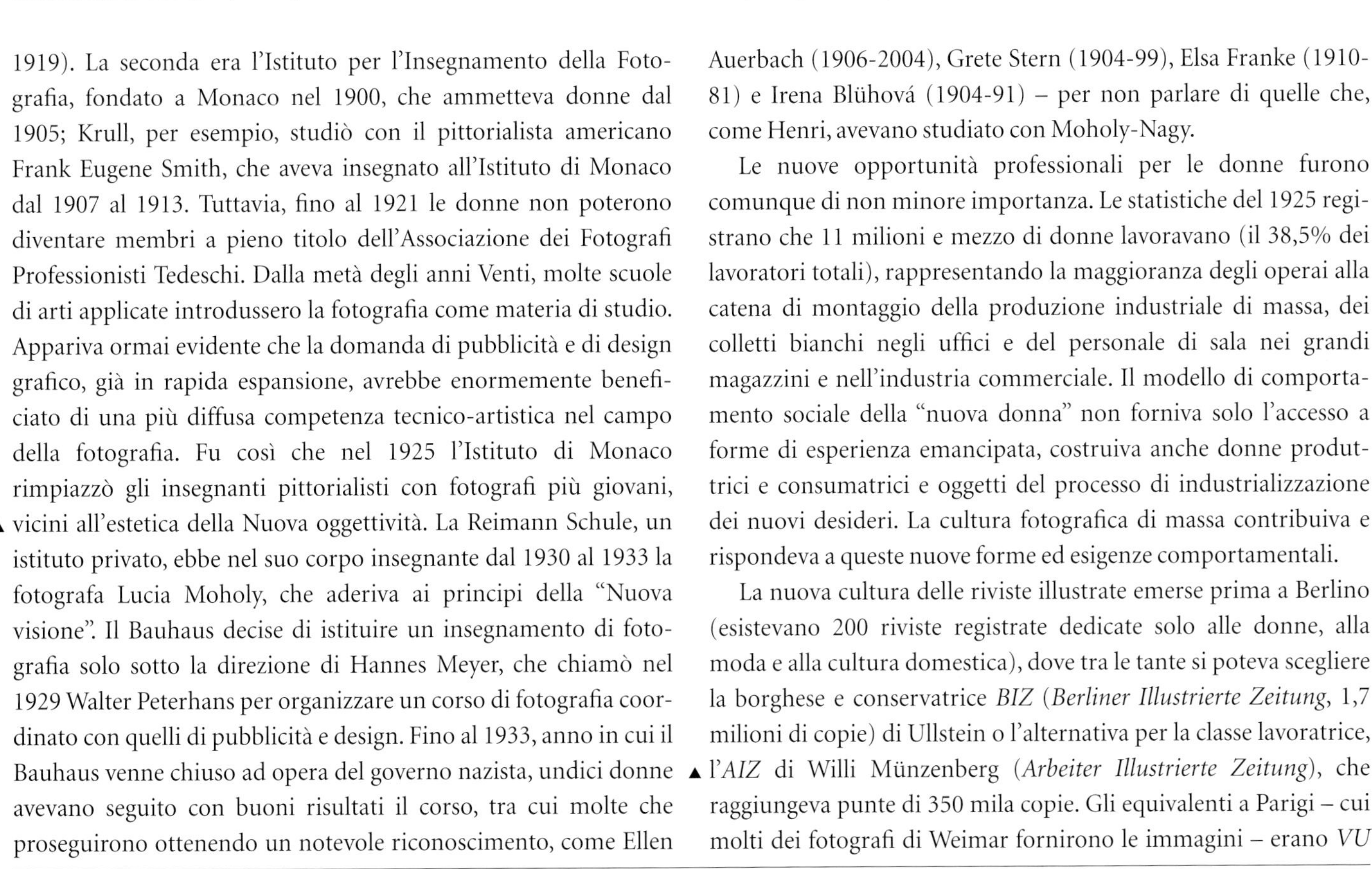

1919). La seconda era l'Istituto per l'Insegnamento della Fotografia, fondato a Monaco nel 1900, che ammetteva donne dal 1905; Krull, per esempio, studiò con il pittorialista americano Frank Eugene Smith, che aveva insegnato all'Istituto di Monaco dal 1907 al 1913. Tuttavia, fino al 1921 le donne non poterono diventare membri a pieno titolo dell'Associazione dei Fotografi Professionisti Tedeschi. Dalla metà degli anni Venti, molte scuole di arti applicate introdussero la fotografia come materia di studio. Appariva ormai evidente che la domanda di pubblicità e di design grafico, già in rapida espansione, avrebbe enormemente beneficiato di una più diffusa competenza tecnico-artistica nel campo della fotografia. Fu così che nel 1925 l'Istituto di Monaco rimpiazzò gli insegnanti pittorialisti con fotografi più giovani, ▲ vicini all'estetica della Nuova oggettività. La Reimann Schule, un istituto privato, ebbe nel suo corpo insegnante dal 1930 al 1933 la fotografa Lucia Moholy, che aderiva ai principi della "Nuova visione". Il Bauhaus decise di istituire un insegnamento di fotografia solo sotto la direzione di Hannes Meyer, che chiamò nel 1929 Walter Peterhans per organizzare un corso di fotografia coordinato con quelli di pubblicità e design. Fino al 1933, anno in cui il Bauhaus venne chiuso ad opera del governo nazista, undici donne avevano seguito con buoni risultati il corso, tra cui molte che proseguirono ottenendo un notevole riconoscimento, come Ellen Auerbach (1906-2004), Grete Stern (1904-99), Elsa Franke (1910-81) e Irena Blühová (1904-91) – per non parlare di quelle che, come Henri, avevano studiato con Moholy-Nagy.

Le nuove opportunità professionali per le donne furono comunque di non minore importanza. Le statistiche del 1925 registrano che 11 milioni e mezzo di donne lavoravano (il 38,5% dei lavoratori totali), rappresentando la maggioranza degli operai alla catena di montaggio della produzione industriale di massa, dei colletti bianchi negli uffici e del personale di sala nei grandi magazzini e nell'industria commerciale. Il modello di comportamento sociale della "nuova donna" non forniva solo l'accesso a forme di esperienza emancipata, costruiva anche donne produttrici e consumatrici e oggetti del processo di industrializzazione dei nuovi desideri. La cultura fotografica di massa contribuiva e rispondeva a queste nuove forme ed esigenze comportamentali.

La nuova cultura delle riviste illustrate emerse prima a Berlino (esistevano 200 riviste registrate dedicate solo alle donne, alla moda e alla cultura domestica), dove tra le tante si poteva scegliere la borghese e conservatrice *BIZ* (*Berliner Illustrierte Zeitung*, 1,7 milioni di copie) di Ullstein o l'alternativa per la classe lavoratrice, ▲ l'*AIZ* di Willi Münzenberg (*Arbeiter Illustrierte Zeitung*), che raggiungeva punte di 350 mila copie. Gli equivalenti a Parigi – cui molti dei fotografi di Weimar fornirono le immagini – erano *VU*

▲ 1925b, 1929

▲ 1920

3 • Ringl + Pit (Ellen Auerbach e Grete Stern), *Frammento di una sposa*, 1930
Stampa alla gelatina d'argento, 16,5 x 22 cm

di Lucien Vogel e *VOILA* di Florent Fels, progressiste, e *Regards*, di sinistra, che pubblicò le prime foto di Lisette Model.

Seguirono quasi subito le americane *Life* (la copertina del primo numero era una foto di Margaret Bourke-White) e *Picture Post*, e l'analoga rivista di propaganda in Unione Sovietica *URSS in costruzione*. Queste riviste avrebbero radicalmente cambiato il mondo delle immagini della sfera pubblica borghese, da un lato costruendo le prime forme coesive e totalizzanti di società dello spettacolo e del consumo, dall'altro tentando di trasformare quella sfera secondo le esigenze di un proletariato industriale emergente e della *sua* sfera pubblica.

Erano quattro i generi fotografici che svolgevano le funzioni principali delle riviste illustrate. Il primo, reportage e fotogiornalismo, doveva semplificare le complesse narrazioni della storia e della politica riducendole a una comprensione meramente speculare (era il lavoro di Alfred Eisenstaedt, Erich Salomon o Felix Man). Il secondo, la fotografia pubblicitaria, doveva accelerare i cicli di attualità artificiale e immediata obsolescenza. Come propaganda del prodotto, la fotografia doveva modernizzare gli oggetti e gli spazi architettonici della vita quotidiana secondo le leggi della nuova cultura del consumo, mentre la fotografia di moda doveva iniziare, sostenere e controllare la costruzione di nuove identità (come la "nuova donna").

L'opera fotografica di Ringl + Pit (Ellen Auerbach e Grete Stern) ha un rilievo eccezionale nella fotografia pubblicitaria di Weimar. In immagini come *Frammento di una sposa* [3] o *Polski Monopol* (1930), le due ex-studentesse del Bauhaus mettevano in atto la strategia della fotografia pubblicitaria e allo stesso tempo la svelavano con un gesto autoriflessivo di suprema ironia (differentemente da Albert Ranger-Patzsch, il loro più grande rivale nel ▲ campo della fotografa pubblicitaria della Nuova oggettività). Entrambe le immagini concretizzavano le due funzioni fondamentali della fotografia pubblicitaria: servire come strumento deittico di presentazione ostentata (rendere i dettagli con la massima esattezza, drammatizzare il gioco di luci e ombre, esagerare la trasparenza o il riflesso delle superfici della seduzione) e sospendere l'oggetto in una condizione di estrema frammentazione e isolamento spaziale in modo che diventi l'irresistibile feticcio della merce.

La fotografia di viaggio incarna il terzo tipo di fotografia elaborato dalle donne prima della guerra in Europa (ad esempio il libro di Lotte Rosenberg-Errell *Breve viaggio tra la gente nera*, pubblicato nel 1931), anche se il genere del reportage di viaggio si diffuse maggiormente dopo il 1933 e nel dopoguerra, spesso come risultato dell'esilio. Come per gli altri generi, erano molte le motivazioni che contribuivano a definirlo e sostenerlo, e andavano dall'impiego del nuovo medium nell'antropologia e nell'etnografia amatoriale e professionale all'istigazione a nuove forme di turismo globale e di massa; o ancora, traevano origine dal desiderio politico di raccontare i progressi dei popoli in circostanze storiche e sociopolitiche completamente cambiate.

Quest'ultima posizione è interpretata al meglio dalla documentazione estensiva, prodotta da Jacobi, dei rapporti sociali nascenti negli stati asiatici dell'Unione Sovietica, cioè Uzbekistan e Tagikistan, nazioni teocratiche islamiche che erano appena state secolarizzate. Ma la fotografia di viaggio rispondeva anche all'esigenza opposta, quella cioè di documentare il bisogno di un cambiamento politico in situazioni di repressione, come testimoniato dai progetti di Germaine Krull in Asia e Africa, o nell'opera di Gisèle Freund (1912-2000) prodotta durante l'emigrazione in Argentina, e poi in Messico negli anni Cinquanta, quando, come sospetta attivista di sinistra, le fu impedito di entrare negli Stati Uniti.

Era inevitabile che la fotografia di viaggio intesa come documentario sociale o reportage politico si deteriorasse nel secondo dopoguerra, anche nelle mani dei più grandi fotografi (come Henri Cartier-Bresson). I fotografi non riuscivano più ad abbinare l'eccesso di esotismo visivo (effetto di un potenziato accesso alle diversità etniche e geopolitiche nel processo del turismo globalizzato in espansione, cui questi fotografi spesso servivano da inconsapevoli apripista) con il livello di analisi necessaria per comprendere i legami politici ed economici tra l'avidità di immagini fotografiche nei centri urbani e le condizioni di esperienza profondamente differenti che governavano le società coloniali e postcoloniali. Anche troppo spesso, quindi, la fotografia di viaggio del dopoguerra è stata funzionale allo spettacolo sempre più intenso dell'esoticizzazione e dell'"invenzione dell'altro", il cui apice è rappresentato dalla mostra che Edward Steichen allestì al ▲ MoMA di New York nel 1955, *La famiglia dell'uomo*.

Tre tipi di ritratto

L'ultimo, e forse il più importante dei generi nella storia della fotografia di Weimar, è il ritratto nelle sue forme più differenziate e dialettiche. Mentre costituiva ancora l'unica reale risorsa economica degli studi fotografici (le pagine gialle di Berlino nel 1931 elencavano 600 studi fotografici, di cui almeno 100 posseduti e

▲ 1929
▲ 1959d

4 • **Gisèle Freund,** ***Manifestazione a Francoforte*, 1932**

gestiti da donne), il ritratto diventò anche il terreno in cui la fotografia si trovò ad affrontare le più profonde contraddizioni: dalla produzione e distribuzione seriale di immagini della star, il nuovo personaggio pubblico la cui principale funzione era di compensare la perdita di esperienza soggettiva delle masse, alla contemplazione dello stato precario, se non della definitiva scomparsa, del soggetto borghese. La dualità intrinseca dell'immagine fotografica – da un lato esatta registrazione indicale, dall'altra artificiale simulacro, la cui forma estrema coincide con il fotomontaggio – si presta tanto all'ideologia di un'identità fisiognomicamente fissata che a una concezione della soggettività come pura costruzione.

A un estremo troviamo Erna Lendvai-Dircksen (1883-1962). Tra le prime donne ammesse all'Associazione dei Fotografi Professionisti Tedeschi nel 1924, gestiva uno dei più prestigiosi studi fotografici di ritratti di Berlino. Lendvai-Dircksen riteneva che l'identità di un soggetto dipendesse da razza ed etnia, patria e religione, e che quindi il ritratto poteva rappresentare al meglio questa identità tracciando la fisionomia del modello con quell'accuratezza che solo la fotografia permetteva. In una conferenza del 1933, *Sulla fotografia tedesca*, Erna polemizzò contro "la dissoluzione a livello internazionale della fotografia ad opera della Nuova oggettività" e promise che la sua ricerca avrebbe "salvato la Germania e i volti dei tedeschi" e avrebbe seguito "l'obbligo interiore di contribuire a rigenerare la decadente fisionomia tedesca". Prevedibilmente, nel 1933 Lendvai-Dircksen diventò una fervente nazista e il suo lavoro venne subito pubblicato e distribuito dal governo per corroborare l'ideologia razzista.

Nei ritratti eseguiti da Freund, Jacobi, Annelise Kretschmer (1903-87) e nel progetto di Helmar Lerski (1871-1956) *Teste di tutti i giorni*, pubblicato nel 1931, troviamo gli opposti dialettici. Nel 1932 Freund stava ancora cercando di costruire l'immagine del nuovo soggetto proletario e collettivo nelle sue fotografie di manifestazioni **[4]** e Jacobi aveva realizzato dei ritratti del candidato comunista Ernst Thälmann per la copertina di *AIZ* nel disperato tentativo di impedire al partito nazista di prendere il potere alle fatali elezioni del 1933. In queste immagini – come nelle ▲ fotografie di Aleksandr Rodčenko e dei fotografi dell'avanguardia sovietica del tempo – il soggetto è anonimo e ostentatamente presentato come costruito dalle relazioni sociali e di classe e dall'identità professionale. In alcune delle opere più radicali di quel periodo il soggetto viene definito in relazione al suo lavoro, come nella serie di straordinarie immagini a volo d'uccello di operai di strada, realizzate tra il 1928 e il 1930 da Ella Bergmann-Michel, in cui il piano di lavoro (la griglia di cubetti di basalto che modella la strada) e la figura del lavoratore sono fusi in un'inseparabile unità.

Esiste, in ogni caso, un terzo modello di ritratto nell'ambito della fotografia di Weimar, che si trova tra le opere eccezionali prodotte da Krull e Freund (negli anni Venti in Germania e nei Trenta, durante l'esilio, in Francia) e soprattutto nel lavoro berlinese e newyorkese di Jacobi, una delle più grandi ritrattiste del XX secolo. Queste immagini sono definite da un senso innato della fragilità del soggetto, del suo stato di transizione storicamente determinato. La loro rassegna quasi esaustiva di tutti gli artisti e intellettuali del periodo tra le due guerre (come il ritratto di Benjamin del 1926, fatto da Krull) ricorda lo strabiliante pantheon degli intellettuali e artisti repubblicani francesi messo insieme da Nadar dopo il 1848. Queste immagini sembrano aggrappate all'ultimo momento della soggettività europea prima che il concetto e la

▲ 1935

realtà sociale del soggetto venissero annichilite dall'attacco congiunto delle politiche fasciste e dell'invasione da parte delle tecnologie dell'immagine della cultura di massa.

Il soggetto in esilio

Come appare evidente dai suoi numerosi ritratti di attori, per esempio *Lotte Lenya Weill* **[5]**, Jacobi sembra avere già capito che la costruzione del moderno soggetto speculare della "star" è un processo in cui entrano in gioco design di moda, trucco, tecniche di illuminazione e distribuzione in serie, in aperta contraddizione con l'idea tradizionale del soggetto unico, che presupponeva segni di distinzione dovuti a "naturale" disposizione (cioè al privilegio di classe) e l'inevitabile emanazione della presenza psichica individuale. Le fotografie sembravano ormai destinate a registrare solo immagini di questo nuovo tipo di soggettività costruita. Ma Jacobi ▲ e Freund – come la collega viennese Lisette Model – hanno documentato anche una soggettività sospesa, in transito tra la cultura di Weimar e l'esilio.

Freund è stata membro dell'Organizzazione Comunista Studentesca all'università di Francoforte, dove scriveva la tesi di dottorato con la supervisione di Karl Mannheim, Norbert Elias e Theodor Adorno. Costretta a emigrare a Parigi nel 1933, portò con sé il manoscritto e lo completò alla Sorbona nel 1936. Dopo un anno fu pubblicato come prima storia sociale della fotografia con il titolo *La fotografia in Francia nel XIX secolo*.

Jacobi emigrò a New York nel 1935. Mentre i ritratti degli anni Venti erano caratterizzati da un uso crudo del chiaroscuro (espressione della spettacolare duplicabilità del moderno, con le sue manifestazioni tipiche del teatro, della moda e del cinema, come nel ritratto dell'attore *Francis Lederer* o in *Ballerina russa*, entrambi del 1929), quelli successivi all'arrivo negli Stati Uniti acquisirono una dimensione malinconica. In questi ritratti venivano documentati il pericolo del momento storico e la tragica esperienza dei modelli (ad esempio di Erich Reiss, Karen Horney e Max Reinhardt), i quali, come Jacobi, non solo erano sospesi nel vuoto geopolitico dell'esilio, ma si trovavano a vivere lo scarto storico tra la sfera pubblica borghese radicale della cultura di Weimar e l'industria culturale statunitense.

Mentre il malinconico chiaroscuro di Jacobi cercava di mettere in salvo la dimensione contemplativa del soggetto, la decisione di Freund di utilizzare la fotografia a colori dal 1938 in poi (i ritratti di James Joyce o degli intellettuali e delle "celebrità" artistiche francesi tra le due guerre, per esempio) poneva la fotografia all'interno di un sistema di relazioni del tutto differente, segnando l'inevitabile salto verso la spettacolarizzazione del soggetto. Le fotografie a colori di Freund sembrano involontariamente collegate all'influsso dei film americani in Technicolor e delle pubblicità di riviste come *Saturday Evening Post* e *Life*, il cui "naturalismo" cromatico doveva simulare immediatezza, presenza e vita, promettendo quell'accesso illimitato all'universo degli oggetti morti che la cultura del consumo stava per rifilare al soggetto del dopoguerra.

5 • Lotte Jacobi, *Ritratto di Lotte Lenya Weill*, 1928 ca.
Stampa alla gelatina d'argento, 27,6 x 35,6 cm

Tracciare l'evoluzione dei fotografi di Weimar dopo l'emigrazione in Francia (come Freund e Krull), negli Stati Uniti (è il caso di Jacobi, Auerbach e altri) o in Argentina (Grete Stern) riveste una grande importanza. Privati non solo del proprio linguaggio e della propria cultura, ma anche del contesto sociale e politico progressista nel quale erano emersi (il contesto dell'avanguardia di Weimar – come il Bauhaus –, il sorgere di una coscienza di emancipazione femminista, evidente nella radicale affermazione dei diritti della "nuova donna", e l'orizzonte di una politica socialista realmente esistente), si trovavano ora ad affrontare delle definizioni completamente diverse della funzione sociale della fotografia. Da una parte esisteva uno schietto e intenso mercantilismo nella cultura statunitense del consumo in continua accelerazione, per cui la "fotografia come arma" era screditata e censurata più profondamente di quanto oggi sia possibile ricostruire. Dall'altra, c'era un clima generale di ritorno all'ordine e un ritorno alla patriarcale supremazia della pittura come pratica dominante della cultura visiva (come nell'Espressionismo astratto), di fronte alla quale la fotografia, rimossa dalla posizione di radicale prima linea che aveva nella cultura di Weimar, poteva essere relegata al precedente ruolo di "sorella minore delle arti". BB

ULTERIORI LETTURE:

Ellen Auerbach, *Berlin, Tel Aviv, London, New York*, Prestel Verlag, Monaco e New York 1998
Marion Beckers e Elisabeth Moortgat, *Atelier Lotte Jacobi: Berlin-New York*, Nicolai Verlag, Berlino 1997
Christian Caujolle (a cura di), *Gisèle Freund: Photographer*, Harry N. Abrams, New York 1985
Ute Eskildsen (a cura di), *Fotografieren hiess teilnehmen: Fotografinnen der Weimarer Republik*, Museum Folkwang, Essen, e Richter Verlag, Düsseldorf 1994
Naomi Rosenblum, *A History of Women's Photographers*, Abbeville Press, New York 1994
Kim Sichel, *Germaine Krull: Photographer of Modernity*, MIT Press, Cambridge (Mass.) 1999
Kelly Wise, *Lotte Jacobi*, Addison House, Dansbury 1978

▲ 1959d

1930b

Georges Bataille recensisce *L'arte primitiva* su *Documents*, evidenziando al tempo stesso una lacerazione nel rapporto tra l'avanguardia e il primitivismo e una spaccatura all'interno del Surrealismo.

Quando Georges Bataille (1897-1962) – filosofo, pornografo, critico e redattore della rivista surrealista dissidente *Documents* (che Breton chiamava "il nemico interno" al Surrealismo) – decise di rivolgere la sua attenzione a *L'arte primitiva* dello psicologo francese Georges Luquet, il "primitivismo" non era più un interesse esclusivo dell'avanguardia. In particolare a Parigi il "primitivismo" era affiorato nel campo dello spettacolo, contagiando la cultura "alta", come *La creazione del mondo* (1923), un'opera in cui la scenografia e i costumi tribali erano di Fernand Léger e la musica di Darius Milhaud, ma anche – dato che il tribale arrivava a includere nell'immaginario qualunque cosa "africana" – quella bassa, dagli spettacoli nei locali notturni di Joséphine Baker all'esplosione del jazz nei bar e nei club di Montparnasse. Lo chic del "primitivismo" significò anche che i motivi tribali entravano a far parte del mondo degli ornamenti costosi: la tavolozza Art déco di ▲ cromo e plastica si ampliava per accogliere il gusto per l'avorio, l'ebano e la pelle di zebra.

Inoltre "primitivismo", un termine che prima comprendeva l'arte paleolitica e quella tribale, era ora inteso come evoluzione della specie umana, sia sotto il profilo etnico che ontogenetico. Era la categoria attraverso cui veniva interpretata la nascita dell'arte, nelle caverne agli albori della creatività umana o nell'asilo moderno di fronte al primo impulso di disegnare in qualunque bambino. Questo è il motivo per cui il "primitivismo" diventò campo d'indagine di psicologi ed estetologi (nel suo libro del 1928, *Fondamenti dell'arte*, il pittore francese Amédée Ozenfant tentò di ricoprire entrambi i ruoli): non più stato di degenerazione o devianza, l'interesse ● per il "primitivo" si estendeva dalla psichiatria alla psicologia dello sviluppo. Era l'"oggetto a" nello studio dell'evoluzione del pensiero cognitivo umano.

Declassare

Nella sua recensione a *L'arte primitiva* Bataille riassume lo schema evolutivo di Luquet: l'eccitazione motoria fa produrre al bambino di oggi o al cavernicolo di un tempo uno scarabocchio casuale su una parete o su un foglio; spinto dalla necessità di trovare "forma" nel mondo, l'autore dello sgorbio comincia a "riconoscere" le forme di alcuni oggetti all'interno delle linee che ha tracciato; al riconoscimento fa seguito l'intenzione di produrre quelle forme e così nasce un primitivo impulso mimetico, che all'inizio riproduce gli oggetti naturali in maniera schematica e poi (alla fine del processo) con una resa sempre più realistica.

Ma Bataille non era d'accordo con Luquet. Secondo lui, 25 mila anni fa nelle caverne non si sarebbe trovato Narciso curvo su una pozza d'acqua, ma il Minotauro in perlustrazione dello spazio buio e vertiginoso del labirinto. Quando il bambino comincia a tracciare segni, scrive Bataille, non è spinto da un impulso costruttivo, ma dalla gioia di distruggere, dal piacere di insozzare. Invece di scomparire, questa pulsione distruttiva continua nella fase della rappresentazione, e nel farlo è rivolta sempre contro il disegnatore stesso, come una forma di automutilazione; infatti, argomenta Bataille, la figura umana nelle caverne paleolitiche è sempre deturpata e deformata, anche quando i dipinti di animali diventano sempre più sicuri. L'automutilazione, la pulsione ad abbassare o svilire la forma umana è, quindi, il nucleo vitale dell'arte; non è la legge della forma (o *Gestalt*) a rivelare l'origine dell'arte, ma piuttosto l'influsso di quello che Bataille chiama l'*informe*.

Nella breve vita di *Documents* apparve quasi subito un piccolo testo di Bataille sull'argomento con il titolo *Informe*. Faceva parte del "Dizionario" scritto collettivamente dai membri del gruppo di *Documents*. I testi erano dedicati alle definizioni delle parole. Un dizionario – era scritto – dovrebbe fornire la *funzione* piuttosto che il significato delle parole: la funzione della parola "informe" è infatti quella di disfare l'intero sistema del significato, che a sua volta è una questione di forma o classificazione. Nel declassificare, l'*informe* compirebbe allo stesso tempo l'operazione di "declassare" e abbassare, di distruggere la somiglianza – in cui si copia un ideale categoriale o un modello, ed è sempre possibile distinguere l'uno dall'altro – così necessaria alla possibilità di raggruppare gli oggetti in classi: "Affermare che l'universo non rassomiglia a niente e non è che *informe*", conclude Bataille, "equivale a dire che l'universo è qualcosa come un ragno o uno sputo".

Licenza di scioccare

Finanziata dal mercante d'arte Georges Wildenstein, *Documents* avrebbe dovuto essere una rivista d'arte. Ma dal primo numero le

▲ 1925a ● 1903, 1922

rubriche "Dottrine", "Archeologia" e "Etnografia" vennero affiancate sulla copertina a quella di "Belle Arti" (una quinta sezione, "Varietà", che prometteva testi sulla cultura popolare, rimpiazzò "Dottrine" dal quinto numero). In contrapposizione con l'etnografia estetizzata che aveva fatto presa sul movimento surrealista alla fine degli anni Venti, la nozione di tribale in *Documents* era violentemente antiestetica. Le premesse degli etnografi che pubblicavano nella rivista – Marcel Griaule, Michel Leiris, Paul Rivet, Georges-Henri Rivière, André Schaeffner – erano antimuseali; essi ritenevano che il materiale tribale fosse privo di significato se estrapolato dal suo contesto e che, lontano dall'essere una questione di interessanti forme visive, questo materiale riguardasse un modello di esperienza rituale e quotidiana (Griaule scrisse a proposito dello sputo che si trattava di una forma di igiene) che non poteva essere congelato nel mondo delle vetrine e delle gallerie.

Nell'aggiungere lo "sputo" alla lista degli argomenti degni di interesse, apparentemente gli etnografi mostrarono un'affinità con l'atteggiamento di sfida del Surrealismo, con la sua "licenza di scioccare". Anzi, insieme a molti membri del movimento che ▲ avevano abbandonato Breton per la cerchia di *Documents* – il • pittore André Masson, il poeta Robert Desnos, il fotografo Jacques-André Boiffard, per nominarne solo tre – il gruppo di Bataille costituì una forma alternativa del Surrealismo, che lo storico James Clifford ha chiamato "surrealismo etnografico". Come i surrealisti con la pratica della scrittura automatica, e come gli psicanalisti nell'uso delle associazioni libere, gli etnografi di *Documents* volevano che qualunque fenomeno potesse venire alla superficie. Le loro investigazioni avrebbero dovuto operare in base al principio di non esclusione; avrebbero dovuto occuparsi di una cultura in ogni suo aspetto, delle sue espressioni più alte come delle più basse; qualunque elemento – "anche il più informe" – sarebbe dovuto rientrare nel mondo della classificazione etnografica.

È esattamente a questo punto, secondo il critico francese Denis Hollier, che si è aperta una frattura interna a *Documents*. Perché se gli etnografi pensavano di essere scioccanti occupandosi indifferentemente di alto e basso, la loro stessa forma di attenzione spogliava il basso del potere di scioccare: questo perché il loro lavoro era basato proprio sulla *classificazione*, facendo rientrare "anche il più informe" nell'ambito della somiglianza. Al contrario per Bataille, come abbiamo visto, l'informe non rassomiglia a nulla: più basso del basso, privo di qualunque modello, e quindi "impossibile", è ciò che declassifica. Il concetto di informe di Bataille prende dunque una strada diversa da quella degli etnografi. "Da una parte – scrive Hollier – la legge della 'non eccezione'; dall'altra quella dell'eccezione assoluta, di ciò che è unico ma senza proprietà".

Benché etnografo, Michel Leiris era per molti aspetti più vicino a Bataille che a Griaule. Il suo *L'Africa fantasma* (1934), resoconto della sua spedizione del 1933 con Griaule da Dakar a Gibuti (per studiare i Dogon), era contemporaneamente un esercizio di introspezione – sogni, fantasie – e un reportage oggettivo. Leiris ■ era anche legato ad artisti come Joan Miró e Alberto Giacometti, e fu il primo in assoluto a scrivere dell'arte di quest'ultimo in una recensione su *Documents*. L'avere portato questi artisti nell'orbita di Bataille (come testimonia il quadro di Miró del 1927 *Michel [Leiris], Bataille ed io*) doveva rivelarsi fatale per entrambi.

Prendendo Miró in parola quando questi dichiarò nel 1927 che voleva "assassinare" la pittura, Leiris spostò il discorso sui suoi ▲ dipinti di sogno dal Surrealismo all'informe. Coerentemente, nel suo saggio del 1929 su *Documents* scrisse che queste opere "non erano state dipinte, ma piuttosto sporcate", ricodificando ai suoi occhi i disegni calligrafici come graffiti: "Sono sconvolgenti come palazzi distrutti, – scrisse – seducenti come pareti scomparse sulle quali generazioni di attacchini, con l'aiuto di secoli di pioggia, hanno iscritto poesie misteriose, lunghe strisce dalle forme sfuggenti, incerte come depositi alluvionali".

"Come un ragno o uno sputo"

Quando Bataille a sua volta si occupò dell'arte di Miró su *Documents*, nel 1930, ne parlò nei termini dell'informe. Effettivamente, durante i due anni in cui Miró gravitò nella sua orbita, la sua rabbia contro la pittura prese la forma di piccole costruzioni di oggetti pescati dal cestino dell'immondizia, o di collages con chiodi sporgenti **[1]**. Descrivendo le poche tele prodotte da Miró in quel periodo, che l'artista chiamava "antipittura", Bataille notava: "la scomposizione era spinta al punto che non restava nulla al di

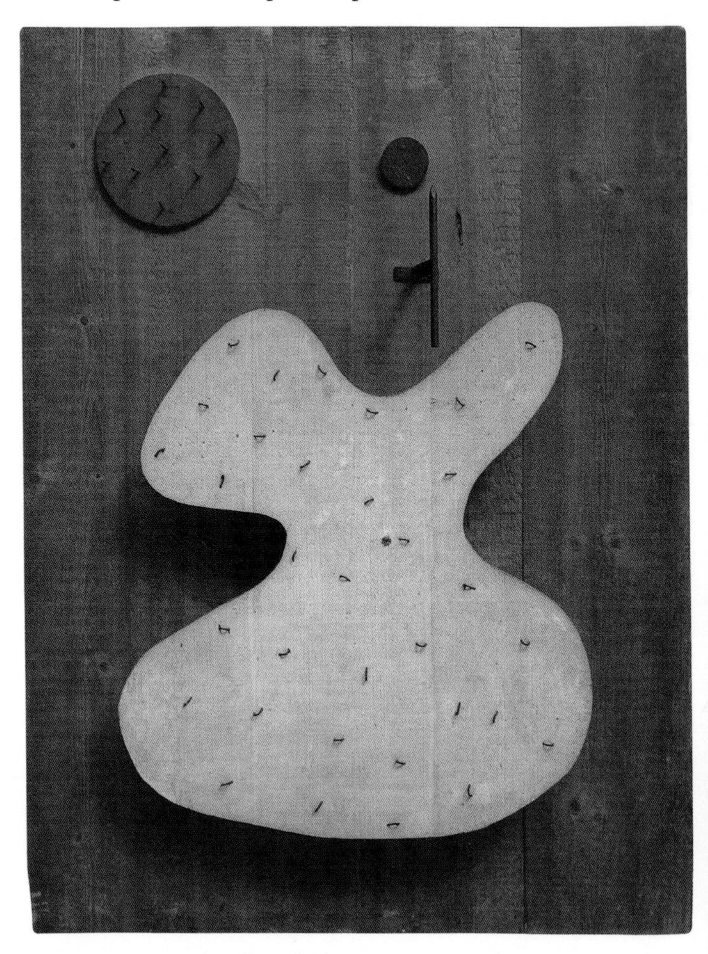

1 • Joan Miró, *Costruzione in rilievo*, Montroig, agosto-novembre 1930
Legno e metallo, 91,1 x 70,2 x 16,2 cm

▲ 1924 • 1942a ■ 1924, 1931a, 1931b, 1959c

▲ 1924, 1931b

2 • Alberto Giacometti, *Palla sospesa*, 1930-31 (ricostruzione del 1965)
Gesso e metallo, 61 x 36 x 33,5 cm

Carl Einstein (1885-1940)

Carl Einstein è oggi ricordato soprattutto per essere stato il primo autore ad avere parlato delle sculture africane in termini estetici, invece di considerarli oggetti di mero interesse etnografico, nel suo rivoluzionario libro *La scultura negra* del 1915, che ebbe un'ampia circolazione tra gli artisti delle avanguardie. Tra i suoi meriti c'è anche quello di avere scritto la prima storia estensiva dell'arte del XX secolo, nel 1926, quando solo un quarto del secolo in questione era passato! Abile scrittore, il cui racconto modernista *Bebuquin* venne celebrato subito dopo la sua pubblicazione nel 1912 in molti giornali dell'avanguardia, Einstein era anche un critico della cultura le cui posizioni erano spesso affini a quelle della Scuola di Francoforte, e in particolare a quelle di Theodor Adorno e Walter Benjamin. In polemica con il formalismo tradizionale del suo maestro Heinrich Wölfflin, egli offrì molto presto un'interpretazione del Cubismo che, dichiaratamente contrapposta alla sua corrente apologia come arte di sintesi e ideazione, ne sottolineava invece la natura eterogenea e la discontinuità. Appena arrivato a Parigi nel 1928, diventò uno dei fondatori e dei maggiori collaboratori di *Documents* e si schierò dalla parte di Georges Bataille nell'elaborazione di un'idea di Surrealismo che dissentiva profondamente dalla linea ufficiale di André Breton. Anarchico militante di lunga data, si arruolò nel 1936 nella guerra civile spagnola e alla vittoria del generale Franco tornò in Francia, dove fu arrestato e imprigionato dal governo francese. Si suicidò per sfuggire alla persecuzione nazista.

fuori di qualche chiazza informe sul coperchio (o, se si preferisce, sulla lapide) della scatola magica della pittura. Ma non si può uccidere l'arte *e* rimanere artisti; tra il 1930 e il 1931 Miró, che aveva praticamente smesso di lavorare, fu costretto a scegliere. Decise di tornare alla pittura, ma con uno stile corrosivo che si portava dietro una sensibilità da *Documents* nei suoi attacchi al corpo umano e alla "buona forma".

Il caso di Giacometti è ancora più esplicito riguardo alla questione del primitivismo, perché durante la sua formazione di ▲ scultore l'attrazione per le opere di Brancusi l'aveva condotto a quel tipo di primitivismo estetizzante che Bataille e gli etnografi di *Documents* aborrivano. Ma attraverso Masson e Leiris anche lui ebbe accesso alle pagine della rivista e poco dopo alla sensibilità dell'informe. In prima istanza Giacometti fu attratto dal tema della mantide religiosa, che era un'incarnazione dell'attacco alla forma. Tuttavia la produzione più compiuta dell'informe fu la scultura *Palla sospesa*, che causò, ironicamente, grande eccitazione ● tra i surrealisti quando fu esposta per la prima volta nel 1930 **[2]**.

In quest'opera due forme racchiuse in una gabbia – un cuneo reclinato e una palla con una fessura, appesa a un montante posto in cima alla gabbia – sembrano toccarsi, nel senso che la palla pare oscillare carezzevolmente sulla forma a mezzaluna sotto di lei. Questo contatto ha l'aria manifestamente sessuale perché le forme assomigliano molto a genitali. Ma la profonda ambiguità che cala su di esse rende l'identificazione di genere oggetto di costante indecisione. Il cuneo, che sembra una vulva, può essere interpretato anche come sesso maschile, come il coltello fallico che taglia l'occhio della protagonista nel film di Salvador Dalí e Luis Buñuel *Un chien andalou* (1929). La palla, connotata come maschile dal suo ruolo attivo, appare femminile per via della fessura. E il continuo incrociarsi di questo gioco di identificazioni, che a sua volta imita l'oscillazione metronomica del pendolo della struttura, finisce per produrre proprio quell'atto di declassificazione che Bataille aveva indicato come funzione dell'informe. La condizione "impossibile" che emerge in *Palla sospesa* è l'"eccezione assoluta" di Hollier, oppure quello che Roland Barthes chiamerà, riferendosi a un simile incrocio di identificazione di genere nel romanzo pornografico di Bataille *La storia dell'occhio*, un "fallismo tondo".

L'importante lezione trasmessa dalla *Palla sospesa* è che l'informe non è semplicemente immondizia o poltiglia. La cancellazione dei confini è più strutturale, perché implica uno svuotamento delle categorie che è di natura operazionale, attiva, come l'oscillazione

▲ 1927 ● 1931a

del pendolo di Giacometti, o come l'abbassamento da verticale a orizzontale che Bataille invoca nella definizione del suo "Dizionario" quando dice che l'informe "abbatterà la forma dal suo piedistallo per trascinarla giù nel mondo". Un altro esempio di abbassamento o cancellazione delle differenze tra le coordinate spaziali è lo spazio labirintico delle grotte, dove gli assi della ragione e dell'architettura non sono più validi. Da qui deriva l'amore di Bataille per l'abitante delle grotte, il Minotauro. La decisione di Giacometti nel 1930 di orientare le proprie sculture in orizzontale, ricavandole da quella che era la mera base della scultura, scaturì dal pensiero dell'informe. Il balzo in avanti nella storia della scultura rappresentato da un'opera come *Non si gioca più* (1933) sarà capito solo negli anni ▲ Sessanta da un movimento come la Earth art.

Che la mancanza di forma sia il risultato di una sbavatura delle categorie, piuttosto che di un annebbiamento letterale della forma, è ancora più evidente in due opere riprodotte nella rivista *Minotaure* (il titolo è di Bataille, ma la rivista era controllata da Breton) nei primi anni Trenta. Una di queste, che fungeva da frontespizio della rivista, è una versione fotografica del Minotauro, ottenuta da Man Ray illuminando il suo modello in modo da produrre un torso acefalo le cui braccia e il petto diventano le corna e la fronte di un toro **[3]**. Facendo fondere l'umano e l'animale in una singola categoria "impossibile", l'apparente acefalia del modello umano è a maggior ragione indice della trazione verso il basso che accompagna la perdita di forma. L'altra opera, dal primo numero del *Minotaure*, è sempre una fotografia, ancora una volta prodotta con una grande precisione, che tuttavia rivela una sbavatura categoriale. Si tratta del *Nudo* di Brassaï **[4]**, nel quale il corpo femminile è trasgressivamente ritratto in modo da dare un'immagine fallica di sé senza alcun margine di errore, facendo crollare le distinzioni di genere, come in *Palla sospesa*.

Minotaure pubblicò una sequenza di opere fotoconcettuali elaborate insieme da Salvador Dalí e Brassaï che avevano tutte a che fare con l'informe. *Il fenomeno dell'estasi* **[5]**, pur organizzando le parti in una griglia (cioè nella struttura che indica la spinta della forma nella direzione dell'ordine e della logica), sfrutta l'idea della caduta dal verticale all'orizzontale e un crollo (isterico) degli organi superiori (bocca, orecchio) su quelli inferiori (ano, vagina). *Sculture involontarie* (1933) mostra i sottili risultati di gesti inconsci, masturbatori: biglietti dell'autobus ossessivamente arrotolati nelle tasche, gomme da cancellare o croste di pane sbriciolate distrattamente, ecc. Nella terza opera, Dalí commenta gli ingressi Art nouveau della metropolitana disegnati da Hector Guimard, qui fotografati da Brassaï, per dimostrare la presenza all'interno di queste forme della silhouette della mantide religiosa.

Incarnazione dell'informe, affascinante quanto il Minotauro, la mantide religiosa ha ricevuto la più brillante teorizzazione dalla penna di Roger Caillois, un sostenitore di Bataille, che scrisse sull'insetto nel quinto numero di *Minotaure* (1934). Qui l'informe segue la pista del mimetismo animale, in cui gli insetti si confondono con l'ambiente in una sorta di identificazione con lo spazio circostante. Nel caso della mantide l'operazione diventa quella di "fare il morto"

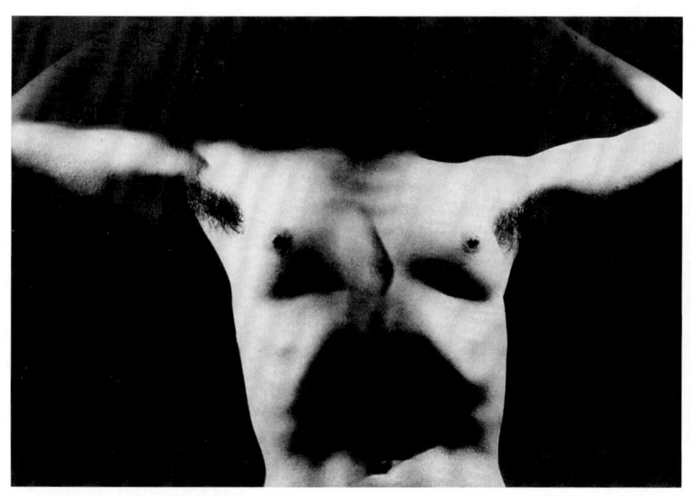

3 • Man Ray, *Minotauro*, 1934
Stampa alla gelatina d'argento

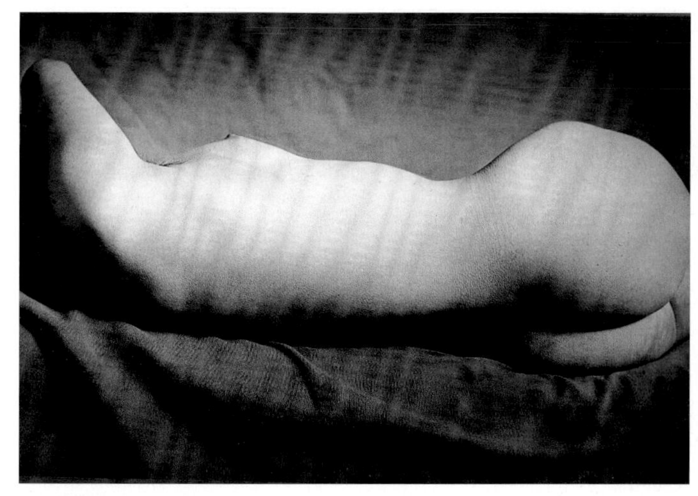

4 • Brassaï, *Nudo*, 1933
Stampa alla gelatina d'argento

quando, immobile, si trasforma in un filo d'erba. Anche se mescolarsi con il contesto produce un suo tipo di cancellazione categoriale, come quando la differenza tra figura e sfondo o tra interno ed esterno dell'organismo sembra dissolta, il "fare il morto" della mantide aggiunge un altro piolo alla scala dell'"impossibile". Infatti la mantide, spesso decapitata durante la lotta con altri insetti, continua malgrado ciò a svolgere i suoi compiti vitali: cacciare, deporre le uova, costruire nidi. Da morta, fa la viva. Ma poiché tra le sue attività da viva c'era quella di difendersi facendo il morto, è logico che anche una mantide morta faccia la stessa cosa. Così, da morta, finge di essere viva fingendosi morta.

La cancellazione della somiglianza produce l'impossibile caso della morte che fa il morto. Qualche anno più tardi, con un altro lessico, questo fenomeno avrebbe preso il nome di *simulacro*; ▲ Bataille lo chiamava l'informe. RK

ULTERIORI LETTURE:

Dawn Ades (a cura di), *Dada and Surrealism Reviewed*, Hayward Gallery, London 1978
Roland Barthes, *La metafora dell'occhio*, in *Saggi critici*, trad. it. Einaudi, Torino 1972
Yve-Alain Bois e Rosalind Krauss, *L'informe*, trad. it. Bruno Mondadori, Milano 2003
Roger Caillois, *La mantide religiosa* (1934), trad. it. In *Il mito e l'uomo*, Bollati Boringhieri, Torino 1998

▲ 1967a, 1970

▲ Introduzione 4, 1977a, 1980

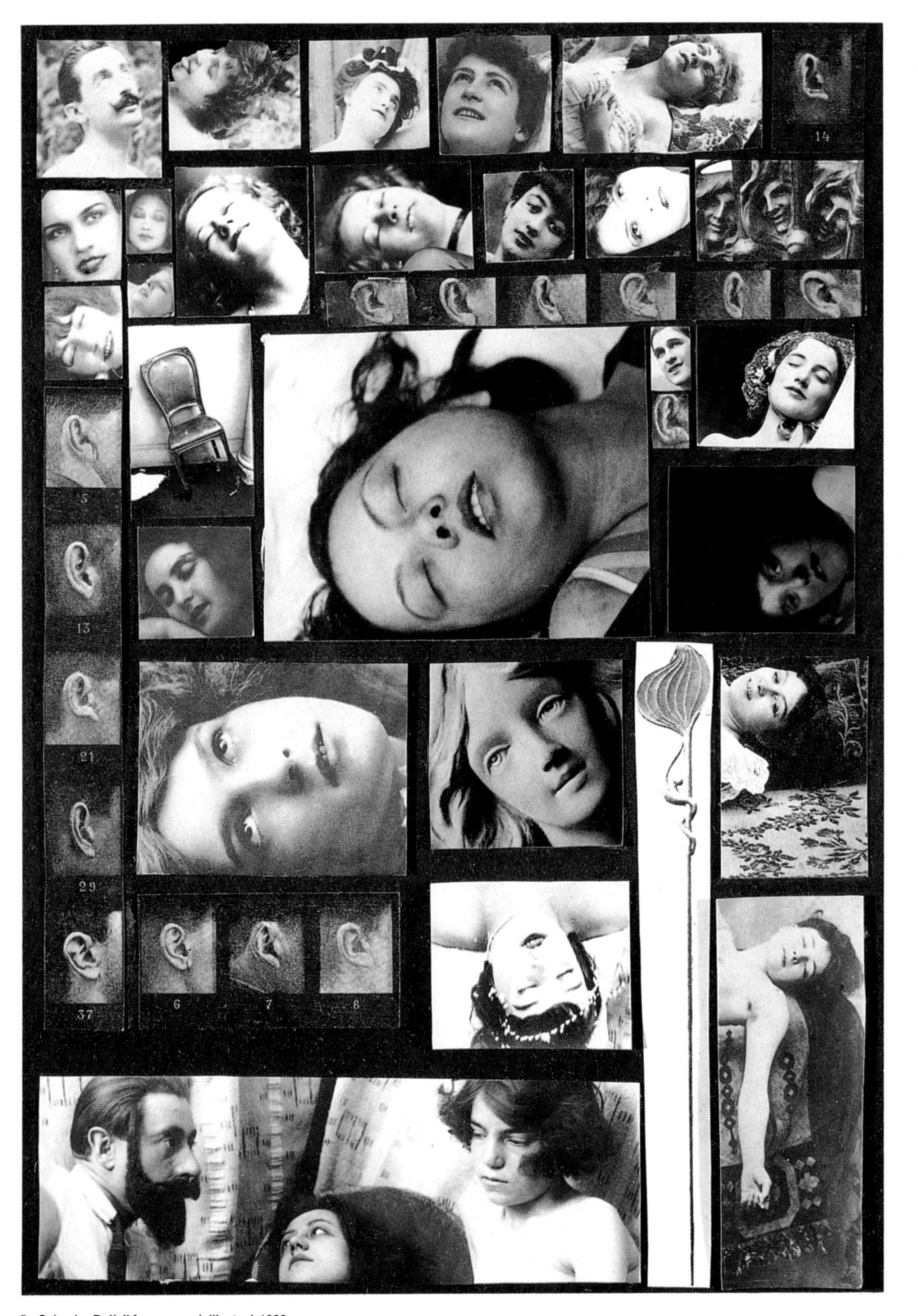

5 • Salvador Dalí, *Il fenomeno dell'estasi*, 1933
Fotomontaggio, 27 x 18,5 cm

1931a

Alberto Giacometti, Salvador Dalí e André Breton pubblicano testi sull'"oggetto a funzionamento simbolico" nella rivista *Le Surréalisme au service de la révolution*: il Surrealismo estende l'estetica del feticismo e della fantasia al regno della produzione.

Alla scultura tradizionale giunsero due sfide dal manufatto ▲ tribale, nell'uso che ne fecero gli artisti primitivisti, e ● dall'oggetto d'uso quotidiano, riproposto nel readymade duchampiano. Nonostante la loro ovvia diversità, questi oggetti sembravano possedere o fare leva su una sorta di potere feticistico. Il manufatto tribale evocava il feticcio come oggetto rituale, con una propria vita e un valore cultuale, mentre il readymade era il feticcio del prodotto commerciale, della merce. Secondo l'analisi marxista classica, la produzione capitalista ci induce a dimenticare che le merci sono prodotte dal lavoro umano, e quindi tendiamo ad attribuir loro una vita o un potere autonomi, a feticizzarli in questo senso. Parte dell'attrazione verso il manufatto tribale traeva origine dalla sua profonda distanza da un'economia capitalista di scambio delle merci, mentre la forza provocatoria del readymade proveniva dall'implicita dimostrazione che, nonostante le sue pretese trascendentali, l'arte moderna fosse legata a questa stessa economia, che come qualunque prodotto era creata per essere esposta e venduta. Con l'avvento dell'oggetto surrealista, questa parziale tipologia della produzione modernista viene estesa, perché coinvolge un terzo tipo di feticcio, quello sessuale, il cui effetto era pure dovuto alla giustapposizione di differenti economie dell'oggetto.

Oggetti ambivalenti

Prendiamo in considerazione un oggetto già citato, il piccolo ■ cucchiaio-scarpa trovato da André Breton in un mercato delle pulci a Parigi. Nel suo romanzo del 1937 *L'amour fou*, l'oggetto ricorda a Breton una frase, "il posacenere di Cenerentola", che rappresenta il suo desiderio, senza dubbio per il fatto che mette insieme un cucchiaio, classico emblema della donna, e una scarpa, classico feticcio sessuale. Ma questo cucchiaio, racconta Breton, era anche un oggetto di "fattura contadina", una cosa fatta a mano per uso personale ora fuori moda, letteralmente spinto nel mercato delle pulci dalla produzione industriale in serie. Così la sua funzione come segno di un volere o un desiderio repressi può essere collegata al suo statuto di residuo di una formazione sociale o modalità economica obsolete. In altre parole, l'attrazione surrealista per il "perturbante" nella vita soggettiva, per quelle immagini, oggetti o eventi familiari resi estranei dalla rimozione, può essere messa in rapporto con l'interesse marxista nei confronti della "non contemporaneità" nella vita storica – dello sviluppo irregolare delle relazioni sociali e dei modi di produzione. La forza reale degli oggetti surrealisti come il cucchiaio-scarpa dipende da questa connessione tra storia soggettiva e sociale.

"Ciò che rende questi oggetti atti a ricevere l'investimento di energia psichica caratteristica dell'uso fattone dai surrealisti", ha notato il critico americano Fredric Jameson, "è precisamente quel segno mezzo abbozzato, non cancellato, del lavoro dell'uomo, del gesto umano su di essi; si tratta di gesti congelati, non ancora separati dalla soggettività, che per questo motivo restano potenzialmente misteriosi ed espressivi quanto il corpo umano stesso". Qui Jameson elabora un'intuizione del critico tedesco Walter Benjamin, che nel suo saggio *Il Surrealismo. L'ultima istantanea sugli intellettuali europei* (1929) celebrava il Surrealismo come quello che "per primo si imbatté nelle energie rivoluzionarie che appaiono nelle cose 'invecchiate', nelle prime costruzioni in ferro, nelle prime fabbriche, nelle prime fotografie, negli oggetti che cominciano a scomparire". Recuperare questi "simboli del desiderio del secolo precedente" equivaleva, per Benjamin, a riciclare queste "rovine della borghesia" come talismani del "pensiero dialettico" o della "presa di coscienza storica". Questa "illuminazione profana" scaturiva a volte dal modo in cui un oggetto particolare poteva mettere in contraddizione differenti economie dell'oggetto.

Il primo oggetto surrealista proposto da Breton nel suo saggio *Introduzione al discorso sul poco di realtà* (1924) era stato visto sempre in un mercato delle pulci, ma in sogno. Era un libro fantastico, con le pagine di stoffa nera e la costa di legno scolpita a forma di gnomo. In questo saggio iniziale, Breton sottolineava l'*irrealtà* dell'oggetto surrealista, la sua sfida alle "creature e alle cose della 'ragione'" e all'uso, una definizione probabilmente estrapolata da una interpretazione del readymade. Ma presto Breton passò a evidenziare la *realtà* dell'oggetto surrealista in quanto segno del desiderio, che implica un'importante differenza rispetto al readymade. Se infatti quest'ultimo è un oggetto trovato, raramente è fuori moda o perturbante e, benché possa implicare significati sessuali, non è investito di energia psichica. Al contrario, Duchamp puntava all'"indifferenza visiva", addirittura alla "completa anestesia" nel readymade, il quale, a differenza dell'oggetto surrealista, è "separato

▲ 1903, 1907 ● 1914 ■ 1924

dalla soggettività" in modo da poter sfidare la più radicata di tutte le credenze borghesi, l'origine soggettiva dell'arte.

Tuttavia, l'oggetto surrealista deriva dal readymade duchampiano come l'immagine surrealista deriva dal collage dadaista. Anzi, questo sviluppo fu uno degli atti inaugurali del Surrealismo, definito nel primo numero della sua prima rivista *La Révolution surréaliste* (1924) come "qualunque scoperta che cambi la natura o la destinazione di un oggetto o un fenomeno". Questa trasformazione è ▲ perfettamente visibile nell'opera di Man Ray, il cui *Enigma di Isidore Ducasse* (1920), la fotografia di una macchina da cucire coperta di tela da sacchi e legata con una corda, accompagnava quella definizione sulla rivista. (Ducasse, noto come Lautréamont, era un poeta dell'Ottocento mitizzato dai surrealisti, che assunsero loro motto estetico il suo verso "bello come l'incontro casuale di una macchina da cucire e un ombrello su un tavolo d'anatomia"). Durante il suo periodo dadaista a New York, Man Ray produsse e/o fotografò molti readymade, alcuni puri e altri "assistiti". Esempi rispettivi di ciascun tipo sono un semplice frullino intitolato *Uomo* e la sua controparte, due specchi emisferici divisi da una lastra di vetro tenuti insieme da sei mollette da bucato, intitolata *Donna* (entrambi del 1918). Il doppio senso qui è voluto e prelude a un'opera di transizione intitolata *Dono* **[1]** creata per la sua prima esposizione a Parigi nel dicembre 1921 (Man Ray ha vissuto a Parigi fino al 1940). Per capriccio comprò un ferro da stiro di quelli usati sulle stufe a carbone, incollò una fila di quattordici puntine sulla parte inferiore (molte repliche hanno invece dei chiodi) e aggiunse l'oggetto alla mostra. La carica sadica, solo implicita nel frullino di *Uomo* e nelle mollette di *Donna*, diventa qui esplicita, e le punte fanno del ferro readymade un oggetto protosurrealista. "Con questo puoi ridurre un vestito a brandelli", osservò una volta Man Ray a proposito della sua opera, come per riconoscere che il suo sadismo era rivolto alle donne. "L'ho fatto una volta, e ho chiesto a una bella nera di diciotto anni di indossarlo mentre danzava", aggiunse, in un modo che rivela quanto il feticismo razziale possa conciliarsi con quello sessuale (come accade spesso nel suo lavoro). Ma se *Dono* fosse stato semplicemente sadico, non sarebbe stato così efficace; lo è grazie alla sua ambivalenza, che è duplice. Dal punto di vista del rapporto con lo spettatore l'oggetto è aggressivo, ma è stato designato come regalo; in questo modo rende letterale l'ambivalenza di ogni dono – che è al tempo stesso un'offerta fatta e un debito contratto – ambivalenza analizzata dall'antropologo francese Marcel Mauss nel suo *Saggio sul dono* del 1925. Inoltre, in questo modo *Dono* è ambiguo dal punto di vista della funzione (i ferri da stiro lisciano e stirano, questo perfora e strappa) e del genere (il ferro da stiro è associato al lavoro femminile, questo possiede punte falliche). Messi in contraddizione, questi caratteri trasformano il ferro da stiro nell'equivalente artistico di un sintomo, o più precisamente di un feticcio, definito da Freud come un oggetto su cui convergono desideri conflittuali.

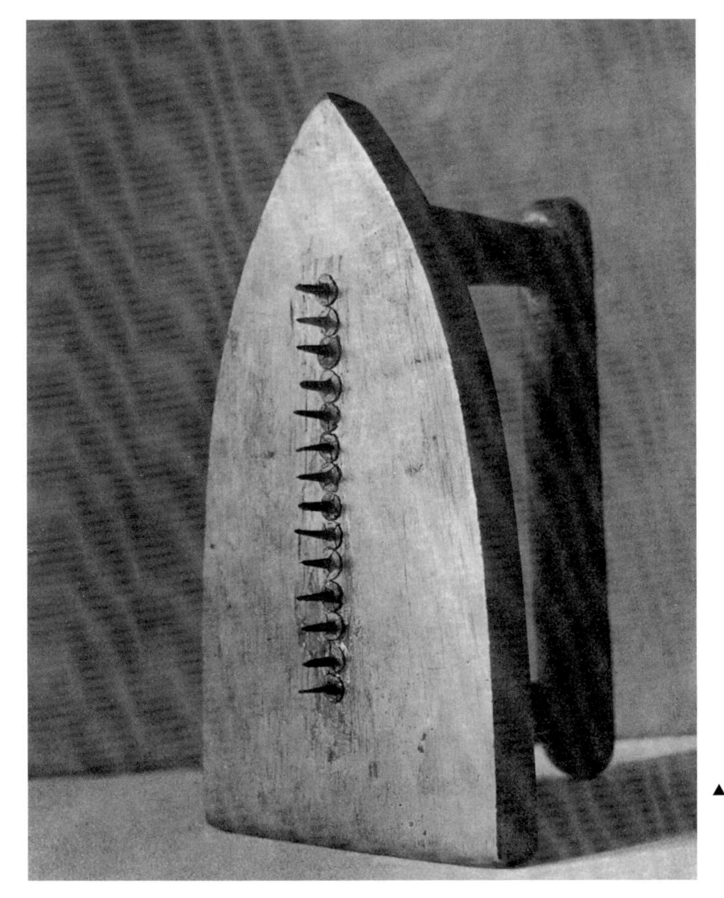

1 • Man Ray, *Dono*, 1921
Ferro da stiro, chiodi, 17 x 10 x 11 cm

Oggetti mobili e muti

I surrealisti furono tra i primi modernisti a studiare attentamente Freud, ma svilupparono anche intuizioni parallele e non è chiaro quanto conoscessero testi come il saggio sul feticismo del 1927. Per Freud il feticcio è un sostituto del pene che manca alla madre. La scoperta di questa mancanza suscita orrore nel bambino (il caso ambiguo della bambina è liquidato sinteticamente), facendogli avvertire la minaccia di "castrazione", e lo induce a rivolgersi a surrogati del pene, cioè a feticci, per mantenere la sua fantasia di integrità corporea, di potere fallico. In questo modo il feticismo è una pratica dell'ambivalenza in cui il soggetto maschile riconosce e contemporaneamente ripudia la castrazione o qualunque perdita traumatica. Questa ambivalenza produce una scissione del soggetto, ma anche una scissione del feticcio in un oggetto ambivalente – sia "memoria" della castrazione che "protezione" contro di essa. Ecco perché, secondo Freud, il feticcio spesso suscita sia "ostilità" che "affezione" e perché, al di là del desiderio sessuale che viene trasferito su di esso, è un oggetto così intenso.

I surrealisti erano intrigati da questa prospettiva e la misero in gioco attraverso immagini e oggetti. Per esempio, le loro fotografie di nudo oscillavano spesso tra parti frammentarie e interi feticisti, in cui il corpo femminile appare castrato e castrante in un ▲ momento, per ritornare integro e fallico un attimo dopo. Ma l'ansia di castrazione e la difesa feticistica sono messe a fuoco soprattutto negli oggetti surrealisti, in particolare in quelli di Alberto Giacometti. È come se alcuni dei suoi oggetti mirassero a sospendere la castrazione che definisce la differenza sessuale nella teoria freu-

▲ 1918, 1924, 1930b

▲ Introduzione 1, 1930b

diana, o per lo meno a rendere ambiguo il riferimento sessuale ▲ (come in *Palla sospesa*); altri sembrano scongiurare feticisticamente questa castrazione (come i due *Oggetti sgradevoli* [1930-31]), mentre altri ancora sembrano punire sadicamente il suo rappresentante femminile (come *Donna con la gola tagliata* [1932])

Per il numero del dicembre 1931 di *Le Surréalisme au service de la révolution*, Giacometti schizzò sette oggetti sotto la rubrica "*objets mobiles et muets*". Uno strano titolo, che evoca cose perturbantemente vive, mobili grazie al desiderio, ma mute per via della rimozione. Almeno cinque degli oggetti vennero poi realizzati, mentre gli altri due ricordano comunque scenari di sesso e/o sacrifici tipici di Giacometti. Nel disegno, una mano quasi tocca una forma fallica, come per mettere alla prova il tabù che impedisce di toccare l'oggetto del desiderio (che si tratti di un animale totem, di un oggetto sessuale o di un'opera d'arte), o come per evidenziare la relazione complementare tra desiderio e proibizione, trasgressione e legge, che struttura l'ambivalenza di queste opere. Giacometti chiamò questo oggetto "sgradevole", come fece per un altro, pure raffigurato nel disegno, in cui la forma fallica è tagliata da un piano; ma è difficile non sentire in sottofondo anche la parola "gradevole". Entrambi gli oggetti infatti sono allo stesso tempo "gradevoli" come feticci e "sgradevoli" in quanto forme che evocano la castrazione. Nell'opera finita, il primo *Oggetto sgradevole* sembra quasi animato, il corpo di un embrione con gli occhi, un oggetto che suggerisce una serie di associazioni ambivalenti (pene, feci, bambino...) analizzate da Freud come oggetti dell'angoscia della perdita. Il riconoscimento della castrazione sembra inscritto qui nella forma dei chiodi: l'"ostilità" per il feticcio è comunque mischiata all'"affetto".

Questo misto di gradevole e sgradevole, di feticistico e castrante, ▲ si ritrova anche nel più famoso oggetto surrealista: la tazza, il piattino e il cucchiaio ricoperti di pelliccia creati dalla surrealista svizzera-tedesca Meret Oppenheim (1913-85) nel 1936. Questi oggetti hanno delle storie – sono i precipitati di racconti molto densi – ed ecco la storia di questo: un giorno al Café de Flore a Parigi a Oppenheim capitò di mostrare a Picasso un disegno per un braccia-

2 • La galleria Charles Ratton, Parigi, durante la *Mostra surrealista di oggetti*, maggio 1936

▲ 1930b
▲ Introduzione 1

letto ricoperto di pelliccia e Picasso replicò che si sarebbe potuto rivestire così qualunque cosa, "anche questa tazza con il piattino". Quando Breton nel 1936 invitò Meret Oppenheim a esporre alla *Mostra surrealista di oggetti* nella galleria Charles Ratton **[2]**, lei comprò un servizio da tè in un grande magazzino e rivestì ogni oggetto con la pelliccia di una gazzella cinese. Breton intitolò l'opera *Colazione in pelliccia*, un omaggio al dipinto di Édouard Manet *Colazione sull'erba* del 1862-63 e al romanzo di Leopold von Sacher-Masoch *Venere in pelliccia* (1870; quel Sacher-Masoch da cui deriva il termine "masochismo"). *Colazione in pelliccia* è infatti una natura morta-con-nudo, una spiritosa interferenza nel rituale del tè di un'oscena allusione ai genitali femminili, che gioca ambiguamente anche sull'erotismo orale. Allo stesso tempo è una parodia per eccesso del feticcio freudiano, come per gettare la sua tendenza maschilista in faccia allo spettatore maschio. Si percepisce la gioia del potere riversata in questo scherzo riuscito, una Venere in Pelliccia che si diverte con il suo passatempo sadico. Ma la posizione sadica, sostiene Freud, può velocemente mutarsi nel suo doppio masochista e questo rovesciamento viene suggerito da un altro feticcio ideato da Oppenheim nel 1936, *Ma gouvernante - My Nurse - Mein Kindermädchen* **[3]** (il titolo implica che il feticismo non ha genere o lingua specifici). Nel saggio del 1927, Freud utilizza come esempio di mistione di disprezzo e venerazione per il feticcio il piede fasciato delle donne aristocratiche dell'antica Cina. In quest'opera Oppenheim mostra scarpe bianche con tacchi legate, già un classico feticcio, rovesciate e avvolte con uno spago, evidente trofeo di sadismo maschile e masochismo femminile. Ma qui i tacchi sono guarniti con nappe e serviti su un piatto d'argento, come per sovvertire la posizione sadica attraverso il puro piacere di quella masochista; infatti nel contratto sadomasochista è il masochista ad avere il controllo della situazione.

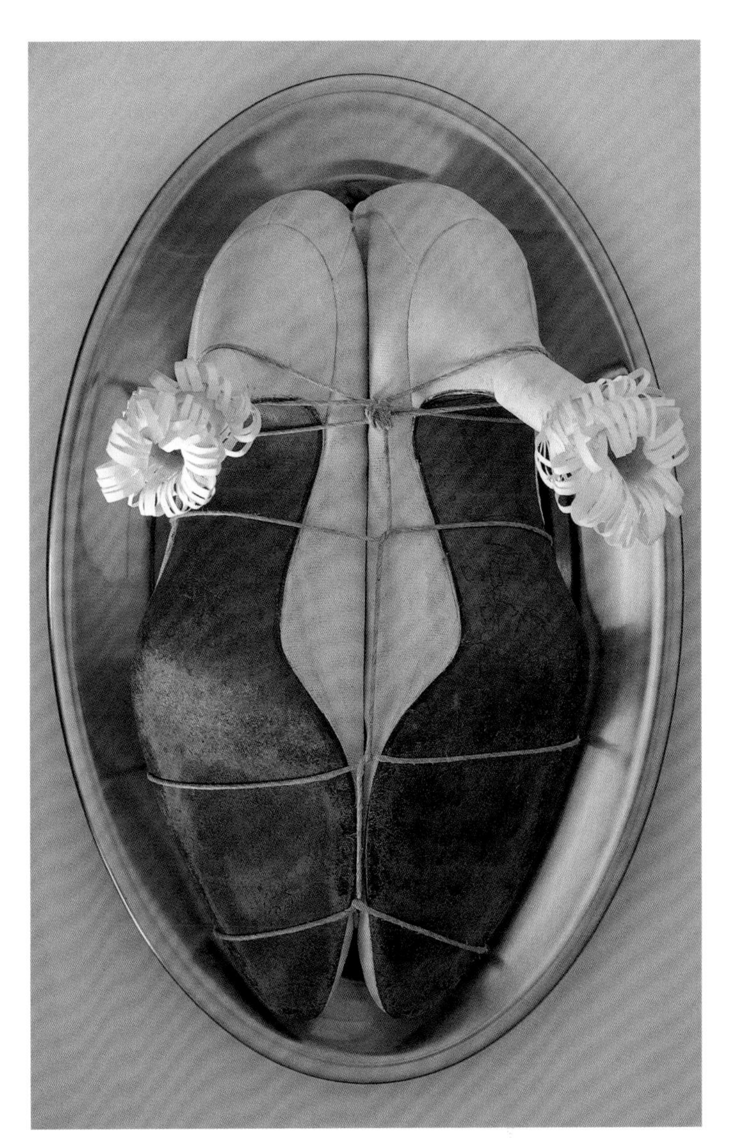

3 • Meret Oppenheim, *Ma gouvernante - My Nurse - Mein Kindermädchen*, 1936
Metallo, carta, scarpe, filo, 14 x 21 x 33 cm

Oggetti perduti

Dal 1936 il feticcio era cominciato a diventare un cliché nelle mani dei surrealisti, che sembravano ormai sceneggiare gli oggetti sulla base degli scritti di Freud. In particolare Salvador Dalí fu accusato da Breton di avere "volontariamente incorporato" l'interpretazione psicoanalitica nell'arte in modo da indebolirne gli effetti. Secondo Breton questa specie di trascrizione immobilizzava il desiderio, invece di stimolare l'ambivalenza. Egli però cercava anche una fissazione, perché secondo lui ogni desiderio ha un oggetto distinto, che viene puntualmente trovato per caso, come il cucchiaio-scarpa al mercato delle pulci. Ma lo psicoanalista francese Jacques Lacan, che da giovane aveva frequentato i surrealisti, ha dimostrato come questa idea del desiderio soddisfatto sia del tutto irrealizzabile. Nella sua versione, il bisogno (come il bisogno di latte materno per il neonato) può essere soddisfatto, mentre il desiderio (il desiderio del seno assente, ad esempio) non può essere soddisfatto, proprio perché il suo oggetto è perduto (altrimenti il desiderio non sorgerebbe neppure) e può solamente essere ricreato nella fantasia. Da un lato, quindi, come osservava Freud, "trovare un oggetto [sessuale] significa di fatto ritrovarlo"; dall'altro, sosteneva Lacan, questo ritrovamento è un'eterna ricerca: l'oggetto non può essere riconquistato perché è fantasmatico, e il desiderio non può essere soddisfatto perché è definito dalla mancanza. Da questo punto di vista, l'oggetto surrealista è impossibile in un senso che la maggior parte dei surrealisti non ha mai colto, per cui continuarono a insistere sulla sua scoperta, cioè su un oggetto adeguato al desiderio.

Questa confusione viene alla luce anche nell'episodio in cui ▲ Breton racconta come Giacometti creasse *Oggetto invisibile (Le mani stringono il vuoto)*, altrimenti noto come *Personaggio femminile* **[4]**. La figura era nata da una crisi romantica, ci dice Breton, e Giacometti aveva problemi con le mani, con la testa e implicitamente con il seno, che risolse solo dopo avere scoperto uno strano elmo-maschera al mercato delle pulci. Per Breton questo è un esempio da manuale di un accoppiamento perfetto tra desiderio e oggetto. Ma di fatto *Oggetto invisibile* evoca la condizione opposta, l'*impossibilità* della riconquista dell'oggetto perduto. Con le mani a coppa e lo sguardo inespressivo, il personaggio femminile

▲ 1924

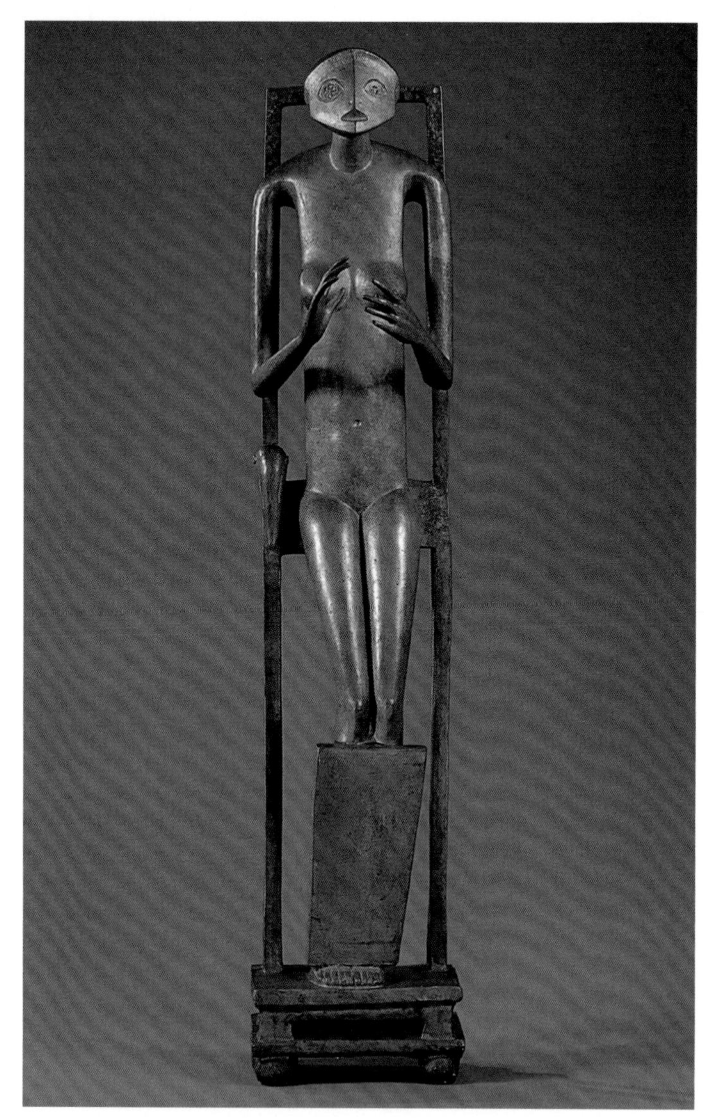

4 • Alberto Giacometti, *Oggetto invisibile (Le mani stringono il vuoto)*, 1934
Bronzo, 153 x 32 x 29 cm

5 • Joseph Cornell, *Set per bolle di sapone*, 1947-48
Costruzione, 32,4 x 47,3 x 7,6 cm

modella l'"oggetto invisibile" in sua assenza: è il pathos innaturale della supplice alienata. Qui l'oggetto non è solo un feticcio che copre una mancanza, è anche una figura di questa mancanza, un analogo dell'oggetto perduto collegato al seno materno. Siamo così arrivati alla paradossale formula surrealista dell'oggetto trovato: un oggetto perduto non viene mai recuperato ma è eternamente cercato; sempre un sostituto, verte sulla sua stessa ricerca.

Di fronte a questa difficoltà, Giacometti abbandonò la fantasia traumatica per tornare alla rappresentazione mimetica come fonte ▲ primaria della propria arte: "Ho lavorato con il modello ogni giorno dal 1935 al 1940". Eppure, saturi di ambivalenza feticista, i suoi oggetti dei primi anni Trenta restano il punto più alto di questa pratica artistica. Troppo spesso questi quadri di "oggetti mobili e muti" diventarono in altre mani classificazioni di cose inerti e parlanti. Per esempio, nello stesso numero di *Le Surréalisme au service de la révolution* Dalí presentò un catalogo di oggetti (oggetti "transustanziati", "proiettati", "impacchettati" e così via), elenco assurdo proprio per sconvolgere qualsiasi tipo di ordine. Ma al di sotto delle tabulazioni, a reggerle rimane un "tavolo", come quello su cui avviene "l'incontro casuale di una macchina da cucire e un ombrello" nel verso di Lautréamont. Spesso questo tavolo fa parte della mostra – molti oggetti surrealisti appaiono in box o in vetrine – che allora non è così diversa dalle modalità d'esposizione in galleria o persino in un negozio. Gli oggetti nella celebre rassegna del 1936 degli oggetti surrealisti hanno fatto così un giro di 360° per tornare ad essere esposti come al mercato delle pulci.

Il teatro surrealista della fantasia venne sviluppato nella sua forma più compiuta dall'americano Joseph Cornell (1903-72). Modellate su vecchie gabbiette, slot-machine e simili, le sue scatole adattano la gabbia e la scacchiera di Giacometti e spesso mischiano il perturbante e il fuori moda della voga surrealista. Ma anche se questi "giocattoli filosofici" creano un'estetica della meraviglia – spazi di sogno dove sabbia e stelle, bolle di sapone e mappe lunari sembrano toccarsi **[5]** – alla fine divertono più che stupire. Inoltre, pur avendo a che fare con la perdita, la minimizzano nostalgicamente invece di attivarla in forma di trauma. Così, per quanto disparati siano gli oggetti, Cornell permette alla soggettività di restare coerente attraverso la memoria; e benché il desiderio attraversi alcune delle sue scatole (alcune si intitolano "hotel" e sono coperte di stelle), in altre esso appare solitario e onanistico, qualche volta sconnesso e morto (parecchie si chiamano "museo" e in alcune si trovano uccelli impagliati). L'oggetto surrealista è ormai giunto a un'altra destinazione: non una mostra dove oggetti sgradevoli diventano gradevoli gingilli, ma un reliquiario dove il soggetto bazzica il proprio desiderio come un fantasma. HF

ULTERIORI LETTURE:

Walter Benjamin, *Il Surrealismo. L'ultima istantanea sugli intellettuali europei* (1929), trad. it. in *Avanguardia e rivoluzione*, Einaudi, Torino 1973
André Breton, *L'Amour fou*, trad. it. Einaudi, Torino 1974
Hal Foster, *Compulsive Beauty*, MIT Press, Cambridge (Mass.) 1993
Rosalind Krauss, *The Optical Inconscious*, MIT Press, Cambridge (Mass.) 1993
Rosalind Krauss e Jane Livingstone, *L'amour fou: Surrealism and Photography*, Abbeville Press, New York 1987

▲ 1959c

1931b

Dacché Joan Miró riafferma il suo voto all'"assassinio della pittura" e i delicati *mobile* di Alexander Calder sono sostituiti dagli impassibili *stabile*, la pittura e la scultura europee mostrano una nuova sensibilità che riflette il concetto bataillano di "informe".

In *Il Surrealismo e la pittura*, la magistrale rassegna in quattro parti dell'arte fondamentale per il progetto surrealista, pubblicato tra il 1926 e il 1928 su *La Révolution surréaliste*, ▲ André Breton riconosceva la centralità sia di Pablo Picasso che di Joan Miró per la portata culturale del movimento. Per Breton, Miró era insieme un artista naïf, infantile (spruzzi, immagini bambinesche, pittura con le dita) e, allo stesso tempo, un consumato formalista, "che si arrende completamente alla pittura e soltanto alla pittura". "La pittura e soltanto la pittura" si riferisce alle trasparenti velature blu dei Miró della metà degli anni Venti, spesso detti "quadri di sogno", ai loro sfondi evanescenti fatti della spontaneità del colore liquido versato e slavato, al loro disegnare la più bella delle reti, così come al non interrompere l'atmosfera luminosa con suddivisioni grafiche che arginerebbero il flusso. Questo desiderio di evitare i contorni delle figure solide che interrompono portò Miró a "disegnare" sul quadro con una scrittura da ragno. Come con il • *calligramma*, inventato da Guillaume Apollinaire, il compito di "leggere" queste immagini disturba e sopraffà quello di "vedere". Dal 1927 i dipinti calligrammatici sono al centro dell'opera di Miró, che scrive frasi o poesie sugli sfondi traslucidi: *Étoiles en des sexes d'escargots* (Stelle in sessi di lumache), *Le Corps de ma brune* (Il corpo della mia brunetta), *Un oiseau poursuit une abeille et la baise* (Un uccello insegue un'ape e la bacia). L'espressione "quadri di sogno" deriva da un'opera su tela grezza con una macchia blu sotto cui, in forma di calligramma, è scritto *ceci est la couleur de mes rêves* (questo è il colore dei miei sogni) **[1]**.

Prodotti di un pittore catalano affascinato dal paesaggio della Spagna del nord, i primi quadri di Miró sono caratterizzati dalla presenza di una linea d'orizzonte che separa la terra dal cielo. Non sorprende allora che nel suo posteriore impulso a riconoscere formalmente la superficie e la struttura del quadro Miró abbia diviso in due la tela in opere come *Contadino catalano* **[2]**, producendo non solo una disposizione assiale a croce di una figura di catalano che taglia una linea d'orizzonte, ma facendo anche dell'armatura cruciforme un riferimento alla cornice oblunga del quadro (versione schematica della griglia cubista). In un quadro senza titolo

1 • Joan Miró, *Photo – ceci est la couleur de mes rêves*, Montroig, luglio-settembre 1925
Olio su tela, 96,5 x 129,5 cm

▲ 1924 • 1912

del 1925 lo sfondo interamente blu slavato si addensa leggermente per indicare la stessa presenza dell'"orizzonte" – ma l'unica "figura" contro lo sfondo azzurro è una piccola macchia bianca in alto nell'angolo sinistro, come una stella che appare su un cielo notturno.

Questo e altri "quadri di sogno" degli anni Venti sono infatti segnati da una qualità luminosa onirica e da una leggera, apparentemente automatica spontaneità che suggerisce che le opere rappresentano una "finestra" trasparente su un inconscio sognante. *La nascita del mondo* del 1925 **[3]**, per esempio, può ▲ essere paragonato ai grovigli di *dripping* di Jackson Pollock della fine degli anni Quaranta, astratti e monumentali, ancora incandescenti; mentre allo stesso tempo le spontanee pennellate di colore testimonianti la rapidità della loro esecuzione assomigliano a • quelli di espressionisti astratti come Arshile Gorky e Willem de Kooning. Ma a quel punto, negli anni Quaranta, i "quadri di sogno" di Miró, pur rimanendo "infantili", erano diventati metodici, controllati. Lo stesso titolo *Costellazioni*, per una serie della prima parte del decennio, ricorda l'osservatore dei cieli notturni degli inizi, benché le forme giocose delle costellazioni siano opache, con occhi che sembrano sfidare l'osservatore stesso. (Questi motivi prefigurano l'opera posteriore, in cui le superfici nebbiose sono punteggiate di colorati personaggi da fumetti circondati dal familiare linguaggio di stelle e punti esclamativi.)

Tra la delicata luminosità dei "quadri di sogno" e la formale chiarezza delle *Costellazioni* venne una serie di opere che Miró creò dopo aver proclamato la sua volontà di "assassinare la pittura", una dichiarazione improvvisa e sorprendente che fece la prima volta nel 1927 e ripeté in una lettera del 1929 all'amico Michel Leiris, e ancora, energicamente, in un'intervista al giornalista madrileno Francesco Melgar nel 1931. Altrettanto visivamente seducenti dei "quadri di sogno" sono i collage che seguirono, come *Testa di Georges Auric* del 1929 e *Corda e personaggi I* del 1935 **[4]**, vera e propria aggressione agli occhi. Contenenti carta vetrata granulosa e corda aggressivamente arrotolata, ripudiano la delicatezza degli anni Venti. La tattilità corrosiva della carta vetrata è lontana dall'atmosfera notturna dei quadri blu, inoltre la violenza associata alla dura corda disturba il "sogno" luminoso, disturbi che suonano entrambi a morto per il *visivo* al centro della pittura. Dichiarandoli "antipittorici", Miró riconosceva il modo in cui i nuovi collage strappano la coordinazione formale di figura e cornice attraverso cui i suoi "quadri di sogno" avevano affermato la loro fedeltà alla struttura pittorica. La prima cosa che sconfessò nella sua lettera a Leiris fu il colore: "Il fascino e la musica dei colori [sono] lo stadio finale della degenerazione", scrisse, aggiungendo: "Questo è a mala pena pittura, ma non me ne importa niente". Nell'intervista del 1931 spiegava: "Dipingevo con un assoluto disprezzo per la pittura. [...] Mi sentivo aggressivo, ma allo stesso tempo superiore. [...] Provavo disprezzo per la mia opera".

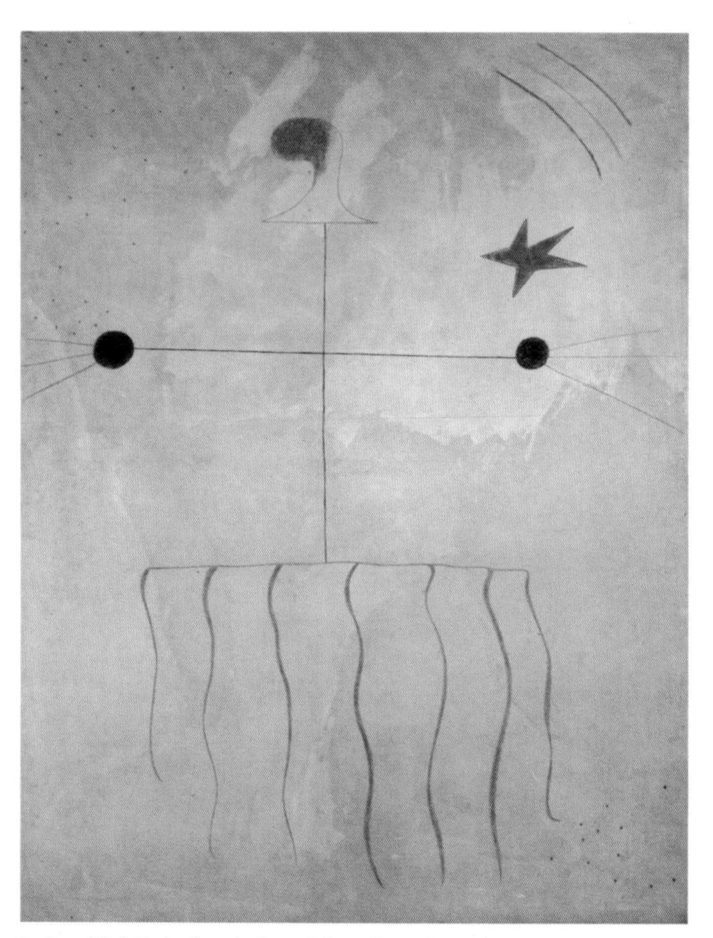

2 • Joan Miró, *Testa di contadino catalano*, Montroig, estate-autunno 1924
Olio su tela, 146 x 114,2 cm

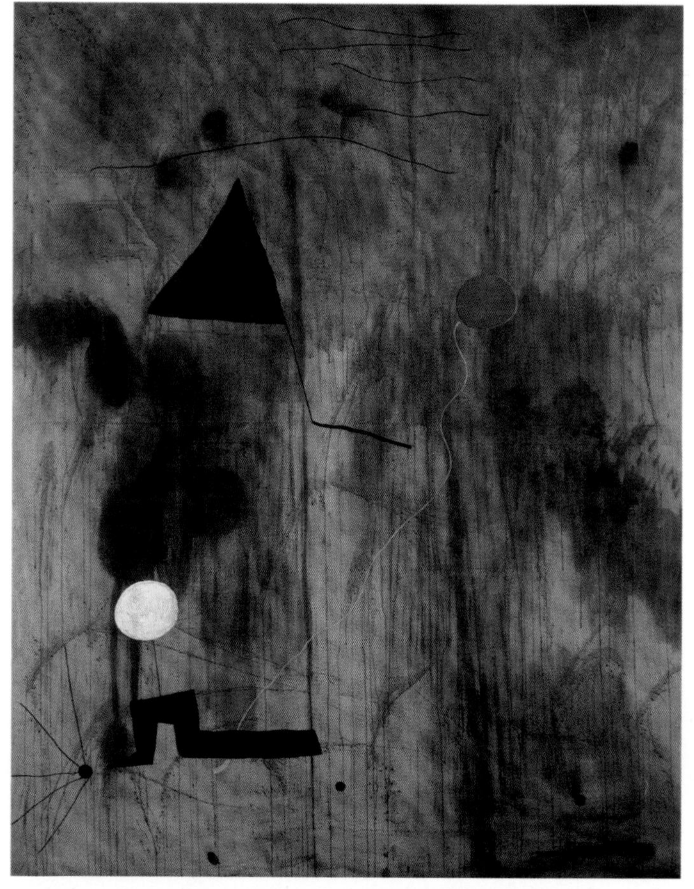

3 • Joan Miró, *La nascita del mondo*, Montroig, fine estate-autunno 1925
Olio su tela, 250,8 × 200 cm

▲ 1949a • 1942a, 1947b

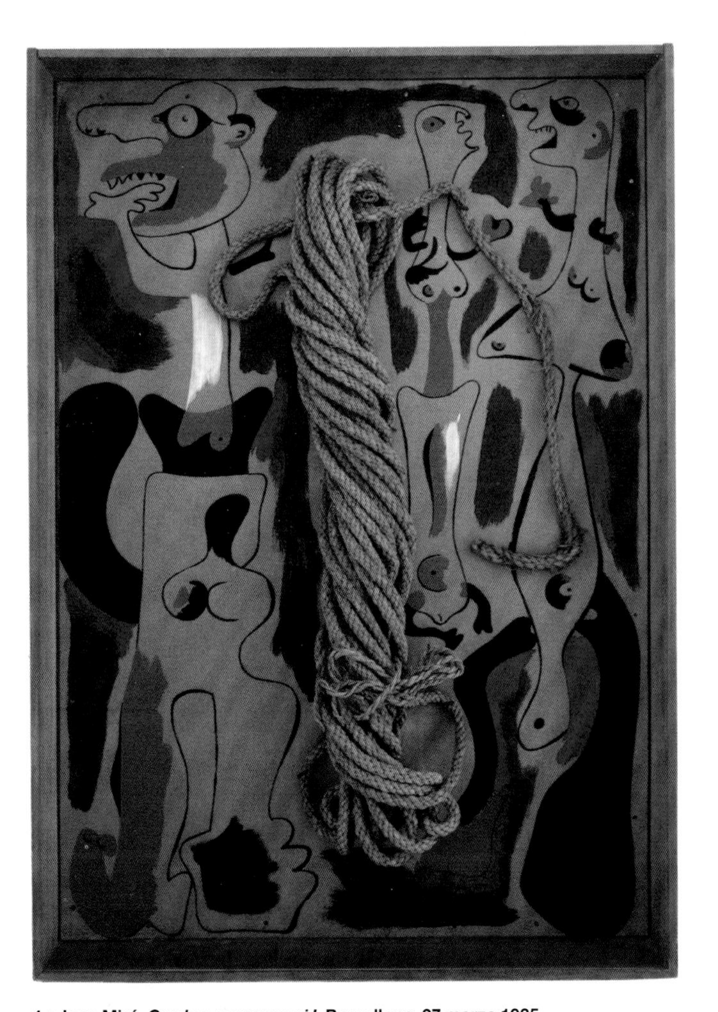

4 • Joan Miró, *Corda e personaggi I*, Barcellona, 27 marzo 1935
Olio su cartoncino montato su tavola, con rotolo di corda, 104,7 x 74,6 cm

Giù nel mondo

La trasformazione di Miró dal sogno all'antipittura coincise con la sua defezione dall'orbita surrealista per raggiungere il gruppo ▲ raccolto intorno a Georges Bataille, il direttore della rivista d'avanguardia *Documents* e l'uomo che Breton sdegnava come "nemico interno" del Surrealismo. Questo nemico non solo attirava a sé alcuni dei più importanti membri della consorteria di Breton • (Artaud, Masson, Soupault, Limbour, Leiris e Miró stesso), ma produceva anche l'opera pornografica che era il più lontano immaginabile dalla nozione bretoniana di "bellezza convulsiva": il romanzo *Histoire de l'oeil* (Storia dell'occhio), pubblicato nel 1928, che Roland Barthes ha descritto come produttiva di un "tondo fallicismo", cioè come un libro pornografico che tenta un'impossibile cancellazione della differenza tra uomo e donna.

Fu Bataille a coniare il termine *informe*, un concetto sviluppato in *Documents*, che celebrava la fine di distinzioni come le differenze visive di figura e fondo, interno ed esterno, o le opposizioni anatomiche: maschio e femmina, testa e estremità, mano e piede – differenze da cui dipende l'ordine formale o semantico. Aggiunse inoltre che i suoi concetti non riguardavano soltanto la declassificazione, ma anche il declassamento: "far scendere le cose dal piedistallo", scrisse, "e riportarle giù nel mondo". "Giù nel mondo" caratterizza certamente i Miró che Bataille riprodusse su *Documents* per il suo testo del 1930 sull'artista. Le opere che scelse sostituiscono la chiarezza formale dei primi "quadri di sogno" con le nuove "antipitture", una delle quali era un profilo flaccido circondato da scarabocchi tipo graffiti del 1930, un'altra una coppia in esplicito rapporto sessuale dello stesso anno. In maniera familiare Bataille celebrò le antipitture come altrettante corone posate "sulla pietra tombale della cassa del prestigiatore".

Poco dopo il saggio di Bataille sulla sua opera Miró cominciò una serie di disegni raffiguranti creature amorfe con enormi piedi che sembrano riferirsi al testo di Bataille "L'alluce", pubblicato su *Documents* nel 1929. Bataille comincia pretendendo paradossalmente che "l'alluce è la parte più *umana* del corpo umano". Questo, spiega, perché ha smesso di essere prensile, come quello dei gorilla o delle scimmie, per cui, invece che aggrapparsi ai rami per dondolare sopra la terra, la sua ritrovata rigidità permette al bipede umano di "elevarsi dritto nell'aria", dando così "una base ferma" all'erezione della forma umana. L'alluce fa dunque da cerniera tra l'elevarsi e l'ancorarsi a terra, la sua condizione abbassata essendo data non solo dalla sua sporcizia ma anche dalla sua deformazione a causa di calli e duroni. Il piede è perciò umiliato, disgustoso. Ma è anche seducente, feticcio sessuale. Bataille finisce il testo con "un ritorno alla realtà [...] il riconoscere che si è sedotti bassamente, senza trasposizione e fino a urlare, spalancando gli occhi: spalancandoli così davanti a un alluce".

Nel suo saggio del 1972 *I prodotti del testo* Barthes intesse la logica opposta all'informe di Bataille come attacco alla classificazione, così insistentemente messa in atto in "L'alluce". Il significato del corpo umano dipende dalle opposizioni anatomiche non soltanto tra uomo e donna o testa e piede, ma anche tra bocca e ano (Barthes trae vantaggio dal fatto che in francese *sens* significa sia "senso" che "direzione"). "Dove comincia il corpo?", chiede Bataille in apertura dell'articolo "Bocca". L'uomo ha una prua, scrive, come una nave organizzata lungo l'asse orizzontale che separa il colombiere dalla poppa, o il corpo umano lungo l'asse bocca-ano. Barthes mette in guardia il lettore di non intendere gli argomenti di Bataille in senso psicanalitico (riducendo l'aggressività del piede a un puro feticcio). La psicanalisi dà un *senso* all'anatomia umana: il corpo organizzato secondo le zone erogene o libidinali, il cui *senso* determina lo sviluppo infantile; l'insistenza di Bataille sulla *bassezza* lavora contro queste classificazioni, come quando un tennista "aggira" il suo avversario mandando la palla alle sue spalle (il termine francese è *déjouer*).

Con la nuova adesione al gruppo di *Documents* non sorprende che Miró riempia un album di schizzi alla metà degli anni Trenta con figure che esibiscono mostruose dita di piedi, o realizzi l'esplicitamente sessuale *Donna in rivolta* del 1938, concepita come dimostrazione della rottura batailliana del *senso* dell'anatomia umana. Le gambe della donna escono direttamente dal ventre e dall'organo sessuale femminile per terminare in un piede disegnato come un enorme fallo.

▲ 1930b • Introduzione 3

5 • Alexander Calder, *Fontana di mercurio*, 1937
Asta di acciaio, lastra di acciaio ricoperta di pece, mercurio, altezza 259 cm

6 • Alexander Calder, *Ritratto dell'artista da giovane*, 1945 ca.
Lastra di metallo dipinta, 88,9 x 68,6 x 29,2 cm

Verso l'informe in scultura

Miró fu raggiunto nella sua discesa verso il basso e l'informe dallo scultore americano amico Alexander Calder, la cui opera degli anni Venti era ugualmente "infantile" (costruì un circo in miniatura di animali e giocolieri in fil di ferro), nonché trasparente e senza peso, come se la fusione in bronzo o il blocco di legno della scultura tradizionale appesantissero la sua invenzione. Le aeree cascate di colore fluttuante sviluppate nelle opere dei primi anni Trenta furono accolte entusiasticamente con il nome di *mobile*, e collegate così ai "quadri di sogno" in un parallelo apparentemente spensierato. ▲ Inoltre l'affinità dei *mobile* con i quadri *proun* di El Lisickij, in cui forme poligonali si librano allegramente sopra un fondo rigato, indica l'impulso di Calder di far sì che le curve dei suoi montanti comportino un insieme di volumi ben organizzati, per quanto virtuali.

Ma Calder "assassinò" presto le sue gioiose invenzioni quando, nella sua *Fontana di mercurio* del 1937 **[5]**, il metallo velenoso si riversò giù per i canali dell'armatura della sua scultura in risposta provocatoria alla guerra omicida fascista spagnola. Era stato il governo spagnolo a chiedere a Calder di contribuire con quest'opera alla Mostra Internazionale di Parigi costruendo una fontana in cui ● scorresse mercurio invece che acqua, poiché i repubblicani volevano evidenziare la loro posizione contro l'assedio di Franco della regione spagnola di Almadén, che forniva più del sessanta per cento del mercurio di tutto il mondo. Queste miniere di mercurio servivano come simbolo dell'orgoglio nazionale del paese. *Fontana di mercurio*, prima committenza importante per Calder e attrazione popolare alla mostra, venne installata vicino a *Guernica* di Picasso, come per rendere omaggio al suo grido di protesta. Al piano di sopra Miró aggiunse il suo recente cambio di registro alla riposta del triumvirato alla minacciosa politica dell'Europa degli anni Trenta con il suo grande *Mietitore* (noto anche come *Contadino catalano in rivolta*).

La nuova solidità di *Fontana di mercurio* sfociò in monumenti pubblici su grande scala che Calder cominciò a realizzare. Mettendo da parte il vocabolario visivo dei *mobile*, questi goffi colossi – più simili a dinosauri o rettili giganti – presero il nome di *stabile* (su suggerimento di Hans Arp) **[6]**. Mentre i suoi *mobile* erano destinati all'intimità della casa, in cui fluttuavano (anche in riproduzioni economiche non autorizzate) sopra il tavolo da pranzo o sulla culla, la trasformazione nella ponderosa immobilità degli *stabile* può essere vista come un ansioso ritiro dal privato in un imperativo a radunare le popolazioni civiche intorno ai luoghi simbolici della piazza urbana o dello spazio pubblico. Arroccati sulle piazze cittadine come treppiedi arancione accovacciati o dischi volanti appena atterrati, suscitarono una ricezione entusiasta da parte del pubblico. Uno, *La Grande Vitesse*, diventò un logo municipale, inciso sulla carta intestata ufficiale e – ancora più stranamente – sui compattatori di rifiuti urbani (la popolazione di Grand Rapids, nel Michigan, ha riposto il suo giusto orgoglio nel loro *stabile*) **[7]**.

Forse la positiva ricezione popolare degli *stabile* fu in parte dovuta alla loro apparente celebrazione della produzione industriale

▲ 1926, 1955b ● 1937a, 1937c

7 • Alexander Calder, *La Grande Vitesse*, 1969
Piastra di acciaio dipinta, larghezza 1676,4 cm

pesante, con le loro superfici e falangi imbullonate come travi architettoniche o puntoni di ponti. Per la sensibilità critica contemporanea questa pesantezza, tuttavia, è esattamente ciò che li rende reazionari, ▲ dacché la prima scultura costruita cubista è evoluta in uno stile di suggestive forme aperte in cui lo spazio può circolare. Evolvendo fuori da questo vocabolario basato sul collage, Julio González aveva realizzato sculture di ferro negli anni Trenta, che soprannominò • "disegni nello spazio". Fu poi David Smith che rivisitò l'imperturbabile opacità degli *stabile*, con le superfici luminose della sua serie monumentale dei *Cubi* di acciaio inossidabile accuratamente lucidato per brillare al sole. ■ Pensando ai *Cubi*, al Costruttivismo e al design Bauhaus, Clement Greenberg celebrò il rifiuto dell'opacità da parte delle nuove sculture e salutò il modo in cui la nuova tecnologia, con il suo uso del Lucite trasparente e le sue armature d'acciaio aperte, realizzò le forme in quella che chiamava "la continuità e neutralità di uno spazio che solo la luce scalfisce, senza riguardo per la legge di gravità". In questo Greenberg vide la scultura astratta adottare una forma di otticità che "realizza l'antiillusionismo a trecentosessanta gradi". Ora, concludeva, "invece dell'illusione delle cose ci viene offerta l'illusione delle modalità: cioè quella materia è incorporea, senza peso, ed esiste solo otticamente come un miraggio".

Una urlante caduta

Nel parallelo qui disegnato tra l'evoluzione di Miró e quella di Calder negli anni Trenta, si può pensare che qualcosa sia caduto, espressivamente inerte – i *mobile* fluttuanti fissati a terra. Se la trasparenza e il colore dei *mobile* si rivolgevano alla posizione eretta del corpo umano, con il piano oculare in cima allo scheletro verticale, questo si riferisce più all'analisi di Freud che di Bataille. In *Il disagio della civiltà*, pubblicato nel 1930, Freud racconta il momento decisivo in cui gli uomini si sollevarono e la nuova posizione eretta liberò i loro organi percettivi, come gli occhi, dall'orizzontalità dell'animale, il cui accentuato olfatto è una funzione dell'orientamento a terra con cui si muove e annusa il suo partner. Attraverso la distanza che comporta tra soggetto e oggetto, questo nuovo senso visivo autonomo, sostiene Freud, improvvisamente mette l'uomo in condizione di poter esperire la Bellezza. La separazione del soggetto dalla sua preda istituisce una distanza che supera l'imperativo libidinale dell'organo sessuale, elevando il corpo, sublimando i sensi del soggetto. Infatti, secondo Freud, la possibilità stessa della Bellezza è una funzione della liberazione verticale dell'uomo dal terreno. I luminosi "quadri di sogno" di Miró e i diafani *mobile* di Calder si rivolgevano all'elevazione del soggetto umano, assicurando questa esperienza *visiva*, questa trascendenza dell'osservatore piantato a terra. Le loro "antipitture" e *stabile*, invece, riflettevano un nuovo interesse, seguendo l'informe di Bataille, per la degradazione e l'abbassamento.

Niente rappresenta meglio l'attacco contro l'impegno della pittura a favore della forma del saggio di Bataille "Sole putrido", scritto per il numero del 1930 di *Documents* in omaggio a Picasso. Come in "L'alluce", il breve testo di Bataille sottolinea la questione

▲ 1912 • 1945 ■ 1914, 1921b, 1923

dell'elevazione definendo il sole "l'oggetto più astratto". La sua astrazione deriva, scrive, dall'impossibilità di fissarlo direttamente. Tale fissazione, aggiunge, causa follia, "perché, nella luce, non è più la produzione che appare, ma il *calo*, cioè la combustione, abbastanza bene espressa, psicologicamente, dall'orrore che si sprigiona da una lampada ad arco in incandescenza. Praticamente", prosegue, "il sole fissato si identifica con la eiaculazione mentale, con la schiuma alle labbra e con la crisi di epilessia". Bataille va ancora oltre in un altro saggio, "L'occhio pineale", in cui vuole proiettare il corpo, "ubriaco di sole", in un "nauseante senso di vertigine". Più avanti la presenza del fascino dell'occhio pineale per il sole si manifesta attraverso una violenta eruzione che decapita il corpo stesso. Come lo concepisce Bataille, "il sole è stato anche espresso mitologicamente da un uomo che sgozzava se stesso, infine da un essere antropomorfo *sprovvisto di testa*". Egli associa il vertiginoso corpo decapitato a Icaro, la cui "aspirazione all'ascesa lo porta solo a una 'urlante caduta'".

I lettori di Bataille possono difficilmente immaginare un Picasso che traffica con un'epilettica "schiuma alle labbra". Allo stesso modo, pensando a Picasso per noi oggi è sconcertante concepire la sua opera attraverso l'immagine della trasformazione del corpo di "sé in una vertiginosa caduta nello spazio celestiale, accompagnata da un orribile urlo", come dice Bataille. Ma in due quadri del 1929, *La nuotatrice* e *Nudo in piedi al mare*, Picasso ha in effetti ritratto il corpo vertiginoso in un vortice – praticamente senza testa – capovolto a testa in giù. "Sole putrido" non venne illustrato da nessuno di questi due dipinti, ma dal grande quadro del 1925 *Tre danzatrici* **[8]**. La scelta di Bataille è particolarmente suggestiva. Il danzatore più a sinistra appare demoniaco, una Menade, dove la terribile smorfia sul volto, in cima a un corpo che collassa a terra, echeggia il vuoto spalancato nel suo petto come se indicasse un'eruzione – in effetti, come se proiettasse *fuori di sé* una parte di se stesso. Niente poteva accordarsi in maniera più giusta al "proiettare fuori di sé una parte di se stesso" dell'automutilazione: mutilarsi un dito (come in un caso psichiatrico che Bataille cita) o tagliarsi un orecchio (come nel famoso esempio di van Gogh). In entrambi questi casi la pratica del fissare direttamente il sole fu diagnosticata come sintomo di una follia incurabile. Bataille collega questa follia a una stupefazione nell'osservatore per l'elevazione abbagliante del sole, come per quella di un dio, a cui gli uomini si sono rivolti per offrire un sacrificio. Lo spirito di sacrificio, scrive Bataille, "di cui l'automutilazione dei folli è soltanto l'esempio più assurdo e terribile, [richiede allora] di rompere l'omogeneità abituale della persona".

7 • Pablo Picasso, *Tre danzatrici*, 1925
Olio su tela, 215,3 x 142,2 cm

Negli anni Trenta, nello stesso periodo di "Sole putrido", Picasso passò dal Cubismo a un'imitazione dell'arte degli Antichi Maestri, con disegni che celebravano Ingres e quadri modellati su Velázquez o Delacroix. Non sorprende che Bataille liquidasse come "accademico" questo ritorno al classicismo, con la sua implicazione di equilibrio e il suo spostamento in diretta opposizione alla follia e alla vertigine del "sole putrido". Infatti Bataille è consapevole non solo dei luoghi comuni che la sua interpretazione di Picasso vìola, ma anche dei pericoli dell'applicare le sue categorie teoriche all'opera d'arte: "sarebbe a priori ridicolo", mette in guardia, "cercare di determinare delle equivalenze precise di tali movimenti in una attività così complessa come la pittura". Tuttavia l'opera di Picasso sembra rappresentare quello che Bataille intende come lo spirito dominante dell'arte del suo tempo. Chiude dunque "Sole putrido" esultando perversamente: "Nella pittura attuale invece la ricerca di una rottura *dell'*elevazione portata al suo colmo, e *di* uno scoppio che si vuole accecante ha una parte nell'elaborazione, o nella decomposizione delle forme, ma questo non è sensibile, a rigore, che nella pittura di Picasso". RK

ULTERIORI LETTURE:

Roland Barthes, "La metafora dell'occhio", trad. it. in *Saggi critici*, Einaudi, Torino 2002

Georges Bataille, *La parte maledetta. La nozione di dépense*, trad. it. Bollati Boringhieri, Torino 2003

Yve-Alain Bois e Rosalind Krauss, *L'informe: istruzioni per l'uso*, trad. it. Bruno Mondadori, Milano 2003

Hal Foster, *Compulsive Beauty*, MIT Press, Cambridge (Mass.) 1993

Dawn Adles e Simon Baker, *Underscover Surrealism: Georges Bataille and Documents*, MIT Press, Cambridge (Mass.) 2006

Rosalind Krauss, *Passaggi. Storia della scultura da Rodin alla Land Art*, trad. it. Bruno Mondadori, Milano 1998

1933

Il ritratto di Lenin nei murales dipinti da Diego Rivera al Rockefeller Center fa scoppiare uno scandalo: il Muralismo messicano produce opere pubbliche di contenuto politico in varie località americane, stabilendo un precedente per un'avanguardia politica negli Stati Uniti.

Il Muralismo messicano era un'avanguardia degli anni Venti e Trenta, promossa dallo Stato e guidata da motivazioni ideologiche, il cui principale obbiettivo consisteva nel reclamare e ricreare un'identità messicana basata sul passato precoloniale del Messico. Diego Maria Rivera (1886-1957), David Alfaro Siqueiros (1896-1974) e José Clemente Orozco (1883-1949) esercitarono un'enorme influenza non solo nel natìo Messico, ma anche a livello internazionale e soprattutto negli Stati Uniti.

Il movimento emerse alla fine della Rivoluzione agraria del 1910-20, che unì contadini, intellettuali e artisti contro il dittatore Porfirio Díaz e i grandi proprietari terrieri e gli investitori stranieri che egli sosteneva. Dopo dieci anni di guerra civile, l'insediamento nel 1920 del presidente Alvaro Obregón, ex leader rivoluzionario, riformista e amante delle arti, portò un periodo di speranza e ottimismo. Questo rinascimento messicano era largamente coadiuvato dall'idealismo filosofico del ministro dell'Educazione, José Vasconcelos, che pensava con sincera passione che l'arte pubblica potesse essere una componente vitale nella missione di educare ed entusiasmare il pubblico e guadagnare consensi per il nuovo governo. Fu lui a dare inizio al progetto nazionale dei murales, il che fa di lui il fondatore del movimento. Vasconcelos e il governo postrivoluzionario speravano che, collaborando con gli artisti sulle riforme culturali, si sarebbe data al popolo messicano la possibilità di partecipare allo sviluppo della nazione e alla creazione di una nuova identità nazionale, culturale e intellettuale.

Gli artisti erano elettrizzati dalla sfida di creare una nuova arte nazionale e una nuova identità culturale, e molti ritornarono in Messico, o lo andarono a visitare, per partecipare all'impresa. Uno dei primi fu Jean Charlot (1898-1979), nato in Francia ma di sangue messicano, che ha spiegato come tutto, dallo stile alla scelta degli argomenti, avesse un significato politico per gli artisti messicani:

Punti di vista divergenti su problemi di natura estetica contribuiscono sostanzialmente alla separazione delle classi sociali messicane. Gli indios difendono e praticano l'arte preispanica. La classe media difende e pratica un'arte europea influenzata da quella preispanica o indiana. I cosiddetti intellettuali pretendono che la loro arte sia assolutamente europea. [...] Quando i nativi e la classe media condivideranno un criterio sull'arte, potremo affrancarci dal punto di vista culturale e l'arte nazionale, una delle solide basi della coscienza nazionale, diventerà un fatto.

Vasconcelos non prescrisse nessuno stile o argomento particolare, ma la maggior parte dei muralisti scelse una modalità del realismo sociale nazionalista, che conduceva a forme d'arte preispaniche e raffigurava il popolo e gli eroi messicani. La loro arte era ispirata al rispetto per le tradizioni dei nativi e la storia popolare, insieme all'esplorazione del passato indiano; questo non impediva un'attrazione per il modernismo europeo, perché la nuova generazione voleva creare un'arte nuova, nazionale che fosse indipendente, socialmente impegnata, populista e d'avanguardia. Bisognava inoltre riuscire a comunicare questi ideali rivoluzionari a un pubblico in gran parte analfabeta in modo da suscitare l'entusiasmo.

Importanti precursori del movimento muralista furono i pittori Francisco Goitía (1882-1960) e Saturnino Herrán (1887-1918), che a inizio secolo avevano cominciato a sviluppare un'arte tipicamente messicana attraverso la rappresentazione potente, spesso drammatica, di scene della popolazione indigena e di eventi della storia messicana. Le caricature satiriche, le immagini spesso pungenti di propaganda per i giornali e le stampe dell'illustratore José Guadalupe Posada (1852-1913) ebbero una forte influenza sui futuri muralisti, tra cui Rivera e Orozco, per lo stile e per i contenuti, ma anche per la loro esistenza come arte genuinamente popolare **[1]**. Un'altra figura di rilievo fu l'artista Dr. Atl (Gerardo Murillo Cornado, 1875-1964). Professore dell'Accademia di San Carlo, infiammò gli studenti con i suoi ideali rivoluzionari, il suo anticolonialismo e la sua ferma convinzione della necessità di creare una moderna arte nazionale messicana, che avrebbe dovuto incorporare le qualità "spirituali" degli affreschi rinascimentali.

Alle influenze messicane si aggiungevano quelle del Rinascimento italiano e la consapevolezza di Cubismo, Futurismo, ▲ Espressionismo, Postimpressionismo, Surrealismo, del Neoclassicismo che stava dilagando in Europa e delle idee di Marx e Lenin. Rivera, ad esempio, aveva passato gli anni della rivoluzione in Europa, per lo più a Parigi, assorbendo i differenti sviluppi delle avanguardie. Siqueiros incontrò Rivera a Parigi nel 1919: discussero della rivoluzione, dell'arte moderna e della necessità di trasformare l'arte messicana in un movimento di arte sociale.

▲ 1903, 1906, 1907, 1908, 1909, 1911, 1912, 1919, 1924, 1931b, 1934a

Nel 1920 Vasconcelos, allora rettore dell'Università del Messico, suggerì a Rivera di andare in Italia a studiare l'arte rinascimentale, con la speranza che dal suo viaggio potesse scaturire un'arte adatta al Messico postrivoluzionario. Rivera passò i successivi diciassette mesi a studiare, tra gli altri, Giotto, Paolo Uccello, Mantegna, Piero della Francesca e Michelangelo. La dimensione epica dell'arte religiosa dell'Italia rinascimentale e il suo potere di educare e stupire le masse incolte sarebbero stati di grande esempio per quelli che di lì a poco sarebbero diventati i muralisti messicani.

Il piano del muralismo di Vasconcelos fu avviato nel 1921 e su sua richiesta Rivera tornò in Messico per prendervi parte. Nello stesso anno Siqueiros pubblicò il suo *Manifesto per gli artisti d'America* nell'unico numero di *Vida Americana*. In questo testo egli proclamava che avrebbero dovuto "creare un'arte monumentale ed eroica, umana e pubblica, con l'esempio diretto e vivente dei nostri grandi maestri e le straordinarie culture dell'America preispanica". All'inizio del 1922, Rivera cominciò a lavorare al primo dei suoi murales nell'Anfiteatro Bolivar della Scuola Nazionale Preparatoria, a Città del Messico, e si iscrisse al Partito comunista. A settembre Siqueiros tornò in Messico, si iscrisse a sua volta al Partito comunista e con l'aiuto di Orozco e Rivera fondò il Sindacato dei Pittori, Scultori e Incisori Rivoluzionari. Nel 1923, Siqueiros e Orozco ricevettero il loro primo incarico per dei murales, sempre nella Scuola Nazionale Preparatoria [**1**].

Sotto gli auspici del nuovo Sindacato, Siqueiros formulò un nuovo manifesto che sottolineava l'ideologia rivoluzionaria del movimento muralista, ormai in piena ascesa. Firmato dalla maggioranza degli artisti coinvolti, fu pubblicato nel 1924. Ricalcando il linguaggio dei costruttivisti sovietici, *Una dichiarazione di principi sociali, politici ed estetici* proclamava:

> *Ripudiamo la cosiddetta pittura da cavalletto [...] perché è aristocratica ed elogiamo l'arte monumentale in tutte le sue forme, perché è di pubblica proprietà [...] l'arte non deve più essere l'espressione della soddisfazione individuale, qual è ora, ma dovrà mirare a diventare un'arte di lotta, istruttiva, per tutti.*

Questo manifesto cristallizzava i principi del movimento muralista definendo la sua arte pubblica, ideologicamente orientata, didattica. Anche se, genericamente parlando, i muralisti lavoravano nello stile figurativo del realismo sociale, questo non impediva loro di sviluppare forme d'espressione strettamente individuali. Dalla metà degli anni Venti i "tre grandi" avevano già elaborato i loro distinti stili e argomenti rivoluzionari.

Rivera creava composizioni stipate di figure ed eventi, che trattavano soggetti tradizionali e moderni scelti per ispirare nel pubblico un senso di orgoglio nei confronti della tradizione messicana e pronosticare un futuro migliore attraverso il socialismo. Lavorava in uno stile piano, decorativo, con forme semplificate, utilizzando per raccontare le sue storie sia figure stilizzate che personaggi realistici, identificabili. Il suo progetto più ambizioso è la *Storia del Messico* per il Palazzo Nazionale di Città del Messico,

1 • José Clemente Orozco, *La trincea*, 1926
Affresco, Scuola Nazionale Preparatoria, Città del Messico

cominciato nel 1929 e lasciato incompiuto alla morte [**2**]. Diviso in due parti, "Dalla civiltà preispanica alla Conquista" e "Dalla Conquista al futuro", inizia il racconto della storia messicana con la caduta di Teotihuacán (intorno al 900 d.C.) e la fine con Karl Marx che apre la strada a un futuro ideale.

Durante la sua carriera, Siqueiros sperimentò tecniche e materiali diversissimi nei suoi murales sfrontati, turbolenti, dinamici. La sua opera è connotata da forti elementi surrealisti, dall'uso di prospettive multiple, distorsioni, colori vibranti e un misto di fantasia e realismo per esprimere la forza bruta della lotta operaia universale [**3**]. Per parte sua, Orozco scelse di rendere le orribili sofferenze umane degli oppressi in un realismo sociale sentito e spesso fortemente espressionistico, come mostrano i suoi murales nella Scuola Nazionale Preparatoria.

I muralisti messicani negli Stati Uniti

Il lavoro dei tre artisti, e in particolare quello di Rivera, cominciava anche ad attirare l'attenzione dall'altra parte del confine. Dalla metà degli anni Venti in poi la loro opera iniziò ad essere riprodotta sui giornali e sulla stampa di settore, e artisti e intellettuali andavano in Messico per vederli lavorare. Furono organizzate mostre su di loro a New York e nel 1929 uscì *Gli affreschi di Diego Rivera*, di Ernestine Evans, il primo libro in inglese sulla sua opera.

Questa attenzione fruttò delle commesse per tutti e tre gli artisti negli Stati Uniti, che avvicinarono un pubblico ancora più esteso

▲ 1921b

2 • Diego Rivera, *Storia del Messico: Dalla Conquista al futuro*, 1929-35
Affresco, Parete sud, Palazzo Nazionale, Città del Messico

3 • David Alfaro Siqueiros, *Ritratto della borghesia*, 1939-40
Pyroxaline su cemento, Sindacato Messicano degli Elettricisti, Città del Messico

alle loro opere. Orozco fece affreschi alla Nuova Scuola di Studi Sociali a New York nel 1930-31, al Dartmouth College di Hanover, in New Hampshire, nel 1932-34, dove insegnò anche, e al Pomona College di Claremont, in California, nel 1939. Nel 1932 Siqueiros accettò un invito a insegnare alla Scuola d'Arte Chouinard di Los Angeles e mentre era lì completò i murales per la scuola e per il Centro d'Arte Plaza. Nel 1935-36 aprì un laboratorio sperimentale a New York. Annunciandolo come "laboratorio di tecniche moderne", pensò all'uso di materiali, strumenti e tecniche innovativi, come il lancio, la colatura e lo spruzzo dei colori. Significativamente, il pittore Jackson Pollock era tra i partecipanti. ▲

Mentre Orozco e Siqueiros conquistarono la notorietà attraverso l'insegnamento e il lavoro, l'opera di Rivera era già famosa negli Stati Uniti. Nel 1930 e 1931 aveva avuto due mostre personali a San Francisco e Detroit e aveva eseguito murales per la Borsa Valori della California e per l'Accademia di Belle Arti di California, ottenendo anche una commissione per l'Istituto d'Arte di Detroit. Cosa ancora più eclatante, a Rivera fu dedicata la seconda retrospettiva ● nel nuovo Museo d'Arte Moderna di New York (la prima era dedicata a Matisse). La mostra fu un successo di critica e di pubblico, con un record di presenze: 57 mila persone andarono a vedere le sue opere di tema messicano e vennero a conoscenza del nuovo soggetto che stava cominciando a esplorare, il nuovo paesaggio industriale del Nordamerica del XX secolo.

Rivera rivolse il suo sguardo alla scena contemporanea americana anche per i murales di Detroit (*Industria di Detroit*, 1932-33). L'introduzione di tematiche americane e di commenti sociali fu un catalizzatore per i regionalisti americani come Thomas Hart Benton (1889-1975) e i realisti sociali come Ben Shahn (1898-1969). Benton commentò più tardi:

Nel tentativo messicano ho visto un profondo e necessario cambio di direzione dell'arte verso le sue antiche funzioni umanistiche. L'interesse messicano nei confronti di contenuti di rilevanza pubblica e della storia della vita nazionale messicana corrispondeva perfettamente a ciò che avevo in mente per l'arte negli Stati Uniti. Ho persino guardato con invidia alle opportunità offerte ai pittori messicani con i murales.

Nell'ottobre 1932 Rivera, il muralista catalano José Maria Sert (1876-1945) e l'artista inglese Frank Brangwin (1876-1956) furono incaricati dalla famiglia Rockefeller di dipingere nove murales per l'atrio della RCA nel Rockefeller Center a New York. La famiglia di petrolieri era una delle più ricche del mondo e John D. Rockefeller Jr. era considerato da molti come una delle ultime manifestazioni del capitalismo americano. La moglie di Rockefeller, Abby Aldrich Rockefeller, era una delle fondatrici del Museo d'Arte Moderna ed erano già collezionisti delle opere di Rivera, avendo acquistato nel 1931 il suo quaderno di schizzi della parata del Primo maggio a Mosca del 1928.

Il titolo dell'affresco di Rivera era *L'uomo all'incrocio che guarda con speranza e lungimiranza alla scelta di un futuro migliore* e il lavoro ebbe inizio nel marzo 1933 **[4]**. Un giorno di aprile l'inconfondibile testa di Lenin apparve sulla superficie del dipinto, provocando forti critiche sulla stampa, come il titolo del *World Telegraph*: "Rivera esegue scene di attività comunista sulle pareti della RCA – e Rockefeller Jr. paga il conto".

Benché i Rockefeller fossero consapevoli delle idee politiche di Rivera, senza esserne eccessivamente preoccupati, la nuova piega dei fatti e la pubblicità negativa che stavano ricevendo li mise in una posizione insostenibile, compromettendo il rapporto con i loro partner nell'impresa del Rockefeller Center. Nelson Rockefeller, figlio della famiglia e principale interlocutore di Rivera, gli scrisse:

Osservando i progressi del tuo straordinario affresco, ho notato che nella parte più recente hai inserito un ritratto di Lenin. Il pezzo è molto ben dipinto, ma credo che la presenza del suo ritratto in questo affresco potrebbe con grande facilità essere considerata un'offesa per molte persone. [...] Per quanto mi dispiaccia farlo, ho paura che dovremo chiederti di sostituire al volto di Lenin quello di qualcun altro.

Rivera era letteralmente con le spalle al muro: era dolorosamente consapevole da un lato dell'accusa da parte del Partito comunista di essersi venduto all'arcicapitalista e dall'altro di essere diventato una figura di riferimento per i suoi assistenti, che minacciavano di scioperare se avesse ceduto alla richiesta. Dopo attente considerazioni, e con l'aiuto di Shahn, che era diventato uno dei suoi assistenti, Rivera rispose che Lenin doveva restare dov'era, ma in compenso avrebbe inserito alcuni eroi americani nella composizione. E aggiunse, profeticamente: "Piuttosto che mutilare la concezione, preferirei la distruzione totale della composizione".

Pochi giorni dopo, il 9 maggio, Rivera fu congedato, pagato per intero e cacciato dal palazzo. La "battaglia del Rockefeller Center" era cominciata: la parete fu coperta e la stampa nazionale e internazionale riferì la storia e le proteste politiche che accompagnarono il blocco forzato. Il 10 e 11 febbraio 1934 l'affresco venne distrutto. Lo scandalo e la pubblicità fecero di Rivera il muralista più famoso d'America e l'eroe degli artisti di sinistra statunitensi che, dopo la Depressione e l'ascesa del fascismo in Europa, tentavano di prendere le distanze dalla decadenza europea e dall'astrattismo. Essi aspiravano a un'arte nativa americana rivolta alla situazione dell'uomo comune e a quegli aspetti caratteristici dell'America utili a distinguerla dall'Europa.

Poiché gli artisti americani degli anni Trenta erano alla ricerca di un'arte "americana" che non fosse basata su modelli francesi, in modo più che naturale il loro sguardo si puntò sui muralisti messicani, i quali, avendo creato uno stile nazionale epico non antimoderno, costituivano un modello efficace. Nelle parole dell'artista americano Mitchell Siporin (1910-76): "Attraverso la lezione dei nostri maestri messicani, abbiamo raggiunto la consapevolezza della portata e della pienezza dell''anima' del nostro ambiente. Siamo venuti a conoscenza dell'applicazione del modernismo a un'arte epica socialmente motivata del nostro tempo e luogo".

▲ 1949a, 1960b ● 1927c

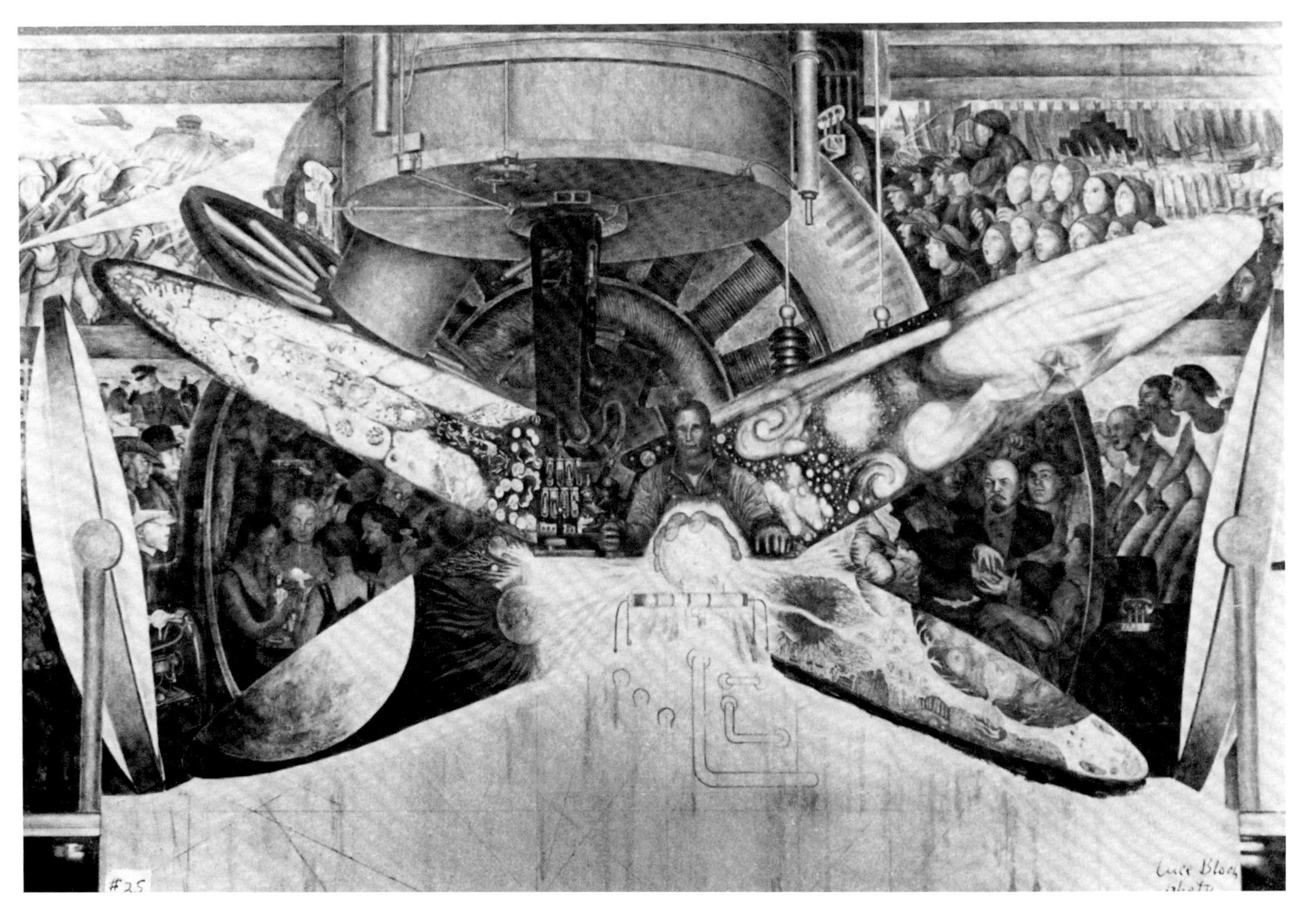

4 • Fotografia dell'affresco incompiuto di Diego Rivera alla RCA, scattata da Lucienne Bloch prima che l'opera venisse bloccata nel maggio 1933

Un altro artista americano molto preso dai messicani e dalle loro conquiste fu George Biddle (1885-1973). Nel maggio 1933 scrisse al presidente Franklin D. Roosevelt suggerendogli di promuovere un progetto di murales negli Stati Uniti:

Gli artisti messicani hanno prodotto la più grande scuola nazionale di pittura murale dai tempi del Rinascimento italiano. Diego Rivera mi ha detto che questo è stato possibile solo perché Obregon ha permesso agli artisti messicani di lavorare con la paga di un idraulico per rappresentare sulle pareti dei palazzi governativi gli ideali sociali della rivoluzione messicana. I giovani artisti americani sono coscienti come non lo sono mai stati della rivoluzione sociale che il nostro paese e la nostra civiltà stanno attraversando e sarebbero entusiasti di esprimere questi ideali in una forma d'arte permanente se il governo li appoggiasse.

Essendo a conoscenza della "battaglia del Rockefeller Center", Roosevelt commentò che non voleva "una quantità di giovani entusiasti in giro a dipingere la testa di Lenin nei Palazzi di Giustizia", ma ▲ prese in considerazione la proposta e avviò i programmi di sovvenzione culturale del New Deal.

Dopo il loro periodo statunitense, i "tre grandi" continuarono a lavorare in America Latina attirando seguaci. Si lasciarono alle spalle un potente esempio di arte pubblica, nazionale e d'avanguardia che riusciva ad essere al tempo stesso critica, satirica, ispirata e celebrativa. La sua genuina popolarità tra critici, committenti e collezionisti oltre che tra la gente del popolo segnò una convergenza di gusti mai ▲ più ricomparsa negli Stati Uniti fino alla Pop art.

La dimensione franca e la spavalderia dei murales messicani influenzarono anche artisti americani come Ben Shahn, così come la creazione di un'arte figurativa popolare e con contenuti sociali. Se l'influenza dei muralisti messicani sugli artisti degli anni Trenta fu profonda, è ancora possibile rilevarne le tracce nell'opera delle generazioni successive di artisti che praticavano un'arte incentrata su problematiche politiche, ed è anche lecito indicarli come precursori • dei più recenti movimenti legati ai problemi dell'identità, come il movimento dei "community murals" dei tardi anni Sessanta e Settanta negli Stati Uniti e nell'America Latina e i più recenti movimenti "urban community murals" nell'Africa postcoloniale. AD

ULTERIORI LETTURE:

Alejandro Anreus, *Orozco in Gringoland: The Years in New York*, University of New Mexico Press, Albuquerque 2001
Jacqueline Barnitz, *Twentieth-Century Art of Latin America*, University of Texas Press, Austin 2001
Linda Downs, *Diego Rivera: A Retrospective*, Founders Society, Detroit Institute of Arts in association with W. W. Norton & Company, New York-London 1986
Desmond Rochefort, *Mexican Muralists*, Laurence King Publishing, London 1993
Antonio Rodriguez, *A History of Mexican Mural Painting*, Thames & Hudson, London 1969

▲ 1936
▲ 1960c, 1964b ● 1993c

1934a

Nel Primo Congresso degli Scrittori Sovietici, Andrej Ždanov fissa la dottrina del Realismo socialista.

Il Realismo socialista sovietico emerse come una specifica variante storica e geopolitica delle tendenze antimoderniste che stavano prendendo piede ovunque negli anni Venti e Trenta: il *rappel à l'ordre* in Francia, la Nuova oggettività in Germania, la pittura nazista del Terzo Reich, il neoclassicismo fascista nell'Italia di ▲ Mussolini e le varie forme di realismo sociale negli Stati Uniti. Il regime di terrore di Josif Stalin (1879-1953) fornì non solo la cornice ideologica e politica, ma anche l'esigenza pragmatica di un impegno propagandistico straordinario da parte dell'apparato ideologico di stato. Di conseguenza gli agiografi di Stalin gli attribuirono persino l'invenzione del nome "Realismo socialista", sostenendo che durante un incontro segreto di scrittori a casa di Maksim Gor'kij (1868-1936) il 26 ottobre 1932 Stalin avrebbe detto:

> *Se l'artista vuole dipingere correttamente la vita, non può fare a meno di osservare e rappresentare il processo che sta portando al socialismo. Questa sarà l'arte socialista. Sarà il Realismo socialista.*

La prima volta che il nome Realismo socialista fu utilizzato *pubblicamente*, comunque, risale al 25 maggio 1932, sulla *Literaturnaja gazeta*, in cui viene definito – con il linguaggio tautologico tipico dell'ideologia – come un'arte dell'"onestà, della verità, e rivoluzionaria nella rappresentazione quanto la rivoluzione proletaria".

Andrei Ždanov (1896-1948), commissario del popolo per la cultura e segretario del Comitato centrale del Partito comunista, diede una definizione programmatica del Realismo socialista nel Primo Congresso degli Scrittori Sovietici, nell'agosto 1934. Citando la celebre esortazione di Stalin ad artisti e scrittori a diventare "gli ingegneri delle anime umane", Ždanov (e Stalin) riecheggiavano la teoria estetica del prerivoluzionario Aleksandr Bogdanov, che aveva parlato della letteratura come di una pratica che avrebbe dovuto "organizzare i lavoratori e gli oppressi nella lotta per la soppressione definitiva di ogni genere di sfruttamento".

L'estetica normativa di Ždanov era paradossale, poiché pretendeva che il Realismo socialista imboccasse la strada di un "romanticismo rivoluzionario", ma anche che restasse saldo "con entrambi i piedi sul terreno della vita reale e del suo fondamento materiale". Sosteneva che gli artisti dovessero "dipingere la realtà nel suo sviluppo rivoluzionario" ma che dovessero contemporaneamente educare il lavoratore nello spirito utopico del comunismo. Da gennaio a marzo del 1936 – anno dei processi politici e dell'eliminazione degli ultimi residui di modernismo in Unione Sovietica – Ždanov pubblicò una serie di articoli nel giornale di partito *Pravda* che denunciavano il formalismo in tutte le arti. Questi testi, che assunsero lo status di prescrizioni e proibizioni, introdussero il periodo noto come *Zdanovščina*, durante il quale fu stabilito il controllo totale del partito sulla cultura, ma anche l'egemonia del Realismo socialista come arte e cultura di stato.

Il Realismo socialista tentò di fondere il retaggio dell'agitprop e ▲ i progetti di documentazione degli anni Venti con le narrazioni eroicizzanti che ora – nell'era del controllo da parte di un partito fortemente centralizzato e della sua relativa ideologia populista autoritaria – dovevano essere confezionate secondo i canoni espressivi della pittura di genere ottocentesca, premodernista.

Questa enfasi sulla narrazione e sulla rappresentazione non solo contrastava profondamente con le pratiche esistenti delle ● avanguardie sovietiche, dai costruttivisti agli artisti del *proletkul't* e al gruppo LEF, ma era incompatibile persino con i principi cruciali ereditati dalle avanguardie ottocentesche. Mentre l'arte di Jacques-Louis David ed Eugène Delacroix, o di Honoré Daumier, François Millet, Gustave Courbet e Adolph Menzel era celebrata come arte intrisa di fervore rivoluzionario o arte del popolo, l'Impressio- ■ nismo e il Postimpressionismo – soprattutto le opere di Paul Cézanne – diventarono ora l'oggetto di dibattiti senza fine. La nozione di pittura come progetto critico autoriflessivo doveva essere smantellata: il Realismo socialista voleva imporre le forme più banali di rappresentazione illusionistica, mettendo in primo piano la funzione mimetica e l'abilità artigianale e rivendicando l'accesso alla presunta monumentalità transstorica della pittura.

Rispecchiamento come processo

Georgij Plekhanov (1856-1918), uno dei fondatori del marxismo russo, fu tra i primi a criticare gli impressionisti, confrontando la loro opera con quella di un gruppo di artisti dell'Ottocento russo che venivano ora presentati come i predecessori autoctoni del Realismo socialista, chiamati Peredvižniki (Itineranti). Questo gruppo era stato fondato nel 1870 per rompere con l'Accademia di San Pietroburgo, per diversificare la "clientela" organizzando

▲ 1919, 1925b, 1927c, 1936, 1937a
▲ 1920 ● 1921b ■ 1906

mostre itineranti sul territorio (e facendo pagare un biglietto d'entrata) e per offrire un ritratto realistico, e a volte critico sul piano politico, della Russia. In occasione della quarantasettesima mostra, nel 1922, gli Itineranti pubblicarono una dichiarazione che suona come una precoce definizione dei compiti del Realismo socialista:

Vogliamo riflettere con autenticità documentaria nella pittura di genere, nel ritratto e nel paesaggio la vita della Russia contemporanea e l'intera gamma delle etnie e le loro vite totalmente dedite al lavoro. [...] Oltre a rimanere fedeli alla pittura realista, vogliamo cercare gli strumenti più vicini alle masse [...] per aiutarle, attraverso opere di pittura formalmente rifinite, a prendere coscienza e a conservare la memoria del grande processo storico in corso.

A Vladimir I. Lenin (1870-1924) e Lev Trockij (1879-1940), ma soprattutto a Stalin, non piaceva affatto il modernismo, in particolare la sua recente incarnazione dell'avanguardia sovietica, e tutti e tre preferivano gli Itineranti. Il saggio *Materialismo ed empiriocriticismo* di Lenin si pronunciava contro le predominanti teorie della percezione ottocentesche (e di conseguenza contro l'Impressionismo e il Postimpressionismo) affermando che le sensazioni ottiche non erano – come avevano suggerito i seguaci russi dello psicologo austriaco Ernst Mach, tra cui Aleksandr Bogdanov ▲ (1873-1928) e il teorico dell'estetica Anatolij Lunačarsky nei suoi primi scritti – elementi reali nell'esperienza del mondo, ma piuttosto un mero *rispecchiamento* delle cose reali.

In tal modo Lenin **[1]** faceva riferimento alla nota affermazione del socialista tedesco Friedrich Engels (1820-95) che "le copie, le fotografie e le immagini sono solo riflessi speculari delle cose". Tuttavia Lenin definiva il *rispecchiamento* non più come una semplice immagine speculare, ma piuttosto come un *processo* attraverso cui la coscienza si appropria attivamente del mondo e lo trasforma; questa condizione di *prassi* sarebbe diventata ora il criterio della verità filosofica. Conseguentemente, una *Teoria del rispecchiamento* emerge come uno dei programmi fondamentali del realismo sociale, sviluppata nei primi anni Trenta durante il soggiorno moscovita di György Lukács, il più autorevole filosofo ungaro-tedesco e critico letterario marxista del periodo.

Tra i pittori l'Impressionismo restava argomento di dibattito. Nel 1939, Aleksandr Gerasimov (1881-1963) con i suoi colleghi artisti al potere (come Boris Ioganson [1893-1973] e Igor Grabar [1871-1960]) poteva ancora richiamarsi all'"illuminazione a 360 gradi dell'Impressionismo che era un grande contributo alla ricchezza dell'arte", ma meno di dieci anni più tardi egli si sarebbe unito a coloro che condannavano l'Impressionismo in favore di uno stile perfettamente rifinito. Come commenta Matthew Cullerne Bown:

La concentrazione di luce e colore e la pennellata degli impressionisti erano viste negativamente in quanto tendevano alla dissoluzione della forma solida, accademicamente modellata [...] [L'Impressionismo] era sentito come opposto alla pittura del Realismo socialista, intenta a rivelare l'essenza degli eventi dal punto di vista del partito, della classe operaia e delle "leggi" dello sviluppo storico.

1 • Moïsei Nappelbaum, *Fotografia di V. I. Lenin*, 1918
Stampa alla gelatina d'argento

Dalla metà degli anni Venti in poi, diventò sempre più chiaro che l'avanguardia non era riuscita a produrre una cultura per le nuove masse proletarie. Continuavano a susseguirsi feroci dibattiti sulle rinnovate o permanenti funzioni della pittura, che andavano dall'appello al ritorno alla rappresentazione e alla narrazione tradizionale alla maniera degli Itineranti (come nel programma degli AKhRR) a modelli più complessi che incorporavano la grafica dei poster rivoluzionari e le forme cinematografiche del montaggio e della temporalità, come nei dipinti dell'OST, la Società dei Pittori da Cavalletto. Anatoly Lunačarsky, che Lenin aveva a malincuore messo a capo del Narkompros (Commissariato del Popolo per l'Istruzione), era rimasto inizialmente fedele agli artisti dell'avanguardia, li aveva appoggiati e dotati di poteri istituzionali. Ma ora, presumibilmente a causa di pressioni da parte del partito, era anche lui a favore di un urgente ritorno alla narrazione e alla figurazione, sostenendo in un discorso tenuto il 9 maggio 1923, dal titolo *Arte e classe operaia*, che "la cosa importante è vincere l'avversione per il contenuto". Prevedibilmente, nel 1925 Lunačarsky dichiarò gli Itineranti veri predecessori di un'arte del presente socialista e populista, e reintrodusse nel dibattito artistico uno dei loro concetti fondamentali, la *kartina*, termine russo per "quadro". In ogni caso, la parola definiva ora non solo l'obbli-

▲ 1921b

gatoria *narrazione* pittorica (preferibilmente una scena drammatica che il "realismo" doveva rappresentare in pittura), ma più in particolare la riproduzione dozzinale e la distribuzione in serie di quell'immagine nella tradizione delle silografie *lubki*. In un discorso dello stesso anno Lunačarsky associò esplicitamente il concetto di *kartina* con le necessità del proletariato: "Il proletariato ha bisogno di *kartina*. La *kartina* è intesa come un'azione sociale".

▲ A quel punto l'AKhRR (Associazione degli Artisti della Russia Rivoluzionaria), il gruppo che si considerava legittimo erede degli Itineranti, gettò le fondamenta del Realismo socialista, sostenendo che i suoi membri isolavano "il contenuto ideologico come segno della veridicità di un'opera d'arte". L'AKhRR fu ufficialmente fondato durante una riunione avvenuta il primo marzo 1922 e Yevgenij Katsman (1890-1976), uno dei fondatori, inizialmente definì il loro progetto come "realismo eroico".

Due protagonisti del Realismo socialista sovietico

Verso la fine del 1925, i membri dell'AKhRR ammontavano a circa mille artisti, tra i quali erano complessivamente rappresentate quasi tutte le tendenze pittoriche che avrebbero di lì a poco definito il Realismo socialista: dall'accademismo neoclassico di Katsman e dal nitido realismo di Isaak Izraelevič Brodskij (1884-1939) all'approccio più pittorico degli artisti moscoviti Ioganson, Gerasimov **[2]** e Il'ya Maškov (1881-1944). Per altri, tuttavia, era evidente che il compito di costruire delle rappresentazioni per una società appena industrializzata non poteva essere realizzato utilizzando delle pratiche pittoriche convenzionali, che implicavano che la realtà e i suoi oggetti emergessero dall'immutabile, originaria forza della natura. Al contrario, la nuova società richiedeva un nuovo tipo di pittura, in cui potessero trovare espressione i contraddittori rapporti sociali e la loro trasformazione. La critica dell'AKhRR era quindi già stata formulata a gran voce alla fine degli anni Venti dal teorico tedesco esiliato Alfred Kurella, che era diventato direttore della Sezione belle arti (IZO) del Narkompros:

> *Chi sentisse la definizione di arte divulgata dall'AKhRR e osservasse la loro opera (specialmente i lavori di Brodskij, Jakolev, Kacmann, ecc.), non potrebbe fare a meno di domandarsi: perché non si limitano a fotografare? [...] Gli artisti dell'AKhRR hanno completamente dimenticato la differenza tra dipingere e fotografare. [...] Nel nostro secolo di fotografia artistica il lato puramente documentario dell'arte è destinato a scomparire.*

In parte contrario alle idee reazionarie dell'AKhRR, l'OST fu fondato nel 1924 e tra i suoi membri comprese Aleksandr Dejneka (1899-1969), Yuri Pimenov (1903-77), Kilment Redko (1881-1948), David Šterenberg (1881-1948) e Aleksandr Tyšler (1898-1980). Alcuni di questi pittori erano stati allievi degli istituti

● dell'avanguardia Inkuk e Vkhutemas che erano diventati il centro di dibattito tra costruttivisti, produttivisti e stankovisti, cioè quei pittori che all'epoca fecero quadrato per garantire alla pittura uno spazio di relativa autonomia dalla propaganda agitprop (come i fotomontaggi e i progetti di poster) o dalla produzione di oggetti utili propugnata dai produttivisti.

2 • Aleksandr Gerasimov, *Lenin sulla tribuna*, 1929
Olio su tela, 288 x 177 cm

Figura centrale dell'OST, e indubbiamente l'artista più importante del Realismo socialista, Aleksandr Dejneka tentò di fondere elementi tradizionali del poster sovietico e della cultura cinematografica con la pittura da cavalletto, insistendo sul principio che la temporalità doveva diventare parte integrante della pittura, se si voleva tentare di esprimere i processi di cambiamento storico-politico e la trasformazione dialettica. Nel concepire un modello di montaggio pittorico, Dejneka voleva traslare le dinamiche della rivoluzione e dell'industrializzazione in dinamiche pittoriche e compositive utilizzando prospettive spaziali alterate, punti di vista cinematografici e modalità di esecuzione pittorica mutevoli.

Sia gli artisti dell'AKhRR che quelli dell'OST contribuirono a una mostra organizzata nel 1928, che celebrava il decimo anniversario dell'Armata rossa (che era oramai diventata il maggiore committente di ritratti eroici e scene di vittoria). Il dipinto di Dejneka *La difesa di San Pietroburgo* fu largamente apprezzato dai critici, anche perché era il contrario non solo del modello di quadro di guerra ottocentesco che serviva da base per molti pittori dell'AKhRR, ma anche del naturalismo fotografico di dipinti come *La seduta del Consiglio di guerra rivoluzionario* (1928) e *Lenin all'Istituto Smol'nyj* **[4]**. Il quadro di Dejneka, all'opposto, descriveva la guerra civile non come un eroico episodio appartenente al passato, ma come un processo di trasformazione collettiva che continua

▲ 1921b ● 1921b

3 • Aleksandr Deineka, *Costruire nuove fattorie*, 1926
Olio su tela, 209 x 200 cm

nel presente. Come scrisse il critico Čvojnik nella sua recensione alla mostra: "La semplicità del ritmo ben articolato del dipinto dà una chiara idea del flusso infinito e della volontà instancabile del proletariato rivoluzionario". La concezione pittorica di Dejneka seguiva un principio pittorico che Ferdinand Hodler aveva già sviluppato nel primo decennio, con figure positive correlate e un campo negativo in un fregio di forme alternanti strutturate per lo più temporalmente che attraversano la superficie del dipinto. Anche se la sintesi peculiare ed eccellente operata da Dejneka del modernismo sovietico e di una definizione più tradizionale della pittura murale pubblica e monumentale può essere vista come uno dei progetti di maggiore successo del Realismo socialista, sulla sua opera grava un dilemma molto simile a quello della Nuova ▲ oggettività in Germania, che aveva ugualmente tentato di fondere la realtà delle nuove tecnologie industriali con l'apparente obsolescenza degli strumenti pittorici e dei contenuti. Il suo dipinto *Costruire nuove fattorie* **[3]** ha in sé tutte queste contraddizioni. Nel paragonare la nuova architettura industriale alla griglia della pittura modulare, Dejneka riposiziona quest'ultima all'interno di una fuga prospettica. Nella costruzione delle figure rende in ogni dettaglio il modellato dei corpi femminili, mentre i volti sono stereotipati, seguendo la regola del soggetto anonimo socialista.

L'altro protagonista del Realismo socialista – e per molti versi il suo avversario – fu Isaak Brodskij, che si era unito all'AKhRR nel 1923. La sua opera e la sua biografia sono un esempio delle contraddizioni che avevano governato la politica e l'estetica del Realismo socialista. Brodskij aveva incontrato Lunačarsky in Portogallo insieme a Maksim Gor'kij tra il 1917 e il 1918, e Lunačarsky l'aveva appoggiato in una lettera a Lenin. Prima del consolidamento definitivo del potere di Stalin, tuttavia, Brodskij era stato sottoposto a una critica severa all'interno dell'Associazione da parte degli artisti più giovani e fu escluso dall'AKhRR durante il congresso che si tenne nel maggio 1928, a causa del suo naturalismo fotografico estremo, il suo *brodskismo*, come fu definito nella nota di esclusione il suo nitido realismo neoclassico.

Ma l'appello dei primi anni a un'arte proletaria nuova, rivoluzionaria, non accademica, che aveva negato la validità della pittura realista da cavalletto, si esaurì molto presto. Brodskij riemerse, per diventare l'artista preferito di Stalin e l'amico personale del maresciallo Vorošilov, il commissario alla difesa di Stalin. Nel 1934 fu nominato direttore dell'Accademia d'Arte di Leningrado, dove impose un ritorno alle più rigide norme dell'insegnamento tradizionale, e poi diventò il primo artista decorato con l'Ordine di Lenin. A quanto pare Brodskij incontrò Stalin almeno una volta nel 1933, quando – convocato insieme a Gerasimov e Katsman – Stalin stabilì che dovessero dipingere "quadri comprensibili alle masse e ritratti che non portassero a chiedersi chi fosse il soggetto dipinto".

Uno dei dipinti di maggior successo di Brodskij – in mezzo alla sua produzione industriale di ritratti a olio di eroi sovietici e litografie – è *Lenin all'Istituto Smol'nyj* **[4]**. Benché fosse manifestamente il risultato di una proiezione da una fotografia di Moïsei Nappelbaum, Brodskij tentò comunque di nascondere la fonte fotomeccanica, sostenendo di avere prodotto questa immagine incredibilmente simile a partire da schizzi di Lenin che aveva fatto al Terzo congresso del Comintern; Brodskij arrivò persino a

▲ 1925b

esibire delle fotografie che lo ritraevano mentre disegnava questi schizzi preparatori. A questo proposito Leah Dickerman sostiene:

> *La dipendenza dalla fotografia e il simultaneo mascheramento di questa dipendenza al centro della pratica del Realismo socialista offrono una struttura ambivalente. Da un lato, l'uso (e la sua fedeltà) da parte del Realismo socialista delle fonti fotografiche indica un desiderio nei confronti del mezzo fotografico. Dall'altro, la cancellazione dell'origine meccanica dell'immagine è indizio di paura.*

Il ritratto dipinto da Brodskij del maresciallo Vorošilov **[5]**, uno dei più appassionati collezionisti del Realismo socialista, è un capolavoro di ideologia naturalizzata. Colloca il capo del più potente apparato militare di stato, l'Armata rossa, nella perfetta fusione di uno svago pacifico con la natura resa in ogni dettaglio di un paesaggio russo. La descrizione naturalistica, in ogni caso, è stata ottenuta tramite l'uso dissimulato di un apparato tecnico di riproduzione fotografica.

Se l'ultima grande retrospettiva *Artisti della Federazione russa degli ultimi quindici anni* al Museo Russo di Leningrado nel 1932 poteva ancora includere una sezione significativa di opere dell'avanguardia sovietica, la proporzione subì una drastica riduzione a favore del Realismo socialista già nel giugno 1933, quando la mostra arrivò a Mosca. Ossip Beskin, direttore di *Iskusstvo* – il giornale ufficiale dell'Unione appena fondato (tutte le altre riviste erano state abolite) – annunciò la battaglia finale contro l'avanguardia con la pubblicazione del suo libro *Formalismo in pittura* (1932).

Questa battaglia contro il modernismo sarebbe culminata nella liquidazione della cultura dell'avanguardia sovietica tra il 1932 e il 1933. Un decreto del Comitato centrale del Partito comunista abolì

4 • Isaak Brodsky, *Lenin all'Istituto Smol'nyj*, 1930
Olio su tela, 190 x 287 cm

5 • Isaak Brodsky, *Il commissario del popolo per la difesa, maresciallo dell'Unione Sovietica, K. E. Vorošilov che scia*, 1937
Olio su tela, 210 x 365 cm

tutti i raggruppamenti indipendenti e stabilì un'Unione degli Artisti Sovietici estesa a tutta la nazione, l'*orgkomitet*. Il MOSSKh, la sezione moscovita di questa futura Unione, prese forma nel 1932 e divenne l'organizzazione centrale del paese, che sostituì o assorbì tutti gli altri gruppi (AKhRR, OST, OMKh, RAPHk ecc.).

Aleksandr Gerasimov era nel frattempo emerso come terzo protagonista del Realismo socialista, passando da una posizione di potere all'altra, senza curarsi del fatto che la situazione politica era diventata ingestibile per la maggior parte degli intellettuali e artisti dopo il 1936. Quando infine Gerasimov fu eletto nel 1939 presidente della MOSSKh, in un discorso pubblico definì il Realismo socialista "un'arte realista nella forma e socialista nei contenuti", che avrebbe celebrato la costruzione del socialismo ed eroicizzato coloro che lavoravano nel suo interesse. Facendosi passare per uomo del popolo, amava la compagnia e l'appoggio dell'élite di partito, dedicando la maggior parte della sua energia a commesse ufficiali di ritratti di Lenin, Stalin e Vorošilov, eseguite in uno stile glassato che infondeva una doppia luce ai volti dell'autoritario stato socialista: quella di un'affermazione della loro autenticità attraverso la presenza fotografica e quella del trapasso al loro status eroico nel passato atemporale del Neoclassicismo.

Il Realismo socialista, che fu costantemente oggetto di avversione dal 1934 fino all'inizio del disgelo di Krušhev nel 1953 e oltre, era definito essenzialmente dai seguenti concetti:

1. *Narodnost'* (*narod* significa "popolo", "nazione"). Coniato dal primo membro del gruppo Mondo dell'Arte, il pittore simbolista Aleksandr Benua (1870-1960), *narodnost'* era focalizzato sul rapporto dell'arte con il popolo. Inizialmente concepito come un modello multiculturale, che cercava la specificità di ogni gruppo etnico all'interno dell'Unione appena formata, diventò poi una normativa monolitica ed etnocentrica funzionale alla produzione di una cultura sciovinista sovietica (ovvero falsamente russa). Il *narodnost'* esigeva che i dipinti ricorressero ai sentimenti e alle idee russe, ma il concetto si riferiva anche al compito dell'artista di documentare il lavoro comune della popolazione, di comunicare con le masse dei lavoratori e di riconoscere ed esaltare la struttura della loro vita quotidiana. Il concetto di *narodnost'* serviva anche a sostenere la versione sovietica del ritorno alla tradizione. I teorici del Realismo socialista – come i loro colleghi italiani e francesi del ▲ *Rappel à l'ordre* – invocavano l'arte della Grecia classica, del Rinascimento italiano e dei pittori di genere olandesi e fiamminghi. Nikolaj Bukarin, per esempio, affermava che gli artisti dovevano "combinare lo spirito del Rinascimento con il grande bagaglio ideologico dell'era della Rivoluzione socialista". Ivan Gronskij, direttore del *Novy Mir*, disse nel 1933 che "il Realismo socialista sono Rubens, Rembrandt e Repin messi al servizio del popolo".

2. *Klassovost'* significava che il Realismo socialista doveva contribuire alla chiara espressione della coscienza di classe dell'artista e dei soggetti dipinti, coscienza che era stata messa in rilievo durante la Rivoluzione culturale.

3. *Partinost'* esigeva che la rappresentazione e la sua esecuzione artistica dovessero pubblicamente confermare che il Partito comunista aveva un ruolo dominante in ogni aspetto della vita sovietica. Il concetto è stato definito per la prima volta nel saggio di Lenin *Letteratura e propaganda* (1905).

4. *Ideynost'* richiedeva l'introduzione di nuove forme nell'opera d'arte. Queste nuove forme e attitudini dovevano essere approvate dal partito. Il concetto mirava anche a sottolineare che ogni opera d'arte realista socialista avrebbe rappresentato il socialismo e mostrato il glorioso futuro promesso da Stalin e dal partito.

5. *Tipichnost'* stabiliva che il ritratto e la pittura figurativa avrebbero dovuto descrivere personaggi caratteristici in circostanze caratteristiche, come eroi ed eroine, presi da situazioni riconoscibili e familiari. Secondo Cullerne Bown, "*tipichnost'* era un'arma a doppio taglio nel Realismo socialista: da una parte appoggiava la creazione di opere d'arte sociale accessibili ed eloquenti, dall'altra era un pretesto per criticare (come 'non tipici') dipinti che presentavano un'immagine non abbastanza rosea della realtà sovietica".

La permanenza al potere di Gerasimov durò più a lungo di quella dei suoi colleghi. Quando, il 5 agosto 1947, fu fondata l'Accademia di Belle Arti dell'URSS, uno strumento di controllo totale da parte del partito, passò a una nuova posizione di potere supremo diventando il primo presidente dell'Accademia. Nel ricoprire questo ruolo Gerasimov viaggiò attraverso gli stati satellite dell'URSS – Germania dell'Est, Ungheria, Polonia e Cecoslovacchia – per ispezionare la riuscita imposizione dei programmi del Realismo socialista nelle Accademie d'Arte di questi paesi. I suoi decreti definivano ora i compiti del Realismo socialista con spirito sempre più autoritario e aggressivo verso il modernismo:

> *Per combattere il formalismo, il naturalismo e altre manifestazioni dell'arte contemporanea borghese decadente, carenze di ideologia e impegno politico nelle opere creative, teorie idealistiche e falsamente scientifiche in ambito estetico.* BB

ULTERIORI LETTURE:

Matthew Cullerne Bown, *Socialist Realist Painting*, Yale University Press, New Heaven and London 1998

Leah Dickerman, *Camera Obscura: Socialist Realism in the Shadow of Photography*, in *October*, n. 93, 2000

David Elliott (a cura di), *Engineers of the Human Soul: Soviet Socialist Realist Painting 1930s-1960s*, Museum of Modern Art, Oxford 1992

Hans Guenther (a cura di), *The culture of the Stalin Period*, St. Martin's Press, New York-London 1990

Thomas Lahusen e Evgeny Dobrenko (a cura di), *Socialist Realism without Shores*, Duke University Press, Durham (N.C.)-London 1995

Brandon Taylor, *Photo Power: Painting and Iconicity in the First Five Year Plan*, in Dawn Ades and Tim Benton (a cura di), *Art and Power: Europe Under the Dictators 1939-1945*, Thames & Hudson, London 1995

Andrei Zhdanov, *Speech to the Congress of Soviet Writers* (1934), tradotto e ristampato in Charles Harrison e Paul Wood (a cura di), *Art in Theory 1900-1990*, Blackwell, Oxford and Cambridge (Mass.) 1992

▲ 1919

1934b

In *Gli obbiettivi dello scultore* Henry Moore propone un'estetica britannica del taglio diretto in scultura che media tra figurazione e astrazione e tra Surrealismo e Costruttivismo.

Nella scultura non è mai stato stabilito con la stessa chiarezza che in pittura quale fosse la tradizione e quindi, nel momento in cui, a inizio secolo, la pratica accademica di modellare figure basata su precetti (neo)classici aveva perso ogni valore, non era chiaro quale procedimento avrebbe potuto sostituirla. In Gran Bretagna la cosa era complicata dal fatto che le risposte moderniste elaborate sul Continente non erano ancora ben note in ▲ questo periodo: qualche notizia delle figure frammentarie di Rodin aveva passato la Manica, ma quasi nulla della scultura semiastratta ● di Constantin Brancusi, per non parlare dei modelli radicalmente ■ differenti dell'oggetto, della costruzione e del readymade proposti da Picasso, Tatlin e Duchamp.

Tuttavia già prima della Prima guerra mondiale il gruppo inglese ◆ dei vorticisti aveva rifiutato la tradizione umanistica dell'arte accademica come "piatta e insipida" (nelle parole del critico T. E. Hulme), guardando in primo luogo a Jacob Epstein come via d'uscita a questo momento di desolazione della scultura. Nato negli Stati Uniti in una comunità di ebrei polacchi ortodossi, Epstein si trasferì a Londra nel 1905 dopo tre anni di studio a Parigi. Pur avendo studiato il modellato tradizionale della figura, cercò subito modelli alternativi nelle forme intagliate dell'arte primitiva e preclassica al British Museum, al Louvre e ovunque potesse trovare arte assira, egiziana, americana o dell'antica Grecia. L'influenza di queste fonti è già evidente nella sua prima commessa importante a Londra del 1908: una serie di grandi nudi rudemente intagliati nella pietra, che rappresentano le età dell'uomo, per il nuovo palazzo dell'Associazione Medica Britannica. Nonostante rientrassero nel rispettabilissimo tema del nudo maschile, questi giganti arcaici suscitarono grandi controversie, segno del conservatorismo che allora regnava in Inghilterra sulle questioni artistiche. Ma questo furore non era ancora nulla, se paragonato a quello che accolse la sua opera successiva, *La tomba di Oscar Wilde* nel cimitero parigino del Père Lachaise [**1**], sorprendente ancor oggi. Epstein scolpì in altorilievo in un grande blocco di calcare un'entità che può unicamente essere definita aliena: una sfinge implacabile, per metà toro assiro alato e per l'altra divinità maya (basata su una figura simile esposta al British Museum, la scultura era probabilmente ispirata alla poesia di Wilde *La Sfinge*). Irrigidito in un volo orizzontale, questo strano angelo sta a guardia dello scrittore irlandese, esiliato fino alla sua morte precoce a causa della sua omosessualità. ("Solo gli emarginati lo piangeranno", recita un verso dell'epitaffio sulla sua tomba, "perché solo degli emarginati è il lutto"). Ma la stessa tomba avrebbe avuto bisogno di una guardia, perché quasi subito i genitali della sfinge vennero sfregiati – un gesto in cui a quanto pare convergono reazioni estetiche e sessuali.

1 • Jacob Epstein, *Tomba di Oscar Wilde*, 1912
Cimitero del Père Lachaise, Parigi

Dove si concentra tutta l'energia

Attratto nel circolo dei vorticisti negli anni precedenti la Prima guerra mondiale, Epstein passò dalle allusioni al primitivo, che il suo amico Hulme non poteva sopportare, a una differente evoca-

▲ 1900b ● 1927b ■ Introduzione 3, 1914 ◆ 1908

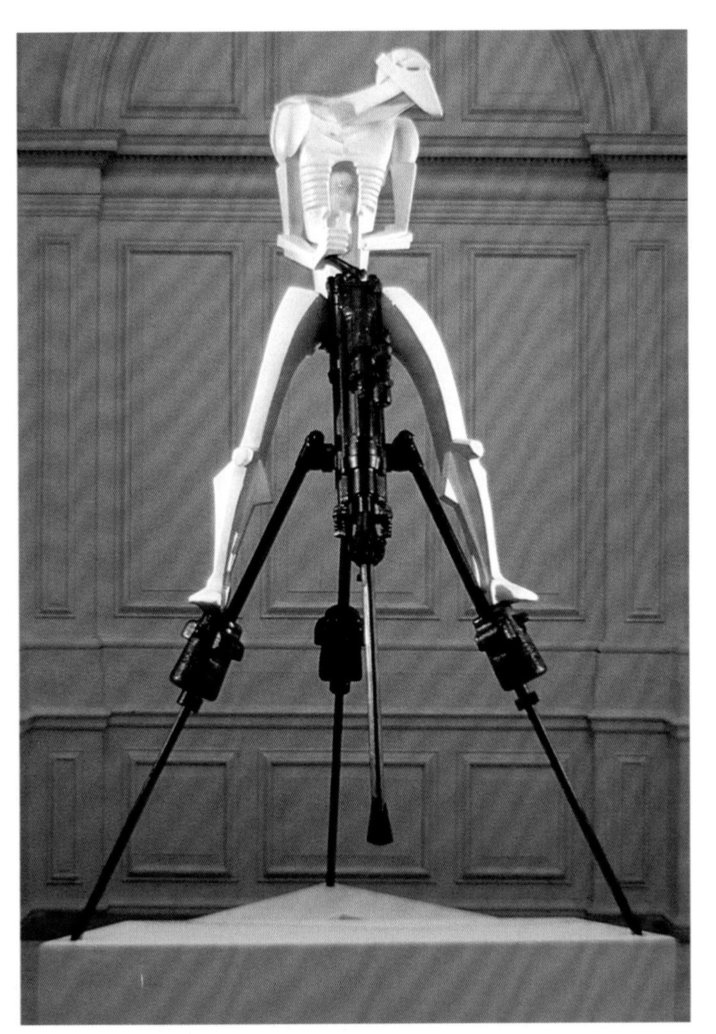

2 • Jacob Epstein, *Perforatore*, 1913-15 (ricostruzione del 1973)
Resina di poliestere, metallo e legno, 205 x 141,5 cm

3 • Henri Gaudier-Brzeska, *Danzatrice in pietra rossa*, 1913 ca.
Pietra rossa di Mansfield, 43,2 x 22,9 x 22,9 cm

zione del primordiale, dell'uomo moderno come atavico, aggressivamente meccanicistico, quasi criminale. Il suo *Perforatore* **[2]**, oggi scomparso, una congiunzione bestiale tra una creatura di gesso e una vera trivella, è ancora più alieno dell'angelo di Wilde e senza la possibilità di redenzione promessa dall'altro. Con una testa metà muso e metà elmetto, quest'uomo-macchina dalle costole a stecche coglie meglio di qualsiasi altra opera l'ethos vorticista di un "nuovo io", temprato agli sconvolgimenti del mondo moderno (secondo la definizione di Wyndham Lewis, leader dei vorticisti). "Era l'immagine sinistra, armata, dell'oggi e del domani", commentava retrospettivamente Epstein. "Nessuna umanità, solo il terribile mostro di Frankenstein in cui ci eravamo trasformati". Questo mostro comunque non era sterile, perché nel suo torace aperto era visibile la sua informe progenie, come in un tentativo di rendere concreta la fantasia maschile della riproduzione senza le donne. Una fantasia comune tra i modernisti, ma questa creazione sembra avvenire al di fuori dell'intero genere umano.

Le opere successive di Epstein erano meno radicalmente antiumaniste del *Perforatore* e di fatto furono i frammenti di figure intagliati nella pietra che influenzarono di più altri vorticisti come Henri Gaudier-Brzeska o scultori più giovani come Henry Moore (1898-1986) e Barbara Hepworth (1903-75). Durante l'inverno 1912-13 Epstein aveva incontrato Brancusi ed era diventato amico dell'italiano Amedeo Modigliani (1884-1920); forse questa conferma del taglio diretto incoraggiò il diffondersi della pratica in Gran Bretagna. In ogni caso, Gaudier-Brzeska cominciò a intagliare prima che Epstein, nel dopoguerra, tornasse a modellare.

Nel 1914, a soli ventiquattro anni, Gaudier-Brzeska, figlio di un carpentiere francese, aiutò Lewis ed Ezra Pound a dare forma a *Blast*, la rivista dei vorticisti (e scolpì nello stesso anno *Testa ieratica di Ezra Pound*, il cui titolo è una fiera evocazione di Pound come alto prelato della poesia modernista inglese, mentre a sua volta Pound pubblicò nel 1916 un libro su Gaudier-Brzeska che tramandò la sua opera a Moore, Hepworth e altri). "Al centro del gorgo [...] dove si concentra tutta l'energia" è la definizione di "vortice" pubblicata da Lewis in *Blast*, che Gaudier-Brzeska si assunse come compito per la sua scultura nella compressione della massa. Per ottenere una simile densità vitalista, bloccava spesso le forme in un modo che ricorda le sculture cubiste e africane. *Danzatrice in pietra rossa* **[3]** è un violento *contrapposto* come ▲ *Il nudo blu* di Matisse; contemporaneamente i suoi tratti schematici – triangoli inscritti per la faccia, ellissi per una mano (o è un seno?) – hanno qualcosa dell'ambiguità semiotica del lavoro di ● Picasso di quel periodo. Ma *Danzatrice in pietra rossa* manifesta anche una tensione peculiare, una tensione tra un genere di vitalismo espressivo e un concetto antinaturalistico di astrazione che Hulme aveva sviluppato a partire da *Astrazione e empatia*, il saggio ■ del 1908 dello storico dell'arte tedesco Wilhelm Worringer. Gaudier-Brzeska era a volte capace di volgere a proprio vantaggio questa tensione: per esempio, le forme intagliate del suo *Uccello che ingoia un pesce* (1914), scolpito nel gesso, è la trasposizione letterale della concezione vorticista della natura come mangia-

▲ 1903 ● 1912 ■ 1908

re-o-essere mangiati. Per quanto crudele, questo vitalismo risultò più attraente per Moore e Hepworth del meccanicismo delle altre opere vorticiste, perché continuava a riferirsi alla natura come base della scultura.

▲ Alcuni vorticisti – come i futuristi – furono inghiottiti dalla guerra che avevano salutato come "un grande rimedio": Gaudier-Brzeska morì al fronte nel 1915, a ventiquattro anni, e Hulme nel 1917, lasciando un libro su Epstein incompiuto. "Il Vorticismo più che l'annuncio di un nuovo ordine fu il sintomo della malattia terminale del vecchio", scrisse Lewis qualche anno più tardi. "Il mondo meraviglioso era un miraggio, una trappola e una delusione". Scultori come Moore e Hepworth, la cui formazione si svolse negli anni Venti, si allontanarono dall'enfasi antiumanista dei vorticisti (per dirigersi verso un sentimentalismo umanista del tutto personale). Avevano un atteggiamento meno diffidente nei confronti degli sviluppi modernisti sul continente: mentre i vorticisti rivaleggiavano con i cubisti e i futuristi, la generazione successiva andava avanti mediando tra le avanguardie surrealiste e costruttiviste, diversissime tra loro. Allo stesso tempo, Moore e Hepworth non abbandonarono i principi di Epstein e Gaudier-Brzeska: anche loro, in conflitto con la tradizione accademica, guardarono alle fonti preclassiche e primitive per una "visione del mondo" della scultura (come annotò Moore nel 1930) e in questo processo rinnovarono l'impegno verso il taglio diretto in scultura attribuendogli un valore quasi etico. Infine, come Gaudier-Brzeska ed Epstein, all'inizio Moore e Hepworth furono emarginati rispetto all'establishment dell'arte inglese, Moore in quanto figlio di un minatore dello Yorkshire, mentre Hepworth, che condivideva con lui l'origine settentrionale, anche in quanto donna.

Un'intensa vita propria

Nelle sue sculture degli anni Venti Moore quasi copiava modelli in legno e pietra preistorici: un piccolo cavallo arrotondato, una testa liscia stilizzata, un gruppo di madre e figlio che ricorda un idolo della fertilità, e così via. Dal 1930 le figure, sdraiate o materne, diventano semiastratte. Anche Hepworth lavorava su questi soggetti simpatetici. Invece del rilievo, a volte ancora utilizzato da Epstein, questi intagliatori praticavano "la realizzazione completamente tridimensionale" della scultura a 360 gradi. A questo scopo iniziarono a bucare le sculture e a farle ruotare intorno a un nucleo vuoto, costruendo l'intera scultura attraverso quella cavità, con una fluida reciprocità di dentro e fuori che invitava a una percezione quasi tattile dell'opera finita.

Il passo successivo fu di estendere questo corpo astratto fino a spezzarlo in parti ineguali su una base allungata. Queste parti erano distribuite in modo da sembrare una sorta di paesaggio, come in *Composizione in quattro pezzi: figura sdraiata* **[4]** di Moore, oppure si componevano come una sorta di gruppo madre e figlio, come in *Forma grande e forma piccola* **[5]** di Hepworth. La sua *Biografia pittorica* mostra questo pezzo di fronte a una fotografia di Hepworth con uno dei suoi tre figli gemelli in una composizione che la scultura sembra riprodurre in maniera astratta. Questa disposizione suggerisce che le sue forme biomorfe designano una condizione psicologica o una relazione emotiva, mostrando così di essere tributaria dell'influenza del Surrealismo (Barbara Hepworth riconobbe l'impatto di Hans Arp ▲ sulla sua opera, soprattutto "il modo in cui Arp ha fuso il paesaggio con il corpo").

4 • Henry Moore, *Composizione in quattro pezzi: figura sdraiata*, 1934
Alabastro del Cumberland, lunghezza 51 cm

▲ 1909
▲ 1916a

5 • Barbara Hepworth, *Forma grande e forma piccola*, 1934
Alabastro, 23 x 37 x 18 cm

Anche Moore fece riferimento a questa influenza in una pubblicazione del 1934 di Unit One, un gruppo di artisti britannici che secondo il suo leader, il pittore Paul Nash (1889-1946), aveva "due obbiettivi stabiliti": la "ricerca della forma", come nell'arte astratta, e "il tentativo di seguire le tracce della 'psiche'", come nel Surrealismo. In questo breve testo (ora noto come *Gli obbiettivi dello scultore*), Moore espone un'estetica del taglio diretto in cinque punti. Primo, il principio della *verità della materia*: "lo scultore lavora direttamente", in modo che "la materia possa prendere parte al formarsi di un'idea"; così, ad esempio, la venatura propria del legno nella minuscola *Figura* (1931) sembra guidare la curva delle spalle, del collo, della testa e dei capelli (o del mantello). Secondo, *la realizzazione pienamente tridimensionale*: qui Moore tesse un elogio della scultura a tutto tondo per la sua "tensione dinamica tra le parti" e la molteplicità dei "punti di vista". Terzo, l'*osservazione degli oggetti naturali*: diversi "principi di forma e ritmo" possono essere ricavati da cose come sassi, ossa e conchiglie. Quarto, *visione ed espressione*: in accordo con il programma di Unit One, Moore stimola gli scultori a seguire sia le "qualità astratte del disegno" che "l'elemento psicologico umano". Ultimo, la *vitalità*: lo scopo fondamentale della scultura è "un'intensa vita propria, indipendente dall'oggetto che rappresenta".

Nonostante la sua baldanza, questo programma mette in evidenza una tensione fondamentale in Moore come in Hepworth: entrambi erano ambivalenti nei riguardi dell'astrazione totale, almeno fino a questo momento. Erano fin troppo pronti a trovare una traccia di figurazione inscritta nei loro materiali, come se esistesse qualcosa di immanente nel legno o nella pietra, latente nella grana o nelle venature, nelle sue curve o fenditure. Proiettata in questo modo nella materia, questa figura liminale fa a sua volta arenare la scultura, tenendola lontana dalla vera e propria astrazione che altrimenti sembra abbracciare.

Hepworth superò quest'ambiguità in maniera più risoluta rispetto a Moore, specialmente da quando si legò a Ben Nicholson (si sposarono nel 1932), che era appena passato dalla pittura ▲ postcubista al rilievo geometrico bianco per cui è più noto. Il passaggio all'astrattismo divenne più profondo quando nacquero i tre figli gemelli, nell'ottobre 1934. A quel punto Hepworth fu "assorbita dalle relazioni tra spazio, dimensione, struttura e peso, e dalla tensione tra le forme". In questa tensione sperava di "scoprire una qualche essenza assoluta in termini di scultura", un'"essenza assoluta" che tuttavia doveva veicolare "la qualità delle relazioni umane". Questa ultima condizione è significativa, perché anche quando diventò astratta, la sua scultura restò implicitamente figurativa nella relazionalità delle forme: la figura quindi non era tanto cancellata, quanto elevata a un piano generale; era pensata per apparire universale attraverso l'astrazione, non contro di essa.

Questa è la chiave stessa dell'estetica britannica e del suo grande successo (almeno nel contesto anglo-americano). In effetti questa scultura funzionava come una specie di compromesso, come una

▲ 1937b

soluzione estetica di tensioni problematiche. In prima istanza queste tensioni erano tecniche: Moore e Hepworth sostenevano il taglio diretto contro la pratica tradizionale del modellare e del fondere, eppure tutti i riferimenti alla natura e le allusioni alla maternità rendevano questo intaglio simile al modellato. In modo analogo, Moore e Hepworth attenuarono la tensione tra opacità della materia scultorea e chiarezza dell'idea, perché la seconda sembrava scaturire con naturalezza dalla prima in quel genere di trasformazione che l'estetica modernista aveva a lungo privilegiato. Infine sembravano anche avere superato la più recente opposizione tra scultura-come-frammento (associata a Rodin) e scultura-come-totalità (associata a Brancusi). Contemporaneamente Moore e Hepworth risolsero alcune contraddizioni stilistiche. Insieme ad altri del milieu di Unit One, lavorarono alla riconciliazione delle tendenze costruttiviste e surrealiste, dell'"elemento psicologico" e dei "principi astratti" (Moore). Questa riconciliazione era stata preparata dall'annacquamento che il Surrealismo aveva subìto attraversando la Manica e dalla riduzione del Costruttivismo a disegno astrattista attuata nel gruppo ▲ Circle intorno a Naum Gabo. Ma anche Moore e Hepworth contribuirono a questo confondersi dei due movimenti. Per esempio, per ● i costruttivisti russi la "verità dei materiali" significava trattare i materiali industriali in un modo che potesse rendere il processo costruttivo dell'arte non solo fisicamente trasparente ma anche socialmente rilevante. Per Moore e Hepworth, d'altra parte, fu una maniera di lasciare che i materiali della scultura guidassero la loro opera semifigurativa. La funzione ideologica di quest'opera fu di umanizzare l'astrazione. Una funzione simile la svolse nei confronti del Surrealismo. Benché il critico inglese Adrian Stokes collegasse questa scultura alle pulsioni aggressive al centro della psicoanalisi ■ di Melanie Klein, "l'elemento psicologico umano" era molto meno perverso, troppo poco specifico per essere davvero dirompente. Di fatto offrirono un Surrealismo senza perturbante, in cui le analogie naturali erano favorite rispetto alle provocazioni psicologiche.

Una visione del mondo della scultura

C'era un'altra conciliazione in quest'opera. Come si è detto sopra, più che rovesciare la figurazione, Moore e Hepworth tesero a generalizzarla attraverso l'astrazione. In questo modo, il vecchio regime dell'arte persisteva nell'apparenza del nuovo, che è un'altra ragione del grande successo dell'opera e un'altra parte della sua funzione ideologica. Come ha scritto il critico inglese Charles Harrison, Moore e Hepworth lavorarono per generalizzare la "scultura" come innata categoria dell'esperienza: la risposta alla 'forma significante', dovunque essa si trovasse", in ossa o pietre, corpi o paesaggi ("forma significante" era la locuzione del critico formalista inglese del primo Novecento Clive Bell). Forse, come sostiene Harrison, questa "onnicomprensività della scultura" era "un'idea radicale e progressista" nell'Inghilterra dell'epoca, ma era pur sempre ottenuta attraverso un ammorbidimento delle differenze estetiche e dei confini politici. Chiaramente questa "universalizzazione" della scultura era anche una "riumanizzazione" dell'arte, intrapresa per reazione contro la "disumanizzazione" predicata dai vorticisti e resa fin troppo reale dalla Prima guerra mondiale. Ma altrettanto chiaramente questa riumanizzazione non costituiva una cura per la "malattia terminale del vecchio" (Lewis). Sempre secondo Harrison, era una risposta liberale a quella che era già una crisi del liberalismo, che stava per essere travolto dai vari fascismi e da un'altra guerra mondiale.

In larga parte questa scultura sembra così umana, quasi naturale, persino universale, grazie alla sua miscela di rimandi moderni e primitivi. In un breve testo del 1930 (ora noto come *Uno sguardo sulla scultura*), Moore dichiara che questo effetto primordiale è, paradossalmente, mediato:

> *Il mondo ha prodotto scultura per almeno trentamila anni. Attraverso lo sviluppo della comunicazione, quel poco di scultura che conosciamo ora e i pochi scultori di un centinaio di anni di Grecia non ci impediscono più di vedere le conquiste del resto dell'umanità. Scultura del paleolitico e del neolitico, sumera, babilonese ed egizia, dell'antica Grecia, cinese, etrusca, indiana, maya, messicana e peruviana, romanica, bizantina e gotica, nera, dei Mari del Sud e degli indiani del Nordamerica: ora sono disponibili fotografie di esempi di tutte queste civiltà, che ci forniscono una visione del mondo della scultura che non era mai stata possibile prima.*

▲ Questa affermazione anticipa la nozione di *musée imaginaire* dell'arte mondiale elaborata da André Malraux qualche anno dopo. Questa idea di un "museo senza pareti" era comunque fondata sull'imperialismo dell'Occidente (la sua appropriazione di artefatti culturali del resto del mondo) e sul dominio della fotografia (la sua capacità di trasformare oggetti diversi in esempi di "stile"). A modo loro, Moore e Hepworth elaborarono una specie di *sculpture imaginaire*, una "visione del mondo della scultura" elaborata attraverso una pratica della scultura moderna. Perché questa "visione del mondo della scultura" risultò così attraente all'epoca? A quali esigenze rispondeva? E come giunse a contare come uno dei generi primari della scultura moderna (insieme al disegno astrattista di Gabo e dei suoi compagni)? Molto applaudita negli anni Quaranta e Cinquanta, essa fu poi punita proprio per il suo successo, quando alcuni artisti delle avanguardie degli anni ● Sessanta rigettarono la sua interpretazione del Surrealismo e del Costruttivismo per tornare ai modelli che essa sembrava rimuovere: ■ i readymade di Duchamp e le costruzioni di Rodčenko. Ancora oggi, dopo la sua grande inflazione e altrettanto grande deflazione, è difficile guardare ad essa con lucidità. HF

ULTERIORI LETTURE:

Charles Harrison, *English Art and Modernism 1900-1939*, Yale University Press, New Haven-London 1981

Barbara Hepworth, *A Pictorial Autobiography*, Tate Gallery, London 1970

Alex Potts, *The sculptural Imagination: Figurative, Modernist, Minimalist*, Yale University Press, New Haven-London 2000

Ezra Pound, *Gaudier-Brzeska: A Memoir* (1916), New Directions, New York 1961

Herbert Read, *Henry Moore: a Study of his Life and Work*, Thames & Hudson, London 1965

David Thistlewood (a cura di), *Barbara Hepworth reconsidered*, Tate Gallery, Liverpool 1996

▲ 1937b ● 1914, 1921b ■ 1966b, 1994a

▲ 1935 ● 1962c ■ 1914, 1921b

1935

Walter Benjamin abbozza *L'opera d'arte nell'epoca della sua riproducibilità tecnica*, André Malraux inizia *Il museo immaginario* e Marcel Duchamp comincia a costruire la *Scatola-in-valigia*: la riproducibilità tecnica, emergendo nell'arte attraverso la fotografia, fa sentire il suo impatto sull'estetica, la storia dell'arte e la pratica artistica.

Nel 1931 Walter Benjamin, il cui pensiero critico e teorico era sempre più orientato al marxismo, scrisse la *Breve storia della fotografia*, in cui viene analizzata la relazione tra il mezzo fotografico e le classi sociali. Condividendo la sorte del romanzo ottocentesco, la fotografia esordì (intorno al 1840-50) partecipando al momento di massima fioritura della cultura borghese, racconta Benjamin. Passatempo da amatore, la fotografia commemorava lo scambio schietto di affettuosità tra amici, perché i primi a praticarla – pittori o scrittori – facevano ritratti l'uno dell'altro, immagini cui il lungo tempo di esposizione (circa cinque minuti) imponeva un certo tipo di sguardo aperto e di autenticità fisiognomica.

Verso la fine del secolo, la commercializzazione che aveva rapidamente travolto la fotografia travolgeva anche la classe che la sosteneva. La chiarezza e la forza con cui le nuove lenti ed emulsioni avevano inizialmente catturato i capitani d'industria avevano ceduto a un'incertezza che si esprimeva nei leziosi ambienti allestiti per i ritratti della piccola borghesia, pieni di pretese artistiche: il modello posava tra i fiori di un giardino d'inverno, o di una serra, la figura screziata dal gioco di ombra e luce. Era la borghesia che stava perdendo la propria legittimazione al possesso come classe, ha scritto Benjamin, e l'unico modo di fotografare cosa le stesse accadendo nel paesaggio urbano che la ospitava era mostrare la sua estinzione come classe. È quello che fece Eugène Atget quando, immagine dopo immagine, fotografò le strade di Parigi svuotate dalla gente, come fossero "il luogo di un delitto".

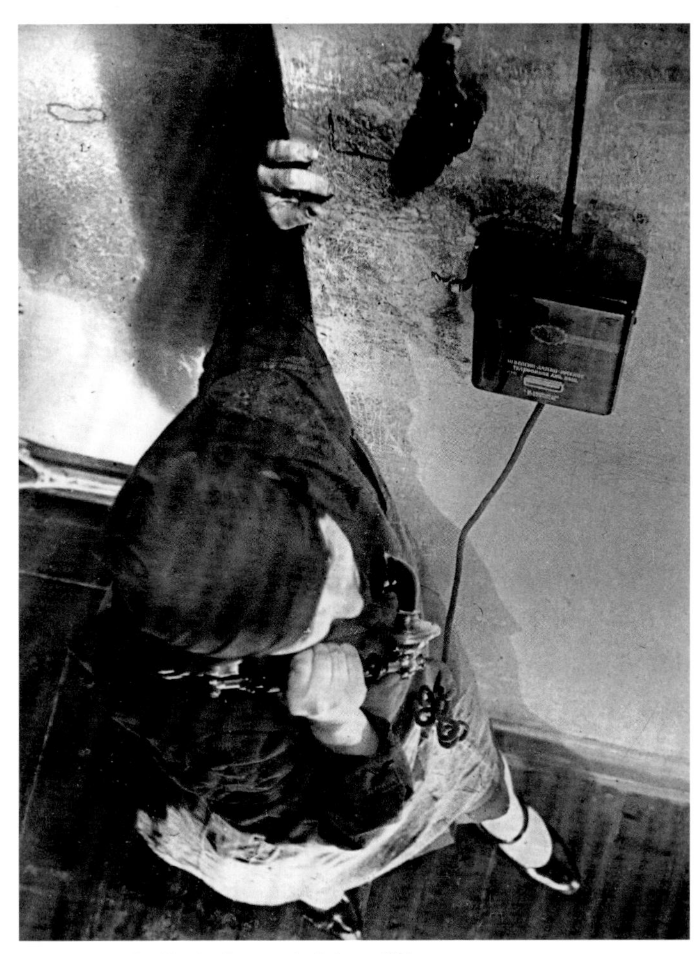

1 • Aleksandr Rodčenko, *Donna al telefono*, 1928
Stampa alla gelatina d'argento, 39,5 x 29,2 cm

Il volto del tempo

Secondo Benjamin, per la reinvenzione del ritrattismo bisognò attendere gli anni Venti. Allora all'individualismo borghese subentrò quel genere di spersonalizzazione che appartiene a una diversa struttura della società: più collettiva, come nelle moltitudini di volti appassionatamente resi nei film del regista russo Sergej Ejzenštejn; o più anonima, come nella *Donna al telefono* **[1]** di Aleksandr Rodčenko; o più sociologizzata, come nei "tipi" ▲ sociali catalogati dal fotografo tedesco August Sander tra la fine degli anni Venti e l'inizio dei Trenta, ad esempio nei *Volti del nostro tempo* **[2, 3]**.

Tornando quattro anni più tardi sul problema della fotografia e del cinema nel saggio *L'opera d'arte nell'epoca della sua riproducibilità tecnica*, Benjamin sostituì la sua prima analisi imperniata sul concetto di classe con una basata sui modi di produzione. Il valore d'uso di un'opera, argomentava, non può essere dissociato dalle condizioni in cui viene prodotta. Nelle società primitive queste ultime comportavano inevitabilmente una fabbricazione manuale, per mezzo di procedure artigianali o con un semplice trasferimento di proprietà magiche a un oggetto attraverso il tocco di un sacerdote o sciamano. Questo "valore cultuale", che spesso agisce al di fuori dello sguardo della comunità, dipende dall'autenticità

▲ 1929

2 • August Sander, *Coppia di contadini*, 1932 ca.
Stampa alla gelatina d'argento, 26 x 18,2 cm

dell'oggetto sacro, le cui proprietà miracolose o curative non vengono trasmesse alle repliche o riproduzioni. La cultura delle copie a stampa di opere d'arte originali, che comincia a diffondersi nel Rinascimento, aggiunge il "valore espositivo" a quello cultuale e impone chiaramente un nuovo uso dell'oggetto d'arte che implica una forma di propaganda, dal momento che la sua immagine circola attraverso canali papali o diplomatici. Ma questa forma di copia è nettamente distinta dall'opera d'arte, il cui statuto di *originale* rimane intatto. Questo statuto di unicità intrasferibile dell'opera d'arte è quello che Benjamin chiama "aura". Il lavoro artigianale necessario alla realizzazione della copia partecipa del modo di produzione dell'originale: entrambe portano l'impronta del loro creatore.

Un cambiamento radicale delle condizioni di produzione avviene con l'industrializzazione, basata sulla produzione in serie di oggetti a partire da una matrice o "stampo". Il primo ingresso della produzione in serie nel mondo dell'immagine ha avuto luogo con la litografia, stampata in modo meccanico sebbene ancora disegnata a mano, ma ben presto la fotografia ne ha preso il posto in quanto mezzo di riproduzione completamente meccanico. Né lo scatto né la stampa della fotografia richiedono lavoro manuale e inoltre, come accade per altri prodotti industriali, la sua matrice – il negativo – non può essere considerata il suo "originale" perché non è identica all'immagine finita. La fotografia è piuttosto un multiplo *senza* originale. "Di una pellicola fotografica per esempio", scrive Benjamin, "è possibile tutta una serie di stampe; la questione della stampa autentica non ha senso".

L'autenticità e l'aura connesse all'originale vengono così *strutturalmente* rimosse dall'oggetto prodotto meccanicamente, che, come ha mostrato Benjamin, "sostituisce una molteplicità di copie a un'esistenza unica". Se è possibile descrivere tale esistenza come legata al tempo e al luogo della sua origine, e quindi distante da chi la guarda, la riproducibilità tecnica salta a piè pari questa distanza, perché soddisfa "l'esigenza di impossessarsi dell'oggetto da una distanza il più possibile ravvicinata nella sua riproduzione". La riproducibilità tecnica sviluppa così una corrispondente motivazione psicologica, con un suo proprio modo di vedere: "La liberazione dell'oggetto dalla sua guaina, la distruzione dell'aura sono il contrassegno di una percezione la cui 'sensibilità per ciò che nel mondo è dello stesso genere' è cresciuta a un punto tale che essa, mediante la riproduzione, attinge l'uguaglianza di genere anche in ciò che è unico". Quindi la serializzazione della produzione (struttura) crea una serializzazione della visione, che porta a sua volta a un gusto per la serializzazione dell'opera d'arte stessa (sovrastrut-

3 • August Sander, *Gentiluomo di campagna e moglie*, 1924
Stampa alla gelatina d'argento, 26 x 18,3 cm

4 • André Malraux con le tavole fotografiche per il *Museo senza pareti*, 1950 ca.

tura). Passando dal modo di produzione al "valore d'uso", Benjamin scrive, "l'opera d'arte riprodotta diventa in misura sempre maggiore la riproduzione di un'opera d'arte predisposta alla riproducibilità". Il numero di artisti le cui opere sono state consciamente o inconsciamente "ideate per la riproducibilità" (da ▲ Duchamp a Warhol e così via) avvalora la previsione di Benjamin che il cambiamento del modo di produzione avrebbe spazzato via tutti i valori estetici che lo avevano preceduto. "Già precedentemente era stato sprecato molto acume per decidere la questione se la fotografia fosse arte", ha scritto, "ma senza che ci si fosse posta la domanda preliminare: e cioè, se attraverso la scoperta della fotografia non si fosse modificato il carattere complessivo dell'arte".

Il museo senza pareti

Nel 1935 Benjamin non era il solo a porre "l'interrogativo primario" sulla fotografia. Anche André Malraux (1901-76), romanziere e uomo politico della sinistra francese, pensava che il mezzo fotografico avrebbe trasformato "la natura stessa dell'arte", giungendo però a conclusioni diametralmente opposte a quelle di Benjamin. Il punto su cui concordavano era che la fotografia strappava l'originale dal sito per il quale era stato concepito per ricollocarlo in un luogo completamente diverso, più vicino allo spettatore e adatto a nuovi usi. Entrambi pensavano anche che questa decontestualizzazione in qualche modo snaturasse l'opera originale, perché, come scrive Malraux, le opere "perdono le loro qualità di *oggetti*" nel momento stesso in cui vengono inscritte nella fotografia che le riproduce. Ma è sull'interpretazione di questa perdita che le opinioni divergono, dal momento che Malraux ritiene che "per lo stesso motivo, esse guadagnano il massimo rilievo possibile dal punto di vista dello *stile*".

Questa stilizzazione consentita dalla fotografia era l'effetto dei primi piani e delle angolazioni insolite legati negli anni Venti a ▲ quella che veniva chiamata "Nuova visione" fotografica. Il potere della fotografia di stravolgere la scala di grandezza (minuscoli sigilli cilindrici ingranditi fino ad assumere la stessa dimensione visiva di bassorilievi monumentali, ad esempio), la sua capacità di utilizzare prospettive particolari o un'illuminazione drammatica per effettuare straordinarie reinvenzioni (come le antiche figure sumere di terracotta che si trovano ad assomigliare alle sculture di Joan Miró) e la possibilità di estrarre un frammento drammaticamente isolato da un'opera più estesa, ritagliandolo o scontornandolo: tutti questi elementi compiono un'azione mirata contro l'unità estetica dell'originale per operare nuovi e sorprendenti innesti. La conclusione di

▲ 1914, 1918, 1960c, 1962d, 1964b, 1966a

▲ 1929

questi ragionamenti è un omaggio che Malraux rivolge al medium che li ha resi possibili: "L'estetica classica procedeva dal particolare all'intero; la nostra, procedendo il più delle volte dall'intero al frammento, trova un prezioso alleato nella fotografia".

La fotografia è dunque il grande livellatore, lo strumento con cui oggetti di ogni luogo e periodo possono essere ricondotti a una sorta di omogeneità stilistica, tanto da assumere le fattezze della "nostra estetica". E il risultato di questa procedura è un compendio di informazione totale sull'arte mondiale, reso possibile dal nuovo mezzo. È questo compendio, il libro d'arte, che Malraux comincia a chiamare "il museo senza pareti" **[4]**. L'originale denominazione francese, "*le musée imaginaire*", mette in luce l'antimaterialità dell'operazione, l'impulso a ricondurre la fisicità dell'oggetto alla virtualità dell'immagine: impulso che riceve nuovo vigore verso la fine del secolo, quando il museo immaginario è *realmente* in grado di ottenere una copertura globale e la sua sede virtuale non è più il libro d'arte, ma internet.

Per Malraux il valore del libro d'arte risiede soprattutto nell'opera di democratizzazione dell'esperienza dell'arte, perché la rende accessibile a molte più persone rispetto all'istituzione elitaria del museo (valore accresciuto in modo esponenziale dal web, agli occhi degli entusiasti dell'"autostrada dell'informazione"). Tuttavia non era questa la sua funzione primaria, bensì il fatto che il libro, attraverso la concatenazione di riproduzioni fotografiche, trasforma le opere d'arte da "oggetti" in "significati" – nelle parole di Malraux, le opere guadagnano "il massimo rilievo possibile dal punto di vista dello *stile*". Il libro d'arte, quindi, è una macchina semiotica alimentata dalla fotografia, perché la fotografia facilita la *comparazione*, il superamento della contemplazione di un oggetto singolo a favore di un'esperienza *differenziale* dell'opera, il cui significato emerge – ▲ come ci ha assicurato il linguista Ferdinand de Saussure – dal confronto con ciò che *non* è.

Uno dei primissimi testi scritti da Malraux, una prefazione del 1922 al catalogo di una mostra, contiene già in nuce l'idea dell'arte come vasto sistema semiotico, coro molteplice di significati. "La sensibilità si può acquisire soltanto attraverso la comparazione. Chi conosce *Andromaca* o *Fedra* si farà un'idea più circostanziata del genio francese leggendo *Sogno di una notte di mezza estate* che leggendo tutte le altre tragedie di Racine. Il genio greco si comprenderà meglio confrontando una statua greca con una egizia o asiatica piuttosto che con altre cento statue greche".

A vent'anni Malraux non si era imbattuto per caso in questa concezione dell'estetica di matrice comparativa e fondamentalmente semiotica. Durante il periodo di apprendistato presso il mercante d'arte Henry Kahnweiler, ebbe accesso a un'esperienza delle arti visive teorizzata tanto dalla scuola di storia dell'arte tedesca quanto dall'estetica cubista, cioè un modo di guardare fondato su una concezione "linguistica" della forma, e non più sull'idea del bello. L'arte classica, che costituiva l'assoluto estetico per il gusto occidentale, aveva istituito la bellezza come metro ideale della pratica e dell'esperienza artistica. Alla fine dell'Ottocento ● lo storico dell'arte svizzero Heinrich Wölfflin aveva relativizzato questo assoluto sostenendo che il Classicismo può essere "letto" soltanto all'interno di un sistema comparativo che consenta di metterlo a confronto con il Barocco. Nell'allestire un gruppo di vettori formali per mezzo dei quali operare le letture comparative – tattile e ottico, superficie e profondità, forma chiusa e forma aperta – Wölfflin ha messo la forma nelle condizioni del segno linguistico: oppositivo, relativo, negativo. La forma non aveva più valore in sé, ma solo all'interno di un sistema e in contrasto con un'altra serie di forme. La componente estetica non era più bella, era significante.

La conoscenza da parte di Kahnweiler di questa storia dell'arte protostrutturalista in Germania ha influenzato la sua stessa comprensione del Cubismo, perché ad esempio il mercante di ▲ Picasso ha interpretato l'uso che i cubisti facevano dell'arte africana come un balzo in avanti nella produzione di forme che avrebbero ● funzionato come segni. Malraux non avrebbe mai dimenticato questa affermazione. L'arte produce segni che possono essere letti in modo comparativo. La comparazione decentralizza l'arte e ne annulla le gerarchie, perché lavora sulla giustapposizione dei sistemi – di *tutti* i sistemi: est e ovest, alto e basso, raffinato e popolare, nord e sud. La fotografia, frammentando e isolando gli elementi significanti nell'ambito della complessità di un'opera, dà un contributo fondamentale a questo tipo di lettura.

Lo studio più importante che Malraux ha dedicato a questo problema è *Le voci del silenzio* (1951), così intitolato perché i "testi" – da lui chiamati "finzioni" – che queste letture possono produrre libererebbero nuove energie dalla muta opera d'arte. È questa trasformazione in un sistema di senso a compensare ciò che la riproduzione ha eliminato, non lasciando nessuno spazio per rimpiangere il fatto che queste figure hanno perso "sia il loro significato originale di oggetti che la loro funzione (religiosa o altro). Le guardiamo solo come opere d'arte", ha scritto Malraux, "e loro trasmettono a noi solo il talento di chi le ha create".

Benjamin ha asserito: "Ciò che viene meno nell'epoca della riproducibilità tecnica è l'aura dell'opera d'arte"; Malraux insisteva per conservare una nozione di aura per quanto trasformata. La "finzione" trasmette quello che egli chiama "lo spirito dell'arte". È questo spirito che la riproduzione libera per raccontare la sua storia, anche se silenziosamente: "È così che, grazie all'artificiosa unità imposta dalla riproduzione fotografica a una grande varietà di oggetti, che vanno dalla statua al bassorilievo, dal bassorilievo alle impronte di sigillo e da queste alle piastre dei nomadi, uno 'stile babilonese' sembra emergere come una reale entità, non una mera classificazione, o meglio come qualcosa che assomiglia alla biografia di un grande creatore".

La copia "originale"

Le date sembrano possedere un proprio centro di gravità: il 1935 non è stato solo il momento in cui Benjamin e Malraux hanno potuto contemplare il destino dell'arte nelle mani della riproducibilità, ma anche l'anno in cui Duchamp ha cominciato a fabbricare

▲ Introduzione 3 ● Introduzione 3 ▲1907 ●1912

5 • Marcel Duchamp, *Scatola-in-valigia*, 1935-41 (versione del 1941)
Materiali vari, dimensioni variabili

il suo personale museo senza pareti, benché il quesito se lo scopo fosse o meno quello di raccontare "la biografia di un grande creatore" (lo stesso Duchamp) resta, come sempre con Duchamp, in ostaggio del suo eccezionale senso dell'ironia. La *Scatola-in-valigia* **[5]** fu concepita nel 1935 come una grande retrospettiva del lavoro di Duchamp in sessantanove riproduzioni, comprese minuscole ▲ repliche di diversi readymade. Rimpicciolendo il museo alla dimensione di una valigetta portatile, questo "libro d'arte" rivela innegabilmente una stretta affinità con la borsa campionario di un commesso viaggiatore. È così che le eloquenti "voci del silenzio" di Malraux vengono riadattate come slogan pubblicitari e lo "spirito dell'arte" viene riformato alla luce della merce.

Eppure niente è semplice con Duchamp, che durante i cinque anni successivi ha scrupolosamente effettuato le riproduzioni con il laboriosissimo metodo della stampa in collotipia, in cui il colore viene applicato a mano per mezzo di matrici, in media trenta per ogni provino. Poiché le eseguiva lui stesso, queste diventavano *coloriages originaux* (colorazioni originali), che in una radicale metamorfosi estetica diventavano copie "originali" autorizzate (alcune addirittura firmate e certificate) di opere originali, una parte delle quali (i readymade) erano a loro volta nient'altro che dei multipli. In questa prospettiva infinita di specchi paralleli, originale e copia continuano così a scambiarsi di posto, con Duchamp che ora sfida le affermazioni di Benjamin ritornando all'autenticità del tocco d'artista e ora si fa beffe del "grande creatore" di Malraux incatenando questo spirito alla performance compulsiva della ripetizione serializzata.

Descrivendo l'effetto della *Scatola*, David Joselit ha scritto che questa può apparire quasi come un sostegno dell'"identità artistica di Duchamp attraverso un riepilogo coerente della sua opera, anche se sotto l'aspetto di un'elaborata performance di ripetizione compulsiva – la stessa forma di ripetizione che Freud associava alla pulsione inconscia di morte *e* Eros – Duchamp dava una rappresentazione di sé come alternativamente organico e inorganico, maschile e femminile. L'atto di copiare è al tempo stesso *costitutivo e distruttivo* dell'Io. [...] Aveva trovato se stesso bell'e fatto, *readymade*". RK

ULTERIORI LETTURE:
Walter Benjamin, *Strada s senso unico: Scritti 1926-1927*, trad. it. in Einaudi, Torino 1983
Ecke Bonk, *Marcel Duchamp: The Box in a Valise*, Rizzoli-Thames & Hudson, New York- London 1989
David Joselit, *Infinite Regress: Marcel Duchamp 1910-1941*, MIT Press, Cambridge (Mass.) 1998
André Malraux, *Il museo dei musei: Le voci del silenzio*, trad. it. Leonardo, Milano 1998.

▲ 1914, 1918

1936

Walker Evans, Dorothea Lange e altri fotografi vengono incaricati, nel contesto delle politiche del New Deal di Franklin D. Roosevelt, di documentare l'America rurale nella morsa della Grande Depressione.

Due film indimenticabili del documentarista americano Pare Lorentz (1905-92) – *L'aratro che spezzò le Pianure* (1936) e *Il fiume* (1937) – emersero tra i tanti prodotti dal Settore informazione della Farm Security Administration (FSA), un'agenzia governativa statunitense fondata nel 1936 nell'ambito del New Deal del presidente Franklin D. Roosevelt. Entrambi i film erano documentari sulle condizioni di crisi dell'America rurale nella morsa della Grande Depressione: il primo descriveva il Dust Bowl dell'Oklahoma, il secondo la piena catastrofica del Mississippi.

Oltre a documentare fedelmente la situazione delle vittime di queste catastrofi naturali, comunque, Lorentz aveva altri due obbiettivi: mostrare che la causa umana di questi eventi risiedeva nell'uso scorretto della terra da parte dei suoi proprietari e fare propaganda ai programmi governativi messi in atto per risolvere la situazione, come il Tennessee Valley Authority (TVA) e i suoi progetti per la costruzione di dighe lungo il sistema fluviale del Mississippi. Per essere efficace, Lorentz aveva bisogno di catturare l'immaginazione del pubblico, in primo luogo facendo conoscere alla popolazione di un paese sterminato delle zone che non aveva mai visto prima e di cui non sapeva quasi nulla, poi dando al documentario la spinta emotiva di una storia di finzione. Solo in questo modo poteva vincere la rappresentazione dei piani di Roosevelt, fornita da alcuni settori del Parlamento americano, come il prodotto di una forma di "socialismo" assai temuta dagli americani, mentre allo stesso tempo contrastava questa demonizzazione sostenendo una versione dello stesso socialismo (cioè la centralizzazione dell'autorità necessaria alla TVA o l'istituzione delle cooperative agricole per migliorare le prospettive dei fittavoli).

Verso le ambrate onde di grano…

In procinto di diventare direttore della sezione storica della FSA, Roy Emerson Stryker (1893-1975) ebbe lunghi incontri con il sociologo Robert Lynd per definire nei dettagli come impostare la propria missione riguardo alla documentazione. L'idea che prese forma da queste sessioni fu di coordinare i lavori della sezione storica fornendo in primo luogo alla squadra di fotografi chiamati a collaborare delle "sceneggiature" scritte di suo pugno. Una delle prime versioni parziali di queste sceneggiature recita così:

CASA DI SERA

Le immagini illustreranno i differenti modi in cui passano la serata gruppi di differente estrazione sociale, ad esempio:
Vestiti informali
Ascoltare la radio
Bridge
Vestiti più accurati
Ospiti

Il carattere statico di questa "sceneggiatura" è ovviamente molto diverso dal grande flusso del racconto cinematografico, che può controllare la sua velocità temporale spostandosi in pochi drammatici secondi, per esempio, dalle goccioline che cadono dai rami nel Wisconsin a primavera al flusso del delta del Mississippi, come ha fatto Lorentz in *Il fiume*. Di fatto l'idea di Stryker su come ordinare i risultati delle immagini che i suoi fotografi avrebbero accumulato nei nove anni e più di lavoro collettivo (in totale più di 100 mila stampe) non era una narrazione temporale, ma un contenitore spaziale: una raccolta o un archivio enciclopedico, organizzato per categorie, sottocategorie e suddivisioni ulteriori.

Le fotografie della FSA servivano in primo luogo a offrire informazione visiva al pubblico, sia attraverso i libri e le mostre del governo che, in maniera più efficace, tramite i mass-media, in settimanali illustrati appena comparsi come *Life* (nato nel 1936) o *Look* (nato nel 1937). Per Stryker tuttavia il materiale FSA era sostanzialmente diverso dal fotogiornalismo sul quale prosperavano queste riviste, perché considerava la fotografia di cronaca "drammatica, tutta soggetto e azione", mentre "le nostre mostrano lo sfondo dell'azione", diceva. Al "soggetto e verbo" del fotogiornalismo Stryker contrapponeva l'"aggettivo e avverbio" della FSA.

Questa è probabilmente una delle definizioni che meglio si adatta a *Madre emigrante* di Dorothea Lange **[1]**, la fotografia che più di ogni altra rappresenta il potenziale emotivo, l'efficacia e la qualità folgorante del lavoro della FSA. L'immagine non è connessa a nessuna azione, a meno che non si voglia chiamare azione il fissare un futuro del tutto incerto della persona ritratta. E come per la connessione aggettivo-avverbio, nella sua oscillazione tra l'universale – il richiamo a una "dignità umana" senza tempo che emerge da

1 • Dorothea Lange, *Madre emigrante*, 1936

una situazione disperata – e la particolarità della donna ripresa dalla macchina fotografica, quest'immagine costituisce un esempio del genere di "realismo umanitario" che Stryker sosteneva. D'altro canto la foto di Lange, che fu chiamata la "Madonna degli emigranti", echeggia per certi aspetti i dipinti di soggetto religioso, come la rappresentazione della madre di Cristo nel corpo di una popolana romana del pittore italiano seicentesco Caravaggio o un'opera come il *Cristo morto* (1525-26) di Rosso Fiorentino, dove, come nell'immagine di Lange, la figura di Cristo è incuneata tra due angeli.

Il tono di redenzione che questi paragoni attribuiscono all'opera di Lange non era estraneo all'interesse generale dell'operazione. Come ha scritto un contemporaneo di Stryker: "Si percepiva l'aggravarsi della Depressione, ma era impossibile vederla affacciandosi alla finestra. Gli uomini che avevano perduto il lavoro erano nascosti allo sguardo comune; se ne stavano buoni in disparte e bisognava sapere dove e quando trovarli". Stryker considerava la missione dell'indagine, con la sua ricerca dei dettagli della vita rurale, un progetto per "scovare questa gente". Nelle fotografie di un'intera gamma di esseri umani, magnificava i volti che erano secondo lui la testimonianza della volontà e dell'abilità di sopravvivere alle peggiori sofferenze. Come ebbe a dire più tardi: "Le facce erano per me la parte più significativa dell'archivio".

Ma se Stryker leggeva un messaggio di sopravvivenza e redenzione nelle fotografie, altri ritengono che esse ne trasmettano uno completamente diverso. Lo storico Allan Trachtenberg, ad

Works Progress Administration

Tra l'elezione di Franklin D. Roosevelt a Presidente degli Stati Uniti, nel gennaio 1933, e l'estate del 1935, il governo federale intraprese una serie di progetti di sostegno all'occupazione, allo scopo di aiutare il grande numero di disoccupati creati dalla Grande Depressione. Su sollecitazione di Henry Hopkins, direttore della Civil Works Administration, una piccola cifra fu stanziata per gli artisti attraverso il Public Works of Art Project. Questo programma, come molti nella prima fase delle politiche di sostegno federali, ebbe vita breve (i finanziamenti si esaurirono dopo quattro mesi) e fu oggetto di dibattito politico. A New York, quelli che ebbero la fortuna di rientrare tra i partecipanti passarono il tempo a ripulire e riparare le statue e i monumenti della città; quando fu interrotto, dovettero tornare ai sussidi di disoccupazione.

Nell'estate del 1935 Hopkins era riuscito a persuadere Roosevelt a istituire la Works Progress Administration, un progetto gigantesco di lotta alla disoccupazione che avrebbe "posto fine ai sussidi e portato l'America di nuovo al lavoro".

Secondo Hopkins, infatti, "coloro che sono costretti ad accettare la carità, non importa con quanta riluttanza, all'inizio sono compatiti e poi disprezzati". In sei anni la WPA impiegò circa due milioni e centomila lavoratori e spese due miliardi di dollari. I suoi circa duecentocinquantamila progetti andarono dalla raccolta delle foglie alla costruzione di campi d'aviazione.

Come aveva fatto nella Civil Works Administration, Hopkins fece in modo che il denaro venisse destinato anche agli artisti: in quegli anni il cinque per cento dei fondi WPA (quarantasei milioni di dollari) e il due per cento degli impiegati (trentottomila) vennero assegnati all'arte e allo spettacolo. Per le arti visive questo si tradusse nel Federal Arts Project, diretto da Roger Cahill, cui si aggiungevano il Federal Music Project, il Theater Project e il Writers' Project. A New York circa mille artisti ottennero i finanziamenti FAP nei primi quattro mesi. Le linee guida che stabilivano la divisione tra pittura murale e pittura da cavalletto avevano istituito anche una procedura di selezione secondo la quale gli artisti venivano classificati come "dilettanti, intermedi, avanzati o professionisti" e retribuiti in base al grado. Tradizionalisti e modernisti lottarono accanitamente per il potere amministrativo e il controllo dei processi. Benché i tradizionalisti fossero di gran lunga più potenti, un gruppo di artisti astratti arrivati da Burgoyne Diller e Harry Holtzman – allievi di Piet Mondrian – riuscirono a far assegnare dei murali a giovani pittori astratti come Arshile Gorky, Stuart Davis, Byron Browne, Jan Matulka e Il'ya Bolotowskij.

Il Federal Arts Project ebbe un effetto travolgente, quello di fare collaborare gli artisti secondo modalità completamente nuove: non solo si aiutavano l'un l'altro per aggirare le regole burocratiche, ma gli uffici della WPA dove andavano a ritirare il denaro e le commesse diventarono un luogo d'incontro insieme ai bar e ai caffè del Village. Sollevati dall'obbligo di fare lavoretti per vivere, questi artisti a tempo pieno cominciarono a percepirsi come una comunità.

esempio, ha scritto: "Se c'è un tema generale dell'archivio FSA, è sicuramente quello della fine dell'America rurale e della sua sostituzione con una cultura urbana e commerciale con le sue regole di mercato. Automobili, film, pali telefonici, cartelloni pubblicitari, cibo in scatola, abbigliamento prêt-à-porter: queste icone familiari dell'archivio rivelano un radicale cambiamento [...] una frattura profonda nella relazione della società americana con la propria 'natura' e con la sua capacità di ricavare il cibo dalla terra".

Questa interpretazione, in cui le immagini di treni che corrono dietro i silos possono essere viste come rappresentazioni della macchina responsabile di ulteriore impoverimento dei diseredati, o le pubblicità in serie come annuncio della sostituzione dei segni fatti a mano con quelli stampati, sposta il senso lontano dalle facce delle persone. È in questo spostamento che si percepisce lo scontro tra Stryker e il più noto dei suoi fotografi, Walker Evans. Perché Evans (1903-75) prediligeva proprio quelle facciate e quei poster che trasmettevano un'immagine di terra svuotata del contenuto "umano" che Stryker voleva ad ogni costo propagandare **[2]**.

Lo stile FSA

Dopo essersi unito al progetto di Stryker nel 1935, quando la FSA si chiamava ancora Resettlement Administration, Walker Evans collaborò all'archivio per un anno e mezzo. Le loro divergenze di opinione si manifestarono nella tensione tra l'esigenza di "pura registrazione" di Evans e il desiderio di Stryker per un genere di fotografia atto a promuovere un cambiamento sociale o politico, desiderio che condusse il fotografo Ansel Adams (1902-84) a protestare con Stryker: "Questi non sono fotografi, sono sociologi armati di macchina fotografica". Evans ebbe anche l'accortezza di prendere le distanze dal documentario vero e proprio, un termine che non voleva fosse applicato al suo lavoro, dicendo: "L'espressione giusta sarebbe *stile documentario*. Vedi, un documento serve a qualcosa, mentre l'arte è del tutto inutile. Quindi un'opera d'arte non è mai un documento, anche se può adottare quello stile".

Quest'affermazione apparentemente paradossale di Evans – che il documentario potesse essere semplicemente uno dei tanti "stili", pur essendo quello con cui la fotografia "in quanto tale" viene identificata – contiene un'intera estetica sviluppata negli anni Trenta, costruita lentamente negli anni del dopoguerra e giunta a maturazione negli anni Sessanta, fino a diventare la posizione ufficiale dei ▲ membri del Dipartimento di Fotografia del Museo d'Arte Moderna, supremi arbitri del gusto e della storia della fotografia. Benché il museo fosse un grande sostenitore del lavoro di Evans, quello che risultò il più perfetto rappresentante dell'essenza della fotografia documentaria fu un francese che aveva operato nei primi decenni del secolo, Eugène Atget (1856-1927).

Le fotografie di Atget erano state commissionate, come quelle di Evans, nell'ambito di varie ricerche: dalla Biblioteca Municipale di Parigi, da società antiquarie francesi, da gruppi di costruttori e così via. Ma, sempre come Evans, il lavoro di Atget era strettamente legato a una sensibilità estetica che andava al di là della sociologia e che lo collocava saldamente nel gusto dell'arte contemporanea. Fotografie come *Esposizione di fototessere, Savannah* **[3]** di Evans, con

2 • Walker Evans, *Case, Atlanta, Georgia*, 1936
Stampa alla gelatina d'argento

▲ 1959d

3 • Walker Evans, *Esposizione di fototessere, Savannah*, 1936
Stampa alla gelatina d'argento

la cui coerenza rifletta l'unità organica di una singola persona e l'intenzionalità concentrata di una coscienza individuale. Il motivo per cui il Museo d'Arte Moderna era determinato a farlo era che negli anni Sessanta e Settanta la stessa idea di "autore" fotografico era stata lanciata attraverso la formula di Evans dello "stile documentario", oramai considerato come l'essenza dell'*arte* fotografica. Per comprendere questo fenomeno, è necessario tenere a mente due concetti (contraddittori): l'idea della totale trasparenza della fotografia documentaria rispetto al suo referente o contenuto – un contenuto con cui essa non interferisce in nessun modo – e l'idea di stile come registrazione del temperamento dell'artista, della sua visione, della sua coscienza formale. Ma bisogna anche considerare che esiste un piano sul quale la contraddizione può essere risolta ed è quello della stessa macchina fotografica, o meglio della superficie di vetro sulla quale, in una reflex, l'immagine sulla lente viene rispecchiata perché il fotografo possa vederla; è là che la foto viene visualizzata prima di lasciare il mondo reale da cui si "stacca" per entrare nell'altra realtà, appiattita, dell'"immagine". È proprio questa differenza tra il mondo della materia e quello dell'immagine che il fotografo vede nello specchio della reflex, a fornire al fotografo una distanza ironica, ponendolo in una relazione "di secondo grado" con la realtà che può registrare nelle fotografie stesse. Questa registrazione, sia pure così sottile, penetra nell'opera come stile.

4 • Eugène Atget, *Café "Au Tambour", Quai de la Tournelle*, 1908
Stampa alla gelatina d'argento (virata in seppia)

le sue file di foto a contatto attaccate a una vetrina di negozio, che diventa sinonimo della superficie della fotografia stessa, e con la scritta STUDIO che sprigiona una forza che non ha pari in nessun collage cubista, erano viste come autoriflessività modernista più che documento. Se era possibile trovare tale autoreferenzialità in Evans, era ancora più facile rintracciarla in Atget. Le sue facciate di caffè parigini danno l'impressione di essere brillanti esercizi modernisti, fotografate come sono frontalmente, in modo che il corpo di Atget, in piedi vicino alla macchina fotografica e coperto dal telo, si rifletta nel vetro della porta nel momento esatto in cui la faccia curiosa del proprietario del locale buca la stessa superficie, simile a uno specchio per posarsi magicamente sul corpo del fotografo, fondendo in un unico piano lo spazio davanti con quello dietro **[4]**.

Atget fu infatti "adottato" da tutti i tipi di movimenti modernisti dagli anni Venti in poi. I suoi montaggi "trovati" di riflessi sui vetri ▲ furono surrealisti per i surrealisti; per gli artisti tedeschi della Nuova oggettività le sue "accumulazioni" del mercato delle pulci furono immagini della vita seriale della merce; i suoi limpidi giardini furono paesaggi sublimi per gli stili americani sviluppati a partire dal Precisionismo come forma della "fotografia diretta" che ● comprendeva Paul Strand, Edward Weston (1886-1958) e lo stesso Ansel Adams che aveva accusato Stryker di sociologismo.

Di fatto c'erano talmente tanti Atget da scoprire attraverso gli ottomila negativi da lui prodotti, che sarebbe difficile inquadrarli in quel tipo di opera generalmente associata a un autore specifico,

▲ 1929 ● 1916b

5 • Walker Evans, *Acciaierie e case operaie, Birmingham*, 1936
Stampa alla gelatina d'argento

Lo stile di Evans è costruito a partire da questo secondo grado. Il cartellone pubblicitario sul bordo della strada, tenuto rigorosamente parallelo alla superficie della fotografia in modo che solamente una stretta striscia di paesaggio possa fare capolino da dietro ai bordi, contrappone la resa illusionistica dell'interno di un appartamento sul cartellone ai dati del mondo reale ora appiattiti dalla macchina fotografica, dando così l'impressione che realtà e illusione si siano scambiate di posto e trasformando la stessa realtà in simulacro. Oppure, nelle sue facciate di case gemelle, inespressive, appiattite da un'illuminazione cruda che sembra mutarle in disegno, il senso della loro esistenza come "duplicati" o mere copie non si limita a reiterare ▲ questa sensibilità al simulacro, ma la lega anche alla natura seriale e ripetitiva propria della fotografia. La frontalità e l'appiattimento, così frequenti nell'opera di Evans, trasformano insomma persino le acciaierie e le case degli operai di una città industriale in una pura "fotografia", irreale e perturbante **[5]**.

Ma queste caratteristiche dello *stile* di Evans – personale, inconfondibile, originale – si trovano sparse in tutto il materiale fotografico della FSA. Si possono trovare, ad esempio, nelle facciate vuote e ritmiche delle capanne dei coloni di Arthur Rothstein, con il loro squallido tavolato su cui la luce imprime motivi eleganti, o nelle pile parallele di riviste in *Newsstand* di John Vachon, con le loro ordinate ripetizioni delle stesse copertine. E quando Alan Tretchenberg richiamò l'attenzione sullo sradicamento della natura da parte della tecnica come "tema dominante" dell'archivio FSA, non desiderava certo indicare Evans come "autore" dell'archivio – ma neppure Stryker, diversamente da quanto stanno facendo oggi alcuni suoi allievi. Era piuttosto un tentativo di disperdere l'istanza autorale nell'incrocio tra il campo d'azione dell'indagine e la specificità del mezzo fotografico in un dato momento storico.

La morte dell'autore

Questa spersonalizzazione della stessa idea di autore viene utilizzata, come è facile immaginare, anche in alcune valutazioni critiche sul lavoro di Atget. Il desiderio del Museo d'Arte Moderna di unificare la sua gigantesca produzione intorno a una singola istanza autorale ha coinciso storicamente con l'improvvisa emersione, negli anni Sessanta, della fotografia come un tipo di opera d'arte esclusivo e da collezione, ma anche con la "morte dell'autore" di matrice strutturalista. L'istituzione di una "funzione autorale" o di un "effetto autorale" al posto di un soggetto originario, la dispersione di un simile soggetto nel labirinto di uno spazio testuale le cui mille voci già scritte, già sentite, sono semplicemente citate dal supposto autore, tutto questo conduce a un'idea di autoralità come effetto dello spazio di una molteplicità di archivi, o di discorsi, come ▲ direbbe Michel Foucault. Per la critica strutturalista, quindi, il vero Atget è semplicemente un effetto autorale, la cui fonte frammentata sono i molteplici archivi per i quali ha lavorato. RK

ULTERIORI LETTURE:

James Agee e Walker Evans, *Sia lode ora a uomini di fama*, trad. it. Il Saggiatore, Milano 2002
Lawrence W. Levine e Alan Trachtenberg, *Documenting America, 1935-1943*, University of California Press, Berkley-Los Angeles 1988
Maria Morris Hambourg et al., *Walker Evans*, Princeton University Press, Princeton 2004
Molly Nesbit, *Atget's Seve Albums*, Yale University Press, New Heaven-London 1992
John Szarkowski, *Atget*, Museum of Modern Art, New York 2000
Roy E. Stryker e Nancy Wood, *In This Proud Land: America 1935-1943 As Seen in the FSA Photographs*, New York Graphic Society, Greenwich (Conn.) 1973

▲ 1977a, 1980

▲ 1971, 1977a, 1980, 1997, 2009b, 2010b

1937a

Le potenze europee competono tra di loro nei padiglioni nazionali di arte, commercio e propaganda all'Esposizione Universale di Parigi, mentre i nazisti aprono a Monaco la mostra *Arte degenerata*, una pesante condanna dell'arte modernista.

Il 19 luglio 1937 aprì la mostra *Arte degenerata* nella base culturale del nazismo a Monaco: il giorno prima Hitler aveva inaugurato *La grande arte tedesca* nella gigantesca nuova Casa dell'Arte Tedesca dall'altra parte della strada. I nazisti consideravano le due mostre come dimostrazioni complementari dei tipi razziali e delle motivazioni politiche in arte. La prima avrebbe dovuto rappresentare la degenerazione dell'arte modernista intrinsecamente ebrea e bolscevica, la seconda la purezza dell'arte tedesca intrinsecamente ariana e nazionalsocialista ▲ (paradossalmente solo sei dei 112 artisti di *Arte degenerata* erano ebrei). Secondo il ministro della propaganda Joseph Goebbels l'arte degenerata "insulta la sensibilità tedesca, distrugge o confonde la forma naturale, o rivela l'assenza di un'adeguata abilità manuale e artistica". L'arte nazista era invece presentata come la sua antitesi: arcinazionalista nei contenuti, esaltava la "sensibilità tedesca", ipertradizionalista nello stile, rivestiva la "forma naturale" di una guaina neoclassica, come nelle figure muscolose dei suoi più noti scultori, Arno Breker (1900-91) e Josef Thorak (1889-1952). In larga misura, quindi, l'estetica nazista dava un'immagine paranoide dell'arte modernista e vi reagiva con la propria. Rigettava perciò l'arte dei "primitivi", dei bambini e dei folli, cui l'arte modernista fu associata in segno di condanna, oltre ad essere accusata di "oltraggio" alla religione, al mondo femminile e militare **[1]**.

1 • Sala n. 3 della mostra *Arte degenerata*, 1937, Monaco
Sono visibili le opere della parete sud, inclusa la parete Dada

▲ 1903, 1922

Quanto al pubblico, comunque, le due mostre non furono affatto complementari: *Arte degenerata* attrasse cinque volte più gente di *La grande arte tedesca* – due milioni nella sola Monaco e quasi un altro milione durante il tour in tredici città tedesche e austriache nei tre anni successivi. A tutt'oggi resta la mostra d'arte modernista più visitata ed è un dato che risulta profondamente ambiguo: se le opere erano così repellenti, perché attraevano tante persone? La risposta più "popolare" all'arte modernista era il disprezzo generato dal risentimento? Era presente un genere di pubblico alternativo, se non sovversivo, che apprezzava segretamente l'arte in mostra? La mostra fu solo uno degli eventi tra le molte esposizioni antimoderniste, i film antisemiti, i roghi di libri e così via. Ancora, *Arte degenerata* esponeva solo 650 delle 16 mila opere moderniste confiscate nel solo 1937 in trentadue musei pubblici, di cui la maggior parte finirono bruciate, "perdute" o vendute pronta cassa – una provenienza che molte collezioni del mondo intero ancora fanno fatica ad ammettere. Per quanto infame, dunque, la mostra fu solo un singolo episodio di una lunga guerra alla cultura modernista, una purga totale attuata in ▲ più riprese: nel 1933 i nazisti chiusero il Bauhaus, nel 1935 Hitler ordinò lo sradicamento dell'arte modernista nel suo insieme, nel 1936 Goebbels bandì la critica d'arte non nazista e così via. A tanto arriva la penetrazione culturale di uno stato totalitario e tale fu l'importanza politica dell'antimodernismo sotto il regime nazista.

2 • Xanti Schawinsky, *1934 - Anno XII dell'Era fascista*, 1934
Poster, 95,7 x 71,8 cm

Politiche del corpo

Secondo lo storico dell'arte russa Igor Golomstock, diversi principi governavano le politiche artistiche dei regimi totalitari del periodo compreso tra le due guerre: l'arte veniva trattata come un'arma ● ideologica, lo stato aveva il monopolio sulle istituzioni culturali, il movimento artistico più conservatore diventava quello ufficiale e gli altri stili venivano condannati. Ci sono eccezioni a queste regole, soprattutto alle ultime due, in particolare sotto il regime di Mussolini. Il modernismo era aborrito per molti aspetti, ma non sempre, perché andava contro le tradizioni e la borghesia. In un primo tempo Mussolini aveva abbracciato il Futurismo per la sua ideologia della distruzione e tutti questi regimi tentarono di sostituire i vecchi legami di cultura e classe sociale con nuove identificazioni con il leader, il partito e lo stato. In ogni caso, nessun regime poteva tollerare le deformazioni operate dai modernisti sul corpo. I nazisti, ad esempio, condannarono l'Espressionismo, nonostante fosse "tedesco", in modo più violento che non l'astrattismo, che ritenevano "bolscevico". In generale, l'arte modernista era pericolosa perché privilegiava l'individuo in termini di visione originale, stile singolare, redenzione personale e così via. Ancora di più delle deformazioni, questo "soggettivismo" andava contro le esigenze corporative dei regimi, cioè la necessità di vincolare le masse psichicamente e quasi fisicamente al leader, al partito e allo stato **[2]**. In questo schema il corpo individuale poteva solamente simboleggiare la politica del corpo ed era per lo più immaginato come fobicamente intatto, fallicamente aggressivo, come in *Prontezza* di Breker **[3]**, una figura allegorica del militarismo nazista.

Da una parte, ogni cultura totalitaria doveva rappresentare il proprio regime politico con i suoi simboli specifici: la svastica teutonica recuperata da Hitler per la sua bandiera nazista o gli antichi fasci dei legislatori romani recuperati dai fascisti italiani come simbolo del partito. Dall'altra, doveva rappresentare questo regime come non specifico, sovrastorico, quasi trascendentale: da qui l'uso generalizzato di un neoclassicismo monumentale. In questo ritorno al classicismo, annota Golomstock, l'antica gerarchia accademica dei generi fu riesumata sotto nuove forme: il ritratto reale diventò il ritratto del capo del partito, conservando la sua "tendenza alla deificazione"; la pittura di storia divenne "il soggetto storico-rivoluzionario", conservando la tendenza alla mitizzazione di capi, martiri del partito (se nazisti o fascisti) o lavoratori (se stalinisti) descritti come "creatori della storia"; la pittura di genere diventò una descrizione del lavoro come "una fiera lotta o una festa gioiosa"; la pittura di paesaggio venne trattata "come immagine della terra dei padri [...] o come arena delle trasformazioni sociali – il cosiddetto 'paesaggio industriale'". I dipinti "storico-rivoluzionari" erano i più penalizzati, perché dovevano far fronte a un'altra contraddizione: la storia della nazione doveva essere raccontata, ma la sua epoca gloriosa cominciava soltanto con il regime totalitario; in questa prospettiva ristretta gli eroi migliori, cioè i più sicuri, erano allegorici o morti. L'allegoria e il culto della morte prevalse anche nell'architettura totalitaria.

La parola "totalitario" tuttavia confonde più di quanto non chiarisca. Politicamente tralascia il fatto fondamentale che il nazismo e il

▲ 1923 ● 1909, 1934a

3 • Arno Breker, *Prontezza*, Berlino, 1939
Bronzo, h. 320 cm

fascismo (niente affatto identici) combattevano con forza il comunismo. Sul piano artistico, i neoclassicismi dei tre regimi erano differenti come i tre regimi di cui erano al servizio. I nazisti elaborarono un neoclassicismo potente che poneva la Germania ariana come erede dell'antica Grecia, mentre i fascisti ne produssero uno elegante che rendesse l'immagine dell'Italia fascista come moderno revival dell'antica Roma. L'accademismo kitsch dell'Unione Sovietica era ancora diverso: il suo Realismo socialista, non vincolato ad antiche mitologie delle origini, era incentrato sull'ideologia del ▲ presente, secondo il commissario alla cultura Andrej Ždanov, "per educare i lavoratori nello spirito del comunismo".

Anche l'intensità dell'antimodernismo variava da regime a regime. Mussolini lasciava che alcune forme di modernismo (dall'arte futurista all'architettura razionalista) coesistessero, o addirittura si combinassero, con le forme più reazionarie. In questo modo, come ha sostenuto il critico americano Jeffrey Schnapp, il fascismo utilizzava la "sovrapproduzione estetica" per mascherare l'instabilità ideologica. Lo stesso Stalin, nonostante avesse soppresso il Costruttivismo, si era poi avvalso della collabo- ▲ razione di alcuni dei suoi esponenti, come Rodčenko e Lisickij. (La tesi recente del critico russo Boris Groys, secondo la quale Stalin sarebbe stato l'incarnazione del costruttivista ingegnere della cultura, è riduttiva, o per meglio dire intrinsecamente antimodernista). L'antimodernismo dei nazisti era più radicale, ma anche loro combinavano forme rituali ataviche (come i congressi del partito con le coreografie di Albert Speer [1905-81] al Nuremberg Zeppenfeld) con l'utilizzazione dei mezzi più avanzati (ad esempio *Il trionfo della volontà* di Leni Riefenstahl [1902-2003] per il congresso del 1934, la "Nascita di una nazione" nazista). In maniere differenti, quindi, tutti e tre i regimi mischiavano elementi modernisti e reazionari. Laddove venivano attratti dal modernismo per la sua trasgressione della cultura borghese, erano poi respinti dalla sua alienazione delle masse; sebbene sfruttassero con entusiasmo gli effetti manipolatori dagli spettacoli dei media, sacrificavano con riluttanza i fondamenti comunitari della cultura arcaica.

Alcuni di questi conflitti e contraddizioni vennero a galla durante l'Esposizione Universale di Parigi, che inaugurò nel maggio 1937 sotto il governo di Léon Blum, formato dai socialisti e dai comunisti del Fronte Popolare alleati contro il fascismo. Comprendendo diverse mostre d'arte e molti padiglioni nazionali, il sito dell'Esposizione si estendeva dall'Hôtel des Invalides fino al Trocadéro, al di là della Senna, con la Tour Eiffel al centro. Alcuni padiglioni esponevano oggetti di arte applicata, altri mettevano in primo piano dei fotomontaggi-racconti delle nazioni, altri univano le due cose. Benché fosse intesa come una fiera internazionale votata alla pace (c'era persino una Torre della Pace nel settore nord), l'Esposizione Universale era dominata da una guerra culturale che stava per prendere la forma militare. D'altronde la guerra civile spagnola, che inaspriva ulteriormente i • conflitti all'Esposizione, era già in pieno svolgimento.

Lo scontro centrale ebbe luogo sulla Rive droite, all'altezza del Pont d'Iéna **[4]**, dove il padiglione sovietico, disegnato da Boris Iofan (1891-1976), uno dei principali architetti staliniani, fronteggiava il padiglione tedesco, progettato da Albert Speer, l'architetto della hubris hitleriana. Nelle sue *Memorie del Terzo Reich* (1970) Speer rivelò che uno schizzo segreto del padiglione sovietico aveva influenzato il suo progetto: "Due figure scolpite alte trentatré metri, poste su un alto piedistallo, avanzavano trionfalmente verso il padiglione tedesco. Allora disegnai una massa cubica, a sua volta sostenuta da grossi pilastri, che sembrava respingere l'attacco, mentre dalla cornice della mia torre un'aquila con una svastica negli artigli guardava in basso verso le sculture russe. Ricevetti una medaglia d'oro per l'edificio, e così pure il mio collega sovietico".

▲ 1934a

▲ 1921b, 1926, 1928a, 1928b • 1937c

4 • Dettagli dei padiglioni nazista (in alto a sinistra), sovietico (in alto a destra) e italiano (in basso) all'Esposizione Universale di Parigi, 1937

Come si evince dalle parole di Speer, i due padiglioni erano egualmente considerati mezzi di propaganda, ma le somiglianze finiscono qui. La struttura sovietica serviva da piedistallo cinetico che spingeva in avanti le due statue *L'operaio e la contadina kolkoziana* di Vera Mukhina (1889-1953), come alla ribalta del mondo e ▲ della storia. Incarnazioni del proletariato e nuovi eroi della storia, queste figure allegoriche rappresentavano l'Unione Sovietica di Stalin e i suoi rigidi Piani quinquennali per industrializzare la produzione e collettivizzare l'agricoltura. Il padiglione era caratterizzato da un'ascesa dinamica culminante nell'unione di falce e martello, gli emblemi comunisti dell'agricoltura e dell'industria. Come scrive Speer, questa avanzata veniva comunque fermata dal padiglione tedesco, un opprimente tempio al potere imperiale che annunciava un concetto completamente diverso della storia e della nazione; per segnalare solo la cosa più ovvia: i suoi elementi culminanti erano simboli del partito, non figure del lavoro.

Anche se la sua struttura d'acciaio potrebbe sembrare moderna, questo padiglione era rivestito di pietra calcarea tedesca, per non parlare delle piastrelle a forma di svastica in rosso e oro incastrate tra i pilastri. Benché la sua facciata spoglia possa apparire moderna, in realtà era solo un modo di "purificare" il riferimento classico delle colonne e della trabeazione. Il padiglione era di fatto un pastiche tipologico travestito da monumento puro e se la torre alludeva a un tempio classico, la sala delle esposizioni assomigliava piuttosto a una chiesa medievale, nella cui "abside" era situata la Casa dell'Arte Tedesca, una specie di mausoleo disegnato da Paul Troost (1878-1934), l'architetto capo del regime prima di Speer scomparso da qualche anno: un "altare" molto appropriato a questa architettura funerea, giacché la posta in gioco che sta dietro queste allusioni storiche è l'arrogante ambizione di sussumere la storia, se non di trascenderla. Questa ambizione era programmatica. Speer e Hitler, un mancato artista e un architetto dilettante, concepirono una "teoria delle rovine", secondo la quale gli edifici nazisti (come la gargantuesca Grande Hall progettata da Speer per la nuova Berlino commissionatagli da Hitler) dovevano essere costruiti per durare ben oltre il millennio del Reich millenario, in modo da incutere alla posterità un sublime terrore di fronte alle sue gloriose rovine. Già "morta" nel suo neoclassicismo, questa estetica mirava dunque a dominare il tempo dopo la morte, a trasformare il tempo in uno spettacolo di dominio. Forse era ▲ questo che Walter Benjamin aveva in mente nella chiusura del suo noto saggio sulla nuova "umanità" modellata da questo genere di spettacoli: "La sua autoalienazione ha raggiunto un tale grado da potere vivere la propria distruzione come un grande spettacolo".

Una risposta modernista

All'interno di questa guerra tra padiglioni si svolgeva anche una battaglia di figure. Prevalentemente scomparsa nell'arte modernista dei primi due decenni del secolo, la figura umana tornò ad essere ● utilizzata a pieno titolo con il *rappel à l'ordre* degli anni Venti e Trenta – non solo nell'arte reazionaria, ma anche nelle politiche antidemocratiche, in cui diventò imperativa l'identificazione con il corpo del leader, con il partito e con lo Stato. Figure come l'Operaio sovietico o la Contadina non erano affatto realistiche: erano modelli allegorici del cameratismo e dell'eguaglianza nel lavoro sotto il comunismo. Non meno allegorici, i *Gruppi monumentali* di Thorak posti accanto al padiglione tedesco trasmettevano il messaggio opposto: questi trii composti da un uomo e due donne nudi sottolineavano la differenza sessuale. Un'insistenza che rispecchiava la rigida divisione della società nazista nel suo complesso, cui però è anche possibile riconoscere una valenza psichica, come se il fallico ego corporeo dell'ideale maschile nazista richiedesse un *altro* "femminile" da aggredire, un *altro* rappresentato altrimenti da ebrei, bolscevichi, omosessuali, zingari, eccetera.

Le statue italiane schierate sulla Senna erano differenti. Queste rappresentazioni togate delle varie corporazioni avevano la funzione di connettere lo Stato fascista all'antica Roma (come del resto il padiglione italiano). Ma più che riportare in vita il passato, avevano l'effetto di pietrificare il presente e trasformavano la mitica storia d'Italia in una festa in costume molto kitsch. Ancora diverse erano le fotografie di due donne (il cambio di medium è significativo) ■ all'esterno delle mostre di fotomontaggi nel padiglione spagnolo,

▲ 1914, 1921b

▲ 1935 ● 1919 ■ 1937c

5 • Pablo Picasso, *Guernica*, 1937
Olio su tela, 349 x 777 cm

che era sotto il controllo del governo repubblicano del Fronte Popolare. La donna sulla sinistra, infagottata nel tradizionale costume di Salamanca, se ne sta muta e severa, come se fosse oppressa dal suo stato di feticcio folkloristico, mentre la donna a destra, riprodotta più grande che dal vivo, avanza a grandi passi verso di noi in uniforme militare con la bocca aperta in un grido o una canzone. Metaforicamente è una metamorfosi: la farfalla militante della resistenza repubblicana nasce dal bozzolo della tradizione nazionalista, come recita la didascalia: "Liberandosi dai lacci della superstizione e della miseria, dalla schiava antichissima è nata LA DONNA, in grado di partecipare attivamente allo sviluppo del futuro". A differenza delle figure fasciste, si disfa del passato in nome di un futuro liberato e lo fa, differentemente dalle statue sovietiche, con una precisione fotografica che rende la sua lotta reale.

Ed era reale. Nel febbraio del 1936 il Fronte Popolare aveva vinto le elezioni in Spagna; a luglio, il generale Francisco Franco aveva guidato una rivolta dell'esercito ed erano seguiti tre anni di guerra civile tra i nazionalisti (soprattutto l'esercito, la chiesa e gli industriali) e i repubblicani (socialisti, comunisti, anarchici e liberali, sostenuti da baschi e catalani). Hitler e Mussolini aiutarono attivamente i nazionalisti, mentre Stalin sostenne i repubblicani con poca energia. Era questo, dunque, il campo di battaglia dietro la donna militante nel padiglione, un padiglione che legava la resistenza democratica e l'arte modernista a più livelli. L'edificio, una struttura alla Le Corbusier progettata da Josep Lluís Sert (1902-83), era modernista, così come le opere che conteneva, due quadri di protesta a sostegno della causa repubblicana: *Il contadino catalano in rivolta* di Miró e *Guernica* di Picasso, il pezzo forte della mostra **[5]**.

Il 26 aprile 1937 la Legione Condor della Luftwaffe aveva bombardato la città basca di Guernica. Picasso, che un anno prima era diventato il direttore simbolico del Prado di Madrid, dipinse ▲ *Guernica* in sei settimane, con motivi e forme del suo lavoro cubista-surrealista di quel periodo. Il dipinto mostra quattro donne nel panico: una cade da una casa in fiamme, altre due scappano stravolte dalla paura, l'ultima tiene in braccio il suo bimbo morto e urla. Un soldato a pezzi giace a terra, mentre un cavallo nitrisce disperato e un toro ci guarda negli occhi. Gli animali alludono alla bestialità del bombardamento, ma in questo mondo alla rovescia possiedono anche un'umanità di cui gli esseri umani sembrano sprovvisti. Picasso mette insieme tutti questi frammenti con una composizione piramidale delle figure e un calibrato accostamento di bianchi, neri e grigi. Ma il colpo di genio è di trasformare le stesse invenzioni della frammentazione cubista e della distorsione surrealista in un'espressione di sdegno: è l'arte modernista al servizio della realtà politica. Risposta al bombardamento nazista e replica all'accusa dei nazionalisti che i repubblicani avevano contaminato "i tesori artistici" della Spagna, *Guernica* è anche una sfida alle storie mitiche dei regimi totalitari e respinge la convinzione reazionaria secondo cui l'arte politica può essere solo il Realismo socialista e l'arte modernista non può essere pubblica. Il modernismo è qui riconciliato con la referenzialità, la responsabilità e la resistenza. "L'ha fatto lei?", domandò a Picasso un ufficiale nazista davanti a *Guernica*. "No", sembra che abbia risposto Picasso, "l'avete fatto voi". HF

ULTERIORI LETTURE:

Dawn Ades e Tim Benton (a cura di), *Art and Power: Europe Under the Dictators 1939-1945*, Thames & Hudson, London 1995

Stephanie Barron (a cura di), *"Degenerate Art": The Fate of the Avant-Garde in Nazi Germany*, Los Angeles County Museum of Art, Los Angeles 1991

Igor Golomstock, *Arte totalitaria nella Russia di Stalin, nella Germania di Hitler, nell'Italia di Mussolini, nella Cina di Mao*, trad. it. Leonardo, Milano 1990

Boris Groys, *Lo stalinismo ovvero l'opera d'arte totale*, trad. it. Garzanti, Milano 1992

Eric Michaud, *The Cult of Art in Nazi Germany*, Stanford University Press, Palo Alto 2004

Jeffrey Schnapp, *Mussolini e l'opera d'arte di massa*, trad. it. Garzanti, Milano 1996

▲ 1937c

1937b

Naum Gabo, Ben Nicholson e Leslie Martin pubblicano a Londra *Circle*, consolidando l'istituzionalizzazione dell'astrattismo geometrico.

Circle: International Survey of Constructive Art, pubblicato dallo scultore russo Naum Gabo (1890-1977), dal pittore inglese Ben Nicholson (1894-1982) e dall'architetto Leslie Martin (1908-2000), il cui primo numero è uscito contemporaneamente alla mostra *Arte costruttiva* alla London Gallery nel luglio 1937, è un documento straordinario. Può essere letto in due modi opposti: come l'ultimo rantolo dell'utopismo che caratterizzava le avanguardie storiche degli anni Venti o come il primo passo verso quella che si può definire la loro cooptazione e istituzionalizzazione. Vale la pena di esaminare in dettaglio il contenuto e la composizione di questo volume – che in principio doveva essere un giornale, ma poi prese la forma di un almanacco unico molto voluminoso.

1930–1939

La grafica è decisamente poco appariscente, con il suo tradizionale raggruppamento di tavole fuori testo e la veste tipografica tradizionale. Questa chiara demarcazione tra testo e immagine rispecchia la stretta aderenza alla classica divisione delle pratiche artistiche nell'organizzazione del volume: le prime tre sezioni sono consacrate rispettivamente alla pittura, alla scultura e all'architettura, illustrate con una sottolineatura della continuità storica all'interno di ciascuna disciplina, mescolando le opere della prima generazione dei pionieri dell'"arte costruttiva" con quelle degli artisti e degli architetti contemporanei (perlopiù inglesi).

Solo la quarta e ultima sezione, dal titolo "Arte e vita", trasmette il senso di aperta interdisciplinarietà che aveva costituito la lingua franca delle piccole pubblicazioni dell'avanguardia che *Circle* imitava o a cui in ogni caso reagiva, ma la scarsezza di illustrazioni in questa sezione sembra indicare che i curatori la ritenessero meno importante delle altre tre. La compongono testi su argomenti senza alcun legame: educazione artistica (scritto ▲ dall'ex-direttore del Bauhaus Walter Gropius), coreografia (della ● star dei Balletti russi Léonide Massine), "pittura di luce" (di László Moholy-Nagy, che viveva a Londra dal 1935 ma sarebbe stato ■ nominato direttore del nuovo Bauhaus di Chicago qualche settimana dopo la pubblicazione di *Circle*), tipografia (di Jan ◆ Tschichold, che all'epoca era ancora un ardente partigiano della concezione costruttivista del libro di El Lisickij), "biotecnica" (dell'architetto ceco Karel Honzik, che proponeva con questo titolo un confronto del tutto inoffensivo tra le forme geometriche incontrate in natura e i principi strutturali del funzionalismo architettonico – una pallida imitazione del notissimo *Forme primarie dell'arte* di Karl Blossfeldt, la cui prima edizione inglese risale al 1929) e infine "morte del monumento" (dello storico americano Lewis Mumford). Se non fu fatto nessun tentativo di trovare un comun denominatore tra i contributi di questo pot-pourri, forse è perché i curatori di *Circle* pensavano che il compito fosse stato assolto dal breve editoriale non firmato e dal lungo saggio di Gabo posto ad apertura del volume, *L'idea costruttiva in arte.*

Dati i pericoli incombenti sull'orizzonte politico – evidenziati dallo scontro tra i padiglioni tedesco e sovietico all'Esposizione ▲ Universale del 1937, inaugurata poco prima a Parigi – l'editoriale non firmato del volume appare, col senno di poi, straordinariamente ingenuo nel suo sfacciato ottimismo. "Una nuova unità culturale sta lentamente emergendo dai cambiamenti fondamentali che hanno luogo nella nostra civiltà", attacca il breve testo. *Circle* non è un manifesto, ci viene detto: il suo obbiettivo è quello di far circolare le informazioni tra coloro che lavorano in diversi paesi coltivando "il filone costruttivo nell'arte contemporanea" e di evitare qualunque "dipendenza da imprese private" per raggiungere direttamente il pubblico. L'editoriale si conclude con questa affermazione: "Speriamo di riuscire a isolare una base comune e di rendere evidente non solo la relazione tra un'opera e l'altra, ma tra questa forma d'arte e l'ordine sociale complessivo". Pur riconoscendo che gli sforzi di *Circle* vengono dopo un secolo di rivoluzioni che "non hanno risparmiato nulla nell'edificio della cultura costruito nelle epoche passate", Gabo afferma tuttavia: "Per quanto a lungo e a fondo questo processo possa andare nella sua distruzione materiale, non può più privarci del nostro ottimismo riguardo al risultato finale, perché vediamo chiaramente che nel regno delle idee stiamo entrando nel periodo della ricostruzione".

"Ordine sociale", "periodo di ricostruzione": il linguaggio è ● quello del "ritorno all'ordine" fiorito dopo la Prima guerra mondiale, nella versione modernista propugnata da Le Corbusier ■ in *L'Esprit Nouveau*. Quasi a sottolineare questa eredità, *Circle* ospita l'intervento dell'architetto in una famosa conferenza pubblica alla Maison de la Culture di Parigi, sotto l'egida del Partito comunista (*La quérelle del realismo*), dove esibisce il solito elogio della macchina, presa di posizione ribadita in *Lo stato di*

▲ 1923 ● 1919 ■ 1929, 1947a ◆ 1926, 1928b

▲ 1937a ● 1919 ■ 1925a

transizione di Leslie Martin, nella sezione architettonica del libro. Così come il Purismo di Le Corbusier era una reazione all'"eccesso" analitico del Cubismo, Gabo ritiene che il compito dell'artista "costruttivo" sia quello di ricostruire dopo la *tabula rasa* creata dall'"esplosione rivoluzionaria" cubista. Secondo lui, la funzione critica dell'arte d'avanguardia (soprattutto del Dadaismo) appartiene al passato:

> *La logica della vita non tollera rivoluzioni permanenti. [...] L'idea costruttiva non pretende che l'arte abbia una funzione critica, anche quando questa sia diretta contro il lato negativo della vita. A che serve mostrare ciò che è male senza rivelare ciò che è bene?*

Infine, come prima di lui aveva fatto Le Corbusier in *Dopo il Cubismo* del 1918, Gabo fa ricorso a un parallelo tra arte e scienza per rafforzare la propria posizione. "Possiamo trovare un efficace supporto al nostro ottimismo nei due campi culturali dove la rivoluzione è stata più profonda, cioè nella scienza e nell'arte". Criticando il luogo comune sul Cubismo secondo cui questa nuova arte rappresentava un'"illustrazione" della teoria della relatività di Einstein, Gabo diffida di qualunque analogia pseudomorfica tra i prodotti dell'arte e quelli della scienza (curiosamente l'unico scienziato che intervenne su *Circle*, J. D. Bernal, era caduto proprio in questa trappola nel suo saggio *L'arte e lo scienziato*). L'arte e la scienza non devono essere legate in maniera diretta, ma condividono una comune "visione del mondo" e una ricerca delle "leggi universali". La principale differenza tra le posizioni di Gabo e Le Corbusier su questo argomento riguarda lo stile che ognuno dei due considera più adatto a esprimere queste "leggi universali". Sia l'uno che l'altro sostenevano la necessità di un nuovo umanismo codificato in forme geometriche, ma mentre il primo rivendicava l'antropomorfismo in arte, Gabo faceva dell'astrattismo geometrico la "pietra miliare" del suo programma: "[L'idea costruttiva] ha rivelato la legge universale che elementi delle arti visive come linee, colori e forme posseggono una forza espressiva intrinseca indipendente da qualunque associazione con le apparenze del mondo esterno [e] che la loro vita e il loro campo di azione sono fenomeni psicologici autoindotti radicati nella natura umana".

La vaghezza di questo programma diventa ancor più evidente nella scelta dei dipinti e delle sculture contemporanei riprodotti in *Circle*. Oltre all'antologia di opere dei pionieri nominati sopra (Arp, Brancusi, Braque, Mondrian, Duchamp, El Lisickij, Gabo, Gris, Léger, Kandinskij, Klee, Malevič, Meduneckij, Moholy-Nagy, Pevsner, Picasso, Taeuber-Arp e Tatlin), *Circle* offre un panorama eclettico della produzione della seconda generazione di artisti astratti, che lavoravano secondo i parametri stabiliti dai loro predecessori. Come nel caso di *Cercle et Carré* e di *Abstraction-Création*, che apparvero a Parigi nel 1930 e nel 1932 e che, come *Circle*, erano utilizzati come piattaforme per organizzare mostre, la gran parte dell'arte recente riprodotta da Gabo e dai suoi accoliti rappresenta una versione addomesticata e accademica dell'astrazione geometrica che non ha altre caratteristiche programmatiche se non quella di essere "non-oggettiva", secondo l'espressione del tempo.

I dipinti sono abbastanza eterogenei – le composizioni postmaleviciane del tedesco Friedrich Vordemberge-Gildewart (1899-1962)

1 • Ben Nicholson, *1934 (rilievo)*, 1934
Olio su cartone modellato, 71,8 x 96,5 cm

hanno poco in comune con gli ovoidi dello svizzero Hans Erni (1909-2015), i volumi chiassosi e interconnessi dell'inglese John Piper (1903-92) non rassomigliano affatto alla calma contrapposizione del quadrato e del cerchio nei bianchi rilievi di Ben Nicholson **[1]**, né alle forme fluttuanti del francese Jean Hélion (1904-87) **[2]**. In ogni caso sono tutti figurativi (nel senso che l'opposizione di figura e sfondo non è mai messa in questione e in ognuno di essi compaiono delle figure su uno sfondo neutrale). In più sembrano tutti fondati sull'assunto che il raggiungimento di un equilibrio tra le figure sia lo scopo principale dell'arte, se deve esprimere il genere di "legge universale" enunciata da Gabo. La formula permette di creare eleganti composizioni, ma può anche produrre opere facili, decorative. Pubblicizzato da *Circle* come la prova di una "nuova unità culturale" transnazionale, questo stile postcubista, la cui fondamentale scelta formale consiste in un atto di bilanciamento, stava davvero diventando uno stile internazionale e la rapidità della sua diffusione fu dovuta soprattutto al fatto che con esso l'astrazione aveva perso il suo mordente.

Benché meno eclettica nella scelta delle opere, la sezione dedicata alla scultura aveva gli stessi problemi. Con l'eccezione dei *mobile* di Alexander Calder, la maggior parte delle opere presentate ▲ erano scolpite e poste su piedistalli, visto che Barbara Hepworth e Henry Moore non avevano alcun dubbio sul concetto tradizionale di "monumento" stigmatizzato da Mumford nel suo contributo al volume. La presa di posizione più significativa è forse quella di Gabo, il cui saggio *Scultura: modellato e costruzione nello spazio* rappresenta un voltafaccia. Quando riproduce alcune sue opere • d'esordio, come *Scultura cinetica* del 1920, è per screditarle come meri esperimenti; quando sembra che si stia appropriando della teoria del suo ex-rivale Tatlin, secondo cui ogni forma va determi■nata a partire dalle caratteristiche del materiale, finisce per affermare il principio della forma "assoluta" (assoluta e dunque non contingentemente legata al materiale); riformula l'appello del suo *Manifesto realista* del 1920 per la costituzione dello spazio come materiale scultoreo, ma difende la possibilità, di segno opposto, della traduzione dei suoi volumi virtuali degli anni precedenti, fatti in plexiglas, in grandi sculture di pietra. Il testo si conclude con un'apologia della scultura come il più efficace simbolo di potere: loda quest'arte per avere fornito "alle masse dell'antico Egitto la fiducia e la certezza della verità e dell'onnipotenza del loro Re dei Re, il Sole", parole che avrebbero potuto ◆ scrivere Maillol o Breker.

Com'è facile immaginare, il grosso del lavoro successivo di Gabo consistette in modelli in scala di monumenti. Come ha notato Benjamin Buchloh, quando Gabo finalmente riuscì a realizzare uno di questi modelli in grande scala (la scultura piazzata di fronte al Bijenkorf a Rotterdam, completata nel 1957), la "discrepanza tra gli elementi strutturali e i materiali", evidente soprattutto "nella rete di bronzo che simula la tensione e la funzione strutturale", rappresentò un clamoroso tradimento del pensiero di Tatlin.

Arte "costruttiva" versus Costruttivismo

Gabo infatti non era un costruttivista (anche se definiva la propria arte "costruttiva"), benché abbia persuaso generazioni di storici dell'arte di essere un valido portavoce del movimento (incluso Alfred Barr, che legittimò la pretesa). Egli concepisce la scultura come l'incarnazione di un'idea razionale che possa fare appello direttamente alla mente dello spettatore ed essere letta come un'immagine della coscienza: attraverso la trasparenza del materiale (plexiglas) o la semplicità formale (simmetria, parabola) si dovrebbe avere accesso al nucleo centrale della scultura da cui si dipartono volumi e superfici. Questa concezione fondamentalmente figurativa della scultura è tutt'altra cosa dal Costruttivismo ▲ di Rodčenko e del gruppo Obmokhu, a cui si opponeva, e da • quello di Katarzyna Kobro, il cui atteggiamento antimonumentale costituisce il più forte rigetto della posizione di Gabo (e una critica di molta scultura modernista).

Ci sono due altre notevoli differenze tra il programma costruttivista e quello del *Circle*. La prima è che non esistono tracce della realtà politica nella pubblicazione inglese. Leggendo l'affermazione di Gabo che l'idea costruttiva non dovrebbe spingere "l'arte all'immediata costruzione di valori materiali nella vita" si potrebbe anche dire che è risolutamente apolitica. L'importantissima questione dei nuovi modi di produzione e distribuzione dell'arte, discussa accanitamente dalle avanguardie sovietiche, è completamente ignorata nelle pagine di *Circle*, dove l'unica allusione alla vita delle opere dopo che hanno lasciato lo studio dell'artista è un modesto riferimento ai mali della summenzionata "dipendenza dall'iniziativa dei privati": un chiaro indizio del fatto ■ che gli editori del giornale, forse pensando al fenomeno dell'Art déco, temevano che la loro arte potesse diventare semplice decorazione per le case borghesi.

La seconda differenza fondamentale tra un'idea "costruttiva" e un'arte costruttivista riguarda il problema della composizione. Per

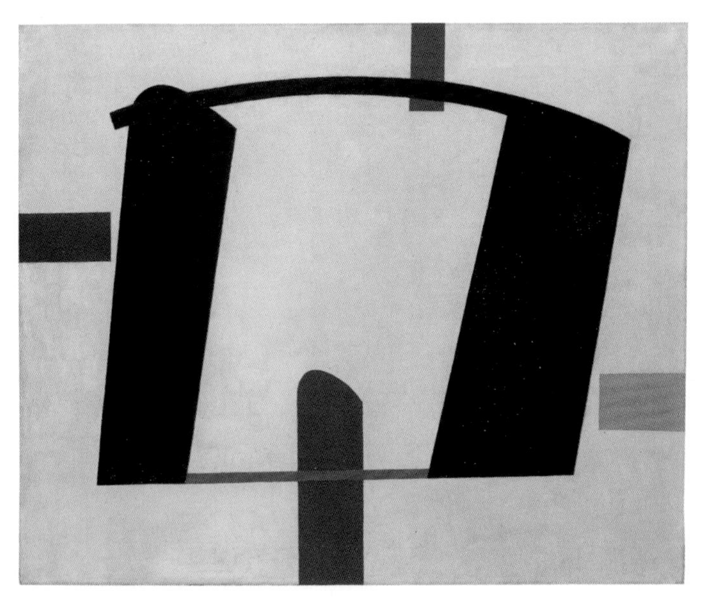

2 • Jean Hélion, *Equilibrio*, 1933
Olio su tela, 81 x 100 cm

▲ 1931b, 1934b • 1955b ■ 1914, 1921b ◆ 1900b, 1937a

▲ 1921b • 1928a ■ 1925a

i costruttivisti l'ordine tradizionale della composizione doveva essere rimosso ad ogni costo, perché sia l'arbitrarietà soggettiva delle scelte estetiche che suscitava, sia le vecchie convenzioni delle sue regole formali (equilibrio, gerarchia), erano ai loro occhi segni dell'ordine sociale autoritario del regime zarista e non avevano posto in una società rivoluzionaria. Facevano ogni sforzo per trovare modi in cui si potesse motivare l'organizzazione di un'opera d'arte in base alle proprietà del materiale e al procedimento utilizzato: è precisamente questa organizzazione "oggettiva", motivata (opposta alla composizione soggettiva e arbitraria) che essi ▲ chiamano costruzione. Se Gabo avesse partecipato al convegno del 1921 all'Inkhuk (a Mosca) in cui furono discusse queste problematiche, si sarebbe trovato senza dubbio nella minoranza perdente.

A sua difesa, comunque, bisognerebbe ricordare che nel 1937 la forte contrapposizione tra composizione e costruzione posta da Rodčenko e dal suo gruppo era completamente dimenticata. In più, fuori dalla Russia la reale possibilità di un'arte non compositiva aveva pochissimi sostenitori (e l'artista più esplicito in questo ● senso, Wladyslaw Strzeminski, era poco conosciuto in Occidente, anche se su *Abstraction-Création* comparivano regolarmente riproduzioni delle sue opere). Eppure una tendenza emergente avrebbe dovuto attrarre i direttori di *Circle*, specialmente Gabo, vista la sua fissazione per la convergenza di interessi tra arte e ■ scienza: l'Arte concreta di Max Bill, appena comparsa a Zurigo (o *Circle* non ne sapeva nulla, il che è abbastanza improbabile perché Bill aveva molti legami, o l'hanno deliberatamente censurato).

◆ Il nome Arte concreta non è di Bill ma di Theo van Doesburg. Meglio conosciuto per avere condotto il movimento De Stijl, l'artista olandese, residente all'epoca a Parigi, nel 1930 aveva pubblicato un piccolo giornale dal titolo *Art Concret* (ne uscì un solo numero), intorno al quale intendeva formare un nuovo gruppo artistico. Nelle sue pagine teorizzò un'arte interamente programmata attraverso calcoli matematici prima della realizzazione ("rigettiamo la calligrafia artistica", scrisse, aggiungendo: "La pittura prodotta al modo di Jack lo Squartatore può interessare solo i detective, i criminologi, gli psicologi e gli psichiatri"). La pubblicazione non ebbe alcun effetto e il gruppo non si formò mai, soprattutto a causa della morte di van Doesburg pochi mesi dopo in un sanatorio svizzero. Bill, però, fu enormemente impressionato, oltre che dai manifesti di van Doesburg, dal suo *Disegno aritmetico*, una variazione della bianca, grigia e nera *Composizione aritmetica* **[3]**, in cui la logica da matrioska della figura nella figura trasforma una semplice *opposizione* – tra un quadrato nero ruotato di 45 gradi all'interno di un quadrato bianco quattro volte più grande – in una struttura deduttiva che determina esattamente la posizione di ciascun elemento. L'arte di Bill non raggiungerà mai la semplicità delle ultime tele di van Doesburg; si potrebbe dire che non si è mai liberato del "buon gusto", rovinando l'idea stessa di un'arte programmata attraverso l'introduzione di fattori estetici soggettivi che non possono essere quantificati, come il colore.

3 • Theo van Doesburg, *Composizione aritmetica*, 1930
Olio su tela, 101 x 101 cm

Ma almeno teoreticamente la concezione di Bill avrebbe potuto fornire una via d'uscita agli artisti astratti che non si sentivano obbligati a seguire il modello compositivo postcubista propugnato da *Circle*. Oppure avrebbero potuto fare riferimento a Mondrian, e molti di fatto lo fecero, ma al prezzo di un grossolano fraintendimento dovuto in parte ai suoi benevoli contributi a *Circle* e ad altre pubblicazioni del genere. Se qualcuno avesse letto con attenzione ▲ *Arte plastica e arte plastica pura*, il lungo saggio di Mondrian che accompagnava le riproduzioni delle sue opere più recenti su *Circle*, si sarebbe stupito di quest'affermazione: "Il Neoplasticismo è altrettanto distruttivo che costruttivo", e avrebbe capito che il suo vero scopo era di distruggere tutte le figure, un obbiettivo diametralmente opposto a quello degli artisti sostenuti da *Circle*. Ma nessuno ci fece caso e l'arte astratta figurativa diventò un'industria a domicilio dell'élite culturale, in particolare negli Stati Uniti, dove per un decennio riempì le sale del Museum of Non-objective Painting (più tardi chiamato Guggenheim Museum) e l'Albert Eugene Gallatin's Museum of Living Art, nonché le mostre dell'associazione American Abstract Artists, gettando cattiva fama sull'astrattismo fino a che l'Espressionismo astratto – i cui membri disprezzavano l'AAA – non lo spazzò via. YAB

ULTERIORI LETTURE:

J. Leslie Martin, Ben Nicholson e Naum Gabo (a cura di), *Circle* (1937), ristampa Faber and Faber, London 1971

Benjamin H. D. Buchloh, *Cold War Constructivism*, in Serge Guilbault (a cura di), *Reconstructing Modernism*, MIT Press, Cambridge (Mass.) 1990

Jeremy Lewinson (a cura di), *Circle: Constructive Art in Britain 1934-1940*, Kettle's Yard Gallery, Cambridge 1982

▲ 1921b ● 1928a ■ 1959e, 1967c ◆ 1917b, 1928a

▲ 1913, 1917a, 1944a

1937c

Pablo Picasso presenta *Guernica* nel padiglione della Repubblica spagnola all'Esposizione Internazionale di Parigi.

Pochissime opere d'arte del XX secolo – se mai qualcuna lo ha fatto – hanno acquisito uno statuto simbolico paragonabile a quello di *Guernica* di Pablo Picasso, dipinta in cinque settimane tra il 10 maggio e il 15 giugno del 1937, prima di essere ▲ installata come contributo dell'artista al padiglione della Repubblica spagnola all'Esposizione Internazionale di Parigi, il cui nome completo era "Exposition Internationale des Arts et Techniques dans la Vie Moderne". Le ragioni della sua attrattiva universale e continua non sono immediatamente evidenti, soprattutto dacché molti dei più importanti responsi critici, da Anthony Blunt nel 1937 a Max Raphael e Clement Greenberg negli anni Quaranta e Cinquanta, a Carlo Ginzburg nei Novanta, hanno segnalato il fallimento dell'opera dal punto di vista della comunicazione. O, come ha confessato nella sua autobiografia Luis Buñuel, compatriota di Picasso e regista surrealista: "Non riesco a stare davanti a *Guernica*. Qualcosa del quadro mi dà fastidio – la tecnica magniloquente o il modo in cui politicizza l'arte".

Lo statuto mitico del quadro sembra così aver avuto origine in uno spettro di ambiguità irrisolte. La prima è la questione dello stile ● e della forma storica: assoceremo l'opera al tardo Cubismo o al Surrealismo maturo, o a entrambi? Poi c'è l'esecuzione ambivalente del quadro: il suo bianco e nero imita le fotografie dei giornali o provoca una reazione mnemonica? E infine c'è il genere indecidibile: è una scenografia o un fondale di teatro (come quello per *Parade* del 1917), un murale architettonico decorativo, un cartellone in stile di montaggio agitprop, o ancora – come l'ha definito il critico catalano Lluís Permanyer nel 1937 – uno schermo cinematografico? T. W. Adorno ha risposto alle varie questioni irrisolvibili di *Guernica* trattandole come premesse teoriche: "Il rifiuto di comunicare del modernismo è una condizione necessaria ma non sufficiente dell'arte libera da ideologie. Quest'arte richiede anche vitalità d'espressione – un tipo di espressione tesa ad articolare il carattere muto dell'opera d'arte. [...] Come con *Guernica* di Picasso, alla fine essa assume una forma di protesta sociale dai contorni ambigui".

Nella prima settimana del gennaio 1937 Picasso ricevette una delegazione di rappresentanti ufficiali del governo della Repubblica spagnola, guidati dall'artista fotomontaggista Josep Renau accompagnato da Josep Luis Sert, l'allievo catalano di Le Corbusier e architetto del padiglione spagnolo all'esposizione di Parigi. La delegazione commissionò a Picasso un dipinto murale per il padiglione. Francis Frascina ha suggerito che le conversazioni di Picasso con gli amici Paul Éluard e Dora Maar, che lo coinvolsero fin dal 1936 in discussioni sulla Guerra civile spagnola, il Fronte popolare e il ruolo delle immagini e della poesia nell'agitazione di sinistra e surrealista, aveva già preparato il terreno a *Guernica*. Un risultato immediato dell'incontro con la delegazione fu la decisione di Picasso di sostenere pubblicamente la causa repubblicana incidendo le due tavole dei *Sogni e menzogne di Franco* l'8-9 gennaio (la seconda fu ripresa e completata in giugno) a favore della campagna di aiuti ai rifugiati spagnoli **[1]**. La prima dichiarazione apertamente politica di Picasso forniva una grottesca derisione di Franco e condensava due tipi di immaginario popolare: le *alleluia*, stampe religiose arcaiche del cattolicesimo spagnolo, e i *fumetti*, le strisce di racconto contemporaneo per immagini della discussa forma espressiva americana che lo avevano affascinato fin da bambino.

Il padiglione

La costruzione del padiglione spagnolo iniziò il 27 febbraio e aprì infine le sue porte il 12 luglio del 1937, con un ritardo di sette settimane. Sert aveva progettato il padiglione per la nuova Repubblica spagnola in manifesta opposizione agli edifici neoclassici totalitari ▲ dello stato nazista di Albert Speer e dell'Unione Sovietica di Boris Iofan. Concepito come una struttura trasparente modernista di elementi tecnologici prefabbricati (come pareti mobili di celotex e cemento), il padiglione era caratterizzato da un patio e delle scale che ricordavano la classica villa mediterranea. Un'alta scultura verticale di Alberto Sanchez, un ex panettiere e attivista sindacale, venne messa all'entrata del padiglione. A metà tra l'osso e il ramo, era sormontata da un fiore rosso simile anche a una stella, e portava l'iscrizione euforica "El Pueblo Espagnol Tiene un Camino que Conduzca a una Estrella" (Il popolo spagnolo ha intrapreso un cammino che condurrà a una stella).

Sia le pareti interne del padiglione che quelle esterne ospitavano grandi fotomontaggi di Renau che celebravano la Repubblica spagnola e i suoi risultati **[2]**: le *misiones pedagogicas*, i nuovi programmi di alfabetizzazione ed educazione, e le fattorie, scuole e ospedali di recente costruzione. I fotomurali documentavano

▲ 1937a ● 1921a, 1924 ▲ 1937a

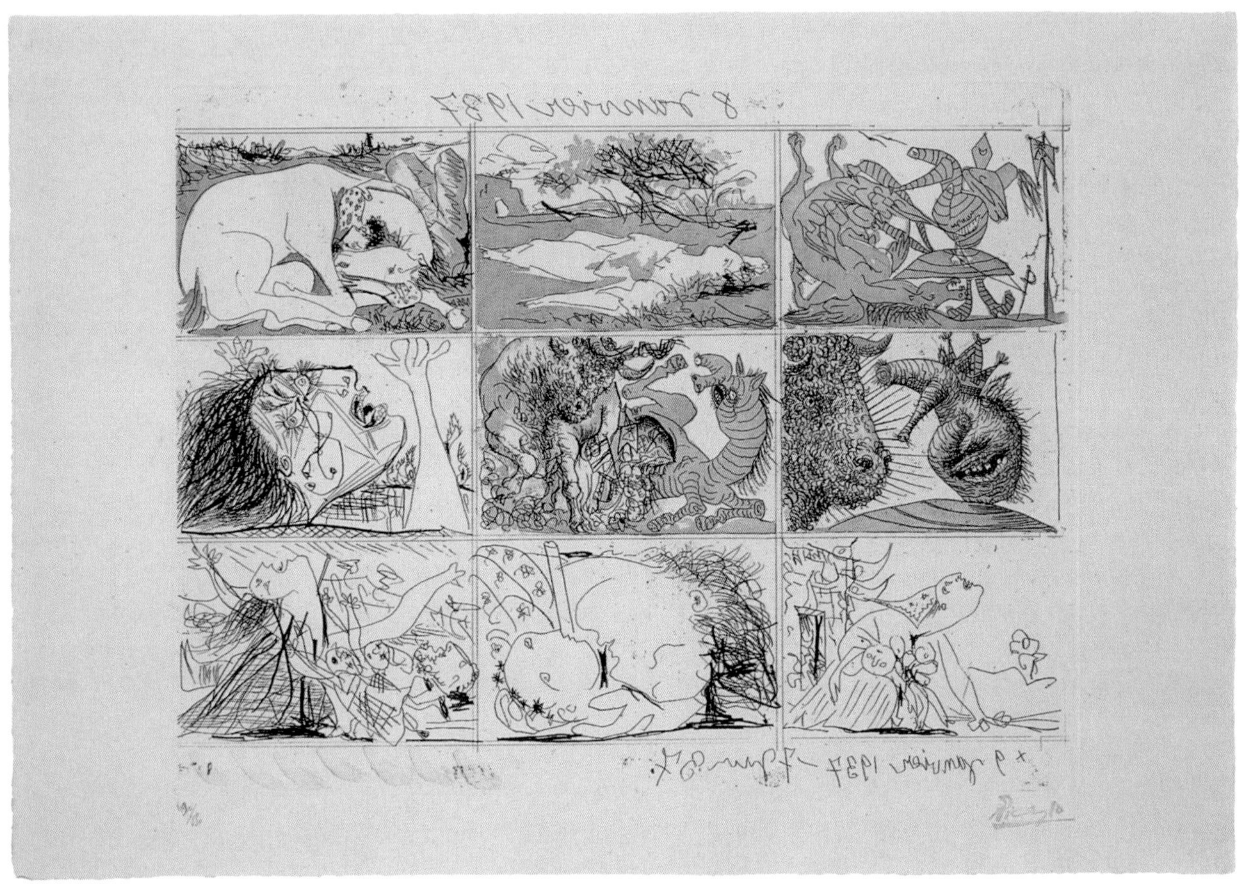

1 • Pablo Picasso, *Sogni e menzogne di Franco*, (in alto) Tavola I, 8 gennaio 1937, Parigi, e (sotto) Tavola II, 8-9 gennaio e 7 giugno 1937, Parigi
Incisione, acquatinta e puntasecca su rame (stato V), Tavola I: 17 x 42,2 cm; Tavola II: 18 x 42,2 cm

2 • Josep Renau, fotomurali all'esterno del padiglione della Spagna repubblicana all'Esposizione Internazionale di Parigi, 1937

anche la difesa della Repubblica contro gli assalti militari fascisti organizzati dalla Falange, i proprietari terrieri e la Chiesa, che avevano scatenato la Guerra civile nel 1936. Inoltre opere di Joan Miró (*Contadino catalano in rivolta*, un murale dipinto su piastrelle di celotex) e la scultura in bronzo *La Montserrat* di Julio González erano poste sulla parete di fondo del grande patio dove erano ▲ proiettati film documentari e cinegiornali, sorvolando la *Fontana di mercurio* di Alexander Calder (una sorprendente struttura che resuscitava un antico modello di splendore architettonico mozarabico **[3]**). Senza dubbio Picasso si era familiarizzato con il modellino del luogo e dell'architettura prima di cominciare il lavoro. E al più tardi il 18 o 19 aprile – come confermano più di una dozzina di abbozzi – stava ancora sviluppando l'idea iniziale di dipingere una variante apparentemente senza tempo del tema dell'artista nel suo studio (che avrebbe legato il suo murale alle *Meniñas* di Velázquez).

Una settimana dopo, il 26 aprile del 1937, su istigazione di Franco e dei suoi generali fascisti, la cittadina basca di Guernica venne bombardata da aerei italiani e tedeschi (l'infame legione Condor), di fatto il primo bombardamento aereo a tappeto di una popolazione civile europea del XX secolo (estesi attacchi aerei erano già stati inflitti dai governi coloniali europei sulle popolazioni in Africa e in India). Con l'eccezione dei giornali conservatori (che ignorarono il bombardamento o ne incolparono i repubblicani), i quotidiani internazionali riferirono diffusamente degli atti barbarici dell'alleanza fascista e della distruzione di Guernica. Picasso usò immagini prese da *Ce Soir* (diretto all'epoca dallo scrittore surrealista amico Louis Aragon) per i suoi primi sei abbozzi del 1° maggio. In questi studi Picasso abbandonò il progetto iniziale dell'allegoria dell'atelier dell'artista, mobilitando invece un'iconografia che combinava immagini mitologiche e religiose mediterranee e spagnole che lo avevano interessato fin dagli anni Venti: la Crocifissione e la Corrida, il Minotauro, il toro e il cavallo, motivi che aveva pienamente sviluppato nella straordinaria acquatinta *Minotauromachia* nel 1935 **[4]**. Il primo abbozzo del 1° maggio conteneva anche una donna con in mano una lampada (pure citata dalla stampa) e nel terzo vennero aggiunte un'altra figura femminile urlante e un soldato caduto. Alla fine del 1° maggio, nello schizzo numero 6, Picasso aveva fondamentalmente steso la struttura del quadro e l'8 maggio produsse altri undici abbozzi, raggiungendo quella che sarebbe stata la composizione finale nell'abbozzo numero 15. Tre giorni dopo trasferì gli studi preparatori su una tela monumentale di più di tre metri e mezzo per quasi otto, installata nel vasto studio in rue des Grands Augustin, acquistato dal governo spagnolo appositamente per l'occasione. Il grande schizzo e la dimensione della tela indicavano chiaramente la decisione di Picasso di trasfigurare la commissione

▲ 1931b

3 • Veduta dell'installazione di *Guernica* nel padiglione della Spagna repubblicana, dietro la *Fontana di mercurio* di Alexander Calder

murale in un monumento commemorativo della tragedia della Guerra civile spagnola.

Una sequenza fotografica scattata dall'artista Dora Maar, l'amante di Picasso in quel periodo, ci permette di tracciare i minimi significativi cambiamenti operati durante la realizzazione di *Guernica*. In questi cambiamenti, come hanno sostenuto Sidra Stich e Francis Frascina, Picasso rispondeva alle diffuse discussioni politiche del momento. Così, quando l'artista disegnò un grande sole rotondo sopra il cavallo ferito e aggiunse delle spighe di grano nel pugno del soldato prostrato tenuto alla maniera del saluto comunista (13 maggio, stato 11), per rimuovere poi questi simboli nella fase seguente e sostituire il sole con una prosaica lampada con lampadina, venivano formulati i crescenti dubbi dell'artista sui conflitti tra le fazioni anarchico-socialista e comunista in Spagna. Ma il "cinegiornale" fotografico di Maar registrò anche i dubbi artistici di Picasso, come quando a un certo punto aggiunse degli ampi frammenti di carta da parati sul dipinto per farlo apparire come un gigantesco collage cubista, rimuovendo poi questi resti di una radicalità formale ormai perduta nella fase seguente per rendere più omogenea la simulazione fotografica del dipinto e la tessitura del bianco e nero. L'ultima fotografia di Maar fu scattata il 4 giugno e circa una settimana dopo il quadro era consegnato al padiglione. Pare che Picasso abbia detto a Sert: "Non so quando lo finirò. Forse mai. Meglio che veniate a prendervelo quando vi serve".

I disegni preparatori e l'insieme delle fotografie di Maar vennero pubblicati da Christian Zervos, l'editore del *catalogue raisonné* di Picasso, in due numeri della rivista *Cahiers d'art* dedicati in parte o interamente a *Guernica*. Nel numero 12 (estate 1937) e nel numero

4 • Pablo Picasso, *Minotauromachia*, 1935
Puntasecca e incisione, la tavola: 49,6 x 69,6 cm

speciale 13 (novembre 1937) vennero pubblicati i saggi di Jean Cassou, Michel Leiris, del poeta spagnolo José Bergamín e Zervos stesso. Cassou inaugurò l'irresistibile ascesa del quadro allo statuto mitico di arte specificamente spagnola paragonandolo a Goya:

> *Goya è tornato in vita come Picasso. Ma allo stesso tempo Picasso è rinato come Picasso. È stata l'immensa ambizione del suo genio a tenerlo sempre in disparte, negando il suo stesso essere, mantenendosi vivo e sopportando ciò che era esterno al suo regno, come un fantasma scosso nel vedere la sua casa vuota, il suo corpo perduto. La casa è stata poi ritrovata, sia il corpo che l'anima. Tutto quello che si chiama Goya, che si chiama Spagna è stato reintegrato. Picasso si è ricongiunto con la sua patria.*

Dopo la chiusura del padiglione spagnolo, il quadro intraprese un viaggio attraverso vari paesi europei e fu esposto per sostenere la Repubblica spagnola e portare all'attenzione internazionale gli atti barbarici del fascismo di Franco. Durante l'estate del 1938 Roland Penrose, il surrealista belga E. L. T. Mesens e un comitato che includeva Virginia Woolf, Douglas Cooper e E. M. Forster sponsorizzò la sua esposizione alle New Burlington Galleries di Londra prima che proseguisse alla Whitechapel Art Gallery nell'estremità orientale della città. Involontaria ironia della storia, il quadro arrivò nel giorno dell'infame Patto di Monaco, il 30 settembre. Herbert Read dovette rispondere al secondo attacco di Anthony Blunt contro il quadro (nel suo saggio *Picasso sconsacrato*) mobilitando ancora una volta l'equazione Goya-Picasso:

> *Non basta paragonare il Picasso di questo dipinto al Goya dei* Disastri. *Anche Goya era un grande artista, e un grande umanista, ma le sue reazioni erano individualiste – i suoi strumenti l'ironia, la satira, il ridicolo. Picasso è più universale: i suoi simboli sono comuni, come i simboli di Omero, Dante, Cervantes. Perché è soltanto quando la banalità è ispirata da un'intensa passione che una grande opera d'arte, trascendendo tutte le scuole e le categorie, nasce ed essendo nata vive per sempre.*

Poco dopo la tragica fine della Guerra civile il 28 marzo 1939 Picasso decise che *Guernica* sarebbe stata spedita negli Stati Uniti, dichiarando che il quadro non sarebbe tornato in Spagna finché il governo democratico non avesse sostituito il regime di Franco. Il dipinto arrivò a New York a bordo del *Normandie* il 1° maggio 1939, esattamente un mese dopo che gli Stati Uniti avevano riconosciuto il governo di Franco. Dopo la sua iniziale presentazione alla galleria Dudensing di New York fece il giro degli Stati Uniti (passando al Fogg Museum di Harvard, Los Angeles e Chicago, tra gli altri luoghi) e venne infine appeso alle pareti del Museo d'Arte Moderna di New York, dove rimase per quarantadue anni. Inevitabilmente, dacché in mostra nel più importante museo del modernismo, tutti i riferimenti specifici alla Guerra civile spagnola sparirono e le interpretazioni formaliste ed estetizzanti presero piede. Così, già nel ▲ 1946, Alfred H. Barr Jr., direttore del museo, scriveva:

> *La composizione è chiaramente divisa in due, e le metà sono tagliate dalle diagonali che insieme formano un evidente timpano triangolare che ha alla base la mano a sinistra e il piede a destra, e culmina con la lampada in alto al centro – un triangolo che suggerisce la composizione da frontone di un tempio greco.*

Ma i commenti degli artisti e dei critici di New York – molti a quel tempo ancora politicamente di sinistra – erano molto diversi da quelli formalisti. Così Elizabeth McCausland, uno dei più noti critici del suo tempo, che aveva già visto il quadro al padiglione spagnolo, sostenne con forza le interpretazioni politiche dopo il suo arrivo a New York:

> *Il risultato è una tela di sorprendente complessità, imbevuta di idee e concetti estetici presi dal Cubismo, l'Astrattismo, il neoclassicismo e il periodo psicologico. Ma tutti questi attributi sono soltanto strumenti per raggiungere un fine. Picasso ha usato l'abilità e destrezza del suo metodo per trasmettere un messaggio. [...] Vuole gridare con orrore e angoscia contro l'invasione e la distruzione della Spagna che ama. Vuole protestare con la sua arte contro il tradimento compiuto da Franco e dagli alleati fascisti.*

Ma non tutte le voci politiche furono ugualmente convinte del successo di *Guernica* come opera di protesta politica. Lo storico e critico d'arte marxista Max Raphael, che era emigrato da Berlino attraverso Parigi fino New York, dove aveva visto *Guernica* al Museo d'Arte Moderna, formulò un responso paragonabile allo scetticismo iniziale di Blunt, sottolineando che il dilemma costitutivo dell'opera (e del modernismo) era quello di rivolgersi a un pubblico proletario e di proclamare un discorso pubblico, e tuttavia di trasmettere il suo appello in strutture che appaiono inevitabilmente criptiche, quando non esoteriche: "È un dipinto artificioso e quindi arbitrario e limitato. Per questo le masse – e le masse antifasciste in particolare – erano perplesse e persero velocemente interesse nell'opera. Solo i letterati lo lodarono nel loro modo ampolloso".

Mentre l'impatto del dipinto diveniva evidente nelle opere di molti artisti americani degli anni Trenta e Quaranta, per esempio di ▲ Arshile Gorky (che partecipò a una tavola rotonda sul quadro alla sua prima mostra americana alla galleria Dudensing) o di Willem de Kooning, *Guernica* fece un'impressione particolarmente • profonda su Jackson Pollock , come testimonia il racconto di Lee Krasner: "*Guernica* di Picasso mi scioccò. Quando la vidi la prima volta alla galleria Dudensing, mi precipitai fuori, feci tre volte il giro dell'isolato prima di tornare a guardarlo. Più tardi presi l'abitudine di andare al Museo d'Arte Moderna ogni giorno a vederlo". I disegni di Pollock realizzati in quel periodo mentre si sottoponeva al trattamento dello psicanalitica Henderson risuonarono per anni dell'impatto di *Guernica*, culminando nella citazione degli ibridi animali mitologici di quadri come *Pasifae* – la madre del Minotauro – o *Lupa* (entrambi del 1943), un'iconografia che Pollock abbandonò infine con il grande murale per Peggy Guggenheim del 1943, in genere visto come il suo dipinto di rottura.

Icone animali: il Minotauro e Mickey Mouse

Le citazioni picassiane dell'immaginario apparentemente trans-storico degli animali mitologici divise fin dall'inizio le interpretazioni di *Guernica*. Alcuni considerarono il toro un'incarnazione del fascismo di Franco, altri lo lessero come un'immagine del popolo spagnolo. La confusione tra il Minotauro (già cifra dell'identità maschile pretesa sovrannaturale di Picasso, come in numerose immagini che precedono l'acquatinta *Minotauromachia*) e il toro da un lato e il cavallo dall'altro resero quasi impossibile non interpretare la rappresentazione degli animali come forze opposte, maschio e femmina, fascista e repubblicano, vincitore e vittima. Anche quando Picasso infine ed eccezionalmente consentì a interpretare l'iconografia di *Guernica* nella sua intervista con Jerome Seckler per la rivista newyorchese di sinistra *The New Masses* nel marzo del 1945, non solo ribadì i conflitti costitutivi dell'arte politica modernista in generale, ma incrementò le ambiguità interpretative del dipinto:

> *Il toro qui rappresenta la brutalità, il cavallo il popolo. [...] Il toro non è il fascismo ma la brutalità e l'oscurità. La mia opera non è simbolica. Soltanto il murale* Guernica *è simbolico. Ma nel caso del murale, che è allegorico [...] Non vi è un senso deliberato di propaganda nella mia pittura [...] a parte in* Guernica. *Qui vi è un deliberato rimando al popolo, un deliberato senso di propaganda.*

Così si può sostenere che la carenza comunicativa del quadro nasceva dall'ambiguità dell'immaginario animale altrettanto che dall'ambiguità di genere dell'opera, sospesa tra la pittura murale e il fotomontaggio, come ha scritto Romy Golan:

> *Picasso era abile nel dirigere la tensione tra aura e valore d'uso che sottende la Fiera Mondiale di Parigi del 1937. Escogitando un ibrido, un misto, un Minotauro – non metà uomo e metà toro ma metà dipinto e metà fotomurale, metà allegoria in*

▲ 1927c

▲ 1942a • 1942a, 1947b, 1949

senso tradizionale e metà montaggio – Picasso colpì al cuore delle vicissitudini estetiche e ideologiche degli anni Trenta.

Piuttosto che analizzare e storicizzare il fascismo, Picasso insistette nel mistificare gli elementi di violenza e guerra, dotando il quadro di un universalismo umanista che nel futuro avrebbe garantito la sua fama artistica . Questo diventa tanto più evidente quando lo paragoniamo all'immaginario animale usato da John Heartfield per sostenere la Repubblica spagnola in un fotomontaggio del 1936 ▲ che uscì su *Volks-Illustrierte*, nuovo nome dell'*Arbeiter Illustrierte Zeitung* che si era spostato da Berlino a Praga dopo che il nazismo era andato al potere, e venne usato come copertina per il libro antifascista di Ilya Ehrenburg *No Pasaran* **[5]**. In evidente contrasto con Picasso, Heartfield rese l'impulso stesso di trasfigurare la realtà storica in una rappresentazione senza tempo di un animale favoloso oggetto della sua derisione critica. La sua immagine di animale è storicamente concretizzata quando situa letteralmente i "Condor" (come i piloti nazisti chiamavano se stessi, al di là di tutto) politicamente e ideologicamente decorando le teste e i petti di questi uccelli con chepì e distintivi fascisti tedeschi e spagnoli, ma anche individuando soltanto un preciso elemento della loro "essenza" animale, il penchant da avvoltoio di attendere la morte imminente, come in questo caso, in cui i "Condor" stavano causando la distruzione della Spagna repubblicana.

L'interesse di Picasso per il Minotauro e le figure ibride antropomorfe e mitologiche emerge nello stesso periodo dei Mickey Mouse (che appare per la prima volta nel film *Steamboat Willie* nel 1928) e Donald Duck (il suo primo film era appropriatamente intitolato *Don Donald* nel 1937) di Walt Disney, perfette controfigure americane di un interesse europeo apparentemente eterno per i miti greci e romani come fondamenti della cultura continentale. Perciò il crescente intreccio di mito e razionalità, e le varie pressioni storiche,

5 • John Heartfield, *Madrid 1936*, 1936, da Volks-Illustrierte, VI, n. 15, Praga, 25 novembre 1936

▲ 1920

6 • Roy Lichtenstein, *Donald Duck*, 1958
Inchiostro su carta, 50,8 x 66 cm

psico-sociali e politico-ideologiche sul soggetto borghese patriarcale trovarono articolazioni dialettiche opposte in entrambe le sfere. Da un lato, alcune fazioni della cosiddetta avanguardia, ancora attive a Parigi, ricorsero alla mobilitazione di immagini derivate dai miti presunti transstorici della cultura mediterranea per articolare la crisi della soggettività. Così l'interesse di Picasso per gli ibridi umano-animali dispiega l'immaginario mitologico classico (sulla scia di Freud) per articolare la neoscoperta permeazione della coscienza razionale da parte di violente forze dell'inconscio. Inoltre simultaneamente esplicita le ansie per l'imminente fine del soggetto borghese cartesiano, che una volta si credeva controllato dalla ragione e autodeterminazione, o può anche rispondere in quel momento al confronto con l'emergente egida del fascismo. L'iconografia animalista di Picasso oscillò perciò tra una critica surrealista dei modelli obsoleti delle formazioni del soggetto umanista e una contemplazione delle celebrazioni protofasciste dell'irrazionalità. Sia Fascina che Ginzburg hanno recentemente suggerito che *Guernica* incorporava elementi presi dalla nuova interpretazione politica di Georges ▲ Bataille dell'antico Minotauro e della figura acefala come esplicito rifiuto dell'idealismo. Bataille presumibilmente associò questi ibridi mostruosi alle condizioni esperienziali delle masse proletarie e propose queste immagini come controfigure delle "nobili e asessuate teste della borghesia, che noi taglieremo". Ma Ginzburg ci ricorda anche che "l'atteggiamento di Bataille nei confronti del fascismo era profondamente ambiguo. Era affascinato dalla sua estetica della violenza, dai suoi eccessi. Ma insistette anche in diverse occasioni che il fascismo andava combattuto sul suo stesso terreno, nell'ambito delle emozioni di massa".

Nel frattempo, dall'altra parte dell'Atlantico una nuova desoggettivazione veniva diffusa dalle emergenti formazioni della cultura di massa. I fumetti furono una delle molte innovazioni testuali e iconiche che fornirono il regime di immagine e le regole di comportamento della dissoluzione dell'esperienza sociale e soggettiva. Non sorprende che l'interpretazione critica di questi fenomeni cambi continuamente. Questo è evidente nelle discussioni su Mickey Mouse e Donald Duck di alcuni dei loro primi ammiratori ▲ e più acuti critici come T. W. Adorno, Walter Benjamin e Sergej Ejzentejn – una situazione dialettica illuminata anche dal dettaglio degno di nota che Paul Dessau, uno dei compositori più importanti di Weimar e collaboratore di Bertolt Brecht, che aveva presto composto musica per i film di Disney a Berlino (1926-7), scrisse il suo primo concerto dodecafonico per pianoforte intitolato *Guernica* dopo aver visto il murale al padiglione spagnolo nel 1937.

Così una complessa sottocorrente storica collegava l'immagine antiborghese, antirazionalista e antiumanista del Minotauro con la controidentificazione proletaria nell'immaginario della cultura di massa di Mickey Mouse e Donald Duck. Entrambe in bilico tra una sovversione del patriarcato borghese e una fascistizzazione dell'individuo smantellato in soggezione alla cultura di massa. Come ha sostenuto Miriam Hansen nel suo brillante saggio sull'argomento:

> *Il problema era aggravato dalla più acuta intuizione che queste abilità, dunque il concetto stesso di esperienza, erano tenute in ostaggio da una cultura borghese umanista che le aveva legate alla perpetuazione del privilegio sociale, dell'estetismo, dell'evasione, dell'ipocrisia. [...] Il declino dell'esperienza è trasformato nell'opportunità di abolirla completamente; la "nuova barbarie" della povertà esperienziale appare come l'alternativa proletaria a una cultura borghese moribonda.*

È questo intreccio di icone mitologiche e bianco e nero della razionalità tecnologica che *Guernica* introduce in una emergente iconografia di un soggetto smantellato nella pittura americana. L'eco inizialmente celebrativa di *Guernica* nella pittura americana ● degli anni Quaranta, come nelle opere di Gorky, de Kooning e Pollock, cercò di mantenere l'accesso privilegiato della pittura alle profondità presunte mitiche dell'inconscio come luogo di una definizione più alta e insieme più profonda della soggettività. Lentamente ma con costanza esso sarebbe stato sostituito da un'accettazione esattamente di quelle trasformazioni massmediali della soggettività che alla fine sarebbero emerse nelle citazioni di Mickey Mouse e Donald Duck di Roy Lichtenstein, quando scandirà l'opposizione ■ contro l'eredità umanista della Scuola di New York alla fine degli anni Cinquanta **[6]**. BB

ULTERIORI LETTURE:

Herschel B. Chipp, *Picasso's Guernica: History, Transformations, Meaning*, University of California Press, Berkley-Los Angeles 1988

Francis Frascina, "Picasso, Surrealism and Politics in 1937", in Silvano Levy (a cura di), *Surrealism: Surrealist Visuality*, New York University Press, New York 1997

Carlo Ginzburg, "The Sword and the Lightbulb: A Reading of *Guernica*", in Michael S. Roth e Charles G. Salas (a cura di), *Disturbing Remains: Memory, History and Crisis in the Twentieth Century*, Getty Research Institute, Los Angeles 2001

Romy Golan, *Muralnomads: The Paradox of Wall Painting Europe 1927-1957*, Yale University Press, New Haven-London 2009

Jutta Held, "How do the political effects of pictures come about? The case of Picasso's *Guernica*", in *Oxford Art Journal*, vol. 11, n. 1, 1988, pp. 38-9

Gijs van Hansbergen, *Guernica: The Biography of a Twentieth-Century Icon*, Bloomsbury, London-New York 2004

Sidra Stich, "Picasso's Art and Politics in 1936", in *Arts Magazine*, vol. 58, ottobre 1983, pp. 113-18

▲ 1930b, 1931b

▲ 1935 ● 1942a, 1947b, 1949a ■ 1960c

1940 – 1944

1942a

La spoliticizzazione dell'avanguardia americana raggiunge il punto di non ritorno quando Clement Greenberg e i direttori della *Partisan Review* danno l'addio al Marxismo.

Nel luglio 1942 un'*Inchiesta sul Materialismo dialettico* apparve sul secondo numero della rivista internazionale *Dyn*, fondata e diretta in Messico dal 1942 al 1944 dall'artista austriaco Wolfgang Paalen (1907-59). Consisteva in tre domande che Paalen aveva spedito a due dozzine di "esimi scrittori e studiosi" e delle loro risposte (non tutti risposero). Le domande furono: 1) Il Materialismo dialettico (la filosofia di Marx e Engels) è "la scienza di un vero processo 'dialettico'"? 2) Il metodo dialettico elaborato da Hegel è scientifico (indipendentemente dalla sua appropriazione da parte del Marxismo) e, se sì, "la scienza deve importanti scoperte a questo metodo"? 3) Le leggi stabilite da Hegel nella sua *Logica*, leggi che formano la base del suo metodo dialettico, sono universalmente valide e utili?

Il silenzio maligno di Breton

Gli invitati – di cui era fornita la lista completa – erano stati scelti sia perché non avevano ancora, o non recentemente, espresso il loro parere sull'argomento, sia per l'assenza di un loro coinvolgimento diretto nella "pratica politica". Metà di loro rispose. Il più in vista di ▲ quelli che *non* lo fecero fu André Breton, il fondatore del Surrealismo, fino ad allora fervente ed efficiente sostenitore dell'arte di Paalen. L'artista era stato uno degli scenografi della famosa *Esposizione internazionale del Surrealismo* tenutasi a Parigi nel ● gennaio-febbraio 1938; nel giugno di quell'anno Breton aveva scritto la prefazione di una sua mostra di *fumages*, dipinti realizzati con fumo di candela fatta scorrere velocemente su una superficie preparata ad hoc e poi rielaborandone il risultato, come sempre quando è coinvolta la concezione surrealista dell'automatismo **[1]**.

Se avesse risposto, Breton sarebbe stato in disaccordo con la maggior parte degli altri interlocutori, che risposero "No" a tutte e tre le domande. L'ammirazione di Breton per Marx e Hegel non era mai diminuita e il regime di Stalin, di cui era stato uno dei più duri critici dall'inizio dei processi di Mosca del 1936, fu per lui doppiamente criminale per i suoi atti barbarici commessi in nome del Materialismo dialettico. Ma il silenzio di Breton era motivato dal rancore: sul primo numero di *Dyn*, dell'aprile 1942, che aveva ricevuto a New York, dove ha vissuto per una decina d'anni, era incappato nel tradimento del suo protetto, ovvero nel breve ma caustico *Addio al Surrealismo* di Paalen. "Nel 1942, dopo tutti i sanguinosi fallimenti del Materialismo dialettico e la progressiva disintegrazione di tutti gli ismi", sosteneva Paalen, non si può più restare ciechi al sommario appoggio del Surrealismo a certe "concezioni troppo semplicistiche" di Marx e Hegel. Scartando allo stesso modo l'adesione del movimento ai principi assiomatici di Freud sul ruolo fondamentale dei desideri inconsci nel comportamento umano, in particolare nell'atto creativo, Paalen difendeva la familiarità degli artisti con "le conquiste e i metodi" delle scienze fisiche, ma respingeva la fedeltà a qualsiasi sistema di pensiero come dogmatica e costrittiva.

1 • Wolfgang Paalen, *Cielo di piovra*, 1938
Fumage e olio su tela, 97 x 130 cm

Breton replicò a Paalen, per quanto indirettamente, nei *Pro-legomena a un terzo manifesto del Surrealismo o no*, che apparvero nel giugno 1942 sul terzo numero di *VVV: Poetry, Plastic Arts, Anthropology, Sociology, Psychology*, una nuova rivista surrealista (benché il direttore ufficiale fosse lo scultore David Hare [1917-91]) lanciata a New York nel 1940. Riaffermando lo spirito di ribellione che aveva sempre animato il Surrealismo, Breton rigettò la fede cieca in qualsiasi sistema teorico e, alludendo sia al Marxismo sia alla psicanalisi e facendo eco al testo di Paalen, sottolineò come uno "strumento di liberazione" può facilmente essere trasformato in "uno di oppressione", notando di passaggio che neppure la scienza e la matematica sono immuni da tale destino. Né lo era il Surrealismo, ammetteva implicitamente Breton, denunciando quello che chiamava "un

▲ 1924 ● 1942b

certo conformismo surrealista", con cui intendeva l'accademizzazione del Surrealismo nel mondo dell'arte americano e la sua commercializzazione nella moda e nell'industria (come quando ▲ coniò l'anagramma "Avida Dollars" per denigrare Salvador Dalí, che per lui incarnava questa tendenza). Il colpo più basso, che illustrava l'idea di Breton che "l'uomo non può essere il centro dell'universo", fu riservato alla concezione antropomorfa (dunque non materialista) del regno animale manifestata da un "eccezionale" pensatore (materialista), la cui mano "ha presieduto ad alcuni dei più grandi eventi del nostro tempo" quando parlò con lui quattro anni prima, in Messico, della "naturale" devozione del suo cane. Il pensatore in questione era Lev Trockij, che, in quanto rifugiato politico, Breton sentì di non poter nominare pubblicamente – l'allusione punta comunque dritta alla centralità di Trockij (il cui assassinio da parte di Stalin nel 1940 aveva profondamente colpito Breton) per chiunque si interessasse al ruolo della cultura in questo terribile momento della storia.

Il Congresso degli Artisti Americani

Il leader russo venne certamente in mente ai molti interpellati nell'inchiesta di *Dyn* che erano attivamente coinvolti, come direttori o corrispondenti regolari, nella rivista letteraria antistalinista newyorchese *Partisan Review*, fondata nel 1934. Tra essi vi erano Meyer Schapiro, Dwight Macdonald (1906-82), Philip Rahv (1908- ● 73) e Clement Greenberg – quest'ultimo diede almeno qualche spiegazione e aggiunse che "avrebbe voluto poter dire di sì". La maggior parte di loro aveva sposato la politica radicale all'inizio degli anni Trenta, come avevano fatto gli artisti che la rivista aveva cominciato a difendere (che presto diventeranno gli eroi dell'Espressionismo astratto e che avevano formato diversi gruppi di ■ sinistra durante l'adesione alla WPA). Quando, nell'estate del 1935, Mosca aveva dato inizio alla strategia del Fronte Popolare, intesa a creare un'alleanza internazionale di intellettuali contro il fascismo, questi giovani avevano offerto il loro aiuto e anche abbracciato, momentaneamente, la causa di un'arte e una cultura "proletarie", mentre Breton aveva subito scoperto la trappola stalinista e risposto con un violento attacco sulla politica culturale dell'Urss.

Uno dei momenti culminanti del crescente coinvolgimento era stato il primo Congresso degli Artisti Americani, tenutosi a New York nel febbraio 1936, al quale Schapiro lesse il testo *Le basi sociali dell'arte*, in cui criticò severamente l'individualismo dell'artista modernista (astrattista) come fuga politica che compiaceva la ◆ nuova classe di ricchi mecenati. (Nella stessa occasione Stuart Davis, uno degli organizzatori del Congresso, ruppe definitivamente con l'amico Gorky per il suo rifiuto di partecipare.)

I tre grandi processi tenutisi a Mosca tra l'agosto 1936 e il marzo 1938 provocarono il primo grave ammacco in questo entusiasmo (benché alcuni, come Davis, testardamente sostenessero il corso ancora per molti anni). Schapiro ripudiò il suo precedente sermone antiformalista in *La natura dell'arte astratta*, una brillante recensione (che uscì sulla rivista *Marxist Quarterly* nel gennaio 1937) ▲ della mostra di Alfred H. Barr *Cubismo e arte astratta* al Museo d'Arte Moderna. L'arte astratta, sosteneva ora, interagiva con il contesto storico come ogni altra forma d'arte ed era perciò perfettamente in grado di avervi un ruolo attivo. Intanto la *Partisan Review*, che si era fusa con una rivista del Partito Comunista all'epoca del Congresso, aveva sospeso le pubblicazioni nell'ottobre 1936, per riaprirle solo nel dicembre 1937, ora con una posizione strettamente alleata a quella di Trockij, che una "commissione d'inchiesta" presieduta da John Dewey nell'aprile di quell'anno aveva dichiarato innocente dei crimini di cui Stalin lo aveva accusato.

Già nel luglio 1937 i direttori della futura incarnazione della *Partisan Review* avevano corteggiato Trockij, allora in esilio in Messico, sperando di ottenere un suo contributo. Benché apprezzasse la loro devozione, Trockij rimandò la decisione finché non ricevette alcuni numeri della rivista. Il suo verdetto fu devastante: scrivendo a Macdonald nel gennaio 1938, ringhiò che con tutta la loro intelligenza e cultura i direttori della *Partisan Review* non avevano fondamentalmente "niente da dire". Invece di "cercare temi che non davano fastidio a nessuno", la rivista avrebbe dovuto seguire l'esempio dei movimenti artistici d'avanguardia ("Naturalismo, Simbolismo, Futurismo, Cubismo, Espressionismo e così via"), che avevano sempre portato avanti le loro idee con la tattica dello shock, della polemica e dello scandalo. La riluttanza di Trockij non era diminuita due mesi dopo, quando spedì una lettera a Rahv, ma la sua insistenza che la rivista doveva assumere un'apertura "eclettica" in materia estetica e sostenere ogni "movimento artistico giovane e promettente" indica che l'indirizzo culturale era diventato un elemento importante nella sua lotta contro Stalin. Alla fine Trockij si arrese: il fattore decisivo fu l'arrivo di André Breton in Messico nel maggio 1938, di cui Trockij informò immediatamente la rivista, raccomandando il poeta francese come collaboratore! (Paradossalmente, fu Meyer Schapiro a venir incaricato dal segretario di Trockij di spedire all'esule russo tutti i testi di Breton che poteva trovare a New York.)

Breton era in Messico da meno di un mese ed era in contatto quasi quotidiano con lui quando Trockij scrisse una lettera aperta datata 17 giugno ai direttori della *Partisan Review*, pubblicata nel numero di agosto-settembre con il titolo *Arte e politica*. La sua conclusione era particolarmente decisa: "L'arte, come la scienza, non solo non chiede ordini, ma per sua stessa essenza non li sopporta. [...] L'arte può diventare una forte alleata della rivoluzione solo se rimane fedele a se stessa". Il risultato principale della visita di Breton comunque fu il manifesto *Per un'arte rivoluzionaria indipendente* che invitava alla formazione di una Federazione internazionale d'arte rivoluzionaria indipendente, ● che scrisse insieme a Trockij. Il nome di Diego Rivera sostituì quello di Trockij come cosignatario del testo quando venne pubblicato in tutto il mondo, *Partisan Review* compresa, nell'autunno 1938 (anche se Rivera, nella cui casa viveva allora Trockij, non aveva preso minimamente parte nella scrittura del testo), perché il russo pensò che il manifesto avrebbe avuto maggior peso – soprattutto come condanna di ogni asservimento dell'arte da

▲ 1924, 1930b ● Introduzione 2, 1960b ■ 1936 ◆ 1927c ▲ 1927c ● 1933

parte delle forze politiche – se veniva da due artisti, specialmente se erano di due fedi diverse. Proprio nel caso in cui qualcuno avesse avuto dubbi sulla sua posizione, Trockij spedì una lettera perché uscisse nel numero seguente della *Partisan Review*, in cui si congratulava con Breton – che era già tornato a Parigi – per avere congiunto le forze con Rivera e affermando ancora una volta che "la lotta per le idee rivoluzionarie in arte deve cominciare con la lotta per la *verità* artistica, non nei termini di ogni singola scuola, ma in quelli dell'*immutabile fede dell'artista nel proprio io interiore*".

Il manifesto rimane uno dei documenti più straordinari del periodo, soprattutto il suo richiamo a Marx e Freud, che anticipa di trent'anni il freudo-marxismo di Herbert Marcuse. Il suo effetto immediato sul mondo dell'arte fu grande. Greenberg scrisse – nel 1961, in un saggio retrospettivo sugli anni Trenta – che "un giorno qualcuno dovrà raccontare come l''antistalinismo', che era cominciato sotto forma di 'trockijsmo', si sia trasformato nell'arte per l'arte, sgombrando eroicamente la strada per quello che sarebbe seguito". Nel suo importante saggio *Avanguardia e kitsch*, pubblicato sulla *Partisan Review* nell'autunno del 1939, la sua analisi del ruolo dell'arte modernista come cavallo di Troia in una società borghese e come ultimo bastione contro la barbarie, deve molto al testo di Breton e Trockij. Per gli artisti di sinistra che avevano militato in organizzazioni filocomuniste ed erano poi stati devastati dai processi di Mosca, questo segnò la fine di una paralisi avvilente: non solo non si doveva seguire la linea di partito, ma neppure pensare all'arte come mero strumento della Rivoluzione – lo diceva Trockij. Inoltre, nonostante il suo rifiuto di sottoscrivere ufficialmente qualsiasi programma estetico, Trockij sosteneva non solo il muralismo messicano (e questo non sorprende, data la lunga storia di impegno politico dei suoi artisti) ma anche il Surrealismo!

Dal tempo in cui Stalin e Hitler avevano firmato un patto di non aggressione (23 agosto 1939) e la Russia sovietica aveva invaso la Finlandia (novembre 1939), qualsiasi idea di un Fronte Popolare aveva perso di credibilità. Anche Stuart Davis, che si era a lungo comportato da seguace del Partito comunista, non poté più illudersi. Rassegnò le dimissioni dal Congresso degli Artisti Americani (la voce istituzionale del Fronte Popolare nella scena artistica americana), come fecero poi Schapiro, Rothko, Gottlieb e molti altri giovani artisti. Nel frattempo, nel marzo 1939, la moglie di Rivera, Frida Kahlo (1907-54), aveva partecipato alla mostra *Messico*, organizzata e introdotta da Breton (naturalmente nostalgico del suo recente viaggio in quel paese) all'esclusiva galleria parigina Renou & Colle. Qui incontrò Paalen, che invitò a venire in Messico. Senza aspettare lo scoppio della guerra, che molti predicevano pur sperando in un miracolo, Paalen arrivò a Città del Messico passando per New York, dove si era fermato qualche mese, nel settembre 1939. Due anni dopo, l'esordiente artista americano Robert Motherwell (1915-91) lo aveva raggiunto insieme al cileno Roberto Matta (1911-2002), un'altra giovane recluta di Breton, e rimase in Messico per perfezionare ulteriormente la sua formazione surrealista sotto la guida di Paalen.

I surrealisti si raggruppano a New York

Lo scoppio della guerra e l'afflusso degli emigranti dall'Europa cambiò radicalmente la situazione del Surrealismo a New York. Gli attacchi rumorosi contro il movimento degli "escapisti" erano più o meno finiti (eccetto che da parte dell'ala stalinista screditata) e la sua presenza sulla scena letteraria e artistica, così come il suo fascino sui giovani artisti americani, era cresciuta a ritmo spettacolare. I primi artisti surrealisti ad emigrare erano stati Kurt Seligmann (1900-62), Yves Tanguy (1900-55) e Matta, nel novembre 1939. Pochi mesi dopo aiutarono a preparare la fuga dalla Francia occupata di quelli che non erano stati abbastanza preveggenti (o fortunati) da partire prima, in particolare collegandosi al supporto americano dell'Emergency Rescue Committee che Varian Fry, un editore e classicista di New York, aveva coraggiosamente costituito a Marsiglia senza l'aiuto (se non addirittura in sfida) del governo statunitense. Il Committee assicurò prima la partenza di André Masson e Breton (che arrivarono infine a New York nel maggio 1941, dopo una stressante sosta in Martinica, che era amministrata dal governo collaborazionista francese), poi quella di Max Ernst, che raggiunse gli amici in luglio.

Il raggruppamento delle truppe surrealiste a New York poté solo stimolare ulteriormente l'interesse di una giovane generazione di artisti già suscitato da una serie di conferenze tenute, su invito di Schapiro, dall'amico di Matta e Paalen, il pittore Gordon Onslow Ford (1912-2003) alla New School of Social Research nel gennaio-febbraio 1941. Un'esposizione di arte surrealista, curata da Howard Putzel, accompagnò la serie di conferenze, a cui assistettero Motherwell e Gorky, ma anche Jackson Pollock, William Baziotes (1912-63) e Gerome Kamrowski (1914-2004), che si ritrovavano nello studio di quest'ultimo dopo le conferenze e versavano olio e smalto su un "dipinto collettivo" **[2]**. Anche le gallerie e i musei fecero la loro parte. Un mese dopo la loro immigrazione negli Stati Uniti, Tanguy aveva avuto una mostra alla galleria Pierre Matisse (dove espose ancora nel 1942 e nel 1943) e Seligmann alla Nieren-

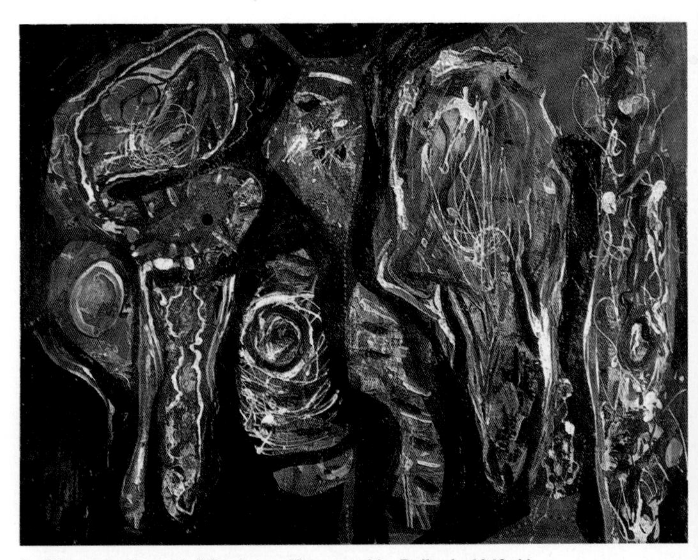

2 • Pittura a più mani di Baziotes, Kamrowski e Pollock, 1940-41
Olio e smalto su tela, 48,9 x 64,8 cm

▲ 1933 ● 1947b

▲ 1924 ● 1949a, 1960b

3 • André Masson, *Paesaggio irochese*, 1941
Inchiostro su carta, 21 x 38 cm

dorf (dove espose anche nel 1941, prima di passare a un'altra galleria). La mostra di Paalen dell'aprile 1940 alla galleria Julien Levy, che diventò presto una sorta di galleria ufficiale del Surrealismo, fu immediatamente seguita da quella di Matta, in coppia con i bozzetti di Walt Disney per *Pinocchio*! La retrospettiva di Masson si inaugurò al Museo d'Arte di Baltimora nell'ottobre 1941 e nel mese seguente il Museo d'Arte Moderna presentò una grande retrospettiva di Miró (che aveva rifiutato di lasciare l'Europa) in coppia con una di Dalí, benché le sue credenziali surrealiste fossero scadute a causa delle sue dichiarazioni a favore del fascismo. Anche Ernst fu celebrato, non solo attraverso mostre ma anche da un numero speciale della rivista filosurrealista *View*, diretta da Charles Henri Ford. L'apice di queste commemorazioni pubbliche fu nell'autunno 1942, subito dopo l'arrivo a New York di Marcel ▲ Duchamp. Nella mostra *Prime carte del Surrealismo*, il cui allestimento fu curato da Duchamp, vennero invitati ad esporre per la prima volta giovani artisti come Baziotes, Hare e Motherwell fianco a fianco con veterani del movimento come Seligmann, Masson **[3]**, Ernst e Tanguy, per non parlare di Matta; l'inaugurazione fu seguita una settimana dopo, il 20 ottobre 1942, da quella della galleria di • Peggy Guggenheim Art of This Century, dove la sua importante collezione di arte surrealista venne presentata in uno spazio curvo progettato per l'occasione da Frederick Kiesler.

Nonostante tutta questa attività vi fu tuttavia una certa *ennui* intorno al movimento surrealista nel suo insieme. La provò almeno Breton, benché sia stato l'ultimo ad ammetterlo: l'arte presentata dalla generazione più giovane era chiaramente epigonale e mostrava una particolare propensione per i paesaggi immaginari di Tanguy e per la gestualità "automatica" di Masson, mentre i veterani, a loro volta, dormivano fondamentalmente sugli allori. L'unica eccezione fu Matta, che nel 1937, allora ventiseienne studente di architettura, era stato la più giovane recluta del movimento surrealista, salutato da Breton come sua brillante nuova speranza. Dal 1940 aveva imparato come tradurre, in grandi e vivaci dipinti, i suoi disegni di creature bio-meccanomorfe fluttuanti in fantastici scenari fantascientifici che avevano sedotto Breton **[4]**. Lo scontro tra uno spazio razionale prospettico e l'irrazionalità onirica delle figure che lo popolano era stato al centro di ▲ molti dipinti surrealisti e Matta non si distaccava fondamentalmente da questo modello, ma aveva abbandonato l'affettata tecnica a *trompe-l'oeil* da cui dipendeva in gran parte l'effetto dell'arte di Tanguy o di Dalí. Liberando la sua pittura dalle costrizioni di questa pratica accademica e salutando i gesti ampi e l'automatismo nelle scene altamente controllate dei suoi paesaggi cosmici, era giunto quasi suo malgrado a uno spettacolare cambiamento di scala che colpì i giovani colleghi americani. Inoltre la sua energia sembrava senza limiti, il suo zelo missionario notevolmente efficiente. Subito dopo la mostra *Prime carte del Surrealismo*, iniziò un laboratorio dove per qualche mese "insegnò" l'automatismo pittorico a Baziotes, Motherwell, Pollock e altri.

Breton era sempre stato un capo autoritario che non voleva dividere con altri il suo potere. Fu circospetto a proposito dell'ascendente di Matta sul mondo dell'arte newyorchese, sentendo che, nonostante la fedeltà di Matta e il suo discorso ortodosso sul meraviglioso e sulla necessità di elaborare nuovi miti (principi che i *Prolegomena* di Breton avevano appena ribadito), non era questo ad attrarre i giovani devoti di Matta. Se non avesse fatto attenzione, sarebbe emersa una nuova scuola dalle ceneri del Surrealismo, su cui non avrebbe avuto nessun controllo. Per caso Breton incappò nell'opera dell'armeno Arshile Gorky (1904-48) – che incontrò nell'inverno del 1943-44 mentre stava lavorando al suo formidabile *Il fegato è la cresta del gallo* **[5]** – e decise di sostenere la sua arte.

Il Surrealismo di Gorky diventa Espressionismo astratto

Paradossalmente tuttavia Matta era stato determinante nell'evoluzione di Gorky. Fino al 1942-43, "tra i pittori newyorchesi, Gorky si caratterizzò per anni come un grande apprendista", scrive Meyer Schapiro. Fino al 1938 aveva studiato il linguaggio di Picasso, poi concentrò la sua attenzione su Miró. "In Matta", continua Schapiro,

4 • Roberto Matta, *Anni di paura*, 1941-42
Olio su tela, 111,7 x 142,2 cm

▲ 1914, 1918, 1936, 1942b, 1966a ● 1942b
▲ 1924, 1931b

5 • Arshile Gorky, *Il fegato è la cresta del gallo*, 1944
Olio su tela, 186 x 249 cm

"egli trovò per la prima volta un pittore del quale avrebbe potuto usare altrettanto liberamente il linguaggio. Da Matta veniva l'idea della tela come espressione di prodigioso fervore, come sfondo di energie sprigionate, di rossi e gialli luminosi opposti ai freddi grigi: un nuovo futurismo della vitalità delle forze organiche e meccaniche. Gorky poteva trarre le proprie conclusioni dall'arte di Matta senza bisogno di attendere il suo inventore" **[6]**. Liberato dall'emulazione dal "giovane fratello" che, tra l'altro, lo incoraggiò a dipingere più diluito (fino ad allora le sue tele erano incrostate di pesanti impasti), Gorky prese il volo. Senza scartare tutte le lezioni del suo lungo apprendistato, aggiunse i segni di un'esuberante gestualità, incluse le sgocciolature, a quanto aveva imparato da Picasso (la dissociazione di forma e contorno), Miró (le figure biomorfe), Kandinskij (il colore saturo), Matisse (la trasparenza delle stratificazioni di pittura, che danno un ruolo attivo agli strati sottostanti), Matta (il paesaggio fantascientifico, lo scenario amebico) e anche Duchamp (il cui *Grande Vetro* ammirava molto). Fino al suo suicidio nel 1948 produsse a grande ritmo opere che potevano essere dette solo surrealiste, perché così voleva Breton, ma ▲ che Pollock, Newman e altri espressionisti astratti guardarono subito come il germe del loro movimento.

6 • Arshile Gorky, *Come il grembiule ricamato di mia madre si dispiega nella mia vita*, 1944 Olio su tela, 101,6 x 114,3 cm

Solitario da sempre, Gorky era stato lusingato dall'elogio di Breton e a sua volta lusingò il poeta permettendogli di dare i titoli alle sue tele, ma rifiutò risolutamente di recitare la parte del membro fedele del gruppo surrealista. Nel 1947, come Picasso prima di lui, quando le richieste di Breton diventarono troppo pressanti, gli disse addio. A differenza della partenza di Paalen cinque anni prima, però, la defezione di Gorky segnò la fine del Surrealismo. YAB

ULTERIORI LETTURE:

T.J. Clark, *More on the Differences between Comrade Greenberg and Ourselves*, in Serge Guilbaut, Benjamin H.D. Buchloh e David Solkin (a cura di), *Modernism and Modernity*, The Press of the Nova Scotia College of Art and Design, Halifax 1983

Serge Guilbaut, *How New York Stole the Idea of Modern Art: Abstract Expressionism, Freedom, and the Cold War*, University of Chicago Press, Chicago-London 1983

Martica Sawin, *Surrealism in Exile and the Beginning of the New York School*, MIT Press, Cambridge (Mass.) 1995

Meyer Schapiro, *Arshile Gorky* (1957), trad. it. in *L'arte moderna*, Einaudi, Torino 1986

Dickran Tashijian, *A Boatload of Madmen: Surrealism and the American Avant-Garde 1920-1950*, Thames & Hudson, London-New York 1995

▲ 1947b, 1949a, 1951

1942b

Mentre la Seconda guerra mondiale costringe molti surrealisti ad emigrare dalla Francia negli Stati Uniti, due mostre a New York riflettono in modo diverso sulla condizione di esilio.

Nel 1929 i surrealisti pubblicarono sulla rivista belga *Variétés* [**1**] una cartina del mondo che mostra solo due capitali, Parigi e Costantinopoli, e redistribuisce le dimensioni dei paesi secondo le simpatie artistiche del gruppo. Come sedi dell'arte tribale più "fantastica" favorite dai surrealisti, l'Alaska e l'Oceania (il sud Pacifico) sono enormi, mentre l'Africa, sede dell'arte più ▲ "formale" già sfruttata dai cubisti e dagli espressionisti, è rimpicciolita. Anche le affiliazioni politiche giocano un ruolo importante: la Russia rimane grande, mentre gli Stati Uniti non esistono neppure, Germania e Austria hanno assorbito completamente l'Europa – sinistra previsione, quest'ultima! Nove anni dopo, nel 1938, solo pochi mesi dopo la condanna nazista dell'arte modernista, la mostra ● *Arte degenerata* tenutasi a Monaco, si inaugura la prima *Esposizione internazionale del Surrealismo* a Parigi. Tra le opere esposte c'era un oggetto surrealista di Marcel Jean (1900-93) intitolato *Oroscopo* [**2**], un manichino con decorazioni di gesso per la base e le braccia e un orologio inserito sulla sommità senza testa. Jean dipinse il manichino di un blu lucente su cui appare una figura oro e grigio che si scopre gradualmente essere una mappa (alcuni continenti cingono i fianchi del manichino) e uno scheletro (si distinguono le costole). Le due opere rispecchiano le atmosfere diverse dei due periodi: la mappa del 1929 rappresenta un'appropriazione immaginaria del mondo, che riscrive umoristicamente secondo gli interessi surrealisti, mentre l'oroscopo-clessidra del 1937 pronostica un mondo morto, con il suo tempo che si esaurisce; la prima mostra un Surrealismo in crescita creativa, la seconda ne suggerisce uno che, per quanto internazionale, è in fuga politica.

L'esposizione come "cadavere squisito"

Negli anni Trenta l'esposizione era diventata una delle forme principali dell'attività surrealista. Poteva rappresentare una protesta politica, come *La verità sulle colonie*, una piccola mostra contro l'ufficiale e sciovinista Esposizione Coloniale tenutasi a Parigi nel 1931, o poteva registrare uno spostamento estetico, come nel caso ■ della *Esposizione surrealista di oggetti* alla galleria Charles Ratton di Parigi nel 1936, che raggruppò cose radicalmente diverse: arte tribale, costruzioni di Picasso, oggetti matematici, insieme a ◆ oggetti surrealisti come la famosa *Colazione in pelliccia* di Meret

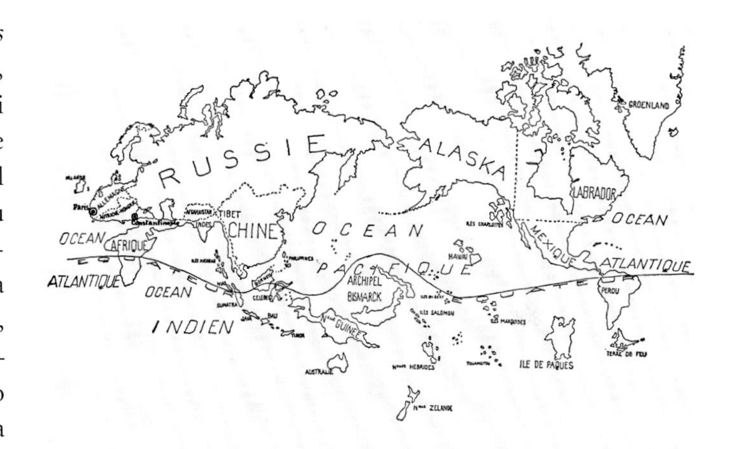

1 • *Il mondo all'epoca dei surrealisti*, pubblicato su *Variétés*, 1929
Stampa in offset, 24 x 17 cm

Oppenheim. Un'esposizione poteva anche promuovere la diffusione del Surrealismo, come l'*Esposizione internazionale surrealista* alle New Burlington Galleries di Londra nell'estate del 1936 e *Arte fantastica, Dada, Surrealismo* curata da Alfred H. Barr Jr. al Museo d'Arte Moderna di New York nel dicembre dello stesso anno.

Gli oggetti in queste mostre erano spesso strani, ma le installazioni rimasero piuttosto convenzionali. Cambiarono radicalmente con l'*Esposizione internazionale del Surrealismo* a Parigi nel 1938, perché qui la qualità narrativa del tipico oggetto surrealista venne estesa allo spazio espositivo reale. Non esistevano precedenti di questo genere di mostra: si opponeva ai dispositivi razionalisti ▲ proposti da vari costruttivisti negli anni Venti, come la *Stanza espositiva* di El Lisickij, ma era anche diversa dalle manifestazioni ● anarchiche dei dadaisti, come la Fiera Dada a Berlino nel 1920. Allo stesso tempo, il fatto che la mostra surrealista proponesse uno spettatore attivo e partecipativo era più vicino nello spirito a quegli esperimenti avanguardisti che a qualsiasi forma tradizionale di esposizione con i suoi spettatori passivi e contemplativi. ■ Non sorprenderà che insieme a André Breton e a Paul Éluard il "*générateur-arbitre*" della mostra fu niente meno che Marcel Duchamp, già veterano di molte esposizioni controverse e recente- ◆ mente curatore del suo museo in miniatura, la *Scatola-in-valigia*. "Le mostre di pittura e scultura mi fanno star male", scrisse Duchamp al suo mecenate Jacques Doucet nel 1925, due anni

▲1903, 1906, 1907 ● 1937a ■ 1931a ◆ Introduzione 1

▲ 1926 ● 1920 ■ 1924 ◆ 1914, 1918, 1935

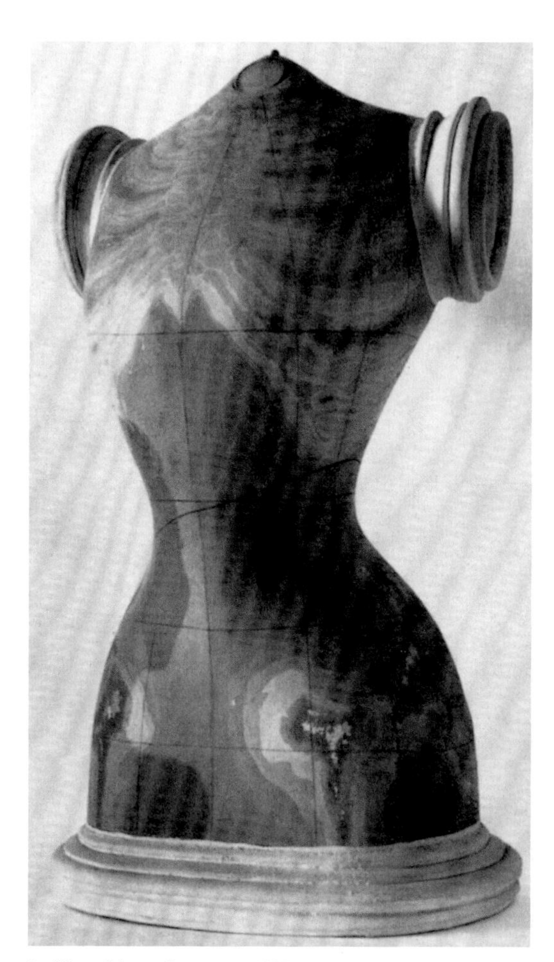

2 • Marcel Jean, *Oroscopo*, 1937
Manichino dipinto, gesso e orologio, altezza 71,1 cm

dopo essersi ritirato da ogni forma di pratica artistica, "e preferirei non esserne coinvolto". Apparentemente questa interdizione non si estese all'orchestrazione di quegli eventi.

La prima *Esposizione internazionale del Surrealismo* – e internazionale lo fu, con sessanta artisti di quattordici paesi – si inaugurò il 17 gennaio 1938 alla galleria Beaux-Arts. Diretta da Georges Wildenstein, che era anche l'editore della rivista *Beaux-Arts*, la galleria era in Rue du Faubourg Saint-Honoré, una via altoborghese che costò un prezzo che i surrealisti pagarono sia politicamente che economicamente. Duchamp fece il possibile per rimodellare il suo elegante interno stile Settecento in un oscuro sotterraneo urbano che rovesciò la sua raffinata atmosfera. (D'altra parte, come a sottolineare il mercantilismo del contesto, appese delle opere di grafica sulle porte girevoli tipo grandi magazzini.) L'esposizione si presentava come un racconto sconcertante che seguiva le linee del gioco del "cadavere squisito", in cui diversi giocatori disegnano parti diverse di una figura o scrivono parti diverse di una frase, ognuno senza sapere dell'altro; ma in realtà il progetto era molto calcolato. Appena si entrava, sembrava di essere anche usciti all'esterno, perché nell'anticamera c'era il *Taxi piovoso* di Salvador Dalí, un vecchio taxi coperto di rampicante, inzuppato di pioggia e occupato da due manichini: un autista con la testa da squalo e occhiali scuri e un passeggero femmina coperto di lumache vive, una sorta di Nascita di Venere in versione Signora della Notte. Già in questo periodo Dalí lavorava a una forma compromessa di "Surrealismo" – *Taxi piovoso* diventò così famoso che fu rifatto per la Fiera Mondiale del 1939 a New York – e fu subito espulso dai ranghi surrealisti sia per il suo commercialismo chiassoso (Breton lo ribattezzò Avida Dollars anagrammando il nome) sia per la sua oltraggiosa dichiarazione di simpatia per il nazismo.

Il tema della prostituzione continuava nel corridoio che portava alle due gallerie e che era allestito come una "Via del Surrealismo" con segnaletica stradale (perlopiù fittizia, come "Via della Trasfusione di sangue") e sedici manichini femmina stranamente vestiti (o spogliati) da Dalí, Miró, Ernst, Masson, Tanguy, Man Ray e altri (il manichino di Duchamp era vestito a metà con camicia, giacca, cravatta e cappello, ma senza pantaloni). Questo corridoio, che di nuovo confondeva interno ed esterno, apriva sulla stanza principale, che combinava altre versioni di dentro e fuori. Sul pavimento c'erano foglie morte, muschio e sporcizia, un laghetto circondato da canne e felci, e ad ogni angolo un letto matrimoniale con lenzuola di seta. *Oroscopo* stava ai piedi di un letto, mentre vari quadri, come *La morte di Ofelia* di Masson, erano appesi alle pareti. In breve, la galleria era allestita come uno spazio onirico, secondo la bizzarra logica del sogno. Era molto buio: Duchamp avrebbe voluto che i quadri alle pareti fossero illuminati all'avvicinarsi dello spettatore, come in un peep show; non essendoci l'attrezzatura, Man Ray, in qualità di "addetto alle luci", distribuì delle torce elettriche durante l'inaugurazione, con lo stesso effetto di sguardo semilicenzioso (Duchamp ci tornerà nel ▲ suo diorama *Dati...*). Appesi al soffitto c'erano 1.200 sacchi di carbone, vuoti per ragioni di sicurezza ma sporchi, mentre al centro del pavimento c'era un braciere **[3]**. (Quasi trent'anni dopo ● Andy Warhol avrebbe giocato con una versione pop postindustriale di questi sacchi, cioè dei palloncini pieni di elio lasciati fluttuare come "nuvole d'argento" in una sua mostra.) Era un'altra confusione di spazi – di lavoro industriale e di intrattenimento artistico – ulteriormente complicata, con i sacchi di carbone sul soffitto, da un'inversione di alto e basso. Al culmine di questo mescolamento di arte e prostituzione, commercio e industria, Dalí assunse una ballerina, Hélène Vanel, per eseguire la simulazione di un attacco isterico intitolata *L'atto non consumato*; secondo alcuni resoconti c'erano poi risate folli da asilo psichiatrico e musica militare tedesca trasmesse nelle stanze dell'esposizione.

Quest'ultima notazione va ricordata, perché durante la settimana di apertura caddero bombe naziste su Barcellona e Valenza. Forse il contesto politico della Guerra civile spagnola rese ancora più evidente il cambio di stato sociale del Surrealismo. Molti dei gesti surrealisti della mostra erano quasi convenzionali alla fine degli anni Trenta: un tempo figura del perturbante, il manichino ■ era diventato un cliché surrealista, difficile da distinguere dal suo uso nel campo della moda, che aveva ormai adottato dispositivi surrealisti come il richiamo onirico al desiderio, talvolta con l'assistenza degli stessi surrealisti. Contemporaneamente il Surrealismo era richiesto dall'alta società, che era accorsa in forze e in abito da

▲ 1966a ● 1960c, 1962d, 1964b ■ 1924, 1925c, 1930b, 1931a

3 • Marcel Duchamp, *1.200 sacchi di carbone sospesi al soffitto su una stufa*, 1938
Installazione per l'*Esposizione internazionale del Surrealismo*, galleria Beaux-Arts, Parigi

sera all'inaugurazione della mostra del 1938: un tempo politicamente provocatorio, il Surrealismo era diventato chic in un qualche modo *outré*. I surrealisti erano dunque passati (come alcuni hanno insinuato) dalle strade ai salotti, dall'impegno politico allo spettacolo artistico? Oppure la mostra del 1938 ruppe le opposizioni di interno ed esterno, di privato e pubblico, di soggettivo e sociale? Forse le due cose non si escludono a vicenda.

In ogni caso, come ha fatto notare Man Ray, l'installazione "distrusse l'atmosfera asettica che regnava nella maggior parte degli spazi espositivi moderni". Anche questo va letto nel contesto del momento, perché l'anno 1937 fu testimone di due modelli molto diversi di dispositivi museali. Da un lato ci fu un ideale quasi oggettivo proposto dalla mostra di museologia sponsorizzata dallo stato all'Esposizione Internazionale di Parigi del 1937, in cui erano esposte le tecniche di "scelta, presentazione e conservazione del patrimonio" ("stanze insonorizzate, luci uniformi, pavimenti e soffitti studiati, superfici appropriatamente sobrie, etichette standardizzate, brevi testi alle pareti sugli artisti e le opere"), tutto progettato per rassicurare lo spettatore che "lo spazio espositivo è neutrale, l'opera d'arte autonoma, il giudizio estetico disinteressato". Ovviamente la mostra surrealista sfidò questo programma apparentemente scientifico. Dall'altro lato ci fu l'inaugurazione, appena cinque mesi prima, delle due dimostrazioni naziste di Monaco: la mostra *Grande arte tedesca*, che espose l'estetica reazionaria del kitsch nazista, e *Arte degenerata*, che assimilò l'arte modernista (incluso il Surrealismo) alla depravazione morale e alla follia in una grande esposizione di opere messe al bando. La mostra surrealista sbeffeggiò anche l'uso fortemente ideologico del museo. (È possibile che Duchamp abbia cercato di echeggiare – o meglio di esasperare – nella propria questa esagerata installazione?)

L'esposizione come labirinto

Un anno dopo, con la resa della Francia al nazismo nel 1939, le condizioni dei surrealisti cambiarono ulteriormente: dall'espansione internazionale alla fuga e all'emigrazione, perlopiù nel paese che non esisteva sulla loro cartina del 1929, gli Stati Uniti. A New York, insieme a riviste come *VVV* (diretta da Breton) e *View* (diretta dal poeta americano Charles Henri Ford), l'esposizione rimase uno strumento primario dell'attività surrealista, con la

Esiliati ed emigrati

Paradossalmente la nomea di New York "capitale dell'arte moderna" alla metà del secolo dipese in non piccola parte dalla fuga di molti artisti europei all'ascesa di Hitler e allo scoppio della Seconda guerra mondiale. Hitler salì al potere nel gennaio 1933; in settembre il suo ministro della propaganda Joseph Goebbels aveva formato il Ministero della cultura del Reich per controllare la produzione artistica secondo criteri nazisti. Oppositori radicali al nazismo come George Grosz e John Heartfield lasciarono subito la Germania – Grosz per gli Stati Uniti, Heartfield prima per Praga e poi per Londra. Anche altri avanguardisti come Kurt Schwitters trovarono rifugio in Gran Bretagna. Ci fossero stati ancora dubbi sull'opinione nazista sul modernismo, la mostra *Arte degenerata* li dissolse nel 1937.

Uno dei primi atti del nazismo fu la chiusura del Bauhaus. Il russo Vasilij Kandinskij emigrò in Francia, lo svizzero Paul Klee tornò in Svizzera; molti altri, come l'americano Lyonel Feininger, andarono negli Stati Uniti. L'accoglienza americana ad architetti del Bauhaus come Walter Gropius e Mies van der Rohe era già stata preparata da un'importante mostra sullo *Stile internazionale* al Museo d'Arte Moderna di New York nel 1932. Sei anni dopo il MoMA realizzò la mostra *Bauhaus: 1919-1928*, che accrebbe ulteriormente la fama di questi *émigrés*. In questo periodo László Moholy-Nagy e Marcel Breuer, nonché Josef e Anni Albers, raggiunsero Gropius e Mies negli Stati Uniti.

L'esodo di artisti francesi avvenne dopo la resa della Francia ai nazisti nel 1939. Nel 1941 André Breton e Fernand Léger arrivarono a New York, insieme ad altri famosi modernisti come l'olandese Piet Mondrian, il tedesco Max Ernst e il russo Marc Chagall; Marcel Duchamp seguì l'anno dopo. Anche se alcuni artisti francesi disdegnavano la cultura americana, contribuirono comunque a tradurre il modernismo europeo per i giovani artisti americani, non solo già al gruppo degli espressionisti astratti ma anche al seguente circolo di John Cage, Merce Cunningham, Robert Rauschenberg, Jasper Johns e altri.

▲ 1937a, 1937c

▲ 1937a ● 1942a, 1968b

4 • Veduta dell'installazione della Galleria surrealista progettata da Frederick Kiesler nella galleria Art of This Century, New York, 1942

funzione ora anche di riunione degli esiliati. Un paio di mostre quasi simultanee a New York nel 1942 – la mostra inaugurale di Art of This Century e *Prime carte del Surrealismo* – misero in evidenza il cambiamento di circostanze.

Una cosa non era però cambiata: il favore di ricchi mecenati come l'americana Peggy Guggenheim, ereditiera di un magnate del rame, che aveva lasciato l'Europa con il marito Max Ernst il 14 luglio 1941. Per esporre la sua collezione di arte modernista raccolta in Europa, Guggenheim aprì il 20 ottobre 1942 una galleria-museo chiamata Art of This Century, in due spazi che prima erano negozi di abbigliamento ai numeri 28 e 30 della 57ª Strada Ovest. L'architetto fu Frederick Kiesler (1890-1965), un giovane ▲ membro del gruppo De Stijl, un tempo attivo a Vienna e ora residente a New York, già noto per i suoi progetti di teatro d'avanguardia (nel 1929 aveva disegnato il primo edificio negli Stati Uniti riservato specificamente al cinema, il Film Guild Cinema sull'8ª Strada Ovest). Kiesler divise l'Art of This Century in quattro spazi: uno per le mostre temporanee e tre per le esposizioni permanenti della collezione, ognuno dei quali nello stile dell'arte esposta. Con le pareti blu e il pavimento turchese decisi da Guggenheim, la Galleria astratta sospendeva i suoi quadri senza cornice su fili metallici che andavano dal soffitto al pavimento formando grandi V sia parallele sia perpendicolari alle pareti. La • Galleria cinetica esponeva diversi quadri di Paul Klee su un trasportatore a nastro, mentre un altro dispositivo mostrava la ■ *Scatola-in-valigia*, un pezzo per volta, attraverso uno spiraglio. Ancora più insolita era la Galleria surrealista **[4]**. Qui Kiesler optò per pareti curve di legno, da cui si staccavano i quadri surrealisti sostenuti da montanti con angolature diverse; anche le sedie dalle forme biomorfe potevano essere scambiate per sculture. Come Duchamp prima di lui, Kiesler cercò di controllare l'illuminazione e illuminò un lato per volta per due minuti per avere una galleria che pulsa "come il tuo sangue".

Quest'ultima ambizione allinea Kiesler alla visione surrealista di un'architettura "intrauterina" che Dalí, Tristan Tzara e Roberto Matta avevano proposto in testi degli anni Trenta e che Kiesler elaborò nel suo progetto di *Casa infinita* del 1950. Ecco cosa scrisse ▲ su *Minotaure* Matta (che lavorò anche per Le Corbusier) nel 1938: "Dobbiamo avere pareti simili a umide lenzuola che cambiano forma e si adattano alle nostre paure". Kiesler progettò anche al di là di simili fantasie di ritorno allo spazio primordiale della creazione: nella sua Galleria surrealista cercò di "dissolvere la dualità artificiale e la barriera tra 'visione' e 'realtà', 'immagine' e ambiente' [...] dove non ci sono cornici o limiti tra arte, spazio e vita. Eliminando la cornice, lo spettatore riconosce il proprio atto di vedere, o di ricevere, come una partecipazione al processo creativo non meno essenziale e diretta di quella dell'artista". In effetti Kiesler volle dissimulare la mediazione della galleria per simulare l'immediatezza dello spazio psichico – da qui la rimozione dei supporti tradizionali come cornici, divisori e piedistalli.

Il critico americano T. J. Demos ha interpretato questo "progetto di installazione fusionale" come "risposta all'anomia dell'esilio", più specificamente come un tentativo di abbandonare la vecchia idea surrealista di perturbante (in tedesco *Unheimlich* o non familiare) per introdurre un nuovo mito surrealista di "mondo abitabile e concepibile" (come lo descrisse all'epoca Breton). Duchamp, nella sua installazione del 1942 per *Prime carte del Surrealismo*, che inaugurò una settimana prima di Art of This Century, illustrò un altro tipo diverso di mondo, più alieno che perturbante, ma certamente non familiare. "[I surrealisti] avevano molta fiducia nelle idee che proponevo", disse Duchamp a Pierre Cabanne, "idee che non erano antisurrealiste, ma che non era nemmeno surrealiste". *Prime carte del Surrealismo* fu una mostra a favore dei prigionieri di guerra, sponsorizzata dal Council of French Relief Societies alla Whitelaw Reid Mansion. La designer Elsa Schiaparelli chiese a Duchamp di curare l'allestimento della mostra e, insieme a Breton e Ernst, scelse le opere di circa cin- • quanta artisti, per la maggior parte della vecchia guardia surrealista, ma anche alcuni nuovi membri americani, come Joseph ■ Cornell, Kay Sage, David Hare, William Baziotes e Robert Motherwell. Il titolo *Prime carte* si riferisce ai moduli per ottenere la cittadinanza Usa e può essere letto sia come una dichiarazione ottimista di nuova vita sia come amara ironia nei confronti di qualsiasi identificazione ufficiale in piena Seconda guerra mondiale. Altrettanto ambigua fu la maggior parte degli aspetti più famosi della mostra, come il groviglio di filo che Duchamp tese per tutta la stanza principale non solo oscurando i quadri ma ostruendo l'entrata stessa nello spazio **[5]**.

Duchamp aveva già usato fili: solo tre metri nel suo esperi- ◆ mento di "caso in conserva" del 1913, *Tre rammendi-tipo*, e in diverse lunghezze nella sua *Scultura da viaggio* del 1918, composta da strisce di gomma di vari colori legate con lacci e tirate ai quattro angoli del suo studio sulla 67ª Strada. Quest'opera, che Duchamp portò con sé in un soggiorno del 1918 a Buenos Aires, suggerisce sia un senso di spostamento (nel viaggio del titolo) sia una strategia di occupazione dello spazio (nella sua installazione). Lo spago di *Prime carte* esaspera lo spostamento e ruota l'occupazione nel suo opposto più prossimo, l'ostruzione, perché il groviglio impediva l'accesso alla galleria. Furono date molte inter-

▲ 1917b ● 1922 ■ 1935

▲ 1925a ● 1931a ■ 1942a, 1947a ◆ 1918

5 • Marcel Duchamp, *Sedici miglia di filo*, alla mostra *Prime carte del Surrealismo*, 1942 Stampa alla gelatina d'argento, 19,4 x 25,4 cm

pretazioni di questo groviglio: per alcuni testimoni (come Sidney Janis e Arturo Schwarz) era una figura della difficoltà dell'arte modernista; per altri (come Marcel Jean) era un tropo dell'epoca come ragnatela, benché non sia chiaro se in positivo o in negativo. Altri ancora congedarono l'intera mostra come un noioso groviglio. Certamente l'installazione giocò sul fascino surrealista per il labirinto come figura dell'inconscio (con l'uomo-bestia Minotauro al centro), una figura che sembrava trasformare in allegoria della storia contemporanea, o meglio di una breccia in questa storia segnata dalla guerra e dall'esilio, una breccia che introduceva una distanza, quasi letteralmente, dell'arte surrealista in mostra dal presente. Sotto questo aspetto, gli artisti esposti erano come Arianne contemporanee con un piccola speranza di trovare la via d'uscita dal labirinto. Se questa interpretazione allegorica può sembrare dubbia, possiamo affermare che le corde oscuravano gli spazi pittorici e architettonici in modo da sottolineare e contemporaneamente interrompere sia le cornici dei quadri sia la galleria. Fu in ogni caso un gesto negativo, quasi nichilista, ma presentato come uno scherzo: Duchamp chiese infatti a un gruppo di bambini di giocare a palla in galleria per tutta la durata dell'inaugurazione. Comunque l'installazione fu ben lontana da quello "spazio divertente e familiare" che John Cage ricordò di Art of This Century.

Mentre Kiesler voleva farla finita con le cornici per rendere l'arte surrealista immediata, Duchamp lavorò ad elaborare cornici continue in un letterale labirinto come per resistere alla definizione istituzionale di quest'arte. Tale differenza ha portato T. J. Demos a vedere il Surrealismo in esilio diviso tra la ricerca di una "casa sostitutiva", rappresentata da Kiesler, e l'accettazione di una profonda assenza di casa, rappresentata da Duchamp. Sembra giusto, ma le circostanze cambiarono ancora con la fine della guerra. Nel 1947 i due amici collaborarono al progetto di un'altra *Esposizione internazionale del Surrealismo*, questa volta a Parigi. La loro installazione tornò al modello della folle narrazione usata nella mostra del 1938: lo spettatore doveva passare per una serie di prove in una sequenza di spazi prima di vedere le opere in mostra. Qui dunque il tropo non fu né quello di una casa sostitutiva né quello di un'indefinita assenza di casa, ma un rito di ritorno, e il racconto fu quello di una introiezione rituale. Ma a questo punto il Surrealismo aveva abbandonato rituali simili e ne introduceva di nuovi. Nel periodo del dopoguerra si sarebbe dissolto in altri movimenti e sarebbe sparito dalla cartina del mondo dell'arte. HF

Peggy Guggenheim (1898-1979)

Peggy Guggenheim fu una delle più grandi collezioniste e delle più appassionate sostenitrici dell'arte d'avanguardia nel XX secolo. Alla sua morte la collezione comprendeva opere di Kandinskij, Klee, Picabia, Braque, Gris, Severini, Balla, van Doesburg, Mondrian, Miró, Ernst, de Chirico, Tanguy, Dalí, Magritte, Pollock, Motherwell, Gorky e Brauner. Collezionò anche sculture di Brancusi, Calder, Lipchitz, Laurens, Pevsner, Giacometti, Moore e Arp. Nel 1920 si spostò dagli Stati Uniti a Parigi, dove il pittore surrealista Laurence Vail (che avrebbe sposato) la introdusse nel mondo *bohémien* di Duchamp, Man Ray, Anaïs Nin, Max Ernst e Samuel Beckett.

Cominciò a collezionare quando aprì la sua prima galleria a Londra nel 1938 (modestamente chiamata Guggenheim Jeune), con Duchamp tra i consiglieri. La mostra d'apertura fu di disegni di Jean Cocteau, a cui seguirono mostre di Tanguy, Kandinskij, Arp e Brancusi. Dopo un anno decise di aprire un museo d'arte moderna a Londra e convinse Herbert Read a diventarne il primo direttore. Dal 1940 iniziò la campagna "acquistare un quadro al giorno", poi, quando la guerra si aggravò, si preoccupò di dove stoccare la sua collezione. Il Louvre di Parigi respinse le opere come "non degne di essere salvate", ma alla fine trovò un castello vicino a Vichy con magazzini abbastanza grandi da ospitarle. Sistemata la collezione per il periodo della guerra, Guggenheim andò a Marsiglia, dove contribuì con denaro ad assicurare l'uscita dall'Europa di un gruppo di intellettuali e artisti. A sua volta partì nel 1942 con un aereo su cui c'erano anche Ernst e i due figli del primo matrimonio.

A New York sposò Ernst e cominciò a lavorare alla nuova galleria, Art of This Century. Qui tenne la prima mostra personale di alcune delle figure più importanti dell'emergente Espressionismo astratto: Pollock nel 1943, Baziotes nel 1944, Rothko nel 1945 e Clifford Still nel 1946. Convinta che Pollock fosse "il più grande pittore dopo Picasso", gli fece un contratto di 150 dollari al mese. Lee Krasner raccontò più tardi:

> *Art of This Century fu di estrema importanza come primo luogo dove si poteva vedere la Scuola di New York.* [...] *La sua galleria mise le fondamenta del movimento, fu dove cominciò tutto.*

ULTERIORI LETTURE:

Bruce Altshuler, *The Avant-Garde in Exhibition: New Art in the Twentieth Century*, Harry N. Abrams, New York 1994

T. J. Demos, *Duchamp's Labyrinth: "First Papers of Surrealism"*, in *October*, n. 97, estate 2001

Lewis Kachur, *Displaying the Marvelous: Marcel Duchamp, Salvador Dalí, and Surrealist Exhibition Installations*, MIT Press, Cambridge (Mass.) 2001

Martica Sawin, *Surrealism in Exile: The Beginning of the New York School*, MIT Press, Cambridge (Mass.) 1994

1943

L'arte negra moderna di James A. Porter, il primo studio accademico di arte afro-americana, viene pubblicato a New York mentre l'Harlem Renaissance promuove la presa di coscienza e l'eredità razziale.

Soprannominato il "padre della storia dell'arte afro-americana", James A. Porter (1905-70) non fu solo un importante storico dell'arte, ma anche un pittore di successo. Il suo innovativo studio *L'arte negra moderna* (1943) fu il risultato di dieci anni di raccolta e analisi di documenti sulla storia dell'arte afroamericana dagli inizi agli anni Quaranta. Questo originale lavoro diede visibilità a molti artisti semisconosciuti, soprattutto i contemporanei di Porter membri dell'Harlem Renaissance, il movimento sociale, letterario e artistico afro-americano che aveva preso forma a partire dalla fine della Prima guerra mondiale.

Il primo fiorire dell'Harlem Renaissance

Benché la sua sede spirituale fosse Harlem, New York, le idee e gli ideali dell'Harlem Renaissance ne fecero un movimento transnazionale. Diversi fattori lo resero possibile, promuovendo e celebrando l'esperienza negra in varie forme d'arte. Uno fu la "Grande migrazione" tra le due guerre mondiali, durante la quale più di due milioni di neri americani migrarono dal Sud rurale nei centri urbani del Nord. Questo accadde principalmente perché la vita nel Sud era diventata più difficile e pericolosa dopo l'approvazione delle leggi razziste e segregazioniste "Jim Crow" (cosiddette da un personaggio dello spettacolo che si dipingeva il viso di nero) e l'avanzata del Ku Klux Klan. Questa migrazione di massa alla ricerca di una vita nuova nel più liberale Nord portò a un aumento della popolazione urbana nera, compresi studiosi, intellettuali e artisti, molti dei quali si stabilirono a Harlem.

Già prima molti neri avevano chiesto condizioni migliori, a partire dalla filosofia di Booker T. Washington (1856-1915), che incitava gli ignari neri americani a concentrarsi sull'avanzamento economico, fino all'attivismo radicale del giamaicano Marcus Garvey (1887-1940) e della sua Universal Negro Improvement Association (UNIA), fondata nel 1914. Il movimento di Garvey fu sia universale – incoraggiando ovunque i neri a considerarsi africani e ad esserne orgogliosi – sia separatista: convinto che la spaccatura tra le comunità nere e i loro oppressori bianchi fosse troppo profonda, auspicava un "ritorno in Africa", una campagna di rimpatrio dei neri coloniali e degli afro-americani per "elevare la razza".

La filosofia panafricana dell'attivista afro-americano e scrittore W. E. B. Du Bois (1868-1963), che collaborò alla creazione della National Association for the Advancement of Colored People nel 1909, era ormai matura all'inizio del secolo. Essa enfatizzava l'origine africana dei neri americani, promossa dalla nascita negli anni Venti del movimento letterario e ideologico noto come Negritudo. Creato dai poeti francofoni africani e caraibici, sosteneva lo studio delle civiltà nere dell'Africa e promuoveva l'idea della bellezza della razza e il concetto di unità tra i discendenti africani.

Questo modo di pensare incoraggiò l'orgoglio razziale, un senso di nazionalismo e di solidarietà internazionale degli africani. Le idee di Du Bois furono le più importanti per l'Harlem Renaissance: diversamente da Washington e Garvey, egli credeva che gli afro- americani potessero ottenere la piena parità economica, civile e politica. Era anche convinto che l'arte, il miglior frutto dell'uomo civilizzato, potesse avere un ruolo di conciliazione e che sostenere e incoraggiare gli artisti neri li rendesse capaci di dare contributi validi e importanti alla società americana nel suo insieme.

Altro fattore che alimentò l'Harlem Renaissance fu l'interesse ▲ dei modernisti europei per l'arte africana "primitiva" e per la danza e la musica afro-americana, in particolare per lo spiritual e il jazz. Intellettuali neri americani come il filosofo Alain Locke (1886-1954) compresero che questa moda africana e afro-americana poteva e doveva essere capitalizzata per uno scambio sociale.

Queste questioni sociopolitiche, economiche, culturali ed estetiche contribuirono alla ricerca della definizione di "Nuovo negro" e incoraggiarono un rinnovamento culturale che riconosceva le origini africane del nero americano, la sua vita e storia in America e la sua trasformazione in moderno cittadino. Il movimento del Nuovo negro compendiò questi bisogni: come sintetizzò il sociologo Charles S. Johnson (1893-1956), "un nuovo tipo di negro sta evolvendo: un negro di città". Questa nuova urbanizzazione nera richiedeva una nuova identità che si lasciava alle spalle quella di ex-schiavo.

La scultrice Meta Vaux Warrick Fuller (1877-1968) è nota come uno dei più importanti precursori dell'Harlem Renaissance. Frequentò la Scuola d'Arte Industriale del Museo di Pennsylvania prima di passare diversi anni a Parigi, dove studiò

▲ 1903, 1906, 1907

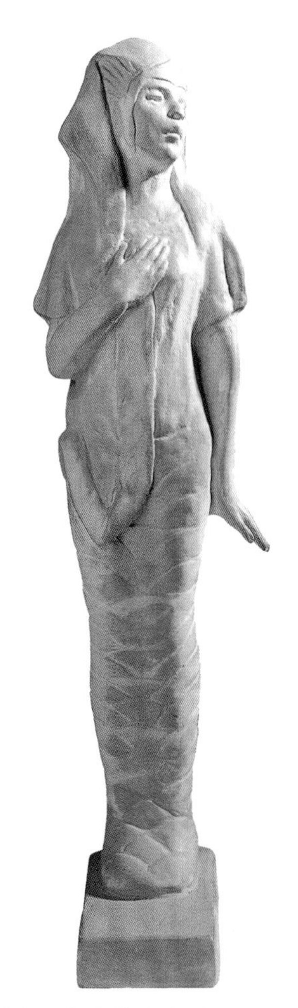

1 • Meta Warrick Fuller, *Il risveglio dell'Etiopia*, 1914
Bronzo, 170,2 x 40,6 x 50,8 cm

▲ con Auguste Rodin. Con il suo ritorno negli Stati Uniti nel 1903 la sua opera fu esposta regolarmente sulla East Coast, dove si impose all'attenzione dei portavoce dell'Harlem Renaissance, che furono attratti dalla sua estetica basata sull'esempio della scultura africana e dal suo uso di soggetti neri africani e americani.

Fuller fu ispirata dalla filosofia panafricana di Du Bois, com'è evidente nella sua opera più famosa, *Il risveglio dell'Etiopia* [**1**]. Disegnata nella tradizione scultorea egizia, la bronzea figura di donna che si sveglia da un profondo sonno può essere letta come un appello per i seguaci afro-americani alla rinascita della scultura nera dopo secoli di schiavitù e repressione. Il suo uso del soggetto nero e gli espliciti collegamenti tra Africa e America nera fornirono un potente esempio a Locke e compagni nella loro ricerca di definizione di un'estetica del Nuovo negro.

Il Nuovo negro

Gli anni Venti furono un periodo di ottimismo, orgoglio ed entusiasmo per gli afro-americani che pensarono che il momento per una loro posizione rispettabile nella società americana fosse infine giunto. Il fotografo James Van Der Zee (1886-1983), il primo cronista di Harlem degli anni dal 1920 al 1940, realizzò alcune delle immagini più significative del periodo [**2**]. Nell'intento di dare l'immagine del Nuovo negro, modellando e ritoccando le fotografie per creare immagini elevate dei neri americani, Van Der Zee realizzò ritratti di abitanti di Harlem che catturavano l'ottimismo, lo stile, l'orgoglio e l'eleganza associate a questa nuova identità urbana.

I leader del movimento del Nuovo negro – filosofi, sociologi, critici, galleristi e mecenati americani bianchi e neri – erano convinti di poter raggiungere il fine di uguaglianza di diritti e libertà per i neri più con la cultura che con la politica. Sostenevano che una maggiore presenza nelle arti e nella letteratura avrebbe aiutato la società a vedere i neri americani e la loro vita come *parte della*, invece che *a parte dalla*, vita americana.

Pensavano anche che la cultura nera americana potesse e dovesse essere apprezzata non solo per la danza e la musica: gli accademici si rivolsero alle arti e alle lettere per aiutarli. Il più attivo fu Locke, che volle fondare una Scuola d'Arte Negra ad Harlem per aumentare la visibilità dei neri americani e latestimonianza della loro eredità e storia africana. Alcune delle sue idee furono segnate dalla sua esperienza a Berlino durante i primi anni ▲ dell' Espressionismo tedesco, quando assorbì il credo idealista che attraverso l'arte il mondo potesse diventare un luogo migliore. Questo si fuse con l'introduzione del concetto di Du Bois di un "decimo dotato", cioè di un'élite nera colta con la missione di migliorare la vita dei fratelli meno fortunati.

Il fascino della cultura nera americana crebbe a partire dal 1917 con la produzione di una grande quantità di musica e spettacoli

2 • James Van Der Zee, *Ritratto di famiglia*, 1926

▲ 1900a

▲ 1908

con argomenti e attori neri. Mentre alcuni erano sospettosi nei confronti di questo nuovo interesse, la maggior parte dei leader dell'Harlem Renaissance lo vide come l'opportunità perfetta per lanciare il loro movimento artistico. Nel marzo 1921 Johnson organizzò un galà letterario per celebrare i giovani scrittori neri al Civic Club di Manhattan, presieduto da Locke con Du Bois come principale conferenziere e la partecipazione di 110 letterati, sia neri che bianchi. Il piano di Johnson funzionò: Paul Kellogg, il direttore bianco di *Survey Graphic*, una rivista di temi sociali e culturali, gli affidò il progetto di un numero speciale dedicato agli artisti neri che aveva presentato in quell'occasione. Il risultato fu il numero di marzo 1925, "Harlem: la Mecca del Nuovo negro", a cura di Locke, che si apriva con una dichiarazione d'intenti:

> Survey *cerca da mesi e da anni di seguire le flebili tracce della crescita e dell'interazione razziale attraverso i minimi cambiamenti dell'organizzazione sociale e la luce tremolante dell'esperienza individuale. [...] Se* Survey *interpreta correttamente i sintomi, una spettacolare fioritura di un nuovo spirito razziale sta avvenendo tra i neri americani e il luogo di questo nuovo evento è Harlem.*

Il numero presentava saggi di argomento sociale, poesia e narrativa di e su autori dell'Harlem Renaissance ed era illustrato dall'artista di origine tedesca Winold Reiss (1886-1953). I suoi realistici ritratti a pastello bianco e nero comprendevano sia personalità sia persone comuni di Harlem – insegnanti, impiegati, studenti e boy-scout. C'erano anche le sue singolari grafiche art déco di vita di Harlem, che ritraevano una città eccitante, vibrante e moderna. Le persone e le opere dell'Harlem Renaissance vennero così fatte conoscere a un largo pubblico di letterati bianchi attraverso il numero più famoso della storia della rivista, che per l'occasione esaurì due intere tirature.

Il suo successo portò a una versione ampliata in formato libro, pubblicata nello stesso anno da Albert e Charles Boni. *Il Nuovo negro: Un'interpretazione* fu un'antologia di 446 pagine di saggi, brevi racconti, poesie e illustrazioni, curata da Locke. In forma quasi di manifesto, selezionò nuove opere e realizzò una celebrazione della storia e della cultura nera, chiedendo agli artisti di riscoprire e decantare le loro origini africane, di basarsi sulle tradizioni – il folclore, il blues, lo spiritual e il jazz – specifiche delle loro vite di afro-americani. Il libro fu illustrato con pastelli a colori di Reiss, caricature stilizzate del messicano residente a New York Miguel Covarrubias (1904-57) e silografie in bianco e nero in stile geometrico egizio dell'africano Aaron Douglas (1899-1979).

Benché Reiss appaia raramente nelle storie dell'Harlem Renaissance, fu una figura influente: i suoi studi di popolazioni native, che rispettavano le loro tradizioni folcloriche, furono un esempio importante, come lo furono le sue immagini grafiche moderniste. Fu una delle vie per cui furono introdotte molte tendenze europee moderniste nella cultura africana. Douglas, che Locke avrebbe presto chiamato un "pioniere africanista", andò a Harlem (dove studiò con Reiss) nel 1924. Reiss lo incoraggiò ad abbandonare il suo realismo stretto e a sviluppare uno stile che rispettasse le sue origini africane ancestrali, la sua esperienza di afro-americano e le tendenze moderniste in arte. Presto creò un'arte nera moderna e originale in cui il Nuovo negro è una silhouette art déco. La forma angolosa dei precisionisti americani e l'entusiasmo per il paesaggio industriale furono adattati per esprimere l'orgoglio e la storia nera **[3]**. La sua opera conquistò velocemente l'attenzione degli scrittori dell'Harlem Renaissance ed egli illustrò molti loro libri. Insieme alle sue illustrazioni in numerose riviste, questo gli assicurò la posizione di artista "ufficiale" della Renaissance.

Il sostegno individuale e istituzionale

Con la pubblicazione del *Nuovo negro*, Locke diventò il principale stratega e teorico dell'Harlem Renaissance, facendo da mentore o, come diceva, da "ostetrica filosofica" a molti scrittori e artisti. Con strutture di supporto come la National Association for the Advancement of Colored People (NAACP), fondata nel 1909 per la rivendicazione della parità di diritti, e la Urban League, fondata nel 1910 per aiutare i nuovi arrivati ad adattarsi alla vita di città, il movimento sostenne la propria causa anche attraverso le riviste: *The Crisis* (NAACP), diretta da Du Bois, e *Opportunity* (Urban League), diretta da Johnson.

3 • Aaron Douglas, *La creazione*, 1935
Olio su masonite, 121,9 x 91,4 cm

Ulteriore supporto e visibilità vennero dal ricco proprietario immobiliare e filantropo bianco William Harmon (1862-1928). Nel 1926 vennero istituiti dei premi per i contributi degli afro-americani in musica, arti visive, letteratura, industria, educazione, rapporti razziali e scienza, sotto gli auspici della Fondazione Harmon, che fu la principale mecenate degli artisti dell'Harlem Renaissance: il suo concorso annuale per artisti neri e la mostra che lo accompagnava e proseguiva in tour diffusero la loro opera presso un pubblico nazionale.
Artisti dei paesi vicini risposero con entusiasmo all'appello dei leader dell'Harlem Renaissance a sviluppare un vocabolario visivo per l'America nera. Scrivendo a Langston Hugues nel dicembre 1925, Douglas espresse così le sue idee:

> *Il nostro problema è quello di concepire, sviluppare, stabilire una nuova era dell'arte. [...] Tiriamoci su le maniche e affondiamo le mani nella gioia, nel pianto, nella sofferenza, nella speranza, nella delusione, nelle profondità dell'anima del nostro popolo ed estraiamone la materia prima e grezza dimenticata. Cantiamo, balliamo, scriviamo, dipingiamo. [...] Creiamo qualcosa di trascendentalmente materiale, di misticamente oggettivo. Terragno. Spiritualmente terragno. Dinamico.*

4 • Loïs Mailou Jones, *I feticci*, 1939
Olio su tela, 78,7 x 67,3 cm

La sfida fu accettata e vennero esplorate diverse possibilità di rappresentazione. Un importante sforzo fu fatto da Fuller, Douglas e altri nella direzione della riscoperta delle origini africane, mentre artisti come Archibald J. Motley (1891-1981) e Palmer C. Hayden (1893-1973) volsero la loro attenzione al folclore, alla storia e alla vita quotidiana del nero. Che si rifacciano a un lontano passato mitico o alla nostalgia per un passato rurale più recente o celebrino il progresso e la modernità, tutte le opere dell'Harlem Renaissance vertono sulla coscienza razziale e sull'identità culturale dell'afro-americano.

L'eredità del primo decennio dell'Harlem Renaissance incluse il ▲ nazionalismo, il primitivismo e l'atavismo. La maschera africana dotata di vita di *I feticci* **[4]** dell'afro-americano Lois Mailou Jones (1905-98), dipinta a Parigi, presenta queste idee attraverso una ● lente surrealista. Sembra riconoscere sia la feticizzazione surrealista della maschera "disumanizzante", sia rivendicarla come parte della sua eredità, ridandole vita come elemento importante della ricerca della definizione di una moderna identità nera.

Gli anni Trenta

La borsa crollò il 23 ottobre 1929, decretando la fine dei "ruggenti anni Venti" e annunciando la Grande Depressione. Questo smorzò molto l'idealismo e l'entusiasmo della prima Harlem Renaissance, ma al tempo stesso rafforzò in molti il senso dell'orgoglio razziale e della responsabilità sociale. Venuto meno il sostegno privato, gli artisti si volsero al Public Works of Art Project and Federal Art ■ Project dell'Works Progress Administration (WPA), che venne organizzata nel 1933 per impiegare artisti e artigiani nella decorazione delle opere pubbliche. Agli artisti venivano assegnate sia opere da cavalletto che pitture murali; i soggetti erano tratti da tutti gli aspetti della vita americana e benché non fosse stabilito nessun approccio specifico, la maggior parte lavorava in uno stile realista sociale.

Un considerevole numero di artisti dell'Harlem Renaissance furono tra coloro che ricevettero supporto dalla WPA. Douglas, per esempio, dipinse una serie di murali, *Aspetti della vita del negro*, per la WPA nel 1934. Esposta in una sede della Biblioteca Pubblica di New York (ora Schomburg Center for Research in Black Culture), l'opera di Douglas ebbe grande visibilità, esaltando con la sua scala monumentale e il suo tono epico la missione dell'Harlem Renaissance di promuovere la coscienza e l'orgoglio razziale e impressionando profondamente la nuova generazione di artisti di Harlem, Jacob Lawrence (1917-2000) tra gli altri.

Lawrence si trasferì a Harlem con la famiglia negli anni Trenta. Studiò all'Harlem Art Center e passò molto tempo al Schomburg Center ad analizzare l'opera di Douglas e a fare ricerche sulla storia degli eroi della comunità nera. Presto sviluppò un proprio stile figurativo colorato e stilizzato e un particolare interesse per gli eventi storici e sociali dei neri americani. Molte opere di Lawrence della fine degli anni Trenta presero forma seriale, per raccontare le vite di eroi neri come Toussaint Louverture (1743 ca.-1803) (nato in schiavitù, poi diventato capo militare e rivoluzionario, aveva istituito Haiti come prima repubblica nera occidentale) e gli abolizionisti Frederick Douglass, Harriet

▲ 1903, 1906,1907 ● 1924, 1930b, 1931a ■ 1936

5 • Jacob Lawrence, *Sala da biliardo*, 1942
Gouache e acquerello su carta, 18,7 x 57,8 cm

Tubman e John Brown. La sua opera più famosa, dipinta quando lavorava nella sezione di pittura da cavalletto della WPA, è *La migrazione del negro americano* (1940-41). Questa importante serie narrativa di sessanta piccoli quadri fissa le lotte della Grande Migrazione dell'inizio del secolo. L'opera ebbe un successo di critica: una parte venne pubblicata nel numero di novembre 1941 della rivista *Fortune*, facendo conoscere Lawrence a livello nazionale. Questo primo riconoscimento portò a numerose mostre, acquisti da parte dei maggiori musei e premi, come quello che vinse per *Sala da biliardo* **[5]** nella mostra *Artisti per la vittoria* tenutasi al Metropolitan Museum di New York nel 1942.

Norman L. Lewis (1909-79) fu un altro giovane artista che cominciò a dipingere durante gli anni Trenta a Harlem, dove assorbì le idee di Locke. *Signora con cappello giallo* **[6]**, un'opera del primo periodo in stile figurativo stilizzato, riflette questa influenza come quella del realismo sociale, ma punta anche al futuro. Lewis passò infatti presto a interrogarsi sull'efficacia delle teorie di Locke, abbandonando l'immaginario realista per diventare l'unico espressionista astratto afro-americano. ▲

Lewis non fu il solo a interrogarsi sull'ethos dell'Harlem Renaissance. James A. Porter, che incoraggiò gli artisti neri a perseguire un'espressione personale più che un progetto separatista, mise a dura prova Locke nel 1937 sulle pagine di *Art Front*, anticipando l'attacco a quella che vedeva come una "filosofia disfattista del segregazionismo". In *L'arte moderna negra* poi chiarì la sua posizione, discutendo l'opera degli artisti afro-americani non solo in rapporto alla cultura nera, ma anche nel contesto sia della storia dell'arte americana sia della storia dell'arte moderna.

La fine di un'epoca

Dopo gli orrori della Seconda guerra mondiale molti artisti afroamericani sentirono che le ideologie isolazioniste basate sulla

▲ 1947a

6 • Norman W. Lewis, *Signora con cappello giallo*, 1936
Olio su sacco, 92,7 x 66 cm

7 • Elizabeth Catlett, *Stanca*, 1946
Terracotta, 39,4 x 15,2 x 19,1 cm

razza non erano più efficaci o appropriate. Uno di questi fu Romare Bearden (1912-88) che, pur usando soggetti o simboli africaneggianti, cercò di trattare sempre della condizione universale. Nel 1946 scrisse:

> *Sarebbe molto artificioso per un artista negro cercare una risurrezione della cultura africana in America. Il periodo tra una generazione e l'altra è troppo grande e qualsiasi opera del Negro in questo paese è necessariamente in rapporto con l'intero contesto americano. [...] Modigliani, Picasso, Epstein e* ▲ *altri artisti moderni hanno studiato la scultura africana per dar forza ai propri progetti e idee. Questo vale anche per qualunque artista negro che desideri fare lo stesso [...] il vero artista sente che esiste un'arte unica – e che appartiene a tutti gli uomini.*

Stanca **[7]** di Elizabeth Catlett (1915-2012), dello stesso anno, mostra una donna afro-americana esausta per la fatica, ma con la forza interiore di continuare. Nata negli Stati Uniti ma cittadina messicana, Catlett usò sempre il soggetto nero come simbolo di orgoglio razziale e culturale. Le sue parole echeggiano gli ideali dell'Harlem Renaissance:

> *L'arte deve venire dal popolo ed essere per il popolo. L'arte oggi deve emergere da una necessità interna al popolo. Deve rispondere a una domanda, o risvegliare qualcuno, o dare una spinta nella giusta direzione, cioè la nostra liberazione.*

L'energia innovativa dell'Harlem Renaissance declinò con la Seconda guerra mondiale, ma non le carriere e le idee dei suoi rappresentanti. Le questioni sollevate da Locke e Porter – che cosa definisce un'estetica nera, se bisogna essere un "artista nero" che fa arte nera o un artista americano nero – non furono risolte durante l'Harlem Renaissance e continuano a segnare la pratica e la critica ▲ artistica ogni volta che sorgono problemi di identità. AD

ULTERIORI LETTURE:

M. S. Campbell et al., *Harlem Renaissance: Art of Black America*, Studio Museum in Harlem e Harry N. Abrams, New York 1987

David C. Driskell, *Two Centuries of Black American Art*, Alfred A. Knopf e Los Angeles County Museum of Art, New York 1976

Alain Locke (a cura di), *The New Negro: An Interpretation* (1925), Atheneum, New York 1968

Guy C. McElroy, Richard J. Powell e Sharon F. Patton, *African-American Artists 1880-1987: Selection from the Evans-Tibbs Collection*, Smithsonian Institution Traveling Exhibition Service, Washington (D.C.) 1989

James A. Porter, *Modern Negro Art* (1943), Howard University Press, Washington (D.C.) 1992

Joanna Skipworth (a cura di), *Rhapsodies in Black: Art of the Harlem Renaissance*, Hayard Gallery, London 1997

▲ 1907

▲ 1993c

1944a

Muore Piet Mondrian, lasciando non finito *Victory Boogie-Woogie*, un'opera che esemplifica la sua concezione della pittura come impresa distruttiva.

Piet Mondrian morì a New York il 1° febbraio 1944. Poco dopo il suo esecutore testamentario ed erede – il giovane pittore Harry Holtzman, che aveva aiutato ad organizzare l'immigrazione di Mondrian negli Stati Uniti – aprì al pubblico il suo studio, lasciato intatto. Il semplice e straordinariamente dinamico spazio, con le pareti bianche trasformate in schermi di giochi ottici dai molti rettangoli di colori puri affissi, e i bianchi mobili improvvisati, tratti da Mondrian stesso da cassette di legno (e anch'essi decorati di rettangoli colorati), erano già noti a vari visitatori. Pochissimi avevano però visto prima il quadro non finito *Victory Boogie-Woogie* [1], anche se il pittore vi aveva lavorato dal giugno 1942. Non sfuggì a nessuno degli spettatori che vi era una continuità diretta tra le superfici pulsanti delle pareti e il ritmo staccato dell'ultimo quadro di Mondrian "*lozangique*", come ha chiamato la sua serie di tele quadrate ruotate di quarantacinque gradi su un vertice (più comunemente detti i suoi "quadri a diamante").

Questa continuità fu particolarmente rafforzata non solo dal ▲ fatto che le linee nere del Neoplasticismo classico erano scomparse dal quadro eccezionalmente grande incombente sul cavalletto, ma che non c'era più *nessun* tipo di linea. Si può parlare soltanto di "allineamenti" di piccoli rettangoli di colore, la maggior parte dei quali sono pezzi di carta piuttosto goffamente incollati sulla tela. Ma anche questi allineamenti sono chiaramente al limite del collasso: possono essere visti solo subliminalmente, dedotti più che visti, nella maggior parte della composizione. Così, per i visitatori, l'unica differenza tra le pareti e il quadro deve essere sembrata quella di scala. Entrando nella scatola dello studio e spinti verso *Victory Boogie-Woogie* alla fine del lungo spazio, si deve aver avuto l'esaltante sensazione di camminare dentro un quadro.

Ma per quelli che avevano visto quest'ultima tela prima della morte di Mondrian, il loro incontro postumo con essa fu uno shock spaventoso. Infatti, tra il piccolo circolo di conoscenti di Mondrian che erano stati testimoni dell'accanimento del pittore su di essa durante gli ultimi diciotto mesi della sua vita, molti condivisero il verdetto del mercante e critico Sidney Janis: ora era un capolavoro rovinato.

Mondrian aveva portato diverse volte il quadro a una conclusione (in una fotografia dell'inverno 1942-43 lo si vede dargli il tocco "finale"), ma ogni volta aveva cancellato quello che aveva fatto e, con sorpresa dei suoi amici, aveva ricominciato da capo. Sicuramente sapeva che la fine era prossima e la tensione teleologica di tutta la sua vita l'aveva convinto che, se questo quadro doveva essere il suo canto del cigno, doveva andare più lontano di qualunque altro. Non gli interessava produrre un quadro in più nello stile elettrizzante del suo periodo newyorchese. Quando un amico gli chiese perché continuava a ridipingere *Victory Boogie-Woogie* invece di realizzare tanti quadri delle diverse soluzioni che lì venivano sovrapposte sulla stessa tela, Mondrian replicò: "Non voglio quadri. Voglio scoprire delle cose". Nella settimana dal 17 al 23 gennaio 1944, tre giorni prima di entrare in ospedale per la fatale polmonite, aveva "non finito" una volta di più il suo capolavoro, coprendo le superfici dipinte con una miriade di pezzi di nastro colorato e di carta – con grande dolore di Janis e compagnia.

Ma la critica negativa è spesso più acuta della lode incondizionata. Gli ammiratori del Neoplasticismo classico di Mondrian videro solo distruzione in questo collage dell'ultima ora. In molti sensi avevano ragione e sarebbero stati sorpresi di sapere Mondrian d'accordo, e con gioia. La distruzione era precisamente ciò che aveva cercato senza fine durante tutta la lunga gestazione di *Victory Boogie-Woogie*. Lo stadio "finito" che Janis e altri avevano visto nel suo studio prima dell'ultima frenetica settimana non era abbastanza "distruttivo" per Mondrian: fra il panico dei suoi più ardenti ammiratori, avrebbe finalmente dichiarato vittoria.

In effetti la distruzione era sempre stata il centro stesso del programma di Mondrian, fin da quando aveva scritto nei suoi primi testi della distruzione della forma, del "particolare", dell'individualità. I suoi ammiratori newyorchesi non avrebbero dovuto esserne così sbigottiti. Non erano però completamente in errore, perché Mondrian aveva mandato segnali ambigui sul suo sogno utopico di "dissoluzione dell'arte nell'ambiente" (che vedeva come una possibilità "di un lontano futuro"): anche se già nel 1922 aveva sostenuto che la pittura è solo uno strumento di verifica sperimentale dei principi estetici, non aveva mai smesso di cercare di dissuadere i suoi primi difensori dall'elogiare la sua arte per la sua utilità come progetto di architettura moderna. Nel 1944, nonostante le dichiarazioni sempre più decise di Mondrian sul ruolo

▲ 1917a

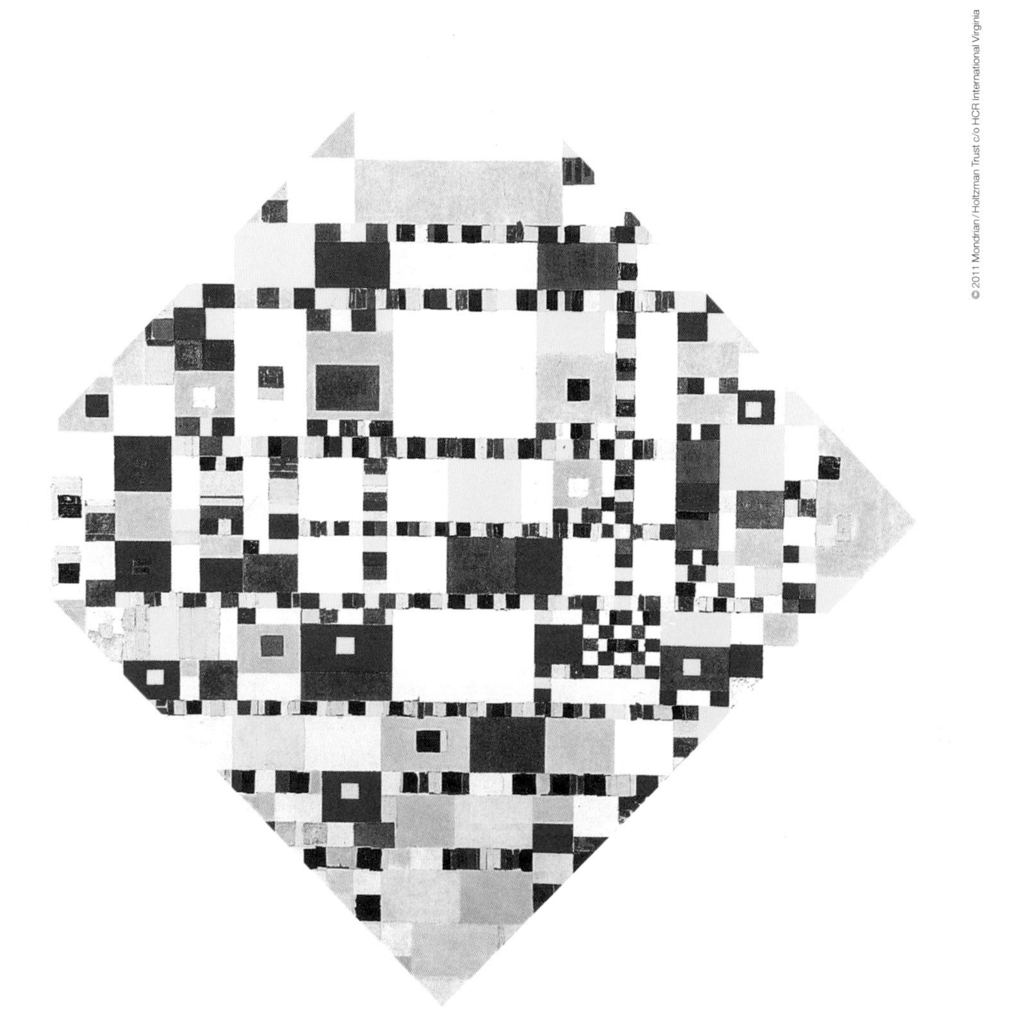

1 • Piet Mondrian, *VICTORY BOOGIE-WOOGIE*, 1942-44 (non finito)
Olio e carta su tela, 126 x 126 cm, asse verticale 178,4 cm

fondamentale della negatività nella sua opera (come per esempio: "Penso che l'elemento distruttivo sia molto trascurato in arte"), era un luogo comune pensare a lui come a un campione di un'estetica "costruttiva" (già nel 1937 Naum Gabo era rimasto sconvolto dal rifiuto di questa etichetta da parte di Mondrian).

Fu negli anni Trenta che Mondrian comprese che il suo messaggio non era stato capito. La pubblicazione postuma, nell'ultimo numero di *De Stijl* (nel gennaio 1932), di frammenti di diario di Theo van Doesburg doveva essere stata un colpo duro. Lì il suo migliore amico paragonava la sua opera alla pittura classica dell'artista francese del XVII secolo Nicolas Poussin. In quel periodo infatti, attraverso un lungo processo di tentativi ed errori, il sistema compositivo dialettico di Mondrian aveva raggiunto un acme, un momento perfetto dove niente poteva andare storto. La "negazione" di un elemento da parte di un altro aveva portato i suoi quadri ad essere assolutamente scentrati (portando così a compimento la distruzione del "particolare"), ma erano anche impeccabilmente bilanciati. Mondrian celebrò questo apice in una serie di otto quadri, dal 1930 al 1932, tutti basati sulla stessa organizzazione generale. Anche questa autocompiaciuta variazione (unica nella sua produzione, contrariamente a quanto si possa pensare) gli fece presto comprendere di essere "inceppato".

Mai indulgente con se stesso, giunse alla conclusione che, se aveva dunque raggiunto un sereno equilibrio nelle sue composizioni, era stato al terribile prezzo del senso di evoluzione dinamica, di continua perfettibilità nell'arte e nella vita, così essenziali al suo pensiero dialettico. Coraggiosamente (all'età di sessant'anni) concluse che, per sostenere meglio la distruzione che aveva sempre invocato, doveva soprattutto frammentare il linguaggio della pittura stessa, compresa la sua. Ad uno ad uno gli elementi del Neoplasticismo, che aveva concepito come culmine di tutta l'arte del passato, furono annichiliti in quanto entità.

La prima cosa a venire "dissolta", come diceva, fu la bidimensionalità. Per farlo Mondrian reintrodusse un elemento che aveva bandito dalla sua pittura dal 1919 e che avrebbe minato completamente l'aspetto "classico" delle sue opere, cioè la ripetizione. Se fino ad allora aveva concepito la ripetizione solo come un fenomeno naturale (e dunque vietato), ora diventò un'arma favorita nella lotta contro l'identità: moltiplicò le linee che delimitano e insieme legano le superfici in modo che "emerga solo il ritmo, rendendo le superfici dei 'niente'". Le linee, che erano state un elemento secondario nel Neoplasticismo "classico", diventarono

▲ 1937b ● 1917b

così l'elemento più attivo, l'agente distruttivo principale, e la loro semplice moltiplicazione assicurò non solo che le superfici perdessero la loro "individualità" (poiché non si può certo cogliere una superficie con vari contorni), ma anche che la "spersonalizzazione" colpisse le linee stesse.

Sabotaggio estetico

Il primo tentativo di Mondrian di tale radicalizzazione del programma pittorico fu *Composizione B* del 1932 **[2]**, basata sullo stesso schema compositivo della serie dei due anni precedenti. Con quest'opera inaugurò quella che chiamò la "linea doppia": due linee nere parallele e il loro interstizio bianco, anch'esso percepito come linea. Ma mentre in questa tela l'intervallo bianco della linea doppia è stretto (dello stesso spessore della linea nera "singola"), presto si allarga e (come scrisse sorpreso a un amico) "tende a diventare superficie". E dove non c'è differenza fondamentale tra linea e superficie, poiché la linea non ha più una posizione subordinata, non possono essere colorate anche le linee? Benché Mondrian rispondesse affermativamente alla domanda già nel 1933 (con la composizione "a diamante" di quell'anno, *Composizione con linee gialle*, ora al Gemeentemusem dell'Aia, che comprende solo quattro "linee/superfici" su uno sfondo bianco), sarà solo dopo il suo arrivo a New York, nell'ottobre 1940, che esplorerà a fondo questa possibilità.

Durante i tre anni seguenti la *Composizione B* Mondrian continuò a usare il modello classico del 1930-32 come solida piattaforma su cui sperimentare il sabotaggio del proprio linguaggio pittorico passato. Solo nei due quadri completati nel 1934 (uno dei quali distrutto come "degenerato" dai nazisti) raddoppiò *tutte* le linee; nel 1935 triplicò l'asse orizzontale di *Composizione grigio-rosso* (Chicago Art Institute) e quadruplicò quello della *Composizione (n. II) blu-giallo* (Hirshhorn Museum, Washington, D. C.); in *Composizione (n. III) con rosso, giallo e blu* dello stesso anno (Tate Modern, Londra) la divisione orizzontale è una "linea doppia" il cui interstizio bianco è diventato più largo di due dei "piani" del quadro; nell'ultimo dipinto della serie, *Composizione con giallo* (1936, Philadelphia Museum of Art), non è più questione di linee doppie: troviamo invece una "pluralità" di linee che sezionano la tela.

Il passo seguente di Mondrian, nella seconda metà degli anni Trenta, fu di trasformare questa "pluralità" di linee (sempre più numerose) in una pura scansione, una pulsazione irregolare dell'intera superficie della tela. Due cambiamenti inattesi risultarono da questo graduale riempimento dei quadri (che una volta erano stati così vuoti da contenere solo due linee nere su uno sfondo bianco, come in *Composizione a losanga con due linee nere* del 1931) e in entrambi i casi assistiamo alla trasgressione di un tabù del sistema neoplastico: primo, gli effetti di sovrimpressione, banditi dal 1917, cominciano a riapparire (effetti che Mondrian poi accentuerà variando la larghezza delle linee nere); secondo, si nota un ritorno del tremolio ottico causato dall'intersezione

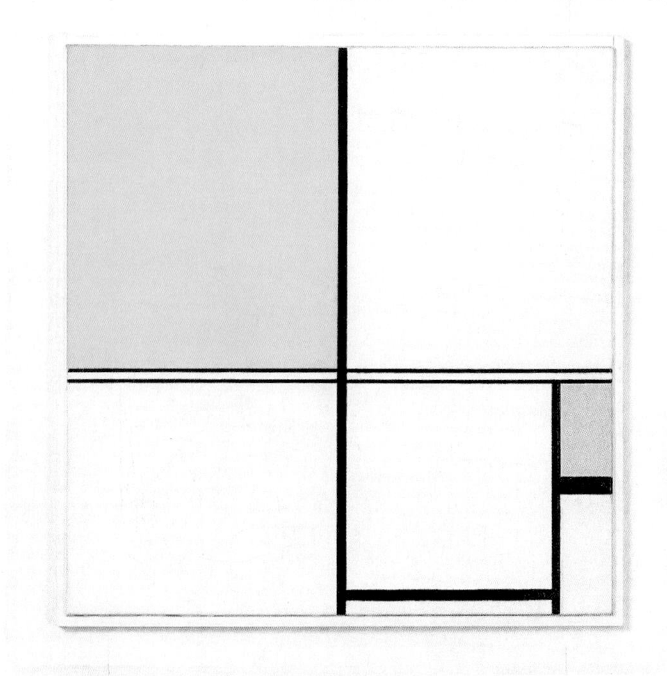

2 • Piet Mondrian, *Composizione B, con linea doppia, giallo e grigio*, 1932
Olio su tela, 50 x 50 cm

lineare multipla (che aveva evitato con cura dal 1919). È come se il timore dell'illusionismo che era alla base di quelle passate proscrizioni ora sia una questione molto meno importante di quella di essere sicuri che niente rimanga stabile. Allo spessore variabile delle linee, alla loro moltiplicazione e alla persistenza retinica che crea, Mondrian aggiunse poi la parziale interruzione di alcune linee, che così cessano di sezionare la superficie e contribuiscono piuttosto a dare una fugace esistenza alle superfici fittizie, che si formano e si dissolvono davanti ai nostri occhi.

L'opera di Mondrian ebbe una rapida evoluzione, le sue composizioni diventarono sempre più complesse, quando, dopo un breve interludio in Gran Bretagna, lasciò l'Europa per gli Stati Uniti (aveva lasciato Parigi nel 1938, pensando erroneamente che la capitale francese sarebbe stata bombardata dai nazisti – una bomba cadde invece non lontano dal suo studio di Londra). Qui, dopo qualche settimana per ambientarsi a New York, cominciò a rivedere tutti i quadri che aveva portato con sé (infatti tutte le tele completate a New York, salvo quattro, erano state cominciate in Europa). La leggenda della meraviglia di Mondrian di fronte al profilo di Manhattan è molto esagerata, infatti i cambiamenti nella sua arte in America furono più la diretta conseguenza di uno sviluppo interno. Comunque non c'è dubbio che la vitalità urbana di New York (e soprattutto la più recente musica jazz che scoprì inaspettatamente) colpì molto Mondrian. Si sentì ringiovanito dalla città; per la prima volta nella vita era acclamato come maestro e i suoi consigli erano ricercati (è grazie al suo interessamento all'*Immagine stenografica* di Pollock del 1942, per esempio, che Peggy Guggenheim diede una seconda occhiata a quest'opera e finì col prendere l'artista americano nella sua scuderia).

Le prime tele ad essere rielaborate appartengono alla serie di

▲ 1949a, 1960b ● 1942b

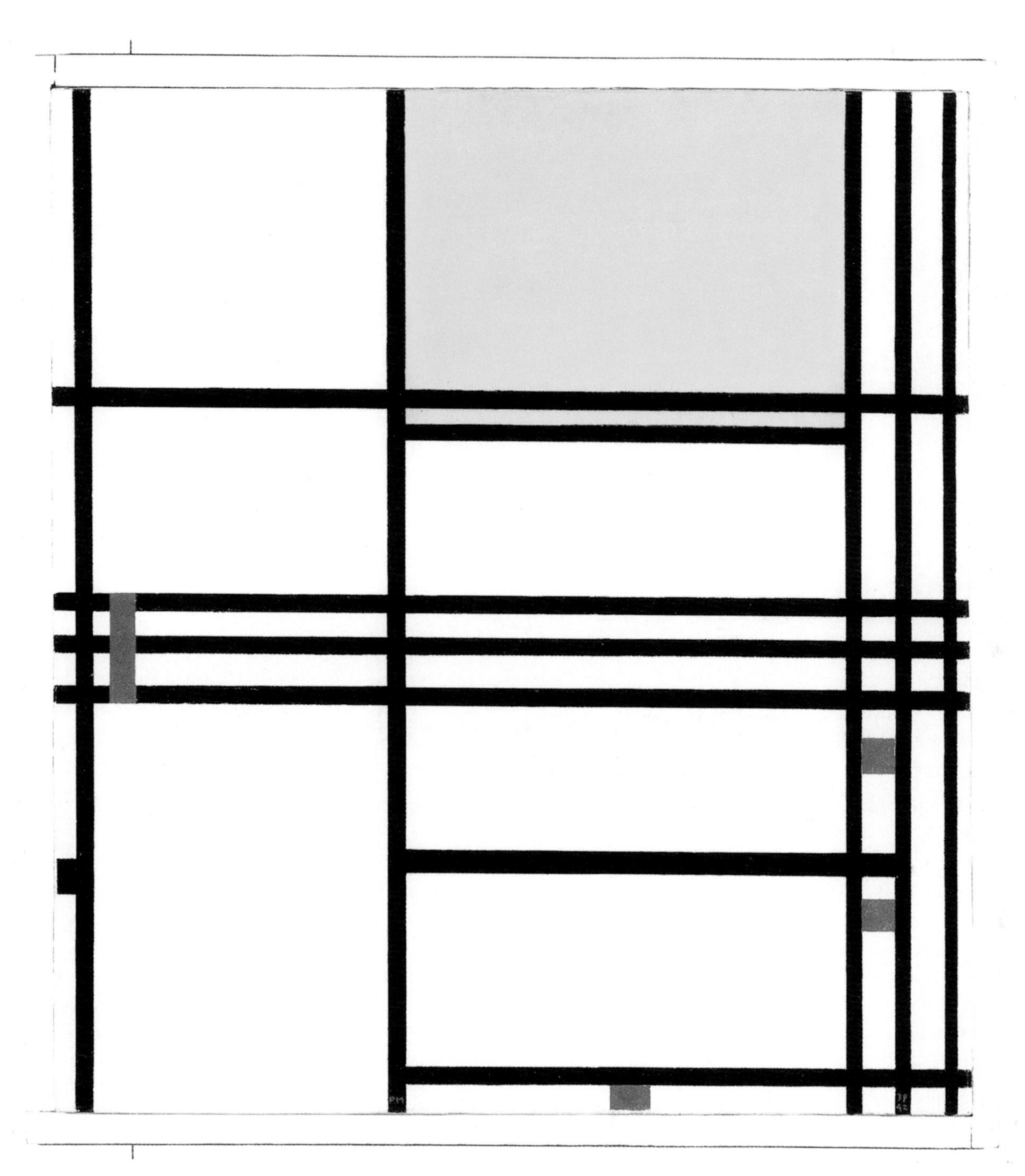

3 • Piet Mondrian, *Composizione n. 9 con giallo e rosso*, 1938-42
Olio su tela, 79,7 x 74 cm

composizioni verticali che Mondrian aveva cominciato a Parigi (nel 1936), caratterizzate da uno spazio "vuoto" al centro. In *Composizione n. 9* **[3]** possiamo chiaramente isolare tutti gli elementi di questo ultimo periodo europeo (sovrapposizione di linee secanti, moderato effetto di tremolio [a destra], lunghezza diseguale delle linee nere che determina rettangoli fittiziamente sovrapposti di incerta identità). A questo vocabolario Mondrian aveva aggiunto piccoli tratti di colore che sembrano sciolti da qualsiasi restrizione – uno di essi incrocia perfino il fascio di sbarre orizzontali (in un altro quadro dello stesso gruppo un blocco rosso taglia una superficie gialla, con quella che è dunque la prima giustapposizione di colori nella sua opera dal 1917). Questi tratti si moltiplicano e allungano in *Place de la Concorde* (1938-43), il cui titolo è un omaggio alla città in cui Mondrian aveva cominciato a lavorarvi, come nei casi di *Trafalgar Square* (1939-43) e *New York* (1941-42). In quest'ultimo, insieme ai tratti colorati, riappaiono le linee colorate (comparse per poco nel 1933). Il passo seguente, con *New York City*, fu la completa eliminazione del nero.

Quest'ultima opera derivava da una serie di quadri, anch'essi cominciati in Europa, in cui il semplice numero di linee che attraversano la tela formava una griglia, irregolare, certo, ma altrettanto otticamente attiva di quella dei primi due quadri "a diamante" del

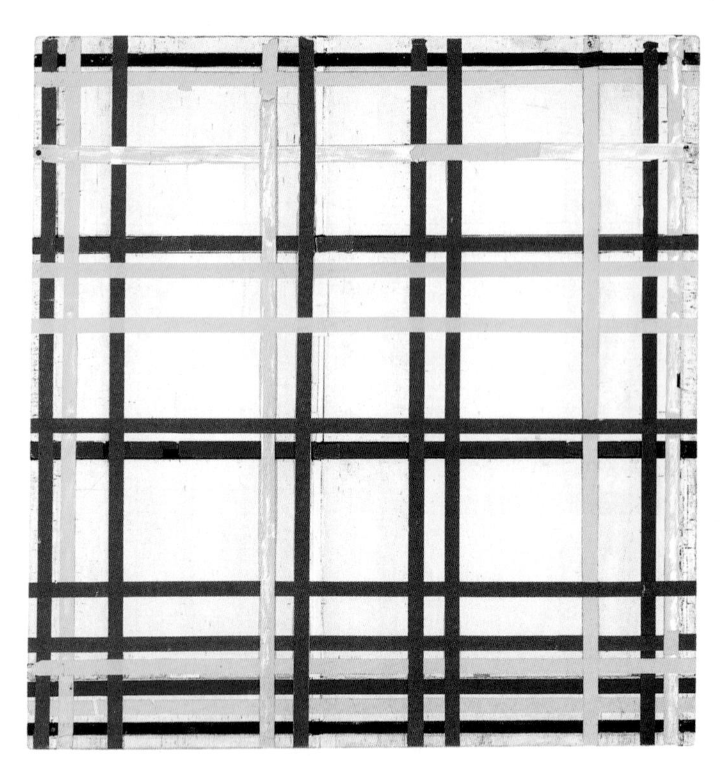

4 • Piet Mondrian, *New York City I*, 1941 (non finito)
Olio e strisce di carta dipinta su tela, 119 x 115 cm

1918 e 1919. Mondrian aveva accettato la persistenza retinica come inevitabile effetto del ritmo di linee che scandiva le sue tele, ma ne diffidava comunque. In *New York City* giunse alla conclusione di aggirare questa illusione e lo fece spingendo fino al limite l'impresa di distruzione del linguaggio pittorico. Durante i primi anni Trenta la superficie come forma (il rettangolo) era stata "dissolta" dal multiplo incrociarsi delle linee; poi, alla fine del decennio, l'identità della linea stessa era stata abolita grazie alla pulsazione accelerata della ripetizione, ma ciò che rimaneva intatto in questa lotta contro i fondamenti era lo sfondo su cui restavano linee e superfici. Ora Mondrian aspirava alla negazione dello sfondo come entità geometrica e fisica. Così *New York City* fu concepito come una trama di linee colorate che non si riesce a riconfigurare come superfici virtuali indipendenti (come una rete rossa, una gialla e una blu) poiché nessuna linea di nessun colore si comporta in modo costante (una linea rossa passa sopra una blu da una parte e sotto da un'altra). Ma questa deliberata perdita di identità geometrica è basata sull'irregolarità fisica dello sfondo: il quadro è manifestamente stratificato, avendo Mondrian imitato con cura, attraverso l'impasto e la pennellata, l'andar sopra e sotto dell'intrico creato con i nastri adesivi mentre abbozzava la composizione, come si vede anche in altre tele della stessa serie lasciate non finite **[4]**.

La logica che sottende questa nuova svolta era tipica della riduzione di ogni elemento alla sua dialettica fondamentale: l'illusionismo è ciò che accade quando lo sfondo è otticamente svuotato, ma se lo sfondo non esistesse come punto di partenza, se non ci fosse una superficie geometrica continua, niente del genere sarebbe possibile. Così è probabilmente solo con la sua penultima opera che Mondrian ha sfruttato completamente questo punto. Salutato come un capolavoro (e acquistato dal Museo d'Arte Moderna quando fu esposto, ancora fresco, nel 1943), *Broadway Boogie-Woogie* era considerato un fallimento da Mondrian. "C'è ancora troppo del vecchio", avrebbe detto. Benché infatti nessun quadro precedente avesse mai catturato così efficacemente il ritmo sincopato che gli piaceva nel jazz – con le sue linee colorate divise in lunghi tratti di giallo (colore base) e più corti di rosso, grigio e blu, e le sue rare superfici più grandi che sono diventate accordi di tre colori – questo vibrante quadro è privo del tipo di trama materiale che aveva creato in *New York City*. In quella tela un inatteso effetto di contrasto simultaneo (apparizione illusionistica di colori complementari) era risultato dal multiplo incrociarsi di linee colorate; in *Broadway Boogie-Woogie* aveva cercato non tanto di correggere questo effetto quanto di dargli una forma, segnando ogni incrocio delle linee gialle predominanti con un quadrato di un colore diverso, favorendo così l'atomizzazione delle linee stesse. Ma l'integrità dello sfondo era tornata prepotentemente.

Questo è probabilmente ciò che tanto lo turbò nel "non finito" *Victory Boogie-Woogie* e la ragione per cui incollò furiosamente tutti quei pezzi di carta colorata che ancora si possono vedere su di esso, sfociando in un collage dove la posizione relativa di ogni elemento, intessuto nel leggero spessore dello spazio reale (non illusorio), è in perpetuo stato di flusso, dove lo sfondo è diventato un fantasma la cui unica fugace esistenza possibile è quella di apparire *sopra* la figura. YAB

ULTERIORI LETTURE:

Yve-Alain Bois, *Piet Mondrian, "New York City"*, in *Painting as Model*, MIT Press, Cambridge (Mass.) 1990

Yve-Alain Bois, Joop Joosten e Angelica Rudenstine, *Piet Mondrian*, National Gallery of Art, Washington (D.C.) 1994

Harry Cooper, *Mondrian, Hegel, Boogie*, in *October*, n. 84, primavera 1998

Harry Cooper e Ron Spronk, *Mondrian: The Transatlantic Paintings*, Yale University Press, New Haven-London 2001

Joop Joosten e Robert P. Welsh, *Piet Mondrian*, catalogue raisonnné, Harry N. Abrams, New York 1998

1944b

Allo scoppio della Seconda guerra mondiale, gli "Antichi Maestri" dell'arte moderna – Matisse, Picasso, Braque e Bonnard – considerano il loro rifiuto di abbandonare la Francia occupata come un atto di resistenza contro la barbarie: scoperto dopo la Liberazione, lo stile che avevano sviluppato durante gli anni di guerra è una sfida alle nuove generazioni.

Nel 1950 il Gran premio di pittura della Biennale di Venezia fu vinto da Henri Matisse (meglio tardi che mai: aveva 81 anni). Quell'anno aveva più opere esposte di qualsiasi altro artista: non solo il governo francese lo aveva selezionato per il padiglione nazionale (insieme a Pierre Bonnard, Maurice Utrillo e Jacques Villon), ma suoi quadri dominavano anche l'esposizione storica dedicata al Fauvismo (che comprendeva anche opere di Braque, Derain, van Dongen, Dufy, Marquet e Vlaminck). La presenza di Matisse alla Biennale del 1950 era quasi una miniretrospettiva, con dodici quadri nella mostra sul Fauvismo e ventitré nel padiglione francese, insieme a tre sculture e sei disegni. A uno sguardo attento non sfugge che i dadi siano stati truccati, come se gli organizzatori della Biennale si fossero preoccupati che potesse essere l'ultima occasione per premiare l'Antico Maestro moderno (in realtà restavano altre due possibilità: Matisse sarebbe morto solo nel 1954). Come accadeva spesso nelle diverse retrospettive di Matisse del dopoguerra, una deliberata enfasi era posta sia sulla prima fase dell'artista sia su quella più recente (realizzata durante o appena dopo la guerra), che egli era impaziente di mostrare al pubblico. C'erano dunque almeno ventidue quadri datati dal 1896 al 1917 e sette dal 1940 al 1948, mentre solo sei del periodo tra i due.

Colmare lo iato

Questa volta però Matisse dovette intervenire duramente dietro le quinte perché la sua strategia dell'"inizio/fine e niente in mezzo" venisse adottata: per ragioni del tutto diverse dal giudizio di merito, la strategia della Biennale (che era stata chiusa nel 1942 e riaperta solo nel 1948) era quella di costruire un ponte tra passato prefascista e dopoguerra presente. Il fine ovvio era di cancellare il ricordo degli anni Venti e Trenta come un brutto sogno ed espiare l'ipernazionalismo (e dirompente antimodernismo) degli anni mussoliniani. Niente di meglio che una moderna versione della "Bella addormentata". L'evoluzione di Matisse fornì il perfetto puntello alla costruzione di questa amnesia collettiva, poiché correva quasi perfettamente parallela alla vita della Biennale: le uniche volte che aveva mandato opere alla Biennale erano state nel 1920 e nel 1928, durante il cosiddetto "periodo di Nizza" (1917-

1 • Henri Matisse, *Natura morta con magnolia*, 1941
Olio su tela, 74 x 101 cm

30), cioè quando Matisse stesso aveva voltato le spalle al modernismo della giovinezza e aveva partecipato a suo modo alla ▲ sterzata conservatrice del "ritorno all'ordine", una tendenza reazionaria che la Biennale aveva sostenuto con tutta la sua forza istituzionale. Poi, da quando aveva riacceso la fiamma del suo avanguardismo degli anni precedenti la Prima guerra mondiale – cioè tra il 1930 e il 1933, mentre lavorava alla grande "decorazione" di *La danza* per la Fondazione Barnes di Filadelfia – non era più benvenuto alla Biennale e non si preoccupò più di esporvi. Ma la riapertura dopo la Seconda guerra mondiale fu accuratamente progettata come un voltar pagina e Matisse, che nel frattempo aveva messo a punto il proprio "aggiornamento", fu felice di partecipare al salutare evento. Il messaggio che gli permise di portare a un vasto pubblico – cioè che nella sua opera recente aveva non solo voltato le spalle alle radici della sua innovazione estetica, ma che da quei rami potevano sbocciare nuovi fiori – era notevolmente in sintonia con la politica di ricostruzione comune a tutta l'Europa nell'immediato dopoguerra, un programma ideologico di cui la Biennale di Venezia era la nave ammiraglia nell'ambito del consumo artistico.

Fu su richiesta di Matisse che il Museo Nazionale d'Arte Moderna di Parigi mandò a Venezia la *Natura morta con magnolia*

▲ 1919

2 • Henri Matisse, *Grande interno rosso*, 1948
Olio su tela, 146 x 97 cm

del 1941 [**1**] e il *Grande interno rosso* del 1948 [**2**], due opere recentemente acquisite. *Grande interno rosso* è la tela più importante del pittore e possiamo anche dire il suo testamento pittorico: esso conclude la grande serie degli interni realizzata a Vence dopo la guerra, altri quattro dei quali presentati a Venezia, e richiama inevitabilmente *L'atelier rosso* del 1912 in quanto, come questa pietra miliare riassuntiva della prima parte dell'opera di Matisse, rappresenta alcune delle creazioni dell'artista appese in un oceano di rosso pulsante (un grande disegno a inchiostro del 1948 e *L'ananas*, altra tela della serie di Vence). *Natura morta con magnolia*, altrettanto immersa nel rosso, rimase il quadro favorito di Matisse della serie di Vence: è la prima importante tela in quello che può essere definito il suo "stile da vecchio", come il *Grande interno rosso*, sette anni dopo, sarebbe stato l'ultimo.

Lo stretto legame tra *L'atelier rosso* e *Grande interno rosso* non è meramente tematico. In termini puramente formali non c'è differenza fondamentale tra il "primo" stile maturo di Matisse (cioè dopo ▲ *La gioia di vivere* ma prima del periodo di Nizza) e lo stile "da vecchio" appena menzionato. Ci sono più analogie che differenze, ● per fare un altro esempio, tra la *Natura morta con magnolia* e *La musica* del 1910 o la *Finestra blu* del 1913: sono tutte composizioni frontali di figure che fluttuano in un campo di colore saturo. Se ciò che distingue il secondo gruppo di opere dal primo è tenue – le zone bianche non dipinte che circondano gli oggetti anche se le figure sono tracciare in contorni neri, la luce della tela vuota che appare tra le pennellate – la nuova aria di libertà che questi segni di spontaneità danno alle ultime opere è il risultato diretto di una filosofia dell'arte che Matisse aveva cominciato a sviluppare intorno al 1935.

La parola che Matisse scelse per caratterizzare il suo nuovo approccio fu "inconscio". Fu forse una scelta infelice, perché la sua nozione di inconscio aveva poco a che fare con il concetto freudiano e il luogo dei desideri repressi. L'"inconscio" matissiano era più un "riflesso", come a volte diceva. In termini pratici, "fidarsi del proprio inconscio" significava per lui adottare un processo di lavoro a due livelli, tecnica che inizialmente sviluppò nel disegno. Prima pazientemente "si impadroniva del modello" e imparava da esso tutto il necessario attraverso quello che chiamava uno "studio analitico" (il più delle volte realizzato a matita e con molti "pentimenti"); poi, solo quando sentiva che questo accumulo di informazioni aveva raggiunto la saturazione, ci sarebbe stata l'esplosione del disegno, o meglio dei disegni, fatti quasi come in trance e senza più possibilità di correzioni, la mano guidata dal puro istinto, come un acrobata o un funambolo che cadrebbe se si fermasse a pensare a ciò che sta facendo e al pericolo che corre. Dal 1941 Matisse ha completamente padroneggiato questa doppia temporalità in ambito grafico (fu comprensibilmente orgoglioso del suo talento e cominciò a compilare un album di disegni che illustrano il suo metodo, pubblicato nel 1943 con il titolo *Temi e variazioni*), ma non era sicuro di come trasferirlo in pittura. *Natura morta con magnolia*, una delle tele a cui lavorò più intensamente, rappresenta il punto di svolta. Da un lato, ci sono innumerevoli disegni preparatori di quest'opera (cosa inusuale per Matisse), dall'altro, l'artista cancellò molte volte ricominciando ogni volta da capo, finché riuscì a dipingerlo senza pensare. Mentre l'atmosfera di quest'opera è sinistra, la sua frontalità non è meno terrificante per lo spettatore di quella di *La musica* ▲ (e come quel quadro, che era in parte una risposta a *Les Demoiselles* di Picasso, non meno allusivo al mito della testa della Medusa), la tecnica che Matisse impiegò qui è responsabile della singolare freschezza di tutti gli interni di Vence. Sembrano tutti fatti in poche ore, e lo furono, se si considera soltanto lo stadio finale; è stata però usata un'enorme quantità di solvente per cancellare le precedenti versioni, giorno dopo giorno. Con questo procedimento alla Penelope, Matisse aveva inventato un nuovo tipo di automatismo pittorico con cui sentiva di aver raggiunto il suo scopo di sempre, cioè di annullare lo scarto tra concezione e realizzazione.

Matisse aveva settantanove anni quando dipinse il *Grande interno rosso*. Da subito dopo la guerra era confinato a letto. Fu allora che passò a un altro linguaggio di fusione, le carte ritagliate [**3**]. Questo medium non era nuovo nel repertorio di Matisse – l'aveva già usato quando lavorava a *La danza* per Barnes, dal 1931 al 1933, poi in maniera intermittente durante gli anni Trenta per vari progetti decorativi; la sua prima grande opera in carte rita-

▲ 1906 ● 1910 ▲ 1907

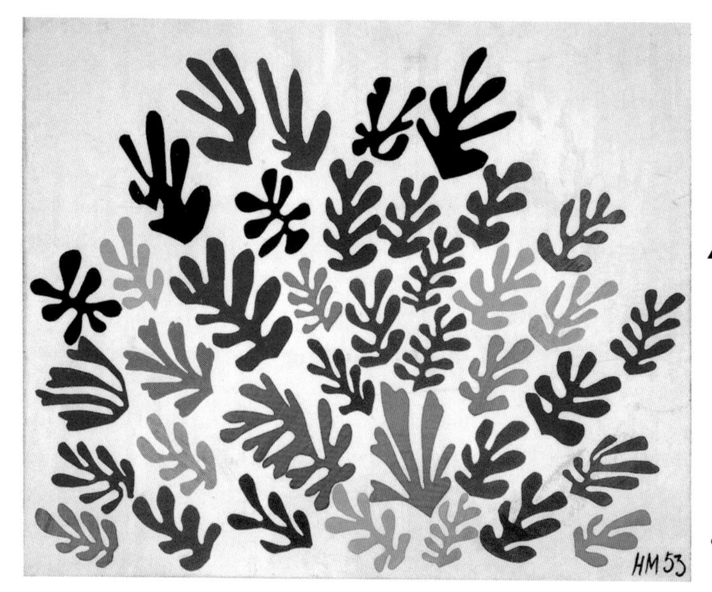

3 • Henri Matisse, *Il covone*, 1953
Modello per ceramica, ritagli di gouache, 2,9 x 3,4 cm

gliate, l'album *Jazz*, fu realizzata durante la guerra, mentre era temporaneamente costretto a letto (fu pubblicato in forma silografica nel 1947) – ma fu soltanto durante gli ultimi cinque anni della sua vita che fece quasi esclusivo ricorso a questo mezzo. Era particolarmente adatto, come lo era un altro medium che usò nello stesso periodo (la piastrella di ceramica), per lavorare a progetti decorativi su grande scala come la Cappella del Rosario di Vence, che fu inaugurata nel 1951. Come l'automatismo pittorico, le carte ritagliate rappresentavano la soluzione a un dilemma che Matisse aveva pensato di risolvere fin dall'inizio della sua carriera, questa volta non lo scarto tra concezione e realizzazione, ma un suo effetto, cioè "l'eterno conflitto tra disegno e colore", che aveva lamentato ripetutamente e a cui si riferivano già le esplosioni coloristiche del Fauvismo, di *La gioia di vivere* in particolare. "Disegnando direttamente nel colore", Matisse era in grado di massimizzare due fonti di energia che aveva usato con maestria per decenni: la modulazione degli intervalli di sfondo bianco che animano i suoi disegni e la saturazione elettrizzante del colore.

Lo stile "da vecchi" dei maestri modernisti

Sebbene la carriera di Matisse fornisca l'esempio migliore del fenomeno dello stile "da vecchio" dei maestri modernisti, il suo caso non è unico. Un altro artista altrettanto celebrato dalla Biennale di Venezia, stavolta nel 1948, fu Georges Braque (forse come sostituto di Picasso, la cui adesione politica al Patito comunista, strombazzata subito dopo la Liberazione, insieme alla sua fedele opposizione al governo fascista del generale Franco, ne facevano un candidato improbabile). Neppure Pierre Bonnard sarebbe stata una scelta assurda. I dettagli sono ogni volta diversi, ma il nocciolo resta lo stesso: l'arte di questi pittori già famosi prima della Prima guerra mondiale e da tempo venerati come pionieri dell'arte moderna mostrava un inatteso rinnovamento dopo la Seconda; gli artisti più giovani emergenti intorno al 1945 dovevano fare i conti con il fatto che i loro eroi, di cui avevano completamente perso le tracce per molti anni, non solo erano ancora vivi ma producevano sorprendenti nuove opere.

Picasso fu l'ostacolo più significativo per la nuova generazione (Pollock si lamentò spesso che l'artista spagnolo aveva già inventato tutto e cominciò a sentirsi libero dal fascino dell'artista più vecchio solo dopo aver adottato la tecnica del *dripping* nel 1947). Non ci fu un grande cambiamento tra lo stile (o meglio la molteplicità di stili) di Picasso di prima e dopo la guerra fino a metà degli anni Sessanta, ma nonostante questa sorprendente continuità stilistica in un'opera segnata da discontinuità di tutti i tipi, l'opera di Picasso della fine degli anni Quaranta e dei Cinquanta porta le tracce di un approccio generale antitetico al metodo strutturalista, basato cioè sulla natura oppositiva dei segni pittorici, che aveva elaborato durante l'apice del Cubismo. Non è un caso che quest'ultimo modo, che possiamo definire "fenomenologico" (in quanto presuppone una sorta di empatia con cui l'artista cerca di conoscere il suo modello come dall'interno), è più efficacemente dispiegato nelle opere in diretto benché postumo dialogo con Matisse, il perenne rivale che finalmente si sentiva libero di onorare. Nelle due serie di pitture che Picasso realizzò con in mente il vecchio amico morto da poco, le *Donne d'Algeri* **[4]** e gli *Atelier di Cannes*, del 1955, il modello che Picasso cerca di comprendere dall'interno è tanto il soggetto rappresentato (le cortigiane di Delacroix in un caso, lo spazio pieno di specchi kitsch art nouveau/neo-rococò del suo nuovo atelier di Cannes nell'altro) quanto l'arte stessa di Matisse (le odalische che Picasso affermava di aver ricevuto in eredità e la leggerezza degli interni di Vence). Non era la prima volta che Picasso avviava un esplicito colloquio pittorico con un maestro scomparso, perché aveva già affrontato la *Crocifissione* di Grünewald nei primi anni Trenta, il *Trionfo di Pan* di Poussin durante la Liberazione di Parigi e poi Cranach, Courbet e El Greco alla fine degli anni Quaranta e nei primi Cinquanta. In Matisse tuttavia piangeva un contemporaneo più che giocare allegramente con un passato distante. Questo colora

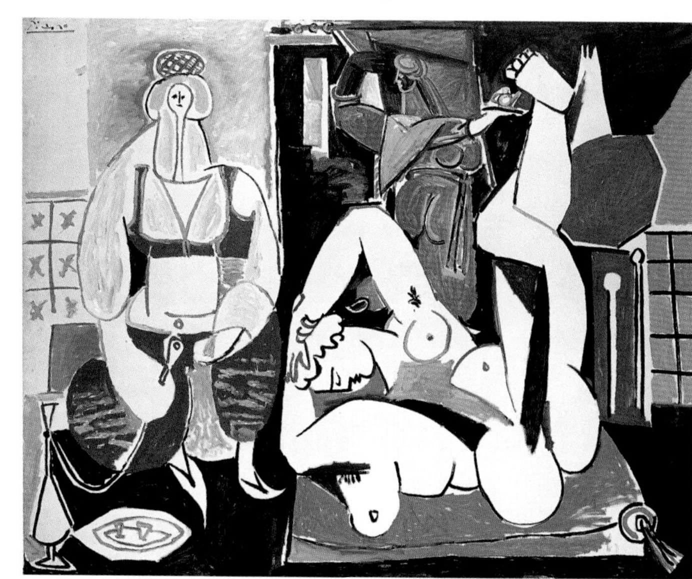

4 • Pablo Picasso, *Donne d'Algeri* (versione H), 1955
Olio su tela, 130,2 x 162,3 cm

▲ 1906 ● 1911, 1912, 1921a

▲ 1949a, 1960b ● Introduzione 3, 1907, 1911, 1912, 1921a

5 • Georges Braque, *Il tavolo da biliardo*, 1944
Olio su tela, 130,5 x 95,5 cm

le opere in questione di un'insolita gravità che mantenne nelle serie seguenti, in cui indagò la tradizione occidentale della pittura (quarantacinque tele direttamente basate sulle *Meniñas* di Velázquez nel 1957, ventisette tele e circa duecento opere in varie tecniche da *La colazione sull'erba* di Manet dal 1959 al 1962). Con la morte di Matisse il mondo di Picasso aveva ricevuto un colpo: meditando sulla morte, avrebbe passato il resto della sua lunga vita sostenendo, sempre più disperatamente, che la pittura che aveva conosciuto era ancora un gioco che valeva la pena giocare, ma dai primi anni ▲ Sessanta il fenomeno della neoavanguardia aveva chiaramente spostato il paradigma e i giovani artisti non la ritenevano più importante.

La notevole serie di interni di Braque esposta a Venezia (compreso il primo, *Il tavolo da biliardo* **[5]**) recava segni di una liberazione il cui meccanismo non era dissimile da quello messo in opera da Picasso nei suoi quadri "matissiani" del 1955 e 1956, anche se la causa è completamente diversa. Proprio come per le tele dal 1919 al 1921 (cioè quando Braque fu ricoverato in isolamento per una ferita subita al fronte e per una volta non sentì il fiato di Picasso al collo) queste ultime opere magnificano la straordinaria capacità tecnica dell'artista, l'aspetto pittorico di cui era maestro senza pari, ma che aveva sempre finito con lo svalutare sotto la pressione del suo sarcastico alter ego. In sé la composizione di queste scene di interni non è altro che cubismo standard, quasi accademico, fatto della separazione tra colore e forma, di punti di vista multipli, di trasparenza, di scomposizione dell'oggetto in piani, eccetera, ma le dimensioni insolitamente grandi sottolineano la materialità della pasta di pittura e sabbia che Braque usò per indicare la loro concreta realtà di oggetti. Tardi nella vita, Braque fu spesso elogiato per aver restaurato la tradizione francese della natura morta che veniva da Chardin nel XVIII secolo, ma se i suoi interni degli anni Quaranta hanno un enorme impatto, è perché in essi si era inaspettatamente spostato dalla scala intima della pittura da cavalletto a quella pubblica del murale.

Non bisogna cercare un simile spostamento di scala nell'ultimo Bonnard. Nel suo *Atelier con mimose* **[6]** non c'è niente che non fosse già presente nella sua opera dalla metà degli anni Trenta in poi (il sottile gioco cromatico degli strati di vari colori – tratto stilistico emulato da Mark Rothko nella sua opera matura; l'effetto di zoom con cui Bonnard taglia il campo visivo e attira lo spettatore nel gioco luminoso delle cose). Neppure le dimensioni delle sue tele cambiarono nel dopoguerra. Quello che cambiò fu piuttosto l'ampiezza delle pennellate. I contorni diventarono sempre meno definiti, come visti in una foschia, e questa generale forma soffusa riverberò ulteriormente la tonalità coloristica alta di Bonnard, trasformando il mondo domestico che aveva rappresentato da decenni in uno spazio del tutto onirico.

▲ L'opera del dopoguerra di Léger, per contrasto, costituisce una ritirata. Mentre era in America, durante la guerra, Léger aveva esplorato la possibilità di uno spazio pittorico isotropico con la serie dei *Tuffatori* e degli *Acrobati*: saltando da tutte le parti, le loro figure fluttuanti si muovono sfidando la gravità. Teoricamente queste tele possono essere appese in quattro posizioni diverse – questo, almeno, era quanto sosteneva Léger, benché si contraddicesse applicando un'unica firma in uno degli angoli. Le molte versioni di questi *Tuffatori* e *Acrobati* convergevano tutte in una direzione simile a quella delle *Costellazioni* di Joan Miró, del 1940-41, e benché questo debito venga raramente riconosciuto, la mostra di Léger del 1944 a New York può aver avuto nell'elaborazione del concetto di Pollock di *allover* un ruolo non meno significativo di quella di Miró del 1945 alla galleria Pierre Matisse. Tuttavia, mentre Miró manteneva negli anni seguenti questo senso risoluto di mancanza di direzione, Léger optò per il genere eroico-monumentale. Anche se era stato uno dei pochi pittori modernisti a pensare seriamente, già a metà degli anni Venti, a quella che molto ● dopo sarebbe stata chiamata (da Clement Greenberg) la "crisi della pittura da cavalletto", anche se aveva chiaramente sostenuto che questo medium era condannato a sparire e che la sopravvivenza della pittura era affidata alla sua capacità di fondersi con altri media (tra cui l'architettura) e di sviluppare un nuovo senso delle dimensioni, si era confinato nelle sue convinzioni ideologiche. Léger si iscrisse al Partito comunista poco dopo Picasso, ma mentre l'artista spagnolo esitava tra il cinico appoggio alla politica stalinista attraverso un'opera minore di propaganda (per esempio la sua produzione a catena di colombe della "pace") e la totale indifferenza per la linea del partito, Léger era convinto e voleva "educare le masse" attraverso la sua arte. Il risultato fu che la sua opera del dopoguerra, mentre ricorreva ancora a tutti gli espedienti stilistici sviluppati fin dai primi anni Trenta (spessi contorni, modellato schematico attraverso sfumati di nero sovrapposto alle superfici di colori puri), diventò incredibilmente rigida. Le sue figure finiscono con l'imitare, senza la ruvida rozzezza e l'ingenuità convincente che c'è per esempio nell'opera di un ■ Aleksandr Deineka, le posture che si trovano nella pittura "realista socialista" sovietica. Diversamente da Matisse, Picasso, Braque o Bonnard, l'arte di Léger non crebbe nel periodo della Ricostruzione del dopoguerra, anche se questo non gli impedì comunque di essere un riferimento con cui la nuova generazione dovette fare i conti.

▲ 1960a

▲ 1913, 1925a ● 1960b ■ 1934a

6 • Pierre Bonnard, *Atelier con mimose*, 1939-46
Olio su tela, 126 x 126 cm

7 • Giorgio Morandi, *Natura morta*, 1946 ca.
Olio su tela, 28,7 x 39,4 cm

Sopraggiunge una nuova generazione

Léger venne trascurato dalla Biennale di Venezia. Dopo aver celebrato diversi Antichi Maestri figurativi della Scuola di Parigi, la Biennale passò al Surrealismo, un altro movimento che era stato volutamente ignorato durante gli anni fascisti (nel 1954 Ernst ricevette il Gran premio per la pittura e Arp quello per la scultura), poi, infine, passò alla nuova generazione – il che significò, per un'antica istituzione non particolarmente aggiornata sui recenti sviluppi, all'astrattismo del dopoguerra (Mark Tobey [1890-1976] e Eduardo Chillida [1924-2002] nel 1958, Hans Hartung [1904- 89] e Jean Fautrier [1898-1964] nel 1960). Ma l'attribuzione dei Gran premi a maestri internazionali non era sufficiente per proseguire la sua campagna politica di amnesia redentiva: occorse anche indirizzarsi al confuso contesto italiano. La mossa più audace fu la celebrazione nel 1950 dei "Firmatari del Primo manifesto futurista": in quello che equivalse a un vero e proprio travestimento della storia, venne completamente omesso che Marinetti, capo indiscusso del Futurismo, aveva non solo scritto il manifesto ma era anche stato il più noto "bardo" ufficiale del regime di Mussolini. In nessun modo venne sollevata la questione di come i suoi colleghi, pur esitando, ne avessero seguito le linee politiche.

Non tutti i tentativi revisionisti della Biennale furono altrettanto maldestri o ipocriti. Nel 1948, due anni prima che si cercasse di assolvere il Futurismo dalle sue responsabilità politiche passate, fu reso omaggio alla Metafisica in una mostra con Carlo Carrà, Giorgio de Chirico e Giorgio Morandi (1890-1964). L'esposizione non riuscì a convincere molti critici che l'ultima opera di de Chirico fosse qualcosa di diverso dalla rinuncia alle sue prime posizioni (che erano state così importanti per la nascita del Surrealismo) né che la pallida stella di Carrà potesse gettare più luce, ma Morandi, personaggio alquanto appartato, fino ad allora quasi sconosciuto fuori d'Italia, trovò improvvisamente il proprio posto nella storia. Questi riconoscimenti non cambiarono comunque niente per lui, né nella sua arte, i cui rigorosi parametri erano stabiliti fin dai primi anni Venti, né nella sua vita monastica. Per anni, fino alla morte, Morandi dipinse composizioni molto simili, soprattutto piccole nature morte di pochi recipienti vuoti (bottiglie, bicchieri, tazze, vasi) visti leggermente dall'alto e disposti frontalmente su un semplice piano (poco più che una linea orizzontale) e contro una parete altrettanto sgombra **[7]**; il tutto sempre in schemi di colori tonali (fu un maestro del grigio) e luce tagliente (o zenitale e dunque senza ombre, o obliqua, con ombre accentuate che ricordano la prima maniera di de Chirico). L'arte di Morandi è un'arte riservata, sussurrata: è contraria ai clamori di molti movimenti d'avanguardia che si succedettero a ritmo accelerato durante il XX secolo. Come Ad Reinhardt con i suoi "definitivi" quadri "neri", Morandi optò per quello che si è tentati di chiamare un modo minore – se questo termine non avesse connotazioni negative –, un modo in cui il pathos e la retorica agonistica dei forti contrasti sono aboliti e dove l'opera richiede una lunga contemplazione prima di cominciare ad essere compresa. Tutt'altro che sorprendentemente, gli spettatori non si fecero catturare facilmente dall'atteggiamento tranquillo di Morandi, ma alla fine l'eremita di Bologna convinse i giovani artisti, più di quanto era riuscito a fare Picasso dalla sua tribuna d'onore, che il gioco della pittura valeva ancora la pena. YAB

ULTERIORI LETTURE:

Lawrence Alloway, *The Venice Biennale 1895-1968: From Salon to Goldfish Bowl*, New York Graphic Society, New York 1968
Yve-Alain Bois, *Matisse and Picasso*, Flammarion, Paris 1998
John Golding et al., *Braque: The Late Works*, Yale University Press, New Haven-London 1997
Nicholas Serota (a cura di), *Fernand Léger: The Later Years*, Prestel Verlag, Munich 1987
Leo Steinberg, *The Algerian Women and Picasso At Large*, in *Other Criteria: Confrontations with Twentieth-Century Art*, Oxford University Press, London-Oxford-New York 1972, e *Picasso's Endgame*, in *October*, n. 74, autunno 1995
Sarah Whitfield e John Elderfield, *Bonnard*, Tate Gallery, London, e Museum of Modern Art, New York 1998

▲ 1913, 1916a, 1918, 1922, 1924, 1925c ● 1946

▲ 1909 ● 1909, 1924 ■ 1957b

tavola rotonda

L'arte a metà del secolo

HF: Primo, prendiamo alcuni importanti racconti sull'arte di prima della guerra che emergono nel dopoguerra e chiariamo le nostre divergenze storiche. Secondo, affrontiamo il problema dell'antimodernismo e del perché è stato a lungo un argomento difficile da discutere in maniera adeguata. Terzo, vediamo la questione della Seconda guerra mondiale come cesura e di come diverse storie dell'arte del XX secolo trattano questa rottura, ritenendola definitiva, negandola nell'interesse della continuità, o passando oltre nel nome della ricostruzione. Non c'è bisogno di attenersi strettamente a questo percorso, ma cominciamo con il racconto del modernismo prima della guerra sviluppato da Alfred H. ▲ Barr Jr., il primo direttore del Museo d'Arte Moderna di New York.

YAB: Una cosa che colpisce oggi è la differenza tra l'incontro entusiasta di Barr con l'avanguardia russa durante il suo viaggio in Unione Sovietica nel 1927-28 e il modo in cui il Costruttivismo russo venne poi ridotto, al MoMA, alla produzione di quadri e sculture astratte. Anche se Barr durante la sua visita cercava proprio pittori e scultori ("Devo trovare altri pittori", annotò nel suo diario dopo una visita a Rodčenko, che gli diceva di avere smesso di dipingere nel 1922), fu impressionato da tutto il lavoro realizzato ● dagli artisti costruttivisti in quello che possiamo chiamare l'ambito della propaganda o del "fronte ideologico" (scenari teatrali e cinematografici, tipografia, progettazione di spazi espositivi, ecc.). Anche se alla fine criticò il concetto antiartistico di "factografia", passò molto tempo con il suo teorico, lo scrittore Sergej Tretijacov, sforzandosi di comprenderlo. Barr ammirò il "brillante" Konstantin ■ Umanskij, che "a soli 19 anni" aveva scritto il libro *Nuova arte in Russia* (che rimase a lungo l'unica sintesi sull'arte sovietica) e fu particolarmente colpito dall'osservazione di Umanskij che "uno stile proletario stava emergendo dai giornali murali con la loro combinazione di testo, manifesto e fotomontaggio": "riflessione suggestiva e acuta", annotò Barr. Insomma, era estremamente interessato alle innovazioni estetiche dell'avanguardia sovietica e cercò di valutarne le conseguenze, ma poi sembra aver "dimenticato" tutto appena lasciata la Russia: non ne tenne conto nella storia dell'arte moderna che poi costruì.

HF: Rimane traccia di questo incontro con l'arte in rapporto alla produzione industriale nel suo interesse per il design, benché ◆ concentrato soprattutto sul Bauhaus, che pure visitò, cioè sulla versione più filocapitalista dell'arte coinvolta nella produzione... Quando disegna la sua mappa dei movimenti modernisti?

BB: Nel 1936.

HF: Giusto, per la mostra *Cubismo e arte astratta* di quell'anno.

YAB: E per quella sul Bauhaus subito dopo, nel 1938.

BB: Non vorrei liquidare il suo interesse per il Bauhaus semplicemente come versione capitalista del progetto arte-nella-produzione. Penso che sia indicativo di una comprensione più complessa della trasformazione delle pratiche d'avanguardia negli anni Venti in produzione, architettura e design, e delle definizioni utilitarie di arte in generale molto significative per la posizione di Barr. Essa fu accompagnata da un altrettanto forte interesse per ▲ l'eredità del Dadaismo, che fu un altro insieme di operazioni che trasformarono in modo radicale il modello tradizionale dell'arte. Tutte queste posizioni sono presenti nella sua mappa del 1936. La questione è: come sono stati recepiti questi straordinari capitoli storici al di fuori delle mostre del MoMA e nell'opera della prima generazione di artisti e critici americani dopo Barr?

HF: Certo, ci sono altri capitoli, altri movimenti nella sua mappa, e sono anche messi in buon ordine: tutti confluiscono nel modello storicista delle influenze consecutive e del progresso formale. Questo ha preparato l'ulteriore versione del modernismo di ● Clement Greenberg e altri. Ricordiamo che si tratta di una mappa didattica, introduttiva, e che le linee sono più complesse, per non dire intricate, di quanto si ricorda solitamente...

RK: Barr presenta un tipo semplificato di biforcazione: da un lato i modelli meccanicisti di forma e dall'altro i modelli organicisti. Poi enfatizza quelli organicisti, perché pensa che il fenomeno più ■ importante del momento sia il Surrealismo, perché vuole includere il Surrealismo nella famiglia delle forme moderniste.

HF: Ma queste tendenze sono poi formalizzate in astrazione "geometrica" e astrazione "non geometrica". È vero, il meccanicismo è importante nella linea geometrica, ma è lontano dalla produzione industriale, dunque dal contesto sociale, economico e politico. Allo stesso modo, l'organicismo è una dimensione della linea non geometrica, ma è staccato dal corpo e

▲ 1927c ● 1921b, 1928b ■ 1928a ◆ 1923

▲ 1916a, 1920, 1925c ● 1960b ■ 1924, 1930b, 1931a

dalle pulsioni, da tutte le questioni psicanalitiche. Barr ha messo in gioco questi termini, ma in senso soltanto formale.

BB: La teleologia di questa visione dell'arte modernista va anche associata a quella generale della democrazia liberale americana, in cui la reale integrazione delle pratiche artistiche nella sfera della vita quotidiana non è in discussione. Quello che è in discussione è il loro contenuto istituzionale, non la loro realizzazione pratica e diffusione – né la politica del Dadaismo e del Surrealismo né quella ▲ del Costruttivismo e del Produttivismo.

HF: Questo si riferisce anche all'unica situazione negli Stati Uniti in cui l'incontro iniziale con l'avanguardia fu seguito subito dalla sua parziale istituzionalizzazione. C'è l'Armory Show nel 1913, certo – il ● leggendario shock del primo incontro –, il circolo di Alfred Stieglitz negli anni Dieci, i salotti del Dadaismo newyorchese e alcune mostre in gallerie, ma poi arriva il Museo d'Arte Moderna nel 1929, la galleria Art of This Century nel 1942 e così via, in cui la ricezione del modernismo avviene tutta all'interno del museo.

YAB: E la ricezione dell'avanguardia in questi musei per molto tempo riguardò solo l'Europa. Se ne lamentarono molti artisti americani: "Espongono l'arte europea più avanzata e a noi non guardano neppure". Per i musei la fonte doveva essere lontana: l'Europa, quella era la terra, splendida e strana, dove quei nuovi oggetti bizzarri venivano prodotti e il cui essere stranieri permetteva ai musei americani di presentarli favorevolmente e di dar loro forma istituzionale. È un nuovo tipo di esotismo, in un certo senso.

HF: Dunque cosa accade al Surrealismo in questa storia, se è così importante per la prima generazione di artisti astratti americani? È molto presente attraverso gli artisti esiliati a New York durante la guerra. Parliamo un po' di come furono assimilati od ostacolati.

■ **RK**: Nel 1940 Greenberg scrive *Verso un nuovo Laocoonte* in cui attacca, tra l'altro, il Surrealismo perché narrativo e il *Laocoonte* di Lessing diventa una sorta di grande modello (pur essendo del 1766!) di come separare le arti visive e spaziali da quelle verbali e temporali nel modernismo. Per Greenberg il letterario è temporale, il Surrealismo è letterario, dunque va condannato in quanto impuro.

HF: È improprio per l'arte visiva e dunque non è un'arte modernista, in questo senso. Non ho mai capito come *Verso un nuovo Laocoonte* potesse venire così poco dopo *Avanguardia e kitsch* (1939), con la sua visione dell'avanguardia ancora come opposizione sociale. In un anno sembra andare da un'idea quasi dialettica dell'avanguardia a un'analisi piuttosto statica della funzione delle arti.

BB: La storia dell'elisione del Surrealismo nelle prime analisi dell'Espressionismo astratto è più complicata della resistenza del solo Greenberg. Prendiamo il rifiuto del Surrealismo da parte di ◆ Barnett Newman: è chiaramente un processo di disidentificazione programmatica dopo un iniziale abbraccio. L'abbraccio aveva a che fare con la radicalità dei procedimenti automatici di produzione del segno e anche, probabilmente, con i modelli psicanalitici dell'inconscio. Poi, nella transizione dal momento di ricezione ▲ surrealista a quello della costituzione di un'identità espressionista astratta, il Surrealismo dovette essere rigettato. Questo rifiuto non fu un rifiuto della psicanalisi...

YAB: ...non da parte di Newman.

BB: Né significò il rifiuto dell'automatismo. Fu dettato da un bisogno di ridefinire l'identità estetica nei parametri di un nuovo momento storico, e questo comportò, anche per Newman, l'idea che l'indulgere del Surrealismo sull'inconscio non aveva più valore dopo il trauma della Seconda guerra mondiale e l'Olocausto. È una frattura, un enorme baratro, espresso esplicitamente o soltanto in modo latente. Un'altra frattura consiste nell'idea che la situazione storica avesse bisogno di una ridefinizione non solo in termini geopolitici o di identità nazionale, ma anche in termini specificamente *tragici*. È la ragione per cui l'analisi di Serge Guilbaut delle funzioni ideologiche dell'Espressionismo astratto e la sua interpretazione di T. J. Clark come di un'arte del cattivo gusto della borghesia secondo me non funzionano: non capiscono la radicalità del punto di partenza di quegli artisti.[1] Vi era un senso di perdita, di distruzione, di totale inaccessibilità alla cultura dell'anteguerra che, nella sua determinazione, fa il pari con quello ● di Theodor Adorno – benché, naturalmente, all'epoca non potesse venire articolato in questi termini. La differenza fondamentale tra l'estetica del dopoguerra di Adorno e di Greenberg può essere definita come segue. Da un lato, Adorno era un filosofo marxista e un musicista d'avanguardia formato nella cultura più raffinata della borghesia europea, che assistette alla distruzione reale da parte dei nazisti non solo della propria, ma della cultura borghese europea in generale. Dall'altro lato, Greenberg era un membro di ■ un circolo trockijsta newyorchese della *Partisan Review*, che allora aspirava a gettare le fondamenta di una nuova cultura negli Stati Uniti; la condizione storica dell'Olocausto e della Seconda guerra mondiale non è facilmente integrabile nel suo modello progressista di futuro.

YAB: Paradossalmente, la differenza tra le prospettive europea e americana venne approfondita dalla presenza di tanti surrealisti a New York: André Breton, Salvador Dalí, Max Ernst, André Masson, Robert Matta, Kurt Seligmann e Yves Tanguy, tra gli altri. Improvvisamente quelli che erano considerati dei miti erano proprio *lì*, e non corrispondevano alle leggende. Alcuni di essi vivevano vite comode (Ernst era sposato con Peggy Guggenheim) e aveva un mercato consolidato. Non va sottovalutato lo shock di giovani ◆ ammiratori come Jackson Pollock e Arshile Gorky, che avevano lavorato nella Works Progress Administration, nel vedere quanto poco i loro eroi assomigliassero ad *artistes maudits* o ad *enfants terribles*.

HF: Certo, il senso del tragico e del traumatico non può essere la base di una storia affermativa del modernismo, della storia di una continuità rinnovata del tipo che Greenberg e altri volevano raccontare e che le istituzioni di questo periodo di ricostruzione avevano bisogno di sentire. Così quella dimensione andava occultata. Lo stesso vale per gli aspetti del modernismo compromessi con il fascismo – come l'ultimo Futurismo – o,

▲ 1916a, 1920, 1921b, 1924, 1925c, 1928a, 1928b, 1930b, 1931a ● 1916b, 1942b ■ 1960b ◆ 1951 ▲ 1947b ● Introduzione 2 ■ 1942a ◆ 1936, 1942a, 1949a, 1960b

soprattutto nel periodo di McCarthy, con il Comunismo. Da qui, in ▲ parte, la cecità nei confronti della maggior parte del Costruttivismo russo e del Dadaismo tedesco.

YAB: C'è un mantra che Newman ripete nei suoi primi testi: "Dopo la mostruosità della guerra, cosa dobbiamo fare? Cosa c'è da dipingere? Dobbiamo ricominciare da capo". Non si è mai sentito questo discorso in Greenberg, come se non ci fosse stato trauma per lui.

HF: Può sembrare troppo teorico, ma mi chiedo se non ricompaia in forma spostata nel discorso sull'Espressionismo astratto, con un senso traumatico della guerra e dell'Olocausto sublimato e soggettivizzato, nella ricezione di quest'opera nei termini del Sublime. L'esperienza del "baratro" o del "vuoto" in un Pollock, un Newman, un Rothko o un Gottlieb può testimoniare questa sorta di sublime storico, ma scritto in piccolo, abbastanza piccolo perché lo spettatore possa sentire il fremito del trauma ma possa anche esorcizzarlo, sentirsene autorizzato, secondo l'interpretazione classica del Sublime da Kant a Burke. Forse ce n'è una traccia nella risposta che si pensa debba avere lo spettatore dell'opera tardomodernista: il colpo di fulmine epifanico, l'improvviso senso di trascendenza, che Michael Fried ha poi chiamato "grazia".

RK: Spargere i resti del proprio corpo diventa la cifra del trascendere...

HF: ...lo storico in generale...

RK: ...e anche il fisico...

BB: ...e la storia recente in particolare. Era una delle domande fatte dagli intellettuali negli anni Quaranta intorno alla *Partisan Review*: "Fai i conti con l'Olocausto? Lo fai nella forma topica di ogni momento del tuo pensiero quotidiano? O lo eviti per realizzare una nuova cultura?". Se leggete la *Partisan Review* di quel periodo è sorprendente come le due posizioni appaiano l'una accanto all'altra numero dopo numero: Hannah Arendt nel 1946 che parla dei campi di concentramento, per esempio, e Clement Greenberg due anni dopo che parla della nascita di un puro modernismo. Puoi tenerne conto oppure no. Se non lo fai, è più facile rivendicare l'accesso a una nuova identità-formazione in rapporto alla cultura americana liberal-democratica, che fonda anche la nuova pittura di New York ed è una delle basi del formalismo americano. Non sto polemizzando, cerco di descrivere l'eziologia di quella coazione a purificare, a disidentificarsi da quel corpo storico.

YAB: Ci furono vari tentativi dai primi anni Cinquanta alla metà dei Sessanta di parlare di Ebraismo e arte, e del loro rapporto con il trauma dell'Olocausto, ma ogni volta la discussione venne messa a tacere: la gente non vuole sentirne parlare. Due critici ne hanno scritto seriamente – Greenberg in *Odio per se stessi e sciovinismo ebraico: alcune riflessioni sull'"Ebraismo positivo"* (su *Commentary* del novembre 1950) e Harold Rosenberg in *Esiste un'arte ebrea?* (nella stessa rivista nel luglio 1966) – ma solo una volta ciascuno, credo, e più per dar ragione del silenzio, cercando di teorizzare il silenzio posttraumatico sull'Olocausto da parte degli artisti.

HF: I primi anni Sessanta sono anche il momento in cui gli intellettuali newyorchesi si confrontano sulla tesi della "banalità del male" sviluppata da Arendt nel suo servizio sul processo a Eichmann per il *New Yorker*. (Mi ha sempre sorpreso il ▲ collegamento con un'altra "banalità" provocatoria di quel periodo, quella della Pop art, e la risposta offesa alla sua apparizione di alcuni degli stessi intellettuali – come se la Pop art minacciasse il valore della profondità, o qualsiasi opposto della banalità in cultura, morale e politica.) Dopo *Eichmann a Gerusalemme*, il traumatico silenzio fu rotto da un torrente di discorsi arrabbiati. Ma, per tornare ancora a quel silenzio, si può immaginare quanto fu opprimente per artisti e scrittori essere costretti a pensare il tragico e il traumatico in questo modo. Si può comprendere l'impulso a distogliersene, a ricominciare, anche se è altrettanto opprimente, naturalmente.

● **BB**: La figura di Meyer Schapiro può inserirsi qui nella nostra conversazione. In lui vi è un'altra dimensione – vi alludeva appunto ■ Hal – che è lo smantellamento della Sinistra. È anche il periodo – per tornare al commento sullo spostamento di Greenberg da *Avanguardia e kitsch* del 1939 a *Verso un nuovo Laocoonte* del 1940 – in cui la tradizione marxista viene liquidata, quando non autoliquidata, autoesorcizzata.

HF: Com'è la famosa frase di Greenberg che si guarda indietro nei primi anni Quaranta? "Un giorno dovrò raccontare come l''antistalinismo', che cominciò più o meno come 'trockijsmo', si è trasformato in 'arte per l'arte' e ha così illuminato, eroicamente, la via da percorrere".

YAB: Il primo evento traumatico per la Sinistra americana furono naturalmente gli spettacolari processi di Mosca del 1936. E il patto Hitler-Stalin del 1939 fu il punto culminante.

HF: Giusto. Greenberg non poteva credere che alcuni artisti si attenessero alla linea del partito. Più tardi disse di Pollock: "Fu un dannato stalinista dall'inizio alla fine". Per quanto possa essere stata sbagliata, questa posizione mirava anche a una qualche resistenza, politica e non solo estetica, nei confronti dell'interpretazione greenberghiana della loro arte.

YAB: Abbiamo discusso di quello che gli artisti americani avevano davanti subito dopo la guerra, ma non dei francesi. Qual era la loro situazione? Quanto diversa? Ci fu lo stesso trauma...

BB: Anche di più: dopo tutto fu la cultura europea a cadere in rovina con la guerra e uno stato centroeuropeo il cui governo nazista aveva causato quella distruzione – uno stato che, come l'Italia sua alleata, un tempo rappresentava il più alto compimento dell'umanesimo europeo.

◆ **YAB**: A questo riguardo è interessante il caso di Jean Fautrier, un artista che è sempre stato tenuto nascosto negli Stati Uniti. Nessuno gli prestò attenzione quando espose a New York nel 1952, '56 e '57 (quest'ultima mostra alla galleria di Sidney Janis), anche se era un astrattista, neppure Greenberg. È diventato importante più tardi, forse anche perché ora riconosciamo che fu

▲ 1920, 1921b, 1925c

▲ 1960c, 1964b ● Introduzione 2 ■ 1942a ◆ 1946

uno dei primi artisti d'avanguardia a fare i conti con il trauma della guerra e dell'Olocausto. Cominciò durante la guerra con i suoi *Ostaggi* e la mostra di questi quadri a Parigi nell'immediato dopoguerra fu una bomba. I suoi tentativi furono subito ripresi da Jean Dubuffet e sviluppati in una direzione diversa anche da ▲ Lucio Fontana, cosicché la "repressione" della sua opera non è soltanto un fenomeno americano – assume però una forma diversa in Europa, quella di addomesticamento, di riduzione alla normalità. Mi ha sempre sorpreso che sia sparito così in fretta lo sforzo di Fautrier di prendere in considerazione il trauma.

BB: C'è una volontà ancora più deliberata di negare il trauma, almeno da parte della generazione che seguì. Se si guarda a Fontana, Piero Manzoni e soprattutto Yves Klein, si vedono gli sforzi più importanti di definire in arte la cultura della ricostruzione europea. Forse, paradossalmente, il legame che collega tutte queste pratiche – particolarmente importante per Fontana e Klein – è la spettacolarizzazione. In quel periodo emergono i due maggiori teorici dell'estetica europea del dopoguerra: uno è Adorno e l'altro ● è Guy Debord. Essi rappresentano i poli attraverso cui vengono articolate l'estetica del trauma e l'impossibilità di rinnovare la continuità modernista. Questa polarità riflette sull'eredità dell'Olocausto da un lato e, dall'altro, sull'apparato dello spettacolo che inevitabilmente spazzerà via anche gli ultimi rimasugli di opposizione e di esenzione, di resistenza e di sovversione che l'avanguardia aveva rivendicato per sé. È qui, nei registri della cultura dello spettacolo, che Fontana e Klein si posizionano fin dall'inizio, anche più di Pollock.

HF: Alcune pratiche precedenti parlano di queste due necessità. Per esempio, il primordiale e il primitivo, il bambino e il malato di mente sono vecchi interessi modernisti, certo, ma tornano ■ con particolare forza nell'immediato dopoguerra nell'Art brut e in Cobra. Forse forniscono un modo per registrare e contemporaneamente rimuovere il trauma dell'Olocausto. Cercare delle origini radicali registra l'orrore del passato, ma è anche una fuga dalla storia recente. Forse anche il motto del "primo uomo" degli espressionisti astratti funzionò in modo simile.

BB: Destoricizzare il trauma. In gioco c'è anche l'improvviso interesse per luoghi come Lascaux: caverne preistoriche invece di siti contemporanei.

HF: Sì. Ma altrettanto evidente è il tentativo di compensare, forse perfino di recuperare, un primordialismo che i nazisti avevano contaminato. Non è semplicemente un o/o: o rappresenta o rimuove il trauma. Ci sono costruzioni estetiche che sono quasi delle formazioni di compromesso, che cioè riconoscono la realtà storica, mettendola però tra parentesi, in modo astratto o comunque destoricizzato. Di nuovo: il punto è descrivere questi movimenti, comprenderli, non trattarli come delle patologie.

BB: In aggiunta ai primi due complessi – cioè il trauma della Seconda guerra mondiale e la distruzione della cultura generale della Sinistra americana – una terza questione si presenta alla Scuola di New York nel suo periodo di formazione: come riemerge la cultura di massa e come vi si deve rapportare l'avanguardia? Dopo tutto è stata una delle questioni centrali degli anni Venti che ha segnato la costituzione di tutte le avanguardie. Paradossalmente, nel dopoguerra, mentre la cultura di massa nella sua versione americana riemerge con potenza ancora più grande che negli anni Venti, l'avanguardia si ritira in una totale negazione della sua esistenza: adotta un modello completamente trincerato, ermetico, di rifiuto modernista. Ci vogliono almeno dieci anni prima ▲ che, con il sorgere di Jasper Johns e della proto-Pop art, la cultura di massa riguadagni esplicitamente consapevolezza artistica.

● **HF**: Un po' prima c'è anche l'Independent group in Gran Bretagna. Sì, ancora prima c'è però quel discorso del "siamo in pochi infelici" contro tutto il mondo. E nello stesso momento Pollock appare su *Vogue* nel 1951 e i suoi dripping vengono usati come sfondo per le fotografie di moda di Cecil Beaton, ma anche, prima, su *Life*, nel ■ famoso articolo che fa da sottotitolo al nostro "1949": "È il più grande pittore vivente negli Stati Uniti?"

BB: Non è un confronto, è un'erosione, e l'indicazione che l'isolamento è illusorio, o la pretesa che lo sia.

HF: Sì. Il rifiuto modernista a questo punto diventa "mediato", alla lettera: comincia a circolare a livelli di massa come una posa bohémienne. I situazionisti vedono chiaramente questo problema fin dalla fine degli anni Cinquanta.

BB: E la rimozione della psicanalisi...

YAB: ...avviene nello stesso momento in cui entra a Hollywood.

HF: Quando Dalí realizza le scene per la sequenza del sogno di *Io ti salverò* di Hitchcock, nel 1945.

BB: Ancora più importante è che la psicanalisi viene istituzionalizzata a livello di massa negli Stati Uniti. È quando è assurta al livello più alto della pratica quotidiana.

HF: Ma lo è solo una versione particolare della psicanalisi – la ◆ psicologia dell'io –, quella contro cui inveiva continuamente Jacques Lacan, un giovane amico dei surrealisti (di Dalí, in realtà!).

YAB: Anche la sua versione junghiana, perfino prima con Pollock. In quel periodo tutto diventa una sorta di diffusa psicoterapia fai-da-te.

HF: Così, ancora una volta non è un caso di repressione diretta. Si può capire perché questi discorsi vengano evitati: i loro termini vengono alterati, la loro appropriazione li svuota.

YAB: Diventano consumabili: si consuma questa o quella tendenza psicanalitica come si consuma questo o quel frigorifero.

BB: Come ha detto Walter Benjamin: "La nevrosi è l'equivalente della merce a livello psichico".

RK: Possiamo dunque comprendere il successo di Greenberg in parte in rapporto al bisogno collettivo di rimuovere il passato tragico o traumatico? La sua versione dell'astrattismo ha successo in quella parziale repressione e dunque quella pittura realizza una sorta di funzione sociale.

▲ 1959a ● 1957a ■ 1946, 1949b, 1957a

▲ 1958, 1962d ● 1949b, 1956 ■ 1949a ◆ Introduzione 1

HF: Un legame c'è, ma è più indiretto. In un certo senso quello che vediamo come un processo di repressione, altri lo vedono come un processo di conservazione. Da un lato la pittura astratta è una delle grandi fratture dell'avanguardia, dall'altro è anche impegnata, come "pittura modernista", sulla centralità della pittura e sul mantenimento delle sue tradizioni. Serve a mettere tra parentesi o a sospendere altre fratture, a tenere da parte altri paradigmi dell'avanguardia, almeno negli Stati Uniti – penso ai paradigmi sottolineati dal critico tedesco Peter Bürger,[2] l'autore della terza storia che vogliamo qui discutere: readymade e scultura costruita, collage e fotomontaggio. La memoria storica viene spostata e concentrata sulla memoria di un unico medium, la pittura avanzata, che fornisce allora le basi di una continuità storica che non può essere mantenuta in altro modo, non in arte e non nella storia in generale. Vi è anche uno spostamento dalla rivoluzione politica all'innovazione formale. Questo è implicito nell'osservazione di Greenberg che ho appena ricordato. Anche Fried afferma lo stesso in un passaggio retrospettivo di *Tre pittori americani: Noland, Olitski, Stella*, nel 1965.[3]

YAB: Quello che colpisce è anche che Greenberg non prende mai in considerazione le intenzioni politiche degli artisti. Per esempio, Mondrian vedeva la propria opera come il progetto di una futura società socialista – più difficile da credere di quanto possa sembrare. In un manoscritto che uscì solo postumo, *La nuova arte, la nuova vita: la cultura dei rapporti puri*, si appropriò direttamente di un passaggio preso da un pamphlet politico di un amico, il militante anarco-sindacalista Arthur Lehning. Lehning fu, tra le altre cose, il direttore di una straordinaria rivista *1:10,* che uscì nel 1927-28 e che, oltre alle prime serie analisi della stalinizzazione dell'Unione Sovietica, pubblicò testi non solo di Mondrian, Kurt Schwitters e László Moholy-Nagy, ma anche di Walter Benjamin, Ernst Bloch e Alexander Berkman (un vecchio collega di Emma Goldman). È questo tipo di informazione, questo genere di collegamenti, ad essere occultato dalla visione del modernismo di ■ Greenberg. La stessa cosa accade per Newman. Newman riconobbe il ruolo che Greenberg svolse nell'improvviso successo alla fine degli anni Cinquanta, ma non apprezzò l'interpretazione del suo lavoro perché trascurò di riferire le sue implicazioni anarchiche. Non sto dicendo che Mondrian e Newman avessero ragione sulla propria pittura, ma solo che Greenberg omise questi aspetti di essa.

HF: Allo stesso tempo era di gran lunga il miglior critico contemporaneo delle loro ambizioni estetiche.

BB: Greenberg parla anche della continuità di queste ambizioni con la pittura del passato, ma per quanto Newman fosse interessato a tale continuità, l'ha anche rotta. Per Greenberg non è Newman e Mondrian, ma Newman contro Mondrian. Newman rivendica una rottura radicale con Mondrian; sia le sue idee pittoriche sia le sue visioni utopiche non sono più valide, non più possibili.

HF: Secondo Newman.

BB: Anche secondo Greenberg.

YAB: Ma non per le stesse ragioni. Occorse molto tempo a Newman per vedere in che senso era così diverso da Mondrian. Fino a metà degli anni Sessanta ripeté tutti i luoghi comuni della critica su Mondrian – che la sua opera non è veramente astratta, ma basata sulla natura, o che è decorativa, ecc. I suoi giovani ammiratori ▲ minimalisti (in particolare Donald Judd) gli fornirono un nuovo vocabolario (fu quando cominciò a parlare in termini di "interezza" o dei suoi quadri come opposti all'estetica "delle parti" di Mondrian), ma alla fine formulò la sua critica a Mondrian in termini politici: il pittore olandese non era un anarchico, come gli era potuto sembrare talvolta, era troppo hegeliano, troppo totalitario nelle sue idee non solo sulla pittura ma anche sullo stato. Newman, che aveva sempre professato posizioni anarchiche (aveva scritto la prefazione alle memorie di Kropotkin) sentì che l'utopismo di Mondrian era l'esatto opposto della sua idea. Greenberg non ha mai parlato di questo, non ha mai detto che Mondrian e Newman comportano due visioni del mondo completamente diverse.

HF: Ma altri artisti del tempo non rivendicarono una cesura definitiva. O, se lo fecero, fu al di fuori di una battaglia edipica – soprattutto con Picasso, naturalmente – in cui una rottura a un livello è messa in atto per creare un legame a un altro livello, una sorta di raggiro sia psicologico che stilistico. Le differenze politiche erano spesso sopraffatte da questo tipo di posizione estetica.

YAB: Qui c'entra Pollock.

● **HF**: E Gorky, de Kooning e altri. Così la storia della continuità, interrotta o meno, opportunistica o no, diventa significativa. Inoltre assume grande significato istituzionale: il dopoguerra vide un enorme sviluppo di musei e università con una grande richiesta di recupero e rivendicazione. La versione greenberghiana in particolare è anche una storia, una tecnica, che poteva essere riprodotta, e lo fu alla grande, fu un grande successo curatoriale e pedagogico. In un certo modo il suo successo fu parallelo a quello della moderna disciplina della storia dell'arte quando suoi giovani fondatori come Erwin Panofsky fuggirono da Hitler in Gran Bretagna e negli Stati Uniti: fu anche modellata e semplificata in una tecnica – quella dell'iconografia – che è poi circolata e tramandata alle generazioni seguenti.

BB: Questa versione del modernismo ha anche il *telos* specifico della democrazia liberale americana del dopoguerra. Vuole implementare, in risposta alla catastrofe degli stati borghesi d'Europa, un diverso accesso all'educazione, un diverso tipo di egualitarismo nell'esperienza estetica. Non voglio ridurre tutto all'ideologia della ricostruzione, penso che nell'istituzionalizzazione del discorso del modernismo ci sia un *telos* più complesso, con altre implicazioni politiche. Che faccia parte, inoltre, della cultura dell'avanguardia di New York in quel periodo, e certamente parte del progetto di Greenberg. Come dicevate, nonostante le sue omissioni siano disastrose, discusse con gli artisti che aveva scelto, americani ed europei, più profondamente e precisamente di qualsiasi altro. È l'unico che, in un certo senso, riscatta l'eredità modernista per la memoria del dopoguerra.

▲ Introduzione 1, 1960a ● 1913, 1917a, 1944a ■ 1951
▲ 1965 ● 1942a, 1947b, 1959c

YAB: Ora è chiaro come ha fatto. Greenberg ha preteso una sorta di neutralità ideologica; questo gli ha permesso di operare la sua svolta positivista di sembrare semplicemente descrivere l'arte. Questa svolta lo ha liberato dal pathos di critici esistenzialisti come Rosenberg. Tutto è stato messo da parte: da ex-marxista Greenberg ha potuto presentarsi come oggettivo, come un ingegnere o uno scienziato. Così è diventato il puro empirista che si limitava a descrivere. E lo ha fatto molto bene...

HF: Passiamo a un terzo importante modello dell'arte di prima della ▲ guerra, quello proposto da Peter Brüger in *Teoria dell'avanguardia*. Bürger fa due affermazioni opposte: da un lato, che un'autonomia modernista dell'arte è stata realizzata alla fine del XIX secolo (prima che nella storia greenberghiana) e, dall'altro, che questa autonomia estetica è stata attaccata dalle "avanguardie storiche", sia nella forma artistica (per esempio l'assalto dadaista alla pittura e nella scultura) sia nelle istituzioni (per esempio l'attacco futurista contro i musei). Bürger arriva così a costruire una storia del tragico fallimento dell'avanguardia e della sua farsesca ripetizione nel dopoguerra, che egli congeda come "neoavanguardia", ripresa della critica dell'arte autonoma come nuova forma d'arte.

BB: Ci sono due cose da aggiungere subito: Bürger è uno storico tedesco *della letteratura* e ha pubblicato il libro citato nel 1974. Anche per questa data relativamente precoce è molto schematico; inoltre, come dicevi prima, ci riallerta su quelle eredità che formalisti americani come Greenberg e Fried e scrittori europei nella loro scia hanno misconosciuto e rimosso – la cultura dadaista in tutte le sue forme, il Surrealismo, il Costruttivismo russo e il Produttivismo sovietico. Bürger non è stato l'unico a farlo; scriveva in un momento post-1968 che portava alla luce tutte queste pratiche. In un certo senso ha riassunto questo lavoro.

HF: Come hai già fatto notare una volta, tiene però in ombra una delle sue condizioni di possibilità – vedi artisti contemporanei come ● Marcel Broodthaers e Hans Haacke, che hanno criticato non solo l'avanguardia storica, ma anche la neoavanguardia, i suoi limiti, gli stessi che Bürger castigava così energicamente.

BB: Sì, conclude un processo che era all'opera da almeno dieci anni sia nella teoria che nella pratica artistica.

YAB: E in quella espositiva anche.

BB: Bürger inoltre non comprese come quei modelli dell'avanguardia storica fossero enormemente diversi l'uno dall'altro; questo punto fu discusso diffusamente dai suoi critici, almeno in Germania, quando il testo uscì per la prima volta. Naturalmente, le differenze erano sia teoriche che politiche. Per esempio, mentre il freudo-marxismo era costitutivo per il Surrealismo, il Dadaismo era partito da altre posizioni teoriche, che andavano dal misticismo degli inizi alla linguistica strutturale e al leninismo del Dadaismo berlinese. C'era anche un aspetto anarchico e nichilista nel Dadaismo, che non era per niente presente nel Costruttivismo russo, e tanto meno nel Produttivismo sovietico. E mentre un orientamento verso il collettivismo fu fondamentale per l'avanguardia russa e sovietica, non fu lo ▲ stesso tipo di collettivismo che propose De Stijl in Olanda. E così via. Si potrebbe sfidare il modello di Bürger su tutti questi punti e chiedere quali precisi caratteri dei vari modelli d'avanguardia evidenziasse a sua volta. Un aspetto *non* evidenziato da Bürger è il modo in cui la sfera pubblica borghese era non solo contestata dall'avanguardia storica, ma anche erosa e/o sostituita dall'ascesa della cultura di massa, in Germania, in Italia sia prima che durante il fascismo, e poi sotto i regimi totalitari della Germania e dell'Unione Sovietica.

HF: Per quanto importante, il testo di Bürger, è schematico non solo sulle diverse avanguardie, ma anche nella sua opposizione tra "istituzione dell'arte" e "prassi quotidiana", tra "arte" e "realtà". Tanto per cominciare, l'istituzione dell'arte è radicalmente diversa in differenti paesi, e talvolta in differenti città. Si pensi ai diversi contesti del Dadaismo intorno alla Prima guerra mondiale: Zurigo, neutrale ma tempestosa; Berlino, in rivolta politica; Colonia, occupata; Hannover, un'enclave; Parigi, percorsa da diverse forze politiche, movimenti artistici, sentimenti antimodernisti; New York, distante da queste preoccupazioni, scena più che altro di esposizioni e scandali.

YAB: Quello che è strano è anche che Bürger non accenna mai all'invenzione del mercato dell'arte nel periodo dell'avanguardia storica o alla sua enorme crescita nel periodo della ● neoavanguardia. Con il consorzio "Pelle dell'orso" fu la prima volta che l'arte moderna dava un profitto, e questo ebbe un enorme impatto. È come se il mercato non esistesse per Bürger. Anche in Germania il mercato dell'arte era già molto sviluppato prima della Prima guerra mondiale, con Der Sturm di Herwarth Walden e altre gallerie...

HF: È un po' quello che dicevo anch'io: l'opposizione tra "arte autonoma" e "prassi quotidiana", se può essere affermata storicamente, è già crollata al tempo dell'avanguardia storica a causa delle forze economiche.

YAB: Sì. Stranamente Bürger tratta il problema dell'avanguardia in un vuoto storico.

BB: Questa visione è sorprendente soprattutto venendo da un membro della generazione del 1968, per la quale il problema della crescente mercificazione era diventato una questione chiave.

HF: E che dire della questione collegata, la "mediazione" dell'avanguardia storica, il fatto che talvolta emerse nello stesso spazio di forme mass-mediali come i quotidiani? Un esempio è ■ dato nel nostro capitolo "1909" sul Futurismo: Marinetti pubblica il *Primo manifesto del Futurismo* su *Le Figaro*. Un altro è nel 1925 nel ◆ contesto della mostra di Arti decorative all'Esposizione Universale di Parigi...

YAB: Sì: la trasformazione dell'avanguardia in design, in bene di lusso – il Cubismo trasformato in tavoli Art déco.

HF: Avviene in fretta – in quel caso in circa dieci anni – e avviene ancora.

▲ Introduzione 2, 1960a ● 1971, 1972a, 1972b

▲ 1917b ● 1914 ■ 1909 ◆ 1925a

YAB: E satura completamente la percezione di quello che è il modernismo. Qui è affascinante guardare all'Italia sotto il fascismo, dove si hanno ville lussuose per i capi fascisti con dipinti cubisti, tavoli di Eileen Gray e così via.

HF: Anche questo non fa parte della storia di Bürger, né di nessun'altra nota, per la verità. Da una parte, la sua opposizione tra istituzione dell'arte e prassi quotidiana tende anche ad occultare i vari progetti di *trasformazione* dell'istituzione dell'arte o di costruzione di una nuova, come nel tentativo costruttivista russo di fondare diversi tipi di scuole, diversi modi di fare e di esporre, di produrre e di distribuire, per creare una cultura proletaria o comunque una sfera pubblica. Dall'altra parte, Bürger sembra molto romantico sulla prassi quotidiana. È una critica che gli fa anche Jürgen Habermas: cosa significa rompere separatamente la presunta autonomia dell'arte in condizioni di cultura mass-mediale?

BB: Come ben sappiamo oggi, significa il regime della desublimazione totale.

YAB: Un buon esempio è il Congresso Internazionale degli Artisti Progressisti tenutosi a Düsseldorf nel maggio 1922, che illustra le diverse posizioni. Quella che resiste come la più di sinistra, la più d'avanguardia, è sostenuta da figure diverse come Hans Richter, El Lisickij e Theo van Doesburg, cioè un dadaista tedesco, un artista russo legato sia al Suprematismo che al Costruttivismo, un ● membro olandese di De Stijl. Costoro si lamentano che gli altri non abbiano una definizione di che cosa sia una nuova arte progressista: "Quello che dobbiamo fare", dicono, "è federare i vostri movimenti in modo da costruire un mercato dell'arte". È un'analisi sorprendentemente chiara dell'avanguardia, soprattutto da parte di Lisickij, nel suo contesto storico: una ricognizione dell'imminente fallimento e dispersione se il progetto non viene portato al di là di quella che chiamerei la forma della "gilda", della corporazione.

HF: Non c'è nel tuo esempio un'altra faccia di questo fallimento, un altro aspetto della condizione della cultura mass-mediale, cioè la possibilità, per la prima volta, di un reale internazionalismo dell'avanguardia? E non c'è anche una dimensione utopica, non solo nei progetti individuali ma nel ritrovarsi delle diverse figure ad eventi come il Congresso, che non fu subito mercificata allora e non può essere dimenticata oggi? Come possiamo restituire queste dimensioni a quel periodo di incontri internazionali, esposizioni, manifesti e così via? C'erano speranze enormi per il modernismo. Oggi possiamo vederla come un'altra astuzia della storia, ma non fu tutta una delusione.

BB: Dipendeva dalla teorizzazione programmatica di quel che poteva diventare in quel momento una vera cultura della sfera pubblica proletaria. Il Congresso parlò delle possibilità della sua realizzazione. Una condizione necessaria della pratica artistica era di essere all'altezza delle aspirazioni delle identità postnazionali, identità che non sono solo definite dalla classe proletaria e dal collettivismo, ma anche nei termini di una soggettività che possa venir costruita al di fuori dei parametri dello stato nazionale. Fu la ragione per cui l'internazionalismo in quel periodo poteva essere sia politico e proletario che estetico e d'avanguardia.

HF: Si potrebbe pensare che la Prima guerra mondiale abbia infranto la speranza di questo internazionalismo, così come la maggior parte dei partiti socialisti si sottomise agli imperativi nazionalisti, ma non fu così: l'internazionalismo risorse, e prosperò, negli anni Venti. E in parte a causa della guerra, in reazione ad essa.

YAB: Il caso di Berlino nei primi anni Venti è importante, soprattutto dopo la fine del blocco che isolò la Russia, che fu subito seguito dall'arrivo di molti artisti e scrittori russi di tutte le fedi (nonché molti appartenenti alla vecchia guardia legata al regime zarista, che preferirono soprattutto Parigi). Anche alcuni membri dell'avanguardia ungherese vennero a Berlino in seguito al colpo di stato militare che aveva messo fine a una repubblica di tipo sovietico dopo pochi mesi nel 1919. Così in quegli anni Berlino diventò una sorta di piattaforma dell'internazionalismo. Gli intellettuali tedeschi (e il Dadaismo berlinese in particolare) furono i più decisi: "Non vogliamo essere coinvolti ancora in questo macello nazionalista". Era viva anche la speranza, da parte degli artisti e scrittori russi prosoviet (come Lisickij, che arrivò in Germania nel 1922), di poter esportare nuovi strumenti per la produzione e diffusione di arte e cultura. In realtà una delle cose che Bürger non discute è la volontà, da un lato, di molti avanguardisti alla fine degli anni Dieci e Venti di produrre nuovi modi di distribuzione della loro arte – le loro riviste, per esempio, sono anche "progetti artistici" in un certo modo. La proliferazione di queste piccole pubblicazioni è molto diversa dall'immersione nei mass-media dei futuristi, con Marinetti che pubblica il suo manifesto su *Le Figaro*. Dall'altro lato, si può sostenere che, poiché quelle riviste non erano prodotti mass-mediali, c'era già una sorta di limitazione, ma essa fu dovuta più che altro a una mancanza di mezzi.

HF: Esiste un'altra possibilità, benché molto dipendente dalle particolari condizioni politiche, ed è l'esempio di John Heartfield, che pubblicò alcuni dei suoi fotomontaggi più importanti come copertine di riviste di massa per lavoratori, come il settimanale ▲ illustrato *Arbeiter Illustrierte Zeitung,* con una circolazione di centinaia di migliaia di copie. Ma hai ragione: c'è una reale separazione tra il micro-medium della rivista e il mass-medium del quotidiano; ci sono alcuni sforzi, comunque, di colmare il varco, di insoddisfazione da entrambe le parti.

BB: Marinetti semplicemente accettò l'apparato mediale come un'istituzione che non può essere contestata. Che è quello che accade anche in un altro momento, più vicino a noi. Ma c'è un periodo di passaggio quando altre forme di distribuzione vengono concepite e sfere pubbliche alternative, sia proletarie sia semplicemente avanguardiste, vengono rivendicate; e talvolta vengono progettate, e anche sostenute come realmente esistenti – per esempio l'immaginario di una sfera pubblica proletaria ● nell'opera di Heartfield – ma poi l'intero spazio sprofonda.

▲ 1928a ● 1915, 1916a, 1917b, 1920, 1921b, 1926, 1928b

▲ 1920, 1930a ● Introduzione 2, 1920

YAB: Ci sono anche momenti di grande aberrazione, come quando il libro di poesie di Majakovskij *150.000.000* viene stampato in 5.000 copie dalla Casa Editrice di Stato nel 1920 (Lenin ne fu furioso e criticò aspramente Lunačarskij, il ministro della cultura, per quello che considerò uno stupido errore). O il caso del *Manifesto realista* di Naum Gabo, esso pure stampato in molte copie perché le autorità sovietiche pensavano che fosse un pittore realista!

HF: Una cosa che Bürger fa è di mettere in gioco testi critici e filosofici, la maggior parte della Scuola di Francoforte, che sono circa dello stesso periodo di quei modernismi. Possiede sufficiente distanza teorica da giustapporre scritti sull'avanguardia e sulla cultura di massa di Benjamin e Adorno con le pratiche reali degli artisti; in realtà una delle sue tesi importanti è la storicità condivisa dei concetti in azione sia in quei testi che nelle opere. In questo libro abbiamo tentato un'operazione simile. Ci sono frequenti collegamenti non di influenze casuali quanto di affinità discorsive: campi epistemologici che diversi artisti e intellettuali condividono, spesso senza saperlo.

RK: Come il ruolo dell'indice in Duchamp o del perturbante nel ▲ Surrealismo. Quella chiarezza concettuale permette una sorta di archeologia critica della pratica artistica.

YAB: E permette anche che vengano discussi fenomeni che non rientrano nelle storie più diffuse dell'arte contemporanea.

HF: La questione che volevo porre è diversa: ora che possiamo guardare indietro a quello che abbiamo scritto sul periodo prima della guerra, quali sono le nostre occlusioni? (Le nostre esclusioni sembrano abbastanza chiare.) Che altri tipi di collegamenti abbiamo mancato di vedere in questo ambito storico?

BB: La mia prima affermazione a questo livello di autocritica potrebbe essere che anche noi, come chiunque nel nostro campo, non siamo riusciti a dire quella che è emersa come una delle questioni chiave del secolo: l'apparato della cultura di massa nella sfera pubblica totalitaria (che è una contraddizione in termini e intendeva esserlo). Con i suoi antimodernismi annichilenti, quell'apparato ha accelerato la grande spaccatura nella cultura d'avanguardia dal 1933 al 1945 nell'Europa occidentale (in molti paesi, alcuni volontariamente, altri come vittime dell'occupazione). Come va inteso in termini di anticipazione del probabile crollo dei limiti tra la cultura d'avanguardia e la sfera pubblica della cultura di massa nel periodo dopo la guerra? I limiti tra queste sfere erano infatti molto più porosi e sfrangiati nel periodo tra il 1933 e il 1945 di quanto abbiamo a lungo presunto, per cui troppo a lungo abbiamo creduto che la loro ricostituzione nella cultura della neoavanguardia del dopoguerra si potesse effettivamente fermare.

RK: Puoi farci un esempio?

HF: Ci provo. Parte della storia del trionfale rinnovamento dell'arte modernista dopo la guerra ha riguardato la sua radicale separazione dalla politica: se la si faceva rappresentare la democrazia liberale, la libertà d'espressione e così via, qualsiasi contaminazione politica andava comunque corretta. (Ovviamente poi ci sono altri aspetti sovradeterminati: la presentazione ▲ dell'Espressionismo astratto come epitome dello spirito liberale, per esempio, fu fatta in risposta a un precedente attacco da parte della Destra mccarthista che aveva associato l'astrattismo al ● comunismo.) In ogni caso, il legame tra Futurismo e fascismo andava sfumato; o, per scegliere un caso che interessa molti di noi da vicino, i legami tra Costruttivismo russo e stalinismo. Ora, ovviamente ci sono occlusioni che hanno causato controinterpretazioni molto energiche oggi, quasi antimoderniste: ■ per esempio, che il Costruttivismo in qualche modo conduca allo stalinismo, che il paragone costruttivista dell'artista come costruttore di un nuovo culto proletario sia realmente incarnato da Stalin. Ma questi argomenti sono semplicemente reazioni a una reazione e per questo doppiamente riduttivi, e non riescono a cogliere non solo le ragioni per cui alcuni modernisti si sono allineati alla destra, ma anche come alcuni modernismi hanno sconfinato, paradossalmente, in posizioni antimoderniste, diventando in questo senso "modernismi reazionari". L'intrico è diventato storicamente possibile oggi come non lo era per gente che doveva purificare il modernismo di qualsiasi tinta o legame politici, che fosse con il fascismo o con il comunismo.

YAB: Ci fu una separazione del modernismo dal totalitarismo, ma ci fu anche una purificazione del modernismo dall'avanguardia, per così dire, dai movimenti di cui abbiamo discusso, Dadaismo, Costruttivismo, eccetera. L'avanguardia diventò un piatto di contorno al grande banchetto del modernismo da Picasso e Matisse a Newman via Mondrian.

BB: Ma quelli sono artisti vostri!

YAB: Sì, ma io vedo anche come furono usati per spingere l'avanguardia in un ruolo decorativo nell'epica del modernismo.

HF: Almeno noi abbiamo rimesso in gioco alcune di quelle storie: la storia del modernismo con quella dell'avanguardia, e entrambe con quella dell'antimodernismo – certo, non con la profondità che meritano, ma almeno abbozzate.

YAB: Vogliamo discutere il secondo argomento di Bürger, il fallimento dell'avanguardia storica (e si noti che non mette mai le virgolette a "fallimento")? Che fallimento fu esattamente? Quello di trasformare il mondo? Come dice Hal, è un po' severo da parte sua.

BB: Per non parlare del fallimento della neoavanguardia del dopoguerra.

YAB: È strano da parte di un critico marxista. Che cosa ti aspettavi?

HF: Che potesse essere il proseguimento del 1968.

BB: È giusto, ed è tedesco. È un compito tradizionale tedesco quello di graduare la storia. Il lato costruttivista dell'avanguardia storica è una parte della storia; un'altra parte è il lato surrealista, e voglio tornare per un momento ad esso. Nel Surrealismo un'identità postnazionale fu messa avanti sulla base di modelli

▲ 1918, 1924, 1930b, 1931a, 1935, 1942b

▲ 1947b, 1949a ● 1909 ■ 1921b

psicanalitici di formazione del soggetto radicalmente emancipatori. Questi contestavano l'identità nazionale altrettanto violentemente di un modello politico di classe nel contesto dell'avanguardia sovietica. Non è chiaro se Bürger ha trattato questa dimensione nella sua concezione del soggetto surrealista, o se l'ha fatto William Rubin, quando ha curato la mostra su Dadaismo e Surrealismo al MoMA di New York nel 1968. Che ne è stato poi del Surrealismo? Abbiamo detto che queste esposizioni antedatano il testo di Bürger e che l'asse Bürger-Rubin è interessante da considerare in questa luce. La ricezione del Surrealismo a quel tempo ritrovò la sua piena portata storica o ne uscì come una costruzione molto limitata e feticizzata nella forma di immagini e oggetti particolari?

HF: Un'altra questione: come è stato trattato il suo modello di inconscio? Fu visto, in sintonia con gli anni Sessanta, in termini ▲ affermativi, alla Herbert Marcuse o Norman O. Brown, come un inconscio liberatorio, un inconscio-Eros, un inconscio però che, diversamente che in Marcuse e Brown, fu troppo spesso pensato in termini di un corpo privato e non collettivo?

RK: Nelle mani di Rubin il Surrealismo tornò come pittura e scultura, trascurando fotografia e scrittura. Venti anni dopo, quando ho curato con Jane Livingston la mostra sulla fotografia surrealista, *L'Amour fou: Surrealismo e fotografia* (1985), fu un progetto storico e teorico che si sviluppò in reazione alla repressione di quella versione della storia surrealista.

YAB: Riesaminando la questione, hai ridefinito il modo in cui guardiamo al Surrealismo, perché, come ha detto Benjamin, quello che Rubin ha tentato di fare – che è strano da parte sua – fu di recuperare il Surrealismo...

RK: ...recuperarlo come pittura e scultura. Invece quello che interessava a me era l'importanza della fotografia e come il Surrealismo venne diffuso attraverso le sue riviste...

YAB: Se Rubin fosse stato più attento a questo, lo avrebbe aiutato molto, perché non poteva trovare troppi argomenti nel Surrealismo per il grande racconto della pittura modernista. Aveva Miró, Masson, Matta...

HF: Sì, il Surrealismo era visto ancora in termini bretoniani come una storia del desiderio di libertà, con la pittura concepita come suo strumento primario di espressione. La mostra *L'Amour fou* ● spostò il discorso da Breton a Georges Bataille e dalla pittura alla fotografia, e vide il Surrealismo più come un attacco contro la forma, come la disintegrazione della nozione stessa di medium che dà forma, che proseguì poi nella mostra *L'informe* (1996). Emerse anche un'interpretazione molto diversa della psicanalisi, cioè che l'inconscio surrealista aveva un lato oscuro, non semplicemente in rapporto al desiderio, che è non solo liberatorio, ma anche segnato da una mancanza, anche in rapporto a pulsioni che possono essere distruttive, come la pulsione di morte. Forse l'interpretazione degli anni Sessanta fu influenzata dal discorso marcusiano dell'Eros; dagli anni Ottanta le cose sembrano diverse e questa differenza parla delle diverse politiche dei due periodi, una segnata da rivolte di molti tipi, l'altra dalla disperazione per la ▲ reazione reaganiana e la morte per Aids.

BB: Forse dobbiamo anche chiederci qual è stato l'approccio di Rubin al Dadaismo, che pure fu incluso nella mostra e relativo catalogo *Dada, Surrealismo e loro eredità*. Non per insistere su questo punto, ma fa all'eredità dadaista la stessa cosa di quello che ha fatto al Surrealismo: è diventato una costellazione di oggetti e assemblage sorprendenti. Il Dadaismo per lui non fu il ● fotomontaggio di John Heartfield, per esempio, che non apparve infatti né nella mostra né nel catalogo.

HF: Rubin vedeva il Dadaismo in parte attraverso il prisma degli oggetti e assemblage emersi nel periodo di Rauschenberg e Johns. C'era stato anche il precedente della mostra di William Seitz al MoMA *L'arte dell'assemblage* (1961), che aveva privilegiato Duchamp, Schwitters, Joseph Cornell, Rauschenberg...

RK: Dobbiamo capire anche che Rubin era in costante dialogo con Greenberg, per cercare di convincerlo che lui, Rubin, non era sulla strada sbagliata e che nel Surrealismo e anche nel Dadaismo c'erano pratiche moderniste degne.

YAB: Vorrei aggiungere due cose a questa discussione sul Dadaismo e sul Surrealismo. Rubin fece la sua mostra anche in risposta a un risveglio neosurrealista a New York: il primo ■ Oldenburg, per esempio, i suoi oggetti molli, che Rubin mise in rapporto a Yves Tanguy. È così che pensava Rubin, con questo genere di accostamenti. E fu sempre in disaccordo con Greenberg sulla Pop art; Rubin la difendeva. Così, per giustificare il suo interesse per le nuove opere trovando loro dei precedenti storici nel Surrealismo, si costruì una strategia.

BB: Magritte via Johns, per esempio.

YAB: Sì. Il mio altro punto sull'interpretazione del Dadaismo e del Surrealismo in questo periodo riguarda la mostra realizzata da Dawn Ades e David Sylvester a Londra.

HF: Fu dieci anni dopo, penso, nel 1978.

YAB: Sì, ma fu la prima mostra di materiali interamente basati sulle riviste. Fu organizzata molto intelligentemente secondo quello che credevano fosse il medium cruciale di quei movimenti (ma le riviste non avevano una diffusione di massa).

RK: Una cosa che ho scoperto quando ho cominciato a lavorare a *L'Amour fou* è che nessuno aveva letto i testi pubblicati su quelle ◆ riviste, per esempio su *Minotaure*. C'era tutto questo materiale così interessante e non veniva preso in nessun conto.

BB: Alla luce di quanto detto a proposito dell'eredità, è perlomeno sorprendente che la ricostituzione di un'avanguardia americana sia stata così programmaticamente definita in termini di identità nazionale. Sia l'internazionalismo politico sia quello dell'avanguardia furono completamente rovesciati nella costituzione di un'avanguardia newyorchese. I suoi stessi nomi sono fondativi: Scuola di New York, Arte americana e così via.

▲ Introduzione 2 ● 1924, 1930b, 1931b

▲ 1987 ● Introduzione 2, 1920, 1937c ■ 1961 ◆ 1924, 1930b

YAB: Il trionfo della pittura americana.

BB: Sì, il puro trionfalismo – non ne incolpo gli artisti.

HF: Alcuni lo cavalcarono.

YAB: Ma altri non ne erano affatto contenti. Newman era assolutamente contrario, per esempio.

HF: Ma questo trionfalismo voleva compensare, esaudire un desiderio? C'era un enorme senso di inferiorità negli artisti americani intorno alla Seconda guerra mondiale di fronte all'arte ▲ europea: in Gorky, nel primo Pollock...

BB: Questo argomento non mi è mai piaciuto, perché penso che il modernismo americano era già abbastanza sofisticato.

YAB: ...e il complesso di inferiorità scomparve perlopiù quando i ● surrealisti arrivarono a New York e vennero demistificati.

HF: Ma in un primo momento era ancora attivo. Pollock e compagnia non godettero del primo modernismo americano – quello di Stieglitz e della sua cerchia – come loro risorsa.

BB: Perché questo è stato trascurato o dimenticato? Da Greenberg e altri critici, e anche da noi, ancora, generazione dopo generazione? Tutti tendiamo a dire che l'arte modernista americana è cominciata con Pollock. Trovo l'argomento del complesso di inferiorità più utile se mi permette di capire da che cosa è nato e perché fece ricorso all'identità nazionale.

RK: Ma esistevano già prima dei collegamenti internazionali. Per esempio, il Museo d'Arte Moderna di New York fondò un Consiglio Internazionale nel 1953; prima ancora avevano deciso di fare un'incursione concertata nell'arte europea. Quando il Consiglio venne costituito, il suo effetto fu quello di promuove l'idea di un modernismo culturale imperiale che viaggiasse con il Piano Marshall.

YAB: Partì anche prima, e al di fuori del MoMA, nel Dipartimento di Stato subito dopo la guerra. La prima importante esposizione di questo programma fu intitolata *Arte americana emergente* e allestita al Metropolitan nell'ottobre 1946, prima divisa in due gruppi di opere, uno piccolo che andò a Cuba e in America latina, l'altro più grande che andò a Parigi e in altre capitali europee come Praga. Comprendeva opere della prima generazione di modernisti americani – il gruppo di Stieglitz era ben rappresentato – ma era nell'insieme un misto (Thomas Hart Benton, Ben Shahn, ecc.). Fu un colpo diplomatico di notevole successo in Europa, benché la sua ricezione negli Stati Uniti fosse molto controversa, con congressisti arrabbiati che protestarono contro l'uso dei soldi dei contribuenti. Il programma del Dipartimento di Stato proseguì la sua attività fino al 1956, quando fu bruscamente interrotto dopo le proteste contro l'"arte di ispirazione comunista". Fu a questo punto che anche il Consiglio Internazionale del MoMA cominciò a vacillare.

BB: È un bel giro: dal sogno di una sfera culturale proletaria all'internazionalismo dell'avanguardia e da qui al Dipartimento di Stato e al Consiglio Internazionale del Museo d'Arte Moderna!

▲ 1942a ● 1942a, 1942b

1 Vedi rispettivamente Serge Guilbaut, *How New York Stole the Idea of Modern Art: Abstract Expressionism, Freedom, and the Cold War*, University of Chicago Press, Chicago-London 1983; e T. J. Clark, *Farewell to an Idea*, Yale University Press, New Haven-London 1999.

2 Peter Bürger, *Teoria dell'avanguardia*, trad. it. Bollati Boringhieri, Torino 1990.

3 "Questo non equivale a nient'altro che a stabilire una rivoluzione perpetua, perpetua perché volta a un'incessante autocritica radicale. Non c'è da stupirsi che un tale ideale non sia stato realizzato in campo politico, ma a me sembra che lo sviluppo della pittura modernista durante il secolo scorso abbia portato a una situazione che può venir descritta in questi termini" (Michael Fried, *Art and Objecthood*, University of Chicago Press, Chicago 1998, p. 218).

1945 – 1949

388 1945 David Smith realizza *Il pilastro della domenica*: la scultura tra basi artigianali dell'arte tradizionale e basi industriali dell'industria moderna. RK

393 1946 Jean Dubuffet espone le sue *hautes pâtes*, che confermano l'esistenza di una nuova corrente scatologica nell'arte francese del dopoguerra, che sarà presto chiamata *Informel*. YAB
box • *Art brut* HF

399 1947a Josef Albers inizia le sue *Varianti* al Black Mountain College in North Carolina un anno dopo la morte di László Moholy-Nagy a Chicago: importato negli Stati Uniti, il modello del Bauhaus viene trasformato da diversi imperativi artistici e pressioni istituzionali. HF

404 1947b La pubblicazione di *Possibilities* a New York segna la riunione dell'Espressionismo astratto come movimento. YAB

411 1949a La rivista *Life*, riferendosi a Jackson Pollock, chiede ai suoi lettori: "È il più grande pittore vivente degli Stati Uniti?": la sua opera diventa il simbolo dell'arte avanzata. RK

416 1949b Cobra, un gruppo di giovani artisti sparsi tra Copenaghen, Bruxelles e Amsterdam, lancia la sua rivista eponima, in cui essi invocano un ritorno alla "sorgente primigenia della vita"; intanto, in Inghilterra, i neobrutalisti propongono un'estetica spoglia adatta alle austere condizioni della situazione postbellica. HF

1945

David Smith realizza *Il pilastro della domenica*: la scultura tra basi artigianali dell'arte tradizionale e basi industriali dell'industria moderna.

Sospeso tra primitivo e puritano, *Il pilastro della domenica* di David Smith (1906-65) **[1]** esprime alla perfezione l'ambivalenza formale e tecnica della scultura costruita degli anni Quaranta. Organizzata come un totem, l'opera è un agglomerato verticale di ricordi della rigida educazione dello scultore nel Midwest americano (il coro in chiesa, per esempio, o il pranzo domenicale in famiglia), sormontato dall'immagine di un liberatorio uccello sessuato.

Realizzato in acciaio lavorato e saldato, l'oggetto dimostra fedeltà tecnica al linguaggio scultoreo con cui Smith entrò in scena nella metà degli anni Trenta, cioè la scultura costruita di stampo ▲ cubista che era partita dal collage nelle mani di Pablo Picasso a metà degli anni Dieci ed era stata portata a compimento alla fine dei Venti dal lavoro di Julio González (1876-1942). Ma se la costruzione in metallo saldato ha significato l'utilizzo di piccoli pezzi e fili piegati per ottenere l'apertura visiva di quello che González chiamava "disegno nello spazio" **[2]**, ha anche comportato l'incorporazione occasionale di oggetti metallici comuni, come quando Picasso integrò un colapasta per farne la testa di una figura (*Testa di donna* **[3]**), un ritorno a quando aveva usato un cucchiaino come elemento che coronava il suo *Bicchiere di assenzio* cubista del 1914. Da questo sfruttamento formale dell'oggetto integrato c'era solo un piccolo passo alla possibilità di sondare la sua risonanza psicologica, come fecero i surrealisti in una diversa direzione di ● sviluppo dell'idea di scultura come collage o assemblage.

Collage libero

Nelle mani dei surrealisti due varianti si contrapposero alla scultura-costruzione. La prima era formale, la seconda tecnica. Quella formale aveva a che fare con la volontà dei surrealisti di abbandonare l'idea di disegno nello spazio, che era stato il modo originale del Cubismo di sfidare la scultura tradizionale, con la sua feticizzazione dei volumi chiusi, nella pietra intagliata o nel bronzo fuso. Se gli oggetti scelti per entrare nella scultura diventano candidati non di rimandi formali, ma di associazioni psicologiche, allora ■ possono essere di ogni forma o sostanza – bottiglia di vetro o pezzo di metallo, tazze ricoperte di pelliccia o griglie di ferro. La *Venere di Milo con cassetti* di Salvador Dalí (1936) – copia della

1 • David Smith, *Il pilastro della domenica*, 1945
Acciaio e pittura, 77,8 x 41 x 21,5 cm

▲ Introduzione 3, 1912 ● 1931a ■ Introduzione 1

famosa statua del Louvre, con una fila di piccoli cassetti estraibili disposti lungo il torso nudo della figura – è un perfetto esempio del modo in cui la scultura surrealista trasgredì il credo formale modernista di costruzione aperta.

A livello tecnico ci fu poi un'altra trasgressione. Le profondità che i surrealisti volevano scandagliare, cioè quelle dell'inconscio, erano intese anche in opposizione sia alle raffinatezze della cultura alta sia al razionalismo della tecnologia moderna. I surrealisti affermarono che all'inconscio, primitivo in sé, era stata data più energicamente forma dall'arte primitiva, esempio di scultura legata all'occasione – con l'incorporazione delle cose a portata di mano, dalle perline alle piume alle scatole di latta – e di tipo agglomerativo, di cose rovesciate o appese o incollate insieme. Così, se la base cubista della scultura enfatizzava la *costruzione*, aprendo in tal modo la strada al modello tecnologico e altamente industrializzato di interpretazione il "disegno nello ▲ spazio" come forme d'acciaio e di vetro (come nel lavoro di Vladimir Tatlin o di Naum Gabo), la sua ricezione surrealista reinterpretava la

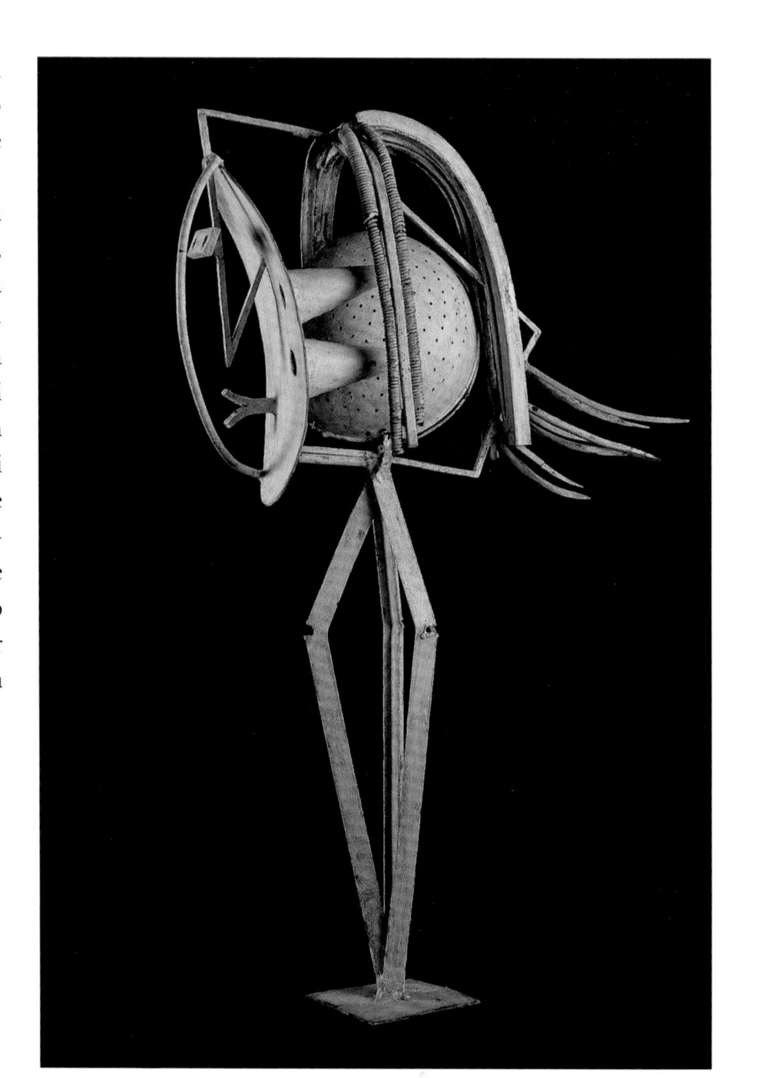

3 • Pablo Picasso, *Testa di donna*, 1929-30
Ferro e tecnica mista, 100 x 37 x 59 cm

2 • Julio González, *Donna che si sistema i capelli*, 1936
Ferro battuto, 132,1 x 34,3 x 62,5 cm

costruzione come *bricolage*, cioè la forma primitiva del fare, del pensiero associativo quasi irrazionale.

È questo il senso del totem in Smith, al di là dello sviluppo strutturale della sua opera a metà degli anni Quaranta, come del suo desiderio di far leva sui ricordi di gioventù e della propensione a incorporare forme figurative che, come l'uccello, sono classicamente volumetriche in sé. Data la forza della rivendicazione dell'immaginazione, poi, l'artigianale e il figurativo continueranno a dar battaglia all'industriale e all'astratto per tutta la sua carriera. Il luogo più chiaro dove vederlo è nella serie dei *Totem-coperchi* che Smith ha realizzato negli anni Cinquanta e Sessanta **[4]**. La metà "totem" del titolo indica la persistenza di un certo tipo di contenuto emotivo, mentre la metà "coperchio" – che si riferisce ai materiali industriali a cui ora Smith si era volto, in particolare qui ai coperchi di cisterne – si riferisce alle ambizioni moderniste di Smith, al suo desiderio di astrazione e tecnologia. La lotta tra questi due modelli è la ragione del grande interesse della scultura di Smith, il modo originale in cui ha saputo sposare l'astrazione al totemismo.

Se il totem è fondamentalmente figurativo, un oggetto o un animale reali investiti di grande significato per il soggetto umano,

▲ 1914, 1921b, 1937b, 1955b

4 • David Smith, *Totem-coperchio V*, 1955-56
Acciaio verniciato, 245,7 x 132 cm

la cui identità ne dipende e che deve perciò proteggerlo, il totemismo è nemico delle mire dell'arte astratta. Il primo può essere messo in rapporto con la seconda solo se la volontà dello scultore di "proteggere" l'oggetto totem assume la forma di una sorta di mimetismo visivo, dissoluzione della Gestalt intelligibile dell'oggetto da ogni punto di vista, qualcosa reso di volta in volta possibile solo dalle tecniche industriali di saldatura, sbalzo ecc.

Totem e tabù

Questo tema dell'"oggetto totem al tempo stesso offerto e ritirato" forma la consistente armatura che organizza l'ultima scultura di Smith, come la serie dei *Voltri-bolton* (1962-63), saldature di parti d'acciaio fuso, o nella sequenza di *Cubi* (1961-65), insiemi di poliedri di acciaio inossidabile lucidato, le sue opere ultime e più strettamente astratte. In *Voltri-bolton XXIII* **[5]**, per esempio, la rappresentazione primitiva del tavolo sacrificale, che Smith aveva già esaminato in lontane opere più figurative come *Testa come una natura morta II* (1942), *Sacrificio* (1950) o *Il banchetto* (1951), è ancora una volta realizzata come piedistallo per un assemblage natura morta, che comporta la presenza anche di una figura umana sacrificale. Questa "figura", che consiste di tre elementi saldati l'uno sull'altro – un piano rettangolare, una sezione di trave perpendicolare al piano e appoggiata su di esso solo per un punto, un altrettanto precario coperchio sopra la trave –, dalla maggior parte delle angolature non è intelligibile come forma figurativa coerente, ma va intesa come parte di un insieme di forme geometriche. Così una di queste forme, un grande rettangolo vuoto, sembra una sorta di cornice attraverso cui l'artista ci dà una chiave dell'approccio corretto all'opera. È tuttavia solo uscendo dall'asse di questa cornice, in tal modo eclissandone la vista, che l'oggetto totem viene messo a fuoco, ma solo per sparire di nuovo, in quanto la fisicità delle forme d'acciaio (la spinta in avanti della trave, per esempio) lo chiama fuori dal "quadro".

In questa resistenza all'idea di razionalismo stereometrico, per cui l'intersezione ad angolo retto di profili identici o simili crea un oggetto di massima intelligibilità, *Voltri-bolton XXIII* rifiuta il ▲ modello costruttivista che la fedeltà di Smith ai materiali e alle pratiche di fabbricazione moderne sembra invece rivendicare. La trasparenza letterale ricercata da Tatlin, Rodčenko o Gabo attraverso l'uso di reti o plastiche trasparenti era solo lo strumento di una trasparenza concettuale ancora più insistente, in quanto forme ripetitive tolte da un nucleo coerente ad imitazione della razionalizzazione tecnologica sia delle forme che della loro produ-

5 • David Smith, *Voltri-bolton XXIII*, 1963
Acciaio saldato, 176,5 x 72,7 x 61 cm

▲ 1914, 1921b

zione. Infatti, se l'idea russa di stereometria enfatizzava la possibilità di esperienza simultanea collettiva dell'opera, che diventava intelligibile da qualsiasi punto nello spazio così dichiarato come veramente pubblico, l'uso da parte dell'americano del punto di vista unico in movimento pone i suoi totem nell'ambito della soggettività.

Forse nessuno ha espresso l'ambivalenza creatasi nel dopoguerra nella scultura americana ed europea in maniera più ▲ eloquente del critico americano Clement Greenberg, che alla fine degli anni Cinquanta ha posto i termini critici stessi della scultura costruita. Affermando che il "genio" della scultura era ora in funzione di un concetto tecnologicamente moderno di volume – "Imprese di 'ingegneria' che puntano a fornire la maggior visibilità possibile con il minor dispendio di superficie tattile appartengono categoricamente al libero e *globale* medium della scultura. Lo scultore-costruttore può, letteralmente, disegnare nell'aria con un singolo pezzo di filo" –, Greenberg ne ha interpretato le implicazioni in un modo che ha voltato le spalle all'oggettività dell'"ingegneria" e ha invece abbracciato il soggettivismo di una sorta di fenomeno visivo che egli stesso ha chiamato "miraggio". Caratterizzando la nuova tecnologia attraverso la sua liberazione di forme aperte nella "continuità e neutralità di uno spazio che solo la luce modula, senza riguardo alle leggi della gravità", Greenberg ne dedusse quella che alcuni (in particolare i minimalisti) vedranno come la conclusione radicale, insistendo sulle sue conseguenze come forma di otticità che "comporta un antiillusionismo a trecentosessanta gradi". Ora cioè, affermò Greenberg, "invece dell'illusione delle cose, offriamo l'illusione delle modalità: cioè, quella materia è incorporea, senza peso ed esiste solo otticamente come miraggio" (*La scultura nel nostro tempo* [1958]).

La soggettività radicale dell'"otticità" può essere associata alla "cornice" vuota attraverso la quale *Voltri-bolton XXIII* ha registrato l'importanza del punto di vista per comprendere l'opera, anche se in questo caso il suo particolare rettangolo non ha prodotto l'aspetto "corretto". La cornice infatti non solo oppone un campo visivo a uno tattile, nega anche la connessione collettiva simultanea al significato dell'opera, poiché soltanto una persona alla volta può guardare attraverso la cornice nel preciso angolo perpendicolare alla sua apertura. È questa importanza del punto di vista che lo scultore inglese Anthony Caro (1924-2013), l'erede formale più diretto di David Smith, ha poi portato avanti. Questo è forse evidente in un'opera come *Vettura* **[6]**, in cui due grandi piani si oppongono l'un l'altro a distanza di due metri collegati soltanto da un tubo di acciaio ricurvo lungo il pavimento. Entrambi i piani

6 • Anthony Caro, *Vettura*, 1966
Acciaio dipinto di blu, 195,5 x 203,5 x 396,5 cm

▲ 1942a, 1960b

sono composti di metallo espanso che forma una rete o schermo ottico, ognuno tenuto su tre lati da tubi di ferro che creano angoli chiusi in uno in alto a sinistra e nell'altro in basso a destra. Se la scala dell'opera fa appello all'esperienza tattile, poiché l'estensione fisica dell'oggetto invita e permette di entrare dentro e ispezionare le sue parti, la trama della rete, dipinta di verde mare, mira chiaramente al riassorbimento di questa fisica condizione tattile in una più specificamente immateriale e visiva. La sensazione, inoltre, che questo sia dove giace il significato dell'opera arriva nel momento in cui il movimento dello spettatore intorno alla scultura produce la coerenza dei due insiemi di sostegni nell'unica Gestalt di una "cornice", quella che collassa lo spazio fisico nell'opera e ricrea la scultura come funzione di un unico e puramente ottico punto di vista. Ma a sua volta l'apertura fisica dell'oggetto permette che il "significato" – che possiamo leggere come un'affermazione astratta di coerenza, la "pregnanza" della psicologia della Gestalt – invada la scultura da ogni altro punto di vista cosicché, per usare le parole di Michael Fried, "in ogni momento l'opera è completamente manifesta". Usando un linguaggio che chiaramente si collega all'idea di otticità di Greenberg, nel suo importante saggio *Arte e oggettualità* (1967) Fried ha descritto la sua esperienza dell'opera di Caro in termini di simultaneità e immediatezza del campo visivo stesso:

> *In questa presenza continua e completa, equivalente, com'era, alla creazione continua di sé, che esperiamo come una sorta di* istantaneità, *come se, se fossimo infinitamente più acuti, un singolo istante infinitamente breve potesse essere abbastanza lungo da vedere tutto, da cogliere l'opera in tutta la sua profondità e pienezza, da esserne per sempre convinti.*

La sfida lanciata da Fried in *Arte e oggettualità* articola la differenza tra le due autoproclamatesi eredi della scultura costruita: la scultura lavorata a mano e saldata di Smith e Caro, con i suoi rimandi all'artigianato nel colore applicato e nell'assemblaggio in pezzo unico, da un lato, e l'opera fabbricata industrialmente dei ▲ minimalisti, con il suo affidarsi alla colorazione tecnologica – smalti, plastiche – e alla produzione seriale, dall'altro. Ma è nell'opera di John Chamberlain (1927-2011) negli Stati Uniti e in • quella di Arman o César in Francia che si può trovare una terza opzione molto più pessimistica. Le prime due posizioni infatti, ottica o minimalista, indicano le possibilità positive, perfino utopiche, contenute nei materiali e nelle forme di produzione moderne; la terza invece sposa "costruzione" e "produzione" portando fino in fondo l'obsolescenza e lo spreco pianificati.

Infatti, spingendo la componente "oggetto trovato" del medium, presente fin dall'inizio nella scultura costruita, attraverso il *bricolage* surrealista e verso l'ambito dei rifiuti della società dei consumi, uno scultore come Chamberlain ha sfruttato le superfici readymade della carrozzeria d'automobile, segnate ora dall'incidente subìto, come rottame riciclato. Carica di ironia, un'opera come *Bianco velluto* **[7]** sembra proiettare nella sua stessa forma

7 • John Chamberlain, *Bianco velluto*, 1962
Acciaio dipinto e cromato, 205,1 x 134,6 x 124,9 cm

un'intera storia di dibattito sulla scultura modernista – la tensione tra i rimandi al volume monolitico e alla forma aperta; l'opposizione tra struttura razionalizzata e capriccio surrealista; la distinzione tra colore artigianale e industriale, così come tra oggetto prodotto in serie e oggetto unico, il primo privato di ▲ "aura", il secondo ancora aggrappato ad essa – anche se, con il suo passaggio dalla produzione al consumo, dalla costruzione al ready- • made, sembra annunciare l'obsolescenza della scultura stessa come categoria. Forse è questa la ragione per cui Donald Judd, in un gesto che sembra sorprendente da un punto di vista formale, ha incluso un'opera di Chamberlain tra le illustrazioni del suo saggio *Oggetti specifici*, la sua dichiarazione della fine della scultura come medium specifico. RK

ULTERIORI LETTURE:

Michael Fried, *New Work by Anthony Caro, Caro's Abstractness e Art and Objecthood, in Art and Objecthood*, University of Chicago Press, Chicago 1996

Clement Greenberg, *Sculture in Our Time e David Smith's New Sculpture*, in *The Collected Essays and Criticism, Vol. Four: Modernism with a Vengeance, 1957-1969*, University of Chicago, Chicago 1993

Rosalind Krauss, *Passaggi*, trad. it. Bruno Mondadori, Milano 1998

▲ 1965 • 1960a

▲ 1935 • 1965

1946

Jean Dubuffet espone le sue *hautes pâtes*, che confermano l'esistenza di una nuova corrente scatologica nell'arte francese del dopoguerra, che sarà presto chiamata *Informel*.

"Dopo il Dadaismo, ecco il Caccaismo": queste parole furono scritte dal critico francese Henri Jeanson in risposta a *Mirobolus, Macadam & Cie, Hautes Pâtes*, la scandalosa mostra di Jean Dubuffet (1901-85) alla Galerie René Drouin di Parigi nel maggio 1946. Benché pubblicate nel settimanale satirico *Le Canard enchaîné*, erano perfettamente in linea con la reazione generale alla mostra: da ogni parte, da destra come da sinistra, si sentivano grida di disgusto contro la "scatologia" di Dubuffet. Non era la prima volta che il pittore veniva preso di mira dalla stampa – la sua prima personale di scene primitiviste di vita urbana estremamente colorate, un anno e mezzo prima, appena dopo la Liberazione di Parigi nell'agosto 1944, era stata derisa come l'impresa di un infantile imbrattatele – ma ora il clamore aveva raggiunto l'acme. Se si esclude il tumulto intorno alla mostra di Picasso al Salon de la Libération nell'ottobre 1944 – con dimostrazioni nelle strade e attacchi iconoclasti alle opere – niente aveva scioccato altrettanto il mondo ▲ dell'arte francese da decenni, forse dallo scandalo fauve del 1905.

L'arguzia di Jeanson fu meno eloquente del sarcasmo di molti critici, che si divertirono a descrivere in dettaglio la "schifezza" che condannavano, ma il suo riferimento al Dadaismo punta a un particolare nesso con la Parigi del dopoguerra. La vergogna collettiva era diffusissima nella città: vergogna per l'umanità in toto che aveva compiuto l'Olocausto, ma anche più specificamente per la Francia e per la sua collaborazione con la macchina nazista. Vestito dei panni del martire – autoproclamatosi "Partito dei 75.000 fucilati", quando non "il Partito del Rinascimento francese" –, il Partito comunista fu eretto a baluardo morale da una quantità di artisti e intellettuali (Picasso era solo il più importante), ma attraeva poco quelli che erano spaventati dall'*épuration* seguita alla Liberazione – la pubblica umiliazione dei collaborazionisti, la giustizia "popolare" e l'uccisione di scrittori –, che ricordava troppo le purghe staliniste della fine degli anni Trenta, tanto più da quando la richiesta del ● Partito comunista di un Realismo socialista diventava ogni giorno più insistente.

Dubuffet non fu tentato né da tale autogiustificazione né da un mero ritorno allo status quo di prima della guerra, a quella superficiale opposizione, nell'avanguardia, tra il mondo dei sogni del Surrealismo e l'utopia dell'astrattismo (che vedeva come i due lati della stessa medaglia). In un clima così politicamente carico come quello della Liberazione, c'era solo un piccolo margine di manovra. Il nazismo aveva trattato l'umanità come fosse puro materiale a disposizione e da usare (i servizi fotografici che mostrano cumuli di cadaveri cominciarono a girare per Parigi nella primavera del 1945) e tale degrado era stato confermato, alla fine della guerra, dalle bombe atomiche su Hiroshima e Nagasaki. Quello che ci si aspettava dall'arte, nel periodo della ricostruzione, era una riaffermazione redentiva, sublimante, dell'umanità dell'uomo – qualcosa di simile, in campo estetico, all'*épuration* politica quotidianamente pubblicizzata sulla stampa (nel senso che, a parte la cattiva fede che copriva un mero impulso di vendetta, purghe e punizioni volevano avere un effetto di elevazione morale). In questo la provocazione dadaista sembrò un utile modello di disobbedienza – anch'essa originata in un clima di disperazione per l'umanità – anche se, di fronte ai più recenti orrori, che non ▲ avevano precedenti neppure nella carneficina della Prima guerra mondiale, assumeva un accento stonato.

Il catalogo della mostra *Mirobolus*, un pieghevole in quattro parti su carta economica, conteneva un testo di Dubuffet intitolato *L'autore risponde ad alcune obiezioni*. Lo scritto venne ripreso da diversi giornali dell'epoca e ripubblicato qualche mese dopo nel primo (e più importante) dei molti libri di Dubuffet, *Prospetto per gli appassionati di ogni genere*, con il titolo *Riabilitazione del fango*. Sebbene divenisse poi famoso come slogan dell'intera impresa di Dubuffet, il titolo del saggio sfumava in realtà l'originario tono polemico, soprattutto per il fatto di anticipare la reazione del ● pubblico. Il testo si apre sulla questione dell'abilità. Dubuffet sottolinea il fatto che nessun particolare talento ha presieduto alla creazione delle opere in mostra e che ha lavorato "qui con il dito, là con un cucchiaio". Anche se nega retoricamente qualsiasi intento provocatorio, Dubuffet si appropria di tecniche paragonabili a quelle degli inizi del modernismo e si spinge oltre proponendo gesti anche più radicali di quelli rappresentati dalle opere in mostra, sognando per esempio di quadri fatti "d'una sola pasta monocroma". A chi chiede ragione della sua attrazione per le "cose sporche", replica in anticipo: "Per quale ragione – se si eccettua il coefficiente di rarità – l'uomo s'adorna di collane e di conchiglie e non di tele di ragno, della pelliccia delle volpi e non delle loro budella? Vorrei proprio saperlo. Il fango, i rifiuti e il sudiciume, che

▲ 1906 ● 1934a

▲ 1916a, 1920 ● 1968b

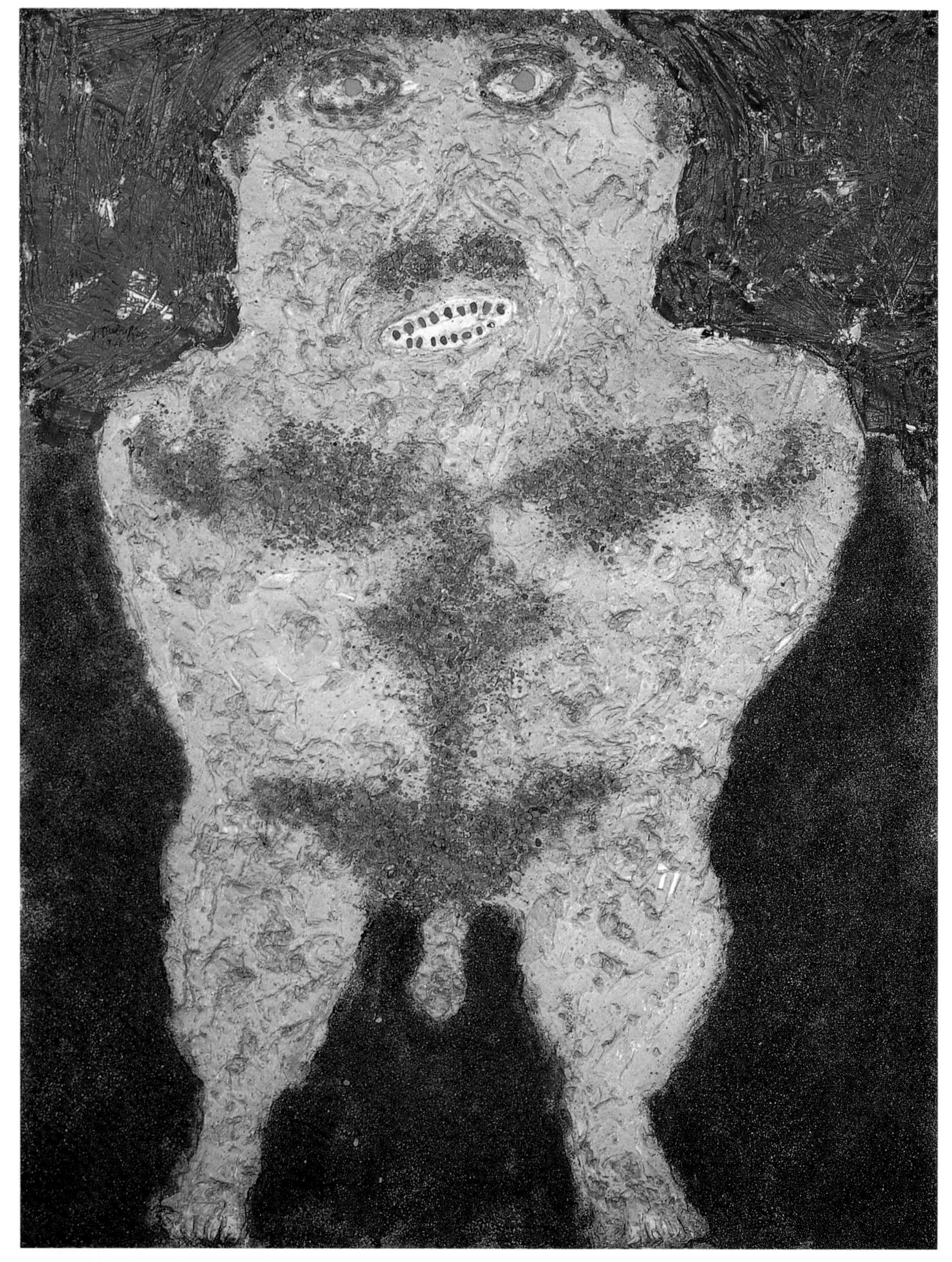

1 • Jean Dubuffet, *Volontà di potenza*, 1946
Olio su tela, 116 x 89 cm

accompagnano l'uomo per tutta la vita, non dovrebbero essergli cari, e non significa forse rendergli un buon servizio ricordargli la loro bellezza?".

I critici furono pronti a leggere la menzione della bellezza come una deliberata provocazione. Si concentrarono sulla "pasta monocroma" e diedero il prevedibile nome escrementizio al "fango, rifiuti e sudiciume". Vi furono incoraggiati dai quadri stessi, con i loro colori bruni-grigi e il loro spesso impasto (la *haute pâte*) di materiali vari, in cui erano incise figure intere o per trequarti [**1**]. Accentuato dalla mancanza di qualsiasi indicazione di tridimensionalità (le figure tipo graffiti sono o frontali o di profilo), il rimando al disegno dei bambini era inequivocabile. Ma, se richiamavano la pittura con le dita dei bambini, le opere andavano fino alle connotazioni collegate di giocosa ingenuità. La materia bruta aveva sostituito il colore: per la maggior parte dei critici questo fu come dire che la gioia di vivere non esisteva più. Dubuffet aveva offeso i "fini letterati", come li chiamava, e il clamore che ne derivò gli confermò di aver toccato un nervo scoperto.

Alcuni partigiani di Dubuffet, comunque, notarono che, cercando di riabilitare il fango, egli non aveva esattamente preteso che la "civiltà" fosse finita. Secondo loro, al contrario, aveva offerto l'unica strategia di redenzione possibile tra le macerie lasciate dal cataclisma: riabilitare il fango significava ricominciare da capo, non esattamente con una tabula rasa, ma da ciò che era disponibile, da ciò che la società *aveva* ed *era* a quel punto della storia. Significava, con una torsione dialettica la cui ironia emerse solo più tardi, completare un certo tipo di *épuration*. Se infatti Dubuffet insisteva che la pura materialità della sua opera era pari alla materia e al rumore del reale, intendeva che nelle proprietà complesse degli oggetti naturali "c'era da scoprire un certo ordine". Niente può indicare meglio quanto il *matiérisme* di Dubuffet sia estraneo alla ▲ nozione di "basso materialismo" o di "informe" di Georges Bataille (1897-1962), in cui la materia è posta come ciò che non può essere contenuto da nessuna categoria discorsiva, pensiero sistematico o spostamento poetico, ciò che caparbiamente resiste alla funzione sublimatoria dell'immagine e lentamente la sgonfia. Scoprire un ordine (un'immagine) nell'informità della materia per poterla riabilitare è diametralmente opposto all'operazione di abbassamento voluta da Bataille come compito dell'informe.

Non solo un'intera sezione del testo in catalogo di Dubuffet era dedicata al "potere suggestivo" delle varie componenti di queste paste, ma il catalogo stesso era doppiato da un libretto scritto dal critico-impresario Michel Tapié. La turgida prosa di Tapié è non solo completamente inattendibile e oggi quasi illeggibile (eccetto per il divertente aneddoto di un quadro che Dubuffet aveva regalato allo scrittore Jean Paulhan e che si sciolse, si liquefece), ma le dettagliate didascalie di tutte le opere, debitamente riprodotte, erano impressionanti. Parodiavano le schede dei cataloghi di musei dando succinte informazioni sul materiale impiegato, ma inevitabilmente scivolavano nella modalità metaforica (soprattutto nell'ambito culinario). *Monsieur Macadam* era descritto come "interamente dipinto in vero catrame misto a ghiaia. Il tipo di bianca pastella spessamente imburrata sulla figura assume il colore del pane tostato dove incontra il catrame, come una pipa usata di schiuma". Madame Mouche: "Materia rugosa, qui opaca là lucida, o come se fosse stata cucinata e vetrificata. Figura con colori di caramello, melanzana, gelatina di mora e caviale, decorata con buchi

Art brut

Come altri modernisti, Jean Dubuffet è stato influenzato dallo studio *L'attività plastica dei malati di mente* di Hans Prinzhorn. Durante gli anni Trenta scrisse a vari dottori e a metà degli anni Quaranta visitò istituzioni in Svizzera dove incontrò per la prima volta l'arte psicotica collezionata dallo psichiatra ginevrino Charles Ladame. Queste esperienze lo spinsero a raccogliere arte dei malati di mente, così come quella tribale, naïve e popolare, sotto la rubrica *Art brut* – *brut* nel senso di "rozza" o "grezza", opposti a "raffinata" e "colta". Insieme a André Breton, Jean Paulhan, Charles Ratton, Henri-Pierre Roché e Michel Tapié, Dubuffet formò la Compagnie de l'Art Brut nel 1948, che subito presentò la prima mostra delle sue raccolte (circa 2.000 opere di 63 artisti) alla galleria René Drouin di Parigi. Per questa esposizione Dubuffet scrisse il suo testo più famoso sull'argomento, *L'Art brut preferita all'arte colta*, che presenta gli artisti *brut* come versione radicale del genio romantico libero da ogni convenzione: "Con questo termine intendiamo le opere prodotte da persone estranee alla cultura artistica, dove l'imitazione ha una parte minima o nulla (contrariamente alle attività degli intellettuali). Questi artisti derivano tutto – soggetti, scelta dei materiali, mezzi di trasposizione, ritmi, stili di scrittura, ecc. – dalle proprie profondità, e non dalle concezioni dell'arte classica o di tendenza. Sono testimoni di un'operazione artistica completamente pura, grezza, bruta, e interamente reinventata in tutte le sue fasi esclusivamente con mezzi appartenenti alle pulsioni dell'artista".

Come altri modernisti quali Paul Klee, dunque, Dubuffet idealizzava l'arte dei malati di mente come ritorno alle pure "profondità". Ma, diversamente da Klee, definiva queste profondità non come *origine* dell'arte, dal cui recupero si attende una possibilità di redenzione, ma come *fuori* dell'arte, che introduce trasgressione e rottura nei suoi spazi culturali. Comunque, anche se Dubuffet cercava di cancellare l'opposizione tra normale e anormale ("questa distinzione [...] sembra insostenibile: chi, dopo tutto, è normale?"), riaffermò però l'opposizione tra *brut* e culturale, un'opposizione che afferma invece che trasgredire la "civiltà". Lungi dall'essere "estraneo", come immagina Dubuffet, lo psicotico è scosso dal trauma e questo disturbo psichico viene registrato nelle distorsioni fisiche spesso evidenti nell'Art brut – per esempio, occhi e bocche molto ingranditi e disordinatamente inseriti in altre parti del corpo –, smembramenti che Dubuffet ha spesso riprodotto nelle proprie figure. Ma, attraverso tali disordini dell'immagine del corpo, egli evoca un senso schizofrenico di letterale autodislocazione, che sembra molto lontana dall'"operazione artistica completamente pura" che Dubuffet voleva invece vedere nell'Art brut.

▲ 1930b, 1931b

bianco-d'uovo, in cui una vernice sciropposa di color melassa si è accumulata qua e là". Ogni didascalia diventa così una breve poesia in prosa in cui viene contestata la precedenza della visione sugli altri sensi, o almeno la separatezza disincarnata della visione (va ▲ notato che la *Fenomenologia della percezione* di Maurice Merleau-Ponty, in cui veniva attaccato questo carattere della metafisica occidentale, era uscita nel 1945). Ma, alla fine, questo anticartesianesimo cortocircuita, perché la trasposizione letteraria in ambito culinario del dato tattile della pasta di Dubuffet resta basato sulla forza ricentratrice della metafora, e dunque sul potere illusionistico della Gestalt, della forma.

Il cibo era nella mente di tutti nella Parigi del dopoguerra (gli approvvigionamenti erano ancora molto lenti e restarono razionati ancora a lungo). Non fu dunque un caso che un impasto che faceva sembrare i quadri dei rilievi suscitasse associazioni culinarie. Dubuffet stesso incoraggiò i critici a seguire questa vena orale, per cui iniziò il testo di accompagnamento della nuova esposizione, tenuta nell'ottobre 1947 e interamente dedicata ai ritratti di amici e conoscenze della Parigi letteraria, con un lungo excursus sulla superiorità del modesto pane sul lusso della pasticceria (ancora una volta il discorso di Dubuffet riguardava la bellezza del normale). Ma il primo scrittore a far riferimento al cibo come tropo della pasta pittorica era stato il poeta Francis Ponge, che Dubuffet conosceva bene (Ponge aveva scritto la prefazione al catalogo della sua mostra di litografie dell'aprile 1945). Nel suo primo testo sull'arte – un libretto sui dipinti pastosi di un artista che Dubuffet ammirava molto, Jean Fautrier (1898-1964) – Ponge aveva laconicamente scritto: "È in parte petalo di rosa, in parte pasta di Camembert".

Una deliberata frustrazione della visione

Presto entrambi i pittori sarebbero stati loro malgrado lanciati come fondatori di un movimento battezzato *Informel* da Paulhan e *Art autre* da Tapié. Un terzo "fondatore" venne riconosciuto più tardi in Wols (1913-51), un emigrato tedesco il cui vero nome era Wolfgang Schulze. La mostra di piccoli acquerelli di Wols alla galleria Drouin nel dicembre 1945 passò quasi inosservata: immediatamente dopo i bruti *Ostaggi* di Fautrier nella stessa galleria, i paesaggi astratti di Wols popolati di forme biomorfe erano troppo • evidentemente indebitati con la meticolosità di Klee per suscitare anch'essi scandalo. Le cose cambiarono quasi subito quando Wols cominciò a lavorare ad olio su tela e la sua seconda personale nel 1947 fu un trionfo. Benché Jean-Paul Sartre (1905-80) avrebbe scritto solo nel 1963 il suo testo sul pittore, *Dita e non dita*, Wols era ■ unanimemente visto come la quintessenza dell'artista "esistenzialista" che viveva la crisi metafisica e cercava di illustrare la contingenza dell'essere. Il dramma della sua vita di vagabondo alcolizzato, il preteso automatismo dei suoi procedimenti pittorici, la gestualità spasmodica dei suoi dipinti, tutti questi segni di "sincerità" indussero Sartre a lanciare Wols come uno "sperimentatore che ha capito di far necessariamente parte dell'esperimento". Ma, alla fine, le tele astratte di Wols, quasi tutte composte di un vortice centrale (spesso simile a una vulva) da cui sgorgano raggi di energia in tutte le direzioni **[2]**, rimasero un invito a "leggere dentro", a dispiegare un atteggiamento "immaginativo" (parole di Sartre) che ci salva sempre dal dover contemplare l'abisso del nulla.

L'improvviso successo delle allucinazioni cosmiche di Wols era stato preparato dallo scandalo della *hautes pâtes* di Dubuffet, la cui scatologia ora sembrava troppo cruda, una tattica da shock. Ma anche il disagio provocato dalla mostra degli *Ostaggi* di Fautrier dell'ottobre 1945 giocò un ruolo importante, per quanto poco riconosciuto. Il fatto che Fautrier appartenesse allo stesso ambiente intellettuale, esponesse nella stessa galleria e fosse difeso dagli stessi scrittori di Dubuffet ha offuscato a lungo ciò che li distingueva, anche se, almeno riguardo al colore, non si può fare a meno di notare che andarono in direzioni opposte (Dubuffet dai colori vivaci al fango, Fautrier il contrario).

Le inaugurali *Note sugli Ostaggi* di Ponge furono scritte nel gennaio 1945 su richiesta di Jean Paulhan (*Fautrier l'arrabbiato* di ▲ Paulhan era apparso sul catalogo della mostra dell'artista nel 1943), commissionate come prefazione per l'esposizione della serie degli *Ostaggi* che apriva alla galleria Drouin nell'ottobre 1945. Alla fine però venne preferito un breve saggio di André Malraux (1901-76) e

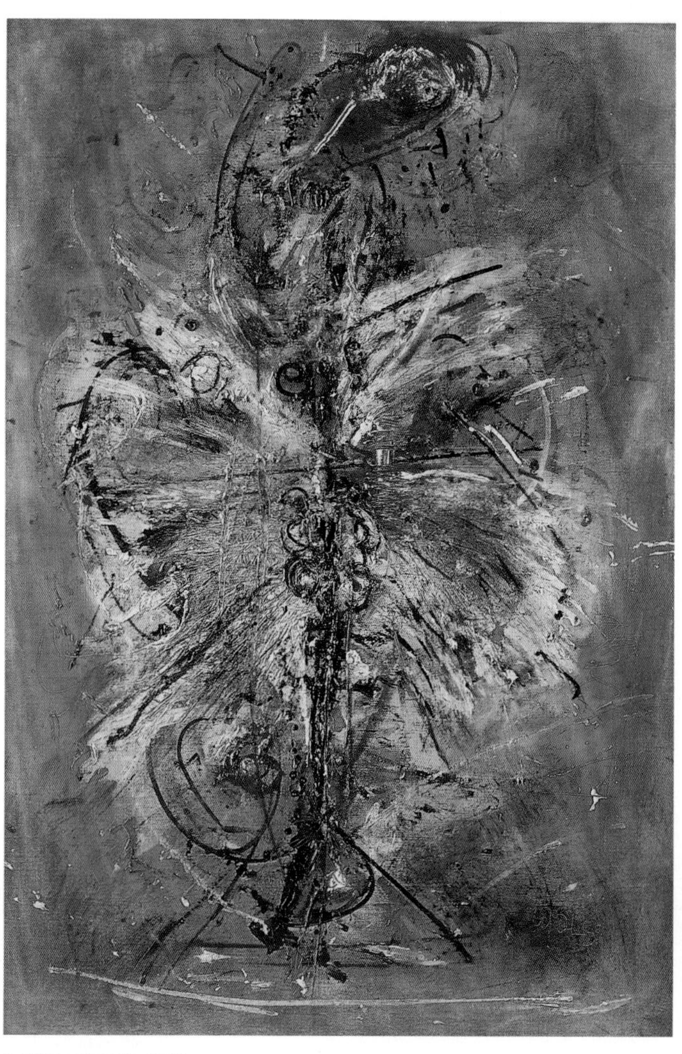

2 • Wols, *Uccello*, 1949
Olio su tela, 92,1 x 65,2 cm

▲ 1965 ● 1922, 1925c ■ 1959c ▲ 1935

3 • Jean Fautrier, *Testa di ostaggio n. 22*, 1944
Olio su carta incollata su tela, 27 x 22 cm

lo straordinario testo di Ponge fu pubblicato all'inizio del 1946 come libretto indipendente. Malraux era da tempo un sostenitore dell'arte di Fautrier (ne aveva già scritto nel 1933) e, data la sua grande notorietà allo stesso tempo come scrittore e come eroe della Resistenza, non sorprende che il suo testo abbia avuto la precedenza su quello di Ponge, allora molto meno noto, ma macchinazioni commerciali e relazioni pubbliche non devono essere state le uniche ragioni della sostituzione, perché il testo di Ponge era conturbante, come riconobbe Paulhan quando lo ricevette, conturbante come le opere stesse.

Nei suoi *Ostaggi* Fautrier rivolgeva direttamente la domanda che avevano in mente tutti (anche prima della completa rivelazione dei campi di sterminio), benché soltanto Ponge osasse formularla proprio sul suo lavoro: come si può rispondere, in arte, al regime di terrore nazista senza spettacolarizzarlo? Fautrier aveva cominciato la serie nel 1943, mentre si nascondeva dalla Gestapo in un asilo psichiatrico fuori Parigi e dopo aver sentito i rumori della tortura e dell'esecuzione sommaria, nei boschi circostanti, di civili scelti a caso dalle autorità tedesche. Che il punto di partenza di Fautrier fosse non visivo ma uditivo (colpi di fucile, grida) spiega in parte il suo trattamento inconsueto di quelle atrocità. Presentati in monotone file che ne accentuavano la serialità – e per estensione la natura statistica, da catena di montaggio, dell'atrocità nazista –, i quaranta quadri circa seguivano tutti la stessa formula in cui non c'era molto da vedere dell'orrore suggerito nei titoli generici (molte opere, perlopiù piccole, sono semplicemente intitolate *Ostaggio* o *Testa di ostaggio* più un numero [**3**]). Questa dicotomia tra tema preteso e

4 • Jean Fautrier, *L'ebrea*, 1943
Olio su carta incollata su tela, 73 x 115,5 cm

frustrazione della visione era ancor più esasperata dai titoli delle opere un po' più grandi della stessa serie: *Il fucilato*, *Lo scorticato*, *L'ebrea* **[4]** o *Oradour-sur-Glane* (nome di un villaggio dove i nazisti bruciarono vivi centinaia di donne e bambini che si erano rifugiati in una chiesa), benché il titolo originario di quest'ultimo fosse *Il massacro*.

Tutte queste opere condividono le stesse caratteristiche e ciò che più turbò alcuni critici fu che, dal punto di vista formale, molto poco le distingueva da alcuni paesaggi e nature morte esposte da Fautrier durante l'Occupazione: la formula infatti era pronta già intorno al 1940, quando abbandonò sia la pittura a olio sia i toni scuri usati per decenni. Lavorando sulle sue tele (o meglio carte intelate) poste orizzontalmente su un tavolo e precedentemente ricoperte di una sottile preparazione spruzzata di pastello, Fautrier era in parte stuccatore, in parte pasticcere. Con una spatola spargeva una goccia centrale di materia biancastra tipo stucco in una forma vaga (più o meno ovale nel caso di una *Testa di ostaggio*) e, prima che la pasta indurisse, la spolverava con varie polveri di pastello e decorava con linee di contorno eseguite a pennello. Il risultato era sempre quello di una figura molto centrata e spesso piuttosto indecifrabile in rilievo su uno sfondo atmosferico sporcato.

Sia la scelta dei colori (rosa, porpora, turchese – l'intero spettro caramelloso) sia la marcata dissociazione tra tessitura e colore mandano un potente segnale di inautenticità, di kitsch. Questa strana ma deliberata violazione del decoro aveva colpito Paulhan fin dal 1943 – scrisse allora di creme e trucchi cosmetici –, ma egli sentì di dover difendere l'arte di Fautrier dalle accuse di graziosità decorativa e di virtuosismo gratuito. Anche Malraux espresse brevemente il suo disagio, combinato all'apprezzamento per i conigli scuoiati e altre nature morte che Fautrier aveva dipinto in colori bruni fin dagli anni Venti. Notando che nei suoi *Ostaggi* Fautrier aveva gradualmente abbandonato ogni suggestione di colori sanguigni sostituiti da toni "privi di qualsiasi legame razionale con la tortura", chiedeva: "Siamo sempre convinti? Non siamo disturbati da alcuni di questi teneri rosa e verdi?".

Per entrambi gli scrittori, la lingua seducente parlata dai quadri di Fautrier era un problema che non sapevano come trattare. Di tutti i sostenitori dell'artista, solo Ponge comprese che la forza della sua opera risiedeva nell'insieme di rapimento e di orrore, e non è soltanto perché Fautrier aveva illustrato il romanzo erotico di Bataille *Madame Edwarda* che Ponge allude nelle sue *Note* alla concezione scatologica di quest'ultimo. Bataille aveva immaginato che il Marchese de Sade "si faceva portare le rose più belle per sfogliarne i petali sullo scolo di una fogna". Ponge è più in sintonia con la diffusa ossessione del tempo quando parla di Camembert, ma l'immagine è simile: diversamente dalla riabilitazione di Dubuffet, il kitsch di Fautrier è un pessimistico, nichilista defilamento.

È vero, Dubuffet occasionalmente devia dalla sua traiettoria sublimatoria, o con la pura ferocia con cui le sue caricature assaltano le aspettative dell'osservatore, o rifiutando di spostarsi dall'informe alla figura. Alla prima strategia appartiene la grottesca serie *Corpi di signore* dei primi anni Cinquanta, dove l'intera tradizione del nudo dell'arte occidentale viene demolita come ampollosità "metafisica" e abbattuta **[5]**. Al secondo modo appartengono i notevoli allover, le *Materiologie* della fine degli anni Cinquanta e primi anni Sessanta, realizzate in stagnola accartocciata o cartapesta, che sembrano mappe della crosta lunare. Ma anche in questi rari casi una metafora si insinua sempre (la donna come Madre Natura, la tela come suolo nativo). Immensamente prolifico come scrittore di pamphlet contro la "asfissiante cultura", finì come artista ufficiale della Repubblica francese. Fautrier invece mise fermamente in pratica il proprio disprezzo per la pretesa arte alta: fu anche imbarcato nella creazione di riproduzioni di opere d'arte modernista, da Van Gogh a Dufy, che etichettò con l'ossimoro "originali multipli". Rifiutando lo "stile farmaceutico", come lo chiamava, di chi voleva vederlo come espressionista (o *informel*), creò fino alla morte monumenti sempre più volgari per cattivi palati. Il testo di Ponge finisce con questa frase: "Con Fautrier la 'bellezza' ritorna". La bellezza, cioè, può tornare solo tra virgolette. YAB

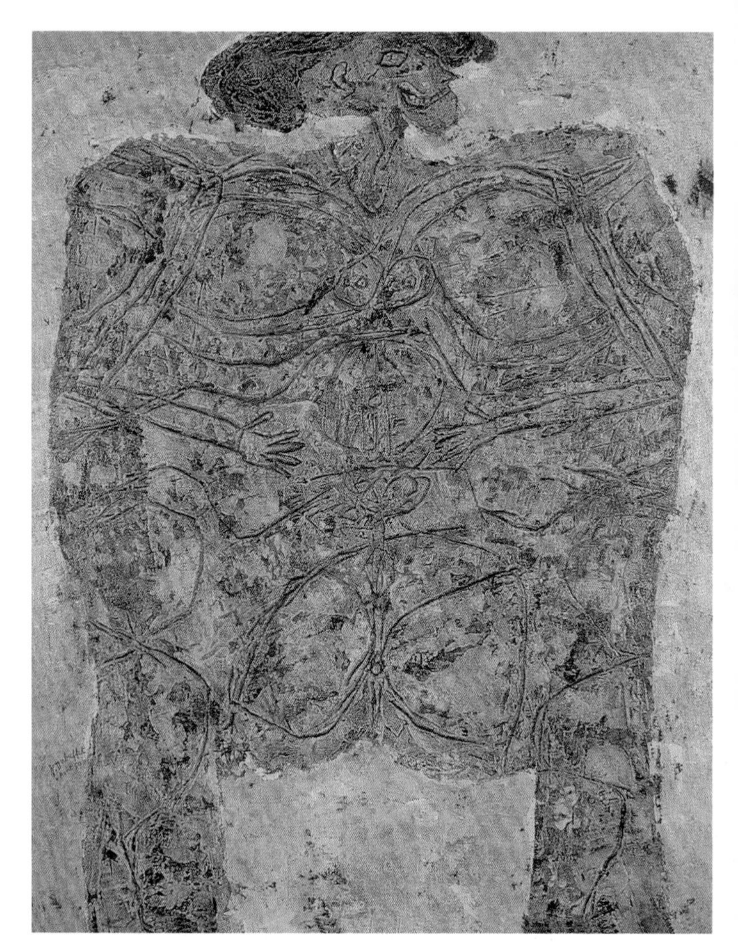

5 • Jean Dubuffet, *La Métafisyx*, 1950
Olio su tela, 116 x 89 cm

ULTERIORI LETTURE:

Curtis L. Carter e Karen L. Butler (a cura di), *Jean Fautrier*, Yale University Press, New Haven-London 2002

Hubert Damisch, *The Real Robinson*, in *October*, n. 85, estate 1998

Jean Dubuffet, *I valori selvaggi. Prospectus e altri scritti*, trad. it. Feltrinelli, Milano 1971

Rachel Perry, *Jean Fautrier's "Jolies Juives"*, in *October*, n. 108, primavera 2004

Francis Ponge, *L'Atelier contemporain*, Gallimard, Paris 1977

Jean-Paul Sartre, *Dita e non dita*, in *Pensare l'arte*, Marnotti Edizioni, Milano 2008

1947a

Josef Albers inizia le sue *Varianti* al Black Mountain College in North Carolina un anno dopo la morte di László Moholy-Nagy a Chicago: importato negli Stati Uniti, il modello del Bauhaus viene trasformato da diversi imperativi artistici e pressioni istituzionali.

Quando presero il potere nel 1933 i nazisti, imposero la chiusura forzata del Bauhaus, la paradigmatica scuola del ▲ design modernista. Walter Gropius (1883-1969), suo primo direttore, l'aveva già lasciata nel 1928, presto seguito da László Moholy-Nagy (1895-1946), che era incaricato del *Vorkurs* o corso preliminare (poi sostituito da Josef Albers). Spostatosi a Berlino, Moholy-Nagy continuò a sperimentare con nuovi mate- ● riali, fotografia, macchine luminose e varie forme di design (perlopiù libri e allestimenti); si avventurò anche nella regia cinematografica, teatrale e operistica. Nel 1934 l'espansione del nazismo lo indusse ad andare ad Amsterdam e, un anno dopo, a Londra. Poi, nel 1937, lasciò l'Europa per dirigere il neonato New Bauhaus a Chicago varato da un gruppo di mecenati e uomini d'affari denominato Association of Arts and Industries (l'avevano chiesto a Gropius, ma aveva appena accettato la cattedra di Architettura a Harvard). A causa di una cattiva gestione dei fondi, l'Associazione aveva chiuso la scuola un anno dopo, ma nel 1939, pur con scarse risorse, Moholy-Nagy fu in grado di riaprirla – ora con il nuovo nome di Scuola di Design – con molti degli stessi insegnanti, tra cui lo scultore americano, russo di origine, Aleksandr Archipenko (1887-1964), il teorico ungherese György Kepes e il filosofo americano Charles Morris. (I veterani del Bauhaus Herbert ■ Bayer [1900-85] e Alexander [Xanti] Schawinsky [1904-79] e l'astrattista francese Jean Hélion [1904-87] non insegnarono nei primi anni.) Nel 1944 la scuola venne rinominata Istituto di Design e resta tutt'oggi una divisione dell'Illinois Institute of Technology.

Altri parziali rifacimenti del Bauhaus vennero tentati: Albers, per esempio, portò la sua versione del *Vorkurs* al Black Mountain College nel North Carolina alla fine del 1933 e l'artista e architetto ◆ svizzero Max Bill (1908-94), che aveva studiato al Bauhaus nel 1927-29, lanciò l'Istituto di Design a Ulm, nella Germania dell'Ovest, nel 1950. Ogni versione era organizzata secondo un'agenda diversa e adattata con programmi particolari: Albers integrò i suoi corsi di disegno e colore nell'insegnamento delle arti liberali, mentre Bill mise in primo piano il design tecnologico per una Germania del dopoguerra sotto ricostruzione. Un tempo socialista associato con altri artisti e designer alla Sinistra, Moholy-Nagy a Chicago era ora associato a industriali come Walter P. Paepcke, il presidente della Container Corporation of America, che presiedeva il consiglio dell'Istituto di Design (durante i suoi anni di Chicago Moholy-Nagy aveva realizzato progetti anche con compagnie come la Parker Pens). Come intendere, necessità economiche a parte, questo cambio di rotta dell'idea di Bauhaus?

Aprire gli occhi

Moholy-Nagy ci fornisce subito qualche indizio come con la tradu- ▲ zione in inglese del titolo del suo libro *Von Material zu Architektur* (1929) in *The New Vision: From Material to Architecture* (1932). Per ● tutti gli anni Venti era stato immerso in dibattiti sulla fotografia, più vivaci in Germania e in Unione Sovietica. Come la pittura prospettica aveva segnato il Rinascimento, affermava Moholy-Nagy, così la fotografia segnava l'età moderna e le arti andavano ■ ripensate secondo questa "Nuova visione". (In una frase che poteva aver scritto Walter Benjamin sosteneva che "gli illetterati del futuro saranno ignoranti nell'uso della macchina fotografica e della penna a sfera".) Moholy-Nagy citava "otto varietà di visioni fotografiche", alcune delle quali riguardavano anche le scienze: astratta (come nei fotogrammi senza macchina fotografica), esatta (come nel reportage), rapida (come nelle istantanee), lenta (come nelle esposizioni lunghe), intensificata (come nella microfotografia), penetrante (come nei raggi X), simultanea (come nel fotomontaggio) e distorta (come nelle varie manipolazioni del negativo e/o della stampa). Chiaramente, se vista soltanto come effetto di qualche tecnica, l'idea di una Nuova visione può essere adattata con relativa facilità alle diverse condizioni sociali, economiche e politiche dell'America corporativa. In *La nuova visione* Moholy-Nagy incluse anche una descrizione del suo *Vorkurs* e un resoconto delle potenzialità formali di diversi materiali, nonché una sintesi dell'evoluzione della scultura (sbozzata, scavata o modellata, bucata o costruita, appesa o sospesa, cinetica). In altre parole offriva sia un insegnamento dei fondamenti visivi sia un modello di storia pressoché hegeliano nella sua fiducia nel progresso della visione tecnologica. Queste idee, peraltro, vanno bene per un paese impegnato nell'istruzione pragmatica e nell'applicazione delle nuove tecnologie. In breve, a dispetto delle sue aspirazioni utopiche, Moholy-Nagy proponeva un modo di fare design modernista non solo insegnabile ma applicabile.

▲ 1923 ● 1928b, 1929 ■ 1937b ◆ 1959e, 1957a, 1957b, 1967c

▲ 1928b ● 1929 ■ 1935

Il *Vorkurs* del New Bauhaus adottò il vecchio con leggere ma significative modifiche: il tirocinio cominciava con analisi dei materiali, strumenti, costruzione e rappresentazione, ma nuova enfasi era posta su scienze, fotografia, cinema, allestimento e pubblicità. "Il nostro intento", scriveva nella dichiarazione del programma, "è di sviluppare un nuovo tipo di designer" – da notare che non dice "artista", e tanto meno "artigiano" – un designer che sappia integrare "tirocinio specializzato in scienza e tecnica" con i "bisogni umani fondamentali". Questa quadratura del cerchio – della scienza umana con la biologia umana, della divisione del lavoro e del sapere con una "prospettiva universale" – diventò la versione americana della sua utopia bauhausiana. Alcuni titoli degli argomenti del testo seguente, *Insegnamento e Bauhaus* (1938), come "Il futuro ha bisogno dell'uomo intero" e "Non contro ma con il progresso tecnico", esplicitano gli intenti. In un'improbabile dialettica Moholy-Nagy cercò la propria utopia di un'unità restaurata nell'altra faccia della specializzazione tecnoscientifica, che, diversamente dai predecessori dei movimenti Arts and Crafts, abbracciò invece che rifiutare. Per Moholy-Nagy soltanto attraverso la Nuova visione può venire rifatto l'"uomo intero":

> *Oggi siamo di fronte niente meno che alla riconquista delle basi biologiche della vita umana. Solo tornando ad esse possiamo raggiungere il massimo utilizzo del progresso tecnico nei campi della cultura fisica, dell'alimentazione, dell'abitazione e dell'industria – una radicale risistemazione del nostro intero schema di vita.*

Questo progetto diventò sempre più urgente a causa della Seconda guerra mondiale; in *Visione in movimento*, un aggiornamento di *La nuova visione* (pubblicato nel 1947 dopo la sua morte prematura per leucemia), Moholy-Nagy propose una sorta di Nazioni Unite della cultura del design che potessero "incarnare tutte le conoscenze specialistiche in un sistema integrato attraverso l'azione cooperativa". Modernista fino alla fine, non comprese mai come la sua utopia potesse essersi trasformata in ideologia. Alla maniera modernista la sua arte degli ultimi anni, soprattutto le sue sculture in plexiglas lavorato e colorato **[1]**, sono fedeli ai materiali e all'invenzione delle forme, ma, viste con occhio scettico, sembrano anche, da un lato, un troppo formale "sperimentalismo" fine a se ▲ stesso (come Theo van Doesburg aveva già detto a un più giovane Moholy-Nagy) e, dall'altro, una ricerca e uno sviluppo troppo commerciali – ricerca sui nuovi materiali, sviluppo di nuovi prodotti.

Poco dopo la chiusura del Bauhaus di Berlino nel 1933, il Black Mountain College venne aperto sulle colline vicino a Asheville, nel North Carolina, da un piccolo gruppo di professori guidati da John Andrew Rice (1888-1968) – una coincidenza favorevole per Josef e Anni Albers. La nuova scuola cercava di mettere le arti al centro del curriculum, anche per gli studenti del primo anno, e su raccomandazione di Philip Johnson, curatore della sezione di architettura del Museo d'Arte Moderna di New York, che aveva visitato il Bauhaus ● insieme a Alfred Barr nel 1927, i coniugi Albers furono invitati negli

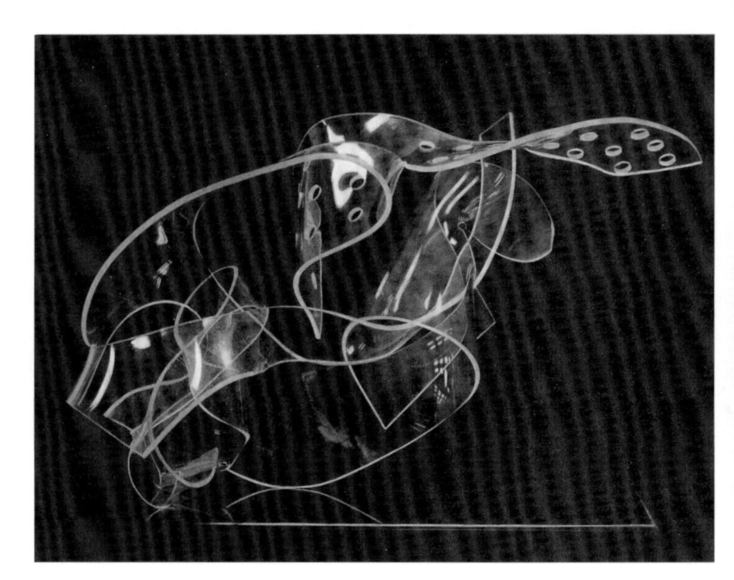

1 • László Moholy-Nagy, *Spirale*, 1945
Plexiglas, 49 x 37,5 x 40 cm

Stati Uniti. All'inizio Anni, dotata tessitrice che parlava inglese, ricevette più attenzione di Josef. "Di americani conoscevo solo Buster Keaton e Henry Ford", ricordò Josef più tardi. "Non parlavo inglese". Alla domanda al suo arrivo su che cosa sperava di fare nella scuola, balbettò: "Aprire gli occhi". Anche qui dunque la "visione" era la parola d'ordine modernista.

La scuola sottolineò l'insegnamento olistico e la partecipazione collettiva. "Al Black Mountain", scrive la storica Mary Emma Harris, "i principi democratici venivano applicati non solo alla classe, com'era normale nelle scuole progressiste, ma all'intera struttura del college: non c'erano controlli legali dall'esterno: né amministratori, né presidi, né reggenti". La struttura era più radicale di quella del Bauhaus, nuovo o vecchio, e benché il Black Mountain College fosse marginale negli anni Trenta (c'erano solo circa 180 studenti in tutto), non ci fu comunità più influente sulle arti americane a partire dalla metà degli anni Quaranta fino alla metà dei Cinquanta. Oltre agli Albers, il corpo insegnanti semiregolare includeva tra gli altri i poeti Charles Olson e Robert Creeley, lo storico del teatro Eric Bentley, lo storico della fotografia Beaumont Newhall, il pittore astratto Il'ya Bolotowskij e il designer Alexander Schawinsky (che era coinvolto anche nel New Bauhaus). Dal 1944 al 1949 Albers curò le sessioni estive con diversi artisti e scrittori anche estranei ai suoi gusti e insegnamenti, e proseguì anche dopo aver lasciato la scuola: il compositore John Cage e il ballerino-coreografo Merce Cunningham nel 1948, 1952 e 1953; il fotografo Harry Callahan nel 1951; il pittore Willem de Kooning nel 1948; il poeta Robert Duncan nel 1955; il bauhausiano Lyonel Feininger nel 1945; il designer visionario Buckminster Fuller nel 1948 e 1949; lo scrittore Paul Goodman e il critico Clement Greenberg nel 1950; Walter Gropius nel 1944, 1945 e 1946; il pittore Franz Kline nel 1952; il designer Alvin Lustig nel 1945; il pittore Robert Motherwell nel 1945 e 1951; il pittore e critico Amédée Ozenfant nel 1944; il teorico Bernard Rudofsky nel 1944 e 1945; il compositore Roger Sessions nel 1944; il pittore Ben Shahn nel 1951; il fotografo Aaron

▲ 1917b, 1928a ● 1927c

Siskind nel 1951; il pittore Theodore Stamos nel 1950; il musicista David Tudor nel 1951, 1952 e 1953; il pittore Jack Tworkov nel 1952; lo scultore Ossip Zadkine nel 1945 – e questi sono soltanto alcuni dei nomi della lista. Anche l'elenco degli studenti d'arte era impressionante (e non dominato dai maschi) e comprendeva Ruth Asawa, John Chamberlain, Elaine de Kooning, Robert de Niro (padre dell'attore), Ray Johnson, Kenneth Noland, Pat Passloff, Kennet Snelson, Robert Rauschenberg, Dorothea Rockburne, Cy Twombly, Stan Vanderbeek e Susan Weil. Gli incontri tra docenti, invitati e studenti erano spesso eccitanti, come risulta evidente ▲ anche solo dalle collaborazioni tra Cage, Cunningham, Tudor e Rauschenberg.

Tutto ha forma

A questa comunità sperimentale in un college egalitario Albers apportò il rigore analitico della sua pratica modernista: tenne corsi di disegno, che evidenziavano le tecniche di visualizzazione; di design, incentrati su proporzioni, progressioni aritmetiche e geometriche, sezione aurea e studi spaziali; e, il più famoso, di colore, analizzato non dipingendo ma con fogli colorati. Albers insegnò pittura solo come corso avanzato di colore e in genere usando l'acquarello (dipingeva poco anche al Bauhaus, la fase pittorica venne solo dopo). Nei ricordi di Moholy-Nagy, Albers affermava che "l'astrattismo è la funzione essenziale dello Spirito umano" e che richiede "l'educazione disciplinata dell'occhio e della mano". Comunque la sua applicazione di questo credo bauhausiano era diversa da quella del suo vecchio collega, poiché, di nuovo, era inserita nel contesto di un college di arti liberali, non di una scuola professionale di design. Questa collocazione indusse Albers a due revisioni basilari dell'idea di Bauhaus. In primo luogo, le diede un'inflessione più umanista, quasi goethiana: "Ogni cosa ha una forma, ogni forma ha un significato", scrisse una volta, e l'arte riguarda "la conoscenza e l'applicazione delle leggi fondamentali della forma". In altre parole, completò i nuovi studi sulla visione (che per Albers non era modulata tecnologicamente come per Moholy-Nagy) con un'antica attenzione alla forma, alla *Gestaltung*. In secondo luogo, riorientò le analisi bauhausiane dei materiali e delle strutture secondo le linee del pragmatismo americano di filosofi come John Dewey (che non era sconosciuto al Bauhaus). Per esempio, al Black Mountain Albers chiamò il suo corso preliminare non *Vorkurs* ma *Werklehre*, insegnamento attraverso il lavoro, o insegnare facendo. Benché il fine rimanesse molto simile a quello del Bauhaus – "*Werklehre* è un corso sui materiali (per esempio carta, cartone, laminato, filo metallico), che mostra le loro possibilità e i loro limiti" – l'accento era meno sull'attribuire un significato o una funzione a una sostanza e più sull'inventare una forma con essa. Albers portò nei suoi corsi materiali non tradizionali e oggetti come foglie e gusci d'uovo, ed era interessato più all'apparenza che all'essenza, o meglio a quella che chiamava *matière*, che definiva "come una sostanza appare" e come cambia secondo diverse manipolazioni, illuminazioni e sistemazioni **[2]**. Questo spiega la sua particolare ossessione per la combinazione di forme e per l'interazione dei colori, che giustapponeva "per mostrare come i colori influenzano e cambiano ogni altro elemento". "Niente può essere una cosa unica, bensì mille cose", fece notare una volta Albers; "tutta l'arte è inganno". Parte dell'educazione visiva riguardava l'illusione ottica e per questo l'inganno era per Albers un interesse primario anche in arte, nella "discrepanza tra il fatto fisico e l'effetto psichico".

Albers era considerato un insegnante severo – sia al Black Mountain dal 1933 al 1949 che all'Università di Yale dal 1950 al 1958 dove aveva la cattedra di Pittura e Scultura (rinominata Design) – e la sua arte è ancora considerata una forma austera e riduttiva di pittura astratta, ma il suo lavoro tiene conto di certe aperture e la sua pedagogia fu feconda per molti studenti diversi. (La sua influenza in entrambe le scuole continuò a lungo dopo che se ne fu andato; infatti Yale fu altrettanto importante per la formazione degli artisti americani negli anni Sessanta quanto il Black Mountain lo era stato nei Cinquanta). Queste aperture possono essere intese in due modi. Primo: Albers non era affatto l'altro estremo dell'ala avanguardista del Black Mountain – Olson in poesia, Cage in musica, Cunningham in danza e così via – come è spesso stato presentato. Il rigoroso tedesco dedito a disciplinare l'occhio può sembrare agli antipodi dei turbolenti americani impegnati nell'aprire la poesia, la musica e la danza ai moti del corpo, ai capricci del caso e al movimento non simbolico, ma Albers e Cage erano anche in sintonia nella loro opposizione agli altri modelli estetici, cioè a un'arte basata sulla *soggettività* espressiva (com'era rappresentata da alcuni giovani espressionisti astratti che passa- ▲ rono dal Black Mountain come de Kooning, Kline e Motherwell) o sull'*oggettività* estrema (come nel modello di pittura basata ● sulla specificità sviluppato più tardi da Clement Greenberg). Inoltre sia Albers che Cage erano coinvolti, ognuno a suo modo, in un approccio pragmatico di ricerca e di sperimentazione, e studenti ■ del Black Mountain come Rauschenberg e Twombly potevano essere visti, in parte, come prodotti diversi della loro strana accoppiata. (Ascoltiamo il misto di alienazione e affinità che

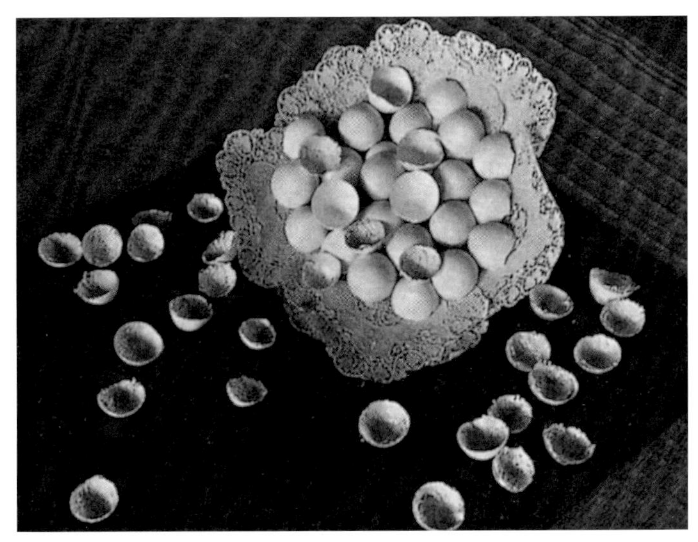

2 • Josef Albers e Jane Slater Marquis, studio sulla *matière* con gusci d'uova al Black Mountain College

▲ 1953

▲ 1947b, 1959c ● 1960b ■ 1953

1945–1949

Rauschenberg evoca in queste note retrospettive: "Albers era un bravo insegnante e una persona impossibile [...] quello che insegnava aveva a che fare con l'intero mondo visivo. [...] Considero Albers l'insegnante più importante che ho avuto e sono sicuro che lui mi considerava uno dei suoi studenti peggiori".) In breve, Albers era un elemento primario nella reazione chimica che rese il Black Mountain così importante per l'arte avanzata dell'America del dopoguerra: dopo tutto fu un crogiolo in cui un impulso costruttivista, o un modernismo incentrato su visione, materiale, forma e struttura, era combinato con un impulso dadaista, o un avanguardismo trasgressivo, in un modo che segnò direttamente o indirettamente molti artisti significativi degli anni Cinquanta e Sessanta.

Secondo: Albers aiutò a mediare non solo tra diversi impulsi modernisti e avanguardisti, ma anche tra varie forme di astrazione di prima e dopo la guerra, soprattutto quelle incentrate sulla luce e ▲ il colore. Le sue prime opere al Bauhaus erano assemblage di frammenti di vetro montati con filo metallico ed esposte accanto a finestre (assomigliano un po' agli ultimi studi sulla *matière* dei suoi studenti del Black Mountain) e realizzava anche oggetti di vetro dai colori puri per case private tedesche: "Volevo lavorare direttamente con la luce", racconta al critico Margit Rowell, "la luce che viene da fuori e filtra attraverso la superficie". Questo interesse per la luce come colore perdurò non solo nei suoi primi rilievi di vetro, trasparenti od opachi (le cui composizioni a strisce sono simili ai tessuti contemporanei di Anni), ma anche negli ultimi dipinti, che svilupparono l'implicito formato della finestra a rettangoli di colore luminescente. Il motivo astratto delle sue *Varianti* (1947-55) derivava da case che gli Albers videro in uno dei molti viaggi nel Sudovest. Questa serie presenta dei rettangoli di vari colori l'uno dentro l'altro in composizione doppia o bilaterale e porta direttamente alla serie più famosa, *Omaggio al quadrato* (1950-76), che consiste di molti quadri (solitamente di un metro per un metro) di esatti quadrati di colori puri anch'essi l'uno dentro l'altro **[3]**. Applicata con una spatola direttamente dal tubetto, la pittura è piatta e omogenea sul supporto (normalmente la parte ruvida di un pannello di masonite), ma è anche abbastanza luminescente da suggerire una profondità, che sia in dentro o in fuori; c'è molta ripetizione e differenza, simmetria e rovescio, in ognuno e tra i diversi quadri. Anche tutti questi esperimenti con le forme dipendono dall'interazione dei colori, della loro relativa trasparenza, intensità, profondità, apertura, calore, e così via. "La pittura è applicazione del colore", piaceva dire ad Albers; "carattere e sentimento variano da quadro a quadro senza nessun 'tocco' aggiunto": "Tutto questo [significa] proclamare l'autonomia del colore come significato dell'organizzazione plastica".

Il modernista all'università

Questi aspetti hanno diverse ramificazioni per diversi artisti. Per esempio, i suoi *Omaggi al quadrato* sembrano anticipare le tele • geometriche del giovane Frank Stella, ma Albers tenne conto dell'illusione spaziale nei suoi dipinti, mentre Stella la espulse con le linee bianche e il grande spessore del supporto sagomato. Con Stella "quello che vedi è quello che vedi", come notoriamente osservò una volta; con Albers non si è mai sicuri: per il suo interesse per le forme gestaltiche era anche affascinato, come abbiamo detto, dalla "discrepanza tra il fatto fisico e l'effetto psichico". Questo scarto tra forma *nota* e forma *percepita* è lo spazio in cui anche gli artisti minimalisti hanno lavorato (per esempio nel 1965, quando Robert Morris espose tre forme a L identiche in diverse posizioni in una ▲ galleria newyorchese e sfidò l'osservatore a vederle come lo stesso angolo retto). Tale attenzione alla complessità della percezione può anche aver influenzato non soltanto artisti optical come Bridget • Riley, ma anche artisti della luce come Robert Irwin e James Turrell, tutti stimolati dalle investigazioni fenomenologiche del Minimalismo. Rowell ha scritto dell'"incandescenza scintillante" di un tipico quadro di Albers: "Siamo come in presenza di luce reale, non del tipo di illusionismo attraverso cui la luce è proiettata artificialmente da una fonte esterna". Così è anche con le installazioni di luce di Irwin e Turrell, con le ovvie differenze: Albers lavorava a scala di pittura da cavalletto, non con spazio ambientale spesso costruito in modo da avvolgere lo spettatore.

Comunque l'apertura sulla "visione" è la più importante eredità sia di Moholy-Nagy che di Albers. Di nuovo, Moholy-Nagy studiò la visione soprattutto in termini di luce, che intese in un modo tecnologicamente evolutivo (che può avere qualche rapporto con lo ■ sviluppo della Pop art e dell'Arte cinetica negli anni Sessanta). Albers la intese soprattutto in termini di colore, che indagò in modo fenomenologico (con ramificazioni nel Minimalismo, Optical e arte della luce nello stesso decennio). Ma più importanti sono le diverse inflessioni istituzionali che i due diedero a questi studi, con il programma Bauhaus implicitamente rivisto da Moholy-Nagy per gli istituti di design tecnologico e da Albers per le scuole di arti liberali. Come ha notato Howard Singerman nel suo *Temi artistici: creare artisti nell'università americana*: "Il discorso sulla visione e i tropi che comporta sono cruciali per adattare l'arte all'ambito universitario; è sia professionale che democratico. La visione interessa il professionale, il locale e il manuale; l'artista visivo modella il mondo, progettando il suo ordine e progresso". Sotto questa legge, largamente anticipata da Moholy-Nagy e Albers, le "belle arti" della tradizione venivano trasformate nelle "arti visive" del periodo modernista, nella cui guisa furono risistemate nell'università in linea meno con gli studi umanistici che con quelli scientifici, con l'artista-in-atelier modellato sullo scienziato-in-laboratorio, entrambi impegnati nella ricerca. (Questa analogia fu resa esplicita da György Kepes del New Bauhaus, che fondò più tardi il Center of Advanced Visual Studies nel Massachussetts Institute of Technology, nel suo influente *Linguaggio della visione* del 1944: "il compito dell'artista contemporaneo è di liberare e portare nell'azione sociale le forze dinamiche dell'immaginazione visiva".) Questo riposizionamento dell'artista comporta dei cambiamenti nell'insegnamento in cui il Bauhaus era il miglior precedente. Come suggerisce Singerman: "Compiti che permettono agli

▲ 1908, 1913, 1915, 1947b, 1949a, 1957b, 1960b • 1958 ▲ 1965 • 1998 ■ 1955b, 1960c, 1964b

3 • Josef Albers, *Omaggio al quadrato*, 1970
Olio su masonite, 40,6 x 40,6 cm

studenti di scoprire da soli l'ordine della visione, le forze e i rapporti del piano bidimensionale e dello spazio tridimensionale, e le proprietà dei materiali – almeno della pittura, forse della carta e dell'argilla – marcano la presenza e la differenza dell'insegnamento stile Bauhaus negli Stati Uniti, la sua differenza dalle copie e rifacimenti dell'accademia e la sua somiglianza con gli obiettivi della ricerca universitaria moderna". E ancora: "Sempre più nell'insegnamento dell'arte al Bauhaus e nella sua continuazione in America, la ricreazione del design come visione è rappresentata dal campo o, più familiarmente, dall'immagine bidimensionale come il rettangolo squadrato, ordinato, regolato con cui e su cui i fondamenti dell'arte cominciano. Il rettangolo incarna l'insegnamento del modernismo come arte visiva, sostituendo e contenendo la figura umana che era al centro delle belle arti accademiche".

Non è solo una questione di semplice cooptazione: non esiste linea diretta dal *Vorkurs* del Bauhaus ai corsi di design e di colore che diventarono poi tediosamente standardizzati in molte università del dopoguerra. Una visione dialettica è molto meglio: anche Moholy-Nagy e Albers radicalizzarono l'insegnamento del design e del colore, così come entrambi conservarono la concezione del Bauhaus e la trasformarono fertilizzandola con altri modelli di avanguardia. Inoltre, la stessa importanza di Moholy-Nagy, Albers e altri europei nell'arte, design e insegnamento nel dopoguerra complica le vecchie storie di un semplice passaggio di importanza da Parigi a New York del tipo "Trionfo della pittura americana". Nonostante tutte le differenze e le divisioni, c'è stata anche continuità da continente a continente, da un dopoguerra all'altro: una continuità, nonostante e attraverso i cambiamenti, a livello di pratica artistica, di design industriale e di metodo educativo. HF

ULTERIORI LETTURE:

Josef Albers, *Hommage to the Square*, Museum of Modern Art, New York 1964
Mary Emma Harris, *The Arts at Black Mountain College*, MIT Press, Cambridge (Mass.) 1987
Margret Kentgens-Craig, *The Bauhaus and America: First Contacts 1919-1936*, trad. ingl. MIT Press, Cambridge (Mass.) 1999
László Moholy-Nagy, *An Anthology*, trad. ingl. Da Capo Press, New York 1970
Howard Singerman, *Art Subjects: Making Artists in the American University*, University of California Press, Berkeley-Los Angeles 1999

1947b

La pubblicazione di *Possibilities* a New York segna la riunione dell'Espressionismo astratto come movimento.

Tutti gli studi sull'Espressionismo astratto cominciano con un rifiuto di questa etichetta, facendo eco a quello degli artisti stessi. La denominazione in sé è piuttosto giusta (entrò in uso abbastanza tardi, intorno al 1952) e non è in questione, quello che infastidisce è il fatto che raggruppa talenti molto diversi sotto lo stesso ombrello, omogeneizzando e unificando un insieme di personaggi, ognuno dei quali mirava alla singolarità. Anche il rifiuto ha qualcosa di paradossale, perché insistendo sull'individualismo degli espressionisti astratti, e sulla natura idiosincratica dei loro segni pittorici, dà per singolare ciò che avevano in comune: un desiderio vivo per quello che potremmo chiamare il gesto autobiografico, l'inimitabile sbavatura, come una firma, che traduce la sensibilità e l'emozione personali direttamente, senza la mediazione di nessun contenuto figurativo, nel campo materiale della tela.

Non significa che questi artisti avessero poco in comune, o che non avessero legato tra loro – lo hanno fatto spesso, soprattutto nel mostrare i muscoli di fronte al nemico condiviso. Un caso tipico è il loro boicottaggio, nel maggio 1950, di una mostra organizzata dal Metropolitan Museum di New York per protesta contro "l'ostilità nei confronti dell'arte avanzata" di quella istituzione, un gesto pubblico che diede inizio a un'agitazione di sei mesi e fu celebrato da una famosa fotografia pubblicata su *Life* nel gennaio 1951 **[1]**. Tra gli "Irascibili diciotto", come furono soprannominati dal *New York Herald Tribune*, si possono contare quasi tutti i maggiori espressionisti astratti, incluso il più vecchio Hans Hofmann (1880-1966), mentore di molti di loro. Le uniche assenze importanti, a parte ▲ Arshile Gorky, morto due anni prima, erano quelle di Franz Kline (1910-62) e Philip Guston (1913-80). Insieme a figure minori e agli scultori spesso (benché non correttamente) associati al movimento ● (David Smith in primis), c'erano William Baziotes (1912-63), Adolph Gottlieb (1903-74),Willem de Kooning (1904- 97), Robert ■ Motherwell (1915-91), Barnett Newman (1905-70), Jackson Pollock (1912-56), Mark Rothko (1903-70) e Clyfford Still (1904-80). Tutti firmarono l'arrabbiata lettera aperta a Roland Redmond, presidente del Metropolitan Museum (pubblicata in prima pagina dal *New York Times* il 22 maggio 1950); e la maggior parte di loro, sollecitati da Newman, che agì da loro organizzatore, fece uno sforzo per non perdere l'opportunità della fotografia su *Life*. Proteste del genere non avrebbero portato da nessuna parte anche solo qualche anno prima (come la lettera al *New York Times* firmata da Rothko e Gottlieb e scritta con l'aiuto di Newman, pubblicata il 13 giugno 1943), ma ora i tempi erano maturi. Anche se il successo commerciale sarebbe arrivato solo qualche anno dopo, l'Espressionismo astratto era entrato nel panteon dell'arte con il pieno supporto del Museo d'Arte Moderna. Presto sarebbe stato considerato la quintessenza della "Pittura di tipo americano" (Clement Greenberg) e arruolata nella Guerra fredda come un efficiente battaglione culturale contro il Comunismo sovietico.

1 • Nina Leen, *Gli Irascibili*, 1951
Fotografia in bianco e nero pubblicata sulla rivista *Life*, gennaio 1951

Esperienze condivise

La fotografia di *Life* esagerava molto il legame tra gli artisti ritratti, come protesteranno poi molti di loro, ma, al di là della loro posa di

▲ 1942a ● 1945 ■ 1942a, 1949a, 1951, 1959c, 1960b

orgogliosi solitari, la maggior parte ha uno sfondo comune. Primo: ▲ molti avevano lavorato per la Works Progress Administration (WPA) durante gli anni Trenta (così Baziotes, de Kooning, Gorky, Gottlieb, Pollock e Rothko) e durante quel periodo di estrema povertà la maggior parte aveva avuto un legame con la politica radicale (compresa, per alcuni come Pollock, l'iscrizione al Partito comunista). Questo significa che tutti avevano partecipato in un modo o nell'altro, tra la Guerra civile spagnola (1936-37) e la disillusione seguita al patto di non aggressione nazi-sovietico (1939), al grande dibattito riguardante i rapporti tra arte e politica, alcuni ● guardando a Picasso e a *Guernica* (1937) come a un modello, altri ai muralisti messicani, altri ancora al pittore regionalista americano Thomas Hart Benton (il giovane Pollock fu l'unico che cercò una sintesi delle tre tendenze).

Secondo: con la possibile eccezione di de Kooning, tutti avevano un grande senso di inferiorità nei confronti dell'avanguardia europea, la cui produzione artistica conoscevano bene. Si potrebbe anche dire che, con l'apertura a New York del Museum of Living Art del collezionista A.E. Gallatin nel 1926, quella del Museo d'Arte ■ Moderna nel 1929 e quella del Solomon R. Guggenheim Museum (allora Museum of Non-Objective Painting) nel 1939 – senza dimenticare le varie mostre itineranti della collezione (curata da Marcel Duchamp) della Société Anonyme di Katherine Dreier negli anni Venti e Trenta, e infine l'attività militante di Peggy Guggenheim nella sua galleria Art of This Century, sempre a New York, dal 1942 – gli espressionisti astratti avevano accumulato agli inizi degli anni Quaranta una conoscenza di prima mano dei loro immediati predecessori europei, migliore di quella di qualsiasi altro artista contemporaneo (e certamente migliore di chiunque in Europa). La loro soggezione nei confronti dei loro colleghi europei all'inizio fu paralizzante. Un uomo come Gorky, per esempio, cominciò a emanciparsi dal sistema Miró-Picasso di automatismo surrealista solo nel 1944, ma poi radicalizzò subito il ruolo del caso in pittura come mai prima nella storia dell'arte: ammirando la spavalderia violenta del quadro di Gorky del 1944 *Come il grembiule ricamato di mia madre si dispiega nella mia vita* e le sue abbondanti colature di pittura liquida, non si può dimenticare che data solo quattro anni prima della sua morte. Ma l'arrivo di molti esuli europei a New York all'inizio della Seconda guerra mondiale paradossalmente alleviò un ◆ poco l'endemica "angoscia da influenza": luminari come Léger, Breton, Max Ernst e Mondrian vennero improvvisamente visti non più come titani, ma come (piuttosto invecchiati) esseri umani. A turno, la scoperta innescò un certo orgoglio nazionalistico negli artisti americani: con l'Europa ora quasi del tutto messa a tacere dai regimi totalitari, toccava ai giovani americani salvare la fiamma della cultura dall'estinzione barbarica. Esponendo spesso in mostre di gruppo e nelle stesse (poche) gallerie e marginali istituzioni culturali, lentamente cominciarono a reagire al generale contesto di indifferenza, quando non di ostilità. Il loro risentimento nei confronti dell'assenza di supporto da parte del Museo d'Arte Moderna e dell'establishment critico, che aveva abbracciato il modernismo europeo, li aiutò a sentirsi più vicini.

Quei primi anni difficili ebbero molto a che fare con la formazione di un'identità collettiva. A seconda dell'oscillazione del pendolo, questi sensibili artisti si sentivano infervorati o torturati. Newman ha colto entrambi gli stati d'animo e ciò che era in gioco: "Nel 1940 alcuni di noi si svegliarono ritrovandosi senza speranza, scoprendo che la pittura non esisteva veramente. [...] Il risveglio ebbe l'esaltazione di una rivoluzione. Fu quel risveglio a suscitare l'aspirazione [...] a ricominciare da capo, a dipingere come se la pittura non fosse mai esistita. Fu quel puro momento rivoluzionario a fare la differenza tra i pittori". Meglio dei suoi colleghi (che lo consideravano una sorta di benevolo impresario che presiedeva alle loro carriere), Newman presentò quella che sembrava l'unica via d'uscita possibile: una terza via tra astrattismo puro (rappresentato da Mondrian) e Surrealismo.

Un primo entusiasmo per il Surrealismo, e poi un graduale rifiuto, fu il terzo tratto comune degli espressionisti astratti e forse quello che più di ogni altro determinò la loro ideologia. Presto voltarono le spalle all'immaginazione simbolista e all'interesse per la mitologia dei surrealisti, ma conservarono un forte impulso primitivista e, almeno la maggioranza di loro, un marcato interesse per la psicanalisi. È vero, a metà degli anni Quaranta le loro incursioni tipo *Reader's Digest* nella letteratura antropologica, psicanalitica o filosofica difficilmente erano un segno di originalità. In reazione alle recenti calamità che avevano afflitto l'umanità (fascismo, stalinismo, olocausto, bomba atomica), era improvvisamente diventato enormemente popolare nei media un nuovo tipo di pot-pourri teorico emerso negli Stati Uniti prima della guerra, appropriatamente chiamato "discorso dell'Uomo moderno" dallo storico dell'arte Michael Leja. Centrale in quel discorso era l'idea che "la mente umana cela un inconscio" (Leja): questo sembrava l'unica spiegazione possibile dei livelli di crudeltà e irrazionalità mai visti che l'uomo aveva raggiunto. Ma se la diffusione del concetto di inconscio aveva un effetto scioccante su una popolazione traumatizzata (presto capitalizzato da Hollywood), fornì anche agli espressionisti astratti una potente retorica con cui poterono nascondere la loro rapida ritirata dall'ambigua possibilità di "puro automatismo" – un Graal che i surrealisti avevano cercato a lungo invano – per il molto più praticabile culto dell'"autografo".

Dall'automatico all'autografo

Gli anni chiave furono il 1947-48. Nel corso di pochi mesi Pollock ▲ cominciò a lavorare nella sua tecnica allover del dripping (nell'● estate avanzata o primo autunno del 1947); Newman dipinse ■ *Onement I* (nel gennaio 1948); de Kooning ebbe una prima trion◆ fante esposizione personale (in aprile-maggio 1948); Gorky, unico ben accolto dai surrealisti, si suicidò (nel luglio 1948), segnando la fine definitiva di una vecchia fedeltà; Rothko realizzò le sue prime opere mature, le pitture "multiformi" cui non dava titoli, ma che identificava soltanto con numero o colore, sicura indicazione che aveva voltato pagina. Inoltre il 1948 fu anche l'anno in cui aprì le porte la scuola The Subjects of the Artist, fondata da Baziotes,

▲ 1936 ● 1933, 1937a, 1937b ■ 1942b ◆ 1942a, 1944a

▲ 1949a, 1960b ● 1951 ■ 1959c ◆ 1942a

Motherwell, Newman, Rothko, Still e dallo scultore David Hare. L'esperienza pedagogica fu breve e la scuola chiuse nell'estate del 1949, ma il fatto stesso che i fondatori avessero pensato, anche solo per un momento, che un'accademia potesse funzionare per il tipo di arte che stavano inventando indica che cosa stava accadendo.

Una testimonianza particolarmente significativa dell'Espressionismo astratto nel momento della sua nascita come movimento – perché contiene lo spostamento dall'automatico all'autografo – è fornito dalla prima, e unica, uscita di *Possibilities*, pubblicata alla fine del 1947 da Motherwell e dal critico Harold Rosenberg (che ▲ diventerà l'inventore della denominazione "Action painting"). Questa "rivista" era tanto ambiziosa quanto significativo era il suo titolo. Parlava di molti media (comprese la musica, fortemente presente con John Cage al comando, e la letteratura) e puntava ad assicurare o rinnovare i legami con l'avanguardia storica (un'in- • tervista con Miró, una poesia e illustrazioni di Arp). Oggi tuttavia è più famosa per aver pubblicato le dichiarazioni di Pollock e di Rothko sulla propria arte. Non vanno però trascurati altri testi come quelli di Baziotes o, soprattutto, di Rosenberg. Insieme formano un nucleo sintomatico.

"La fonte della mia pittura è l'inconscio", scrisse Pollock nell'abbozzo della sua dichiarazione, ma cancellò questa affermazione troppo generale, già allora una sorta di cliché, a favore di una nota più descrittiva che alludeva alla tecnica del dripping che stava cominciando a sperimentare (benché nessuno dei suoi dripping sia riprodotto nelle sei illustrazioni al testo, tutte di opere del periodo 1944-46). Mentre per un po' aveva tratto ispirazione ■ per le sue immagini (come *Nascita* [1941 ca.], *Uccello* [1941 ca.] o *La donna-luna spezza il cerchio* [1943 ca.]) dalla frequentazione della psicanalisi junghiana (era anche in terapia), ora chiaramente collegava il suo nuovo metodo e i suoi risultati completamente astratti alla spontaneità: "Quando sono *nel* mio quadro, non sono cosciente di quello che faccio. Solo dopo una specie di 'presa di coscienza' vedo ciò che ho fatto. [...] un quadro ha una vita propria. Tento di lasciarla emergere. Solo quando perdo il contatto col quadro il risultato è caotico. Altrimenti c'è armonia totale, un rapporto naturale di dare e avere e il quadro riesce". Un atteggiamento simile è descritto da Baziotes ("Quello che accade sulla tela è imprevedibile e sorprendente per me. [...] Ogni quadro possiede il suo modo di evolvere") e da Rothko ("Penso ai miei quadri come a drammi; le forme ne sono gli attori. [...] Né l'azione né gli attori possono essere previsti o descritti in anticipo. [...] È nel momento del compimento che, in un flash di riconoscimento, li si coglie come dotati di una quantità e una funzione volute").

Ma mentre Pollock restava saldamente aggrappato alla nozione di automatismo, gli altri no. Benché oggi ci si possa sorprendere della sbalorditiva sapienza tecnica di Pollock nell'intrecciare diversi grovigli di colori e della notevole sicurezza con cui alternava rivoli sottili e spesse pozze di pittura umida, il fatto è che nei suoi dripping rinunciava a parte della sua autorialità: evitando qualsiasi contatto diretto con la tela stesa sul pavimento, lasciando che il peso e la viscosità della pittura giocasse un ruolo importante nella riuscita delle opere e abbandonando il pennello, Pollock perdeva il legame fisico che aveva tradizionalmente collegato la mano dell'artista, il pennello e la tela. Era titubante a proposito del controllo, a seconda del responso critico ("Io *sono* natura" versus "Niente caos, maledetto!"), ma anche se alla fine il suo segno si dimostrò assolutamente inimitabile, il suo sforzo di automatismo era ritenuto dagli amici una rinuncia eccessiva al controllo autorale. Il loro addomesticamento (repressione) del radicalismo di Pollock ebbe un ruolo determinante nella formazione del canone espressionista astratto.

"La dimensione di libera creazione"

La rapida evoluzione può essere situata tra due testi, uno scritto all'alba del movimento – un breve saggio di Rosenberg pubblicato su *Possibilities* – e l'altro quando mostrava già segni di esauri- ▲ mento – *Il valore liberatorio dell'avanguardia* di Meyer Schapiro, del 1957. *Introduzione a sei artisti americani* di Rosenberg, inizialmente prefazione al catalogo di una mostra della primavera del 1947 che presentava per la prima volta Baziotes, Motherwell e Gottlieb (tra gli altri) al pubblico francese, disegnò lo schema di una teoria dell'arte che sarebbe diventata il pilastro della pratica pittorica dell'Espressionismo astratto. Questi artisti, scriveva, hanno nostalgia "di un senso, di un linguaggio, che formuli il più esattamente possibile ciò che è reale per loro dal punto di vista emozionale come persone diverse. [...] L'arte per loro è [...] il punto di vista di una rivolta privata contro la tradizione materialista che li circonda. [...] Non attaccati né alla comunità né ad altro, questi pittori fanno esperienza di una solitudine unica, profonda come forse in nessun'altra parte del mondo". "Reale dal punto di vista emozionale per loro come persone diverse", "rivolta privata", "solitudine": per Rosenberg la materia prima del pittore espressionista astratto è la sua unicità; il suo compito è quello di lasciarci entrare nel luogo privato dei suoi sentimenti; la sua arte deve rivelare il suo stesso sé come nucleo della sua originalità. Ma allo stesso tempo Rosenberg sostiene che le fitte della sofferenza registrate dall'arte (un ritornello di lunga data della prosa esistenzialista) sono universalmente umane e universalmente accessibili. In breve, il quadro espressionista astratto è l'affermazione dell'io, una versione semiromantica, semi-piccolo-borghese, del cartesiano "Cogito ergo sum", cioè la sede, come sostiene T. J. Clark, di molta volgarità. Nessuna meraviglia che la monotonia a-compositiva del dripping allover di Pollock, ai suoi compagni non sia sembrata rispondente agli intenti.

Facendo eco all'idea di Rosenberg di una rivolta contro la "tradizione materialista" (intendendo qui non la tradizione dell'anti-idealismo filosofico, ma il modo borghese di vivere basato sull'accumulo di beni), il testo di Schapiro conferma che il mito della "spontaneità" era il luogo di una conversione dall'ignoto e dall'indicibile (l'inconscio) a un concetto di libero arbitrio soggettivo che si addiceva particolarmente bene all'ethos della democrazia americana: "I quadri e le sculture", inizia, "sono in

▲ 1960b • 1913, 1916a, 1918, 1924, 1930b, 1931b ■ 1949a

▲ Introduzione 2, 1942a

pratica gli ultimi prodotti personali e artigianali della nostra civiltà in mezzo a un mare di prodotti industriali, standardizzati e frutto di un'accentuata parcellizzazione del lavoro. Sono ormai pochissime le persone che hanno la fortuna di 'esprimersi' in oggetti interamente realizzati e progettati da loro, tali da poter essere firmati. [...] La pittura diventa un po' il simbolo dell'individuo che si realizza liberamente e profondamente nel proprio lavoro". Questo argomento non è dissimile da quello espresso quasi un secolo prima dai difensori dell'Impressionismo (storico antecedente che molti espressionisti astratti erano pronti a celebrare), ma ha guadagnato per Schapiro una nuova acutezza:

La rivendicazione di questo carattere personale e spontaneo stimola inoltre pittori e scultori a inventare nuove tecniche realizzative, sia per quanto riguarda la manualità che il "trattamento" dell'opera, atte a esaltarne la dimensione di libera creazione. Da qui la grande importanza attribuita al segno, alla pennellata, al tratto, alla goccia di colore, alla matericità, alla superficie della tela come texture e campo operativo, anche in quanto tracce e impronte dell'intervento più personale dell'artista. L'opera d'arte diventa così un universo dotato di un ordine particolarissimo, che è possibile cogliere a partire da qualsiasi prospettiva.

Tra la "dimensione di libera creazione" e il lavoro d'arte come "mondo ordinato" vi è uno spostamento dall'automatico all'autografo (ma anche il rischio di falsificazione e di accademizzazione). Questo scivolamento prese simultaneamente due vie, spesso, ma non necessariamente, in tandem, e lo fece fin dall'inizio (1948): la pretesa di spontaneità venne sfumata a favore dei principi di bella composizione e l'unità autografa crebbe dal semplice gesto allo stile marchio di fabbrica immediatamente riconoscibile – quasi come un logo dell'artista – che riempie l'intera tela. L'immediata canonizzazione di de Kooning, in seguito alla sua esposizione alla galleria Charles Egan di New York nel 1948, dice quanto fosse sentito il bisogno della prima mossa (Greenberg era quasi solo, in questi anni, a elogiare l'allover di Pollock e dopo aver vinto la propria stessa iniziale resistenza). Per molti versi l'adattamento

2 • Willem de Kooning, *Senza titolo*, 1948-49
Smalto e olio su carta su tavola, 89,7 x 123,8 cm

3 • Robert Motherwell, *Alle cinque della sera*, 1949
Caseina su tavola, 38,1 x 50,8 cm

delle tele in bianco e nero di de Kooning al più recente sviluppo di Pollock fu un bacio della morte **[2]**: era finita la scioltezza e il rischio della tecnica del dripping, ora sostituita da uno stretto controllo del pennello e da nervosi movimenti del polso. Il sospiro di sollievo dei critici sostenitori fu ancor più sonoro in risposta alla seconda mostra di de Kooning nel 1951: "Non c'è distruzione, ma continua cancellazione e ricominciamento", scrisse Thomas B. Hess, "e l'intera immagine [è tenuta] sotto rigoroso controllo".

Lo stile personale

Per quanto riguarda l'autografo come logo, trappola che Newman chiamava "diagramma" e che paradossalmente pretendeva di ▲ evitare optando per i segni spaziali più semplici (la sua "zip" verticale immediatamente riconoscibile), si può datare l'inizio al 1948. • Un caso ad hoc è la serie di Motherwell *Elegia alla Repubblica spagnola*, più di 140 quadri eseguiti lungo l'arco della vita, basata su un disegno ad inchiostro concepito nel 1948 come illustrazione di una poesia di Rosenberg per il secondo numero (mai uscito) di *Possibilities*: un anno dopo, ripescando il disegno da un cassetto, Motherwell lo riprodusse meticolosamente, con i suoi contorni incerti e le sgocciolature, su una grande tela ora intitolata *Alle cinque della sera*, il famoso ritornello di un'elegia del poeta spagnolo Federico García Lorca in compianto della morte di un torero **[3]**. Questo non caratterizza necessariamente il metodo di lavoro di tutti gli espressionisti astratti, ma il fatto stesso che fosse possibile per tutti (e che fu imitato da legioni di giovani artisti quando il movimento ebbe grande successo, dalla metà degli anni Cinquanta) merita attenzione. Le nuvole di Gootlieb librate su un orizzonte allusivo, le grandi ed energiche pennellate nere di Kline sempre più levigate **[5]** e le asciutte superfici frammentate di Still divennero presto figure brevettate di stile. Anche le suddivisioni orizzontali di quadri verticali di Rothko **[4]** si inseriscono in questa categoria: non fosse per l'invenzione sofferta degli accordi di colore e per l'enigma che ne deriva sul rapporto figura-fondo che le sue opere continuarono a porre fino alla fine, la sua arte

▲ 1951 • 1937c

4 • Mark Rothko, *Numero 3/N. 13 (Magenta, nero, verde e arancio)*, 1949
Olio su tela, 216,5 x 163,8 cm

5 • Franz Kline, *Cardinale*, 1950
Olio su tela, 197 x 144 cm

potrebbe essere stata svilita dalla sovrapproduzione maniacale dell'artista.

In breve, alla fine la serialità dell'Espressionismo astratto ha molto in comune con quella del movimento che si dice ne abbia ▲ accelerato la fine, cioè la Pop art. Jasper Johns (nato nel 1930) e Robert Rauschenberg (1925-2008), la cui fama ha preceduto quella della Pop art e le ha aperto la via, hanno compreso la situazione. Johns ha imitato le rapide macchie delle tele espressioniste astratte ma con l'encausto, il medium più lento e più antico possibile, e Rauschenberg ha duplicato diligentemente gli accidenti pittorici del suo *Factum I* nel corrispondente *Factum II*, entrambi del 1957. Nonostante l'ironia di Johns e Rauschenberg, comunque, non va sottovalutato il loro interesse per il fare in quanto tale, • un'enfasi sul processo di creazione che essi, e molti altri artisti dopo di loro, per esempio Robert Morris, hanno mantenuto dall'Espressionismo astratto. Era quanto aveva in mente Rauschenberg quando dichiarò a Emile de Antonio: "Quello che avevo in comune con gli espressionisti astratti era il tocco. Non sono mai stato interessato al loro pessimismo o alle loro opinioni personali. Devi avere tempo di piangerti addosso per diventare un buon espressionista astratto e io penso di averlo sempre considerato uno spreco. Quello che hanno fatto – e che io stesso ho fatto di simile – è che con il loro dolore, la loro passione per l'arte e la loro pittura d'azione hanno mostrato le loro pennellate, così c'era un senso di materialità in quello che facevano". YAB

ULTERIORI LETTURE:

T.J. Clark, *In Defense of Abstract Expressionism*, in *October*, n. 69, estate 1994

Clement Greenberg, *La pittura "di tipo americano"*, trad. it. in *L'avventura del modernismo*, Johan & Levi, Monza 2011

Serge Guilbaut, *How New York Stole the Idea of Modern Art: Abstract Expressionism, Freedom, and the Cold War*, University of Chicago Press, Chicago-London 1983

Michael Leja, *Reframing Abstract Expressionism: Subjectivity and Painting in the 1940s*, Yale University Press, New Haven-London 1993

Meyer Schapiro, *Pittura astratta recente*, trad. it. in *L'arte moderna*, Einaudi, Torino 1986

▲ 1953, 1958, 1960c, 1962d, 1964b • 1965, 1968b, 1969

1949a

La rivista *Life*, riferendosi a Jackson Pollock, chiede ai suoi lettori: "È il più grande pittore vivente degli Stati Uniti?": la sua opera diventa il simbolo dell'arte avanzata.

Negli anni del dopoguerra, un segno dello stato di provincialismo del mondo dell'arte di New York è che una rivista a grande diffusione come *Life* abbia sentito il bisogno di presentare con grande rilievo Jackson Pollock ai suoi lettori. È che una sua collaboratrice era la moglie dello storico dell'arte Leo Steinberg, che cominciava proprio allora ad occuparsi anche di arte contemporanea, per il cui tramite *Life* ebbe sentore di quello che considerava un *succès de scandale*, un nuovo caso degli eccessi così particolari del modernismo. Del tutto ambigua, la presentazione di Pollock su *Life* era in parte sprezzante (le didascalie dei dripping li definivano "sbavature", il testo "scarabocchi") e in parte seria. L'articolo riportava tra l'altro la stima per il lavoro di Pollock ▲ di "un formidabile critico intellettuale newyorchese" (Clement Greenberg) così come il suo successo presso il pubblico d'avanguardia americano ed europeo e, da buon settimanale illustrato, illustrava generosamente sia l'artista che la sua opera con grandi riproduzioni.

Rompere il ghiaccio

In questo senso l'articolo di *Life* rifletteva quanto accadeva anche in altri due ambiti. Nella stampa specializzata d'arte una recensione formalmente derisoria dei dripping di Pollock ("sfondo a spaghetti" o "una massa di capelli arruffati") diventava cautamente positiva in occasione della mostra alla galleria Betty Parson del novembre 1949, parlando di "ragnatela di pittura fittamente intessuta" o di "miriade di piccoli concentrati di pittura e colore", ▲ ognuno "elegante come un attore cinese". Come affermò Willem de Kooning, vedendo come collezionisti e direttori di musei ora abbandonavano le acquisizioni più tradizionali per contendersi le opere di Pollock: "Jackson finalmente ha rotto il ghiaccio". Nel mondo istituzionale sia dei musei che del sistema culturale, Pollock e gli altri espressionisti astratti cominciarono ad essere visti come importanti emissari dell'esperienza americana: il selvaggio ora era ridefinito libero, una forma di sensibilità liberata

1 • Jackson Pollock, *Uno (Numero 31, 1950)*, 1950
Olio e smalto su tela non preparata, 269,5 x 530,8 cm

▲ 1960b ● 1960b

▲ 1947b, 1959c

considerata sempre più un buon esempio della causa della democrazia nell'Europa divisa dalla Guerra Fredda; così una varietà di esportazioni culturali che comprendevano anche mostre da musei e gallerie veniva spedita all'estero per accompagnare il Piano Marshall di finanziamento degli aiuti ai paesi europei, istituito nel 1948. Alla fine degli anni Quaranta l'iniziativa era ufficialmente gestita dall'USIA (United States Information Agency), ma nei Cinquanta (a causa della condivisa "ossessione rossa" del Dipartimento di Stato) il Consiglio Internazionale del Museo d'Arte Moderna passò la palla al governo.

Per Pollock, comunque, la fama cresciuta grazie al successo sia mediatico che istituzionale (nel 1950 condivise il padiglione ▲ americano della Biennale di Venezia con de Kooning e Gorky, il Museo d'Arte Moderna acquistò un grande dripping e gli furono • dedicati un servizio fotografico e un film da Hans Namuth, che lo mostrano mentre realizza un dripping) lo gettò in una crisi profonda. Nell'estate del 1950 cavalcò la cresta dell'onda abbastanza a lungo da completare quattro tele magistrali (*Uno [Numero 31, 1950]* **[1]**, *Foschia di lavanda*, *Ritmo autunnale* **[5]** e N. 32), dopo di che la sua volontà di astrazione venne a mancare. Nel 1951 cominciò i quadri in bianco e nero **[2]**, come disse egli stesso, con "alcune delle mie prime immagini riemerse", cioè ritornando ■ alla figurazione degli inizi negli anni Trenta e primi Quaranta: un misto di pittura murale messicana e dello stile regionalista americano del suo maestro, Thomas Hart Benton **[3]**. Questo ritorno, accompagnato da quello all'alcolismo, significò che dal 1953 Pollock dipinse con tale difficoltà che la sua mostra alla galleria Sidney Janis nel 1953 venne decisa come retrospettiva, poiché non erano disponibili opere recenti. Profondamente depresso a causa di un blocco che gli sembrava permanente, andò a finire con l'automobile contro un albero nell'estate del 1956, uccidendosi in quello che molti considerarono un gesto intenzionale.

Se in Pollock ci fu una battaglia tra figurazione e astrazione, ce ne fu una anche su come queste opzioni andavano intese nell'interpretazione del suo lavoro. Data la centralità di quest'opera nella storia del modernismo, non solo negli Stati Uniti, ma anche ▲ altrove (sia il gruppo Gutai in Giappone che le *Linee* di Piero Manzoni ne dipendono), questa guerra interpretativa ha una grande posta in gioco, perché oppone visioni diverse del significato e della possibilità stessa dell'astrattismo.

Il sostenitore dell'opera di Pollock che non aveva dubbi sull'impegno astrattista dell'artista (il "formidabile critico intellettuale newyorchese" menzionato da *Life*), e dunque sulla sua necessità per • la riuscita della sua arte, fu Clement Greenberg. Difensore di Pollock fin dai primi anni Trenta, Greenberg inizialmente apprezzò la sua arte per la compressione spaziale delle sue superfici, che creavano quella che chiamava una "bidimensionalità fuliginosa" che, espandendosi lateralmente, trasformava le condizioni della tradizionale pittura da cavalletto, con il suo spazio virtuale, illusionistico, in quelle della pittura murale, che Greenberg associava all'interesse della scienza moderna per il fatto osservabile, oggettivo. Questa bidimensionalità poteva comunque essere compatibile anche con la figurazione, come Greenberg fece notare nel caso delle superfici ■ altrettanto compresse e piene di Jean Dubuffet.

Ma dalla fine degli anni Quaranta la necessità dell'astrazione era ormai una convinzione per Greenberg, dacché aveva risiste-

2 • Jackson Pollock, *Numero 14, 1951*, 1951
Smalto su tela, 146,4 x 271,8 cm

▲ 1942a, 1947b, 1959c • 1955a ■ 1933

▲ 1955a, 1959a • 1942a, 1960b ■ 1946, 1959c

3 • Jackson Pollock, *La donna-luna rompe il cerchio*, 1943 ca.
Olio su tela, 106,7 x 101,6 cm

mato la sua interpretazione del modernismo dal modello scientifico a quello riflessivo: le arti visive non si modellano sul rigore della scienza positivista, ma sulla modalità del proprio empirico fondo di possibilità, cioè sulle operazioni della visione stessa. Prese astrattamente, queste operazioni non sono organizzate intorno a un oggetto che può essere visto, ma secondo le condizioni soggettive della visione, cioè il fatto che la visione è proiettiva, che coglie il suo campo in modo sincronico piuttosto che diacronico, che è libera dal campo gravitazionale del corpo. L'ambizione più grande del modernismo sarebbe dunque quella di rappresentare la forma della conoscenza peculiare della visione: "Rendere la materia completamente ottica e la forma una parte integrante dello spazio ambientale, questo chiude il cerchio dell'antiillusionismo. Invece dell'illusione delle cose, ci si presenta ora l'illusione delle modalità, cioè di quella materia incorporea, senza peso e che esiste solo otticamente come un miraggio".

Soltanto la vista

Le matasse dei dripping di Pollock, ora riviste come "testualità allucinata" in grado di creare la "contro-illusione della luce", venivano dunque incaricate di una nuova missione: polverizzare o, nei termini di Greenberg, "volatilizzare" l'oggetto, creando questa assenza di peso incorporea che può trasmettere i suoi effetti soltanto astrattamente. Le matasse, costituite da pure linee, la materia stessa del disegno, riuscivano a minare l'obiettivo del disegno, che è quello di delimitare un oggetto descrivendo i suoi contorni. Annodandosi costantemente su se stesse, non solo non permettevano la formazione di nessuno stabile contorno, ma disperdevano qualsiasi idea di punto focale o centro compositivo nel campo ottico. In questo senso, la linea era messa al servizio della creazione di una sorta di atmosfera luminosa, formalmente di competenza del colore, e perciò distinguendo o sospendendo la distinzione tra linea e colore; le matasse di Pollock inoltre trascendevano le condizioni di realtà, come sosteneva Greenberg (insieme al collega Michael Fried), per introdurre i termini dialettici dell'astrazione. Per questo, come insiste Fried, la linea di Pollock non riusciva a contornare e delimitare "nient'altro se non, in un certo senso, la vista".

Ma se l'opera di Pollock sembrava essersi espressa, una volta per sempre, sulla promessa di cinquant'anni di lotta per stabilire la possibilità dell'arte astratta, provando che non era semplicemente una funzione della macchina o della geometria, ma che poteva anche essere assoluta ed emotiva, l'indecisione del suo stesso autore – il suo ricadere nella figurazione nel 1951 con le "prime immagini riemerse" – aprì la porta a due interpretazioni alternative. Basata su una sfida all'idea stessa di astrazione, una è personale o biografica in sé, mentre l'altra è più profondamente strutturale. La prima sostiene che Pollock (che si sottopose a diversi trattamenti psicanalitici per alcolismo) dipingeva estraendo dall'inconscio immagini della memoria (secondo la versione freudiana) o archetipiche (secondo quella junghiana) dando forma alle opere figurative degli anni Trenta e dei primi Quaranta e poi seppellendole sotto i grovigli di sgocciolature che le coprivano in una sorta di negazione o rifiuto nel periodo 1947-50, per farle riemergere, trionfanti, solo nei primi anni Cinquanta. Secondo questa interpretazione il Pollock astratto è un'invenzione dell'immaginazione "formalista" mal indirizzata; la pittura di Pollock è sempre carica di contenuto, offuscato o meno che sia.

Poiché i grovigli di sgocciolature sono spesso estremamente trasparenti, è chiaro che non ci sono figure sotto di essi. Questo mette a rischio una parte del discorso precedente, almeno per quanto riguarda l'aspetto dell'opera di Pollock – il dripping – che viene considerato come centrale nella storia del modernismo. Inoltre sembra evidente che l'ambizione di Pollock durante questo periodo fosse davvero per il non figurativo, per l'astratto (benché la natura di quell'astrazione sia materia di contenzioso, come diventerà evidente più avanti). Se una tale ambizione (che è quella di evitare assolutamente l'immagine) sia strutturalmente possibile nel campo della pittura è ciò che riguarda la seconda di queste interpretazioni "figurative", quella offerta da T. J. Clark.

Sostenendo che l'aspirazione all'astrattismo di Pollock derivava dall'intuizione che "somiglianza" o figurazione possono solo ripetere dei cliché della rappresentazione, Clark commenta la frequenza dell'uso da parte di Pollock del titolo *Uno* o *N. 1* **[4]**, sia per rinumerare i membri di una serie sia per produrre un altro "primo" oggetto, un altro "uno". Questo lo vede come sintomatico del bisogno di Pollock di realizzare sia una sorta di interezza assoluta, prima della divisione del campo in unità di rappresentazione, sia un qualche tipo di priorità assoluta, prima che un segno si trasformi per il suo (primitivo) autore da indice della sua presenza – come in un'impronta di mano sulla parete di una caverna – in rappresentazione o immagine o figura di quella presenza.

Il primo tipo di unicità è, nel discorso di Clark, parallelo alla pienezza ottica indivisibile dell'interpretazione (modernista) di Greenberg/Fried. La differenza è che Clark considera questo vortice come un'"immagine", una metafora dell'idea di ordine o di totalità piuttosto che una sua versione completamente astratta. È l'inevitabilità di questa condizione di metafora che Clark vede Pollock combattere nella seconda forma di unicità, in cui un "prima della figurazione" è visto nell'accento posto sull'indice. Che queste tracce del processo pittorico portassero con sé associazioni di profanazione e di violenza contro la tela – le macchie e le croste della pittura versata, le grinze delle essiccazioni diseguali – sembra dichiararlo non solo questa condizione di primarietà, un segnare che accade prima che la metafora intervenga, ma anche un assalto all'altro tipo di unicità e alla sua condizione di immagine.

Anche questa seconda opzione, prosegue Clark, è incapace di superare il metaforico, poiché anch'essa diventa un'immagine: una figura dell'accidente, dello stridente, del caos. Dunque, nell'interpretazione di Clark, l'arte di Pollock fallisce sempre in sé e la sua capacità di continuare vacilla quando non può più immaginare un fuori della figurazione. Questo accade nell'estate del 1950, quando i suoi quadri, sempre più grandi e sempre più apparentemente autorevoli, si sottomettono completamente alla metafora dell'unicità che li attendeva da sempre. Diventano così delle immagini di natura, cripto-paesaggi di fatto: *Ritmo autunnale*, *Foschia di lavanda*, *Uno*.

L'"uno" totale

Ma l'indice o traccia del processo è veramente destinato, come vorrebbe Clark, a fondersi nella metafora? Un'intera generazione ▲ di artisti processuali pensa di no. Come affermò Robert Morris alla fine degli anni Sessanta: "Degli espressionisti astratti solo Pollock fu in grado di recuperare il processo e di aggrapparvisi come parte della forma finale dell'opera. Il recupero del processo da parte di Pollock comportò un profondo ripensamento del ruolo sia dei materiali che degli strumenti del fare". A questo ripensamento Morris diede il nome di Anti form. Facendo notare che Pollock aveva aperto il proprio lavoro alle condizioni della forza di gravità, sostenne che se tutta l'arte è stata uno sforzo per mantenere la rigidità e dunque la verticalità dei suoi materiali – la tela è tesa, la creta è modellata su un'armatura interna, il gesso è applicato su un bastone – è perché la forma stessa è una lotta contro la gravità; è una battaglia per rimanere intatta, per continuare ad aderire come

4 • Jackson Pollock, *N. 1*, 1948
Olio e smalto su tela non preparata, 172,7 x 264,2 cm

▲ 1969

5 • Jackson Pollock, *Ritmo autunnale*, 1950
Olio su tela, 266,7 x 525,8 cm

una Gestalt, come un tutto coerentemente circoscritto, come "uno". Stendendo le tele dei suoi dripping sul pavimento e gettandovi pittura liquida da bastoncini immersi nei barattoli di colore, Pollock ha consegnato la sua opera alla gravità e ha così aperto la via dell'Anti form. Sebbene non abbia tratto esplicitamente questa conclusione, l'implicazione dell'argomento di Morris era che l'Anti form era strutturalmente incompatibile con la creazione della figura, di qualsiasi figura.

Infatti è possibile spingere oltre il ragionamento di Morris e dire che la forza di gravità vettorializza il campo fenomenologico, separando l'esperienza stessa in due ambiti: quello ottico e quello cinestetico, corporeo. Gli psicologi della Gestalt, scrivendo negli anni Venti e Trenta, intendevano il campo visivo come fondamentalmente verticale e dunque liberato dalla gravità. Hanno descritto il rapporto visivo del soggetto con il suo mondo-immagine come "frontale-parallelo" ad esso, funzione della sua stazione eretta, indipendente dal piano terra. Questo significa che l'immagine o Gestalt è sempre esperita come verticale e che la sua stessa coerenza come forma (nei loro termini: la sua "*prägnanz*") è basata su questo levarsi in verticale che è il modo in cui l'immaginazione costituisce le sue immagini.

In questo gli psicologi della Gestalt erano d'accordo con l'affermazione freudiana di una separazione dei campi percettivi in verticale e orizzontale, una divisione che secondo Freud si è verificata nel momento in cui la specie umana diventò eretta, separandosi così da un'animalità orientata secondo l'orizzontale del terreno e la dominanza (per cacciare e accoppiarsi) del senso dell'odorato. La stazione eretta ha prodotto l'importanza della verticale e del visivo, di un campo distaccato dalla presa immediata. Una funzione di questa vista distanziata sarebbe la sublimazione degli istinti carnali e, sostiene Freud in *Disagio della civiltà* (1930), la possibilità di una concezione della bellezza.

Restituendo la pittura al campo dell'orizzontale, Pollock ha attaccato tutte queste forze sublimatorie: verticalità, Gestalt, forma, bellezza. Almeno questa era la convinzione di molti artisti che lavoravano nella direzione dell'Anti form. Che le tele fossero poi tornate a un decoro formale, venendo sospese – verticalmente – alle pareti sia dello studio che del museo, non li distoglieva dal loro punto di vista. Per loro le tracce del processo che Clark indica – pozze, croste, colature – sono tutti segni dell'orizzontale, segni che continuano a smembrare la verticalità dell'opera, il suo effettivo insieme come immagine. Tutti gli altri espressionisti astratti lavoravano al cavalletto o con le tele attaccate direttamente alla parete. Questo significò che nell'opera di de Kooning o di Gorky la pittura liquida formava colature verticali e anche gli spruzzi sono orientati verso la forma. Soltanto Pollock vi resistette e tale resistenza si mantenne in ogni aspetto del suo lavoro: un'antiforma orizzontale come astrazione non colonizzata dall'"uno" verticale.
RK

ULTERIORI LETTURE:

T.J. Clark, *Jackson Pollock's Abstraction*, in Serge Guibault (a cura di), *Reconstructing Modernism*, MIT Press, Cambridge (Mass.) 1990
Eva Cockcroft, *Abstract Expressionism, Weapon of the Cold War*, in *Artforum*, n. 12, giugno 1974
Michael Fried, *Three American Painters*, Fog Art Museum, Cambridge (Mass.) 1965
Rosalind Krauss, *L'inconscio ottico*, trad. it. Bruno Mondadori, Milano 2008
Steven Naifeh e Gregory White Smith, *Jackson Pollock*, Clarkson Potter, New York 1989
William Rubin, *Pollock as Jungian Illustrator: The Limits of Psychological Criticism*, in *Art in America*, n. 67, novembre 1979, e n. 68, dicembre 1979
Kirk Varnedoe, *Jackson Pollock*, Museum of Modern Art, New York 1998

1949b

Cobra, un gruppo di giovani artisti sparsi tra Copenaghen, Bruxelles e Amsterdam, lancia la sua rivista eponima, in cui essi invocano un ritorno alla "sorgente primigenia della vita"; intanto, in Inghilterra, i neobrutalisti propongono un'estetica spoglia adatta alle austere condizioni della situazione postbellica.

"Nelle sue costruzioni, immagini e storie l'umanità si prepara a sopravvivere alla cultura, se questo è necessario". Walter Benjamin scrive questa enigmatica asserzione in un testo del 1933, sostenendo che la "povertà dell'esperienza" prodotta dalla guerra mondiale e dal disastro economico dev'essere rigirata in qualche modo a proprio vantaggio. "Barbarie?", si chiede Benjamin. "Proprio così. Diciamo questo per introdurre un nuovo positivo concetto di barbarie. A cosa mai è indotto il barbaro dalla povertà di esperienza? È indotto a ricominciare da capo; a iniziare dal Nuovo; a farcela con il Poco: a costruire a partire dal Poco e inoltre a non guardare né a destra né a sinistra".

Benjamin identifica una serie di modernisti che sembrano lavorare a partire da tale tabula rasa – i cubisti e i costruttivisti, Paul Klee e Bertolt Brecht, Adolf Loos e Le Corbusier – ma l'incoerenza di questa lista suggerisce che la sua idea non era ancora consolidata, che il suo testo anticipava una cultura a venire. E infatti fu soltanto nel periodo dopo la Seconda guerra mondiale, in cui le difficoltà materiali di ricambio sociale e crollo finanziario furono aggravate dalla catastrofe umana dell'Olocausto, che un'estetica del "ricominciare da capo" venne sviluppata programmaticamente. Abbiamo già incontrato una manifestazione nel dopoguerra di questa ricerca del primario con Jean Dubuffet, Jean Fautrier e altri interessati all'*art brut*. Qui ne prenderemo in considerazione altre due, il gruppo Cobra sul continente e il Neobrutalismo in Inghilterra, che furono, se non altro, collegati dal bisogno di "ricominciare da capo".

Bestie umane

Non tutti gli occhi europei erano puntati su Parigi dopo la Seconda guerra mondiale; alcuni modernisti che erano sfuggiti all'occupazione non erano tornati, mentre altri (come i tardi surrealisti) apparvero superati alla generazione che si era formata durante la guerra. All'inizio nell'isolamento e poi coordinandosi, giovani artisti di Copenaghen, Bruxelles e Amsterdam insistettero a pretendere nuovi approcci alle condizioni presenti e lo fecero sotto il nome "Cobra", un'abbreviazione del nome delle loro città, e al tempo stesso un saluto al minaccioso serpente che assunsero come loro totem. Copenaghen preparò la strada con artisti meno giovani come i pittori espressionisti Egill Jacobsen (1910-98), Ejler Bille (1910-2004) e Carl-Henning Petersen (1913-2007), tutti influenzati da Kandinskij, Picasso e il primitivismo, nonché lo scultore Henry Heerup (1907-93), che realizzò *skradenmodeller* (sculture di scarti) da materiali trovati e suggestive figure in pietra da monumenti medievali. Questi artisti erano anche collegati attraverso un gruppo underground di breve durata e la rivista *Helhesten* (Cavallo d'Inferno, un cavallo con solo tre gambe che annuncia la morte in *Edda*, il poema medievale islandese sulla mitologia norvegese), fondati dal vivace pittore e filosofo Asger Jorn (1914-73).

Alcuni interessi di questo gruppo, come il fascino per l'arte tribale, i disegni dei bambini e le produzioni dei malati di mente (che i nazisti avevano dichiarato "degenerati" poco più di un decennio prima), sono familiari fin dalle avanguardie del primo dopoguerra. Più distintivo fu invece l'interesse per le tradizioni folcloristiche dell'Europa del nord, come la mitologia e la magia norvegese, i monumenti vichinghi e gli affreschi medievali, e più tardi, per Jorn in particolare, la storia del vandalismo. Diversamente da Dubuffet, cioè, i danesi non guardarono questi "primitivi" come una storia culturale altra, né li intesero come kitsch popolare (già nel 1941, per esempio, Jorn aveva proclamato su *Helhesten* "il valore artistico della banalità": "Cerco di usare le cose dozzinali per nutrire l'arte"). Piuttosto consideravano queste produzioni come anticipazioni di un'arte anticlassica e collettiva. Per esempio gli affreschi medievali in particolare richiesero un'ondata di collaboratori sia negli edifici privati che in quelli pubblici (dalle case di campagna di amici e padroni agli asili infantili a Copenaghen), che si ripropose anche nel periodo di Cobra.

Ispirati in parte dall'esempio di Copenaghen, tre artisti di Amsterdam – Constant Nieuwenhuys (1920-2005), Karel Appel (1921-2006) e Corneille (1922-2010) – formarono "il Gruppo sperimentale olandese" nel luglio 1948. Già influenzati da Picasso e Miró, Appel e Corneille furono anche colpiti da Dubuffet, le cui opere videro a Parigi nell'autunno precedente. Da allora Appel cominciò a produrre quadri e oggetti rappresentanti strane creature, i dipinti abbozzati infantilmente a colori vivaci, gli oggetti realizzati all'ingrosso con legni e metalli trovati. Più intellettuale di Appel, Constant era meno brutale nel suo stile, ma i suoi soggetti sono simili, mentre le figure fantastiche prodotte da Corneille, più vicine a quelle di Klee, sono meno selvagge nello spirito.

▲ 1900a, 1911, 1912, 1914, 1921b, 1922, 1925a ● 1946 ■ 1942b
▲ 1907, 1908 ● 1921a, 1931b ■ 1922

Infine a Bruxelles, dove il Surrealismo era ancora fortemente presente, furono gli scrittori a dirigere la scena, soprattutto Christian Dotremont (1922-79), che contribuì più tardi con la forma spesso collaborativa della *peinture-mot* (pittura-parola) a Cobra, la cui rivista contribuiva a realizzare. Come gli olandesi, pittori belgi come Pierre Alechinsky (nato nel 1927) non guardarono alla tradizione folclorica alla maniera dei danesi (benché vi siano echi del tema delle maschere del loro predecessore James Ensor in molti loro dipinti). Da parte sua, Dotremont trovò una strada alternativa al primordiale attraverso i testi di Gaston Bachelard, la cui fenomenologia dei sogni, degli spazi quotidiani e dei quattro elementi offrì un'analisi non surrealista dell'immaginazione che attrasse anche altri artisti Cobra.

Jorn incontrò Constant nell'autunno del 1946 e contattò Dotremont l'estate seguente; alla fine del 1948 i tre furono in grado di dar vita alla coalizione Cobra, che fu tanto fragile quanto intensa, durata poco più di due anni. Nonostante la grande evidenza delle purghe staliniane (che avevano costretto Breton a rompere con il Partito comunista nel giugno 1947), i tre capofila Cobra non erano pronti a rinunciare al comunismo e continuarono a insistere sul materialismo dialettico altrettanto che sulla sperimentazione artistica. Erano legati anche nella loro opposizione alle forme moderniste di funzionalismo e razionalismo: sotto questo punto di vista Jorn reagiva contro la sua prima formazione a Parigi con Fernand Léger e Le Corbusier, e Constant e compagni si rivoltavano contro i loro predecessori olandesi di De Stijl. (Per esempio, nel quarto numero di *Cobra*, che fece anche da catalogo alla provocatoria mostra allo Stedelijk Museum alla fine del 1949, Constant scrisse: "Lasciateci riempire le tele vergini di Mondrian fosse anche soltanto delle nostre miserie".) Allo stesso tempo gli artisti di Cobra volevano anche distanziarsi dal Surrealismo, di alcuni aspetti del quale comunque si appropriarono. Così nel suo "Indirizzato ai pinguini", pubblicato sul primo numero di *Cobra* (marzo 1949), Jorn descrisse i loro progetti come sia etici che estetici: "Attraverso la spontaneità irrazionale ci avvicineremo di più alle fonti primigenie della vita". Questo fine era ancora surrealista nello spirito, come lo erano i mezzi – Cobra favorì l'automatismo pittorico – benché Jorn e amici rifiutassero di vedere questa fonte vitale soltanto come una forma di interiorità psicologica.

Cobra è dunque soltanto un'altra forma di primitivismo tardivo o vi è un programma particolare da estrarre come "idea Cobra" dal suo amalgama di interessi e di pratiche? Ancora: il suo interesse per il tribale e il folclore, l'infantile e il folle, non distingue il movimento, ma la sua particolare insistenza sul potere animale? Prendiamo *Grido di libertà* del 1948 di Appel **[1]**. Come spesso nella sua opera, il dipinto presenta una figura che riempie il quadro, a mala pena contenuta dalla gabbia della tela, qui composta di un patchwork di rossi vivi, gialli, aranci e rosa, mitigati soltanto da poche pennellate di freddi blu e grigi. Il volto schematico, con i suoi lineamenti semplici abbozzati in un nero piatto, ci affronta direttamente; le braccia asimmetriche (potrebbero anche essere ali o artigli) appaiono slogate e inservibili; la creatura è poi appoggiata a tre gambe affusolate. Né

1 • Karel Appel, *Grido di libertà*, 1948
Olio su tela, 100 x 79 cm

umano né animale né uccello, è tutti e tre insieme: un singolare animale mitologico che pare annunciare, insieme coraggiosamente e goffamente, sia un passato in rovina sia un futuro in trasformazione.

O prendiamo *Momento erotico* del 1949 di Constant **[2]**, un acquarello realizzato nello stesso anno in cui scrisse il suo polemico "È il nostro desiderio a fare la rivoluzione" per *Cobra 4*. Quadro osceno dominato da marroni fecali, rappresenta due figure sessualmente mescolate, che evocano un erotismo in cui due corpi distinti sono trasformati in parti estaticamente interscambiate. Una creatura dagli occhi selvaggi alza le braccia esultando (un braccio finisce in una zampa a tre dita, l'altro gli fa eco in forma di naso osceno), mentre il suo partner gli infila in bocca una lingua fallica – benché questa figura sia anch'essa caratterizzata al femminile con un'esagerata vulva al centro del corpo. Sebbene l'ambiguità di genere sia già un tema basilare in Marcel Duchamp, Alberto Giacometti e altri, la forza di questa confusione è qui completamente diversa: non una ricerca frustrata di un oggetto perduto del desiderio, alla maniera surrealista, ma un'espressione senza freni di passione rivoluzionaria.

Come intendere questo fascino per la creaturalità? Un primo indizio può essere preso da un manifesto di Constant del 1948, che riassume la situazione del dopoguerra, in termini dialettici, come un "totale collasso" della cultura ufficiale che può anche permettere una "nuova libertà", purché gli artisti si mostrino capaci di "trovare una strada che li riporti al punto di origine dell'attività creativa". A questo proposito Constant difende i sospetti diffusi, "espressioni dei

▲ 1924, 1927a ● 1921a, 1925a ■ 1917a, 1917b ▲ 1918, 1931a

2 • Constant, *Momento erotico*, 1949
Inchiostro e acquarello, 59,4 x 61,5 cm

profani", ma poi si riferisce enigmaticamente all'uomo del dopoguerra come "creatura", riportando questa sorprendente formula: "Un quadro non è una costruzione di colori e linee, ma un animale, una notte, un grido, un essere umano o tutti insieme". Qui Constant rovescia l'adagio formalista sulla pittura modernista formulato quasi sessanta prima da Maurice Denis ("Ricorda che un quadro – prima di essere un cavallo in una battaglia, un nudo o altro – è essenzialmente una superficie ricoperta di colori assemblati in un determinato ordine"), suggerendo che la creaturalità è la cifra delle confuse conseguenze della guerra – di una condizione di "crollo" in cui "i limiti sono dissolti". Anche Jorn elabora questo tema nei suoi quadri e testi. "Dobbiamo dipingerci come bestie umane", scrive a Constant nel 1950, stilando un saggio sull'argomento nello stesso anno.

In questa luce Cobra può essere visto come un intervento nel dibattito sull'umanesimo dopo la guerra, un dibattito che coinvolse i principali filosofi del periodo, da Jean-Paul Sartre, che insisteva che il suo esistenzialismo era un umanesimo, a Martin Heidegger, che riteneva metafisici entrambi i concetti. La filosofia occidentale aveva a lungo definito l'umano secondo la sua differenza dall'animale (l'uomo possiede la ragione, il linguaggio, e così via); per Heidegger questa "macchina antropologica" aveva umanizzato il mondo in modi pericolosi. Allo stesso tempo egli rifiutava qualsiasi celebrazione dell'animale come termine opposto, accusando, com'è noto, il grande poeta Rainer Maria Rilke, nella sua ottava *Elegia duinese*, di presentare l'animale in un rapporto con l'Essere più stretto dell'uomo. Heidegger poteva condannare Cobra in termini simili, poiché anch'esso attribuiva all'animale un rapporto più immediato con il mondo: l'espressione selvaggia in *Grido di libertà*, l'estasi primitiva in *Momento erotico* e lo stesso simbolo del cobra lo suggeriscono. Anche questo divenire-animale dell'umano in Cobra non è una semplice riscoperta di un ordine naturale, perché, di nuovo, attesta anch'esso la mostruosa disumanizzazione prodotta dalla guerra e dall'Olocausto.

I teorici contemporanei Giorgio Agamben e Eric Santner hanno riflettuto sulla creaturalità in modi che risultano qui pertinenti. Per Santner la creaturalità emerge quando la "dimensione traumatica del potere politico" – cioè "l'autorità extra-legale all'interno della legge" – è manifesta, come lo era nello stato di emergenza innescato dai nazisti: "La vita creaturale è la vita che è, per così dire, chiamata in essere, ex-citata, dall'esposizione alla peculiare 'creatività' associata a questa soglia tra legge e non legge". Le creature in Kafka sono esempi anteguerra di questa peculiare creatività, e nel suo saggio *La bestia umana* Jorn le considerò dei modelli positivi dell'essere liberi dai vincoli del bene e del male. Come annunciato nel suo nome di serpente, questa animalità eccitata è attiva anche in Cobra; essa è la forma che prende la sua "barbarie positiva". Tuttavia, di nuovo, le sue figure creaturali sono ambigue – segni di una condizione di "totale collasso" tanto quanto di "nuova libertà". Nato in questa situazione estrema, Cobra finì con essa; dalla fine del 1951, come la Guerra Fredda si intensificò e una società dello spettacolo iniziò ad emergere, Constant si spostò su altri fronti insieme a Guy Debord. ▲

▲ 1957a

Poesia grezza

La Gran Bretagna vinse la guerra ma perse la pace; il suo impero si disintegrò e il razionamento portò l'austerità in casa. Anche questa situazione richiese un ritorno alle questioni basilari, a cui si rispose con un interesse non per l'animale ma per l'"as found" (come trovato), come evidenziato nei materiali grezzi e nelle strutture a vista che apparvero nel lavoro degli architetti Peter e Alison Smithson (1923-2003, 1928-93) e degli artisti Eduardo Paolozzi (1924-2005), Nigel Henderson (1917-85), William Turnbull (1922-2012), John McHale (1922-78) e Magda Cordell (1921-2008). Questa pratica multiforme fu presto soprannominata "neobrutalista", riconoscendo così l'antecedente dell'estetica del grezzo (*brut*) non solo di Le Corbusier, che definì la sua architettura di questo periodo come "il creare rapporti dinamici a partire da materiali bruti" (soprattutto il *beton brut* o cemento a vista), ma anche di ▲ Dubuffet, che stendeva figure sulle sue tele come fango incrostato. Il termine risuonò anche in altre opere contemporanee importanti per ● questi giovani professionisti, come i *dripping* di Jackson Pollock, i sacchi di Alberto Burri, l'*art autre* difesa da Michel Tapié (1909-87) e anche le prime produzioni di Cobra.

Come Cobra, il Brutalismo tendeva ad essere più che uno stile. "La sua essenza è etica", sostenevano gli Smithson in un breve testo del 1957. "Il Brutalismo cerca di far fronte a una società caratterizzata dalla produzione di massa e di estrarre una poesia grezza dalle forze confuse e potenti in atto". In questo modo, aggiunsero più tardi, il Brutalismo era "una ricognizione comparativa di ciò a cui il mondo del dopoguerra realmente assomigliava":

> *In una società che non aveva niente, usavi quello che c'era, le cose a cui non si era mai pensato prima. [...] Eravamo interessati a guardare i materiali per quello che erano: la legnità del legno, la sabbietà della sabbia. Venne così il disgusto per quelli finti. [...] Lavoravamo con una fede nella rivelazione graduale attraverso una costruzione-in-formazione delle proprie regole per la forma richiesta. [...] L'immagine veniva scoperta nel processo di realizzazione dell'opera.*

Per il suo principale rappresentante, Reyner Banham (1922-88), la caratteristica primaria del Brutalismo, in architettura come in pittura, era "precisamente la sua brutalità, il suo *je-m'en-foutisme*, la sua cattiveria". Questi tratti erano già evidenti nella semplice Soho House che gli Smithson progettarono a Londra nel 1952, dove la struttura era la più netta possibile e tutte le finiture erano ridotte al minimo. Svilupparono anche questa "estetica del magazzino" nella Hunstanton School (1949-54) a Norfolk **[3]**, l'edificio che fece da manifesto del Brutalismo. Qui le cornici d'acciaio, le pareti di mattoni e le lastre prefabbricate di cemento (usate sia per i pavimenti che per i tetti) erano tutte lasciate spoglie, come lo erano gli infissi nelle entrate e anche le tubature nei bagni. "Ovunque uno si trovi nella scuola", scrisse Banham, "vede i materiali strutturali reali in evidenza". In questa architettura indicò tre principi in atto: i primi due – "la leggibilità formale della pianta" e "la chiara esposizione della struttura" – erano criteri modernisti, ma l'ultimo – "valorizzazione dei materiali per le loro qualità intrinseche 'come sono trovate'" – era originale, e riconosciuto come tale. Esso trasformava l'architettura moderna in una "barbarie positiva", ed era uno schiaffo in particolare agli stili ufficiali della Gran Bretagna del dopoguerra, un'architettura neopalladiana e una pittoresca difese rispettivamente da Rudolf Wittkower e Nikolaus Pevsner, all'epoca i due decani della storia dell'architettura. Per gli Smithson entrambi gli stili erano umanesimi sentimentali che oscuravano le desolate condizioni della vita contemporanea.

Queste condizioni erano invece vividamente documentate da Nigel Henderson nelle sue fotografie di Bethnal Green, nella parte est di Londra, dove viveva insieme alla moglie, l'antropologa Judith Stephen. Henderson non era di quell'ambiente: la madre Wyn diri-

3 • Alison e Peter Smithson, Hunstanton Secondary Modern School, Norfolk, 1949-54
Veduta dell'esterno

▲ 1946 ● 1949a

4 • Nigel Henderson, *Schermo*, 1949-52 e 1960
Collage fotografico su compensato, quattro pannelli, ognuno 152,4 x 50,8 cm

geva la galleria londinese di Peggy Guggenheim e sua moglie era la nipote di Virginia Woolf e Vanessa Bell, per cui conosceva artisti e scrittori famosi a Parigi come a Bloomsbury. Scelse tuttavia i "dimenticati", mirando a cantare "la canzone di ogni macchia e bolla, ogni toppa e chiazza sulla strada e sui marciapiedi" del suo quartiere d'adozione. Benché nella scia della tradizione documentaria di Eugène Atget, Walker Evans e Henri Cartier-Bresson, la sua fotografia sviluppò una riflessione formale, in particolare nelle superfici sovraccariche delle decorazioni di facciate di negozi, che attestano il suo interesse per pittori contemporanei come Pollock, Dubuffet, Burri e Antoni Tápies. Nel 1949 Henderson iniziò un collage intitolato *Schermo* **[4]** su due pannelli (altri due furono aggiunti nel 1960) che mescolava, su una superficie allover, una selezione di sue fotografie con una folta schiera di immagini trovate: maschere tribali, sculture classiche e quadri di Tiziano, maschere mortuarie, culturisti e immagini porno, arti artificiali, vecchie pubblicità e nuovi prodotti. Come nelle sue foto di Bethnal Green, l'iconografia qui è incentrata sui danni provocati al corpo – quello individuale e quello politico – che anche il trattamento sottolinea: quasi tutte le immagini sono in qualche modo abrase o (per usare uno dei suoi termini) "strapazzate". Nel 1948 Paolozzi diede a Henderson un ingranditore che egli usò per realizzare fotogrammi **[5]**. Anche questi "hendogrammi" sono composti da oggetti trovati – pezzi di vegetali, bottiglie rotte, parti di macchine, lembi di vestiti – tutti a loro volta strapazzati. In gioco qui è ancora una volta il tropo del danno inferto al corpo, che è sia personale che sociale; pilota durante la guerra, Henderson soffrì un crollo una volta tornato ("i miei nervi erano come fili scoperti", ammise più tardi) e molti suoi materiali erano di fatto scarti recuperati dai siti bombardati.

Implicito sia in *Schermo* che negli hendogrammi è il concetto di collage come palinsesto di esperienza urbana, quella che corrisponde a dispositivi come il "quadro letto-superficie" di Robert Rauschenberg e i manifesti strappati dei *décollagistes* francesi. Nella sua estetica dello schermo, che esemplifica gli aspetti sia come trovato sia brutale del Neobrutalismo, lo statuto del mondo oscilla tra realtà e rappresentazione: in *Schermo* le immagini sono puri materiali, mentre negli hendogrammi i puri materiali diventano immagini. Questa estetica dello schermo aveva anche altre applicazioni. Come i suoi colleghi, Henderson attaccava immagini diverse sulle pareti del suo studio per testare le varie affinità, formali o altre, come permette di fare la riproduzione fotografica. Questo metodo di associazione diventò presto centrale per la pratica curatoriale dell'Independent group, come evidenziato in esposizioni

▲ 1936

▲ 1953, 1960a

5 • Nigel Henderson, *Fotogramma*, 1949-51
Fotogramma, 35,6 x 47 cm

miliari come *Parallelo tra vita e arte* curata da Henderson, Paolozzi e gli Smithson all'Istituto d'Arte Contemporanea (ICA) di Londra nel 1953.

Ancora più centrale per il Brutalismo fu Eduardo Paolozzi, che era nato da immigranti italiani a Edimburgo. Pur frequentando la Slade School of Fine Art di Londra, Paolozzi preferiva i musei di scienza e storia naturale al curriculum tradizionale della Slade. Sotto ▲ l'influenza di Max Ernst e Kurt Schwitters, cominciò a produrre collage già nel 1943 e presto assemblò album di ritagli dalle riviste americane lasciate dai GI. Paolozzi chiamò questi assortimenti "metafore readymade", che influenzarono profondamente i suoi colleghi quando li proiettò in una presentazione all'ICA nel 1952 – altro esempio in atto di un'estetica dello schermo.

Dal 1947 Paolozzi fu a Parigi, dove realizzò figure surrealiste alla ● Giacometti in gesso e in bronzo, disposte su piedestalli e tavoli. Più originali furono i suoi rilievi di forme raggrumate che evocano frammenti sia biomorfici che meccanici – come fossero riproduzioni di parti di corpi o macchine mescolati in un'orrenda esplosione. Talvolta Paolozzi condensava queste associazioni in un unico oggetto, come nel bronzo *Oggetto contemplativo* del 1951 circa **[6]**, che assomiglia a un organo mutante o una testa deforme; il titolo è beffardo: questo oggetto sembra più provocare repulsione che contemplazione. Anche qui Paolozzi echeggia Giacometti, ma mentre gli "oggetti sgradevoli" di quest'ultimo giocavano sull'attrazione ambivalente del feticcio sessuale, *Oggetto contemplativo* presenta un ibrido uomo-macchina come rappreso, simile a una ▲ scultura vorticista di Jacob Epstein o Henri Gaudier-Brzeska – ma senza il loro gusto per le metamorfosi postumane. Infatti, come notò subito Banham, il Brutalismo era "un voto di sfiducia nell'estetica della Macchina"; i sogni prostetici dei modernismi anteguerra erano stati infranti dalle realtà di povertà economica e di minaccia atomica del dopoguerra. (Paolozzi incluse *Oggetto contemplativo* nella sezione "Patio e padiglione" che organizzò con Henderson e gli ● Smithson per *Questo è il domani* del 1956, una mostra che Banham descrisse come "portata alla luce dopo un olocausto atomico".)

Paolozzi realizzò molte figure simili in collage, stampe e bronzi, come *San Sebastiano I* (1957), un ambiguo martire di questo impavido nuovo mondo, che sta voluminoso su due sottili cilindri, con il torso aperto come una struttura rotta, il teschio ammaccato tempestato di frammenti meccanici. Per lo storico dell'arte David Mellor quest'opera è tipica del "grottesco brutalista": "Questi sono i sublimi resti apocalittici della fissione, l'abrasione e vaporizzazione delle superfici incontaminate dei nuclei elettronici e meccanici dei rassicuranti oggetti di consumo". Nei suoi collage anche John McHale eccelse nell'evocazione di questo nuovo uomo postumano. Per esempio, la sua *America fatta in serie I* (1956-57) è costituita di immagini di parti di tubature e frammenti di pubblicità; poco antropomorfa, questa figura dell'eccesso di informazione suggerisce l'adattamento necessario a un genere completamente diverso di esistenza. Insieme agli Smithson e a Henderson, Paolozzi e McHale ■ furono membri dell'Independent group, che si incontrò all'ICA all'inizio degli anni Cinquanta a discutere del loro comune fascino per i mass media e per le nuove tecnologie, e sono oggi ampiamente riconosciuti per questo precoce interesse per la cultura popolare subito dopo la guerra. Altrettanto importante fu il lato brutalista della loro attività; il loro grezzo bricolage del come trovato può essere considerato ancora più influente del loro immaginario pop. HF

6 • Eduardo Paolozzi, *Oggetto contemplativo (scultura e rilievo)*, 1951 ca.
Gesso con rivestimento di bronzo, 24 x 47 x 20 cm

ULTERIORI LETTURE:

Walter Benjamin, "Esperienza e povertà", trad. it. in *Opere complete*, vol. V, Einaudi, Torino 2003
Claude Lichtenstein e Thomas Schregenberger (a cura di), *As Found: The Discovery of the Ordinary*, Lars Müller Publishers, Zurich 2001
David Robbins (a cura di), *The Independent Group: Postwar and the Aesthetics of Plenty*, MIT Press, Cambridge (Mass.) 1990
Giorgio Agamben, *L'aperto. L'uomo e l'animale*, Bollati Boringhieri, Torino 2002
Eric S. Santner, *On Creaturely Life: Rilke, Benjamin, Sebald*, University of Chicago Press, Chicago 2006
Willemijn Stokvis, *Cobra: The Last Avant-Garde Movement of the Twentieth Century*, Lund Humphries, Aldershot 2004

▲ 1922, 1926 ● 1931a ▲ 1908, 1934b ● 1956 ■ 1956

1950–1959

424 1951 La seconda mostra di Barnett Newman fallisce: l'artista viene abbandonato dai colleghi espressionisti astratti e solo più tardi sarà salutato come padre dai minimalisti. YAB

430 1953 Il compositore John Cage collabora all'*Impronta di pneumatico* di Robert Rauschenberg: in un gruppo di opere di Rauschenberg, Ellsworth Kelly e Cy Twombly la traccia indicale è sviluppata come arma contro il segno espressivo. RK

435 1955a Nella loro prima esposizione a Tokyo, gli artisti del gruppo Gutai propongono una nuova interpretazione del dripping di Jackson Pollock che si ricollega alla tradizione giapponese e interpreta alla lettera l'espressione "pittura d'azione". YAB

441 1955b La mostra *Il movimento* alla galleria Denise René a Parigi lancia l'Arte cinetica. YAB

447 1956 La mostra *Questo è il domani* a Londra segna il culmine delle ricerche sui rapporti tra arte, scienza, tecnologia, design e cultura popolare intraprese dall'Independent group, precursore della Pop art inglese. HF

453 1957a Due piccoli gruppi d'avanguardia, l'Internazionale lettrista e il Bauhaus immaginista, si fondono per formare l'Internazionale situazionista, il movimento più politicamente impegnato del dopoguerra. HF
box • Due tesi da *La società dello spettacolo*

460 1957b Ad Reinhardt scrive *Dodici regole per una nuova accademia*: mentre in Europa i paradigmi dell'avanguardia in pittura vengono riformulati, negli Stati Uniti Reinhardt, Robert Ryman, Agnes Martin e altri indagano il monocromo e la griglia. RK

466 1958 *Bersaglio con quattro facce* di Jasper Johns esce sulla copertina della rivista *Artnews*: per alcuni artisti, come Frank Stella, Johns rappresenta un modello di pittura in cui figura e sfondo sono fusi in un'unica immagine-oggetto, per altri introduce l'uso dei segni quotidiani e delle ambiguità concettuali. HF
box • Ludwig Wittgenstein RK

473 1959a Lucio Fontana tiene la sua prima retrospettiva: usa associazioni kitsch per mettere in questione l'idealismo modernista, critica proseguita poi dal suo protetto Piero Manzoni. YAB

477 1959b Bruce Conner espone *BAMBINO* alla San Francisco Art Association, una figura mutilata su un seggiolone, realizzata per protestare contro la pena capitale: sulla West Coast viene sviluppata da Conner, Wallace Berman, Ed Kienholz e altri una pratica dell'assemblage e dell'ambientazione più scabrosa dei suoi equivalenti di New York, Parigi e altrove. YAB

483 1959c Il Museo d'Arte Moderna di New York inaugura *Nuove immagini dell'uomo*: l'estetica esistenzialista prosegue in una strategia della figurazione da Guerra fredda nell'opera di Alberto Giacometti, Jean Dubuffet, Francis Bacon, Willem de Kooning e altri. RK
box • Arte e Guerra fredda RK

488 1959d *Osservazioni* di Richard Avedon e *Gli americani* di Robert Frank stabiliscono i parametri dialettici della fotografia della Scuola di New York. BB

494 1959e Il manifesto neoconcretista viene pubblicato a Rio de Janeiro su una doppia pagina del quotidiano *Jornal do Brasil*, sostituendo l'interpretazione razionalista dell'astrazione geometrica prevalente all'epoca con una fenomenologica. YAB

1951

La seconda mostra di Barnett Newman fallisce: l'artista viene abbandonato dai colleghi espressionisti astratti e solo più tardi sarà salutato come padre dai minimalisti.

La seconda mostra personale di Barnett Newman, nell'aprile 1951, alla galleria Betty Parsons di New York ebbe ancora meno successo della prima dell'anno precedente. Alla chiusura dell'esposizione (in cui non era stato venduto niente) Newman ritirò tutte le opere dalla galleria. Avrebbe mostrato occasionalmente un quadro o due in mostre di gruppo durante gli anni Cinquanta, ma aspettò fino al 1958 per una nuova mostra personale (al Bennington College), subito seguita dalla prima retrospettiva a New York (da French & Co, nel 1959). Fu solo dopo quest'ultimo evento che la posizione di Newman cambiò: "In un anno circa si trasformò da paria o eccentrico in padre di due generazioni", scrisse il critico Thomas B. Hess, riferendosi ▲ all'ammirazione di artisti diversi come Jasper Johns e Frank Stella, Donald Judd e Dan Flavin.

Quello che deve aver particolarmente afflitto Newman nel 1951 non fu tanto l'ostilità continua o il silenzio della stampa, ma quello dei colleghi, che egli aveva generosamente aiutato negli anni, organizzando le mostre, scrivendo per i cataloghi, pubblicando le loro dichiarazioni, facendo loro da portaparola e impresario. Newman più tardi sostenne che alla sua prima mostra da Betty Parsons nel 1950, dove il piccolo mondo dell'arte della New York del tempo era precipitato, Motherwell gli aveva detto: "Credevamo che fossi uno di noi. Invece la tua mostra è una critica contro tutti noi". Con il senno di poi questo commento risulta molto acuto – perché l'opera di Newman contrasta infatti con la retorica gestuale che domina i ● quadri di Motherwell e degli altri espressionisti astratti – ma all'epoca significava una spaccatura, e così fu. La disapprovazione di Motherwell fu largamente condivisa dai colleghi, che non andarono all'inaugurazione della seconda mostra di Newman l'anno dopo, con l'eccezione notevole di Jackson Pollock. (Pollock aveva infatti contribuito a convincere Newman a tenere la seconda mostra, unendosi a Betty Parsons nell'incoraggiarlo e aiutandolo nell'allestimento).

Le opere selezionate da Newman erano molto diverse, senza dubbio anche per rompere il nascente cliché giornalistico secondo cui tutti i suoi quadri erano uguali (cliché particolarmente offensivo per lui, data l'estrema cura con cui evitava sempre la ridondanza e la ripetizione, mantenendo l'insieme della sua produzione con qualsiasi tecnica entro le trecento opere in tutto). Solo un quadro, *Onement II* del 1948, si riferiva direttamente alla sua

1 • Barnett Newman, *Onement I*, 1948
Olio e nastro adesivo su tela, 69,2 x 41,2 cm

scoperta pittorica di quell'anno: come il più piccolo *Onement I* [**1**], consiste di una superficie verticale rosso-marrone divisa in due da una stretta "zip" (per usare lo strano termine che Newman adottò più avanti, preferendolo a "banda", perché connota un'attività invece che uno stato d'essere immoto). Accanto a *Onement II* propose una serie di accoppiate, talvolta con l'aiuto di titoli, come

▲ 1958, 1962c, 1962d, 1965 ● 1947b, 1949a

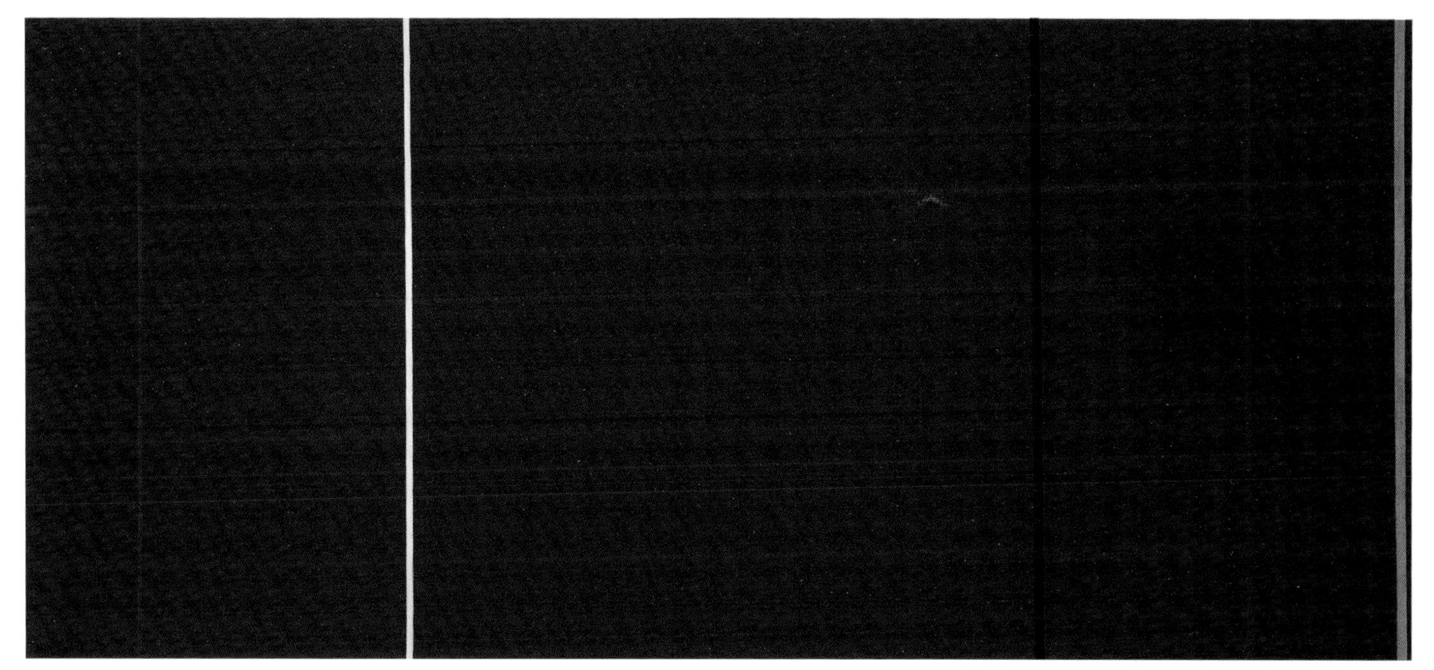

2 • Barnett Newman, *Vir heroicus sublimis*, 1950-51
Olio su tela, 242,2 x 541,7 cm

nel caso di *Eva* e *Adamo*. (Quest'ultimo quadro, ora datato 1951-52, venne ripreso in seguito da Newman, come molti altri: "Penso che l'idea di 'finito' sia una finzione", disse una volta.) I due quadri che più scatenarono i detrattori di Newman furono *La voce* e *Il nome II*, entrambi consistenti in una superficie bianca di circa due metri quadrati divisa da zip bianche (una fuori centro nel primo e quattro regolarmente disposte nel secondo, incluse quelle ai bordi destro e sinistro) – un'economia di mezzi drastica che l'artista aveva voluto enfatizzare stampando l'invito alla mostra elegantemente in bianco su bianco. C'era poi l'enorme *Vir heroicus sublimis* [**2**], un muro di più di cinque metri di lunghezza di vibrante rosso punteggiato da cinque zip di colori vari a intervalli regolari, a cui *Il selvaggio* [**3**], un quadro della stessa altezza (quasi due metri e mezzo), ma largo solo quattro centimetri e interamente consistente in una singola zip rossa con un piccolo margine di rosso più scuro da entrambe le parti, doveva essere parso un ben strano pendant.

La logica di quest'ultimo rapporto, comunque, è cristallina. In *Vir heroicus sublimis* le tradizionali opposizioni di figura e sfondo, contorno e forma, linea e piano sono drammaticamente sospese per il fatto che la zip più a destra e la sottile fascia di "sfondo" rosso che essa finisce col delimitare sul margine della tela sono della stessa larghezza. Con *Il selvaggio*, dipinto nella sua scia, è come se una zip extra fosse migrata fuori dalla grande tela rossa sulla parete, assumendo ▲ un'esistenza indipendente come una delle prime tele "sagomate" nella storia dell'arte americana del dopoguerra. E per essere sicuri che la sua "oggettualità" non sfuggisse né fosse esagerata (come quella di molti quadri verticali più piccoli dello stesso tipo, per cui Pollock aveva progettato semplici cornici di legno di quasi otto centimetri di spessore), Newman lo espose vicino alla sua prima scultura, *Qui I* [**3**], dove due bianche zip, che ora scandivano lo spazio reale, avevano completato il loro viaggio verso

3 • Barnett Newman, (a sinistra) *Qui I*, 1950; (a destra) *Il selvaggio*, 1950.
Gesso e legno dipinto, 243,8 x 67,3 x 71,8 cm; olio su tela, 243 x 4,1 cm

▲ 1958

l'autonomia. In breve, la mostra era allestita magistralmente – Newman è sempre stato un curatore brillante – ma questo sembra aver incrementato ancor più la resistenza contro di essa.

Forse avrebbe dovuto prevedere tali difficoltà. Dopo tutto sapeva meglio di chiunque altro che la sua arte non era di facile comprensione: lo aveva impegnato per otto interi mesi dedicati solo a comprendere ciò che aveva compiuto in *Onement I*. Hess ha raccontato la rivelazione di Newman: "Nel giorno del suo compleanno, il 29 gennaio 1948, preparò una piccola tela con uno sfondo rosso cadmio scuro (un minerale cupo che sembra una terra, come il rosso indiano o la terra di Siena) e fissò una striscia di nastro adesivo al centro. Poi diede un veloce tocco di rosso cadmio chiaro sul nastro per saggiare il colore. Infine guardò il quadro a lungo. Lo esaminò per otto mesi. Aveva finito di cercare".

Come certificano innumerevoli dichiarazioni, la ricerca di un "proprio" soggetto da parte di Newman era durata a lungo. L'attuale interpretazione corrente di questo quadro come equivalente pittorico della separazione di luce e ombra all'inizio della Genesi non rende conto della sua radicale novità. Da tre anni almeno Newman cercava di tradurre il suo desiderio "di ricominciare da capo, di dipingere come se la pittura non fosse mai esistita prima" nella tematica dell'Origine. I suoi primi disegni "automatici" del 1944-45, con le loro immagini di germinazione e i titoli mitologici (uno di essi era *Gea*, la dea della terra, nata dal caos originario), e molte tele del 1946-47 (*L'inizio, Genesi - La separazione, Il mondo I, L'ordine, Momento, Momento genetico*), con i titoli che alludono direttamente all'origine del mondo come è raccontata dal Vecchio Testamento, attestano il suo interesse principale, e a un certo livello l'arte di Newman è sempre ruotata intorno a questa idea.

Dunque, se l'argomento di *Onement I* non è nuovo, lo è la forma che lo esprime? La risposta è molto complessa. A livello formale si potrebbe pensare, ancora una volta, che non c'è niente di strettamente originale in questa tela, perché *Momento* **[4]**, realizzata due anni prima, consisteva già in una superficie verticale divisa simmetricamente da un elemento centrale. Concettualmente e strutturalmente però un abisso separa *Momento* da *Onement I*. Si può anche dire che con *Onement I* e i lavori seguenti Newman ha minato l'idea filosofica che una forma esprime meramente un contenuto preesistente.

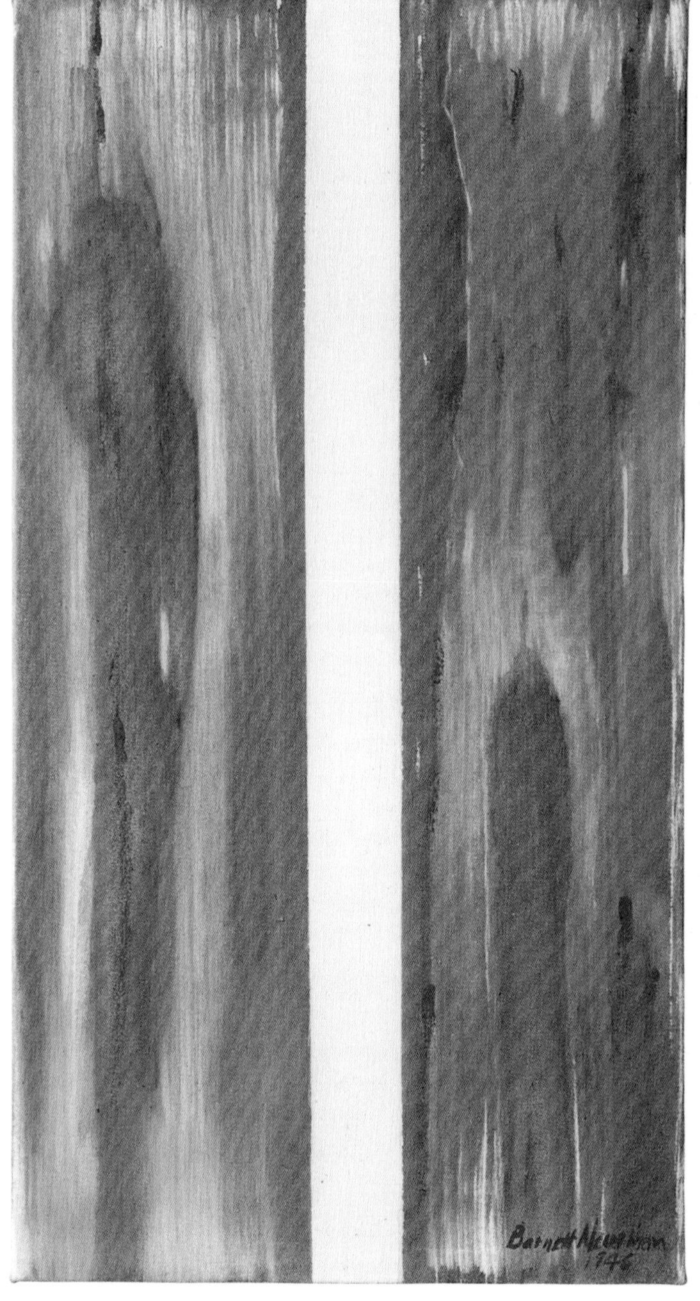

4 • Barnett Newman, *Momento*, 1946
Olio su tela, 76,2 x 40,6 cm

Un indizio è dato dallo "sfondo", trattato diversamente nei due quadri. Mentre la superficie di *Onement I* è dipinta in modo uniforme (era stata inizialmente concepita solo come primo strato, "fondo di preparazione", come riferisce Hess), in *Momento* siamo di fronte a una superficie differenziata che funziona come uno sfondo indeterminato che è spinto ancora più indietro dalla "banda" – la "banda" non è ancora una "zip", funziona ancora come un *repoussoir*, come un elemento in primo piano che spinge indietro il resto del quadro, in modo simile alle lettere stampigliate in un quadro ▲ cubista analitico di Braque o Picasso. Come Newman avrebbe detto anni dopo di quest'opera e delle poche altre che rimangono di quel periodo, dà una "sensazione di sfondo atmosferico", di qualcosa che può essere visto come "atmosfera naturale". Oppure, come pure avrebbe detto, aveva "manipolato lo spazio", "manipolato il colore" per distruggere il vuoto, il caos che esisteva prima dell'inizio di tutto. Dunque, ciò che si era procurato con *Momento* era un'immagine, qualcosa non di congruente ma di applicato alla superficie e dunque che poteva pretendere di estendersi al di là dei suoi limiti, qualcosa che non aderiva al supporto (concepito come un contenitore neutro) e poteva essere stato elaborato precedentemente in un bozzetto (come in effetti è stato).

Onement I, ricorda Hess, all'inizio assomigliava a *Momento*: "Newman stava dipingendo la trama dello sfondo; poi avrebbe tolto il nastro e dipinto nella fascia all'interno dei bordi mascherati". Ma "dipingere la trama dello sfondo" e "dipingere nella" fascia è precisamente ciò a cui rinunciò Newman in *Onement I*. Niente

▲ 1911

esisteva qui che potesse essere "dipinto in" o "la trama", cioè niente esisteva in anticipo, nessuno "sfondo" in sé, che attende di essere riempito. Mentre *Gea*, *Genesi - La separazione*, o *Il mondo*, *L'ordine* e anche *Momento* contenevano ideogrammi, simboli visivi dell'idea di Creazione, *Onement I* è *in sé* un ideogramma della Creazione. (Basta ricordare che *Gea* era stato esposto nella mostra intitolata *Il quadro ideografico*, curata da Newman nel gennaio 1947, per misurare la distanza che aveva percorso da allora nella sua comprensione del concetto di ideogramma.) Il titolo *Onement*, una parola in inglese antico da cui deriva "*atonement*" (espiazione), significa "l'essere fatto tutto in una volta": il quadro non *rappresenta* l'interezza ma la *dichiara*, unendo superficie e zip in un'unica entità. Detto diversamente, la superficie si afferma come tale attraverso la sua divisione simmetrica da parte della zip.

Certo, la zip è una semplice "linea" verticale, quindi un segno preesistente in qualche insieme di segni che – come tutti i simboli linguistici – può essere convocato e usato a volontà. Non c'è fuga, in altre parole, dal gioco dell'assenza e del differimento inerente a tutte le forme di linguaggio; ma alla fine il significato della zip dipende interamente dalla sua coesistenza con la superficie a cui si riferisce e che misura e afferma per l'osservatore. *Onement I* è infatti un ideogramma o, in termini più generali, un segno, ma è un segno di tipo speciale, che enfatizza una certa circolarità tra il suo significato di segno e la situazione reale della sua espressione: partecipa ▲ della categoria di parole che i linguisti chiamano "*shifters*" (commutatori), come i pronomi personali, ma anche "adesso", "qui", "non là, qui" (che sono, non a caso, alcuni dei titoli dati da Newman alle sue ultime opere). Come tutti i quadri precedenti, *Onement I* riguarda il mito dell'origine (la separazione iniziale), ma per la prima volta questo mito è detto al tempo presente. Questo tempo presente è un tentativo di rivolgersi allo spettatore direttamente, immediatamente, come un "io" a un "tu".

Un senso del luogo

Dopo il lungo meditare del 1948, l'anno più produttivo di Newman fu il 1949 (con novanta tele, quasi metà dell'intera opera pittorica). Il quadro più grande di quell'anno, *Sii I*, dominò la sua mostra del 1950. Esso non solo radicalizzò il lampo di luce di *Onement I* (la sottile zip centrale che divide la superficie rosso scuro è bianca e tagliente), ma il suo titolo ingiuntivo rende chiaro che lo spettatore è chiamato in causa: "Tu! Sii!". È come se Newman avesse intuitivamente compreso che la percezione della simmetria bilaterale è essenziale al nostro statuto di essere umano eretto (in opposizione alla scimmia). La simmetria bilaterale, a cui l'opera di Newman fece ricorso periodicamente lungo la sua carriera, presuppone l'asse verticale del nostro corpo come fattore strutturante della nostra percezione visiva, della nostra situazione di fronte a ciò che guardiamo; concretizza per noi l'equivalenza immediata tra la consapevolezza del nostro corpo e l'orientamento del nostro campo visivo. La sua percezione è istantanea e autoevidente. ● Secondo il filosofo francese Maurice Merleau-Ponty, la cui *Fenomenologia della percezione* (1945) sarebbe diventata la bibbia degli scultori minimalisti negli anni Sessanta, più di qualsiasi altra cosa è la nostra verticalità fin dalla prima infanzia a darci, senza che ce ne rendiamo conto, un senso del nostro essere nel mondo.

Con le grandi tele esposte nel 1951, e in particolare con *Vir heroicus sublimis*, Newman tornò al problema della scala, un'altra delle sue ossessioni di sempre, ora riferita alla fenomenologia della presenza esplorata in *Onement I*. Di tutti gli artisti americani del ▲ dopoguerra è l'unico prima dello scultore Richard Serra per cui la scala assume una dimensione etica. Come Matisse, credeva moralmente sbagliato abbozzare una composizione in un piccolo abbozzo e poi ingrandirla su tela. Se alla fine della vita si lasciò coinvolgere nelle tecniche di stampa, fu solo dopo aver scoperto che poteva evidenziare chiaramente come un piccolo cambiamento nel taglio dei margini trasforma radicalmente la scala interna di una singola immagine (la sua breve introduzione al portfolio di litografie, *18 Cantos*, fornisce la migliore analisi del secolo della questione della scala opposta al formato).

Vir heroicus sublimis è un quadro molto grande. Così *Cathedra*, completato subito dopo la mostra del 1951, o *Uriel* (1955), *Splendente a lungo* (1961), *Chi ha paura del rosso, giallo e blu II* (1967-68) e *La luce di Anna* (1968), il più grande di tutti (quasi tre metri per sei). Ma la questione non è il formato. Se queste opere sembrano molto più grandi delle altrettanto gigantesche tele prodotte dai colleghi espressionisti astratti (con l'eccezione di Pollock, nei cui grovigli ci possiamo facilmente perdere), è in gran parte perché ci offrono molti meno accidenti visivi e ci chiedono di coglierli in una volta sola, mentre, confrontati con la saturazione di colore puro della loro superficie straripante, ci rendiamo conto di non poterlo fare. Tentando di fissare una delle diverse zip che compiono una scansione di queste vaste campiture di colore, ci troviamo tentati di zoomare sulla seguente. Così, sollecitati dall'oceano vibrante di colore violento, mai in grado di cogliere l'insieme e di nuovo forzati a riconoscerne l'esistenza, lo percepiamo come "qui, non là", intero di fronte a noi.

"Si tende a guardare ai quadri grandi da una certa distanza. I quadri grandi di questa mostra vanno visti da una distanza breve". Questa dichiarazione, scritta da Newman per la sua seconda mostra alla Betty Parsons (1951), rende chiaro che il formato fu per lui un mezzo per eccedere il nostro campo visivo (e lo provò irrefutabilmente qualche anno dopo facendosi fotografare mentre fissa *Cathedra* stando ad appena dieci centimetri dalla tela). Molti commentatori hanno associato questo eccesso, con cui siamo forzati a rinunciare al nostro controllo del campo visivo, alla teoria del Sublime, che Newman espresse in uno dei suoi testi più famosi, *Il sublime è ora*, scritto nel 1948 mentre stava rimuginando su *Onement I*. Comunque, dato che il breve testo era stato commissionato (per cui Newman lesse i classici trattati filosofici di Longino, Burke, Kant e Hegel sull'argomento – tutti sommariamente liquidati) e che poi (con una sola eccezione) il concetto di Sublime sparì completamente dal suo vocabolario, si è tentati di crederlo inappropriato. Di fatto "sublime" è il nome momentaneamente dato da

▲ Introduzione 4, 1918 ● 1965 ▲ 1969, 1970

Newman a ciò che chiama in ogni altro caso "tragedia", un termine assente in *Il sublime è ora*. Come dire che la sua comprensione del sublime aveva poco a che fare con i testi filosofici che aveva letto. L'eccezione menzionata è un caso particolare: riferendosi al titolo *Vir heroicus sublimis*, Newman disse a David Sylvester nel 1965 che "l'uomo può essere o è sublime nel suo rapporto con il suo senso dell'essere consapevole". Il Sublime, per Newman, è qualcosa che dà a qualcuno il sentimento dell'essere dove è, dell'*hic et nunc* – del qui e ora – affrontando coraggiosamente il destino umano, rimanendo solo di fronte al caos, senza i puntelli di "memoria, associazione, nostalgia, leggenda, mito". Dal 1948 in poi insisteva sul fatto che quello che voleva dare all'osservatore era un senso del luogo, un senso della sua scala.

Il Sublime degli illuministi e quello di Newman non sono comunque del tutto opposti. Nell'agosto 1949, di fronte a un terrapieno indiano in Ohio – "un'opera d'arte che si può vedere solo qui sul posto" – Newman ha un'esperienza che non era estranea alla concezione del Sublime del filosofo inglese del XVIII secolo Edmund Burke, di un sentimento generato da una vastità che non si può comprendere, né alla descrizione del tedesco Immanuel Kant, che si riferiva alla visione delle piramidi egizie, del ruolo del tempo in questo improvviso vuoto di comprensione. Ma per loro il concetto è una categoria universale: lo definiscono in termini di sentimento temporaneo di mancanza rispetto a un'idea di totalità. Newman non vuole invece parlare dello spazio come di un concetto, ma della sua "presenza"; non dell'infinito, ma della scala; non del "senso del tempo", ma della "*sensazione* fisica del tempo". Questo è ciò che significava per lui *Onement I* e che l'incontro in Ohio confermava. In questo senso, significava anche un addio al concetto filosofico di Sublime: presto gli sembrerà troppo universale per esprimere "l'ideale che l'Uomo È Presente".

"Universale" (che spesso chiamava "diagramma") è sempre stata una brutta parola per Newman (fin dal 1935, in un elenco compilato per *The Answer*, un giornale anarchico che aveva curato, le opere di Hegel e Marx spiccano tra i libri da non leggere, mentre quelle di Spinoza e Bakunin sono in cima alla lista di quelle da leggere). Da ▲ qui la sua sfrontata demonizzazione di Piet Mondrian, che aveva già considerato sua nemesi tre anni prima di *Onement I*. (Nel suo primo lungo testo estetico, *L'immagine plasmica*, che scrisse e riscrisse nel 1945, ma alla fine non pubblicò mai, Newman, come altri in quel periodo, interpretò la pittura di Mondrian o come mera arte geometrica o buon design oppure come "astrazione dalla natura", nonostante l'energia che Mondrian aveva speso per controbattere entrambe queste interpretazioni.) In sintesi, Newman fece di Mondrian un uomo di paglia ripetendo con zelo i luoghi comuni della mediocre letteratura diffusa. Ma mentre questo antagonismo immaginario lo ricaricava, la sua difficoltà nel vincere quella che chiamava l'"ipoteca neoplastica" rimase a lungo un punto dolente (il trionfalismo di titoli come *La morte di Euclide* o *Abisso euclideo*, due quadri immediatamente precedenti *Onement I*, era prematuro). Fu solo a metà degli anni Sessanta che Newman comprese che il "Mondrian" che aveva combattuto a lungo era una finzione e che la sua arte e teoria avevano molto in comune con quelle del vero Mondrian, soprattutto nel ruolo cardinale ascritto all'intuizione. Ma riconoscendo alla fine ciò che condivideva con il veterano europeo dell'astrattismo, Newman fu anche capace di cogliere la natura della sua duplice resistenza nei suoi confronti. Prima, in parte grazie alla sua discussione con il giovane ammiratore minimalista (con cui non voleva essere confuso, ma la cui compagnia gli piaceva molto), comprese che il suo concetto di "interezza" era del tutto opposto alla fiducia di Mondrian nella pratica tradizionale ▲ della composizione relazionale – qualcosa deriso da Frank Stella come "fai qualcosa in un angolo e lo bilanci con qualcos'altro da un'altra parte". Seconda, Newman seppe mettere in rapporto questa estetica relazionale con l'utopia sociale di Mondrian, associando quest'ultima al dogmatismo, razionalismo e terrore di Stato. Piuttosto che condannare il "formalismo" di Mondrian e la "mancanza di argomento" di quest'arte come aveva fatto in passato, ora spiegava la sua avversione per il progetto sociale inerente all'astrattismo di Mondrian nei termini della sua posizione politica anarchica.

Questa rivalutazione portò a una serie di quattro quadri intitolati *Chi ha paura del rosso, giallo e blu* datati dal 1966 al 1968, il primo e il terzo asimmetrici e gli altri due simmetrici. (La simmetria era stata un carattere standard nell'arte di Newman, ma ora era esplicitamente diretta, come lo era stata diversi anni prima con i quadri neri di Stella, contro la sua proibizione da parte di Mondrian.) Ogni coppia consiste di una tela piccola o media e di una molto grande. Entrambe le grandi tele sono state vandalizzate, *Chi ha paura del rosso, giallo e blu III* in modo più selvaggio. Questo disastro non può forse essere semplicemente liquidato come follia casuale (tanto più che i quadri di Newman hanno sopportato un insolito tasso di vandalismo): stupirebbe che una simile viscerale, iconoclastica reazione non fosse stata in parte provocata dall'arte stessa. *Chi ha paura del rosso, giallo e blu III* deriva dal primo quadro della serie **[5]**, da cui prende le due zip laterali, una piccola gialla sul bordo destro e una blu più larga e quasi traslucida sul sinistro, ma, espandendo lateralmente la campitura centrale rossa fino alla larghezza di più di cinque metri, Newman ha aumentato la saturazione del colore al punto di massima tensione. Il rosso avvolgente è travolgente: non si può evitare il suo bagliore. Presumibilmente chi ha aggredito il quadro, colpendolo furiosamente per ben tre volte, non ha saputo reggerne il bagliore. Nel suo modo contorto, ha pagato l'omaggio al senso di tragedia di Newman e alla sua domanda baudelairiana di una "critica appassionata". YAB

ULTERIORI LETTURE:

Yve-Alain Bois, *On Two Paintings by Barnett Newman*, in *October*, n. 108, primavera 2004

Yve-Alain Bois, *Perceiving Newman*, in *Painting as Model*, MIT Press, Cambridge (Mass.) 1990

Mark Godfrey, *Barnett Newman's* Stations *and the Memory of the Holocaust*, in *October*, n. 108, primavera 2004

Jean-François Lyotard, *L'instante, Newman*, trad. it. *L'inumano: divagazioni sul tempo*, Lanfranchini, Milano 2001

Barnett Newman, *Selected Writings and Interviews*, Alfred Knopf, New York 1990

Jeremy Strick, *The Sublime Is Now: The Early Work of Barnett Newman, Paintings and Drawings 1944-1949*, PaceWildenstein, New York 1994

Ann Temkin, *Barnett Newman on Exhibition*, in Ann Temkin (a cura di), *Barnett Newman*, Philadelphia Museum of Art, Philadelphia 2002

▲ 1913, 1917a, 1944a

▲ 1958

5 • Barnett Newman, *Chi ha paura del rosso, giallo e blu I*, 1966
Olio su tela, 190,5 x 122 cm

1953

Il compositore John Cage collabora all'*Impronta di pneumatico* di Robert Rauschenberg: in un gruppo di opere di Rauschenberg, Ellsworth Kelly e Cy Twombly la traccia indicale è sviluppata come arma contro il segno espressivo.

Immaginate una tela quadrata di più di un metro di lato dipinta di bianco. Ora immaginate un disegno non del tutto bianco, dato che riporta leggeri residui di inchiostro e matita che segnano il foglio, sul cui passe-partout c'è un'etichetta su cui si legge "Disegno di de Kooning cancellato / Robert Rauschenberg / 1953" [1]. Infine immaginate un rotolo di 6 metri e mezzo su cui una striscia continua di nero iscrive al centro per tutta la lunghezza l'impronta di un pneumatico d'automobile. Che cos'hanno in comune questi tre oggetti?

Era la domanda che circondava l'arte di Robert Rauschenberg dopo la mostra del 1953 alla Stable Gallery di New York, in cui alcuni dei suoi *Quadri bianchi*, i loro pannelli opachi sistemati a formare dittici o polittici, erano esposti insieme a grandi quadri neri dipinti su fondi di ritagli di giornali. I critici accolsero la mostra del giovane artista respingendo i quadri neri come "rifiuti fatti a mano" e quelli bianchi come "gesto distruttivo gratuito". Notizie dell'impronta di pneumatico e del de Kooning cancellato ▲ seguirono a breve distanza e, data l'ammirazione per Willem de Kooning nei primi anni Cinquanta, l'idea di distruggere un suo disegno fece subito scandalo, dando a Rauschenberg una reputazione di nichilista o neodadaista. In effetti Rauschenberg era al ● corrente dell'opera di Marcel Duchamp e della sua presenza a New York in quel periodo, anche se lo conoscerà solo qualche anno dopo.

Il filo più evidente che lega queste tre opere è il loro atteggiamento ostile nei confronti dell'Espressionismo astratto e del suo predominio nel mondo dell'arte d'avanguardia nella seconda metà degli anni Quaranta e primi anni Cinquanta. Rauschenberg, che aveva iniziato la scuola d'arte con il G. I. Bill (un programma che forniva studi di livello superiore ai soldati che avevano combattuto per gli Stati Uniti nella Seconda guerra mondiale), prima a Parigi, ■ poi al Black Mountain College in North Carolina nel 1949 e infine a New York nel 1950 all'Art Students League, era circondato da studenti e colleghi per i quali era diventato il linguaggio estetico universale. Dagli espressionisti astratti che insegnavano al Black ◆ Mountain (come de Kooning, Robert Motherwell e Jack Tworkov) agli studenti della League che adoravano questi artisti (come Alfred Leslie, Joan Mitchell e Raymond Parker), l'idea del segno dipinto come traccia unica dell'individuo che lo realizza, insieme all'intero bagaglio concettuale di autenticità, spontaneità e rischio che accompagna questa ideologia del segno, era diventata una sorta di credo.

Dada redux

Niente potrebbe essere meno spontaneo e più tipico del carattere del suo esecutore di una linea prodotta meccanicamente come quella di un pneumatico [2]. Allo stesso modo, niente si sottrae così totalmente al teatro del "rischio" quanto una tela bianca che trasforma la famosa arena su cui l'azione del pittore ha lottato per sostenere quella che Harold Rosenberg aveva chiamato la "sostanza metafisica" della sua "esistenza" in una sorta di readymade monocromatico. Confessando apertamente le sue mire, dirette contro la celebrazione espressionista astratta del significato investito nell'unicità del tocco dell'artista, *Disegno di de Kooning cancellato* rende chiaro che niente è più opposto a questo ethos, dei colpi ripetuti della gomma da cancellare, la cui traccia non registra l'impronta dell'identità dell'esecutore, ma è una cancellazione meccanica sia dei segni del disegno sia dei propri.

Questi tre oggetti uniti dalla critica all'Action painting non erano comunque frutto di puro nichilismo. Le aspirazioni positive che Rauschenberg investì nei *Quadri bianchi*, realizzati per lo più nell'estate 1951, erano in sintonia con le posizioni che venivano sviluppate in quel periodo dal compositore sperimentale americano John Cage (1912-92), anch'egli insegnante al Black Mountain. Il pensiero di Cage, influenzato dal buddismo Zen, celebrava la passività in opposizione alla tensione e alla spinta all'"azione" o all'attività implicita in ogni concezione della composizione. Interessato all'idea che il caso e la possibilità sono modalità universali che strutturano l'universo, Cage pensava alla musica come a un intreccio aleatorio di silenzio e suono ambientale. Quell'estate al Black Mountain un giovane brillante pianista, David Tudor, eseguì l'opera *4' 33"* appena composta da Cage sedendo silenziosamente al pianoforte e accennando, invece che eseguire, i movimenti del brano aprendo e chiudendo il coperchio della tastiera senza far rumore.

Fu nel contesto della sua interazione con Cage che Rauschenberg realizzò i *Quadri bianchi*. I loro pannelli multipli erano generati semplicemente da una progressione seriale – pannello singolo,

▲ 1947b, 1959c ● 1914, 1918, 1935, 1942b, 1966a ■ 1947a ◆ 1947b

1 • Robert Rauschenberg, *Disegno di de Kooning cancellato*, 1953
Tracce di inchiostro e matita su carta con etichetta stampata a mano in cornice a foglia d'oro, 64,1 x 55,2 cm

2 • Robert Rauschenberg con John Cage, *Impronta di pneumatico d'automobile*, 1953
Inchiostro su carta intelata, 41,9 x 671,8 cm

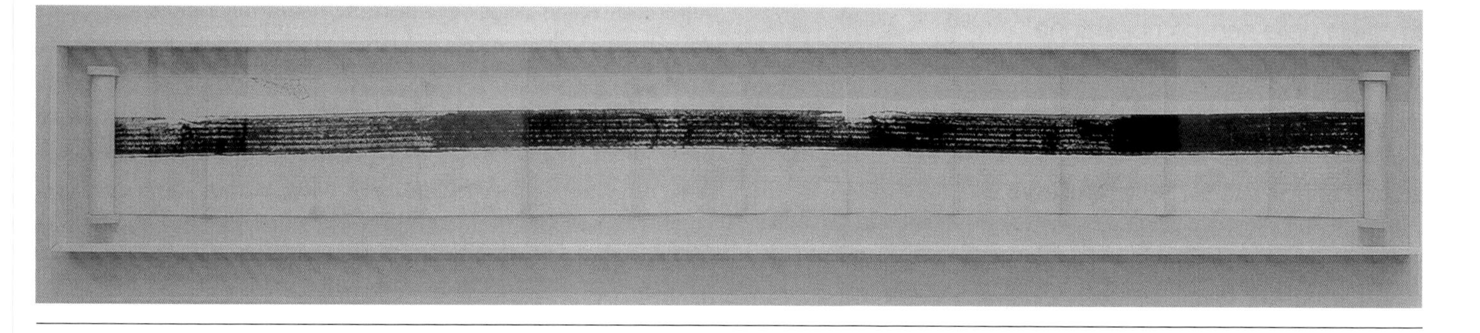

5 • Cy Twombly, *A ruota libera*, 1955
Tempera, matita, penna e pastelli su tela, 174 x 189,2 cm

nelle tracce violente incise dalla punta della matita o da altri strumenti nel pigmento che copriva le tele. Così per Twombly l'arma contro il segno autografo dell'Espressionismo astratto non fu la strategia della trasformazione della pennellata spontanea in un "dispositivo", ma quella di ricodificare il segno stesso nella forma del graffito, cioè la traccia anonima di una violazione della superficie vergine, come le dichiarazioni del tipo "Kilroy è stato qui".

Meno apparente come forma di indice di un'ombra o dell'impronta di un pneumatico, il segno graffito condivide con i rami spezzati in un bosco o gli indizi lasciati sulla scena di un delitto, la traccia di una presenza estranea che si è introdotta in uno spazio prima inviolato. È cioè un resto, un residuo. In questo senso rompe con una premessa fondamentale del credo del pittore d'azione: che l'opera funzioni come specchio che riflette l'identità dell'artista, producendo l'occasione di misurare la sua autenticità in un atto di autoriconoscimento. Se infatti lo specchio è un modello di presenza – l'autopresenza del soggetto al proprio riflesso – il segno graffito è una registrazione di assenza, del segno che resta dopo l'evento e che, ▲ come spiega Jacques Derrida nel suo libro *Della grammatologia*, ha il carattere formale di strappare via da sé l'autopresenza (l'istante presente in cui l'autore realizza il segno), dividendo l'evento in un prima e un dopo; è un segno che si forma in presenza del proprio autore come *resto*, come residuo. Attestando così la strutturale assenza del graffitista nel segno che realizza, il graffito non solo fa violenza alla superficie che sfregia, ma si batte anche contro il suo autore, infrangendo il suo presunto riflesso nello specchio. Guadagnando in potere e coerenza in un'opera come *A ruota libera* **[5]**, realizzata alcuni anni dopo il *Disegno di de Kooning cancellato*, il segno di Twombly porta allo scoperto la violenza insita nei segni di cancellazione di Rauschenberg. Entrambi sono sviluppi dell'indice di fronte alla tensione del pittore d'azione verso l'autopresenza autorale, così come entrambi condividono ripetizione e casualità come strategie per "non comporre". RK

ULTERIORI LETTURE:

Yve-Alain Bois, *Ellsworth Kelly in France: Anti-Composition in Its Many Guises*, in Jack Cowart (a cura di), *Ellsworth Kelly: The French Years*, National Gallery of Art, Washington D.C. 1992
Jacques Derrida, *Della grammatologia*, trad. it. Jaca Book, Milano 1998
Walter Hopps, *Robert Rauschenberg: The Early Fifties*, Menil Foundation, Houston 1991
Leo Steinberg, *Other Criteria*, in *Other Criteria: Confrontations with Twentieth-Century Art*, Oxford University Press, London-Oxford-New York 1972
Kirk Varnedoe, *Cy Twombly*, Museum of Modern Art, New York 1994

▲ Introduzione 4

1955a

Nella loro prima esposizione a Tokyo, gli artisti del gruppo Gutai propongono una nuova interpretazione del dripping di Jackson Pollock che si ricollega alla tradizione giapponese e interpreta alla lettera l'espressione "pittura d'azione".

Sul primo numero della rivista *Gutai*, pubblicata nell'ottobre del 1956, apparve questa breve dichiarazione in giapponese: "Piangiamo la prematura scomparsa del pittore americano ▲ Jackson Pollock, che teniamo in alta stima, in un incidente automobilistico quest'estate. Abbiamo ricevuto la seguente lettera riguardante la morte di Pollock dal suo amico B. H. Friedman: 'Fra [i suoi effetti personali] c'erano due copie di ognuno dei numeri 2 e 3 di *Gutai*. So che queste vostre pubblicazioni devono essere state apprezzate da Pollock, poiché si interessavano allo stesso tipo di visione e di realtà che interessavano lui. Lee mi ha dato le copie in più dei due numeri e mi farebbe molto piacere se voi mi spediste il primo numero, se ne avete ancora una copia, e tutti i numeri che avete pubblicato dopo il terzo'".

Dalla pubblicazione di questa lettera-necrologio possiamo dedurre non soltanto l'importanza dell'arte di Pollock per gli artisti del gruppo Gutai ma anche il loro ardente desiderio di riconoscimento internazionale, così come il loro orgoglio nell'informare il pubblico giapponese del gruppo di un primo significativo successo su questo punto: la prova tangibile che la loro rivista era stata notata all'estero. Il mistero di come diverse copie dei numeri 2 e 3 di *Gutai*, entrambi pubblicati nell'ottobre del 1955, siano atterrate nello studio di East Hampton di Pollock è stato risolto recentemente: secondo il curatore giapponese Tetsuya Oshima, l'artista gutai Shōzō Shimamoto (1928-2013) le aveva spedite al pittore americano nel febbraio del 1956, con una lettera di accompagnamento che chiedeva scusa per la "nostra audacia". Non abbiamo modo di sapere se Pollock, la cui vita e opera erano allora in grande crisi e che sarebbe morto pochi mesi dopo, abbia effettivamente anche sfogliato la rivista. Ma se l'ha fatto, è improbabile che possa aver apprezzato l'"audacia" dell'attività del gruppo soltanto a partire dal materiale visivo.

È vero che nell'unico testo in inglese del numero 2 (nelle ultime pagine) l'artista gutai Yozo Ukita (1924-2013) menziona che molti dei dipinti riprodotti nella rivista "deviano completamente dalla nozione convenzionale secondo cui i quadri devono essere lavorati a pennello su tela" e che alcuni di essi "sono stati realizzati con vibratori elettrici, graffiando la superficie della tela con le unghie, *suffing* [?] sulla tela e anche utilizzando carta accartocciata"; e inoltre accenna – segnalando che in quel numero era stata data "particolare enfasi" a due artisti, il trentenne Michiko Inui e l'insegnante di chimica Toshiko Kinoshita – ai "prodotti chimici" che quest'ultimo ha usato nella sua pittura. Tuttavia, soltanto un lettore giapponese aveva accesso al commento dettagliato di Kinoshita alle proprie opere, e a quello di Shimamoto nelle pagine che accompagnavano le loro riproduzioni a colori nella parte centrale, entrambi insistenti sull'imprevedibilità delle reazioni chimiche che producevano i dipinti, e poteva quindi dar senso alla serie di cinque fotografie di bassa qualità che mostrano l'artista al lavoro con le fiale da laboratorio. In effetti la frase più memorabile dell'editoriale di Ukita è forse l'ultima: "Ancora una volta a tutti voi che nutrite un interesse in questo nuovo campo dell'arte, per favore non esitate a inviarci le vostre creazioni che saranno un contributo al nostro 'GUTAI' e anche alla nostra nuova e amata arte". Per stimolare risposte il numero includeva una cartolina bianca staccabile indirizzata al gruppo (c/o Shimamoto) e un invito a spedire anche fotografie.

Pollock non rispose, ma fu dunque il destinatario immaginario.

1 • Hans Namuth, *Jackson Pollock dipinge* Ritmo autunnale, 1950

▲ 1949a, 1960b

Recenti ricerche, la più importante da parte di Ming Tiampo, hanno rivelato che Jiro Yoshihara (1905-72), il mentore e sostenitore finanziario del gruppo Gutai, era rimasto affascinato dalla sua arte fin ▲ dalla lettura del famoso articolo su *Life* del 1949 intitolato "Jackson Pollock: è il più grande pittore vivente degli Stati Uniti?" Nel maggio del 1951, quando due dei classici dripping di Pollock giunsero in Giappone per una mostra collettiva, sarebbe stato l'unico ad apprezzarli nella sua recensione, imbeccato dall'articolo altrettanto famoso di Robert Goodnough "Pollock dipinge un quadro", che era appena apparso su *Artnews* e sul quale aveva preso abbondanti annotazioni – isolando in particolare una citazione dall'artista che diceva che lavorava "dall'astratto al concreto". Ma quello che colpì Yoshihara non meno del reale contatto con le opere stesse, o del resoconto di Goodnough della pratica di Pollock, furono le celebri fotografie di Hans Namuth che illustrano quel testo e mostrano Pollock al lavoro su *Ritmo autunnale*, mentre sgocciola e versa **[1]**. (Sul numero 6 di *Gutai*, uscito nell'aprile del 1957, una di queste fotografie sarebbe stata riprodotta in un articolo su Pollock di B. H. Friedman, stampato sia in inglese sia in giapponese.) Da allora Pollock diventò la pietra di paragone di Yoshihara con cui giudicare l'originalità dell'opera di chiunque, compresa la propria – ma anche un trampolino da cui saltare in territori inesplorati. Estendere il gesto di Pollock senza imitarlo sembra essere stata la tacita meta che fissò per sé e per i suoi giovani discepoli gutai.

Il gruppo Gutai venne ufficialmente formato da Yoshihara nell'agosto del 1954, costruito sulle associazioni di diversi altri artisti della provincia di Kanzai a cui aveva preso parte attiva; ma molti dei suoi membri iniziali lasciarono pochi mesi dopo, scontenti del suo ruolo in qualche modo autoritario e disapprovando l'enfasi che poneva sulla rivista come luogo designato (invece delle mostre nelle gallerie). È solo alla fine della primavera del 1955, quando si unirono artisti di un secondo gruppo, Zero-kai, che la natura sperimentale di Gutai prese piede. Allora Yoshihara aveva già conquistato una reputazione nazionale come pittore. Aveva recentemente abbandonato la vena surrealista delle sue opere di prima della guerra a favore di un tipo di astrazione attraverso cui cercava di realizzare una fusione di estetica giapponese (calligrafia) e arte contemporanea occidentale, a cui era venuto a conoscenza soprattutto attraverso le riviste. Vivendo nella piccola città di Ashiya, si abbonò a un'ampia gamma di riviste internazionali e fu notevolmente informato di tutte le nuove tendenze artistiche al di fuori del Giappone: la sua estesa biblioteca gli fornì i puntelli quando spronò le reclute di Gutai a reinventare la strada. "Create ciò che non è mai stato fatto prima!", avrebbe detto loro – un motto che aveva una particolare risonanza nel Giappone del dopoguerra, che sembrava troppo ansioso di cancellare il suo recente passato militare con un altro, più placido ma non meno sterilizzato ethos di conformità. Non è tanto la sua arte quanto la sua indipendenza mentale, la sua

2 • Kazuo Shiraga, *Opera II*, 1958
Olio su carta, 183 x 243 cm

▲ 1949a

sfida alla burocrazia, la sua volontà di cogliere l'opportunità di una tabula rasa garantita dalla situazione storica del Giappone postbellico e i suoi incoraggiamenti ad essere radicali il più possibile a spiegare l'attrazione che esercitò su artisti che erano di una generazione più giovani. L'interesse di Yoshihara per la performance e il teatro – l'unico ambito in cui era innovativo quanto gli altri membri di Gutai – ha pure giocato un ruolo importante nel definire l'attività del gruppo.

Un creativo fraintendimento di Pollock

È questa angolatura performativa da cui Gutai guardò a Pollock a risultare uno dei più interessanti, benché di breve durata, "fraintendimenti creativi" dell'arte del XX secolo. Anche prima che il gruppo si fosse formato, e senza conoscere il resoconto del critico, gli artisti gutai avevano cercato di interpretare alla lettera la nozione (antiformalista) di Harold Rosenberg che la tela espressionista astratta è un'"arena per l'azione" e i quadri stessi sono molto meno significativi dei gesti che li producono. In effetti fu la nuova tecnica adottata nel 1954 da Kazuo Shiraga (1924-2008), che sarebbe diventato uno dei membri più brillanti del gruppo, a fare da elemento catalizzatore: abbandonando il pennello, Shiraga cominciò a dipingere con i piedi, concependo questo metodo corporeo come una radicalizzazione dell'orizzontalità di Pollock. Vedendo le opere di Shiraga **[2]**, altri artisti come Shimamoto, che praticava buchi in spessi schermi di carta dipinta, o Saburo Murakami (1925-96), che lanciava palle intinte nell'inchiostro, compresero di avere un duplice interesse in comune: per prevenire un ritorno protezionista alle pratiche artistiche tradizionali dell'arte giapponese (per esempio l'estremamente codificata calligrafia) si doveva non solo inventare nuovi modi radicali di produrre un segno, ma anche esasperare la natura rituale della cultura giapponese per trasformare l'atto artistico in una performance trasgressiva e ludica. È questa duplice indagine a caratterizzare le produzioni più interessanti di Gutai. Il nome stesso è correntemente tradotto con "concretezza", formato da due caratteri: "gu", che significa strumento o utensile, e "tai", che significa corpo o sostanza.

L'inventiva degli artisti gutai nella scelta dei materiali per i loro oggetti, nel metodo di lavoro delle loro opere (spesso realizzate durante le mostre) e nelle loro installazioni (particolarmente quando erano all'aperto) è incostante. La spettacolarizzazione della produzione, soprattutto durante i tre primi anni di esistenza del gruppo, richiese quasi inevitabilmente un'enfasi su casualità e contingenza (come Pollock, molti di loro insistettero, quando dipingevano, sul rompere il legame che – attraverso il pennello – aveva sempre collegato mano, gesto e segno). Per spargere la pittura o l'inchiostro Akira Kanayama (1924-2006) usava un'automobilina elettrica, Yasuo Sumi (nato nel 1925) un vibratore, Toshio Yoshida (1928-97) una scatoletta tenuta tre metri sopra la superficie da dipingere; Shimamoto rompeva vasi di pigmento su un sasso disposto sulla tela o usava un fucile, mentre Shiraga preferiva le frecce per bucare borse piene di colore.

3 • Kazuo Shiraga, *Sfida contro il fango*, ottobre 1955
Performance

Non sorprende che i dipinti risultanti non fossero di grande interesse in sé (i numerosi "quadri dipinti con i piedi" di Shiraga sono tra le pochissime tracce pittoriche di quegli eventi che non sembrano sciatte, sicuramente perché l'impronta indicale registra chiaramente la temporalità dell'atto). Ma gli artisti gutai lo sapevano bene e, almeno all'inizio, non diedero molta importanza a questi resti, considerandoli puri materiali per le performance o installazioni multimediali. Non risolsero comunque subito come dare appropriatamente un resoconto delle loro attività. Per esempio, se Pollock avesse percorso il terzo numero di *Gutai*, che documentava a fondo la prima manifestazione di Gutai come gruppo (all'interno di una mostra che includeva anche altri artisti) – l'*Esposizione sperimentale all'aperto di arte moderna per sfidare il sole cocente di mezza estate*, tenutasi per due settimane nel luglio e agosto del 1955 – avrebbe avuto un'idea molto limitata della radicalità delle opere che presentava – e, ancora, l'unico testo in inglese che conteneva non avrebbe potuto aiutare molto. In esso Ukita insiste su un aspetto della mostra che è completamente assente dalle fotografie

▲ 1947b, 1960b

4 • Saburo Murakami, *Passaggio*, ottobre 1955
Performance

(che illustrano opere isolate e prive di qualsiasi presenza umana): l'atmosfera da "parco dei divertimenti" dell'intero evento, che si svolse in una pineta. Ma, a meno che uno sappia leggere le didascalie in giapponese, non c'è qui nessun modo di sapere che l'opera di Atsuko Tanaka (1932-2005), la cui riproduzione apre il numero, consisteva di una tela di dieci metri quadri di nylon di color rosa attaccata leggermente al di sopra del terreno e delicatamente mossa dalla brezza; che l'opera di Shimamoto consistesse in un foglio di metallo galvanizzato bucato con numerosi fori (in un modo simile a Fontana); che la fila di pali bianchi di Yoshida, posta mezzo metro accanto, era lunga sessanta metri, con la punta di ogni palo dipinta di un colore diverso; o che Kinoshita aveva sparpagliato sul terreno centinaia di palline di metallo dipinte di giallo, verde e bianco.

È soltanto nel quarto numero di *Gutai*, che documenta la *Prima mostra di Gutai* – tenutasi al chiuso di un grande edificio di Tokyo nell'ottobre del 1955 – che il gruppo trovò un modo di presentare in veste di stampa l'aspetto performativo della sua opera. La produzione di tutti gli artisti partecipanti vi è riprodotta e commentata, ma il primo posto è accordato a due opere che incarnano meglio lo spirito del gruppo: *Sfida contro il fango* di Shiraga e *Apertura in un istante di sei buchi*, entrambe "performate" durante l'inaugurazione della mostra. Una fotografia a piena pagina di Shiraga, mezzo nudo, che si agita su mucchio di fango bagnato **[3]**, è seguita da quattro altri scatti che lo riprendono in azione, e poi, voltando ancora pagina, si scoprono diversi scatti del risultato (il mucchio di fango pieno di buchi e impronte del corpo) paragonato a quello del dipinto con i piedi, sempre di Shiraga, il tutto accompagnato da ampi commenti, ahimè tutti solo in giapponese, degli artisti così come del collega

Akira Kanayama. Così per Murakami, che non è stato effettivamente ripreso mentre irrompeva attraverso una fila di grandi schermi di carta, ma lo si vede invece che guarda con aria piuttosto interrogativa, come fa l'artista Tsuruka Yamazaki amico di Gutai sull'altro lato, i buchi spalancati che ha lasciato il suo violento passaggio **[4]**, squarci che sono abbondantemente documentati, fotograficamente così come dai commenti che accompagnano, nelle quattro pagine dedicate all'"evento". La drammatizzazione del gesto da parte di Shiraga e Murakami fu particolarmente eloquente in ciò che le fotografie non potevano trasmettere, poco precise com'erano, cioè la natura effimera del loro atto – e non a caso queste due opere figurano tra quelle ▲ scelte da Allan Kaprow quando, nel suo libro del 1966 *Assemblage, Environments & Happenings*, generosamente (e un po' erroneamente) presentò l'attività di Gutai come anticipazione dei suoi happening. Ma entrambe le azioni di Shiraga e di Murakami devono essere sembrate all'epoca ancor più trasgressive a un pubblico giapponese che a Kaprow: la prima perché faceva un implicito riferimento alla tradizione giapponese delle "feste del fango" in cui "giovani lottano nel fango delle risaie prima della prima semina dell'anno" (Tiampo); e la seconda perché assaltava esplicitamente e violentemente questa icona dell'architettura d'interno tradizionale giapponese, la parete divisoria di carta.

Presto la stessa teatralità di queste azioni si sviluppò in scena dove, a partire dal 1957, Gutai montò grandiose mostre audiovisive la cui caratteristica principale era, in un modo che ricordava il teatro ● dadaista, una predilezione per il grottesco e un atteggiamento ■ aggressivo verso il pubblico (come quando Francis Picabia nel 1924 aveva accecato il pubblico parigino del balletto *Relâche* puntandogli contro 370 fari di automobile, Sadamasa Motonaga [1922-2011] scacciò i suoi spettatori con il suo "cannone sputa fumo").

È comunque nella sua concezione delle esposizioni come grandi parchi dei divertimenti contenenti intervalli di spazi di meditazione e delicati oggetti scultorei che il gruppo Gutai ha dato il meglio. Nella sua seconda mostra all'aperto nel luglio 1956, per esempio, tenuta come la prima in una pineta, Motonaga appese tra gli alberi lunghi tubi di plastica pieni di acqua colorata che filtravano la luce del sole; Michio Yoshiara (1933-96), figlio di Jiro, scavò una buca nella sabbia dove seppellì una luce elettrica; Shimamoto costruì un ballatoio di assi su cui il pubblico era invitato a camminare; Kanayama attraversò l'intero spazio con una striscia di vinile bianco lunga più di 100 metri, decorata con orme nere che la facevano sembrare una pista e che finiva contro un albero **[5]**. Aleggiava un senso di gioco (molte opere esposte nelle mostre gutai invitavano gli spettatori a interagire), ma anche un genuino interesse per i nuovi materiali (con un amore particolare per la plastica, che segnò ovunque il periodo della ricostruzione dopo la Seconda guerra mondiale), entrambi spesso combinati al fascino per il perturbante. Un caso esemplare è *Abito elettrico* di Atsuko Tanaka (1932-2005), un costume fatto di varie dozzine di lampadine incandescenti e tubi al neon colorati con cui si avvolse, rischiando di restare fulminato, per l'inaugurazione di una mostra a Tokyo nel 1956 **[6]**. Un altro è l'enorme pallone di gomma di Kanayama, esposto nella stessa manifestazione. A forma di pancake e con la superficie picchiettata di punti colorati, reagiva alla minima vibrazione sul pavimento e produceva così l'impressione di essere un oggetto vivo.

Un fraintendimento riduttivo di Gutai

Quando comunque Gutai fu presentato alla galleria Martha Jackson di New York nell'ottobre del 1958 aveva ormai un'aria trita e la mostra fu un fiasco. La causa principale del fallimento fu uno spostamento di accenti dovuto in gran parte all'intervento del critico ▲ francese Michel Tapié, il campione dell'*Art informel*. Venuto a conoscenza nella primavera del 1957 dell'attività del gruppo e avendogli mostrato la rivista un giovane pittore giapponese che viveva a Parigi, Tapié contattò Yoshihara. Subito venne formato il progetto di un'uscita speciale della rivista in cui le opere degli artisti gutai venissero riprodotte accanto a quelle di artisti di altre parti del mondo. Progettato come fosse un libro scritto soltanto da Tapié e intitolato *L'avventura informale* (anche se all'ultimo minuto Yoshihara contribuì con un breve testo che parlava della visita di Tapié in Giappone, dove il critico era andato solo pochi giorni prima che la rivista venisse stampata nel settembre del 1957), il numero 8 di *Gutai* è notevolmente diverso dai numeri precedenti, soprattutto quelli dedicati alle mostre all'aperto o alle performance al chiuso. Tre volte più spesso e presentato in una custodia, dedica molto meno

5 • Akira Kanayama, *Orme*, alla Seconda mostra Gutai all'aperto, Ashiya Park, Ashiya, luglio 1956

▲ 1961 ● 1916a, 1925c ■ 1919 ▲ 1946

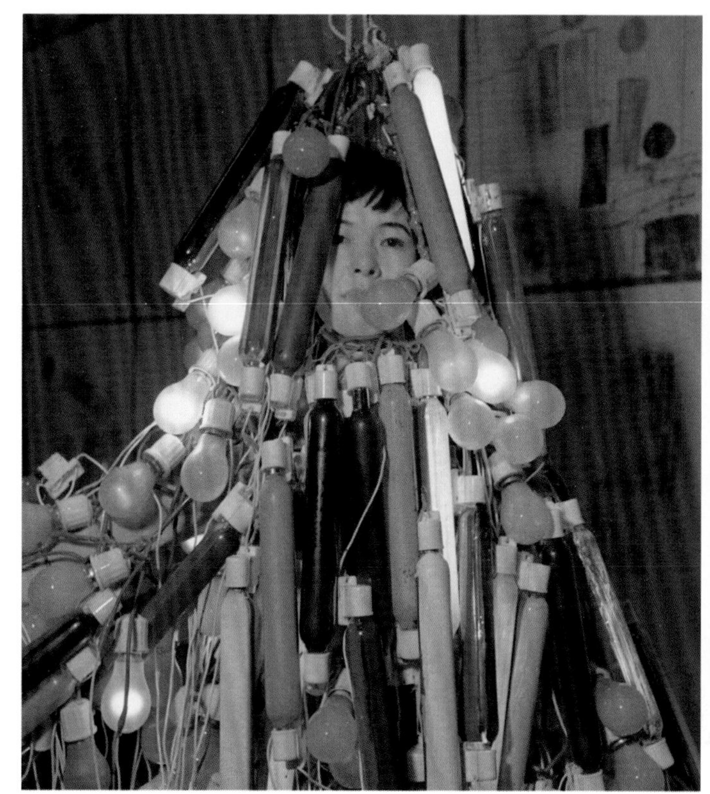

6 • Atsugo Tanaka veste il suo *Abito elettrico* alla *Seconda mostra Gutai*, Ohara Hall, Tokyo, 1956

spazio agli artisti gutai (solo sedici di loro sono nominati) che a quelli occidentali (sessantacinque, alcuni già molto noti a livello ▲ internazionale, come Dubuffet, de Kooning, Kline, Pollock e Fontana – la cui opera figura sulla copertina). Inoltre tutte le opere – principalmente dipinti – sono riprodotte isolate dal loro contesto, una o due per pagina, accompagnate solo dal nome dell'autore: sparito ogni tentativo di registrare il processo di realizzazione. L'intento di questo compendio era duplice: per Tapié era quello di dimostrare che le sue rivendicazioni estetiche stavano guadagnando slancio – cioè la sua idea di *informel* era diventata globale; per Yoshihara era quello di segnalare al mondo dell'arte giapponese, che era tutt'altro che sprezzante o indifferente, che le opere prodotte da Gutai, lungi dall'essere insane aberrazioni, venivano celebrate come parte integrante di un intero movimento molto rispettato oltreoceano. Diversamente da ciò che accadde con la lettera-necrologio di Friedman su Pollock, tuttavia, nella benvenuta annessione di Gutai da parte di Tapié, Yoshihara concluse rinunciando a tutti gli aspetti più radicali dell'attività del suo gruppo.

Nella primavera del 1958 Tapié visitò ancora il Giappone, questa volta per organizzare con Yoshihara la mostra itinerante *Arte internazionale di una nuova era: Informel e Gutai*, il cui catalogo, pubblicato come nono numero di *Gutai*, fu concepito sulla stessa linea di *L'avventura informale*, con una ancor maggiore enfasi sulla pittura, su esplicita richiesta di Tapié. La strategia del critico, il cui intento era evidentemente mercantile, ebbe un effetto devastante. Avendo trafficato per convincere Yoshihara, e con lui la sua intera coorte, che la pittura era la forza di Gutai, Tapié cercò di presentare la produzione pittorica del gruppo a New York. Anche se un po' di informazione venne fornita sul carattere performativo dell'attività di Gutai, comprese fotografie e filmati, il comunicato stampa della mostra emesso da Martha Jackson fu ancor più parziale della pomposa prosa di Tapié: "Il gruppo Gutai consiste di diciotto pittori. La loro ispirazione proviene dalla 'Nuova pittura americana'", affermava. Non soltanto i dipinti erano presentati come autonomi, idealizzati, astratti, non soltanto ogni attività non-pittorica del gruppo era quasi completamente ignorata, ma Gutai era considerato, con piena accondiscendenza, un mero discendente orientale dell'Espressionismo astratto. Comprensibilmente la mostra, effettuandosi nel momento stesso in cui la nozione di "pittura d'azione" era diventata ormai accademica in America, fu molto mal recepita. Se il fraintendimento di Pollock da parte di Gutai era stato creativo, quello di Gutai da parte di Tapié era stato tragicamente riduttivo. Il gruppo non si riprese mai dal fiasco della sua mostra a New York e lentamente degenerò in una caricatura di se stesso. Gutai si sciolse solo nel 1972 (alla morte di Jiro Yoshihara), ma aveva da tempo perso il suo splendore. YAB

ULTERIORI LETTURE:

Barbara von Bertolozzi e Klaus Wolbert (a cura di), *Gutai: Japanese Avant-Garde 1954-1965*, Mathildenhöhe, Darmstadt 1991

***Gutai* magazine**, edizione in facsimile (con traduzione completa in inglese), Ashiya City Museum of Art and History, Ashiya 2010

Tetsuya Oshima, "'Dear Mr. Jackson Pollock': A Letter from Gutai", in Ming Tiampo (a cura di), *"Under Each Other's Spell": Gutai and New York*, Pollock-Krasner House, East Hampton 2009

Ming Tiampo, *Gutai: Decentering Modernism*, Chicago University Press, Chicago 2011

Ming Tiampo e Alexandra Munroe, *Gutai: Splendid Playground*, Guggenheim Museum, New York 2013

▲ 1946, 1947b, 1949a, 1959a, 1959c, 1960b

1955b

La mostra *Il movimento* alla galleria Denise René a Parigi lancia l'Arte cinetica.

Il 6 aprile 1955, quando si ritrovò con i quattro artisti che partecipavano alla mostra *Il movimento* inaugurata quella sera nella sua galleria di Parigi **[1]**, Denise René non si aspettava una batosta (semmai un po' di gratitudine, fosse pure affettata: dopo tutto era la prima volta che quegli artisti avevano la possibilità di esporre nella sua ragguardevole galleria). Il venezuelano Jesús-Rafael Soto (1923-2005), l'israeliano Yaacov Agam (nato nel 1928), il belga Pol Bury ▲ (nato nel 1922) e lo svizzero Jean Tinguely (1925-91) si raccolsero intorno a lei per esprimerle la loro frustrazione. I "quattro moschettieri", come li chiamava René, erano furiosi perché Victor Vasarély (1908-97) era stato l'unico invitato a pubblicare un testo nel pieghevole stampato su carta gialla in occasione della mostra (il cosiddetto *Manifesto giallo*) e dunque sembrava il loro capogruppo. Per difendersi René sostenne che Vasarély non era più rappresentato degli altri nella mostra, che tra l'altro era stata un'idea sua. Inoltre, disse, tutto era stato fatto molto di fretta per prevenire la concorrenza di una mostra imminente a Losanna (che sarebbe infatti stata completamente messa in ombra), aggiungendo che

1 • La mostra *Il movimento* alla galleria Denise René di Parigi, aprile 1955

▲ 1960a

c'erano altri artisti che le sarebbe piaciuto includere, come Vassilakis Takis (nato nel 1925), e non aveva potuto farlo per mancanza di tempo.

Astrazione in movimento

Questa tempesta in un bicchiere non solo è molto rappresentativa dell'atmosfera parigina a metà degli anni Cinquanta, ma è anche un presagio della nascita e fine dell'ismo, poi denominato Arte cinetica o Cinetismo, che stava per essere lanciato. Inaugurata nel 1944 con una mostra dei primi disegni "optical" di Vasarély per pubblicità di moda (tutti figurativi), la galleria Denise René era progressivamente diventata la principale vetrina francese di quella che verrà chiamata Art construit, cioè una forma di astrattismo geometrico che cercava di ricollegarsi alla produzione anteguerra di ▲ gruppi come Cercle et Carré o Abstraction-Création. Senza contare la formidabile (e paralizzante) presenza di Grandi Maestri del ● modernismo come Picasso e Braque, il mondo dell'arte francese era allora completamente dominato da tardi e mediocri sottoprodotti di Cubismo e Surrealismo, da una forma sentimentale di figurazione che veniva stranamente associata alla filosofia esistenzialista (Bernard Buffet era la star del genere) e dal Tachisme (o Astrattismo lirico). Ponendo le opere di giovani artisti sotto la tutela dei pionieri dell'astrattismo geometrico dimenticati in Francia (come Mondrian, la cui prima mostra personale a Parigi sarebbe stata alla galleria di René nel 1957, o i costruttivisti polacchi ■ Strzeminski e Kobro, che in quello stesso anno presentò per la ◆ prima volta al pubblico francese, insieme a Malevič), Denise René era in missione: era la levatrice di un'arte di "chiarezza, stabilità e ordine" che, ai suoi occhi, si adattava perfettamente ai bisogni post-traumatici del periodo della ricostruzione. Questa interpretazione neoclassica, sorta di "ritorno all'ordine" dell'astrattismo, sarebbe ripugnata a Mondrian o Malevič, ma fu l'unico discorso critico con cui fu colta la loro opera nell'Europa del dopoguerra (in Francia il suo principale sostenitore fu l'amico di Mondrian e suo biografo Michel Seuphor, che organizzò la mostra miliare *Primi maestri dell'arte astratta* alla galleria Maeght di Parigi nel 1949).

Le prime opere astratte esposte da Vasarély nel 1947, alla sua seconda personale da Denise René, non avevano niente a che vedere con i suoi primi disegni grafici basati sul tremolio di forme in bianco e nero e sul contrasto positivo/negativo, una sorta di violenza ottica che aveva imparato a dominare durante l'apprendistato nella scuola tipo Bauhaus diretta da Sandor Bortnik a Budapest. Le sue composizioni della fine degli anni Quaranta – eleganti esercizi di equilibrio precario di superfici non modulate su sfondo neutro – appartenevano pienamente alla nuova tradizione dell'Art construit, di cui diventò presto il portavoce. Ma il dissenso era già nell'aria e nel 1950 questa stessa tradizione venne contestata nel pamphlet *L'arte astratta è un accademismo?* pubblicato da Charles Estienne, un critico che era stato fino ad allora un fedele sostenitore del gruppo di Denise René. Fu a questo punto che Vasarély introdusse nei suoi quadri l'illusionismo ottico che aveva a lungo limitato alla sua produzione commerciale e iniziò un programma artistico centrato sull'idea di movimento virtuale. I grandi *Fotografismi* che espose nel 1951 indicano il modo: come nelle opere di Bridget Riley dieci anni dopo, dalla destabilizzazione di una figura regolare e dalla continua inversione del rapporto figura/fondo è generata un'illusione di movimento (e di volume).

"Destabilizzazione" è la parola chiave. Le titillazioni retiniche di Vasarély ebbero l'immediato effetto di far apparire fuori moda la più tranquilla produzione dei suoi colleghi astrattisti geometrici: prendendo atto di questo ascendente, una buona metà degli artisti di René lasciò la galleria. Dal 1955 Vasarély diede forma alle sue composizioni e sviluppò nuove tecniche (come la sabbiatura di spesse lastre di vetro con figure diverse su ogni lato, che produceva effetti cangianti secondo gli spostamenti dello spettatore) e fu infine pronto per il lancio.

La mostra *Il movimento*, del 1955, fu un colpo riuscito: contemporaneamente battezzò un nuovo movimento (con Vasarély autoelettosi capofila) e riempì la galleria di nuove reclute. Per legittimare teoricamente quest'ultima tendenza artistica, René si assicurò il prestito di diverse opere di Alexander Calder (i cui primi *mobile* datano dal 1932) e, ancora più saggiamente, della *Semisfera* ▲ *rotante (Ottica di precisione)* del 1925 di Marcel Duchamp (diversamente da Calder, che aveva beneficiato del supporto critico del filosofo e scrittore Jean-Paul Sartre allora immensamente famoso, per la sua spettacolare mostra alla galleria Louis Carré nel 1946, Duchamp, che era da tempo emigrato negli Stati Uniti, cominciava da poco a venire ricordato nella Francia del dopoguerra). Inoltre, una breve cronologia del ruolo del movimento nell'arte del XX secolo venne pubblicata nel *Manifesto giallo*: partendo dal Futurismo italiano, citava Duchamp più di chiunque altro, dal suo ● primo readymade del 1913 (*Ruota di bicicletta*) alla prima macchina ottica (*Lastre rotanti di vetro*) del 1920, il film astratto *Anemic Cinema* (1926) e i *Dischi ottici* del 1935. Vi era citata anche ■ la sorprendente *Costruzione cinetica* di Naum Gabo (1890-1977), in cui un piccolo motore elettrico imprimeva un movimento oscillatorio a una sottile bacchetta di metallo generando così un volume ◆ virtuale **[2]**, il film astratto di Viking Eggeling *Sinfonia diagonale* del 1921 e l'automa tecnologico di Moholy-Nagy *Modulatore-spazio-luce* del 1935. (Altri precedenti storici che possono indurre qualche dubbio sulla pretesa originalità di Vasarély, come la *Mecanofaktura* di Henrik Berlewi del 1922 o le composizioni di Josef Albers su vetro realizzate al Bauhaus alla fine degli anni Venti e molti dei disegni che ne seguirono, brillarono per assenza.)

La tutela protettiva dei due pionieri dell'anteguerra non poteva essere più gradita ai "quattro moschettieri". Come Calder dopo la sua visita allo studio di Mondrian (che lo indusse a inventare i suoi *mobile* **[3]**), tutti cedettero allo stesso desiderio di realizzare dipinti in movimento e tutti diventarono impazienti di proseguire la critica duchampiana dell'autorità soggettiva dell'artista Dio creatore. Sia Bury che Agam esposero rilievi trasformabili, i cui elementi potevano essere spostati e riarrangiati, invitando lo spettatore a diventare di fatto coautore dell'opera (il gruppo argentino

▲ 1937b ● 1944b ■ 1913, 1917a, 1928a, 1944a ◆ 1913, 1915

▲ 1918, 1931b, 1993a ● 1914 ■ 1937b ◆ 1923, 1925d, 1929, 1947a

2 • Naum Gabo, *Costruzione cinetica*, 1919-20 (replica del 1985)
Metallo, legno dipinto e meccanismo elettrico, 61,6 x 24,1 x 19 cm

Madi aveva esposto opere basate sullo stesso principio nel Salon des Réalitées Nouvelles di Parigi già nel 1948, ma era stato quasi unanimemente condannato dai critici francesi per la sua mancanza di serietà). L'atteggiamento neodadaista di Tinguely era il più radicale: nei suoi rilievi *Meta-Malevič* sottoponeva delle composizioni suprematiste al vaglio della casualità, animando le loro forme geometriche grazie a un motore che le faceva ruotare su un fondo nero, minando la nozione stessa di opera come unità definitiva; nella sua *Scultura metameccanica*, una combinazione lineare elementare di ingranaggi attivata dal più semplice motore elettrico, ridicolizzava tutti i discorsi autocompiaciuti sul progresso tecnologico occidentale, all'epoca alquanto pletorici. Non meno importante, fu in questa mostra che espose la prima delle sue *Metamatic (Macchine per disegnare)*, robot forniti di penne o gessetti e progettati per produrre un'opera astratta (questa volta di tipo gestuale) su carta. Quanto a Soto, all'inizio fu molto vicino a Vasarély con il suo ampio uso di sovrapposizioni con i loro effetti cangianti (benché il suo modello fossero piuttosto i rilievi di plexiglas di Moholy-Nagy della metà degli anni Trenta, in cui le figure geometriche dipinte su un foglio trasparente di plexiglas proiettavano le loro ombre su un'altra composizione posta alcuni centimetri sotto). Ma a un esame più attento, le opere di Soto costituirono una critica radicale al programma di Vasarély di pura destabilizzazione delle composizioni astratte tradizionali: come François Morellet nello stesso periodo e seguendo l'esempio della ▲ produzione francese di Ellsworth Kelly, esplorò esplicitamente i sistemi non compositivi (griglie modulari omogenee, progressioni seriali) per prevenire la stasi gerarchica finale di qualsiasi composizione formale.

L'Arte cinetica coglie l'attimo... e lo perde

Benché la stampa all'inizio fosse reticente, la mostra ebbe un impatto enorme. In seguito ad essa si costituì una miriade di gruppi di artisti cinetici in diversi paesi europei (compreso il blocco orientale, con Zagabria e Mosca, per esempio) e nel 1960 la "nuova tendenza", come fu spesso chiamata all'epoca, aveva conquistato il mercato, mentre i musei di tutto il mondo le dedicavano le più importanti esposizioni. Nel 1965, capitalizzando il successo del Cinetismo, René organizzò una mostra di ricapitolazione che celebrava il decimo anniversario di *Il movimento*. Il catalogo di *Movimento 2*, con copertina arancio vivissimo, riproduceva le opere di sessanta artisti di dieci paesi (la maggior parte però residente a Parigi e molti di essa emigrati dall'America Latina). Intesa come una celebrazione – e infatti enormemente popolare (questa volta anche la stampa era favorevole) – la mostra segnò di fatto l'inizio della fine dell'Arte cinetica. Appena pochi mesi più tardi, l'esposizione *L'occhio sensibile* al Museo d'Arte Moderna di New York sarebbe stato un altro bacio della morte, culminato nel 1966 con l'attribuzione del Gran Premio di pittura della Biennale di Venezia all'artista argentino Julio le Parc e da quello per la scultura nel 1968 all'ungherese Nicolas Schöffer, entrambi prolifici protetti di Denise René. La bolla esplose, molto più velocemente di quanto aveva messo a gonfiarsi, e bastarono pochi anni perché l'Arte cinetica sparisse dalla scena: la vacillante espansione commerciale di René seguì il classico finale della bancarotta, sia finanziaria che estetica, e con questo fiasco il bambino fu gettato via insieme all'acqua sporca.

Sono molti i fattori di questo spettacolare fallimento, ma nessuno è più importante del graduale predominio del ramo "Optical" del Cinetismo sugli altri; fu l'ascendente di Vasarély, in un certo senso, a uccidere il Cinetismo (la sua tendenza domina sia in *Movimento 2* che in *L'occhio sensibile*, anche se non fu lui ma Bridget Riley a portare l'Op alla ribalta newyorchese). I "quattro moschettieri" dopo tutto avevano ragione di lamentarsi: le cose sarebbero andate diversamente se Vasarély non si fosse imposto sulla mostra del 1955.

Infatti all'inizio *Il movimento* non aveva niente dell'omogeneità della sua replica di dieci anni dopo. Molti tipi di instabilità vi gareggiavano: il movimento illusorio, con la semplice attivazione ottica di una superficie (Vasarély privilegiò questo); gli aspetti dell'opera che cambiavano all'improvviso secondo gli spostamenti dello spettatore (Vasarély e Soto, a cui presto si aggiunse Agam); la manipolazione dell'oggetto da parte dello spettatore (Bury e Agam, che però abbandonarono presto questa vena ludica); il movimento dell'oggetto stesso grazie a una forma naturale di energia (Calder:

▲ 1953, 1962d

3 • Alexander Calder, *1 rosso, 4 neri più X bianchi*, 1947
Fogli di metallo, filo e pittura, 91,4 x 304,8 x 121,9 cm

vento, gravità) o a una meccanica (Tinguely). Inoltre, atteggiamenti contraddittori riguardo al ruolo dell'arte e al suo rapporto con la ragione e soprattutto con la scienza (che, dopo tutto, era frettolosamente concepita come *il* discorso più pregnante, in quest'era dell'atomica, collegato al movimento e all'energia) minarono quasi immediatamente l'unità del nuovo "ismo". La posizione utopica di Vasarély (un pot-pourri umanista di vecchi luoghi comuni sul linguaggio universale dell'arte astratta che colma la divisione di classe e risolve tutti i mali sociali, e sulla democratizzazione dell'arte attraverso la moltiplicazione infinita dei suoi oggetti, cioè la produzione di "multipli", che contribuì invece a una nauseante saturazione del mercato) era basata su una filosofia razionalista che gli automi arcaici di Tinguely parodiavano, come faceva anche l'attacco di Soto alla composizione con la sua eliminazione del sé.

Agam si unì alla coorte di Vasarély (la destabilizzazione optical ▲ dell'Art construit). Adattando un dispositivo inventato da El Lisickij nella sua *Stanza espositiva* (i listelli di legno perpendicolari al piano del quadro, dipinti di colori diversi su ogni lato), Agam dedicò la maggior parte della sua carriera artistica a creare grandi composizioni geometriche che presentavano tre aspetti diversi a seconda della posizione dello spettatore. (Nel 1967 adattò questo limitato congegno a una spartana installazione consistente in una stanza semibuia illuminata solo da un'unica lampadina che reagiva con un voltaggio proporzionale al volume dei rumori prodotti dai visitatori, ma era quasi un tributo a un'opera di Gabo del 1920.)

Tinguely lasciò la galleria Denise René, diventata territorio di ▲ Vasarély. Attratto dall'amico Yves Klein (1928-62), si unì ai ranghi del Nouveau réalisme e continuò a produrre ironiche macchine motorizzate, assemblate con materiali trovati dai rigattieri. L'apice ● della sua carriera fu senza dubbio il gigantesco *Omaggio a New York* del 1960. Costruito in tre settimane nel giardino delle sculture del Museo d'Arte Moderna, venne fatto per autodistruggersi, cosa che compì in una raffica di fuochi e suoni in meno di un'ora.

Anche Bury fuggì dal bastione di Vasarély, paradossalmente proprio nel momento in cui, dopo la mostra del 1955, realizzava i suoi primi rilievi motorizzati. Tra le opere che escono da questo periodo estremamente inventivo sono le *Puntuazioni elastiche* del 1960, la serie degli *Erettili* iniziata nel 1962 o i *Punti bianchi* dal 1964 al 1967. Nelle prime, una lastra di latex tesa su un telaio è schiacciata in diversi punti da punte che poi recedono, con un ritmo lento di movimento alternato che inevitabilmente dà all'opera connotazioni organiche – sesso, respiro. Nei *Punti bianchi* il lentissimo movimento spasmodico della miriade di punte di fili di nylon nero che escono da una bitta di legno (tutti potenziali bersagli della nostra messa a fuoco), ma solo uno o due alla volta, fa sì che non possiamo mai essere certi di aver visto veramente qualcosa muoversi o tutto quello che si è mosso. L'effetto è insieme comico (perché imbarazzante) e inquietante, come sempre con la confusione tra organico e inorganico (che per Freud è uno dei caratteri del perturbante).

▲ 1926

▲ 1960a, 1967c ● 1960a

Cinetismo destrutturante

L'evoluzione di Soto è forse la più significativa per il suo fluttuare tra il polo optical-geometrico e quello organico o corporeo. Spesso riflesse nelle sue scelte strategiche (come quando lasciò il gruppo di Denise René per passare alla galleria di Yves Klein, Jean Tinguely e Vassilakis Takis, o quando partecipò insieme all'amico Lucio Fontana alle mostre del Gruppo Zero di Düsseldorf, formato da Heinz Mack, Günther Uecker e Otto Piene), le oscillazioni delle posizioni di Soto indicano bene come le cose inizialmente fossero meno precise di quanto retrospettivamente si immagini. Subito dopo la mostra *Il movimento,* Soto si imbatté in uno strumento semplice per realizzare la sospensione vibratoria della forma che aveva cercato con le sue sovrapposizioni di plexiglas: uno sfondo striato in maniera regolare è sufficiente per smaterializzare otticamente il contorno di qualsiasi forma vi si proietti davanti, se lo spettatore si sposta lateralmente. Nel 1957 Soto abbandonò quasi del tutto il vocabolario geometrico che aveva usato fino ad allora e iniziò i suoi caratteristici disegni di fili che vibrano, imitando chiaramente l'astrattismo gestuale, combinati anche a spesse ▲ concrezioni di materia come se ne trovano nei quadri di Dubuffet o Fautrier. Ma anche dopo il suo definitivo ritorno agli elementi geometrici nel 1965, in rilievi che crebbero continuamente di dimensioni e sempre più proiettati nello spazio dello spettatore, fino a diventare ambientazioni, egli prese a sottolineare la discrepanza tra la semplicità dei mezzi materiali e la forza dell'effetto di dissoluzione. L'opera più sorprendente (e l'ultima) di questo periodo è forse l'enorme *Penetrabile*, di quattrocento metri quadrati, realizzato all'esterno per la sua retrospettiva al Museo Nazionale d'Arte Moderna di Parigi nel 1969, che consisteva di varie migliaia di sottili tubi di plastica pendenti da una tettoia a griglia: l'atmosfera diventava completamente vibratile, quasi fosse gassosa, e gli spettatori che entravano e vagano nel vasto spazio potevano vedere gli altri solo come silhouette fluttuanti, deformate e cangianti.

Un episodio particolare della carriera di Soto getta qualche luce sull'ambivalenza della sua posizione (che moltiplica geometrie per produrre sensazioni corporee sospese) e sulla storia del Cinetismo in generale: la sua mostra del 1965 alla galleria Signals di Londra. Benché Signals non volesse necessariamente essere una galleria non commerciale (lo fu e chiuse dopo appena diciotto mesi), la sua "eminenza grigia", il giovane artista filippino David Medalla, la vedeva come un crogiolo, una sorta di "spazio alternativo" che invitava artisti da tutto il mondo a collaborare in totale libertà e a volte finanziando la loro creazione di "ambienti", all'epoca del tutto invendibili. (Tra i membri fondatori della cooperativa – il cui nome originario era Centre for Advanced Creative Study – c'era Gustav Metzger, l'apostolo dell'"arte autodistruttiva".) Il suo bollettino, che riportava più mostre collettive che personali, rifletteva questa rara apertura. Conteneva molti testi degli o sugli artisti esposti, ma anche su altri – per così dire commilitoni – e poesie, materiale scientifico, canzoni, polemiche politiche e un insieme di documenti riguardanti l'attività della galleria. (Il numero su Soto include, tra le altre cose, le traduzioni di un testo del 1877 del fisico tedesco

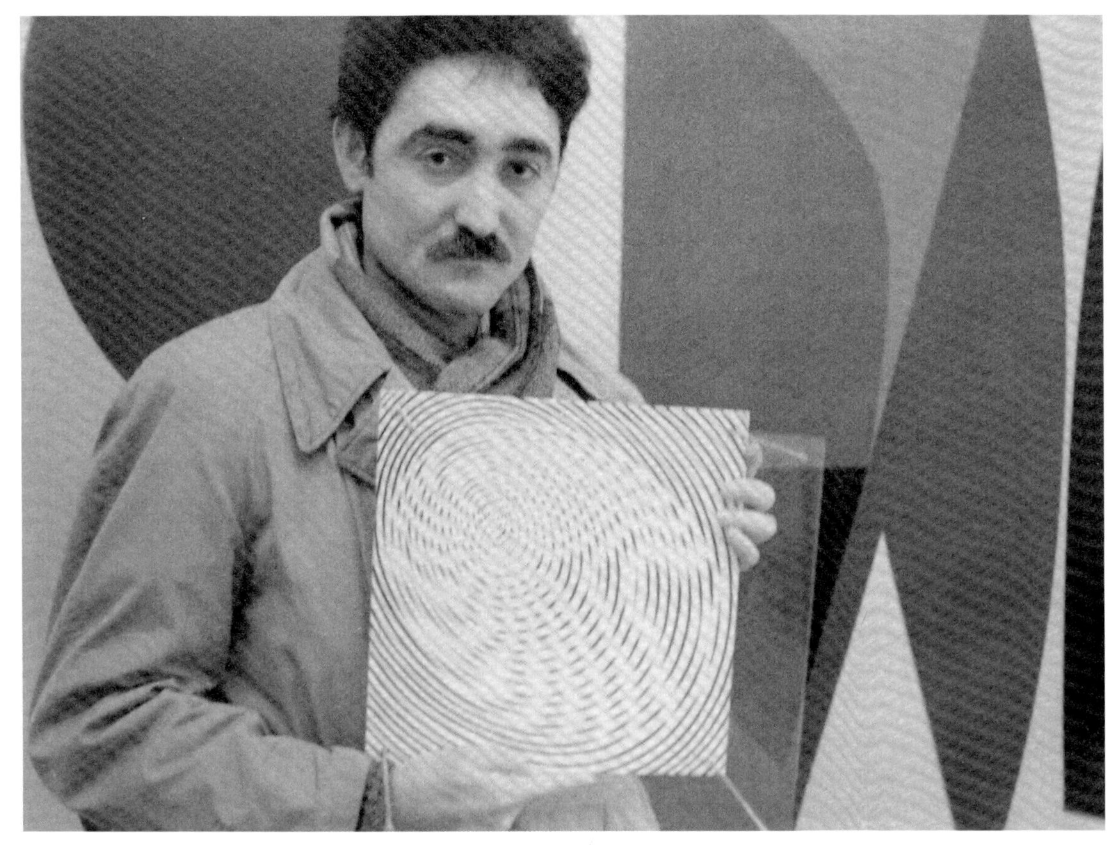

3 • Jesús-Rafael Soto con la sua *Spirale* alla galleria Denise René nel 1955
Sullo sfondo un dipinto di Richard Morthensen

▲ 1946, 1959c

5 • David Medalla, *Canyon di nuvole n. 2*, 1964 (dettaglio)
Macchina per bolle sapone = scultura auto-creativa

Hermann von Helmholtz [1821-94] sulla composizione delle vibrazioni e diversi "sogni" dello scrittore argentino Jorge Luis Borges [1899-1986].) Con il suo grande formato e la tipografia destrutturata (modellata sui quotidiani), il bollettino *Signals* aveva tutte le caratteristiche di una "zine" underground dell'epoca (secondo Medalla la galleria chiuse quando i sostenitori ritirarono il loro supporto finanziario dopo la pubblicazione dei testi dello storico Lewis Mumford e del poeta Robert Lowell contro la Guerra del Vietnam).

Nonostante il giocoso anarchismo di Medalla, la galleria Signals ebbe un programma serio con cui propose una versione di Cinetismo che ha poco a che fare con quella delle mostre *Movimento 2* o *L'occhio sensibile*. La prima mostra, nel 1964, fu dedicata alle sculture elettromagnetiche di Takis, dette precisamente *Segnali* (frecce e palle sospese nello spazio, luci intermittenti e dischi pulsanti simultaneamente su quadri di comando scollegati, una ferraglia istrionica e per molti versi antiquata in preda a una "forza invisibile" e celebrata sul bollettino della galleria da William Burroughs). Questa fu subito seguita da una mostra dei *Canyon di nuvole* di Medalla **[5]**, macchine primitive composte di scatole di legno piene di un misto di sapone liquido e acqua, che una pompa trasformava in un flusso di schiuma che usciva lentamente dall'alto e assumeva le sensuali curve di una scultura dell'ultimo Arp, parodiandone la pretesa di eternità. Tra le mostre organizzate da Signals, molte di artisti cinetici *non* rappresentati da Denise René, una delle più memorabili resta la retrospettiva di Lygia Clark nel 1965, a cui ▲ avrebbe dovuto seguire un "ambiente" di Hélio Oiticica (la galleria chiuse prima della realizzazione del progetto, che diventò poi la famosa installazione intitolata *Tropicalia*, che l'artista montò alla galleria Whitechapel nel 1969).

È questo il contesto in cui Soto sbarcò a Londra: la facilità con cui ingranò con il gruppo di Signals spiega meglio di qualsiasi altra cosa la ragione del suo vigoroso rifiuto di partecipare alla mostra *L'occhio sensibile* (andando contro le pressioni di René). Purtroppo questa resistenza non durò a lungo: la sua opera virò gradualmente nel gadget e nei facili effetti optical cari a Vasarély. Quando tornò definitivamente nel gruppo (dopo il suo *Penetrabile* del 1969) la sua arte non era più stimolante. Questo destino individuale non è atipico. Un altro esempio può essere quello del Gruppo di ricerca d'arte visiva (GRAV), ufficialmente fondato nel 1960, subito dopo che Piero Manzoni aveva invitato i suoi futuri membri a esporre alla galleria Azimuth di Milano (dove l'artista italiano avrebbe tenuto la sua famosa mostra di "arte commestibile"). Per quanto strano possa sembrare il collegamento con un gruppo meglio noto per la sua emulazione del programma di Vasarély, all'inizio l'attività del GRAV fu più interessata alla partecipazione attiva dello spettatore che alle illusioni ottiche. Questo impeto ludico culminò il 19 aprile 1966 con *Una giornata per strada*, durante la quale i passanti in varie zone di Parigi erano invitati a camminare spostando delle mattonelle, costruire una scultura cinetica, entrare in diverse altre, far scoppiare palloncini, decorare speciali vetri che spezzavano la visione, ecc. Ma questo segnò la fine sia della natura collettiva sia dell'atteggiamento sperimentale del GRAV. Due mesi dopo, quando le Parc, membro del GRAV, vinse il premio alla Biennale di Venezia (e cominciò a criticare la posizione antiestetica di Manzoni), l'Optical diventò l'ortodossia e il gruppo quasi immediatamente si sciolse. YAB

ULTERIORI LETTURE:

Jean-Paul Ameline et al., *Denise René, l'intrépide*, Centre Georges Pompidou, Paris 2001
Yves Aupetitallot (a cura di), *Strategies of Participation: GRAV 1960-68*, Le Magasin, Grenoble 1998
Guy Brett, *Exploding Galaxies: The Art of David Medalla*, Kala Press, London 1995
Guy Brett, *Force Fields: Phases of the Kinetic*, Museu d'Art Contemporani, Barcelona, e Hayward Gallery, London 2000
Pamela Lee, *Chronophobia: On Time in the Art of the 1960s*, MIT Press, Cambridge (Mass.) 2004

▲ 1959e

1956

La mostra *Questo è il domani* a Londra segna il culmine delle ricerche sui rapporti tra arte, scienza, tecnologia, design e cultura popolare intraprese dall'Independent group, precursore della Pop art inglese.

L'Independent group fu più un multiforme gruppo di studio che un vero e proprio movimento artistico. I suoi membri principali erano artisti (Richard Hamilton [1922-2011], Nigel Henderson, John McHale, Eduardo Paolozzi e William Turnbull), ma i suoi promotori erano critici (il critico d'architettura Reyner Banham, il critico d'arte Lawrence Alloway e il critico della cultura Toni del Renzio [1915-2007]) e le sue notevoli imprese – l'ambiziosa serie di conferenze e di straordinarie esposizioni allestite con la collaborazione di designer innovativi come gli architetti brutalisti Alison Smithson e Peter Smithson – non si limitarono alle parole: la sua eredità riguarda l'"arte" della discussione, del design e dell'esposizione.

Il continuum arte alta-arte popolare

La storia dell'Independent group (1952-55) è legata a quella dell'Istituto d'Arte Contemporanea (ICA) di Londra, che servì da suo strumento di ricerca e sviluppo. Il turbolento rapporto tra i due è testimoniato dalle denominazioni successive del gruppo: prima Giovane, poi Giovane e Indipendente e infine Indipendente. L'ICA era stato fondato nel 1946, emulando il MoMA di New York, da scrittori come Roland Penrose (1900-84) e Herbert Read (1893-1968), suo primo presidente, per promuovere il modernismo. Ma la versione ICA del modernismo, un misto annacquato di Surrealismo(rappresentato da Penrose) e Costruttivismo (rappresentato da Read), era visto dalla nuova guardia di artisti, architetti e critici come un residuo accademico dell'anteguerra (Banham la definì "estetica astratto-freudiana-di-sinistra"). Quando nel 1951 arrivò un nuovo direttore, Dorothy Morland, i giovani ribelli cominciarono a lottare per avere un proprio spazio di discussione.

Come il MoMA, anche l'ICA voleva sondare i collegamenti tra arte modernista, architettura e design, ma a causa dell'austerità economica non era ancora in grado di farlo. La sua direzione era perciò relativamente aperta alle proposte dell'Independent group di discussioni ed esposizioni sperimentali: se Parigi aveva i suoi caffè e New York i suoi bar, anche Londra poteva avere il suo luogo di ritrovo. L'Independent group volse a proprio vantaggio questa posizione tra le due capitali dell'arte e utilizzò la nuova arte e cultura popolare nordamericana per riesaminare il modernismo accademico dell'Europa continentale. Allo stesso tempo lottò sul fronte locale, non solo *contro* l'ICA in una disputa generazionale sul modernismo e la cultura di massa, ma anche *con* l'ICA contro il sistema dell'arte inglese (in particolare nelle persone dello storico dell'arte e curatore Kenneth Clark e compagnia), il cui elitarismo, del tipo testa-nella-sabbia, vedeva qualsiasi cosa venisse dall'America come assolutamente volgare, se non come la fine stessa della

1 • Eduardo Paolozzi, *Ero il giocattolo di un uomo ricco*, 1947 ca.
Collage montato su cartoncino, 36 x 23 cm

▲ 1949b ● 1924, 1930b, 1931a ■ 1921b, 1928a

civiltà. Era questa la situazione ideologica in cui emerse l'Independent group: la lenta morte dell'Impero britannico e l'austerità del dopoguerra, il brusco avvento della Guerra fredda (con la minaccia atomica della fine del mondo) e una nuova era del progresso tecnologico. Questa situazione era complicata inoltre dal persistere del vecchio modernismo europeo da un lato e, dall'altro, dal sex appeal della cultura di massa americana, con la sua promessa di benessere in contrasto con l'attuale scarsità quotidiana.

Come luogo di dibattito l'Independent group passò attraverso tre formazioni orientate rispettivamente intorno all'esposizione e al design, alla scienza e alla tecnologia, e infine all'arte alta e a quella popolare. Nell'aprile 1952 un giovane assistente dell'ICA di nome Richard Lannoy organizzò tre eventi. Il primo fu una mostra ora leggendaria di immagini proiettate da Paolozzi dalla sua collezione di pagine di riviste, pubblicità, cartoline e diagrammi, che intitolò *Paroloni* e presentò con scarso ordine e poche spiegazioni [**1**]; il secondo fu una mostra di luci di un americano di nome Edward Hoppe e il terzo fu una conferenza di un designer di aerei de Havilland. Queste strane presentazioni evidenziano le caratteristiche dell'Independent group, interessato al collage, all'allestimento, al design, anche se lo statuto di queste discipline era ancora oscuro: erano "arte" o meno? Dopo che Lannoy se ne andò nel luglio 1952, Banham diventò maestro delle cerimonie. Dottorando all'Istituto d'Arte Courtauld sotto lo storico dell'architettura Nikolaus Pevsner, Banham elaborò una storia dell'architettura modernista che sottolineava il suo aspetto tecno-futurista più di quello formale-funzionalista, privilegiato invece da Read e dagli altri (la tesi riveduta fu pubblicata nel 1960 col titolo *Teoria e design nella prima età della macchina*, dando una svolta a questo campo di studi). Il suo interesse per la scienza e la tecnologia affiorò appena nel primo anno di incontri, che comprese conferenze sull'estetica della macchina (di Banham stesso), sul design di elicotteri, sulle proteine e sul principio di verifica (del filosofo A. J. Ayer). Diventò poi dominante nel corso di nove seminari organizzato da Banham nel 1953-54, intitolato *Problemi estetici d'arte contemporanea*, composto da uno sull'"impatto della tecnologia" (sull'ambiente e sull'arte) di Banham, uno di Hamilton su "nuove fonti della forma" ("sotto l'impatto della microfotografia, dell'astronomia a lungo raggio, ecc."), uno di Colin St. John Wilson su "proporzione e simmetria" e uno di Alloway sull'"immagine dell'uomo" in arte (trasformata dai "nuovi fattori: cinema, antropologia, archeologia"). Dopo il corso, Banham tornò alla sua dissertazione e seguì un periodo di tregua, finché Alloway e Mc Hale furono chiamati a riunire il gruppo. Essi spostarono il programma del 1955 dalla scienza e tecnologia al "continuum arte alta-arte popolare" (Alloway), con sessioni tenute da Hamilton sull'"immaginario popolare seriale nel contesto dell'arte alta", mentre Banham parlò di "iconografia sessuale" del design di automobili (importante per quadri di Hamilton come *Omaggio alla Chrysler Corp.* [**2**]), E. W. Meyer trattò di teoria dell'informazione, Alloway e del Renzio di "simbolismo sociale" in pubblicità, cinema, musica e moda, e Banham e Gillo Dorfles di disegno industriale italiano.

2 • Richard Hamilton, *Omaggio alla Chrysler Corp.*, 1957
Olio, metallo e collage su tavola, 121,9 x 81 cm

Forse lo spostamento dalla scienza e tecnologia non fu così grande: come notò Hamilton retrospettivamente, l'Independent group si è sempre interessato di rappresentazioni popolari. Ma il continuum arte alta-arte popolare sembrò adattarsi bene alla direzione dell'ICA, perché gli incontri formali dell'Independent group finirono nel 1955 quando il suo programma venne di fatto integrato in quello dell'ICA stesso (Alloway vi diventò assistente, poi delegato, infine direttore). All'inizio degli anni Sessanta, membri importanti del gruppo emigrarono: per primo Alloway negli Stati Uniti (dove diventò presto curatore al Museo Guggenheim), seguito da McHale e Banham. Anche il centro dell'avanguardia inglese si spostò al Royal College of Art, prima con Richard Smith (nato nel 1931) e Peter Blake (nato nel 1932), poi con Derek Boshier (nato nel 1937), David Hockney (nato nel 1937), Allen Jones (nato nel 1937) e Ronald B. Kitaj (1932-2007). Per quanto diversi, la maggior parte di loro può essere collocata sotto la nuova etichetta della Pop art, diffusa a questo punto da Alloway. Infatti quasi tutti diventarono agenti attivi più che ambigui studiosi dell'industria culturale popolare di arte, musica e moda degli anni Sessanta.

Un'estetica dell'accostamento

Parallele alle conferenze dell'Independent group furono le sue esposizioni, nelle quali i membri agirono come curatori più che come artisti. Ne furono realizzate quattro. La prima, *Crescita e forma*, allestita da Hamilton nell'estate 1951, prima della fondazione ufficiale dell'Independent group, utilizzò molti proiettori e schermi per produrre un ambiente fotografico di strutture diverse trovate in natura. Essa introdusse gli elementi chiave delle esposizioni future del gruppo: l'immaginario extra-artistico, la multimedialità e il progetto espositivo come forma d'arte. Inoltre adattò il dispositivo del collage e offrì un suo principio specifico: la trasformazione. La mostra infatti si ispirò al classico della biologia matematica del 1917 *Crescita e forma*, in cui lo zoologo scozzese D'Arcy Thompson espose la sua teoria della trasformazione morfologica. Sia il dispositivo del collage che il principio di trasformazione guidarono anche le tre esposizioni seguenti. *Parallelo tra vita e arte*, curata da Henderson, Paolozzi e gli Smithson nell'autunno del 1953, presentò le trasformazioni della cultura in un collage spaziale di un centinaio di ingrandimenti di quadri modernisti (Kandinskij, Picasso, Dubuffet), arte tribale, disegni di bambini e geroglifici, così come di fotografie antropologiche, mediche e scientifiche, esposte senza commenti ai vari angoli e fin sui soffitti dello spazio espositivo dell'ICA **[3]**. L'uso della riproduzione fotografica e della frammentazione della visione ricordava le ▲ installazioni costruttiviste e surrealiste, a cui si aggiunse l'inserimento di immagini e testi di repertorio come *Fondamenti dell'arte* • *moderna* (1931) di Amédée Ozenfant, *La Nuova visione* (1932) di László Moholy-Nagy e *La meccanizzazione prende il comando* (1948) di Sigfried Giedion. Come le conferenze dell'Independent group, sia *Crescita e forma* che *Parallelo tra vita e arte* implicavano un'influenza di scienza e tecnologia sulla società, la cultura e dunque l'arte più di quanto avesse fatto l'arte stessa. Lo stesso vale per la terza esposizione, *Uomo, macchina e movimento*; presentata

3 • Veduta dell'installazione *Parallelo tra vita e arte*, 1953
La mostra fu tenuta nelle grandi stanze Regency dell'Istituto d'Arte contemporanea di Londra

▲ 1921b, 1926, 1931a, 1942b • 1923, 1925a, 1928a, 1929

da Hamilton all'ICA nell'estate 1955, era incentrata sulle trasformazioni dell'immagine dell'uomo. Anche qui c'erano ingrandimenti fotografici, ora di corpi e macchine in movimento, sottacqua, sulla terra, in cielo e nello spazio: un sublime futuristico dell'uomo tecnologico. Anche la maggior parte di tali visioni era arcaica o semplicemente fantasmatica, mirando a un gusto, caratteristico dell'Independent group, per l'obsolescenza del "futuro", forse compreso il proprio. Montate su pannelli di plexiglas, le immagini erano appese a telai di metallo in un labirinto che faceva dello spettatore un collagista ambulante dei tecno-domani passati e presenti.

Questo rigore progettuale dell'esposizione e della motivazione dello spettatore culminò in *Questo è il domani*. Allestita da Theo Crosby nell'estate del 1956 alla galleria Whitechapel (era troppo grande per l'ICA), *Questo è il domani* consisteva di dodici sezioni. "Suddivise come le bancarelle in una fiera" (St. John Wilson), erano disegnate da dodici diversi gruppi, ognuno composto da un pittore, uno scultore e un architetto. Come si addiceva all'ICA, alcune sezioni erano costruttiviste o surrealiste nello spirito, mentre altre esploravano l'interfaccia tra arte, tecnologia e cultura popolare. Nessun paradigma estetico o programma disciplinare governava le sezioni; ancora una volta l'esposizione nel suo insieme era l'opera primaria. Le due sezioni più famose presentarono versioni estreme del "domani" inglese del 1956. "Patio e padiglione", allestita dal ▲ Gruppo Sei (gli Smithson, Paolozzi e Henderson), consisteva di un padiglione di vecchio legno, plastica corrugata e alluminio riflet-

4 • La galleria Whitechapel durante la mostra *Questo è il domani*, con un dettaglio della sezione "Patio e padiglione" progettata dal Gruppo Sei, 1956

5 • La galleria Whitechapel durante la mostra *Questo è il domani*, con un dettaglio dell'installazione-collage tridimensionale progettata dal Gruppo Due, 1956

tente su un patio coperto di sabbia **[4]**. In termini di bisogni umani, gli Smithson presentarono un grado zero dell'architettura come rifugio, mentre all'interno Paolozzi e Henderson proposero uno spoglio minimo di attività umane: una ruota, una scultura, vari oggetti grezzi. L'effetto era insieme primitivo, moderno e postapocalittico: ostruito da filo spinato, l'interno assomigliava a uno sgangherato reliquiario di resti dopo un'esplosione nucleare, soprattutto perché vi dominava la *Testa d'uomo* di Henderson, un Frankestein moderno simile ai busti di uomini-macchina per cui Paolozzi era all'epoca conosciuto.

L'altra sezione, allestita dal Gruppo Due (John Voelcker, Hamilton e McHale), proponeva un "domani" alternativo, non una distopia del complesso militar-industriale, ma un'utopia dello spettacolo capitalista **[5]**. Qui, invece che sbirciare in una spoglia capanna, il visitatore passava attraverso una cacofonica casa del divertimento piena di immagini popolari e test percettivi. Questi comprendevano un manifesto cinematografico del robot Robby con la bella tra le braccia dal film *Il pianeta proibito* (1956), accostato a una famosa immagine di Marilyn Monroe da *Quando la moglie va in vacanza* (1955), un collage cinemascope con star come ▲ Marlon Brando, rotorilievi e altri diagrammi ottici alla Duchamp (da cui Hamilton era profondamente influenzato) e scritte di vario tipo. Invece di un Frankestein postatomico dai sensi maciullati, lo spirito guardiano di questo spazio era un uomo contemporaneo che sembrava annunciare, in nuvolette da fumetti ("guarda", "ascolta", "senti"), il nuovo sensorio dello spettacolo capitalista. (Per timore che la questione ci sfuggisse, vi erano giusto accanto un'enorme immagine di spaghetti e una bottiglia gigantesca di Guiness Stout, insieme a un jukebox, microfoni e ventilatori.) Tutti i sensi e la maggior parte delle arti vi erano coinvolti, ma come intrattenimento e distrazione, fino allo sfinimento (l'uomo appa-

▲ 1949b

▲ 1918, 1993a

6 • Richard Hamilton, *Che cosa rende così diverse e attraenti le case d'oggi?*, 1956
Collage su carta, 26 x 25 cm

riva stanco e snervato). Così le figure principali delle due sezioni, un orripilante mutante e un consumatore sopraffatto, non erano tanto opposti quanto complementari. Come in *Uomo, macchina e movimento*, anche qui Hamilton e compagni sembrarono interrogare lo spettacolo stesso che decantavano.

È questo il caso anche dell'immagine emblematica della mostra, *Che cosa rende così diverse e attraenti le case d'oggi?* **[6]**, un piccolo collage realizzato da Hamilton non come oggetto d'arte ma come immagine per il manifesto e il catalogo. Come precedenti collage di Paolozzi quali *Ero il giocattolo di un uomo ricco* **[1]**, è una parodia pop-psicologica della cultura di massa del dopoguerra fatta con i suoi stessi slogan e ritagli di immagini, reinterpretati come un sogno freudiano sceneggiato. In questo interno domestico si trovano due Buoni selvaggi contemporanei, un culturista con un

Tootsie Pop per pene e una superdotata con cappello a paralume e copricapezzoli. Questi due narcisisti sono collegati soltanto dal pop-pene e dai seni agghindati che puntano l'uno verso l'altro e dai surrogati e merci che li circondano (come il prosciutto in scatola sul tavolino). Sulla destra una donna che parla al telefono appare in televisione, mentre sulla sinistra il suo doppio, un donna appena uscita da una pubblicità pulisce le scale con un tubo lunghissimo che ribadisce il tema della merce-strumento-fallo.

La donna sembra dominare questo interno, ma anche lei è una merce e, anche se può fantasticare sul culturista, è a sua volta sorvegliata dal ritratto di un patriarca appeso alla parete e dall'assente padrone di casa evocato dalla poltrona con il giornale in primo piano. Inoltre l'interno è invaso dal mondo esterno: distinzioni come pubblico e privato sono cancellate da merci e media (televisione, registratore e fumetto). C'è anche uno stemma della Ford riprodotto su un paralume come una sorta di emblema araldico della famiglia. Hamilton prevede qui il collegamento tra automobile, televisione e merce, che sarebbe presto diventato il nesso del capitalismo consumista. Infine anche il modernismo è assunto, mercificato e addomesticato: così il Bauhaus in forma di arredamento danese e il dripping di Pollock come tappeto. L'unica minaccia dall'esterno viene dal cartellone cinematografico con Al Jolson con la faccia dipinta di nero, che lascia trasparire il fantasma razziale, e l'immagine di Marte che si libra sull'appartamento come un ambiguo significante di tutto ciò che è alieno (negli anni Cinquanta l'alieno fantascientifico era spesso il comunista travestito).

▲ Questo delirante incrocio di feticismi – sesso, merce e tecnologia – era un topos costante per l'Independent group. Introdotto da Paolozzi, che subito dopo la guerra giocava con accostamenti di donne e armi, era stato sviluppato da Hamilton, che raccontò le sublimazioni femminili nei prodotti di design degli anni Cinquanta (come in *Omaggio alla Chrysler Corp.*). Negli anni Sessanta era poi ● passato ad artisti pop americani come James Rosenquist e Tom Wesselmann (1931-2004), per i quali questo erotismo inorganico non era affatto esotico. Come valutare gli entusiasmi dell'Independent group? Ovviamente costituiscono una drastica alternativa alle diverse denunce della cultura di massa fatte da formalisti come Clement Greenberg e da critici come Theodor Adorno, ma non furono né celebrativi né accomodanti alla maniera di molta Pop art.

Il termine "sciocchezze" di Paolozzi suggerisce un rapporto ambiguo dell'Independent group con la cultura di massa. Rimando al fatto che la prima rappresentazione di questo collage materiale benché catalitico, era anche un tentativo, in qualche modo tra l'hobby ossessivo e il progetto artistico, in ogni caso non un rigoroso esercizio, di critica ideologica. Paolozzi trovò la parola "*bunk*" in una pubblicità di Charles Atlas. Abbreviazione nello slang americano di "*bunkum*", che significa "non senso" o "discorso retorico" (appropriatamente usato inizialmente per descrivere i discorsi di un uomo politico). Ma che cosa esattamente è *bunk* qui? I materiali popolari di partenza o i collage? Forse entrambi e l'indicazione è di non prendere sul serio né la cultura di massa né la sua elaborazione artistica, di sdrammatizzarle entrambe. "*Bunk*" ha anche un'altra associazione con cui Paolozzi era familiare, il famoso detto di Henry Ford che "la storia è *bunk*". Nei suoi caustici collage di copertine di *Time* Paolozzi sembra approvarlo, ma forse suggerisce anche l'opposto: non solo che la storia ufficiale è fatta di sciocchezze, ma anche che le sciocchezze hanno una storia, o più precisamente che indicano un'altra modalità nella storia, dunque "*bunk*" come forma di "non senso" usato per sdrammatizzare la storia come forma di "discorso retorico".

▲ Come abbiamo visto, un'"estetica dell'accostamento" fu "fondamentale per le idee dell'Independent group" (del Renzio), per il suo collegare arte con scienza e tecnologia, il suo esplorare il continuum arte alta-arte popolare, la sua esplosione di corpi mercificati. Ma il collage è diventato anche un procedimento dell'industria culturale. "Le riviste erano un modo incredibile di praticare la casualità del pensiero", notò più tardi Turnbull, "cibi su una pagina, piramidi nel deserto sulla seguente, una bella ragazza su quella dopo; erano come collage". Come dire che le giustapposizioni surreali erano già materia delle pubblicità, che il collage aveva bisogno di una reinvenzione critica che l'Independent group ancora non forniva (questo ● compito venne lasciato ai situazionisti). Infatti, quando Hamilton decise di "produrre opere" al di fuori delle "sperimentazioni degli anni precedenti", tornò alla pittura e subito il traffico sul continuum arte alta-arte popolare diventò un senso unico, verso l'arte, come nella maggior parte della Pop art.

Retrospettivamente, il bisogno stesso dell'Independent group di coniugare arte, scienza e tecnologia punta al loro spartiacque; dimostra, più che confutare, la famosa tesi della divisione tra le "due culture" delle arti e delle scienze presentata dallo scrittore e fisico inglese C. P. Snow nel 1959. Molto di questo vale anche per l'insistenza sul continuum arte alta-arte popolare. In *Il lungo fronte della cultura*, un saggio anch'esso del 1959, Alloway oppose questo nuovo "continuum" orizzontale, egualitario, della cultura, alla vecchia "piramide" gerarchica, elitaria, dell'arte, pienamente consapevole della lotta di classe in gioco in questa lotta della cultura. Ma, come i recenti "cultural studies", l'Independent group tendeva a oscillare tra un'integrazione in questo continuum in quanto ammiratori e uno sguardo dall'alto su di esso, cioè dalla prospettiva dandista di un consumatore-intenditore. (Alloway scrisse anche di una nuova cultura di "canali" diversi, un termine che anticipa la "scelta" consumista dell'odierno soggetto succube dei media.) Anche se la sua critica d'arte è deviata verso una difesa della tecnologia e dello spettacolo capitalisti, l'Independent group non puntò a una svolta storica da un'economia incentrata sulla produzione a una basata sul consumo, spostamento che comportò un riposizionamento della stessa avanguardia del dopoguerra. HF

ULTERIORI LETTURE:

Julian Myers, *The Future ad Fetish: the Capitalist Surrealism of the Independent Group*, in *October*, n. 94, autunno 2000

David Robbins (a cura di), *The Independent Group*, MIT Press, Cambridge (Mass.) 1990

Brian Wallis (a cura di), *"This is Tomorrow" Today*, Institute for Art and Urban Resources, New York 1987

Victoria Walsh, *Nigel Henderson: Parallel of Life and Art*, Thames & Hudson, London 2001

▲ 1931a ● 1960c

▲ 1949b ● 1957a

1957a

Due piccoli gruppi d'avanguardia, l'Internazionale lettrista e il Bauhaus immaginista, si fondono per formare l'Internazionale situazionista, il movimento più politicamente impegnato del dopoguerra.

L'Internazionale situazionista (IS, 1957-72) ha una storia complicata. Deriva da due movimenti: l'Internazionale lettrista (1952-57) guidata dal francese Guy Debord (1931-94), il teorico principale dell'IS, e il Movimento internazionale per un Bauhaus immaginista (1954-57) guidato dal danese Asger Jorn, l'artista principale dell'IS. L'Internazionale lettrista veniva dal Gruppo lettrista (fondato nel 1946, tutt'ora attivo) e dal Bauhaus ▲ immaginista che a sua volta usciva da un altro gruppo, Cobra (1948-51), un acronimo di *Co*penhagen, *Br*uxelles a *A*msterdam, le città base dei vari membri. Il numero e le brevi vite di questi movimenti indicano la volatilità delle politiche culturali dell'Europa del dopoguerra. Tutti condivisero un impegno critico nel Surrealismo e nel marxismo, ovvero, più precisamente, tutti cercarono di sostituire le strategie politiche del Surrealismo e di sfidare le strutture ● politiche del Partito comunista: il primo era considerato conservatore nel suo riconsolidamento sotto Breton dopo la guerra e il secondo ripugnante nel suo stalinismo e reazionario nel suo Realismo socialista. A queste due critiche se ne aggiunse una terza: ■ come l'Independent group in Gran Bretagna, l'IS affrontò il sorgere della società dei consumi, ma mentre l'Independent group vide in questa nuova cultura di massa dei "canali" aperti al desiderio, l'IS vide invece che uno "spettacolo" chiuso aveva trasformato la nostra stessa alienazione in tante merci di consumo. Inoltre, mentre avanguardie come l'Independent group accettarono un lato della dialettica culturale del capitalismo del XX secolo per contestarne un altro – la cultura di massa contro l'arte modernista, o viceversa –, l'IS intese criticamente e strategicamente entrambi i lati, almeno per un certo periodo.

Oltre a Jorn, Cobra comprendeva il poeta e critico belga Christian Dotremont, i pittori Karel Appel, Pierre Alechinsky, Corneille e il pittore e urbanista olandese Constant; quest'ultimo figura anche nell'IS. Benché marxisti, sprezzavano il Realismo socialista dell'Est e benché espressionisti, erano sospettosi nei confronti dell'Espressionismo astratto dell'Ovest. Dunque né figurativo né astrattista, Cobra praticò forme di "s-figurazione" coloristica influenzata dagli scarabocchi dei bambini, quando non dai malati di mente. Questo portò Cobra vicino al Surrealismo e ancor più ◆ all'Art brut di Jean Dubuffet, ma, come avrebbe fatto più tardi l'IS, rifiutò l'inconscio surrealista come troppo individualista o "soggettivista". Cobra cercò basi collettive dell'arte e della società, e per questo sottolineò le figure totemiche, i temi mitici e i progetti di collaborazione come riviste, esposizioni e dipinti murali. Tuttavia il mondo dell'arte parigino dell'epoca, dominato da una coalizione accademica di surrealisti e astrattisti, non cedette di fronte a questo attacco e Cobra si sciolse nel 1951.

Critica della vita quotidiana

▲ Jorn aveva studiato con Léger e fatto da assistente a Le Corbusier prima della guerra. Forse fu questo apprendistato a indurre il pittore astratto svizzero Max Bill, uno dei primi studenti del Bauhaus, a ● contattarlo nel 1953 per la fondazione di un "nuovo Bauhaus". Jorn però era troppo segnato dall'esperienza Cobra per accettare la pedagogia funzionalista delineata da Bill. "Gli artisti sperimentali devono impossessarsi degli strumenti industriali", sosteneva Jorn, ma devono "assoggettarli ai loro fini non utilitari". La sua idea di un nuovo Bauhaus era sperimentale, non tecnocratica, e con questo spirito polemico fondò il Bauhaus immaginista nel novembre 1954 con l'amico Constant e un nuovo associato italiano, Giuseppe Pinot Gallizio (1902-64). Nel 1955 cominciarono un "laboratorio sperimentale" ad Albisola per sperimentare nuovi materiali in pittura e in ceramica (Pinot Gallizio fu coinvolto come chimico). Anche se il Bauhaus immaginista faceva pensare ai progetti incompiuti di Surrealismo e Costruttivismo, fu poco più di un momento di passaggio tra Cobra e IS. Nel 1956 i rappresentanti del Bauhaus immaginista e dell'Internazionale lettrista si incontrarono per discutere una coalizione e un anno dopo venne fondata l'IS.

In larga misura il Gruppo lettrista originario fu una ripresa nel ■ dopoguerra del Dadaismo. A parte le azioni scandalose per scioccare la borghesia, i lettristi, riuniti intorno alla figura carismatica del rumeno Isidore Isou (1925-2007), spinsero la scomposizione dadaista della parola e dell'immagine ancora più avanti, sia in poesie che rompevano alla lettera la lingua sia in collage che mescolavano frammenti verbali e visivi. Non contento di questi esperimenti, Debord si separò dal gruppo con alcuni altri lettristi per formare l'Internazionale lettrista nel 1952. Negli anni seguenti rielaborarono alcune idee lettriste, ne inventarono altre e riformularono l'intero progetto secondo un neomarxismo impegnato nella

▲ 1949b ● 1924, 1934a, 1937a, 1942a, 1942b ■ 1956 ◆ 1946, 1959c

▲ 1925a ● 1923, 1947a ■ 1916a, 1920

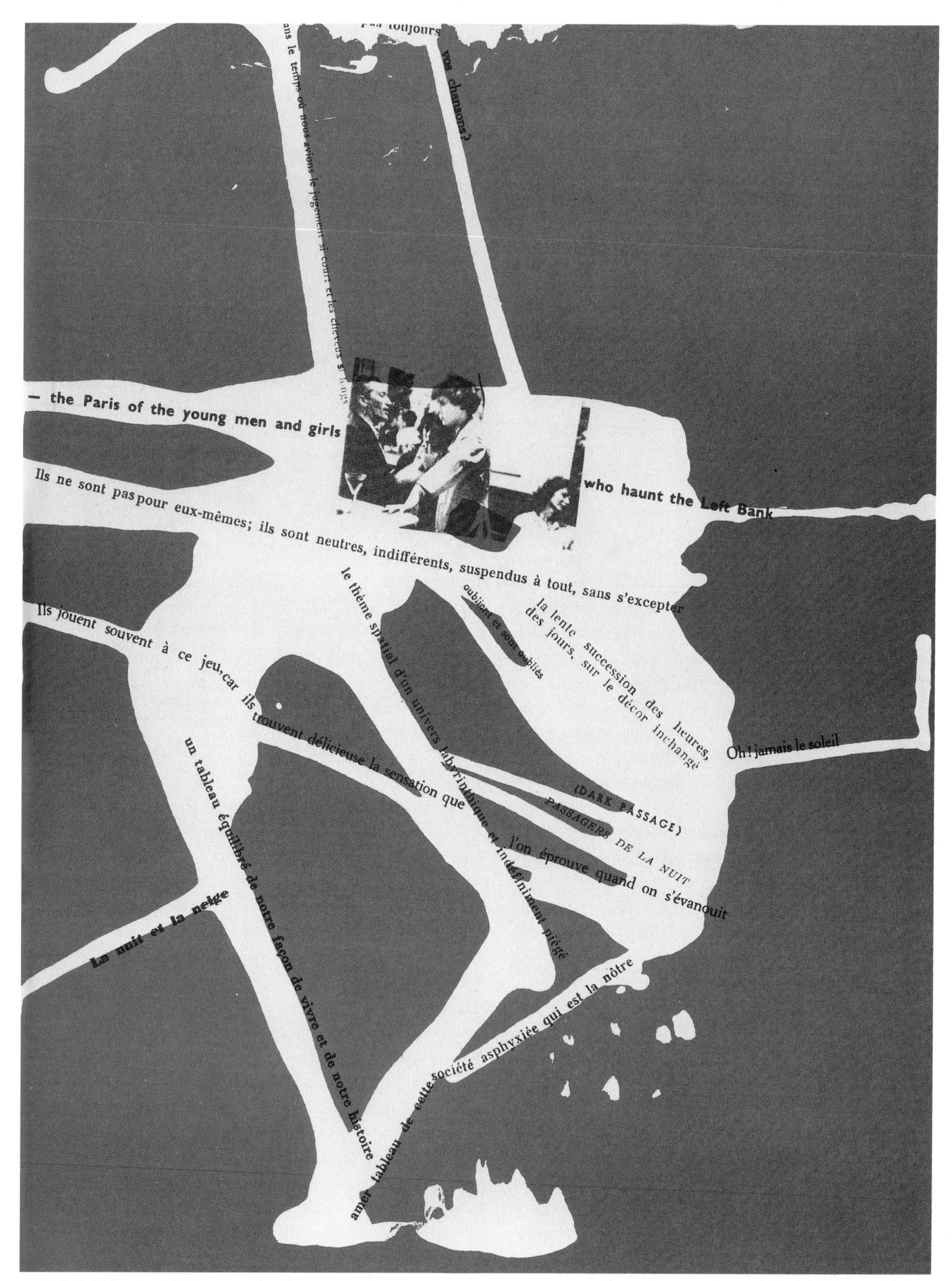

1 • Guy Debord e Asger Jorn, pagina di *Memorie*, 1959
Olio, inchiostro e collage su carta, 27,5 x 21,6 cm

1950–1959

"critica della vita quotidiana" (sviluppata dal sociologo marxista Henri Lefebvre [1901-91]) attraverso la costruzione di "situazioni" sovversive (derivate dal filosofo Jean-Paul Sartre). Essi cercarono, in breve, di portare avanti la "lotta di classe" attraverso la "battaglia del tempo libero". Debord e Jorn documentarono la breve vita dell'Internazionale lettrista in *Memorie* (1959), un collage che intreccia letteralmente il soggettivo e il sociale, l'artistico e il politico **[1]**. È un labirinto di citazioni ritagliate da Debord da quotidiani e sceneggiature cinematografiche, pubblicità e fumetti, il tutto segnato da Jorn con strisce e macchie di pittura che tracciano collegamenti tra persone, luoghi e avvenimenti.

Si è spesso detto che l'IS si sviluppò come un'avanguardia artistica fino al 1962, quando uno scisma divise gli attivisti dagli artisti, e continuò come avanguardia politica fino alla sua dissoluzione nel 1972. Anche l'IS tentò di trasformare insieme arte e politica in ogni momento del suo sviluppo e il suo contributo maggiore fu quello di aver escogitato una politica culturale di critica del capitalismo consumista. Lo fece anche insistendo su alcuni vecchi principi politici (come l'idea dei consigli di fabbrica) e sfidandone alcuni nuovi (come l'allora ardente maoismo). Tuttavia lo scisma interno all'IS del 1962 fu reale. Preceduta da diverse partenze – Pinot Gallizio fu espulso nel 1960, accusato di opportunismo artistico, Constant si dimise nello stesso anno e Jorn si ritirò ai margini un anno dopo –, la separazione avvenne quando la sezione parigina guidata da Debord stipulò che l'arte e la politica situazioniste *non* potevano venire separate. Alcuni artisti delle sezioni scandinave, tedesche e olandesi furono in disaccordo e, guidate da Jorgen Nash (fratello minore di Jorn), formarono un gruppo situazionista rivale, che fu a sua volta espulso dall'IS. A questo punto, rifornita di nuovi membri non provenienti da movimenti artistici degli anni Cinquanta e spinto dalle crisi politiche della prima metà degli anni Sessanta, l'IS cercò di realizzare le sue strategie critiche attraverso interventi politici. Nel 1966 fu coinvolta nella prima rivolta degli studenti in Francia, all'università di Strasburgo, che fu ispirata dal pamphlet situazionista *Della miseria dell'ambiente studentesco* di Mustapha Khayati. Nel 1967 pubblicò le sue due principali critiche della cultura capitalista, il *Manuale del saper vivere ad uso delle giovani generazioni* di Raoul Vaneigem (nato nel 1934) e *La società dello spettacolo* di Debord. Questi testi furono cruciali per la rivolta studentesca del Maggio 1968, in cui l'IS intervenne direttamente (la sua difesa dei consigli di fabbrica fu molto importante all'epoca). Tuttavia, nella generale crisi della sinistra dopo il 1968, anche l'IS cominciò a incrinarsi. Il suo ultimo intervento pubblico fu nel 1969, l'ultimo numero della rivista uscì nello stesso anno e nel 1972 il gruppo si sciolse.

Due tesi da *La società dello spettacolo*

190:
L'arte nell'epoca della sua dissoluzione, in quanto movimento negativo che tende al superamento dell'arte in una società storica in cui la storia non è ancora vissuta, è insieme un'arte del cambiamento e l'espressione pura dell'impossibilità del cambiamento. Più la sua esigenza è grandiosa, più la sua vera realizzazione è al di là di essa. Quest'arte è necessariamente d'*avanguardia, e non* è. La sua avanguardia è la sua scomparsa.

191:
Il Dadaismo e il Surrealismo sono le due correnti che hanno segnato la fine dell'arte moderna. Essi sono contemporanei, benché in maniera solo relativamente cosciente, dell'ultimo grande assalto del movimento rivoluzionario proletario; e la sconfitta di questo movimento, che li lasciava confinati al campo artistico stesso di cui avevano proclamato la caducità, è la ragione fondamentale della loro immobilizzazione. Il Dadaismo e il Surrealismo sono nello stesso tempo storicamente legati e in opposizione. In questa opposizione, che costituisce anche la parte più conseguente e più radicale dell'apporto rispettivo di ciascuno, si rivela l'insufficienza interna della loro critica, da entrambi sviluppata da un solo lato. Il Dadaismo voleva *sopprimere l'arte senza realizzarla*; e il Surrealismo voleva *realizzare l'arte senza sopprimerla*. La posizione critica elaborata in seguito dai *situazionisti* ha mostrato che la soppressione e la realizzazione dell'arte sono gli aspetti inseparabili di un unico *superamento dell'arte*.

Deriva e *détournement*

L'IS ha avuto una vita ulteriore attraverso testi come *La società dello spettacolo*, in cui Debord ha raccolto le analisi della cultura capitalista sviluppate dalla fondazione dell'Internazionale lettrista del 1952. Molte delle sue tesi elaborano o citano testi centrali del marxismo hegeliano: il giovane Marx sull'"alienazione", il giovane György Lukács di *Storia e coscienza di classe* (1923) sulla "reificazione", così come Sartre e Lefebvre (a questo proposito Debord amava citare il poeta del XIX secolo favorito dai surrealisti, Lautréamont: "il plagio è necessario, il progresso lo implica"). Ma questo testo caustico è anche molto originale, perché aggiorna sia Marx sugli effetti feticisti della merce sia Lukács sugli effetti della frammentazione della produzione di massa illustrando i progressi di un nuovo stadio del capitalismo incentrato sull'immagine e rivolto al consumo di massa. Debord ha analizzato questa società del mercato, dei media e della cultura di massa in termini di "spettacolo", definito sinteticamente come "il capitale a un tal grado di accumulazione da divenire immagine". Benché scritto in un momento particolare, *La società dello spettacolo* permette di cogliere la traiettoria della cultura moderna di fronte allo sviluppo capitalista. Oggi, come hanno sostenuto due dei primi membri dell'IS, T. J. Clark e Donald Nicholson-Smith, le sue forze principali possono ben essere quelle che i critici di sinistra hanno a lungo considerato le sue maggiori debolezze: la sottolineatura dell'organizzazione politica (in un momento di dispersione della sinistra) e la volontà di totalità (di fronte a un capitalismo che diventa sempre più globale).

▲ 1946, 1959c

L'IS non può essere ridotta alla sua pratica artistica, né quest'ultima tuttavia può essere liquidata come superflua. "La cultura riflette", scrisse Debord nel 1957, "ma anche prefigura, le possibilità di organizzazione della vita in una data società". È alla fine che l'IS ha elaborato le sue strategie culturali, quattro delle quali spiccano: la deriva, la "psico-geografia", l'"urbanismo unitario" e il *détournement*. Una deriva è definita come "una tecnica del passaggio transitorio attraverso vari ambienti". Letteralmente la deriva è intrapresa nell'interesse più di un rapporto sovversivo con la vita quotidiana nella città capitalista che di un incontro casuale che possa far scattare l'inconscio, come nel vagabondare surrealista. Qui il cultore baudelairiano del tempo libero – il *flâneur* – diventa il critico situazionista del tempo libero, definito semplicemente come l'altra faccia del lavoro alienato. Una "psico-geografia" può risultare da una deriva; è "uno studio degli effetti specifici dell'ambiente geografico, coscientemente organizzato o no, sulle emozioni e sui comportamenti individuali". Debord ne diede un buon esempio in *The Naked City* (1957), che consiste di diciannove sezioni di una mappa di Parigi riorganizzata secondo un itinerario ipotetico **[2]**. La deriva e la psico-geografia insieme puntano all'"urbanismo unitario", ovvero all'"uso combinato delle arti e delle tecniche per la costruzione integrale di un ambiente in rapporto dinamico con

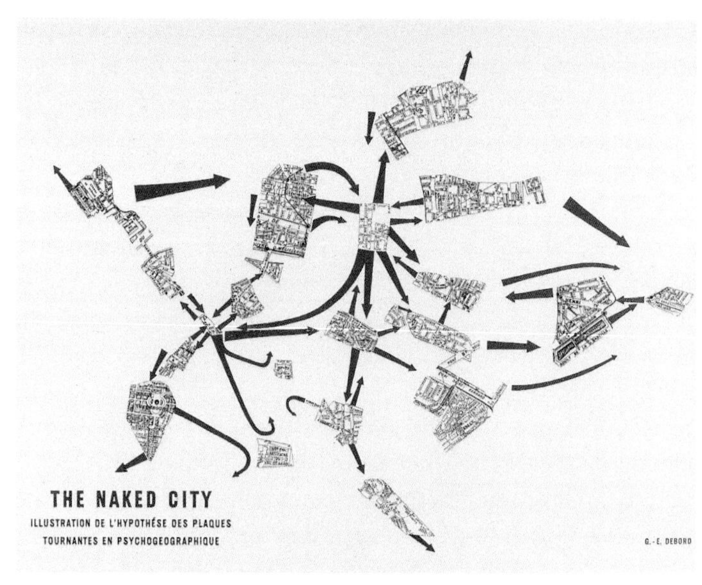

2 • Guy Debord, *The Naked City*, 1957
Mappa psico-geografica a colori su carta, 33 x 48 cm

3 • Constant, *Nuova Babilonia / Amsterdam*, 1958
Inchiostro su mappa, 200 x 300 cm. Installazione all'Historisch Museum di Amsterdam

esperimenti di comportamento". Constant prefigurò queste costruzioni nel progetto *Nuova Babilonia* **[3]**: dedicandosi a un'idea di progettazione urbana come scena di un movimento nomadico e di un gioco di massa, propose una serie di megastrutture high-tech in varie città europee, che potevano essere trasformate a piacere dai residenti come giganteschi pezzi di Lego. (Almeno questa era l'idea: anche alcuni situazionisti non furono convinti dei disegni e modelli, in cui linee di fuga utopiche e forme di sorveglianza distopiche diventavano difficili da distinguere.)

Più che un vagabondare, una deriva è una reintepretazione degli spazi e simboli urbani ed è parte della strategia centrale della pratica situazionista: il *détournement*, definito come "l'integrazione della produzione artistica presente o passata nella costruzione superiore di un ambiente". *Détourner* significa deviare, in questo caso deviare immagini testi e avvenimenti rubati verso punti di vista, interpretazioni e situazioni sovversive. Derivato dal collage ▲ dadaista e surrealista, il *détournement* venne opposto alle citazioni ● dei media nella Pop art e alle accumulazioni di prodotti nel ■ Nouveau réalisme. Invece di un'appropriazione univoca, i situazionisti cercavano una "svalutazione/rivalutazione dialettica" dell'elemento artistico deviato. Il risultato non era inteso né come arte né come antiarte: "Non ci possono essere pittura o musica situazioniste", dichiarò il primo numero di *Internationale Situationniste* del giugno 1958, "ma solo un uso situazionista di questi mezzi". In questo senso il *détournement* è una doppia azione: contemporaneamente espone la natura ideologica di un'immagine mass-mediale o lo statuto non funzionale di una forma artistica *e* la rifunzionalizza per un uso politico critico. Con il suo uso di testi e immagini decontestualizzati, *Memorie* è un primo esempio di *détournement*, ma l'esempio principale sono i sei film realizzati da Debord dal 1952 al 1978, per la maggior parte con pubblicità e fotografie, media-clip e spezzoni di film, testi e suoni rubati.

4 • Giuseppe Pinot Gallizio, *Rotolo di pittura industriale*, 1958
Tecnica mista, 64,5 x 7.400 cm

Produzione e consumo

Come ha scritto il critico Peter Wollen, il *détournement* situazionista dell'arte ebbe il suo momento decisivo nel 1959, quando Pinot Gallizio espose la sua "pittura industriale" e Jorn le sue "modifiche", entrambi a Parigi. Nella sua mostra Pinot Gallizio coprì l'intera galleria René Drouin con rotoli di tela dipinta automaticamente in brutti colori; ad essi si aggiungevano luci, specchi, suoni e profumi per creare un ambiente totale. Invece di un'altra estensione dell'Action painting in installazione, questa "caverna dell'antimateria" voleva prefigurare un giocoso mondo futuro che l'automazione, una volta deviata dalla sua logica capitalista, poteva offrire (questo valeva anche per *Nuova Babilonia*). Era anche intesa come parodia del mondo presente della produzione e del consumo capitalista, perché non solo le tele erano fatte sul modello di un'ironica catena di montaggio con macchine per dipingere e pistole spray, ma per la vendita potevano essere tagliate a metro **[4, 5]**. Le "modifiche" di Jorn portavano i segni del capitalismo in un altro modo. Sono dei quadri kitsch, per la maggior parte paesaggi

5 • Giuseppe Pinot Gallizio e il figlio Giors Milanotte a Alba, mentre lavorano al *Rotolo di pittura industriale*, 1956 ca.

▲ 1920 ● 1960c, 1964b ■ 1960a

6 • Asger Jorn, *Parigi di notte,* 1959
Olio su quadro riusato, 53 x 37 cm

anodini e vedute urbane per arredamento piccolo borghese, che Jorn ha raccattato in mercatini delle pulci e su cui ha ridipinto figure primitiviste e gesti astrattisti alla Cobra.

Recentemente le "modifiche" hanno scatenato interpretazioni divergenti. Per alcuni critici esse "aprono" i generi tradizionali che sono diventati kitsch accademico per farli rivivere come segni contemporanei. Così facendo, vincono, almeno simbolicamente, la guerra tra avanguardia e kitsch che da tempo tormentava la cultura moderna. Per altri critici invece le "modifiche" suggeriscono il contrario. Ripetono gli stili avanguardisti (per esempio quelli primitivista, espressionista, astrattista) come lettera morta; così, invece che una soluzione della lotta tra avanguardia e kitsch, mostrano la prima ridotta alla seconda. Ma questa interpretazione non sembra corretta per "modifiche" come *Parigi di notte* **[6]**. Nel quadro di partenza un borghese solitario guarda da un balcone la città di notte. È una scena d'anteguerra, forse dei primi del secolo, dipinta per attrarci attraverso l'identificazione con la figura rappresentata e la sua contemplazione dello spettacolo di Parigi. La sovrapittura gestuale di Jorn non infrange questa concentrazione, introduce piuttosto un diverso momento di interiorità e spettacolo, ▲ quello dell'Espressionismo astratto e della cultura del dopoguerra. In questo modo il kitsch originario non è rinvigorito più di quanto sia smorzato il gesto avanguardista. I due, invece, si elidono l'un l'altro in quanto storicizzati e così eliminano la distanza critica con cui lo spettatore valuta entrambi i momenti, entrambe le forme. "La pittura è finita", ha scritto Jorn in una dichiarazione che accompagnava la sua mostra di "modifiche" nel 1959. "Puoi darle il colpo di grazia. Appropriatene e deviala. Lunga vita alla pittura". Come il vecchio re, suggerisce Jorn, la pittura può essere morta, ma come il nuovo re può continuare a vivere: non come categoria idealista che non muore mai, ma come cadavere materialista che si decompone in maniera sovversiva.

Per Debord i precedenti anteguerra dell'IS furono dei fallimenti complementari: "Il Dadaismo voleva sopprimere l'arte senza realizzarla", scrisse in *La società dello spettacolo*, "il Surrealismo voleva realizzare l'arte senza sopprimerla". L'IS non voleva fare lo stesso errore: doveva "superare" sia quelle avanguardie sia la politica rivoluzionaria emersa con esse (dalla Rivoluzione russa del 1917 in poi). Non ci doveva essere una loro ripetizione nel • dopoguerra. L'IS aveva un'altra possibilità: nel 1962, circa nel momento dello scisma, Jorn produsse un altro gruppo di "modifiche" dette "nuove sfigurazioni", che sono per la maggior parte ritratti di particolari soggetti sfigurati da scarabocchi infantili o doppioni scompigliati. In uno una ragazza che sembra vestita per la cresima – cioè per un'iniziazione social-religiosa all'età adulta – guarda verso di noi, ma ha in mano una corda per saltare **[7]**. Nella sovrapittura Jorn le ha messo i baffi e il pizzetto come Duchamp aveva fatto con la *Gioconda* nel 1919, forse con questo ammonimento di Debord in mente: "Da quando la negazione della concezione borghese dell'arte e del genio artistico è diventata antiquata, il disegno di un paio di baffi sulla *Gioconda* non è più interessante della versione originale di quel quadro".

7 • Asger Jorn, *L'avanguardia non si arrende*, 1962
Olio su quadro riusato, 73 x 60 cm

Si può interpretare questa sfigurazione come un'ammissione dello statuto patetico dell'artista epigono: l'avanguardia può solo arrendersi o, come direbbe Debord, la sua negazione dell'arte, ora diventata arte, deve essere negata a sua volta. Ma intorno a questa ragazza Jorn ha scarabocchiato: "l'avanguardia *non* si arrende". Come dobbiamo interpretare questa sfida e a chi è rivolta? È seria o ironica? Jorn intende che l'avanguardia dovrebbe arrendersi (come molti, sia pro sia contro il Situazionismo, insistono) ma non lo fa, e questo ridicolo recalcitrare è la più grande delle prese in giro, un marameo sia alla sinistra che alla destra? In ogni caso, proprio come Duchamp seppe far rivivere la vecchia Monna Lisa (rinominandola *L.H.O.O.Q.*, che in francese suona come "Ella ha caldo al culo"), così Jorn ha trasformato questa ragazza in un tipetto duro: la sua corda finisce col sembrare una frusta, forse anche una garrotta. HF

ULTERIORI LETTURE:

Iwona Blazwick (a cura di), *An Endless Adventure–An Endless Passion–An Endless Blanquet: A Situationist Scrapbook*, Verso, London 1989

Guy Debord, *La società dello spettacolo*, trad. it. Baldini & Castoldi, Milano 1997

Ken Knabb (a cura di), *Internazionale situazionista 1958-69*, trad. it. Nautilus, Torino 1994

Thomas F. McDonough (a cura di), *Guy Debord and the Situationist International*, MIT Press, Cambridge (Mass.) 2002

Elisabeth Sussman (a cura di), *On the Passage of a Few People Through a Rather Brief Moment in Time: The Situationist International 1957-1972*, MIT Press, Cambridge (Mass.) 1989

▲ 1947a, 1949a, 1960b • 1960a

1957b

Ad Reinhardt scrive *Dodici regole per una nuova accademia*: mentre in Europa i paradigmi dell'avanguardia in pittura vengono riformulati, negli Stati Uniti Reinhardt, Robert Ryman, Agnes Martin e altri indagano il monocromo e la griglia.

Durante la lavorazione del suo primo gruppo di quadri neri – una serie di rettangoli verticali, ognuno articolato da una maestosa griglia, tre moduli di larghezza per sette di altezza, la differenza tra le cui unità in alcuni è quasi impossibile da distinguere, tanto i neri sono di tonalità vicina – Ad Reinhardt (1913-67) propose le sue *Dodici regole per una nuova accademia* sul numero di maggio del 1957 della rivista *Artnews*. Spesso scambiato per una critica mordace al mondo dell'arte, si può supporre che Reinhardt scrivesse il testo con ironia, perché, potremmo dire, l'arte "accademica", in particolare quella astratta, allora dominava ovunque.

Dalla fine degli anni Trenta ai primi Cinquanta, l'Associazione degli Artisti Astratti Americani aveva stabilito e poi consolidato una versione locale del linguaggio internazionale dell'astrattismo, che ▲ veniva allora praticata in Francia sotto il vessillo di Abstraction-Création e insegnata in scuole europee come l'Istituto di Design di Ulm, sotto l'egida di Max Bill, e dai prosecutori del Bauhaus negli ● Stati Uniti del dopoguerra, sotto la guida di László Moholy-Nagy, Josef Albers e György Kepes. In un testo scritto nel 1959, *Esiste una nuova accademia?*, Reinhardt denunciava la presenza di un tipo di astrattismo diventato accademico, cioè una formula e una routine, compromesso dalla necessità di porlo al servizio del design, della pubblicità o dell'architettura. La criticava come "arte estratta", che non aveva niente a che fare con l'astrattismo vero, il quale, diceva, "non può essere 'usato' per l'insegnamento, la comunicazione, la percezione, i rapporti esterni, ecc.".

Era per questo che Reinhardt voleva veramente una "nuova accademia", che funzionasse come quella del XVII secolo: per proteggere un'idea di purezza estetica e mantenere la differenza tra arte alta e suoi derivati applicati. Essa renderebbe manifesto, diceva, che l'arte è essenzialmente "'fuori dal tempo', fatta bene, svuotata e purificata da tutti i contenuti extra-artistici".

Un matrimonio nero

Lo sforzo di purificazione di Reinhardt prese la forma del matrimonio dei due grandi paradigmi dell'astrazione portati al ■ massimo di perfezione all'inizio del secolo: la griglia e il monocromo. Grazie ad essi infatti, ma eliminando i segni di demarcazione della griglia, i quadri neri di Reinhardt **[1]** producono qualcosa che si avvicina alla superficie unita del monocromo, in tal modo escludendo doppiamente la possibilità di separare qualcosa come una "figura" distinta da uno "sfondo" e, allo stesso tempo, rigettando qualsiasi senso cui l'opera possa rimandare come "altrove", attraverso l'associazione alla finestra o allo specchio. L'autoreferenzialità che ne risulta è la presunta garanzia sia della griglia sia del monocromo: iniziando e finendo con se stessi (se la griglia "descrive" qualcosa, è meramente la superficie che essa serve a mappare e dunque a raddoppiare), non vi sono "contenuti extra-artistici" coinvolti.

Ma è nell'insistenza di Reinhardt sul fatto che quest'arte e questi paradigmi sono "fuori dal tempo" che l'apparente ovvietà dell'argomento cade. Al contrario, infatti, la temporalità perseguita l'arte astratta, anche se, nella sua furia di espellere ogni forma di narrazione dal proprio territorio, l'astrazione cerca di stabilire la pura simultaneità caratteristica di un'arte spaziale distinta da quella temporale. Il coinvolgimento temporale dell'arte astratta consiste nella dimensione storica che supporta l'astrazione come progetto specifico, rendendo ogni quadro l'"ultima" opera del suo genere, l'elemento finale e culminante di una serie progressiva o, alternativamente, come estensione peculiare di questa logica, il primo di un tipo completamente nuovo di arte la cui storia deve ancora essere scritta. È stata questa la logica per cui il trittico di ▲ monocromi di Rodčenko *Puro color rosso, puro color giallo, puro color blu* (1921) era considerato dal critico russo Nikolai Tarabukin l'"ultimo quadro", mentre Rodčenko stesso lo considerava la ● nascita dell'opera come oggetto. Era stata anche la logica che spinse "avanti" Mondrian verso una più pura sublimazione delle opposizioni interne alla pittura, perché la pittura stessa venisse infine trascesa, mantenendola e insieme *superandola*, andando oltre se stessa nell'ambito sociale inteso come un tutto. Reinhardt condivise questa ambizione quando affermò dei suoi quadri neri: "Sto semplicemente facendo gli ultimi quadri che si possano fare".

Questo senso storico che sostiene tali progetti contiene anche altri aspetti temporali. Intrapreso come forma di resistenza contro le forze storiche che minacciano di penetrare il campo dell'opera – sia da "sinistra", contaminando la sua purezza con elementi di ideologia e utilità sociale, sia da "destra", corrompendo la sua materialità con i segni del privilegio, dell'abilità specializzata, ecc.

▲ 1937b ● 1928a, 1947a, 1959e, 1967c ■ 1911, 1913, 1915, 1917a, 1917b, 1921b, 1944a ▲ 1921b ● Introduzione 3, 1917a, 1944a

1 • Ad Reinhardt, *Pittura astratta n. 5*, 1962
Olio su tela, 152,4 x 152,4 cm

–, il ritiro dell'artista nella griglia o nel monocromo è, anche solo implicitamente, un riconoscimento di quelle stesse forze. Ogni tipo di astrazione è storicamente specifico, le circostanze dell'inizio dei monocromi di colori primari di Rodčenko negli anni Venti (la produzione rivoluzionaria sovietica) essendo per ▲ esempio molto diverse da quelle dei monocromi di Lucio Fontana o di Yves Klein negli anni Quaranta e Cinquanta (la pubblicità e la cultura dello "spettacolo" del secondo dopoguerra).

Riguardo a questo fenomeno di reinvenzione o ripetizione così caratteristico dell'arte astratta – in cui scorgiamo diverse elaborazioni della griglia modulare e del monocromo – incontriamo un'altra dimensione della temporalità inerente all'astrazione. Questo aspetto non ha più a che fare con l'idea di un quadro purificato da ciò che può essere accaduto prima e che, essendo dunque un'origine, fa di ogni esempio di tale paradigma un originale. L'autoinganno necessario a mantenere la finzione dell'"originalità" di un'opera che pur parte da una forma antica quanto la pittura delle caverne (com'è il caso della griglia modulare) richiede comunque

▲ 1959a, 1960a, 1967c

una spiegazione. Infatti, mentre alcune parti delle avanguardie di inizio secolo assumevano queste forme precisamente come segno di anonimato da usare contro la decadenza dell'individualismo in arte, l'avanguardia del dopoguerra sosteneva sempre più le sue ripetizioni di questi paradigmi identici come atti di invenzione originale.

È possibile sostenere che l'ambivalenza stessa dei paradigmi ▲ dell'arte astratta – sospesi come sono tra le opposizioni polari dell'idea pura e della materia assoluta – indica che, per quanto semplice, ogni paradigma è caratterizzato da un conflitto interno irrisolvibile. È anzi proprio tale conflitto a indurre la necessità di "reinventare" la forma e contemporaneamente ad alimentare il rifiuto che ogni opera sia di fatto una ripetizione. L'antropologo strutturalista francese Claude Lévi-Strauss fu colpito dal fenomeno di questo genere di ripetizione come si manifesta nei miti, in cui la stessa storia è costruita con "mitemi" ripetuti, o nuclei di contenuto-struttura identici, che vengono ripresi da diversi personaggi e in episodi apparentemente diversi della narrazione. La spiegazione strutturalista di Lévi-Strauss di questa ripetizione verte sulla questione stessa dell'ambivalenza che caratterizza il fenomeno dell'astrattismo visivo. Il mito, egli afferma, è la risposta a una profonda contraddizione che non può essere risolta, ma solo rigirata in continuazione, come la lingua sul dente che duole. Il mito è la forma di questo rigirare, è un tipo di narrazione in cui un problema irrisolvibile nella realtà è temporaneamente alleviato, venendo ripetutamente sospeso nel regno dell'immaginazione.

Questa analogia con la coazione a ripetere del mito permette a due aspetti della situazione pittorica di venire in luce contemporaneamente. Primo, illumina il modo in cui il paradigma astrattista vuol essere lo strumento di serializzazione in una data pratica artistica: la ripetizione del *medesimo* formato prolunga una catena di repliche leggermente variate. Secondo, sottolinea il fatto che la forma semplice vuole comunque creare un senso di contraddizione interna: il carattere anonimo del monocromo contrasta, nel caso di Yves Klein, con l'insistente individualismo dell'oggetto "firmato" (come arrotonda leggermente gli angoli dei pannelli rettangolari o ● applica il suo pigmento brevettato [!] "International Klein Blue"); o, nel caso della griglia a nove quadrati degli ultimi quadri neri di Reinhardt, la riduzione dell'opera alla sua più pura dichiarazione logica – l'"idea" – che promuove paradossalmente un'esperienza della vibrazione ottica più indefinibile e irrazionale – la "materia" – che elude costantemente il controllo dell'osservatore.

Puro paradosso

Due autori che emersero nel periodo dell'ultima serie di Reinhardt (1960-64) adottarono la stessa fusione di griglia e monocromo e dimostrarono medesime condizioni formali contraddittorie: Agnes Martin (1912-2004) e Robert Ryman (nato nel 1930).

Giunta a New York all'inizio degli anni Cinquanta dalle grandi pianure del Saskatchewan del Nord, dove era cresciuta, e del Nuovo Messico, dove aveva studiato, Agnes Martin gravitò verso la parte della Scuola di New York che aveva rinunciato al gesto pittorico, adottando invece campiture di colore unito e strategie compositive di semplificazione geometrica: Mark Rothko, Ad Reinhardt (i suoi quadri a griglia dei primi anni Cinquanta erano per la maggior ▲ parte tutti rossi o blu) e Barnett Newman. Volendo esprimere pensieri ed emozioni soggettive che non avevano un'oggettiva controparte in natura, Martin si volse all'astrattismo come al modo di realizzare "non ciò che si vede", come affermò, ma "ciò che si conosce per sempre nella mente".

Il metodo che sviluppò a partire dal 1963 – e che da allora non cambiò più – consisteva in una sottile griglia lineare su tele di quattro metri quadri circa, trattate con un sottile strato di gesso. Nelle prime di queste griglie usò matite colorate, ma dal 1964 Martin passò alla semplice grafite, cosicché la monocromia è perfetta in tele che comunque – con grande stupore dell'osservatore – realizzano una straordinaria varietà visiva [**2**]. Poiché dotò tale varietà di titoli evocativi del mondo naturale – *Foglia nel vento*, *Fiume di latte*, *Boschetto arancione* – e a causa della forte impressione di fulgore generata dalle campiture grigliate, che sembrano emanare una luce indefinibile, i quadri di Martin furono subito visti come analoghi della natura. Vennero letti secondo la linea che negli anni Settanta si cominciò ad applicare anche a Newman, Rothko e Reinhardt, quando la furia di tematizzare l'arte astratta insisteva ad interpretare fenomenologicamente anche la griglia più rigorosa o il monocromo più ascetico in termini iconici associati ● all'idea di "Sublime". Come abbiamo visto, questa possibilità è qualcosa che sembra endemico alla griglia stessa: la sua espansione di unità potenzialmente identiche e senza limiti, sempre in grado di generare associazioni metafisiche e trascendentali, comunque sia tale schema, "meccanico" o "automatico".

La forza dell'arte di Martin tuttavia è quella di sospendere l'ambivalenza di spirituale/materiale insita nella griglia, per generare un altro tipo di senso che possiamo definire "strutturalista". L'effetto atmosferico luminoso che emana dalle superfici di Martin è infatti solo il termine medio tra le altre due esperienze che si hanno dei quadri. La prima, quando si guarda le opere da vicino, è di schiacciante specificità materiale: l'irregolarità delle linee a matita quando incespicano nella trama della tela; il fantasma delle linee visibili sotto lo strato di gesso, riecheggiate dal loro doppio al di sopra di esso, ecc. È solo quando si allontana lo sguardo dalla superficie abbastanza perché la rete della griglia si dissolva visivamente, che la sensazione di atmosfera luminosa sostituisce quella della materia. Ma allora, se la si guarda ancora, questa foschia visiva si opacizza in una densa parete appiattita, che diventa così un'altra, più generale, forma della materia stessa. In altre parole, le tele diventano "atmosfera luminosa" solo in rapporto alle – cioè *differendo* dalle – altre esperienze delle opere come oggetti materiali, e viceversa.

In questo senso possiamo dire che l'arte di Martin non implica nessuna "descrizione" particolare, che sia nuvole, cielo, luce o sublime immensità. Invece, lavorando su una potenzialità struttu- ■ rale, ha generato un paradigma in cui l'atmosfera diventa meno una questione intuitiva e più un'unità in un sistema, lo stesso che la

▲ 1908, 1913 ● 1967c

▲ 1951 ● 1913, 1951 ■ Introduzione 3, 1912

2 • Agnes Martin, *Foglia*, 1965
Acrilico e grafite su tela, 183 x 183 cm

converte da significato (il contenuto di un'immagine) in significante – "atmosfera" –, elemento aperto di una serie differenziale: "parete" opposta a "rete", "trama della tela" opposta a "luminosità insituabile", "forma" opposta a "informe".

L'operazione del paradigma strutturale significa allora che qualcosa è esperito non in termini di pienezza fenomenologica ("questa rete luminosa che *vedo* davanti a *me*"), ma in costante rapporto con ciò che non è ("luminosità" = "non opacità"), una presenza sempre accompagnata dalla propria assenza. È questo a rendere impossibile la riduttiva interpretazione dell'opera di Martin come "pura immensità spaziale" o "puro spirito".

Dipingere la pittura

Nel caso di Robert Ryman la propensione a un'interpretazione fenomenologica è stata altrettanto diffusa, ma non quella che va nella direzione dello "spirito", bensì della "materia". Quando emerse alla fine degli anni Sessanta (la sua prima mostra personale ▲ fu nel 1967, nel 1969 partecipò a *Quando le attitudini diventano forma* a Berna e Londra e a *Antiillusione: procedure/materiali* allo Whitney Museum di New York), Ryman era visto come artista processuale, le sue superfici grigliate tutte bianche come la somma di una serie di manipolazioni dei materiali bruti della pittura

▲ 1969

3 • Robert Ryman, *Winsor 34*, 1966
Olio su tela di lino, 160 x 160 cm

stessa. Nel gruppo di opere intitolate *Winsor* [**3**], per esempio, è evidente che il pennello da cinque centimetri è stato caricato di olio bianco e tirato sulla tela in linee parallele, ogni pennellata arriva a venti-venticinque centimetri prima di esaurire il pigmento e dover essere ricaricata. Le leggere sconnessioni nella fattura tra l'esaurirsi di una pennellata e la cresta di materia di quella che riprende creano una serie di verticali in contrappunto con i vuoti orizzontali tra le righe attraverso cui il caldo bruno della tela è visibile. Descrivendo questo processo come il tentativo di "dipingere la pittura", Ryman restrinse i materiali a diversi tipi di pigmento bianco – caseina, gouache, olio, Enamelac, gesso, acrilico ecc. – che poneva su una vasta serie di supporti – giornali, garza, carta, cartone ondulato, lino, iuta, fogli di fiberglass, alluminio, acciaio, rame ecc. – e manipolava con diversi strumenti di applicazione – pennelli di varie dimensioni (fino a trenta centimetri), spatole, penne a sfera, ecc. Questo ha ammantato di puro positivismo la sua opera, vista come somma di una serie di operazioni passate che possono venire ricostruite nel presente attraverso l'evidenza. È così che è intesa, sia come materia pura sia come stadi della sua evoluzione dispiegata nel tempo.

Ma Ryman sfida questo continuum temporale, proprio come Martin sfida la nozione di immensità spaziale continua. Anch'egli

4 • Robert Ryman, *VII*, 1969
Enamelac su carta ondulata (sette pezzi), ognuno 152,4 x 152,4 cm

opera in rapporto al paradigma strutturale quando, per esempio, nella serie *III*, *V* e *VII* [**4**], applica tre righe di pennellate oblique di Enamelac (una lacca bianca piatta) su tredici pannelli quadrati di un metro e mezzo di lato di carta ondulata, eseguendo questo gesto continuo su tre pezzi della serie per volta. Il risultato è che in *VII* ci sono delle discontinuità che rendono impossibile ricostruire il "processo" del gesto, dischiudendo così la continuità del processo al proprio opposto: la discontinuità dell'unico oggetto implosivo. La "materia" di Ryman, in quanto fungibile nelle operazioni binarie del sistema come con lo "spirito" di Martin, disfa ed è disfatta dalle contraddizioni interne della griglia. RK

ULTERIORI LETTURE:

Yve-Alain Bois, *Ryman's Tact*, in *Painting as Model*, MIT Press, Cambridge (Mass.) 1990; e *The Limit of Almost*, in *Ad Reinhardt*, Museum of Modern Art, New York 1991
Benjamin H. D. Buchloh, *The Primary Colors for the Second Time*, in *October*, n. 37, estate 1986
Lynne Cooke e Karen Kelly (a cura di), *Agnes Martin*, Yale University Press, London-New Haven 2011
Suzanne P. Hudson, *Robert Ryman: Used Paint*, MIT Press, Cambridge (Mass.) 2009
Rosalind Krauss, *Griglie*, trad, it. in *L'Originalità dell'avanguardia e altri miti modernisti*, Fazi, Roma 2007; e *Agnes Martin: la /nuvola/*, trad. it. in *Celibi*, Codice, Torino 2004
Robert Storr, *Robert Ryman*, Harry N. Abrams, New York 1993

1958

Bersaglio con quattro facce di Jasper Johns esce sulla copertina della rivista *Artnews*: per alcuni artisti, come Frank Stella, Johns rappresenta un modello di pittura in cui figura e sfondo sono fusi in un'unica immagine-oggetto, per altri introduce l'uso dei segni quotidiani e delle ambiguità concettuali.

Il 20 gennaio 1958, solo due settimane dopo l'uscita della copertina di *Artnews*, Jasper Johns inaugurò la sua prima mostra personale alla galleria Leo Castelli di New York. Vi erano esposti sei quadri di bersagli concentrici, compreso *Bersaglio con quattro facce* **[1]**, quattro quadri con bandiere americane, compresa la prima *Bandiera* **[2]**, cinque quadri di numeri disegnati con lo stampino, sia singoli che in serie, e infine alcuni quadri con oggetti reali come *Cassetto* e *Libro* (entrambi del 1957). La mostra andò tutta venduta, ▲ con quattro dipinti acquistati dal leggendario curatore Alfred H. Barr Jr. per il Museo d'Arte Moderna. Un debutto del genere non aveva precedenti e sembrò indicare dei cambiamenti nella cultura del mondo dell'arte. C'era un nuovo interesse per i giovani (Johns aveva solo ventisette anni) e per la loro promozione (come poté un artista sconosciuto uscire sulla copertina di *Artnews*?). Anche il succedersi degli stili era accelerato, per cui i riferimenti banali e le pennellate impersonali furono immediatamente visti come una riscossa sui temi elevati e i gesti carichi dell'Espressionismo astratto, che dominava ancora la scena. Johns inoltre non era un tipo ribelle. La mostra rappresentava tre anni di sofferta produzione (nell'autunno del 1954 aveva distrutto la maggior parte dell'opera precedente perché troppo epigonale). Johns era già attivo ● in una cerchia che comprendeva Robert Rauschenberg, il compositore John Cage e il coreografo Merce Cunningham (1919-2004), per il quale disegnava le scene e i costumi, e altri come la performer Rachel Rosenthal (1926-2015).

Una costante negazione delle pulsioni

In parte, l'associazione con Cage indusse all'inizio critici come Thomas B. Hess, direttore di *Artnews*, e Robert Rosenblum ad applicare a Johns la nuova etichetta "neo-Dada". Ma Johns era meno coinvolto dagli attacchi anarchici di Dada all'arte che dalle investiga- ■ zioni ironiche di Marcel Duchamp, la cui opera vide al Philadelphia Art Museum nel 1958 e che conobbe personalmente l'anno dopo. Lo stesso vale per il filosofo Ludwig Wittgenstein, la cui analisi del linguaggio fa ricorso al suo senso di "ostinazione fisica e metafisica", come Johns scrisse su un album di schizzi (cominciò a leggere Wittgenstein intorno al 1961, un interesse presto seguito da ◆ altri artisti della sua generazione, soprattutto concettuali).

L'influenza di entrambi, specie quella di Duchamp, può essere colta nelle strategie di realizzazione delle prime opere. Johns usava "elementi esterni, reali, preformati, convenzionali, spersonalizzati" (come ha detto descrivendo le sue "bandiere" e "bersagli" al suo ▲ miglior critico, Leo Steinberg). Impiegava diversi ordini di segni: visivi e verbali, pubblici e privati, simbolici e indicali (cioè realizzati attraverso il contatto fisico, come le impronte digitali o le fusioni in gesso). Gli piaceva anche utilizzare cose ambigue, anche allegoriche: le "bandiere" per esempio sono al tempo stesso quadri d'avanguardia, oggetti concreti ed emblemi quotidiani. Così, inoltre, tendeva a evocare un io diviso dal proprio linguaggio, dai diversi segni, in opposizione all'io espressionista astratto che si voleva intero nell'atto stesso del dipingere. Ancora, molta di questa provocazione rimanda a Duchamp, che Johns trasmise ad altri artisti, come Cage aveva fatto a lui. Questione, comunque, più di trasformazione che di influenza: come disse Johns dopo la morte di Duchamp nel 1968, una delle sue lezioni – ancora in opposizione al credo espressionista astratto – fu che nessun artista determina la propria opera fino in fondo. Non solo lo spettatore è compartecipe, ma anche gli artisti seguenti interpretano un insieme di opere, le riposizionano retrospettivamente e così le avallano.

Duchamp, scrisse Johns, "spostò la propria opera dai limiti retinici che erano stati fissati dall'Impressionismo in un ambito dove linguaggio, pensiero e visione agiscono l'uno sull'altro". Johns inaugurò uno spostamento simile rispetto all'Espressionismo astratto. Tuttavia, per rompere effettivamente con esso, prima doveva esservi collegato: le sue "bandiere" e "bersagli" vanno al di là dell'Espressionismo astratto secondo i suoi criteri, sono cioè più bidimensionali come superfici, più "allover" come immagini, più fusi come pittura e supporto di qualsiasi precedente espressionista astratto. In questo senso Johns diede il via alla pittura americana avanzata della fine degli anni Cinquanta, cambiando le carte in gioco, ovvero realizzando il suo intento formale con mezzi vietati all'Espressionismo astratto, cioè col ricorso a segni culturali quotidiani, come appunto bandiere e bersagli. Fu un'arma a doppio taglio, perché rispose con termini opposti: qui vi era una pittura che era astratta, ma anche figurativa nel modo, gestuale ma anche impersonale nella fattura (le sue pennellate sembrano per lo più ripetitive), autoreferenziale, ma anche allusiva nell'immagine

▲ 1927c ● 1953 ■ 1914, 1918, 1935, 1966a, 1993a ◆ 1968b ▲ 1953

1 • Jasper Johns, *Bersaglio con quattro facce*, 1955

Assemblage, encausto su giornali e tessuto su tela sormontata da quattro facce di gesso dipinto in scatola di legno con coperchio incernierato, 85,3 x 66 x 7,6 cm

2 • Jasper Johns, *Bandiera*, 1954-55
Encausto, olio e collage su tessuto montato su compensato (tre pannelli), 107,3 x 154 cm

(strisce astratte e cerchi che sono anche bandiere e bersagli), pittorica ma anche letterale nell'associazione (*Tela* [1956] sarebbe del tutto astratta se non vi fosse attaccato un piccolo telaio), e così via.

Per questa sospensione delle opposizioni, Johns trovò nell'encausto un medium perfetto, una base di cera che conserva ogni gesto del pennello, ma lo conserva morto, com'era, come una mosca su carta moschicida. L'encausto permise a Johns anche di legare l'immagine al suo supporto in modo da rendere il quadro più oggetto che immagine. Infine permise la sospensione di altri materiali, come il collage di giornali e tessuto che Johns usava spesso nelle sue prime opere, in un denso palinsesto di superfici. Questa stratificazione introduce un senso del tempo nello spazio del quadro: non solo il tempo reale della complessa realizzazione dell'opera, ma anche un tempo allegorico di significati differenti e/o memorie suggerite. Per esempio, sopra il lenzuolo che fa da base a *Bandiera* **[2]**, vicino al centro, tra altri frammenti di giornale che ricoprono lo sfondo, appaiono appena le parole "pipe dream" (pipa sogno). Esse possono alludere al fatto che la bandiera sia apparsa in sogno a Johns (rendendo questo segno pubblico anche un talismano privato); allo stesso tempo, esse puntano anche all'enigma di un quadro di una bandiera che non è una bandiera (nel 1954, alla galleria Sidney Janis di New York, Johns aveva visto una versione di *Il tradimento delle immagini* [1929] di René Magritte, il famoso quadro surrealista di una pipa accompagnata dalla sua negazione "Questa non è una pipa"). Questo gioco tipico di Johns con la contraddizione e il paradosso, l'ironia e l'allegoria, è dunque già all'opera nei suoi primi quadri. Ogni volta Johns afferma una cosa solo per insinuarne un'altra (che è una definizione dell'ironia) o fa collidere diversi livelli di significato o diversi tipi di segni (che è una definizione dell'allegoria). Come ha scritto su un album di schizzi nel 1963-64 circa: "Una cosa funziona in un determinato modo / Un'altra funziona in un altro / Una cosa funziona in modi diversi in tempi diversi". Il trucco qui è che l'ambiguità è raggiunta attraverso la presa alla lettera delle bandiere, bersagli, numeri, mappe: attraverso le "cose che la mente già sa", ha scritto Johns in una delle prime dichiarazioni. "Questo mi ha dato spazio per lavorare su altri livelli".

"Il mio lavoro diventò una costante negazione delle pulsioni", ha notato Johns retrospettivamente. Questa negazione non è un'ostentazione di sofisticatezza, come apparve all'inizio a Steinberg, per il quale "la morale" delle prime opere era che "niente in arte è tanto vero che il suo opposto non possa essere reso ancora più

▲ 1962d

▲ 1927a

vero". Né la collisione di visivo e verbale, di pittorico e letterale, ha semplicemente cancellato l'estetica dell'Espressionismo astratto. Piuttosto ha mantenuto il modello di pittura rappresentato da ▲ Pollock in una tesa sospensione con il suo opposto avanguardista rappresentato da Duchamp. Le "pulsioni" negate sono dunque tanto imperativi estetici quanto inclinazioni personali. Infatti una ragione per cui Johns diventò così presto determinante è che seppe sospendere la contraddizione tra gli imperativi primari al lavoro nell'avanguardia del dopoguerra: l'eredità di Pollock *e* la provocazione di Duchamp. Più precisamente seppe sviluppare questi paradigmi opposti in una caratteristica arte dell'ambiguità.

La guardia e la spia

Johns, oltre all'ingegno europeo derivato da Duchamp, Magritte e Wittgenstein, possedeva anche la saggezza semplice di un pragmatista americano (il critico Hilton Kramer denigrò la sua arte come "una sorta di versione del Dadaismo da nonna ebrea"). Questo aspetto indusse Steinberg, nel suo brillante saggio sull'artista, a raccontare la realizzazione delle prime opere come una ricetta trovata in un almanacco, ricetta di "cose fatte dall'uomo" che sono "luoghi comuni del nostro ambiente", di "entità globali o sistemi completi" con "forme convenzionali" che sottolineano la bidimensionalità del quadro e prescrivono la sua dimensione. Queste procedure suggeriscono perché Johns poté essere adattato sia dagli ● artisti pop (che pure usarono "luoghi comuni del nostro ambiente") che dai minimalisti (che usarono "entità globali o sistemi completi"). Le implicazioni del suo metodo erano pur tuttavia meno pragmatiche e più lungimiranti.

Primo: Johns avanzò un nuovo paradigma del quadro. Soprattutto nelle opere dopo il 1958 usò stampi, spesso di nomi di colori in disaccordo con i reali colori dipinti sulla tela (come in *Periscopio [Hart Crane]* **[3]**, dove leggiamo i colori primari ma vediamo perlopiù grigi e neri). Di fronte a tali opere Steinberg intuì "un nuovo ruolo della superficie pittorica: non una finestra, non un vassoio sollevato verticalmente, neppure un oggetto con proiezioni effettive nello spazio reale, ma una superficie osservata durante la fecondazione, mentre riceve un messaggio o un'impronta dallo spazio reale". Diversi anni dopo, in un famoso saggio su Rauschenberg, Steinberg vide in questo riorientamento del quadro – come luogo della ricezione di segni più che schermo per la proiezione di visioni – uno spostamento "postmoderno" dalla "natura" alla "cultura" come ambito primario di riferimento dell'arte. Per Steinberg questo spostamento richiedeva "altri criteri" – altri, cioè, dal criticismo formalista di Clement Greenberg che dominava all'epoca – e il suo punto di partenza era Johns. Secondo: Johns annunciò una nuova figura di artista. "Tutto ha un suo uso e utente, e nessun bisogno di lui", notò Steinberg dell'oggettività pragmatica dei materiali e dei metodi in Johns, e questo soggetto che si ritrae suggerisce una posizione di "passività più che azione", ancora in opposizione all'Espressionismo astratto. È l'inizio di un altro spostamento "postmoderno" verso un atteggiamento senza partecipazione o antisoggettivo, un'"estetica dell'indifferenza" (come l'ha poi definito la critica Moira Roth) che diventò radicale con alcuni ▲ artisti pop e minimalisti (si pensi a Andy Warhol).

Johns può "insinuare l'assenza" con i suoi segni, come ha notato Steinberg, ma un soggetto personale resta comunque negli emblemi quotidiani, nelle pennellate sospese e nei frammenti riprodotti. È un soggetto che sembra dividersi sia nelle sue "impronte di memoria" (come ha scritto Johns nel 1959) sia nei suoi "cambi di fuoco" (frase delle più ricorrenti nei suoi primi album di schizzi), poiché si muove attraverso diversi tipi di motivazioni e di significati. È anche un soggetto che sembra dividersi in rapporto allo spettatore. In una nota particolarmente ambigua del 1964 Johns allegorizza questa soggettività scissa in due personaggi, la "guardia" e la "spia", e lascia il dubbio con quale egli si identifichi: "La guardia cade 'nella' 'trappola' di guardare. [...] Cioè, c'è una continuità di un qualche tipo tra la guardia, lo spazio, gli oggetti. La spia deve essere pronta ad 'andarsene', deve fare attenzione a chi entra e chi esce. [...] La spia si mette a guardare la guardia". Può essere questo spiare la nostra guardia che spesso dà una mano al suo lavoro, anche nel suo aspetto più letterale, il suo effetto perturbante di sguardo all'indietro su di noi che lo guardiamo.

Nel 1964 Johns tenne una mostra al Jewish Museum di New York, che rivelò quanto fossero influenti le sue prime opere per vari

Ludwig Wittgenstein (1889-1951)

Provocatoriamente antiidealista, il filosofo viennese Ludwig Wittgenstein lavorò a purificare le nostre concezioni del linguaggio dal loro persistente platonismo. Le sue *Ricerche filosofiche* (1953) costituirono una critica radicale dell'idea stessa di "espressione", un concetto essenziale per varie forme d'arte astratta, soprattutto per l'Espressionismo astratto. L'espressione dipende dall'intenzione di esprimere; l'intenzione è dunque una volontà di significare che precede la sua articolazione verbale o visiva. In questo senso, sostenne Wittgenstein, essa comporta un quadro di vita mentale che è privato, inconoscibile agli altri, ma immediatamente disponibile a noi stessi. Invece di questa idea di significati privati a cui ognuno di noi ha accesso unico, Wittgenstein sostenne che "il significato di una parola è il suo uso". In particolare avanzò l'idea di "giochi linguistici" basati su "forme di vita". I giochi linguistici sono modelli di comportamento verbale di natura sociale e acquisiti nei rapporti interpersonali. L'espressione privata non ha senso in un universo del genere: "Se un leone potesse parlare", ha scritto Wittgenstein, "non potremmo capirlo".

Uno dei primi artisti a meditare sulle implicazioni di questa critica per l'arte fu Jasper Johns. Il suo uso di righelli come "dispositivi", per esempio, interrogò la pennellata autografa come espressione di un significato privato; molte sue opere possono essere viste come esecuzione di "giochi linguistici". Gli artisti minimalisti, concettuali e processuali svilupparono poi in vari modi lo scetticismo per il linguaggio privato.

▲ 1949a, 1960b ● 1960c, 1962d, 1964, 1965 ■ 1960b ▲ 1962d

3 • Jasper Johns, *Periscopio (Hart Crane)*, 1963
Olio su tela, 170,2 x 121,9 cm

artisti. I suoi puzzle filosofici furono cruciali per artisti concettuali ▲ come Sol LeWitt (1928-2007) e Mel Bochner (nato nel 1940), il cui slogan "Il linguaggio non è trasparente" può valere anche per Johns. I suoi segni indicali (per esempio l'impronta della mano in *Periscopio* o il pezzo di legno ruotato sull'asse in *Emblema* [1961-62]) • influenzarono gli artisti processuali, anche se la realizzazione effettiva della maggior parte delle opere di Johns è difficile da ricostruire. Naturalmente il suo uso di segni della cultura di massa ha anticipato la Pop art e la sua insistenza sulla pittura come oggetto ha favorito il Minimalismo (alcune opere, come *Bandiera su sfondo arancio* [1957], dove un'immagine "pop" fluttua su un ■ monocromo "minimalista", combinano entrambe le tendenze). Il legame con la Pop art è evidente, quello con il Minimalismo venne ◆ spiegato sinteticamente da Robert Morris (nato nel 1931) nel 1969, nella quarta parte delle sue *Note sulla scultura*: "Johns ha portato lo sfondo fuori dalla pittura e isolato l'oggetto. Lo sfondo diventò la parete. Ciò che prima era neutrale diventò reale, mentre ciò che prima era un'immagine diventò una cosa".

Ciò che vedi è ciò che vedi

In questo passaggio dall'immagine-cosa di Johns all'oggetto minimalista una mediazione determinante fu quella di Frank Stella (nato nel 1936), il cui debutto nell'importante mostra *Sedici americani* curata da Dorothy Miller al MoMA nel 1959, fu ancor più precoce (aveva ventitré anni) di quello di Johns nel 1958. Stella non amava le ambiguità di Johns, le vedeva come "dilemmi" da risolvere più che paradossi su cui indulgere (un suo quadro è intitolato *Il dilemma di Johns*). Le sue prime opere conservarono le strisce delle "bandiere", ma abbandonarono il loro simbolismo. *Coney Island* (1958), per esempio, è un vessillo astratto, un'isola in un mare di strisce arancio e giallo. Ma Stella volle espungere anche questo residuo del rapporto figura-sfondo: i suoi "quadri neri" (1959) lo fecero senza pietà. *Die Fahne Hoch!* **[4]** è l'opera più famosa della serie, anche perché il suo titolo ("In alto le bandiere!") cita l'inno ufficiale del nazismo. Anche questo riferimento è più formale che tematico: il quadro ha la forma di uno stendardo, cruciforme come una svastica, nero come l'uniforme fascista. È anche enorme (quasi due metri per tre), con un telaio di quasi otto centimetri di spessore; quest'ultimo ha determinato la larghezza delle strisce, che Stella ha dipinto a smalto sulla tela in modo che reiterassero la forma a croce del telaio stesso. La croce al centro ripete la forma più basilare di una figura verticale su uno sfondo orizzontale, ma questo rapporto figura-sfondo è sottolineato qui solo per essere subito negato. Questo accade non solo attraverso l'elaborazione marcata delle strisce nere, ma anche perché le linee biancastre tra di esse, linee che appaiono come "figura" che emerge, sono in realtà lo "sfondo" sottostante, il fondo non dipinto della tela che si mostra attraverso la pittura nera. Dove Johns sembra giocare, Stella è positivista; dove tutto in Johns "cambia di fuoco", in Stella "ciò che vedi è ciò che vedi" (questo piatto slogan è il suo commento più famoso alle sue prime opere).

▲ 1968b • 1969 ■ 1962d ◆ 1965

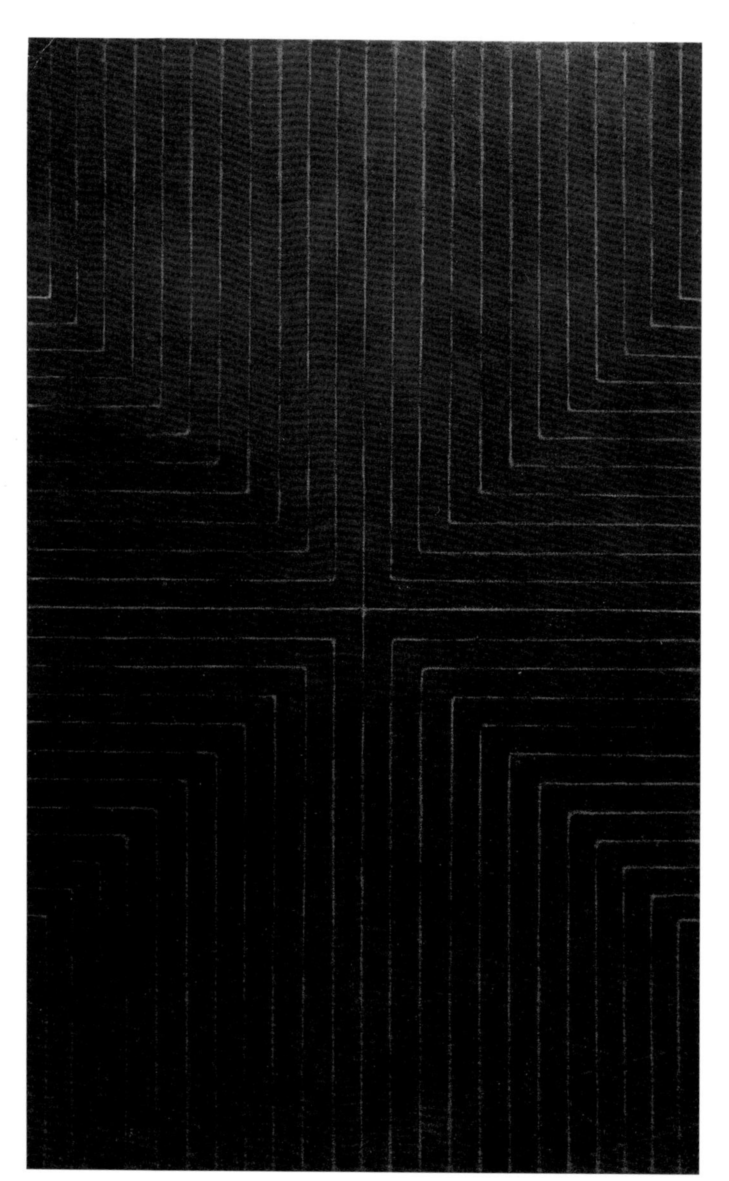

4 • Frank Stella, *Die Fahne Hoch!*, 1959
Smalto nero su tela, 308,6 x 185,4 cm

"Esistono due problemi in pittura", notò Stella allo stesso modo nel 1960. "Uno è scoprire che cos'è e l'altro è scoprire come farla". Di fatto la sua soluzione fu quella di mettere insieme i due problemi e mostrare quello che la pittura è attraverso la dimostrazione di come si fa. Per il suo compagno di college, il critico Michael Fried, che volle integrare Stella nella sua storia dell'astrattismo moder- ▲ nista, questa logica deriva dal Cubismo via Mondrian. Per il suo • compagno delle elementari, il minimalista Carl Andre, che lavorava su una genealogia diversa del modernismo, questa logica era costruttivista nel suo materialismo (Stella ha applicato "unità discrete uguali", commentò una volta Andre, "[che] non sono strisce, ma pennellate"). La discussione continuò almeno fino a metà degli anni Sessanta. Nel 1960 Stella cominciò a usare una vernice metallica (alluminio e rame); cominciò anche a sagomare le tele, prima con piccoli cambiamenti della forma che riorientavano le strisce, poi con forme aggiunte sempre più grandi. Per Fried questi nuovi quadri realizzavano un'otticità pura; per Andre significavano una pura materialità. Per Fried le nuove tele strutturavano

▲ 1911, 1913, 1917a, 1944a • 1962c

5 • Frank Stella, *Takht-i-Sulayman,* 1967
Pittura al polimero e polimero fluorescente su tela, 304,8 x 609,6 cm

le immagini "deduttivamente", internamente, senza usare immagini come la bandiera, e questo rendeva i quadri ancor più autonomi. Per Andre andavano verso la tridimensionalità nello spazio reale e suggerivano una pratica "site-specific" (strettamente legata al luogo di produzione e di esposizione), non una autonoma. In breve, come Johns con il proprio enigma rispondeva alle attese derivate sia da Pollock che da Duchamp, così l'opera di Stella fu vista da alcuni artisti e critici come l'epitome della pittura tardo-modernista e da altri come l'origine degli oggetti minimalisti.

Entrambi videro una stretta logica in Stella, una logica affermativa del telaio mappato sulla tela nei "quadri neri", dell'immagine resa coincidente con il supporto nei quadri sagomati, della pittura basata su forme note e segni semplici, e così via. Quando le forme diventarono più eccentriche, questa logica diventò più arbitraria. Nella serie dei "goniometri" **[5]** l'immagine e il supporto erano ancora determinati insieme, ma cominciavano a entrare in conflitto e le strutture non apparivano più così necessarie o persuasive. Dalla metà degli anni Settanta le opere diventarono degli ▲ ibridi, né pittura né scultura, e prima citarono il collage cubista e la costruzione costruttivista e poi mescolarono diversi linguaggi artistici storici e modernisti. Questo assemblaggio fu spinto negli anni Ottanta fino al punto in cui frammenti di forme semibarocche, griglie distorte, forme pop-geometriche e colori e gesti eccessivi possono collidere nella stessa costruzione di alluminio. Stella parve passare da un'analisi modernista della pittura a un pastiche post-storico di stili. Se una morale di Johns è che "niente in arte è tanto vero che il suo opposto non possa essere reso ancora più vero", una di Stella è che nessuna logica pittorica è tanto garantita da non poter essere ripudiata.

Ma questa crisi della logica pittorica non è solo sua, indica una più vasta crisi della storia stessa del modernismo negli anni Settanta e Ottanta, di una storia cioè in cui un grande artista genera il maestro seguente in stretta linea di discendenza e l'importanza di questo erede dipende dal suo alimentare a sua volta la successione. Come i suoi angeli custodi Fried e Andre, Stella è di una generazione che possiede una grande consapevolezza del modernismo e un senso ambizioso del ruolo dello spiegare. In questo spiegare c'è una linea sottile tra narrazioni storiciste delle influenze e delle successioni e altri racconti dei collegamenti e differenze storiche: i resoconti storicisti possono essere molto efficaci, ma anche riduttivi. "Stella vuole dipingere come Velásquez", pare che abbia affermato una volta Fried, "per questo dipinge delle strisce". Il rigore stesso del racconto della pittura qui implicito – che offre nobili collegamenti al passato, ma al prezzo di una severa riduzione nel presente – suggerisce perché Stella possa aver voluto rompere con questa storia del tardo modernismo, forse per ripudiarlo istrionicamente, pur essendo considerato uno dei suoi principali protagonisti. HF

ULTERIORI LETTURE:
Michael Fried, *Art and Objecthood*, University of Chicago Press, Chicago 1998
Jasper Johns, *Writings, Sketchbook Notes, Interviews*, Museum of Modern Art, New York 1996
Fred Orton, *Figuring Jasper Johns*, MIT Press, Cambridge (Mass.) 1994
William Rubin, *Frank Stella*, Museum of Modern Art, New York 1970
Leo Steinberg, *Other Criteria: Confrontations with Twentieth-Century Art*, Oxford University Press, London-Oxford-New York 1972
Kirk Varnedoe, *Jasper Johns*, Museum of Modern Art, New York 1996

▲ 1912, 1921b, 1928a

1959a

Lucio Fontana tiene la sua prima retrospettiva: usa associazioni kitsch per mettere in questione l'idealismo modernista, critica proseguita poi dal suo protetto Piero Manzoni.

Al momento della prima importante retrospettiva sulla sua opera nell'autunno del 1959 (in varie gallerie di Roma e Torino), Lucio Fontana (1899-1968) aveva appena cominciato la serie dei "tagli" che avrebbe dominato l'ultimo decennio della sua produzione e sarebbe diventata il suo marchio (aveva esposto i primi tentativi dell'anno precedente, tele colorate a pastello disseminate di piccoli tagli, in febbraio a Milano e in marzo a Parigi). La coincidenza fu fortunata. Drammatizzato dalle sequenze fotografiche abilmente teatralizzate di Ugo Mulas che mostrano il processo di creazione, dall'esitazione meditativa dell'artista davanti alla tela vuota fino alla contemplazione soddisfatta dopo l'atto, il gesto iconografico di Fontana – il taglio netto di una tela monocroma tesa su telaio – avrebbe messo in ombra il resto della sua produzione molto diversificata. I "tagli" che avrebbero invaso il mercato e la retorica bifronte che generarono – elogi quasi mistici alla cosiddetta "ricerca dell'assoluto" da un lato e iperboliche lodi della teatralizzazione della violenza dall'altro, una ▲ coppia simile a quella consapevolmente sfruttata da Yves Klein – gettarono un'ombra sulla serietà dell'impresa di Fontana.

La dialettica irrisolta tra avanguardia e kitsch

Benché un catalogo ragionato della sua opera sia apparso già nel 1974, fu solo alla fine degli anni Ottanta, dopo la grande mostra al Centre Georges Pompidou di Parigi, che la fortuna critica di Fontana cambiò ed egli cominciò ad essere visto, alla fine, come uno dei più importanti artisti europei del dopoguerra. Tardivi riconoscimenti come questi non sono un fenomeno raro in sé, ma resta particolarmente singolare il caso di Fontana, artista che si era sfacciatamente trastullato con la cultura industriale del periodo della Ricostruzione (con una particolare attrazione per il glamour) e che non rifiutò mai nessuna commissione di un'opera decorativa (dal soffitto di una sala cinematografica o di un negozio alle porte monumentali di una cattedrale). Di fatto è l'immersione di Fontana nell'universo del kitsch a rendere conto, paradossalmente, del lento emergere della sua importanza, per cui il riconoscimento poté avvenire solo quando l'opposizione dialettica tra kitsch e avanguardia, che aveva dominato la critica della cultura fin dalle origini del modernismo, cominciò a sfumare.

Contemporaneamente (e indipendentemente) teorizzato sia da ▲ Clement Greenberg sia da Theodor Adorno in risposta alla minaccia totalitaria del fascismo e dello stalinismo, questo rapporto dialettico sostiene che l'opera sperimentale dell'avanguardia è l'unica possibile salvaguardia contro l'inevitabile passaggio di ogni pratica culturale e forma di produzione alla condizione di merce sotto la legge dell'economia capitalista. Senza volerlo, Fontana introdusse un attrito nel meccanismo ben oliato di questo modello di spiegazione. Diversamente dai nouveaux ● réalistes negli anni Sessanta (che lo salutarono come precursore) o dagli artisti pop, non si ribellò contro gli effetti soffocanti descritti da Greenberg e Adorno, elevando la merce allo statuto di artefatto culturale, posizione di opposizione che non fa che confermare la stretta del modello dialettico. Fontana non si *appropriò* del kitsch, fatto che avrebbe presupposto un punto di vista intellettuale critico (per sfruttare il kitsch si deve rimanere a una qualche distanza da esso, protetti dall'ironia o dalla pretesa fiducia nel proprio buon gusto). Non si appropriò del kitsch (né poteva farlo), perché era immerso in esso fin dall'inizio della sua attività: con lui la rigida parete che separa il kitsch commerciale dall'arte d'avanguardia era diventata del tutto porosa. Questo suo tentativo decostruttivo diventa evidente solo se si esamina l'opera che era stata eclissata dai "tagli", cioè prestando attenzione soprattutto alla sua scultura, ampiamente sottovalutata, e tenendo a mente che cominciò a dipingere non prima del 1949, all'età di cinquant'anni.

Figlio di uno scultore commerciale italiano emigrato in Argentina (specializzato in monumenti funebri), Fontana era esposto all'epitome del kitsch, cioè la scultura *pompier* del XIX secolo. Frequentata la Scuola di Belle Arti di Milano (kitsch accademico) alla fine della Prima guerra mondiale, tornò in Argentina nel 1922 ■ (dove emulò l'Art déco, Maillol e Archipenko: kitsch moderno). Rientrato in Italia sei anni dopo, fu tentato per un po' dal revisionismo antimodernista del Novecento (kitsch revisionista), un movimento che avrebbe presto ricevuto l'approvazione del regime di Mussolini.

Se fino al 1930 Fontana aveva seguito solo il sentiero sicuro di quello che possiamo definire un "cattivo gusto ufficialmente riconosciuto", in quell'anno la sua adesione al kitsch diventò improvvisamente *outré*, spinta, in diretta contraddizione con la

▲ 1960a, 1967c
▲ 1960b ● 1960a, 1960c, 1962d, 1964b ■ 1900b, 1925a

1 • Lucio Fontana, *Farfalla*, 1938
Ceramica policroma, 16 x 30 x 20 cm

2 • Lucio Fontana, *Ceramica spaziale*, 1949
Ceramica policroma, 60 x 60 x 60 cm

domanda di decoro dello Stato italiano, i cui burocrati furono pronti nel criticare la nuova direzione della sua opera. La scultura "primitivista" in marmo policromo *L'uomo nero*, che Fontana realizzò in quell'anno, fu seguita nel 1931 da sculture di terracotta smaltata, bronzo policromo, gesso dorato e ceramica, nonché tavolette di cemento policromo inciso. Nonostante la grande varietà di stili impiegati in queste opere (la maggior parte delle tavolette di cemento sono astratte, le terrecotte sono "espressioniste-primitiviste", i bronzi e i gessi dorati sono accademici), il loro denominatore comune è la policromia, un attributo della scultura che aveva offeso la sensibilità del teorico dell'arte tedesco Johann Joachim Winckelmann nel XVIII secolo ed era diventato di conseguenza un anatema per gli artisti modernisti. È vero, c'erano state altre trasgressioni prima di Fontana, quali Gauguin, Picasso e, più ▲ vicini a Fontana, Katarzyna Kobro e Alexander Calder, ma questi artisti erano perlopiù interessati a mettere alla prova i limiti tra scultura e pittura, questione analitica che, come Fontana stesso scoprì, dopo un breve interludio modernista di astrattismo geometrico alla metà degli anni Trenta, aveva poco a che fare con la sua impresa.

Più che tentare di "dipingere nello spazio", Fontana si tuffò indietro nella tradizione premodernista – soprattutto quella della statuaria e degli oggetti decorativi prodotti in Francia durante il Secondo Impero (1852-71), dove l'uso simultaneo di molti materiali aveva reintrodotto surrettiziamente la policromia – per rovesciare i termini stessi di quella tradizione. Mentre il kitsch accademico venerava il finito e usava il colore per nascondere la materialità del medium scultoreo, Fontana fece del colore l'emblema stesso di una radicale materialità, rendendo la sua intrusione nel campo della scultura un rumore che disturba l'armonia omogenea difesa dal discorso estetico. Le numerose ceramiche policrome che realizzò alla fine degli anni Trenta esasperarono le basi oscene del cattivo gusto. Per esempio, i suoi *Leoni* (1938), due animali smaltati distesi l'uno accanto all'altro, uno rosa e l'altro nero (i colori dei genitali), e la sua perlacea *Farfalla* dello stesso anno **[1]** sono reminiscenze di vasi art nouveau di Émile Gallé (che Le Corbusier detestava e la cui sessualità floreale eccitava invece i surrealisti).

Il basso materialismo di Fontana

Tornato in Argentina durante la Seconda guerra mondiale, Fontana seguì ancora una volta i passi del padre e diventò uno scultore ufficiale, tornando allo stile iperaccademico. Ma era solo un passo indietro prima del balzo in avanti, perché nel 1946 insieme ai suoi studenti lanciò il *Manifesto bianco*, in cui rompeva sia con l'astrattismo che con la figurazione, attaccava l'estetica, il razionalismo e il formalismo e annunciava la propria idea di arte all'insegna dello Spazialismo. Appello a una regressione atavica, questo testo è un invito a creare un'arte dell'indistinto e dell'indifferenziato, un'arte "in cui non intervenga l'idea che di essa ci siamo fatti", un'arte, per così dire, liberata dalle idee. Appena tornato in Italia, nel 1947, Fontana cominciò a mettere in opera questo programma.

Fece l'inventario del suo "basso materialismo", per usare ▲ l'espressione elaborata da Georges Bataille nella rivista *Documents*, cioè un materialismo non fondato su concetti, in cui la materia non è soggetta a una qualche ontologia, ma è l'agente di degrado di

▲ 1928a, 1931b, 1955b

▲ 1930b, 1931b

tutto ciò che è "alto". Anche ora Fontana si occupò di policromia (nei rilievi di terracotta neobarocchi semiastratti), ma poi arrivò abbastanza in fretta alle sculture che sembrano mucchi amorfi di fango e paiono evocare la possibilità dell'*informe*, cioè della manifestazione materiale di quello che Bataille ha così chiamato. Da qui in poi la scultura policroma non fu più il medium essenziale del suo grido scatologico, ma uno dei molti con cui il suo basso materialismo si abbassò sempre più.

Un paragone tra due sue sculture permette di stabilire con più precisione il momento in cui la sua opera si volse verso il basso. La prima, datata 1947 e solitamente intitolata *Scultura nera*, ora in bronzo mentre originariamente era in gesso colorato, è una sorta di anello composto di palle di materia, posto verticalmente come i cerchi in fiamme attraverso cui si costringono a saltare gli animali al circo. Al centro emerge un'escrescenza vagamente antropomorfa. La corona di palle delimita un'arena, come una scena in cui qualcosa sta per accadere. Quest'ultima traccia di narrazione è completamente spazzata via nella *Ceramica spaziale* del 1949 **[2]**: una massa cubica di materia nerastra, con riflessi iridescenti su una superficie estremamente agitata, sembra caduta sulla terra come un enorme blocco di sterco. La geometria (la forma, l'"idea" platonica) non è qui soppressa, ma *abbassata*, portata giù al livello della materia, che fino ad ora, nella storia della cultura occidentale, doveva essere "eliminata per superamento" (per usare l'espressione della dialettica hegheliana). La ragione subisce un "colpo basso": non c'è qui antitesi, ma pura oscenità posta al centro del castello di carte dell'estetica e che minaccia di farlo cadere.

Ora che aveva identificato la propria pulsione scatologica, Fontana poté alfine cominciare a lavorare in pittura senza dover temere l'idealizzazione ottica che sembrava affliggere il medium (un'idealizzazione che ha spinto Rodčenko prima di lui, e Donald ▲ Judd dopo, ad abbandonare del tutto la pittura per l'ambito degli oggetti). Infatti, nelle mani di Fontana, la pittura a olio – il materiale più nobile dell'arte pittorica – diventò spesso un impasto ripugnante e la stessa miriade di buchi che trapassano le sue prime tele (la serie dei "buchi" che va dal 1949 al 1953) mette visibilmente in luce la materialità del supporto. Inoltre l'appello di Fontana alla "regressione infantile" diede una nuova svolta giocosa alla sua fame di kitsch: dalle false pietre preziose incollate sulle tele bucate (spesso dipinte in toni dolciastri da glassa per dolci) della serie delle "pietre" del 1951-58, allo scintillio della polvere di diamanti e ai colori acidi (rosa caramella o verde mela) degli ovali della serie *La fine di Dio* del 1963-64 **[3]** – per non parlare dei quadri color oro – Fontana non smise di dichiarare (*contra* Greenberg e Adorno, ma anche *contra* l'estetismo e la semplicità zen dei suoi "tagli") che in pieno tardo-capitalismo l'unica posizione moralmente sostenibile è quella dell'irresponsabilità del bambino che scopre la varietà scintillante di un bazar. Questo "innocente" meravigliarsi si estende a tutti gli ambiti favoriti dello spettacolo del dopoguerra: la televisione (su cui Fontana scrisse un manifesto e per cui desiderò lavorare), la moda (disegnò gioielli e fu felice quando gli chiesero di fornire materiale scenico per sedute di fotografia), le fiere commerciali e le decorazioni per discoteche, dove spesso introdusse quello che sarebbe diventato di uso normale come i tubi al neon o le luci di Wood.

Il sottotono fondamentalmente nichilista dell'arte di Fontana non sfuggì al suo giovane amico Piero Manzoni (1933-63), che egli prese sotto la propria ala nel 1957. Questa data segna l'inizio improvviso della carriera folgorante di Manzoni (fino ad allora la sua produzione non era così promettente). Ciò che la fece decol- ▲ lare fu la mostra di monocromi blu di Yves Klein nel gennaio di quell'anno a Milano, che Manzoni studiò con cura. La sua prima risposta fu debitrice dell'estetica pauperista di un altro mentore, Alberto Burri (1915-95), i cui assemblaggi di sacchi, presto seguiti da fogli di plastica bruciata, avevano affascinato anche Robert • Rauschenberg durante il suo soggiorno in Italia nel 1952-53. Resistendo al monocromo, Manzoni realizzò "composizioni" in cui strati di catrame liquido esplodono rivelando, in striature o crateri variamente disseminati, gocce di rossi vivi e gialli. Ma dal 1958, con il suo primo *Achrome* (letteralmente "senza colore") Manzoni importò questa posizione *matiériste* e risolutamente antiidealista dentro il tropo modernista stesso del monocromo. Gli *Achrome*, tutti bianchi, proseguirono fino alla morte prematura di Manzoni all'età di trent'anni, ma ebbero un'evoluzione importante in quel breve periodo di vita.

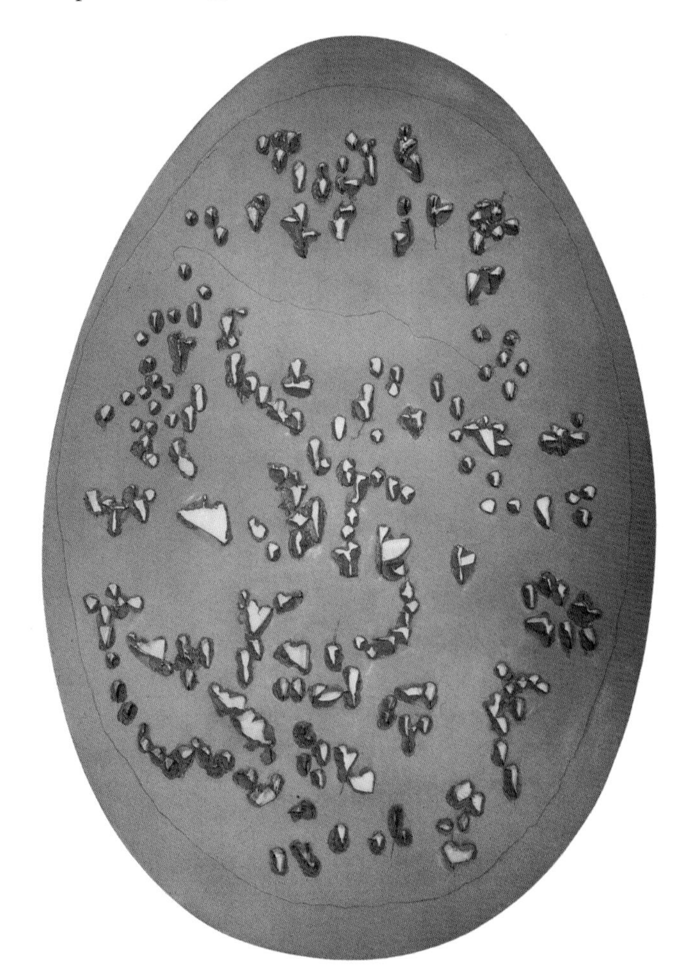

3 • Lucio Fontana, *Concetto spaziale / La Fine di Dio*, 1963
Olio su tela, 178 x 123 cm

▲ 1921b, 1965

▲ 1960a, 1967c • 1953

All'inizio, con pezzi composti di riquadri di cotone cuciti a griglia o di tela arricciata, entrambi i tipi imbiancati con il terroso e insieme latteo caolino (una creta superfina usata per la porcellana), gli *Achrome* di Manzoni sembrano solo evocare genuina ammirazione per Klein (benché la radicale censura del colore possa già essere interpretata come una gomitata all'estetica magniloquente di Klein, largamente basata sugli effetti spettacolari della saturazione cromatica). Presto tuttavia la numerosa schiera di opere bianche di Manzoni punta nella direzione della nemesi ▲ estrema di Klein, cioè Marcel Duchamp, e da lì torna a Fontana per affilare la sua lezione negativa. È questa la ragione per cui, diversamente dai primi *Achrome*, il cui materiale tessile rivelava la loro appartenenza alla tradizione pittorica, i seguenti, pure immersi nel caolino, mirano allo statuto di oggetti. Questi collage di file di panini disposti a griglia, o di sassolini, producono una strana combinazione, metà macabra metà stupida, di astrattismo (monocromo) e readymade. Il passo finale avviene quando Manzoni decide di limitare il proprio intervento al minimo (niente collage, niente imbiancatura) e usa frammenti di materiali bianchi senza toccarli. Questa volta i materiali, come lo Styrofoam o il fiberglass, non hanno niente a che fare con l'ambito pittorico e invece molto con la tossicità della produzione industriale e i pericoli dei luoghi di costruzione (una realtà onnipresente nell'Italia dell'immediato dopoguerra). Così le *Nuvole* di fiberglass di Manzoni **[4]**, talvolta disposte in una scatola di velluto rosso che tocca le corde feticiste che collegano il disgusto all'erotismo (ancora una volta infantile), scandiscono la natura dell'attrazione di Fontana per il kitsch, cioè la cultura del rifiuto, del ciarpame.

Inoltre, e prendendo direttamente in giro la retorica della *grandeur* autoriale e lo pseudomisticismo di Klein, Manzoni si rivolse

4 • Piero Manzoni, *Achrome*, 1962
Fiberglass su cartoncino, 31 x 34 cm

5 • Piero Manzoni, *Socle du monde*, 1961
Ferro, 82 x 100 x 100 cm

ancora una volta a Duchamp per cogliere le pulsioni corporee che erano al centro della produzione di Fontana. Contro le pose e l'appello all'immaterialità di Klein, Manzoni concepì l'artista non come un ideale supereroe, ma come una macchina escrementizia: il suo multiplo *Merda d'artista*, scatole tutte uguali, numerate, supposte contenere la suddetta materia, è l'esempio più famoso di questa particolare vena della sua opera, ma i palloncini rossi che gonfiò soffiandoci dentro (*Fiato d'artista*), e lasciati al loro eventuale destino di sgonfiamento, sono forse ancora più efficaci. Non è un caso che questo ironico attacco contro la nozione stessa di soggetto artistico espressivo sia parallelo a un'indagine sulla natura del segno. Nel 1959-61 Manzoni tracciò meccanicamente una linea che divide simmetricamente in lunghezza rotoli di carta (da meno di un metro a più di sette chilometri). Ognuna di queste *Linee* venne inscatolata in un tubo, a significare che, contrariamente agli altri gesti similmente impregnati della tradizione duchampiana, come l'*Impronta* ▲ *di pneumatico* di Rauschenberg del 1953, le "linee" non sono visibili: quello che si vede è il tubo, più spesso di cartone e un paio di volte di metallo cromato – presa in giro di Brancusi? –, mentre il cilindro contenente la *Linea* più lunga è di piombo.

Questa deliberata frustrazione della vista come strategia di resistenza contro la spettacolarizzazione della cultura, una strategia ● che fa di Manzoni uno dei padri più importanti dell'Arte concettuale, culminò nel *Socle du monde* **[5]**, un parallelepipedo di ferro su cui è inciso il titolo (e il sottotitolo "Hommage à Galileo") scritto a testa in giù – un "piedistallo del mondo" che rima con le fantasie regressive di Fontana, segnalando che, di fronte all'indifferenziazione entropica che è il futuro riservatoci dal tardo capitalismo, non c'è altra soluzione che una volontà utopica che tutto venga rovesciato. YAB

ULTERIORI LETTURE:

Yve-Alain Bois, *Fontana's Base Materialism*, in *Art in America*, n. 4, aprile 1989

Germano Celant (a cura di), *Piero Manzoni*, Serpentine Gallery, London 1998

Jaleh Mansoor, *Piero Manzoni: "We Want to Organicize Disintegration"*, in *October*, n. 95, inverno 2001

Anthony White, *Lucio Fontana: Between Utopia and Kitsch*, in *Grey Room*, n. 5, autunno 2001

Sarah Whitfield, *Lucio Fontana*, Hayward Gallery, London 1999

▲ 1914, 1918, 1935, 1966a, 1993a

▲ 1953 ● 1968b

1959b

Bruce Conner espone *BAMBINO* alla San Francisco Art Association, una figura mutilata su un seggiolone, realizzata per protestare contro la pena capitale: sulla West Coast viene sviluppata da Conner, Wallace Berman, Ed Kienholz e altri una pratica dell'assemblage e dell'ambientazione più scabrosa dei suoi equivalenti di New York, Parigi e altrove.

Nel giugno 1957 degli ufficiali della buoncostume del Dipartimento di Polizia di Los Angeles fecero irruzione nella galleria Ferus che il futuro curatore e direttore di museo Walter Hopps e l'artista Edward Kienholz avevano aperto solo tre mesi prima. In seguito a due denunce anonime riguardanti la prima (e ultima) esposizione di Wallace Berman, i poliziotti cercavano materiale pornografico. Sorprendentemente non notarono il crimine principale, un assemblage intitolato *Croce* **[1]**, consistente unicamente di una croce di legno consumato piantata su una cassa, da cui pendeva, appesa a una catena di ferro alla fine del braccio sinistro, una piccola cornice a scatola contenente il primo piano fotografico di un rapporto eterosessuale sotto cui erano scritte le parole latine "Factum Fidei" (fatto di fede). Nel loro cieco sforzo di trovare delle prove incriminanti, sfogliarono il primo numero della rivista di Berman *Semina*, sparsa tra altri stampati sul pavimento di un reliquiario grande come una cabina telefonica intitolato *Tempio*. Alla fine trovarono la riproduzione, sulle pagine della rivista, di un mediocre e surrealisteggiante disegno a fumetti del rapimento di una donna da parte di un mostro con testa di fallo, confiscarono la pubblicazione e arrestarono l'artista.

L'avvenimento è un segno doppiamente storico: la miopia dei poliziotti rivela quanto l'alfabetismo visivo sia evoluto in mezzo secolo (dopo decenni di cooptazione delle pratiche avanguardiste da parte della pubblicità, niente sarebbe ora più esplicito dell'allora illeggibile primo piano di quattro cosce, due ventri, un pene e una vagina); l'ossessiva ricerca e l'arresto segnala poi quanto sia cambiata nello stesso periodo la definizione legale di pubblico pudore. L'irruzione alla Ferus non fu un caso isolato: gli Stati Uniti non avevano ancora chiuso con il periodo McCarthy, anche se il senatore era stato criticato dal Congresso nel dicembre 1954. Appena qualche settimana dopo la chiusura della mostra di Berman la libreria City Lights di San Francisco, mecca della cultura beat, venne presa d'assalto da due poliziotti in borghese che arrestarono il proprietario Lawrence Ferlinghetti per la pubblicazione – e vendita (allora illegale) – del libro all'indice del poeta Allen Ginsberg *Urlo*, che plaudeva (tra le altre cose) all'omosessualità e alla droga. Ne seguì una causa legale di grandissima importanza: il 3 ottobre 1957 Ferlinghetti fu dichiarato non colpevole da un giudice (sorprendentemente conservatore) che

1 • Wallace Berman, *Croce*, 1956-57
Legno, metallo e fotografie, 274,3 x 152,4 cm

sostenne che il libro, qualunque fossero i suoi meriti, andava protetto costituzionalmente. Berman non fu così fortunato e avrebbe dovuto andare in prigione, se un amico attore non avesse pagato la cauzione. Furioso a causa del giudizio, urlò: "Non c'è giustizia, solo spirito di vendetta". Arrabbiatissimo, se ne andò da San Francisco e si ripromise di non esporre mai più in una galleria d'arte commerciale, per dedicare invece la maggior parte delle sue energie alla pubblicazione di *Semina*, un faro della controcultura fino alla sua chiusura nel 1964.

L'estetica di Berman critica la cultura di massa

Intorno a quel periodo Berman tornò a Los Angeles (in una comunità hippie di Topanga Canyon), vivendo in una catapecchia, dove rimase semirecluso fino alla morte in un incidente automobilistico all'età di cinquant'anni, occasionalmente organizzando esposizioni casalinghe delle proprie opere. Poco nota ma amatissima dagli amici, per i quali era un modello di integrità, la sua produzione fu essenzialmente limitata a due tipi: i sassi che copriva di lettere ebraiche e i cosiddetti collage *Verifax*. I sassi continuavano un filone iniziato con i disegni su pergamena tinta e strappata che aveva esposto nella sua sfortunata mostra alla Ferus: montati su tela, questi frammenti imitavano il modo di esporre i ritrovamenti archeologici, in particolare i Manoscritti del Mar Morto, con la grande differenza che i gruppi di lettere di Berman non coagulavano in nessuna parola. Benché i collage *Verifax* – per i quali usava, come suggerisce il titolo, un'antenata delle fotocopiatrice – non si riferissero a una stessa antichità, il loro color seppia e le immagini sbiadite trasmettevano un senso nostalgico di vestigio. Rispondendo alla ▲ strategia di ripetizione entropica di Warhol, di cui Berman vide la famosa mostra alla Ferus delle *Campbell's Soup* del 1962, queste opere sono un peana alla soggettività della memoria come arma contro la "cultura di massa". In ognuno dei collage *Verifax* è moltiplicato un elemento invariabile (il più delle volte in una formazione a griglia): una mano solleva una radiolina, la cui parte anteriore visibile è parallela al piano pittorico (la griglia più piccola contiene quattro di queste unità, la più grande cinquantasei). Gli elementi variabili sono le immagini inserite a mo' di annuncio radiofonico (generalmente fotografie di un oggetto isolato: un torso, la Luna, la Terra, un serpente, un nativo americano, un giaguaro, un albero, un fucile, ecc.), frammenti di informazione recuperati dal mondo esterno, messaggi consegnati alle onde, la cui somma forma dei rebus indecifrabili, ma asserisce anche la possibilità di fuggire dall'universo orwelliano. Tale ingenua speranza – sfondo di molta controcultura hippie degli anni Sessanta – sarebbe diventata facile bersaglio del cinico sprezzo di Warhol.

Gli assemblage di Conner si oppongono alla "società"

Uno dei più grandi amici di Berman durante il suo soggiorno a Los Angeles, Bruce Conner (1933-2008), fu altrettanto ostinato nel rifiuto delle regole del sistema, in particolare di quelle che determinano la carriera di un artista: appena un tipo particolare di opera gli assicurava una qualche notorietà, smetteva di produrlo, per rispuntare qualche anno dopo con opere appartenenti a un genere o un medium completamente diversi. Gli assemblage che cominciò a creare nel 1957 diventarono famosi grazie al volutamente repellente *BAMBINO*, esposto nel 1959 a San Francisco **[2]**. Basato sul celebre caso di Caryl Chessman, un condannato a morte per molestie sessuali e gassato a San Quintino dopo dodici anni di rumorosissima campagna internazionale per salvarlo, consiste in una figura mutilata di uomo piccolo come un bambino (almeno a giudicare dai genitali da adulto) modellato in cera grezza, legato a un seggiolone con pezzi di calze di nylon, la bocca aperta, gli arti parzialmente amputati, la carne informe.

Benché *BAMBINO* sia probabilmente la scultura più nota di Conner, è diversa dai suoi altri assemblage. In comune hanno l'uso

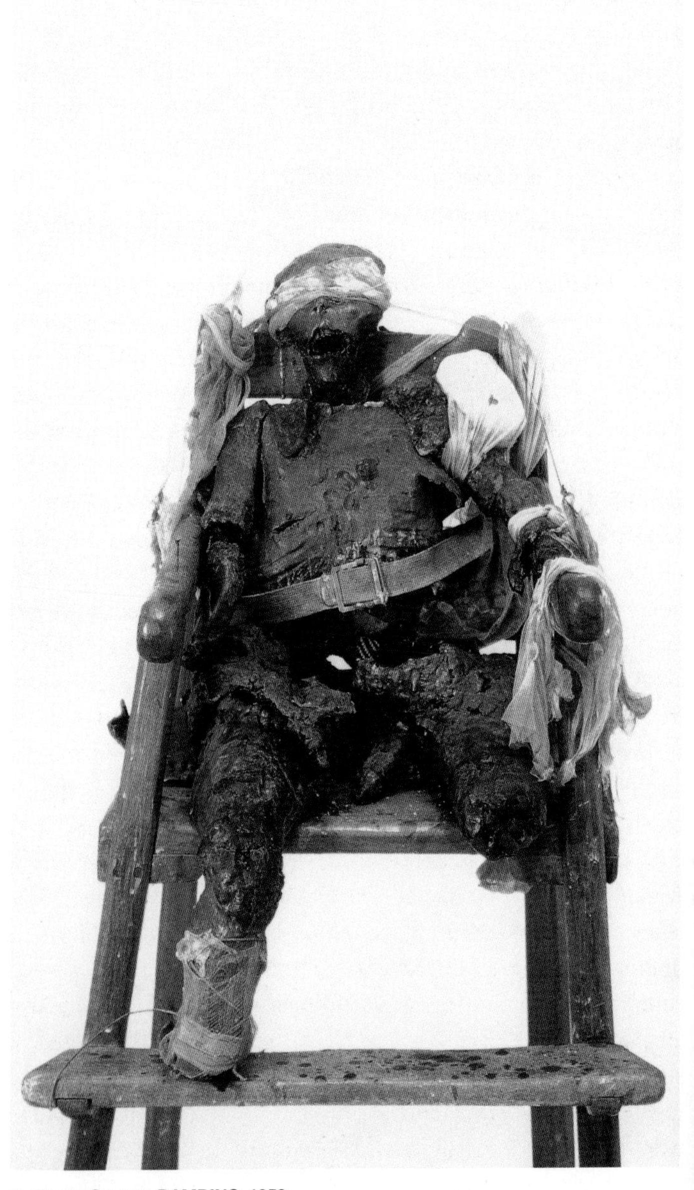

2 • Bruce Conner, *BAMBINO*, 1959
Figura di cera con Nylon, tessuto, metallo e corda su seggiolone, 87,9 x 43,2 x 41,9 cm

▲ 1962d, 1964b

delle calze di nylon, che divenne subito il suo segno riconoscibile, ma diversamente da *BAMBINO*, il cui semplice messaggio è evidente (la pena di morte è una barbarie), la maggior parte delle opere di Conner della fine degli anni Cinquanta e primi Sessanta non sono soltanto notevolmente polisemiche – con il loro apparato di oggetti e fotografie presi da vari ambiti e incollati su supporti vari – ma spesso difficili da vedere, perché il nylon che copre i loro elementi e li tiene insieme lentamente si copre di polvere **[3]**. Come le prime opere di Berman, gli assemblage di Conner abbondano di immagini erotiche e religiose (croci, rosari, volti di Cristo, donne nude, ecc.), ma, immersi nell'obsoleto bric-a-brac, pare di essere in un negozio da rigattiere (pizzi, lustrini, bigiotteria, fiori di plastica, toupé, trucchi per travestiti, ecc.). Il senso di tempi passati che ne emana non è basato sull'illusione ritrovata e sul senso di memoria, ma sull'accumulazione di resti patetici.

La prima identità che Conner rivendicò per sé come artista venne nel 1958, quando, insieme al poeta Michael McClure, fondò l'Associazione per la Difesa dei Ratti Bastardi (RBP) e fu quella della quintessenza dello straccivendolo (il nome dell'associazione era derivato da quello di una compagnia di netturbini di San Francisco). Gli spazzini professionisti "giravano per la città con grandi carrelli, raccoglievano i rifiuti svuotando i cestini su grandi lenzuoli di sacco", dichiarò Conner a Peter Boswell. "Li caricavano sulla schiena e li scaricavano nel carrello. Oppure, quando il carrello era pieno, li appendevano sui lati come grandi testicoli gibbosi. Venivano usati così gli avanzi, i rifiuti della società. Quelli che facevano questo mestiere erano considerati le persone più inferiori impiegate dalla società". Allo stesso modo RBP era per "le persone che facevano cose con i detriti della società, a loro volta ostracizzati o alienati dal pieno coinvolgimento nella società". Non era solo la celebrazione del rifiuto a differenziare la posizione di Conner da quella di un Rauschenberg e ancor più degli allora emergenti artisti pop, ma anche il fatto che il contenuto dei recipienti che scovava era decisamente retrò (le iniziali di RBP, fa notare Boswell, volevano evocare "PRB", cioè quelle della Confraternita dei preraffaelliti). I materiali che raccolse per i suoi assemblage erano pre-Olocuasto, pre-Hiroshima, pre-Guerra fredda, non i rifiuti del boom industriale del dopoguerra, non il surplus di immagini vuote prodotto dai mass media. Per diversi anni, e come gli amici della Beat generation, Conner si identificò con la figura dello straccivendolo della Boemia del XIX secolo di cui parla Walter Benjamin nel suo testo sul poeta francese Charles Baudelaire (1821-67). Ma, come Theodor Adorno in una mordace lettera che criticava la romanticizzazione appunto dello *chiffonier* di Baudelaire da parte di Benjamin, Conner può essere giunto alla conclusione che riciclare rifiuti antiquati non offriva strumenti efficaci per sfuggire alla condizione onnipervasiva della merce. Il successo commerciale dei suoi assemblage lo disturbò e quando raggiunse il punto in cui era bollato come il "maestro delle calze di nylon", decise di cambiar strada. Si spostò in Messico nel 1961 e gradualmente abbandonò la produzione di oggetti (d'altro canto non c'erano rifiuti lì, la povera popolazione locale essendo molto

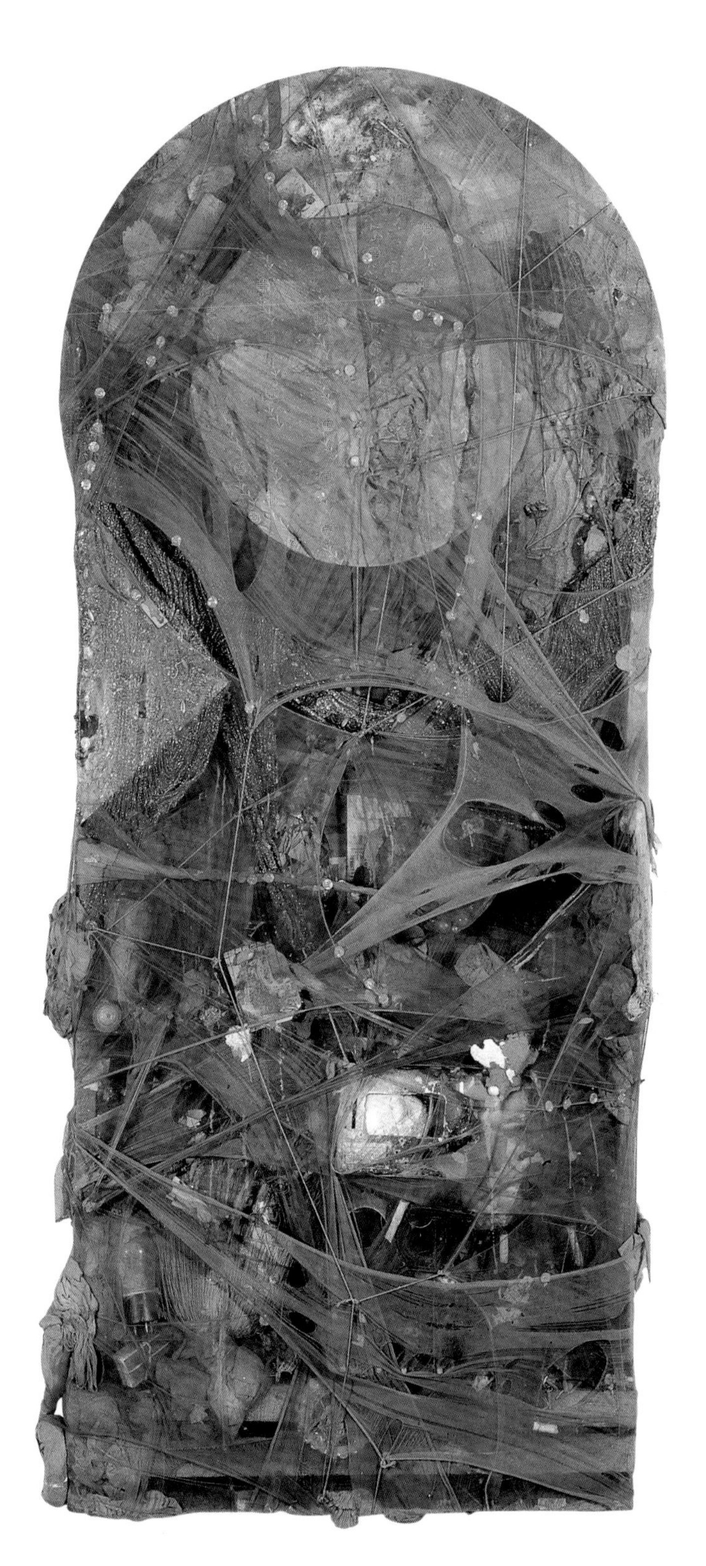

3 • Bruce Conner, *LA TENTAZIONE DI SAN BARNEY GOOGLE*, 1959
Assemblage, legno, calze, rifiuti, 140 x 60 x 22 cm

▲ 1953, 1960c, 1964b ● 1935 ■ Introduzione 2

più brava di lui a riciclarli). Il suo ultimo assemblage data 1964, dopo il ritorno negli Stati Uniti.

In parallelo agli assemblage Conner aveva cominciato a realizzare dei film fatti di spezzoni trovati. Il primo, intitolato *Un film* e datato 1958, dà il tono a tutti i seguenti, un tono che differisce notevolmente dalla nostalgia dei suoi oggetti e che consiste in un'aggressiva decostruzione del medium. *Un film* comincia convenzionalmente con il titolo e il nome dell'autore (che verrà soppresso nelle ultime opere), ma seguito poi dal conto alla rovescia (la parte che normalmente non si vede e che appare invece nella maggior parte dei film di Conner e diventa materiale esclusivo di *Leader*, del 1964). La "prima" immagine (una donna che si spoglia) è rapidamente introdotta durante il conto alla rovescia che riprende per finire in uno schermo tutto nero seguito dalla familiare scritta "Fine". Ed è solo l'inizio! La rapida successione di miniclip che compongono la maggior parte dei dodici minuti del film equivale a una overdose di montaggio. Pochissime sequenze spiccano (la più memorabile è forse quella di un comandante di sottomarino che guarda nel periscopio, taglio su una ragazza pinup, di nuovo il comandante che abbassa il periscopio, taglio sul lancio di un siluro e infine su un fungo atomico – il tutto in una manciata di secondi). La velocità istupidisce: questa è almeno in parte la lezione di *Un film*. Il sovraccarico di immagini di Conner fu preso come una critica della manipolazione psicologica dei mass media sempre crescente nell'età della televisione. Con sua grande sorpresa, questo collage underground fatto in casa, insieme al suo secondo film nello stesso spirito, l'omaggio del 1961 a Ray Charles intitolato *Raggio cosmico*, diventarono subito film di culto – cosa che lo indusse, nessuna meraviglia, ad abbandonare il mezzo cinematografico. Ma in questo caso la sua rinuncia fu momentanea: quando tornò al cinema alcuni anni dopo (ha realizzato venticinque film dal 1964 al 2002), la velocità non era più essenziale; al suo posto c'era la ripetizione e la lentezza. In *Report* (1963-67) alcune sequenze televisive dell'assassinio di Kennedy sono ripetute diverse volte con differenti colonne sonore; in *Cinque volte Marilyn* (1968-73) è una canzone della Monroe ad essere ripetuta mentre gli spezzoni trovati di una stellina che posa mezza nuda come l'attrice sono uniti a ritmo irregolare in modo che la sequenza non comincia mai allo stesso punto in ognuna delle cinque "riprese" e rivela solo poco a poco i suoi vari "atti sessuali" (simulazione di uno struscio con una bottiglietta di Coca-Cola o strofinamento dell'addome con una mela).

La variazione della propria identità era stata fin dall'inizio una delle strategie favorite di Conner. L'invito alla sua prima mostra personale, nel 1959, annunciava, in cornice nera: "Opere dell'ultimo Bruce Conner". Nel 1964 progettò un'assemblea nazionale Bruce Conner in un Holiday Inn, a cui erano invitati tutti i suoi omonimi ("Tutti gli invitati d'onore si registrano all'hotel come Bruce Conner. Discorsi importanti ed elezione delle cariche. Verbale dell'incontro: "Bruce Conner eletto Presidente. Bruce Conner eletto Vice-presidente. Bruce Conner Tesoriere. Bruce Conner dissente da Bruce Conner su questo punto"). Benché l'idea non sia stata realizzata, generò vari eventi come le false inserzioni su *Joglars*, un piccolo giornale letterario pubblicato dagli studenti di Harvard, usando il nome, la professione e l'indirizzo di alcuni suoi "gemelli". Un altro prodotto collegato furono due distintivi (uno rosso con scritto "Io sono Bruce Conner" e uno verde con "Io non sono Bruce Conner") che riutilizzò alcuni anni dopo per una campagna per la carica di Supervisore a San Francisco. Dovendo specificare la professione nel questionario per la sua candidatura, Conner rispose: "Il mio mestiere o professione è Niente" – il che gli fece prendere i voti di 5.228 cittadini il 7 novembre 1967.

Alcuni dei suoi votanti sapeva che due mesi prima era stato l'argomento di un articolo su *Artforum* firmato Thomas Garver e intitolato *Bruce Conner fa un panino*. Basato sulla famosa serie pubblicata su *Artnews* dalla fine degli anni Quaranta (il più famoso fu *Pollock dipinge un quadro* di Robert Goodnough nel marzo 1951), imitando anche l'impaginazione con la firma dell'artista inclusa nel titolo, l'articolo offriva esattamente ciò che prometteva, il resoconto dettagliato di un "fare": preparazione di un cibo, che è consumabile come l'arte, ma che dichiara più onestamente il loro destino comune, finendo in escremento, mentre l'arte finisce in cornici dorate o nel cubo bianco della galleria.

La parodia fu il modo preferito da Conner di sottrarsi, la sua arma antisublimatoria più devastante di autoimmolazione. Ma il bersaglio dell'ironia di *Artforum* non era solo la propria attività (passata), era l'intero ethos della Junk art, ormai diventata un ▲ movimento accademico come l'Espressionismo astratto dieci anni prima. Di fronte all'ultima immagine riprodotta nell'articolo (l'"opera" finita, il panino, a piena pagina) si può agevolmente ● concludere che gli oggetti primari del ridicolo erano i *tableaux pièges* di Daniel Spoerri (uno dei quali era incluso nella mostra *L'arte dell'assemblage* al MoMA nel 1961-62, a cui anche Conner partecipò e la cui ultima tappa fu San Francisco). Ma è più probabile che il suo risentimento fosse rivolto a qualcuno più vicino a lui, all'unico assemblagista californiano che aveva raggiunto – e mantenuto – una fama internazionale: Ed Kienholz (1927-94).

Kienholz mette troppo duramente alla prova

A prima vista la produzione scultorea di Kienholz – dagli oggetti isolati alle grandi installazioni come *Memoriale di guerra portatile* del 1968, che chiamava *tableaux*, presumibilmente dall'antico passatempo aristocratico del *tableau vivant* – sembra partecipare della stessa estetica delle opere di Conner e Berman, ma una certa distanza separa la concezione di Kienholz dalle loro (anche se considerava Berman il suo mentore da quando aveva ospitato la sua mostra alla Ferus). Contrariamente agli assemblage decisamente ambigui, quando non oscuri, creati dai suoi compari, ogni opera di Kienholz combina elementi la cui informazione semantica va in un'unica direzione, sottoponendo l'osservatore a un messaggio deciso e inequivocabile. Mentre *BAMBINO* rappresenta un'eccezione nell'opera complessiva di Conner, *The Psycho-Ven-*

▲ 1947b, 1949a ● 1960a

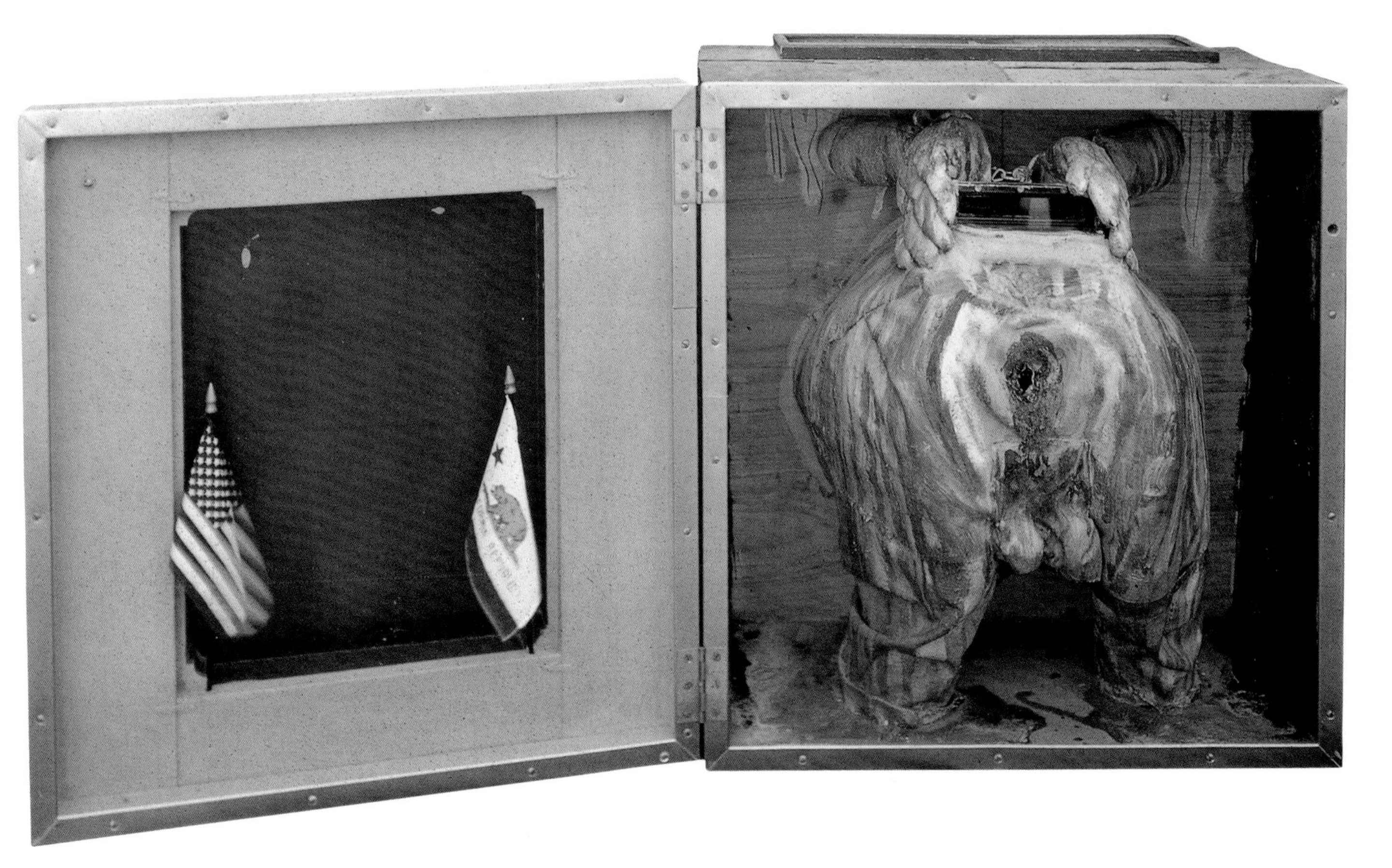

4 • Ed Kienholz, *The Psycho-Vendetta Case*, 1960
Legno dipinto, tela, scatolette di latta e manette, 58,4 x 55,9 x 40,6 cm

5 • Ed Kienholz, *Memoriale di guerra portatile*, 1968
Ambientazione con veri distributori di Coca-Cola, 289 x 243,8 x 975,4 cm

detta Case del 1960 **[4]**, basato sulla stessa storia di Caryl Chessman, è tipico della ridondanza maniacale di Kienholz. Perché non ci si sbagli, Kienholz allude nel titolo al famoso processo ed esecuzione di Sacco e Vanzetti negli anni Venti (testimonianza costruita, prove nascoste, accusa manipolata) e all'immenso scandalo internazionale che accompagnò questo spettacolare fallimento del sistema giudiziario americano. Sulla parte esterna della scatola di legno, per citare Walter Hopps, "il 'Sigillo di benestare della California' presenta Mickey Mouse a cavalcioni sull'orso simbolo della California. All'interno lo spettatore trova il didietro di un Chessman ammanettato. Se guarda nel vetro a periscopio posto sopra il torso, la bocca dello spettatore si trova allineata all'ano della figura. La scritta visibile all'interno dice: 'Se credi all'occhio per occhio e dente per dente, tira fuori la lingua. Massimo tre volte'". La descrizione è un po' trascurata (a meno che l'insieme di un didietro, un paio di testicoli e di cosce si possa definire un torso) e, peggio, incompleta: non menziona, per esempio, che la figura è modellata con tessuto a strisce (leggi: prigioniero), che è tinta di rosa sporco (leggi: sangue), che le due grottesche braccia escono dal fondo della scatola a sostenere il periscopio (leggi: strangolamento), che l'interno del coperchio è decorato di bandiere degli Stati Uniti e della California (leggi: governo criminale). Ma poco importa: Kienholz non ha mai capito che accumulare tanti simboli della stessa idea, per quanto nobile essa sia, assomiglia alla peggiore tattica dei mass media che Berman e Conner hanno cercato così duramente di tenere a bada. Qualunque sia l'argomento preso di mira – l'aborto, il trattamento disumano dei prigionieri o dei pazienti psichiatrici, rapimento, prostituzione, incidenti stradali, guerra, ecc. – Kienholz non ha mai fiducia nel suo pubblico (né nei suoi difensori, per i quali ha sempre fornito lunghe didascalie che descrivono diligentemente gli elementi delle sue allegorie del resto chiarissime). Come qualsiasi pubblicità, le sue opere sono delle martellate nella testa dello spettatore. Nessuna abdicazione alla legge della merce può essere più totale. Con gli spettacolari *tableaux* di Kienholz, pieni di sensazionale violenza a cui Hollywood e i notiziari televisivi ci hanno assuefatto, la Junk art, un tempo concepita come strategia di resistenza, ha fatto un giro completo **[5]**. YAB

ULTERIORI LETTURE:

Walter Benjamin, *Lettere 1913-1940*, trad. it. Einaudi, Torino 1978
Walter Benjamin, *Parco centrale*, trad. it. in *Angelus Novus*, Einaudi, Torino 1962
Peter Boswell e al., *2000 BC: The Bruce Conner Story Part II*, Walker Art Center, Minneapolis 2000
Walter Hopps (a cura di), *Kienholz: A Retrospective*, Whitney Museum of American Art, New York 1996
Christipher Knight, *Instant Artifacts* e *Bohemia and Counterculture*, in *Wallace Berman*, Institute of Contemporary Art, Amsterdam 1992
Lisa Phillips (a cura di), *Beat Culture and the New America 1950-1965*, Whitney Museum of American Art, New York 1996

1959c

Il Museo d'Arte Moderna di New York inaugura *Nuove immagini dell'uomo*: l'estetica esistenzialista prosegue in una strategia della figurazione da Guerra fredda nell'opera di Alberto Giacometti, Jean Dubuffet, Francis Bacon, Willem de Kooning e altri.

Nei secoli XX e XXI gli storici si sono sempre più occupati del fenomeno della ripetizione, non come lo descrisse Hegel dicendo che tutto nella storia accade due volte, ma piuttosto come proseguì Marx correggendo ciò che Hegel "aveva dimenticato di aggiungere: la prima volta come tragedia, la seconda come farsa" (*Il 18 Brumaio di Luigi Bonaparte* [1852]). Questa storia a due tempi sembrerebbe inapplicabile alla continua lotta tra figurazione e astrattismo che ossessionò la storia del primo modernismo e rappresentò i tentativi dell'accademia di aggrapparsi alle forme classiche di figurazione e le spinte utopiche dell'arte d'avanguardia di aprirsi un varco verso una visione sconosciuta.

L'ascesa del fascismo causò tuttavia il ridisegno di questa mappa, soprattutto in Francia, dove il governo del Fronte popolare si unì alle forze liberali e comuniste in una campagna antinazista che usò l'"umanesimo" come parola d'ordine e lanciò un appello agli artisti perché si impegnassero politicamente, che significava abbandonare l'elitarismo, le forme d'avanguardia e rendere l'arte accessibile alle classi lavoratrici. La figurazione applicata all'arte era stata così strappata dal privilegio garantito dell'accademia per diventare materia di importanza storica. Inoltre, non solo questa versione del realismo venne collegata al momento storico che andava dalla fine degli anni Trenta fin dentro gli anni della guerra e vista così come prodotto della politica della Resistenza e della Liberazione, ma la sua unicità fu anche stabilita nei termini esistenzialisti di uno dei suoi maggiori teorici, il filosofo Jean-Paul Sartre.

L'uomo situato

Come sua perfetta dimostrazione, l'estetica dell'Esistenzialismo si incentrò sulla trasformazione che la scultura di Alberto Giacometti (1901-66) aveva subíto in quegli anni. Fino al 1935 era radicata in ◄ un immaginario onirico di derivazione surrealista, espresso in forme che andavano verso l'astrazione; durante la guerra era rinata in termini che erano risolutamente figurativi, basati sul lavoro dal modello e impegnata in quello che Sartre aveva sempre chiamato l'uomo situato.

Ma se la tragedia della guerra aveva prodotto questo realismo del soggetto umano gettato nella completa incertezza dell'"esistenza" – un'esistenza non assicurata dalle confortanti assolutezze (insieme di leggi, verità o condizioni universali) dell'"essenza" che la precede e la determina –, gli anni che seguirono volsero in farsa l'estetica esistenzialista. Come il dopoguerra diventò la Guerra fredda, così l'Esistenzialismo diventò un prodotto dell'industria culturale e si trovò vestito da toreador a cantare insieme a Juliette Greco nei locali jazz. "L'uomo situato" diventò uno slogan insieme a "L'esistenza precede l'essenza" ed entrambi, in rapporto all'estetica, furono usati per promuovere quasi ogni tipo di realismo, come nel caso dell'esposizione *Nuove immagini dell'uomo*, che si aprì al MoMA nel 1959.

In questo contesto, tutte le rotture con il linguaggio dell'astrattismo sembravano somigliarsi. Così la serie delle *Donne* di Willem de Kooning, che partiva da una composizione interamente non ▲ figurativa della sua produzione espressionista astratta, o i quadri in bianco e nero del 1951 di Jackson Pollock, che allo stesso modo permettevano a immagini riconoscibili di rientrare nel groviglio astratto dei suoi primi dripping, erano paragonati alla rinuncia al Surrealismo di Giacometti. Non importava se le donne di de Kooning erano meno "in situazione" di angoscia esistenziale di quelle della pubblicità americana, ispirate com'erano ai sorrisi voraci della signorina Rheingolds della birra e alle stelline del cinema che si vedevano nelle riviste patinate. Né importava se il momento figurativo di Pollock era terminato appena un anno prima del disperato sforzo di ritornare all'astrattismo nei pochi anni che gli rimasero prima di morire. Con il suo tentativo di usare ● una generazione precedente di "realisti" – Giacometti, Dubuffet – come strumento per giustificare una generazione intermedia – de Kooning, Pollock, Francis Bacon (1909-92) – *Nuove immagini dell'uomo* fu coinvolta nella promozione di una terza generazione ■ di neoespressionisti – Karel Appel, César (1921-98), Richard Diebenkorn (1922-93), Leon Golub (1922-2004), Paolozzi – come "nuovo" movimento nel momento stesso in cui la Pop art stava entrando in scena e lanciando tutte queste idee sul legame tra figurazione ed espressione nel mucchio di immondizie della storia.

Capire la distanza che separava le estetiche del 1948, l'anno in cui Sartre scrisse *La ricerca dell'assoluto*, il suo saggio per il catalogo della prima mostra di Giacometti da quando aveva lasciato il Surrealismo, e quella del 1959, anno di *Nuove immagini dell'uomo*, è necessario per conoscere un po' di più l'Esistenzialismo e come

◄ 1930b, 1931a, 1931b   ▲ 1947b, 1949a   ● 1946   ■ 1949b, 1956, 1957a, 1960a, 1987

1 • Alberto Giacometti, *Donna in piedi (Leoni)*, 1947
Bronzo, 135 x 14,5 x 35,5 cm

c'entra con il progetto del Giacometti del dopoguerra. Paradossalmente la scrittura filosofica di Sartre era iniziata nell'ambito stesso del periodo surrealista di Giacometti, cioè con un'indagine sull'ambito delle immagini mentali: sogni, fantasie, ricordi, allucinazioni. Ma in quel libro, *L'immaginario* (1940), l'interesse di Sartre non era affatto quello di celebrare il mondo immaginario come prodotto di un fluire inconscio nel soggetto, come aveva fatto il Surrealismo. Infatti per Sartre non c'è nessun "inconscio", poiché non ci sono contenuti della coscienza giacenti in essa di cui poter essere consapevoli o, come nel caso dell'inconscio, inconsapevoli.

Sartre parte dall'idea, presa dalla fenomenologia di Edmund ▲ Husserl, che la coscienza è sempre coscienza di qualcos'altro da sé. Era quello che Husserl chiamava "coscienza intenzionale", che significa che si pone in essere solo nell'atto del percepire, cogliere, andare verso l'oggetto. È sempre un movimento oltre se stessi, una proiezione verso fuori, che non lascia nessun "contenuto" alle spalle. La coscienza è "non riflessiva": non sento me stesso parlare più di quanto mi vedo vedere. Vuota e trasparente, la coscienza attraversa se stessa senza mai trovare niente sulla propria strada verso l'oggetto. L'oggetto, da parte sua, è segnato dalla propria trascendenza, dalla propria alterità rispetto alla coscienza stessa.

Il risultato di questa esteriorizzazione è che l'uomo è diventato uno con le proprie proiezioni, con il mondo che lo motiva ed è insieme il luogo dell'esercizio della sua libertà. Questo atto di sintesi, questa unità con il mondo, è opposto nel pensiero di Sartre alla filosofia dell'immanenza, in cui la coscienza si coglie sempre allo specchio, si vede vedere, si tocca toccare. Questo, sostiene Sartre, non fa che doppiare i soggetti. Come spiega Denis Hollier nel suo studio su Sartre: "Dall'impossibilità per il soggetto di cogliere se stesso deriva la sua necessità di raddoppiare ogni volta il proprio approccio di sé. [...] Cosicché un soggetto che si tocca si divide nel toccarsi, diventa contiguo a sé, si trova (e si perde) in se stesso, essendo il proprio vicino, avendo preso il proprio posto". La coscienza riflessiva, il pensiero analitico, il tentativo di cogliersi nell'atto di essere se stessi, è dunque sempre seriale, ripetitivo, produttivo solo di una somma di parti contigue. Invece la sintesi di cui parla Sartre strappa l'uomo dalle sue stesse proprietà: facendo solo ciò che fa, solo i propri atti, solo ciò che lo unisce alla propria situazione nel mondo.

I due modelli di sintesi totalizzante per Sartre sono l'unità dell'opera d'arte e, come risultato della Resistenza e dei violenti giorni della Liberazione, quello che chiama il "gruppo in fusione", una reale, per quanto effimera, collettività. Nella scultura del dopoguerra di Giacometti si celebrarono le due cose insieme. Da un lato, Giacometti aveva realizzato le sue sculture come figure sempre viste a distanza, come fossero lontane dall'osservatore, per quanto vicino egli fosse ad esse **[1]**. Scrive Sartre: "Giacometti ha restituito alle statue uno spazio immaginario e non diviso: è stato il primo scultore a pensare di scolpire l'uomo come lo si vede, cioè a distanza". E poiché questo è l'uomo che ha visto, è giusto che queste sculture siano tutte verticali, poiché Sartre assimila la percezione al camminare, all'attraversare lo spazio, facendo qualcosa, così come collega

▲ 1965

l'immaginare alla stasi del corpo. Se si sogna da distesi – come nelle prime dormienti surrealiste dello scultore –, si vede stando in piedi.

L'uomo così scolpito, così inseparabile dal suo stesso campo percettivo, non è nient'altro che una sintesi in cui il corpo è una cosa sola con le proprie proiezioni. Come le pitture delle caverne in cui le figure "disegnano nell'aria un vago avvenire: bisogna capire i loro movimenti partendo dai loro fini – questa bacca da cogliere, questo rovo da scostare – non dalle loro cause". La scultura di Giacometti, scrive Sartre, "ha soppresso la molteplicità. Il gesso o il bronzo sono divisibili, ma quella donna che cammina ha l'indivisibilità di un'idea, di un sentimento, non ha parti perché si offre intera in una sola volta".

A questo effetto di unità percettiva si aggiunge inoltre, nell'opera di Giacometti, il senso del "gruppo in fusione" **[2]**. La particolarità di questa scultura infatti, insiste Sartre, è che ogni figura mostra un uomo "come lo si vede, come è per altri uomini [...] a distanza d'uomo; ciascuna ci dona questa verità, che l'uomo non esiste prima per essere visto poi, ma è l'essere la cui essenza consiste nell'esistere per gli altri". Ci furono poi altri scrittori per i quali l'isolamento e l'immobilità delle figure di Giacometti, alcune presentate in strutture simili a gabbie, definirono l'"intersoggettività" stessa come condizione di separazione incolmabile, di solitudine e angoscia. Così l'interpretazione di Francis Ponge nel 1951: "L'uomo – e l'uomo soltanto – ridotto a un filo – nella rovina e nella miseria del mondo – che si cerca – a partire da niente. Estenuato, assottigliato, magro, nudo. Vagando senza ragione nella folla".

Infatti questa idea di sfregiare e di mettere in gabbia è il marchio di una posizione esistenzialista meno ottimista di quella di Sartre, meno incentrata sui progetti di impegno per il futuro e più sulle paure, su ciò che Friedrich Nietzsche aveva chiamato le "ferite dell'esistenza" o di cui Martin Heidegger parla in termini di angoscia, cioè della paura del "niente" o del non-essere che pervade l'esistenza. Nei primi anni Trenta, quando *Che cos'è la metafisica?* di Heidegger uscì in Francia, l'avanguardia letteraria francese trovò l'idea del non-essere stimolante e liberatrice. Raymond Queneau, un surrealista della prima ora, mise un personaggio nel suo primo romanzo, *La gramigna* (1933), che parlava in "heideggheriano" pur essendo un portinaio. Meditando su un pezzo di burro, dice: "il pane di burro non è tutto ciò che non è, non è dovunque non è, non è sempre stato e non sarà sempre, edcetera edcetera [*sic*]. Così un'infinità un bel po' infinita di non essere. [...] È chiaro come il sole. Ciò che è, è ciò che non è; ma è ciò che è che non è. In fondo, c'è mica il nonesse da un lato e l'essere dall'altro. C'è il nonesse e poi è tutto dato che l'essere non è".

Le figure di Giacometti hanno illustrato per Sartre il non-essere nelle superfici screziate e tormentate che possono emettere il lampo di un'espressione o il sollevarsi di un seno visti a distanza, ma che non producono mai dettagli più precisi se viste da vicino, cosicché il non-essere funziona da motivazione della percezione. Ma questo stesso lavoro può indicare per Ponge il non-essere come "la condizione rovinosa" di "partire dal niente". Per Ponge la gabbia

2 • Alberto Giacometti, *Tre uomini che camminano*, 1948
Bronzo, 72 x 43 x 41,5 cm

inchiodava l'uomo come "vittima e carnefice insieme", le superfici scorticate lo facevano "cacciatore e selvaggina insieme".

Se erano unite al loro ambiente fisico, le superfici segnate e devastate dei ritratti e dei corpi femminili di Dubuffet del dopoguerra avevano meno a che fare con l'unità di un'istanza percettiva che con un senso del soggetto umano come nient'altro che una macchia d'olio fusa con la superficie corrugata di una rovina ▲ urbana. Intitolando uno di questi corpi *La Métafisyx*, la versione di Dubuffet della domanda heideggheriana ("Che cos'è la metafisica?") era quella di svuotare il metafisico, producendo qualcosa di "grottescamente volgare" ben lontano dal concedere all'uomo un'essenza formale o un essere stabile. "La mia intenzione", ha scritto, "era che il disegno negasse qualsiasi particolare forma di figura, che impedisse anzi alla figura di assumere questa o quella particolare forma". Le linee incise con cui Dubuffet esegue queste figure evocano, nel loro tendere al carattere volgare dei graffiti, sia l'attacco alla "buona forma" del corpo così diffusa nell'ossessione dei graffiti per i genitali (che dunque riduce il corpo a mero

▲ 1946

Arte e Guerra fredda

Quando Clement Greenberg lesse *La pittura modernista* alla trasmissione radiofonica "La voce dell'America", nel 1960, l'arte d'avanguardia fece causa comune con la politica americana della Guerra fredda, che era allora incentrata sulla ricostruzione dell'Europa devastata del dopoguerra, a sua volta parte della causa anticomunista negli Stati Uniti. Dalla fine degli anni Sessanta il governo americano credette che il valore di propaganda dell'arte fosse abbastanza grande da sostenere il Congresso per la Libertà di Cultura nel promuovere l'idea di libertà e autonomia individuale come difesa contro la minaccia del totalitarismo. I membri del Congresso comprendevano Greenberg, Pollock, Motherwell e Calder. Ma non era semplicemente il governo a promuovere il modernismo in Europa. Anche il Museo d'Arte Moderna di New York era attivo nel portare l'arte americana all'estero. La rivista *Life* contribuì con la rubrica "Armi per l'Europa". Che queste "armi" fossero sia culturali che militari causò la reazione del Partito comunista contro l'astrattismo americano accusato di essere "decadente" e "reazionario". Con la Germania come campo di battaglia del confronto capitalismo-comunismo, il desiderio di sventolare i risultati della ricostruzione nella Germania dell'Ovest in faccia a quella dell'Est portò all'istituzione di una mostra internazionale, *Documenta*, a Kassel, una città a pochi chilometri da un'installazione di missili puntati sull'Unione Sovietica. La prima *Documenta* fu nel 1945 e poi proseguì ogni quattro o cinque anni. Le partecipazioni americane nei primi anni sottolinearono l'importanza di Pollock e di altri espressionisti astratti e lo splendore commerciale della Pop art.

"oggetto parziale"), sia il carattere semiautomatico del segno graffito, la sua apparente mancanza di controllo razionale.

Emerse poco dopo Dubuffet, ma contemporaneamente al Giacometti del dopoguerra, le prime opere di Francis Bacon sono segnate sia dall'isolamento delle figure come in gabbia, sia dai loro tratti confusi che le proiettano a una distanza perpetuamente incolmabile. Ma esse sono molto più espressive di quelle impassibili di Giacometti. Le loro bocche sono spalancate in un grido, ma gli occhi sono velati e le facce corrose. Anche senza le cabine d'isolamento in cui Bacon chiude quelle basate sul ritratto di Papa Innocente X di Velázquez **[3]**, le figure sembrano sempre sopraffatte dallo spazio in cui si trovano.

Benché siano state concepite nello stesso periodo dei *Corpi di signora* di Dubuffet, le *Donne* di de Kooning sembrano abitare un universo morale diverso, e questo nonostante il fatto che Harold ▲ Rosenberg abbia sposato le idee esistenzialiste per giustificare il gruppo di artisti identificato come i "Pittori d'azione americani", di cui de Kooning era uno dei protagonisti, se non *il* protagonista. Le tesi di Rosenberg, che seguiva Sartre, comportavano l'assoluta unicità dell'evento in cui il pittore scopre se stesso nell'assumersi il rischio di un salto nell'ignoto. Momento di assoluta sintesi, questo atto di proiezione e di percezione doveva essere tanto irripetibile quanto effimero. L'atto stesso era l'importante, mentre i risultati finali – reificati in prodotti finiti – contavano meno.

Sebbene questa retorica potesse essere applicabile, almeno in parte, all'apparente improvvisazione della pittura astratta di de Kooning degli anni Quaranta, sembrò sempre più fuori luogo riguardo alle sue *Donne*. De Kooning sottolineò infatti di essere tornato a quell'immagine proprio perché prefissata, ripetibile, convenzionale. "Elimina la composizione, i rapporti, la luce", spiegò. "Così pensavo di potermi affidare al fatto che aveva due occhi, un naso, una bocca, un collo". Le sue donne, sole o in gruppo, hanno il senso della serialità nel cuore stesso della loro concezione, forse perché de Kooning usava una tecnica a collage mascherato, per cui le forme che aveva preso da fonti mediali – il sorriso smagliante, gli occhi dipinti col mascara – sono duplicate sulle superfici dei corpi in molte bocche, seni, vulve ripetuti **[4]**. È ▲ dunque il carattere seriale proto-pop di queste immagini, la loro mancanza di individualità, a rendere problematico il loro rapporto con l'estetica esistenzialista. RK

ULTERIORI LETTURE:

Jean-Paul Sartre, *La ricerca dell'assoluto*, trad. it. in *Che cos'è la letteratura?*, Il Saggiatore, Milano 1995

Denis Hollier, *The Politics of Prose*, trad. ingl. University of Minnesota Press, Minneapolis 1986

Peter Selz, *New Images of Man*, Museum of Modern Art, New York 1959

Eva Cockcroft, *Abstract Expressionism, Weapon of the Cold War*, in *Artforum*, giugno 1974

3 • Francis Bacon, *Studio dal Ritratto di Papa Innocenzo X di Velázquez*, 1953
Olio su tela, 152,7 x 118,1 cm

▲ 1960a

▲ 1960c, 1962d, 1964b

4 • Willem de Kooning, *Donna*, 1953
Olio e carboncino su carta intelata, 65,1 x 49,8 cm

1959d

Osservazioni di Richard Avedon e *Gli americani* di Robert Frank stabiliscono i parametri dialettici della fotografia della Scuola di New York.

L'emergere nel XX secolo della fotografia come importante strumento di rappresentazione culturale segnò uno spostamento nei rapporti di potere tra l'avanguardia e la cultura industriale di massa. Questo è abbastanza noto per la fotografia ▲ d'avanguardia sovietica e di Weimar intorno al 1928, ma molto meno noto e riconosciuto per la fotografia a New York dopo la Seconda guerra mondiale, un contesto culturale considerato ● perlopiù come "trionfo della pittura americana".

1950–1959

Due famiglie di fotografie

La dirompente esposizione di Edward Steichen (1879-1973) dell'ideologia fotografica del dopoguerra, *La famiglia dell'uomo*, al Museo d'Arte Moderna di New York nel 1955, comprese un grande numero sia di fotografi documentaristi sociali americani, come Dorothea Lange (1895-1965), Russell Lee (1903-86), Ben Shahn (1898-1969) e Margaret Bourke-White (1904-71), sia fotografi che sarebbero emersi in seguito come figure chiave della Scuola di New York, come Lisette Model (1901-83), Helen Levitt (1913-2009), Sid Grossman (1913-55), Roy DeCarava (1919-2009), Richard Avedon (1923-2004), Diane Arbus (1923-71), Robert Frank (nato nel 1924) e Louis Faurer (1916-2001). La mostra segnalò in molti modi l'intensità con cui andavano ridisegnati i rapporti tra avanguardie fotografiche e pubblico di massa, e tra due generazioni di fotografi americani.

Il primo gruppo di fotografi di New York emerse dalla Film and Photo League (fondata nel 1928) e dal suo ramo cadetto dal 1936, la Photo League, contando su un'unione tra forze socio-politiche progressiste e pratica fotografica. La maggior parte della fotografia a New York serviva la cultura consumista, quasi interamente soggetta alla moda e alla pubblicità. Per tutti gli anni Trenta libri e riviste avevano diffuso il documentarismo sociale attraverso la ■ Works Progress Administration (WPA) e la Farm Security Administration (FSA), per esempio *Hai visto le loro facce* (1937) di Margaret Bourke White e della scrittrice Erskine Caldwell, *New York che cambia* (1939) di Berenice Abbott (1898-1991), *Un esodo americano* (1939) di Dorothea Lange e dell'economista Paul Schuster Taylor, e *Sia lode ora a uomini di fama* (1941) di Walker Evans e James Agee (1909-55). Al contrario, i libri fotografici e le riviste illustrate come *Vogue*, *Harper's Bazaar* e *Life*, nel paradosso del loro simultaneo apice e irreversibile declino, lottavano per sopravvivere al crescente predominio del cinema e della televisione.

Alexey Brodovitch (1898-1971) diventò una figura chiave nella formazione della Scuola di New York di fotografia dopo la sua assunzione a direttore di *Harper's Bazaar* nel 1934. Ufficiale russo bianco che aveva lasciato l'Unione Sovietica per Parigi quando i bolscevichi avevano conquistato il potere, Brodovitch arrivò negli Stati Uniti nel 1930, segnato dalla nostalgia per la cultura perduta dell'impero zarista e dal desiderio di preservare l'*haut goût* dei suoi ▲ ultimi frutti, come i Balletti russi di Sergej Djagilev. Usò questo rimpianto quasi patologico dell'eleganza e dello stile aristocratici per mascherare la volgarità della cultura consumista americana con i segni seducenti della distinzione, in particolare l'inganno che la moda potesse sforare i limiti di classe e scatenare l'incurabile invidia sociale delle classi medie. La seconda risorsa di Brodovitch fu il suo snobistico abbraccio delle avanguardie che aveva conosciuto negli anni Venti a Parigi, mettendo la loro radicalità al servizio dell'emergente apparato di dominio della cultura di massa. Così scriveva già nel 1930:

> *L'artista pubblicitario di oggi dev'essere non solo un fine artigiano con la capacità di trovare nuovi strumenti di presentazione [...] ma essere anche in grado di cogliere e anticipare i gusti, le aspirazioni e le abitudini dello spettatore-consumatore e della massa. L'artista pubblicitario moderno dev'essere un pioniere e un leader, deve combattere la routine e il cattivo gusto della massa.*

Il primo (e unico) libro fotografico di Brodovitch, *Balletto* **[1]**, pubblicato a New York nel 1945, con un testo del critico di danza Edwin Denby, rende un grande e lugubre omaggio a quanto rimane dei Balletti russi. La sua unica apparizione come fotografo, come ha lucidamente affermato Christopher Phillips, "è al tempo stesso felice e ossessiva. [...] Infatti ciò che queste forme sfuggenti e queste trasformazioni inattese suggeriscono alla fine è la fantasmagoria stessa della memoria".

Balletto è il primo libro della Scuola di New York dove la promessa della fotografia di servire da documentazione socio-poli-

▲ 1929, 1930a, 1935 ● 1947a, 1949a, 1960b ■ 1936

▲ 1919

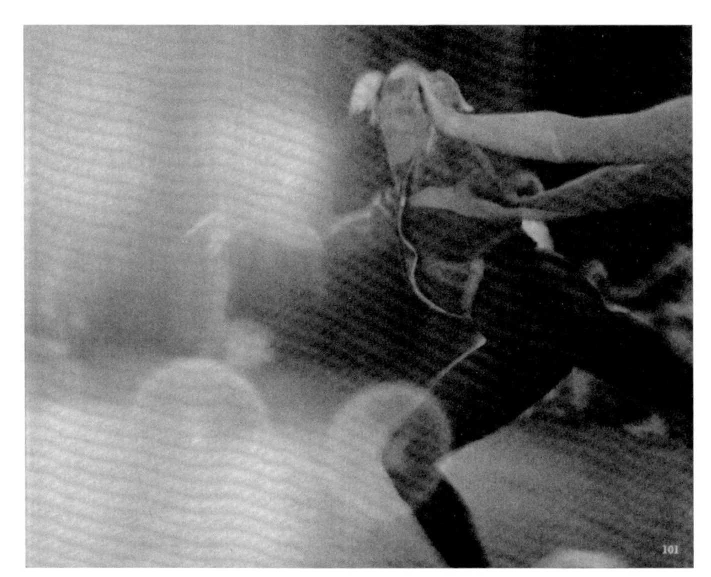

1 • Alexey Brodovitch, pagina da *Balletto*, 1945

tica del XX secolo è trasformata in una malinconica invocazione alla cultura borghese elitaria del XIX secolo in via di sparizione. Brodovitch sapeva che questo omaggio era tanto futile quanto erano sfuggenti le immagini: il prezzo che la fotografia doveva pagare per salvare il ricordo della cultura elitaria era quello di soccombere alle domande di una cultura dello spettacolo sempre più potente (evidente nell'impaginazione dinamica del libro, così come nel suo spostamento di focalizzazione dai corpi dei ballerini agli effetti delle tecnologie fotografiche). Poi Brodovitch smise di fotografare, ma diventò il maestro e l'art director di una generazione di fotografi, ispiratore della trasformazione del medium da documentazione sociale a propaganda del prodotto.

Dall'URSS a *Harper's Bazaar*

Quando, nel 1949, Brodovitch concepì quello che sarebbe stato subito chiamato "l'archetipo grafico della rivista del XX secolo", ridefinì diverse strategie d'avanguardia (da Picasso a Pollock) per acquisire un sofisticato arsenale pubblicitario. Le sue caratteristiche impaginazioni per *Portfolio Magazine* e *Harper's Bazaar*, con le loro variazioni estreme di dimensioni delle immagini e spostamenti dinamici dal dettaglio al campo lungo, erano montate su doppie pagine che espandevano la visione panoramica di *Balletto*. Paradossalmente Brodovitch (come il suo amico, pure emigrato russo, Alexander Liberman, art director di *Vogue*) derivò la maggior parte delle sue strategie grafiche e fotografiche dall'opera che artisti russi ▲ come El Lisickij e Aleksandr Rodčenko avevano prodotto per il Ministero della propaganda di Stalin in pubblicazioni come *URSS in costruzione*. Così Brodovitch compì per le riviste americane quello che Steichen aveva compiuto poco prima per il nuovo genere • di modalità espositiva. Nella sua famosa mostra *La via della vittoria* del 1942 (in collaborazione con Herbert Bayer) Steichen aveva risuscitato le modalità espositive sovietiche della fine degli anni Venti, portando il nuovo genere all'apice con *La famiglia dell'uomo* (in collaborazione con l'architetto Paul Rudolph).

L'eredità di Brodovitch è meglio incarnata dai suoi studenti Richard Avedon e Irving Penn (1917-2009), che si iscrissero al leggendario Laboratorio di design della Scuola di Arti Industriali del Museo di Philadelphia dove egli insegnò dal 1933 e nel 1941 alla Nuova Scuola di Studi Sociali di New York (sede della Film and Photo League dal 1928 fino alla chiusura sotto il maccartismo negli anni Cinquanta). Altri studenti del Laboratorio di desing furono Arbus, Eve Arnold (1912-2012), Ted Croner (1922-2005), Saul Leiter (1923-2013), Model, Namuth, Ben Rose (1916-80) e Garry Winogrand (1928-84). Penn e Avedon ricevettero le loro prime commissioni da Brodovitch per *Harper's Bazaar*; Penn più tardi si associò al rivale di Brodovitch, Liberman, a *Vogue*, che definì i parametri della fotografia della Scuola di New York:

> *C'era una sete di nuove sensazioni visive che alimentava quei mostri moderni che sono le riviste. [...] Penn e i redattori di Vogue erano consapevoli della particolarità del momento storico in cui vivevano. [...] I primi anni Quaranta furono un periodo di violenti cambiamenti, con le tremende tragedie della guerra e dell'Olocausto. Durante la guerra vi fu un senso di ricominciamento nella New York della cultura, una tabula rasa del passato e anche del terribile presente. [...] Allo stesso tempo vi fu una curiosa convergenza tra la nuova visione di Penn e un'America pronta alla rivoluzione. Con la guerra in Europa e la Pacific and USA Fashion da noi, Vogue proclamò una nuova era.*

Più di qualsiasi loro collega della Scuola di New York (soprattutto di quelli emersi dalla Film and Photo League), che rimasero coinvolti nell'eredità socio-politica della tradizione documentarista americana, Avedon e Penn incarnarono il programma fotografico ▲ della generazione del dopoguerra. Walker Evans, benché riverito e sostenuto dai giovani fotografi, diventò il bersaglio dell'animus generazionale. Per esempio, in una sorprendentemente errata descrizione e combinazione storica di due fotografi del tutto slegati tra loro, Richard Avedon affermò:

> *Non mi piaceva Walker Evans. Pensavo che la sua opera fosse noiosa, speciosa, vuota, senza emozione, un sistema. Ero solito fare delle battute su Walker Evans e la sua macchina fotografica e su Anselm Adams e la sua. Non vedevo cosa ci fosse di socialmente importante nel perdere il proprio tempo davanti a una staccionata o a una sequoia ad aspettare la luce giusta.*

Dall'arma allo stile

Il primo libro di Richard Avedon, *Osservazioni* (1959), una collezione di ritratti apparentemente selezionati secondo il principio protowarholiano della fama mediale dei loro soggetti, con "commenti" dello scrittore Truman Capote (1924-84), fu progettato da Brodovitch usando il suo carattere preferito, il neoclassico stilizzato Bodoni e la sovracopertina nei colori rosso, bianco e blu della riaffermata identità americana. *Osservazioni* rivela i nuovi

▲ 1921b, 1926, 1928a, 1935 • 1923 ▲ 1936

compiti della fotografia, meglio della maggior parte delle pubblicazioni di quel periodo, prima di tutto annunciando, proprio perché qualsiasi interesse per la collettività sociale era sparito dall'agenda politica, che la fotografia doveva staccarsi completamente dalla cultura di massa e dai soggetti socio-politici degli anni Trenta e Quaranta. In secondo luogo, invece che rappresentare la vita quotidiana delle masse nel capitalismo industriale, la fotografia americana doveva ora illustrare la star spettacolarizzata dall'industria culturale. Facendo da collegamento tra l'illusione del soggetto e l'oggetto merce, la fotografia doveva costringere la massa ad acquistare i sostituti che compensano la perdita dell'esperienza soggettiva. Uno dei dispositivi più famosi di Avedon è la messa in posa delle sue figure davanti a superfici bianche e la stampa delle immagini con bordi e numeri degli scatti, che – nonostante l'apparenza modernista di autoreferenzialità – mette in primo piano come *soggetti* reali il marchio d'identità del fotografo e la produzione della fotografia. Ancora più importante: sposta fisicamente il soggetto dagli spazi reali dei rapporti sociali e della produzione (urbano o rurale, lavoro o tempo libero, pubblico o privato) per investirlo con la magnitudine scopica necessaria all'idolatria della star.

Irving Penn pubblicò il suo primo libro fotografico, *Momenti conservati*, nel 1960. Lo progettò in stile Brodovitch e, come Avedon, fece del ritratto il suo genere "artistico" primario al di fuori del lavoro per la moda, seguendo gli stessi principi di spettacolarizzazione. Ma il suo marchio permanente fu l'aver risuscitato la natura morta per la pubblicità, piegando anche la frutta e i fiori al servizio dell'estetica della merce. Prendendo spunto dal Realismo ▲ magico della fotografia degli anni Trenta (una fusione di Nuova ● oggettività e Surrealismo), Penn mobilitò l'austerità e la sobrietà del latente neoclassicismo per nobilitare qualcosa di banale come un vasetto per cosmetici con lo splendore di un oggetto spirituale.

Un'altra sponda della fotografia della Scuola di New York enfatizzava maggiormente le pratiche precedenti in cui la fotografia era intrecciata con le realtà sociali e politiche. Due importanti figure cercarono di mantenere questo impegno dopo la Seconda guerra mondiale: Helen Levitt e Lisette Model, che era emigrata da Parigi nel 1938 per sfuggire la persecuzione nazista. Entrambe le donne erano state attive in politica culturale, Levitt nella Film and Photo League, che – seguendo i modelli sovietici della fine degli anni Venti – cercò di concepire il film e la fotografia come pratiche culturali politicizzate pubblicamente accessibili. Tuttavia le fotografie di Levitt all'inizio sembrarono sospese tra il surrealismo aneddotico di Henri Cartier-Bresson (1908-2004) e il realismo documentario di Walker Evans. Mentre la teoria dell'"istante decisivo" di Cartier-Bresson implicava che gli incontri fortuiti e gli accostamenti surrealisti fornissero l'evidenza irresistibile all'accesso del soggetto alle uniche forme di indipendenza e autoaffermazione, il realismo documentario di Walker Evans prendeva fiducia da una fede profonda che i legami di comunicazione sociale e responsabilità politica non sarebbero stati abbandonati. Tuttavia, una volta diventato chiaro che nessuna delle due posizioni era sostenibile, le fotografie di Levitt cominciarono a esporre la scomparsa delle capacità documentarie della fotografia. Si ritirò nel mondo teatrale dei bambini **[2]**, vedendo in essi l'ultima dimensione della soggettività autentica, agenti in spazi di esenzione e portatori di una loro versione utopica di una comunità futura di fronte alla scomparsa evidente dei rapporti sociali.

L'opera di Roy DeCarava è debitrice di Levitt e allo stesso modo emerge dalla doppia influenza di Cartier-Bresson e Walker Evans. Essa sposta il documentarismo sociale dai principi universali del cambiamento politico e sociale alla rappresentazione di un particolare gruppo sociale, soprattutto nella sua straordinaria collaborazione con Langston Hughes, *La dolce carta moschicida della vita* (1955), incentrata sulla vita di una famiglia afro-americana di Harlem, presentata come racconto autobiografico dal punto di vista del suo membro più vecchio, la nonna. La narrazione in prima persona enfatizza non solo la singolare specificità della cultura di chi parla, ma anche le differenze di razza e di classe che il soggetto rappresenta, sia imposte dai regolamenti e regimi dei suoi oppressori razzisti, sia assunte volontariamente in un gesto di controidentificazione. L'introduzione dei vari membri della famiglia e la messa in sequenza delle immagini, alternando primi piani, piani medi e lunghi, simula il flusso di un film documentario, mentre le opposte tradizioni fotografiche della narrazione e del documento hanno lo stesso peso.

Talvolta sembra che l'affondo di DeCarava nel racconto della famiglia con la sua enfasi sulla "normalità" della vita sociale a Harlem riesca a distinguersi dall'anonima documentazione della popolazione nera dei racconti del Sud rurale di Agee ed Evans. L'ancoraggio delle fotografie di DeCavara alla narrazione in prima persona e il suo focalizzare le immagini documentarie su un'unica famiglia investe i soggetti e la loro comunità di concretezza e di un senso di rappresentanza, ridefinendo l'astratto universalizzare dei primi fotografi documentari. *La dolce carta moschicida della vita* può così essere letto all'indietro, secondo le sue differenze dall'universalità politica della fotografia documentaria degli anni Trenta e Quaranta, o in avanti, come aperta opposizione all'universalità

2 • Helen Levitt, *New York*, 1940 ca.
Stampa da gelatina d'argento

▲ 1925b, 1929, 1930a, 1935 ● 1924, 1930b

anonima che dominerà libri come *Osservazioni* quattro anni dopo. Il senso di concretezza sociale, in uno spazio esente da anonimato universale, è dovuto non solo alle descrizioni accurate di soggetti, ma anche dal tono stesso delle fotografie di DeCarava. Forse nessun altro nella fotografia del XX secolo è riuscito a restituire la tonalità metaforica di un rifugio dell'identità, in cui il colore della segregazione razziale è trasformato in sfondo di solidarietà sociale.

Dalle caricature ai controritratti

Lisette Model pubblicò le sue prime immagini nel 1932 su *Regards*, ▲ la rivista del Partito comunista francese (equiparabile all'*AIZ* di Willi Münzenberg nella Germania di Weimar). Impaginò e scrisse le didascalie delle sue immagini di borghesi a passeggio sulla Promenade des Anglais con un'ironia velenosa paragonabile alle più aggressive caricature di Honoré Daumier nel XIX secolo o di ● George Grosz nel XX. Sarebbe interessante situare la fotografia all'interno della tradizione dell'illustrazione satirica e della caricatura, riassegnandole una funzione di critica sociale e di parodia rivelatrice, soprattutto da quando gli artisti e scrittori progressisti europei hanno esplorato negli anni Venti e Trenta gli aspetti comunicativi della cultura popolare che era stata sempre più oscurata dal modernismo. Prima di loro, caricaturisti come Daumier, Paul Gavarni e Jean-Jacques Grandville si erano già dedicati ai problemi della forma di distribuzione, così come della necessità di prendere in considerazione un diverso pubblico di massa.

Model non cercò i suoi soggetti nella rappresentazione mediale, ma nella strada. L'autenticità grottesca delle sue immagini del sottoproletariato di Manhattan contrasta nettamente con la soggettività spettacolarizzata di Avedon e Penn, e i suoi controritratti di devianza sociale, travestiti, mendicanti o eccentrici ubriachi **[3]** rappresentano gli emarginati e i reietti non per romanticizzare il loro stato abietto ed elevarlo a pittoresco fotografico, ma insistendo sull'innata incommensurabilità del soggetto di fronte alla sua crescente assimilazione nello spettacolo e nel consumo.

Così il controritratto, già emerso come genere fotografico negli anni Trenta, dominò l'opera della seconda generazione di fotografi, come Robert Frank e Garry Winogrand, ma in particolare Diane Arbus, di cui Model diventò insegnante nel 1956. Ora però il soggetto del controritratto non era più un proletariato emergente o il soggetto borghese in fase di disintegrazione (come nei *Voltidel* ■ *nostro tempo* di August Sander, del 1929). La fotografia come caricatura ora produceva piuttosto immagini della grottesca sfigurazione della soggettività dietro i comportamenti sociali di negligenza e abbandono risultanti dalle crescenti differenze di classe nell'America del dopoguerra.

Model realizzò alcune delle sue fotografie più notevoli subito dopo il suo arrivo a New York nel 1938. Risuscitando il topos di Atget del gioco spaziale dei riflessi nelle vetrine dei negozi, scelse dei frammenti di corpo e li ricompose nelle superfici specchianti delle finestre. Sorta di montaggio trovato, queste immagini mapparono il frammento corporeo e il feticcio in una rappresentazione foto-

3 • Lisette Model, *Sammy's Bar, New York*, 1940
Stampa da gelatina d'argento

grafica molto compressa, apparentemente l'unico spazio accessibile al soggetto.

Usher Fellig (1899-1968) arrivò negli Stati Uniti all'età di dieci anni dalla Polonia e prese il nome di Weegee. Per molti versi rivale e controparte di Model, si presentò a Brodovitch a *Harper's Bazaar* affermando che la rivista aveva pubblicato abbastanza Model e che ora doveva pubblicare lui. L'esuberante competitività dell'emigrato prese spunto dalla sua comprensione delle strutture comportamentali della vita quotidiana nella sua patria adottiva. *La città nuda* (1945), il primo libro di Weegee, rappresenta programmaticamente i nuovi rapporti e spazi sociali proprio come Walter Benjamin aveva diagnosticato dei luoghi delle fotografie di Atget: come scene del crimine. *La città nuda* rafforza l'idea che d'ora in poi la fotografia può giustificare la propria esistenza solo se la sua iconografia, temporalità e posizione operano nel modo spettacolare del film (paradossalmente nel 1948 un film intitolato *La città nuda* si ispirò ▲ al libro di Weegee). Da Lewis Hine alla FSA la fotografia aveva funzionato, in parte, come documento sociale, se non come protesta e intervento attivo. Ora registrava crimini e incidenti come tropi primari delle condizioni anonime della vita urbana. Le fotografie di Weegee segnarono il punto in cui la partecipazione documentaria e il senso di responsabilità politica erano degenerati in freddo voyeurismo e sadico desiderio di fissare la sofferenza altrui, vittime di incidenti o nemici sconfitti dell'ordine sociale (criminali). Weegee diventò anche il primo di una serie di artisti

▲ 1920, 1930a ● 1920 ■ 1935 ▲ 1936

4 • Weegee, *Coney Island Beach*, New York, 1940
Stampa d'argento

5 • Diane Arbus, *Gemelle identiche, Rozel, New Jersey*, 1967
Stampa da gelatina d'argento

degli anni Sessanta – come Jim Dine, Claes Oldenburg e Andy ▲ Warhol – che riconobbero che le forze della casualità e della rottura dovevano convergere in un'estetica in cui i rapporti sociali figurano come incidente o assoluta catastrofe.

Una delle immagini più singolari in *La città nuda* è la doppia pagina con la distesa di bagnanti di Coney Island **[4]**: le immagini indimenticabili delle masse politicamente attive degli anni Trenta appaiono qui come la prima massa acefala della cultura del tempo libero. (Queste immagini chiaramente ispirate alle doppie pagine finali di *La famiglia dell'uomo*, in cui le fotografie tratte da *Life* di una massa ancora più disciplinata di spettatori inglesi svuotano in maniera ancora più convincente i concetti in altri casi radicali della sfera pubblica di massa.)

Dopo il suo spostamento da Parigi a New York nel 1947, lo svizzero Robert Frank contribuì alla fotografia newyorchese del dopoguerra con un progetto molto diverso. Inizialmente su una strada simile a quella dei suoi colleghi (con lavori per l'*Harper's Bazaar* di Brodovitch, fotografie di moda per *McCall's* e la partecipazione con sei immagini alla mostra *La famiglia dell'uomo*), Frank passò poi a mettere la sua opera in esplicito dialogo con Evans (che insieme a Brodovitch sostenne la domanda di Frank alla Fondazione Guggenheim nel 1954). La sua riflessione sui metodi e soggetti dell'eredità documentarista nei suoi viaggi attraverso gli

▲ 1960c, 1961, 1964b

Stati Uniti portò al libro *Gli americani*, che anche nel titolo paga il suo tributo al famoso *Fotografie americane* di Walker Evans. (Il libro di Frank venne prima pubblicato in edizione francese a Parigi nel 1958 e solo poi a New York, nel 1959.)

Il viaggio sulle strade americane era un'attrazione per gli europei, proprio come lo era stato il Gran Tour in Italia nel XVIII secolo. Nel caso di Frank esso sfociò in un racconto delle tendenze sociali e politiche di un nuovo paese, di strade mai percorse e fughe in avanti. Paragonabile per molti versi a *Minima Moralia* di Theodor Adorno, del 1946 (che pure guardava alla cultura americana come a un panorama del futuro), le 83 immagini del libro non solo articolano una visione definita dalla fuga di Frank dall'Europa dell'Olocausto e della distruzione totalitaria della soggettività, ma sondano anche il futuro dei rapporti sociali e della soggettività nel più potente stato emerso dal dopoguerra. L'edizione americana aveva un'introduzione di Jack Kerouac, lo scrittore beat di *Sulla strada*, e le sue immagini, come il negozio del barbiere o gli interni, pagano spesso un tributo a Evans, riconoscendo al tempo stesso che i rapporti sociali e la loro organizzazione politica – che la fotografia documentaria ha erroneamente considerato accessibili, se non trasparenti – sono perduti per sempre, avvolti nei sistemi segnici del trasporto automobilistico e del consumo mediale.

Le acute osservazioni di Frank sulla segregazione razziale che riscontrò nell'America degli anni Cinquanta sono probabilmente più importanti. Benché contemplativo, *Gli americani* è anche segnato dall'impulso documentario di fare della fotografia uno strumento di evidenziazione politica e di cambiamento sociale e i temi ricorrenti segnalano la sua chiarezza diagnostica: la ripetizione e la centratura delle immagini della bandiera americana **[6]**, l'automobile e le tecnologie della cultura mediale (cinema, televisioni e juke-box) identificano la forza del crescente dominio della cultura consumista e della società anonima. Ad ogni svolta di strada Frank sembra guardare il Nuovo Mondo non con lo stupore sbalordito del nuovo venuto europeo, ma come scioccato che questo sia il modello del prossimo futuro.

La carriera di Diane Arbus incarna tutte le contraddizioni della Scuola di New York e conclude la sua storia come fotografo più importante di essa. Dopo un breve apprendistato con Berenice Abbot e Alexey Brodovitch, lavorò come fotografa di moda con il marito Allan Arbus durante i primi anni Cinquanta. Nel 1956, dopo aver abbandonato la moda, andò a scuola da Lisette Model, trovando "il coraggio di essere se stessa". Come ha notato Allan Arbus: "Lisette era così: tre lezioni e Diane era diventata una fotografa". Riguardo alla dialettica tra soggetto di massa e star si può dire che Arbus è la controparte sia di Avedon che di Warhol (più giovane di cinque anni), prima *photographe maudite* del XX secolo. Arbus dichiarò subito la sua posizione, affermando che sarebbe stata "molto più un'ammiratrice di *freak* che di star del cinema, perché le star si annoiano con i loro ammiratori, mentre i *freak* amano veramente tutti quelli che prestano loro un'attenzione sincera". Arbus ridisegna il realismo fotografico di Model sulla tipologia archivistica delle soggettività che August Sander aveva ▲ sviluppato nel suo *Volti del nostro tempo*, opera che aveva scoperto alla fine degli anni Cinquanta. Costruendo un universo fotografico di eccezionalità **[5]**, rovesciò simultaneamente l'ottimismo sociologico positivista di Sander e le tecniche di isolamento e spettacolarizzazione del soggetto di Avedon. Il suo universo è ordinato non per classi o professioni, né in base al fascino dei modelli come immagine sostitutiva, ma in base al grado in cui il loro abietto isolamento sociale evidenzia che l'assimilazione universale ai principi del consumismo non ha ancora fatto presa. La sua solidarietà con i modelli non deriva dalla compassione, ma dalla sua complessa comprensione della fragilità dei processi di formazione soggettiva e delle tragiche conseguenze della loro continua distruzione. BB

6 • Robert Frank, *4 luglio – Jay, New York*, n. 43 da *Gli americani*, 1955-56

ULTERIORI LETTURE:

Max Kozloff, *New York: Capital of Photography*, Jewish Museum, New York, e Yale University Press, New Haven-London 2002

Jane Livingston, *The New York School: Photographs 1936-1963*, Stewart, Tabori and Chang, New York 1992

Janet Malcolm, *Diana and Nikon: Essays on Photography*, Aperture, New York 1997

Elisabeth Sussman, *Diane Arbus: Revelations*, San Francisco Museum of Modern Art, San Francisco, e Metropolitan Museum, New York 2003

▲ 1935

1959e

Il manifesto neoconcretista viene pubblicato a Rio de Janeiro su una doppia pagina del quotidiano *Jornal do Brasil*, sostituendo l'interpretazione razionalista dell'astrazione geometrica prevalente all'epoca con una fenomenologica.

▲ Con l'eccezione del gruppo Gutai in Giappone, nessun movimento artistico nato negli anni Cinquanta poteva illustrare meglio la dialettica di centro e periferia del Neoconcretismo in Brasile. Entrambi anticiparono, di diversi decenni, il ● fenomeno della globalizzazione che caratterizza la produzione artistica attuale. La differenza cruciale tra questi due movimenti d'avanguardia è che mentre il rapporto di Gutai con il modello occidentale (soprattutto statunitense), che era di emulazione, fu di fraintendimento creativo, quello del gruppo neoconcretista con l'arte occidentale (soprattutto europea), che era di interlocuzione, fu di deliberato rifiuto. L'attacco fu svolto per delega: il bersaglio ufficiale dei *neoconcretos*, come resero chiaro adottando questo nome, fu un gruppo a cui essi stessi avevano inizialmente appartenuto, quello dei *concretos* (o *concretistos*), ma il loro vero nemico era un particolare tipo di astrattismo geometrico che avevano un tempo abbracciato e ora rifiutavano violentemente.

Per comprendere la virulenza del dibattito che imperversò tra questi artisti si deve avere un'idea del contesto storico. Gli storici hanno descritto in grande dettaglio la peculiare atmosfera sociopolitica del Brasile dopo la Seconda guerra mondiale e negli anni Cinquanta, la generale ambizione di abolire tutti i resti della sudditanza coloniale anteguerra, il senso diffuso di potenzialità che condusse nel 1956, per esempio, a una competizione senza precedenti per il progetto della capitale Brasilia. L'entusiasmo quasi utopistico non fu meno spettacolare sul fronte culturale, la cui frenesia fu alimentata dalla concorrenza tra Rio de Janeiro e San Paolo, entrambe in veloce espansione e che sognavano di diventare centri culturali internazionali e così di portare il Brasile fuori dal suo provincialismo. Questo è particolarmente chiaro in arte: nel 1947 venne fondato il Museo d'Arte di San Paolo (MASP), seguito l'anno dopo dal Museo d'Arte Moderna di Rio de Janeiro (MAM-RJ), quindi, nel 1949, dal Museo d'Arte Moderna di San Paolo ■ (MAM-SP). Una mostra di Calder fece conoscere il MAM-RJ nel ◆ 1948; una retrospettiva di Max Bill fece lo stesso per il MASP nel 1950, seguita nel 1951 dalla grande manifestazione della Prima Biennale di San Paolo, organizzata dal MAM-SP, in cui Max Bill ricevette il primo premio per la scultura.

Alla fine degli anni Quaranta e nei primi Cinquanta Calder era considerato molto importante nella scena artistica brasiliana, in gran parte grazie al giovane critico Mario Pedrosa (che sarebbe diventato più tardi un ardente sostenitore dei neoconcretisti). Calder era ben rappresentato in molte mostre collettive e nel 1953 la Biennale di San Paolo incluse una grande retrospettiva della sua opera esposta nel nuovissimo Padiglione delle Nazioni costruito da Oscar Niemeyer. Ma, benché presente ovunque in quel periodo, non fu l'opera di Calder a fare da detonatore dell'avanguardia artistica in Brasile, ma quella di Bill. Può suonare strano di primo acchito che l'estremo razionalismo dell'artista svizzero abbia attratto più degli estrosi *mobile* di Calder, ma riflettendoci non è così sorprendente. Il programma di Arte concreta di Bill era tutto sul (ben) programmare: tutto sul progettare accuratamente in anticipo e poi raccogliere i frutti di questo programmare; il suo ethos era quello della promessa. E cosa poteva essere più attraente come modello artistico in quel periodo in cui la *programmazione* sociale, culturale e urbana era diventata l'ottimistica ossessione della maggior parte dei rami del governo e dell'élite colta?

Contro l'estetica della macchina

▲ Ancor più di Theo van Doesburg, che aveva lanciato il movimento Arte concreta nel 1930, Bill aveva fede nella scienza e nella matematica, e nella necessità di importare il loro rigore nell'arte. Era eloquente, dinamico e di grande successo sulla scena internazionale, sia come artista che come designer. L'apertura della sua Hochschule für Gestaltung gli fornì un pulpito da cui trasmettere le sue vaste e grandi idee, e la sua stella continuò a splendere in Brasile e in America Latina. Nel 1953 il governo brasiliano lo invitò per una conferenza a Rio e San Paolo e nel 1956, pochi mesi prima di ospitare la *Prima mostra nazionale di Arte concreta*, il MAM-RJ dedicò un'esposizione alla scuola di Ulm, presentata come il legittimo successore del Bauhaus.

La *Prima mostra nazionale di Arte concreta* fu un punto di svolta, benché niente si svolse secondo le previsioni. La parola "nazionale" nel titolo non significa per niente un desiderio isolazionista di ritiro dall'arena internazionale; al contrario, segnalava che una grande federazione si stava creando, in cui i *concretos* sia di San Paolo che di Rio, che fino ad allora avevano lavorato separatamente, avrebbero unito le forze. La mostra effettivamente iniziò a San Paolo (nel

▲ 1955a ● Introduzione 5 ■ 1931b, 1937c, 1955b ◆ 1928a, 1937b, 1947a, 1967c ▲ 1917b, 1928a, 1937b dicembre 1956), dove venne organizzata dal gruppo locale Ruptura (sotto l'egida del pittore-designer Waldemar Cordiero [1925-73] e del poeta Haroldo de Campos [1929-2003]), mentre la sua venuta a Rio (nel gennaio 1957) fu organizzata dal gruppo Frente (raccolto intorno al pittore-insegnante Ivan Serpa [1923-73] con l'entusiastico supporto di Padrosa e del poeta Ferreira Gullar [nato nel 1930]). I partecipanti furono gli stessi nelle due sedi della mostra (tra i paulistani c'erano Geraldo de Barros [1923-98] e Judith Lauand [nata nel 1922]; tra i cariocas, come vengono soprannominati gli abitanti di Rio, c'erano Aluisio Carvão [1920-2001], Lygia Clark [1920-88], Lygia Pape [1927-2004] e Hélio Oiticica [1937-80]). Ma invece della grande unione armoniosa che era stata auspicata come risultato dell'esposizione, si verificò una grande divisione che piantò il seme del movimento neoconcretista. In breve, i cariocas furono inorriditi dal dogmatismo dei paulistani e, ribellandosi contro la stretta obbedienza al catechismo di Bill, profetizzarono il destino di ogni arte costretta da una simile ideologia limitata e limitante. La rottura definitiva venne nel giugno del 1957, segnata da una sfida pubblica tra poeti (Gullar, Reynaldo Jardim [1926-2011] e Oliviera Bastos [1935-2006] che rispondevano con un testo intitolato *Poesia concreta: un'esperienza intuitiva* a *Dalla fenomenologia della composizione alla matematica della composizione* di Campo), benché il movimento neoconcretista non si separò ufficialmente fino al marzo del 1959, in occasione dell'inaugurazione della *Prima mostra dell'Arte neoconcreta* al MAM-RJ, con la pubblicazione del manifesto del gruppo, scritto da Gullar ma firmato anche da Amilcar de Castro (1920-2002), Franz Weissmann (1911-2005), Clark, Pape, Jardim e Theon Spanudis (1915-86). (Oiticica e Willys de Castro [1926-88] si sarebbero aggiunti al gruppo subito dopo.)

Il tono del manifesto è sorprendentemente aggressivo. Non menzionava per nome nessuno dei paulistani ma non ci si può ingannare:

> *I concetti di forma, spazio, tempo e struttura – che nel linguaggio delle arti hanno un significato esistenziale, emozionale e affettivo – vengono confusi con l'approccio teorico che ne danno le scienze. Nel nome di pregiudizi che i filosofi oggi denunciano (M. Merleau-Ponty, E. Cassirer, S. Langer) e che non sono più sostenuti in nessun ambito intellettuale, a partire dalla biologia moderna che è andata ben oltre il condizionamento pavloniano, i razionalisti concreti pensano ancora gli esseri umani come macchine e cercano di limitare l'arte all'espressione di questa realtà teorica.*
>
> *Noi non concepiamo un'opera d'arte come una "macchina" o un "oggetto", ma come un* quasi-corpus, *cioè come qualcosa che vale di più della somma dei suoi elementi costitutivi, qualcosa che l'analisi può frammentare in molti elementi ma che può essere compresa a fondo soltanto da strumenti fenomenologici.*

Più sorprendente dell'assenza nel testo dei nomi dei *concretos* è ▲ quella di Calder, dato che era stato costruito dalla stampa brasiliana come polo opposto a Bill, e che il famoso saggio del 1946 di Jean-Paul Sartre sui *mobile*, tradotto nel catalogo della prima mostra brasiliana dell'artista americano del 1948, era da allora ▲ largamente discusso riguardo all'approccio fenomenologico all'arte, che era una parte importante dell'agenda neoconcretista. Ma l'omissione non fu un segno di disaffezione (quando pochi mesi dopo si aprì una grande mostra di Calder al MAM-RJ, Gullar fece in modo di manifestare la fedeltà allo scultore americano). Fu piuttosto una strategia: per i *neoconcretos* la vera nemesi di Bill e dei suoi seguaci non era Calder, la cui opera aveva poco a che fare ● con quella dell'artista svizzero, ma Piet Mondrian, che Bill non aveva mai mancato di invocare come uno dei suoi nobili ascendenti. Essi pensavano che l'appropriazione di Mondrian da parte di Bill risultava da un vistoso fraintendimento, e dunque il pittore olandese venne violentemente opposto a qualsiasi idea di calcolo geometrico in arte, non solo come proposto da van Doesburg ma anche come messo in atto da un altro veterano di De Stijl, Georges Vantongerloo (di cui Bill sarebbe diventato l'esecutore testamentario). In altre parole, due concezioni dell'arte astratta geometrica erano in gioco e Bill era sotto processo per aver alterato il messaggio di Mondrian mentre pretendeva di lavorare nella sua scia, un messaggio che i neoconcretisti interpretavano come antiformale e anche, per così dire, "antigeometrico". Come ha notato Venancio Filho: "in nessuna parte del mondo Mondrian è stato tanto influente e fondamentale e virtualmente idolatrato come nel contesto del Neoconcretismo alla fine degli anni Cinquanta a Rio de Janeiro". Ciò che aveva scatenato questo interesse era stata la sala di Mondrian alla stessa Biennale di San Paolo del 1953 in cui si ■ tenne la retrospettiva di Calder, dove *Victory Boogie Woogie* aveva un posto d'onore. Oiticica e Clark furono particolarmente colpiti da quest'opera, in cui alcune aree che normalmente si leggevano come sfondo apparivano invece davanti ai rettangoli colorati. Essa condusse gradualmente la coppia di artisti a prendere più seriamente di ogni altro la famosa dichiarazione di Mondrian riguardo l'importanza dell'"elemento distruttivo in arte". Prima che il Neoconcretismo fosse lanciato, il pittore olandese era diventato il loro principale riferimento, come risulta chiaramente riflesso nel manifesto: "Non ci sarebbe nessun motivo per vedere Mondrian come il distruttore della superficie, del piano e della linea, se non ci collegassimo con il nuovo spazio costruito dalla sua distruzione".

Verso l'organico

I due anni circa che separano la definitiva rottura del gruppo di Rio con i loro colleghi billiani ortodossi di San Paolo e la pubblicazione di questo manifesto sono un periodo di affascinante ebollizione, durante il quale i neoconcretisti affilarono le loro armi contro la stessa tradizione (l'arte astratta geometrica) in cui avevano mosso i primi passi e che volevano far esplodere dall'interno. Furono molto aiutati in questo da un sorprendente fenomeno, unico in Brasile: a partire dal gennaio 1957 (e durato almeno fino alla fine del 1960) il maggior quotidiano *Jornal do Brasil* pubblicò un supplemento

▲ 1931b, 1937c, 1955b

▲ 1959c, 1965 ● 1917a, 1944a ■ 1944a

1 • Lygia Clark, installazione al Padiglione brasiliano della Biennale di Venezia, 1968
Alle pareti si può vedere una selezione di dipinti *Superfici modulate* dal 1957

culturale domenicale curato dal poeta Jardim, la cui sezione dedicata all'arte era diretta nientemeno che da Gullar. Una settimana dopo l'altra Gullar (che spesso chiedeva contributi a Pedrosa) costituì una sorta di archivio delle avanguardie artistiche del XX secolo (inutile dire che era orientato nella direzione dei futuri amici neoconcretisti, che erano estremamente ben serviti nelle colonne del giornale). Un'antologia di questi interventi settimanali (che fu doverosamente raccolta da Oiticica) formerebbe un sorprendente ▲ libro nel suo genere, con saggi su e di Mondrian, naturalmente, ma anche su Josef Albers, Kasimir Malevič, Sophie Taeuber-Arp, Costruttivismo russo, Neoplasticismo e molto altro.

Ritornando nel 1952 dopo un anno a Parigi (dove aveva studiato con Léger), Lygia Clark assimilò velocemente il programma di Bill. Le prime opere che segnalano il suo scontento nei confronti del precetto dell'assoluta autonomia dell'oggetto artistico, un assioma • della dottrina di Bill, è la serie di dipinti che realizzò nel 1954, in cui la composizione (su tela) si espandeva sull'ampia cornice (di legno). Come Gullar, Pedrosa e molti altri hanno fatto notare (con il senno di poi), questo chiaramente segnò l'inizio di una traiettoria durata tutta la vita interamente dedicata a infrangere le barriere e in particolare la divisione tra dentro e fuori. Come disse Clark stessa nel 1959 (in un articolo pubblicato sul *Jornal do Brasil* un mese e mezzo prima del manifesto neoconcretista), questa serie era iniziata con la sua "osservazione di una linea che appariva tra un collage e un passe-partout quando il colore [di entrambi] era lo stesso e spariva quando c'erano due colori contrastanti". Non fu completamente soddisfatta di queste opere, ma "nel 1956", aggiunge, "trovai il rapporto tra questa linea (che non era grafica) e le linee di giunzione tra porte e telai, finestre e materiali che compongono un pavimento, ecc. Cominciai a chiamarla 'linea organica', perché era reale, esisteva in sé, e organizzava lo spazio. Era una linea spaziale, un fatto che avrei compreso solo più tardi".

Le prime opere in cui questo concetto di "linea organica" comincia ad essere messo in atto sono le *Superfici modulate* del

▲ 1913, 1915, 1916a, 1917a, 1925c, 1944a, 1947a, 1921b, 1926, 1928a • 1928a, 1937b, 1947a, 1967c

1957 [**1**], composte da superfici di legno adiacenti coperte di pittura industriale e direttamente concepite in dialogo con le *Costellazioni* ▲ *strutturali* di Albers (Clark, che ammirava l'artista tedesco, criticava nelle sue costruzioni grafiche il fatto che egli stava ancora "costruendo su uno sfondo"). La struttura reversibile positivo/negativo di queste opere (più spesso in bianco e nero) portò Clark a un'altra ricerca, quella di trovare il modo di "abolire il piano" e con esso il trionfo percettivo della Gestalt. Dalla fine del 1958 Clark si imbarcò in una serie di piccoli dipinti su legno intitolati *Unità*, in cui un quadrato nero è incorniciato e/o tagliato da una linea bianca incisa che funziona più come una cerniera che come un contorno. In queste opere riesce a torcere illusionisticamente il piano, un compimento che verificò in un tondo intitolato *Uovo lineare* (1958), un disco nero bordato da una linea bianca interrotta. Poiché la linea bianca si dissolve lateralmente nella parte bianca che la circonda, noi ci asteniamo dall'abitudine gestaltica di chiudere il cerchio e l'area nera tende a spostarsi visivamente in profondità con la linea, mentre una zona retrocede e l'altra sembra protendersi verso di noi.

La pubblicazione del manifesto neoconcretista coincise con l'elaborazione da parte di Clark di una serie di rilievi intitolati ● *Bozzoli* [**2**] e *Controrilievi*, in omaggio a Vladimir Tatlin, tutti datati dal 1959, in cui traduce l'instabilità percettiva delle sue opere precedenti nello spazio reale, fenomenico dei nostri sensi. Ogni *Bozzolo* è fatto di un unico foglio rettangolare di metallo parzialmente tagliato e piegato (ma non ritagliato del tutto: niente vi è tolto o aggiunto) cosicché la proporzione frontale, qualunque sia la sua proiezione nello spazio, è sempre un quadrato (nascondendo, per così dire, uno spazio interno che l'osservatore scopre quando si sposta). La piega genera l'immagine del non piegato e del piano come compressione di un volume, un'idea sviluppata ulteriormente nei *Controrilievi*, dove il vuoto è contenuto tra strati di tavole bianche o nere.

Che il piano abbia un volume e che questo volume possa essere aperto (come un bozzolo) è al centro delle opere più famose di Clark, i *Bichos* (Animali) [**3**], che fanno la loro apparizione nel 1960, ma anche della produzione contemporanea dei colleghi neoconcretisti. I *Bilaterali* (1959) e i *Rilievi spaziali* (1960) di Oiticica [**4**], che possono venire caratterizzati come bozzoli a colori, gli *Oggetti attivi* di de Castro (per la maggior parte sottili dipinti colonnari su legno, molto più profondi che larghi, aggettanti dalla parete [1959-69]), e i pieghevoli di Pape, in particolare il *Libro di architettura* del 1959 e il *Libro del tempo* del 1961-63: tutte queste opere testimoniano dell'interesse comune dei neoconcretisti per quella che chiamano "spazializzazione". Ma i *Bozzoli* di Clark segnano un punto di svolta nella dinamica del gruppo; essi puntano in una nuova direzione, coinvolgendo il corpo dello "spettatore" (o meglio del "partecipante", come avrebbe detto). All'inizio solo Oiticica si unì a Clark in questo nuovo interesse, poi (alla fine degli anni Sessanta) seguì Pape.

I *Bichos* sono strutture autonome fatte di lastre di metallo incernierate che si possono manipolare per dare forme diverse alla scultura (all'origine un *Bicho* è perfettamente piatto, come le sculture ▲ sospese di Aleksandr Rodčenko). L'articolazione e la disposizione delle lastre di metallo determinano una serie di possibilità spesso imprevedibili. In queste prime opere partecipative Clark traspose le sue indagini topologiche (riguardanti la possibile abolizione del verso di un piano) sui rapporti tra soggetto e oggetto,

2 • Lygia Clark, *Bozzolo*, 1959
Pittura alla nitrocellulosa su latta, 30 x 30 x 30 cm

3 • Lygia Clark, *Bicho*, 1960
Acciaio, 45 x 50 x 50 cm

▲ 1947a ● 1914, 1921b

▲ 1921b

4 • Hélio Oiticica, *Rilievo spaziale (Rosso)*, 1960
Acetato poliuretano su compensato, 149 × 62 × 8,5 cm

né passivi né completamente liberi. Il *Bicho* è concepito come un organismo che reagisce, secondo proprie leggi e limiti, ai movimenti di chiunque modifichi la sua configurazione. Spesso richiede determinati gesti o si rovescia in modo imprevisto: il dialogo tra *Bicho* e partecipante è a volte stimolante e altre volte frustrante, ma mina sempre l'idea che si possa avere sempre un controllo dell'altro.

È a questo punto che Clark inventò il *Camminando*, che nel 1964 segna sia il suo definitivo addio all'arte geometrica sia l'inizio di un percorso nella sua opera e in quella di Oiticica che si può caratterizzare come progressiva sparizione dell'oggetto d'arte in quanto tale. *Camminando* **[5]** tornò ancora una volta all'infatuazione per Bill con prodezze morfologiche di topologia, ma invece di essere un oggetto è concepito come un'esperienza esistenziale che va vissuta: il materiale di base è una striscia di Moebius di carta, una forma che Bill ha scolpito diverse volte in granito. Ecco le istruzioni fai-da-te di Clark:

> *Prendete un paio di forbici, affondate una delle punte nella superficie e tagliate senza interrompervi nel senso della lunghezza. Fate attenzione a non intersecare il taglio già fatto, perché dividereste la banda in due pezzi. Quando avete fatto il giro completo del nastro, a voi scegliere tra continuare a tagliare a sinistra o a destra. Questa idea di scelta è decisiva. Il senso particolare di questa esperienza sta nell'atto di farla. L'opera è il vostro atto. Più si taglia e più la banda si assottiglia e si raddoppia in intrecci. Alla fine il percorso è talmente stretto che non si riesce a dividerlo ulteriormente. È la fine del percorso.*

Ciò che risulta, un mucchietto di coriandoli sul pavimento, è pronto per il cestino dei rifiuti: "C'è un unico tipo di durata: l'atto. L'atto è ciò che produce *Camminando*. Niente esiste prima e niente dopo", scrive Clark, aggiungendo che è essenziale "non sapere – mentre tagliate – cosa taglierete e cosa avete già tagliato". Inoltre: "Anche se non si considera questa proposta un'opera d'arte e anche se si rimane scettici rispetto a ciò che comporta, va fatta".

A partire da *Camminando* Clark svilupperà, durante gli anni Sessanta e oltre, una complessa pratica interattiva che la allontanerà non solo da qualsiasi considerazione dell'oggetto in sé, ma anche da qualunque idea di teatralità (non c'è performance, nemmeno nelle "proposte" che coinvolgono più "partecipanti"). Ancora più importante: il concetto stesso di artista diventerà sempre più irrilevante (e l'"arte" diventerà una sorta di terapia o di lavoro sociale). Uno

5 • Lygia Clark, *Camminando*, 1964
Azione

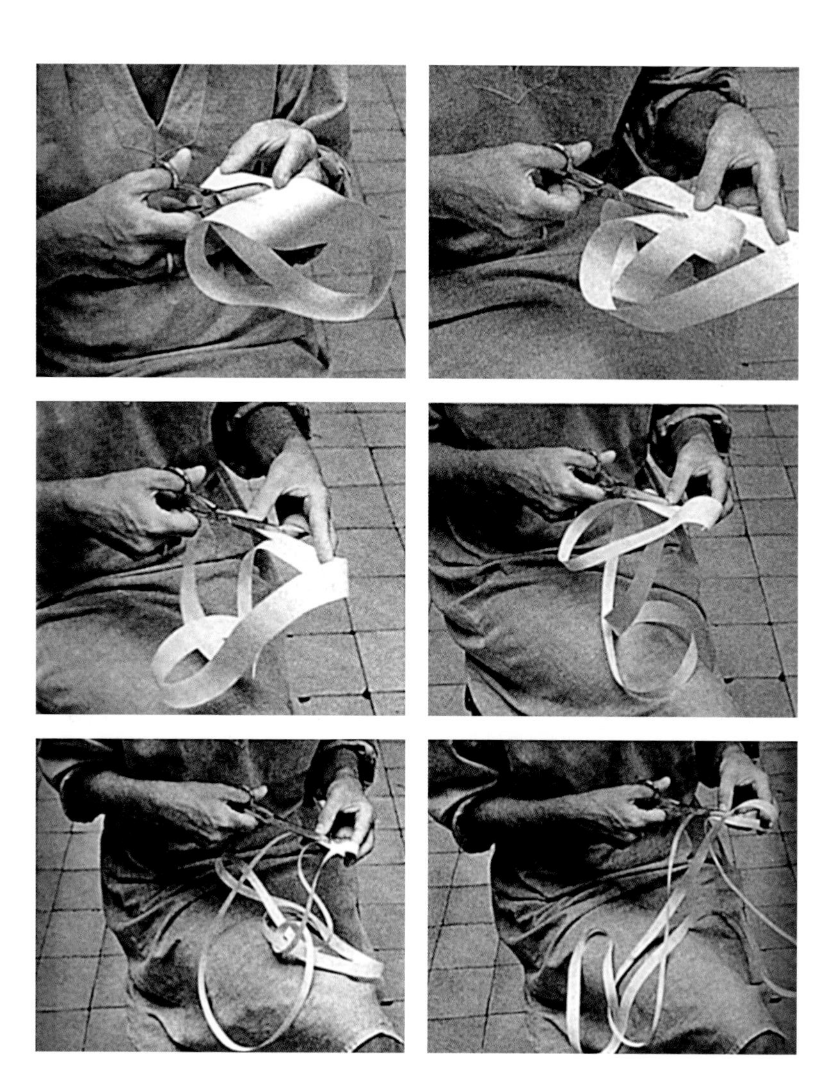

6 • Hélio Oiticica, *B11 Scatola bolide 09*, 1964
Legno, vetro e pigmento, 49,8 x 50 x 34 cm

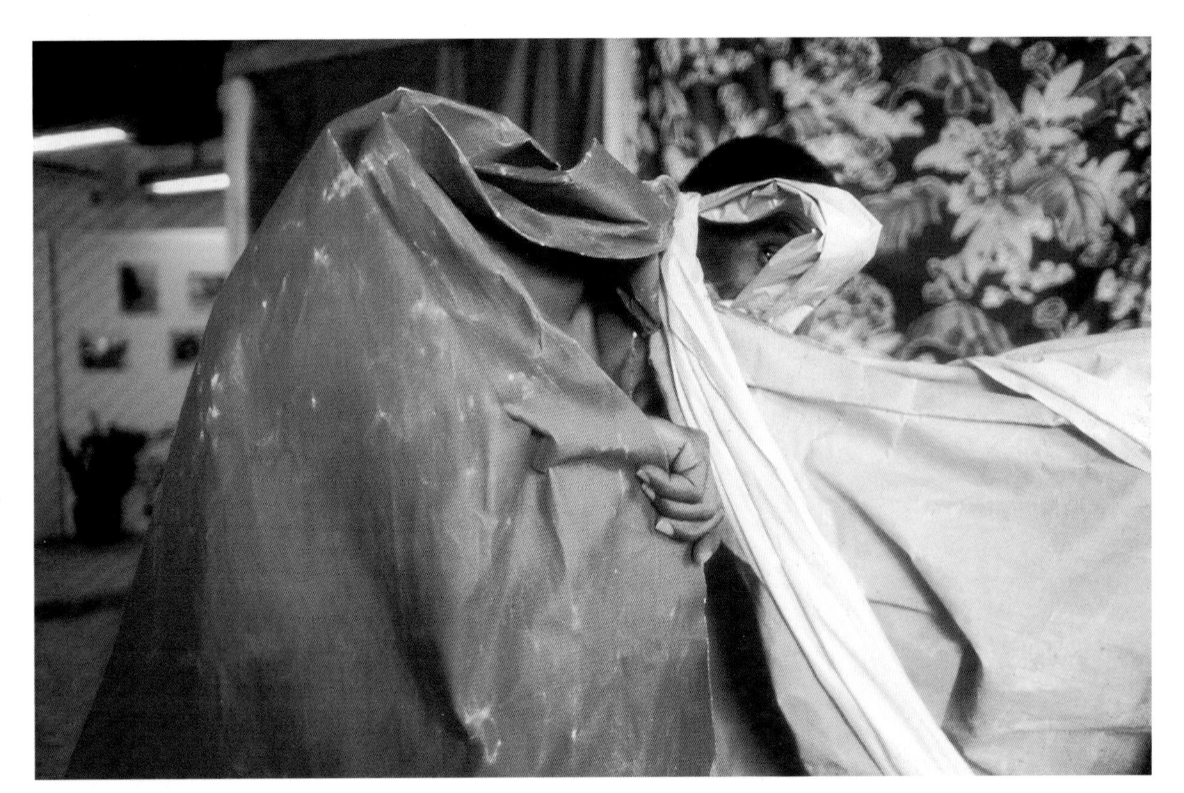

7 • Hélio Oiticica, *Parangolé P4, Cape 1*, 1964
Olio e acrilico su tessuto, plastica e rete di nylon, dimensioni variabili

sviluppo simile si può osservare nella pratica di Oiticica. Le prime opere interattive, intitolate *Scatole bolidi* (1963-64) **[6]**, erano contenitori con cassetti e vari scomparti contenenti pigmento puro in polvere ma anche fotografie e altri documenti che si dovrebbero scoprire aprendo l'opera. Ma è con le *Parangolés* che cominciò a realizzare nel 1964 **[7]** che si unì a Clark nella ricerca di quello che Gullar ha a lungo chiamato "non-oggetti". Queste mantelle composte con complessi tagli di stoffa colorata e altri materiali, con tasche nascoste piene di pigmento in polvere o conchiglie, impediscono alcuni movimenti dei danzatori che li indossano mentre li invitano ad adottare posizioni inusuali. Oiticica intendeva produrre in chiunque li indossasse una nuova coscienza del proprio corpo, e lo stesso si può dire della maggior parte delle "proposte" realizzate da Clark dalla metà degli anni Sessanta alla metà dei Settanta, sotto il titolo generale di "la casa è un corpo", seguito da quello di "il corpo è una casa".

Un altro esempio è il *Divisore* di Pape, del 1968 **[8]**, rifatto diverse volte da allora, che fornisce "una delle più memorabili immagini poetiche degli anni Sessanta", per citare lo storico dell'arte Guy Brett, che lo descrive come segue:

> *Un grande pezzo di stoffa, 30 metri x 30, tiene insieme, ma solo in parte, una quantità di persone le cui teste sporgono attraverso buchi spaziati regolarmente. Era una metafora ambigua: si riferiva o all'atomizzazione, il "divenire massa dell'uomo, ognuno dentro la propria casella", o all'etica della comunità, dacché i movimenti di ogni individuo avevano un effetto diretto su quelli degli altri e dell'intero gruppo. La dialettica unità-gruppo si estendeva al corpo di ogni individuo, poiché l'enorme stoffa separava la testa da braccia, gambe e torso.*

A prima vista questo tessuto architettonico messo in moto da un corpo collettivo sembra molto lontano dalle opere, ancora riguardanti l'astrazione geometrica, che Pape, Clark e Oiticica avevano esposto alla *Prima mostra dell'Arte neoconcreta* appena un decennio prima, ma di fatto realizza a pieno il programma del manifesto che firmarono all'epoca, offrendo quello a cui Oiticica e Clark spesso si riferivano come a "Vivências", che può essere tradotto approssimativamente con "esperienze di vita". YAB

ULTERIORI LETTURE

Guy Brett et al., *Lygia Clark*, Fundació Antoni Tàpies, Barcelona 1997
Guy Brett et al., *Hélio Oiticica*, Walker Art Center, Minneapolis 1994
Guy Brett et al., *Lygia Pape: Magnetized Space*, Serpentine Gallery, London 2011
Luciano Figueiredo et al., *Hélio Oiticica: The Body of Color*, Museum of Fine Arts, Chicago 2007
Sergio Martins, *Constructing an Avant-Garde: Art in Brazil 1949-1979*, MIT Press, Cambridge (Mass.) 2013
Luis Perez Orama et al., *Lygia Clark: The Abandonment of Art 1948-1988*, Museum of Modern Art, New York 2014
Paulo Venancio Filho, *Reinventing the Modern: Brazil*, Gagosian Gallery, Paris 2011

8 • Lygia Pape, *Divisore*, 1968
Azione tenutasi al Museo d'Arte Moderna, Rio de Janeiro

1960–1969

534 1962b A Vienna Günter Brus, Otto Mühl, Hermann Nitsch e altri artisti formano il gruppo dell'Azionismo viennese. BB

540 1962c Sulla scia della pubblicazione di *Pionieri dell'arte in Russia* di Camilla Gray si rianima l'interesse occidentale per i principi costruttivisti di Vladimir Tatlin e Aleksandr Rodčenko, che vengono elaborati in maniera differente da artisti più giovani come Dan Flavin, Carl Andre, Sol LeWitt e altri. HF
box • *Artforum* RK

545 1962d Clement Greenberg è il primo a riconoscere il lato astratto della Pop art, una caratteristica che resterà a lungo nell'opera dei suoi principali esponenti e dei continuatori. RK

551 1963 Dopo avere pubblicato due manifesti con il pittore Eugen Schönebeck, George Baselitz espone a Berlino *La grande notte nelle fogne*. BB

556 1964a Il 20 luglio, nel ventesimo anniversario del fallito attentato contro Hitler, Joseph Beuys pubblica un'autobiografia fittizia e genera un'esplosione di violenza al *Festival della nuova arte* ad Aachen, nella Germania occidentale. BB

562 1964b *I tredici uomini più ricercati* di Andy Warhol è installato provvisoriamente sulla facciata dello State Pavilion della World's Fair di New York. HF

568 1965 Donald Judd pubblica *Oggetti specifici*: il Minimalismo viene teorizzato da parte dei suoi due più importanti esponenti, Judd e Robert Morris. RK
box • Maurice Merleau-Ponty RK

572 1966a Marcel Duchamp completa l'installazione *Dati...* al Philadelphia Museum of Art: con la rivelazione di questa sua nuova opera la crescente influenza che esercitava sui giovani artisti arriva al culmine. RK

576 1966b Apre a New York la mostra *Astrazione eccentrica*: le opere di Louise Bourgeois, Eva Hesse, Yayoi Kusama e altri cercano un'alternativa espressiva al linguaggio della scultura minimalista. HF

581 1967a Con la pubblicazione di *Un tour dei monumenti di Passaic, New Jersey* Robert Smithson indica l'"entropia" come concetto generativo della pratica artistica degli anni Sessanta. YAB

585 1967b Il critico italiano Germano Celant allestisce la prima mostra dell'Arte povera. BB

591 1967c Nella loro prima apparizione, quattro artisti del gruppo francese BMPT dipingono in pubblico, ripetendo esattamente da tela a tela una semplice configurazione liberamente prescelta da ogni singolo artista: la loro forma di pittura concettuale è l'ultimo degli attacchi all'astrattismo "ufficiale" della Francia del dopoguerra. YAB

597 1968a Due grandi musei dedicati all'arte più avanzata dell'Europa e dell'America degli anni Sessanta – lo Stedelijk Van Abbemuseum di Eindhoven e lo Städtisches Museum Abteiberg di Mönchengladbach – espongono il lavoro di Bernd e Hilla Becher, situandoli tra gli esempi più rilevanti dell'arte e della fotografia concettuale. BB

603 1968b L'Arte concettuale appare nelle pubblicazioni di Sol LeWitt, Dan Graham e Lawrence Weiner, mentre Seth Siegelaub organizza le sue prime mostre. BB
box • Riviste d'artista RK
box • Noncuranza BB

610 1969 La mostra *Quando le attitudini diventano forma* a Berna e Londra offre un panorama degli sviluppi postminimalisti, mentre *Antiillusione: procedure/materiali* a New York si occupa di Arte processuale, i cui tre principali aspetti sono elaborati da Richard Serra, Robert Morris ed Eva Hesse. HF

1960a

Il critico Pierre Restany riunisce a Parigi un gruppo di artisti eterogenei, dando vita al Nouveau réalisme e rivoluzionando i concetti di collage, readymade e monocromo.

Resosi conto del riconoscimento pubblico che avrebbe ottenuto mettendo insieme un certo numero di artisti a lavorare sotto un'unica bandiera, il critico francese Pierre Restany (1930-2003) convinse un gruppo di artisti riuniti nell'appartamento parigino di Yves Klein il 27 ottobre 1960 a formare un movimento d'avanguardia. Un simile progetto esigeva naturalmente un manifesto, che fu prontamente disegnato da Klein in edizione di circa 150 copie (matita bianca su cartone blu Klein o rosa oppure oro) e firmato da Restany e dagli otto artisti presenti per l'occasione (Arman [1928-2005], François Dufrêne [1930-82], Raymond Hains [1926-2005], Klein, Martial Raysse [nato nel 1936], Daniel Spoerri [nato nel 1930], Jean Tinguely e Jacques de la Villeglé [nato nel 1926]). Il manifesto consisteva in una singola frase, l'unica affermazione anodina a cui tutti gli artisti potessero aderire: "I nouveaux réalistes hanno preso coscienza della loro nuova identità collettiva; Nouveau réalisme = nuove percezioni del reale".

Venti minuti dopo la firma, scoppiò un litigio a suon di pugni tra Klein e Hains, che fece ritenere alla maggior parte dei membri che il movimento fosse già estinto, anche se da allora in poi esposero spesso insieme (e di lì a poco César, Christo [nato nel 1935], Gérard Deschamps [nato nel 1937], Mimmo Rotella [1918-2006] e Niki de Saint Phalle [1930-2002] si unirono a loro). La morte del movimento, in ogni caso, fu ufficialmente celebrata solo nel 1970, con un banchetto durante il quale fu scoperta *La Vittoria* di Tinguely, una struttura fallica gigantesca che eruttò fuochi d'artificio di fronte al Duomo di Milano.

Neoavanguardia e spettacolo

Se tutto questo presenta inquietanti somiglianze con i tipici rituali delle avanguardie, è perché di fatto rappresenta *uno degli aspetti* con cui il gruppo ha esplicitato il suo rapporto con esse. D'altra parte, se segnala ostentatamente un atteggiamento di adesione a forme della cultura dello spettacolo è perché lo spettacolo contemporaneo era di fatto l'*altro* elemento principale del contesto storico. È proprio ▲ questa ambivalenza a fare del Nouveau réalisme, insieme all'Independent group, a Cobra e all'Internazionale situazionista, una delle principali componenti di un fronte neoavanguardista nell'Europa del dopoguerra.

Il situazionista Guy Debord si riferiva probabilmente alle avanguardie storiche nella sua formulazione di un desiderio postbellico di "costituire un nuovo movimento che in primo luogo dovrebbe ristabilire una fusione tra la creazione culturale dell'avanguardia e la critica rivoluzionaria della società". Ma i nouveaux réalistes si trovavano di fronte a una situazione in cui il progetto dell'avanguardia era diventato manifestamente problematico, mentre, come ha affermato il critico Peter Bürger, la stessa avanguardia era diventata un insieme di temi, pratiche e spazi fortemente istituzionalizzati. Forse il Nouveau réalisme è il movimento che ha riconosciuto nel modo più programmatico una particolare condizione della neoavanguardia: la sua collocazione precaria ma immutabile all'incrocio tra una falsa postura di negatività critica e il piano affermativo dell'industria culturale.

Nella genesi delle proprie forme il Nouveau réalisme sembra avere inteso l'ineluttabile condizione della neoavanguardia in senso molto più letterale rispetto agli altri gruppi di quegli anni. In maniera quasi sistematica i suoi membri riscoprirono, riciclarono e fecero circolare tra di loro i paradigmi modernisti del periodo 1916- ▲ 36, anticipando il modo in cui le agenzie pubblicitarie avrebbero più tardi rubacchiato dalla cultura dell'avanguardia: il readymade ● (Arman), il monocromo (Klein), la scultura cinetica costruita ■ (Tinguely) e il collage (Dufrêne, Hains, Rotella, Villeglé). Ma in quasi tutti i casi questi paradigmi ora sembravano fatti apposta per uniformare l'esperienza fondamentalmente diversa degli oggetti e degli spazi pubblici nel contesto di una società dello spettacolo, del controllo e del consumo che stava allora prendendo forma. Non a caso i più aspri critici della società del tempo, i lettristi e più tardi i situazionisti, accusarono con veemenza il Nouveau réalisme di essere un'arte affermativamente collusa, una cultura rappresentativa di politiche di destra e di una complicità corrotta.

Tuttavia, esprimere le ambiguità della produzione culturale incarnando le sue contraddizioni è cosa ben diversa dall'appoggiarla. Se le pratiche di questi artisti sono diventate la più autentica espressione della produzione visiva del dopoguerra in Francia, è soprattutto perché hanno mostrato come l'intera cultura postbellica fosse prigioniera di una dialettica ineludibile tra memoria e repressione storica, da un lato, e aggressività del consumo forzato e sottomissione alle leggi dello spettacolo, dall'altro.

Non stupisce quindi che alcuni dei contributi più importanti dei nouveaux réalistes trasferissero lo statuto e il luogo dell'opera

▲ 1949b, 1956, 1957a

▲ 1914, 1918 ● 1913, 1915, 1921b, 1928a ■ 1912

d'arte dalla relativa intimità dell'oggetto pittorico e scultoreo al livello dello spazio pubblico. Essi riposizionarono l'opera dalla cornice del dipinto, o dallo spazio della scultura, all'architettura, vale a dire al contesto istituzionale e commerciale e allo spazio della strada, che era sempre stato considerato pubblico.

A partire dalla prima installazione di Klein *Il vuoto* – in cui l'artista espose una galleria completamente vuota – del 1957 (seguita nel 1958 da una seconda più famosa) fino a quella corrispondente di Arman, *Il pieno* del 1960 – in cui la vetrina della galleria Iris Clert era stata riempita da una gigantesca quantità di spazzatura – la dimensione architettonica e l'interazione con lo spazio pubblico avevano assunto un ruolo centrale. Lo stesso fenomeno è riscontrabile nell'installazione autodistruttiva *Omaggio a New York* **[1]** di Tinguely, definita dall'autore un "simulacro della catastrofe", o nel passaggio di César dalle culture tramite saldatura, afferenti alla ▲ tradizione di Picasso e González, al Nouveau réalisme nel 1960 con *Tre tonnellate*: tre automobili compattate da una pressa idraulica in masse scultoree rettangolari; o nell'atto di Spoerri del 1961 a Copenhagen, quando dichiarò che la sua mostra era un'intera drogheria "trovata" (quasi un anno prima di *Il negozio* di ● Oldenburg). Un intervento altrettanto teatrale nello spazio pubblico fu quello di Christo e Jeanne-Claude (1935-2009) con *Muro di barili, cortina di ferro* **[2]**, del 1962, una barriera di 240 barili di petrolio in Rue Visconti a Parigi, che alludeva al Muro di Berlino recentemente costruito e segnava il primo passo del progetto di espandere la scultura alla scala e ai tempi della cultura dello spettacolo e di ridurre la sua presenza materiale a un'immagine puramente mediatica.

Photo Jean-Dominique Lajoux. © Christo 1962

2 • Christo e Jeanne-Claude, *Muro di barili, cortina di ferro*, 1961-62
240 barili di petrolio, 430 x 380 x 170 cm

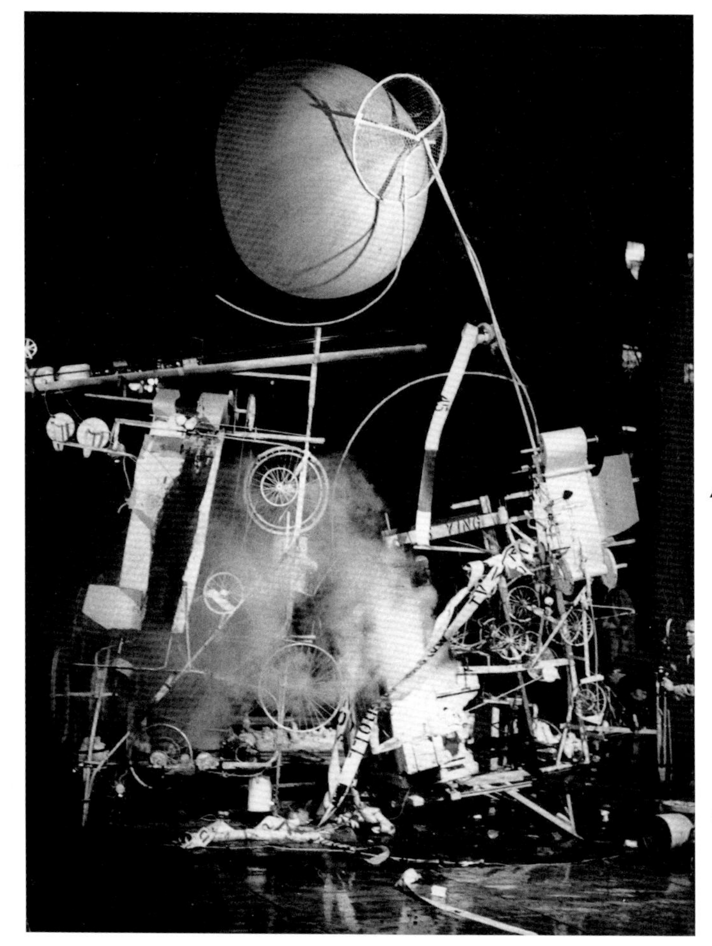

1 • Jean Tinguely, *Omaggio a New York*, 1960
Installazione autodistruttiva

Lo stesso desiderio di situare l'opera all'interno dello spazio pubblico e di posizionarla all'interno dell'apparato discorsivo della cultura del consumo è evidente nella trasformazione del collage da parte degli artisti del *décollage*. Da oggetto destinato alla ▲ lettura e alla visione privata (come nel caso di Kurt Schwitters), il collage fu ripensato come frammento di scala più ampia staccato dai cartelloni pubblicitari. Con un atto di pirateria, i poster venivano strappati dalle pareti pubbliche, non solo allo scopo di mettere insieme configurazioni linguistiche e grafiche aleatorie, ma anche per rendere permanenti quegli atti di vandalismo (che Villeglé definiva *Il lacerato anonimo*) con cui anonimi collaboratori protestavano contro il dominio dello spazio pubblico da parte della propaganda pubblicitaria. Alla prima Biennale di Parigi, ● inaugurata da André Malraux nel 1959, gli artisti francesi del *décollage* – Hains, Villeglé e Dufrêne **[3]** – presentarono per la prima volta in un'istituzione pubblica le loro opere, che culminavano nella prima "*palissade*" di Hains, ovvero l'intera palizzata di un cantiere edile ricoperta da una distesa di atti anonimi di *décollage*, frutto di una sequenza di gesti vandalici.

▲ 1945 ● 1961

▲ 1926 ● 1935

Spazi e contesti sociali

Riposizionando le loro pratiche in questi spazi e contesti differenti, i nouveaux réalistes crearono opere appartenenti a un'estetica della produzione e della collaborazione con l'industria. La grande quantità di oggetti prodotti, la loro relativa interscambiabilità non mettono più in rilievo l'originalità della visione di un singolo autore o le fattezze uniche di un'opera. Ci imbattiamo invece d'ora in poi nel principio intrinsecamente collaborativo del *décollage* e nella vera e propria collaborazione tra gli artisti, a cominciare dall'incredibilmente precoce *décollage* di Villeglé e Hains, *Ach Alma Manétro* del 1949 **[4]**, fino alle successive collaborazioni tra Klein e Tinguely, Tinguely e Niki de Saint Phalle, e molte altre.

La cosa più importante, comunque, è che il principio collaborativo in sé fosse a quel punto diventato un paradigma centrale, come quando Spoerri nel 1961 propose un brevetto per fare produrre i suoi *tableaux pièges* **[5]** ad altri artisti o a chiunque altro. Questo principio ebbe il suo culmine nelle ultime performance di Klein, nelle quali l'artista vendeva "Zone di sensibilità pittorica immateriale" a collezionisti i quali, in cambio di una certa quantità di oro, ricevevano un certificato di proprietà come unica prova legale dell'esistenza dell'opera. Pochi anni dopo, questa critica protoconcettuale dell'oggettualità e dell'autorialità avrebbe assunto grande ▲ rilevanza nei discorsi dell'arte minimalista e concettuale.

Adottando le strategie pubblicitarie per la diffusione delle loro idee, i nouveaux réalistes operavano spesso in modo parallelo ai loro antagonisti più importanti sul piano teorico e politicamente più radicali, i membri dell'Internazionale lettrista e dell'Internazionale situazionista (uno dei *décollagistes*, Dufrêne, aveva fatto parte del primo gruppo). Le strategie fondamentali dei situazionisti, la ● deriva e il *détournement*, certamente condividono alcuni aspetti del principio decollagista del *ravir* (rapire), vale a dire la trasformazione della realtà con un atto di violenta abduzione o seduzione. Altri spettacolari esempi, come la decisione di Tinguely di lanciare 150.000 copie di un manifesto su Düsseldorf e dintorni nel 1959, potrebbero essere senz'altro identificati come esempio di contropropaganda che richiama in modo insolito i tentativi degli alleati di informare il popolo della Germania nazionalsocialista con il lancio di volantini oltre le linee nemiche. D'altro canto, la pubblicazione nel 1960 del *Diario di un solo giorno* di Klein, che imitando le forme

3 • François Dufrêne, 1/8 del soffitto della prima Biennale di Parigi, 1959
Manifesti strappati applicati su tela, 146 x 114 cm

di un quotidiano celebrava la presenza universalmente vittoriosa di Yves le Monochrome (vi compariva anche la notoriamente falsa "prova" fotografica della levitazione nello spazio di Klein), utilizzava, più che "*détourner*" (o sovvertire dall'interno), tutti i nuovi media e le strategie pubblicitarie della disinformazione e della globale manipolazione del pubblico.

Con la pubblicazione nel 1954 dei libri di Klein *Yves: Dipinti* e *Hagenault: Dipinti*, l'astrattismo appariva per la prima volta trasformato in un metalinguaggio concettuale. In forma di cataloghi ragionati della produzione di dipinti monocromi di Klein (con misure e date, luoghi di produzione e a volte indicazione dei

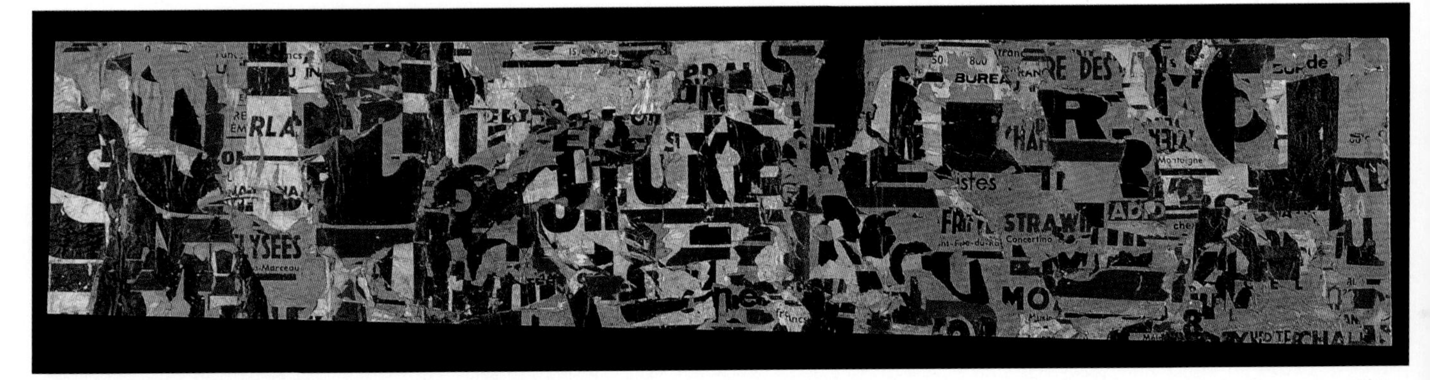

4 • Jacques de la Villeglé e Raymond Hains, *Ach Alma Manétro*, 1949
Manifesti strappati applicati su tela, 58 × 256 cm

▲ 1965, 1968b ● 1957a

5 • Daniel Spoerri, *La colazione di Kishka, n. 1*, 1960
Sedia attaccata alla parete con asse sul sedile, caffettiera, bicchiere, tazza, portauovo, guscio d'uovo, mozziconi di sigaretta, cucchiai, scatolette, ecc., 36,6 x 69,5 x 65,4 cm

collezionisti), i due libri erano del tutto fittizi. In tal modo, nello stesso momento in cui dichiara (in maniera fraudolenta) di avere inventato il monocromo, Klein lo presenta come già assente, accessibile soltanto attraverso la finzione e la riproduzione tecnica. Nella misura in cui questi "dipinti" costituiscono il primo esempio in cui il paradigma modernista del monocromo (con le sue implicazioni di presenza e purezza, autoevidenza ottica ed empirica) è spostato sul piano delle convenzioni linguistiche, discorsive e istituzionali – ovvero la presenza sostituita da un apparato testuale –, inaugurano ▲ quella che si può definire un'"estetica del supplemento".

La famosa mostra di Milano nel 1957, in cui Klein espose undici monocromi blu identici con prezzi diversi, si può considerare il primo momento culminante di questa nuova estetica. La decisione di montare questi dipinti all'apparenza identici su dei montanti rese questi pannelli delle ibride mescolanze di autonomia e funzione, in cerca di una protesi per essere esposti al pubblico. Sospesi tra la convenzione pittorica come *tableaux* e il nuovo statuto di *oggetto/segno*, questi dipinti esprimevano una nuova strana dialettica tra pura visualità e pura contingenza. In tal modo Klein intraprendeva il proprio progetto pittorico come un paradosso in cui la trascendenza spirituale dell'oggetto estetico è energicamente dichiarata e insieme sostituita da un'estetica del supplemento spettacolarizzato. Quest'ultimo aspetto culmina nella decisione di sottomettere i dipinti seriali a un ordine gerarchico che esprime l'opposizione tra la "sensibilità pittorica immateriale" e il prezzo assegnato a casaccio, ● anticipando la formulazione semiotica di Jean Baudrillard del fenomeno del "valore di scambio segnico". Non è solo l'enfasi della mostra sulla pittura come *produzione* a marcare la differenza con le precedenti forme di astrattismo, ma soprattutto il fatto che in questo caso non si prende in considerazione il genere "mostra" come mera accumulazione di opere individuali realizzate precedentemente e poi esposte, ma la pittura stessa viene concepita come se fosse ▲ sempre stata pensata in vista di una "mostra".

Sviluppando questi concetti nell'installazione *Il vuoto* del 1957, Klein dichiarò lo spazio vuoto della galleria una zona di accresciuta, protomistica sensibilità pittorica. *Il vuoto* non era dunque una riflessione sulle implicazioni mistiche del riduttivismo; non era connessa alla specificità storica delle convenzioni moderniste della visione, ai loro meccanismi discorsivi e istituzionali di costruzione dello spettatore, né ai principi architettonici e museologici dell'esporre. Ma, fino a quando non riconobbe che l'estetica modernista dell'autonomia empirico-critica aveva fallito, Klein enfatizzò la persistenza della vita spirituale ultraterrena dell'astrattismo e indagò il destino di queste aspirazioni dopo che lo spettacolo della cultura si era impadronito degli spazi dell'avanguardia.

La neoavanguardia

Teoria dell'avanguardia (1974) di Peter Bürger divide gli ultimi centocinquant'anni di pratica artistica in tre fasi distinte: il periodo del modernismo, con la sua rivendicazione dell'autonomia del campo artistico; l'intervento dell'avanguardia tra le due guerre, le cui pratiche si rivolgevano precisamente alla critica di questa autonomia; e il momento di quella che chiama la neoavanguardia, fase durante la quale la cultura europea e americana del dopoguerra replicavano queste critiche, pur livellandole in una serie di gesti vuoti. Le tre fasi sono collegate, ma Bürger attribuisce solo alla seconda una vera radicalità avanguardista, perché è all'interno del progetto di questa "avanguardia storica" (il periodo 1915-25) che le tesi tradizionali sulla rivendicazione modernista di uno statuto di autonomia vengono rigettate in favore di quello che Bürger chiama un tentativo di riposizionare le pratiche artistiche all'interno della pratica stessa della vita. L'uso surrealista di operazioni dettate dal caso come metodo per abbattere la divisione tra arte alta e cultura di massa e tra arte ed esperienza quotidiana ne sarebbe un esempio, come, sul fronte opposto, l'utilizzo del collage e del fotomontaggio da parte dei costruttivisti russi e dei dadaisti tedeschi come modo per rompere la separatezza della sfera pubblica borghese a vantaggio della nuova sfera pubblica proletaria in ascesa.

Bürger sostiene che tutte le pratiche dell'avanguardia postbellica sono mere ripetizioni degli interventi originali e che non cercano né di smantellare la tensione fondamentale del modernismo all'autonomia, né di raggiungere uno spostamento della pratica artistica nella vita quotidiana; si limitano invece a fornire merci e oggetti commerciabili all'apparato esistente e in espansione dell'industria culturale. Bürger cita come esempio la Pop art e il Nouveau réalisme, in cui vede una pura ripresa del collage e del fotomontaggio, senza più alcun riferimento né alle questioni poste dalle avanguardie all'istituzione dell'autonomia estetica, né alla necessaria interrelazione dell'arte con il nuovo pubblico di massa e le nuove forme di distribuzione.

▲ Introduzione 4 ● 1980
▲ 1960c, 1964

Il merito di Klein è precisamente quello di avere composto questo distico – spirito/consumo – situandolo bene in vista, chiarendo così che il tentativo di riscattare la spiritualità con mezzi artistici, proprio durante l'ascesa di un controllo universale da parte della cultura del consumo, era inevitabilmente destinato ad avvolgere lo spirituale in una sordida veste farsesca. Un esempio tipico di questa convinzione è in una sua frase come: "Non siamo artisti in rivolta, ma in vacanza". Rendendo il suo lavoro dipendente dai *dispositivi* un tempo nascosti (per esempio gli spazi dello svago e del consumo o le trovate pubblicitarie), egli sarebbe diventato il primo artista europeo del dopoguerra a dare inizio non solo a un'estetica della totale contingenza istituzionale e discorsiva, ma anche di un'apparentemente ineludibile assimilazione positiva.

Quando Arman decise di abbandonare nel 1953 i suoi quadri ▲ fatti con i timbri in favore della diretta presentazione dell'oggetto, in Francia le propaggini del readymade non venivano ancora riconosciute come tali. Eppure le strategie formali di Arman non solo derivano dal readymade, ma trasfigurano anche altri due para- • digmi fondamentali del modernismo: la griglia e il caso. Se la griglia postcubista ancora governa le *accumulazioni* di Arman, e alcuni suoi lavori successivi come le *poubelles* e i *ritratti-robot* (come nel *Primo ritratto-robot di Yves Klein* **[6]**) seguono l'organizzazione della materia obbediente alla legge di gravità o al principio dell'incontro casuale, l'estetica dell'oggetto di Arman non condi- ▲ vide la promessa utopica delle avanguardie tecno-scientifiche, né genera la risonanza inconscia dell'oggetto surrealista. Con Arman tutti gli oggetti sembrano emergere da un'espansione senza limiti e da una cieca serialità della produzione, appaiono come tanti esemplari di un inclassificabile mondo di variazioni arbitrarie, disposti secondo le leggi universali della monotonia. Se il readymade di Duchamp suggeriva ancora una radicale equivalenza tra la costituzione dell'io attraverso gli atti di parola del soggetto e la formazione della soggettività attraverso la relazione con gli oggetti della produzione materiale, gli oggetti di Arman rigettano fermamente questo parallelo. La ripetizione linguistica, il principio secondo cui la soggettività si costituisce attraverso la produzione del discorso, trova qui il suo correlativo oggettivo nella ripetizione dell'atto di scegliere un oggetto di consumo.

6 • Arman, *Primo ritratto-robot di Yves Klein*, 1960
Accumulazione degli effetti personali di Klein, 76 x 50 x 12 cm

Arman aveva capito che la scultura d'ora in poi si sarebbe dovuta situare all'interno dei meccanismi espositivi della merce e che le regole della presentazione museale si sarebbero mischiate sempre più con quelle dei grandi magazzini (la bacheca e la vetrina). Come nel momento *clou* di *Il vuoto* di Klein, Arman si accorse che i cambiamenti nel modo di costituirsi del soggetto e nell'esperienza degli oggetti, così come nella dialettica tra memoria e spettacolo, sarebbero stati più evidenti con un'esposizione dell'opera nello spazio pubblico. La sua installazione di spazzatura in vetrina del 1960, *Il pieno*, avrebbe segnato una delle singole svolte più importanti nel paradigma della scultura del dopoguerra.

Con le loro forme estreme, le *accumulazioni* e le *poubelles* di Arman varcano la soglia per diventare immagini della memoria dei primi esempi storici di morte industrializzata. Alcuni oggetti nel suo emporio sembrano fare eco all'accumulazione di vestiti, capelli ed effetti personali che il regista Alain Resnais aveva registrato in *Notte e nebbia* (1955), il primo documentario dei campi di concentramento nazisti, visto da Arman al tempo della sua uscita. Queste accumulazioni imbastiscono ancora una dialettica temporale che mantiene in tensione passato e futuro; perché, nello stesso momento in cui sembrano contemplare la catastrofica distruzione del loro passato recente, gettano uno sguardo sul futuro imminente. Anticipando un'altra forma di industrializzazione della morte, gli immobili cumuli di Arman evocano una catastrofe ecologica incombente, risultato dell'accelerata ed estesa cultura del consumo e della sempre più ingestibile produzione di spazzatura. BB

ULTERIORI LETTURE:

Jean-Paul Ameline, *Les nouveaux réalistes*, Centre Georges Pompidou, Paris 1992

Benjamin H. D. Buchloh, *From Detail to Fragment: Décollage/Affichiste*, in *Décollage: les Affichistes*, Virginia Zabriske Gallery, New York-Paris 1990

Bernadette Contensou (a cura di), *1960: Les nouveaux réalistes*, Musée d'Art Moderne de la Ville, Paris 1986

Catherine Francblin, *Les nouveaux réalistes*, Editions du Regard, Paris 1997

▲ 1914 • 1913, 1915, 1917a, 1918, 1944a, 1953, 1957b

▲ Introduzione 1, 1931a

1960b

Clement Greenberg pubblica *La pittura modernista*, imprimendo una svolta al proprio pensiero critico destinato a influenzare il dibattito degli anni Sessanta.

Dalla fine degli anni Quaranta all'inizio degli anni Sessanta il critico americano Clement Greenberg ha lavorato alla messa a punto di un vocabolario descrittivo, un insieme di termini che si riferissero con grande precisione e robustezza alle caratteristiche considerate nuove nell'arte del dopoguerra che ammirava. Uno di questi era il termine "allover", che utilizzava per descrivere l'uniformità della superficie di alcuni quadri dell'Espressionismo ▲ astratto, perlopiù di Pollock, interpretandola come una stretta maglia di ripetizioni [**1**]. Per dare rilievo a questo termine, Greenberg l'ha contrapposto all'idea di "quadro da cavalletto", che proietta sulla parete retrostante l'illusione di una cavità cubica per creare un palcoscenico destinato a una specie di evento drammatico, e quindi focalizzato; la superficie allover, invece, organizza i suoi contenuti in termini di bidimensionalità, frontalità e mancanza di avvenimenti (*La crisi della pittura da cavalletto* [1948]).

Un altro termine era "rappresentazione *homeless*", che Greenberg ha inventato per spiegare il paradosso della pittura astratta che tuttavia sembrava descrivere quel genere di leggeri rilievi e avvallamenti generalmente usati per dare l'illusione di un oggetto tridimensionale; era come se le modulazioni tonali della pittura a macchia di de Kooning (e più tardi i "tocchi" a encausto di Jasper Johns) stessero aspettando che un oggetto della rappresentazione ritornasse a loro. A questo concetto Greenberg ha contrapposto l'idea dello "spazio-colore", come ● nell'opera di Barnett Newman (*Dopo l'Espressionismo astratto* [1962]), una luminosa apertura che più tardi avrebbe anche definito "otticità", seguendo la contrapposizione tra qualità "aptiche" o tattili e qualità "ottiche" introdotta dallo storico ▲ dell'arte austriaco del XIX secolo Alois Riegl.

Di fronte a un simile sforzo nella direzione di un'accurata caratterizzazione formale, non sorprende che Greenberg sia esploso nell'esasperazione di un saggio quale *Come la scrittura d'arte si guadagna la sua cattiva nomea* (1962). Il fatto stesso che abbia evitato il termine "critica" per adottare la connotazione artigianale di "scrittura d'arte" è già un segno della semplicità e dell'immediatezza della sua prosa. Ma il suo bersaglio non era la furbizia o la preziosità della scrittura, quanto l'affermazione, enunciata prima da Harold Rosenberg in *I pittori d'azione americani* (1952) e ripresa poi in Inghilterra da critici come Lawrence Alloway, che l'avanguardia non riguarda più il fare arte, ma è la realizzazione di una sorta di gesto autorivelatore, o "evento", il cui prodotto non ha una reale importanza per l'artista o per lo spettatore. Nelle parole di Rosenberg: "La nuova pittura ha tolto via ogni separazione fra arte e vita". Ciò che Greenberg trovava scandaloso nella pretesa che questa osservazione fosse considerata critica è che non riesce in nessun modo a spiegare perché "gli avanzi pittorici delle 'azioni' dovrebbero essere guardati o persino acquistati dagli altri".

Greenberg aveva la sensazione che, gettando via l'arte, l'avanguardia aveva finito per sostenere una posizione che egli definiva

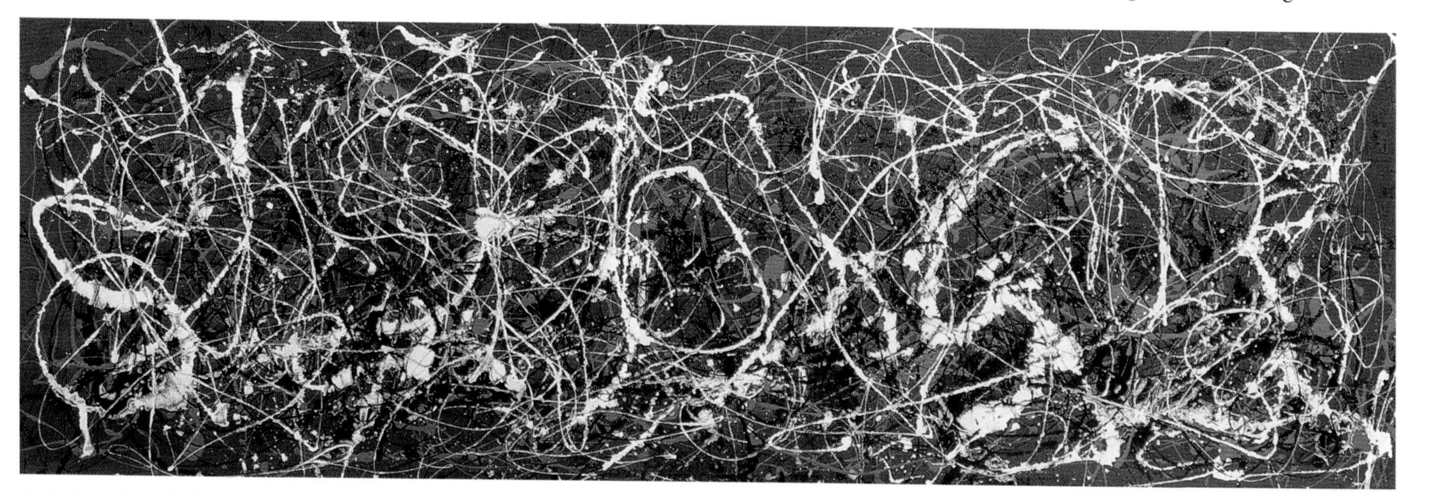

1 • Jackson Pollock, *Numero 13A, 1948: Arabesco*, 1948
Olio e smalto su tela, 94,6 x 295,9 cm

▲ 1947b, 1949a ● 1951 ▲ Introduzione 3

2 • Morris Louis, *Sarabanda*, 1959
Resina acrilica su tela, 256,9 x 378,5 cm

puramente "sovversiva e futuristica", mentre, al contrario, l'arte era necessariamente il rinnovamento (non importa quanto apparentemente violento) di una tradizione pittorica continua. Questo è il pensiero di fondo del suo saggio più conosciuto, *La pittura modernista* (1960).

Aree di competenza

Definendo il filosofo tedesco Immanuel Kant il "primo vero modernista", il saggio di Greenberg annuncia fin dalle prime battute che il fenomeno a cui si riferisce, per quanto possa rappresentare una "novità storica", affonda le sue radici almeno nel XVIII secolo e nell'Illuminismo. Paragonando il modo in cui "Kant utilizzava la logica per stabilirne i limiti" a quelle che aveva chiamato le procedure di autocritica dell'arte modernista, Greenberg mostra come queste utilizzino "i metodi caratteristici di una disciplina per criticare la disciplina stessa", e non, aggiunge, "per sovvertirla, ma per radicarla con più forza nella sua area di competenza".

Per le arti, affermava, quest'area di competenza, questo dominio specifico assegnato a ogni diversa disciplina estetica, andava trovato storicamente in ciò che era unico nella natura del *medium* di ciascuna. Per arrivare a questo, ogni arte ha cominciato a spogliarsi delle convenzioni che potevano essere dimostrate superflue, principalmente perché prese in prestito da altre arti: il racconto nella pittura di storia, per esempio, era mutuata dalla letteratura; o la profondità scenica della pittura illusionista era stata rubata al teatro. A partire dai dipinti dei primi anni Sessanta dell'Ottocento di Édouard Manet, questa logica cominciò a rendere palese che la caratteristica assolutamente unica della pittura era la bidimensionalità del piano pittorico, "poiché la bidimensionalità era l'unico elemento non condiviso con nessun'altra arte".

Potrebbe sembrare che *La pittura modernista* sia solo una ripresa degli argomenti che Greenberg aveva sviluppato due decenni prima nei due saggi che segnarono l'inizio della sua carriera di "scrittore d'arte": *Avanguardia e kitsch* (1939) e *Verso un nuovo Laocoonte* (1940). Nell'ultimo aveva anche trattato la storia del modernismo nel contesto dell'Illuminismo, chiamando in causa il trattato di Gotthold Ephraim Lessing *Laocoonte, ovvero dei limiti della pittura e della poesia*, del 1766, per teorizzare la necessità della separazione dei vari media artistici. La differenza sta nello sviluppo storico delineato da Greenberg. In *La pittura modernista* esso diventa una storia rigorosamente interna, in cui ciascuna arte si sforza di raggiungere la propria "purezza". Il solo (velato) riferimento a qualcosa di esterno al campo estetico è una frase in cui

3 • Morris Louis, *Beta Kappa*, 1961
Resina acrilica su tela, 262,3 x 429,4 cm

riconosce che le arti sembravano destinate a essere assimilate dallo spettacolo e per sfuggirvi si prepararono a "dimostrare che l'esperienza che procuravano era valutabile secondo i propri principi".

Ma nel *Nuovo Laocoonte* la storia ha a che fare con le condizioni sociali in cui si è evoluto il modernismo, all'inizio come polarizzatore di valori borghesi e poi, durante l'avanzata del capitalismo, come negazione ancora più veemente e allontanamento da una società sempre più materialista e filistea verso il mondo della bohème. Quindi negli anni Quaranta Greenberg stava dando forma a questa storia dell'avanguardia come progetto "per adempiere, in opposizione ai valori borghesi, alla funzione di trovare nuove forme culturali adatte all'espressione di quella stessa società", senza, aggiunge, "contemporaneamente soccombere alle sue divisioni ideologiche e al suo rifiuto di permettere alle arti di essere la loro giustificazione". La nozione di autogiustificazione delle arti, comunque, viene a sua volta descritta con parole che mettono insieme il sociale e l'estetico, perché Greenberg interpretava il riconoscimento del medium, da parte del modernismo, come una forma di oggettività materialista che questo tipo di pittura condivideva con la scienza del tempo. Per la precisione riteneva che l'attenzione del modernismo per il metodo e la sua lotta per l'obbiettività fossero elementi che lo ponevano in relazione con la scienza, e quando giunse a ricapitolare i risultati della ricerca del proprio medium da parte delle arti visive, scrisse che esso era "di natura fisica".

Questa enfasi riporta alla critica di Greenberg degli anni Quaranta, ad esempio alle sue idee sulla sostituzione della pittura da cavalletto da parte della pittura murale. Questa rappresenta infatti una forma di pittura in grado di rivelare l'impermeabile superficie della parete in tutta la "positività" del fatto osservabile, un oggetto piano continuo che funge da analogo del fatto o dello spazio continuo della scienza positivista.

L'orientamento verso la scienza si connette in questo senso all'idea del rapporto dell'avanguardia con il progetto illuminista; perché era alla fisica che filosofi come Kant avevano fatto riferimento per un modello di pensiero critico. Rivolgersi alla scienza come progetto d'avanguardia poteva quindi sembrare naturale a un'avanguardia propensa a mantenere in vita ciò che restava valido dell'esperienza culturale. Anzi, la dimensione sociale e materialista del resoconto di Greenberg di questa storia dell'arte modernista diventa più evidente quando prende la direzione specifica dell'avanguardia. Infatti, afferma, è stato affidato all'avanguardia il compito di preservare la cultura, in qualsiasi forma che si possa denominare genuina, dalle sue versioni surrogate, false, ipocrite, prodotte dalle moderne società dei consumi, versioni che Greenberg ha definito *kitsch* (*Avanguardia e kitsch*).

Se queste prime argomentazioni erano state elaborate nel nome del socialismo ("Oggi guardiamo al socialismo *semplicemente* per la conservazione di ogni cultura viva esistente") e dell'avanguardia, vent'anni dopo *La pittura modernista* non solo mette da parte la dimensione sociale, ma vede l'avanguardia come nemico dell'arte.

Leo Steinberg: il quadro "piano di stampa"

Nel 1968, durante una conferenza al MoMA di New York, lo storico dell'arte Leo Steinberg si scagliò per la prima volta contro la dogmatica interpretazione di Clement Greenberg del potere della pittura modernista. L'idea che la rivelazione del proprio medium da parte della pittura (la bidimensionalità del supporto) contrastasse con la supposta ingenuità degli antichi maestri, faceva rizzare i capelli in testa a Steinberg, storico del Rinascimento. Greenberg deplorava il fatto che mentre "il modernismo utilizzava l'arte per richiamare l'attenzione sull'arte, l'arte realistica illusionista aveva dissimulato il medium, utilizzando l'arte per occultare l'arte". Sostenendo che la grande arte non nasconde mai il proprio procedimento, mascherandolo con l'illusionismo, Steinberg metteva in evidenza l'assurdità di affermare che Rembrandt non fosse pienamente autocosciente del processo formale. Nel suo saggio *Altri criteri* ha scritto che "l'affermazione che la pittura degli antichi maestri, a differenza di quella moderna, dissimula il medium, occulta l'arte, nega la superficie, inganna l'occhio, ecc., può essere vera per uno spettatore che guarda l'arte come un ex-abbonato guarda un numero di *Life*". Riassumendo l'idea modernista di una tradizione che si evolve verso la composizione allover descritta da Greenberg (ideata in funzione dell'Espressionismo astratto), Steinberg scrive: "Nella critica formale, il criterio per giudicare significativo un progresso è una specie di tecnologia del disegno con un'unica direzione compulsiva: il trattamento della superficie come singolo campo di interesse indifferenziato". Sostenendo che l'idea di bidimensionalità accarezzata dal modernismo si sarebbe dovuta complicare considerevolmente in seguito all'esperienza immaginativa dell'effetto-graffito di Dubuffet o ai *Bersagli* e alle *Bandiere* di Jasper Johns, che "riducevano il problema del mantenimento della bidimensionalità al contenuto", Steinberg cominciò a sviluppare il concetto di esperienza immaginativa, vale a dire dell'orientamento che un certo quadro assume al cospetto dello spettatore. Generalmente la pittura agisce con "l'idea che il quadro rappresenti un mondo, una qualche sorta di spazio leggibile sul piano del dipinto in corrispondenza della postura eretta dell'uomo", scrive Steinberg. E ancora: "Un quadro che richiama alla mente il mondo naturale evoca dati sensibili esperiti nella posizione eretta. Per questo il piano pittorico rinascimentale afferma la verticalità come propria condizione essenziale". Ma, prosegue, a partire dal 1950, nell'opera di Dubuffet e di Rauschenberg, è successo qualcosa che ha sfidato questa verticalità, perché i loro lavori "non simulano più campi verticali, ma opachi *flatbed* (piani di stampa) orizzontali". Steinberg ha preso la parola *flatbed* dalla tipografia, riferendosi all'azione di raggruppare le righe di caratteri in forme che le tengono insieme. Questo nuovo tipo di quadro, aggiunge, "allude simbolicamente al piano del tavolo, ai pavimenti dello studio, alle carte, ai tabelloni – qualunque superficie su cui vengano sparsi oggetti, ammucchiati dati, su cui si possano ricevere, stampare, imprimere informazioni – che sia in modo coerente o confuso".

La mossa seguente fu decisiva, perché agganciò uno dei grandi temi dell'antropologia strutturalista: "Ripeto: ciò che conta non è la posizione fisica reale dell'immagine. Non c'è nessuna legge che vieti di appendere un tappeto alla parete o di riprodurre un quadro storico su un pavimento a mosaico. Quello a cui sto pensando è il richiamo psichico dell'immagine, la sua specifica modalità di confronto, e tendo a considerare lo spostamento del piano pittorico da verticale a orizzontale come l'espressione del salto più radicale in materia artistica, quello dalla natura alla cultura". Preparato in qualche modo da un'opera come *Tu m'* di Duchamp (1918), questo salto è stato sfruttato a pieno nei quadri serigrafici di Rauschenberg, in cui veniva ammassata una quantità di materiali stampati, dalle riproduzioni a colori alle fotografie tratte da giornali, alle mappe o ai calendari. "Per mettere insieme tutte queste cose, il piano pittorico di Rauschenberg doveva diventare una superficie cui potesse aderire qualunque oggetto raggiungibile o pensabile. Doveva essere allo stesso tempo un tabellone, un cruscotto e uno schermo di proiezione, affine a qualunque oggetto piatto e riscritto – palinsesto, lastra biffata, prova di stampa, tiratura di prova, carta, mappa, veduta aerea. Ogni superficie documentaria piatta che veicola informazioni costituisce un importante analogo del piano pittorico, completamente diverso dal piano di proiezione trasparente e dalla sua corrispondenza ottica con il campo visivo dell'uomo". A volte sembrava che la superficie dell'opera di Rauschenberg rappresentasse la mente stessa, simbolo materiale della mente come incessante trasformatore della realtà esterna. Se il quadro ottico verticale si rivolgeva a uno spettatore immaginato come soggetto romantico, che cerca di immergersi in un paesaggio turbolento, il quadro "piano di stampa" immaginava un soggetto completamente differente, perché la superficie pittorica ora era "solida e resistente come un banco di lavoro. [...] L''integrità del piano pittorico' – un tempo equivalente alla realizzazione di una buona composizione – stava diventando quella data. La bidimensionalità del quadro non era un problema più rilevante di quella di un tavolo o di un pavimento non spazzato". Il soggetto a cui questa nuova pittura si rivolgeva non era più quello romantico, ma l'abitante dello spazio urbano, che riceve i messaggi frammentati trasmessi dai media – radio, tv, pubblicità – o insinuati negli spazi domestici attraverso la cassetta delle lettere e al tempo stesso ne è programmato.

Liquidando la scienza con l'affermazione che "il suo genere di coerenza non promette nulla sul piano della qualità estetica", Greenberg ora qualifica le implicazioni fisiche e materialiste della bidimensionalità pittorica in un modo destinato ad avere grande risonanza nel dibattito critico degli anni Sessanta.

Perché qui, basando la sua idea del medium della pittura improvvisamente non più sulle proprietà fisiche del supporto, ma sulla natura specifica dell'esperienza percettiva in cui lo spettatore si imbatte, Greenberg sostituisce la fisica con la fenomenologia. Lo sguardo stesso, secondo il suo ragionamento, è proiettivo. Quindi "il primo segno tracciato su una tela distrugge la sua letterale e completa bidimensionalità", nel senso che la bidimensionalità

4 • Kenneth Noland, *Vortice*, 1960
Resina acrilica su tela, 178,4 x 176,5 cm

assoluta non è mai possibile per un campo che si apre alla *visione*. Ciò che *è* possibile, sostiene Greenberg, è uno speciale tipo di spazialità che, analogamente alla bidimensionalità, nega l'immaginario accesso fisico dello spettatore, l'illusione di potere attraversare lo spazio dipinto. Il senso dello spazio che si viene a generare appartiene unicamente alla sfera visiva – Greenberg lo chiama una "illusione specificamente ottica" – qualcosa che "si può attraversare, letteralmente o fisicamente, solo con gli occhi".

La data di *La pittura modernista*, diffuso nel 1960 da *The Voice of America*, coincise con un saggio su due artisti emergenti – Morris Louis (1912-62) **[2, 3]** e Kenneth Noland (1924-2010) **[4]** – nei quali Greenberg vedeva la nozione di "spazio ottico" assumere una nuova dimensione e diventare l'inizio di una nuova tendenza artistica americana. Per tutto l'arco degli anni Cinquanta aveva a poco a poco cambiato i termini del suo ▲ giudizio sui dripping di Pollock fino a farli corrispondere al carattere di uno spazio rivolto esclusivamente all'occhio. Nel lavoro di questi giovani pittori, e di Helen Frankenthaler (1928-2011) **[5]**, egli vide la luminosità prodotta dal groviglio lineare (e relativamente monocromo) di Pollock trasformata in linee di colore intenso, colore che ora veniva identificato con l'aspetto meno tattile del campo visivo. Nelle mani di Louis, l'uso che Pollock faceva della pittura liquida sgocciolata su tele smisurate veniva adottato all'interno di una modalità di colorazione più generale, con il risultato che il colore veniva identificato con il tessuto della tela, cioè del supporto, ma riusciva anche a smaterializzarlo in una serie di veli "ottici" sfolgoranti che "aprivano ed espandevano il piano della pittura" (*Louis e Noland*).

Il mediatore di potere

Bisogna dire che durante gli anni Cinquanta Greenberg si era identificato con due aspetti del campo sociale che i suoi scritti dei primi anni Quaranta avrebbero potuto leggere come nemici della missione culturale (e politica) dell'avanguardia. Uno di questi era il Dipartimento di Stato USA, che sponsorizzò alcuni giri di conferenze di Greenberg in Asia e in Europa per la promozione della cultura americana, ritenuti da molti un'azione concertata di propaganda della Guerra fredda. Un altro era il mercato dell'arte: fondata ▲ sul buon esito del precoce sostegno a Jackson Pollock e David Smith, la reputazione di Greenberg come critico aveva attratto l'attenzione di quanti, dai direttori di museo ai direttori di riviste, erano interessati a fare affari con i talenti emergenti. Dal 1959 in poi Greenberg cominciò a organizzare mostre per la galleria French & Co. di New York e contemporaneamente faceva il consulente di altri galleristi. Si potrebbe dire che nel fare queste cose si conformasse a una sorta di nazionalismo americano, che si compiaceva della fine dell'arte europea e del "trionfo" di un'arte specificamente americana. Greenberg chiamava quest'arte "pittura postcubista", perché faceva ● rientrare nella categoria di cubismo non solo tutto quello che era stato prodotto in Europa nel XX secolo, ma anche l'intero Espressio- ■ nismo astratto, incluso Pollock, il cui lavoro, sosteneva in *Come la scrittura d'arte si guadagna la sua cattiva nomea*, ha "una base quasi completamente cubista". Quindi i termini "esclusivamente visivi" dell'arte che avrebbe da allora in poi chiamato Astrattismo postpittorico e anche Colorfield painting erano entrambi nuovi e americani. In più, poiché aprivano ed espandevano il piano della pittura, potevano anche, con ogni evidenza, essere collegati alla tradizione della pittura modernista in continuo rinnovamento. In questo erano nettamente opposte all'avanguardia.

Il fatto che l'avanguardia si fosse trasformata agli occhi di Greenberg da propugnatrice del valore culturale a suo nemico, era il risultato dell'ascesa del Neodadaismo, che secondo lui sviliva e confondeva il progetto modernista nell'abbraccio con la sfera propriamente commerciale, di fronte alla quale l'avanguardia si sarebbe velocemente dileguata. Liquidando quella parte dell'opera ◆ di Jasper Johns che aveva a che fare col readymade, per esempio, parlava dell'"ironia letteraria prodotta dalla *rappresentazione* di configurazioni piatte e artificiali che possono in realtà essere soltanto *riprodotte*" come di qualcosa che possiede un interesse puramente giornalistico, non formale o plastico (*Dopo l'Espressionismo astratto*). Nello stesso contesto parlava della minaccia che la logica del readymade, corrompendo la pittura in generale, rappresenta per il modernismo: se la bidimensionalità e i suoi limiti sono le due norme che costituiscono l'essenza della pittura, allora "una tela tesa o montata può già essere considerata un quadro" – readymade – "anche se non necessariamente ben riuscito".

Il più stretto seguace di Greenberg, appartenente a una generazione di critici giovani influenzata dal suo pensiero, approfondì questa osservazione. "Non è sufficiente dire che una nuda tela attaccata alla parete non è 'necessariamente' un buon quadro", scrisse

▲ 1949a

▲ 1945, 1949a ● 1911, 1921a ■ 1947b, 1949a ◆ 1958

5 • Helen Frankenthaler, *Montagne e mare*, 1952
Olio su tela, 220,6 x 297,8 cm

Michael Fried nel 1967, "sarebbe più accurato dire che è *inconcepibile* che lo sia" (*Arte e oggettualità*). Per Fried qualsiasi futura circostanza che porti a credere che quello *potrebbe* essere un buon quadro, modificherebbe lo sviluppo della pittura tanto radicalmente che "non ne rimarrebbe altro che il nome". Facendo suo l'attacco di Greenberg alla cancellazione della distinzione di arte e vita da parte dell'avanguardia, *Arte e oggettualità* lega la coerenza dell'arte alle possibilità e alle convenzioni generate all'interno dei limiti del singolo medium. Ciò che si trova *tra l'uno e l'altro*, affermava Fried, è teatro, e "il teatro è in questo momento la negazione dell'arte". Infatti, "il successo, o addirittura la sopravvivenza delle arti è arrivata a dipendere in misura sempre maggiore dalla loro capacità di eliminare il teatro". In questo discorso, il "teatro" di Fried equivale all'"evento" di Alloway.

Dall'idea di Greenberg del 1940 che la sopravvivenza della cultura dipendesse dalla capacità dell'avanguardia di impedire che la borghesia svuotasse l'arte di valore, alla convinzione che dipendesse dalla logica modernista che stabiliva l'autolegittimazione dell'arte, si arriva fino all'affermazione di Fried del 1967 che questa sopravvivenza ora dipende dalla sconfitta dell'avanguardia stessa. Fried estendeva in questo caso le manifestazioni del Neodadaismo agli ▲ aspetti del readymade che si trovavano nel Minimalismo, come l'uso dei materiali industriali trovati o la dequalificazione della fabbricazione dell'opera attraverso la sua produzione in serie. Il risultato delle posizioni sue e di Greenberg fu che verso la fine degli anni Sessanta la Colorfield painting e l'"otticità" furono poste al di qua della linea tracciata con ciò che Greenberg riteneva mancasse alla metodicità scientifica, vale a dire la "qualità estetica"; dall'altra parte restavano quelle pratiche che, seguendo la logica del modernismo, erano pervenute alla riduzione della natura fisica o letterale del supporto – il Minimalismo – o alla nozione tautologica di arte come • autodefinizione – come in certe forme di Arte concettuale. RK

ULTERIORI LETTURE:

T. J. Clark, *More on the Differences between Comrade Greenberg and Ourselves*, in Serge Guilbaut, Benjamin H. D. Buchloh e David Solkin (a cura di), *Modernism and Modernity*, The Press of Nova Scotia College of Art and Design, Halifax 1983

Thierry de Duve, *The Monochrome and the Black Canvas*, in *Kant after Duchamp*, MIT Press, Cambridge (Mass.) 1996

Michael Fried, *Three American Painters*, in *Art and Objecthood*, University of Chicago Press, Chicago 1998

Clement Greenberg, *The Collected Essays and Criticism*, voll. 1 e 4, University of Chicago Press, Chicago 1986 e 1993

Serge Guilbaut, *How New York Stole the Idea of Modern Art: Abstract Expressionism, Freedom, and the Cold War*, University of Chicago Press, Chicago-London 1983

▲ 1962c, 1965 • 1968b

1960c

Roy Lichtenstein e Andy Warhol cominciano a utilizzare fumetti e pubblicità come fonti di ispirazione per i dipinti, seguiti da James Rosenquist, Ed Ruscha e altri: nasce la Pop art americana.

Indipendentemente l'uno dall'altro, nel 1960 Roy Lichtenstein (1923-97) e Andy Warhol (1928-87) cominciarono a dipingere quadri basati sui fumetti e sulla pubblicità, che avevano per soggetto personaggi popolari come Topolino e Braccio di Ferro **[1]** e prodotti generici come scarpe da tennis e palle da golf; un anno dopo, Lichtenstein aggiunse a questo repertorio di immagini i fumetti d'avventura e di guerra **[2]**. Quest'arte, nel giro di poco tempo denominata "Pop" – parola originariamente associata all'Independent group in Inghilterra – fu energicamente condannata: con le sue superfici fredde sembrava prendere in giro la profondità emotiva dei dipinti degli espressionisti astratti, e i critici tradizionali, che si erano appena abituati a Jackson Pollock e agli altri, non erano contenti di questa nuova svolta. L'articolo di *Life* su Pollock del 1949 si intitolava *È il più grande pittore vivente degli Stati Uniti?*, quello su Lichtenstein del 1964 *È il peggiore artista americano?*

1 • Roy Lichtenstein, *Braccio di Ferro*, 1961
Olio su tela, 106,7 x 142,2 cm

L'accusa di banalità

I critici accusavano le opere di essere banali, in primo luogo per il contenuto: la Pop art minacciava di aprire le porte al design commerciale e di sommergere l'arte. Certo, gli artisti moderni avevano attinto da tempo alle forme della cultura di massa (stampe popolari, poster, giornali, ecc.), ma lo facevano per rinvigorire le forme alte, troppo serie, con dei contenuti bassi più aggressivi; con la Pop art, invece, il basso sembrava superare l'alto. L'accusa di banalità coinvolgeva anche l'esecuzione: dal momento che l'opera di Lichtenstein appariva come una copia diretta di fumetti e pubblicità (di fatto li modificava molto più di Warhol), egli fu tacciato di mancanza di originalità e, almeno in un caso, accusato di contraffazione. Nel 1962 infatti Lichtenstein aveva adattato una coppia di diagrammi didattici di ritratti di Cézanne realizzati nel 1943 da uno storico dell'arte che rispondeva al nome di Erle Loran; Loran venne fuori dal nulla per protestare a gran voce.

Lichtenstein in effetti copiava, ma in un modo complicato; anche il suo uso del fumetto non era automatico come potrebbe sembrare. Egli selezionava una o più tavole da una striscia, schizzava qualche motivo da quelle tavole, proiettava i suoi disegni (mai il fumetto), tracciava l'immagine sulla tela, l'adattava al piano pittorico e infine la riempiva con punti dipinti con la mascherina, colori primari e contorni spessi: prima il campo luminoso dei punti, poi il nero pesante dei contorni. Nonostante il suo aspetto di readymade industriale, un Lichtenstein è in realtà una stratificazione di riproduzione meccanica (il fumetto), lavoro manuale (il disegno), ancora riproduzione meccanica (il proiettore) e lavoro manuale (tracciare il segno e dipingere), al punto che è difficile ricostruire le differenze tra la macchina e l'uomo. In modi differenti Warhol, Richard Hamilton, James Rosenquist, Ed Ruscha (nato nel 1937), Gerard Richter e Sigmar Polke producevano uno stesso rebus del pittorico e del fotografico; è una caratteristica primaria della Pop art al suo meglio.

Le opere di Lichtenstein abbondano di segni fatti a mano di immagini riprodotte meccanicamente, ma i suoi caratteristici punti cristallizzano questo paradosso del "readymade fatto a mano", perché sono la descrizione pittorica di un codice stampato, i cosiddetti "puntini Ben Day" inventati da Benjamin Day nel 1879 come tecnica per produrre un'immagine stampata grazie al trasferimento della gradazione delle ombre in un sistema di punti. Cosa più importante, i punti di Lichtenstein trasmettevano la sensazione, ancora abbastanza originale all'epoca, che la realtà sensibile aveva subito un cambiamento radicale, che la vita era in qualche modo "mediata" e tutte le immagini "filtrate", vale a dire stampate,

▲ 1964b ● 1949b, 1956 ■ 1949a

▲ 1956, 1964b, 1967a, 1968b, 1972b, 1988, 2007a

2 • Roy Lichtenstein, *In automobile*, 1963
Olio e resina acrilica su carta, 172,7 x 203,2 cm

3 • James Rosenquist, *Elezione del Presidente*, 1960-1/4
Olio su masonite, tre pannelli, 213,4 x 365,8 cm

trasmesse o in ogni modo viste in anticipo. Questo è un altro tema importante della Pop art, declinato in maniera diversa da Warhol, Hamilton, Rosenquist, Ruscha, Richter e Polke.

Qual era la posizione di Lichtenstein in questo nuovo fastoso mondo dell'immagine? Restava "attaccato" ai concetti di originalità e creatività, come ha scritto lo storico dell'arte Michael Lobel? Certamente, quando Lichtenstein si appropriava delle immagini dei prodotti, cancellava i marchi (mentre Warhol li conservava); secondo l'espressione di Lobel, egli "lichtensteinizzava" i suoi oggetti e lavorava "per rendere i fumetti simili alle *sue* immagini". Questa tensione tra le tracce di un'autorialità distinta e i segni del suo evidente eclissarsi è molto pronunciata in Lichtenstein, ma in apparenza non lo ha mai turbato troppo. "Non sono contro l'industrializzazione, ma deve lasciarmi qualcosa da fare", commentava sommesso nel 1967: "Non disegno un'immagine per riprodurla, ma per ricomporla. E non tento in tutti i modi di cambiarla, ma cerco di produrre il più basso numero di variazioni". Questa è la linea ambigua segnata da Lichtenstein: copiare immagini stampate, ma adattarle a parametri pittorici; "ricomporle" nell'interesse dell'unità e della forma pittorica, in nome dello stile distintivo e della soggettività, ma solo quel tanto che consente di registrare questi valori (forse di registrarli come minacciati) e niente più.

Anche Rosenquist ricomponeva le sue immagini, spesso copiate dalle riviste, ma i suoi dipinti conservavano la qualità disgiuntiva dei collage preparatori, composti con illustrazioni originali che ritagliava o manipolava in altri modi. Per lo più utilizzava blande immagini di oggetti d'uso quotidiano, che ridipingeva, impiegando la duplice abilità di pittore astratto e di cartellonista, con spettacolari passaggi di ridondante illusionismo che spesso attraversa più pannelli e a volte ricorda il cinema su grande schermo dell'epoca. In alcune opere, comunque, il soggetto assume una maggiore rilevanza e la sua versione della Pop art si avvicina al commentario sociale. Per esempio, con il grande *Elezione del Presidente* (1960) **[3]**, ci spostiamo, come lungo un'autostrada fiancheggiata dai cartelloni o attraverso le pagine di una rivista, da un raggiante John F. Kennedy a delle curate mani di donna che spezzano una fetta di torta, alle arrotondate superfici del lato destro di una Chevrolet: la ▲ giustapposizione è quasi surrealista, ma l'atmosfera è molto ottimista, suggerisce l'avvento di una nuova era di prodotti e promesse. Poco dopo, in *F 111* (1965) – un *capriccio* lungo più di ventisei metri che mette insieme un caccia a reazione e un fungo atomico e poi, tra le varie figure, una ragazzina sotto un casco asciugacapelli e un piatto di spaghetti – l'umore è assai meno allegro: il presidente è morto, la guerra del Vietnam è in corso e il "complesso militare-industriale" viene mostrato come il sostegno oscuro dell'opulenza della società americana.

L'attacco sulla banalità del contenuto che accolse la Pop art è più difficile da confutare rispetto a quello sulla piattezza dell'esecuzione, ma anche qui le cose non sono così semplici. I soggetti banali offendevano il senso estetico abituato ai temi sublimi dell'Espressionismo astratto, ma Lichtenstein, da parte sua, era più conciliante sotto questo aspetto. Di fatto egli mostrava che le pubblicità volgari e i fumetti melodrammatici potevano condividere alcuni degli obbiettivi dell'arte tradizionale (come l'unità pittorica o la focalizzazione drammatica) e persino dell'arte modernista (come le "forme significanti" care a Roger Fry e Clive Bell o la famigerata bidimensionalità ▲ di Greenberg). Jasper Johns aveva fatto qualcosa di simile con i suoi quadri di bandiere, bersagli e numeri degli anni Cinquanta; come ha notato Leo Steinberg, queste opere seguivano i criteri individuati da Greenberg per la pittura modernista – la bidimensionalità, l'autonomia, l'oggettività, l'immediatezza – con mezzi che Greenberg considerava alieni a questa pittura, cioè le immagini kitsch e gli *objet trouvé* della cultura di massa. Lichtenstein e gli altri facevano forzosamente convergere i poli del design commerciale e dell'arte in maniera più esplosiva rispetto a Johns, perché i loro fumetti e le loro pubblicità erano piatti come qualunque bandiera o bersaglio, e per giunta più volgari.

Anche Ed Ruscha seguì questa pista che da Johns portava alla Pop art. Arrivò a Los Angeles dall'Oklahoma nel 1956 e lì vide su una ● rivista la fotografia di un'opera di Johns, *Bersaglio con quattro facce* (1955), che combinava un semplice segno con quattro calchi di gesso. Il dipinto colpì Ruscha sia per la sua prosaicità che per la sua enigmaticità ed egli rispose alla provocazione con una mossa ancora più decisa: una semplice parola dipinta con un solo colore su un campo piatto di un altro colore. Le sue prime opere di questa serie erano esclamazioni monosillabiche – "espressioni gutturali come *Smash*, *Boss* e *Eat*" – che rimanevano ambigue **[5]**. "Queste parole hanno forme astratte", sottolineò più tardi Ruscha. "Vivono in un mondo senza dimensioni". Continuò a esplorare "l'idea del rumore visuale" in una grande varietà di combinazioni di parole-immagini e ne risultò una specie di personale estetica duchampiana dell'impassibilità. Se tutti i più importanti artisti pop incrociano l'arte alta della pittura con altri media – Lichtenstein con il fumetto, Warhol con le fotografie dei giornali, Rosenquist con i cartelloni, ecc. – Ruscha ha introdotto una qualità cinematografica nella pratica pittorica: spesso i suoi colori hanno la lucentezza della celluloide e i suoi dipinti oscillano tra spazi ariosi e profondi e schermi piatti, ricoperti di parole – come se fossero proiettate e dipinte allo stesso ■ tempo **[4]**. Anche sotto questo aspetto la sua versione della Pop art sfrutta l'ambientazione losangelina.

Filtraggio e scansione

In vari modi, quindi, Lichtenstein, Rosenquist, Ruscha e altri sembrarono lanciare una sfida alle opposizioni su cui si fondava la pittura pura del XX secolo: alto e basso, colto e commerciale, persino astratto e figurativo. In *Palla da golf* **[6]** Lichtenstein presenta una rappresentazione iconica di una sfera con delle piccole increspature in bianco e nero su un campo grigio. È quanto di più banale si possa rappresentare, ma è anche molto vicino alle ◆ pure astrazioni della serie "più e meno" di Mondrian, dipinte anch'esse in bianco e nero. Da una parte, la quasi-astrazione di *Palla da golf* mette alla prova il nostro senso del realismo, che in questo come in altri casi Lichtenstein mostra come un codice convenzio-

▲ 1924, 1930b, 1931a, 1956

▲ 1906, 1960b ● 1958 ■ 1967a, 1968b ◆ 1913, 1917a, 1944a

4 • Ed Ruscha, *Grande marchio con otto fasci di luce*, 1962
Olio su tela, 169,5 x 338,5 cm

5 • Ed Ruscha, *Boss*, 1961
Olio su tela, 182,9 x 170,2 cm

nale, una questione di segni che non sempre assomigliano alle cose del mondo. Dall'altra, quando un Mondrian comincia a somigliare a una palla da golf, la stessa categoria di astrazione vacilla. La pittura modernista ha spesso cercato di dissolvere la figura nello sfondo, di fare collassare la profondità spaziale nella piattezza materiale (il migliore esempio è sempre Mondrian). Come gli altri artisti pop, Lichtenstein ci fornisce entrambe le cose – l'illusione dello spazio *e* la realtà di fatto della superficie – e se esiste una sponda radicale nella Pop art è qui che si trova: non tanto nell'opposizione tematica di forma alta e contenuti bassi, ma nell'identità strutturale del semplice segno e della pittura alta. Si capisce perché, quando i cartoni animati e le merci apparvero nello spazio metafisico prima riservato ai rettangoli numinosi di Mark Rothko e alle strisce epifa- ▲ niche di Barnett Newman, alcuni ne furono sconvolti.

In particolare Lichtenstein attiva una specie di cortocircuito visivo, producendo l'effetto immediato di un quadro modernista e l'impressione mediata di una pagina stampata. Prendiamo una precoce opera pop come *Braccio di Ferro* [**1**], che mostra il marinaio che manda fuori combattimento il rivale Bruto con un sinistro. Potrebbe essere un'allegoria del nuovo eroe pop che batte il rigido Espressionismo astratto con un solo colpo. La cosa importante è il colpo: si potrebbe dire che *Braccio di Ferro* ha un impatto altrettanto immediato di un Pollock; rappresenta un identico schiaffo allo spettatore. Quindi anche dal punto di vista dell'effetto, Lichtenstein suggerisce che la Pop art non è diversa da un dipinto modernista alla Pollock: entrambi presuppongono uno stesso tipo di spettatore, fatto solo di occhi, che assume l'immagine in un flash, in un "Pop" immediato.

Per lo più Lichtenstein mescola alto e basso con effetti meno sovversivi di un Warhol: era orgoglioso del suo senso formale, della capacità e del gusto con cui metteva insieme dei buoni quadri utilizzando immagini banali e oggetti disgustosi. Tuttavia la sua riconciliazione di alto e basso non è solo una questione di capacità formali, ma registra anche una convergenza storica di questi vecchi binari. Lichtenstein era ben preparato a tale convergenza. Alla fine degli anni Quaranta arrivò all'arte modernista attraverso un percorso personale: prima dipingeva in uno stile espressionista, poi in un falso stile popolare (cui adattava temi americani, come in *Washington che attraversa il Delaware* [1951], che anticipa la sua Pop art) e per breve tempo composizioni astratte. Padroneggiava le tecniche di una serie di stili modernisti e gli artifici delle avanguardie, come la pennellata gestuale o il gioco di segni cubista ● (poche pennellate per significare un'ombra, una macchia bianca ■ per un riflesso, ecc.), le forme astratte della griglia e la pittura ◆ monocroma, il readymade e l'immagine trovata, tutto di seconda mano. Nella sua opera questi dispositivi appaiono mediati, come in una rivista, tenuti insieme dalle forme iconiche fornite dagli

▲ 1947b, 1951 ● 1911, 1912 ■ 1913, 1915, 1917a, 1921b, 1944a, 1947a, 1957b, 1962d ◆ 1914, 1918

annunci pubblicitari o dai fumetti – tenute insieme, cioè, da quella modalità figurativa che l'arte d'avanguardia aveva cercato di rovesciare. Questo è uno dei limiti della sua Pop art.

Anche la sua dimostrazione di quanto i codici della pubblicità e del fumetto avessero in comune con gli artifici dell'avanguardia aveva dei limiti. A proposito del proprio linguaggio pittorico Lichtenstein una volta disse: "È legato al Cubismo nella stessa misura in cui lo è il cartone animato. C'è un rapporto tra i cartoni animati e artisti come Miró o Picasso, che magari gli stessi disegnatori di cartoni non colgono, ma che è già presente nel primo Disney". Tra gli altri, avrebbe potuto aggiungere anche Matisse, Mondrian e Léger; stanno tutti lì, nei suoi quadri, letti attraverso i fumetti: i segni ambigui di ombra e luce di Picasso, il contorno marcato e soave di Matisse, i colori rigorosamente primari di Mondrian, le figure semicaricaturali di Léger, tutti utilizzati per funzioni diverse dall'originale. Lichtenstein ricomponeva pubblicità e fumetti per adattarli al piano pittorico, ma anche per mostrare queste connessioni con il modernismo e sfruttarle retoricamente. (Queste stesse connessioni divennero presto palesi quando cominciò a lichtensteinizzare alcuni di questi maestri direttamente, con dipinti che si rifacevano a Picasso, Matisse, Mondrian e altri). Si potrebbe trarre una conclusione spaventosa da questo mescolarsi di arte modernista e fumetto: che a partire dai primi anni Sessanta i dispositivi dell'avanguardia erano diventati poco più che gadget del disegno commerciale. Certamente questo è uno dei dilemmi del dopoguerra o della neoavanguardia: che alcune delle idee antiartistiche dell'avanguardia "storica" avevano trovato asilo non solo nei musei d'arte ma anche nell'industria dello spettacolo. In alternativa era possibile interpretare il fenomeno in modo positivo, stabilendo che l'arte beneficiava di questo scambio di forme quanto il design, e che entrambi partecipavano a valori che potevano ancora essere considerati tradizionali: unità dell'immagine, immediatezza dell'effetto, ecc. Questo era il punto di vista di Lichtenstein.

6 • Roy Lichtenstein, *Palla da golf*, 1962
Olio su tela, 81,3 x 81,3 cm

Lichtenstein conosceva bene non solo gli stili modernisti, ma anche altri modi di vedere e dipingere, alcuni dei quali risalivano al Rinascimento, se non all'antichità: generi pittorici determinati, come il ritratto, il paesaggio e la natura morta, che costantemente lichtensteinizzava, o paradigmi generali della pittura – la pittura come scena, finestra, specchio o superficie astratta. Leo Steinberg indagò un altro paradigma nei dipinti-collage di Rauschenberg e Johns, che chiamò il quadro "piano di stampa": la pittura considerata non più come una cornice verticale da attraversare con lo sguardo, come se si trattasse di una scena naturale (come una finestra, uno specchio o anche una superficie astratta), ma come un sito orizzontale dove immagini molto differenti possono essere messe insieme nello stesso testo, "una superficie piatta, documentaria,su cui è disposta l'informazione". Secondo Steinberg questo paradigma segnava una rottura "postmoderna" con i modelli pittorici moderni e certamente influenzò Lichtenstein. Tuttavia Lichtenstein ha suggerito una variante a questo modello, cristallizzata nei "puntini Ben Day": un modello del quadro come immagine filtrata e, come tale, segno di un mondo del dopoguerra in cui qualunque cosa appare soggetta a un processo di lavorazione, per mezzo della riproduzione meccanica e della simulazione elettronica. Questo filtrare non ha a che fare soltanto con il processo di produzione della sua arte (il suo mescolare readymade e lavoro manuale); è anche in relazione con l'aspetto mediato del mondo contemporaneo in generale e riguarda l'apparire e il dipingere in quanto tali. Come scrive Lobel, Lichtenstein spesso sceglie dai fumetti delle figure poste di fronte a filtri visivi – il mirino di un fucile o il monitor di un televisore, un parabrezza o il vetro di un cruscotto – come per "comparare o mettere in connessione la superficie della tela" con queste superfici **[2]**. In effetti, così veniamo a nostra volta posizionati: anche il nostro apparire è legato a questa visione. Ad emergere è un modo di vedere che è diventato dominante solo nell'epoca dello schermo di computer: non solo tutte le immagini appaiono filtrate, ma il nostro modo di leggere e di apparire è diventato una specie di "scansione". Ecco come oggi siamo addestrati a scorrere l'informazione, visuale o di altro genere: la scansioniamo (e spesso ne siamo scansionati, quando vengono registrate le nostre battute, o le richieste dei siti web). Lichtenstein sembra avere percepito molto presto come nel fumetto fosse latente questo cambiamento nel modo di apparire e di vedere. HF

ULTERIORI LETTURE:

Russel Ferguson (a cura di), *Hand-Painted Pop: American Art in Transition, 1955-92*, Museum of Contemporary Art, Los Angeles 1992

Walter Hopps e Sarah Bancroft (a cura di), *James Rosenquist*, Guggenheim Museum, New York 2003

Michael Lobel, *Image Duplicator: Roy Lichtenstein and the Emergence of Pop Art*, Yale University Press, New Haven-London 2002

Steven Henry Madoff (a cura di), *Pop Art: A Critical History*, University of California Press, Berkley-Los Angeles 1997

Ed Ruscha, *Leave Any Information at the Signal*, MIT Press, Cambridge (Mass.) 2002

▲ 1907, 1911, 1921a, 1924, 1931d ● 1903, 1906, 1910, 1913, 1917a, 1925a, 1944a, 1944b

▲ 1960b ● 1958, 1962d

1961

A dicembre Claes Oldenburg apre nell'East Village di New York *Il negozio*, un "ambiente" che imitava l'allestimento dei negozi poveri del quartiere, in cui ogni oggetto esposto era in vendita: durante l'inverno e la primavera successivi, dieci "happening" del Ray Gun Theater di Oldenburg ebbero luogo all'interno di *Il negozio*.

Il saggio di Allan Kaprow (1927-2006) *L'eredità di Jackson Pollock* fu pubblicato sul numero di *Artnews* dell'ottobre 1958, solo due ▲ anni dopo la tragica morte dell'artista. A quel tempo il fatto che l'Espressionismo astratto era diventato accademico, appariva con chiarezza al direttore della rivista, che per un decennio era stato il principale promotore del "tocco della 10ª Strada", secondo la definizione ● dispregiativa coniata da Clement Greenberg per la "seconda generazione" di espressionisti astratti. Nel gennaio di ■ quell'anno sulla copertina di *Artnews* era apparso *Bersaglio con quattro facce* di Jasper Johns, un anno dopo i *quadri neri* di Frank Stella avrebbero ipnotizzato il mondo dell'arte newyorkese. Subito dopo sarebbero arrivati Pop art e Minimalismo: l'inevitabile scomparsa di un Espressionismo astratto già esaurito era già avviata. Il testo di Kaprow, comunque, fu il primo ad affrontare di petto il problema della sua eredità, o meglio quella del suo protagonista. Forse perché aveva avuto una formazione da storico dell'arte (Kaprow aveva studiato con Meyer Schapiro alla Columbia University, dove aveva scritto una tesi di dottorato su Mondrian) e insegnava la materia alla Rutgers, egli sentiva che il ripudio non era sufficiente, o era troppo facile: piuttosto, bisognava confutare.

L'utopia di Kaprow

È vero, comincia Kaprow, che le innovazioni di Pollock stanno "diventando materia per i libri di scuola": "L'atto di dipingere, il nuovo spazio, il marchio personale che costruisce la forma e il significato propri, il groviglio infinito, la grande scala, i nuovi materiali sono ormai luoghi comuni dei dipartimenti d'arte universitari". Ma prendere un fenomeno per già dato e controbattere non significa averlo capito, e c'è molto di più nell'opera di Pollock di quanto questi stereotipi lascino intendere. Certo "alcune delle implicazioni inerenti a questi nuovi valori non sono così futili", aggiunge prima di commentare ognuno dei punti che aveva elencato allo scopo di dimostrare che, se Pollock "ha creato dei dipinti meravigliosi [...] ha anche distrutto la pittura". L'immediatezza dell'atto, la perdita di sé e dell'identità nel potenzialmente infinito, lo spazio pittorico allover, la nuova scala che scardina l'autonomia del quadro come oggetto d'arte e lo trasforma in ambiente: tutti questi elementi, e altri, rivelano che l'arte di Pollock "tende a perdersi fuori dai margini, tende a riempire di sé il nostro mondo". Dunque, "che facciamo ora?", domanda Kaprow. "Ci sono due alternative: o continuare a dipingere in questo modo; oppure smettere completamente di dipingere, nel senso di confezionare singoli rettangoli od ovali piatti come li conosciamo. Si è visto come lo stesso Pollock è stato sul punto di compiere questo passo". Da una parte c'è chi continua ad addomesticare l'opera di Pollock (e senza dubbio il bersaglio polemico di Kaprow in questo passaggio erano quegli artisti che Greenberg presentava come i veri eredi di ▲ Pollock: Helen Frankenthaler, Morris Louis, ecc.); dall'altra la dissoluzione della pittura come la conosciamo, e più precisamente ● "la sua dissoluzione nell'ambiente", per dirla con le parole di Mondrian dalla metà degli anni Venti in poi.

Kaprow era consapevole che il suo appello aveva un precedente nell'utopia di Mondrian, ma piuttosto che soffermarsi su questo punto – che lo avrebbe costretto a prendere in considerazione l'intervallo che separava il contesto dell'avanguardia storica da quello ■ della neoavanguardia, e forse a temperare il suo ottimismo – concluse il saggio con un programma per l'immediato futuro:

> *Pollock [...] ci ha lasciati al punto in cui ci dobbiamo preoccupare dello spazio e degli oggetti d'uso quotidiano, che siano i nostri corpi, i vestiti, le stanze o la vastità della 42ª Strada. Insoddisfatti della suggestione degli altri sensi attraverso la pittura, utilizzeremo le sostanze specifiche della vista, del suono, del movimento, degli odori, del tatto. Oggetti di qualsiasi genere costituiscono materia per la nuova arte: pittura, sedie, cibo, luci elettriche e neon, fumo, acqua, calzini usati, film, un cane e mille altre cose che saranno scoperte dalla nuova generazione di artisti. Questi creatori spavaldi non solo ci mostreranno, come se fosse la prima volta, il mondo che abbiamo sempre posseduto benché ignorato, ma ci renderanno partecipi di una serie di eventi e avvenimenti inauditi, trovati nei bidoni della spazzatura, negli archivi della polizia, nei corridoi degli alberghi, visti nelle vetrine dei negozi o per strada, sentiti nei sogni o nei peggiori incidenti. Come l'odore di fragole spiaccicate, la lettera di un amico, un tabellone che vende Drano; tre colpi alla porta, un graffio, un sospiro o una voce che legge incessantemente, un*

▲ 1949a ● 1960b ■ 1958

▲ 1960b ● 1917a, 1944a ■ 1960a

1 • Claes Oldenburg, interno di *Il negozio*, 107 East 2nd Street, New York, dicembre 1961

flash accecante "staccato", una bombetta: tutto diventerà materiale per questa nuova arte concreta.

I giovani artisti d'oggi non hanno più bisogno di dire: "sono un pittore" o "un poeta" o "un ballerino". Sono semplicemente "artisti". Tutta la vita è aperta a loro. Scopriranno il senso dell'ordinarietà per mezzo di cose ordinarie. Non tenteranno di renderle straordinarie, ma si limiteranno a stabilire il loro significato reale. Dal nulla inventeranno l'eccezionale e forse anche la nullità. La gente ne sarà deliziata oppure orripilata, i critici confusi o divertiti, ma queste, ne sono certo, saranno le alchimie degli anni Sessanta.

Non si può fare a meno di restare ammirati di fronte alla preveggenza di Kaprow in queste righe. Molta arte d'avanguardia prodotta negli anni Sessanta realizza la sua profezia, o per lo meno concorda con questo o quell'aspetto della sua descrizione. Tre elementi interconnessi vanno sottolineati, perché hanno a che fare con l'arte di Kaprow e con la forma cha stava inventando, l'"happening": la disponibilità del mondo in generale – non solo la varietà dei suoi oggetti, soprattutto la spazzatura, ma anche eventi che si estendono nel tempo – come nuovo, onnicomprensivo materiale dell'arte; la dissoluzione delle gerarchie e dei sistemi di valore; la soppressione della specificità del medium e la simultanea inclusione di tutti gli aspetti della percezione nella sfera estetica.

Per molti anni Kaprow aveva esposto quadri, ma verso la fine del 1957 cominciò a creare "ambienti" spaziali, che chiamava "action collage" e che nella sua concezione erano estensioni dirette dell'arte di Pollock: nel suo *Assemblage, Environments & Happenings* del 1966 è riprodotta una vista dall'alto di *Cantiere*, datato 1961, per il quale aveva riempito un cortile con mucchi di copertoni usati **[2]**, insieme a una fotografia di Pollock al lavoro scattata da Hans Namuth (Kaprow, con la pipa in bocca e inseguito da un bambino, appare meno eroico di Pollock, ma decisamente più "dentro" l'opera). Fu mentre cercava di introdurre il suono nei suoi ambienti che Kaprow incappò nell'happening. Insoddisfatto della scarsità degli effetti che ▲ riusciva a mettere insieme, chiese consiglio a John Cage, che allora teneva un corso di composizione alla New School for Social Research di New York. Affascinato da ciò che aveva visto durante la sua prima visita, decise di unirsi alla schiera dei non-musicisti che assistevano ● alle lezioni, come George Brecht e Dick Higgins, che più tardi sarebbero diventati le colonne di Fluxus. Fu in quel contesto, nella primavera del 1958, e con l'incoraggiamento di Cage, da cui acquisì il concetto di caso come meccanismo compositivo, o piuttosto anti-compositivo, che sviluppò la sua idea di happening. Le risposte di Kaprow ai compiti in classe di Cage venivano tutte eseguite mentre si seguiva una partitura che elencava tanto gli oggetti da usare in azioni rumorose quanto la durata di ognuna di queste azioni. Il modello era ovviamente musicale, ma con l'aggiunta della dimensione spaziale – del movimento e della disposizione dei partecipanti (spesso nascosti alla vista) – Kaprow accentuava la dimensione teatrale degli eventi e ■ il loro legame con la tradizione dadaista del collage.

2 • Allan Kaprow, *Cantiere*, 1961
Ambiente nel cortile della galleria Martha Jackson, New York

Tra questo stadio embrionale e il primo vero happening pubblico, *18 happening in 6 parti*, fondamentalmente non ci furono cambiamenti di rilievo, ma la struttura divenne più complicata. Per questo evento, che segnò l'inaugurazione della galleria Reuben – uno spazio che nei due anni seguenti avrebbe funzionato come Mecca della nuova forma d'arte (con happening di Red Grooms, Robert Whitman, Claes Oldenburg, George Brecht e Jim Dine) – Kaprow aveva diviso lo spazio in tre stanze con dei tramezzi fatti di legno, fogli di plastica e tela, ricoperti con assemblaggi di vari oggetti utilizzati dai partecipanti come materiali di scena, oppure, se ancora immacolati all'inizio della performance, destinati a essere dipinti durante il suo svolgimento. Suoni – elettronici, meccanici o naturali – e luci (compresa la proiezione di diapositive) alteravano costantemente questo ambiente tripartito in cui sei partecipanti (tre donne e tre uomini in ogni stanza) compivano evoluzioni ed eseguivano una vasta gamma di azioni sconnesse, pronunciando frasi senza senso con l'atteggiamento più inespressivo possibile. Gli "happening" avevano luogo simultaneamente nelle tre stanze e agli spettatori veniva chiesto di cambiare due volte stanza nel corso di un'intera performance di un'ora (le sedie erano numerate e il cambio degli occupanti previsto dalla partitura). Questa modesta partecipazione del pubblico (che crebbe d'importanza negli happening successivi di Kaprow e di altri), così come l'assenza di storia e personaggi e la simultaneità del "circo a tre anelli", era la garanzia che nessuno nel pubblico potesse affermare di avere più che una conoscenza frammentaria dell'intero evento. Anche tornando nei giorni successivi – *18 happening in 6 parti* fu eseguito per sei volte a partire dal 4 ottobre 1959 – il dominio della struttura completa dell'evento non sarebbe aumentato molto, perché la probabilità di ottenere una

▲ 1953 ● 1962a ■ 1916a, 1918, 1920

combinazione di sedie radicalmente diversa ogni singola volta era statisticamente molto bassa.

L'abbattimento della barriera di separazione tra performer e pubblico era l'elemento che più aveva colpito i commentatori dei primi happening (non c'era palcoscenico, né uno scenario ideale: quando diventarono più complessi e cominciarono a coinvolgere più partecipanti, gli happening ebbero luogo tendenzialmente all'aperto, come nel 1964 *Famiglia* di Kaprow **[3]**). Questa caduta delle barriere, soprattutto quando era connotata da aggressività, era l'elemento che distingueva gli happening dal puro teatro (gli happening di Oldenburg furono forse i più violenti, o meglio frustranti, ma Kaprow non esitò a maltrattare il pubblico: per esempio in *Happening di primavera*, nel marzo 1961, quando il pubblico fu cacciato via alla fine della performance da qualcuno alla guida di un trattore). I critici scrissero anche che questo collasso del confine attore/spettatore era in accordo con la deliberata indifferenza degli happening nei confronti di qualunque rapporto causa-effetto e principio di coerenza. Paragonandolo alla "mancanza di logica dei sogni" che "non hanno il senso del tempo", non hanno passato né "un momento culminante o conclusivo", sono spesso ripetitivi e "si svolgono sempre al presente", Susan Sontag sottolineava che l'assenza di una trama lineare era in contrasto con il concetto fondamentale modernista dell'opera d'arte come totalità autonoma e risultava disturbante anche per il piccolo, "leale, indulgente e per lo più esperto pubblico" degli happening che spesso "non riconosceva il momento della fine, e aveva bisogno di un segnale per andarsene". Un'altra dissoluzione delle categorie osservata da Sontag riguarda i materiali utilizzati: "non si riescono a distinguere la scena, gli arredi e i costumi in un happening, come si fa a teatro". Non si riesce a distinguere neppure tra persone e oggetti (anche perché "spesso le persone venivano fatte somigliare a oggetti, avvolte in sacchi di tela, in elaborati involucri di carta, veli e maschere", o restavano immobili come gli oggetti che li circondavano). C'è un unico ambiente globale, spesso volutamente disordinato, in cui materiali per lo più fragili vengono utilizzati e spesso distrutti nel corso di una serie di atti non sequenziali.

Questa transitorietà diventò un elemento chiave dell'idea di Kaprow (dopo la prima esperienza di *18 happening in 6 parti* affermò a più riprese che gli happening non avrebbero mai dovuto essere replicati, in modo da preservare la qualità a suo giudizio più importante, la loro immediatezza, la loro "suchness", come la chiamava). Questo ha poco a che fare con qualunque interesse per la spontaneità (gli happening avevano un copione che veniva provato, indipendentemente dalla struttura aleatoria), ma molto con l'idea piuttosto ingenua, proveniente dalla filosofia più o meno zen di Cage, che l'unicità in quanto tale fosse una garanzia di "presenza", e

3 • Allan Kaprow, *Famiglia*, 1964
Happening

che la "presenza" in quanto tale, se pensata come un processo naturale, fosse una garanzia contro l'invadente mercificazione di tutte le cose che caratterizzava la società dei consumi del dopoguerra. Pur avendo frainteso Cage, per il quale la ripetizione era propriamente impossibile (due performance non avrebbero mai potuto essere uguali), cosa che rendeva la sua proscrizione insensata, Kaprow forse inavvertitamente toccò un nervo, la cui sensibilità tra il pubblico di quel periodo storico potrebbe spiegare meglio di qualunque altro fattore il valore di rottura dell'happening. Si trattava del nervo economico, che, come ha sottolineato lo storico dell'arte Robert Haywood, Kaprow aveva irritato mettendo in atto la strategia aziendale dell'"obsolescenza pianificata", che aveva lo scopo di accelerare il ritmo di produzione e consumo delle merci (il classico esempio citato da Haywood è l'happening *Fluidi*, che consisteva nell'erigere e poi lasciare sciogliere quindici grandi cumuli di ghiaccio sparsi in diversi luoghi tra Pasadena e Los Angeles). Ma anche se era inteso come una critica al lavoro strumentale – critica che il suo mentore Meyer Schapiro riteneva il cuore, se non l'obbiettivo, dell'arte moderna dall'Impressionismo – il ricorso perfettamente gratuito di Kaprow a un trucco capitalista non diventò una vera strategia e lentamente si ridusse a uno spettacolo inoffensivo che, in quanto tale, riusciva solo a estendere ancora di più l'alienazione che pretendeva di rivelare.

Alla domanda del critico d'arte Richard Kostelanetz: "La maggior parte di noi non è contraria all'obsolescenza pianificata? Io preferirei automobili più resistenti. È sbagliato desiderare cose che durino più a lungo?", Kaprow offriva una risposta che avrebbe potuto essere sottoscritta da qualunque direttore d'azienda: "Penso che questo sia un mito sbagliato: che in realtà non si desideri un'automobile più resistente; perché se tu e il tuo pubblico lo voleste davvero, non comprereste automobili costruite per non durare. L'obsolescenza pianificata può avere i suoi lati negativi [...] Ma è anche una chiara indicazione della filosofia giovanile americana: rinnovare rigenera; ecco perché questo paese ha il culto della giovinezza". Queste parole, pronunciate nel 1968, cozzavano radicalmente con quello che la gioventù ribelle che manifestava per le strade pensava in quel momento. Alla fine può darsi che a condannarla all'oblio sia stata proprio l'incapacità di Kaprow a riflettere e misurarsi con il significato politico-economico della forma d'arte che aveva inventato.

Arte per grandi magazzini

Ma se Kaprow è forse stato troppo timido nel sottolineare la presa delle forze del mercato sulle nostre vite e sul nostro consumo di arte in particolare, Oldenburg ha affrontato il problema in maniera diretta. Nonostante il suo punto di partenza fosse, più che Pollock, la ▲ "riabilitazione del fango" di Dubuffet, le prime teorie di Oldenburg erano molto vicine a quelle di Kaprow, soprattutto riguardo alla celebrazione dei rifiuti come materiale primario dell'arte. Ma le cose hanno cominciato ad andare per il verso giusto fin dalla prima manifestazione matura di Oldenburg, il *Ray Gun Show* alla galleria Judson, tra gennaio e marzo 1960 (la galleria era amministrata dalla Judson Memorial Church, che avrebbe poi ospitato il Judson Dance ▲ Theater, con performance di Yvonne Rainer, Carolee Schneemann e dello scultore minimalista Robert Morris). Per questo spettacolo Oldenburg costruì il suo primo ambiente, *La strada*, che diventò il movimentato scenario del suo primo happening, *Istantanee dalla città* **[4]**. La scena era costituita da un'accumulazione di silhouette fatte di rifiuti lacerati o bruciati raccolti in strada, più altro ciarpame distribuito sul pavimento. Tra queste silhouettes ricorreva più volte in primo piano quella di Ray Gun, parodia di un robot-giocattolo inventato da Oldenburg come simbolo di tutte le merci. Per potenziare la metafora del mercato Oldenburg offrì al pubblico grandi somme di "denaro" nella moneta corrente di Ray Gun (i biglietti andavano da mille a settemila) con cui comprare cose di *La strada* e altra robaccia che lui e l'amico artista Jim Dine avevano aggiunto per l'occasione.

Ciò che avanzò da questa sorta di mercatino delle pulci venne installato come versione più rarefatta di *La strada* nella galleria Reuben, a maggio del 1960, dopodiché Oldenburg si ritirò in campagna per l'estate. Fu lì, riflettendo sull'insoddisfazione per la seconda versione di *La strada*, pulita e montata in un classico "cubo bianco" modernista, che sviluppò completamente l'idea di Ray Gun e in particolare la sua ubiquità: qualsiasi oggetto a forma di angolo retto, anche smussato, può essere un Ray Gun, che Oldenburg, con un'appropriazione ironica dell'espressione di Mondrian, battezzò "angolo universale". "Esempio: gambe, sette, pistole, braccia, falli: Ray Gun semplici. Doppi Ray Gun: croci, aerei. Ray Gun assurdi: Ice Cream Soda. Ray Gun complessi: sedie, letti". In breve, proprio come l'oro aveva avuto a lungo la funzione di standard della circolazione monetaria, il Ray Gun era un "equivalente universale", il

4 • Claes Oldenburg, *Istantanee dalla città*, 1960
Performance alla Judson Gallery, Judson Memorial Church, New York

▲ 1946

▲ 1965, 1968b, 1969

segno attraverso cui tutti i tipi di cose potevano essere comparati e scambiati. Anche se sarebbe inverosimile pensare che Oldenburg abbia passato l'estate a meditare sull'economia politica, il suo progetto successivo, *Il negozio* [**1**], dimostra che le sue elucubrazioni lo portarono a sminuire la precedente estetizzazione del rifiuto, alla Kaprow, a considerarla irrilevante. In quella che retrospettivamente sembra una diretta allusione alla mostra da Reuben, egli scrisse: "Queste cose [gli oggetti d'arte] sono esposti nelle gallerie, ma non è il loro posto. Starebbero meglio in un negozio (negozio = luogo pieno di oggetti). Il museo nella concezione borghese è l'equivalente del negozio nella mia".

Una versione parziale di *Il negozio* fu realizzata per la mostra collettiva *Ambienti, situazioni, spazi* alla galleria Martha Jackson tra maggio e giugno del 1961, ma solo a dicembre di quell'anno Oldenburg aprì il punto vendita della sua "Ray Gun Manufacturing Company" sulla 2ª Strada, in un'area di Manhattan zeppa di "grandi magazzini" che vendevano prodotti a basso costo o di seconda mano. In questa nuova postazione *Il negozio* era concepito come una copia dei negozi vicini, dove articoli male assortiti si succedevano senza posa sugli scaffali: ma con la differenza che i prodotti di Oldenburg erano riempiti con palesi copie di cibi deperibili o di piccoli oggetti di consumo. Spesso molto più grandi del normale, fatte di stoffa imbevuta di gesso e rozzamente dipinte in colori sgargianti applicati con enormi pennelli (in aperta parodia ▲ dell'Espressionismo astratto), queste patate al forno, salsicce, coni di gelato e camicie blu non erano assolutamente state pensate per essere confuse con le cose reali (anche se il loro prezzo era tutt'altro rispetto a quelli richiesti per le opere d'arte persino nelle gallerie meno prestigiose: andavano dai 25 agli 800 dollari). Il loro obiettivo era invece di dimostrare che dal momento che non c'era nessuna fondamentale differenza tra il rarefatto commercio dell'arte e il giro d'affari di un negozio di oggetti usati, e che le opere d'arte e le cianfrusaglie non erano altro che merce, si poteva tagliare corto con le finzioni e lasciare cadere la foglia di fico.

Se l'assalto di Oldenburg alle istituzioni dell'arte come puro mercato andò più a fondo di quello del suo predecessore, è perché, attraverso il simbolo del Ray Gun aveva capito che lo statuto dell'opera d'arte come merce riposava sulla sua possibilità di scambio. Con somma gioia assistette ai tentativi di un visitatore di identificare uno di questi oggetti di forma rozza: "È una borsetta... No, è un ferro. No, una macchina da scrivere. Un tostapane. No, si tratta di un pezzo di torta". Ma una volta individuata questa struttura metaforica dell'opera d'arte come merce di scambio, non c'era più modo di impedire che apparisse ovunque, facendo di ogni oggetto l'equivalente di almeno un altro. *I giorni del negozio*, un libro in cui Oldenburg ha messo insieme tutte le note che riguardavano il corso di questa installazione e gli eventi che si svolsero al suo interno, è pieno di liste di comparazione: "cazzo e palle uguale cravatta e colletto/ uguale gamba e reggipetto/uguale stelle e strisce/ bandiera uguale pacchetto di sigarette e sigarette/cuore uguale palle e triangolo/ uguale (a rovescio) cinta e calze/uguale (di lato) pacchetto di sigarette uguale bandiera".

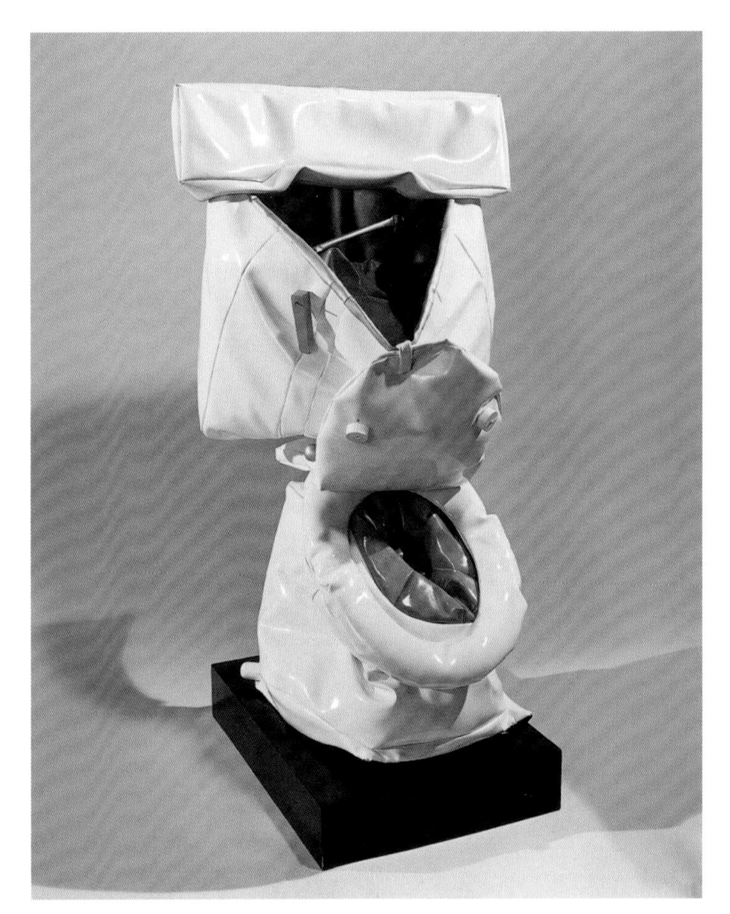

5 • Claes Oldenburg, *Toeletta morbida*, 1966
Legno, vinile, kapok, cavo, plexiglas su sostegno di metallo e base in legno dipinto, 144,9 x 70,2 x 71,3 cm

Questa catena associativa potenzialmente infinita, difficilmente potrebbe essere scambiata per un'analisi economica (soprattutto perché si fonda sulla deliberata indifferenza rispetto a una qualunque contrapposizione tra valore d'uso e valore di scambio). Alla fine Oldenburg era pienamente cosciente che le sue copie sarebbero state commerciate come arte e avrebbero ricevuto le cure riservate ai beni di lusso. Ma combinandosi con il suo radicato interesse per la psicoanalisi, la parodia lo spinse verso la fase successiva della sua produzione. Nella sua personale alla Green Gallery, nel settembre-ottobre 1963, presentò per la prima volta i suoi giganteschi oggetti "morbidi" sparsi sul pavimento: con l'ineluttabile erotismo di questi finti prodotti commestibili (e con gli oggetti più escatologici che seguirono, come *Toeletta morbida* [**5**]), Oldenburg puntava la sua pan-metaforicità ancora di più verso la cultura di massa e dichiarava che, se la sua fissazione sul consumo era un segreto di Pulcinella, la sua vera ossessione era il corpo. YAB

ULTERIORI LETTURE:

Robert Haywood, *Critique of Instrumental Labor: Meyer Schapiro's and Allan Kaprow's Theory of Avant-Garde Art*, in Benjamin H. D. Buchloh e Judith Rodenbeck, *Experiments in the Everyday: Allan Kaprow and Robert Watts*, Columbia University, New York 1999

Allan Kaprow, *Essays on the Blurring of Art and Life*, University of California Press, Berkley-Los Angeles 1993

Michael Kirby (a cura di), *Happening/Antologia illustrata*, trad. it. De Donato, Bari 1968

Barbara Rose, *Claes Oldenburg*, Museum of Modern Art, New York 1969

Susan Sontag, *Happening: un'arte d'accostamento radicale*, trad. it. in *Contro l'interpretazione*, Mondadori, Milano 1998

▲ 1947b

1962a

A Wiesbaden, nella Germania occidentale, George Maciunas organizza il primo di una serie di eventi internazionali che precedettero la costituzione del movimento Fluxus.

1 • George Brecht, *Solo per violino, viola, violoncello o contrabbasso*, aprile 1964
Performance

Fluxus, a tutt'oggi il più complesso – e quindi largamente sottovalutato – movimento artistico (o "non movimento", come si autodefinì) dei primi anni Sessanta, si sviluppò in parallelo, e spesso in aperta contrapposizione, alla Pop art e al Mini-▲ malismo negli Stati Uniti e al Nouveau réalisme in Europa. Più aperto e internazionale negli scopi (con più artiste donne tra i partecipanti) di qualunque altra avanguardia o neoavanguardia dal ● Dadaismo e dal Costruttivismo russo, Fluxus negava qualsiasi distinzione tra arte e vita, e credeva che la routine, il banale e le azioni quotidiane dovessero essere considerati eventi artistici, secondo il precetto che "Tutto è arte e chiunque la può fare". Con le sue diverse attività, che includevano concerti e festival "Flux", performance musicali [**1**, **2**] e teatrali, pubblicazioni dalla grafica innovativa, arte postale e altri eventi, gesti e azioni effimeri [**3**], diede ■ origine a molti degli elementi chiave dell'Arte concettuale, come l'insistenza sulla partecipazione dello spettatore, la svolta verso la ◆ performatività linguistica e l'inizio della critica istituzionale.

I campi di forza di Fluxus

Fluxus fu battezzato (se non "fondato") nel 1961 da George Maciunas (1931-78), un lituano emigrato nel dopoguerra che, dopo avere frequentato per qualche anno un liceo della Germania dell'Ovest, arrivò negli Stati Uniti nel 1948. Maciunas affermò di avere trovato il nome – dal latino *fluere*, scorrere – ficcando un coltello o un dito nel dizionario, con lo stesso metodo cioè che i ▲ dadaisti sostenevano di avere utilizzato per trovare il loro. Il termine "fluxus" possedeva già una certa risonanza. Sono note le parole del filosofo Eraclito di Efeso (V secolo a.C.): "Tutto scorre... Non ci si immerge due volte nello stesso fiume". Hegel riprese l'idea nel XVIII secolo quando diede forma al concetto di dialettica, sostenendo che in natura tutto è in un flusso continuo e che "il conflitto è il padre di tutte le cose". All'inizio del XX secolo il filosofo francese Henri Bergson descriveva poi l'evoluzione naturale come un processo di cambiamento e sviluppo costante – un "fluxion". Bergson diceva anche che l'esperienza che abbiamo del mondo non viene acquisita istante per istante, ma in un flusso continuo, come la musica. Al di là di queste connotazioni filosofiche Maciunas associava esplicitamente la parola "fluxus" ai

2 • Alison Knowles, *Musica di giornali*, 1967
Concerto nella Lund Konsthall, Svezia

▲ 1960a, 1960c, 1964b, 1965 ● 1916a, 1920, 1921b ■ 1968b ◆ 1971

▲ 1916a

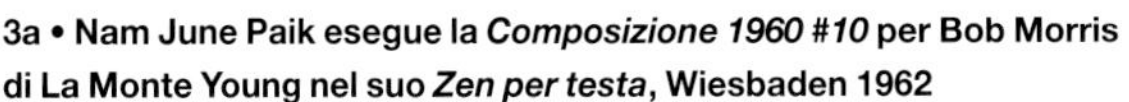

3a • Nam June Paik esegue la *Composizione 1960 #10* per Bob Morris di La Monte Young nel suo *Zen per testa*, Wiesbaden 1962

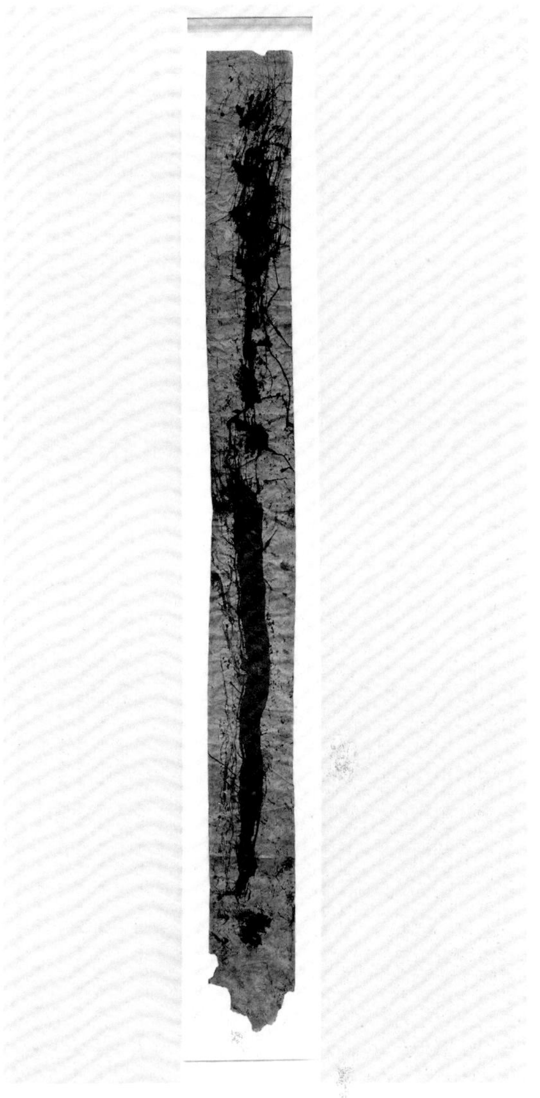

3b • Nam June Paik, *Zen per testa*, 1962
Inchiostro e pomodoro su carta, 404 x 36 cm

processi medici di evacuazione catartica corporea ed escrementizia e ai processi scientifici di trasformazione molecolare e fusione chimica.

Il movimento Fluxus emerse nel momento cruciale in cui gli artisti del dopoguerra cominciavano a svicolare dal dominio ▲ egemonico dell'Espressionismo astratto americano. Questo passaggio fu stimolato in sommo grado dalla pubblicazione nel 1951 dell'antologia di Robert Motherwell *I pittori e poeti dadaisti*, e in modo più preciso dagli insegnamenti del compositore John ● Cage (un precoce e noto seguace di Duchamp) alla New School for Social Research di New York tra il 1957 e il 1959. Un'intera generazione ■ fu indirizzata dall'ingombrante presenza di Jackson Pollock verso il Dadaismo in generale e l'opera di Duchamp in particolare, guidata dall'influenza pervasiva dei modelli di operazioni dettate ◆ dal caso di Cage, dall'estetica del quotidiano e da un nuovo tipo di soggettività (artistica).

Più sorprendente, forse, del recupero programmatico di Dada e del readymade di Duchamp fu la precoce ed esplicita associazione da parte di Maciunas del progetto Fluxus con gli esiti più radicali ▲ dell'avanguardia sovietica, quelli del gruppo Lef (Fronte di Sinistra delle Arti) e dei produttivisti, allora pressoché sconosciuti in Europa quanto negli USA. Ma questo tentativo di fondere le caratteristiche fondamentali di Dada/Duchamp e del Produttivismo, i modelli di avanguardia più radicali del XX secolo, nonostante la piena consapevolezza di non potere raggiungere nel presente nessuno dei loro obbiettivi storici, potrebbe avere generato quel misto unico e paradossale di melanconia e comico-grottesco che finì per caratterizzare Fluxus.

Un'altra delle caratteristiche riconoscibili del gruppo Fluxus era il suo internazionalismo, perché molte altre avanguardie del dopoguerra avevano riaffermato ideologie nazionaliste (come l'Espressionismo astratto americano) o si erano rivolte al discorso ● dell'identità tradizionale (come Joseph Beuys). Tuttavia, a differenza delle aspirazioni dadaiste a uno stato postnazionale e dell'internazionalismo proletario dei sovietici, l'internazionalismo di Fluxus si potrebbe descrivere come *cataclismatico* piuttosto che *utopico*, perché traeva origine dall'esperienza dell'esilio, dello spostamento involontario che gli artisti avevano dovuto compiere

▲ 1947b ● 1914, 1918, 1935, 1966a ■ 1949a, 1960b ◆ 1953 ▲ 1921b ● 1964a

dai loro paesi devastati dalla Seconda guerra mondiale. Era il caso ▲ di rifugiati come Maciunas e Spoerri, ma si rivelò altrettanto vero, anche se in modo differente, per artisti come Nam June Paik (1932-2006), Yoko Ono (nata nel 1933), Ay-O (nato nel 1931), Shigeko Kubota (1937-2015), Mieko Shiomi (nata nel 1938) e altri che si unirono più tardi a Fluxus. Anche la forma opposta, lo spostamento *volontario*, contribuì all'internazionalismo del movimento: Emmett Williams (1925-2007), Benjamin Patterson (nato nel 1934) e Maciunas vivevano e lavoravano nella Germania occidentale sotto gli auspici del governo USA, mentre Robert Filliou (1926-87) entrò per primo in contatto con la cultura asiatica (cruciale non solo per il suo sviluppo personale, ma anche per l'intero gruppo) mentre si trovava in Corea per conto della Korean Reconstruction Agency delle Nazioni Unite nei primi anni Cinquanta.

Fluxus, uso e svago

Al di là del suo complesso internazionalismo e della sua insistenza sulle pratiche di gruppo, Fluxus si impegnò fin dall'inizio in una critica radicale dei concetti tradizionali di identità e autoralità (artistica), critica che assunse un tono antimaschilista, quando non esplicitamente femminista. Un chiaro esempio di questa tendenza fu *Pittura di vagina* **[4]** di Shigeko Kubota, in cui l'artista dipinse con della vernice rossa su un foglio di carta posato a terra per mezzo di un pennello attaccato alla vagina, smantellando così in un unico scandaloso gesto la mitologia apparentemente infinita delle virili ▲ performance pittoriche di Pollock.

4 • Shigeko Kubota, *Pittura di vagina*, 1965
Eseguito durante il *Perpetual Fluxus Festival*, New York

Kubota eseguì la performance in pubblico per la prima volta al Perpetual Fluxus Festival, che si svolse nel 1965 alla New York Cinemathèque. Lo stesso anno Maciunas annunciò il progetto di Fluxus con il seguente discorso "ufficiale":

FLUXUS ARTE-DIVERTIMENTO

per stabilire lo statuto non professionale dell'artista nella società, deve dimostrare la superfluità e l'onnicomprensività dell'artista, deve dimostrare l'autosufficienza del pubblico, deve dimostrare che qualunque cosa può essere arte e che chiunque può farla.

Quindi, l'arte-divertimento deve essere semplice, divertente e senza pretese, interessata all'insignificante, non richiedere alcuna abilità né prove infinite, non avere valore commerciale o istituzionale. Il valore dell'arte-divertimento deve essere tenuto basso rendendola illimitata, prodotta in serie, accessibile a tutti e possibilmente prodotta da tutti.

L'arte-divertimento di Fluxus è la retroguardia senza alcuna pretesa [sic] o desiderio di partecipare alla competizione dell'"essere sempre un passo avanti agli altri" con l'avanguardia. Lotta per le qualità monostrutturali e non teatrali di un semplice evento naturale, un gioco o uno scherzo. È la combinazione di Spike Jones, Vaudeville, gag, gioco infantile e Duchamp.

Se il Produttivismo aveva insistito sulla necessità di rispondere ai bisogni delle masse proletarie postrivoluzionarie sostituendo l'autoriflessione estetica con la produzione utilitaria e cambiando la ● forma di distribuzione elitaria dei testi e oggetti culturali, dall'altra parte Dada aveva tentato di contrapporre polemicamente forme popolari di mostre e spettacoli, ispirate alla cultura di massa, all'istituzionalizzazione dell'arte alta e alla sua separazione dalla sfera della vita quotidiana. Di conseguenza Fluxus si impegnò a cancellare i tradizionali confini tra produzione linguistica e visuale, tra testo e ■ oggetto. Caratteristicamente, fu una delle ultime opere di Duchamp, la *Scatola-in-valigia* (1935-41) – che quasi nessuno prendeva sul serio negli anni Sessanta – a diventare un punto di partenza cruciale per le riflessioni di Fluxus sulla dialettica di statuto oggettuale, cornice istituzionale e forma di distribuzione.

Ma, superando Duchamp, Fluxus mirava a cancellare le ultime divisioni tra il readymade (cioè l'oggetto d'uso o commerciale isolato) e il vero significato del suo isolamento (cioè i dispositivi della cornice e della presentazione). Uno dei modi per farlo consistette nell'abbattere le differenze tra le formazioni linguistiche e discorsive dell'"opera" e quelle dei suoi contenitori: in altre parole, le differenze tra i discorsi culturali che dicono "Questa è l'arte" e ◆ "Questa è la cornice". Perché Fluxus considerava i dispositivi della cornice e della presentazione, con la stampa e la grafica, come veri e propri *linguaggi*, non come *supporti* separati e meno importanti di

▲ 1960a

▲ 1949a, 1960b ● 1916a, 1920 ■ 1935 ◆ Introduzione 4, 1971

un linguaggio che assume la forma più alta di "arte". Opera e cornice, oggetto e contenitore sono in tal modo equiparati. Ma allo stesso tempo smantellava il "magico" dell'oggetto d'"arte" reso tale *dalle* cornici che lo presentavano (come la vetrina surrealista o le ▲ scatole di Joseph Cornell) e sostituiva queste con un'estetica dell'accumulazione archivistica, in cui la registrazione testuale, visiva o sonora della produzione di un'opera e della successiva mostra o performance facevano parte dell'opera finita allo stesso titolo dell'oggetto o evento in sé (la più completa articolazione di questa ● estetica fu esplicitata in *Schedario* di Robert Morris, del 1962).

Dal negozio alla scatola

Collocando la sua produzione completamente all'interno della cultura del consumo, Fluxus definiva la merce come l'esclusiva tipologia di oggetto e forma di distribuzione in cui l'arte poteva essere prodotta e percepita. In più occasioni questa riflessione è stata tradotta nella messa in scena di cornici "istituzionali" e ■ "commerciali" di presentazione e distribuzione (*Il negozio* di Oldenburg era un predecessore importante di questo genere di cose): il Fluxshop, fondato da Maciunas nel 1965 al 359 di Canal Street a New York, *Implosioni* di Robert Watts (1923-88), *La cediglia che sorride*, messa in piedi da Robert Filliou e George Brecht (1926-2008) a Villefranche-sur-Mer in Francia nel 1965. Tutte queste "imprese" figuravano come progetti finalizzati a produrre e distribuire una serie di oggetti e gadget radicalmente democratizzati.

La *Galleria legittima* **[5]** di Filliou era un altro precoce esempio della critica istituzionale di Fluxus. "Fondata" nel 1962, la "galleria" era di fatto la bombetta dell'artista (o a volte il berretto o il copricapo giapponese), che conteneva una serie di oggetti fatti a mano, appunti e fotografie delle proprie opere o di quelle di altri artisti che avevano scelto di "esporre" in una delle sue "mostre" itineranti (o erano stati selezionati da lui). Lo stesso Filliou descrisse una di queste "mostre":

> *A luglio del 1962, la Galleria legittima – un cappello in questo caso – organizzò una mostra dell'artista americano Benjamin Patterson. Camminammo per Parigi dalle 4 del mattino alle 9 di sera, da Les Halles a La Coupole.*

Tanto la perpetua mobilità della galleria che la riduzione dell'opera d'arte a una semplice annotazione o registrazione documentaria ricordano la *Scatola-in-valigia* di Duchamp, ma la prossimità dello spazio istituzionale e dell'"oggetto artistico" alla sfera del corpo dell'artista (la testa) e la fusione dell'oggetto utilitario (il cappello) con la cornice dell'istituzione (la "galleria"), impregnava la *Galleria legittima* di una grottesca urgenza: non solo essa insisteva sull'egualitaria intimità dell'opera sia con il corpo che con l'oggetto utilitario, ma sottraeva anche tutta la presenza percettiva alle alienanti cornici istituzionali, discorsive ed economiche al di là del contenitore quasi ombelicale del cappello.

5 • Robert Filliou, *Galleria legittima*, 1962-63 circa
Assemblage, 4 x 26,5 x 26,5 cm

Lo humour autoironico di Fluxus, che considerava queste attività radicali come quelle di una "retroguardia", è evidente nell'affermazione di Maciunas che durante l'intero anno dell'operazione il Fluxshop non vendette un solo oggetto del suo vasto assortimento di scatole, libri, gadget e multipli sottocosto. Si trova anche nella confessione enunciata con orgoglio da Emmet Williams che ai primi festival di Fluxus c'erano spesso più performer che spettatori. Una della opere più singolari di Williams dei primi anni Sessanta, *Canzoni che contano*, in cui contava ad alta voce il numero degli spettatori, debuttò nel 1962 al Six Pro- and Contragrammer Festival nella Nikolai Kerke di Copenhagen: sembrava contare gli spettatori secondo la modalità autoreferenziale del modernismo, ma in realtà lo stava facendo perché pensava che gli organizzatori gli avessero sottratto una parte dell'incasso sui biglietti d'ingresso.

Se ne potrebbe dedurre che Fluxus sia stato il primo progetto culturale nel dopoguerra a riconoscere che la costruzione collettiva dell'identità e delle relazioni sociali era oramai primariamente e universalmente mediata attraverso gli oggetti di consumo reificati e che questo sistematico annichilimento delle forme convenzionali di soggettività aveva bisogno di un'articolazione estetica ugualmente reificata e disseminata internazionalmente. Per realizzarla Fluxus doveva smantellare *tutte* le convenzioni tradizionali che avevano offerto una garanzia culturale alla continuità del soggetto borghese. In primo luogo avrebbe dovuto rompere la certezza fondativa che lo stesso linguaggio aveva fornito alla letteratura e alla soggettività borghese. Questa premessa era rimasta più o meno ▲ valida fino all'arrivo del Dadaismo e di Gertrude Stein, entrambi "riscoperti" da Fluxus. La loro "riscoperta" era il risultato dell'interesse editoriale del poeta e performer Dick Higgins (1938-98), uno degli studenti di Cage alla New School for Social Research nel 1957, che dal 1964 ripubblicò molte opere importanti, come l'*Almanacco Dada* di Richard Huelsenbeck e *C'era una volta gli americani* di Gertrude Stein, con la sua eccezionale casa editrice Something Else Press.

▲ 1931a ● 1968b ■ 1961
▲ 1907, 1916a

Ma Fluxus ha sistematicamente eroso anche le certezze dei generi letterari, mescolando tutti i codici e le convenzioni in cui erano state categorizzate le opere letterarie (come poesia, teatro e romanzo) e confinato "altre" enunciazioni linguistiche nel regno del "non letterario" (ad esempio il reportage giornalistico o la narrativa "referenziale", le lettere private, i testi performativi o frutto del caso): tutti questi diventarono la base delle attività di Fluxus.

La rimozione dei confini tra questi generi letterari non era il risultato di un'aspirazione rivoluzionaria a una *Gesamtkunstwerk*, in cui tutte le arti del passato potessero essere riunite all'interno di una struttura che rispondesse adeguatamente alle condizioni sociali realmente esistenti di partecipazione collettiva alla costruzione della ricchezza. Piuttosto, la disintegrazione dei confini in Fluxus era il riconoscimento del rapido declino delle opzioni, dei sempre più radi ritorni dei generi e delle convenzioni tradizionali, che avevano, uno per uno, perso la loro autorevolezza e la credibilità storica in condizioni di estrema separazione e reificazione. Proprio perché riconosceva l'impatto della potente dedifferenziazione – il processo messo in atto dal capitalismo di consumo avanzato, grazie al quale l'esperienza diventa omologata, tutte le cose nel mondo diventano uguali, senza differenze – Fluxus ha articolato queste opzioni e possibilità discorsive "minori" facendo crollare tutti i generi e le convenzioni artistiche tradizionali.

Slittamenti di registro

All'interno di ciascuna categoria delle attività di Fluxus, comunque, particolari confronti venivano sistematicamente rinforzati. Di fatto, i progetti molto differenti dei membri del gruppo contribuivano a provocare il cambiamento più radicale facendo slittare la produzione artistica dal registro degli oggetti a registri che si situavano a metà tra il teatro e la musica: se Duchamp aveva predetto che nel futuro prossimo sarebbe stato possibile considerare l'intera galassia ▲ degli oggetti un'inesauribile fonte di readymade, Fluxus aveva già risposto sostituendo a questo paradigma un'estetica dell'"evento" universale **[6]**. Infatti, quando Robert Watts descrisse retrospettivamente lo Yam Festival – una festa lunga un anno prevista per il 1962-63, con una performance o un evento al giorno – la sua definizione ricalcava quasi completamente quella di Duchamp: "Un formato sciolto che rende possibile mescolare o includere un universo di eventi in espansione".

Questo cambio di paradigma fece sì che la destabilizzazione sistematica dell'oggetto visivo messa in atto dal readymade trovasse l'equivalente nel registro teatrale. Per ottenere questo risultato, Fluxus fuse le forme più elementari della performatività linguistica con una virtuale infinità di operazioni casuali, forgiando una nuova drammaturgia degli "eventi-performance" sceneggiati in "partiture". Formulata in realtà da Cage (cioè prima dello stesso Fluxus), l'idea dell'"evento" divenne centrale nell'estetica dei suoi studenti, in particolare George Brecht, Dick Higgins e Jackson Mac Low (1922-2004). Higgins ricordò come gli insegnamenti di Cage fossero stati i primi a definire gli "eventi" come nuovo paradigma:

6 • Robert Watts, *Eventi di Robert Watts (Edizioni Fluxus)*, 1963
Scatola di plastica, etichette, 97 biglietti in offset, pera in gomma, 13 x 28,6 x 17,9 cm

Cage parlava spesso di una serie di cose che accadevano contemporaneamente senza avere niente a che fare l'una con l'altra. La sua definizione era "condotta autonoma di eventi simultanei".

Brecht identificò per la prima volta l'"evento" come un nuovo paradigma nel saggio *Immagini del caso* (scritto nel 1957 e pubblicato nel 1966), descrivendolo più tardi come un testo "molto privato, come un insieme di brevi delucidazioni che volevo comunicare agli amici, i quali avrebbero saputo cosa farne". Un esempio oramai classico degli eventi di Brecht era il suo *Musica di sgocciolatura (Evento sgocciolatura)*, proposto la prima volta nel 1959 e "pubblicato" da Maciunas nel 1963 in *Patata d'acqua*, una raccolta delle "partiture" di Brecht e una delle prime scatole Fluxus a essere prodotta:

Per performance singola o multipla. Una fonte che sgocciola acqua e un vaso vuoto sono sistemati in modo che l'acqua finisca nel vaso. Seconda versione: Dripping.

▲ 1914

Questo "evento" segna precisamente la transizione da un'estetica del casuale, che – al momento di *Immagini del caso* – era ancora ▲ definita in primo luogo dall'incontro con la pittura di Pollock, verso un'estetica delle operazioni casuali ispirata a Cage, che criticava l'idea della pittura come luogo eroico e pratica eccezionale di autorità virile e identità autorale. Brecht strappò la dimensione cruciale del ludico, dell'aleatorio e del performativo allo spettacolo pittorico cui Pollock (o meglio la percezione della sua opera) aveva dato inizio solo pochi anni prima e l'aveva incorporata nelle forme più intime dell'esperienza soggettiva della reificazione.

Un altro esempio di queste prime "partiture", parzialmente leggibili sullo sfondo dell'atletica maschilista dell'Espressionismo astratto e al tempo stesso testimonianza dell'impatto di Cage sugli artisti di quella generazione, è l'opera di Alison Knowles (nata nel 1933). La sua *Proposizione n. 2 (Ottobre 1962)*, chiamata anche *Preparare un'insalata*, fu realizzata la prima volta all'Istituto d'Arte Contemporanea a Londra nel 1962 e consisteva "molto semplicemente" nella pubblica esecuzione dell'azione proposta dell'artista. Un anno dopo, in *Proposizione n. 6*, Knowles propose un altro evento, dal titolo *Scarpe di vostra scelta*:

> *Una persona del pubblico è invitata a venire al microfono, se ce n'è uno disponibile, e a descrivere un paio di scarpe, quello che indossa o un altro. Viene incoraggiata a raccontare dove le ha prese, il numero, il colore, perché le piacciono, ecc.*

In un progetto successivo, *Pranzo identico* (1968), Knowles dimostrava che chiunque voglia diventare artista/performer deve solo registrare le circostanze di un evento o di un'azione:

> *Il pranzo identico: un sandwich al tonno in pane integrale con lattuga e burro, niente maionese, e un grande bicchiere di latticello o una tazza di zuppa veniva e viene mangiato molti giorni di ogni settimana nello stesso posto e più o meno alla stessa ora.*

● A uno sguardo superficiale si potrebbero associare queste "partiture di eventi" alla riscoperta, da parte della Pop art dei primi anni Sessanta, dell'iconografia della vita quotidiana (come l'attenzione costante di Claes Oldenburg al cibo americano come oggetto iconico); ma è precisamente su questo punto che le profonde differenze tra Fluxus e la Pop art diventano più evidenti. Mentre gli artisti pop in definitiva insistevano sulla differenza essenziale tra pittura e scultura da un lato e l'oggetto readymade dall'altro, per non parlare degli oggetti d'uso quotidiano, gli artisti fluxus sostenevano l'esatto contrario: che l'esperienza della reificazione poteva essere combattuta solo al livello dell'oggetto in sé, attraverso la radicale trasformazione degli oggetti (e generi) artistici in eventi.

Quindi Fluxus non solo riconosceva l'"impoverimento della realtà" che i surrealisti già deploravano negli anni Venti, o la "povertà ■ dell'esperienza" che Walter Benjamin aveva analizzato criticamente negli anni Trenta, ma cercava di sconfiggere questi fenomeni. Gli "eventi" fluxus, con la loro devozione semireligiosa per il quotidiano, e con la loro enfasi sulle forme ripetitive e meccaniche del consumo giornaliero e sulla "semplicità" strumentalizzata all'interno della quale la soggettività viene costituita e contenuta, resuscitava e articolava le limitate capacità individuali di riconoscere le condizioni dell'"esperienza" collettivamente dominanti.

Sublimazione e desublimazione

Gli artisti fluxus fornirono una risposta dialettica al tradizionalismo intrinseco della Pop art e alla sua implicita estetizzazione della reificazione, attraverso la dissoluzione dei generi artistici e della centralità dell'oggetto readymade. Con gli atti pubblici che reintegravano l'"oggetto" all'interno del flusso di attività quotidiane "performate" in maniera cosciente, Fluxus creò un analogo artistico del recupero psicoanalitico delle relazioni oggettuali o delle capacità dell'esperienza che un trauma o la repressione hanno scisso dal soggetto, o che sono state semplicemente "perdute" nel generale processo di socializzazione.

Queste dialettiche di sublimazione e desublimazione rappresentano il nucleo delle difficoltà che Fluxus metteva di fronte al suo pubblico fin dalle prime performance e sono doppiamente sovradeterminate. Da una parte, Fluxus riconosceva che la soggettività collettiva non ha altro spazio e altro tempo in cui autofondarsi all'infuori degli spazi e delle strutture temporali residuali, rimasti misteriosamente fuori dal processo di mercificazione in continua espansione, e inoltre che solo in gesti estremamente decentrati è possibile concepire e articolare un'istanza *artistica* di un soggetto autodeterminato. D'altra parte esso era cosciente di questa condizione dell'essere condannati al puro effimero, a forme estreme di frammentazione linguistica, visiva e teatrale-musicale, e si legava esplicitamente alle forme alternative dell'esperienza culturale, all'arte "bassa" dell'intrattenimento popolare, della gag, dello scherzo e del vaudeville, in un momento in cui queste forme antiquate apparivano diverse e sovversive in confronto alla pesante omologazione della cultura dello spettacolo del dopoguerra.

Non è quindi sorprendente trovare in Fluxus modelli di soggettività (artistica) nuovi e spesso ibridi insieme alla critica della soggettività stessa: dall'infatuazione di Cage per il Buddismo Zen e la scoperta di concezioni filosofiche o religiose diverse da quelle occidentali e borghesi, alle dichiarazioni politiche espresse da Maciunas (che era percepito come un marxista-leninista), che cercava di collettivizzare la produzione artistica, abolire il carattere classista della cultura, alterare le forme della distribuzione dell'opera e deprofessionalizzare l'artista allo scopo di trasformare la divisione sociale del lavoro che gli aveva attribuito il ruolo di eccezionale specialista dotato di competenze cognitive e percettive.

Questo genere di ibridismo era una caratteristica particolarmente spiccata nella tipografia e nella grafica di Fluxus, due campi ▲ in cui dadaisti e produttivisti sovietici avevano espresso con grande efficacia le loro radicali mire politiche, estetiche e semiotiche. Per loro i caratteri e l'impaginazione funzionavano come la forma e il terreno sul quale doveva avere luogo una rivoluzione percettiva e

▲ 1949a, 1960b ●1960c, 1964b ■ 1935

▲ 1920, 1921b, 1926, 1928a, 1928b

linguistica collettiva. Su questo punto, ancora una volta, queste due avanguardie fornirono a Fluxus un modello. Ma il design e la grafica di Fluxus dialogavano anche con un'altra avanguardia, il Surrealismo, mediato attraverso l'opera delle storie-collage di Max Ernst e ▲ quella del collaboratore di Duchamp per la *Scatola*, Joseph Cornell, che fu di grande importanza nella formazione di Brecht e Watts. L'uso fatto dai surrealisti dell'*obsolescenza* come pratica di opposizione alla contemporaneità intesa come pura moda e consumo compulsivo finì per caratterizzare anche gli oggetti e le strategie espositive di Fluxus. Un esempio fu l'inserzione paradossale da parte di Maciunas di stampe ottocentesche, per lo più illustrazioni popolari e pubblicità, nell'altrimenti rigoroso design per le pubblicazioni, la pubblicità e le dichiarazioni di Fluxus, prodotte sulla nuovissima macchina Composer IBM. Questa macchina impregnava tutti i progetti tipografici di Maciunas, da *Un'antologia* di La Monte Young del 1962 in poi, di una razionalità compositiva e di un'immediatezza che sarebbe diventata compulsiva nell'Arte concettuale.

I biglietti da visita disegnati da Maciunas nel 1966 con i nomi dei compagni **[7]** mostrano la distanza che separava Fluxus dai suoi predecessori radicali e allo stesso tempo i paradossi del suo più vasto progetto. Maciunas avrà anche immaginato il movimento come collettivo, puntando all'anonimato per dissolvere il culto della soggettività artistica, ma in realtà il gruppo originale dei partecipanti a Fluxus consisteva in un'associazione molto libera di figure estremamente indipendenti e autonome, e a ognuna di esse veniva data un'identità separata e unica attraverso la tipografia e la grafica dei biglietti di Maciunas. Lo spettro dei caratteri usati andava da un tipo ornamentale ottocentesco al più burocratico, razionale e serializzato sans-serif della macchina IBM, che Maciunas utilizzava per stampare dieci volte di seguito il nome di Robert Filliou seguito da un punto interrogativo e undici volte seguito da un punto esclamativo. Nel disegno tipografico di questi biglietti, l'individualità soggettiva oscilla tra l'ornamento allegorico e il marchio aziendale, tra l'abbattimento

7 • George Maciunas, *Biglietti da visita di artisti Fluxus*, 1966 ca.

▲ 1931a, 1935

utopico da parte di Fluxus dell'eccezionalità dell'artista e la regola della cultura aziendale, che smantella qualunque forma di esperienza soggettiva. Avere portato alla luce la precarietà di questa dialettica storica è uno dei molti risultati del movimento.

Un altro esempio della grafica dei primi tempi di Fluxus, che mostra fino a che punto il design costituiva un elemento intrinseco al progetto del gruppo, fu lo *Yam Festival Newspaper*, coprodotto da Brecht e Watts nel 1963, la cui funzione principale era di rendere di dominio pubblico le attività e i prodotti dello Yam Festival. Imitando il formato di un antiquato giornale di provincia, il *Newspaper* operava un *détournement* parasituazionista della tradizionale grafica di un quotidiano, con la sua mescolanza di informazione e ideologia, pubblicità e fumetti. Costruendo per mezzo della tipografia un parallelo del "Festival", giocoso e dettato dal caso, lo *Yam Newspaper* metteva in questione il modo tradizionale di leggere un giornale (il modo in cui il lettore viene deliberatamente condotto tra le pagine in una direzione ben precisa) adottando come formato il rotolo, un costante rovesciamento dell'asse della lettura e una ripetuta frammentazione. Metteva in atto così a livello della lettura esattamente gli stessi principi di casualità e gioco che governavano il "Festival" come una liberazione collettiva dalla regolazione e dal controllo dell'esperienza quotidiana.

La dialettica della radicalità

Le contraddizioni tra teoria e pratica erano una caratteristica del progetto Fluxus. In violenta polemica contro lo statuto oggettuale e di merce dell'opera d'arte, Fluxus ha nondimeno creato infiniti prodotti del genere più basso e più economico. Pur insistendo sull'accessibilità universale degli oggetti artistici oltre i confini geopolitici e di classe, Fluxus è diventato una delle forme culturali più esoteriche e inaccessibili del XX secolo. Nonostante professasse un'identità di gruppo e la demolizione dell'artista come personaggio di culto, Maciunas mantenne un controllo petulante sul gruppo pari ai più precoci esempi di autoritarismo nel contesto del Dadaismo e del Surrealismo (ad esempio, il fanatismo ortodosso di Tristan Tzara e André Breton) e corrispondeva al controllo autocratico di Guy Debord sull'Internazionale situazionista.

Ma uno degli aspetti di Fluxus più difficili da collocare è il vandalismo del suo desiderio (quasi futurista) di annichilire le tradizioni dell'arte alta (e dell'avanguardia) europea. Quando, nel 1963, Maciunas formulò il *Manifesto Fluxus* **[8]**, espresse sia la radicalità delle sue idee sia – involontariamente – i loro difetti "avanguardisti":

> *Purgare: il mondo dal male borghese, dalla cultura "intellettuale", professionale & commercializzata, PURGARE il mondo dall'arte morta, dall'imitazione, dall'arte artificiale, dall'arte astratta, illusionistica, matematica – PURGARE IL MONDO DALL'"EUROPANISMO"!*

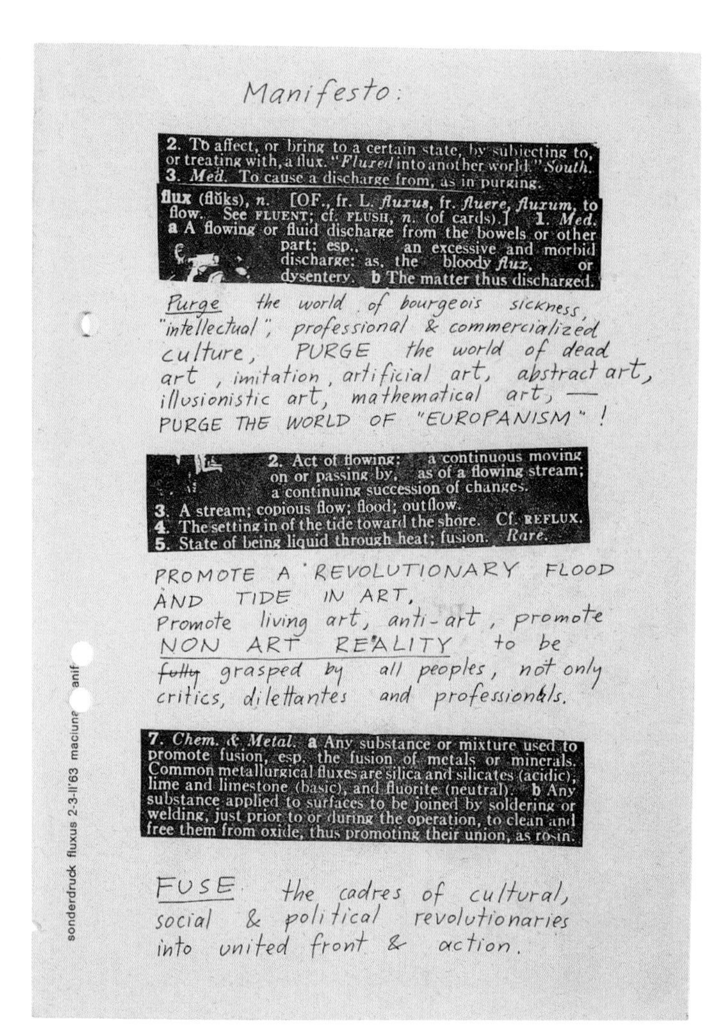

Manifesto:

2. To affect, or bring to a certain state, by subjecting to, or treating with, a flux. "*Fluxed* into another world." *South.*
3. *Med.* To cause a discharge from, as in purging.

flux (flŭks), *n.* [OF., fr. L. *fluxus*, fr. *fluere*, *fluxum*, to flow. See FLUENT; cf. FLUSH, *n.* (of cards).] **1.** *Med.* **a** A flowing or fluid discharge from the bowels or other part; esp., an excessive and morbid discharge; as, the bloody *flux*, or dysentery. **b** The matter thus discharged.

Purge the world of bourgeois sickness, "intellectual", professional & commercialized culture, PURGE the world of dead art, imitation, artificial art, abstract art, illusionistic art, mathematical art, — PURGE THE WORLD OF "EUROPANISM"!

2. Act of flowing: a continuous moving on or passing by, as of a flowing stream; a continuing succession of changes.
3. A stream; copious flow; flood; outflow.
4. The setting in of the tide toward the shore. Cf. REFLUX.
5. State of being liquid through heat; fusion. *Rare.*

PROMOTE A REVOLUTIONARY FLOOD AND TIDE IN ART, Promote living art, anti-art, promote NON ART REALITY to be ~~fully~~ grasped by all peoples, not only critics, dilettantes and professionals.

7. *Chem. & Metal.* **a** Any substance or mixture used to promote fusion, esp. the fusion of metals or minerals. Common metallurgical fluxes are silica and silicates (acidic), lime and limestone (basic), and fluorite (neutral). **b** Any substance applied to surfaces to be joined by soldering or welding, just prior to or during the operation, to clean and free them from oxide, thus promoting their union, as rosin.

FUSE the cadres of cultural, social & political revolutionaries into united front & action.

sonderdruck fluxus 2-3-II'63

8 • George Maciunas, *Manifesto Fluxus*, febbraio 1963
Offset su carta

Benché Fluxus affermasse di avere eliminato con successo tutte le differenze tra l'esperienza degli oggetti estetici e quella degli oggetti d'uso quotidiano, lo fece senza riflettere pienamente sull'alterazione radicale delle condizioni della produzione e dell'esperienza che emergono in una cultura industriale avanzata. Facendo dei propri eventi casuali e dei propri oggetti effimeri uno standard estetico, Fluxus rischiò di diventare senza esserne cosciente una parte di un progetto sociale più vasto di dedifferenziazione e desublimazione forzata. Si sarebbe potuto pensare, in maniera errata, che il gruppo avesse implicitamente avallato la tendenza sociale dominante che relegava l'oggetto artistico nel regno dell'effimero, del revocabile e del vendibile insieme a tutti gli altri oggetti appartenenti all'universo infinito delle merci. BB

ULTERIORI LETTURE:

Elizabeth Armstrong e Joan Rothfuss (a cura di), *In the Spirit of Fluxus*, Walker Art Center, Minneapolis 1993

Jon Hendricks (a cura di), *Fluxus Codex: The Gilbert and Lila Silverman Collection*, Harry N. Abrams, New York 1988

Thomas Kellein, *Fluxus*, Thames & Hudson, London 1995

Thomas Kellein (a cura di), *Fröhliche Wissenschaft: Das Archiv Sohm*, Staatsgalerie, Stuttgart 1987

Emmett Williams e Ann Noël (a cura di), *Mister Fluxus: A Collective Portrait of George Maciunas*, Thames & Hudson, London 1995

▲ 1957a ● 1916a, 1924 ■ 1909

1962b

A Vienna Günter Brus, Otto Mühl, Hermann Nitsch e altri artisti formano il gruppo dell'Azionismo viennese.

La formazione dell'Azionismo viennese segue il corso inesorabile, almeno in apparenza, di qualunque attività artistica nel dopoguerra, costretta ad affrontare da un lato le condizioni rovinose dell'avanguardia europea, cancellata o distrutta dal fascismo e dal totalitarismo, e dall'altro le travolgenti promesse della neoavanguardia americana, emersa durante il periodo della ricostruzione in Europa. A Vienna – come da qualunque altra parte – l'impatto pressoché universale dell'"eredità di Jackson Pollock", ▲ secondo l'espressione di Allan Kaprow, diventò centrale (in seguito all'incontro diretto con la sua opera o attraverso i dipinti di ● Georges Mathieu [nato nel 1931] e Yves Klein, le cui mostre avevano suscitato grande clamore nella Vienna degli anni Cinquanta). Anche altri artisti europei come Manolo Millares ■ (1926-72) e Alberto Burri (1915-95) (curiosamente Lucio Fontana non fu mai menzionato) erano citati dagli azionisti per avere posto le basi della distruzione della tela e della spazializzazione del processo pittorico.

1960–1969

La dissacrazione della pittura come rituale

I primi passi verso la messa in mora, se non la distruzione, della pittura da cavalletto con i suoi tradizionali formati, materiali e processi furono compiuti dagli artisti viennesi Günter Brus (nato nel 1938), Otto Mühl (1925-2013) e Hermann Nitsch (nato nel 1938) intorno al 1960. Da allora in avanti la pittura fu forzata a regredire a imbrattamento infantile (Brus), a processi aleatori di applicazione (come le macchie e le colature dei *Schüttbilder* [dipinti sgocciolati] di Nitsch), o alla vera e propria mutilazione della superficie ottenuta strappando e tagliando il supporto, al passaggio dal rilievo all'oggetto (Mühl), in modo da rendere evidente che la tela era diventata solo *una* superficie tra le altre, un oggetto tra gli altri.

Come secondo passo, i viennesi riconobbero la necessità di un fondamento non-compositivo in funzione del decentramento dell'ordine prospettico e fecero uso dei principi della permutazione e delle operazioni accidentali (per lo più violente). Il terzo e forse più importante passo fu la spinta verso l'inevitabile espansione nello spazio pubblico, teatrale quando non sociale. Tuttavia inizialmente sembravano all'oscuro dei parametri percettivi di questa espansione spaziale, dal momento che ignoravano o restavano indifferenti alle prime trasformazioni storiche dell'interrelazione ▲ tra spazio pittorico e sociale (ad esempio, l'opera di El Lisickij e dell'avanguardia sovietica in generale).

Paradossalmente, a dispetto degli istrionismi sull'assoluta originalità delle loro invenzioni, le vere e proprie opere prodotte nel periodo precedente allo sviluppo del movimento sono per molti aspetti simili ad alcune opere prodotte qualche anno prima da artisti americani: i dipinti di Brus e Adolf Frohner (1934-2007) esasperano l'effetto desublimatorio dei grafemi somatici degli anni ● Cinquanta di Cy Twombly e i *Materialbilder* (quadri materiali) di Mühl e Nitsch rassomigliano in modo perturbante agli assemblage ■ funk e neodada di artisti come Jasper Johns, Robert Rauschenberg, Bruce Conner o Allan Kaprow. È chiaro che gli azionisti viennesi hanno dato un'interpretazione scorretta della latente, e tuttavia inesorabile, spettacolarizzazione della pittura di Pollock come legittimazione celebrativa del ritorno dell'arte al rituale (che la retorica di Pollock aveva alimentato). Lo scrittore e teorico viennese Oscar Wiener (nato nel 1935) – un membro fondatore del Wiener gruppe che in seguito diventò in un certo qual modo la mente estetica e teorica degli azionisti viennesi – aveva già dichiarato nel suo *Manifesto fresco* del 1954 che la produzione artistica si sarebbe dovuta distaccare dagli *oggetti* per concentrarsi sull'opera d'arte concepita come una *struttura-evento*. Wiener anticipa così la profezia del saggio di Kaprow *L'eredità di Jackson Pollock* , in cui è scritto che "questi creatori spavaldi non solo ci mostreranno, come se fosse la prima volta, il mondo che abbiamo sempre posseduto benché ignorato, ma ci renderanno partecipi di una serie di eventi e avvenimenti inauditi".

Con l'esempio di Pollock ben chiaro, gli artisti americani cominciarono ad affrontare la struttura performativa della pittura – con le sue implicazioni di azione e durata – dal 1952 (per esempio quando John Cage organizzò il suo protohappening *Pezzo teatrale n. 1* insieme a Robert Rauschenberg, Mary Caroline Richards, ◆ Merce Cunningham e altri al Black Mountain College). Nel 1959 seguì la prima opera che assunse il termine "happening" (coniato dal suo inventore): *18 happening in 6 parti* di Allan Kaprow alla galleria Reuben di New York. È importante riconoscere immediatamente le differenze specifiche tra i primi happening di Kaprow, Dine e Oldenburg e le performance degli azionisti viennesi, che

▲ 1961 ● 1960a ■ 1959a

▲ 1921b, 1926, 1928a, 1928b ● 1953 ■ 1958, 1959b ◆ 1947a

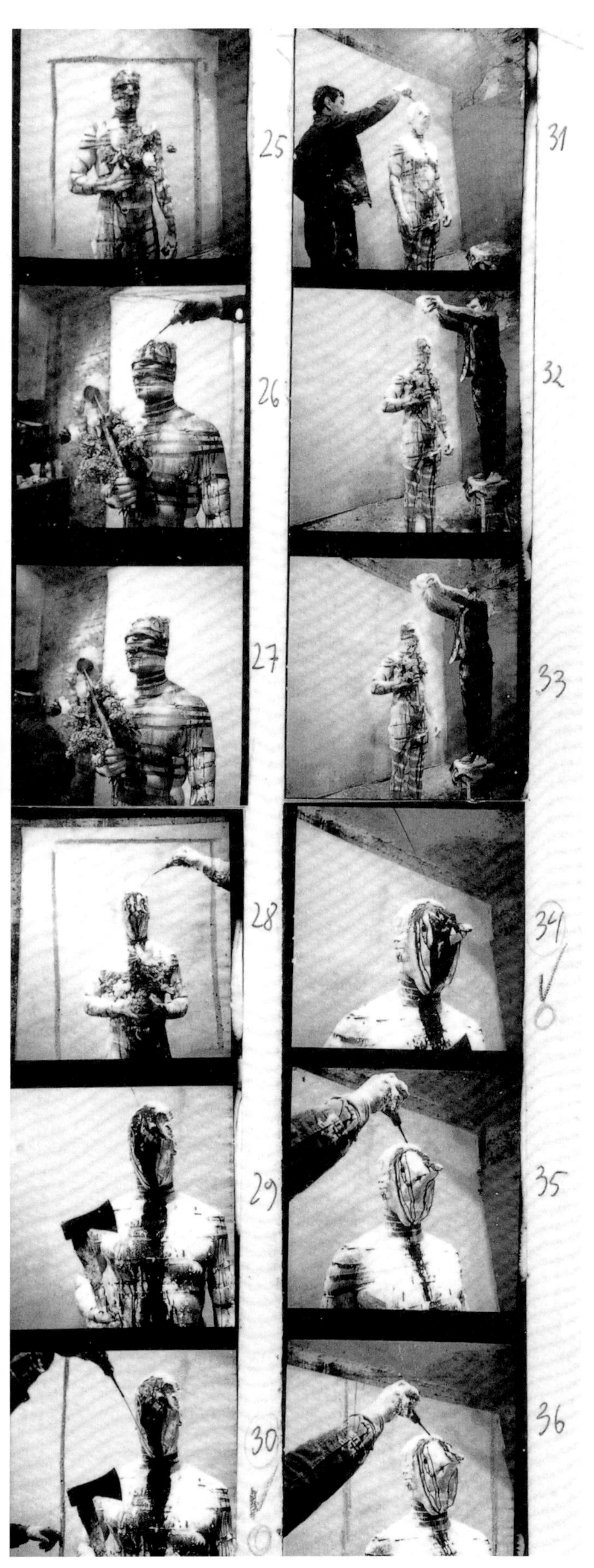

1 • Otto Mühl, *Azione materiale*, 1965
Documenti fotografici

ebbero inizio nel 1962. Mentre gli happening americani erano concentrati sullo scontro tra corpo e tecnologia, l'universo meccanico e gli ambienti della cultura di massa (ad esempio *Incidente automobilistico* di Jim Dine, *Foto morte* di Claes Oldenburg e la sua ▲ installazione *La strada*), gli artisti dell'Azionismo viennese fin dall'inizio misero l'accento sul ritorno al rituale e alla teatralità. In più, anche nelle prime performance gli azionisti viennesi si occuparono del corpo in sé trattandolo come un oggetto analitico, come il luogo libidinale dove l'intersezione tra la soggettività psicosomatica e la soggezione sociale può essere messa in atto in modo drammatico.

Queste differenze si spiegano in diversi modi. La prima è che gli azionisti legavano l'Action painting e il Tachisme con la tradizione espressionista austriaca, specificamente locale e regionale. Una delle caratteristiche culturali fondamentali di Vienna era stata la fusione del Cattolicesimo e del patriarcato con un ordine imperiale potente e gerarchico, fusione che era stata interiorizzata e realizzata soprattutto all'interno della classe borghese. Dall'inizio del XX secolo l'Espressionismo viennese aveva combattuto queste strutture di potere e si era costituito all'interno di una dialettica pungente e ben definita: da una parte c'era un culto ipertrofico del corpo sessuale, che considerava le sue pulsioni sovversive del regime borghese di sublimazione e rimozione; dall'altra c'era un simultaneo ribrezzo per il corpo e per la sessualità, intesi come le strutture stesse in cui l'ordine sociale e la repressione erano più profondamente radicate ed espresse nei comportamenti compulsivi e nelle sofferenze nevrotiche. Questa tradizione espressionista – che ebbe inizio con il dramma e il manifesto di Kokoschka, significativamente intitolati *Assassino, la speranza delle donne*, e con gli ● straordinari disegni di Egon Schiele e Alfred Kubin – fu sicuramente *uno* degli orizzonti cruciali e dei punti di partenza dell'Azionismo.

Psicoanalisi e perversione polimorfa

La seconda ragione della diversità culturale tra gli artisti viennesi e americani è il fatto che gli azionisti emergevano da una cultura psicoanalitica. La riscoperta delle teorie elaborate prima della guerra da Sigmund Freud e la riarticolazione della psicoanalisi nei suoi diversi rami e deviazioni da Wilhelm Reich (che fu di cruciale importanza per Mühl) a Carl G. Jung (la cui teoria degli archetipi inconsci si rivelò fondamentale per Nitsch) sono certamente un altro elemento chiave dell'Azionismo. Eppure la sua concezione del corpo è chiaramente postfreudiana, perché mette in primo piano le origini perverse polimorfe della struttura libidinale piuttosto che, come pretendeva Freud, concepire la sessualità come una traiettoria teleologica in cui gli stadi precoci e "primitivi" dello sviluppo istintuale vengono superati, culminando in una presunta genitalità egemonica ed eterosessuale. La nuova teatralità postlinguistica degli azionisti ha origine precisamente nel ricorso a questi oggetti parziali, in una regressione ostentata e quasi programmatica, per non dire in una messa in scena propagandistica, delle fasi primitive dello sviluppo sessuale. Questo particolare confronto ricorda il

▲ 1961 ● 1900a

conflitto simile tra le teorie psicoanalitiche surrealiste di André Breton e la critica irridente del Surrealismo e dell'ortodossia freudiana da parte di Georges Bataille e Antonin Artaud. Ma gli azionisti furono influenzati tanto dal Surrealismo di Breton (ignorando Bataille) quanto dal "teatro della crudeltà" di Artaud. ▲ Apparentemente nel processo di formulazione del progetto dell'Azionismo hanno lavorato in entrambe le direzioni.

Ultimo punto, e forse il più importante, gli azionisti viennesi collocavano loro stessi e la loro opera all'interno della cornice storico-sociale dell'Austria postnazista. Così Otto Mühl, il più vecchio del gruppo, aveva passato due anni nell'esercito tedesco durante la guerra e più tardi affermò che il suo azionismo era la risposta personale all'esperienza del nazismo. Dopo il 1945 l'Austria, come la Germania, era stata occupata dagli alleati. Dagli anni Cinquanta in poi fu sistematicamente ristrutturata secondo le leggi di una democrazia liberale.

Adottando i principi della cosiddetta società del libero mercato, il comportamento della vita quotidiana in Austria fu rapidamente condotto allo stile americano del consumo compulsivo. Come nella Germania postnazista, gli austriaci sembravano convinti che la transizione si sarebbe effettuata meglio abbracciando i principi di una forte repressione e attraverso una potente rimozione del recente passato fascista, nella sua varietà autoctona e nella versione imposta dall'esterno dell'*Anschluss* (annessione) alla Germania nazista nel 1938, e delle catastrofiche conseguenze di entrambe.

La straordinaria violenza che l'opera degli azionisti presenta allo spettatore sembra quindi trarre origine da una dialettica propria delle culture postfasciste europee: da un lato, evidentemente gli azionisti hanno stabilito che l'esperienza poteva essere risuscitata solo rompendo la corazza della repressione collettivamente imposta. Quindi la messa in scena rituale di forme brutali ed eccessive di mortificazione dell'uomo e la degradazione teatrale del corpo sarebbe diventata imprescindibile, dal momento che qualunque forma di rappresentazione culturale da allora in poi si sarebbe dovuta misurare con la distruzione del soggetto, ormai storicamente stabilita su larga scala. Dall'altra parte, l'Azionismo sembra avere volontariamente impostato una completa ritualizzazione delle pratiche artistiche sotto la nuova egida della cultura dello spettacolo. Mentre le grottesche performance di Georges Mathieu e di Yves Klein sembravano almeno comunicare uno sguardo ironico di consapevolezza della propria condizione, non ci sono indizi che gli azionisti sfruttassero questa determinazione.

Gesamtkunstwerk e parodia

Nel 1960 Nitsch aveva cominciato a produrre le prime variazioni sull'eredità del Tachisme e dell'Action painting versando la pittura (per lo più rosso sangue) direttamente sopra (o piuttosto *dentro*) le sue tele. L'aspetto sanguinolento di questi *Schüttbilder* – secondo la sua definizione – cercava di simulare il sacrificio utilizzando la monocromia modernista. Questi dipinti dichiaravano che una tela piatta non era solo un oggetto dell'autoriflessione neopositivista, ma doveva diventare ancora una volta un luogo di esperienza rituale e trascendentale. Di conseguenza i titoli di Nitsch come *Stazioni del Calvario*, *Muro della flagellazione* e *Trittico del sangue della croce* collocano programmaticamente ogni opera al di fuori dalla pittura modernista e rivendicano il suo accesso alle sfere del sacro, del mito e della performance liturgica. Nitsch avrebbe dichiarato più tardi nel suo *Manifesto organo sangue* del 1962:

> *Attraverso la mia produzione artistica (una forma di devozione alla vita) mi faccio carico di tutto quello che appare come un desiderio negativo, perverso e osceno, e dell'isteria sacrificale che ne risulta, in modo da risparmiarvi la degradazione e la vergogna di una discesa nell'estremo.*

All'opposto, il primo *Materialbilder* di Mühl (cominciato nell'estate 1961) doveva più al suo incontro con il linguaggio della scultura "junk", a quei tempi universalmente praticata nell'opera di Jean Tinguely a Parigi e in quella di David Smith, Richard Stankiewicz e John Chamberlain a New York, che avevano tutti ▲ ● utilizzato prodotti di scarto dell'industria contemporanea per creare delle sculture antimeccaniche. Invece di continuare, nei panni del pittore/scultore, la tradizione dell'assemblage alla Kurt Schwitters, venerato dai viennesi come uno dei loro più grandi ■ predecessori, Mühl a partire dal 1963 cominciò a definirsi solo "poeta e regista". Già proiettato nella direzione delle sue successive *Materialaktionen* (Azioni materiali), egli descrive la sua opera di assemblage in questi termini: "un'espansione sensoriale e movimento nello spazio, caduta a terra, mescolata, rotta, ammucchiata, strappata, fatta a pezzi e scoppiata". Mühl chiama il suo progetto artistico *distruttivista* (presumibilmente per contrapporlo al Costruttivismo) e definisce il suo dogma anarchico e nichilista ◆ come "rivolta assoluta, disobbedienza totale e sabotaggio sistematico. [...] Tutta l'arte verrà distrutta, annichilita, esaurita e qualcosa di nuovo avrà inizio".

Rifacendosi direttamente all'affermazione futurista che i materiali *industriali* equivalgono a qualsiasi altro ai fini della produzione artistica, Mühl ora celebra l'incorporazione delle sostanze più banali della cultura del consumo quotidiano. Nelle sue performance teatrali (che dal 1963, anno in cui Kiki Kogelnick [1935-77], un artista austriaco di stanza a New York, gli parlò della parola coniata da Kaprow, egli chiamò "happening"), non è più la forza dell'industrializzazione, ma l'universale regime di mercificazione a stabilire i termini della subordinazione individuale. Nel momento del passaggio dall'Action painting alla *Materialaktion*, Mühl afferma che "farina e carne, verdura e salse, gelatina e briciole di pane, vernice liquida e colori in polvere, carta, stracci, polvere, legno, pietre, panna montata, latte, olio, fumo, fuoco, utensili, macchine, aeroplani, ecc." sono tutti buoni per la creazione di una *Materialaktion*. E troviamo una posizione molto simile negli scritti contemporanei di Nitsch quando afferma che "tutte le normali sostanze della vita quotidiana come olio e aceto, vino e miele, tuorli d'uovo e sangue, carne, intestini e polvere di talco erano scoperte

▲ 1924, 1930b, 1931b

▲ 1960a ● 1945 ■ 1926 ◆ 1921b

per l'Azionismo per la loro sostanza e sensualità materiale". Entrambe le affermazioni ricordano inevitabilmente ancora una volta il saggio di Allan Kaprow *L'eredità di Jackson Pollock* e le *due* liste di materiali di uso quotidiano appena scoperti:

> *Utilizzeremo le sostanze specifiche della vista, del suono, del movimento, della gente, degli odori, del tatto. Oggetti di qualsiasi genere costituiscono materia per la nuova arte: pittura, sedie, cibo, luci elettriche e neon, fumo, acqua, calzini usati, film, un cane, e mille altre cose che saranno scoperte dalla nuova generazione di artisti.*

Le *Materialaktionen* di Mühl dal 1963 in poi fanno uso di due strategie cruciali: l'*Entzweckung* (disfunzionalizzazione) e l'*Entwirklichung* (derealizzazione). Entrambe distaccano gli oggetti e i materiali dalle loro funzioni comuni e realizzano un effetto di straniamento con l'esecuzione di attività quotidiane nel contesto della *Materialaktion*, mirando abbastanza esplicitamente a una nuova immediatezza della sensazione e della cognizione paragonabile alla tradizione del modello sovietico formalista dell'*ostranenie*. Nonostante le loro esplicite pretese antiteatrali, e al di là del potente impatto delle teorie e degli scritti di Artaud sugli azionisti al completo, le *Materialaktionen* sembrano fondere la disperazione infinita del *Finale di partita* (1958) o di *Giorni felici* (1961) di Samuel Beckett, in una variante viennese delle commedie farsesche di Buster Keaton e di Charlie Chaplin (come *Tempi moderni* del 1936) sulla subordinazione sventurata e senza speranza del soggetto alle forze dell'industrializzazione avanzata **[1]**.

L'Azionismo viennese si muove quindi in uno spettro che spazia dal sacro al grottesco. L'*Orgien Mysterien Theater* di Nitsch occupa un'estremità di questo spettro, con il suo sincero tentativo di ricreare un'esperienza di intensità pari a quella un tempo offerta dalla catarsi nelle tragedie classiche, dai riti della redenzione nel mondo cristiano, dall'opera e dal teatro barocco. La totale simultaneità di oggetti, materiali e azioni e le conseguenti condizioni di sinestesia inevitabilmente portarono con sé un nuovo concetto di *Gesamtkunstwerk* (e Nitsch senza dubbio considerava Richard Wagner un eroico precursore degno di essere seguito). Nei moderni spettacoli misterici di Nitsch, percezioni acustiche e ottiche, olfattive e aptiche sono fuse con una serie di attività sul palco che vanno dal rituale alla provocazione, dalla pura esecuzione dell'oggetto alla celebrazione ieratica. Nelle parole di Nitsch: "Nella realtà delle nostre azioni tutto viene mescolato. La poesia diventa pittura, o la pittura diventa poesia, la musica diventa azione, la pittura d'azione diventa teatro, il teatro informale diventa prima di tutto un evento ottico" **[2]**.

All'opposto, la cornucopia di oggetti negati di Mühl e la sua proliferazione di oggetti di consumo, che spesso arrivano quasi a coprire, se non a seppellire, i performer, segna certamente l'altra estremità dello spettro. Gli stessi titoli delle *Materialaktionen* le pongono chiaramente a distanza dall'*Orgien Mysterien Theater*: *Immersione di un nudo*, *OMO* (dal nome del più "importante"

2 • Hermann Nitsch, *Azione n. 4*, 1963
Performance

detersivo del tempo), *Mamma e papà* o *Leda e il cigno*. Tutte queste messe in scena dello scandalo, della pubblica umiliazione e della degradazione dei corpi dei soggetti esprimevano i grotteschi esorcismi del consumo più nella forma della parodia o della commedia satirica che in quella della redenzione rituale e della tragedia.

Positivismo e patologia

La performance congiunta di Nitsch, Mühl e Frohner del 1962 intitolata *L'organo sangue* è senz'altro l'evento che ha fondato l'Azionismo viennese. Nitsch descrive l'opera come una manifestazione collettiva che utilizza modelli scientifici derivati dalla psicologia profonda e dalla psicologia delle masse per riaccendere quel genere di esperienza che i culti dell'antichità fino al Cristianesimo dovevano presumibilmente avere offerto. In contrapposizione a quanto Nitsch percepiva come "l'inettitudine collettiva nei confronti dell'esperienza e la paura collettiva dell'esistenza", il suo *Orgien Mysterien Theater* mirava a condurre il pubblico "attraverso l'organizzazione rituale di forme sensuali elementari per fare un passo verso una vita intesa come continua festa celebrativa".

Dal 1966 Mühl aveva dato inizio insieme a Oswald Wiener a un progetto di attività controculturale chiamato *ZOCK* (un acronimo trovato da Peter Weibel [nato nel 1944] che stava a significare "distruzione dell'ordine, della cristianità e della cultura", ma era anche un verbo, *zocken*, che in tedesco vuol dire colpire, battere o giocare a carte). *ZOCK* si ispira esplicitamente alle istanze antiartistiche del Dadaismo, anche se nella pronuncia ci rimanda ancora ▲ una volta alle magniloquenti profezie anticulturali del Futurismo. ●

▲ Introduzione 3, 1915
▲ 1916a, 1920 ● 1909

Così Wiener e Mühl annunciano nel loro manifesto che "tutti i teatri, lirici e non, i musei e le biblioteche dovrebbero essere rasi al suolo", e continuano la loro polemica classificando gli artisti pop e ▲ minimalisti, fino ai concettuali e ai land, come i peggiori nemici della loro iniziativa anticulturale.

La centralità di Oswald Wiener come teorico sia del Wiener gruppe che degli azionisti viennesi (ruolo poi assunto da Weibel, che sarebbe diventato il critico e storico più strutturato di entrambi i gruppi, sviluppando allo stesso tempo una pratica artistica che cercava di superare i confini geopolitici e storici dell'Azionismo) evidenziava un'altra tradizione molto legata all'avanguardia viennese. A una prima occhiata si potrebbe credere che l'approccio neopositivista al linguaggio poetico praticato dal Wiener gruppe e la celebrazione del mondo prelinguistico della sessualità perversa polimorfa degli azionisti viennesi si escludano a vicenda. Di fatto essi costituivano le due metà non solo della dialettica dell'Illuminismo in generale, ma più specificamente del dualismo epistemologico che ha segnato la cultura viennese dal XIX secolo in avanti, concretizzatosi nel simultaneo affioramento della teoria psicanalitica di Freud e della teoria epistemologica di Ernst Mach, il cui empiriocriticismo insisteva sull'idea dell'intelligibilità definita solamente dall'evidenza materiale, piuttosto che da concetti storici o metafisici.

La terza – e probabilmente più complessa – figura del gruppo, Günter Brus, ha apparentemente compiuto i primi passi nella direzione dell'Azionismo sotto la guida del più anziano Mühl, che nel 1964 aveva insistito affinché Brus abbandonasse i suoi ultimi *Quadri labirinto informali* in favore di azioni dirette basate sulla performance. Fin dall'inizio Brus aveva accostato la pittura alla sessualità, affermando che la pittura è una forma di masturbazione, dal momento che entrambe le attività si praticano in privato. La sua prima performance, *Ana*, segna il suo ingresso nell'Azionismo (1964). Brus dislocò il processo pittorico direttamente sul corpo del performer, mostrandosi dipinto di bianco in stanze dipinte dello stesso colore. La performance davanti ai suoi dipinti era una citazione dell'opera di Arnulf Rainer (nato nel 1929), le cui *Sovrapitture* erano tenute in grande considerazione da tutti gli azionisti. In una graduale espansione dei luoghi delle sue performance, Brus si sottopose a un confronto diretto con lo spazio sociale. Nella sua opera *Passeggiata* (1965), l'artista, dipinto di bianco con una riga verticale nera che divideva il suo corpo a metà, s'incamminò per le strade di Vienna, dove fu prontamente arrestato dalla polizia. Ciò che distingueva l'opera di Brus da quella dei suoi compagni del movimento è che dal principio egli situò le sue attività al di fuori di qualunque messa in scena teatrale e al di là di ogni promessa di redenzione per mezzo del rito **[3]**.

Brus cominciò il suo progetto di *Azione totale* nel 1966, ancora in collaborazione con Mühl. La loro prima performance congiunta, che ebbe luogo nella villa di Adolf Loos il 2 giugno 1966, era significativamente intitolata *L'ornamento è un crimine*, aggiungendo ▲ verbo e articolo al famoso titolo di Loos *Ornamento e crimine* e impregnandolo di una nuova urgenza e concretezza. *Azione totale*

3 • Günter Brus, *Senza titolo*, 1965
Documentazione fotografica di varie performance

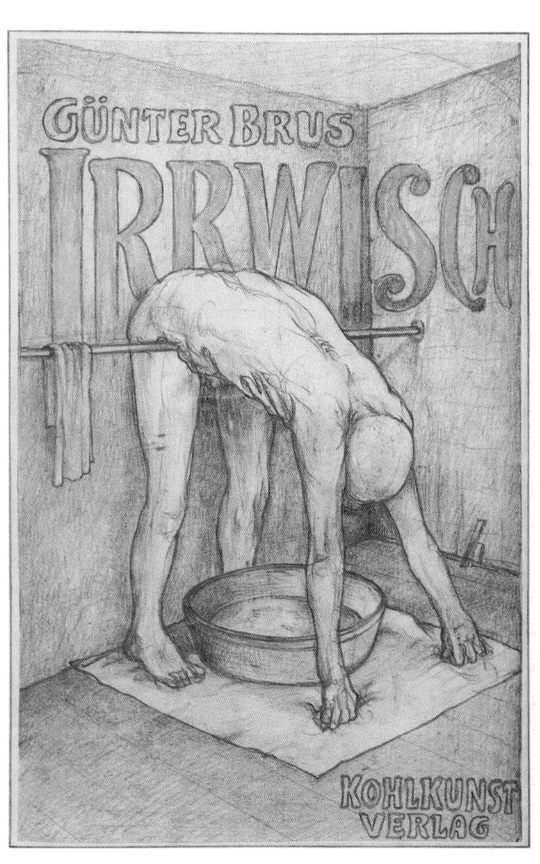

4 • Günter Brus, copertina di *Il briccone*, Kohlkunst Verlag, Francoforte, 1971

▲ 1960c, 1962d, 1964b, 1965, 1967a, 1968b, 1970

▲ 1900a

combina elementi dell'*Orgien Mysterien Theater* di Nitsch con la *Materialaktion* di Mühl. Il linguaggio è qui ridotto ai suoni prelinguistici più elementari, come balbettare, fischiare, respirare forte, urlare, avvicinandosi alla pubblica rappresentazione della "terapia primaria" di *L'urlo primario* (1970) dello psicologo Arthur Janov.

Il contributo più importante di Brus alla cultura viennese del dopoguerra è senza ombra di dubbio la sua prolifica produzione di straordinari disegni (come il suo libro *Il briccone* [1971]), in cui il martirio della contemporaneità è registrato nella maniera lapidaria di un disegnatore nelle stanze della corte dove la fotografia è proibita **[4]**. O anche (dal momento che il culto dell'alterità mentale dei bambini o dei malati di mente è un altro topos culturale fondamentale per gli azionisti), i disegni sembrano appartenere alla maniera dei pazienti psichiatrici, per i quali il dettaglio eseguito compulsivamente è una promessa della più alta realizzazione della visione o la più stretta prossimità all'oggetto del desiderio.

Se proprio si dovessero paragonare i disegni di Brus a qualche altra opera grafica del Novecento, si tratterebbe senz'altro dei disegni erotici ossessivamente dettagliati di Pierre Klossowski (1905-2001), anche se Brus non poteva conoscerli (durante gli anni Sessanta erano inaccessibili). La concezione della sessualità e dell'esperienza corporea di Brus apre tutti i registri delle storie represse dello sviluppo libidinale individuale e collettivo. Quando il corpo nei disegni di Brus viene sottoposto a un'infinità di atti di tortura e abbietta degradazione, le afflizioni subite dal soggetto appaiono, quasi sempre, meccaniche o, per meglio dire, neuromotorie. Diventa quindi evidente che le macchine di tortura immaginarie di Brus sono legate all'ordine sociale esistente che regola, domina e controlla l'apparato libidinale del soggetto. Le sue formulazioni estreme spiegano in modo dialettico le forme di repressione che fondano l'incontestata normalità all'interno delle condizioni che regolano la vita quotidiana della tarda società capitalista.

A questo proposito, evocative della famosa domanda di Bertolt Brecht "Che cos'è l'assassinio di un uomo a paragone del suo impiego per tutta la vita?", le immagini di orrore nei disegni di Brus e nelle *Materialaktionen* di Mühl, la profondità della loro ripugnanza e le loro terrificanti regressioni nei più profondi recessi di una storia perversa polimorfa del soggetto, esprimono una manifesta opposizione alla scandalosa riduzione del soggetto, nel processo di assimilazione, a una forzata eterosessualità, alle regole della famiglia monogama, all'apparente supremazia della genitalità e dell'ordine patriarcale, e peggio ancora alla soggezione e alla scandalosa riduzione della complessità libidinale del soggetto ai ruoli e alle attività socialmente "accettabili" e "desiderabili" (per esempio il consumo forzato e la totale passività dell'esperienza sotto il regime della cultura dello spettacolo).

Un punto di svolta nell'Azionismo viennese, indubbiamente preparato dalla radicale contemporaneità e dalla precisione analitica dell'opera di Brus, verrà alla luce nei tardi anni Sessanta con l'arrivo di una nuova generazione di artisti come Valie Export (nata nel 1940) e Peter Weibel. È chiaro che per Export e Weibel il perpetuo coinvolgimento dell'Azionismo nella ri-ritualizzazione era ormai diventato insopportabile quanto il latente (ma anche aperto) sessismo patriarcale che proseguiva indisturbato in tutte le loro attività. Come prima nel Surrealismo, un latente sessismo aveva guidato anche i più radicali tentativi degli azionisti di tracciare la formazione di una sessualità del soggetto nella società patriarcale capitalista. In questa direzione, lo straordinario *Cinema tocca e palpa* di Export **[5]** appare come un rovesciamento paradigmatico di quasi tutti i principi dell'Azionismo. Nella sua esibizione pubblica (in una performance di strada offriva i seni a chiunque volesse toccarli attraverso l'apertura di una scatola), la radicalità dell'autoanalisi autosacrificale di Brus e la particolarità del suo trasferimento negli spazi sociali pubblici dove si costituisce l'io sono entrambi superati e spiazzati. Questo accade in primo luogo grazie allo spostamento operato da Export dall'esibizione rituale al reale registro in cui il controllo e l'oppressione sociale sono iscritti con maggior forza nel comportamento sessuale. In più la performance rende sfacciatamente ovvio che l'impegno nei rituali di redenzione e nei rimedi catartici non hanno più presa nel mondo della cultura dello spettacolo tecnologicamente avanzata e industrializzata. Infine Export, più degli altri azionisti, ricodifica apertamente la dimensione radicale del sacrificio messa in atto da Brus: sostituisce lo shock dell'emancipazione al rituale, conferendo ai suoi spettatori/partecipanti la possibilità di uno sguardo improvviso su quei registri della socializzazione in cui le forme socializzate della repressione sessuale e l'eterna infantilizzazione del soggetto sono legate ai mezzi di produzione. BB

4 • Valie Export, *Cinema tocca e palpa*, 1968
Azione

ULTERIORI LETTURE:

Kerstin Braun, *Der Wiener Aktionismus*, Böhlau Verlag, Wien 1999

Malcolm Green (a cura di), *Brus Mühl Nitsch Schwarzkögler: Writings of the Vienna Actionists*, Atlas Press, London 1999

Dieter Schwarz et al., *Wiener Aktionismus/Vienna Actionism*, Kunstmuseum, Winterthur; Scottish Gallery of Modern Art, Edinburgh; Ritter Verlag, Klagenfurt 1988

Peter Weibel e Valie Export (a cura di), *wien: bildkompendium wiener aktionismus und film*, Kohlkunst Verlag, Frankfurt 1970

1962c

Sulla scia della pubblicazione di *Pionieri dell'arte in Russia* di Camilla Gray si rianima l'interesse occidentale per i principi costruttivisti di Vladimir Tatlin e Aleksandr Rodčenko, che vengono elaborati in maniera differente da artisti più giovani come Dan Flavin, Carl Andre, Sol LeWitt e altri.

▲ ● Messo fuori legge in Unione Sovietica dal 1934, quando il Realismo socialista fu dichiarato arte ufficiale, il Costruttivismo di Vladimir Tatlin e Aleksandr Rodčenko ebbe miglior sorte in Occidente, anche se lì era conosciuto soprattutto attraverso la versione impoverita diffusa dai fratelli *émigrés* Naum ■ Gabo e Antoine Pevsner (1886-1962), entrambi scultori che interpretavano il Costruttivismo idealisticamente come arte pura piuttosto che nel senso materialista di costruzione applicata. Fondandosi sui principi cubisti, Gabo e Pevsner utilizzavano forme piane per presentare l'idea astratta di un motivo (spesso tradizionale come un busto o una figura) e materiali tecnologici (come il plexiglas) per rendere quest'idea concettualmente trasparente ed esteticamente pura. Allo stesso tempo tendevano a trattare queste forme e materiali come valori tecno-scientifici di diritto. Questo trattamento quasi feticistico dell'arte formale è lontano dalla "cultura dei materiali" che i primi costruttivisti cercavano di elaborare all'interno di un nuovo ordine di oggetti d'uso per la società comunista. Già condannata come borghese dai russi, l'"idea costruttiva" di Gabo e Pevsner fu accolta nel mondo occidentale proprio perché la sua mescolanza di estetica idealista e feticismo tecnologico si accordava alle tendenze delle istituzioni: mecenati, musei e scuole.

Due esempi della chiusura americana nei confronti del Costruttivismo russo sono particolarmente significativi. Nell'inverno 1927-28, prima dell'apertura del MoMA di New York, il suo ◆ giovane futuro direttore, Alfred H. Barr Jr., fece un viaggio nell'Unione Sovietica non ancora stalinista. Lì vide "una spaventosa varietà di cose" e benché all'inizio fosse favorevolmente impressionato da questa diversità, annotò nel suo diario: "Se possibile devo trovare dei pittori". Con il suo museo in mente, concentrò la sua attenzione sulla pittura che guardava al Cubismo piuttosto che su quella improntata al superamento costruttivista dei media tradizionali. Il secondo episodio, che riguarda in questo caso la scultura, ebbe luogo venti anni più tardi, quando l'autorevole critico Clement Greenberg abbozzò una storia da Guerra fredda della "nuova scultura" che in effetti ignorava il Costruttivismo. Secondo Greenberg "la nuova scultura-costruzione" si sarebbe evoluta dal Cubismo di Picasso, attraverso Gabo e Pevsner, fino a Lipchitz e González, tutti orientati verso l'"antiillusionismo". Tuttavia, più che l'esposizione costruttivista di una costruzione materiale, questo antiillusionismo produceva l'effetto opposto: "in altre parole, questa materia è incorporea, priva di peso ed esiste solo otticamente come un miraggio". In nome della costruzione veniva così invertito e capovolto il Costruttivismo materialista di Tatlin e Rodčenko, attraverso una genealogia idealista della scultura creata da Picasso, Gabo e Pevsner: una storia lacunosa poi diffusa da moltissime mostre, cataloghi, libri e riviste.

Progetti incompleti

▲ Negli anni Cinquanta le costruzioni saldate di David Smith e Anthony Caro, così come gli enormi assemblage di Mark di Suvero, sembravano restituire alcuni principi materialisti alla scultura. Ma ● degli ambiziosi giovani artisti come Donald Judd (1928-94), Dan Flavin (1933-96), Carl Andre (nato nel 1935) e Sol LeWitt cominciarono ben presto a criticare i tre predecessori. Benché astratto, Smith era ancora troppo figurativo; per quanto anticompositivo, Caro era troppo legato alla composizione; le travi gestuali di di Suvero erano poi una combinazione dei due difetti. In definitiva, la loro opera era considerata troppo pittorica, troppo simile a un Espressionismo astratto trasformato in scultura. Secondo un'affermazione di Andre, lui e i suoi compagni avevano cercato una "grande alternativa alle opere semisurrealiste degli anni Cinquanta, come quelle di Giacometti, e al tardo Cubismo di David Smith", e l'avevano trovata nel Costruttivismo di Tatlin e Rodčenko. Questo recupero aveva due ulteriori vantaggi: non solo rovesciava l'inversione idealista del Costruttivismo perpetrata da Gabo e Pevsner, ma eclissava anche il modello di modernismo incentrato sul medium teorizzato da ■ Greenberg nella sua raccolta di saggi del 1961 *Arte e cultura*.

Il recupero del Costruttivismo fu favorito dalla pubblicazione nel 1962 di *Pionieri dell'arte in Russia* della storica dell'arte Camilla Gray, inglese. Anche se non era focalizzato sul Costruttivismo, il libro documentava esperimenti formali come i rilievi di Tatlin, le costruzioni di Rodčenko, e il lavoro di "laboratorio" del gruppo Obmokhu, oltre a progetti utopici e utilitari come il *Monumento alla Terza Internazionale* di Tatlin (1920) e il dopolavoro operaio di ◆ Rodčenko (1925). "I nostri gusti sono dettati dalle nostre necessità", affermava Andre nel 1962; e se Flavin fu attratto da Tatlin per l'uso di materiali industriali, la produzione esibita e la localizzazione

▲ 1934a ● 1914, 1921b, 1925a ■ 1937b, 1955b ◆ 1927c

▲ 1945 ● 1965 ■ 1960b ◆ 1921b, 1925a

architettonica, Andre e LeWitt preferivano Rodčenko per la trasparenza della costruzione e l'origine quasi seriale delle strutture.

È difficile distinguere l'influenza specifica di *Pionieri dell'arte in Russia*, ma in questo dialogo tra Andre e il regista e fotografo Hollis Frampton nel novembre 1962 è evidente uno spostamento generale nel significato di "costruttivismo":

> *HF: Ma perché "costruttivista"? Mi hai riempito di celluloide ingiallita di Gabo e Pevsner.*
> *CA: Lascia che ti illustri a grandi linee ciò che intendo per estetica costruttivista. Frank Stella è costruttivista. Dipinge combinando unità identiche, discrete. Queste unità non sono strisce, ma pennellate. Abbiamo visto entrambi Frank Stella dipingere un quadro: riempie un modulo con elementi uniformi. I suoi disegni a strisce sono il risultato della forma e della limitazione dell'unità primaria. [...] Il mio costruttivismo è la creazione di disegni generali attraverso la moltiplicazione delle qualità dei singoli elementi costitutivi.*

La definizione di Frank Stella come costruttivista mostra quanto Andre e i suoi colleghi fossero impegnati a modificare la traiettoria impressa da Greenberg all'arte modernista. L'accento sugli "elementi identici" mostra che c'era un altro precedente in gioco, che contemporaneamente rafforzava la sfida a Greenberg e complicava il recupero del Costruttivismo: i readymade di Duchamp. Anche se già ampiamente noto, Duchamp era da poco ritornato con una forza particolare: nel 1954 a Philadelphia si era inaugurata la grande collezione Arensberg delle sue opere e nel 1963 a Pasadena si sarebbe tenuta la sua prima retrospettiva. Il suo modello di readymade apparve sotto nuova luce, perché Andre e gli altri percepirono che troppa parte del readymade si riduceva a un gesto retorico (di sentimenti antiartistici o di simpatie pop) e troppo poca costituiva un dispositivo strutturale. "I risultati degli esperimenti dadaisti non sono stati ancora valutati appieno", diceva a Frampton nello stesso dialogo. "Non penso che il vero prodotto degli esperimenti di Duchamp sia il mercato crescente di Rauschenberg".

Nel 1963, quindi, questi artisti avevano creato una combinazione delle due alternative radicali alla scultura tradizionale che cinquant'anni prima, nel 1913, erano nate quasi come complementari: la costruzione di Tatlin e il readymade di Duchamp. Non si trattava di un incidente storico: se "i nostri gusti [sono] dettati dalle nostre necessità", come affermò Andre, queste necessità erano specifiche. Per Andre la combinazione di costruzione e readymade era mediata dalla scultura di Brancusi. Differentemente da Judd, cioè, Andre aveva cominciato come scultore e voleva reindirizzare il medium piuttosto che distaccarsene. Brancusi forniva un modello di scultura che, sebbene spesso idealista nella forma, era spesso anche materialista nella sua articolazione di sostanza e luogo: una tensione che interessava molto anche a Flavin.

Flavin era esplicito sul suo rapporto con il Costruttivismo – "Quello che mi piace è tentare di creare a mio gusto a partire da quell'esperienza 'incompleta'" – ma questo rapporto non era semplice. Flavin, che aveva frequentato la scuola cattolica, era stato in seminario e nel 1961-62 aveva fatto diversi monocromi con delle luci attaccate sopra, intitolati *Icone* **[1]**. In parte si era ispirato alle icone bizantine, che lo avevano colpito per la "sensazione fisica" e la "presenza magica". Come prima a Tatlin, che aveva lavorato come restauratore di icone, l'icona fornì a Flavin un modello di immagine alternativo, al tempo stesso assertivamente materiale e spettralmente spirituale; nel 1962 egli definiva la sua arte "assolutamente magica". Forse aveva visto la giustapposizione di un rilievo di Tatlin e di un'icona russa che Gray aveva inserito in *Pionieri dell'arte in Russia*. In ogni caso Flavin aveva reso omaggio ai costruttivisti a partire dal 1964 con varie versioni di *Monumento a V. Tatlin* **[2]**, la cui piramide di neon ricorda il progetto della spirale metallica per il *Monumento alla Terza Internazionale*.

Un anno prima aveva modificato in maniera sottile ma significativa la sua pratica artistica e aveva cominciato a utilizzare la luce diffusa dei tubi al neon da sola, come un elemento readymade, senza la pittura. Il suo primo pezzo del genere era un comune tubo da due metri e mezzo fissato alla parete con un angolo di quarantacinque gradi, *Diagonale del 25 maggio 1963*. Non solo l'elemento luminoso era un *objet trouvé*, ma per Flavin "la diagonale si dichiarava": "sembrava sostenersi da sola in maniera diretta, dinamica e drammatica sulla parete del mio studio". Quindi anche il readymade era in gioco, ma era usato in maniera costruttivista per disfare la composizione tradizionale: "Alla lettera non esisteva alcuna necessità di comporre una volta per tutte questo sistema", affermava Flavin. Allo stesso tempo veniva messa in luce la sua distanza storica da entrambi i paradigmi, la costruzione e il readymade. Differentemente dal Costruttivismo, il materiale industriale non era futuristico ma trovato, readymade nel vero senso della parola. Diversamente da Duchamp, il readymade non era però destinato alla demistificazione o defeticizzazione dell'arte; Flavin considerava la sua luce come un "moderno feticcio tecnologico", "un

1 • Dan Flavin, *Icona I (alla luce di Sean McGovern che benedice tutti)*, 1961-62
Olio su gesso, masonite e pino, luce al neon rossa, 63,8 x 63,8 x 11,7 cm

(destra) Dan Flavin, *Icona II (Il mistero) (a John Reeves)*, 1961
Olio e acrilico su masonite e pino, presa di porcellana, catenina di accensione, lampadina a incandescenza, 63,8 x 63,8 x 11,7 cm

▲ 1958 ● 1914, 1918 ■ 1914 ◆ 1927b ▲ 1921b

Artforum

All'inizio degli anni Sessanta le riviste d'arte americane erano saldamente orientate al passato: *Artnews* aveva ereditato dal suo eminente direttore, Thomas B. Hess, l'attaccamento all'Espressionismo astratto e *Art in America*, come si evince dal nome, si limitava a documentare la produzione americana, sia colta che popolare. L'improvviso fermento di energia produttiva alla fine degli anni Cinquanta creò la possibilità di dare vita a una rivista di più ampie vedute. Nel 1962 l'occasione fu colta da Philip Leider e John Coplans a San Francisco; dopo poco spostarono il loro progetto in pieno sviluppo – *Artforum* – a Los Angeles, dove trovarono l'editore, Charles Cowles, e il suo caratteristico formato quadrato, disegnato da Ed Ruscha. I loro sguardi però erano puntati su New York, il reale centro della produzione estetica, e i direttori erano determinati a formare un comitato redazionale che potesse coprire le attività del mondo artistico dell'East Coast: Michael Fried, Max Kozloff, Annette Michelson, James Monte, Robert Pincus-Witten, Barbara Rose e Sidney Tillim, cui si aggiunse subito Rosalind Krauss.

L'opera di Ellsworth Kelly, definita astratta e minimale, segnò la nuova tendenza artistica che *Artforum* avrebbe documentato. Leider si impegnò a cercare un modo di scrivere nuovo e più energico rispetto allo stile vaporoso e letterario delle altre riviste, ma era anche assetato di testi scritti dagli artisti. Donald Judd, critico attivo di *Artnews* negli anni Sessanta, aveva istituito il discorso critico come veicolo legittimo per gli artisti. Robert Morris seguì la sua strada, e le *Note sulla scultura*, i suoi quattro saggi che stabilivano i principi del Minimalismo, vennero pubblicati su *Artforum* tra il 1966 e il 1969.

Robert Smithson in quel periodo stava ingarbugliando il campo concettuale della scultura e il suo *Entropia e nuovi monumenti* (giugno 1966) andò oltre l'ottimismo industriale della pratica minimalista. L'entusiasmo della rivista per *earthwork* come quelli di Smithson fu celebrato con un numero speciale (estate 1967). Questo allontanamento dal Minimalismo fece spazio anche all'Arte concettuale e presto apparvero scritti di Sol LeWitt come *Paragrafi sull'arte concettuale* (giugno 1967).

L'insistenza di Leider su una prosa lucida e analitica forgiò un rapporto stretto tra lui e Michael Fried, aprendo le pagine della rivista anche a Clement Greenberg e le sue copertine ad artisti come Jules Olitski, Kenneth Noland e Morris Louis. Nel 1971 Leider avvertì che se fosse rimasto direttore la rivista avrebbe corso il rischio di cadere in un'estenuante ripetizione. Allora decise di dimettersi, lasciando la direzione a John Coplans, il quale abbandonò la California per New York, dove si trovò a confrontarsi con una redazione radicalmente divisa in fazioni, che non riusciva a tenere assieme. Due degli scrittori più prolifici, Max Kozloff e Lawrence Alloway, erano ostili a quella che chiamavano la deriva "formalista" della rivista e spingevano affinché imboccasse più apertamente una direzione politica e a favore dei media socialmente rilevanti come la fotografia. Dall'altra parte della barricata si situavano Fried, Michelson e Krauss. Gli ultimi due si dimisero nel 1975 per fondare la propria rivista, *October*, il cui titolo deriva dal film di Sergej Ejzenštejn che patì la censura sovietica contro il "formalismo".

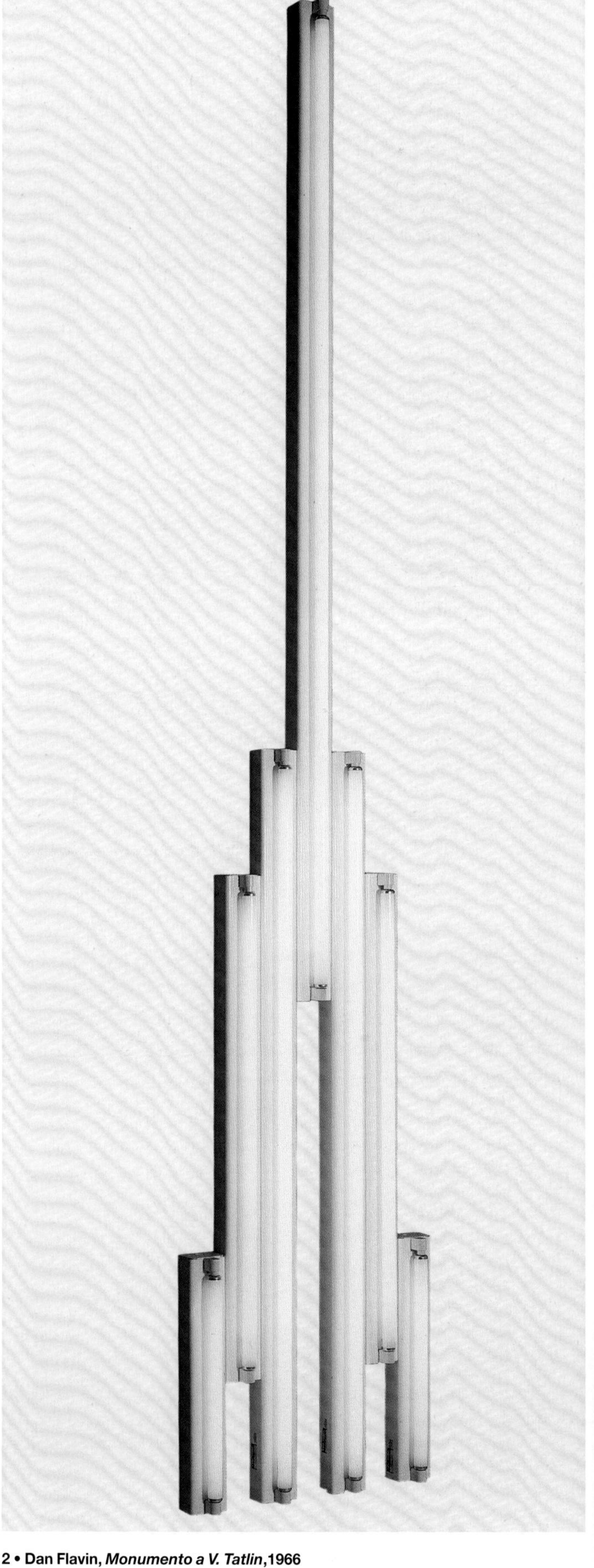

2 • Dan Flavin, *Monumento a V. Tatlin*, 1966
Sette tubi al neon di varia lunghezza, 365,8 x 71 x 11 cm

3 • Carl Andre, (destra) *Piramide non finita*; (sinistra) *Piramide (Piano quadrato)*, 1959 ca.
Legno, 175 x 78,7 cm (distrutto)

neon qualunque diventa un feticcio industriale comune, assolutamente riproducibile come al solito, ma ora in qualche modo singolarmente estraneo". In questo modo riuscì a unire due imperativi contraddittori dell'arte modernista: da una parte, quello di materializzare l'opera d'arte, in questo caso di mostrare la luce come luce ed esporre il suo supporto fisico; dall'altra, quello di smaterializzare l'opera d'arte, in questo caso di irradiarla di luce, inondare lo spazio di colore. Probabilmente è questo il motivo per cui *Diagonale* ▲ *del 25 maggio 1963*, pur alludendo a Tatlin e Duchamp, è dedicata a Brancusi, che aveva unito i due imperativi – il materiale e l'ideale, il mondano e il trascendentale – in una tesa sospensione.

Dei precedenti simili si trovano nei primi pezzi di Carl Andre, che alterna readymade "assistiti", alla Duchamp, a sculture in legno prima modellate e poi tagliate, alla Brancusi (per esempio, *Prima scala* [1958] sembra derivare dalla *Colonna senza fine* [1937-38] del rumeno). Comunque, già dal 1959 Andre aveva cominciato ad accatastare elementi di legno in strutture piramidali in un modo che ricorda molto le costruzioni di Rodčenko **[3]**, e nel 1961 ordinò in modo simile degli "oggetti trovati in acciaio". Entrambe le serie esprimevano la trasparenza costruttivista della costruzione. Sebbene più letterale di Flavin nell'uso dei materiali, Andre non era un puro positivista, perché trasformò presto questo metodo in "una sorta di poesia plastica" in cui elementi già fatti come mattoni, assi di legno e lastre di metallo venivano "combinati per produrre spazio" **[4]**. Questa ridefinizione della scultura come *luogo* lo indusse a produrre diverse serie di elementi rettangolari disposti di piatto sul pavimento: la scultura veniva strutturata secondo la logica

4 • Carl Andre, *Equivalente (VIII)*, 1966
Mattoni, 12,7 x 68,6 x 229,2 cm

▲ 1914, 1927b

dell'elemento quasi senza composizione, in modo da produrre spazio senza traccia della figura. In effetti Andre aveva convertito il readymade in una forma costruttivista; era cioè riuscito a prendere degli elementi prefabbricati e a farli diventare una speculazione riflessiva sulla materia, la struttura e il luogo.

Come i suoi colleghi, Sol LeWitt guardava al Costruttivismo attraverso modelli passati e necessità presenti. *Struttura a strisce sospesa* **[5]**, in cui diversi blocchi di legno sono montati perpendicolarmente, disposti su una piattaforma e sospesi al soffitto, sembra ▲ citare le "costruzioni spaziali" (1920-21) di Rodčenko. Tuttavia l'opera non articola sostanza, struttura e spazio in maniera realmente costruttivista, perché i blocchi sono dipinti, per lo più a strisce bianche e nere, oscurando più che rivelando la materia e la costruzione. Come le costruzioni di Rodčenko, in ogni caso, *Struttura sospesa* occupa uno spazio intermedio tra i media, una condizione "negativa" che non è né pittura né scultura, che LeWitt esplora più a fondo nelle *Strutture a pavimento* e nelle *Strutture a parete* del 1964-65, in cui dei piani di legno in differenti angolazioni sono disposti sul pavimento o a parete. Queste strutture non sono neppure architettura o pezzi di arredamento. "L'architettura e l'arte tridimensionale hanno una natura completamente opposta", affermava LeWitt nel 1967, in un momento in cui questa distinzione • sembrava offuscata dagli oggetti minimalisti. "L'arte non ha alcun uso". Così LeWitt esprime la distanza da questo aspetto del Costruttivismo, distanza già evidente nelle sue sequenze di strutture del 1965-66, in cui pittura e scultura erano di nuovo negate, letteralmente rimosse. È qui l'inizio delle griglie seriali, a cui è più legata la ▲ sua fama, che propongono la sua versione dell'Arte concettuale invece che rimandare ai precedenti costruttivisti **[6]**. Anche se meno idealiste nella forma rispetto a tanta Arte concettuale, le strutture non sono neppure materialiste: "A cosa assomigli un'opera d'arte non è molto importante", ha scritto Le Witt nel suo laconico *Paragrafi sull'arte concettuale* (1967). Tuttavia è arrivato a questo modo di lavorare attraverso la personale combinazione di costruzione e readymade, come si evince dalla famosa formula: "L'idea diventa una macchina che produce l'arte".

5 • Sol LeWitt, *Struttura a strisce sospesa*, 1963
Legno dipinto, 139,7 x 139,7 x 56,2 cm (distrutto)

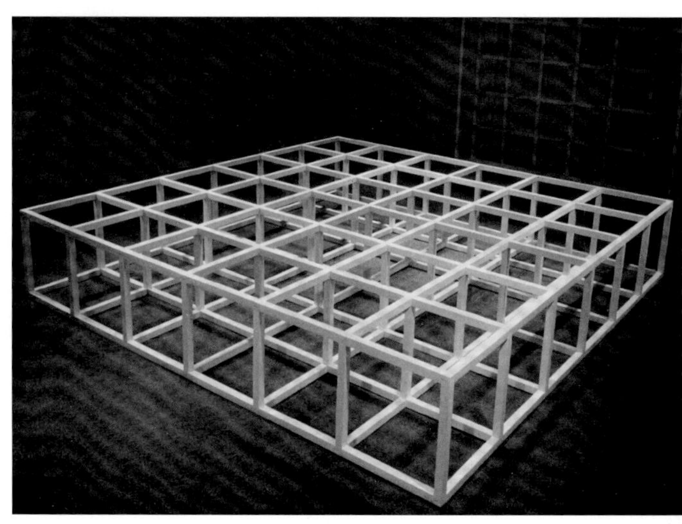

6 • Sol LeWitt, *Struttura modulare*, 1966
Legno dipinto di bianco, 62,2 x 359,4 x 359,4 cm

In questa formula resta ben poco del Costruttivismo. Forse la distanza storica da quel momento rivoluzionario poteva essere recuperata solo come rovina, come relitto emblematico di una pratica modernista che voleva articolare e promuovere l'arte e la politica insieme. Fu così, ad esempio, che nel 1964 Flavin rese omaggio all'artista Tatlin, e non, come Tatlin aveva fatto, a un nuovo ordine sociale. Certo, Flavin cita il Tatlin che si era ritirato nel suo progetto di un aliante, *Letatlin* (1932), ed è una commemorazione impregnata del pathos del fallimento: "*Monumento 7* con la luce bianca fredda del neon rende omaggio a Tatlin, il grande rivoluzionario che aveva sognato dell'arte come scienza. Esso si erge, compito ambizioso, in luogo del suo aliante, che non ha mai lasciato la terra". Tuttavia, se il progetto rivoluzionario del Costruttivismo russo non poteva essere recuperato, alcuni dei suoi propositi artistici poterono essere riutilizzati e questo recupero contribuì a far cambiare radicalmente direzione all'arte degli anni Sessanta. HF

ULTERIORI LETTURE:

Carl Andre e Hollis Frampton, *12 dialogues 1962-1963*, The Press of the Nova Scotia College of Art and Design, Halifax 1980

Carl Andre, *Cuts: Texts 1959-2004*, a cura di James Meyer, MIT Press, Cambridge (Mass.) 2005

Benjamin H. D. Buchloh, *Cold War Constructivism*, in Serge Guilbaut (a cura di), *Reconstructing Modernism*, MIT Press, Cambridge (Mass.) 1990

Hal Foster, *Uses and Abuses of Russian Constructivism*, in Richard Andrews (a cura di), *Art into Life: Russian Constructivism 1914-1932*, Rizzoli, New York 1990

Camilla Gray, *Pionieri dell'arte in Russia: 1863-1922*, trad. it. Il Saggiatore, Milano 1964

Jeffrey Weiss et al., *Dan Flavin*, National Gallery of Art, Washington D.C. 2004

▲ 1921b • 1965 ▲ 1968b

1962d

Clement Greenberg è il primo a riconoscere il lato astratto della Pop art, una caratteristica che resterà a lungo nell'opera dei suoi principali esponenti e dei continuatori.

Riesaminando l'Espressionismo astratto nell'ottobre 1962, Clement Greenberg vide il suo maggiore erede in Jasper Johns, i cui dipinti figurativi di lettere, numeri, bersagli e mappe discusse nei termini apparentemente paradossali dell'astrazione. Cogliendo l'ironia delle superfici pittoriche di Johns, con le loro macchie di pesante pigmento liberamente spalmate che imitavano i leggeri rilievi e avvallamenti delle opere maggiori di Willem de Kooning, giustapposte alle aride superfici piatte delle immagini readymade di bersagli, bandiere o mappe, Greenberg scrisse: "Tutto ciò che normalmente serve alla rappresentazione e all'illusione è lasciato servire solo a se stesso, cioè all'astrazione; invece tutto ciò che solitamente serve all'astratto o al decorativo – bidimensionalità, puri contorni o disegno allover o simmetrico – è messo al servizio della rappresentazione. E più esplicita è resa tale contraddizione, più efficace in ogni senso tende ad essere il quadro".

Con questa introduzione non sorprenderà l'astrattismo assoluto di *Tela* del 1956 [**1**], benché del maestro della Pop art, poiché l'opera è: a) una spoglia, grigia presentazione di una tela nuda con il suo telaio inserito all'interno; e b) una superficie monocroma increspata di tracce spesse di encausto (pigmento sospeso in cera fusa). Infatti *Tela* è il precedente delle famose *Lattine di birra* del 1960, una scultura in bronzo la cui superficie imita l'encausto dei dipinti, a proposito delle quali il pittore Frank Stella pare abbia esclamato: "Che tipo! [in realtà ha detto: "Che bastardo!"] Sarebbe capace di portare in galleria due lattine di birra e di venderle!"

1 • Jasper Johns, *Tela*, 1956
Encausto e collage su legno e tela, 76,3 x 63,5 cm

L'eredità dell'astrattismo di Johns

Il monocromo ha risposto al problema di disturbare l'omogeneità e la bidimensionalità della superficie del dipinto con l'intervento di forme di rappresentazione, sempre più sentite come arbitrarie. Johns aveva neutralizzato questa arbitrarietà con le forme preordinate del readymade (nelle figure dell'alfabeto, della bandiera americana o della mappa degli Stati Uniti). In tale strategia era stato preceduto (ma non influenzato) da Ellsworth Kelly, la cui determinazione a sfuggire all'arbitrarietà della "composizione" lo portò a realizzare tele interamente basate su oggetti trovati, come montanti di finestre o sassi della pavimentazione, o ombre proiettate su scalinate. Le configurazioni arcuate di queste ombre portarono presto Kelly a produrre quadri "sagomati": semplici archi convessi sullo sfondo bianco delle pareti della galleria. Kelly prese anche il quadrato teso della tela stessa come una sorta di superficie cromatica readymade che poteva essere giustapposta ad altri quadrati simili, ognuno una sorta di monocromo, a costruire una griglia astratta, tipo scacchiera. *Colori per grande parete* (1951) e *Sanary* (1952) sono due esempi. L'origine readymade di queste griglie di quadrati va cercata nelle confezioni commerciali di carte colorate vendute nei negozi di materiali per artisti. (In Francia, dove Kelly viveva con il G. I. Bill, queste carte sono chiamate *papiers gommettes*.)

I due lati dell'astrattismo di Johns sono derivati dalle sue superfici ad encausto, da una parte, e dalla sua scelta pop di oggetti

▲ 1947b, 1949, 1951, 1960b ● 1958 ■ 1953

2 • Jasper Johns, *Tuffatore*, 1963
Carboncino, pastello e acquerello su carta montata su tela, (due pannelli) 219,7 x 182,2 cm

▲ trovati, dall'altra. L'uso da parte di Richard Serra di piombo per le sue prime opere portò l'uso di Johns della cera fusa a una reinvenzione astratta della scultura. Per *Gettare* del 1968, per esempio, Serra scagliò piombo fuso nell'angolo del suo studio a formare matasse e pozzanghere che ricordavano il classico dripping di Pollock. La totale semplicità e immediatezza di *Gettare* testimonia la determinazione di Serra di abbandonare le associazioni figurative della scultura e abbracciare invece l'astrazione. I due aspetti dell'uso dell'encausto in Johns che Serra spinse in questa direzione furono la qualità evocativa del gesto visibile e la forza gravitazionale del peso materiale. Al servizio di quest'ultima, i pezzi "appoggiati" di Serra hanno ridotto la scultura stessa alla pura questione del peso, del pesante busto del corpo che richiede il supporto delle gambe. La semplicità dei pezzi "appoggiati" si basò sul fatto che la loro stessa *verticalità* era puramente assicurata soltanto dal peso del cilindro di piombo o dalla lastra che preme su di esso.

Sensibile com'era al peso, Serra vide la qualità dei contemporanei quadri astratti di Brice Marden come espressione, disse, del "peso del colore". Come nell'encausto di Johns, Marden (nato nel 1938) mescolò cera nei suoi pigmenti per aumentare l'opacità e la sensa-

▲ 1969

zione di materia pesante. L'ambizione di Marden nella direzione del peso pittorico lo portò verso quel tipo di monocromi grigi ad encausto che Johns aveva sperimentato in *Tennyson* del 1958 e *Bugiardo* del 1961. L'interesse di Johns per il peso è evidente nel magnifico *Tuffatore* del 1963 **[2]**, impronta a carboncino di un corpo intero, con le braccia distese, che sembra scivolare in basso sul foglio che fa da supporto.

Le prime opere di Marden, prodotte a Parigi (come quelle di Kelly), si limitarono a monocromi grigi. Ma invece di riempire l'intera superficie, alcune tele, come *Ritorno I* del 1964-65, peraltro esplicito omaggio a *No* di Johns del 1961, lasciavano un margine aperto sul lato basso **[3]**. Questo vuoto nella superficie può sembrare un'incoerenza nella spinta a chiudere il piano visivo, ma, come nel caso di *Ombra* di Johns, del 1959, la campitura grigia spingeva in giù solo parzialmente; il vuoto sotto lo spesso encausto evidenzia ironicamente l'ostruzione nei confronti del tentativo dello spettatore di penetrare la superficie in profondità.

La combinazione di pigmenti e la loro evacuazione di qualsiasi effetto ottico o luminoso fece delle prime opere di Marden, con la loro divisione in tre sezioni di colore – per esempio *Il mio* del 1976 – ▲ l'esatto opposto delle suggestive velature cromatiche di Mark Rothko. (Sorprendentemente Marden si autodefinì "romantico". Caspar David Friedrich, il pittore romantico tedesco, con il suo *Monaco in riva al mare* tripartito può in effetti essere il modello, con il suo mare e il cielo basso appesantiti dalla minaccia di pioggia.) Ciò nonostante, nel decennio seguente Marden continuò a mostrare l'influenza degli espressionisti astratti – attraverso Johns, come si è detto. Tra il 1988 e il 1991 si impegnò nella serie che intitolò *Cold Mountain*. Campiture pallide coperte da scuri ghirigori, le opere ● tradiscono un debito nei confronti delle matasse optical dei dripping di Pollock – altra apparente contraddizione rispetto all'ambizione di produrre il "peso del colore". Qui, tuttavia, dobbiamo ricordare le pozze di pittura all'alluminio di Pollock, che rompono gli effetti optical radicandosi fisicamente nella superficie materiale. In *Red Rocks 2*, del 2000-2, i grovigli coagulati vanno oltre le macchie alluminio di Pollock fino a ricordare le corde sadicamente ■ attorcigliate nei tardi collage di Miró chiamati "antipitture". Nel frattempo la dipendenza di Serra dal peso per dimostrare l'essenza della scultura, mista alla sua ammirazione per Marden, indubbiamente lo condusse alle sue superfici pittoriche del più

3 • Brice Marden, *Ritorno I*, 1964-65
Olio su tela, 127,6 × 173,4 cm

▲ 1947b ● 1949a, 1960b ■ 1931b

4 • Andy Warhol, *Ombre*, 1978
Inchiostro serigrafico su pittura ai polimeri sintetici su tela, 102 tele, ognuna 193 x 132,1 cm

5 • Andy Warhol, *Ossidazione*, 1978
Tecnica mista su vernice metallica su tela, 198 x 519,5 cm

puro peso. Prodotte a partire dagli anni Settanta, queste tele sagomate e fogli di carta coperti di pastello a olio nero hanno una superficie densa e opaca come l'encausto di Johns. Come le *Curve* di Kelly, i disegni a pastello a olio comportano simultaneamente l'oggetto e l'ombra che esso proietta sulla parete "sotto" di sé.

Il "destino" astrattista della Pop art

Gli alfabeti, bandiere e lattine di birra di Johns scatenarono l'energia della Pop art che li seguì negli anni Sessanta. Benché il nuovo movimento pop sembrasse del tutto dedito alla *rappresentazione* ironica di ciò che può essere soltanto *riprodotto*, cedette agli stessi valori astrattisti che Greenberg aveva individuato in Johns. Nell'opera di Roy Lichtenstein l'oggetto trovato che rispondeva all'astrattismo contemporaneo fu lo specchio – ovale o oblungo – che presentò in una serie di dipinti a partire dagli inizi degli anni Sessanta. In numerosi ▲ esempi, fasce e ombreggiature (nella maniera lichtensteiniana del retino fotomeccanico) suggerivano la smussatura o convessità della superficie dello specchio, la cui ironica trasparenza sembrava parodiare ● il movimento contemporaneo della Colorfield painting.

Lo humor di trasformare il pop in astrattismo (o il basso nell'alto) non fu assente nel più ironico di tutti: Andy Warhol. Spargendolo in vari soggetti che deridevano i sacri temi dell'Espressionismo astratto, Warhol si fissò sulle tempestose ombreggiature degli spessi pigmenti ■ dei quadri di de Kooning. Il risultato fu la sua monumentale serie *Ombre* del 1979, sequenza di quadri neri e colori brillanti, le cui forme assiali a croce sembravano creare delle griglie cubiste lungo le immense superfici delle pareti su cui erano appesi **[4]**.

Gli schizzi espressivi di Pollock furono l'oggetto seguente dell'ironia warholiana. Il critico Harold Rosenberg aveva chiamato le registrazioni esplosive del suo io interiore "pittura d'azione". L'ironia caratteristica di Warhol tradusse l'interiorità psichica dell'io nell'esperienza proiettiva del test di Rorschach – le forme non figurative prodotte con macchie d'inchiostro piegate su se stesse e usate per diagnosi psicologiche. Aggressivamente astratte, le macchie simmetriche dei *Rorschach* (1984) sottintendevano comunque l'organizzazione del corpo umano – la colonna vertebrale, gli organi sessuali, il sistema cardiovascolare. Di gran lunga più a fondo dei *Rorschach* nella loro parodia dei celebri dripping di ▲ Pollock andarono le *Ossidazioni*, realizzate da Warhol nel 1977 e 1978 coprendo grandi tele di vernice metallica, posandole sul pavimento e invitando gli ospiti dei pranzi, intrattenuti con vino, a ● urinarvi sopra **[5]**. Il metodo pollockiano di sgocciolare getti di smalto liquido su tele grezze distese sul pavimento dello studio era diventato famoso attraverso le fotografie che Hans Namuth scattò del processo di realizzazione nel 1950. Ora Warhol le prendeva in giro: Roschach era virato nel volgare.

Perduto-e-ritrovato nella traduzione

Dall'altra parte dell'Atlantico anche in Francia alcuni pittori stavano considerando l'astrattismo nella scia di Johns e della Pop art e sviluppando le proprie strategie. Come abbiamo già visto, Kelly, Marden e altri artisti americani lavorava lì alla fine degli anni Cinquanta e nei primi Sessanta, traendo beneficio dal dialogo con le loro controparti francesi, spesso attraverso critici come Marcelin Pleynet, amico del pittore James Bishop, che passò due anni a Parigi. La presenza di questi artisti americani fu solo una delle vie per cui i testi critici di lingua inglese entrarono nel dibattito artistico francese. Il più importante fu senza dubbio la comprensione da parte di Greenberg del rapporto che le superfici mosse di Johns realizzavano con il loro supporto pittorico, che le sue dense pennellate di encausto venivano a rappresentare (nello stesso modo in cui ■ i piani inclinati e le griglie del Cubismo analitico rappresentarono la trama delle tele sottostanti). Come mostrano le prime opere dei ◆ nouveaux réalistes Jacques de la Villeglé, Raymond Hains e François

▲ 1960c ● 1960b ■ 1947b, 1959c

▲ 1949a ● 1955a ■ 1911 ◆ 1960a

6 • François Rouan, *Porta Tuscolana*, 1971-72
Olio su tela, 200 x 170 cm

Dufrêne, il supporto, nella sua propagazione laterale da bordo a bordo, doveva essere rappresentato in tutta la sua continuità e intessuta ripetizione. Trovare un modo per realizzare questo dispositivo diventò il fulcro dell'arte parigina degli anni Sessanta. Due gruppi di pittori la cui opera era ispirata da questo paradosso tra rappresentazione e astrazione furono Support/Surface e BMPT. ▲

Fu François Rouan (nato nel 1943), associato per un periodo a Support/Surface, a trovare un modo di *figurare* il supporto della tela attraverso una tecnica che chiamò *tressage* (intrecciare), compiuto realizzando due tele identiche che poi ritagliava in lunghe strisce o cordicelle e tesseva l'un l'altra di traverso. L'ortogonalità di queste diagonali intrecciate richiamava il retrocedere della prospettiva a punto di fuga centrale, cosicché la griglia che formavano non solo suggeriva le pietre della pavimentazione delle piazze e pavimenti di cattedrali della pittura italiana del XV secolo (come quella di Piero della Francesca o Filippo Lippi), ma anche l'infrastruttura stessa del tessuto della tela. Il titolo che dava ai suoi quadri del 1971-73, *Porte*, cattura sia l'apertura della prospettiva evocata sia la bidimensionalità della tavola **[6]**. Intrecci di tele nere, le *Porte* erano versioni ● monocrome dei quadri neri di Ad Reinhardt, con i loro quasi impercettibili quadrati cruciformi che passano l'uno sopra e sotto l'altro attraverso le loro sottili differenze di tonalità e valore. Diversamente dalla croce visibile dei quadri di Reinhardt, tuttavia, l'intreccio distruggeva qualsiasi immagine distinguibile, così come collassava qualsiasi rapporto figura-fondo. Nell'introduzione al catalogo di una esposizione di Rouen, Denis Hollier rimanda all'affermazione di Freud che la spinta dell'arte a sublimare le pulsioni erotiche deriva dai tentativi delle donne paleolitiche di mascherare i propri genitali intrecciando i peli pubici. Al servizio della spinta dell'astrazione a "sublimare" (nozione freudiana secondo cui l'arte eleva la percezione al di sopra delle pulsioni erotiche), il *tressage* di Rouen manifesta come il supporto pittorico cerca di nascondere l'immagine. RK

ULTERIORI LETTURE:

Leo Steinberg, "Jasper Johns: The First Seven Years of His Art", in *Other Criteria: Confrontations with Twentieth-Century Art*, Oxord University Press, London-Oxford-New York 1972
Jeffrey Weiss, *Jasper Johns: An Allegory of Painting, 1955-1965*, Yale University Press, New Haven-London 2007
James Rondeau, *Jasper Johns: Gray*, Art Institute of Chicago, Chicago 2007
Yve-Alain Bois, *Ellsworth Kelly: The Early Drawings, 1948-1955*, Harvard University Press, Cambridge (Mass.) 1999
Annette Michelson (a cura di), *Andy Warhol*, MIT Press, Cambridge (Mass.) 2001
Philip Armstrong, Laura Lisbon e Stephen Melville (a cura di), *As Painting: Division and Displacement*, MIT Press, Cambridge (Mass.) 2001

▲ 1967c ● 1957b

1963

Dopo avere pubblicato due manifesti con il pittore Eugen Schönebeck, Georg Baselitz espone a Berlino *La grande notte nelle fogne*.

L'esposizione di un gruppo di quadri di Georg Baselitz alla galleria Werner & Katz di Berlino Ovest il 1° ottobre 1963 – compresi quelli che raffiguravano una grande figura singola nell'atto di masturbarsi, *La grande notte nelle fogne* **[1]**, e un grande nudo maschile con un'erezione – e il loro immediato sequestro da parte della Procura, fu uno dei primi scandali artistici a travolgere l'ancora giovane Germania dell'Ovest e preparò la scena alla messa in atto di alcune contraddizioni più rilevanti della cultura della ricostruzione postbellica. Baselitz (Georg Kern, nato nel 1938 in Sassonia, a Deutschbaselitz) si era trasferito nel 1957 da Berlino Est per studiare nella notissima Accademia di Belle Arti di Berlino Ovest. Lo stesso spostamento dalla Germania comunista a quella capitalista fu attuato qualche mese dopo da Eugen Schönebeck (nato nel 1936), che si sarebbe poi legato a Baselitz e che fino ad allora aveva studiato il Realismo socialista all'Accademia di Berlino Est; poi quattro anni più tardi da Gerhard Richter (nato nel 1932), che aveva studiato il Realismo socialista a Dresda, dai più giovani Sigmar Polke (1941-2010) e Blinky Palermo (1943-77); e ancora, molto più tardi, da A.R. Penck (nato nel 1939).

Dal Realismo socialista al Tachisme

Fin dall'inizio questo spostamento da uno stato comunista a un paese capitalista in procinto di essere ristrutturato secondo le regole del consumismo americano situava Baselitz e i suoi amici all'interno di una complessa triangolazione. In primo luogo, questi artisti dovevano allontanare da sé ogni residuo di Realismo socialista, che veniva imposto nelle accademie della Germania dell'Est come unico modello valido, rappresentato in particolare dall'opera di artisti tedeschi come Bernhard Heisig, Werner Tübke e Wolfgang Mattheuer, oltre che da quella dei loro precursori sovietici (Aleksandr Gerasimov, ad esempio) e dalle loro varianti francesi e italiane (André Fougeron e Renato Guttuso), tutti eroi nel mondo artistico della Germania orientale.

Inoltre al loro arrivo nella Germania dell'Ovest questi giovani artisti studiarono tutti con i tachisti e i pittori informali tedeschi, a Berlino (Baselitz con Hann Trier, Schönebeck con Hans Jaenisch) o a Düsseldorf (Polke e Richter con, rispettivamente, Karl Otto Götz e Gerard Hoehme). A quel tempo questa generazione di pittori era confortevolmente piazzata a produrre una variante tedesca dell'"astrattismo internazionale", le cui origini parigine e newyorkesi erano occultate quanto i ritardati processi di ricezione dell'avanguardia e della neoavanguardia in Germania lo permettevano. La loro era una forma di astrattismo, come ha affermato Klaus Herding a proposito di Willy Baumeister, che si era collocata nell'esatto punto di intersezione tra primitivismo e classicismo in modo da soddisfare le richieste di neutralità della repressione politica e culturale della Germania dell'Ovest. La sua funzione primaria sembra essere stata quella di produrre una sorta di "*Anschluss-Aesthetik*", un collegamento con una cultura incontaminata e una pubblica assimilazione all'eredità del modernismo europeo e americano, anche se in uno stato oramai degradato.

Intorno al 1962 quindi Baselitz, Schönebeck e gli altri sfidarono le forme egemoni di astrattismo con lo stesso fervore con cui poco prima avevano preso le distanze dal Realismo socialista. Ma questa opposizione frontale era più di una distinzione edipica da ciò che era successo in precedenza: si avventò contro la corazza delle pratiche pittoriche che la prima generazione degli artisti tedeschi aveva rapidamente messo insieme dopo la guerra e l'abbatté.

Una terza strategia connessa alle precedenti è evidente nell'opera di Baselitz del 1962: il rifiuto della presunta inevitabilità dell'"internazionalismo" (orientato soprattutto verso Parigi e New York) come condizione intrinsecamente necessaria per la ricostruzione di una cultura d'avanguardia (o piuttosto la fondazione della neoavanguardia) sul territorio del precedente stato nazista. Questa terza manovra di distanziamento avrebbe portato a una crescente opposizione culminante in un profondo chiasmo generazionale tra i due modelli di produzione artistica che avrebbero dominato l'arte tedesca dei decenni seguenti.

Da una parte, Baselitz pose le basi di una nuova estetica conservatrice, rivendicando un'identità artistica e storica convenzionale più o meno inalterata. Il suo lavoro faceva appello, in particolare, a quella tradizione della pittura tedesca modernista distrutta dal governo nazista dopo la mostra *Arte degenerata* del 1937 (per Baselitz erano fondamentali le opere degli espressionisti del gruppo Die Brücke e quelle di Ludwig Meidner [1884-1966] e Oskar Kokoschka). Ma il modello di continuità di Baselitz tentava anche di ritornare a delle pratiche nate prima dell'avvento dell'Espressio-

▲ 1988 ● 1934a, 1972b ■ 1934a ◆ 1946

▲ 1937a ● 1908 ■ 1900a

1 • Georg Baselitz, *La grande notte nelle fogne*, 1962-63
Olio su tela, 250 x 180 cm

nismo: l'eredità del modernismo tedesco di provincia nell'opera pittorica di Lovis Corinth (1858-1925) e Max Slevogt (1868-1932).

Dall'altra parte, il modello messo in atto nell'opera di Richter, Polke e Palermo a Düsseldorf rigettava proprio la desiderabilità (o negava del tutto la possibilità) dello sviluppo di un'identità tradizionale nelle pratiche pittoriche del dopoguerra. Infatti questi artisti situavano la loro opera in un sistema di relazioni più complesso con le avanguardie, trapiantandola nell'estetica radicale degli artisti della neoavanguardia di New York e Parigi, da Yves Klein a Piero Manzoni, fino ai molto influenti espressionisti ▲ astratti della scuola di New York e ai più recenti artisti pop e fluxus.

Le origini di questi due modelli di opposizione estetica potrebbero essere teorizzate in modi differenti e le loro implicazioni per l'arte tedesca successiva potrebbero essere interpretate di conseguenza, ma forse è possibile spiegarle in modo più produttivo nei • termini in cui il filosofo Jürgen Habermas ha teorizzato le istituzioni e i soggetti sociopolitici della Germania del dopoguerra, come sospesi nel conflitto tra formazioni identitarie convenzionali e postconvenzionali. Così si potrebbe dire che l'opera di Baselitz del 1962 ha creato una "nuova" estetica pittorica che non solo privilegiava la continuità della produzione artigianale della rappresentazione intesa come definizione primaria dell'arte, ma favoriva la persistenza di un fondamento locale, regionale e nazionale della pratica artistica. Nel fare questo, stabiliva una gerarchia dei valori culturali e insisteva nella validità ancora attuale, se non esclusiva, di un'identità nazionale convenzionale come fondamento della cultura della Germania postbellica.

All'opposto, l'opera di Richter e Polke di quell'anno sviluppò un'estetica in cui la supremazia dell'artigianale era continuamente messa alla prova dal fatto che la rappresentazione pittorica appariva come inconcepibile al di fuori dei parametri della produzione mass-mediale di immagini e dell'apparato dell'industria culturale. La stessa pittura veniva quindi rimossa dal suo statuto di garante dell'identità convenzionale e della continuità culturale: veniva riposizionata come ibrido all'incrocio di varie convenzioni e tecnologie della rappresentazione che non erano contaminate dall'ideologia culturale dello stato nazione, e riconosceva l'idea della formazione dell'identità posttradizionale come necessità inevitabile per le pratiche culturali della Germania del dopoguerra.

Questi conflitti erano inizialmente condotti sul piano delle idee e delle tecniche funzionali alla rappresentazione pittorica: fino a quando affermarono l'ininterrotta convenzionalità della pittura, pittori come Baselitz e Schönebeck rivendicarono la disponibilità (fotograficamente) non mediata della figura antropomorfica e insistettero sulla capacità della pittura di avere accesso al corpo nella rappresentazione mimetica. Paradossalmente, comunque, osservando la loro opera sembra che un attaccamento forzato alla figura in quel momento storico potesse essere raggiunto solo costringendo la pittura figurativa a un simultaneo regime di deformazione, frammentazione o distorsioni ipertrofiche grottesche.

La problematica insistenza sulla figurazione, che riproduceva il ■ dilemma picassiano post-1915 nel contesto specifico dell'arte europea del dopoguerra (e per la prima volta nella cultura tedesca postbellica), veniva adesso posta a un altro livello. Gli esempi cui Baselitz e Schönebeck **[2]** si richiamavano al momento, i precursori internazionali e gli artisti contemporanei che sembravano legittimare gli altrimenti troppo provinciali recuperi dei modelli ▲ dell'Espressionismo tedesco, erano i pittori inglesi Francis Bacon e Lucian Freud e l'americano Philip Guston, la cui recente conversione alla figurazione era stata a sua volta ottenuta solo dipingendo il corpo umano a pezzi o sfigurato in modo grottesco o fumettistico. Ma soprattutto fu la scoperta dei corpi frammentati e delle • forme antropomorfiche nell'opera del francese Jean Fautrier a diventare un punto di riferimento fondamentale per Baselitz. Nell'opera di Fautrier il problema epistemologico e percettivo della figurazione pittorica era storicamente fuso per la prima volta con una questione antropologica, o meglio etica, cioè se il soggetto umano dopo l'Olocausto e la Seconda guerra mondiale potesse essere rappresentato come "figura" e portare ancora il nome e l'immagine di soggetto umano.

Sfigurando la figurazione

Questa dialettica interna al consolidamento della rappresentazione della figura umana, che doveva essere contemporaneamente distorta e svuotata di tutte le sue convenzioni mimetiche, ha il suo analogo nell'approccio dialettico alla pratica artigianale della

2 • Eugen Schönebeck, *Majakovskij*, 1965
Olio su tela, 220 x 180 cm

▲ 1947b, 1959a, 1960a, 1960c, 1962a, 1962d, 1964b • 1988 ■ 1919
▲ 1959d • 1946

pittura. Anche se nell'opera di Baselitz il disegno e il gesto pittorico mantengono il registro fondante del contorno e dell'espressione, devono essere continuamente degradati attraverso l'inserimento nell'atto pittorico stesso di pratiche opposte alle procedure pittoriche primarie: la strisciata fecale, il gesto infantile di grattare. Questa pulsione antipittorica trae probabilmente origine dall'insopprimibile sospetto che la materia del dipingere non può essere all'altezza della promessa di una fondamentale esperienza psicosessuale di identità, esperienza che dovrebbe essere fondata sul registro somatico del solo inconscio. All'opposto, un pittore come Richter considerava il dipingere e i suoi processi, convenzioni e materiali come meri strumenti del mestiere, o come problemi tecnici, fisici e chimici, che non avevano bisogno di essere sottolineati con atti vigorosamente antipittorici perché non erano stati investiti di aspirazioni psicosessuali a un'esperienza più profonda, né erano portatori di speranze fondanti di un'autenticità risolutiva.

L'iconografia di Baselitz richiede una descrizione attenta, perché oscilla continuamente tra interdetti imperativi (come quelli che vietano l'astrazione o la mediazione fotografica) e trasgressioni ammesse (per esempio il desiderio di tornare a un ipotetico fondamento della più profonda e più autentica storia [pittorica] tedesca, o il desiderio di distruggere la finzione di una cultura coercitiva della repressione, mediata dall'immagine fotografica della cultura di consumo). Le serie *Eroi* e *Un nuovo tipo* mostrano dunque tutti i segni della falsificazione storica, quando non della patologia soggettiva, di un'ambizione del genere: dalla taglia ipertrofica e sproporzionata delle figure e dalle incongruenze interne (la distorsione degli arti o le gigantesche dilatazioni) alla perpetua lacerazione della linea di contorno, dove la figura stessa viene improvvisamente aperta o interrotta e fusa con le parti adiacenti, le macchie di pigmento viscoso o i piani improvvisamente autocoscienti dello spazio piatto della pittura modernista.

Questa ambiguità tra i ritorni epifanici della figura e le sue persistenti sparizioni all'interno delle sfide formali della rappresentazione, che Baselitz riconosce essere fondamentalmente insormontabile e che ritiene un problema del modernismo al di là della portata delle proprie ambizioni soggettive, è una caratteristica del suo singolare contributo a un'estetica della Germania del dopoguerra. Analoghe contraddizioni erano presenti sul piano delle concezioni consapevoli o inconsapevoli dell'identità pubblica e del ruolo sociale dell'artista. Baselitz e Schönebeck riscoprono infatti il *topos* dell'emarginato romantico nei due manifesti *Pandemonio I* e *II*, in cui riposizionano l'artista (e loro stessi) all'interno di un contesto che – anche se del tutto storicamente predeterminato – appariva nel 1962 come una radicale deviazione verso la formazione di un'estetica tedesca conservatrice del dopoguerra.

Benché dovessero molto alle teorie estetiche di Gottfried Benn, poeta tedesco considerato straordinario negli anni precedenti alla guerra nonché temporaneo simpatizzante nazista, divenuto poi una figura di culto del nichilismo postbellico, le pulsioni antisociali e anticulturali dei manifesti *Pandemonio* portarono anche degli elementi di novità – con notevole ritardo – nel contesto della cultura visiva tedesca. Ispirandosi agli scritti dei francesi Antonin Artaud e Lautréamont, dichiaravano guerra a quelle pratiche estetiche che si definivano consapevolmente operative all'interno delle convenzioni sociali o discorsive e che miravano a una cultura intesa come progetto di comunicazione. I manifesti di Baselitz e Schönebeck rivendicavano invece l'accesso a uno spazio di radicale incommensurabilità e pura alterità, in cui la comunicazione è rifiutata e bloccata nell'opacità estetica. L'eroe di questa definizione nietzscheana del ruolo dell'artista reietto ed escluso è invocato in entrambi i manifesti come "G." (probabilmente si tratta di Vincent van Gogh, cui Artaud aveva dedicato uno dei suoi testi più programmatici). Dal punto di vista della ricezione storico-artistica, la reintroduzione dell'artista emarginato operata da Baselitz e Schönebeck veniva associata al recupero di altri concetti, la maggior parte dei quali era stata cancellata dalla storia tedesca con la distruzione della modernità di Weimar da parte dei nazisti. Tutto questo risulta più evidente in un'affermazione in cui i due ▲ artisti dichiarano di condividere la condizione dei "degenerati", riferendosi esplicitamente all'infame mostra tenuta a Monaco nel 1937. Questo recupero andava dalla straordinaria centralità della ● collezione Prinzhorn alla dialettica dell'espressività primordiale e ■ "destrutturante" nel "primitivismo" non europeo al culto di artisti sconosciuti e *naïf* come Frederick Hill, Louis Soutter e Gaston Chaissac, posizione che era stata da poco elaborata pubblicamente ◆ da Dubuffet con la celebrazione e la collezione dell'Art brut.

Soggetti straccioni

Le contraddizioni interne dell'approccio di Baselitz alla pittura sono quindi abbastanza evidenti, in quanto sono tentativi storicamente sovradeterminati di risolvere conflitti che agiscono all'interno dell'intera cultura novecentesca e della pittura tedesca postbellica in particolare. Prima di tutto c'è il ritorno della definizione nietzscheana dell'artista come emarginato, o addirittura come fuorilegge, condizione che Baselitz rivendica per sé in aperta antitesi a quella che considerava la capziosa e compensatoria costruzione della democrazia tedesca postbellica. Ma questa rinascita di un elitarismo reazionario di destra come contrapposizione estetica all'ipocrisia democratica era solo un prolungamento del disgusto protofascista per la falsa democraticità della vita quotidiana del periodo di Weimar (e quindi della Germania del dopoguerra). Com'è noto, a quel tempo l'attaccamento della maggior parte della popolazione all'ideologia nazifascista era generalmente più forte rispetto all'impegno nuovo (e per lo più imposto) per una nuova cultura e coscienza della democrazia. La rivendicazione dell'eccezionale *grandeur* dell'artista come essere trascendentale, estraneo ai vincoli della socializzazione e alle convenzioni linguistiche e culturali, era solo un tentativo di redimere esteticamente quel genere di ideologia la cui realizzazione politica aveva appena dimostrato di essere la più devastante esperienza a memoria d'uomo.

▲ 1937a ● 1922 ■ 1968b ◆ 1903, 1946

3 • Georg Baselitz, *I grandi amici*, 1965
Olio su tela, 250 x 300 cm

Le figure di Baselitz **[3]** – i "nuovi tipi", gli "eroi", i "partigiani" (di quale causa, viene da chiedersi) – sono tutti vestiti di stracci: un abbigliamento che oscilla tra il pittore romantico tedesco che avanza impettito verso il suo paesaggio da dipingere e la giovane figura maschile (a metà tra il boy-scout e la Gioventù hitleriana), mezzo mascherato ma con i genitali sovradimensionati in mostra, con in mano una tavolozza o una canna, spesso contrassegnato dal peculiare culto omoerotico che i giovani in uniforme hanno per le armi e la guerra. Questi prodighi figli della Germania sembrano appena ritornati "a casa", o in procinto di partire o di ricominciare daccapo (resta oscuro da dove, per dove, per che cosa).

Nel definire ancora una volta l'artista "eroe", ma un eroe coperto di pezze e stracci, non c'è quindi solo il tentativo di risolvere le difficoltà di una rinnovata figurazione nonostante l'evidenza della sua impossibilità storica. C'è anche il tentativo – forse consapevolmente futile – di costruire un nuovo soggetto, un soggetto ottenuto assemblando l'ambizione di riconfigurare la soggettività tedesca in occasione della sua autoimposta e ostinata distruzione del proprio io precedente e la distruzione inflitta a milioni di altri. BB

ULTERIORI LETTURE:

Georg Baselitz e Eugen Schönebeck, *Pandämonium Manifestoes*, in Andreas Papadakis (a cura di), *German Art Now*, vol. 5, n. 9-10, 1989

Stefan Germer, *Die Wiederkehr des Verdrängten. Zum Umgang mit deutscher Geschichte bei Baselitz, Kiefer, Immendorf und Richter*, in Julia Bernard (a cura di), *Germeriana: Unveröffentlichte oder übersetzte Schriften von Stefan Germer*, Oktagon Verlag, Köln 1999

Siegfried Gohr, *In the Absence of Heroes: The Early Work of Georg Baselitz*, in *Artforum*, vol. 20, n. 10, estate 1982

Tom Holert, *Bei Sich, über allem: Der symptomatische Baselitz*, in *Texte zur Kunst*, vol. 3, n. 9, marzo 1993

Kevin Power, *Existential Ornament*, in Maria Corral (a cura di), *Georg Baselitz*, Fundacion Caja de Pensiones, Madrid 1990

1964a

Il 20 luglio, nel ventesimo anniversario del fallito attentato contro Hitler, Joseph Beuys pubblica un'autobiografia fittizia e genera un'esplosione di violenza al *Festival della nuova arte* ad Aachen, nella Germania occidentale.

Quando, nell'estate del 1964, Joseph Beuys (1921-86) espose una piccola selezione di suoi disegni e sculture prodotti tra il 1951 e il 1956 a Kassel (Germania), per la terza edizione di *Documenta*, un pubblico ampio si trovò di fronte alla sua opera per la prima volta. Quello stesso anno, in almeno tre occasioni successive, la sua notorietà crebbe fino allo scandalo, consacrandolo infine come il maggiore artista, se non il più importante, della cultura della ricostruzione nella Germania del dopoguerra.

Il primo evento ebbe luogo il 20 luglio 1964, quando alcuni studenti di destra attaccarono Beuys durante la sua performance al *Festival della nuova arte* alla Technische Hochschule di Aachen [**1**, **2**]. Mentre l'artista stava sciogliendo due grossi cubi di grasso su una piastra calda, partì la registrazione – che evidentemente non faceva parte della performance – dell'infame discorso di Goebbels allo Sportpalast di Berlino, in cui sollecitava l'assenso incondizionato delle masse alla "guerra totale". Questa esperienza di confronto innescò, secondo le parole di Beuys, "il processo di crescente consapevolezza della necessità di politicizzare le mie attitudini".

Il secondo evento, che accadde nella stessa occasione, fu la pubblicazione da parte di Beuys della propria autobiografia fittizia *Curriculum vitae/Curriculum opere*, in cui offriva, attraverso la costruzione di un "mito delle origini", un enigmatico racconto del proprio sviluppo artistico. Ad esempio sosteneva che il suo uso del grasso e del feltro, i materiali che più ricorrono nelle sue sculture,

1 • Joseph Beuys, *Azione Kukei, akoopee – No! Croce marrone, angoli di grasso, calchi di angoli di grasso*, 1964
Performance al *Festival della nuova arte* alla Technische hochschule di Aachen

traeva origine dall'incontro con dei tartari in Unione Sovietica che gli avevano salvato la vita avvolgendolo nel grasso e nel feltro quando il suo aereo della Luftwaffe era stato abbattuto durante la Seconda guerra mondiale. Beuys aveva usato per la prima volta il grasso solo un anno prima: l'aveva "esposto", bollente, in una scatola durante una conferenza sull'happening tenuta da Allan ▲ Kaprow alla galleria Rudolf Zwirner di Colonia, avvicinandosi così – secondo una modalità che sarebbe stata tipica della sua carriera negli anni successivi – a delle pratiche artistiche non così vicine alla sua quanto pretendeva che fossero.

Beuys concludeva il suo racconto autobiografico con la proposta di elevare di cinque centimetri il muro di Berlino per migliorare le sue proporzioni architettoniche. Questo passaggio determinò una pubblica inchiesta da parte del suo datore di lavoro, il ministero della cultura della Westfalia-Reno Settentrionale, che – molti anni più tardi e per altre ragioni – avrebbe licenziato Beuys per disobbedienza dal suo incarico alla venerabile Accademia di Belle Arti di Düsseldorf, dove aveva studiato dal 1947 al 1951 ed era stato nominato professore di scultura monumentale nel 1961. Tutti questi incidenti già prefiguravano il futuro impegno di Beuys verso un modello di *Scultura sociale*, che concepiva la scultura come una pratica estetica *engagée*.

Quanto è tedesco?

Il 1964 fu anche l'anno in cui Beuys comparve più spesso come uno ● strano compagno di viaggio del movimento internazionale Fluxus. Dopo avere incontrato nel 1962 il teorico e coordinatore del gruppo, il lituano-americano George Maciunas, Beuys aveva invitato quindici artisti e musicisti fluxus internazionali al *Festum Fluxorum Fluxus* nel 1963 all'Accademia di Belle Arti di Düsseldorf. Tuttavia Beuys non fu mai accettato del tutto dai suoi colleghi fluxus, perché ai loro occhi la sua opera appariva un contributo troppo specificamente tedesco a un movimento il cui internazionalismo programmatico aveva posto l'accento su una concezione della cultura postnazionale e poststatale.

Ciò che rendeva l'opera di Beuys così peculiarmente tedesca era in primo luogo uno strano eclettismo che derivava dall'assenza di una cultura di avanguardia, distrutta in tutte le sue forme dai nazifascisti: dalla psicoanalisi al fotomontaggio, dal pensiero escatologico messianico al comunismo ortodosso. Piuttosto che recuperare il modernismo tedesco e stabilire una continuità culturale con l'incredibilmente complessa varietà di personalità e progetti della società di Weimar, la cultura della ricostruzione della Germania postbellica ■ accolse, rasentando il fanatismo, prima il Tachisme e l'Art informel di Parigi e poi, dalla metà degli anni Cinquanta, l'astrazione postsurrealista della Scuola di New York, allo scopo di internazionalizzarsi. Inoltre, l'apparentemente imprescindibile astrattismo e l'internazionalismo della cultura della ricostruzione distoglievano l'attenzione dalla necessità del confronto con il passato recente della Germania e mascheravano l'incapacità collettiva di elaborare il lutto per le vittime del fascismo.

2 • Azione fluxus di Joseph Beuys nell'auditorium del Politecnico di Aachen, 20 luglio 1964

Proprio contro questo genere di estetica ufficiale del disconoscimento, Beuys sviluppò un'estetica della memoria. Le invenzioni radicali dell'avanguardia storica (il readymade dadaista e il Costrut- ▲ tivismo) nelle mani di Beuys non erano più che un cumulo di rovine e di residui utopici, di tracce irrecuperabili di un'avanguardia del passato – un passato che per Beuys era inaccessibile quanto gli parevano inaccettabili le accumulazioni (del Nouveau réalisme e ancora ● di più della Pop art americana), frutto di una cultura della merce smaccatamente celebrativa. Beuys spiegò la questione nel 1980, col senno di poi:

> *In effetti questo shock dopo la fine della guerra è la mia esperienza primaria, l'esperienza fondamentale che mi ha portato a imboccare il mio vero percorso artistico, cioè a riorientarmi nel senso di un inizio radicalmente nuovo.*

Joseph Beuys può quindi essere collocato, insieme a due altri grandi artisti dei primi anni Sessanta – Yves Klein e Andy Warhol –

▲ 1961 ● 1962a ■ 1946

▲ 1914, 1918, 1921b ● 1960a, 1960c, 1964b

al centro delle molteplici confluenze e delle cruciali trasformazioni storiche che distinguono le pratiche degli artisti delle avanguardie storiche da quelle degli artisti delle neoavanguardie.

Anche se non costituisce necessariamente una garanzia della sua importanza storico-artistica, l'avere vissuto queste confluenze ha fatto di Beuys l'oggetto di infinite interpretazioni fin dai primi anni Sessanta. Anche se questi incessanti sforzi interpretativi non attestano l'inesauribile complessità di un'opera, ma piuttosto l'inesauribile desiderio del pubblico in generale e degli specialisti dell'interpretazione (storici dell'arte e critici) in particolare di una produzione culturale "significativa", è importante riflettere sulla vasta gamma di riferimenti ed effetti combinatori che l'opera di Beuys ha generato nei trent'anni della sua prolifica produzione.

La prima di queste confluenze, e forse la più sorprendente, è il legame inestricabile tra l'opera di Beuys (soprattutto le performance) e l'emergente cultura dello spettacolo, che era stata di importanza secondaria per l'avanguardia storica. Quando gli artisti degli anni Venti suscitavano scandalo e traumatizzavano il pubblico, le loro attività erano viste come provocazioni sociali e politiche. Si può affermare, ad esempio, che in quasi tutti i casi ▲ (come la performance al Cabaret Voltaire di Zurigo nel 1916 o la ● pubblica lettura da parte di Schwitters delle sue poesie sonore *Merz*) l'avanguardia non solo si poneva in aperta opposizione alle convenzioni dominanti della produzione di significato, ma tentava anche di porre la società borghese di fronte a modelli culturali intesi come pratiche sociali e politiche alternative, se non utopiche. Invece quando gli artisti della neoavanguardia provocavano scandalo e shock, l'effetto più evidente delle loro azioni era – in piena consonanza con i riti dell'industria culturale – la spettacolarizzazione dell'artista come "star" e il ruolo sociale che ne scaturiva. Beuys (insieme a Klein e Warhol), distinguendosi apertamente dai predecessori e dai contemporanei, incorporò programmaticamente questi principi della cultura dello spettacolo e queste strategie di visibilità carismatica nella sua persona e nel suo lavoro. ■ Anche se alcuni precursori, come Pollock, avevano trasposto la pittura nel registro dello spettacolo, non si erano completamente sottomessi ai suoi principi. Ma una volta che la pratica culturale aveva rinunciato a tutte le aspirazioni utopiche e politiche, e forse ◆ persino all'obbiettivo di una rivoluzione semiotica, la neoavanguardia inevitabilmente passò al registro esclusivo della visibilità spettacolare.

Questo registro era stato socialmente istituito nella cultura consumistica del dopoguerra in modo che i soggetti potessero essere strappati dalla partecipazione materiale e produttiva al mondo a favore di uno speculare consumo passivo delle sue rappresentazioni. L'ineluttabile iscrizione mimetica dell'avanguardia all'interno di questo processo storico segna l'estrapolazione di tutta l'esperienza vissuta in un miraggio o simulacro. Apparentemente all'interno della rappresentazione nessuna funzione o capacità poteva più essere mobilitata se non quella della rimozione speculare e totalitaria di tutti i concetti tradizionali di soggettività.

Beuys e i culti del readymade

La seconda serie di confluenze tra l'opera di Beuys e quella dell'avanguardia storica da un lato e dei suoi colleghi internazionali dall'altro (in particolare i nouveaux réalistes in Francia e gli artisti fluxus) riguarda i suoi rapporti con il mondo degli oggetti in generale e con l'eredità del paradigma del readymade di Duchamp in ▲ particolare. Mentre per l'avanguardia storica (per esempio nel ● contesto dell'estetica del Bauhaus o dell'Esprit Nouveau) era possibile intendere le funzioni sociali dell'oggetto secondo il loro potenziale utopico, all'opposto nella produzione artistica del dopoguerra l'oggetto era rappresentato come il nucleo del disastro, del controllo e del dominio (Arman e Warhol, ad esempio). ■ Ciò che distingueva gli artisti pop e fluxus dei primi anni Sessanta dall'avanguardia del periodo 1919-25 era l'improvvisa presa di coscienza che l'incessante invasione di tutte le sfere della vita quotidiana da parte della totalità degli oggetti prodotti era oramai giunta al limite del totalitarismo. Non c'era dunque più spazio, con ogni evidenza, per l'attenta considerazione prestata da Duchamp alla potenzialità emancipatrice dell'oggetto industriale in opposizione all'obsolescenza dell'opera d'arte artigianale. Questo fatto da solo basterebbe a spiegare perché Beuys in un'intervista/performance televisiva del 1964 rifiutò ancora una volta in modo esplicito l'eredità di Duchamp dipingendo il famoso manifesto *Il silenzio di Marcel Duchamp è sopravvalutato* **[3]**.

Beuys – che si trovava in una Germania occidentale divisa tra l'avida assimilazione della cultura consumista americana e la rimozione del passato nazista – fu in grado di dedicarsi a un progetto continuo di duplice rispecchiamento: da un lato rifletteva il recente passato totalitario (della Germania) e la sua relazione con le forme autoritarie del mito, della leadership e dello stato fascista, e dall'altro le forme totalizzanti di stato corporativo che emergevano nel presente, dove il dominio delle merci stava progressivamente eliminando i concetti convenzionali dello sviluppo del soggetto e dell'esperienza. Dal momento che Beuys – almeno all'inizio – cercava disperatamente un legame con gli artisti fluxus, se si prende in esame il loro atteggiamento nei confronti della produzione degli oggetti, e specificamente nei confronti del readymade, ci si rende conto di quanto sia radicalmente diverso da quello di Beuys. Inoltre, cosa ancora più importante, bisognerebbe riconoscere che l'idea di performatività sviluppata dagli artisti fluxus e le performance di Beuys sono altrettanto, se non del tutto, diverse.

Gli artisti fluxus avevano risposto alle pretese totalizzanti della produzione degli oggetti nella società dei consumi con un assoggettamento mimetico della produzione artistica al regime dell'oggetto. Ma è proprio questa decisione di collocare la pratica estetica esclusivamente nel registro dell'oggetto (in opposizione ai tradizionali registri dell'iconico, del pittorico, dello scultoreo e del fotografico) a generare l'elemento essenziale dell'estetica fluxus: un flusso dialettico continuo tra la produzione di oggetti e la performatività. (Il nome "Fluxus", che in latino significa "flusso",

▲ 1916a ● 1926 ■ 1949a, 1960b ◆ 1912, 1915

▲ 1914 ● 1923, 1925a ■ 1960c, 1962a, 1964b

3 • Joseph Beuys, *Il silenzio di Marcel Duchamp è sopravvalutato*, 1964
Carta, colore a olio, inchiostro, feltro, cioccolata e fotografia, 157,8 x 178 x 2 cm

suggerisce l'idea del continuo movimento). Producendo la simultanea reinvenzione e defeticizzazione dell'oggetto, questa estetica richiede una mobilitazione radicalmente egualitaria dell'artista/performer e dello spettatore su tutti i registri: teatrale, linguistico, poetico e musicale.

Beuys, all'opposto, intendeva la performance come una ricaduta nel mito, un ritorno al rituale, quasi una forma cultuale di cura psichica e di esorcismo. Le sue performance cercavano di riconnettere stati d'animo inconsci di esperienze passate (anche se da un po' di tempo vengono fatte passare per politiche) con rappresentazioni drammatiche o grottesche nel presente. Questi interventi, con il loro carattere simbolico/sostitutivo e la loro relazione nuovamente gerarchica tra performer e spettatore, ricadono in una catarsi identificativa prearistotelica e annientano qualsiasi principio di drammaturgia illuminista. Ancora più evidente è la ▲ eliminazione del modello brechtiano di intervento da parte del pubblico e di autodeterminazione dialettica, cioè i presupposti cruciali del teatro tedesco di Weimar.

Il problema epistemologico sollevato dall'interpretazione di Beuys del performativo come terapeutico ed esorcistico – opposta alla definizione di Fluxus del performativo come autocostituzione linguistica, partecipativa e resistente alla reificazione – consiste nel conseguente culto di Beuys come "artista-sciamano". Ma lo "sciamanesimo", nella Germania del dopoguerra e in un tempo ▲ dominato dalla società dello spettacolo, non era forse la cura migliore per i problemi estetici e sociali della popolazione. Resta poco chiaro se l'"incapacità di elaborare il lutto" della Germania occidentale avrebbe potuto essere trasfigurata culturalmente da questa struttura "omeopatica" degli interventi rituali di un singolo artista, o se era piuttosto la promessa di far rinascere dalle ceneri la cultura devastata di questa nazione e di creare un nuovo modello culturale di identità (tedesca) a rendere lo "sciamano" così attraente per i tedeschi del *Wirtschaftswunder* ("miracolo economico"), come fu chiamata la fenomenale ripresa economico-industriale della Germania dopo la Seconda guerra mondiale.

Una delle questioni teoriche fondamentali poste dall'approccio di Beuys alla produzione artistica – per definire il problema nei • termini di Walter Benjamin – è quindi se "l'emancipazione dell'arte sostenuta dall'avanguardia dalla sua dipendenza parassitaria dal rituale" potesse e dovesse essere travasata nella situazione culturale del dopoguerra e in particolare in quella della Germania. Dopo tutto un argomento a favore di questo travaso, e quindi a sostegno della posizione di Beuys, potrebbe essere che per svolgere più a fondo l'elaborazione del lutto i luoghi e le strutture sui quali

▲ Introduzione 3 ▲ 1957a ●1935

viene esercitata la repressione devono essere prima investiti del desiderio della memoria. Un simile investimento richiede, in ogni caso, sia da parte del produttore che dello spettatore, la capacità di occupare esplicitamente queste strutture della repressione in una forma di identificazione omeopatica con quei fenomeni storici minacciosi che i processi di rimozione psichicamente e socialmente imposti avevano precedentemente tentato di sradicare.

Si potrebbe a questo punto sostenere che il terzo fattore che distingue Beuys dai suoi colleghi è la relazione strutturale e iconica con la memoria storica. Baudelaire aveva affermato agli albori del modernismo che tutta l'arte è impegnata nella costruzione di memoria, ma questa ipotesi non aveva retto. Le pratiche dell'avanguardia del XX secolo erano state per la maggior parte implacabili, se non nello slancio verso il futuro, sicuramente nell'affermazione del presente. Le condizioni di un'universale "crisi della memoria", che Baudelaire affrontava nell'era della modernizzazione urbana, erano esacerbate al di là di ogni immaginazione nella Germania postbellica: qui la crisi della memoria era generata da una rimozione del passato recente dovuta tanto a ragioni psicologiche e politiche quanto al consumismo in rapida espansione e alla conseguente cancellazione della storia individuale e sociale del soggetto.

L'ultimo evento del 1964 che determinò le successive opere e pratiche di Beuys fu la decisione di comporre la sua prima vetrina. Si trattava di un nuovo tipo di scultura-assemblage, un ibrido tra l'accumulazione di oggetti postsurrealista (cospicua a quel tempo ▲ nel lavoro di Joseph Cornell e nelle *accumulations* di Arman che ● influenzarono gli artisti fluxus) e la spazializzazione dell'estetica del readymade che di lì a poco sfociò nelle varie pratiche legate all'installazione. La vetrina del 1964 – la prima di una lunga serie – fu l'unica a ricevere un nome direttamente da Beuys: *Dimostrazione Auschwitz* **[5]**. Una via di mezzo tra il reliquiario e la vetrina, metteva insieme una serie di elementi che Beuys aveva utilizzato per il concorso per la realizzazione di un *Monumento per Auschwitz* **[4]**, organizzato dal Comitato Internazionale di Auschwitz nel 1958 ■ (la giuria artistica era formata da Hans Arp, Henry Moore e Ossip Zadkine). Tra le altre cose essa mostrava un catalogo fotografico dell'architettura del campo e il disegno di una giovane donna su un pezzo di carta intestata del Comitato. Ma la vetrina era per lo più composta di oggetti più o meno recenti non esplicitamente collegati all'argomento (tra cui la piastra della performance di Aachen

4 • Joseph Beuys, *Monumento per Auschwitz*, 1958
Matita, acquarello, colore opaco, mordente, 17,6 x 24,5 cm

▲ 1931a, 1960a ● 1962a ■ 1913, 1916a, 1918, 1934b

5 • Joseph Beuys, *Dimostrazione Auschwitz (Veduta laterale)*, 1956-64
Installazione, materiali vari

con sopra due blocchi di grasso, una pietra litografica degli anni Cinquanta con dei simboli cristiani, i resti di un topo morto e vari elementi fatti di salciccia tagliata o a fette.

Quindi spaziando dall'abbietto alla perturbante presenza della morte, dalla pomposità dei simboli cristiani alla farsa manifesta (per esempio un biscotto che giace come un'ostia in un piatto da tavola vicino a un'immagine di Cristo), la *Dimostrazione Auschwitz* (che funziona come un "giocattolo", come Beuys ebbe a dire più tardi) sembra essere un'opera – forse la prima della cultura visiva della Germania del dopoguerra – in cui sono pienamente articolate la necessità di ricordare e l'impossibilità di una rappresentazione adeguata. Beuys cerca di fare una sintesi estetica di due epistemi che si escludono a vicenda: da un lato accentua l'investimento sull'oggetto, se non con il rituale catartico sicuramente attraverso la dimensione mnemonica, e contemporaneamente mette in primo piano la condizione puramente materiale e processuale dell'oggetto, assecondando la propria ossessione nei confronti del positivismo proto e pseudoscientifico.

Qualche anno dopo Beuys disse di quest'opera: "*Similia similibus curantur*: cura il simile con il simile, questo è il processo omeopatico. La condizione umana è Auschwitz e il principio di Auschwitz trova la sua perpetuazione nella nostra interpretazione dei principi della scienza e della politica, nella delega della responsabilità a gruppi di specialisti e nel silenzio degli intellettuali e degli artisti. Mi sono ritrovato in una lotta permanente contro questa condizione e le sue radici. Ad esempio trovo che stiamo facendo esperienza di Auschwitz nella sua edizione contemporanea". Beuys esprime così la sua versione di *Dialettica dell'illuminismo* di Adorno e Horkeimer, scritto nel 1947 e probabilmente sconosciuto a Beuys nel 1964, in cui venivano per la prima volta valutate e teorizzate le condizioni dell'esperienza e le possibilità e le esigenze della produzione culturale dopo l'Olocausto e la Seconda guerra mondiale. BB

ULTERIORI LETTURE:

Götz Adriani, Winfried Konnertz e Karin Thomas, *Joseph Beuys: Life and Works*, Barrons Books, New York 1979

Mario Kramer, *Joseph Beuys: Auschwitz Demonstration 1956-1964* in Eckhart Gillen (a cura di), *German Art from Beckmann to Richter*, Yale University Press, New Haven-London 1997

Gene Ray (a cura di), *Joseph Beuys: The Critical Legacies*, DAP, New York 2000

David Thistlewood (a cura di), *Joseph Beuys: Diverging Critiques*, Liverpool University Press and Tate Gallery, Liverpool 1995

Caroline Tisdall (a cura di), *Joseph Beuys*, Guggenheim Museum, New York 1979

1964b

I tredici uomini più ricercati di Andy Warhol è installato provvisoriamente sulla facciata dello State Pavilion della World's Fair di New York.

1960–1969

Andy Warhol è uno dei pochi artisti del dopoguerra di cui si sente parlare al di fuori del mondo dell'arte. Dalla sua ascesa nei primi anni Sessanta alla sua morte prematura nel 1987, egli fu un punto di interscambio tra l'arte e la pubblicità, la moda, la musica underground, il cinema indipendente, la scrittura sperimentale, il culto della celebrità e la cultura di massa. Al di là delle opere d'arte, che variano dall'eccezionale al patetico, Warhol ha inventato generi cinematografici nuovi, ha prodotto il primo album dei Velvet Underground, ha fondato una rivista (*Interview*), firmato prodotti con il proprio logo-persona, oltre a una miriade di altre imprese (il suo studio si chiamava giustamente The Factory). Sfruttò e mise in mostra un nuovo modo di essere in un mondo di immagini-merce, dove la fama viene spesso sussunta dalla celebrità, l'interesse dalla notorietà, l'aura dal glamour e il carisma dalla pubblicità: spia innata che aveva sempre lasciato accesi la sua Polaroid, il registratore, la cinepresa e la videocamera, Warhol aveva uno stile di assoluta indifferenza, ma aveva occhio per le immagini killer.

Critico o compiacente?

Nato nel 1928 a Pittsburgh da immigrati slovacchi (suo padre lavorava nelle miniere di carbone allora in costruzione), Warhol studiò design al Carnegie Institute of Technology, poi nel 1949 si spostò a New York, dove ebbe immediatamente successo facendo pubblicità per riviste, vetrine, copertine di libri e di dischi e altro del genere per una serie di clienti di alto livello, da *Vogue* a Bonwit Teller. All'inizio dei Sessanta era già abbastanza ricco da comprare ▲ opere di Jasper Johns, Frank Stella e persino Marcel Duchamp; continuò poi a collezionare oggetti e immagini: ogni giorno per Warhol era una capsula temporale. Fece i suoi primi quadri di personaggi del fumetto (Batman, Dick Tracy, Braccio di Ferro) nel • 1960, un anno prima di vedere le tele di Roy Lichtenstein con soggetti simili rese in stile diverso. Laddove Lichtenstein era pulito e duro nelle sue copie di fumetti e pubblicità, Warhol giocava con gli errori manuali e le sfocature tipiche delle immagini dei media. Il periodo tra il 1962 e il 1963 fu il suo *annus mirabilis*, in cui produsse i primi dipinti con le scatole di Campbell's soup, i suoi primi *Disastri*, *Fai da te*, *Elvis* e *Marilyn*, le prime serigrafie su tela e i primi film (*Sonno*, *Bacio*, e così via: il titolo descrive l'unica azione visibile). Nel 1963 spostò lo studio nella 47ª Strada (di lì a poco fu soprannominato The Factory), che diventò un ritrovo postbohémien per comparse e "superstar" (un'altra invenzione di Warhol); sempre nello stesso anno usò per la prima volta una Polaroid.

Il suo periodo d'oro va dalle prime serigrafie del 1962 all'attentato che gli fu quasi fatale del 1968 (il 3 giugno, due giorni prima dell'assassinio di Bob Kennedy). Le interpretazioni più significative dell'opera di Warhol si concentrano su questo corpus di opere, specialmente sulle immagini *Morte in America* (basate su fotografie di giornali di incidenti stradali e suicidi, sedie elettriche e scontri per i diritti civili [**1**]). Questi resoconti tendono a collegare le immagini agli eventi reali del mondo o, all'opposto, a suggerire che il mondo di Warhol non è nient'altro che immagine, che le immagini pop generalmente rappresentano solo altre immagini. La grande parte delle interpretazioni, non solo di Warhol ma di molta arte del dopoguerra basata sulla fotografia, si dividono in un qualche punto di questa linea: l'immagine come referente *oppure* come simulacro (cioè copia priva di un originale riconoscibile e nelle cui ripetizioni l'originale sembra dissolversi).

L'interpretazione *simulacrale* della Pop art è sostenuta da critici ▲ di formazione poststrutturalista, per i quali la teoria del simulacro, cruciale per la critica strutturalista della rappresentazione referenziale, sembra a volte dipendere dall'esempio di Warhol inteso come rappresentante del Pop. "Ciò che la Pop art desidera", scrive Roland Barthes in *L'arte, questa vecchia cosa* (1980), "è desimbolizzare l'oggetto", cioè sganciare l'immagine dal significato profondo per consegnarla alla sua superficie simulacrale. In questo processo anche l'artista è liberato: "l'artista pop non sta *dietro* la sua opera", continua Barthes, "ed egli stesso è privo di un retrostante; esso è solo la superficie dei suoi quadri: nessun significato, nessuna intenzione, da nessuna parte". Con alcune varianti questo discorso • viene ripetuto dai filosofi e critici francesi, come Michel Foucault, Gilles Deleuze e Jean Baudrillard, per i quali lo spessore referenziale e l'interiorità soggettiva sono a loro volta vittime della pura superficialità della Pop art di Warhol.

L'interpretazione *referenziale* viene avanzata da critici che si fondano sulla storia sociale, i quali legano l'opera ad argomenti tematici (la moda, la cultura gay, le lotte politiche). In *Disastri del*

▲ 1914, 1918, 1935, 1942b, 1958, 1962d, 1966a • 1960c

▲ Introduzione 4, 1980 • 1971, 1980

1 • Andy Warhol, *Automobile in fiamme bianco III*, 1963
Serigrafia su tela, 255,3 x 200 cm

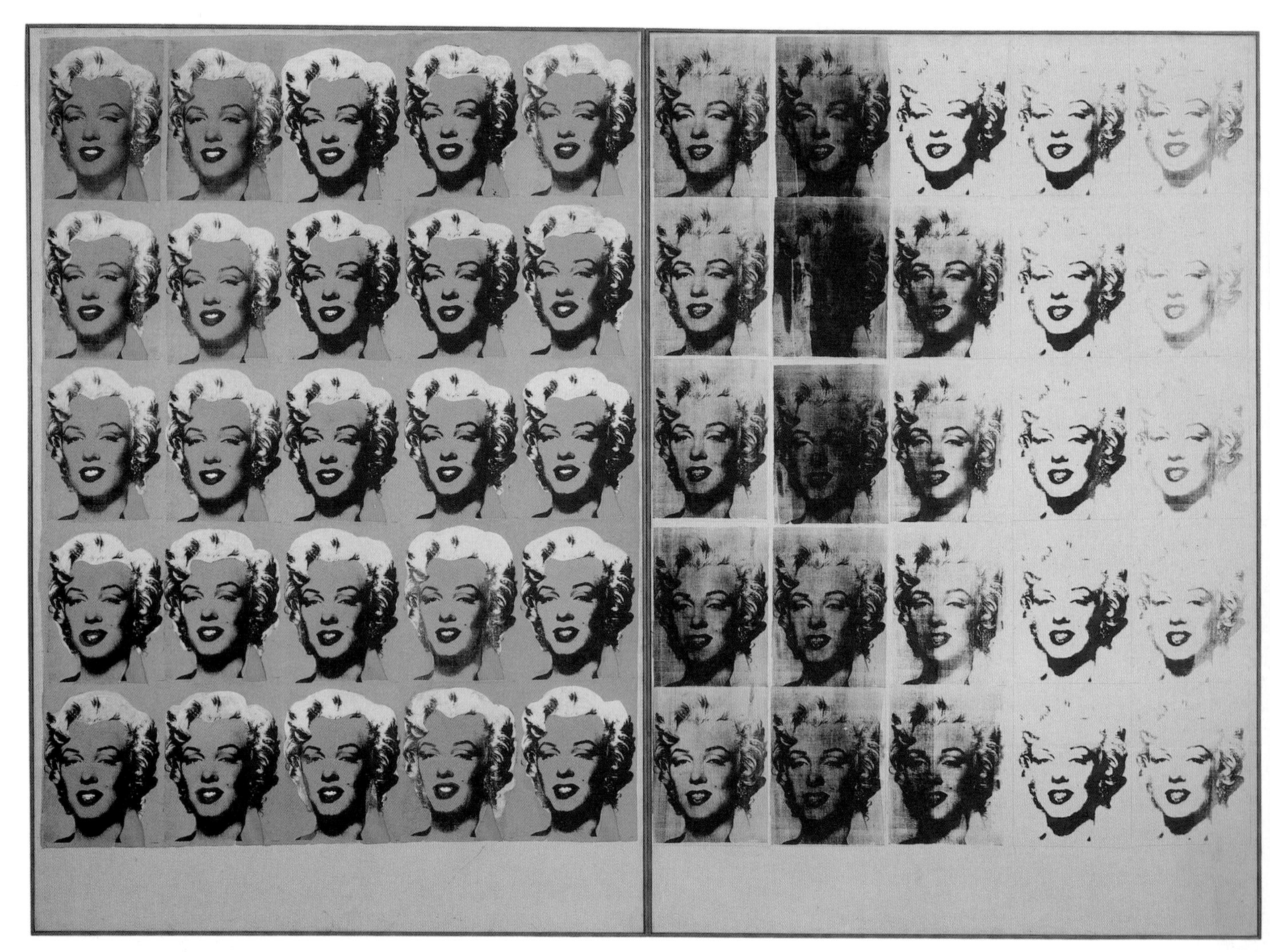

2 • Andy Warhol, *Dittico Marilyn*, 1962
Serigrafia a inchiostro e vernice su tela, due pannelli, ognuno 208,3 x 144,8 cm

sabato: Traccia e referenza nel primo Warhol (1987), lo storico dell'arte Thomas Crow contesta la descrizione simulacrale di Warhol come impassibile e le immagini come indiscriminate. Sotto la superficie glamour dei feticci della merce e delle star mediatiche, Crow coglie "la realtà della sofferenza e della morte"; le tragedie di Marilyn, Liz e Jackie suggeriscono "espressioni dirette di sentimento" **[2]**. Qui Crow trova non solo un oggetto referenziale *per* Warhol, ma anche un soggetto empatico *in* Warhol, ed è qui che egli colloca la criticità *di* Warhol – non in un attacco su "quella vecchia cosa dell'arte" (come vorrebbe Barthes) attraverso l'abbraccio dell'immagine-merce come simulacro (come vorrebbe Baudrillard), ma piuttosto in una denuncia del "consumo compiaciuto" attraverso "il fatto brutale" dell'incidente e della mortalità. Così Crow spinge Warhol oltre l'afflato umanistico, verso l'impegno politico. "Era attratto dalle ferite aperte della politica americana", scrive Crow in una lettura delle immagini della sedia elettrica **[3]** come propaganda contro la pena di morte e delle immagini di rivolte razziali come manifesto per i diritti civili. "Lungi dal giocare semplicemente con il significante liberato dal referente", Warhol appartiene alla tradizione popolare americana del "dire la verità".

In parte questa lettura di un Warhol empatico e persino *engagé* è una proiezione, ma lo è anche lo Warhol superficiale e insensibile, anche se quest'ultima proiezione derivava direttamente da lui: "Se vuoi sapere tutto su Andy Warhol, guarda la superficie dei miei quadri e dei miei film e la mia, ed eccomi qua. Non c'è niente dietro". Entrambe le fazioni si costruiscono il Warhol di cui hanno bisogno; e senza dubbio lo facciamo tutti (la proiezione è uno dei suoi temi fondamentali). In ogni caso né l'uno né l'altro argomento sono sbagliati; ma non possono essere entrambi giusti – o sì? Possiamo leggere queste prime immagini di morte e catastrofe come referenziali *e* simulacrali, connesse *e* disconnesse, efficaci *e* senza effetto, critiche *e* compiacenti?

Realismo traumatico

La battuta più famosa di Warhol è "Voglio essere una macchina", generalmente citata a sostegno della vacuità dell'artista e della sua arte. Tuttavia potrebbe essere riferita, più che a un soggetto vuoto, a uno traumatizzato, che prende ciò che lo traumatizza come difesa contro il vero trauma: sono anche io una macchina, produco (o

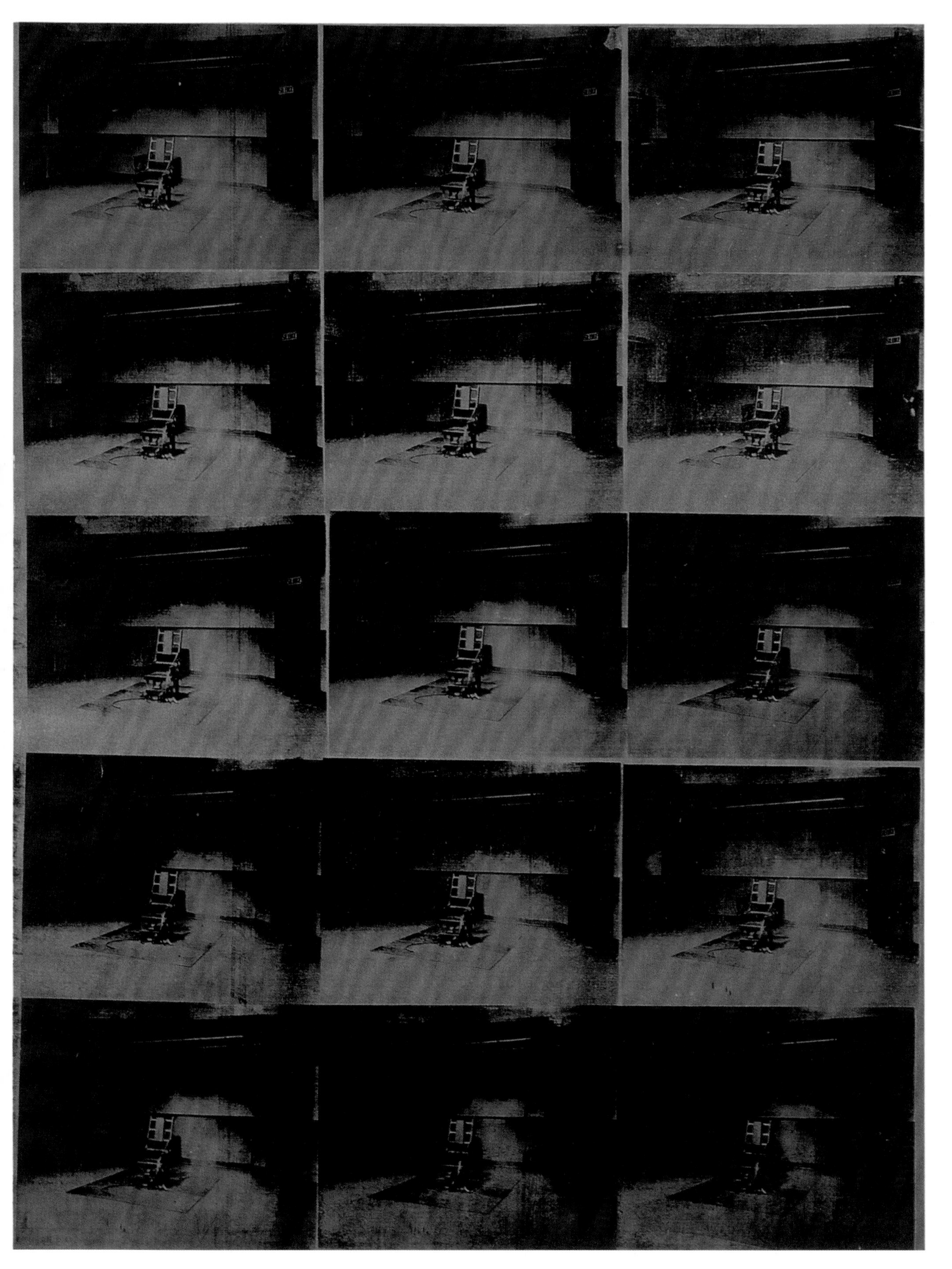

3 • Andy Warhol, *Disastro lavanda*, 1963
Serigrafia a inchiostro e vernice su tela, 269,2 x 208 cm

consumo) immagini-merce fatte in serie, restituisco tutto il buono (o il cattivo) che ho assimilato. "Qualcuno ha detto che la mia vita mi ha sopraffatto", disse Warhol al critico d'arte Gene Swenson in un'importante intervista del 1963, "l'idea mi è piaciuta". Le due affermazioni, prese insieme, possono essere lette quindi come un'accettazione preventiva della coazione a ripetere messa in gioco dalla società dei consumi e della produzione in serie. Se non la puoi abbattere, suggerisce Warhol, unisciti a lei. Anzi, se ci entri completamente, la puoi esporre; puoi rivelare il suo automatismo, persino il suo autismo, attraverso il tuo esempio esagerato. Messo in campo per la prima volta dal Dadaismo, questo nichilismo strategico venne ▲ ambiguamente interpretato da Warhol e da allora artisti come Jeff Koons hanno continuato a farne uso.

Queste considerazioni rimettono in discussione il ruolo della *ripetizione* in Warhol. "Mi piacciono le cose noiose" è un'altra famosa battuta del suo personaggio semiautistico. "Mi piace che le cose siano sempre esattamente uguali all'infinito". In *POP* (1980) Warhol spiegò meglio questo connubio di noia, ripetizione e dominio: "Non voglio una cosa fondamentalmente uguale: la voglio *esattamente* uguale. Perché più tempo passi a guardare la stessa identica cosa, più il significato scivola via, e meglio – e più vuoto – ti senti". Qui la ripetizione equivale sia a un drenaggio di significato che a una difesa contro l'affetto, e questa strategia ha guidato Warhol fin dall'intervista con Swenson del 1963: "Quando osservi all'infinito un'immagine terrificante, non ha più alcun effetto". Questa è chiaramente una funzione della ripetizione nella nostra vita psichica: ripetiamo gli eventi traumatici per integrarli in un'economia psichica, un ordine simbolico. Ma le ripetizioni di Warhol non sono riparatrici in questo stesso senso, non hanno a che vedere con il controllo di un trauma. Più che una lenta liberazione da un oggetto perduto nel lutto, esse suggeriscono una fissazione ossessiva su un oggetto perduto di tipo melanconico. Se si pensa a tutte le immagini di Marilyn ritagliate, colorate e aggrinzite, sembra di avere di fronte il risultato della psicosi allucinatoria di un melanconico (Freud). Ma neppure quest'analisi è sufficientemente esatta, perché le ripetizioni non si limitano a *ri*produrre gli effetti traumatici, ma li possono anche *produrre*.

La ripetizione in Warhol non è quindi né la rappresentazione di un referente mondano né la simulazione di una mera immagine o di un significato isolato. Piuttosto la ripetizione serve a schermare una realtà percepita come traumatica, ma in un modo che nondimeno mira a questa realtà traumatica attraverso un'incrinatura nell'immagine, o più precisamente nell'osservatore *toccato* dall'immagine. In *La camera chiara* (1980) Barthes chiamava *punctum* questo punto traumatico. "È quell'elemento che, partendo dalla scena, come una freccia, mi trafigge", scrive. "È quello che io aggiungo alla foto e che tuttavia è già nella foto. [...] è acuto e soffocato, grida in silenzio. Bizzarra contraddizione: esso è un lampo che fluttua". Qui Barthes sta parlando di fotografie dirette (non manipolate) e quindi il *punctum* si riferisce a particolari di contenuto. Le cose non stanno quasi mai in questi termini per Warhol, e tuttavia può esistere un *punctum* nell'indifferenza del passante in *Automobile in fiamme bianco III* [**1**]. Questa indifferenza nei confronti della vittima dell'incidente impalata sul palo del telefono è già abbastanza crudele, ma la sua ripetizione è disturbante, il che ci riporta all'operazione del *punctum* in Warhol, che più che attraverso il contenuto agisce attraverso la tecnica, specialmente nei "lampi che fluttuano" dei processi serigrafici, nelle "esplosioni" ripetitive delle immagini. In questo caso il Pop non registra la morte dell'affetto (come a volte si dice), ma l'affetto della morte.

Queste immagini di catastrofe e morte evocano gli incubi collet- ▲ tivi dell'era della televisione, perché Warhol seleziona i momenti in cui questa società dello spettacolo va in pezzi – Jackie Kennedy a lutto dopo l'assassinio di Dallas, Marilyn Monroe ricordata dopo il suicidio, gli attacchi razzisti, gli incidenti d'auto – ma va in pezzi solo per espandersi. Il contenuto in Warhol non è dunque tanto banale: un uomo bianco impalato su un palo del telefono o un nero attaccato da un cane poliziotto sono scioccanti. Ma ancora una volta, il primo livello dello shock viene filtrato dalla ripetizione dell'immagine, anche se questa ripetizione produce un secondo livello traumatico, questa volta a livello tecnico, dove il *punctum* buca lo schermo e permette al reale di fare capolino. In questo modo Warhol mette in gioco diversi tipi di ripetizione: le ripetizioni che fissano il reale traumatico, quelle che lo filtrano, quelle che lo producono. Questa molteplicità rende possibile non solo il paradosso delle immagini contemporaneamente affettive e distaccate, ma anche degli spettatori che non sono né integrati né dissolti. "Non vado mai in pezzi perché non crollo mai per intero", dichiara Warhol in *La filosofia di Andy Warhol* (1975). Analogamente si comporta il paradossale soggetto-effetto della sua opera, che risuona anche in ● molta arte successiva alla Pop (ad esempio in certa arte abbietta e certa di appropriazione).

Soggettività di massa

Barthes sbagliava nel sostenere che il *punctum* è solo una questione privata: può benissimo avere una dimensione pubblica. Lo stesso crollo della distinzione tra pubblico e privato è traumatico; visto come crollo della distinzione tra interno ed esterno, è un modo di comprendere il trauma come tale. Nessuno ha messo in evidenza questo collasso di pubblico e privato più di Warhol. "È come prendere l'esterno e applicarlo all'interno", ha dichiarato una volta a proposito della Pop art in generale, "o come prendere l'interno e metterlo all'esterno". Benché criptica, quest'affermazione pone un nuovo collegamento tra le fantasie private e la realtà pubblica come uno dei principali soggetti del Pop.

Warhol era affascinato dalla soggettività prodotta nella società di massa. "Voglio che tutti pensino allo stesso modo", ha detto nel 1963. "La Russia lo impone attraverso il governo. Qui succede spontaneamente". "Non penso che l'arte debba essere riservata a pochi eletti", ha aggiunto nel 1967. "Credo che dovrebbe riguardare la massa del popolo americano". Ma come si rappresenta "la massa del popolo americano"? Un modo di evocarla è tramite i suoi rappresentanti, vale a dire tramite gli oggetti di consumo (da

▲ 1916a, 1920, 1986, 2007c

▲ 1957a ● 1977a, 1980, 1994a

cui la presentazione seriale dal 1962 in poi delle lattine di zuppa Campbell's, della bottiglie di Coca-Cola e delle scatole di Brillo) e/o attraverso gli oggetti di gusto (da cui i dipinti di fiori kitsch del 1964 e la carta da parati del 1966 con il motivo folk delle mucche). Ma è possibile *rappresentare* questo soggetto di massa? Possiede questo soggetto un corpo rappresentabile? "Il soggetto di massa non può avere un corpo", asserisce il critico Michael Warner, "eccetto il corpo che gli si offre come spettacolo". Questo principio spiega perché Warhol evoca il soggetto di massa attraverso le sue proiezioni figurali, dalle celebrità e i politici come Marilyn e Mao fino a tutti i personaggi delle copertine sgargianti della rivista *Interview*. Allo stesso tempo si preoccupava di specificare questo soggetto nei modi delle subculture: la Factory era un laboratorio virtuale di reinvenzioni camp di icone di massa come Troy Donahue, e ritratti come *I tredici uomini più ricercati* **[4]** sono chiaramente a doppio senso per uno sguardo gay.

In ogni caso Warhol non si limitò a evocare il soggetto di massa attraverso il kitsch, le merci e le celebrità. Lo rappresentò nella sua reale irrappresentabilità, cioè attraverso l'assenza e l'anonimato, il disastro e la morte, i livellatori democratici del famoso oggetto di massa e dell'anonimo soggetto di massa. Ecco altre due dichiarazioni tratte da interviste, la prima del 1963, la seconda del 1972:

Credo che fosse la grande immagine con l'incidente, sulla prima pagina del giornale. Stavo dipingendo anche le Marilyn. Ho realizzato che quello che stavo facendo doveva essere la Morte. Era un giorno di vacanza e ogni volta che accendevi la radio dicevano qualcosa come "4 milioni stanno per morire". Questo fu l'inizio.

Pensavo a tutte le persone che avevano lavorato alle piramidi e [...] devo essermi chiesto che ne era stato di loro [...] ecco, dovrebbe essere più facile fare un quadro di persone morte in un incidente d'auto perché a volte, sai, non sai neppure chi sono.

Queste affermazioni implicano che la sua prima preoccupazione non erano i disastri e la morte, ma il soggetto di massa, qui nella parte delle vittime anonime della storia, dagli schiavi delle piramidi alle statistiche di morti senza nome. Tuttavia le catastrofi e la morte erano necessari a evocare questo soggetto, perché nella società dello spettacolo il soggetto di massa sembra spesso solo un effetto dei mass media (radio, giornali) o di un catastrofico disastro tecnologico (l'incidente aereo) o, più precisamente, di entrambi (la notizia di un disastro). Insieme alle icone della celebrità come Marilyn e Mao, i resoconti delle morti catastrofiche sono uno dei modi principali di produzione del soggetto di massa.

Per lo più, quindi, Warhol evocò il soggetto di massa in due modi opposti: la celebrità iconica e l'astratto anonimato. Ma si sarebbe potuto avvicinare di più al suo soggetto attraverso una rappresentazione di compromesso tra celebrità e anonimato, cioè attraverso la figura della *notorietà*, il quarto d'ora di fama. Consideriamo il suo implicito doppio ritratto del soggetto di massa: gli *uomini più ricercati* e le sedie elettriche, i primi una specie di icona americana, le seconde una sorta di crocifisso americano. Quale rappresentazione più esatta della nostra sfera pubblica patologica di questo gemellaggio tra gli iconici assassini di massa e l'astratta esecuzione di Stato? Ovvero, quale immagine più complessa? Quando Warhol creò il suo *I tredici uomini più ricercati* per la World's Fair di New York del 1964, il potere – uomini come il governatore Nelson Rockefeller, il commissario Robert Moses e l'architetto di corte Philip Johnson – non riuscì a tollerarlo. Warhol ricevette l'ordine di coprire l'immagine, letteralmente di sopprimerla (cosa che Warhol fece, con sarcasmo gay, con la vernice d'argento che era un po' la sua firma), e le autorità non trovarono divertente che Warhol offrisse di esporre al posto del quadro un ritratto di Robert Moses. HF

4 • Andy Warhol, *I tredici uomini più ricercati*, 1964
Serigrafia su tela, venticinque pannelli, 610 x 610 cm, sulla facciata dello State Pavilion, World's fair del 1964, New York (non esiste più come opera unica)

ULTERIORI LETTURE:

Roland Barthes, *La camera chiara*, trad. it. Einaudi, Torino 1980

Thomas Crow, *Saturday Disasters: traccia e referenza nel primo Warhol*, trad, it,. in Elio Grazioli (a cura di), *Andy Warhol*, Marco sy Marcos, Milano 2012

Kynaston McShine (a cura di), *Andy Warhol: una retrospettiva*, trad. it. Bompiani, Milano 1990

Richard Meyer, *Warhol's Clones*, in *The Yale Journal of Criticism*, vol. 7, n. 1, 1994

John Russel (a cura di), *Pop Art Redefined*, Praeger, New York 1969

Paul Taylor (a cura di), *Post-Pop*, MIT Press, Cambridge (Mass.) 1989

Andy Warhol, *La filosofia di Andy Warhol*, trad. it. Bompiani, Milano 1999; e *POP: Andy Warhol racconta gli anni '60*, trad. it. Meridiano zero, Padova 2004

▲ 1957a

1965

Donald Judd pubblica *Oggetti specifici*: il Minimalismo viene teorizzato da parte dei suoi due più importanti esponenti, Judd e Robert Morris.

Commentando tre decenni dopo i primi anni da scultore, nel 1989 Robert Morris scrisse di quel periodo dei primi anni Sessanta: "A trent'anni avevo la mia alienazione, la mia Skilsaw e il mio compensato. Ero intenzionato a fare a pezzi le metafore, specialmente quelle che avevano a che fare con l'"alto', insieme a qualunque altra cosa in odore di trascendenza". Rievoca ▲ così quell'atmosfera di resistenza all'Espressionismo astratto, una sfida che ha agito da stimolo per tutta la sua generazione: "Quando affondavo la mia Skilsaw nel compensato potevo sentire, sotto il sibilo sgradevole, un forte e tonificante 'no' echeggiare tra le pareti: no alla trascendenza e ai valori spirituali, alla scala eroica, alle decisioni tormentate, al racconto storicizzato, ai manufatti di valore, alle strutture intelligenti, alle esperienze visive interessanti". I poligoni di compensato, lastre, travi, portali giganti, che Morris cominciò a esporre nell'autunno del 1963 coincisero con la peculiare trasformazione che Donald Judd impresse alla sua opera quello stesso anno. Fu allora che i dipinti di Judd cominciarono a tramutarsi in oggetti tridimensionali semplificati, come due tavole appoggiate ad angolo retto, con un tubo metallico a gomito nel punto di congiunzione, oppure una grande scatola di legno rosso fuoco con un leggero solco scavato sulla parte superiore [**1**].

"No" alla trascendenza

Dal 1966, quando la mostra *Strutture primarie* fu allestita al Jewish Museum di New York, questi distinti atti di sfida assunsero le fattezze di un movimento, dal momento che il curatore, Kynaston McShine, riuscì ad accostare agli esempi di Judd e Morris altri ▲ quaranta scultori, tra cui Carl Andre, Anthony Caro, Walter de Maria, Dan Flavin, Robert Grosvenor, Ellsworth Kelly, Sol LeWitt,

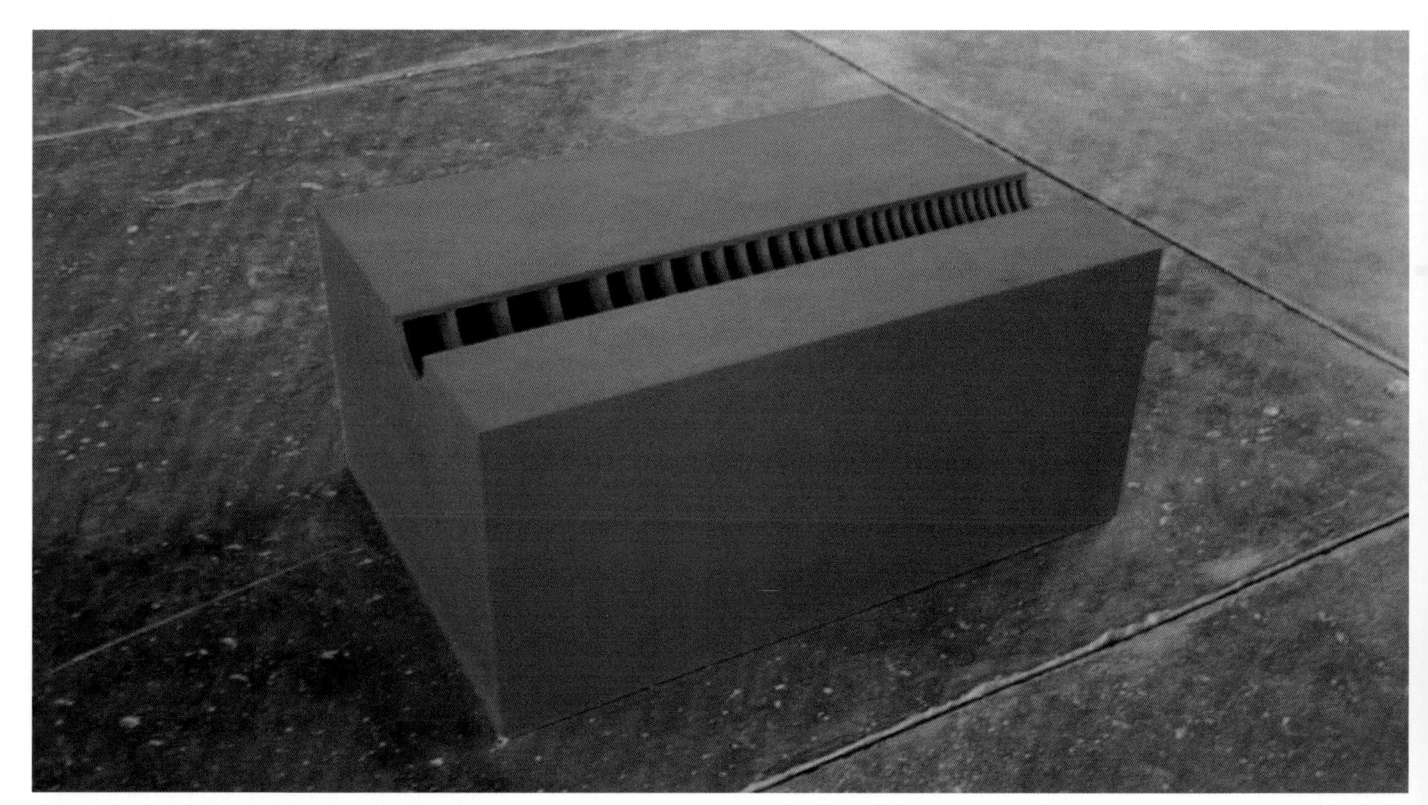

1 • Donald Judd, *Senza titolo (Scatola con solco)*, 1963
Pittura a olio rosso cadmio chiaro su legno, 49,5 x 114,3 x 77,5 cm

▲ 1947b, 1949a, 1951, 1960b

▲ 1945, 1962a

▲ Tim Scott, Tony Smith, Robert Smithson, Anne Truitt e William Tucker. Tra i vari tentativi di attribuire un nome a questo movimento, *Strutture primarie* metteva a fuoco la radicale semplificazione delle forme, mentre il MoMA nel 1968 utilizzò *L'arte del reale*, un titolo che rendeva conto del carattere brutalmente privo di cornice delle opere, presentate senza alcuna forma di piedistallo per condividere lo spazio reale dello spettatore. Dal 1968 è entrato largamente in uso "Minimalismo", che aveva prevalso su tutti gli altri titoli, come *Pittura sistemica*, adottato dal Guggenheim per sottolineare la qualità impersonale del processo generativo di queste opere – il loro carattere seriale, industriale – da poco applicato alla produzione pittorica del movimento.

L'Arte minimalista supera la distanza tra pittura e scultura, o meglio erode la distinzione tra pittura e scultura: era questo il messaggio dell'articolo di Judd comparso sull'*Arts Yearbook* del 1965, *Oggetti specifici*, il primo serio tentativo di fornire un inquadramento teorico degli eventi in corso (il secondo fu *Note sulla scultura* di Morris, del 1966). Judd interpretava le tele sagomate a • strisce di Frank Stella come dipinti in movimento – con l'inevitabile illusione spaziale (non importa quanto impalpabile) – verso la metamorfosi in pannelli che assumono la consistenza di oggetti tridimensionali. "Tre dimensioni sono lo spazio reale", spiega Judd. "Bisogna sbarazzarsi del problema dell'illusionismo e dello spazio reale, spazio dentro e attorno ai segni e ai colori". Il che, aggiunge, "significa liberarsi di una delle reliquie più rilevanti e insieme più criticabili dell'arte europea", reliquia che in un altro contesto Judd ha descritto come legata alla filosofia razionalista "fondata su sistemi costruiti in anticipo, su sistemi *a priori*".

Essendo diventati "tridimensionali", i pannelli di Stella sono ora "oggetti specifici", il che sembrerebbe suggerire che Judd avrebbe preferito chiamarle sculture. Ma Judd rivolgeva alla scultura la stessa critica rivolta alla pittura, quella cioè di essere additiva e compositiva. I "pannelli" rettangolari, a forma di ciambella o a V di Stella avevano raggiunto un grado straordinario di unitarietà, estrinsecata nell'essere semplicemente *quell'*oggetto, *quella* forma. ■ Egli li paragonava ai readymade di Duchamp, che "si guardano tutti interi e non pezzo a pezzo".

Questa insistenza su una forma singola che si fa carico dell'esperienza di un'opera, negando qualunque senso alle forme che la compongono, viene quindi considerata come un equivalente del rifiuto dei "sistemi aprioristici". Secondo Judd, questi sistemi stabiliscono inevitabilmente una gerarchia tra gli elementi costitutivi, perché mirano a raggiungere un equilibrio, a produrre relazioni compositive. Riducendo radicalmente gli elementi di un'opera al punto che possano tutti essere ricondotti in maniera evidente alla forma unitaria, Judd sperava non solo di cancellare la composizione, ma anche di eliminare l'altro aspetto aprioristico, e cioè la sensazione di un'idea o intenzione che preceda la realizzazione dell'opera in modo da apparire come il nucleo motivazionale posto al suo interno. La messa al bando dell'illusionismo è quindi parte integrante della liberazione dell'opera dall'idea intenzionale, dalla sensazione di una *raison d'être* che l'oggetto finito riveste o esprime.

2 • Robert Morris, (da sinistra a destra) *Senza titolo (Tavolo)*, *Senza titolo (Trave d'angolo)*, *Senza titolo (Trave a terra)*, *Senza titolo (Nuvola)*
Installazione alla Green Gallery, New York, dicembre 1964-gennaio 1965

Questo è ciò che Morris intendeva quando ricordava il "no alla trascendenza e ai valori spirituali, alla scala eroica e alle decisioni tormentate", in un rifiuto che comprendeva il "razionalismo" di ▲ Judd e il "sublime" dell'Espressionismo astratto. Quando Morris decretò lo stesso antiillusionismo in *Note sulla scultura* utilizzò il termine "Gestalt" per evocare l'idea di unitarietà di Judd. Così spiegò come non c'è niente, nessuna idea preesistente, *al di là* della forma esterna o Gestalt: "Nessuno cerca la Gestalt della Gestalt" **[2]**.

Se allo spettatore non veniva richiesto di sondare le profondità dell'oggetto per scoprire il razionale sotto le apparenze, era perché un oggetto come quello "mantiene le relazioni fuori dall'opera d'arte", spiega Morris, "rendendole una funzione dello spazio, della luce e del campo visivo dello spettatore". In altre parole, un nuovo modello di significato veniva messo in campo dalla percezione che qualunque cosa nell'opera esiste solo in superficie, una superficie a sua volta resa vulnerabile al gioco della luce e della prospettiva dello spettatore. "Persino la proprietà più palesemente inalterabile dell'opera, la forma, non resta costante", sosteneva Morris, "perché è lo spettatore a mutarla di continuo variando la sua posizione rispetto all'opera".

La morte dell'autore

Nel mondo dell'arte della prima metà degli anni Sessanta erano emersi due modelli di significato che sembravano destinati a sconvolgere i parametri dell'esperienza estetica. Uno di questi, legato • agli scritti filosofici di Wittgenstein del periodo tardo, era già stato invocato da Jasper Johns qualche anno prima, quando annunciò che il *significato* di ogni parola era identificabile con il suo "uso". Da un'affermazione del genere scaturivano due conclusioni: in primo luogo, i significati delle parole che pronunciamo non sono la funzione di una definizione assoluta che resta inviolata in una sorta di cielo platonico, ma si mischiano invece al contesto in cui vengono applicati; in secondo luogo, il significato delle parole che

▲ 1953, 1962c, 1967a, 1968b, 1970 • 1958 ■ 1914

▲ 1947a, 1949a, 1951 • 1958

pronunciamo non dipende dalle intenzioni che abbiamo prima di articolarle ("quello che voglio dire"), ma acquistano senso nello spazio pubblico della relazione con gli altri. Parlando del Minimalismo in *A.B.C. Art* (1965), uno dei primi saggi non scritti da un artista, Barbara Rose evidenziò l'influenza che hanno avuto le idee di Wittgenstein sul linguaggio, sul modo in cui le opere di Judd e Morris erano ancorate all'esperienza percettiva degli spettatori.

Per rinforzare questo senso del significato-come-contesto, Morris ricorse a diverse strategie. Una era quella di ricavare la Gestalt delle sue opere dall'accostamento di moduli componibili, e nel corso dell'installazione di un gruppo di questi insiemi "permutare" i moduli in diverse combinazioni di forme, in maniera che a nessuna singola opera potesse mai essere attribuita una forma fissa, prestabilita. Un'altra strategia consisteva nel replicare più volte la stessa forma collocando le copie in posizioni diverse, come nelle tre *Travi a L* **[3]**, di fronte alle quali, osservando una L reclinata sul fianco, un'altra "seduta" e la terza appoggiata sulle estremità, risultava impossibile percepire le tre sagome come "identiche". Questo perché l'effetto dello spazio reale comporta che ogni forma assuma un significato diverso a seconda di come il senso della spinta gravitazionale o della diffusione luminosa influenza la nostra esperienza della profondità o del peso reali delle differenti "braccia".

Fu *Fenomenologia della percezione* di Maurice Merleau-Ponty (1945; traduzione inglese: 1962) a produrre il secondo importante modello del significato-come-contesto, o piuttosto del significato come funzione dell'immersione del corpo nel mondo circostante, che risuona nelle *Travi a L* di Morris o nelle scatole di compensato che Judd cominciò a produrre nei primi anni Settanta e che sembravano interiorizzare la traiettoria visiva dello spettatore, e quindi manifestamente dipendere da essa.

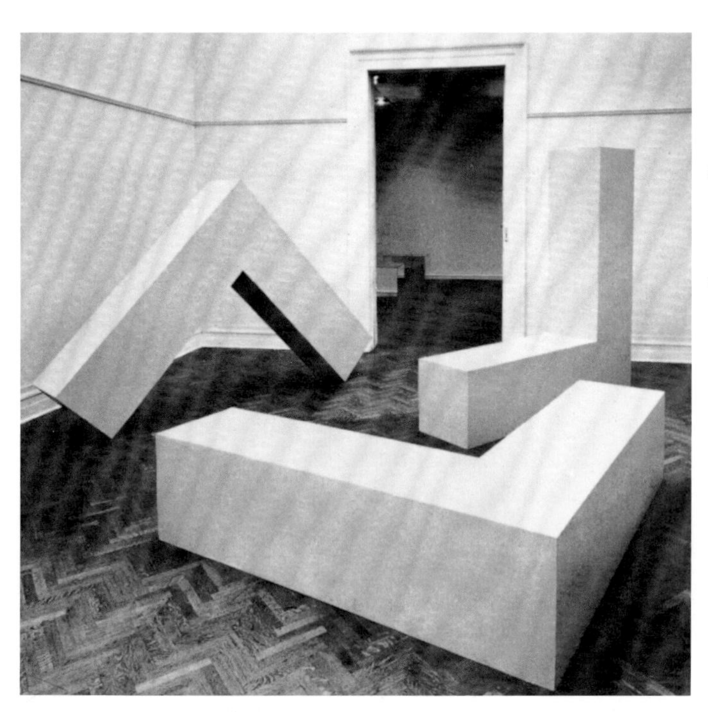

3 • Robert Morris, *Senza titolo (Travi a L)*, 1965-66
Installazione alla Leo Castelli Gallery

Per quanto entrambi questi modelli – il significato come "uso" o il significato come funzione della relazione del corpo con il suo orizzonte spaziale – siano concordi nel rifiutare un'idea dell'interiorità o dell'a priori come garanzia della significazione, entrambi hanno delle implicazioni di grande portata riguardo al concetto di autore. Nulla infatti di ciò che proviene dall'interiorità dell'autore – le intenzioni o i sentimenti – viene più considerato una garanzia del significato dell'opera; al contrario, il significato dipende dallo scambio che avviene nello spazio pubblico della relazione con gli spettatori. Non suscita meraviglia, quindi, che Judd, con il suo rifiuto dell'a priori, e Morris, con il suo "no" alle decisioni tormentate, abbiano abbracciato questi modelli, né è un caso che dal 1968 ▲ la seconda generazione di minimalisti e il critico Brian O'Doherty (nato nel 1934) abbiano diffuso nel contesto americano un saggio di Roland Barthes intitolato *La morte dell'autore*.

Molte delle pratiche dei minimalisti erano rivolte ad accentuare questo senso di destituzione dell'"autore": una di queste era la spersonalizzazione della fabbricazione dell'opera. Nei primi tempi Judd e Morris avevano utilizzato materiali industriali – come il compensato e i fogli di plexiglas –, ma avevano anche consegnato i disegni di vari oggetti a officine che li avevano realizzati. Alla fine degli anni Sessanta questo ricorso alla produzione fatta da altri era diventato molto più programmatico, perché secondo il loro modo di pensare ● era una maniera di esorcizzare gli ultimi residui di "aura" dell'oggetto, grazie all'eliminazione del tocco dell'artista e dell'unicità dell'opera. La fabbricazione industriale assicurava il più alto grado di spersonalizzazione nella realizzazione dell'opera e allo stesso tempo garantiva che l'oggetto potesse essere prodotto come multiplo, e che nessun oggetto di ciascuna serie potesse essere considerato un "originale" più di qualsiasi altro.

La seconda di queste pratiche antiautoritarie consisteva nello spingere l'uso dei materiali industriali oltre il confine del readymade, costruendo l'oggetto a partire da elementi autonomi di normale diffusione commerciale. È quello che ha fatto Dan Flavin combinando i tubi fluorescenti a due, tre o cinque alla volta per ■ formare quelli che chiamò *Monumenti* (come il *Monumento 7 per V. Tatlin*), riferendosi non tanto alla tradizione dadaista del readymade, quanto al contributo dei costruttivisti russi e dei produttivisti ◆ all'arte industrializzata. Da parte sua Carl Andre cominciò a utilizzare mattoni refrattari, come nella fila di centotrenta metri che espose alla mostra *Strutture primarie* intitolata *Leva*. Dato il carattere di pura aggregazione degli assemblaggi in mattoni o lastre metalliche (spesso chiamate "pedane"), la sua opera portava all'estremo l'idea di "composizione" e dichiarava di essere un esempio di ciò che secondo Judd avrebbe dovuto rimpiazzarla: un'organizzazione che non era nient'altro che "una cosa dopo l'altra".

"La *presenzialità* è grazia"

Se dal 1966 *Strutture primarie* aveva riconosciuto l'ampiezza della pratica minimalista, la rivista *Artforum* ne dimostrò le ambizioni concettuali dedicandole un numero speciale, un numero in cui

▲ 2007a ● 1935 ■ 1914, 1921b, 1962c ◆ 1962c

artisti come Robert Smithson (1938-73) e Sol LeWitt spiegavano insieme a Morris la logica della loro pratica. Tuttavia la loro "unione" rappresentava anche una sottile forma di secessione, dal momento che *Verso lo sviluppo di un Air Terminal* di Smithson annunciava l'arrivo di una nuova pratica artistica che avrebbe preso il nome di *earthworks*, e *Paragrafi sull'arte concettuale* di LeWitt – che metteva l'accento sulla natura combinatoria e seriale di questa pratica – era già orientato a una relazione con il linguaggio e il "concetto" smaterializzato che stava per lanciare una sfida feroce al Minimalismo. Ma in modo ancora più aggressivo, *Arte e oggettualità* di Michael Fried utilizzò il numero speciale di *Artforum* per sferrare un attacco alle spalle del Minimalismo, sanzionando attraverso gli argomenti più negativi agli occhi degli stessi minimalisti fino a che punto il Minimalismo costituiva uno spartiacque all'interno del modernismo.

Sostituendo l'oggetto "specifico" di Judd con la parola "letterale", Fried era d'accordo con Judd sul fatto che un'opera del genere si costituisse nello spazio reale della relazione con lo spettatore in una forma intermedia tra pittura e scultura, senza essere né l'una né l'altra. Concordava anche sul fatto che l'effetto fondamentale di questo genere di opere era di entrare in relazione con la realtà circostante, compreso il tempo reale durante il quale si sviluppa la sua esistenza: "una cosa dopo l'altra" in senso temporale oltre che spaziale. Ma Fried era in disaccordo con i suoi avversari su un punto: secondo lui la presenza che un oggetto del genere costituisce all'interno del suo nuovo spazio reale era simile alla *presenza teatrale*, come quella di un attore che produce continuamente effetti sul pubblico, e quindi l'esperienza del Minimalismo era profondamente teatrale. In più, continuava, se questa teatralità era il frutto dell'insistenza sull'interrelazione dell'opera con ciò che la circonda, era anche logicamente in linea con il desiderio di far crollare le distinzioni tra gli specifici media artistici, da cui dipendeva la logica modernista. Infatti, da Richard Wagner nel XIX secolo a Erwin Piscator nel XX, il teatro era sempre visto come il medium composito per eccellenza, il melting pot delle arti diverse, o ciò che Wagner chiamava *Gesamtkunstwerk* (opera d'arte totale).

Tuttavia questo crollo delle distinzioni tra le arti non era altro, sosteneva Fried, che lo sradicamento di qualunque distinzione tra l'arte e la letteralità, o l'arte e il quotidiano. Perché l'arte non è semplicemente una funzione del fatto che una certa cosa è in mia presenza – che mi stia tra i piedi – ma è piuttosto un istante di esperienza estetica che avviene al di fuori dello spazio e del tempo reali, un momento di illuminazione che infonde a un'opera il suo significato come la comprensione di un'equazione algebrica infonde a un pugno di numeri e a un gruppo di esempi una sorta di verità eterna. A questo effetto Fried diede il nome di "presenzialità" in contrapposizione alla "presenza" dell'oggetto letterale e, terminando il suo saggio con un rifiuto della quotidianità con la minacciosa dichiarazione "la presenzialità è grazia", andò in cerca di quella possibilità della trascendenza contro cui la Skilsaw di Morris aveva urlato il suo primo "no".

Maurice Merleau-Ponty (1908-61)

Dopo avere fondato nel dopoguerra l'importante giornale *Les Temps modernes* insieme a Jean-Paul Sartre e Simone de Beauvoir, Maurice Merleau-Ponty ricoprì la cattedra di filosofia del Collège de France dal 1952. Partendo dalla confutazione di Cartesio, la critica di Merleau-Ponty della sua o dell'altrui forma di idealismo derivava dall'obiezione a un modello di esperienza fondato sull'armoniosa relazione della mente cosciente con il mondo, un modello che non riusciva a rendere conto delle fondamentali discrepanze non solo tra la coscienza e il mondo, ma anche tra una coscienza e un'altra. Non era possibile afferrare la soggettività umana, secondo lui, senza rendere conto di queste discrepanze.

Rifacendosi largamente alla psicologia gestaltica di Wilhelm Köhler, Merleau-Ponty si concentrò su quello che chiamava il "milieu percettivo", nel tentativo di descrivere la forma unicamente umana di "essere-nel-mondo", che era fondata, egli sosteneva, sulla natura parziale dell'esperienza visiva dovuta ai limiti "prospettici" della percezione umana. Nella *Fenomenologia della percezione* (1945) i capitoli sul "corpo" descrivevano forme di percezione definite "preoggettuali", da cui deriverebbe una forma di visione e di conoscenza "astratta". L'opera di Merleau-Ponty fece breccia nel discorso dell'arte contemporanea grazie ai saggi di Michael Fried sullo scultore inglese Anthony Caro, in cui, per descrivere la "sintassi" disgiuntiva dell'opera dello scultore, viene citato tra gli altri il saggio di Merleau-Ponty del 1952 *Sulla fenomenologia del linguaggio*.

Dal momento che la fenomenologia di Merleau-Ponty pone il corpo umano – la sua simmetria bilaterale, il suo asse verticale, il possedere un davanti e un dietro, quest'ultimo invisibile al soggetto stesso – al centro dell'intenzionalità del soggetto verso il senso, è chiaro che i progetti artistici la cui esperienza estetica dipende dai vettori corporei si prestano particolarmente bene all'analisi fenomenologica. Oltre al ricordato caso di Caro, altri esempi sono stati quelli di Barnett Newman e Richard Serra.

In quel numero di *Artforum* del 1967 erano quindi accostate quattro voci ugualmente chiare a proposito della soglia varcata dal Minimalismo. Una di esse era sgomenta del fatto che il Minimalismo segnasse la fine della scultura, e chiaramente Fried presentò ▲ l'opera di Anthony Caro come la vera alternativa scultorea all'opera letterale di Judd e Morris. Le altre tre – Morris, LeWitt, Smithson – davano il benvenuto a questo nuovo campo della pratica estetica, considerandolo l'avvento della più ampia libertà e l'entrata in ● quello che poteva essere chiamato un "campo allargato". RK

ULTERIORI LETTURE:

Gregory Battcock (a cura di), *Minimal Art: A Critical Anthology*, Dutton, New York 1968,e University of California Press, Berkley-Los Angeles 1995

Francis Colpitt, *Minimal Art: The Critical Perspective*, University of Washington Press, Seattle 1990

Michael Fried, *Art and Objecthood*, in *Art and Objecthood*, University of Chicago Press, Chicago 1998

Donald Judd, *Complete Writings: 1959-75*, New York University Press, New York 1975

Rosalind Krauss, *Robert Morris: The Mind/Body Problem*, Guggenheim Museum, New York 1994

Robert Morris, *Continuous Project Altered Daily*, MIT Press, Cambridge (Mass.) 1993

▲ 1968b, 1970

▲ 1945 ● 1970

1966a

Marcel Duchamp completa l'installazione *Dati...* al Philadelphia Museum of Art: con la rivelazione di questa sua nuova opera la crescente influenza che esercitava sui giovani artisti arriva al culmine.

Un modo – e certo non dei meno efficaci – di rappresentare il clima artistico degli anni Sessanta consiste nell'osservare fino a che punto la fama di Picasso era stata eclissata da quella di Duchamp. Se da una parte Picasso era stato il mago del ▲ modernismo, il grande inventore del Cubismo e del collage, era anche stato l'instancabile creatore proteiforme che aveva tenuto in vita la tradizione della pittura in una parata infinita di stili pittorici, ravvivato le braci spente dei processi grafici, allargato i confini della scultura tradizionale. Duchamp, al contrario, aveva "smesso di dipingere" nel 1920 per darsi agli scacchi, secondo le sue stesse parole, e messo in circolazione una serie di readymade sotto lo pseu- ● donimo di Rrose Sélavy. In confronto alla valanga di pubblicità, mostre e letteratura critica da cui era circondato Picasso, la "serena oscurità" nella quale si era immerso Duchamp a New York dagli ■ anni Quaranta fu interrotta soltanto da un numero speciale della rivista di ispirazione surrealista *View* dedicato a lui nel 1945 (la prima monografia su Duchamp vide la luce nel 1959). Viveva in un appartamento di una semplicità spartana e il suo unico contatto con il mondo dell'arte passava attraverso un pugno di surrealisti in trasferta e il compositore d'avanguardia John Cage. Ma questo, a conti fatti, era sufficiente.

Negli anni Cinquanta Cage, affascinato dalle idee di Duchamp sulla casualità, aveva esposto le novità dell'esempio di Duchamp all'amico pittore Robert Rauschenberg. Attraverso Rauschenberg ◆ qualcosa delle procedure di Duchamp giunse fino a Jasper Johns, anche se Johns sostiene che le opere presentate alla sua strabiliante mostra del 1957 (i *Bersagli* con calchi di frammenti corporei e le *Bandiere*) furono realizzate prima di conoscere l'opera di Duchamp e che fu solo dopo che i critici avevano etichettato il suo lavoro come "neodada", identificandolo con il readymade, che insieme a Rauschenberg aveva cominciato a indagare seriamente sul fenomeno. Nel 1959 avevano incontrato Duchamp e visto la straordinaria collezione delle sue opere alla Collezione Arensberg del Philadelphia Museum of Art (compreso il *Grande Vetro*), nel 1960 avevano letto l'edizione inglese, appena pubblicata, della *Scatola verde* (1934), le complicate note al *Grande Vetro*, e Johns aveva cominciato a collezionare le sue opere, in particolare i calchi prodotti negli anni Cinquanta in edizione limitata **[2]**.

Anche se l'opera di Johns mostrava chiaramente due elementi "paradigmatici" del fare artistico cui il nome di Duchamp viene costantemente associato – il readymade e l'"indice" (esemplificato nell'uso da parte di Johns di calchi corporei e in una serie di "dispositivi", come la scelta dell'encausto o l'uso di tergivetri per spalmare il colore, che enfatizza il segno pittorico come una forma di traccia) – egli stesso ha ribadito l'importanza di un terzo elemento. "Con Duchamp", ha scritto Johns nel 1960, "il linguaggio ha la supremazia. [...] Il *Grande Vetro* di Duchamp mostra la sua idea dell'opera come esperienza mentale, non visiva o sensoriale".

Peep show

Furono questi "paradigmi" o modelli di produzione dell'opera ad affermarsi con forza nel contesto dell'America degli anni Sessanta. Il readymade era dappertutto: permeava completamente la produ- ▲ zione di Fluxus e allo stesso tempo costituiva l'armatura ● concettuale della Pop art. L'indice si manifestava non solo nei calchi che Johns continuava a realizzare, oltre che in quelli di Robert Morris e Bruce Nauman (nato nel 1941) **[1]**, ma si estese a un intero sistema di "tracce", come la registrazione da parte di Morris delle proprie onde cerebrali in *Autoritratto (EEG)* (1963), e in più ebbe un ruolo decisivo nell'ossessione di Fluxus per il caso. Il modello linguistico, che cominciò dalla stretta adesione all'esempio della *Scatola verde* di Duchamp – come nel caso di *Schedario* di Morris, in cui l'oggetto è costituito dalla schedatura in ordine alfabetico e tematico della propria concezione ed esecuzione – sfociò alla fine degli anni Sessanta nell'Arte concettuale, in cui le riflessioni sul ■ linguaggio di Duchamp si combinarono a quelle di Wittgenstein per generare quella che Johns chiamava "un'idea dell'opera come esperienza mentale, non visiva o sensoriale".

L'ascesa di questi tre paradigmi segnò la fine del collage cubista, che appariva sempre più compromesso, ormai preda del linguaggio corrotto della pubblicità e degli altri mass media in cui era stato incorporato da prima della Seconda guerra mondiale. L'unico modo di praticare il collage per le avanguardie postbelliche era tramite un rovesciamento dialettico che ne decretasse un uso negativo, appartenente al registro del *trash*: la merce esposta come obsolescenza pianificata, ad esempio nel décollage o negli ◆ assemblage di Rauschenberg o nelle *poubelles* di Arman.

▲ 1907, 1911, 1912, 1921a, 1937a, 1944b ● 1918 ■ 1968b ◆ 1953, 1958, 1960d

▲ 1914, 1960c, 1962a, 1964b ● 1918, 1953 ■ 1958, 1968b ◆ 1960a

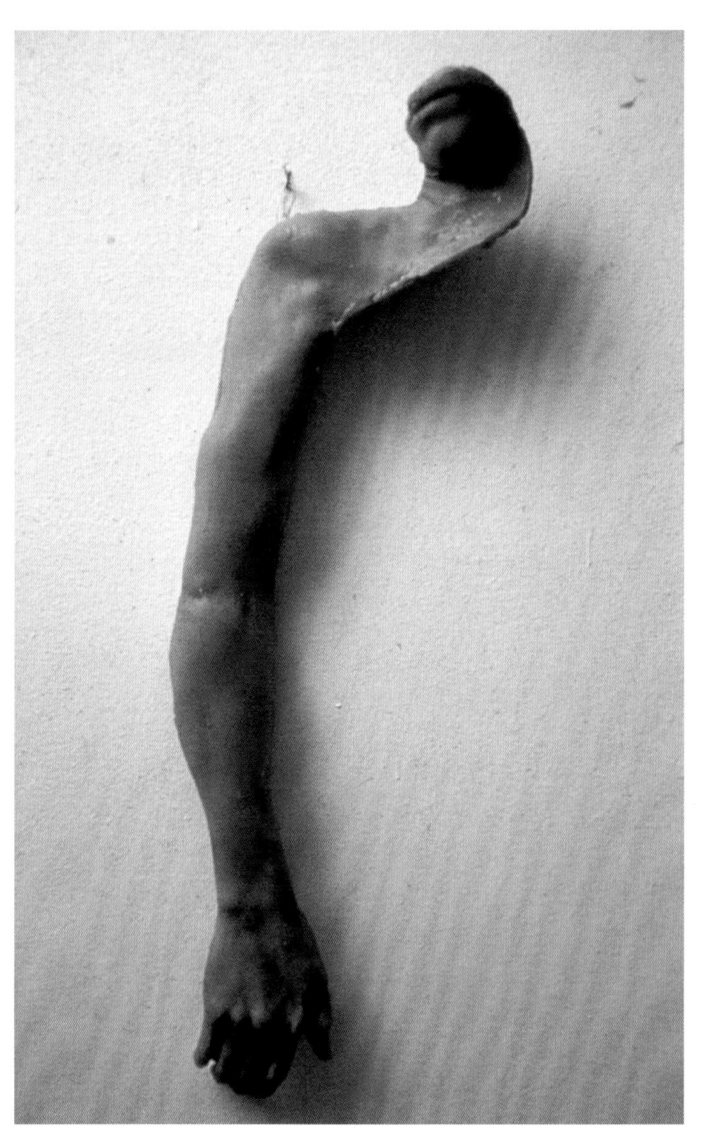

1 • Bruce Nauman, *Dalla mano alla testa*, 1967
Cera su stoffa, 71,1 x 26,4 x 11,1 cm

2 • Marcel Duchamp, *Foglia di vite femmina*, 1950
Gesso zincato, 9 x 14 x 12,5 cm

Ma Duchamp ebbe un atteggiamento tipicamente duchampiano nei confronti della sua stessa "egemonia". Se ne smarcò attraverso lo stesso tipo di rovesciamento espresso nell'opera cui aveva lavorato segretamente durante i due decenni precedenti, conclusa nel 1966: *Dati: 1. La caduta d'acqua 2. Il gas d'illuminazione* [**3**, **4**]. Accordandosi per installare l'opera vicino alle sue opere passate contenute nella collezione Arensberg, dispose che questo nuovo pezzo fosse visibile al pubblico a partire dal 1969, un anno dopo la sua morte.

Se l'arte di Duchamp fino ad allora era stata interpretata come "concettuale", quest'opera era un diorama spaventosamente realistico, uno spettacolo erotico che non lasciava nulla all'immaginazione. Si era detto che la sua arte aveva spostato l'enfasi del fare artistico dalla tecnica tradizionale all'automatismo "destrutturato" del readymade, mentre quest'opera aveva richiesto uno scrupoloso impiego di abilità manuale. La fotografia era stata utilizzata nelle opere precedenti come un elemento strutturale, procedurale, per mezzo del quale rivelare le operazioni dell'indice, mentre qui "il fotografico" si manifestava a prima vista nella sua più crassa incarnazione, come un puro accesso alla dimensione brutalmente simulacrale: la sostituzione della copia mimetica alla realtà.

Alcuni studiosi di Duchamp guardavano l'opera inorriditi scorgendovi l'immaginario, allegorico groviglio di *La Sposa messa a nudo dai suoi celibi, anche* (1915-23) trasformato in una specie di barzelletta sporca, un peep show guardato attraverso dei fori praticati nel portone di un granaio che mostrano un nudo adagiato su un cumulo di ramoscelli con le gambe spalancate di fronte allo sguardo dello spettatore, mentre nel paesaggio dietro di esso si può osservare la versione kitsch dei misteriosi protagonisti della "Premessa" al *Grande Vetro*: la caduta d'acqua e il gas d'illuminazione. Nonostante la costernazione di questi studiosi, comunque, e contrariamente alla convinzione diffusa alla fine degli anni Sessanta che tutti i paradigmi della pratica d'avanguardia fossero stati inventati nella prima metà del secolo e che agli artisti del dopoguerra non rimanesse altra possibilità che riciclarli in una serie di ripetizioni cui inevitabilmente sarebbe stato applicato il prefisso "neo" (come sostenuto da Peter Bürger in *Teoria dell'avanguardia*), *Dati...* era un nuovo paradigma appena scritto, che avrebbe profondamente influenzato le opere successive al 1968. Poiché era stabilito che venisse allestita in un museo, l'opera si doveva adattare al suo contesto permanente, istituzionale, per dare forma alla critica più completa e devastante del modo in cui l'estetica stessa agisce e viene legittimata.

L'idea dell'esperienza estetica, di marca illuminista, era basata sul principio di un giudizio sulla bellezza di qualcosa (sul suo poter essere chiamata "arte"), giudizio che doveva essere totalmente disinteressato, vale a dire indifferente all'utilità dell'oggetto o al suo contenuto di verità, come ad esempio la sua rispondenza a fatti o concetti scientifici, giudizio nondimeno pronunciato a nome di tutti e quindi espresso con "voce universale". Se a teorizzare questo genere di esperienza fu Immanuel Kant nella *Critica del giudizio* (1790), essa fu poi istituzionalizzata nei grandi musei

▲ 1914, 1968b ● 1918 ▲ 1960a

3 • Marcel Duchamp, *Dati: 1. La caduta d'acqua 2. Il gas d'illuminazione*, 1946-66
Assemblage misto, 242,5 x 117,8 x 124,5 cm

ottocenteschi. Separando il loro contenuto dallo spazio della vita quotidiana, gli splendidi contenitori delle grandi collezioni d'arte dichiaravano al tempo stesso l'autonomia della sfera estetica – da cui il ritrarsi dall'"interesse" sia a livello dell'utilità pratica che della conoscenza – e il suo carattere pubblico: un luogo di esperienza collettiva dove la "voce universale" potesse essere visualizzata nella comunità degli spettatori in raccoglimento davanti alle opere, ognuno in grado di giudicare per tutti.

Dati... di Duchamp è situata in un museo di questo genere. Ma in contrapposizione alla natura pubblica di questo spazio dell'esperienza condivisa, l'opera è perversamente nascosta. Visto attraverso gli spioncini aperti nella porta di quercia, che nella sua collocazione d'insieme è l'unica parte visibile dell'opera, il diorama si mostra a un solo spettatore alla volta. Costui, lungi dall'assumere la distaccata postura del "disinteresse" estetico, è necessariamente consapevole del fatto che, mentre è incollato al buco per sbirciare nello spazio dello spettacolo erotico, il suo didietro è a sua volta esposto allo sguardo di qualcun altro, un custode o una terza persona che entra nel museo. Potenzialmente sempre a rischio di essere "colta sul fatto", questa esperienza visiva non può in alcun modo riuscire a trascendere il corpo che le fa da supporto, così da entrare in comunicazione con l'oggetto del giudizio; al contrario, il corpo si ispessisce fino a diventare un oggetto, reso carnale dal suo aprirsi al sentimento della vergogna.

Lo spettacolo dietro la porta è a sua volta modellato per articolare questa carnalizzazione dello spettatore. Replicando esattamente il modello prospettico rinascimentale, la messa in scena presenta il suo nudo al di là dell'apertura frastagliata di un muro di mattoni, parodiando il principio albertiano che il piano visivo della costruzione prospettica equivale a una finestra. Inoltre, orchestrando le geometrie prospettiche attraverso cui il cono visivo (che si concentra in un punto dell'occhio dello spettatore: il punto di vista) rispecchia esattamente la piramide proiettiva (che si concentra in un punto nell'"infinito": il punto di fuga), gli spioncini di Duchamp collocano il punto di vista in perfetta corrispondenza con il buco diametralmente opposto, cioè il punto tra le gambe nude spalancate sul letto di ramoscelli. Analizzando i sistemi trasformazionali di Duchamp, il filosofo francese Jean-François Lyotard riassunse questa fusione bipolare di punto di vista e punto di fuga in due orifizi corporei gemellati nel motto "*Con celui qui voit*" (brutalmente, "Mona chi guarda").

Colto sul fatto

La posizione di *Pittura modernista* – a sua volta una conseguenza dell'istanza illuminista a comprendere la specificità delle arti visive nei termini della separatezza della vista dagli altri sensi (la vista è spaziale, ad esempio, mentre l'udito è temporale) – aveva associato l'idea dell'autonomia dell'arte (e il suo "disinteresse") alla possibilità di un senso purificato del visivo. Questa "otticità" disincarnata, grazie alla quale sarebbe possibile riconoscere la differenza della pittura dalle altre arti – evitando qualunque senso del cinestetico o dello scultoreo e riferendosi invece al solo sguardo – inchiodò quindi l'estetica all'illusione che il punto di vista fosse, come nel diagramma rinascimentale, veramente riducibile a un puntolino di luce, distaccato da qualunque esperienza corporea.

Se l'otticità era indice del "disinteresse" e la scala monumentale della Colorfield painting, attraverso cui si manifestava, la garanzia dello spazio collettivo della sua visione, *Dati...* revoca questa garanzia di disinteresse rendendo doppiamente carnale lo spettatore. Come il punto di vista teorico del diagramma si incarna nello sguardo erotizzato del voyeur, lo spazio del museo diventa un labirinto di interessi separati, alcuni dei quali hanno il potere di alienare gli altri da se stessi cogliendoli nell'atto di guardare, ormai lungi dall'essere definito "puro".

Come Roland Barthes non si stancò mai di spiegare, l'Illuminismo teorizzò il principio dell'"universale" come una maniera di consolidare il potere della borghesia, facendo sparire questo potere come fatto storico per farlo riapparire, invece, come un ordine naturale. "L'arte classica", dice Barthes in *Il grado zero della scrittura*, "poteva non sentirsi come un linguaggio, perché *era* linguaggio, vale a dire trasparenza, circolazione senza sedimento, concorso ideale di uno Spirito universale e di un segno decorativo senza spessore e senza responsabilità".

L'atto di smascherare questa "universalità" ed esporla come storicamente contingente opera in molti modi nella storia del modernismo, dalla naturalizzazione del medium della pittura a olio da parte del collage all'insistenza del readymade sul carattere convenzionale e sociale della condizione artistica. Ma *Dati...* oltrepassa il modo in cui *Fontana*, l'orinatoio che Duchamp aveva esposto alla mostra della Società degli Artisti Indipendenti nel 1917, aveva messo in mostra il contesto sociale che circonda l'opera – il luogo ufficiale della mostra, la cultura della legittimazione nel processo del giudizio e dell'accettazione – come ciò che di fatto "costituisce" l'opera *come* arte. Perché collocandosi nel cuore del museo – pubblico difensore dei valori del disinteresse disincarnato – *Dati...* era in grado di riversare la sua logica sulla falsariga del sistema estetico, facendo apparire le condizioni del contesto con una chiarezza disarmante solo per farle sembrare "strane".

La "critica istituzionale", che concentrerà ora la sua attenzione sul museo come luogo, includerà l'opera di Marcel Broodthaers in Belgio, quella di Daniel Buren a Parigi e quella di Michael Asher e Hans Haacke negli Stati Uniti. Questa attenzione alla cornice istituzionale del sistema estetico era stata sottolineata in molte occasioni, dal contributo situazionista agli eventi del maggio 1968 a Parigi alla teorizzazione postmoderna delle condizioni del "discorso" nell'opera di scrittori come Michel Foucault e Jacques Derrida. Ma *Dati...*, collocata nella vera e propria cittadella del museo, andò al nocciolo del paradigma estetico, criticandolo, demistificandolo, decostruendolo. RK

4 • Marcel Duchamp, *Dati: 1. La caduta d'acqua 2. Il gas d'illuminazione*, 1946-66
Assemblage misto, 242,5 x 117,8 x 124,5 cm

ULTERIORI LETTURE:

Marcel Duchamp, *Manual of instruction for Etant Donnés: 1. La Chute d'eau 2. Le Gaz d'éclairage,* Philadelphia Museum of Art, Philadelphia 1987
Rosalind Krauss, *L'inconscio ottico*, trad,. it. Bruno Mondadori, Milano 2008
Jean-François Lyotard, *I TRANSformatori DUchamp*, trad. it. Hestia, Milano 1992

▲ 1984b ● 1960b ▲ Introduzione 3 ● 1914 ■ 1972a ◆ 1970, 1971, 1972b ▲ Introduzione 4

1966b

Apre a New York la mostra *Astrazione eccentrica*: le opere di Louise Bourgeois, Eva Hesse, Yayoi Kusama e altri cercano un'alternativa espressiva al linguaggio della scultura minimalista.

Nata in una famiglia medio borghese di Parigi, Louise Bourgeois (1911-2010) fin dalla tenera età diede una mano nell'impresa familiare di restauro di tappeti. Forse l'attività di riparare figure danneggiate fu formativa per la giovane Bourgeois, perché l'arte che produsse in seguito oscillava tra suggestioni di danno e riparazione. A quanto riferisce lei stessa questa ambivalenza aveva a che fare con il padre donnaiolo, che installò un'amante in casa distruggendo la famiglia. Anni più tardi Bourgeois si sarebbe vendicata con un'opera schiettamente intitolata *Distruzione del padre* (1974). La sua prima mossa, comunque, era stata quella di ▲ fuggire, prima in direzione della scuola d'arte, poi nello studio di Fernand Léger. Nel 1938 sposò lo storico dell'arte americano Robert Goldwater (1907-73), il cui *Primitivismo nell'arte moderna*, che fu a lungo considerato la bibbia sull'argomento, potrebbe avere avuto influenza anche su di lei, e partì insieme a lui per New York.

Aggressione parricida

● Le sue prime opere comprendono disegni di influenza surrealista, come le *Donne-case* (1945-47), in cui Bourgeois rappresenta il nudo femminile come un rifugio esposto, spesso violato. Verso la fine degli anni Quaranta cominciò a produrre sculture: anche questi "totem", dei pali semiastratti in legno o in bronzo, erano ■ legati al tardo Surrealismo allora in voga a New York. Acquisì uno stile inequivocabilmente personale solo nei primi anni Sessanta, quando cominciò a combinare gesso, latex e stoffa in astratte evocazioni di parti del corpo. Queste parti del corpo, che sembrano incarnare fantasie violente o pulsioni aggressive, sono una specie di "oggetti parziali": in gergo psicanalitico, quelle parti del corpo, come il seno, che le pulsioni materializzano come oggetto d'elezione. Uno dei primi esempi è *Ritratto* (1963), una massa di latex marrone e viscosa che pende floscia dalla parete simile a uno stomaco con i tubi tagliati, il ritratto fantasmatico di un io come corpo rivoltato all'infuori. La critica Lucy Lippard, che aveva incluso questo pezzo nella sua mostra *Astrazione eccentrica* del 1966 alla Fischbach Gallery, lo descriveva come un ambivalente "corpo-ego" in grado di produrre insieme "attrazione" e "repulsione". Nello stesso tempo Bourgeois creò *Lo sguardo*, in un momento in cui pochi artisti si occupavano in modo esplicito di un ▲ problema che sarebbe diventato così centrale nell'arte femminista. *Lo sguardo*, un oggetto rotondo e labbiale in latex su tela da sacchi, assomiglia a quello che i surrealisti chiamavano l'*oeil-sexe*, la combinazione di occhio e genitale, in questo caso un oggetto ambiguamente vaginale. Con una fessura socchiusa che mostra un interno irregolare, questo occhio-genitale evoca tanto una ferita che delle fauci, come l'occhio di un bambino che "vede" il mondo solamente attraverso la sua bocca. In questo senso *Lo sguardo* è allo

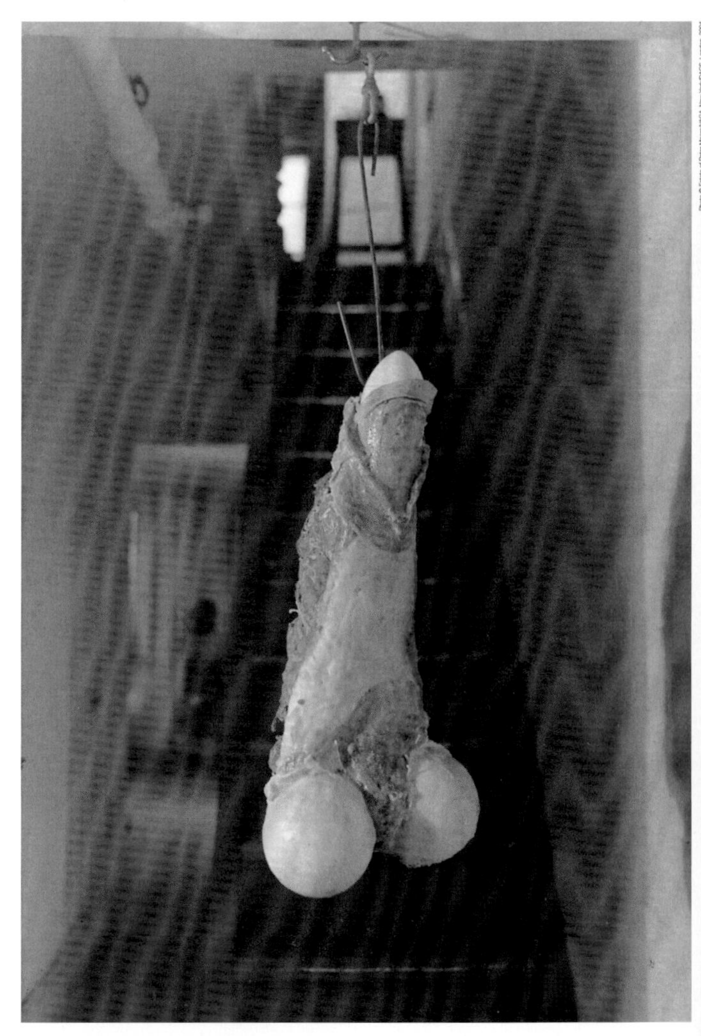

1 • Louise Bourgeois, *La fanciulla*, 1968
Latex su gesso, 59,7 x 26,7 x 19,7 cm

▲ 1913, 1921a, 1925a ● 1924, 1930b, 1931a ■ 1942b, 1945 ▲ 1966a, 1975a

2 • Louise Bourgeois, *Distruzione del padre*, 1974
Gesso, latex, legno, stoffa e luce rossa, 237,8 x 362,3 x 248,6 cm

stesso tempo vulnerabile e aggressivo, un'ambivalenza tipica della maggior parte degli oggetti della Bourgeois. Come afferma la storica dell'arte Mignon Nixon, esso "rielabora il motivo dell'*oeil-sexe* dal punto di vista di un soggetto femminile", in un modo che altera lo "sguardo fallico" dei surrealisti.

Bourgeois impresse un'altra svolta all'oggetto surrealista, in questo caso il feticcio sessuale, in *La fanciulla* [**1**]. Una cosa sporca con le fattezze di un pene, in latex su gesso, *La fanciulla* è un altro "oggetto sgradevole", per dirla con le parole del grande creatore di oggetti surrealisti, Alberto Giacometti, e come i suoi oggetti, l'opera è carica di ambivalenza. Quando è appeso a un filo (viene spesso esposto in questo modo), sembra un oggetto di odio, un pezzo di carne castrato. Ma quando viene cullato (come appare in una famosa foto della Bourgeois scattata da Mapplethorpe) sembra un oggetto d'amore, un bambino tenuto in braccio dalla madre (si possono proiettare occhi e bocca sulla sua "testa"). Secondo Freud, le donne possono associare il pene e il bambino per compensare la mancanza del primo con il secondo, ma questa "bambina" non è solo un feticcio o un sostituto del pene, è un personaggio a pieno titolo. *La fanciulla* è quindi un gesto spavaldo: se *Lo sguardo* è una parodia femminista dello sguardo maschile, *La fanciulla* è un'appropriazione femminista del fallo simbolico.

Alla fine degli anni Sessanta, quindi, Bourgeois era attivamente coinvolta nel femminismo, e dopo la morte del marito nel 1973 cominciò ad affrontare il suo passato traumatico da una prospettiva femminista; un primo risultato fu la *Distruzione del padre* [**2**]. Già negli anni Sessanta Bourgeois aveva sviluppato la sua vecchia immagine della *Donna-casa* in un nuovo ambiente chiamato "tana", "un luogo protetto dove si entra per cercare rifugio". "Anche se la tana non è una trappola", specifica, "la paura di essere intrappolati è diventata il desiderio di intrappolare altri". Sotto questo aspetto *Distruzione del padre* può essere considerata la sua tana archetipica, perché in essa la protezione si trasforma in aggressione, e la vittima diventa il cacciatore. Si tratta di una grande caverna fatta di gesso, latex, legno e stoffa costituita da forme che ricordano peni, seni e denti che spuntano dal pavimento, dal tavolo e dal soffitto. Allo stesso tempo caverna, corpo e stanza, *Distruzione del padre* è un interno fantasmatico del genere che, secondo la psicoanalista Melanie Klein, a volte popola le fantasie dei bambini piccoli. Per Bourgeois era una tana dove il "pasto serale" (che è l'altro titolo dell'opera) si è in qualche modo trasformato in un pasto rituale, dove il "totem" da divorare è improvvisamente diventato il padre. Ecco il suo racconto di questa fantasia parricida:

1931a ● Introduzione 1, 1975a

3 • Yayoi Kusama, *Stanza di specchi infinita – Campo dei falli*, 1965
Stoffa cucita e imbottita, specchi, dimensione variabile

Si tratta essenzialmente di una tavola, l'orrida, terrificante cena con a capo il padre che si siede e gode. E gli altri, la madre e i figli, cosa possono fare? Siedono in silenzio. La madre ovviamente cerca di soddisfare il tiranno, suo marito. I figli traboccano esasperazione. C'erano tre figli: mio fratello, mia sorella ed io. C'erano anche due altri bambini che i miei genitori avevano adottato perché il loro padre era morto in guerra. Quindi eravamo cinque. Mio padre si innervosiva alla nostra vista e dimostrava la sua "grandezza". Per l'esasperazione afferravamo il padre, lo sbattevamo sul tavolo, lo facevamo a pezzi e cominciavamo a mangiarlo.

Ripetizione ossessiva

Yayoi Kusama (nata nel 1929) affrontò la roccaforte del patriarcato da un'altra direzione: invece di impadronirsi del fallo alla maniera di Bourgeois, Kusama lo ha moltiplicato in modo beffardo, lo ha gonfiato fino a farlo "scoppiare". Nata in Giappone, arrivò a New York nel 1957 e nel 1959 aveva già esposto cinque delle sue *Reti infinite*, grandi tele bianche (larghe dieci metri) coperte di un motivo a rete chiaro, che rispondevano non solo ai dripping di ▲ Jackson Pollock, ma anche al rinnovato interesse per il monocromo. Due anni dopo i motivi acquisirono una consistenza più ● materiale e definita. Traendo forse ispirazione dall'esposizione di assemblage al MoMA, Kusama cominciò a produrre le sue *Accumulazioni* nell'autunno del 1961, oggetti familiari spesso trovati per strada (una poltrona, un cappotto, una scala a pioli, un carrozzino), coperti di sacchetti imbottiti di ovatta e dipinti di bianco. "Il punto", commentava laconicamente Donald Judd in una retrospettiva di queste opere, "è la ripetizione ossessiva", ma la ripetizione in questo caso produceva fitti campi di escrescenze falliche, che non erano né elementi regolari minimalisti né immagini pop seriali, ma una strana mescolanza dei due. Presto Kusama cominciò a utilizzare questa procedura per creare interi ambienti di falli imbottiti, come in *Aggregazione: mille barche* (dicembre 1964), il cui pezzo centrale era una barca con i remi coperti di protuberanze falliche, simili a una vegetazione aliena. Grandi fotografie della barca coprivano inoltre le pareti di forme falliche, davanti a cui Kusama si faceva fotografare (secondo la sua abitudine), in questo caso nuda.

Questa ripetizione non era solo una parodia della forma fallica, ma aveva anche l'effetto di disperdere la sua forma verticale in un campo orizzontale di altri falli. L'interesse per il mimetismo che mescola figura e sfondo portò Kusama a utilizzare anche pois rossi, a volte applicati sui falli, a volte da soli, di nuovo seguendo l'evidente impulso a dedifferenziare gli oggetti e a uniformare i suoi ambienti. Questo effetto di annullamento delle differenze era potenziato dall'uso di specchi, per la prima volta in *Stanza di specchi infinita – Campo di falli* **[3]**, in cui i suoi falli, pois e, in alcune foto, il suo stesso corpo (rivestito di un body rosso) sono potenzialmente replicati all'infinito. "Con i pois dobbiamo dimenticare noi stessi", affermò una volta l'artista, come se la sua stessa soggettività venisse messa in gioco da questa pulsione all'indistinzione. Da allora i suoi ambienti diventarono sempre più entusiasticamente pop e spesso includevano bombardamenti di luce e suoni: Kusama faceva esperimenti anche con la cultura psichedelica. In questa fase i critici non facevano che rivolgerle accuse di esibizionismo: ma, paradossalmente, la sua autoesibizione può dare luogo a un'interpretazione della sua opera come autoimmolazione. Forse era ormai entrata in gioco la sua evidente schizofrenia: Kusama era soggetta ad allucinazioni periodiche dall'adolescenza e nel 1972 tornò in Giappone per entrare in una casa di cura (dove tuttavia continuò a produrre opere d'arte).

Astrazione eccentrica

La scultura di Eva Hesse (1936-70) non è né assertiva come quella di Bourgeois né dispersiva come quella di Kusama, ma è più innovativa sul piano formale e, nonostante la morte prematura di tumore al cervello a trentaquattro anni, più storicamente influente. Questo in parte perché si tratta di una scultura non tanto referenziale nell'immaginare il corpo – e l'intero mondo di oggetti materiali con cui il corpo entra in contatto –, quanto potenzialmente disturbata da fantasie, desideri e pulsioni. Tuttavia, forse per compensare la relativa astrazione, l'opera è spesso riferita alle vicissitudini della sua vita (la sua famiglia sfuggì ai nazisti, sua madre si suicidò) e al fatto stesso di essere donna: "la sua ripugnante e penosa eredità di dolore", nelle parole di Anne C. Chave. Alcuni critici (come Chave) interpretano le sue evocazioni del corpo come esempi di rivendicazione protofemminista di un'espressione essenzialmente femminile, intesa in termini di

▲ 1949a, 1957b ● 1959b

4 • Eva Hesse, *Contingente*, 1969
Fibra di vetro e resina poliestere, latex su buratto, otto elementi, ognuno da 289,6 a 426,7 × 91,4 fino a 121,9 cm

5 • Eva Hesse, *Ingeminato*, 1965
Pittura a smalto, corda e cartapesta su due palloncini connessi a un tubo chirurgico. Ogni elemento 55,9 x 11,4 cm

grembo o ferita, mentre altri (come Anne Wagner) rifiutano questa interpretazione dell'opera come un "sintomo della patologia della condizione femminile" e ritengono che queste figure svolgano un'azione di disturbo dei segni della differenza sessuale, leggendole più come una combinazione semiinfantile di pulsioni conflittuali e oggetti parziali che come uno stabile "corpo-ego" femminile. Da entrambi i punti di vista, le sue costruzioni in latex, fibra di vetro e buratto evocano il corpo in situazioni estreme: scuoiato in una condizione orribile (*Connessione*, 1969) o velato in un momento di grazia, come in *Contingente* **[4]**.

Una delle sculture incluse in *Astrazione eccentrica* è *Ingeminato* **[5]**: due grandi forme tubolari, ognuna avvolta in una corda scura che le collega tra loro. Al tempo della mostra Lippard puntò l'attenzione sulle implicazioni procedurali del titolo: raddoppiare, enfatizzare attraverso la ripetizione. Più recentemente Mignon Nixon ha messo in rilievo le sue associazioni biosessuali – inseminare, germinare, disseminare – parole che sottolineano la relazione ambigua di questo oggetto con le immagini di genere convenzionali, e certamente con il corpo, sia preso in una delle sue parti che per intero. Infatti cosa è esattamente a essere duplicato e collegato in quest'opera? "Raddoppiare e legare il fallo significa scherzare alle sue spalle", scrive Nixon, "ma anche confonderlo con i seni, e i seni con i testicoli, e così via in una spirale identificativa in cui il corpo viene ritratto da vicino e contemporaneamente scompare alla vista, diventa in altre parole sempre più fantasmatico". Hesse si compiace di operare questa confusione formale, in questa mirata provocazione dell'ambivalente interesse nell'osservatore; questo appare con chiarezza anche nelle allegre pose fotografiche con i suoi oggetti (proprio come Bourgeois e Kusama: le tre artiste condividono questa strategia performativa). Hesse si compiace ▲ anche a perturbare il campo estetico minimalista, con i suoi ● oggetti che rassomigliano a oggetti parziali, e del postminimalismo, con le sue procedure che insistono sul carnale, o addirittura sul viscerale. Come Lippard aveva ben presto notato, la sua arte metteva in scena "un confronto diretto tra gli attributi incongrui fisici e formali: durezza/morbidezza, ruvidezza/levigatezza, precisione/casualità, geometria/forma libera, resistenza/vulnerabilità, superficie 'naturale'/costruzione industriale". *Contingente* gioca con tutte queste opposizioni e altre ancora (cadere ed emergere, gravità e trascendenza, ecc.) in un modo che le rende instabili, sfacciatamente materiali e metaforiche allo stesso tempo.

Cruciale per questo corpus di opere è quindi "la sua totale intimità con i linguaggi artistici contemporanei" (Wagner), con le forme minimaliste come la griglia e il cubo e con le strategie postminimaliste di legare, appendere, disperdere e così via. Questa intimità permetteva a Hesse di trasformare attivamente questi linguaggi: di nuovo, cioè, di introdurre confuse associazioni carnali nei loro puliti assunti concettuali. Nello stesso tempo questi linguaggi allontanavano l'opera "da un campo di significati esclusivamente personali". "La scultura è letterale riguardo al corpo", ha commentato Wagner, "anche se nello stesso tempo fa esplodere la stessa nozione di letteralità. Essa insiste sul proprio carattere paralinguistico – le sue strutture di ripetizione e trasformazione – e contemporaneamente mischia queste strutture con evocazioni del mondo carnale. Il corpo è lì da qualche parte, all'incrocio di struttura e referenza". Questa è certamente "astrazione eccentrica", e continua ad avere un impatto su di noi oggi che una certa arte di quel periodo non ha più. HF

ULTERIORI LETTURE:

Louise Bourgeois, *The Destruction of the Father, The Reconstruction of the Father: Writings and Interviews, 1923-1997*, MIT Press, Cambridge (Mass.) 1998
Lucy R. Lippard, *Changing: Essays in Art Criticism*, Dutton, New York 1971
Mignon Nixon (a cura di), *Eva Hesse*, October Files 3 , MIT Press, Cambridge (Mass.) 2002
Mignon Nixon, *Posing the Phallus*, in *October*, n. 92, primavera 2000
Mignon Nixon, *Fantastic Reality: Louise Bourgeois and a Story of Modern Art*, MIT Press, Cambridge (Mass.) 2005
Elisabeth Sussman (a cura di), *Eva Hesse*, San Francisco Museum of Modern Art, San Francisco 2002
Anne M. Wagner, *Three Artists (Three Women): Georgia O'Keeffe, Lee Krasner, Eva Hesse*, University of California Press, Berkley-Los Angeles 1997
Catherine de Zegher (a cura di), *Inside the Visible*, MIT Press, Cambridge (Mass.) 1996
Lynne Zelevansky et al., *Love Forever – Yayoi Kusama, 1958-68*, Los Angeles County Museum of Art, Los Angeles 1998

▲ 1965 ● 1969

1967a

Con la pubblicazione di *Un tour dei monumenti di Passaic, New Jersey* Robert Smithson indica l'"entropia" come concetto generativo della pratica artistica degli anni Sessanta.

In uno dei suoi primi saggi pubblicati, *Entropia e nuovi monumenti* (1966), Robert Smithson cita un passaggio da una recensione di una mostra di Roy Lichtenstein scritta da Donald Judd. Judd, nota Smithson, "parla di 'una quantità di cose visibili' che sono 'insulse e vuote'" come "molti edifici commerciali, nuovi negozi coloniali, corridoi, moltissime case, vestiti, fogli d'alluminio e plastica con una texture di pelle, il legno simil-formica, i motivi leziosi e moderni all'interno degli aerei e degli empori". Aggiunge Smithson:

> *Vicino all'autostrada che costeggia la città troviamo i discount e i grandi magazzini con le loro facciate sterili. All'interno di questi posti si dipanano le corsie labirintiche con le merci ben impilate; fila dopo fila, tutto questo conduce all'oblio consumista. La lugubre complessità di questi ambienti ha fornito all'arte una nuova coscienza dell'insulso e dell'ottuso. Ma proprio questa insulsaggine e questa ottusità ispirano molti degli artisti più dotati.*

Smithson procede poi a un'analisi di quella che definisce "l'iperprosaicità" nell'opera di Robert Morris, Dan Flavin e dello stesso Judd, tra gli altri, offrendo così un primo bilancio – a tutt'oggi uno dei migliori – del Minimalismo.

Che Judd fosse tra i primi estimatori dell'arte di Lichtenstein potrebbe sorprendere – i suoi brevi articoli sull'artista costituiscono forse il primo abbozzo di lettura "simulacrale" della Pop art che prende piede dopo Warhol –, ma solo perché il Minimalismo viene spesso erroneamente interpretato, contro l'intenzione di tutti gli artisti che lo praticavano, come una continuazione dell'arte astratta geometrica. Se Smithson a vent'anni era capace di cogliere la continuità tra arte pop e minimalista è perché, grazie alla sua conoscenza dell'antropologia strutturalista e della critica letteraria, di cui era un forte lettore, era incappato in un modello esplicativo che andava ben al di là della questione della discrepanza stilistica.

Rovine a rovescio

Come indica il titolo del suo saggio, questo modello era la legge dell'entropia, un concetto che domina l'intera produzione artistica di Smithson, su cui sarebbe tornato in tutti i suoi scritti (la sua ultima intervista, risalente a pochi mesi prima della morte, era intitolata *Entropia resa visibile*). Formulata nell'Ottocento nel campo della termodinamica (è il secondo principio fondamentale di questa branca della fisica), la legge dell'entropia enuncia l'inevitabile estinzione dell'energia in ogni sistema dato, la dissoluzione di qualunque forma di organizzazione in uno stato di disordine e indifferenziazione. Essa afferma l'inesorabile e irreversibile implosione di qualsiasi tipo di ordine gerarchico in una finale uniformità. L'esempio di entropia fornito da Smithson è molto simile a quello degli scienziati, che aveva a che fare con la temperatura dell'acqua: "Immaginate una sabbiera divisa in due parti, una con la sabbia nera e l'altra con la sabbia bianca. Prendiamo un bambino che corre centinaia di volte in senso orario finché la sabbia comincia a mescolarsi e a diventare grigia; se dopo il bambino comincia a correre in senso inverso il risultato non sarà il ripristino della divisione originaria, ma un'accentuazione del grigio e un aumento dell'entropia".

Il concetto di entropia aveva affascinato molte persone fin dalla sua comparsa, soprattutto perché l'esempio scelto da Sadi Carnot (1796-1832), uno dei suoi ideatori, era il fatto che il sistema solare sarebbe inevitabilmente collassato. Presto la legge dell'entropia venne applicata al linguaggio (il modo in cui le parole si svuotano quando diventano cliché) e alla sostituzione del valore d'uso con il valore di scambio nell'economia della produzione in serie. L'ultimo libro dello scrittore francese Gustave Flaubert, *Bouvard e Pécuchet*, uno dei preferiti di Smithson, già combinava queste due linee di indagine nel raccontare la crescita dell'ombra entropica gettata sulle nostre vite e sui nostri pensieri dal capitalismo. La ripetizione (delle merci sul mercato, delle parole e delle immagini nei media) è profondamente entropica; è da questa scoperta che emerge negli anni Quaranta la teoria dell'informazione, un modello matematico della comunicazione secondo cui il contenuto di ogni fatto è inversamente proporzionale alla sua probabilità – l'assassinio di Kennedy fu un evento di rilevanza mondiale, ma se fosse esistita una regola che stabiliva che ogni presidente americano dovesse essere ucciso per terminare il suo mandato, la notizia non avrebbe avuto maggiore contenuto di un tramonto o di un'alba e difficilmente avrebbe conquistato i titoli di testa.

Ma mentre per Flaubert e i suoi colleghi il nostro destino entropico – una caratteristica fondamentale della modernità – era

▲ 1960c ● 1965 ■ 1962c, 1965 ◆ 1964b, 1980

un'assoluta condanna, Smithson reinterpretò l'inesorabilità di questo processo come la promessa di una critica definitiva dell'uomo e delle sue pretese. Seguendo la logica entropica fino in fondo diventavano irrilevanti non solo il pathos dell'Espressionismo astratto, ma anche la battaglia modernista contro l'arbitrarietà nell'arte (la supposta eliminazione di qualunque convenzione che non fosse essenziale a quella specifica arte), un ▲ concetto divenuto sempre più dogmatico negli scritti di Clement Greenberg. Secondo Smithson l'entropia è il massimo esempio di quello che gli strutturalisti definiscono "motivato", o non arbitrario. Poiché è l'unica condizione universale, comune a tutte le cose e gli esseri, non c'è niente di arbitrario nell'entropia. Fu proprio allo scopo di dimostrare questa natura pervasiva dell'entropia che, ● subito dopo la mostra del 1969 *Quando le attitudini diventano forma*, e forse in un gesto di rifiuto dell'enfasi sulla *forma* nel titolo, Smithson concepì *Scarico di asfalto* **[1]** come una lettura profonda- ■ mente entropica del dripping di Pollock e della sua forza gravitazionale.

Scrivendo in *Entropia e nuovi monumenti* che il Minimalismo aveva eliminato "il tempo come rovina", Smithson argomentava che la sua disillusione nei confronti del movimento era dovuta alla mancata occasione di penetrare nel regno dell'entropia: "Invece di indurci a ricordare il passato come i vecchi monumenti, apparentemente i nuovi monumenti ci spingono a dimenticare il futuro". Ma se si connettesse il futuro con il passato lontano? Se il periodo post-storico (quello successivo alla scomparsa dell'uomo) non fosse altro che l'immagine speculare della preistoria? La fascinazione infantile di Smithson per fossili e dinosauri derivava dalla sua concezione essenzialmente antiumanistica della storia come successione cumulativa di disastri. Il tempo come rovina diventò così uno dei suoi interessi principali, e con esso la necessità di creare non solo "nuovi" monumenti, ma "antimonumenti", monumenti alla rovina di tutti gli altri monumenti.

Di fatto non c'era neppure bisogno di creare questi antimonumenti, il mondo ne era già pieno. Questo è quanto scoprì Smithson quando nel settembre 1967, con la sua Instamatic appesa alla spalla come un qualsiasi turista a Roma ("Passaic ha forse preso il posto di Roma come città eterna?", si chiedeva), tornò a visitare la sua piccola, industriale città natale. Il risultato, *Un tour dei monumenti di Passaic, New Jersey*, è un finto documentario di viaggio che mostra una serie di "monumenti" in rovina (l'ultimo è una sabbiera), soprattutto cantieri che Smithson interpretava come fabbriche di "rovine a rovescio": "È l'opposto della 'rovina romantica', perché gli edifici non *cadono* in rovina *dopo* essere stati costruiti, ma si elevano dalle rovine prima di essere costruiti". Tutte le cose, qualunque passato abbiano, o meglio prima ancora che abbiano un passato, tendono verso un identico stato: il che significa anche che non esiste alcun centro giustificabile, nessuna gerarchia possibile. In breve, ciò che poteva sembrare all'inizio una prospettiva orrenda – il fatto che l'uomo, benché spesso finga di ignorarlo, ha creato per sé un universo senza qualità – può anche essere liberatorio, perché un mondo senza centro (che è anche un mondo dove l'io non ha confini né regole) è un labirinto aperto a infinite esplorazioni.

1 • Robert Smithson, *Scarico di asfalto*, Roma, ottobre 1969
Autocarro, asfalto, discarica

Smithson fu l'unico a fare dell'entropia il concetto generativo più importante nella pratica artistica della fine degli anni Sessanta: ▲ il suo *Molo a spirale* sul Great Salt Lake resta il "monumento" chiave a quel decennio di espansione radicale del campo della scultura. Ma molti altri artisti – anche prima di lui, ma senza teorizzarlo – adottarono una modalità "entropica" nel loro lavoro.

Impassibile transitorietà

● Uno di questi era Bruce Nauman. Lavorando in California, e quindi in relativo isolamento dal mondo artistico newyorkese, Nauman produsse i primi calchi di spazi interstiziali verso la metà degli anni Sessanta (per esempio *Fusione dello spazio sotto la mia sedia* **[2]** oppure *Piattaforma composta dello spazio tra due scatole rettangolari per terra* [1966]). Quindi anche prima di *Albero rovesciato* (1969) – in cui Smithson aveva mostrato che in un universo entropico, dal momento che non esiste nessun altro significato all'infuori dell'irreversibilità del tempo, qualunque cosa è reversibile tranne il tempo e tutto è ugualmente sprovvisto di significato – Nauman aveva esplorato questo stesso svuotamento di significato: se non fosse per i titoli, non avremmo mai indovinato l'oggetto dei calchi di Bruce Nauman.

Sia Smithson che Nauman, di fatto, erano affascinati dal ruolo di disseminazione assunto dai riflessi speculari una volta che il concetto proprio di centro (o dell'identità, o dell'io) viene sospeso: ad esempio nel *Tocco di dita n. 1* (1966) non solo è impossibile distinguere qual è il "vero" paio di mani e qual è l'immagine riflessa, ma in più non abbiamo modo di rimontare in una sintesi corporea

▲ 1960b ● 1969 ■ 1949a

▲ 1970 ● 1966a, 1973

2 • Bruce Nauman, *Fusione dello spazio sotto la mia sedia*, 1965-68
Cemento, 44,5 x 39,1 x 37,1 cm

i campi sensoriali espressi. Provando a immaginare una sensazione tattile corrispondente a ciò che vediamo – la torsione delle mani che aderiscono alla fredda superficie di uno specchio – ci ritroviamo sull'orlo di una vertigine da cui rinculiamo. Allo stesso modo, nell'effimero *Spostamenti di specchi* di Smithson (1969) – in cui una griglia sciolta di specchi quadrati veniva disposta e fotografata in una serie di luoghi durante un viaggio nello Yucatan – viene messo in questione lo stesso concetto del guardare, perché gli specchi diventano potenzialmente invisibili all'interno del paesaggio che riflettono. Le cose che queste immagini registrano possono essere solo paradossalmente chiamati "incidenti", perché in senso stretto esse sono *non eventi*. Non veicolano nessuna informazione all'infuori del nudo fatto della loro transitorietà. Infine, nel 1968, poco dopo che Smithson aveva manifestato il suo apprezzamento per il progetto di Sol LeWitt di inserire "un pezzo di gioielleria di Cellini in un blocco di cemento", Nauman creò un'opera il cui primo titolo (descrittivo) era *Registratore con nastro in loop di un urlo avvolto in un sacchetto di plastica e fuso nel centro* (il centro in questione era un blocco di cemento).

Un altro artista californiano la cui opera è sovradeterminata dalla legge dell'entropia è Ed Ruscha, soprattutto nelle grandi tele, ▲ risalenti alla metà degli anni Sessanta, che "rappresentano" le parole, cioè in cui una singola parola ("Automatico", "Vaselina") o un gruppo di parole senza senso ("Altro sogno Hollywood Bolla Scoppiata", "Quegli Spam Giardino") vengono dipinti con lo stampino su un cielo illusionistico sul cui sfondo le parole sembrano librarsi e poi sparire, come nuvole. Ma sono stati i piccoli libri fotografici di Ruscha, citati più volte da Smithson, il cui tono impassibile può essere paragonato solo ai film di Warhol, a costituire uno dei primi esempi di critica del giudizio estetico sotto ● l'egida del "vernacolare", e cioè del cliché visivo. In *Ventisei stazioni di rifornimento*, Ruscha registra esattamente quello che è enunciato nel titolo: ogni singola stazione di servizio in cui si è imbattuto durante un viaggio da Oklahoma City a Los Angeles, una per ciascuna lettera dell'alfabeto, asciuttamente fotografata dall'altra parte della strada. Si può rintracciare lo stesso impulso tautologico ed esaustivo in *Tutti gli edifici sul Sunset Strip* **[3]**, un "panorama" pieghevole che costituisce un vero e proprio inventario di ogni edificio, ma anche di ogni incrocio e di ogni lotto vuoto, di un noto tratto del Sunset Boulevard (la stessa reversibilità di *Albero rovesciato* di Smithson: il libro può essere "letto" in entrambi i sensi, perché i due lati del boulevard sono simmetricamente opposti l'uno all'altro su ogni pagina, uno a diritto e l'altro a rovescio). Fotografato a mezzogiorno in modo da accentuarne la desolazione, il Sunset Strip appare come un simulacro, il set di un film di

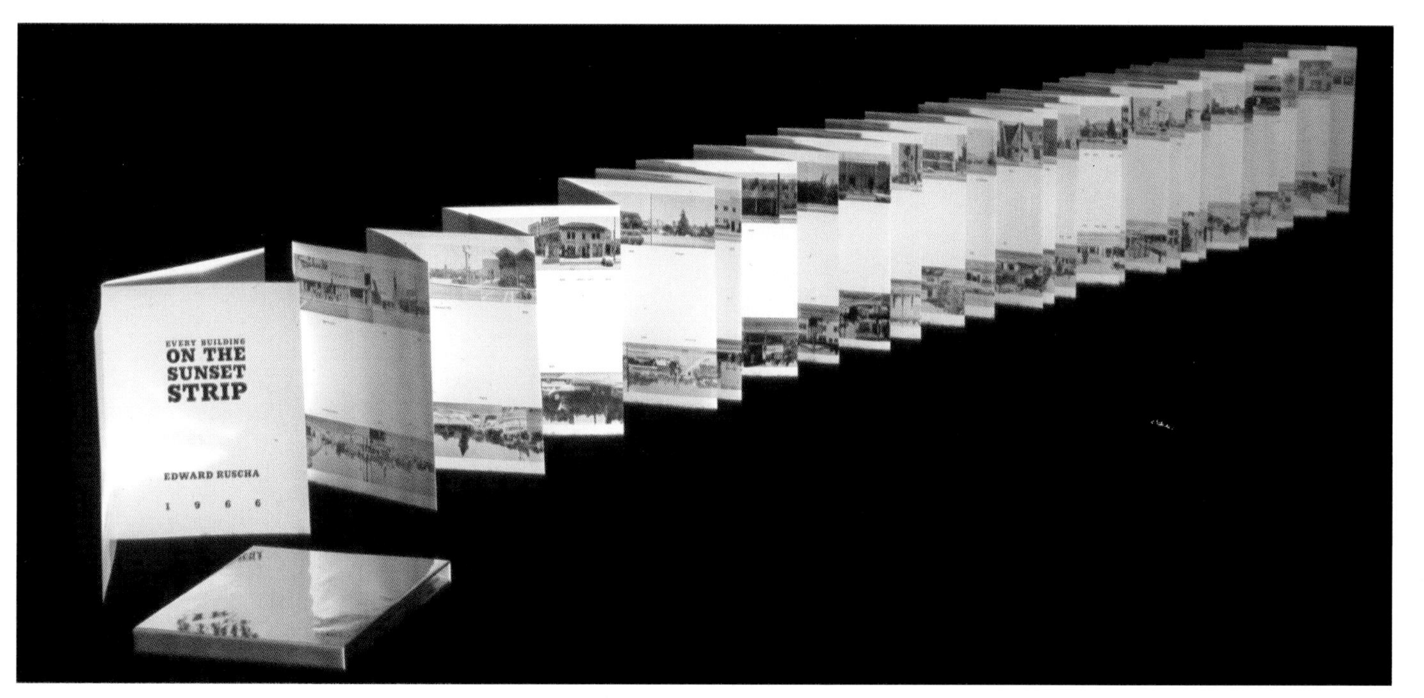

3 • Ed Ruscha, *Tutti gli edifici sul Sunset Strip*, 1966
Litografie offset su carta in cofanetto argentato, 18,1 × 14,3 × 1 cm

▲ 1960c ● 1968b

Hollywood. "È un po' come una città western", annotò Ruscha. "Una facciata di una città western è tutta fatta di carta e dietro non c'è niente". Raccontando all'infinito lo stesso anonimo niente, i circa dodici libri di Ruscha non costituiscono una denuncia della vacuità della vita, non contengono neppure un goccio di nostalgia. Sono guide pratiche all'entropia, che mostrano la possibilità di ▲ apprezzare, con una non piccola dose di quello che Breton chiamava *humour noir*, un mondo sprovvisto di qualsiasi differenza, e quindi di senso.

L'anarchitettura di Matta-Clark

Se Nauman e Ruscha hanno anticipato Smithson, Gordon Matta-Clark (1943-78) è venuto dopo di lui. L'origine della sua breve carriera risale al suo incontro con Smithson, durante la mostra *Earth art* alla Cornell University nel 1969, solo pochi mesi prima che l'ultimo realizzasse la *Legnaia parzialmente sepolta* nel campus della Kent State University. Ideandolo come un "non-monumento" al processo definito "dearchitetturizzazione", Smithson mise un autocarro a scaricare terreno sul tetto di una vecchia legnaia finché la trave maestra del tetto non si spezzò. A quel tempo Matta-Clark era un infelice studente di architettura e questo attacco a un edificio esistente dovette avere un enorme impatto su di lui. Contemporaneamente, però, come spesso accade nella relazione di un giovane artista con il suo mentore, Matta-Clark cominciò a pensare che Smithson non aveva portato il suo programma fino in fondo: aveva congelato la dearchitetturizzazione di *Legnaia parzialmente sepolta*, affidando alla Kent State University, a cui aveva donato l'opera, la sua "manutenzione" nelle condizioni originali.

Mentre Smithson era sospettoso nei confronti dell'architettura, Matta-Clark era addirittura ostile. Aveva cominciato con il considerare la spazzatura come materiale architettonico, costruendo una parete di rifiuti nel 1970, ma questo gesto aveva un tono di redenzione che contraddiceva completamente la sua inclinazione entropica: subito dopo lo rovesciò, passando a considerare l'architettura costruita come spazzatura. La sua prima opera "anarchitettonica", secondo una delle sue espressioni preferite, si

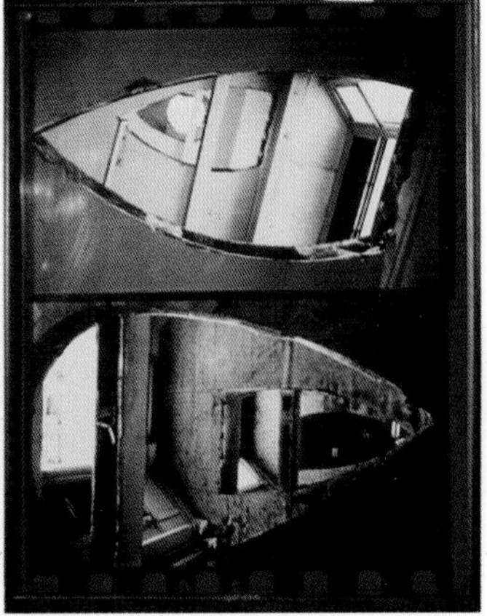

4 • Gordon Matta-Clark, *Ufficio barocco*, 1977
Fotografia Cibachrome, 61 x 81,3 cm

5 • Gordon Matta-Clark, *Fenditura*, 1974
Fotografia Cibachrome, 76,2 x 101,6 cm

chiamava *Treshole* (1973). Con questo termine generale Matta-Clark tagliò le soglie di alcuni appartamenti di edifici abbandonati nel Bronx, spesso su diversi piani, aprendo i sinistri edifici alla luce. Con quest'opera Matta-Clark aveva trovato il medium con cui avrebbe operato in maniera sempre più complicata nei cinque anni di vita che gli restavano: un edificio destinato a essere demolito, che avrebbe bucato qua e là, scavando spazi negativi nella massa considerata alla stregua di materiale inerte, senza badare troppo alla sua struttura e ancora meno all'originale distribuzione delle funzioni. Un aspetto essenziale della sua opera è che era essa stessa destinata alla distruzione, dopo una breve esistenza, perché era parte della guerra contro il significato dell'architettura (costruire per l'eternità) condotta da Matta-Clark. Non solo una porta, un pavimento, un architrave, una soglia, una parete perdevano in questo modo ogni prerogativa – ogni elemento architettonico era infatti ugualmente esposto ai tagli fatti all'edificio preso per intero –, ma gli stessi tagli non durano mai abbastanza a lungo da solidificarsi come figure, come feticci. Dalla semplicità di *Fenditura*, del 1974, una casa suburbana tagliata in due **[5]**, fino ai tagli piranesiani in un palazzo di uffici di Anversa **[4]**, o nelle case a schiera nei dintorni di Chicago (*Circo arancio caraibico* [1978]), gli spazi di Matta-Clark diventarono sempre più vertiginosi, dal momento che la distinzione tra la sezione verticale e il piano orizzontale, essenziale per la nostra percezione e abitazione dell'architettura, era resa quasi completamente illeggibile. YAB

ULTERIORI LETTURE:

Yves-Alain Bois, *Edward Ruscha: Romance with Liquids*, Gagosian Gallery e Rizzoli, New York 1993

Yves-Alain Bois e Rosalind Krauss, *L'informe*, trad. it. Bruno Mondadori, Milano 2003

Tom Crow et al., *Gordon Matta-Clark*, Phaidon, London 2003

Maria Casanova (a cura di), *Gordon Matta-Clark*, IVAM, Valencia; Musée Cantini, Marseille; Serpentine Gallery, London 1993

Robert Hobbs, *Robert Smithson: Sculpture*, Cornell University Press, Ithaca (N.Y.) 1981

Bruce Jenkins, *Gordon Matta-Clark: Conical Intersect*, MIT Press, Cambridge (Mass.) 2011

Jennifer Roberts, *Mirror-Travels: Robert Smithson and History*, Yale University Press, New Haven-London 2004

Joan Simon (a cura di), *Bruce Nauman: Catalogue Raisonné*, Walker Art Center, Minneapolis 1994

Robert Smithson, *The Collected Writings*, a cura di Jack Flam, University of California Press, Berkeley-Los Angeles 1994

▲ 1924

1967b

Il critico Germano Celant allestisce la prima mostra dell'Arte povera.

L'avanguardia italiana del periodo 1905-15 era densa di contraddizioni profonde, più di qualsiasi altra avanguardia europea. Fu in quel contesto che i futuristi crearono per la prima volta un legame esplicito e programmatico tra produzione artistica d'avanguardia e forme di tecnologia avanzata, e contemporaneamente Giorgio de Chirico elaborò la prima mossa contro ▲ la modernità e il modernismo. Nella pittura metafisica di de Chirico fu reintrodotto il lavoro artigianale come unico presupposto della pratica artistica, una posizione deliberatamente antitecnologica, antirazionalista e antimoderna.

Questi furono i parametri su cui gli artisti del dopoguerra si andarono ad assestare, come si evince dalla prima mostra dell'Arte povera, organizzata dal critico Germano Celant, che aveva coniato il termine nel 1967. Questo gruppo di dodici artisti produsse gli interventi artistici più autentici e indipendenti nell'intero panorama artistico europeo degli anni Sessanta. ● Schierati contro l'egemonia dell'arte americana e in particolare della scultura minimalista, questi artisti recuperavano anche le idee e le contraddizioni dell'avanguardia, ricontestualizzandole nel dopoguerra. Tuttavia tre figure della neoavanguardia – ■ Alberto Burri, Lucio Fontana e Piero Manzoni – funsero da mediatori tra quei primi decenni e l'Arte povera, trasmettendo di nuovo le antiche contraddizioni, con la loro impronta specificamente italiana, alla generazione futura.

Il primo nucleo tematico intorno al quale queste contraddizioni ruotavano era la tecnologia: attribuendo alla scultura minimalista un forte orientamento tecnologico, l'Arte povera aveva assunto una posizione esplicitamente antitecnologica. In secondo luogo, la fotografia e la grande varietà di modi di produzione artistica a essa associati, quasi del tutto escluse dall'avanguardia storica italiana, furono bandite anche dall'Arte povera: fu messa in atto un'elisione programmatica delle pratiche ◆ fotografiche nate nella Germania occidentale, in Francia e nel contesto dell'Arte pop e concettuale statunitense.

Il terzo tratto distintivo era la particolare relazione dell'Arte povera con i materiali e i processi di produzione, che al tempo stesso recuperava e negava una serie di convenzioni stabilite in altre aree di attività dell'avanguardia. In particolare l'assenza del ▲ Surrealismo, con la sua cultura dell'oggetto decaduto come ● merce, insieme all'assenza di una cultura fotografica d'avanguardia, costituiva un punto di partenza negativo per l'Arte povera. Perché se queste assenze possono essere avvertite nella nuova importanza data all'elemento artigianale dall'Arte povera, elemento che definisce la condizione specificamente italiana del movimento nel 1967, questa stessa condizione artigianale si trova nondimeno giustapposta in eterno alle forme tecnologiche avanzate della cultura di consumo postpop. Proprio nell'ambito di questa giustapposizione l'Arte povera ha reinventato per sé un'esperienza di quello che potrebbe essere definito "il recupero dell'obsolescenza": in modo analogo alla maniera in cui il Surrealismo sfruttava la condizione dell'obsolescenza, inesorabilmente legata alla cultura del consumo, per reinvestire l'oggetto fuori moda con il potere della memoria, l'Arte povera cercò di recuperare il modo dell'obsolescenza dal suo stesso progetto storico con finalità assai simili.

Il design dell'arcaico

Un gruppo di opere create negli anni Sessanta da Mario Merz (1925-2003) **[1]**, Jannis Kounellis (nato nel 1936) e Pino Pascali (1935-68) definisce meglio di ogni altra l'essenza dell'Arte povera: prima ancora che il termine fosse coniato, questi artisti producevano un particolare genere di assemblage che non dipendeva né dalla tecnologia né dal paradigma del readymade o dell'objet trouvé. Le loro strutture erano in grado di fare interagire tra di loro queste strategie, corrompendo la tecnologia con l'obsolescenza e investendo l'aspetto artigianale di un nuovo senso di purificazione.

Un esempio era l'installazione *12 cavalli* **[2]** di Kounellis del 1968 alla galleria L'Attico: rappresentando il naturale in un contesto istituzionale, essa esprimeva l'estetica dell'Arte povera producendo lo shock della riapparizione della natura negli spazi della cultura. Composta da dodici cavalli esposti nella galleria per la durata della mostra, *12 cavalli* si contrapponeva drasticamente ai concetti di oggetto scultoreo come forma discreta, come cosa prodotta tecnologicamente o come struttura discorsiva, insistendo

▲ 1909 ● 1965 ■ 1959a ◆ 1916b, 1929, 1930a, 1959d, 1968a, 1968b

▲ 1931a ● 1916b, 1930a, 1935

1 • Mario Merz, *Objet Cache Toi*, 1968-77
Tubi di metallo, vetri, morsetti, rete metallica, neon, 185 x 365 cm

2 • Jannis Kounellis, *12 cavalli*, 1969
Installazione alla galleria L'Attico, Roma

invece sul modello dell'esperienza prelinguistica, delle strutture non discorsive e delle convenzioni non tecnologiche, non scientifiche e non fenomenologiche.

L'enfasi posta da *12 cavalli* sulla mitologia di una specificità locale – ovvero il legame ancora vivo dell'Italia con una economia preindustriale, rurale – il suo mettere in primo piano l'aspetto naturale, non plasmato, non discorsivo, prelinguistico, si può mettere a confronto con l'opera della metà degli anni Sessanta di Pino Pascali, dove le convenzioni della teatralità, della narrazione e della rappresentazione vengono reinserite nel fare della pittura e della scultura. Anche qui viene contraddetto l'approccio fenomenologico o modernista alla produzione della scultura che aveva ▲ dominato l'arte americana durante l'intero decennio. L'esempio più pertinente è *Teatrino* **[3]**, un'opera composita del 1964, che consiste in un quadro smontato o in una scultura che assume lo statuto ibrido di un teatrino. Pascali poneva in questa forma una questione capitale: fino a che punto l'arte tardo-modernista aveva dovuto proibire il racconto ed espungere il linguaggio e la performance dal progetto di autodefinizione. Come mostrano le opere di Kounellis e Pascali, la presunta purezza del medium artistico o della categoria o genere estetico è sempre inevitabilmente ibrida; questa esibizione dell'ibrido è uno dei principi fondamentali dell'estetica dell'Arte povera.

Pier Paolo Pasolini ha avuto una parte importante nella formulazione di questa estetica: nel 1962 aveva dichiarato che per i suoi scritti e i suoi film faceva riferimento al sottoproletariato dell'Italia meridionale e del terzo mondo e alla mitologia greca con i suoi riti, perché entrambi mobilitavano un'esperienza che contrastava i registri discorsivi della scienza e del razionalismo; più specificamente, nel legame con la tragedia antica e nell'interesse per gli antichi rituali Pasolini vedeva un modo di neutralizzare il discorsivo facendo ricorso all'esperienza prelinguistica espressa attraverso il mito. Egli costruì dunque un contesto segnato da una pratica antimodernista al cui interno riuscì a trovare posto l'Arte povera, in quanto attingeva alla tradizione antimodernista autoctona – de Chirico sopra ogni altro – ma con parametri diversi, ricodificati secondo un pensiero politico di sinistra. Perché il ● rifiuto da parte dell'Arte povera di entrare nel Pop e nel Minimalismo voleva significare il rifiuto di aderire a una pratica appartenente a una cultura di consumo avanzata. E ancora, la resistenza nei confronti dell'estetica dell'autonomia, di derivazione modernista e tardomodernista, assumeva rilevanza politica perché l'Arte povera sosteneva la necessità di riposizionare l'opera d'arte all'interno degli spazi socialmente condivisi dell'attivismo politico e di un nuovo modo di rivolgersi al pubblico. L'Arte povera risuscitava quindi il pensiero antimodernista di de Chirico, restituendo alla pratica artistica una dimensione mitica, teatrale e corporea, non solo allo scopo di combattere la logica strumentale e la razionalità della scultura minimalista, ma anche per lottare contro l'omogeneità delle forme avanzate della cultura dello spettacolo in cui la dimensione globale cancella l'esperienza del locale e la comunicazione istantanea annulla le funzioni della memoria e della storia.

3 • Pino Pascali, *Teatrino*, 1964
Legno dipinto e stoffa, 217 x 74 x 72 cm

Se nel campo del cinema il punto di riferimento per l'Arte povera era Pasolini, nel campo delle arti visive furono Burri, Fontana e Manzoni. Nel 1949 Burri aveva cominciato a inserire la tela da sacchi e il legno nella superficie pittorica in modo non narrativo, ma anche non costruttivista e non modernista. Dai tardi anni Cinquanta in poi scelse di utilizzare una serie di materiali industriali deteriorati, come metallo arrugginito e plastica bruciata, per la loro qualità dell'obsolescenza. I materiali nell'opera di Burri – sempre rovinati, scoloriti, squarciati o bruciati – sono privi di funzione, non sono portatori di quella promessa utopica inscritta nell'abbraccio da parte dell'avanguardia delle forme tecnologiche di produzione.

▲ L'esempio di Fontana fu altrettanto cruciale per la formazione di alcune delle figure di maggior rilievo nell'Arte povera, ma a differenza di Burri, fin dall'adesione al monocromo, Fontana aveva partecipato ai tentativi della neoavanguardia di ricollocarsi all'interno di un discorso di autoriflessione, purificazione e riduzione estrema. Ma l'operazione di tagliare e bucare la superficie monocromatica allo stesso tempo enfatizzava il processo e la performance, il che apriva le porte alle intricate contraddizioni della produzione della neoavanguardia, dal momento che la dimensione teatrale della sua opera passò velocemente – attraverso

▲ 1965 ● 1960c, 1962d, 1964b ▲ 1959a

gli allestimenti che progettò per le mostre di design – al registro proprio dello spettacolo pubblico: durante gli anni Sessanta e Settanta l'Arte povera combatté contro di esso, ma ne fu anche inglobata. Con ogni probabilità il più importante dei precursori fu Piero Manzoni, che potrebbe essere descritto dalla prospettiva dell'Arte povera come l'artista che aveva spinto ai limiti dell'assurdo il dilemma iniziale tra il modernismo e il suo opposto, tra una modernità scientifico-tecnologica e un legame artigianale con il primitivo, con la speranza di un ritorno alle forme fondamentale di esperienza somatica e prelinguistica. Questo tratto è chiaramente leggibile a partire dall'importanza che egli attribuì al ▲ fondamento corporeo della percezione in *Fiato d'artista*, *Merda d'artista* o nelle opere che contenevano sangue dell'artista, che erano intese come ritorno semirituale alle origini dell'esperienza estetica. Queste opere costituivano un punto di partenza cruciale per artisti come Kounellis e Pascali.

Il linguaggio del mnemonico

Uno dei paradossi dell'Arte povera, forse intenzionale, è il suo tentativo di mobilitare il potenziale rivoluzionario di oggetti, strutture, materiali, processi di produzione, datati e quindi antimodernisti. Per quanto infatti essa utilizzasse forme di scultura artigianali, come in *Piedi da seta* di Luciano Fabro (1936-2007), in cui la lavorazione del marmo segnava un ritorno alla tradizione storico-artistica italiana, e nonostante l'enfasi posta sul concetto della separatezza della produzione artistica, l'Arte povera si accostò molto da presso – seppure in diversi modi e gradi – ad alcune forme che si possono definire avanzate della cultura della moda e del design. Quindi l'ambivalenza, tutta italiana, di una produzione industriale che, non mostrando il suo sostrato tecnologico, porta ancora il vessillo del valore artigianale, o di una produzione di merci che, sublimandosi in forme di raffinatezza estrema, assumono la forma di oggetto unico e differenziato, è il dilemma stesso dell'Arte povera. Di fatto il movimento potrebbe essere accusato di condividere le stesse caratteristiche delle forme avanzate del design italiano. La *Venere degli stracci* **[4]** di Michelangelo Pistoletto (nato nel 1933) combina a sua volta riferimenti a forme desuete (la statua classica) con modi di produzioni artigianali (la statua è di cemento). E ancora, essa giustappone l'arte "alta" con resti del quotidiano (gli stracci di vestiti usati).

Il Minimalismo non fu l'unico interlocutore nel dialogo tra Arte povera e arte americana degli anni Sessanta. Celant sembrò infatti percepire una diretta corrispondenza tra alcuni postminimalisti americani (Bruce Nauman, Eva Hesse, Richard Serra) e gli artisti poveristi, quando li presentò fianco a fianco nella sua prima rassegna del movimento, nel 1969. Anzi, egli riconobbe una terza ● possibilità di dialogo, questa volta con l'Arte concettuale americana (Robert Barry, Joseph Kosuth e Lawrence Wiener vennero inseriti nella sua prima monografia sull'Arte povera). Fin dagli esordi della loro attività, gli artisti italiani si trovarono a condividere o a reagire a un'attenzione sempre più forte sugli elementi linguistici all'interno della produzione artistica.

Nella *Torsione* **[5]** di Giovanni Anselmo (nato nel 1934) si individua facilmente l'attenzione dello scultore per l'innata forza di gravità, la resistenza della materia e la tensione come fattori che determinano la morfologia di una scultura sospesa tra materiale e processo. Ma qui la sospensione del tempo e del peso sembra anche controllare a stento un elemento di minaccia fisica nei confronti dello spettatore e di quello che canonicamente è il passivo, neutrale e protetto processo del guardare. La pesante barra d'acciaio è trattenuta dal cadere o dal mulinare con una violenta rotazione contro la parete e lo spettatore solo dall'estrema tensione del tessuto relativamente leggero che la tiene sospesa nella sua posizione precaria. Ciò che distingue l'opera di Anselmo da quella dei suoi colleghi americani, comunque, è in primo luogo la scelta dei materiali, che articola una contrapposizione violenta di texture e tattilità (ad esempio, stoffa e acciaio). Ma si tratta anche di una contrapposizione di rimandi temporali, perché la vista della forte torsione della stoffa inevitabilmente rinvia alla scultura barocca italiana. Contemporaneamente queste forze in primo piano mettono lo spettatore in grado di riconoscere le circostanze e i materiali che governano la scultura nell'era dell'industria tecnologica e del sapere scientifico.

Questo interesse quasi strutturalista per le coppie oppositive si ritrova anche nell'opera di Giuseppe Penone (nato nel 1947),

4 • Michelangelo Pistoletto, *Venere degli stracci*, 1967
Cemento con mica e stracci, 180 x 130 x 100 cm

▲ 1959a ● 1968b

5 • Giovanni Anselmo, *Torsione*, 1968
Barra di ferro e stracci, 160 x 160 cm

6 • Giuseppe Penone, *Albero di 8 metri*, 1969
Legno, 80 x 15 x 27 cm

come nell'*Albero di 8 metri* **[6]**. Diversamente dall'attenzione degli americani per un modello empirista del processo e della temporalità, qui i processi della produzione industriale sono invertiti e mostrati al rallentatore, un *playback* dalla cultura alla natura che sarebbe impensabile in un'opera postminimalista americana. Penone *disfa* letteralmente il processo di lavorazione dell'oggetto industriale, in questo caso una trave da costruzione, rimuovendo dalla trave uno strato dopo l'altro fino a rivelare il nucleo vero e proprio dell'albero. Così, con una contromossa dialettica e con un processo estremamente accurato, contemporaneamente antiindustriale e per assurdo antiartigianale, l'artista recupera l'origine naturale del prodotto industriale, rivelando che il cuore della forma geometrica della trave è un albero con i suoi tronchi e rami.

È grazie a questa complessità di gesti e operazioni che l'Arte povera riesce a evitare un puro "ritorno" al manufatto e all'artigianato, e a fare sì che le opere non sprofondino negli atteggiamenti reazionari della Metafisica o della moda e del design, intenti solamente a feticizzare un ritorno ai materiali e alle procedure di un'epoca preindustriale. Tuttavia, molti critici hanno messo in rilievo il desiderio latente in questi artisti nei confronti di una regressione storica, oppure hanno celebrato la dimensione intrinsecamente "poetica" della loro opera, una qualità numinosa che era stata programmaticamente eliminata dagli artisti americani dell'epoca. Ma ciò che fa spesso apparire "poetica" l'opera degli italiani è la loro capacità unica di fondere improvvise epifanie di memoria storica con una contemporanea radicalità di critica del presente.

Una simile dualità nell'approccio caratterizza anche l'opera di Mario Merz, soprattutto nelle opere basate sulla serie numerica di Fibonacci (risalente al XIII secolo), utilizzata come modello di progressione spaziale. Qui, con un attacco deliberato all'insistenza minimalista di Donald Judd sulla verificabilità positivista della composizione attraverso l'utilizzo di principi meramente quantitativi, Merz impiega un antico principio matematico di espansione spazio-temporale che complica ed eccede la semplicistica logica delle progressioni di Judd. Il fatto che questa invocazione delle differenze matematiche e compositive abbia delle implicazioni politiche viene messo in rilievo da Merz nella costruzione di volumi scultorei il cui andamento a spirale segue la legge di Fibonacci, come l'architettura degli igloo del popolo Inuit. Queste sculture a forma di ripari nomadi sono costruite con lastre di vetro e una quantità di altri materiali (pelle, rami, sacchi di sabbia, corteccia) e spesso sono munite di una scritta al neon. Uno degli igloo porta l'iscrizione luminosa "objet cache-toi" **[1]**, che articola chiaramente non solo il desiderio dell'artista di quella generazione

7 • Alighiero Boetti, *Mappa*, 1971-73
Arazzo, 230 x 380 cm

di criticare l'ossessione sociale della produzione e del possesso degli oggetti della cultura di consumo, ma anche di negare la sua fattibilità e di sottrarre lo stesso statuto di oggetto alla scultura.

Come molti concettuali europei e americani (ad esempio ▲ Douglas Huebler), Alighiero Boetti (1940-94) era interessato alla quantificazione dei fenomeni apparentemente non quantificabili, tendenti all'infinito. Un esempio tipico di questo tentativo concettuale di quantificare il trascendentale è *Classificando i mille fiumi più lunghi del mondo*, un libro d'artista del 1970. Un analogo trasporto per la trascendenza simultanea dei confini tradizionali (di genere, di tecnica, di identità, degli stati-nazione, dei confini politici) è presente in un progetto straordinario, la serie delle *Mappe* **[7]**: a partire dal 1971, queste opere hanno illustrato l'idea di Boetti che gli elementi tradizionali del linguaggio dell'artista – segni e colori – sono credibili nel presente solo quando sono ancorati a un preesistente sistema sociale funzionale di comunicazione (piuttosto che in una soggettività suppostamente creativa o miticamente artistica). Tuttavia con un gesto dialettico Boetti contrasta questa ritrattazione da parte dell'Arte concettuale di tutte le forme tradizionali della produzione artistica e dell'importanza dell'anonimità, assegnando il compito di eseguire le *Mappe* a tessitrici anonime, che realizzavano le enormi mappe politiche in Afghanistan (in quel periodo la seconda patria di Boetti dopo Roma). Questo gesto anticoncettuale, con il suo ostentato ritorno alle modalità di produzione preindustriali, a prima vista sembra motivato da una forma peculiare di primitivismo. Ma retrospettivamente appare evidente che gli artisti dell'Arte povera hanno compreso la dialettica dell'Illuminismo meglio dei loro colleghi americani: a differenza di questi ultimi, gli italiani non hanno patito la delusione dell'unilateralità del processo tecnologico e soprattutto, si sono sempre impegnati nella definizione di pratiche artistiche in grado di generare un senso di luogo e identità nel soggetto, in un viavai contradditorio di progressi e regressi, ricordi e prospettive. BB

ULTERIORI LETTURE:

Germano Celant, *Arte povera*, Gabriele Mazzotta, Milano 1969
Germano Celant, *The Knot: Arte povera*, Umberto Allemandi, Torino 1985
Carolyn Christov-Bakargiev (a cura di), *Arte Povera*, Phaidon, London 1999
Richard Flood e Frances Morris (a cura di), *Zero to Infinity: Arte Povera 1962-1972*, Walker Art Gallery, Minneapolis; Tate Gallery, London 2002
Jon Thompson (a cura di), *Gravity and Grace: Arte Povera/Post Minimalism*, Hayward Art Gallery, London 1993

▲ 1984a

1967c

Nella loro prima apparizione, quattro artisti del gruppo francese BMPT dipingono in pubblico, ripetendo esattamente da tela a tela una semplice configurazione liberamente prescelta da ogni singolo artista: la loro forma di pittura concettuale è l'ultimo degli attacchi all'astrattismo "ufficiale" della Francia del dopoguerra.

▲ Una delle affermazioni più scioviniste mai pronunciate da un artista americano appartiene a Donald Judd: "Sono completamente disinteressato all'arte europea e penso che sia finita", e fu espressa nel corso di una famosa intervista allo scultore e all'amico Frank Stella, condotta da Bruce Glaser e trasmessa ● per radio nel marzo 1964. L'osservazione sprezzante non era fortuita e Judd non tentò in alcun modo di smorzarla quando sul numero di *Artnews* del settembre 1966 venne pubblicata la trascrizione dell'intervista, che da allora è stata antologizzata molte volte. Di fatto, nell'intera intervista, che contiene forse la prima e più dettagliata articolazione del programma minimalista, sia Stella che Judd erano ansiosi di esporre la loro posizione antieuropea.

Alludendo ai pittori geometrici europei cui era stato paragonato, Stella dichiarò: "si sforzano di ottenere quella che io chiamo pittura relazionale. La base della loro idea è l'equilibrio. Fai qualcosa in un angolo e lo controbilanci con qualcos'altro nell'angolo opposto. [...] Nella nuova pittura americana [...] il fattore equilibrio non è importante. Non stiamo tentando di manovrare tutto ciò che ci circonda". Alla domanda sul perché volessero evitare questo effetto compositivo, Judd aggiunse: "questi effetti tendono a portare con sé tutte le strutture, i valori e i sentimenti dell'intera tradizione europea. [...] Le qualità dell'arte europea [...] sono legate a una filosofia: razionalismo, filosofia razionalista".

Un falso spartiacque transatlantico

Il pesante accento che Judd ha posto sull'istanza deliberatamente antirazionalista del tentativo suo e degli altri minimalisti di evitare rapporti frontali e di elaborare sistemi "logici" in grado di eliminare le decisioni soggettive sfuggì ai critici e al pubblico, ed egli passò la propria vita a cercare di farne comprendere l'importanza. Tuttavia, anche se Judd e Stella avevano tutto il diritto di protestare contro l'assimilazione della loro arte a quella della tradizione europea dell'astrattismo geometrico, risalente a Malevič e ■ Mondrian, l'ipotesi che la dicotomia fosse di natura geografica (americani/europei) era infondata, frutto di pura e semplice ignoranza. Infatti prima della Seconda guerra mondiale in Europa c'era già stata una sorta di controtradizione dell'arte non relazionale: una tradizione di cui alcune opere dello stesso Malevič (▲ *Quadrato nero* del 1915 e altre tele dello stesso periodo) e i nove quadri a griglia modulare di Mondrian del 1918-19 costituivano punti di riferimento fondamentali. (Tra gli altri si possono citare *Compenetrazione iridescente* di Giacomo Balla, del 1912, i *Duo-collage* di Hans e Sophie Taeuber-Arp del 1916-18, le sculture modulari di ● Rodčenko e il suo trittico monocromatico del 1921, oppure i quadri ■ unisti di Strzeminski [quelli basati su una struttura deduttiva del 1928-29 o i suoi monocromi del 1931-32]: e la lista non è esaustiva). Stella e Judd non sapevano che questa tradizione, antica quanto quella dell'astrazione compositiva, era stata recuperata dopo la guerra da un gruppo di artisti europei, e che le ragioni di questo revival non erano lontane da quelle che avevano determinato l'ascesa dell'anticomposizione nell'arte americana contemporanea.

La posta in gioco su entrambe le sponde dell'Atlantico era la natura dell'intervento, dell'autoralità in arte. L'Olocausto e Hiroshima erano ancora molto presenti nella mente di tutti tra gli anni Cinquanta e Sessanta; la Guerra fredda insieme all'espansione dei conflitti coloniali ricordava insistentemente a ogni cittadino occidentale che era sempre possibile un ritorno di barbarie fin sulla porta di casa. In un'atmosfera così tesa non stupisce che i giovani pittori si chiedessero: "Che significa essere un soggetto artistico, un autore?", visto che l'umanità di *ciascun* soggetto individuale era stata messa in dubbio dalla potente dimostrazione dell'inumanità della specie.

Che lo spartiacque geografico fosse un diversivo, diventa ancora più evidente se si esamina il contesto della critica di Stella all'"arte ◆ relazionale", che seguiva direttamente i suoi attacchi all'Op art di Victor Vasarély e al GRAV (Gruppo di Ricerca d'Arte Visiva), che a suo parere era formato da emuli di Vasarély:

> *Il Gruppo di Ricerca d'Arte Visiva aveva di fatto già dipinto tutti i motivi prima che lo facessi io: tutti i disegni di base che si trovano nei miei dipinti. [...] Io non lo sapevo neanche, e nonostante il fatto che essi abbiano utilizzato quelle idee, i miei dipinti non hanno comunque niente a che fare con loro. Trovo veramente noiosa tutta la pittura geometrica europea, una specie di scuola post-Max Bill, una curiosità.*

Non è del tutto falso che il GRAV riuniva seguaci del "Papa dell'Op", come veniva soprannominato Vasarély al tempo, ma c'è

▲ 1965 ● 1958 ■ 1913, 1915, 1917a, 1944a

▲ 1915 ● 1913, 1921b ■ 1928a ◆ 1955b

un membro del gruppo che spicca tra gli altri (più tardi dichiarò di essersi unito al GRAV in parte per sbaglio), ed è probabilmente quello che Stella ha in mente: il pittore francese François Morellet (nato nel 1926).

Nel contesto rarefatto del mondo dell'arte francese dei primi anni Cinquanta, dominato dal Tachisme e dall'astrattismo postcubista, i due stili preferiti della Jeune École de Paris (JEP), non è ▲ sorprendente che Morellet abbia bussato alla porta della galleria di Denise René con la sua cartella: era l'unico sbocco possibile per un'arte che puzzava di geometria. Non stupisce neppure che ne sia stato respinto, riuscendo infine a entrare a far parte della galleria – come membro del GRAV – solo dopo la formazione del gruppo nel 1961. Perché nonostante la sua opera sembrasse discendere in tutto e per tutto da quella di Max Bill, essa di fatto rappresentava una delle sue critiche più salienti, come lo sarebbe stata quella di Stella alcuni anni più tardi.

Il caso *contra* l'arte sistematica di Max Bill

Morellet ha scoperto l'opera dell'artista svizzero Bill in Brasile, nel 1950, imbattendosi in un gruppo brulicante di suoi devoti accorsi alla sua più importante retrospettiva. Nel 1952 aveva colto perfet- ● tamente l'idea di arte sistemica di Bill (presa in prestito da Theo van Doesburg) – un'arte interamente programmata da un insieme di regole a priori, che in teoria non lascia spazio alla soggettività dell'artista e all'arbitrarietà della composizione – e di fatto si era spinto più in là di Bill in questa direzione. All'opposto di quanto affermavano i vari manifesti stilati da Bill in quel periodo, la sua arte era sempre rimasta prigioniera del buon gusto, sempre alla ricerca dell'equilibrio compositivo. Egli "programmava", ma scartava tutto ciò che non superava l'esame del suo successivo giudizio. ■ (Non a caso Bill più tardi divenne l'erede di Georges Vantongerloo, il veterano di De Stijl). Proprio come le equazioni algebriche su cui erano ufficialmente basati i quadri di Vantongerloo, i computi aritmetici presentati da Bill come giustificazioni per la disposizione formale delle proprie opere erano spesso puri paraventi (soprattutto perché lo spettatore era raramente in grado di percepire il sistema in uso, e il colore era pensato come un surplus, un'aggiunta indipendente dal sistema).

Quasi subito Morellet cercò di sradicare qualsiasi elemento di gusto personale, utilizzando solamente sistemi generativi di flagrante semplicità e rifiutandosi di interagire con essi. Come molti altri artisti prima di lui, Morellet desiderava scoprire il minimo indispensabile per produrre un dipinto astratto. Nonostante sia stato senza dubbio il primo artista a essere ossessionato dal Santo Graal del "grado zero", egli fu probabilmente il più esplicito nel concludere che si trattava di un obiettivo irraggiungibile. La sua ricerca cominciò con un'opera piattamente intitolata *Pittura*, del 1952, in cui un motivo di strisce verdi (zigzag orizzontale-verticale) riempie a tutto campo uno sfondo bianco. Come nelle tele di alluminio prodotte da Stella dieci anni dopo, l'intera struttura viene dedotta da un elemento generativo arbitrario: nell'opera di Stella è la forma della tela, in quella di Morellet la posizione di una striscia interrotta – l'unica a essere parzialmente allineata sia al bordo destro che a quello sinistro del supporto – su cui si allineano le altre strisce.

Il fatto che una scelta iniziale arbitraria diventasse il nucleo della configurazione di quest'opera spinse Morellet a un esperimento radicale, *16 quadrati* del 1953. Anche se questa griglia modulare, a tutto campo (un quadrato bianco diviso in sedici parti uguali) non è molto più di un readymade, Morellet ha calcolato che la sua elaborazione ha richiesto non meno di undici decisioni (due per il formato: il quadrato e la lunghezza del lato; cinque per gli elementi: le linee, le due direzioni – orizzontale e verticale –, il numero e la grandezza; una per l'intervallo che le separa uniformemente; due per i colori – bianco e nero – e infine, una per la mancanza di struttura). Queste undici decisioni, nella logica del "grado zero", erano dieci di troppo. Questo dato significava agli occhi di Morellet che non si può mai eliminare completamente la scelta, la decisione arbitraria, l'invenzione e, quindi, la composizione. Finché avesse mantenuto un controllo totale sulla sua tela, anche se con un sistema interamente impersonale, non avrebbe potuto evitare di sottoscrivere quel sogno romantico secondo cui, con l'esempio della sua arte, attraverso l'ordine razionale e relazionale della sua tela, egli avrebbe contribuito a dare forma all'universo, o almeno avrebbe dichiarato possibile una cosa del genere.

Morellet introdusse a quel punto un cambiamento più rilevante: l'uso del caso, che Bill non avrebbe mai accettato nel suo arsenale. Per contrastare l'arbitrarietà della scelta soggettiva, che neppure il sistema più determinista avrebbe potuto eliminare, Morellet giunse ad adottare il caso (l'assoluta assenza di sistema, l'arbitrarietà assoluta) come principio fondamentale di organizzazione delle sue opere **[1]**. Questo cambiamento non spuntava fuori ▲ dal nulla: era chiaramente dovuto all'influenza di Ellsworth Kelly, un artista che condivideva il suo orientamento anticompositivo e a cui Morellet era talmente legato negli anni Cinquanta che le sue opere sembrano spesso sistematicamente copiate dalle non-composizioni aleatorie del pittore americano.

Sebbene il suo uso del caso risalisse alla metà degli anni Cinquanta, le opere più rappresentative realizzate in questo modo sono le tele e le serigrafie chiamate *Ripartizione aleatoira di 40.000 quadrati secondo le cifre pari e dispari di un elenco telefonico*, datate dal 1960 in poi, in cui un campo quadrato è suddiviso in una griglia regolare colorata in modo binario (positivo/negativo) a seconda delle serie di cifre prese da un elenco telefonico. Oltre a costituire un addio programmatico alla tradizione dell'astrattismo geometrico – perché l'attacco era inequivocabile, affermato chiaramente fin dal titolo, che aveva la funzione di una didascalia descrittiva – queste opere erano la conferma di una svolta nella carriera di Morellet. Il loro sfarfallio ottico sembrava una logica conseguenza dell'effetto *moiré* generato dalla sovrapposizione casuale di griglie in una serie di tele cominciata nel 1956, e questo lo convinse (a torto, come ebbe ben presto modo di accorgersi) che

▲ 1955b ● 1917b, 1928a, 1937b, 1947a, 1959e ■ 1917b, 1937b ▲ 1953, 1962d

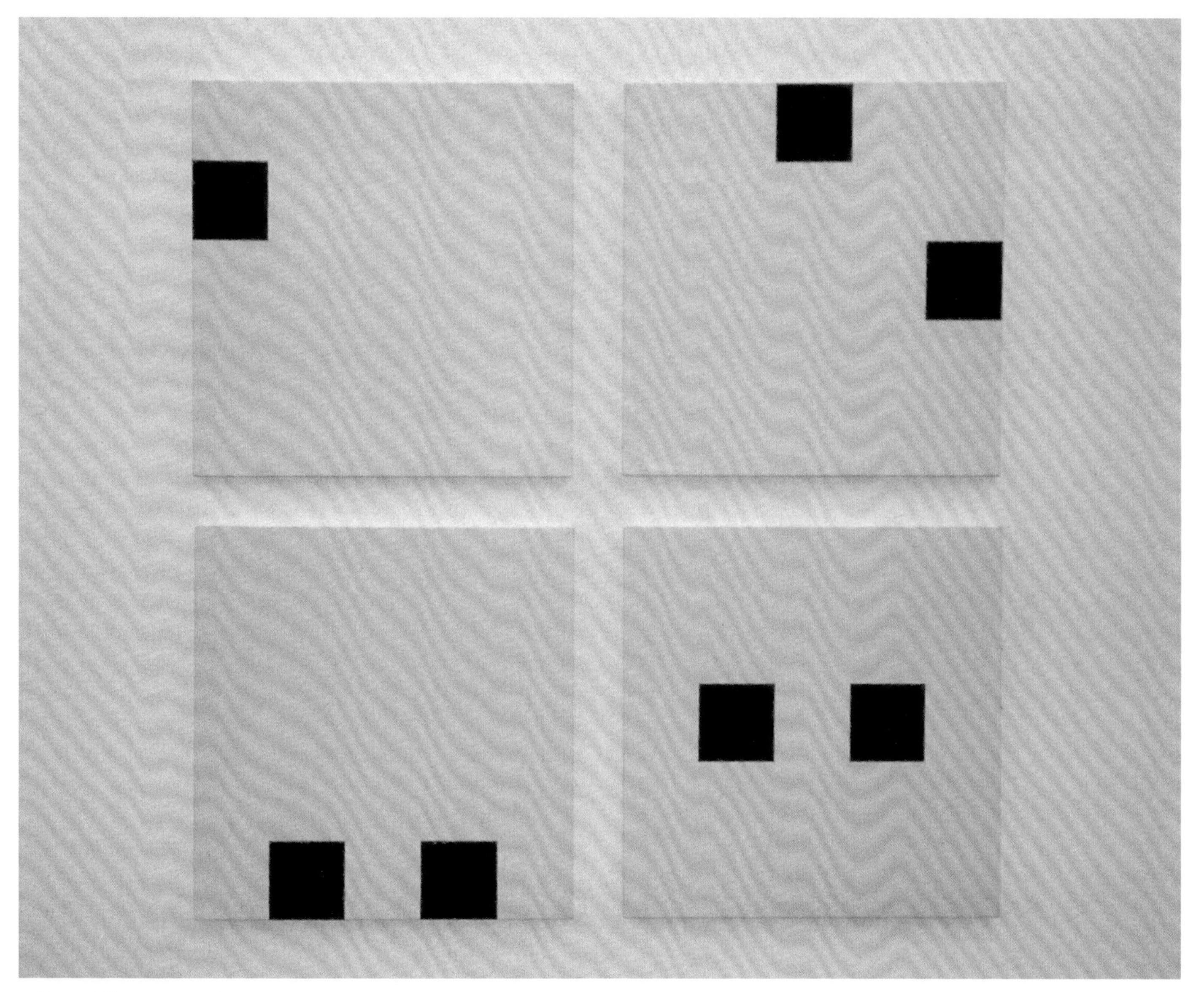

1 • François Morellet, ***4 ripartizioni aleatorie di 2 quadrati secondo i numeri 31-41-59-26-53-58-97-93*****, 1958**
Olio su tavola, quattro quadrati 60 x 60 cm

il suo linguaggio era lo stesso degli artisti del GRAV. Ma se Morellet subì una momentanea delusione riguardo alla propria evoluzione, altri ne furono entusiasti: furono le griglie sovrapposte a indurre Piero Manzoni a invitarlo a una mostra collettiva a Milano nel 1959, in cui la terza opera che vendette dall'inizio della sua carriera ▲ fu comprata da Lucio Fontana.

Yves Klein come cartina di tornasole

L'evocazione di questi ultimi due nomi introduce un paradigma diverso nel contesto della Parigi postbellica, quello rappresentato • dall'alter ego francese dei due artisti italiani, Yves Klein. Così come per Morellet era stato necessario l'incoraggiamento di Kelly per porre fine alla fedeltà nei confronti di Bill, le opere di Klein, e in particolare i monocromi, percepiti da molti artisti della Jeune École de Paris come un affronto diretto, diventarono la linea di confine. Un caso esemplare fu la lettera che il pittore Martin Barré (1924-93), allora astro nascente del JEP, mandò al critico Michel Ragon dopo avere letto le bozze di una monografia su di sé: "Parlando di Yves Klein", nota Barré, "lei scrive 'un artista così contestato'. Voglio che lei sappia che per me è incontestabile". Ragon lo assecondò, citando letteralmente la frase nella versione definitiva del libro (uscito nel 1960), ma non arrivò a trarne le conseguenze: il suo commento era infatti che la fascinazione di Barré per Klein era comprensibile solo grazie al comune interesse ▲ per Malevič.

Il tono di Ragon e di altri critici a lui affini presto cambiò radicalmente: nella personale di Barré, che coincise con la pubblicazione del libro di Ragon, l'artista fu accusato di soccombere a Klein e di tradire la causa del JEP. L'unica recensione • positiva di questa mostra del 1960 fu scritta da Pierre Restany, l'eterno agiografo di Klein: "In un colpo Barré, con grande coraggio intellettuale, si disfa di tutto il vecchio apparato, un intero vocabolario di forme anacronistiche che aveva fino a ora cercato di

▲ 1959a • 1960a

▲ 1913, 1915 • 1960a

far rivivere. E per favore non venitemi a dire che non è rimasto quasi niente! Direi che ce n'è ancora troppo". In particolare, Restany trovava che Barré fosse inutilmente distratto dal colore e che avrebbe dovuto concentrarsi sulla linea, che secondo lui era il suo forte. Per Restany, il *colore* era il regno di Klein – che definiva "monista", escludendo ogni dualismo, ogni concetto di equilibrio – mentre Barré aveva il potenziale per diventare il poeta "monista" della *linea*.

Per comprendere a fondo la natura del "tradimento" o della conversione di Barré e di molti altri contemporanei bisogna ricordare quali fossero le finalità del JEP. La "Jeune École de Paris" è un soprannome usato spesso negli anni Cinquanta per designare quel genere di astrattismo (quello gestuale o postcubista o meglio post-Klee) cui avevano dato inizio artisti come Pierre Soulages, Jean Bazaine, Alfred Manessier, Viera da Silva, Serge Poliakoff, Jean Esteve, Bram van Velde e Hans Hartung nell'immediato dopoguerra, e che fu poi emulato da uno stuolo di imitatori accademici. (Questo fenomeno è paragonabile alla produzione in serie di opere in una forma annacquata di Espressionismo astratto nella New York degli anni Cinquanta, una produzione che Clement Greenberg etichettò senza riserve arte "da 10ª Strada", alludendo alle moltissime gallerie d'arte in quella zona). La teoria e la pratica ▲ del JEP erano modellate su quelle del primo Kandinskij, che senza sosta realizzava studi dettagliati ed elaborati delle cosiddette "improvvisazioni", che lo spettatore doveva interpretare come fedeli ritratti dello "stato interiore" del pittore. Posatore e compositore, il pittore del JEP era un soggetto cartesiano sicuro al centro del proprio universo pittorico. Anche quando indossava un manto espressionista, il pittore JEP restava il puro prodotto di un'educazione artistica largamente dominata dall'ultimo, classicizzante, ipercompositivo Cubismo.

Non è corretto raggruppare insieme la prima e la seconda maniera JEP, ma verso la fine degli anni Cinquanta cominciarono a confondersi per via della comune saturazione del mercato e del supporto che entrambe ricevettero dallo stato e dall'intellighenzia letteraria. La prima Biennale di Parigi fu allestita nel 1959 per celebrare in pompa magna il JEP, ma i suoi organizzatori si trovarono di fronte a un numero insolitamente alto di quegli artisti che di lì a poco sarebbero stati raggruppati da Restany sotto l'etichetta di • Nouveau réalisme, per non parlare dei tre *combine painting* mandati da Robert Rauschenberg (nella sezione americana): una ■ macchina *Metamatic* di Jean Tinguely, che produceva disegni astratti gestuali a comando, un monocromo di Klein **[2]** e una ◆ quantità di *décollage* di Jacques de la Villeglé, François Dufrêne e Raymond Hains (la sua *Palizzata degli spazi riservati*, una fila di assi prese da un cartellone ricoperte di lembi di poster, direttamente dalla strada, provocò un grande scandalo).

Anche se Klein non fu né il primo né l'ultimo artista a ribellarsi contro il JEP, fu molto abile nel mutuarne l'elemento istrionico, ad esempio la tattica esibizionista di Georges Mathieu che dipingeva grandi tele in pubblico, in una manciata di minuti. Klein continuò a utilizzare vernice e tela, gli strumenti tradizionali di un pittore: questo spiega il suo forte impatto su quegli artisti che erano diffidenti nei confronti del JEP ma non volevano abbandonare la pittura, anche se non necessariamente apprezzavano la sua mistica grandiosa. Ritornando a Barré, per esempio, nelle opere successive alla scoperta dei monocromi di Klein si percepisce una critica sostanziale al ritorno alla posizione romantica del sublime che ne scaturiva. I dipinti esposti nel 1960 da Barré, che contenevano semplici iscrizioni (una curva spiraleggiante, una palla di scarabocchi) prodotte spremendo direttamente il colore dal tubo sulla tela bianca, sono chiaramente ironici e simili alle più note tele delle ▲ "pennellate" di Roy Lichtenstein dal 1965 in poi, giustamente celebrate per la loro parodia dell'Espressionismo astratto.

Il processo di produzione di queste opere veniva messo a nudo, esibito, senza fronzoli. La linea era sia il segno indicale di un tragitto spaziale (da qui a lì) sia di un dispiegamento temporale (ad esempio, la sezione più sottile indica quando la penna ha rallentato). Ma fu solo l'anno successivo, quando cominciò a utilizzare la bomboletta spray – un mezzo inconfondibilmente legato a quel periodo, in cui i muri di Parigi erano coperti di graffiti sulla guerra d'Algeria – che Barré capì, come Rauschenberg e Kelly dieci anni prima, che il suo attacco contro le idee del JEP sull'autoralità e sul gesto doveva partire dall'analisi del segno pittorico come indice **[3]**. Le ragioni per cui Barré venne sedotto dalla bomboletta spray sono ovvie: l'unica difficoltà per chi le usa è il controllo della velocità, soprattutto perché non voleva nessuna sbavatura, che avrebbe potuto essere interpretata come Tachisme

2 • Yves Klein, *Monocromo blu IKB 48*, 1956
Olio su tela, 150 x 125 cm

▲ 1908 ● 1960a ■ 1955b ◆ 1960a ▲ 1960c

3 • Martin Barré, *63-Z*, 1963
Pittura spray su tela, 81 x 54 cm

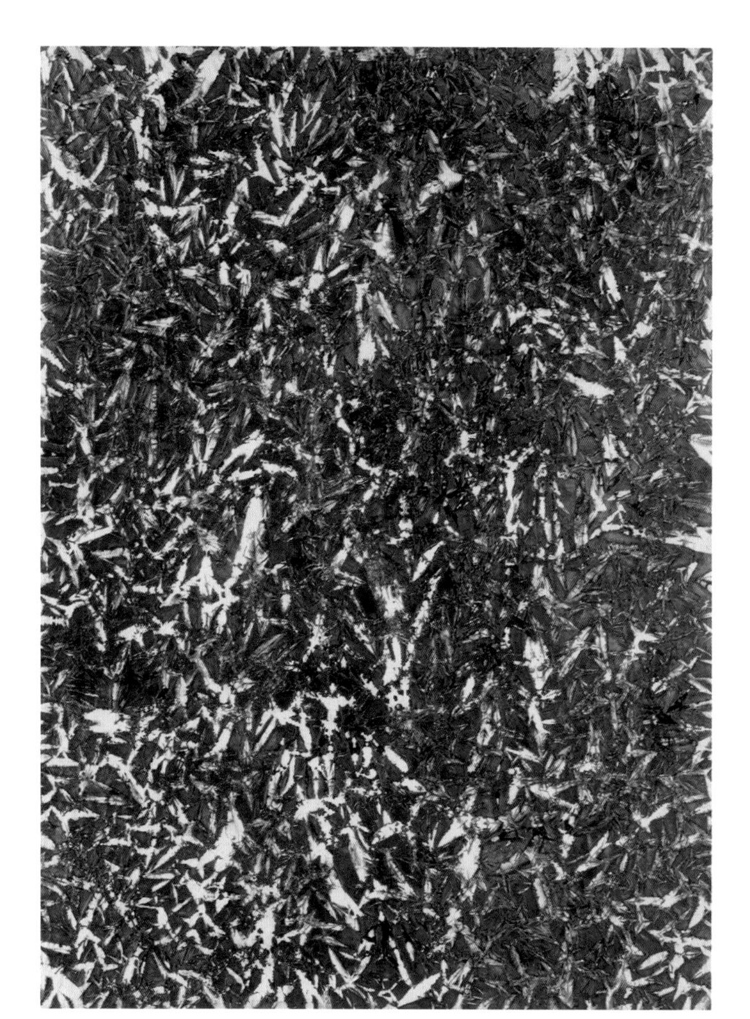

4 • Simon Hantaï, *Mariale 3*, 1960
Olio su tela, dimensioni sconosciute

(come espressività); i segni sono prodotti senza alcun contatto tra il corpo dell'artista e il suo supporto. Non c'è quasi mediazione psicologica o materiale tra la tela e il gesto trascritto nel segno, e non c'è tessitura, non c'è "cucina" pittorica (il che può forse spiegare come mai i primi, più ostili critici di queste opere pensavano fossero fotografie). Il più spettacolare di questi quadri-graffiti è una tela del 1963 ricoperta di linee oblique parallele da lato a lato, allover **[3]**.

Hantaï e il modo allover

Nello stesso periodo anche Simon Hantaï (1922-2008) giunse alla conclusione che l'allover andasse a braccetto con un'indagine dell'indicalità. Se Morellet si era imbattuto in questa struttura mentre combatteva contro la tradizione di Bill e Barré mentre ▲ scardinava le vecchie ricette del JEP, il nemico di Hantaï era il Surrealismo. Anche se oggi, col senno di poi, appare chiaro che il Surrealismo nella Francia postbellica era moribondo, al tempo occupava ancora una posizione di prestigio. André Breton restò molto attivo fino alla sua morte nel 1966 e sia il mercato francese che le istituzioni pubbliche erano inondate di opere dei suoi protetti imitatori di terza generazione degli artisti che il poeta aveva radunato sotto il suo vessillo alla metà degli anni Venti. Hantaï aveva cominciato da surrealista negli anni Cinquanta, poi era gradualmente scivolato verso l'astrattismo gestuale, grattando rapidamente via qualche pennellata dalla pittura scura del fondo delle sue enormi tele con un coltello o una spatola. Dal 1959, i suoi grandi dipinti allover – stranamente rassomiglianti, con un effetto ▲ più stucchevole, alle contemporanee *Materiologie* di Dubuffet – segnano un punto di svolta nella sua opera **[4]**. Mentre la modalità allover di quell'anno rappresenta un'eccezione nell'intera produzione di Dubuffet, essa fu un trampolino per Hantaï, che non se ne separò più: attraverso Pollock, scoperto di recente, Hantaï capì che doveva inventare un nuovo metodo per segnare le tele e dividere la loro superficie. Questo metodo, che fu messo in atto l'anno successivo, è il *pliage* (letteralmente "piegatura", anche se il suo effetto sembra più vicino all'accartocciamento). Da allora Hantaï piegava le sue tele prima di ricoprirle di colore e le molte pieghe a forma di lingua/fiamma/foglia che non venivano raggiunte dal colore si rivelavano di colore bianco una volta aperte. All'inizio le dipingeva di un altro colore o di un'altra sfumatura dello stesso colore, dando alla superficie delle tele l'aspetto reticolato e indurito di una pelle di rettile, ma poi, utilizzando una pittura più fluida e lavorando in una scala più ampia, lasciò che gli spazi liberi rimanessero intatti e che il loro biancore contrastasse luminosa-

▲ 1924, 1930b, 1931a

▲ 1946, 1959c

5 • Daniel Buren, *Photo-souvenir: Manifestazione n. 3: Buren, Mosset, Parmentier, Toroni*, Musée des Arts Décoratifs, Parigi, 1967 (dettaglio)

mente con il motivo monocromatico, decorativo e aleatorio delle aree dipinte. Qualunque fossero le variazioni successive, la sua pratica pittorica si baloccò sempre con il problema dell'automatismo e della possibilità dell'incontrollato, e le migliori opere di Hantaï trasmettono il puro piacere della sorpresa che si suppone provasse al momento del dispiegamento.

Morellet, Barré e Hantaï rinunciarono alle notevoli abilità che avevano acquisito grazie al loro background tradizionale, sviluppando procedure che avrebbero esaltato la composizione e il mito dell'interiorità che questo equivalente del *cogito ergo sum* implicava (il cartesiano "penso, dunque sono" tradotto in "Sono capace di 'fare qualcosa in un angolo e controbilanciarlo con qualcos'altro nell'angolo opposto', quindi sono" [Stella]). Essi sarebbero in ogni caso stati superati sotto questo aspetto da un artista più giovane che stava per diventare uno dei più importanti ▲ giocatori nel campo internazionale dell'Arte concettuale: Daniel Buren. In meno di due anni Buren digerì la lezione dei due ● compagni (fu molto influenzato da Hantaï, ma anche da Stella ed Kelly, perché, a differenza degli altri artisti francesi, era molto informato della situazione americana). Dalla metà del 1965 le sue grandi tele, composte quasi sempre da un motivo regolare di strisce colorate (generalmente lo sfondo) e da piatte aree di colore (di solito figure biomorfe), reclamavano a gran voce un revival ■ dell'idea di decorativo risalente a Matisse.

A quel punto Buren sacrificò, come i suoi predecessori, tutte le abilità che aveva acquisito, decidendo di utilizzare pezzi già pronti di tela a strisce, comprati in negozi di stoffa, per il retro delle sue composizioni. All'inizio armeggiò con i motivi prestampati, "correggendoli", secondo l'espressione di Duchamp, ma presto lasciò perdere, contentandosi di dipingerci sopra le sue figure biomorfe. Il suo passo successivo fu di moltiplicare le figure biomorfe in modo da farle diventare un motivo allover (in competizione con il "primo" a strisce, mettendo così in questione la tradizionale opposizione tra figura e sfondo). All'inizio del 1966 adottò il motivo binario standard che da allora ha sempre usato, con strisce bianche alternate a strisce di un singolo colore per ogni opera, ogni striscia larga esattamente 8,5 centimetri. Alla fine dell'estate di quell'anno si era liberato di ogni forma di "figurazione" o di contorno: il suo unico intervento consisteva nel tendere il tessuto (comprato al mercato) e lumeggiare una delle strisce bianche con della vernice acrilica bianca.

Decise anche di fare squadra con tre altri artisti impegnati in un processo di riduzione molto simile: Olivier Mosset, Daniel Parmentier e Niele Toroni, con cui fondò il gruppo BMPT **[5]**. Ribellandosi al mito dell'ispirazione e ad altre stravaganze del mondo dell'arte, ogni artista scelse una configurazione da ripetere invariabilmente in ogni opera successiva: alle strisce verticali standard di Buren, Parmentier rispose con larghe bande orizzontali, Toroni con una distribuzione regolare di pennellate isolate di uguale dimensione, Mosset con un cerchio nero in mezzo alla tela. La loro prima collettiva, che ebbe luogo il 3 gennaio 1967 durante il Salon de la Jeune Peinture, era una parodia di Klein che faceva la parodia di Mathieu: per un giorno intero, dalle 11 di mattina alle 8 di sera, ciascun artista produsse un certo numero di esemplari della sua opera standard, mentre un altoparlante ripeteva in loop lo slogan: "Buren, Mosset, Parmentier, Toroni vi raccomandano di diventare intelligenti". Alla fine della giornata abbandonarono il salone portandosi via le opere, lasciando un avviso alle pareti: "Buren, Mosset, Parmentier, Toroni non stanno esponendo". La "jeune peinture" era morta e sepolta, aprendo la strada alla critica istituzionale. Circa un anno dopo, gli sconvolgimenti politici del Maggio 1968 radicalizzarono le tattiche di guerriglia del BMPT. YAB

ULTERIORI LETTURE:

Yves-Alain Bois, *François Morellet/Sol LeWitt: A Case Study*, in Thomas Gaehtgens, *Artistic Exchange, Acts of the 28th International Congress of Art History, Berlin, July 15-20*, Akademie Verlag, Berlin 1993

Yves-Alain Bois, *Martin Barré*, Flammarion, Paris 1993

Benjamin H. D. Buchloh, *Hantaï/Villeglé and the Dialectics of Painting's Dispersal*, in *Neo-Avant-garde and Culture Industry*, MIT Press, Cambridge (Mass.) 2000

Daniel Buren, *Entrevue: Conversations avec Anne Baldessari*, Musée des Arts Décoratifs, Paris 1987

Bruce Glaser, *Questions to Stella and Judd*, in Gregory Battcock (a cura di), *Minimal art: A Critical Anthology*, Dutton, New York 1968; University of California Press, Berkley-Los Angeles 1995

Serge Lemoine, *François Morellet*, Waser Verlag, Zurich 1986

▲ Introduzione 4, 1971 ● 1953, 1958, 1962d ■ 1910

1968a

Due grandi musei dedicati all'arte più avanzata dell'Europa e dell'America degli anni Sessanta – lo Stedelijk Van Abbemuseum di Eindhoven e lo Städtisches Museum Abteiberg di Mönchengladbach – espongono il lavoro di Bernd e Hilla Becher, situandoli tra gli esempi più rilevanti dell'arte e della fotografia concettuale.

Nel 1957 Bernd (1931-2007) e Hilla Becher (1934-2015) diedero inizio a un progetto fotografico che li ha impegnati per cinquant'anni: la registrazione sistematica dell'architettura industriale europea, che a quel tempo minacciava di scomparire per l'abbandono e la decadenza. Come molte catalogazioni fotografiche precedenti, dalla topografia delle ▲ strade di Parigi di Charles Marville allo straordinario tentativo di Eugène Atget di registrare la dissoluzione di Parigi nell'impatto con la modernizzazione, il progetto dei Becher era segnato fin dall'inizio da una particolare dialettica: una lotta tra il desiderio quasi ossessivo di una catalogazione completa, il desiderio di rendere le cose permanenti e, dall'altra parte, l'ugualmente profondo senso di perdita, la malinconica consapevolezza che la scomparsa spaziale e temporale dell'oggetto è inarrestabile.

Due momenti di svolta per la fotografia: 1928-68

Bisognerebbe citare altri due progetti fotografici: uno dei due, la ● fotografia della Nuova oggettività, è stato fondamentale per la storia e la cultura da cui sono emersi i Becher, mentre l'altro appartiene al contesto di ricezione nel quale la loro opera diventò internazionalmente nota. Il primo è l'opera del fotografo tedesco ■ August Sander, che i Becher hanno più volte citato come fonte primaria: il suo progetto più conosciuto, *Volti del nostro tempo*, elaborato nel primo decennio del Novecento e parzialmente pubblicato nel 1929, era un tentativo di costruire una rappresentazione esatta e completa dei soggetti sociali della Repubblica di Weimar, una fisiognomica di tutti i suoi strati sociali, i generi e le età, le professioni e i tipi.

Il secondo "archivio" era costituito dall'uso della fotografia da parte di artisti americani come Ed Ruscha, Dan Graham e Douglas ◆ Huebler, che nei primi anni Sessanta rimisero la fotografia al centro della produzione artistica. Nel primo periodo in cui cominciarono a essere conosciuti, verso la fine degli anni Sessanta, i Becher venivano spesso associati a questi artisti (e con alcuni di essi hanno mantenuto un'amicizia lunghissima). Neanche a dirlo, uno dei primi – e probabilmente più importanti – saggi sulla loro opera e sul loro primo libro, *Sculture anonime: una tipologia di* ▲ *costruzioni tecniche*, fu scritto da Carl Andre, lo scultore chiave del Minimalismo.

Alcune delle prime fotografie prodotte dai Becher erano immagini composite di architetture dell'industria estrattiva, un genere di montaggio stranamente antiquato che resuscitava la promessa originaria della fotografia di fornire la più ampia quantità di dettagli empiricamente verificabili per costruire un documento positivista del mondo visibile. Ma queste immagini erano problematiche per la coppia, perché ricordavano troppo il fotomontaggio, che rappresentava il minaccioso "altro" politico rispetto al latente conservatorismo della fotografia della Nuova oggettività, la loro fonte primaria. Per di più la tradizione del fotomontaggio era riemersa dopo la guerra in ● una versione americana, in particolare nell'opera di Robert Rauschenberg, un'associazione che allora i Becher volevano a tutti i costi evitare. Questo potrebbe spiegare perché sostituirono le immagini composite con una combinazione unica di due categorie fotografiche moderniste: la tradizionale stampa a mano di un'immagine singola e il principio dell'immagine seriale o in sequenza. Da quel momento in poi le loro fotografie furono esposte secondo due principi organizzativi: la "tipologia" (generalmente una serie di nove, dodici o quindici immagini dello stesso tipo di struttura architettonica, come nove diverse fornaci da calce o quindici diverse torri di raffreddamento [**1**]), o lo "sviluppo", cioè una serie di immagini singole in cui una particolare struttura (una torre estrattiva o una casa, ad esempio) viene mostrata in una sequenza di vedute ottenute ruotandole attorno [**2**].

L'effettivo sviluppo dell'opera dei Becher lungo questo arco di tempo è infinitamente più complesso di quanto questo breve riassunto suggerisca, perché è stato uno dei pochi progetti artistici della Germania postbellica a stabilire una continuità storica con l'avanguardia di Weimar. Mentre la maggior parte degli artisti tedeschi loro contemporanei si manteneva a debita distanza dalla ■ tradizione di Weimar, come Gerhard Richter, che stabilì invece un legame con l'avanguardia americana degli anni Cinquanta e Sessanta, i Becher tentavano di risuscitare la tradizione della fotografia della Nuova oggettività imitando apertamente gli ideali e i risultati dei suoi esponenti canonici: August Sander, Albert Renger-Patzsch e Werner Manz.

▲ 1935 ● 1925b, 1929 ■ 1935 ◆ 1967a, 1968b, 1984a ▲ 1962c ● 1953 ■ 1988

1 • Bernd e Hilla Becher, *Torri di raffreddamento*, 1993
Quindici fotografie in bianco e nero, 173 x 239 cm

Oltre ad affermare la propria continuità con Weimar, i Becher rivendicavano una nuova credibilità per la stessa fotografia, che durante gli anni Cinquanta era stata messa in ombra dall'esplosione dell'Espressionismo astratto e dall'ascesa della pittura americana e francese. In modo piuttosto esplicito, quindi, miravano a costruire una duplice continuità: con una cultura di Weimar, che era alternativa rispetto a quella allora dominante, e con un sistema alternativo di pratiche della rappresentazione elaborate nel contesto dell'avanguardia storica.

Inoltre bisogna considerare che nel concentrarsi sugli edifici industriali, come impianti di scaricamento del carbone, acquedotti, strutture di accesso alle miniere, il progetto dei Becher instaurava un confronto esplicito con l'ascesa della "scultura saldata" e con la sua ricezione nella Germania degli anni Cinquanta e Sessanta. Le opere ▲ di scultori come David Smith o Jean Tinguely, fatte di pezzi di macchine concepiti come scarti industriali, avevano avuto grande rilievo nel processo di ridefinizione della scultura. Dal canto loro, i Becher si ponevano in netto contrasto con l'artista svizzero del Nouveau réalisme Jean Tinguely e con la sua estetica della *junk sculpture*, a cui opponevano la propria opera non solo per la sua dimensione fotografica, ma anche per l'uso di un effettivo fondamento storico inteso come archeologia industriale per combattere l'estetizzazione delle rovine dell'industria. Contrari alla romanticizzazione delle macerie industriali e a quella che consideravano un'interpretazione riduttiva dell'intersezione tra pratiche artistiche e industriali, i Becher sottolineavano l'importanza storica, l'integrità strutturale e funzionale e lo statuto estetico di questo genere di architettura. Del resto la loro opera non si fondava esclusivamente su fattori di ordine artistico, ma anche su un desiderio di conservazione: le strutture fotografate non appaiono ancora come ruderi, ma sono certamente in uno stato di decadenza. Non sorprende dunque che una disciplina relativamente nuova come l'"archeologia industriale", in cui degli esempi selezionati di architettura industriale vengono salvati dalla definitiva scomparsa, abbia ricevuto un forte stimolo iniziale dall'opera dei Becher. Non stupisce neppure che gli archeologi industriali abbiano in più di un'occasione chiesto alla coppia di collaborare all'esplorazione scientifica e alla documentazione fotografica dei siti industriali per assicurarne la tutela.

▲ 1945, 1960a

Dalla serialità alla site-specificity

Chiaramente i nodi dell'opera dei Becher diventano sempre più complessi se li si legge alla luce dei vari fili storici da cui dipendono, da Sander e Ranger-Patzsch a Le Corbusier, che nel 1928, nel suo giornale *L'Esprit Nouveau*, aveva pubblicato un manifesto che lanciava un'estetica basata sulle strutture industriali (come i silos) quali esempi della potenza formale del progetto anonimo d'ingegneria. Questa estetica non si limitava ad affermare che la forma dovrebbe essere la pura articolazione della funzione, ma implicava una precoce critica (psicologica) dell'autoralità e una precoce attenzione (sociopolitica) alla partecipazione collettiva alla produzione sociale. Le Corbusier era contrario all'estetica modernista dell'*auteur* nella stessa misura dei Becher, quando in *Sculture anonime* affermano che l'anonimato dell'architettura industriale è degno di essere preso in considerazione allo stesso titolo delle rivendicazioni dell'individualità autorale. Nel 1968, quindi, era possibile tracciare una linea all'interno del modernismo da Le Corbusier ai Becher, passando per la Nuova oggettività, per la quale i valori artistici più importanti erano collettività, anonimato e funzionalismo.

Nella sua reazione entusiasta di fronte a *Sculture anonime*, ▲ Andre interpretò il lavoro dei Becher come caratterizzato da un'attenzione compulsiva alla ripetizione seriale. Questa lettura, che • immediatamente li collocò nel contesto dell'estetica minimalista e postminimalista, era resa possibile dalla disposizione delle loro immagini come antiche tassonomie in forma di griglia, attraverso cui mostrare le minute differenze strutturali di ciascun esempio. Fu proprio l'enfasi sulla ripetizione, sulla serialità, sull'ispezione minuziosa e sulle differenze strutturali ad attrarre naturalmente l'attenzione di Andre e a generare la ricezione minimalista dell'opera e la sua canonizzazione all'interno del contesto minimalista e postminimalista. Ma anche altri aspetti contribuirono a collocare i Becher all'interno del dibattito sulla scultura che si stava sviluppando alla fine degli anni Sessanta: oltre all'insistenza sull'anonimato, l'evidente rilievo dato al problema del sito. Andre in particolare aveva elaborato una logica interna della scultura grazie alla quale essa aveva cessato di essere un oggetto costruito per essere invece compresa come luogo, come punto all'incrocio di architettura e ambiente.

Un'altra qualità che situò i Becher nel contesto non solo del Minimalismo ma anche del Concettuale allora emergente, fu la

2 • Bernd e Hilla Becher, *Otto vedute di una casa*, 1962-71
Otto fotografie in bianco e nero

▲ 1925a, 1929, 1935 ▲ 1962c ● 1965, 1969

sostituzione delle strutture materiali con la loro documentazione fotografica, nell'allineamento seriale caratteristico della loro ▲ opera. A partire da Ed Ruscha e Dan Graham, la fotografia seriale e sistematica è considerata cruciale nello sviluppo dell'Arte concettuale. Ma ciò che distingueva l'opera dei Becher da tutta l'Arte concettuale è l'importanza che attribuiscono all'abilità • tecnica: laddove la fotografia concettuale è votata alla destrutturazione di quell'abilità, l'opera dei Becher mirava a ristabilirla; essi risuscitavano enfaticamente l'ambizione di produrre la più alta qualità di bianco e nero possibile, con lo stesso accanimento ■ con cui fotografi della Nuova oggettività come Sander e Ranger-Patzsch insistevano sulla migliore realizzazione artigianale possibile del progetto fotografico. I Becher si sforzavano in tutti i modi di produrre la fotografia giusta, inquadrata alla giusta altezza e scattata, senza ombre, nel giorno giusto con la luce giusta e ottenere così le più piccole gradazioni di valori tonali. Poi essi insistevano sulla presentazione assolutamente immacolata dell'oggetto: in questo modo esso si affranca dalla mediazione di qualsiasi percezione autorale, di nuovo in linea con l'eredità della Nuova oggettività che i Becher avevano riportato in vita.

Questa insistenza sulla continuità con la cultura di Weimar, con il suo tentativo di impedire che la produzione della neoavanguardia tedesca fosse interamente mediata dall'arte americana, ▲ richiama l'analogo tentativo di Georg Baselitz di resuscitare • l'Espressionismo tedesco. Queste rivendicazioni di continuità si rivelano in ogni caso problematiche su un duplice fronte: nella misura in cui le pratiche e le strategie artistiche sono circoscritte in sé stesse e quindi eternamente sorpassate e screditate, l'idea di un modello fotografico valido di "nuova oggettività" trasferibile dagli anni Venti ai Sessanta è opinabile. Inoltre, in una situazione come quella tedesca, la cesura politica e storica della Seconda guerra mondiale sbarra l'accesso a una relazione aproblematica con l'idea dello stato nazione come base dell'identità soggettiva e quindi il tentativo di costruire l'identità artistica su modelli così convenzionali diventa sempre più difficile. L'altra faccia dello sforzo di creare una pratica artistica che trascenda la lacuna della frattura storica aperta dalla guerra e dall'Olocausto corrisponde, quindi, a un tentativo di non vedere fino a che punto tutte le pratiche culturali dopo il 1946 fossero profondamente influenzate da questa cesura e non potessero evitare di prenderla in considerazione. Questa è la

3 • Thomas Struth, *Clinton Road, London*, 1977
Fotografia in bianco e nero, 66 x 84 cm

▲ 1967a, 1968b ● 1968b ■ 1929, 1935

▲ 1963 ● 1908

dimensione aggiuntiva della problematica rivendicazione di continuità storica da parte dei Becher, rivendicazione che ebbe bisogno di essere contrastata con altre pratiche nella Germania di quel periodo, come quella di Gerhard Richter, in cui non viene fatta nessuna affermazione del genere.

In questo tentativo di occultare la questione del lutto storico, l'opera mostra i sintomi di un apparato repressivo. Non è un caso, in questo senso, che la malinconia che aleggia intorno all'opera dei Becher sia generata da un'esclusione quasi fobica del soggetto dal campo visivo del fotografo, limitato esclusivamente alle rovine industriali (che si ritrova persino nella categoria della casa rurale ottocentesca, una serie presentata per la sola bellezza strutturale della tipologia, priva di qualunque dimensione sociologica). Per rendere effettiva la malinconica contemplazione del passato, quindi, il contesto storico e sociale deve essere asportato dall'opera, in modo da rendere l'architettura l'oggetto indisturbato dell'attenzione. Con l'importante eccezione di August Sander, questa tendenza alla destoricizzazione aveva caratterizzato anche i fotografi della Nuova oggettività, visto il loro perpetuo sforzo di estetizzare l'oggetto.

Dalle idee al colore

La seconda generazione di artisti emersa dalla "scuola" dei Becher – Bernd Becher ha insegnato all'accademia di Düsseldorf a partire dalla metà degli anni Sessanta – era un gruppo di artisti-fotografi che comprendeva Thomas Struth (nato nel 1954) **[3]**, Thomas Ruff (nato nel 1958) **[4]**, Candida Höfer (nata nel 1944) **[5]** e Andreas Gursky (nato nel 1955) **[6]**. Tutti loro sono partiti dagli insegnamenti dei Becher, mettendoli in pratica e ampliando alcune delle categorie inerenti al loro approccio: per esempio, le fotografie di Struth e Ruff sono connotate dalla stessa compulsiva assenza di azione umana dell'opera dei Becher.

Cominciando nel 1976 con il fotografare le strade deserte di Düsseldorf, Struth sostituì al puro oggetto industriale il tessuto urbano e la sua struttura. Esattamente come nel caso dei Becher, Struth sistematicamente riprendeva dei siti urbani in cui l'assenza di ogni umana attività permettesse una lettura malinconica della città, aggirando le scottanti questioni di ordine storico. Ma con la metamorfosi dell'architettura in archeologia urbana messa in atto durante i suoi incessanti viaggi nei centri urbani – dalle cittadine del Belgio, della Germania, dell'Inghilterra e degli USA a metropoli come Tokyo – Struth ha documentato un genere particolare di luogo pubblico urbano: retrospettivamente, la sua opera prende la forma di un resoconto sistematico dell'effettiva esperienza della scomparsa dello spazio pubblico urbano, parallela al paesaggio in via d'estinzione conservato solo nell'archivio fotografico dei Becher.

Nelle prime opere di Struth e Ruff l'insistenza sulla fotografia in bianco e nero – doppiamente obsoleta nella sua dimensione di supporto materiale e di veicolo di perizia artigianale – porta in primo piano la questione dell'eventuale presenza nei due artisti di

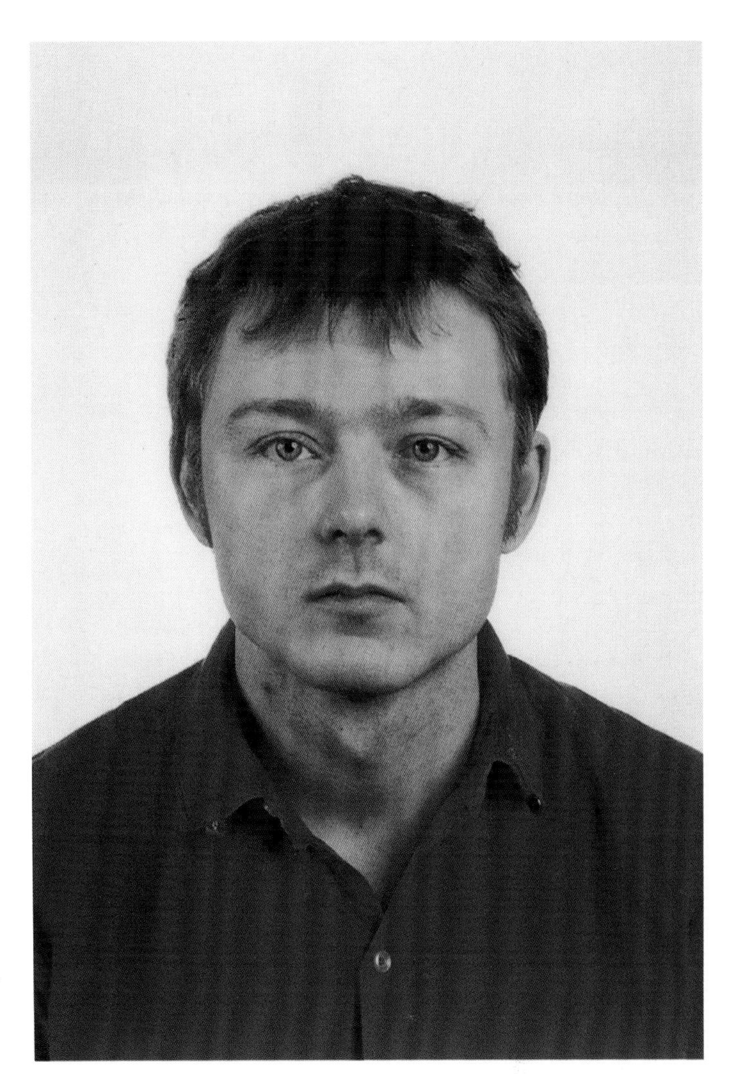

4 • Thomas Ruff, *Ritratto*, 1989
Stampa cromogenica a colori, 119,6 x 57,5 cm

un impulso antimodernista (che potrebbe essere paragonato alla ▲ discendenza di Giorgio de Chirico). Si tratta di un antimodernismo che guarda al presente attraverso la lente della malinconia, evidentemente distante dal modello dell'avanguardia e dal suo necessario legame con i mezzi avanzati di produzione scientifica e tecnologica, e che prende invece in considerazione la questione della ricostruzione della memoria in una situazione di perdita, una questione importante nel periodo postbellico.

In una fase ulteriore di questa evoluzione il colore è comparso nell'opera di Struth, Ruff, Gursky e Höfer, come se fosse improvvisamente caduto un divieto. Ma né l'introduzione del colore, né l'ammissione dell'attività umana e del contesto sociale in grande copia e dettaglio, hanno infranto i limiti storici della pratica fotografica di Struth o Ruff. Le ampie e continue serie di ritratti fotografici che Ruff ha prodotto a partire dalla fine degli anni Ottanta, che riportano in vita il tradizionale modello di ritratto in voga presso i fotografi della Nuova oggettività, sembra andare nella direzione opposta, situando Ruff al centro di un approccio anticoncettuale: il ritratto era stato infatti oggetto di un'esplicita decostruzione da parte degli artisti concettuali, che lo consideravano un modello storico obsoleto che dava luogo a false pretese di

▲ 1988 ● 1935 ■ 1929 ◆ 2001

▲ 1909, 1924

rappresentazione fisiognomica della soggettività e dell'identità. Il ripristino da parte di Ruff del genere del ritratto fotografico riporta in auge una pulsione antimodernista di questo genere, ▲ puntando il dito contro la radicalità delle pratiche artistiche concettuali. BB

ULTERIORI LETTURE:

Alex Alberro, *The Big Picture: The Art of Andreas Gursky*, in *Artforum*, vol. 39, n. 5, gennaio 2001

Carl Andre, *A Note on Bernd and Hilla Becher*, in *Artforum*, vol. 11, n. 5, dicembre 1972

Douglas Eklund (a cura di), *Thomas Struth: 1977-2002,* Metropolitan Museum of Art, New York 2002

Peter Galassi (a cura di), *Andreas Gursky*, Museum of Modern Art, New York 2001

Susanne Lange (a cura di), *Bernd und Hilla Becher: Festschrift. Erasmuspreis 2002*, Schirmer/Mosel, München 2002

Armin Zweite (a cura di), *Bernd and Hilla Becher: Typologies of Industrial Buildings*, Kunstsammlung Nordrhein-Westfalen; Schirmer/Mosel, München 2004

5 • Candida Höfer, *BNF Paris VII*, 1998
Stampa cromogenica a colori, 85 x 85 cm

6 • Andreas Gursky, *Salerno*, 1990
Stampa cromogenica a colori, 188 x 226 cm

▲ 1984a

1968b

L'Arte concettuale appare nelle pubblicazioni di Sol LeWitt, Dan Graham e Lawrence Weiner, mentre Seth Siegelaub organizza le sue prime mostre.

L'Arte concettuale è nata dalla convergenza di due grandi tradizioni del modernismo, una incarnata nel readymade, l'altra nell'astrattismo geometrico. La prima delle due è arrivata ▲ agli artisti più giovani del dopoguerra grazie alle pratiche di Fluxus e degli artisti pop, mentre Frank Stella e i minimalisti fecero da ponte tra l'astrattismo degli anni precedenti alla guerra e l'approccio concettuale della fine degli anni Sessanta.

All'inizio del decennio, prima dell'inizio ufficiale dell'Arte concettuale nel 1968, la fusione di Fluxus e Pop aveva prodotto opere come *Schedario* di Robert Morris, del 1962 **[4]**, o *Ventisei stazioni di rifornimento* di Ed Ruscha **[1]**, in cui erano già saldamente fissati alcuni degli elementi che avrebbero poi definito l'Arte concettuale: in Ruscha l'importanza data alla fotografia e alla forma di distribuzione del libro stampato; in Morris la centralità della definizione rielaborata, linguistica, dell'autoriflessività modernista – ovvero dell'arte che afferma la propria autonomia per mezzo di strategie autoreferenziali – che Morris ha spinto fino al punto di rendere impossibile la stessa possibilità dell'autonomia estetica.

Morris e Ruscha, a loro volta, devono molto al modo in cui il ▲ readymade di Duchamp, nelle mani di Jasper Johns e Andy ● Warhol, aveva prodotto un modello di pratica artistica più complesso. Questi due ebbero una grande importanza anche nella scoperta delle strategie fotografiche e testuali messe in campo dalla prima generazione "ufficiale" di artisti concettuali, cioè da Lawrence Weiner (nato nel 1940), Joseph Kosuth (nato nel 1945), Robert Barry (nato nel 1936) e Douglas Huebler (1924-97). Questi artisti formavano il gruppo le cui opere vennero esposte nel 1968 a New York dal gallerista Seth Siegelaub (nato nel 1941).

Il secondo elemento che contribuì in modo significativo alla formazione di un'estetica concettuale fu l'astrattismo minima- ■ lista incarnato nell'opera di Frank Stella, Ad Reinhardt e Donald Judd. Nel suo saggio-manifesto *L'arte dopo la filosofia* (1969), Kosuth riconosceva questi artisti come predecessori nell'evoluzione dell'estetica concettuale. La posta in gioco è una critica alla nozione modernista di "otticità", qui definita come sfera auto-

1 • Ed Ruscha, da *Ventisei stazioni di rifornimento*, 1962
Libro d'artista

▲ 1960c, 1962a, 1964b ● 1958 ■ 1965 ▲ 1914 ● 1958, 1962d, 1964b ■ 1957b, 1958, 1965

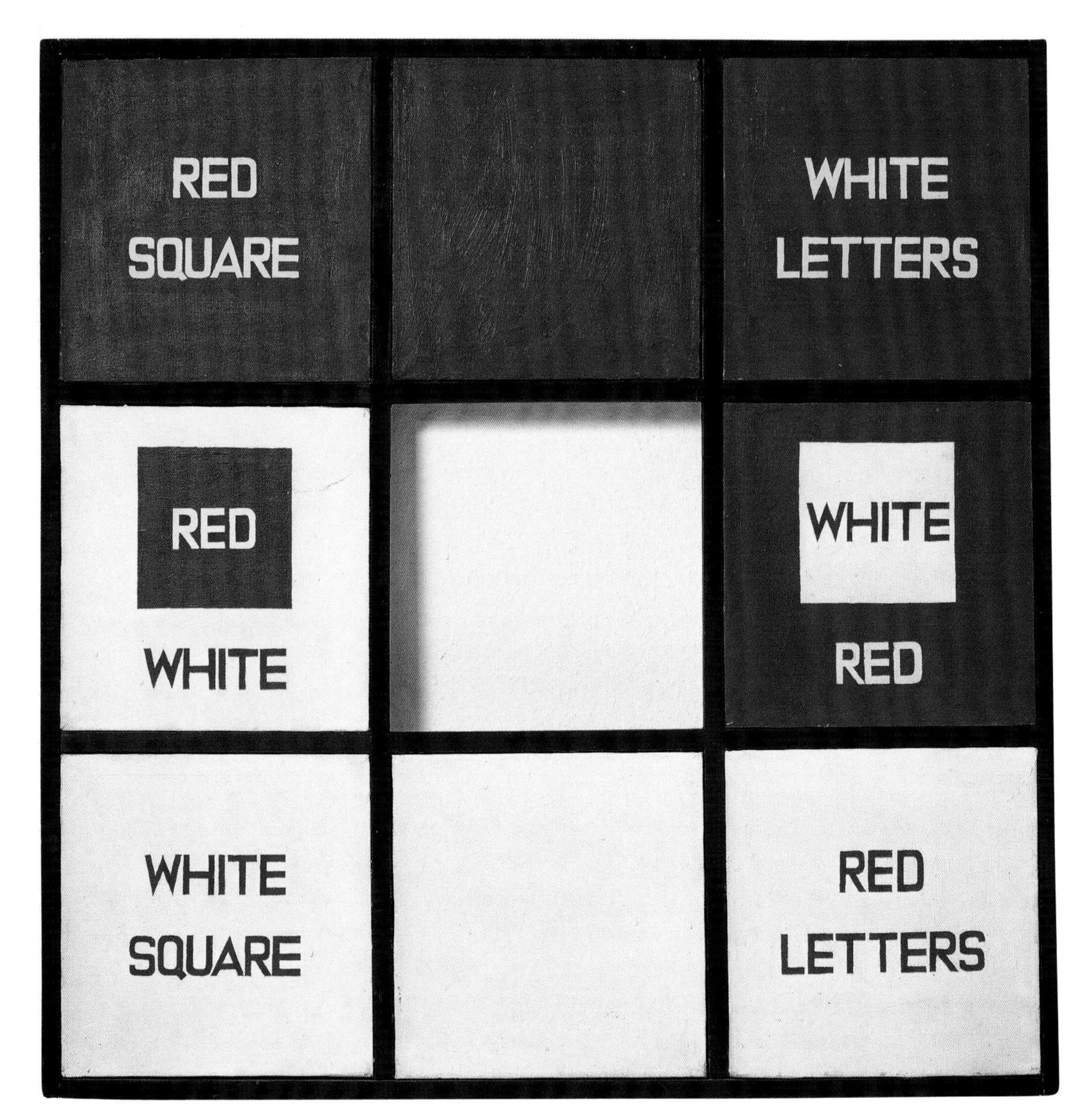

2 • Sol LeWitt, *Quadrati rossi, lettere bianche*, 1963
Olio su tela, 91,4 x 91,4 cm

▲ noma, separata, dell'esperienza estetica. Inoltre viene affrontata la questione della problematica unicità dell'oggetto d'arte, la modalità della distribuzione (il libro, il poster, il giornale) e la "spazialità" dello stesso oggetto: in altre parole, il rettangolo della • pittura e il solido della scultura (nonostante l'adesione del Minimalismo alla produzione industriale e alla riproduzione tecnologica, le sue opere erano rimaste alla fin fine legate all'oggetto singolo).

Sviluppando la critica

L'Arte concettuale cominciò dunque criticando dall'interno alcuni aspetti del modernismo, come l'otticità, la concretezza fisica e l'autonomia estetica, ma questa critica era già presente in un'opera come *Quadrato rosso, lettere bianche* **[2]** di Sol LeWitt, realizzata nel 1963. L'estremo riduttivismo della pittura e della scultura del tardo modernismo, che mirava ad assicurare la propria autonomia attraverso l'autodefinizione, portò, tra i vari esiti possibili, a sfidare l'autoreferenzialità visiva e formale attraverso una strategia finalizzata a produrre "definizioni" letterali, cioè linguistiche. Se l'idea della definizione come base della pratica artistica cominciò a entrare nell'opera dei futuri artisti concettuali dal 1965, il modello di definizione trasmesso dall'esempio di Sol LeWitt era chiaramente un *modello performativo*. Questo perché, sostituendo la struttura visiva con i nomi-colore e i nomi-forma delle sue unità visive ("Quadrato bianco" scritto su un quadrato bianco; "Lettere rosse" dipinte di rosso su un quadrato bianco, e così via), LeWitt trasforma lo spettatore di un'opera in un lettore: nell'atto di pronunciare l'informazione scritta sulla tela, la relazione visiva diventa una relazione performativa di lettura. Questa a sua volta è in rapporto con la trasformazione dell'oggetto visivo – autonomo – in una percezione di quello stesso oggetto come fortemente contingente, in quanto dipendente dal contesto della sua ricezione.

Con le prime opere di Morris diventò subito chiaro che uno degli ▲ aspetti del readymade che era stato tralasciato nella storia della ricezione di Duchamp nel dopoguerra era che esso possedeva già una dimensione performativa e linguistica – si può "creare" un'opera d'arte semplicemente definendola tale – che poteva condurre alla

▲ 1960b, 1993a ● 1965 ▲ 1914

definizione "amministrativa o legale" dell'opera. In particolare, la *Dichiarazione di ritrattazione estetica* **[3]** di Morris cancellava il valore artistico della sua opera *Litanie*, del 1963 – perché, come attesta il documento notificato contenuto in *Dichiarazione*, il collezionista di *Litanie* non aveva pagato l'opera – negando di fatto il suo "nome". Questo sistema di convenzioni legale o amministrativo all'interno del quale il significato è (temporaneamente) fissato è una strategia che gli artisti concettuali adottarono poi per eliminare la definizione ontologica o "intrinseca" dell'opera d'arte.

Nella misura in cui sono ovviamente esterne all'idea di opera autonoma e autodelimitata, queste convenzioni fanno parte della cosiddetta "estetica del supplemento". È questo concetto di supplemento ad agire in altri modi in quelle opere, come *Schedario* o *Scatola con il suono della sua fabbricazione* (1961) di Morris, che costituiscono l'immediata preistoria dell'Arte concettuale. La strategia di Morris per questi lavori consiste nel puntare a quelle caratteristiche che accentuano a tal punto il contenimento e la relativa autonomia richiesta dal paradigma modernista da farlo crollare di fronte a questa esperienza di eccesso. Così in *Scatola con il suono della sua fabbricazione* viene esposto il tradizionale cubo scolpito (corrispondente al tradizionale quadrato in pittura), da cui però fuoriescono i suoni registrati del suo processo di produzione: la sua forma apparentemente "pura" viene quindi mostrata come un ibrido di supplementi di storia, memoria, suono e della fabbricazione tecnologica che ha finalmente prodotto questo presunto oggetto autocontenuto.

In *Schedario* **[4]**, che consiste in un contenitore di schede con delle annotazioni sull'oggetto stesso (da cui l'atteggiamento autoreferenziale), il sistema del supplemento viene alla luce attraverso la registrazione scritta di tutti gli incontri casuali avvenuti durante il processo di produzione, integrandolo in un sistema economico, sociale, biografico e storico che, nella sua casualità e trivialità – legata all'estetica fluxus e pop – non è *estrinseco* all'oggetto estetico, ma ne fa *necessariamente* parte. Perciò l'opera finita non ha grande importanza se paragonata alla complessità con cui il suo processo di produzione interagisce con una serie di strutture "esterne". È proprio l'enfasi su queste strutture che può definire un'estetica del supplemento.

Con la prima mostra organizzata nel 1968 da Seth Siegelaub, che assunse contemporaneamente le vesti di critico e di manager dell'estetica concettuale, vennero alla luce diversi aspetti che ebbero poi una grande importanza nella definizione dell'Arte concettuale. Uno di questi fu il modo con cui le strategie di Siegelaub fecero in modo che il supplemento assumesse un valore scioccante, producendo lo strano paradosso di un simultaneo ritirarsi dal campo del visivo *e* la messa in scena di questo ritiro come forma di spettacolo. Dichiarando: "Facciamo la mostra in un ufficio; non abbiamo bisogno di una galleria. Esponiamo materiale stampato. Le nostre opere sono effimere, definite solo temporalmente, basate sul testo e non hanno bisogno di alcuna istituzione materiale", Siegelaub sottolineava l'obsolescenza storica dell'opera visiva a vantaggio di un oggetto riprodotto, frutto della cultura di massa; ma nel farlo, produsse un

Riviste d'artista

Il successo ottenuto dalle riviste dadaiste e surrealiste nel forgiare un pubblico internazionale e una rete estesa per la pratica artistica non sfuggì agli artisti newyorchesi, che avevano assistito anche al prestigio e alla pubblicità generati dalle riviste di Alfred Stieglitz *291* e *Camera Work*. Nel 1947, l'anno in cui Peggy Guggenheim chiuse la sua galleria Art of this Century, gli artisti che allora esponevano nelle gallerie Samuel Kootz, Charles Egan e Betty Parsons di New York sentirono la necessità di consolidare un movimento utilizzando le riviste come piattaforma. Così furono fondati *The Tiger's Eye* e *Possibilities* come supporto per il gruppo degli espressionisti astratti. Di *Possibilities* uscì un solo numero (inverno 1947-48), che conteneva pezzi di Robert Motherwell, Jackson Pollock e Mark Rothko. *The Tiger's Eye* durò un poco di più e aveva tra i collaboratori Barnett Newman.

Con i surrealisti Tanguy, Matta, Ernst e Man Ray a New York nei primi anni Quaranta, è più che naturale che venissero fondate due riviste dedicate al movimento, *View e VVV*. Tra l'aprile e il maggio 1942 *VVV* pubblicò dei numeri speciali dedicati a Ernst e Tanguy, mentre il primo numero di *View* era dedicato a Duchamp, che ne disegnò la copertina; conteneva anche estratti del saggio di André Breton *Faro della Sposa*. *VVV* e *View* consentirono anche agli espressionisti astratti di esprimere il loro interesse e di riflettere se era possibile forgiare nuove strutture del mito basate sulla narrativa indiano-americana. Nel 1944 Pollock scrisse: "Le qualità plastiche dell'arte indiano-americana mi hanno sempre affascinato". Barnett Newman organizzò insieme a lui una mostra di pittura indiana della costa settentrionale alla Betty Parsons Gallery.

Alla fine degli anni Sessanta la pratica dell'Arte concettuale, in pieno fermento, era focalizzata sulla stampa come supporto dell'opera e considerava libri e riviste dei supporti economici e a grande tiratura, adeguati alla pubblicazione di un materiale centrato sulla logica del multiplo propria della fotografia. I libri di Ed Ruscha (*34 aree di parcheggio*, *Ventisei stazioni di rifornimento*, *Tutti gli edifici su Sunset Strip*) non furono il solo comprensibile risultato di questo nuovo pensiero: anche la pubblicazione di saggi-manifesto su riviste d'arte affermate faceva parte delle attività dell'Arte concettuale. *L'arte dopo la filosofia* di Joseph Kosuth, un testo sul modo in cui l'arte veniva ridisegnata da una nuova serie di questioni, pubblicato su *Studio International* (1969), fu la base su cui Kosuth edificò la rivista del movimento, *The Fox*, nel 1975, dopo essere diventato redattore americano di *Art-Language* (1969).

La centralità della documentazione fotografica come prova dell'esistenza degli earthwork geograficamente remoti condusse alla frequente pubblicazione di dichiarazioni e saggi di artisti su riviste come *Artforum*. Robert Smithson, Michael Heizer, Walter De Maria pubblicarono tutti su quelle pagine, così come i minimalisti Robert Morris, Carl Andre e Donald Judd. Questo fatto a sua volta favorì lo sviluppo di un giornale dedicato all'Arte ambientale, *Avalanche*, pubblicato da Willoughby Sharp e Lisa Bear dal 1970, che fece tra l'altro conoscere Joseph Beuys ai lettori anglofoni.

▲ Introduzione 4 ● 1960c, 1962a, 1964b

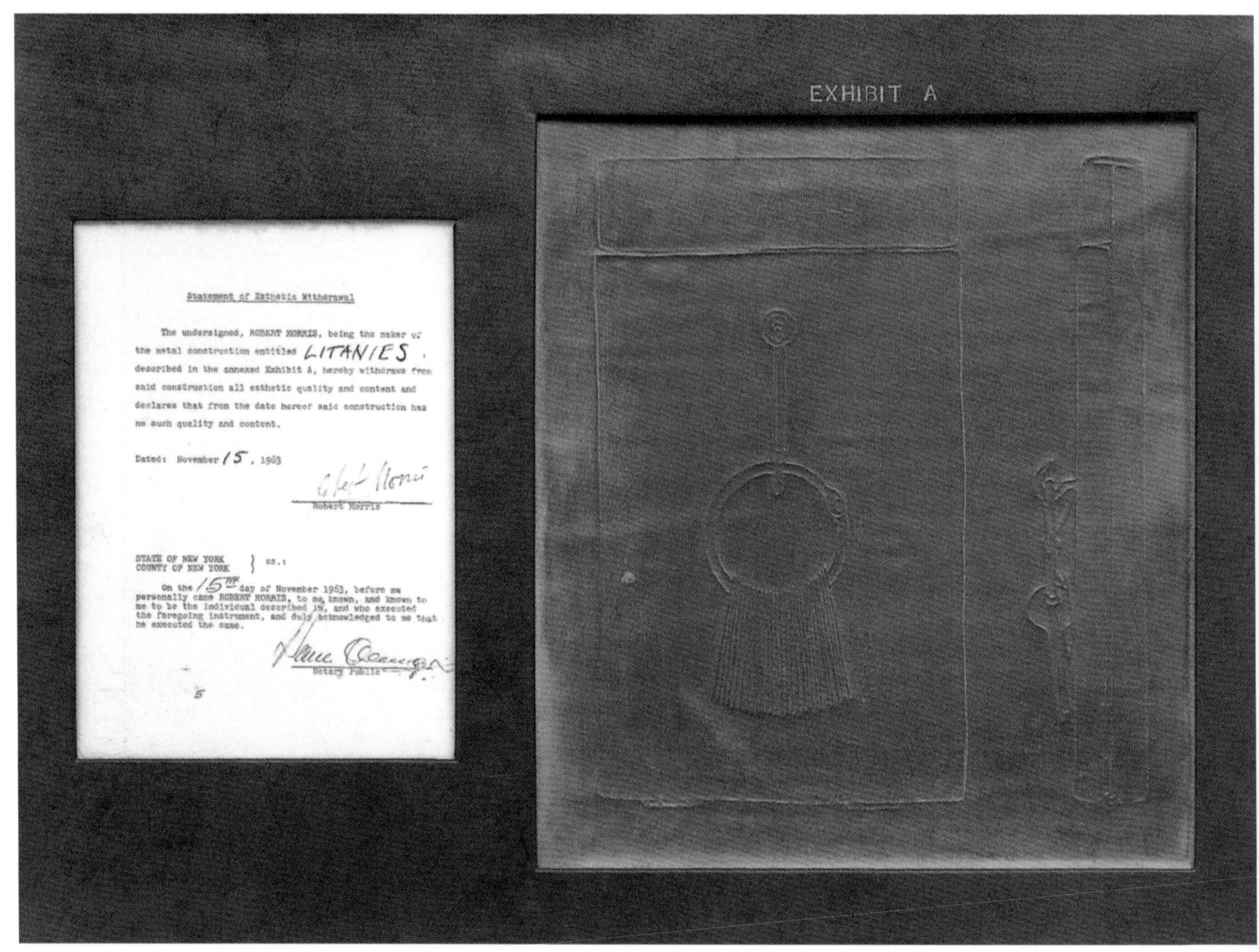
Statement of Esthetic Withdrawal

The undersigned, ROBERT MORRIS, being the maker of the metal construction entitled LITANIES, described in the annexed Exhibit A, hereby withdraws from said construction all esthetic quality and content and declares that from the date hereof said construction has no such quality and content.

Dated: November 15, 1963

Robert Morris

STATE OF NEW YORK
COUNTY OF NEW YORK } ss.:

On the 15th day of November 1963, before me personally came ROBERT MORRIS, to me known, and known to me to be the individual described in, and who executed the foregoing instrument, and duly acknowledged to me that he executed the same.

Notary Public

3 • Robert Morris, *Dichiarazione di ritrattazione estetica*, 1963
Dichiarazione battuta a macchina e notificata su carta, foglio di piombo su legno, montata a imitazione del cuoio, 45 x 60,5 cm

tipo di impatto sul pubblico dell'arte che in genere viene associato alla più efficace pubblicità. Quindi le prime mostre della galleria Siegelaub replicavano la situazione che si era già manifestata negli ▲ anni nell'opera di Rauschenberg e Klein, in cui il gesto verso il supplemento pure si dimostrava, paradossalmente, come un ritiro "spettacolare" dalla visualità e dai concetti tradizionali della produzione artistica.

Strategie e *Dichiarazioni*

Quando Siegelaub pubblicò le *Dichiarazioni* di Lawrence Weiner nel 1968, un ampio spettro di strategie era dunque stato messo in gioco. Chiaramente una di queste strategie era la particolare attenzione alla forma della distribuzione, sulla scia di Ruscha. Nell'opporsi a un uso puramente pittorico della riproduzione tecnica, come nel caso di Warhol, dove l'esito risultava identico alle precedenti forme d'arte, Ruscha volle infatti a tutti i costi che lo stesso prodotto prendesse parte alle tecnologie della riproduzione. Effettuò quindi il passaggio dai quadri *Campbell's Soup* di Warhol ai suoi libri di fotografie, in cui la fotografia stabilisce la forma di distribuzione, non si limita a ridefinire la struttura pittorica (come in Warhol) per poi paradossalmente risuscitarla dall'interno.

Dichiarazioni, il libro di Weiner, compie un passo ulteriore in merito alla distribuzione. Suddiviso in due parti – la prima conteneva opere "di assoluto dominio pubblico" (cioè, che non avrebbero mai potuto diventare proprietà privata), che Weiner chiamava "Opere generali", e la seconda le "Opere specifiche" – *Dichiarazioni* si modella su una formula tripartita in cui Weiner dichiara: (a) l'artista può costruire il pezzo di mano propria; (b) il pezzo può essere fabbricato meccanicamente; (c) il pezzo può non essere prodotto affatto. Con questo meccanismo Weiner indica che è il contesto della ricezione a controllare e in definitiva a determinare lo statuto materiale dell'opera d'arte, invertendo così la gerarchia tradizionale della produzione artistica. Per Weiner, "il proprietario dell'opera [il destinatario] contribuisce al futuro statuto materiale dell'opera nella stessa misura di chi la produce".

Qui, dunque, c'è un'espansione logica dell'iniziale modello collaborativo o contingenziale che si era diffuso con la ricezione di Duchamp negli anni Cinquanta, da Johns a Morris e LeWitt. *Dichiarazioni* sottolinea infatti che né la collaborazione, né la produzione

▲ 1953, 1960a

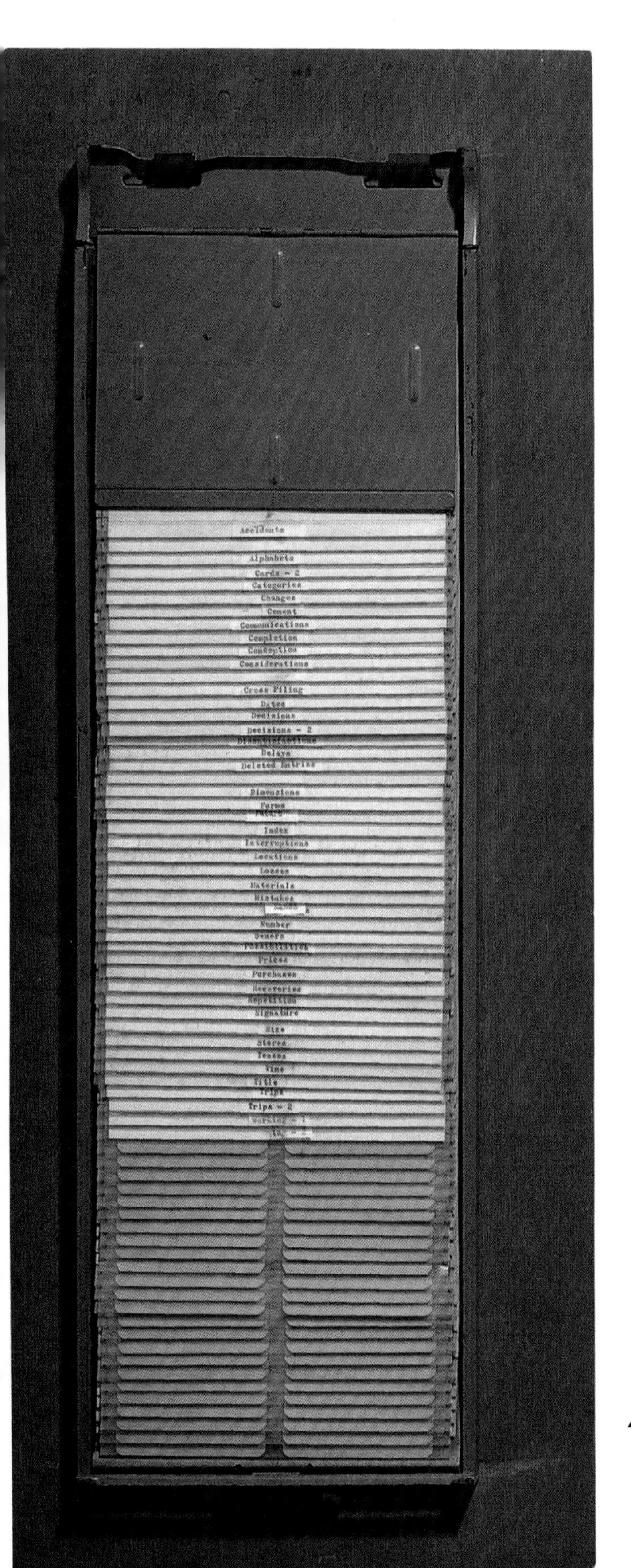

4 • Robert Morris, *Schedario*, 1962
Contenitore pensile in metallo e plastica montato su legno, quarantaquattro schede in ordine alfabetico, 68,5 x 26,5 x 5 cm

Noncuranza

Il termine "noncuranza" fu usato per la prima volta nel saggio di Ian Burn *Gli anni Sessanta: crisi e conseguenze (Ovvero memorie di un artista ex-concettuale)* in *Art & Text*, nel 1981. Si tratta di un concetto di notevole importanza per descrivere con una certa precisione molti tentativi dell'arte del XX secolo, tentativi legati dal persistente sforzo di eliminare l'abilità artigianale e altre forme di virtuosismo manuale dall'orizzonte della produzione artistica e della valutazione estetica. La noncuranza appare la prima volta alla fine dell'Ottocento nell'opera di Georges Seurat, quando la tradizionale importanza attribuita al virtuosismo nel disegno e al finito nella pittura venne rimossa dal terremoto dell'applicazione del pigmento in pennellate visibilmente separate, che sostituiva le lisce superfici della pittura accademica con i segni del lavoro manuale e dei tocchi di pigmento eseguiti in modo meccanico e disposti secondo un ordine seriale. La noncuranza ebbe il suo primo trionfo nel contesto del collage cubista, in quanto gli elementi *trovati* di carta ritagliata annullavano sia l'esecuzione pittorica che la funzione del disegno, mettendo al loro posto le tonalità "puramente" trovate e gli schemi grafici che la carta ritagliata portava con sé. Il secondo momento di fortuna – forse il momento alto di questo genere di critica all'abilità manuale e al virtuosismo – fu immediatamente successivo al collage cubista, e si identifica con l'avvento del readymade. Nel momento in cui l'oggetto trovato industriale, da cui ogni processo artigianale (manuale) è bandito, è stato proclamato opera d'arte, la produzione collettiva dell'oggetto meccanico in serie ha preso il posto dell'opera eccezionale realizzata dal virtuoso.

industriale, né l'eliminazione dell'originalità autorale sono sufficienti a definire la condizione di contestualità all'interno della quale funziona l'opera d'arte. Il fatto che da *Dichiarazioni* in poi l'opera di Weiner abbia assunto una natura esclusivamente verbale corrisponde precisamente a questa definizione complessa, in quanto la lettura dell'opera, la presentazione sulla pagina scritta e la distribuzione nel formato libro sono altrettante strategie che mirano alla molteplicità delle opzioni performative dell'opera. Tutte le opere contenute in *Dichiarazioni* hanno in sé la possibilità di una definizione materiale, scultorea [**5**]; ognuna può infatti essere eseguita da chiunque lo desideri, ma al tempo stesso mantiene a pieno diritto lo statuto di "arte" anche se non acquisisce una forma materiale. Un esempio tipico è un pezzo come *Rimozione di un quadrato di 36 x 36* ▲ *pollici da una parete*, che era infatti installato nella mostra *Quando le attitudini diventano forma*. In quest'opera la transizione nella storia personale di Weiner – aveva cominciato come pittore/scultore – viene riscritta come lo spostamento dalle pratiche visive del modernismo, autoriflessive e fortemente riduttive, alla loro trascrizione linguistica. Perché il quadrato, in quanto topos fondamentale dell'autoriflessività modernista, è ancora in gioco, ma ora è letteralmente "inscritto", o scritto. In questo modo si lega alla strategia antimodernista di annullamento del visivo. Nella misura in cui la

▲ 1969

5 • Lawrence Weiner, *Rimozione di un quadrato da un tappeto*, 1969
Installazione a Colonia, Germania Ovest, dimensioni sconosciute

"dichiarazione" fissa la forma alla parete che ne costituisce la cornice, nega la possibilità di un'entità visiva separata integrandola nella superficie espositiva e nella struttura di supporto istituzionale. Questo paradosso, in cui la quintessenza dell'autoriflessività visiva è incorporata all'interno della contingenza e della contestualità di questi supporti, è una classica strategia concettuale delle *Dichiarazioni* di Weiner.

Un altro importante filone dell'Arte concettuale è il ▲ concettualismo fotografico, sviluppato da artisti come Douglas Huebler, a sua volta membro del gruppo di Siegelaub, Dan Graham (nato nel 1942) e John Baldessari (nato nel 1931). Questi artisti elaborarono dei modelli di pratica fotografica che ancora una volta mettevano in atto una particolare fusione di strategie minimaliste, tardo-moderniste e pop, chiaramente derivate da una comprensione più complessa delle implicazioni del readymade duchampiano nel campo della fotografia. Dal momento in cui le fotografie di Graham, nel 1965, cominciarono a focalizzarsi sulle peculiari reminiscenze della modernità nelle forme più degradate dell'architettura vernacolare – gli insediamenti di villette suburbane –, il readymade è in piena azione. In un'opera come *Case per l'America* **[6]**, prodotta in più parti nell'arco del 1966-67, Graham riconosceva il sistema codificato della scultura minimalista – semplici geometrie disposte secondo il principio della ripetizione seriale – nelle strutture "trovate" dell'architettura vernacolare del New Jersey e altri posti del genere. Questo fu il primo oggetto della sua indagine fotografica, ma istituì un approccio alla fotografia che avrebbe dominato l'uso del medium da parte di Huebler e Baldessari. Sono le forme estreme della cosiddetta fotografia "noncurante", che soppiantò sia la tradizione del documentario americano che la fotografia artistica europea e americana. La fotografia in mano a questi artisti – post-Warhol e post-Ruscha – diventò un'accumulazione casuale di tracce indicali di immagini, oggetti, contesti, comportamenti o interazioni, nel tentativo di mettere al centro dell'approccio concettuale la complessità della dimensione architettonica dello spazio pubblico e contemporaneamente la dimensione sociale dell'interazione degli individui. Il terzo artista a essere nominato in questo contesto, in dialogo con i "fotografi concettuali" (anche se si è situato ▲ nettamente al di fuori della loro cerchia ristretta) è Hans Haacke, che pure ha utilizzato sistemi di documenti fotografici di una produzione "noncurante", come elemento necessario a un approccio "documentario". Nel lavoro di questi artisti la documentazione non • ha nulla a che fare, ovviamente, con la tradizione della fotografia documentaria della FSA.

Joseph Kosuth ha ricavato la sua teoria dell'Arte concettuale da una dogmatica sintesi di vari e contraddittori filoni del modernismo, da Duchamp a Reinhardt (per Kosuth i readymade di Duchamp erano "l'origine dell'arte 'moderna'" perché spostavano la natura dell'arte "dall''apparenza' alla 'concezione'"). In *Una e tre*

6 • Dan Graham, *Case per l'America, "Livello sfasato" e "Livello allineato", "Due case"*, 1966
Due fotografie, 25,5 x 17,5 cm

▲ 1984a

▲ 1971, 1972b • 1936

7 • Joseph Kosuth, *Seconda investigazione*, 1969-74
Installazione

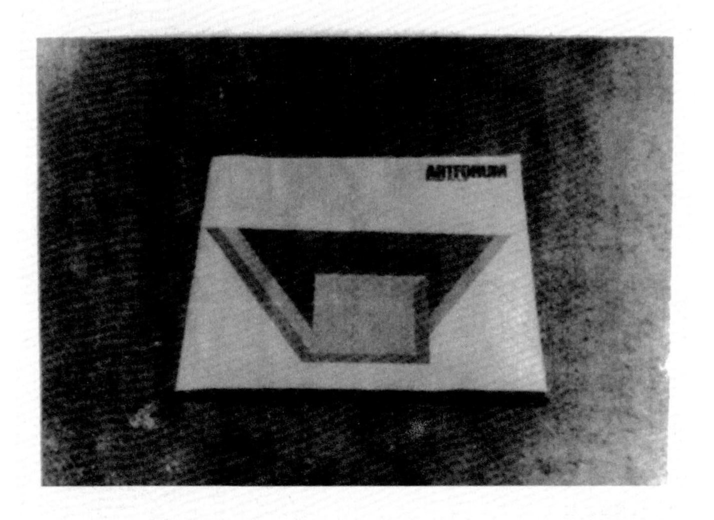
THIS IS NOT TO BE LOOKED AT.

8 • John Baldessari, *Questo non è da guardare*, 1968
Pittura acrilica ed emulsione fotografica su tela, 149,9 x 114,3 cm

sedie (1965) espanse il readymade frammentandolo in un gruppo tripartito di relazioni – oggetto, segno linguistico e riproduzione fotografica – e in opere come *Seconda investigazione* **[7]** mise in pratica la sua affermazione, enunciata in *L'arte dopo la filosofia*, che l'opera d'arte è una "*proposizione* presentata all'interno del contesto dell'arte come commento sull'arte". Influenzato da modelli linguistici, leggi matematiche e principi del Positivismo logico, Kosuth ha definito il suo progetto – "e, per estensione, quello di altri artisti" – come "un'indagine sulle basi del concetto di 'arte' così com'è intesa oggi". Tuttavia, benché valido per le sue investigazioni, un approccio così rigorosamente analitico era difficilmente applicabile alle altre pratiche emergenti in quel periodo. Un artista apertamente scomunicato dalla doxa tardo-modernista di Kosuth fu John Baldessari. Invece di trasformare Duchamp in dottrina, come aveva fatto Kosuth, applicò le sue pratiche sovversive alla falsa ortodossia per mezzo della quale l'Arte concettuale stava cercando di porsi come nuovo movimento autoritario. L'opera di Baldessari anticipò precocemente queste nuove forme di devozione del mondo dell'arte, annichilendole nei suoi dipinti e nei suoi libri **[8]** con grande humour antiartistico. BB

ULTERIORI LETTURE:

Alexander Alberro, *Conceptual Art and the Politics of Publicity*, MIT Press, Cambridge (Mass.) 2001

Alexander Alberro e Patricia Norvell (a cura di), *Recording Conceptual Art*, MIT Press, Cambridge (Mass.) 2000

Benjamin H. D. Buchloh, *From the Aesthetics of Administration to the Critique of Institutions*, in *Neo-Avantgarde and Culture Industry*, MIT Press, Cambridge (Mass.) 2001

Michael Newman e Jon Bird (a cura di), *Rewriting Conceptual Art*, Reaktion Books, London 2001

Peter Osborne (a cura di), *Conceptual Art*, Phaidon, London 2002

Blake Stimson e Alexander Alberro (a cura di), *Conceptual Art: An Anthology of Critical Writings and Documents*, MIT Press, Cambridge (Mass.) 2000

1969

La mostra *Quando le attitudini diventano forma* a Berna e Londra offre un panorama degli sviluppi postminimalisti, mentre *Antiillusione: procedure/materiali* a New York si occupa di Arte processuale, i cui tre principali aspetti sono elaborati da Richard Serra, Robert Morris ed Eva Hesse.

Il Minimalismo, con il suo spostamento verso gli "oggetti specifici", ▲ ha segnato una crisi definitiva dell'idea di medium. Il vecchio standard della *qualità*, definito in relazione alla pittura e alla scultura tradizionali, è stato sfidato dal nuovo criterio dell'*interesse*, che non è specifico di nessun medium: "un'opera d'arte ha solamente bisogno di esser interessante", ha affermato Donald Judd. Se è così, ne segue, secondo lui, che "qualsiasi materiale può essere utilizzato", ● e con i nuovi materiali sono arrivate nuove procedure, esplorate nell'Arte processuale, nell'Arte povera, nella Body art, nella performance, nell'installazione e nell'Arte site-specific.

Queste pratiche, spesso chiamate "postminimaliste", seguono di fatto il Minimalismo, sviluppandone i principi o più spesso reagendo contro di essi, ma il termine "postminimalista" non è più coerente del termine "postimpressionista". La velocità e l'irruenza delle reazioni hanno contribuito ad accrescere la confusione: ad esempio, il 1966 è stato l'anno non solo di *Strutture primarie*, la prima rassegna museale del Minimalismo a New York (nel Jewish ■ Museum), ma anche di *Astrazione eccentrica*, la prima mostra in una galleria (sempre a New York) di un'arte che si definiva formalmente e psicologicamente eccentrica rispetto al Minimalismo. Secondo la sua curatrice, la critica Lucy Lippard, le insolite sostanze modellate in forme strane da Louise Bourgeois, Eva Hesse, Bruce Nauman, Keith Sonnier e altri costituivano "un'alternativa emotiva o erotica" al Minimalismo, considerato normativo già nel 1966. E se nel 1968 fu allestita un'altra rassegna del Minimalismo al MoMA, *L'arte del reale*, nel 1969 il postminimalismo ricevette i primi riconoscimenti istituzionali: come si evince dal titolo, *Antiillusione: procedure/ materiali* al Whitney Museum aveva per oggetto l'Arte processuale, mentre *Quando le attitudini diventano forma*, prima alla Kunsthalle di Berna e poi all'ICA di Londra, esplorava una panoplia internazionale di modalità postminimaliste (il sottotitolo era "Opere-concetti-processi-situazioni-informazione").

Come venire a capo di questo inebriante scontro di posizioni e contrapposizioni, mostre e contromostre a un ritmo accelerato persino per gli standard dell'avanguardia? Il postminimalismo rappresenta un nuovo momento di libertà artistica e dibattito critico o di confusione estetica e ansietà discorsiva? Si tratta di un passo avanti verso nuovi materiali e metodi o di un crollo delle convenzioni? O di entrambe le cose, di un'innovazione sorta dalla crisi quando la manipolazione di sostanze e sistemi nell'Arte ▲ concettuale e nell'Arte processuale, e l'insistenza sui corpi e sui luoghi nella Body art e nell'installazione, emersero come possibilità creative e come se fossero una sorta di sostituti del medium?

Per quanto diverse, tutte queste pratiche rispondevano alla crisi del medium, che poneva due questioni con particolare urgenza: esiste un limite alla materialità dell'opera d'arte, un grado zero della sua visualità? E può l'intenzionalità dell'artista essere ridotta, o almeno trasformata negli effetti? Le risposte a queste due domande erano frequentemente scisse, a volte dall'interno. Se alcuni artisti concettuali "smaterializzavano" l'arte (il famoso termine di ● Lippard), molti artisti processuali la rimaterializzavano con un senso di rivalsa: si pensi alle creature in latex di Eva Hesse o alle escrescenze poliuretaniche di Lynda Benglis (nata nel 1941). Anche per quanto riguarda l'intenzionalità, alcuni artisti processuali consideravano i nuovi materiali come semplici veicoli espressivi, mentre altri vi individuavano proprietà intrinseche che l'opera potesse rivelare automaticamente, apparentemente senza intervento autorale: Morris lasciò penzolare le sue strisce di feltro **[1]** e il suo cascame di filo, mentre Serra lasciava che fosse l'architettura dell'ambiente a modellare i suoi getti di piombo **[2]**. Come nell'Arte concettuale, che era divisa tra il concetto come pura intenzione (Joseph Kosuth) e il concetto come "macchina" semi-automatica ■ (Sol LeWitt), questa frattura sull'intenzionalità derivava in parte da divergenti interpretazioni di Duchamp: da una parte il readymade visto come atto di scelta dichiarativa, dall'altra come tentativo di annullare la scelta ("una reazione di indifferenza visiva [...] un'anestesia totale", proclamò una volta Duchamp).

Una ricerca del motivato

Due aspetti di questa condizione "postmediale" sono rilevanti per l'Arte processuale. In primo luogo, anche se restrittivi, i media tradizionali offrono regole pratiche per il fare e il significato: senza questi vincoli l'arte può sembrare più libera, ma può anche diventare *arbitraria*. Questo era uno dei principali motivi di ansia non solo per gli avversari critici del Minimalismo e del postminimalismo, come ◆ Greenberg e Fried, ma anche per i suoi sostenitori come Morris, che riteneva ora che i protocolli legati al medium sembrassero svuotati,

▲ 1965 ● 1967b, 1970, 1974 ■ 1966b

▲ 1968b ● Introduzione 1 ■ 1914 ◆ 1960b

1 • Robert Morris, *Senza titolo (Feltro marrone)*, 1968
Nove strisce di feltro, ognuna 304,8 x 20,3 cm; installazione, 172,7 x 182,8 x 66 cm

che l'Arte processuale fosse guidata da una "ricerca del motivato": una ricerca, cioè, di nuovi modi di fondare l'arte, come nella "logica dei materiali" proposta da Serra, o nelle "modalità di comportamento" proposta da Morris. Questo è il primo punto da sottolineare riguardo all'Arte processuale. Il secondo è che essa *continuava* a esercitare un impegno critico nei confronti dei media tradizionali; in particolare dava seguito alla critica minimalista dello spazio illusionista e della composizione relazionale, che si riteneva fosse ancora presente nella pittura e nella scultura astratta. Ecco perché il primo imperativo di molta Arte processuale era di superare le tradizionali contrapposizioni di forma e contenuto (Lippard) e dei mezzi e dei fini (Morris): per rivelare il processo dell'opera nel prodotto, anzi *come* prodotto. Ecco anche perché il secondo imperativo di una parte dell'Arte processuale era di superare la non meno tradizionale opposizione di figura e sfondo, di un'immagine verticale letta contro un campo orizzontale. Fu questo secondo imperativo a portare artisti come Morris, Serra, Alan Saret (nato nel 1944) e Barry Le Va (nato nel 1941) a spargere materiali diversi nello spazio delle gallerie in modo tale che "la figura corrisponda letteralmente allo sfondo" (Morris). Già in *Astrazione eccentrica* Lippard descriveva questo effetto di campo come un "composto visivo alogico, o una vista turbolenta", resoconto ellittico che allude a un terzo imperativo dell'Arte processuale. Da una parte infatti l'oggetto disturbato, se non dissolto, e dall'altra lo sguardo dello spettatore spesso disperso, se non stordito (reso "turbolento"), rendevano possibile una nuova definizione non figurativa del corpo. Allora Lippard chiamò questa evocazione corporea un "corpo-ego"; più recentemente, critici come Rosalind Krauss e Anne Wagner l'hanno interpretata come una registrazione non figurativa di fantasie psichiche e desideri corporei. Queste sono le tre dimensioni distintive dell'Arte processuale – una logica dei materiali, un effetto di campo e una corporeità fantasmatica –, investigate rispettivamente da Serra, Morris e Hesse.

▲ Nel suo modo eclettico, Morris dopo i saggi sul Minimalismo ha scritto una serie di testi altrettanto importanti per il postminimalismo: *Antiforma* (1968), *Note sulla scultura, parte 4: al di là degli oggetti* (1969) e *Alcune note sulla fenomenologia del fare: la ricerca del motivato* (1970). Proprio come il Minimalismo aveva messo in questione la composizione relazionale della pittura e della scultura astratta, così Morris ora metteva in questione l'ordine arbitrario degli oggetti minimalisti: "L'aspetto problematico in questi schemi", scrive in *Antiforma*, è "che qualunque ordine per unità multiple è imposto" senza "alcuna relazione intrinseca con la realtà fisica delle unità". Qui Morris ha esteso il criterio minimalista dell'unità oltre l'oggetto, al suo farsi, il che in effetti rimetteva in gioco Pollock come l'artista che meglio di ogni altro era stato capace di considerare il processo "come parte della forma finita" dell'opera attraverso un "profondo ripensamento" degli strumenti e dei materiali. ● Questa interpretazione di Pollock è radicalmente differente dal puro pittore dell'otticità prospettato da Greenberg, ma anche dall'esistenziale attore della pittura come performance e dal grande ■ precursore degli happening, proposto rispettivamente da Harold Rosenberg e Allan Kaprow.

Forse paradossalmente, questa teoria dell'unità procedurale ha spesso ispirato una pratica di dispersione antiformale. Ancora per Morris, Serra, Saret e Le Va questi gesti dispersivi non erano destinati a continuare con altri mezzi l'Espressionismo astratto: dovevano rivelare non la soggettività dell'artista, ma la materialità ◆ dell'opera resistente all'ordine, vincolata all'entropia. A questo scopo veniva utilizzata la gravità come una forza di (s)composizione, "veniva ammesso il caso e pretesa l'indeterminazione", si facevano cose come "ammucchiare a caso, impilare in libertà, appendere, dare una forma effimera al materiale" (Morris). Morris era più programmatico nelle sue dimostrazioni: in *Progetto continuo cambiato giornalmente* (1969) – il titolo rivela la procedura e al tempo stesso il fine dell'opera – egli ha passato tre settimane a manipolare materiali come terra, argilla, amianto, cotone, acqua, grasso, feltro e cascame di filatura senza dargli alcuna forma finale. In *Cascame di filatura*, un groviglio di filo, feltro, tubature di ferro e specchi, e in *Spazzatura* (1968), una poltiglia di terra, grasso, muschio di torba, mattoni, feltro e metalli assortiti, egli rifiutò qualsiasi estetizzazione del materiale. Qui l'attacco alla verticalità della pittura e della scultura prendeva la forma dello svilimento in senso letterale e simbolico: l'opera, sparpagliata sul pavimento come immondizia, quasi senza alcuna manipolazione, era scomposta a tal punto che lo "spargere" cominciò a evocare la "scatologia".

▲ 1965 ● 1949a, 1960b ■ 1961 ◆ 1967a

Una "de-differenziazione" della visione

Anche Richard Serra (nato nel 1939) si mise ad attaccare la distinzione convenzionale di figura e sfondo in pittura e scultura. La sua performance dei compiti da eseguire, resistente all'immagine e distaccata dalla soggettività, rassomigliava alla danza minimalista e alla musica seriale contemporanea, e d'altra parte egli conosceva ▲ bene personaggi del mondo della danza come Joan Jonas e Yvonne Rainer e compositori come Philip Glass e Steve Reich. Tra il 1967 e il 1968 Serra compilò una lista di verbi ("ruotare, sgualcire, piegare...") che generò a sua volta una serie di opere. *Gettare* **[2]** è un esempio paradigmatico dell'Arte processuale, perché in esso il processo diventava interamente prodotto. Questa convergenza di materiale, azione e sito (del piombo, del gettare e della parete) anticipava anche la sua scultura site-specific. Come per Morris, quindi, ● il processo condusse Serra a "effetti di campo", con "l'oggetto discreto dissolto nel campo della scultura esperito nel tempo". Ma Serra si discostava da Morris sotto due aspetti: in primo luogo, egli comprese che molte dispersioni antiformali non sovvertivano in effetti le convenzionali distinzioni tra figura e sfondo quanto pretendevano. Secondo, Serra conservò la categoria della scultura, pur ridefinendola come una relazione tra "il campo della scultura" e l'osservatore posto in un movimento temporale all'interno di questo campo. Egli interpretò quindi l'Arte processuale, come avrebbe fatto poi l'Arte site-specific, come un modo non di superare la scultura, bensì di renderla appropriata alla moderna società industriale: per questo motivo sottolineava l'importanza di particolari processi di ingegneria, costruzione e assemblaggio, specialmente nei pezzi "appoggiati" **[3]**, come un modo non solo di rivelare le proprietà intrinseche di materiali come il piombo (peso, densità, durezza), ma anche di dimostrare "i principi assiomatici" della scultura intesa come *costruire*.

Per Morris, d'altra parte, il processo era più un modo di andare "al di là degli oggetti" che una prosecuzione della scultura. Questo "al di là" non era, comunque, una riduzione concettuale dell'arte a un'idea essenziale, ma un'indagine sulla sua fondamentale visualità "per assumere come base strutturale le condizioni del campo visivo". A questo scopo Morris presentava un assortimento di materiali come il cascame di filo o la spazzatura che non potesse in alcun modo essere colto, di piatto o di profilo – come un'immagine: e più che per mettere in moto l'osservatore (come Serra), per passare da uno sguardo focalizzato su un oggetto specifico a uno "sguardo fluttuante" su un campo visivo. A questo punto la dissoluzione minimalista dell'illusionismo spaziale diventò una "dedifferenziazione" postminimalista della visione resa "caratteristica strutturale dell'opera" in quanto tale (il termine "de-differenziazione" proveniva dal teorico dell'arte Anton Ehren- ▲ zweig, il cui *L'ordine nascosto dell'arte* [1967] esercitò un grande influsso su Morris, Robert Smithson e altri). Stranamente, perciò, il processo riguarda in questo caso più la visualità che la materialità. O, per la precisione, riguarda una visualità che è a un tempo materializzata in una massa e dispersa nello spazio, decentrata rispetto a qualunque soggetto: come per segnalare che la visione è anche nel mondo, che il mondo a sua volta ci guarda. Cosa interessante, queste implicazioni sono in linea con la *Fenomenologia della percezione* di Maurice Merleau-Ponty (tradotto in inglese nel 1962) e con la "psicologia dello sguardo" di Jacques Lacan (oggetto dei seminari del 1964 a Parigi).

In questo momento di transizione tra modernismo e postmo- ● dernismo, Eva Hesse emerse come un'artista particolarmente inventiva, ed è rimasta molto influente perché, come per Louise Bourgeois, il suo aggirare le convenzioni di figura e sfondo le aveva permesso di trattare il corpo in modi nuovi: come disturbato dalla psiche, come materia di fantasie e ossessioni, desideri e pulsioni. Un anno prima che Serra costruisse la sua lista di verbi-ordini di lavorazione, l'artista concettuale Mel Bochner fece un *Ritratto di Eva Hesse* (1966) che consisteva di una serie di verbi molto diversi

2 • Richard Serra, *Gettare*, 1969
Getti di piombo, 10,2 x 762 x 762 cm circa (distrutto)

3 • Richard Serra, *One Ton Prop (Casa di Carte)*, 1969
Piombo antimonio, quattro lastre, ognuna 122 x 122 cm

▲ 1973 ● 1970

▲ 1965 ● 1966b

4 • Eva Hesse, *Appendere*, 1966
Pittura acrilica su tessuto su legno, pittura acrilica su corda su tubo d'acciaio, 182,9 x 213,4 x 198 cm

tra loro ("secernere, seppellire, nascondere...") scritti in cerchio intorno a "coprire" posto al centro. Questi verbi sono attività eroticamente connotate che hanno a che fare con il corpo inteso come luogo psichico, non procedure razionalmente distaccate di un corpo visto come esecutore. La sua opera evoca quindi un corpo particolarmente erotico, all'opposto di quello anonimo e neutrale del Minimalismo. Alcuni critici hanno interpretato questo corpo come essenzialmente femminile, come parte cioè di una precoce rivendicazione femminista di un'incarnazione femminile, come un ventre o una ferita. Altri critici l'hanno letto come un corpo che rovescia questi segni di differenza sessuale: più che un "corpo-ego" femminile stabile (ancora Lippard) una congerie semiinfantile di pulsioni contrastanti e oggetti parziali.

Poco tempo dopo Hesse costruì uno spazio intermedio tra pittura e scultura dove potessero nascere queste figure fantasmatiche. Con una cornice che, benché meticolosamente dipinta in diverse sfumature di grigio, viene lasciata vuota tranne che per una corda ad anello lasciata assurdamente sporgere nel nostro spazio, *Appendere* **[4]** afferma e svuota allo stesso tempo le convenzioni della pittura (delimitata, dipinta e appesa). In questo modo la pittura sembra trasformarsi in una cosa posseduta dalle proprie ossessioni (delimitata, dipinta e appesa). Questo gioco arguto, a volte leggero a volte inquietante, è una caratteristica di Hesse, le cui costruzioni in latex, fibra di vetro e buratto possono evocare il corpo in modi estremi. Serra e Morris forzano spesso i nostri corpi a un confronto fenomenologico con un oggetto o un campo che dissolve ogni purezza o stabilità della forma. Con Hesse, questa dissoluzione è anche psicologica: è come se, carichi di una strana empatia nei confronti dei suoi oggetti, i nostri corpi venissero disgregati *dall'interno*. Invece della pittura o della scultura che riflette verso di noi in uno specchio una propria figura, un corpo-ego ideale, Hesse evoca un corpo "deterritorializzato" da desideri e pulsioni che potrebbero essere i nostri. HF

ULTERIORI LETTURE:

Hal Foster (a cura di), *Richard Serra,* October Files 1, MIT Press, Cambridge (Mass.) 2000
Rosalind Krauss, *Sense and Sensibility: Reflections on Post-'60s Sculpture*, in *Artforum*, vol. 12, n. 3, novembre 1973, e *The Optical Inconscious*, MIT Press, Cambridge (Mass.) 1993
Lucy R. Lippard, *Changing: Essays in Art Criticism*, Dutton, New York 1971, e *Six Years: The Dematerialization of Art*, Praeger, New York 1973
Robert Morris, *Continuous Project Altered Daily*, MIT Press, Cambridge (Mass.) 1993
Mignon Nixon (a cura di), *Eva Hesse,* October Files 3, MIT Press, Cambridge (Mass.) 2002
Richard Serra, *Writings Interviews*, University of Chicago Press, Chicago 1994
Anne M. Wagner, *Three Artists (Three Woman): Georgia O'Keefe, Lee Krasner, Eva Hesse*, University of California Press, Berkley-Los Angeles 1997

1970–1979

616 1970 Michael Asher realizza il suo *Progetto per il Pomona College*: l'ascesa dell'Arte site-specific apre un ambito a metà tra la scultura modernista e l'Arte concettuale. RK

621 1971 Il museo Guggenheim cancella la mostra di Hans Haacke e rifiuta il contributo di Daniel Buren alla sesta edizione della Guggenheim International Exhibition: le pratiche artistiche di critica istituzionale incontrano la resistenza della generazione minimalista. BB
box • Michel Foucault RK

625 1972a Marcel Broodthaers installa il suo *Museo d'Arte Moderna, Dipartimento delle Aquile, Sezione delle Figure* a Düsseldorf, in Germania. BB

630 1972b L'esposizione internazionale *Documenta 5* a Kassel, in Germania, segna l'accoglienza istituzionale favorevole dell'Arte concettuale in Europa. BB

636 1972c Esce *Imparare da Las Vegas*: ispirati da Las Vegas e dalla Pop art, gli architetti Robert Venturi e Denise Scott Brown si astengono dalla "papera", o edificio come forma scultorea, a favore dello "shed decorato", in cui i simboli pop sono messi in primo piano, impostando così i termini stilistici del design postmoderno. HF

644 1973 The Kitchen Center for Video, Music and Dance apre uno spazio a New York: la Video art rivendica il proprio spazio istituzionale all'incrocio di arte visiva e performance, televisione e cinema. HF

649 1974 Con *Trafitto*, in cui Chris Burden è legato a un Maggiolino Volkswagen, la performance americana raggiunge il limite estremo della presenza fisica e molti suoi adepti abbandonano, moderano o in qualche modo trasformano la sua pratica. HF

654 1975a Nel momento in cui la regista Laura Mulvey pubblica il fondamentale saggio *Piacere visivo e cinema narrativo*, artiste femministe come Judy Chicago e Mary Kelly sviluppano posizioni differenti sulla rappresentazione delle donne. HF
box • Riviste di teoria HF

660 1975b Ilya Kabakov completa la sua serie di album *Dieci personaggi*, un importante monumento del Concettualismo moscovita. DJ

668 1976 A New York l'apertura del P.S.1 coincide con la mostra *Re Tut* al Metropolitan Museum: importanti cambiamenti nella struttura istituzionale del mondo dell'arte sono testimoniati sia dagli spazi alternativi sia dalle esposizioni "blockbuster". RK

672 1977a La mostra *Immagini* identifica un gruppo di giovani artisti le cui strategie di appropriazione e le cui critiche all'originalità avanzano la nozione di "postmodernismo" in arte. RK

676 1977b Harmony Hammond difende l'astrazione femminista sulla nuova rivista *Heresies*. DJ

1970

Michael Asher realizza il suo *Progetto per il Pomona College*: l'ascesa dell'Arte site-specific apre un ambito a metà tra la scultura modernista e l'Arte concettuale.

▲ In *Note sulla scultura: Parte II*, del 1966, Robert Morris aveva affermato che l'oggetto minimalista "porta le relazioni fuori dall'opera" rendendole "una funzione dello spazio, della luce e del campo visivo dell'osservatore", aggiungendo che "il soggetto è molto più consapevole rispetto a prima del fatto che, nel momento in cui percepisce l'oggetto da differenti posizioni e in condizioni di luce e spazio variabili, sta stabilendo una relazione con esso". Alla fine del decennio questa estetica delle "condizioni di luce e spazio variabili" si era liberata dell'oggetto per dirigersi verso l'alterazione di un sito: uno spazio, a volte pubblico (una strada urbana), più spesso privato (l'interno di un museo o di una galleria), in cui l'artista operava interventi minimi.

Si potrebbe arrivare a dire, quindi, che la "site-specificity" – il nome attribuito a questo genere di interventi – fosse una sorta di Minimalismo con altri mezzi. Mentre di fatto essa costituiva una critica al Minimalismo, che considerava ancora dipendente dall'opera d'arte come oggetto tangibile, di consumo, al tempo stesso era in continuità con il modo di sentire del movimento precedente. Infatti la rimozione di ogni accidente di superficie, la propensione verso materiali appartenenti all'edilizia industriale (acciaio nel caso di Richard Serra, cartongesso nel caso di Michael Asher, compen- ● sato nel caso di Bruce Nauman) e l'amore per le forme semplici, geometriche, anche se ora si trattava di forme dello spazio invece che di oggetti, mostravano chiaramente che le opere site-specific elaboravano alcuni principi minimalisti.

1 • Richard Serra, *Inscrivere in cerchio base piatta stella a sei punte, angoli retti rovesciati*, 1970 Acciaio, diametro 792,5 cm

Minimalismo percorribile

Questo rapporto è evidente nell'anello di otto metri incastrato in una strada desolata del Bronx (*Inscrivere in cerchio base piatta stella a sei punte, angoli retti rovesciati* [**1**]). Anche se il titolo deriva dalla lista di verbi transitivi che Serra aveva posto alla base delle proprie opere ■ processuali, come *Spruzzare* (1968) o *Gettare* (1969), l'intervento non era caratterizzato dall'ambiguità tra figura e sfondo tipica di quelle opere, anzi dall'estrema semplicità della forma, tanto che questo gesto "minimale" interveniva nella scena urbana come una specie di indizio di ordine percepito in modo liminale.

Il progetto di Michael Asher (1943-2012) alla Pomona College Art Gallery di Claremont, California, durato meno di un mese (dal 13 febbraio all'8 marzo 1970), era un altro intervento del genere, questa volta organizzato in un interno. Basato sulla struttura architettonica della galleria, il progetto era incentrato sullo spazio espositivo e sul suo ingresso, comprese le porte che affacciavano sulla strada. Asher inserì in queste stanze una serie di nuove pareti che alteravano la forma dei due spazi, trasformandoli in triangoli isosceli opposti – uno relativamente piccolo, l'altro abbastanza grande – uniti al vertice ma con un passaggio largo sessanta centimetri tra l'uno e l'altro [**2**]. Un controsoffitto digradava l'originale altezza di circa tre metri e mezzo fino a farla coincidere con quella della porta d'entrata, che era stata rimossa per lasciare un'apertura quadrata e senza ostacoli sulla strada. Entrarci era quindi come

▲ 1965 ● 1966a, 1967a, 1969, 1973 ■ 1969

camminare all'interno di una scultura minimalista enormemente gonfiata, in cui l'incidenza visiva era stata ridotta al cambiamento di luce sulle superfici delle pareti e alle variazioni prospettiche causate dal proprio movimento. Questo peraltro costituisce una interpretazione troppo estetizzata di quell'"esperienza", dal momento che l'apertura forzata dei confini privati del museo per renderli completamente porosi all'accesso del pubblico ventiquattro ore al giorno trasferiva quest'opera dal dominio estetico a quello che sarebbe più giusto chiamare sociopolitico.

In un certo senso si potrebbe dire che l'opera riguardava strettamente il concetto di "entrata" (forzata o meno), dal momento che le pareti angolate parevano aver trasformato lo spazio espositivo in un unico corridoio continuo. Ma il modo in cui l'attacco di questo passaggio era articolato a ognuno dei due lati della soglia era indicativo di quanto Asher stava facendo nel suo lavoro. Dall'interno della galleria infatti l'apertura perfettamente squadrata incorniciava la strada come un "quadro", un oggetto estetizzato sottoposto al controllo dell'istituzione, che presuppone l'eccezionalità, o l'autonomia, dell'esperienza che offre; mentre dal lato strada invece l'orifizio spalancato esprimeva il modo in cui il privilegio del museo era venuto meno, messo com'era in continuità con il contesto. L'opera era quindi in grado di commentare le pretese di autonomia del museo pur impedendo a queste stesse pretese di continuare a operare. In questo senso, la critica di Asher era simultaneamente diretta contro la produzione (minimalista) di oggetti aperta alla mercificazione e al consumo, e contro l'apparato istituzionale del museo come spazio costituito per legittimare culturalmente questa attività. Il *Progetto per il Pomona College* poteva essere definito site-specific perché era tagliato su misura per lo spazio che lo conteneva, ma poiché era anche concepito e congegnato per mettere in mostra la logica del suo contenitore socioculturale, rientrava in un ▲ genere di opera che si identificava con la critica delle istituzioni. Dal momento che comportava sia una smaterializzazione dell'oggetto d'arte che un'attenzione per le convenzioni, o per il patto sociale, che impercettibilmente sottoscrivono la presunta condizione "universale" del giudizio estetico, il *Progetto per il Pomona College* poteva ● anche essere legato agli obiettivi dell'Arte concettuale. Ma in un altro senso la ricchezza fenomenologica dell'opera, l'invito rivolto al pubblico di muoversi attraverso di essa, contribuendo così alla costruzione del significato, la identifica con altri tipi di intervento ■ più materializzati, come le opere di Serra, Nauman o Smithson, opere che potrebbero rientrare con molta difficoltà nell'ambito dell'Arte concettuale.

Un caso esemplare è *Strike: A Roberta e Rudy* **[3]** di Richard Serra, una grande lastra d'acciaio, le cui dimensioni, due metri e mezzo di altezza per sette e mezzo di lunghezza e due centimetri e mezzo di spessore, non lasciano dubbi all'osservatore sul suo peso, ma la cui semplicità di forma e di costruzione – si mantiene in verticale

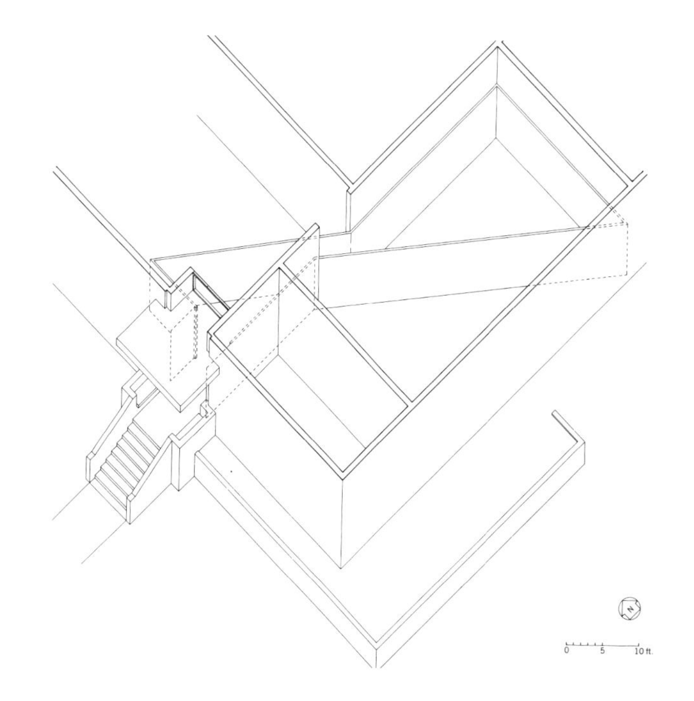

2 • Michael Asher, *Progetto per il Pomona College*, 1970
(sopra) Assonometria dell'installazione per la Gladys K. Montgomery Art Center Gallery;
(in mezzo) Vista dalla galleria verso la strada dall'area triangolare piccola;
(sotto) Entrata/uscita e vista all'interno dell'area triangolare

▲ Introduzione 4, 1971 ● 1968b ■ 1967a

semplicemente grazie alla collocazione nell'angolo della galleria in cui è installata – potrebbe sembrare minimalista, se non fosse che l'esperienza va oltre questa percezione. L'opera infatti esiste nella contraddizione tra la minaccia che la sua mole si abbatta sul corpo dell'osservatore e la sensazione della sua smaterializzazione nella pura condizione di "taglio": una linea che separa e unisce, come la giuntura tra due pezzi di pellicola che la nostra immaginazione salta per unire un fotogramma all'altro, creando l'illusione di un continuum spazio-temporale. Proiettandosi fuori dal suo angolo, la placca di diaframma di *Strike* infatti taglia a metà il volume dello spazio, lasciandone libero solo un lembo per potere circolare intorno a uno dei suoi lati. Mentre l'osservatore gira intorno, vede il piano diventare una linea (o spigolo) e poi di nuovo un piano. Reciprocamente, lo spazio è chiuso, poi aperto e poi di nuovo chiuso. In questo movimento, chiuso-aperto-chiuso, lo spazio stesso viene percepito come materia su cui opera il taglio o la lama di *Strike*, un taglio che salda insieme i lembi sfrangiati dell'esperienza, unendoli al di là dello strappo in una giuntura. Inoltre, poiché è l'osservatore, attraversando lo spazio, a operare direttamente il taglio, l'attività di quest'ultimo diventa una funzione del lavoro percettivo dell'osservatore stesso; l'osservatore lavora con esso per ricomporre la continuità del suo mondo vissuto.

Non tutto è possibile

Se Serra e Asher creavano installazioni materiali e concettuali negli spazi architettonici, altri artisti nello stesso momento erano passati oltre l'oggetto scultoreo individuabile, operando direttamente sul paesaggio. Com'è noto, Smithson proiettò il suo *Molo a spirale* **[4]** di 450 metri nel Great Salt Lake al Rozen Point, nello Utah, mentre Michael Heizer (nato nel 1944) scavò due enormi tagli (33 x 13 x 9 metri) da due *mesas* opposte nel deserto del Mohave, in Nevada, per formare il suo *Doppio negativo* (1969). Anche se queste installazioni furono costruite per durare, l'idea degli "earthwork" non era necessariamente legata alla permanenza. Ad esempio gli artisti inglesi Richard Long (nato nel 1945) e Hamish Fulton (nato nel 1946) operavano nel paesaggio in modo più concettuale, facendo passeggiate o creando mucchi o anelli di pietre temporanei, che documentavano fotograficamente.

Nei primi anni Settanta, quindi, diventò chiaro come un ampio ventaglio di pratiche completamente diverse avesse cancellato la ▲ stretta logica del Minimalismo in scultura e in pittura che sembrava avere dominato il decennio precedente. Ogni tipo di materiale poteva essere utilizzato, dai campi di grano tagliati in modo da formare gigantesche figure (Dennis Oppenheim) ai pannelli insonorizzati nei cui fori venivano inseriti piccoli rotoli di carta (Sol LeWitt); qualunque genere di operazione poteva essere condotta, dal seppellire una capanna (Smithson) al dispiegare chilometri di tela da paracadute in aperta campagna (Christo); tutti i tipi di "engagement" potevano essere presi in considerazione, dall'impegno politico di critica istituzionale (Asher) all'estetizzazione di un campo di parafulmini costruito all'uopo (Walter De Maria).

3 • Richard Serra, *Strike: A Roberta e Rudy*, 1969-71
Acciaio laminato a caldo, 243,8 x 731,5 x 2,5 cm

Vale comunque sempre la pena di gettare uno sguardo oltre le rivendicazioni di "pluralismo" – il genere di spiegazione offerta negli anni Settanta dai critici – verso una logica sottesa che unisce ciò che sembrerebbe frutto del caso o della scelta individuale. Il pluralismo infatti presuppone che ogni cosa sia utilizzabile da ogni artista in ogni momento storico, che non ci siano fattori storici preponderanti che limitino le opzioni disponibili e sovradeterminino il comportamento al di là della sua apparente indipendenza. Contro questa idea si era in ogni caso cautelato lo storico dell'arte ▲ Heinrich Wölfflin: "Ogni artista trova che alcune delle possibilità visive a cui è legato sono nate prima di lui. Non tutto è possibile in ogni tempo". Abbiamo cominciato dall'osservazione che il *Progetto per il Pomona College* di Asher, come altri lavori site-specific, era sia una critica che una prosecuzione del Minimalismo. Mettendo in primo piano la fenomenologia dell'esperienza corporea, *Strike* di Serra accetta anche alcuni aspetti dell'Earth art, mentre ne rigetta altri; sia *Molo a spirale* che *Doppio negativo* infine appartengono a questo genere. Il problema è quindi cercare di ricostruire la logica del modo in cui questa diversità promana dallo stesso Minimalismo, senza mai dimenticare il suo rapporto dialettico con la scultura modernista, su cui esercitò allo stesso tempo un'azione di chiusura e di raffinamento.

Campi allargati

Per fare questo dobbiamo tornare un po' indietro e consentirci una serie di generalizzazioni sull'intera scultura tradizionale, sulla scultura modernista in generale e sul Minimalismo in particolare. Potremmo iniziare con l'osservare che per secoli la scultura aveva funzionato in rapporto a quella che potremmo chiamare la logica del monumento, che era già una forma di "site-specificity". La scultura, cioè, operava per marcare un sito reale – tomba, campo di battaglia, via cerimoniale – con una rappresentazione del suo significato: figura funeraria, pietà, statua equestre. Sollevando il campo di

▲ 1957b, 1965, 1967c

▲ Introduzione 3

4 • Robert Smithson, *Molo a spirale*, 1970
Roccia, sale, cristalli, terra e acqua
45.720 x 460 cm, Great Salt Lake, Utah,
Stati Uniti

questa rappresentazione fuori dal piano dello spazio reale, il piedistallo aveva una funzione di confine: stabiliva la natura virtuale, simbolica, della rappresentazione, pur legandola fisicamente al luogo reale – paesaggio o architettura – che segnalava.

Solo nel tardo Ottocento questa logica del monumento ha cominciato a svanire, forse a causa della divergenza tra gli obiettivi degli artisti e quelli dei loro committenti – come quando il gruppo che aveva commissionato a Rodin il monumento a Honoré de Balzac rifiutò l'opera – o forse perché l'enormità degli eventi storici rese impossibile la loro "rappresentazione" (pensiamo ai morti della Prima guerra mondiale). Come il fallimento della commissione di Rodin è all'origine della moltiplicazione della statua di Balzac, tanto che oggi compare in molti luoghi diversi tutti completamente privi di una qualsiasi relazione logica con essa, così la scultura modernista in generale sembra stabilire l'"autonomia" del campo rappresentazionale dell'opera, il suo assoluto ritrarsi dal contesto fisico in un'organizzazione formale completamente contenuta in se stessa. C'erano, è ovvio, dei tentativi di rompere questa autonomia – come ▲ nel *Monumento alla Terza Internazionale* di Vladimir Tatlin o nel • rifiuto del readymade di condividere la condizione della scultura – ma la principale ambizione della produzione scultorea modernista fu di rinforzare il più possibile lo spazio privilegiato dell'oggetto ■ autonomo. Nel caso di Brancusi questa pulsione condusse all'estensione del campo della rappresentazione fino a includere lo stesso piedistallo, come ad affermare che nessuna parte dell'opera, neppure il suo supporto mondano, fisico, sarebbe sfuggita al regno del formale e del virtuale.

Data questa rimozione decisa dei legami simbolici dell'oggetto da quelle che erano le sue condizioni di possibilità, e cioè architettura e paesaggio, la scultura modernista può allora essere considerata nei termini di questo rifiuto, definendo le sue condizioni come una sorta di pura negatività, di combinazione di

1900b ▲ 1921b • 1914 ■ 1927b

esclusioni. In questo senso è l'esatto inverso del piedistallo per la scultura tradizionale, la positività della logica del monumento.

▲ Lo Strutturalismo ci fornisce un modello utile ad analizzare le forme sociali nei termini di inclusioni ed esclusioni logicamente connesse. Basato su una struttura logica, a volte chiamata gruppo di Klein, questo modello mostra come una serie di termini opposti, un'opposizione binaria, possa essere sviluppata in un campo quaternario senza cambiare il carattere della stessa opposizione.

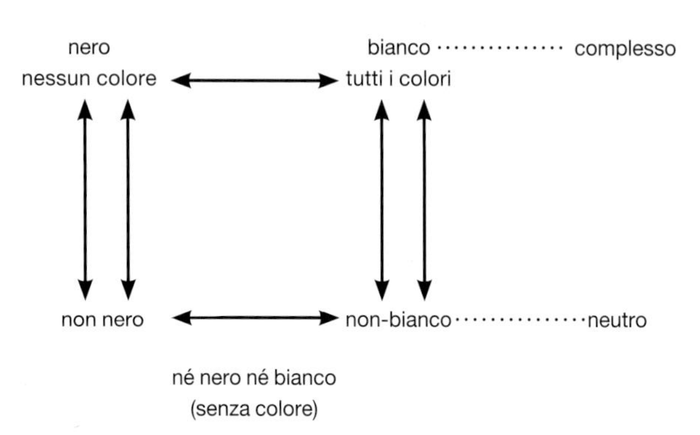

Proiettando la forma "forte" di opposizione su quello che viene chiamato "l'asse complesso" – nero vs bianco – il gruppo di Klein dimostra che la stessa opposizione può essere espressa in un modo meno aspro – non-nero vs non bianco – trasformando così il giudizio forte (sia/sia) in uno "neutralizzato" (né/né).

Applicando questo modello a quanto abbiamo osservato nel campo della pratica scultorea potremmo dire che, poiché non era

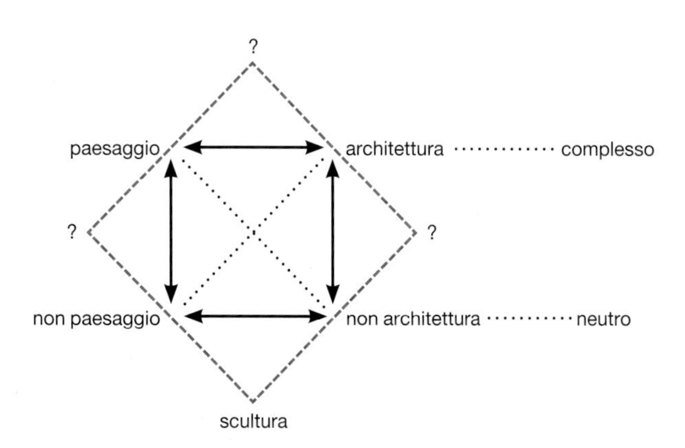

• più la positività a marcare il suo luogo, la scultura modernista era ora la categoria che risultava dall'addizione del non paesaggio e della non architettura.

■ Inoltre, con l'ascesa del Minimalismo questo ritrarsi fu criticato da quegli scultori che volevano che la loro opera interagisse con il contesto, diventando come abbiamo visto "una funzione dello spazio, della luce e del campo visivo dell'osservatore". Se il Minimalismo ancora produceva un oggetto scultoreo, le opere site-specific e gli earthwork, abbandonando l'oggetto, ampliarono l'impegno minimalista nei confronti del luogo – che la scultura modernista aveva svuotato – e cominciarono invece a lavorare con i termini positivi di architettura e paesaggio.

Non si trattava tuttavia di un mero ritorno al riconoscimento del luogo della scultura tradizionale, perché prima questo era sempre avvenuto in maniera simbolica: in un campo "virtuale" di rappresentazione. Questo nuovo tipo di opera invece lo affrontava in maniera diretta. Esso immaginava ora la possibilità di un esatto contrario del modernismo nel "sia/sia", in un modo che prima era stato visto solo in strutture come labirinti, giardini giapponesi o nei campi da gioco rituali delle civiltà antiche, che, occupando l'asse del complesso, erano sia paesaggio sia architettura. Un esempio di questa assunzione del termine complesso potrebbe essere *Legnaia parzialmente sepolta* (1970) di Smithson. Ma quest'opera si avvan-

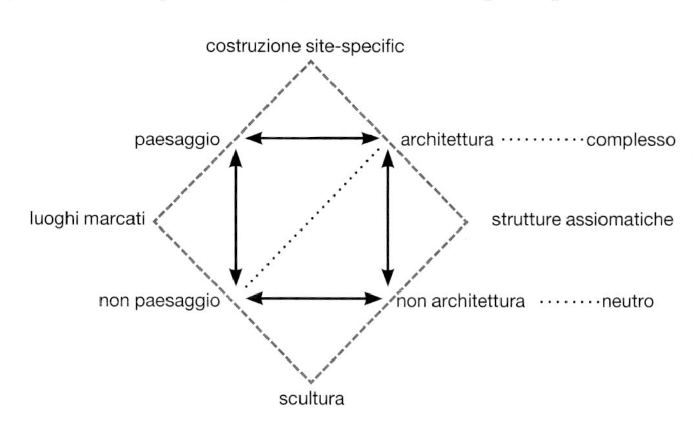

taggia anche di altre possibilità del campo quaternario, come ad esempio della combinazione di paesaggio e non-paesaggio, che potremmo chiamare i "luoghi marcati" degli earthwork – come *Molo a spirale* o *Spostamenti di specchi nello Yucatan* (1969) di Smithson –, e una combinazione di architettura e non architettura, che potremmo chiamare "strutture assiomatiche", in cui si potrebbe includere il *Progetto per il Pomona College* di Asher.

Il diagramma strutturalista di questa "espansione" quaternaria della semplice opposizione binaria mette in luce due aspetti delle nuove pratiche degli anni Settanta. Il primo è un senso del legame logico tra le pratiche e le possibilità di muoversi da una posizione all'altra all'interno di una data pratica artistica. Il secondo è la chiarezza con cui mostra come l'attenzione si sia spostata dalla concentrazione sulle regole interne a un determinato medium – la scultura come oggetto fisicamente delimitato e tridimensionale – alle circostanze culturali, di gran lunga più estese del medium, che ora si vedono legarlo a terra. Le pratiche di "site-specificity" volevano operare direttamente su queste circostanze culturali; direttamente, potremmo dire, sul contesto del mondo dell'arte. L'espressione "campo allargato" è un modo di definire questo contesto. RK

ULTERIORI LETTURE:

Michael Asher, *Writings 1973-1983 on Works 1969-1979*, The Press of the New Scotia College of Art and Design, senza data

Benjamin Buchloh, *Neo-Avantgarde and Culture Industry*, MIT Press, Cambridge (Mass.) 2000

Hal Foster, *L'importanza del Minimalismo*, trad. it. in *Il ritorno del reale. L'avanguardia alla fine del Novecento*, Postmedia, Milano 2006

Frederic Jameson, *L'inconscio politico: il testo narrativo come atto socialmente simbolico*, trad. it. Garzanti, Milano 1990

Rosalind Krauss, *La scultura nel campo allargato*, trad. it. in *L'originalità dell'avanguardia e altri miti modernisti*, Fazi, Roma 2007

▲ Introduzione 3 ● 1900b, 1914, 1921b, 1927b, 1931a, 1934b, 1945 ■ 1965

1971

Il museo Guggenheim cancella la mostra di Hans Haacke e rifiuta il contributo di Daniel Buren alla sesta edizione della Guggenheim International Exhibition: le pratiche artistiche di critica istituzionale incontrano la resistenza della generazione minimalista.

Due importanti incidenti di censura al museo Guggenheim nel 1971 coinvolgono artisti della generazione postminimalista. Forse casualmente, entrambi opposero artisti europei a istituzioni americane e, nel secondo caso, li misero in dialogo con artisti americani. Il primo scandalo avvenne in occasione della prevista mostra retrospettiva di Hans Haacke (nato nel 1936), che fu cancellata all'ultimo momento in seguito alla richiesta del direttore del museo Thomas Messer di togliere due pezzi dall'esposizione, richiesta a cui sia l'artista che il curatore Edward Fry rifiutarono di acconsentire. Questo portò all'annullamento della mostra nel suo complesso e al licenziamento del curatore.

È particolarmente importante tener presenti le diverse cause e ramificazioni di questo scontro per comprendere la sua complessità storica. Innanzitutto esso riguarda un'opera che punta, relativamente presto, a sneutralizzare e ripoliticizzare le pratiche artistiche fotoconcettuali. Non era il primo progetto, ma certo uno dei primi importanti di Haacke in cui la presunta neutralità dell'immagine fotografica era esplicitamente riposizionata rispetto all'indagine sociale, politica ed economica, alla maniera del giornalismo di denuncia.

Come quasi sempre nel caso di Haacke, le due opere in questione, *Shapolski et al. Manhattan Real Estate Holdings* [**1**] e *Sol Goldman and Alex DiLorenzo Manhattan Real Estate Holdings* (entrambe del 1971), consistevano abbastanza semplicemente in materiale documentario disponibile nella Biblioteca pubblica di New York, raccolto e presentato dall'artista. Esso riguardava l'intensa attività immobiliare di due o tre famiglie che, in varie forme di compagnie e corporazioni, avevano accumulato vasti imperi di edifici popolari in diverse parti di New York. Tracciando i rapporti e le interconnessioni tra i nomi spesso nascosti dei vari proprietari, Haacke rivelava la struttura di questi imperi immobiliari. Pure e semplici registrazioni delle proprietà, le opere non hanno nessun tono né polemico né accusatorio.

Nella nota di Messer contro l'inclusione dei due pezzi nella

1 • Hans Haacke, *Shapolski et al. Manhattan Real Estate Holdings, un sistema sociale in tempo reale, al 1° maggio 1971*, 1971
142 fotografie con pagine di dati, 2 mappe, 6 carte, scelta di diapositive

▲ 1969 ● 1968b, 1984a

mostra, li chiamava "opere che violano la neutralità suprema dell'opera d'arte e per questo non meritano la protezione del museo". Lo scontro avveniva dunque a livello di definizione della neutralità dell'opera d'arte e di ciò che oppone le pratiche artistiche ed estetiche a quelle politiche e giornalistiche. È intorno a questa soglia che si sarebbero sviluppati il conflitto e le polemiche che seguirono.

L'esclusione dell'opera di Haacke evidenzia un'altra dimensione che stava diventando problematica all'interno del discorso del mondo dell'arte, perché coincideva con il periodo in cui le opere che includevano fotografie e testi erano diventate una modalità ▲ cruciale per l'Arte concettuale nel suo insieme e in cui lo statuto di queste strategie di produzione artistica veniva sempre più contestato da diversi critici e storici. Rosalyn Deutsche ha sostenuto in modo convincente che c'era un'ulteriore dimensione nelle opere di Haacke sulle proprietà immobiliari che comportò la loro eliminazione, cioè il fatto che attraverso di esse l'artista metteva a duro confronto due tipi di spazi architettonici, due modelli sociopolitici di condizione urbana: l'edificio popolare delle classi povere di New York e la lussuosa "neutralità" delle esclusive istituzioni delle arti e delle classi alte, con il loro totale oblio della situazione della stragrande maggioranza delle persone che condividono lo stesso spazio urbano. L'interpretazione di Deutsche dell'opera di Haacke come volontà di contrapporre spazi sociali definiti da strutture architettoniche è un'importante interpretazione di questa pratica.

I limiti del Minimalismo

Il secondo scandalo avvenne pochi mesi dopo in occasione della sesta edizione della Guggenheim International Exhibition, in cui l'artista francese Daniel Buren cercò di installare un'opera simile a una grande bandiera che doveva dividere in due lo spazio cilindrico dell'atrio centrale dell'edificio [2], opponendo inoltre a questo stendardo un elemento esterno più piccolo che attraversava la 89° Strada e la 5ª Avenue. Approvata dalla curatrice della mostra, Diane Waldman, i guai cominciarono solo con la messa in opera, quando diversi artisti partecipanti si opposero all'installazione e insistettero perché venisse rimossa, minacciando altrimenti di ritirarsi dalla ● mostra. L'argomento di questi artisti – Donald Judd, Dan Flavin, Joseph Kosuth e Richard Long – era che le dimensioni e la disposizione dell'enorme bandiera oscurava la vista delle loro installazioni.

L'assurdità di questo argomento diventa evidente quando si comprende che l'opera di Buren era un pezzo di stoffa che, mentre il visitatore scende la rampa a spirale del museo, si espande e si contrae continuamente, dall'ampiezza della veduta frontale al profilo di quella laterale che rende l'opera quasi impercettibile. Così, come Buren aveva previsto, almeno per la metà del tempo tutto del museo e delle opere nei suoi spazi restava assolutamente visibile. Alla fine il conflitto fu risolto dalla resa di Waldman alla richiesta degli altri artisti. Lo stendardo di Buren venne rimosso.

Ma al di là della cortina fumogena delle spiegazioni delle loro obiezioni da parte degli artisti, ben più importante è la questione dello scontro tra due generazioni: i minimalisti da una parte e

2 • Daniel Buren, *Photo-souvenir: Pittura-Scultura*, opera in situ, Museo Guggenheim, New York, 1971 (dettaglio)

Buren dall'altra, come rappresentante di una posizione concettuale emergente con una chiara focalizzazione sulla critica istituzionale. ▲ Minimalisti come Judd e Flavin, che furono i più aggressivi nello scontro, chiaramente sentivano che l'opera di Buren rivelava diversi limiti delle loro posizioni. Il primo era l'assunzione della neutralità dello spazio fenomenologico in cui lo spettatore interagisce con l'opera. A questa assunzione si contrappose la formulazione programmatica di Buren della teoria dello spazio istituzionale, in cui non si può concepire un'esperienza puramente visiva o puramente fenomenologica. Questo perché gli interessi istituzionali, che sono sempre mediati da interessi economici e ideologici, inevitabilmente ricontestualizzano e ridefiniscono la produzione, l'interpretazione e l'esperienza visiva dell'oggetto artistico.

Il secondo limite venne rivelato dal modo in cui l'opera di Buren creava un confronto tra l'architettura del museo e l'opera scultorea, soprattutto nel museo Guggenheim, dove Buren provocatoriamente contrastò lo straordinario edificio di Frank Lloyd Wright – il suo controllo, il suo contenimento, il suo incontrollabile imporsi su qualsiasi opera tradizionalmente pittorica o scultorea installata al suo interno – con l'evidente perforazione dello spazio, l'imbuto a spirale del museo. Per contrasto, gli altri oggetti parevano comple-

▲ 1968b ● Introduzione 4, 1962c, 1965, 1968b, 1970

▲ 1962c, 1965

tamente ma ingenuamente fiduciosi nella loro assunzione della disponibilità di uno spazio architettonico neutro.

Questo dialogo, che poi diventò uno sconto nel corso del quale Judd definì Buren un "tappezziere" e volarono altri insulti, di fatto punta a una delle intersezioni cruciali della fine degli anni Sessanta e inizio Settanta. Infatti gli inizi di una pratica artistica legata al Concettualismo ma non limitata ad esso – una delle ▲ figure chiave dell'Arte concettuale americana, Joseph Kosuth, era stato dopo tutto dalla parte di Judd e Falvin contro Buren – stava emergendo nella sua variante europea che sarebbe stata chiamata "critica istituzionale".

Testare la tolleranza repressiva

Come è formulata sia da Haacke che da Buren in questi anni, la critica istituzionale è un progetto che poteva essere associato allo sviluppo della teoria critica poststrutturalista nel suo impatto sulle arti visive. Si può dire che per Haacke questo effetto è evidentemente eredità della Scuola di Francoforte attraverso Jürgen ● Habermas, mentre per Buren è l'eredità strutturalista e poststrutturalista di ■ Roland Barthes, Michel Foucault e Louis Althusser, che ha portato le pratiche artistiche a prendere in considerazione la sottomissione inevitabile dell'arte agli interessi ideologici. Nel caso di Buren, questo conduce alla ricognizione del limite fin dove il discorso sull'arte (la sua critica, la sua storia) è definito dalle reti istituzionali e soggetto ad esse, una questione articolata dall'artista fin dall'inizio del 1970 nel suo testo *Limiti critici*.

La diversità della critica istituzionale di Haacke da quella di Buren è dovuta ai loro differenti retroterra teorici. Per Haacke la critica istituzionale è un tentativo di ricontestualizzare la sfera dell'estetica, con i suoi risvolti socio-economici e ideologici, in un modo un po' meccanicistico. Lo si vede bene in *Consiglio di amministrazione del Solomon R. Guggenheim Museum* **[3]**, un'opera che è stata vista, non senza ragione, come una risposta tardiva alla censura e cancellazione della sua mostra del 1971. All'epoca infatti i giornalisti collegarono erroneamente gli intestatari delle proprietà immobiliari al Consiglio d'amministrazione del Guggenheim, benché non esistesse nessun legame reale con la dirigenza del museo.

La data però indica che l'opera era motivata da una riflessione molto più urgente di una vendetta personale, poiché è situata nel momento della crisi del Cile, quando il Presidente eletto Ferdinand Allende fu rovesciato e ucciso da un colpo di stato militare sostenuto dalla Cia. È in quel momento che Haacke rivela il profondo legame tra molti responsabili del Guggenheim e la Kennecott Copper Corporation in Cile. Una delle ragioni dietro l'intervento della Cia al tempo era la massiccia minaccia agli interessi della Corporation (e dei militari americani) costituita dalla nazionalizzazione delle miniere di rame voluta dal Presidente neoeletto.

La seconda opera che mostra i continui tentativi di Haacke di ricontestualizzare l'oggetto d'arte all'interno delle pratiche culturali in generale è un'opera installata nel 1974 nella sua città d'origine, Colonia, quando, in occasione del 150° anniversario del museo Wallraf-Richartz, Haacke fu invitato a partecipare all'esposizione intitolata *Projekt '74*. Haacke realizzò una serie di dieci pannelli che ritracciavano la provenienza di *Mazzo di asparagi* (1880) di Manet, un quadro che era stato donato al museo nel 1968 dagli Amici del Museo, sotto la guida del loro presidente, Hermann Josef Abs, in memoria di Konrad Adenauer, il primo cancelliere della Repubblica federale tedesca. Come in tutti gli altri pannelli, quello finale – la conclusione della storia – presenta un'analisi della posizione di Abs. In questo caso ciò che viene rivelato è che Abs, che era stato il più importante banchiere e consulente finanziario del Reich di Hitler dal 1933 al 1945, era stato reintegrato dopo la guerra in posizioni influenti da quando si era installato il governo Adenauer nel 1949 ed era rimasto in un posto di grande potere per tutti gli anni Sessanta fino al momento del dono della natura morta di Manet al museo.

Il pannello finale è uno dei dieci che traccia la storia del quadro dal suo primo proprietario, Charles Ephrussi (uno storico dell'arte e collezionista ebreo francese, ritenuto uno dei modelli del personaggio Charles Swann del romanzo di Proust), a figure come l'editore e mercante tedesco Paul Cassirer e il pittore ebreo tedesco ▲ Max Liebermann (la cui opera fu messa fuori legge dai nazisti), per essere infine acquistata al nipote americano di Liebermann dagli

SOLOMON R. GUGGENHEIM MUSEUM

CORPORATE AFFILIATION OF TRUSTEES

Kennecott Copper Corporation

FRANK R. MILLIKEN, President, Chief Exec. Officer & Member Board of Directors

PETER O. LAWSON-JOHNSTON, Member Board of Directors

ALBERT E. THIELE, past Member Board of Directors

Multinational company mining, smelting, refining copper, molybdenum, gold, zinc and coal. Copper based mill products.

Operates in the U.S., Australia, Brazil, Canada, Colombia, Costa Rica, England, Indonesia, Italy, Netherlands Antilles, Nigeria, Peru, South Africa.

El Teniente, Kennecott's Chilean copper mine, was nationalized July, 1971 through Constitutional Reform Law, passed unanimously by Chilean Congress. Chilean Comptroller General ruled profits over 12% a year since 1955 to be considered excess and deducted from compensation. His figures, disputed by Kennecott, in effect, eliminated any payments.

Kennecott tried to have Chilean copper shipments confiscated or customers payments attached. Although without ultimate success in European courts, legal harassment threatened Chilean economy (copper 70% of export).

President Salvador Allende addressed United Nations December 4, 1972. The New York Times reported:

The Chilean President had still harsher words for two U.S. companies, the International Telephone & Telegraph Corp. and the Kennecott Corp., which he said, had "dug their claws into my country" and which proposed "to manage our political life."

Dr. Allende said that from 1955 to 1970 the Kennecott Copper Corp. had made an average profit of 52.8% on its investments.

He said that huge "transnational" corporations were waging war against sovereign states and that they were "not accountable to or representing the collective interest."

In a statement issued in reply to Dr. Allende's charges, Frank R. Milliken, president of Kennecott, referred to legal actions now being taken by his company in courts overseas to prevent the Chilean Government from selling copper from the nationalized mines:

No amount of rhetoric can alter the fact that Kennecott has been a responsible corporate citizen of Chile for more than 50 years and has made substantial contributions to both the economic and social well-being of the Chilean people."

"Chile's expropriation of Kennecott's property without compensation violates established principles of international law. We will continue to pursue any legal remedies that may protect our shareholders' equity."

President Allende died in a military coup Sept. 11, 1973. The Junta committed itself to compensate Kennecott for nationalized property.

1973 Net sales: $1,425,613,531 Net after taxes: $159,363,059 Earn. per com. share: $4.81

29,100 employees

Office: 161 E. 42 St., New York, N.Y.

3 • Hans Haacke, *Consiglio di amministrazione del Solomon R. Guggenheim Museum*, 1974 (dettaglio) Sette pannelli con cornice d'ottone, ognuno 50 x 61 cm

▲ 1968b ● 1988 ■ Introduzione 3, Introduzione 4

▲ 1937a

Michel Foucault (1926-84)

L'opera di Michel Foucault fu completamente trasformata dalla sua esperienza di dimostrazioni contro la guerra e altre politiche nel 1968, durante l'occupazione studentesca della Sorbona di Parigi. In risposta l'istituzione universitaria aveva chiamato la polizia, che non era mai entrata nei recinti dell'Università prima di allora. Fu questa violazione dell'indipendenza dell'università che permise a Foucault di vedere la cornice solitamente invisibile dell'istituzione – cornice ritenuta garante dell'"oggettività" e della "neutralità" del sapere accademico –, di vederla e improvvisamente riconoscere la sua cooptazione ideologica da parte delle forze di potere.
Il riconoscimento strategico dell'irriconoscibile contesto dell'università, lo smascheramento degli intrecci politici, furono subito adottati dagli artisti che volevano smascherare gli interessi all'opera nei contesti istituzionali del mondo dell'arte. Chiamata "critica istituzionale", questa strategia rivelatrice segnò l'opera di Daniel Buren, Marcel Broodthaers, Hans Haacke e molti altri.

Forse l'effetto più profondo di Foucault sul discorso accademico fu la trasformazione del suo racconto storico, a partire dall'ammonimento che era necessario comprendere, invece dell'evoluzione senza salti delle forme di conoscenza, che il sapere è sottoposto a bruschi cambiamenti che spostano totalmente le condizioni di comprensione, dal momento che ogni nuovo insieme di condizioni produce un'organizzazione del tutto nuova dei fatti, o *episteme*, come la chiamò. Foucault fu identificato con lo Strutturalismo a causa dell'importanza che la sua riflessione dava al segno linguistico come tropo (o figura o discorso) che organizza e ordina la conoscenza, creando i legami tra i fatti rilevanti. Per esempio, il pensiero rinascimentale procedeva per metafore, spiegando i fenomeni attraverso le somiglianze: poiché il cervello è simile a una noce, le noci devono essere delle buone medicine per le malattie mentali. Foucault sostenne che la somiglianza rinascimentale fu poi sostituita dal pensiero illuminista (che chiamò "classico"), che ordina i fenomeni attraverso griglie che possono collegare similarità e differenze. Esso a sua volta fu sostituito dalle forme moderne (ottocentesche), che Foucault definì sineddotiche, segnate dall'"analogia e successione", dove una graduale e continua genesi sostituisce la separazione delle specie. L'organizzazione classica era spaziale, mentre queste nuove episteme erano temporali, storiche. Così la tavola dei naturalisti è soppiantata dalla biologia e dall'evoluzione, le analisi comparative dei beni dall'economia
e lo studio della logica del segno dalla linguistica. Lo spostamento dal visivo al temporale (e invisibile) ricevette una particolare enfasi dallo studio delle prigioni in *Sorvegliare e punire* (1977). Foucault chiamò "archeologia" questo nuovo metodo di analisi degli ordini epistemici, per distinguerla dalla "storia", più legata all'episteme del XIX secolo e a forme obsolete di comprensione.

Foucault morì mentre stava scrivendo un vasto studio, *La storia della sessualità*, che verteva sui cambiamenti epistemici da un decoroso silenzio sull'argomento all'invito a parlarne (come in psicanalisi) e così trasformarne la pratica stessa.

Amici del Museo guidati da Abs. Ma a fare scandalo fu il pannello incentrato sullo sfondo politico di Abs, quello che lo rivelava come ex-nazista e mostrava con quanta facilità la posizione di benefattore culturale permetta a un individuo di "lavare" il proprio passato più che problematico. Il progetto di Haacke, benché approvato dal curatore della mostra, fu rifiutato in seguito a voto "democratico" dell'amministrazione del museo in ovvia deferenza al presidente degli Amici del Museo.

Con il secondo grande scandalo della carriera di Haacke, diventò evidente che è difficile per le istituzioni reincorporare e rineutralizzare il suo progetto di collegare gli interessi sociali e ideologici alla pratica culturale nella vasta gamma delle forme repressive, facendo di queste forme a cui la cultura si presta parte del nucleo site-specific e istituzionale dell'opera. È in questo contesto che Haacke definisce la maggior parte della sua opera degli anni Settanta.

In un gesto evidente di solidarietà – come era accaduto a lui nel 1971, quando diversi altri artisti, come Sol LeWitt, Mario Merz e Carl Andre, si erano opposti alla rimozione della sua opera dal Guggenheim – Buren ora rispose alla censura dell'opera di Haacke invitandolo a fotocopiare i suoi pannelli e ad esporli all'interno della propria opera, consistente in strisce bianche e verdi che coprivano grandi superfici di pareti all'interno del museo. Le strisce di Buren dovevano funzionare a *Projekt '74* come aveva fatto per ▲ esempio a *Documenta 5* due anni prima, dove strisce bianco su bianco erano distribuite in tutta la mostra, talvolta come basi di sculture, talaltra come sfondo di installazioni pittoriche. (Il modo in cui ricontestualizzavano le opere d'arte, con le loro pretese di autonomia e sicurezza nelle loro cornici, per così dire, è molto evidente nell'esempio dello scontro tra le strisce di Buren e quelle di ● una *Bandiera* di Jasper Johns, dove la logica interna del quadro veniva bruscamente svuotata e disseminata in un contesto più ampio delle cornici architettoniche e politiche dell'esposizione.) Con grande angoscia degli organizzatori, l'opera di Haacke fu così pienamente leggibile il giorno dell'inaugurazione della mostra, presentata all'interno dell'opera di Buren. Questo condusse a ulteriori rappresaglie da parte delle autorità del museo che, quella notte, fecero strappare le fotocopie di Haacke, sfigurando così anche l'installazione di Buren, con gesto di triplice censura: doppia esclusione di Haacke e vandalica cancellazione di Buren. BB

ULTERIORI LETTURE:

Alexander Alberro, *The Turn of the Screw: Daniel Buren, Dan Flavin, and the Sixth Guggenheim International Exhibition*, in *October*, n. 80, primavera 1997

Daniel Buren, Hans Haacke, Thomas Messer, Barbara Reise, Diane Waldman, *Gurgles around the Guggenheim*, in *Studio International*, n. 934, 1971

Rosalyn Deutsche, *Property Values: Hans Haacke, Real Estate, and the Museum*, in Brian Wallis (a cura di), *Hans Haacke–Unfinished Business*, New Museum of Contemporary Art, New York 1986

Guy Lelong (a cura di), *Daniel Buren*, Centre Georges Pompidou, Paris 2002

Gilda Williams (a cura di), *Hans Haacke*, Phaidon, London 2004

▲ 1972b ● 1958

1972a

Marcel Broodthaers installa il suo *Museo d'Arte Moderna, Dipartimento delle Aquile, Sezione delle Figure* a Düsseldorf, in Germania.

La carriera dell'artista belga Marcel Broodthaers fu segnata da molte reinvenzioni annunciate pubblicamente, la prima delle quali ebbe luogo nel 1963, quando decise di completare il suo precedente lavoro di poeta proseguendo come artista visivo e sancì la scelta con una mostra in una galleria di Bruxelles [**1**]. Il secondo importante cambiamento delle regole fu la sua trasformazione da artista a direttore di museo in occasione della fondazione del *Museo d'Arte Moderna, Dipartimento delle Aquile, Sezione del XIX secolo*, nel 1968, sempre a Bruxelles. Molti modelli teorici possono venire applicati in ogni analisi delle trasformazioni messe in atto nell'opera di Broodthaers in questo periodo, così come di quelle avvenute nel clima storico artistico e teorico della metà e fine degli anni Sessanta.

Dalla poesia alla produzione

Innanzitutto il rapporto di Broodthaers con l'opera d'arte fu definito fin dall'inizio da un profondo scetticismo riguardo alla condizione contemporanea dello statuto di oggetto dell'opera opposto alla sua funzione e contesto storici. I giochi ironici di Broodthaers sull'opera d'arte come inevitabile merce di scambio cominciarono già nel 1963, quando mise le ultime cinquanta copie di un suo recente libro di poesie in un blocco di gesso e dichiarò che il risultato era una scultura [**2**]. Dato che una volta trasformati in oggetto visivo i libri non erano più leggibili, l'azione di Broodthaers chiedeva implicitamente allo spettatore perché rifiutasse di essere lettore e volesse invece diventare spettatore. Da allora tutta l'opera di Broodthaers ebbe come uno dei principali argomenti lo statuto dell'opera d'arte in quanto merce.

Il secondo argomento chiave riguarda l'impatto dell'istituzione museale sui discorsi (insegnamento, teoria, storia) intorno alle pratiche artistiche, così come sulla loro ricezione (critica, collezione, mercato). All'interno di questo contesto, gli interventi di Broodthaers possono essere visti prima di tutto come definenti il museo un'istituzione disciplinare normalizzatrice. Allo stesso tempo però il museo era per lui anche un elemento integrale della cultura illuminista della sfera pubblica borghese che andava difeso contro gli assalti della cultura industriale. Se si interpretano i suoi tentativi di porre il museo all'interno di questa dicotomia, si arriva più vicini a una comprensione delle reali opposizioni e tensioni dialettiche che l'opera di Broodthaers mette in atto.

Da un lato, dal 1968 in poi l'artista ha continuamente enfatizzato le operazioni del museo in quanto istituzione nella formazione discorsiva dell'opera d'arte; questo sottolinea il fatto

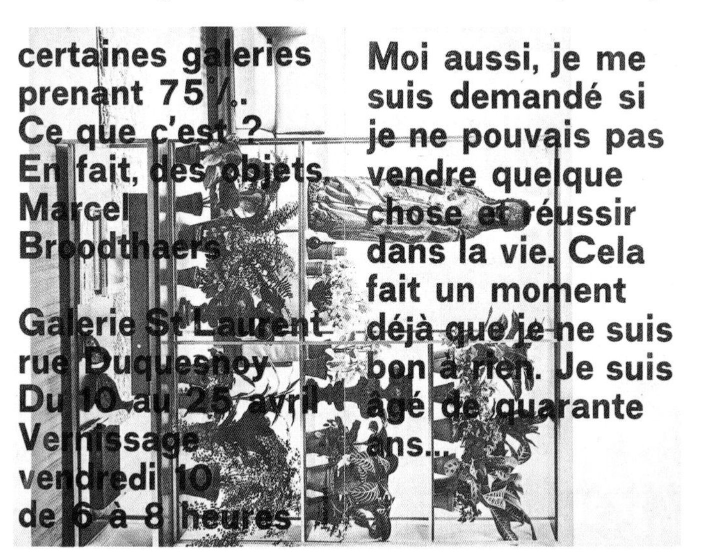

1 • Marcel Broodthaers, *Anch'io mi sono chiesto*, invito della mostra alla galleria St. Laurent, Bruxelles, 10-25 aprile 1964 (fronte e retro)
Estratti da rivista, 25 × 33 cm

2 • Marcel Broodthaers, *Pense-Bête*, 1963
Libro, carta, gesso, sfera di plastica e legno, 98 x 84 x 43 cm

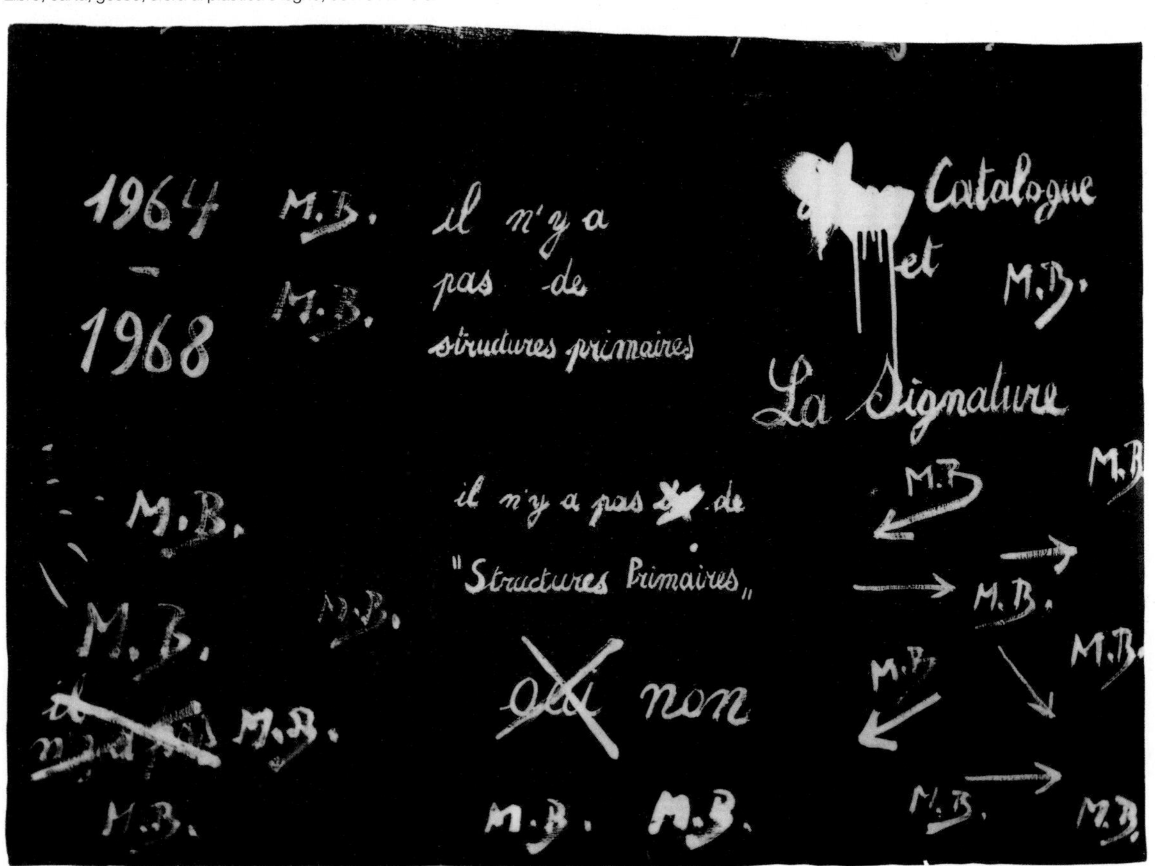

3 • Marcel Broodthaers, *Non esistono "Strutture primarie"*, 1968
Olio su tela, 77,5 x 115 cm

4 • Marcel Broodthaers, *Museo d'Arte Moderna, Dipartimento delle Aquile, Sezione XIX secolo*, cerimonia d'apertura, 28 settembre 1968

che le pretese estetiche di separatezza e relativa autonomia della sfera dell'arte visiva modernista non hanno più nessun valore; esse vanno sostituite da un'analisi della contestualità e contiguità al cui interno tutte le formazioni discorsive – comprese quelle estetiche – sono collocate. È questa crescente relativizzazione delle pratiche estetiche che Broodthaers – al tempo del Sessantotto e nel contesto ▲ del Concettualismo – contrappone a qualsiasi delusione e illusione sull'esperienza emancipativa dell'opera d'arte **[3]**.

Dall'altro lato, e in diretto contrasto, è importante riconoscere che la critica di Broodthaers del museo come istituzione in sé implica anche una critica e uno scetticismo a volte ancora più forti nei confronti dello sviluppo delle pratiche artistiche, da quando si sono lasciate alle spalle il museo tradizionale e l'hanno invece collocato tra le istituzioni di produzione dell'arte contemporanea. È nel contesto di tale approccio contraddittorio che va posta l'opera di Broodthaers. Il suo scetticismo sul museo come luogo di produzione emerge direttamente dall'idea che una volta trasformato in tal senso, farà inevitabilmente parte di quelle formazioni più grandi della cultura industriale – l'intrattenimento, lo spettacolo, il mercato, la pubblicità, le relazioni pubbliche – da cui era stato fin lì esentato. È precisamente questa trasformazione che Broodthaers ha cercato insistentemente di chiarire indicando nel museo "storico" un'istituzione della sfera pubblica borghese relativamente libera dagli interessi commerciali e perciò relativamente determinata dalla necessità di contribuire all'autodifferenziazione nello sviluppo della soggettività borghese. Bisogna considerare le serie di sezioni museali di Broodthaers come sospese in una dialettica tra lutto storico per la distruzione del museo come luogo istituzionale, da un lato, e analisi critica del museo come istituzione di potere, interessi ideologici e determinazione esterna, dall'altro.

Il Museo d'Arte Moderna

Nel settembre 1968, dopo aver partecipato alla rivolta studentesca del Maggio a Bruxelles, Broodthaers aprì pubblicamente il suo nuovo museo in qualità di direttore **[4]**. È in questo rovesciamento, grottesco e comico, che si espresse per la prima volta la sua idea: l'artista non funziona o autodefinisce più come produttore ma come amministratore, occupando il posto di controllo e decisione istituzionale e volontariamente presidiando la fonte della codificazione istituzionale normalmente imposta all'opera d'arte. Così, facendo del centro stesso del potere amministrativo e ideologico una propria opera, Broodthaers si pose all'interno di quei contesti che erano stati fin lì esclusi dalla concezione e ricezione dell'opera d'arte e fu contemporaneamente in grado di articolarne una critica.

Gli elementi che Broodthaers raccolse nella prima sezione – la "Sezione del XIX secolo" – consistevano in materiali normalmente usati per le mostre in musei e gallerie: casse per gli imballaggi, lampade per l'illuminazione, scale per gli allestimenti, biglietti da visita per l'identificazione, cartelli con indicazioni e disposizioni **[5]** e un autocarro per il trasporto (visibile dalla finestra del suo primo studio sulla Rue de la Pépinière) **[4]**. Questi oggetti non solo evocano il museo come loro fonte, ma con il loro vuoto risonante svuotavano tale fonte di senso, sostanza e significato storico, eleggendola invece a "struttura allegorica".

Contrariamente al porre il simbolo dell'opera d'arte come forma di pienezza, di totalità organica e autocontenimento, di rapporto diretto con il contenuto sostanziale e dunque come ▲ potere epifanico, Walter Benjamin sottolinea il carattere "inorganico" dell'allegoria – dipendente cioè dai sistemi interpretativi ausiliari che vengono puramente aggiunti all'emblema allegorico come altrettante didascalie in una serie aperta senza fine – e dunque soggetto alle forze esterne esistenti al di là del "suo" contesto, intrecciato ai poteri di dominio e di ordine istituzionale. Inscrivendosi in tal modo mimeticamente all'interno di ciò che è "esterno" all'opera d'arte tradizionale, l'allegoria apre alla strategia che Broodthaers usò per sviluppare la sua "finzione" del museo in un progetto di negazione e opposizione critica. Essa interroga inoltre la fiducia con cui l'Arte concettuale, emergente nello stesso periodo, affermava di essere in grado di trascendere i contesti in cui il modernismo è stato istituzionalizzato.

5 • Marcel Broodthaers, *Museo: Non sono ammessi i bambini*, 1968-69
Plastica, due parti (nera, bianca), 83 x 120 cm

▲ 1968b
▲ 1935

In secondo luogo, e ugualmente importante per il lavoro di Broodthaers, è da rilevare l'associazione dell'allegoria con la melanconia del lutto e della perdita, che apre la struttura allegorica all'iscrizione mnemonica di riflessione sulla storia, all'eredità rimossa o nascosta dai fatti recenti, permettendole così di essere reinscritta nella pratica contemporanea. Il costante mettere in primo piano di Broodthaers l'eredità della poesia modernista, attraverso la citazione continua dell'opera di Charles Baudelaire e Stéphane Mallarmé, aprì il campo a due questioni centrali della sua opera. Una è chiaramente quella dell'esclusione, per non dire repressione, della dimensione letteraria e mnemonica dalle pratiche visive moderniste, con la loro totale negazione della credibilità o accessibilità al loro interno dell'eredità del modernismo letterario. L'altra questione, con altro rovesciamento dialettico, comporta un'immediata storicizzazione delle pretese del Concettualismo come strumento critico del modernismo trascendente nel suo mettere in primo piano la proposizione analitica e il significante linguistico come modelli che hanno spostato con successo l'eredità dell'autonomia modernista. In questo atto di costante relativizzazione effettuato dal guardarsi indietro e dall'identificarsi di Broodthaers con Mallarmé, il collegamento dialettico con il linguaggio è completato.

Il museo di Broodthaers culminò nel 1972 con la sua presentazione all'interno dell'istituzione della Kunsthalle di Düsseldorf **[6, 7]**. Per l'occasione l'artista organizzò un'esposizione di centinaia di oggetti tutti accomunati dal marchio iconografico dell'aquila e presentati come "Sezione delle Figure" del suo "museo" con il titolo *L'aquila dall'oligocene ad oggi*. Molti di questi oggetti, presi in prestito da musei europei, erano di valore storico e artistico, comprese delle sculture assire e delle *fibulae* romane; altri erano assolutamente comuni, come francobolli, etichette di prodotti e tappi di bottiglie di champagne. Mentre sembra ritracciare l'universalità e l'onnipresenza di questa icona del potere e del dominio attraverso le culture europee e quelle extraoccidentali, Broodthaers mina in realtà l'idea stessa di coerenza da cui ogni dominio dipende, creando in questa selvaggia parodia di collezione qualcosa che il filosofo francese Michel Foucault avrebbe chiamato ▲ un'eterotopia, ovvero il sistema di classificazione totalmente illogico che prese da un breve racconto di Jorge Luis Borges su un'immaginaria "Enciclopedia cinese", citato nella prefazione di *Le parole e le cose* (1966).

L'assurda tassonomia di Broodthaers va situata all'interno del suo specifico contesto. Tra i suoi molteplici risvolti, la scelta dell'aquila come simbolo indicava anche un'ambivalenza persistente riguardo alla cultura tedesca del dopoguerra, in cui era criticamente coinvolto attraverso i testi e le dichiarazioni e che la presenza della mostra a Düsseldorf mise in evidenza.

A un altro livello, l'iconografia inventata di Broodthaers, per il fatto di includere tutti i media e tutti i generi, alti e bassi, comprese ● delle committenze ad artisti viventi – come Gerhard Richter –, enfatizzò ancora una volta il complesso dialogo con la continua preclusione dell'ambito visivo dominante in tutte le pratiche arti-

6 • Marcel Broodthaers, *Museo d'Arte Moderna, Dipartimento delle Aquile, Sezione delle Figure*, 1972 (veduta dell'installazione)

stiche avanzate della fine degli anni Sessanta e primi Settanta. Si può sostenere che in quel preciso momento in cui gli artisti ▲ concettuali sottolineavano la sparizione dell'iconografia, l'eliminazione del visivo e la trascendenza di tutte le strutture storiche imposte dai sistemi di classificazione museali (con la loro enfasi sullo sviluppo degli stili storici), Broodthaers reintrodusse tutti gli elementi tassonomici e le formazioni discorsive tradizionali che il museo rappresentava. Così facendo, la sua intenzione era quella di evidenziare come vuota la pretesa del Concettualismo di aver stabilito la forma d'arte veramente democratica ed egalitaria, che aveva trasceso l'oggetto, le sue forme di distribuzione e il suo contesto istituzionale, denunciando invece tali pretese come tipico mito e automitizzazione dell'avanguardia e opponendosi ad esse con il continuo riferimento alla persistente, se non crescente, validità di tutti quei metodi che il Concettualismo pretendeva di essersi lasciato alle spalle.

Da questo punto di vista il "museo" di Broodthaers può essere visto come una *blague* conservatrice, una risposta reazionaria al Concettualismo. È importante riconoscere come la critica di Broodthaers si inscriva in altri precedenti modelli di antimodernismo in quanto tentativo sia di riconoscere l'affinità artistica dell'arte precedente con le pratiche narrative e poetiche, sia di enfatizzare la relazione prima disponibile – ora rimossa e dunque non più accessibile – tra pratiche artistiche e costruzione della memoria storica.

La dialettica della chiacchiera

L'ultima "sezione" del museo di Broodthaers fu installata cinque ● mesi dopo la mostra di Düsseldorf, in occasione della *Documenta 5* di Kassel, nel 1972. Fondando un'altra ala del suo museo denominata "Sezione Pubblicità" nel contesto di questa manifestazione internazionale, l'artista mostrò la sua collezione di oggetti originali della mostra della "Sezione delle Figure" fotografando tutti gli oggetti che erano stati esposti a Düsseldorf e montando le fotografie su grandi pannelli a parete. Chiedendosi coerentemente

▲ 1971 ● 1972b, 1988
▲ 1968b ● 1972b

come è prodotto il significato all'interno di strutture istituzionali date, che siano spazi museali o pagine di cataloghi, Broodthaers mobilita la sua "Sezione Relazioni Pubbliche" verso la reinterpretazione di questa strategia spesso usata dello spostamento: in questo caso lo spostamento è dall'oggetto reale alla sua riproduzione fotografica, come nei precedenti casi aveva fatto dall'oggetto reale agli elementi di supporto e ai vari dispositivi di contestualizzazione (imballaggio, illuminazione, ecc.) che predispongono l'ordine istituzionale e discorsivo. Deviando dunque la ricezione della sua opera, presentò attraverso i canali della sua pubblicizzazione l'installazione di Düsseldorf della mostra delle aquile come già avvenuta. Anticipò così la trasformazione poi costante dell'opera d'arte da oggetto a riproduzione fotografica e la sua disseminazione nelle forme del testo critico e del mercato.

Questo spostamento dall'oggetto all'apparato della sua esposizione e disseminazione possiamo chiamarlo "estetica del supplemento". Condividendo questa strategia con artisti della stessa generazione come Daniel Buren e Michael Asher, Broodthaers identifica l'opera con quelle strutture di diffusione e distribuzione che sono generalmente considerate meri sottoprodotti – banali accessori della centralità dell'opera d'arte come oggetto sostanziale – come atto di resistenza critica. È precisamente intervenendo su queste strutture che possiamo definire supplementi – la pagina del catalogo, il luogo in cui è esposto il manifesto, i dispositivi di contestualizzazione dell'istituzione – e sfidando la banalità degli strumenti di installazione e di diffusione, che Broodthaers nega il valore permanente di un'estetica della centralità e della sostanzialità, e così facendo nega lo statuto di merce dell'opera d'arte, perché il supplemento non può mai acquistare valore di merce.

La "Sezione Pubblicità" gioca criticamente anche su un'altra dimensione. Quando Broodthaers vide il proprio successo nel 1972, anticipò la trasformazione del proprio lavoro secondo i meccanismi stessi dell'industria culturale che il mondo dell'arte cominciava proprio allora ad adottare. Si rimise in gioco mimeticamente fondando la propria agenzia di pubblicità e promozione, cosicché la sua opera scomparve all'interno della campagna di pubbliche relazioni sul proprio progetto, negando così anche la sostanzialità e la specificità storica della propria pratica iniziale.

È rispetto a questa negazione che si può guardare indietro alla peculiare differenza, per non dire opposizione, tra il rapporto di Broodthaers con il museo e il modello di Peter Bürger delle "avanguardie storiche" intese come rottura della chiusura di un ambito autonomo dell'opera d'arte istituzionalizzato dal museo, rottura definita da Bürger come vera funzione di una pratica radicale d'avanguardia. In quasi completa opposizione a questo modello teorico Broodthaers insiste che la funzione della pratica artistica non è quella di dissolvere l'istituzione dell'arte, ma piuttosto quella di riconoscere il limite per cui lo smantellamento della sfera autonoma della pratica artistica è parte di una tendenza storica nel contesto dell'avanzata del dominio della cultura industriale, che non tollera nessuna eterogeneità nel processo di differenziazione delle varie sfere culturali. BB

ULTERIORI LETTURE:

Manuel Borja-Villel (a cura di), *Marcel Broodthaers: Cinéma*, Fundació Antoni Tàpies, Barcelona 1997

Benjamin H. D. Buchloh (a cura di), *Marcel Broodthaers: Writings, Interviews, Photographs*, numero speciale di *October*, n. 42, autunno 1987

Catherine David (a cura di), *Marcel Broodthaers*, Galerie Nationale du Jeu de Paume, Paris 1991

Marge Goldwater (a cura di), *Marcel Broodthaers*, Walker Art Center, Minneapolis, e Rizzoli, New York 1989

Rachel Haidu, *Marcel Broodthaers: The Absence of Work*, tesi di laurea, Columbia University, New York 2003

7 • Marcel Broodthaers, *Museo d'Arte Moderna, Dipartimento delle Aquile, Sezione delle Figure*, installazione alla Städtische Kunsthalle, Düsseldorf, 15 maggio-9 luglio 1972

▲ Introduzione 4 ● 1970, 1971 ▲ 1960a

1972b

L'esposizione internazionale *Documenta 5* a Kassel, in Germania, segna l'accoglienza istituzionale favorevole dell'Arte concettuale in Europa.

Due esposizioni fondamentali, entrambe organizzate dal curatore Harald Szeemann, segnato le origini e lo zenith della produzione e della ricezione istituzionale dell'Arte concettuale in Europa. La prima fu la famosa *Quando le attitudini* ▲ *diventano forma* che si tenne alla Kunsthalle di Berna e altrove nel 1969, la seconda fu *Documenta 5*, la quinta edizione di quella che è diventata la più importante esposizione collettiva dell'arte contemporanea, organizzata a Kassel, nella Germania dell'Ovest, ogni quattro o cinque anni dal 1955.

Queste due esposizioni segnano – con le loro omissioni altrettanto che con le loro scelte – il cambiamento di orientamento che avvenne in vari centri di produzione artistica (New York, Parigi, Londra, Düsseldorf) alla fine degli anni Sessanta e agli inizi dei Settanta. Artisti come il gruppo Art & Language, Bernd e Hilla • Becher, Marcel Broodthaers, Daniel Buren e Blinky Palermo non furono inclusi in *Quando le attitudini diventano forma.* (Buren fu perseguito dalla polizia svizzera per affissione illegale delle sue strisce di carta in vari luoghi di Berna, che era il suo contributo a una mostra a cui pensava di essere stato invitato.) Tuttavia, tre anni dopo ebbero tutti un ruolo centrale in *Documenta 5*, dove esposero opere che sarebbero state viste come modelli fondamentali dell'Arte concettuale europea e delle sue strategie di critica istituzionale.

Documenta 5 usò le sue basi istituzionali sia a livello espositivo che di catalogo per mettere in atto le dimensioni legali-amministrative dell'Arte concettuale e trasformarle in realtà operative. Il ■ catalogo (progettato da Ed Ruscha perché sembrasse un faldone amministrativo a fogli intercambiabili o un manuale di educazione tecnica con un indice a rubrica) conteneva uno dei primi saggi critici e filosofici sistematici sullo statuto di merce dell'opera d'arte (scritto dal filosofo Hans Heinz Holz) e, cosa forse ancora più importante, riproduceva il *Contratto dei diritti degli artisti*, un contratto steso dal mercante d'arte newyorchese Seth Siegelaub e dall'avvocato newyorchese Robert Projansky. Originariamente pubblicato su *Studio International* nel 1971, questo contratto permetteva agli artisti di partecipare alle decisioni riguardanti le loro opere dopo la loro vendita (partecipazione a mostre e riproduzione in cataloghi e libri) e obbligava inoltre i collezionisti a offrire agli artisti una ragionevole, per quanto minima, condivisione dell'incremento di valore delle loro opere. Ovviamente si trattava di un accordo che sarebbe stato rifiutato dalla maggior parte dei collezionisti, o astenendosi dall'acquistare opere di artisti che avevano firmato il contratto, o cercando di dissuadere gli altri dall'impegnarsi in quel progetto.

Incontri del Concettualismo

Molti fattori contribuirono a fare del 1972 l'*annus mirabilis* dell'Arte concettuale europea, culminato con il successo e la ricezione istituzionale dell'opera dei Becher, Broodthaers, Buren, ▲ Hanne Darboven (1941-2009), Hans Haacke, Palermo e Gerhard Richter **[1]**. Il primo fattore fu che il movimento politico radicale degli studenti del Sessantotto e la radicalità culturale dell'Arte concettuale entrarono in dialogo nel 1972, invece che rimanere – come era stato con *Documenta 4* nel 1968 – ingarbugliati in uno scontro polemico. Così l'opera di Broodthaers e Buren a *Documenta 5* volse alcuni degli strumenti critici del 1968 (la tradizione di critica marxista dell'ideologia della Scuola di Francoforte e le pratiche poststrutturaliste di critica semiologica e istituzionale) contro i contesti istituzionali reali del museo, dell'esposizione e del mercato.

I rapporti cambiati di questa generazione di artisti del dopoguerra nei confronti dell'eredità della cultura d'avanguardia europea costituì senza dubbio il secondo fattore. Una particolare tensione emerse dalla ricezione simultanea non solo delle pratiche recentemente scoperte delle forme più avanzate di astrattismo europeo (Costruttivismo, Suprematismo e De Stijl), ma anche del • Minimalismo americano: le due pratiche vennero formalmente fuse e divennero operative nell'opera di Buren, Darboven, Haacke **[2]** e Palermo.

In terzo luogo, tutti questi artisti contestarono le posizioni ■ dominanti di Joseph Beuys in Germania e Yves Klein e nuoveaux réalistes a Parigi (e Düsseldorf). All'inizio degli anni Sessanta Beuys, Klein e i nouveaux réalistes avevano sviluppato un'estetica in cui la memoria e il lutto venivano inconsapevolmente messi a confronto con gli effetti della loro spettacolarizzazione. La nuova generazione di artisti riconobbe gli errori di queste posizioni, sostituendole con acume autocritico che si incentrò sulle strutture

▲ 1969 • 1968a, 1968b, 1971, 1972a ■ 1960c, 1967a, 1968b

▲ 1988 • 1915, 1917b, 1921b, 1928a, 1965 ■ 1960a, 1964a

1 • Gerhard Richter, *48 ritratti*, 1971-72
Olio su tela, ognuno 70 x 55 cm

di potere sociale e politico che governano la produzione e ricezione della cultura nel loro tempo. In questo modo, dal momento che gli artisti più giovani avevano già ingaggiato un esplicito dialogo con l'arte americana della prima metà degli anni Sessanta, in particolare con la Pop art (nei casi di Broodthaers e Richter, per esempio) e il Minimalismo (Buren, Darboven, Haacke e Palermo erano interessati soprattutto all'opera di Sol LeWitt, Carl Andre e Robert Ryman), erano del tutto pronti a confrontarsi con le recenti versioni di un'estetica concettuale articolate per la prima volta dagli artisti intorno a Seth Siegelaub a New York nel 1968 (Robert Barry, Douglas Huebler, Joseph Kosuth e Lawrence Weiner). Inoltre in tutte le risposte europee al Concettualismo, anche nelle loro versioni più esoteriche ed ermetiche (come quella di Darboven), una delle principali differenze dall'Arte concettuale anglo-americana fu una dimensione di riflessione storica che apparve inestricabilmente intrecciata all'autoriflessione neopositivista concettuale sulle condizioni epistemologiche e semiotiche del proprio linguaggio.

2 • Hans Haacke, *Profili di visitatori di Documenta*, 1972
Installazione con partecipazione del pubblico

▲ 1960c, 1962d, 1964b ● 1962c, 1994b ■ 1957b ◆ 1968b, 1984a

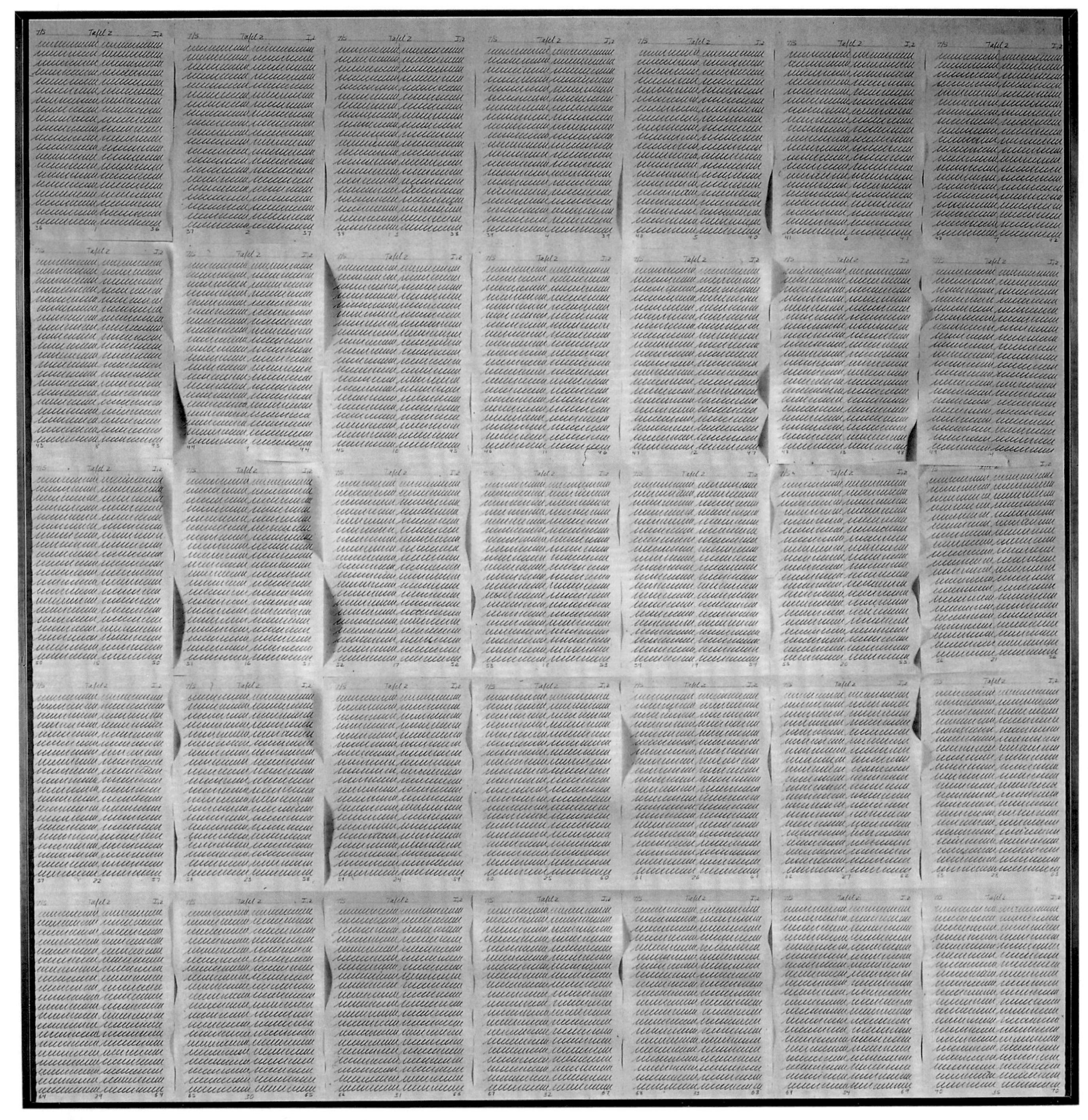

3 • Hanne Darboven, *Sette pannelli e un indice*, 1973 (dettaglio)
Grafite su carta, ogni pannello 177,8 x 177,8 cm, l'indice 106 x 176 cm

Si potrebbe sostenere che l'opera di Darboven **[3]** derivi in ▲ qualche modo dal suo primo incontro con il Cinetismo (rappresentato dall'opera di Almir Mavignier [nato nel 1925], suo insegnante all'Accademia di Belle Arti di Amburgo, e dal suo tentativo di innovare l'astrattismo del dopoguerra meccanizzando e digitalizzando le permutazioni e operazioni casuali). Il secondo incontro formativo per Darboven fu la sua amicizia con Sol LeWitt durante i tre anni passati a New York dal 1966 al 1968. La traiettoria di Darboven sintetizzò le opposizioni tra l'infinità della proliferazione spazio-temporale e i processi di quantificazione digitalizzata, la dialettica di operazioni determinate matematicamente con un nuovo tipo di disegno sconfinante nell'ordine ripetitivo della scrittura. In questo modo fuse l'ordine della scrittura con la performance della ripetizione compulsiva, investendo il concetto di automatismo di significati radicalmente diversi dalla ▲ definizione surrealista originaria o dalla sua versione nell'Espressionismo astratto.

• Jasper Johns e Cy Twombly avevano iniziato il processo di snaturamento del disegno a favore di quello che ripeteva un grafema più o meno fisso o si avvicinava alla condizione della

▲ 1955b

▲ 1924, 1947b ● 1953, 1958, 1962d

scrittura (introdotta nel dopoguerra come struttura dialettica di vuoto somatico e libidinale e di emancipazione dal mito). Una volta che gli elementi della rappresentazione iconica (la linea figurativa, il volume, il chiaroscuro...) sono stati completamente spogliati del rapporto mimetico con la natura, l'ordine del linguaggio e l'enumerazione iterativa (in Johns) apparve come una dissezione del corpo del disegno stesso, come l'emergere del suo scheletro sociale di inesorabili costrizioni.

Anche l'opera di Darboven traccia questo processo ancor più in dettaglio ed esaspera la qualificazione temporale della sua produzione. In tal modo iscrive il disegno mimeticamente all'interno di un'organizzazione avanzata in cui l'esperienza è sempre più governata da una proliferazione infinita di regole amministrative e operazioni che impediscono al disegno di apparire come una messa in atto esemplare dell'accesso immediato del soggetto all'esperienza psicosomatica o spirituale. Darboven registra questi pattern regolativi delle forme collettive di esperienza spazio-temporale e identifica la ripetizione automatica di un'infinità di atti esternamente identici come matrice microscopica del disegno stesso.

Questa infinità di possibilità (di permutazioni, di processi, di quantità) è al centro anche del Concettualismo. Il limite a cui giunse questo modello delle pratiche europee d'Arte concettuale fu evidenziato dal contributo di Hans Haacke a *Documenta 5*, quando installò la terza versione della sua serie dei *Sondaggi* **[2, 4]**. Quest'opera rese dolorosamente evidente la dialettica storica dell'Arte concettuale. Da un lato offriva allo spettatore la forma più complessa di partecipazione visiva che i parametri della neoavanguardia avessero mai permesso (interrogandolo nel modo più statisticamente completo sulla sua identità sociale e geopolitica). Allo stesso tempo, tuttavia, l'opera espresse l'estrema povertà delle esperienze spazio-temporali, psicologiche e percettivo-fenomenologiche valide sia per le concezioni dell'artista sia per la stima realistica delle capacità e disposizioni dello spettatore.

La sintesi di Haacke di un numero potenzialmente infinito di partecipazioni (le dimensioni e la scala dell'opera sono completamente aperti e dipendono dal numero di visitatori che decidono di partecipare alla ricerca statistica) e un numero molto limitato di fattori di sovradeterminazione globale (poiché solo una serie limitata di domande possono essere fatte nel questionario) esprime l'opposizione costitutiva dell'opera. Nella sua riduzione di ogni partecipante al tempo stesso a individuo unico e diverso, ma anche a unità statistica meramente quantificabile, l'opera di Haacke acquista la stessa intensità della funzione dell'ordine amministrativo che abbiamo visto nell'opera di Darboven.

Una dialettica simile può essere verificata nello sviluppo del lavoro di Blinky Palermo (Peter Schwarze/Heisterkamp) che – come i suoi amici Sigmar Polke e Gerhard Richter – era arrivato nella Germania dell'Ovest da quella dell'Est. La definizione dell'astrattismo di Palermo affonda nella triangolazione tra le rovine dell'astrattismo eroico dell'avanguardia d'anteguerra (Mondrian e Malevič in particolare), le radicali revisioni di questa eredità nel

4 • Hans Haacke, *Sondaggio MoMA*, 1970
Installazione con partecipazione del pubblico, due scatole di plastica trasparente, equipaggiate di contatore fotoelettrico, testo, ognuna 40 x 20 x 10 cm

dopoguerra in Europa (in particolare nell'opera del suo maestro Joseph Beuys e nella presenza di Yves Klein a Düsseldorf nel periodo in cui Palermo comincia a lavorare) e il dialogo con l'astrattismo americano del dopoguerra nei suoi modelli riduzionisti, da Ellsworth Kelly e Barnett Newman a Sol LeWitt.

Riconoscendo chiaramente che le aspirazioni spirituali e utopiche del Bauhaus e di De Stijl, del Suprematismo e del Costruttivismo costituivano ormai delle rovine storiche, Palermo comprese anche che qualsiasi tentativo di risuscitarle sarebbe inevitabilmente scaduto in parodia. Come per gli inizi radicali di Darboven, allo stesso modo Palermo emancipò l'astrattismo dal suo intreccio con il mito e l'utopia (come ancora appariva nelle mani di Beuys) e allo stesso tempo lo staccò dal suo coinvolgimento nella cultura dello spettacolo (come era stato inavvertitamente o cinicamente effettuato da Klein). Così il formalismo neopositivista ed empirico dei minimalisti americani offrì a Palermo un'energia oppositiva che gli permise di articolare

▲ 1958 ● 1968b ■ 1988 ◆ 1913, 1915, 1917a, 1944a
▲ 1960a, 1964a ● 1951, 1953, 1962c ■ 1915, 1917b, 1921b, 1923, 1928a

5 • Blinky Palermo, *Pittura da parete*, 1972
Minio rosso su cartone, 22,7 x 16,5 cm

la situazione ancor più contraddittoria dell'astrattismo del dopoguerra in Germania.

L'opera di Palermo consiste di tre tipi principali: i rilievi e gli oggetti a parete, i quadri di tessuto e i dipinti da parete. Tutti e tre riprendono, e alcuni ripetono, i problemi fondamentali dell'astrattismo del dopoguerra. Il primo gruppo (che è anche cronologicamente precedente) parte dalle forme più avanzate di riflessione sul passaggio dalla pittura da cavalletto al rilievo, come ▲ quelle incarnate da opere come *Qui I* (1950) di Barnett Newman.

Gli oggetti a parete tuttavia passano rapidamente a una riflessione più esplicita sul loro statuto simultaneo di rilievi e di elementi architettonici, paragonabile per molti versi all'opera postminimalista di Richard Tuttle. Come nei rilievi di quest'ultimo, gli *Oggetti a parete* (1965) di Palermo oscillano tra la forma organica e quella geometrica come se volessero letteralmente reincarnare l'astrattismo, contro le sue tendenze razionaliste e tecnologiche. Gli *Oggetti a parete* sembrano riflettere sulle contraddizioni tra presenza pittorica autonoma e spazio architettonico pubblico. L'intensità della loro presenza fenomenologica sembra prima di tutto compensare l'assenza di quell'orizzonte di collettività rispetto al quale l'astrattismo eroico degli anni Venti era stato in grado di definirsi. Tutte queste opposizioni sono tanto articolate nella definizione formale dei rilievi quanto generate dalle tensioni degli oggetti e non è certo un caso che in questi rilievi a parete Palermo citi spesso l'International Klein Blue di Yves Klein, modificandolo sempre leggermente ma restando all'interno del suo spettro, esponendo pubblicamente l'assurdità del tentativo di Klein di contrassegnare un colore e pretendere il copyright di una particolare tinta.

Nei quadri di tessuto di Palermo, scampoli di tessuto industriale per decoratori sono cuciti insieme in due o tre pezzi orizzontali a comporre un quadro. Riprendendo un modello ▲ sviluppato nel primo e unico quadro di Kelly fatto con i colori di tessuti industriali, intitolato *Venticinque pannelli: rosso giallo blu e bianco* del 1952, i quadri di tessuto di Palermo azzerano due elementi cruciali dall'astrattismo convenzionale: innanzitutto eliminano le ultime tracce di disegno e di fattura, dove il processo di applicazione della pittura – anche nella sua forma più ridotta di ● tintura, come per esempio nell'opera di Mark Rothko – era diventato esso stesso un elemento integrale della produzione di significato pittorico; secondariamente realizzano una snaturalizzazione del colore in esatta analogia con la snaturalizzazione del disegno nell'opera di Darboven: scelta del colore e colore stesso ora appaiono come sospesi tra il loro rapporto innato con l'ambito naturale e la loro nuova concezione di readymade prodotti commercialmente. Ma l'economicità dei materiali e il loro carattere readymade sono continuamente contrastati dalla determinazione dell'artista nel concepire gli accordi cromatici più inattesi rispetto all'estrema povertà dei suoi mezzi.

Il terzo gruppo di opere di Palermo è quello dei disegni e dipinti da parete che eseguì per la prima volta nel 1968 in occasione della mostra alla galleria Heiner Friedrich di Monaco. Senza dubbio risultanti in parte dall'attenzione di Palermo per gli sviluppi delle pratiche pittoriche e scultoree nel contesto del Mini-■ malismo (in questo caso in particolare i disegni su parete di Sol LeWitt), i disegni/dipinti da parete di Palermo trattano della dialettica tra l'ordine interno della pittura (la gerarchia figura-sfondo, la morfologia, i rapporti di colori) e la sua "contestualizzazione" nello spazio pubblico sociale.

Palermo fu uno dei primi a riconoscere che la trasposizione della pittura nello spazio architettonico non avrebbe più mantenuto le promesse che questo spostamento comportava per ◆ esempio nell'opera di El Lisickij. Nella sua installazione per *Documenta 5* posizionò il suo dipinto da parete arancio **[5]** (eseguito con minio antiruggine industriale) in un mero spazio residuale (in termini di funzione espositiva pubblica dell'architettura) e anche in quello che strutturalmente era lo spazio più funzionale (delle scale che – non previste ad uso espositivo – collegavano due piani degli spazi della mostra). I dipinti da parete di Palermo, con il loro esplicito riferirsi agli spazi estranei e trascurati, alle dimensioni funzionali e utilitarie dell'architettura e della pittura, insistono sulla loro dislocazione e sulla loro materialità industriale principalmente per contestare le nozioni di plasticità autonoma. Se si aprono allo spazio architettonico, lo fanno solo come immagine mnemonica delle promesse perdute dell'astrattismo radicale che

▲ 1951

▲ 1953, 1962d ● 1947a ■ 1994b ◆ 1926

un tempo si era impegnato nella produzione di una nuova cultura industriale collettiva.

Se l'opera di Palermo teneva ancora insieme valore d'uso e surplus pittorico e rimaneva sospesa in uno spazio ambiguo tra la superficie architettonica come supporto di plasticità pittorica e la parete espositiva come spazio istituzionale, l'installazione di Daniel Buren per *Documenta 5* portò in primo piano un approccio analitico quasi sistematico. Nella sua opera *Documenta* le pareti dell'esposizione furono trattate come puri supporti dell'informazione, come luoghi discorsivi. L'opera consisteva nell'inserimento di strisce di carta bianco su bianco sotto un gruppo di oggetti estremamente diversi (come una *Bandiera* [1954] di Jasper Johns, la base di un modello architettonico di Will Insley o manifesti pubblicitari contemporanei) lungo vari segmenti della vasta e complessa esposizione. In questo modo gli elementi dell'installazione di Buren funzionarono primariamente come marcatori della condizione discorsiva dell'istituzione, della mostra e della sua architettura.

Inevitabilmente le strisce bianco su bianco richiamarono paragoni con la lunga storia degli esempi in cui il riduzionismo ha rarefatto la pittura ai livelli più sottili della differenziazione percettiva e fenomenologica. Inoltre diventò subito chiaro che l'opera bianco su bianco di Buren probabilmente aveva a che fare sia con il famoso culmine del riduzionismo suprematista di Malevič e con le forme più avanzate di pittura riduzionista estremamente differenziata dei primi anni Sessanta di Robert Ryman, sia con una concezione della spazialità e visualità da cui la pura plasticità era sparita. Questa evacuazione concettuale faceva posto a un'analisi discorsiva e a una critica istituzionale degli usi dello spazio in una società dominata dall'amministrazione, dove la differenza tra due bianchi derivava più da due tipi di carta o di strati di pittura murale che dalla previsione di due spiritualità diverse.

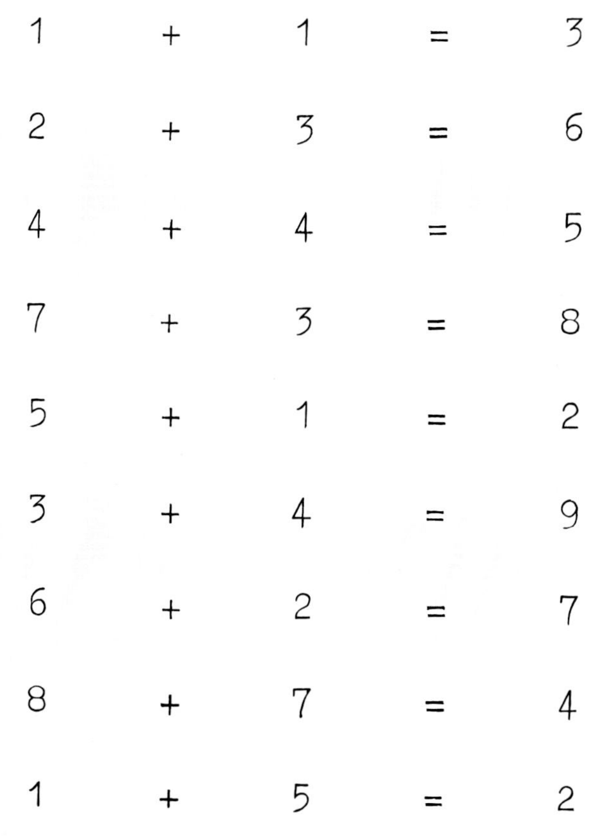

Se l'opera di questi artisti sembra rimpiangere il perduto potenziale utopico delle pratiche d'avanguardia e delle aspirazioni dell'astrattismo a funzioni emancipative e progressiste, l'opera di Sigmar Polke assume per contrasto una posizione di ironia romantica. Non vanno dimenticate le tragiche perdite con cui la cultura del dopoguerra doveva fare i conti. Le parodie di Polke della pittura astratta alla fine incorporarono anche l'impulso concettuale al riduzionismo linguistico, come nella serie delle *Soluzioni* **[6]**. In questo modo, sia il fallimento storico dell'astrattismo sia l'assurdità attuale delle sue promesse radicali diventarono il bersaglio dello humour sardonico e allegorico di Polke.

Ciò che l'opera di questa generazione di artisti riconosceva – e a cui di conseguenza rispondeva – era il fatto che gli spazi e le pareti del "cubo bianco" erano permeate di una rete di poteri istituzionali e di interessi economici che erano stati rimossi dalla neutralità di uno spazio fenomenologico in cui il soggetto costituirebbe la propria libertà nei suoi atti di pura percezione. All'epoca può essere parso difficile riconoscere che la radicalità enfatica dell'opera fosse rafforzata da un quasi etereo rifiuto di quelli che potevano tradizionalmente essere visti come i compiti dell'estetica. Così si poteva sostenere che Buren, Darboven, Haacke, Palermo e Polke operavano all'interno di una forma altamente contraddittoria, per non dire aporetica, di modernismo malinconico, che cercava di redimere l'utopismo radicale dell'astrattismo avanguardista, piangendo sul luogo della sua devastazione irreversibile. Ma nella stessa misura in cui la loro opera cede la propria organizzazione strutturale e formale nel suo complesso ai principi dominanti dell'amministrazione sociale, nell'apparenza stessa di un'affermazione della totalità di questi principi come uniche forme valide che realmente strutturano l'esperienza, l'estetica, nella sua radicale negazione, raggiunge un'imprevista trascendenza. BB

6 • Sigmar Polke, *Soluzione V*, 1967
Lacca su tela, 150 x 125 cm

ULTERIORI LETTURE:

Vivian Bobka, *Hanne Darboven*, Dia Center for the Arts, New York 1996

Brigid Doherty e Peter Nisbet (a cura di), *Hanne Darboven's Explorations of Time, History and Contemporary Society*, Busch Reisinger Museum, Harvard University Art Museums, Cambridge (Mass.) 1999

Gloria Moure (a cura di), *Blinky Palermo*, Museu d'Art Contemporani, Barcelona, e Serpentine Gallery, London 2003

Harald Szeemann (a cura di), *Documenta V: Befragung der Realität–Bildwelten Heute*, Bertelsmann Verlag/Documenta, Kassel 1972

David Thistlewood (a cura di), *Joseph Beuys: Diverging Critiques*, Liverpool University Press/Tate Gallery, Liverpool 1995

David Thistlewood (a cura di), *Sigmar Polke: Back to Postmodernity*, Liverpool University Press/Tate Gallery, Liverpool 1996

▲ 1958 ● 1915 ▲ 1957b

1972c

Esce *Imparare da Las Vegas*: ispirati da Las Vegas e dalla Pop art, gli architetti Robert Venturi e Denise Scott Brown si astengono dalla "papera", o edificio come forma scultorea, a favore dello "shed decorato", in cui i simboli pop sono messi in primo piano, impostando così i termini stilistici del design postmoderno.

Automaticamente associamo il termine "pop" all'arte come alla musica e alla moda; raramente all'architettura, eppure il pop fu una questione ricorrente nei dibattiti di architettura del dopoguerra. L'idea stessa di Pop art – cioè di un coinvolgimento artistico con la cultura di massa come era stata trasformata dal capitalismo consumista – fu dapprima lanciata nei primi anni Cinquanta dall'Independent Group a Londra, un eterogeneo collettivo di giovani artisti e critici tra cui Richard Hamilton e Lawrence Alloway, che erano guidati da giovani architetti e storici dell'architettura come Alison e Peter Smithson e Reyner Banham. Elaborata dagli artisti americani del decennio seguente, l'idea di pop venne portata anche nel dibattito architettonico alla fine degli anni Sessanta e primi Settanta, soprattutto da Robert Venturi (nato nel 1925) e Denise Scott Brown (nata nel 1931), dove finì col servire come supporto discorsivo per il design postmoderno non solo di questo team di moglie-e-marito ma anche di Philip Johnson (1906-2005), Michael Graves (nato nel 1934), Charles W. Moore (1925-93), Robert Stern (nato nel 1939) e altri negli anni Ottanta, tutti caratterizzati da immagini in qualche modo commerciali o classiche o entrambe. La precondizione primaria del pop in generale fu una graduale riconfigurazione dell'ambiente costruito, richiesto dal capitalismo consumista, in cui struttura, superficie e simbolo erano combinati in modi nuovi. Questo spazio misto è ancora con noi, e così persiste una dimensione pop anche nell'architettura contemporanea.

All'inizio degli anni Cinquanta la Gran Bretagna era rimasta in uno stato di austerità economica che faceva apparire il nuovo mondo consumistico seducente per i suoi emergenti artisti pop, mentre un decennio dopo questo paesaggio era già una seconda natura per gli artisti americani. Comune a entrambi i gruppi, comunque, fu il senso che il consumismo aveva alterato la natura stessa dell'apparenza, e la Pop art trovò il suo principale soggetto in questa accresciuta visualità di un mondo di prodotti e di celebrità in esposizione (di prodotti come celebrità e viceversa). La superficialità delle immagini e la serialità degli oggetti nel capitalismo consumista influenzarono l'architettura e l'urbanizzazione oltre che la pittura e la scultura. In accordo con questo, in *Architettura della prima età della macchina* (1960) Banham immaginò un'architettura pop come radicale aggiornamento del design moderno con le nuove tecnologie della "seconda età della macchina", in cui la "figurabilità" diventò il criterio primario. Dodici anni dopo in *Imparare da Las Vegas* (1972) Robert Venturi e Denise Scott Brown, insieme al loro associato Steven Izenour (1940-2001), patrocinarono un'architettura pop che faceva tornare questa figurabilità nell'ambiente costruito da cui era nata. Per Venturi e Scott Brown, però, questa figurabilità era più commerciale che tecnologica, ed era avanzata non per aggiornare ma per sostituire il design moderno. Fu qui, poi, che gli aspetti della Pop art cominciarono a venire rimodellati in termini di architettura postmoderna. In qualche modo la prima età del pop può essere incorniciata da questi due momenti – tra la riconversione dell'architettura moderna raccomandata da Banham da un lato e la fondazione dell'architettura postmoderna preparata da Venturi e Scott Brown dall'altro – ma questa connessione ebbe anche una vita ulteriore che si estende fino al presente.

Il business dell'immagine

Nel novembre del 1956, pochi mesi dopo che la mostra *Questo è il domani* a Londra aveva portato l'idea pop all'attenzione pubblica, Alison e Peter Smithson pubblicarono un breve saggio intitolato *Ma oggi collezioniamo pubblicità*, che includeva questo breve poema in prosa: "[Walter] Gropius ha scritto un libro sui silos di frumento, Le Corbusier uno sugli aeroplani e Charlotte Perriand ha portato in ufficio un nuovo oggetto ogni mattina; ma oggi noi collezioniamo pubblicità". Il tono qui è polemico: loro, i vecchi protagonisti del design moderno, erano partiti dagli oggetti funzionali, mentre noi, i nuovi celebranti della cultura pop, guardiamo all'"oggetto gettato via e alla confezione pop" come fonte di ispirazione. Questo si faceva in parte per piacere in parte per disperazione: "Oggi siamo stati tagliati fuori dal nostro ruolo tradizionale [di creatori di forme] nel nuovo fenomeno delle arti popolari: la pubblicità", proseguivano gli Smithson. "Dobbiamo in qualche modo prendere la misura di questo intervento se vogliamo uguagliare il suo potere e offrire impulsi con il nostro". Questo brivido ansioso guidò l'intero Independent Group e le menti dell'architettura dettarono il modo.

"Siamo già entrati nella seconda età della macchina", scriveva Banham quattro anni dopo in *Teoria e design*, "e possiamo guar-

▲ 1956, 1960c, 1962 ● 1956 ■ 1977a, 1984b

▲ 1956

dare indietro alla prima come a un periodo del passato". In questo determinante studio, concepito all'apogeo dell'Independent Group, l'autore insisteva anche sulla distanza storica dai maestri moderni. Banham sfidava gli assunti funzionalisti e razionalisti di queste figure – cioè che la forma deve seguire la funzione o la tecnica o entrambe – e recuperava altri imperativi da loro trascurati. Così facendo, difendeva un'immagine futurista della tecnologia in termini espressionisti – in forme che erano spesso scultoree e talvolta gestuali – come primo scopo del design avanzato non solo nella prima età della macchina ma anche nella seconda, che può essere chiamata anche prima età pop. Lungi dall'essere accademica, la sua revisione delle priorità architettoniche reclamava anche una "estetica dell'espandibilità", già proposta dal Futurismo, per questa età pop, in cui "standard legati alla permanenza" non erano più così rilevanti. Più di ogni altra figura, Banham spostò il dibattito sul design da una sintassi modernista di forme astratte a un idioma pop di immagini mediali. Per poter esprimere adeguatamente questo mondo – dove i sogni degli austeri anni Cinquanta stavano per diventare i prodotti dei consumistici anni Sessanta – l'architettura doveva "eguagliare il design del consumabile nella performance funzionale ed estetica": doveva diventare pop.

Che cosa significava questo in pratica? Inizialmente Banham difese l'architettura brutalista rappresentata dagli Smithson e da James Stirling, che spingeva materiali grezzi e strutture esposte a un'estrema "crudeltà". "Il Brutalismo cerca di far fronte a una società caratterizzata dalla produzione di massa", scrivevano gli Smithson nel 1957, "e di estrarre una poesia grezza dalle forze confuse e potenti in atto". Questa insistenza sul "come trovato" (un termine coniato da loro) suona pop, ma la "poesia" del Brutalismo era troppo "grezza" per servire a lungo come stile rappresentativo dell'eleganza dell'età pop e, quando gli Swinging Sixties si manifestarono a Londra, Banham guardò ai giovani architetti di Archigram – Warren Chalk, Peter Cook, Dennis Crompton, David Greene, Ron Herron e Michael Webb – per portare avanti il progetto pop di figurabilità ed espandibilità. Secondo Banham, Archigram (che prese il nome dalle parole "ARCHItettura" e "teleGRAMma" e fu attivo tra il 1961 e il 1976) prese "la capsula, il razzo, il batiscopio, lo Zypark [e] l'handy-pak" come suoi modelli e celebrò la tecnologia come una "ricca messe visivamente selvaggia di tubature e canne fumarie e cavi e condutture". Influenzato dal designer e inventore americano Buckminster Fuller, i suoi progetti possono apparire funzionalisti – *La città connessa* (1964) proponeva un'immensa struttura in cui le parti possono essere scambiate secondo la necessità o il desiderio **[1]** – ma, alla fine, con i suoi "angoli arrotondati, i colori nuovi, gioiosi, sintetici [e] i suoi materiali pop", Archigram era "nel business dell'immagine" e i suoi schemi rispondevano soprattutto alla fantasia. Come il Fun Palace (1961-67) concepito dal collega architetto inglese Cedric Price per il Theatre Workshop di Joan Littlewood, *La città connessa* offriva "a un mondo affamato di immagini una nuova visione della città del futuro, una città di componenti [...] inseriti in reti e griglie" (ancora Banham). Ma, diversamente dal progetto di Price che semplicemente non fu realizzato, quasi tutti gli schemi di Archigram erano propriamente irrealizzabili (talvolta sembravano come megastrutture robotiche impazzite).

La papera e lo shed decorato

Banham considerava imperativo che il design pop non solo esprimesse le tecnologie contemporanee, ma che le elaborasse anche in nuovi modi di vivere. Sta qui la grande differenza tra Banham e Venturi e Scott Brown. Se Banham cercava di aggiornare l'imperativo espressionista della pratica formale moderna di fronte a un impegno futurista per la tecnologia moderna, Venturi e Scott Brown evitarono sia le tendenze espressive sia quelle tecnofile, opponendosi ad ogni prolungamento del movimento moderno lungo queste linee. Per Banham l'architettura contemporanea non era abbastanza moderna, mentre per Venturi e Scott Brown era diventata slegata sia dalla società che dalla storia precisamente a

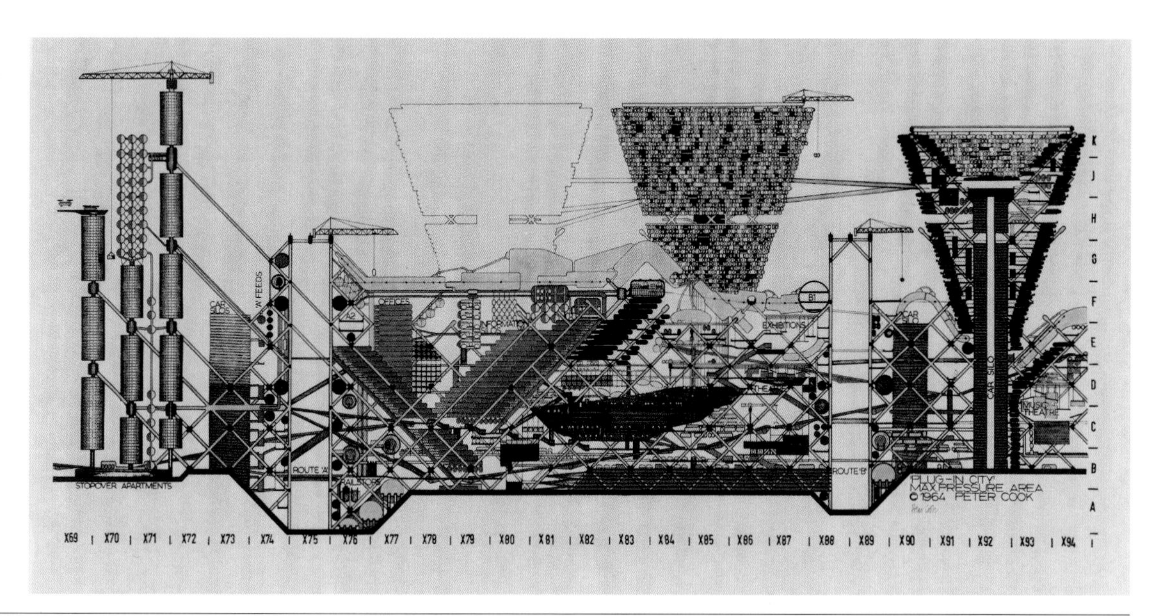

1 • Archigram, *La città connessa*, 1962-64 (progetto), 1964 (sezione)
Inchiostro e gouache su stampa fotomeccanica, 83,5 × 146,5 cm

causa del suo impegno per una modernità che era troppo astratta e amnesica. Secondo Venturi e Scott Brown il design moderno mancava di "inclusione e allusione" – inclusione di gusto popolare e allusione alla tradizione architettonica – una mancanza che scaturiva soprattutto dal suo rifiuto del "simbolismo" ornamentale a favore dell'"espressionismo" formale. Per aggiustare tale difetto, in *Imparare da Las Vegas* sostenevano il paradigma moderno della "papera", in cui la forma esprime l'edificio quasi scultoriamente, doveva cedere al modello postmoderno dello "shed decorato", un edificio con "una facciata retorica e un retro convenzionale" dove "spazio e struttura sono direttamente al servizio del programma, e la decorazione è applicata indipendentemente da questi". "La papera è un particolare edificio che *è* simbolo", scrivono in una famosa definizione; "lo shed decorato è una struttura convenzionale che *applica* simboli" **[2]**.

Venturi e Scott Brown sostengono anche la figurabilità pop: "Siamo giunti a considerare l'architettura commerciale dello sprawl urbano, tutto in funzione dell'automobile, quale fonte d'ispirazione per un'architettura di significato, civica e residenziale, oggi vitale, così come, quarant'anni fa, è stato vitale il vocabolario industriale per un'architettura moderna dello spazio e della tecnologia industriale". Ma così facendo accettavano – non soltanto come un dato ma come un desideratum – l'identificazione del "civile" con il "commerciale", e allo stesso modo presero la strip e la periferia, comunque "brutte e ordinarie", non solo come normative ma come esemplari. "L'architettura in questo paesaggio diventa simbolo nello spazio più che forma nello spazio", dichiararono Venturi e Scott Brown. "'Grande insegna e piccolo edificio' è la regola della Route 66". Data questa regola, *Imparare da Las Vegas* poteva allora fondere il marchio aziendale con i simboli pubblici: "I familiari segni della Shell e di Gulf spiccano come fari amichevoli in un paese straniero". Poteva anche concludere che soltanto un'architettura scenografica (cioè che esibisce una facciata di segni) può creare "connessioni tra molti elementi, lontani tra loro e percepiti in rapida velocità". In questo modo Venturi e Scott Brown tradussero importanti intuizioni di questo "nuovo ordine spaziale" in spoglie affermazioni del "brutale paesaggio dell'automobile, caratterizzato da grandi distanze e alta velocità". Questo spostamento naturalizzò un paesaggio che era tutt'altro che naturale; inoltre sfruttò una condizione alienata di distrazione generale, quando raccomandarono agli architetti di progettare per "un pubblico prigioniero, piuttosto timoroso, ma parzialmente distratto, la cui visione è filtrata e diretta oltre". Come unico risultato, il vecchio motto dell'eleganza modernista in architettura coniato da Mies van der Rohe – "meno è più" – diventò un nuovo mandato di sovraccarico postmoderno in design: "meno è noioso".

Nel richiamo all'architettura a "valorizzare quello che c'è", Venturi e Scott Brown citavano la Pop art come ispirazione chiave, ▲ in particolare i libri fotografici di Ed Ruscha, come *Tutti gli edifici di Sunset Strip* (1966); in effetti la classe dove insegnarono all'Università di Yale, che portò a *Imparare da Las Vegas*, incluse una visita a Ruscha a Los Angeles. Ma la loro fu solo una comprensione parziale del pop, epurato del suo lato oscuro, come la cultura della morte e ● del disastro nell'America consumista esposta da Andy Warhol nelle sue serigrafie del 1963 di carcasse di automobili e vittime di botulismo. Ruscha avallava a fatica il nuovo paesaggio automobilistico: i suoi libri fotografici sottolineavano il suo aspetto nullo, senza presenza umana (per non parlare di interazione sociale), o documentavano il suo spazio come un terreno disegnato a griglia, o ■ entrambi. (In *Case per l'America* [1966-67] Dan Graham elaborò questo precedente in uno spirito più vicino a Ruscha di quello proposto da Venturi e Scott Brown.) Una guida più importante per *Imparare da Las Vegas* fu il costruttore Morris Lapidus, che i Venturi citarono come collega: "Le persone cercano illusioni. [...] Dove trovano questo mondo di illusioni? [...] Lo studiano a scuola? Nei musei? Durante i viaggi in Europa? Soltanto in un posto: nei film. Vanno a vedere film. L'inferno, e tutto il resto". In modo comunque ambivalente la Pop art lavorò ad esplorare questo nuovo ordine di iscrizione sociale attraverso la cultura di massa, attraverso le sue superfici di immagini e schermi mediali. Il postmodernismo preparato da Venturi e Scott Brown venne posto ampiamente al suo servizio – di fatto per aggiornare l'ambiente costruito per questo nuovo regime. Si può trovare un elemento di democrazia in questo commercialismo, o anche una traccia di critica in questo cinismo, ma che risulterebbe perlopiù una proiezione.

2 • Disegno "della papera e dello shed decorato" da Robert Venturi, Denise Scott Brown e Steven Izenour, *Imparare da Las Vegas*, 1972

▲ 1967a, 1968b ● 1960c, 1962d, 1964b ■ 1968b

3 • Michael Graves, *Comune di Portland*, 1982
Con la sua varietà di rivestimenti, colori e dettagli decorativi, questo edificio municipale della città di Portland, in Oregon, è considerato un'icona della prima architettura postmoderna

4 • Superstudio, *Monumento continuo: New New York*, 1969
Litografia, 700 × 100 cm

A questo punto il rifiuto pop dell'elitarismo diventò una manipolazione postmoderna populista. Mentre molti artisti pop praticarono un "ironismo di affermazione" – un atteggiamento ▲ ispirato da Marcel Duchamp che Richard Hamilton una volta definì come un "particolare mix di riverenza e di cinismo" – la maggior parte degli architetti postmoderni praticò un'affermazione di ironia o, come scrivono Venturi e Scott Brown in *Imparare da Las Vegas*: "L'ironia può essere uno strumento con il quale mettere a confronto e combinare valori divergenti in architettura per una società pluralista". In principio questa strategia suona adatta nella pratica, tuttavia il "doppio funzionamento" del design postmoderno – "allusione" alla tradizione architettonica per gli iniziati, "inclusione" dell'iconografia commerciale per tutti gli altri – servì come doppio codice di segnali culturali che riaffermarono confini di classe anche quando sembrarono oltrepassarle **[3]**. Questo ingannevole populismo diventò dominante nella cultura politica solo un decennio dopo sotto Donald Reagan, come lo diventò l'equazione neoconservatrice della libertà politica e del libero mercato pure anticipati da *Imparare Las Vegas*. In questo modo il recupero della Pop art nell'architettura postmoderna costituì un'avanguardia, ma fu un'avanguardia a maggior uso della Destra. Con le immagini commerciali così restituite all'ambiente costruito da cui erano nate, il pop diventò tautologico nel postmoderno: più che una sfida alla cultura ufficiale, fu quella cultura, o almeno la sua ambientazione (come gli skyline di insegne di innumerevoli città tuttora attestano).

Anatre decorate

Ma questo racconto è troppo netto e la sua conclusione troppo definitiva. Vi furono elaborazioni alternative del design pop così in arte come in architettura, come le proposte visionarie del collettivo fiorentino Superstudio (1966-78), i bizzarri happening del gruppo Ant Farm di San Francisco-Houston (1968-78) e altri interventi di gruppi correlati in Francia e altrove. Sia Superstudio (Adolfo Natalini e Cristiano Toraldo di Francia) sia Ant Farm (Chip Lord, Doug Michels, Hudson Marquez e Curtis Schreier) furono ispirati dalla dimensione tecnologica del design pop, come si manifesta nelle cupole geodetiche di Buckminster Fuller e nelle forme gonfiabili di Archigram. Ma, trasformati dagli eventi politici associati al 1968, essi vollero anche volgere questo aspetto del pop contro la dimensione consumistica.

▲ 1914, 1956, 1966a

Nel 1968 Fuller propose una cupola imponente per il centro di Manhattan, un progetto utopico che suggeriva anche un presagio distopico di inquinamento cataclismico, e di olocausto nucleare futuro. Superstudio portò al limite questa ambiguità utopica-distopica, che è attiva anche nell'immaginario fantascientifico di Archigram: il suo *Monumento continuo* (1969), un esempio di architettura visionaria come arte concettuale, immaginava la città capitalista ripulita delle merci e riconciliata con la natura, ma al prezzo di una griglia ubiqua che, per quanto bella nella sua purezza, è mostruosa nel suo insieme **[4]**. Sempre ispirati da Fuller e Archigram, i membri di Ant Farm furono degli allegri burloni al confronto, impegnati com'erano nella controcultura della Bay Area piuttosto che in una tabula rasa. Le loro performance e i loro video, che in qualche modo combinavano spinte anticonsumiste con effetti speciali, spinsero anch'essi il design pop verso l'arte. Questo è più evidente in due operazioni famose. In *Cadillac Ranch* (1974) Ant Farm ha parzialmente bruciato dieci vecchie Cadillac, conficcate nel terreno a testa in giù come razzi capovolti, in un podere vicino a Amarillo, in Texas. E in *Incendio di media* (1975), una ripresa perversa dell'assassinio di John F. Kennedy, guidarono una Cadillac fuoriserie a piena velocità attraverso una piramide di

5 • Ant Farm, *Incendio di media*, 4 luglio 1975
Video VHS, durata 26 minuti

1970–1979

6 • Richard Rogers e Renzo Piano, *Centre Georges Pompidou*, 1971-77
Il concetto radicale di Rogers e Piano fu influenzato dalle forme aperte e dagli spazi flessibili di Cedric Price, tra cui il suo Fun Palace mai realizzato, così come dalla *Città connessa* di Archigram

1968b, 1970, 1972b

7 • Rem Koolhaas / Office for Metropolitan Architecture, *Biblioteca centrale di Seattle*, 1999-2004
L'edificio riflette l'interesse di Koolhaas per l'organizzazione dello spazio secondo l'uso e la funzione. I programmi chiave della biblioteca sono disposti su cinque piattaforme sovrapposte, mentre la sua collezione è ospitata in una "spirale di libri" che si dipana attraverso quattro piani

televisioni incendiate al Cow Palace di San Francisco **[5]**. Oggi queste opere si leggono in parte come parodie degli insegnamenti di *Imparare da Las Vegas*.

Il design pop dopo il momento classico del pop non si limitò ai concetti visionari e agli happening sensazionali. L'esempio principale può essere il famoso Centre Pompidou (1972-77), progettato dai giovani Richard Rogers e Renzo Piano nel quartiere Marais di Parigi, una struttura al tempo stesso tecnologica (o banhamiana) e populista (o venturiana) – e un po' distruttiva del tessuto urbano in cui è stata immersa **[6]**. Questi due fili maggiori del design pop sono continuati anche in altri modi; infatti possono essere individuati, anche se trasformati, in due delle grandi stelle del firmamento architettonico degli ultimi quarant'anni: Rem Koolhaas e Frank Gehry.

Formatosi all'Architectural Association di Londra alla fine degli anni Sessanta, quando vi insegnavano Chalk, Crompton e Herron, Koolhaas non ha potuto non essere influenzato da Archigram. Certamente il suo primo libro, *Delirious New York* (1978), un "manifesto reatroattivo" alla densità urbana di Manhattan che era anche una risposta alla celebrazione del disordine segnaletico suburbano in *Imparare da Las Vegas*, va oltre temi di Archigram quali "la tecnologia del fantastico". Comunque, in un modo che echeggia sia Banham sia Venturi e Scott Brown, Koolhaas ha anche trasformato una "sistematica sovrastima di ciò che esiste" nel suo personale modo di lavorare. Per esempio, nella sua biblioteca pubblica di Seattle (1999-2004), ha teatralmente rielaborato il grattacielo, la vecchia tipologia eroica di *Delirious New York*, sezionando la griglia di vetro e metallo della tipica torre moderna in cinque ampi livelli, tagliandola in sporgenze a sbalzo e sfaccettandola agli angoli come un prisma **[7]**. Il risultato è una potente immagine di diagonali e diamanti, seconda soltanto al famoso Space Needle (1962) come emblema pop di quella città.

Da parte sua Gehry sembrò trascendere l'opposizione venturiana di struttura moderna e ornamento postmoderno, papera formale e shed decorato, attraverso una combinazione delle due categorie. Dacché i nuovi programmi di computer e materiali high-tech permettevano di modellare superfici e supporti in maniera non ripetitiva, Gehry e i suoi collaboratori giunsero a privilegiare la forma dell'edificio sopra ogni altro aspetto: da qui le curve, i vortici e i grumi non euclidei che diventarono la sua firma in molta architettura degli anni Novanta e Duemila, tra le più famose quelle del Museo Guggenheim di Bilbao (1991-97) e della Walt Disney Concert Hall di Los Angeles (1987-2003). Come con la biblioteca di Koolhaas, questa combinazione di papera e shed decorato trasforma un edificio astratto in un segno pop e un logo mediale, e oggi vi è un intero branco di "anatre decorate" che combinano la caparbia monumentalità dell'architettura moderna con l'iconicità populista del design postmoderno. Le anatre decorate si presentano in una grande varietà di piumaggio, ma la logica del loro effetto è più o meno sempre la stessa. E a dispetto delle crisi finanziarie del recente passato (quella del settembre 2008 per esempio), rimangono una formula favorita da ogni entità aziendale che desideri essere percepita come un attore globale attraverso un'icona istantanea. Questa è una delle conseguenze del legame pop-postmoderno che venne realizzato per la prima volta quattro decenni fa. HF

▲ 1976 ● 2015

ULTERIORI LETTURE:

Reyner Banham, *Architettura della prima età della macchina*, trad. it. Marinotti, Milano 2005

Reyner Banham, *Architettura della seconda età della macchina. Scritti 1955-1988*, trad. it. Electa, Milano 2004

Hal Foster, *The First Pop Age: Painting and Subjectivity in the Art of Hamilton, Lichtenstein, Warhol, and Ruscha*, Princeton University Press, Princeton 2012

Rem Koolhaas, *Delirious New York. Un manifesto retroattivo per New York*, trad. it. Electa, Milano 2000

Robert Venturi, Denise Scott Brown e Steven Izenour, *Imparare da Las Vegas,* trad. it. Quodlibet, Macerata 2010

Aron Vinegar, *I Am a Monument: On "Learning from Las Vegas"*, MIT Press, Cambridge (Mass.) 2008

1973

The Kitchen Center for Video, Music and Dance apre uno spazio a New York: la Video art rivendica il proprio spazio istituzionale all'incrocio tra arte visiva e performance, televisione e cinema.

Nel 1960 il 90% delle case americane aveva una televisione; era ormai diventata il medium dominante della cultura di massa. Già allora alcuni artisti l'avevano utilizzata sia come fonte di immagini, ad esempio in alcuni progetti dell'Independent ▲ group, che come oggetto da manipolare, soprattutto negli happening, nelle performance e nelle installazioni. In particolare gli artisti fluxus, come il tedesco Wolf Vostell (1932-1998) e il coreano Nam June Paik sottoposero la televisione a diversi tipi di deformazione, quando non di distruzione, in un modo che Vostell mutuò ● dal décollage dei cartelloni pubblicitari di artisti del Nouveau réalisme come Jacques de la Villeglé e Raymond Hains.

Dal 1958 in poi Vostell produsse una serie di eventi genericamente intitolati *Décollage tv*. In uno di questi eventi, che ebbe luogo nel 1963 nella fattoria dello scultore George Segal (1924-2002), dove avvennero molti altri happening, Vostell mise un apparecchio televisivo in una cornice, l'avvolse nel filo spinato e lo sotterrò "con una finta cerimonia di sepoltura" (secondo le parole del critico e curatore John Hanhardt). Questo esempio mostra i limiti di una "critica" del genere: raramente essa si spingeva oltre il livello dello scherzo, e di frequente nell'attaccare lo spettacolo della cultura televisiva diventava a sua volta spettacolare.

Questa contraddizione compare anche in Paik, che integrava la rabbia istrionica di Vostell contro la televisione con i propri stravaganti assemblaggi di strumenti elettronici. Nel 1963 iniziò a sua ■ volta ad alterare i televisori sulla falsa riga dei "pianoforti preparati" del compositore John Cage, che Paik aveva incontrato da studente in Germania. Dopo il trasferimento a New York, di fatto, Paik divulgò la miscela di Duchamp e Zen elaborata da Cage attraverso il suo personaggio di pazzo mistico inventore di strumenti elettronici. All'inizio manipolava la sincronizzazione del televisore, poi passò semplicemente a distorcerne l'immagine con un magnete. Cominciò anche a disporre gli apparecchi in ordine sparso sul soffitto, sui letti, sovrapponendoli a forma di croce, tra le piante sul pavimento e così via. Nel suo *Tv della partecipazione* (1969), che gli spettatori potevano modificare attraverso dei microfoni collegati, Paik mise insieme video e performance. Tra i primi artisti a utilizzare il video, egli esplorò questa combinazione soprattutto in collaborazione con Charlotte Moorman (1933-1991), inventando delle apparecchiature da farle indossare o con cui farla interagire, come *Reggiseno tv per scultura vivente* (1968-69), *Specchi tv* (1971) e *Concerto per tv, violoncello e videotape* **[1]**. In quest'ultima opera Charlotte Moorman "suonava" tre monitor disposti in una forma che evocava un violoncello, sui quali apparivano delle immagini registrate tratte da performance sue e di altri e riprese in diretta dello spazio circostante. È già evidente qui la tensione tra presenza fisica e mediazione tecnologica che è alla base di molta Video art, una tensione che a detta di Paik si risolveva nell'umanizzazione, se non addirittura nell'erotizzazione, della tecnologia. Ma il suo tentativo di attenuare la differenza tra uomo e macchina finiva spesso per esacerbarla, a volte a spese della Moorman. Certamente *Reggiseno tv per scultura vivente*, in cui due telecamere puntate sulla sua faccia venivano riflesse in due specchi circolari posati sui seni, può essere interpretata più come una reificazione della donna che come un'erotizzazione della macchina.

Ossessionato dalla televisione

Molto presto nell'opera di Paik si manifestò un'altra tensione, non meno importante per molta Video art. Benché fosse portato ad attaccare la televisione, egli voleva anche realizzarla, vale a dire trasformarla da apparato di ricezione passiva in medium di interazione creativa, in cui gli spettatori potessero diventare a loro volta trasmettitori. Un'ambivalenza molto simile si riscontra nelle teorie della comunicazione dell'epoca e soprattutto negli scritti straordinariamente influenti del guru dei media, il canadese Marshall McLuhan (1911-1980). Come molti altri artisti e critici del tempo, Paik era contagiato dall'oscillazione tipica di McLuhan tra atteggiamenti mistici e paranoici nei confronti dei media, e tra visioni disfattiste del controllo tecnologico e grandiose fantasie su un "villaggio globale" di interconnessioni elettroniche (l'avvento di internet ha dato nuova linfa a entrambe le tendenze). Dopo che già altri videoartisti come Douglas Davis (1933-2014) avevano prodotto performance dal vivo via satellite, Paik organizzò i suoi happening elettronici tra luoghi distanti (come *Buongiorno Mr. Orwell*, che si svolse tra Parigi e New York il 1° gennaio 1984). Quindi, come gli attacchi di Fluxus allo spettacolo della televisione erano a volte essi stessi spettacolari, così questi tentativi di interattività riuscivano spesso solamente a unire la passività dello spettatore

▲ 1956, 1961, 1962a ● 1960a ■ 1953

1 • Nam June Paik e Charlotte Moorman, *Concerto per tv, violoncello e videotape*, 1971 Performance con monitor

della maggior parte degli eventi mediatici con la concezione privata della maggior parte delle opere d'arte.

Come per la radio, non c'era nessun elemento tecnico nella televisione che impedisse il suo sviluppo come medium che crea reciprocità tra emittente e spettatore: niente, cioè, all'infuori del suo uso da parte del capitalismo avanzato. Per questa ragione "la televisione ossessionava tutte le mostre di Video art", come ha scritto nel 1975 il poeta e critico David Antin, sia per il suo potenziale comunicativo che per il suo fallimento nell'affrontare quell'ideale. Questa critica della televisione ha assunto molte forme differenti nel corso degli anni. Negli anni Settanta andava da *La televisione libera le persone* (1973), un video-saggio didattico di Richard Serra fatto di testi scorrevoli che condannano la televisione come mezzo di propaganda, alla famosa performance *I media bruciano* (1975) degli Ant Farm (Doug Hall, Chip Lord, Doug Michels e Judy Procter) a San Francisco, uno spettacolare attacco alla cultura dello spettacolo in cui una Cadillac truccata del 1959 veniva lanciata ad alta velocità contro una pila di televisori in fiamme. Negli anni Ottanta c'era la "guerrilla televisiva" della Paper Tiger Television, un collettivo newyorkese che produceva resoconti alternativi delle notizie del momento e analisi incisive dei media commerciali per la televisione cablata (come *Nato per essere venduto: Martha Rosler legge lo strano caso del piccolo S/M* [1985], una video-performance ▲ testuale di Martha Rosler sulle politiche della maternità surrogata) e contemporaneamente installazioni a più schermi come *PM Magazine* (1982-89) di Dara Birnbaum (nata nel 1948), che manipolava il filmato dell'omonima trasmissione televisiva mettendo in mostra le nuove tecniche di fascinazione televisiva.

Come era lecito aspettarsi, la Video art aveva anche un lato tecnofilo. I suoi primi sviluppi tecnologici comprendono l'arrivo sul mercato del videotape nel 1956, del Sony Portapak nel 1965 (prima videocamera portatile, determinante presupposto materiale per la nascita della Video art), della CV Portapak reel-to-reel nel 1968 (i suoi nastri da 30 minuti diventarono il formato base di molte opere) e delle cassette a colori in 16 mm nel 1972. In quegli anni alcuni artisti furono anche attivi nella ricerca e nello sviluppo del video; Paik ad esempio disegnò nel 1970 insieme all'ingegnere elettronico giapponese Shuya Abe un sintetizzatore per la manipolazione delle immagini. In tempi più recenti alcuni artisti hanno anche contribuito, in maniera conscia o meno, alla promozione e al marketing dei video, in particolare nei casi in cui artisti tecnica- • mente sofisticati come Gary Hill e Bill Viola (entrambi nati nel 1951) hanno sfruttato elaborati software ed effetti speciali digitali nelle loro installazioni multischermo e multicanale. Un'altra prevedibile conseguenza fu la tendenza al determinismo tecnologico, di cui questa affermazione di Paik costituisce un esempio tipico: "Come la tecnica del collage ha sostituito la pittura a olio, così il tubo catodico rimpiazzerà la tela". Quindi per il video, come era avvenuto per la fotografia e per il cinema, la questione di fondo non era "Il video è arte?", ma piuttosto "In quali modi il video può trasformare l'arte, o almeno partecipare alla trasformazione del campo estetico intrapresa negli anni Sessanta e Settanta?". In cerca di risposte provvisorie, alcuni videoartisti puntarono a un pubblico e a luoghi non artistici (prima alla televisione pubblica, poi alle trasmissioni cablate), mentre altri cercarono di fare entrare il video in relazione con le questioni artistiche più avanzate. Quando The Kitchen Center for Video, Music and Dance aprì il suo nuovo spazio nel 1973, la Video art si muoveva con grande energia in questo ampio spettro di attività.

Dislocazioni e decentramenti

Nei primi tempi gli artisti potevano esplorare le nuove tecnologie ■ video rispondendo allo stesso tempo al vecchio imperativo modernista che ogni forma d'arte dovesse scoprire la sua "specificità" ontologica: in questo caso, dovevano indagare il video non come un dispositivo per registrare, ma come un medium le cui proprietà intrinseche potessero essere messe in rilievo come reale sostanza dell'opera. Dalla fine degli anni Sessanta Woody e Steina Vasulka (nati nel 1937 e nel 1940), fondatori di The Kitchen Center, hanno seguito questo doppio filone di ricerca. In un primo tempo hanno agito manipolando direttamente il segnale video e le sue forme

1972c ▲ Introduzione 2, 1984a 8 • 1998 ■ 1960b

d'onda elettronica, come in *Matrice* **[2]**, un gruppo di nove monitor in cui le forme astratte e i suoni generati da queste manipolazioni vagavano fluidamente tra le tre file di schermi. Questo genere di video può richiamare alla mente la fotografia "senza obbiettivo" ▲ degli anni Venti e Trenta, come i "fotogrammi" di László Moholy-Nagy e altri, ma è più affine nello spirito al cinema strutturale del ● canadese Michael Snow (nato nel 1929), di Hollis Frampton (1936-84), di Paul Sharits (1923-91) e di altri, che avevano anticipato le caratteristiche dei film degli anni Sessanta e Settanta. "Il medium ■ era il contenuto", commentava Viola a proposito della Video art del tempo, "in un certo qual modo come il film strutturale". Ma la materialità del video sembrava più difficile da specificare rispetto alla pellicola vergine o agli effetti di sfarfallio, e il suo linguaggio formale più difficile da articolare rispetto al montaggio cinematografico. A differenza del cinema, il video può anche essere un medium istantaneo, un circuito chiuso di telecamera e monitor in cui la produzione dell'immagine è simultanea alla sua trasmissione. Adattando il titolo di un'opera video di Gary Hill, il video appariva incastrato, dal punto di vista ontologico, "tra il cinema e uno spazio duro", quello della televisione. Per giunta, come ha scritto Rosalind Krauss nel suo saggio *Video: L'estetica del narcisismo* (1976), "il rispecchiamento del feedback assoluto è un processo di messa tra parentesi dell'oggetto. Ecco perché sembra inappropriato parlare di un medium fisico in relazione al video".

Ma l'apparente immediatezza del video lo rendeva anche attraente, specialmente agli occhi degli artisti che praticavano l'Arte ◆ processuale e la performance. Insoddisfatti delle definizioni basate sul medium, questi artisti volevano inventare nuovi spazi e supporti per l'arte che fossero sempre più diretti e presenti. Dopo il Minimalismo il video assunse un ruolo sempre più rilevante in questo "campo allargato" dell'arte, dove veniva in parte utilizzato come una continuazione dell'Arte processuale e della performance con altri mezzi: quindi alcuni tra i più importanti artisti che praticavano queste forme d'arte – come Serra, Bruce Nauman, Lynda Benglis, Joan Jonas (nata nel 1936), Vito Acconci (nato nel 1940) e altri – sperimentarono anche con il video. In quanto estensioni della scultura, l'Arte processuale e la performance implicavano il corpo sia come materia che come movimento, e il video appariva un mezzo adatto a registrare tanto le manipolazioni fisiche che il moto; per certi versi sembrava quasi essere di stimolo a questo genere di cose. Essendo qualcosa di più che un altro oggetto da manipolare, quindi, il video diventò a sua volta uno spazio della performance, dove spesso anche lo spettatore era invitato (o costretto) a partecipare. Ma il desiderio di immediatezza che guidava la performance e l'Arte processuale andò a sbattere contro la realtà della mediazione nel video, cioè contro il fatto che il video resta un medium basato sul tempo e sulla tecnologia, non è mai istantaneo o immediato come appare, e in esso artista e spettatore non sono mai presenti o trasparenti l'uno all'altro.

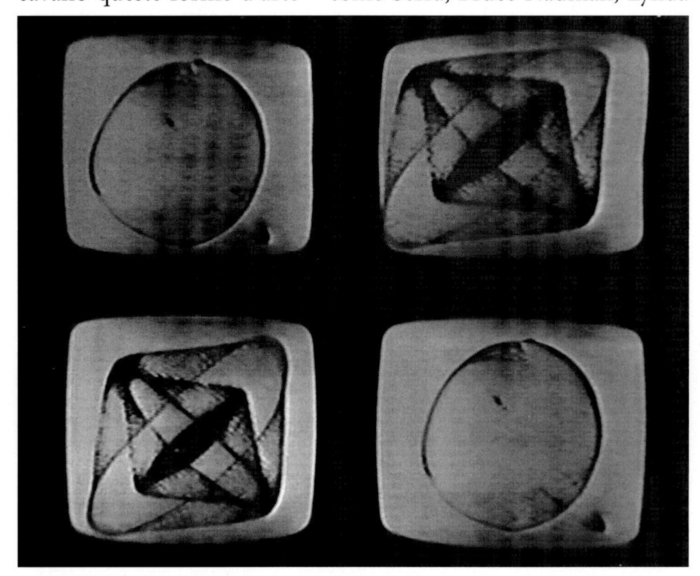

2 • Steina e Woody Vasulka, *Matrice*, 1978 (dettaglio)
Videotape, 28 minuti e 50 secondi

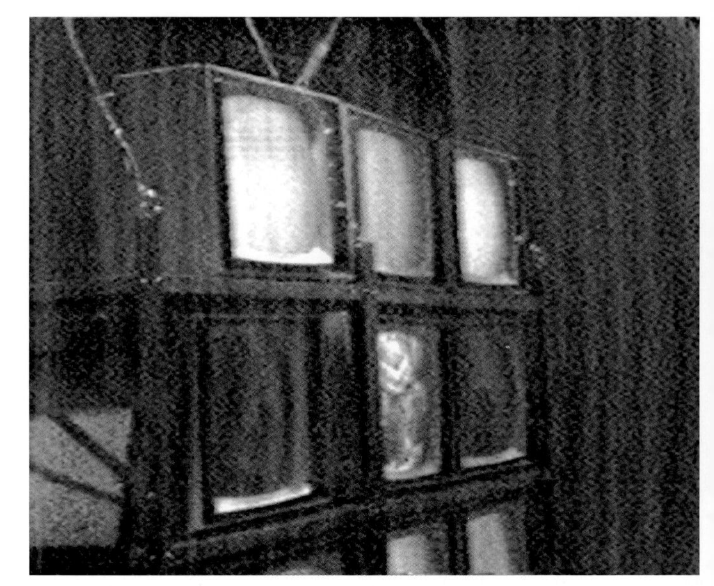

3 • Frank Gillette e Ira Schneider, *Ciclo della tendina*, 1969 (dettaglio)
Installazione interattiva a nove schermi

Molto presto, comunque, alcuni artisti trasformarono questa mediazione in virtù, ponendo come soggetto principale dell'opera video la distanza tra l'io e le sue immagini, e spesso anche tra l'artista e il pubblico. A questo scopo venivano utilizzati modi teatralmente ▲ aggressivi, come nelle performance videoregistrate di Acconci, o mezzi formalmente semplici, come l'uso del ritardo nella trasmissione dell'immagine e/o del suono. Per esempio, in *Ciclo della tendina* **[3]** di Frank Gillette (nato nel 1941) e Ira Schneider (nata nel 1939), che fu presentato a New York durante la fondamentale mostra *La televisione come medium creativo*, un gruppo di nove monitor mostrava delle trasmissioni televisive, dei materiali preregistrati e delle immagini a circuito chiuso dell'entrata della galleria, sia in simultanea che in ritardo di otto e sedici secondi. Ogni spettatore doveva stabilire i diversi punti spazio-temporali di queste immagini, comprese quelle del passato immediato: un processo di dis-orientamento ulteriormente complicato dalla rotazione delle immagini da un monitor all'altro. Questo decentramento spaziale poteva anche essere effettuato senza utilizzare il ritardo della trasmissione, come nel caso dei vari *Corridoi* di Nauman degli anni Sessanta e Settanta

▲ 1929 ● 1962c ■ 1998 ◆ 1969, 1974

▲ 1974

4 • Bruce Nauman, *Corridoio (Installazione da Nick Wilder)*, 1970 (dettaglio). Pannelli, tre videocamere, scanner e supporti, cinque monitor, videoregistratore, videocassetta (b/n, muta), dimensioni variabili, 335,3 x 1219,2 x 914,4 cm in tutto nell'installazione alla galleria Nick Wilder di Los Angeles

[4]. Si entrava in un corridoio lungo e stretto; posizionata dietro lo spettatore in alto c'era una videocamera puntata in basso nella direzione del corridoio, in fondo al quale, per terra, era posato un monitor che trasmetteva l'immagine ripresa dalla videocamera. Guardando il monitor lo spettatore vedeva la propria immagine di schiena e, cosa più inquietante, avvicinandosi al monitor osservava la propria figura allontanarsi: pur sentendosi più grande a mano a mano che il monitor si avvicinava, era costretto a vedersi sempre più piccolo. Veniva così prodotta una doppia dislocazione tra azione e immagine e tra corpo percepiente e corpo percepito.

L'impossibilità di un puro presente

All'inizio degli anni Settanta molti artisti avevano assunto queste dislocazioni spaziali e decentramenti soggettivi come se fossero insiti nella Video art; alcuni tentavano di superarli, mentre altri puntavano a potenziarli. Per esempio, nei suoi "campi video" di videocamere e schermi posizionati in maniera disgiunta, Peter Campus (nato nel 1937) sfidò i suoi spettatori a "coordinare la percezione diretta e quella derivata". Nel frattempo Dan Graham nei suoi progetti video, che spesso comprendevano pannelli riflettenti e/o trasparenti montati davanti al pubblico, cercava di mettere in luce lo scoordinamento tra queste percezioni. Nel suo saggio retrospettivo *Il video in architettura* scriveva:

> *I miei video, installazioni e progetti di performance basati sul ritardo utilizzano la nozione modernista di immediatezza fenomenologica, mettendo in primo piano la consapevolezza del processo percettivo dell'osservatore; allo stesso tempo la criticano mostrando l'impossibilità di individuare un puro presente.*

Questa relazione ambivalente nei confronti dell'immediatezza modernista suggerisce che la prima Video art confinava con altri ▲ tipi di pratiche, per lo più postmoderne. Così era con la prima arte femminista, in cui artiste come Joan Jonas e Lynda Benglis utilizzavano il video per esplorare la percezione in modi che si spingevano oltre il fenomenologico in senso stretto. In questi lavori le dislocazioni spazio-temporali del video erano quasi trattate come analoghi dei decentramenti soggettivi. Per esempio, in *Lato sinistro, lato destro* [5] Jonas si faceva riprendere con uno specchio in mano tenuto in modo da biforcarle il volto. Dato che lo spettatore del video vedeva in ogni caso un'immagine invertita, diventava del tutto impossibile distinguere un lato dall'altro, tanto più che Jonas continuava a ripetere: "Questo è il mio lato sinistro, questo è il destro". Un'altra versione di questo decentramento soggettivo, che insisteva però sulla dimensione temporale, era quella di Benglis in *Adesso* (1973), in cui l'artista tentava di conformarsi fisicamente, nel tempo presente del video, a immagini preregistrate del primo piano della sua faccia. L'"adesso" di questo incontro non veniva quasi mai raggiunto, come l'incessante ripetizione sussurrata di questa parola non faceva che mettere in evidenza.

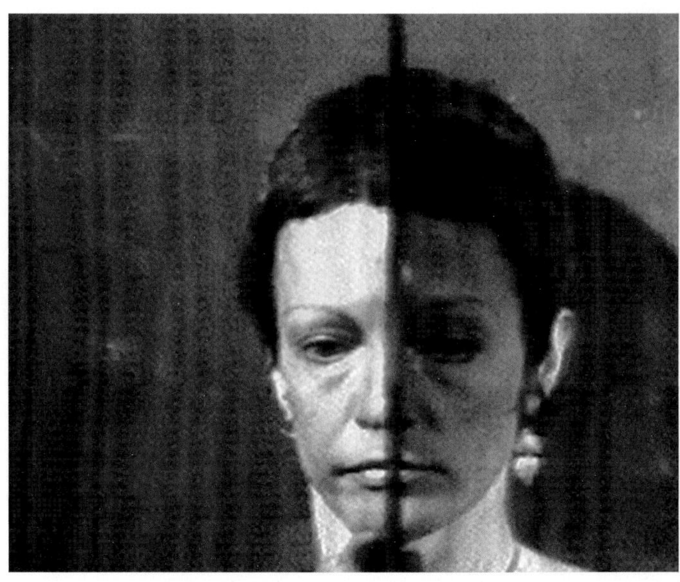

5 • Joan Jonas, *Lato sinistro, lato destro*, 1972 (dettaglio)
Videotape, 2 minuti e 39 secondi

Rosalind Krauss ha affermato che il "vero medium" del video potrebbe essere "una situazione psicologica", quella del narcisismo. Ma, come abbiamo visto in Jonas e Benglis, questa situazione narcisistica non era mai un rispecchiamento perfetto. In un certo senso era più vicino al narcisismo descritto da Jacques Lacan nel suo celeberrimo saggio *La fase dello specchio* – un genere di rispecchiamento che è sempre disturbato da una leggera mediazione, un'identificazione con l'immagine dell'io che è sempre minata da un'alienazione da questa stessa immagine ▲ come un po' aliena. A volte, specialmente con Acconci, quest'alienazione sembrava provocare un'aggressione contro l'io o le sue immagini, che era difficile distinguere da un'aggressione contro lo spettatore o il pubblico. Ma può anche darsi che essa provenisse da un altro tipo di ansia che riguardava l'interesse, forse anche l'esistenza, dello spettatore, di un qualsiasi pubblico, per cui potrebbe essere letta allegoricamente come un'indagine sullo spettatore, una ricerca di audience, una provocazione per il pubblico: in un momento in cui, essendo stati trasgrediti gli spazi e i media tradizionali, non era chiaro chi dovesse mostrarsi dove, e con quali scopi o effetti. Sotto questa luce, "l'estetica del narcisismo" di Acconci e altri rappresenta l'altra faccia dell'estetica dell'interazione di Paik e altri: da un lato, c'è la realtà dell'artista-performer che è spesso lasciato solo con il suo corpo come una sorta di sostituto del medium e surrogato dell'audience; dall'altro, c'è il sogno del video-mago che invita a essere un villaggio globale di trasmettitori-ricevitori. HF

ULTERIORI LETTURE:

Doug Hall e Sally Jo Fifer, *Illuminating Video: An Essential Guide to Video Art*, Aperture, New York 1990

John G. Hanhardt (a cura di), *Video Culture: An Investigation*, G.M. Smith Books, Layton (U.T.) 1986

Rosalind Krauss, *Video: le estetiche del narcisismo*, trad. it. in *Inventario perpetuo*, Bruno Mondadori, Milano 2011

Ira Schneider e Beryl Korot (a cura di), *Video Art: An Anthology*, Harcourt Brace Jovanovich, New York 1976

Anne M. Wagner, *Performance, Video, and the Rhetoric of Presence*, in *October*, n. 91, inverno 2000

▲ 1975a, 1977a, 1980, 1984b

▲ 1974

1974

Con *Trafitto*, in cui Chris Burden è legato a un Maggiolino Volkswagen, la performance americana raggiunge il limite estremo della presenza fisica e molti suoi adepti abbandonano, moderano o in qualche modo trasformano la sua pratica.

La performance è presente, a livello internazionale, in tutto il Novecento; nel dopoguerra è centrale nell'attività del gruppo ▲ Gutai, negli happening, nel Nouveau réalisme, in Fluxus, nell'Azionismo viennese e nel Judson Dance Theater, per nominare solo alcuni dei disparati contesti, ed esiste una dimensione performativa in molte altre pratiche. È quindi quasi impossibile dare una definizione rigorosa della performance; potrebbe essere persino inutile, perché molti di coloro che la praticavano rifiutarono poi l'etichetta una volta diventata corrente nei primi anni Settanta. In queste pagine la performance sarà limitata alla sola arte in cui il corpo "è il soggetto e l'oggetto dell'opera" (secondo la definizione di Body art fornita nel 1970 dal critico Willoughby Sharp su *Avalanche*, la più importante rivista sull'argomento) e in particolare il corpo dell'artista viene segnato o manipolato in un contesto pubblico o in un evento privato poi documentato con fotografie, filmati o videotape. Come si evince da questa descrizione, la Body art si trovava nella stessa situazione "postmediale" • del suo complemento postminimalista, l'Arte processuale; è quindi possibile porsi una domanda molto simile a quella che ci eravamo posti riguardo all'Arte processuale: la Body art rappresenta un'estensione liberatoria di materiali e segni, o indica un'ansiosa mancanza di rappresentazione del corpo, un collasso letterale della "figura" dell'arte nel "terreno" del corpo, che potrebbe di conseguenza essere considerato il fondamento primario dell'arte?

Tre modelli di Body art

Retrospettivamente molta Body art sembra avere elaborato tre modelli di performance degli anni Cinquanta e Sessanta. In primo luogo c'è la performance come *azione*, sviluppata al di fuori della pittura espressionista astratta negli happening, in Fluxus e in gruppi affini. Spesso dette "neodada", queste azioni attaccavano il decoro convenzionale delle arti, ma affermavano il gesto eroico, spesso spettacolare dell'artista (fondamentalmente maschio). Poi c'è la performance come *compito* (*task*), un modello elaborato nell'ambito del Judson Dance Theater, in cui operazioni fisiche di routine non spettacolari (ad esempio movimenti non metaforici come camminare e correre) venivano sostituite ai simbolici passi di danza. Concepita come contrapposizione protofemminista all'action performance, la task performance fu adottata dapprima da ballerine come Simone Forti, Yvonne Rainer e Trisha Brown in uno spirito di radicale egualitarismo sia sociale che sessuale. In ▲ ultimo c'è la performance come *rituale*, di cui Joseph Beuys, gli azionisti viennesi Hermann Nitsch, Otto Mühl, Günter Brus e • Rudolf Schwarzkogler e coloro che praticavano la "destruction art", come Gustav Metzger e Raphael Montanez Ortiz tra gli altri, fornirono diverse versioni. Mentre per lo più le task performance miravano a demistificare l'arte, la performance rituale agiva nel senso di una sua reimmissione nel solco del mito, quando non del sacro: il che potrebbe indicare, da una direzione diversa, la stessa

1 • Carolee Schneemann, *Occhio corpo: 36 azioni trasformative per videocamera*, 1963 Stampa alla gelatine d'argento, 27,9 x 35,6 cm

▲ 1955a, 1960a, 1961, 1962a, 1962b • 1969 ▲ 1964a • 1962b

crisi delle convenzioni artistiche. A volte questi modelli di performance si sovrapponevano, ma restavano in piedi delle differenze importanti a indicare le tre linee di sviluppo della Body art dalla metà degli anni Sessanta alla metà dei Settanta, rappresentate qui rispettivamente dalle opere cardine di Carolee Schneeman (nata nel 1939), Vito Acconci e Chris Burden (1946-2016).

Schneemann fu la prima americana a estendere nei primi anni Sessanta il modello dell'action performance alla Body art; l'uso della "carne come materiale" si spostò dagli interessi percettivi del tempo all'espressione erotica fino all'impegno politico femminista, secondo una modalità che fu presto condivisa da un'intera generazione di artiste americane e non. Da parte sua Acconci trasformò negli anni Sessanta il modello della task performance in una verifica del corpo e dell'io, dapprima in un isolamento quasi scientifico, poi in situazioni intersoggettive; in questo modo sviluppò la task performance in una Body art che era al tempo stesso un teatro dell'anima. Infine nei primi anni Settanta Burden combinò i modelli della task performance e della rituale per produrre una forma sacrificale di performance; anche se erano ▲ meno letterali, ad esempio, dell'Orgies Mysteries Theater di Nitsch, le violazioni di Burden erano tuttavia abbastanza letterali da mettere alla prova i limiti etici dell'uso artistico del corpo.

Nei suoi primi *Taccuini* (1962-63), Schneemann si occupò • delle cognizioni fenomenologiche della percezione fisica che avevano cominciato a circolare nel suo ambiente. Così l'introduzione del proprio corpo nudo nei suoi dipinti-costruzioni non era intesa come provocazione sessuale, ma piuttosto come "vitalità empatica-cinestetica". *Occhio corpo* **[1]** fu la sua prima esperienza di Body art e consistette in una serie di azioni private, documentate da fotografie, svolte in un ambiente fatto di pannelli dipinti, specchi e ombrelli: "Coperta di pittura, grasso, gesso, fili e plastica avevo stabilito il mio corpo come territorio visivo. Non solo sono una produttrice di immagini, ma esploro anche il valore d'immagine della carne come materiale". Il titolo dell'opera era programmatico: Schneemann voleva che i suoi "drammi visivi provocassero un'intensificazione di tutti i sensi contemporaneamente" e *Occhio corpo* di fatto estendeva l'"occhio" della pittura nel "corpo" della performance. Nel giro di sei mesi, comunque, la sua attenzione si spostò sull'incarnazione sessuale, grazie forse all'influenza di *Il secondo sesso* (1949) di Simone de Beauvoir, classico del femminismo, e delle teorie psicoanalitiche di Wilhelm Reich che condannavano la repressione sessuale come il più grande dei mali. Il suo pezzo successivo, *Gioia della carne* (1964), mostrava il corpo come pienamente "erotico, sessuale, desiderato, desiderante". Un gruppo di uomini e donne quasi nudi si dimenava (insieme a chiunque volesse prendervi parte) in uno scenario pieno di pittura liquida, plastica e corde, condito di pezzi di carne, pesce e pollo crudi. Il titolo sottolinea lo spostamento rispetto a *Occhio corpo*: al di là di un'estensione fenomenologica della pittura nella performance, *Gioia della carne* proponeva una riconfigurazione estatica della solitaria "carne" del corpo nella comune "gioia" del sesso.

Schneemann ha continuato a lavorare nell'ambito della Body art, della performance e dell'installazione, oltre che con la fotografia, la pellicola e il video, ma già nel 1964 aveva elaborato la seguente prospettiva: che i modelli di action performance richiedevano un'incarnazione letterale; che questa incarnazione permetteva un'affermazione erotica del corpo femminile; che questa affermazione a sua volta effettuava un'appropriazione protofemminista dei modelli di Action performance, fino ad allora dominati dagli uomini, per le donne come "produttrici di immagini"; che questa appropriazione poteva supportare ulteriori esplorazioni della sessualità femminile e della soggettività. Certo, Schneemann non era l'unica a produrre opere di questo genere. Mentre artiste come ▲ Schneemann e Kubota assumevano nuove posizioni attive nell'arte, altre come Yoko Ono mettevano l'accento sulla posizione passiva nella società cui il patriarcato ha per secoli costretto le donne. Così in *Taglio* **[2]**, una performance eseguita prima a Tokyo poi a New York, Ono invitava il pubblico a tagliare i vestiti che indossava; analogamente a un certo tipo di proteste contro la guerra di quel periodo, la vulnerabilità veniva trasformata in resistenza, perché il pubblico era costretto a confrontarsi con la propria capacità, reale o fantasmatica, di esercitare violenza. Queste alterazioni delle associazioni culturali tra modi attivi e passivi e con posizioni maschili e femminili risultarono essere un fertile topos per la Body art, femmi-

2 • Yoko Ono, *Taglio*, 21 marzo 1965
Performance alla Carnegie Recital Hall, New York

▲ 1962b • 1965 ▲ 1962a

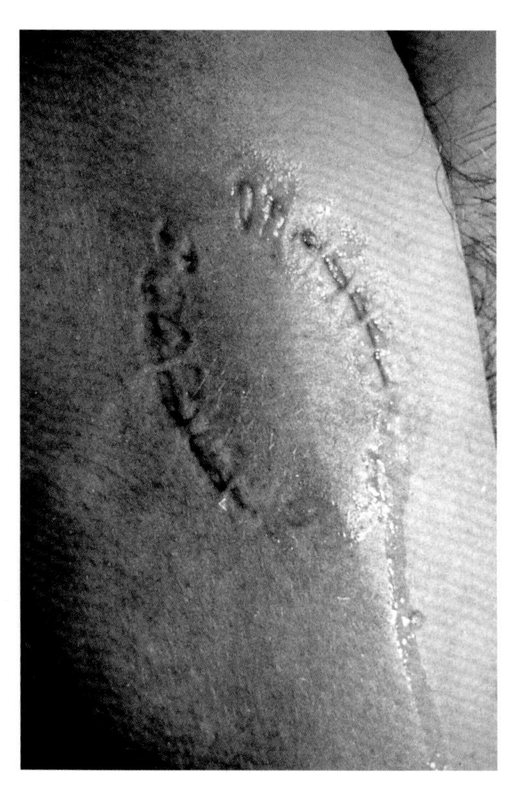

3 • Vito Acconci, *Marchi*, 1970 (dettagli)
Azione fotografata

▲ nista e non, sia per performer individuali (come Valie Export) che per quelli che agivano in coppia (Marina Abramovic e Ulay, ad esempio), ed ebbero un ruolo centrale anche per Vito Acconci.

Fiducia e violazione

Vito Acconci ha cominciato la sua carriera facendo esperimenti di poesia concreta, una modalità di scrittura che mette in primo piano la materialità del linguaggio. Dal 1969 ha iniziato a praticare la task performance, che trasformò in "performance test" documentati per un pubblico dell'arte, prima attraverso resoconti e fotografie, poi con filmati e video. Come nelle affini performance • di Bruce Nauman, Acconci sottoponeva il corpo a regole apparentemente razionali per fini apparentemente irrazionali. Per esempio in *Gradino* (1970) Acconci saliva ogni mattina su uno sgabello alto diciotto pollici nel suo appartamento al ritmo di trenta volte al minuto finché non era esausto. La sua capacità di resistenza aumentava durante il periodo della performance, ma contemporaneamente cresceva anche l'assurdità del compito. I suoi *Studi di adattamento* (1970) spingevano ulteriormente questi test verso il fallimento. Un'azione prevedeva che una palla di gomma venisse continuamente lanciata verso l'artista, che era bendato: un sistema per produrre errori. In un'altra performance l'artista spingeva ripetutamente la mano nella bocca, fino a soffocare. Queste performance mettevano alla prova i riflessi del corpo, ma soprattutto svelavano le sue banali insufficienze, fino al punto in cui una strana aggressività contro se stesso prendeva il sopravvento.

A questo punto Acconci cominciò a segnare direttamente il suo corpo: in *Marchi* **[3]** dava dei morsi alla propria carne, trasformandola in un'impronta grafica della dentatura, che veniva poi inchiostrata e stampata su carta. Si tratta di una *reductio ad absurdum* della firma autografa in arte: di primo acchito sembra un atto di assoluto autopossesso ("rivendicare ciò che è mio", ha detto), ma questo segno divide Acconci in un soggetto attivo e un oggetto passivo – un'autoalienazione approfondita dall'allusione a una polarità sadomasochista in gioco e dall'interpretazione del corpo (e forse della Body art) come "marchio" commerciale. Spinto senza dubbio dagli sviluppi del femminismo, Acconci esplorò questo farsi altro dell'io anche in termini di genere: in una serie di performance filmate dal titolo *Conversioni* (1971) tentava invano di alterare i segni della differenza sessuale, bruciando i peli "maschili", stringendosi il petto per dargli una forma "femminile", nascondendo il pene tra le cosce. Contemporaneamente rivolse il suo teatro di aggressioni verso altre persone, per mettere alla prova i confini tra i corpi, l'io e gli spazi. All'inizio le violazioni erano minime: in *Inseguimento* (1969) seguiva delle persone qualunque per strada finché entravano in uno spazio privato, mentre in *Prossimità* (1970) si metteva vicino a delle persone scelte a caso in un museo finché non si allontanavano. Poi le violazioni diventarono più insistenti: in *Rivendicazione* **[4]** Acconci, bendato, si acquattava in uno scantinato di Soho, armato di un tubo di piombo e un piede di porco, e minacciava chiunque volesse invadere il suo spazio (gli invasori erano

▲ 1962b ● 1966a, 1967a, 1973

4 • Vito Acconci, *Rivendicazione*, 1971
Performance con monitor e telecamera a circuito chiuso, tre ore

nominalmente invitati alla performance); questa relazione tra fiducia e violazione è un aspetto importante della sua opera. Nel turpe *Vivaio* (1972) infine si sistemava due volte alla settimana sotto un pavimento rialzato alla galleria Sonnabend di New York, dove spesso coinvolgeva gli spettatori nelle sue fantasie sessuali, trasmesse per mezzo di un microfono, e si masturbava.

Nell'esplorare questo genere di relazione tra sé e gli altri, il privato e il pubblico, la fiducia e la violazione, Acconci testò diversi tipi di limite – fisico e psicologico, soggettivo e sociale, sessuale ed etico – ma quando sembrarono rompersi – in una performance del 1973 che implicava una storia di seduzione, ad esempio, una ragazza del pubblico lo baciò – smise di praticare questo genere di performance. La pratica di Chris Burden, invece, era costituita proprio dal superamento di questi limiti. Il suo primo pezzo di Body art, eseguito quando era ancora uno studente all'University of California di Irvine, lo rese famoso: per la sua tesi di master si chiuse per cinque giorni in un armadietto della scuola, attaccato solo a due bottiglie d'acqua da cinque galloni, una piena sopra, una vuota sotto. La task performance era in questo caso spinta fino a un estremo di ascetismo: la Body art come esercizio spirituale senza la religione, eccetto forse per la fede richiesta al performer e agli spettatori. Questa attenuazione della performance rituale in un regime ascetico sarà poi portata avanti da performer come Marina Abramovic e Ulay o Linda Montano e Tehching Hsieh.

Come Acconci, Burden alternava queste performance semimasochiste a eventi semisadici, ma si concentrava su atti che esponevano il suo corpo a un rischio primario, come se le sue studiate irresponsabilità mettessero alla prova la responsabilità spontanea degli altri. Dei molti esempi degli anni Settanta due spiccano in modo particolare: in *Sparo* (1971) Burden si fece sparare a un braccio (venne colpito di striscio il bicipite sinistro), mentre in *Trafitto* **[5]** si fece legare con le braccia aperte come Cristo, sul cofano di un Maggiolino Volkswagen: la porta del garage si aprì, l'auto con il Burden crocifisso uscì, corse per due minuti (per rivelare le sue urla), poi rientrò nel garage e la porta si richiuse. Anche se era intrisa di ▲ parodia pop, la base ritualistica dell'opera è patente. Trafitto, Burden trafigge anche i suoi spettatori (la performance continua ad avere questo effetto mesmerico anche attraverso le fotografie), e infatti i residui delle sue azioni, come le unghie, sono spesso chiamati "reliquie". All'ambivalente atteggiamento di narcisismo e aggressività, voyeurismo ed esibizionismo, sadismo e masochismo già evocato da Acconci, Burden aggiunse un'altra dimensione ambigua, un teatro sacrificale che, come nel caso degli altri artisti che lo praticavano ● (Nitsch, Schwarzkogler o Gina Pane) toccava i confini estremi dell'arte: le sue origini rituali e i suoi limiti etici (limiti etici in due sensi: che cosa fanno gli artisti a sé e agli altri, e quando interviene lo spettatore?).

Tra il reale e il simbolico

La nostra definizione iniziale di Body art – in cui il corpo è "il soggetto e l'oggetto dell'opera" – sembra innocente al confronto. Ma questa innocenza, questa "immediatezza" della Body art sarebbe meglio non perderla: è l'elemento che attrasse coloro che la praticarono per primi e i primi spettatori e pose la Body art in linea con il principio modernista di esporre la materialità dell'arte, di perseguire un'idea di pura presenza. Ma, come abbiamo visto, la Body art non rendeva soggetto e oggetto "una sola cosa"; al contrario, la polarità veniva esasperata, e venivano stabilite anche altre opposizioni binarie: il corpo attivo o passivo, la Body art espressiva, persino libe-

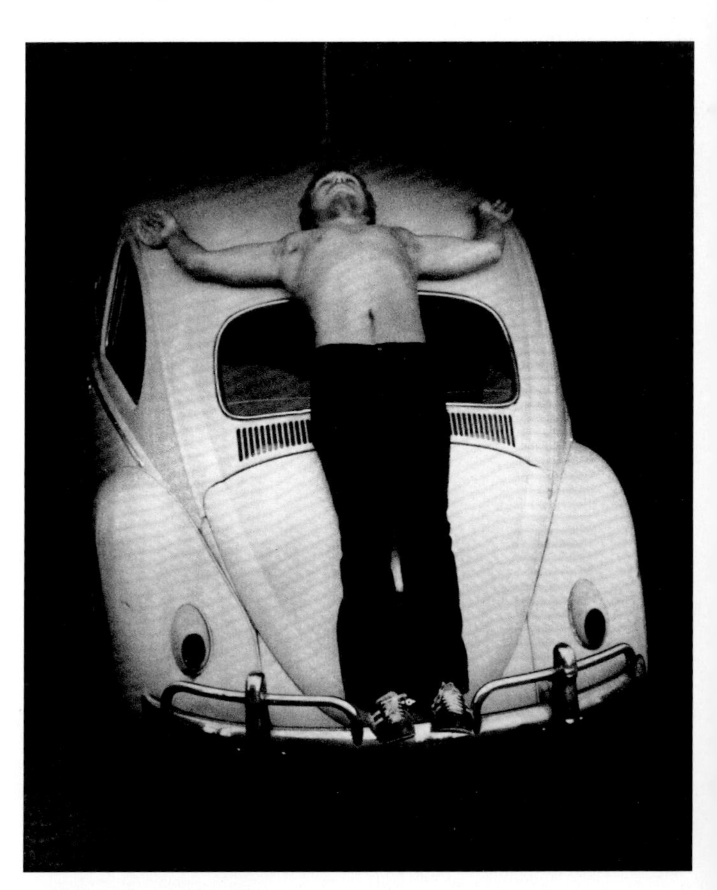

5 • Chris Burden, *Trafitto*, 1974
Performance, Venice, California

▲ 1960c, 1964b, 1972c ● 1962b

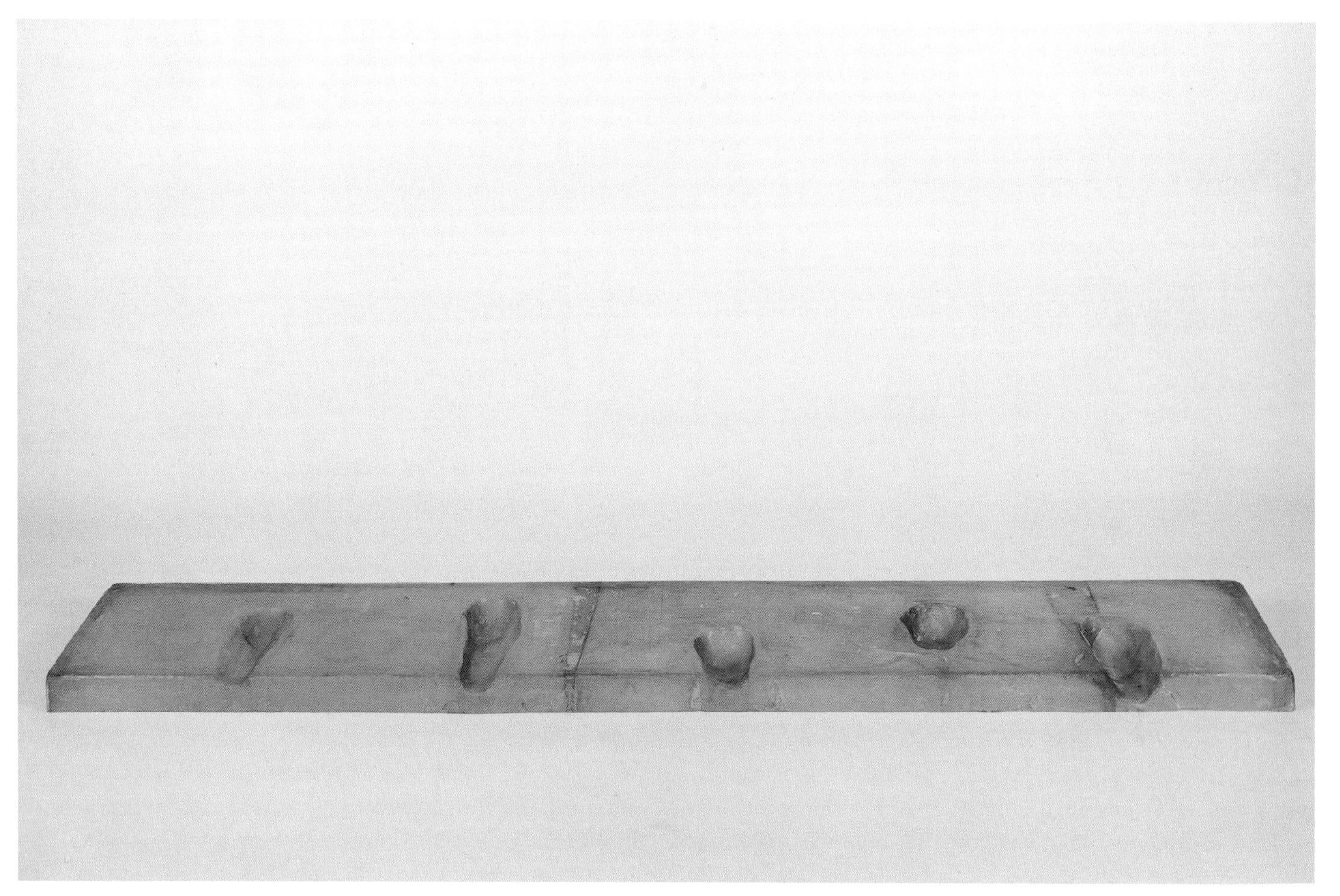

6 • Bruce Nauman, ***Impronta delle ginocchia di cinque artisti famosi*****, 1966**
Fibra di vetro, resina poliestere, 39,7 x 216,5 x 7 cm

ratoria o ritratta, quasi debilitata e così via. Ma la fondamentale ambiguità della Body art è forse questa: anche se era vista come un'arte della presenza – positivamente come una riconciliazione avanguardista di arte e vita, negativamente come un oblio nichilista della distanza estetica – era anche un modo di marcare il corpo come una rappresentazione, un segno, un campo semiotico. Forse l'essenza della Body art è il suo complicato moto di andirivieni tra presenza e rappresentazione o, più esattamente, tra un segno indicale del reale (questo braccio morsicato o colpito, ora, sotto i tuoi occhi) e la grandiosa evocazione del simbolico (evidente nella performance rituale). Ad artisti come Acconci, questa oscillazione – della rappresentazione collassata nel corpo, del corpo elevato a rappresentazione – sembrava traumatica. Per altri, come Nauman, il più ironico dell'arte postminimalista, era un'occasione per fare dei giochi sovversivi. Per esempio *Impronta delle ginocchia di cinque artisti famosi* **[6]** parodiava sia i segni indicali che le pretese rituali della Body art quasi prima che venissero alla luce: le cinque sacre impronte sono false, sono solo le sue ginocchia (e la reliquia non è neppure di cera).

Forse l'ambiguità del corpo come carne naturale e artefatto culturale è irriducibile e la Body art ci mette solamente di fronte all'ambivalenza di questa situazione. Poi complica ulteriormente questa ambiguità aggiungendone un'altra, perché non solo presenta il corpo come una cosa segnata, ma lo invoca anche come luogo psichico. Per lo più la Body art ha preceduto gli innesti psicanalitici ▲ nell'arte introdotti dal femminismo alla metà degli anni Settanta; quando i suoi modelli del soggetto non erano fenomenologici, tendevano ad essere comportamentali o sociologici. Tuttavia il suo coinvolgimento nelle relazioni soggetto-oggetto l'ha trascinata verso un astratto teatro di situazioni psicosessuali: come abbiamo visto, la Body art sembra spesso mettere in scena le coppie freudiane di narcisismo e aggressività, voyeurismo ed esibizionismo, sadismo e masochismo, e recitare le freudiane "vicissitudini dell'istinto": le costanti "inversioni" delle posizioni attive e passive, gli eterni "rovesciamenti" dal soggetto all'oggetto e viceversa. In questo modo la • Body art anticipa più che illustrare le teorie psicanalitiche della soggettività e le critiche politiche del potere che ebbero un ruolo di primo piano verso la fine degli anni Settanta. HF

ULTERIORI LETTURE:

Amelia Jones, *Body Art: Performing the Subject*, University of Minnesota Press, Minneapolis 1998

Carrie-Lambert-Beatty, *Being Watched: Yvonne Rainer and the 1960s*, MIT Press, Cambridge (Mass.) 2011

Kate Linker, *Vito Acconci*, Rizzoli, New York 1994

Carolee Schneemann, *More Than Meet Joy: Complete Performance Works and Selected Writings*, Documentext, New Paltz (N.Y.) 1979

Kristine Stiles, *Uncorrupted Joy: International Art Actions*, in Paul Schimmel e Russel Ferguson (a cura di), *Out of Actions: Between Performance and the Object 1949-1979*, Thames & Hudson, London 1998

Fraser Ward, *Gray Zone: Watching 'Shoot'*, in *October*, n. 95, inverno 2001

▲ 1975a ● 1975a, 1977b, 1987, 1993a, 2009c

1975a

Nel momento in cui la regista Laura Mulvey pubblica il fondamentale saggio *Piacere visivo e cinema narrativo*, artiste femministe come Judy Chicago e Mary Kelly sviluppano posizioni differenti sulla rappresentazione delle donne.

Il femminismo è già un argomento complicato e quando negli anni Sessanta e Settanta indusse le donne a trasformare l'arte, la sua complessità non fece che aumentare. Non esiste un'unica arte femminista, tuttavia gran parte dell'arte più significativa degli ultimi tre decenni è stata in qualche modo influenzata dalle problematiche femministe, come la costruzione sociale dell'identità di genere e il significato semiotico della differenza sessuale. Non esiste neppure, dunque, una storia separata dell'arte femminista.

Tuttavia l'arte femminista può essere raccontata in relazione al movimento delle donne, sviluppatosi in parallelo al movimento dei diritti civili. Così all'inizio (negli anni Sessanta) le donne lottavano per la parità dei diritti e le artiste femministe lottavano per l'accesso paritario alle forme d'arte modernista. La seconda fase (alla fine degli anni Sessanta) fu più radicale, andò oltre il piano paritario. Il movimento insisteva a questo punto sulla fondamentale differenza tra donna e uomo, e rivendicava una peculiare intimità con la natura, una cultura unica di storie e miti, e dunque l'espressione di una femminilità essenziale. Le artiste femministe abbandonarono le forme associate agli uomini, come l'astrattismo, riscattarono quelle svalutate dell'artigianato e della decorazione associate alle donne, contestarono una serie di stereotipi oppressivi e proposero immagini positive delle donne. Una terza fase (dopo la metà degli anni Settanta) fu scettica tanto sulla parità cercata nella prima fase quanto sulla separazione sbandierata nella seconda. Il movimento continuava a criticare la posizione della donna nella società patriarcale, ma al tempo stesso era consapevole che questo ordine non poteva semplicemente essere trasceso. Nel frattempo, le artiste femministe passavano dalla produzione di immagini utopiche della donna separata dall'uomo a una critica dei cliché presenti tanto ▲ nell'arte alta che nella cultura di massa. Con un passaggio dalla "rappresentazione della politica" alla "politica della rappresentazione", le immagini della donna erano trattate come simboli, del desiderio e della paura maschile, e la categoria della donna sembrava essere "costruita" nella storia sociale, non fondata sulla biologia naturale o sull'essere "essenziale".

Queste fasi non sono strettamente consecutive; possono coesistere, confliggere e ricorrere. Anche se alcune artiste ritenevano che la donna fosse "essenziale" e altre "costruita", raramente questa opposizione era assoluta. Alla fine, anche se l'arte femminista possiede delle caratteristiche distintive, non viene prodotta in un vuoto: è in costante dialogo con altri tipi di arte, sia con le forme marginali elaborate da donne sconosciute che con le forme privilegiate dominate da uomini famosi. Così, nonostante l'arte femminista abbia elaborato lo spostamento d'interesse verso le ▲ condizioni percettive dello spettatore inaugurato dal Minimalismo, ha contemporaneamente messo in questione l'assunto minimalista che tutti gli spettatori, tutti i corpi sono uguali dal punto di vista psicologico e percettivo. Analogamente, anche se l'arte femminista ● ha elaborato la critica della visibilità iniziata nell'ambito dell'Arte concettuale, ha anche messo in discussione l'assunto concettuale che il linguaggio è neutro, trasparente e razionale. Lo stesso si può ■ dire della trasformazione femminista della prima Body art, della performance e dell'installazione, esperienze che subirono tutte un processo di particolarizzazione e politicizzazione, spesso in linea con lo slogan femminista "il personale è il politico".

Sfidare il canone

Il primo compito delle artiste femministe fu di assicurarsi degli spazi per lavorare ed esporre, "prendere coscienza" e insegnare. Fu un progetto collettivo che portò alla fondazione di alcune gallerie gestite da artiste, come AIR (Artist in Residence) a New York nel 1972. Ma i risultati più significativi si ebbero lontano dal mondo artistico di Manhattan, controllato dagli uomini. Nel 1971 Miriam Schapiro (1923-2015) e Judy Chicago (nata Judy Cohen nel 1939) diedero inizio al Feminist Art Program al California Institute of Art di Valencia. Nel 1972 questo gruppo ha creato Womanhouse, uno spazio per mostre temporanee a Los Angeles, presto seguito dal Woman's Building nella ex-scuola d'arte Chouinard. Secondo le parole di Chicago, Womanhouse "fondeva collaborazione, produzione artistica individuale ed educazione femminista per creare un'opera monumentale di soggetto apertamente femminile". Bisogna immaginarsi un teatro osceno in cui i ruoli domestici delle donne venivano causticamente criticati in una serie di stanze. Si cominciava da *Scala da sposa*, un manichino vestito da sposa in cima a una scala. In *Ripostiglio delle lenzuola* la sposa diventava una casalinga, un manichino con delle mensole riempite di lenzuola letteralmente tagliate nel corpo. *Camera dei bambini* era focalizzata

▲ 1977a

▲ 1965 ● 1968a, 1993a ■ 1974

sul suo successivo ruolo di madre, ma la culla e il cavalluccio a dondolo grandi, a misura di persona adulta, suggerivano che la struttura domestica del nucleo familiare infantilizza tutti i suoi membri, specialmente la madre. Infine nella *Cucina della nutrice* e nel *Bagno delle mestruazioni* il corpo di questa madre-moglie diventava insubordinato. Nella cucina, una sorta di revisione femminista di una fantasia surrealista, le uova si trasformavano in seni e ricoprivano pareti e soffitto, mentre nel bagno tamponi imbevuti di finto sangue traboccavano da un cestino.

Anche la performance fu trasformata nella Womanhouse in una forma femminista di espressione critica. Insieme alle installazioni avevano luogo delle performance di Faith Wilding (nata nel 1943) e di altre, che svolgevano lavori domestici generalmente affidati alle donne – lavare i pavimenti, stirare le camicie o semplicemente aspettare – in doloroso silenzio. Altre performance trattavano gli eventi traumatici. In *Abluzioni* [**1**], eseguita da Chicago, Suzanne Lacy, Sandra Orgel e Aviva Ramani pochi mesi dopo lo smantellamento della Womanhouse, alcune delle donne venivano immerse in tinozze con diversi fluidi, poi avvolte in bende dalle altre, il tutto in uno spazio circondato da reni attaccati alle pareti e contenenti una testimonianza di uno stupro registrata. Qui la task performance e la performance rituale erano state combinate per elaborare esperienze estreme di "incatenamento, brutalizzazione, stupro, immersione, stati di ansietà del corpo, trappola" (Chicago).

Se il primo femminismo rivendicava i corpi delle donne (per esempio per il diritto all'aborto), la prima arte femminista rivendicò le immagini delle donne e fatte dalle donne: questo implicava la rivalutazione di forme artistiche sottovalutate come le arti decorative e i mestieri utili storicamente attribuiti alle donne. Per esempio Schapiro adattò differenti tecniche di cucito alla sua trasformazione femminista del collage, che soprannominò "femmage", mentre Faith Ringgold (nata nel 1930) trasformò sempre il collage nei suoi "story quilts" di vita afroamericana [**2**]. Da parte sua Chicago utilizzò sia la ceramica che il ricamo in *Il pranzo*

1 • Judy Chicago, Suzanne Lacy, Sandra Orgel, Aviva Ramani, *Abluzioni*, 1972
Performance di gruppo, Venice, California

Riviste di teoria

Gli anni Settanta furono testimoni di un'inedita fioritura di riviste di critica. Durante questo periodo la teoria critica diventò una parte dinamica della pratica culturale: se da qualche parte esisteva un'avanguardia, si potrebbe dire, era qui, in riviste come *Interfunktionen* in Germania, *Macula* in Francia, *Screen* in Inghilterra e *October* negli Stati Uniti. Più impegnata politicamente rispetto alla filosofia tradizionale, ma anche più rigorosa dal punto di vista intellettuale rispetto alla critica tradizionale, questa teoria era per sua natura interdisciplinare: alcune versioni tentavano di riconciliare diversi modelli analitici (come Marxismo e psicologia freudiana, oppure indagine femminista e studi di cinema), mentre altre applicavano un modello a un'ampia varietà di pratiche (ad esempio la struttura del linguaggio adattata a studi di arte, architettura o cinema). I grandi pensatori emersi in Francia negli anni Cinquanta e Sessanta , come il marxista strutturalista Louis Althusser, lo psicoanalista strutturalista Jacques Lacan e i filosofi e critici poststrutturalisti Michel Foucault, Jacques Derrida, Roland Barthes e Jean-François Lyotard erano già influenzati da poeti, registi, scrittori e artisti modernisti, tanto che l'applicazione di questa "teoria francese" alle arti visive sembrava più che logica.

Tra i presupposti del boom della teoria c'era un crescente scontento per la critica formalista e belle-letteristica, soprattutto perché non erano riuscite a cogliere i nuovi sviluppi dell'Arte concettuale, della performance e della critica istituzionale. In secondo luogo, sia gli artisti che l'accademia abbracciarono largamente il pensiero di questi intellettuali e prestarono un interesse sempre maggiore per le elaborazioni critiche delle loro idee, soprattutto di quelle delle femministe coinvolte nella psicoanalisi (Julia Kristeva, Luce Irigaray, Michèle Montrelay). Terzo, ci fu una ricezione ritardata della "Scuola di Francoforte", negli scritti di Walter Benjamin e Theodor Adorno. Quarto, era in atto un intenso raffinamento della teoria femminista, soprattutto a proposito dello statuto dell'osservatore e della struttura della sessualità. Queste quattro linee di sviluppo passavano tutte attraverso la mediazione delle nuove riviste.

Interfunktionen era forse la più impegnata nella pratica artistica radicale, mentre *October* e *Macula* reagivano selettivamente alla nuova arte e alla teoria francese. *New German Critique* era la principale interprete della critica tedesca negli Stati Uniti, mentre *m/f* in Gran Bretagna e *Camera Oscura* e *Differences* negli Stati Uniti si occupavano di teoria femminista. Altre riviste come *Block*, *Wedge*, *Word and Image* e *Art History* erano interessate alla nuova arte e alla "nuova storia sociale dell'arte". Altri giornali ancora, come *Critical Inquiry* e *Representations*, ospitavano le ramificazioni accademiche di questi differenti fenomeni. Ma nei primi tempi la più dinamica di queste riviste fu probabilmente l'inglese *Screen*, perché proprio nelle sue pagine cominciarono a interagire in un confronto critico l'orientamento marxista della Nuova Sinistra, un forte impegno nei "cultural studies", le prime traduzioni di Brecht, Benjamin, Barthes, Althusser e Lacan, oltre alle interpretazioni femministe di film, della cultura di massa e della psicoanalisi.

▲ 1962b, 1974

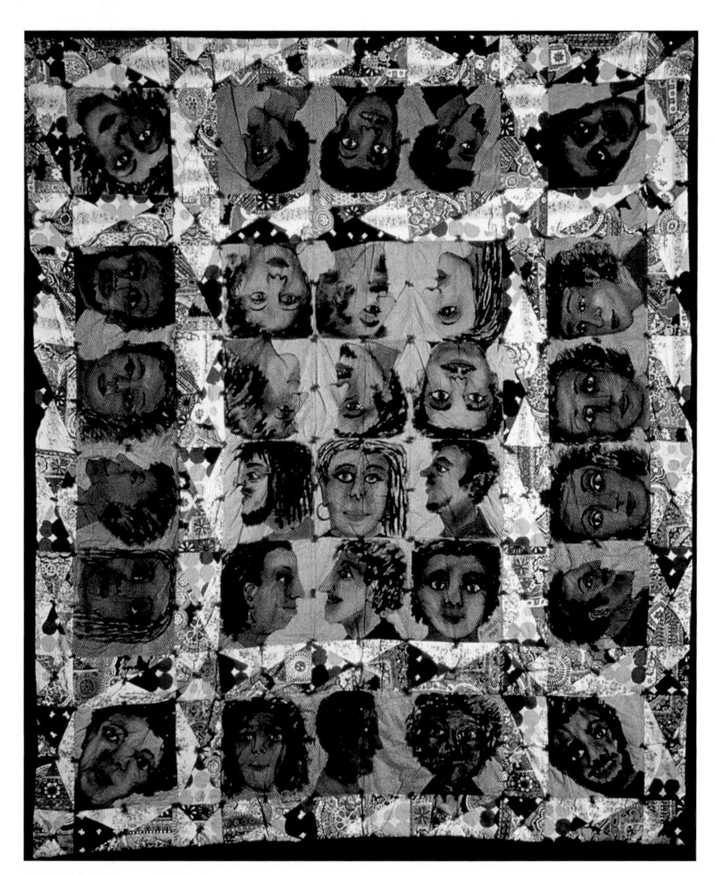

2 • Faith Ringgold, *Echi di Harlem*, 1980
Acrilico su tela, tessuto tinto, dipinto e cucito, 243,8 x 213,8 cm

di gala (1974-79), il suo monumentale "femmage" dedicato alle donne della storia e della leggenda **[3]**. Concepito come "una reinterpretazione dell'Ultima Cena dal punto di vista delle donne, che, nel corso della storia, hanno preparato i pasti e apparecchiato la tavola", metteva le donne al posto degli "ospiti d'onore". Tre lunghi tavoli sono disposti in forma di triangolo equilatero su un "pavimento dell'eredità" fatto di più di 2300 mattonelle di porcellana su cui sono iscritti i nomi di 999 donne. Il primo tavolo celebra le donne dalla preistoria patriarcale fino all'antichità; il secondo, dall'inizio della cristianità alla Riforma; il terzo, dal XVII al XX secolo. Questa sfida al canone fu affrontata anche dalle storiche dell'arte femministe, dal primo saggio sulla sistematica esclusione delle donne, *Perché non sono esistite grandi artiste donne?* (1971) di Linda Nochlin, al primo libro sull'argomento, *Grandi maestre: donne, arte e ideologia* (1981) di Rosica Parker e Griselda Pollock. La critica femminista di diversi orientamenti è stata anche sostenuta da varie riviste, come *Feminist Art Journal* e *Heresies* in Nordamerica e *Spare Rib* e *m/f* in Gran Bretagna.

Un nuovo linguaggio del desiderio

Ciò che rendeva *Il pranzo di gala* un'opera emblematica della seconda fase dell'arte femminista americana era la sua associazione celebrativa tra donne e corpo e il punto di vista ginocentrico della storia culturale. Altre artiste femministe nello stesso periodo proponevano versioni più angosciose dell'incarnazione femminile. Nei lunghi rotoli del suo *Codice Artaud* **[4]** Nancy Spero (1926-2009) ha mescolato violente citazioni da Antonin Artaud (1896-1948), lo scrittore francese che ha inventato il "teatro della crudeltà", con "immagini che avevo dipinto: teste mozzate, lingue falliche di sfida su uomini, donne e figure androgine in tensione, vittime in camicia di forza, riferimenti mitologici o alchemici, ecc.". Nella sua serie *Silhouette* degli anni Settanta **[5]** Ana Mendieta (1948-85) inscriveva il suo profilo in paesaggi diversi, un'associazione tra corpo femminile e madre natura che si può leggere in modo ambiguo come unione gioiosa o come abbraccio mortale. Questa seconda fase dell'arte femminista era quindi dominata da un'identificazione di donna e corpo, o donna e natura, che assumeva alternativamente un aspetto trionfante o depresso.

Forse di fronte al patriarcato questa identificazione era necessaria alla solidarietà femminista, ma ben presto venne considerata una riduzione della donna alla natura, un impedimento "essenzialista" al riposizionamento femminista delle donne nella società. Messe anche di fronte agli stereotipi sessisti nella cultura di massa, alcune femministe proposero una moratoria sulle rappresentazioni della donna in arte, mentre altre esplorarono altri modi di registrare i desideri delle donne e le lacerazioni della differenza sessuale. Questo genere di indagine fu più sviluppato in Gran Bretagna che negli Stati Uniti: anche qui le femministe si concentrarono prima di tutto sulla disparità economica (come nel progetto informativo *Donne e lavoro: un documento sulla divisione del lavoro nell'industria*, realizzato da Kay Hunt, Margaret Harrison e Mary Kelly a Londra nel 1975); e le artiste all'inizio cercarono spazi autonomi (come A Woman's Place, un luogo abbastanza simile a Womanhouse, allestito a Londra sempre nel 1975). Ma il femminismo inglese era più vicino al socialismo e alla teoria psicanalitica rispetto alla controparte americana. Infatti Freud, Jacques Lacan e le analiste femministe francesi come Luce Irigaray e Michèle Montrelay erano al centro dei dibattiti femministi inglesi. Certamente il rapporto tra il femminismo e la psicanalisi non poteva che essere ambivalente, visto che per Freud la femminilità è associata alla passività e che in Lacan la donna è sinonimo di "castrazione" o "mancanza"; ma la psicoanalisi fornì anche alle femministe una presa di coscienza sulla posizione della donna: nell'inconscio e nell'ordine simbolico, nell'arte alta e nella vita quotidiana.

Il testo che inaugurò l'uso femminista della psicanalisi nella critica culturale fu *Piacere visivo e cinema narrativo* (1975) della regista Laura Mulvey (nata nel 1941), che ha anche girato con il partner Peter Wallen (nato nel 1938) film femministi come *Gli enigmi della Sfinge* (1976). Nel saggio Mulvey esprimeva due preoccupazioni primarie della terza fase dell'arte femminista: la costruzione della donna nella cultura di massa (nel suo caso il classico film hollywoodiano) e nella psicoanalisi. In Gran Bretagna artiste come Mary Kelly (nata nel 1941) erano già al lavoro sul secondo tema, mentre artiste statunitensi come Barbara Kruger, ▲ Cindy Sherman e Silvia Kolbowski (nata nel 1953) si occuparono essenzialmente del primo. Secondo le parole di Mulvey il piacere visivo della cultura di massa non è affatto "di massa", ma è proget-

▲ Introduzione 1, 1977a, 1993a

3 • Judy Chicago, *Il pranzo di gala*, 1974-79
Installazione multimediale, 121,9 x 106,7 x 7,6 cm

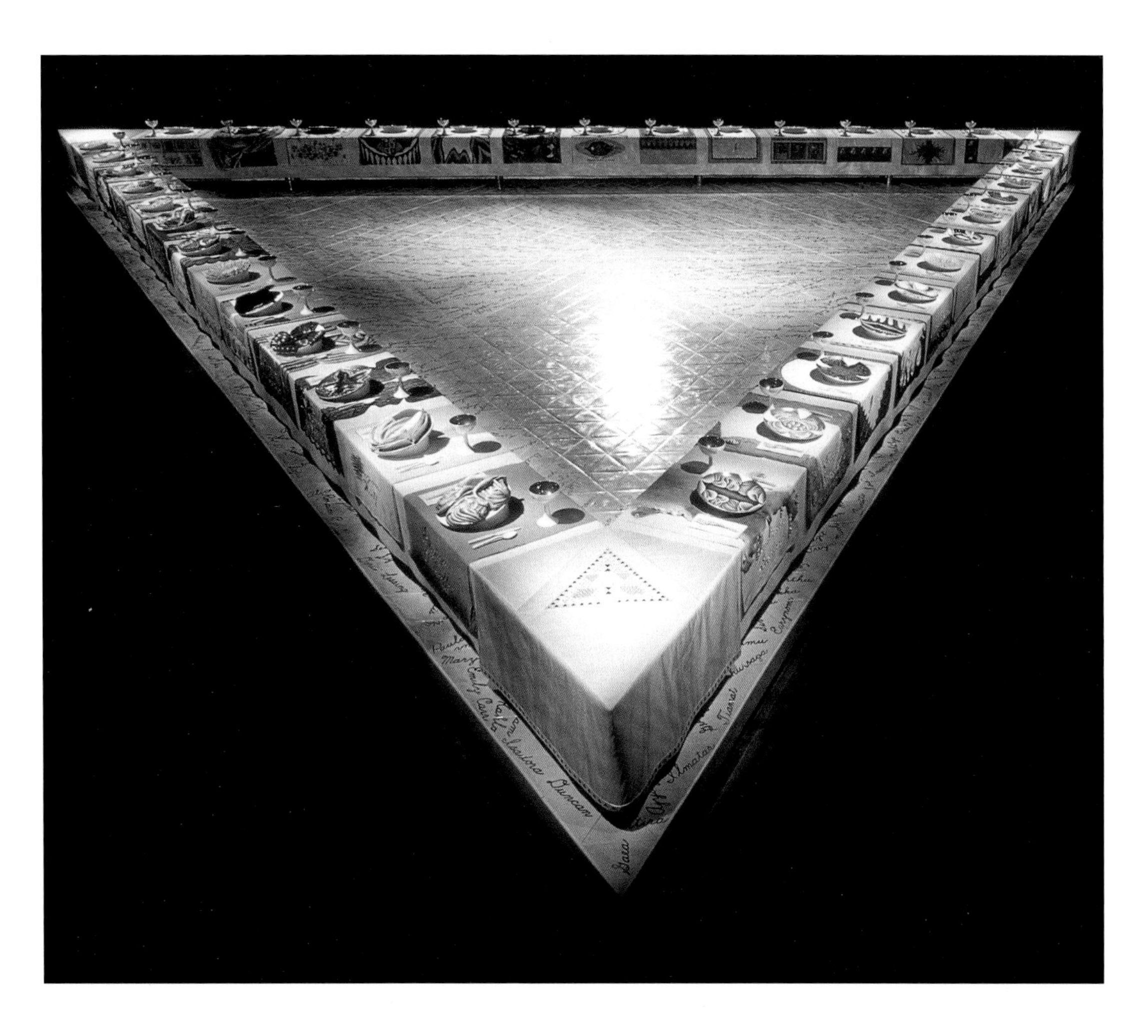

4 • Nancy Spero, *Codice Artaud VI*, 1971 (dettaglio)
Macchina da scrivere e collage dipinto su carta, 52,1 x 316,2 cm

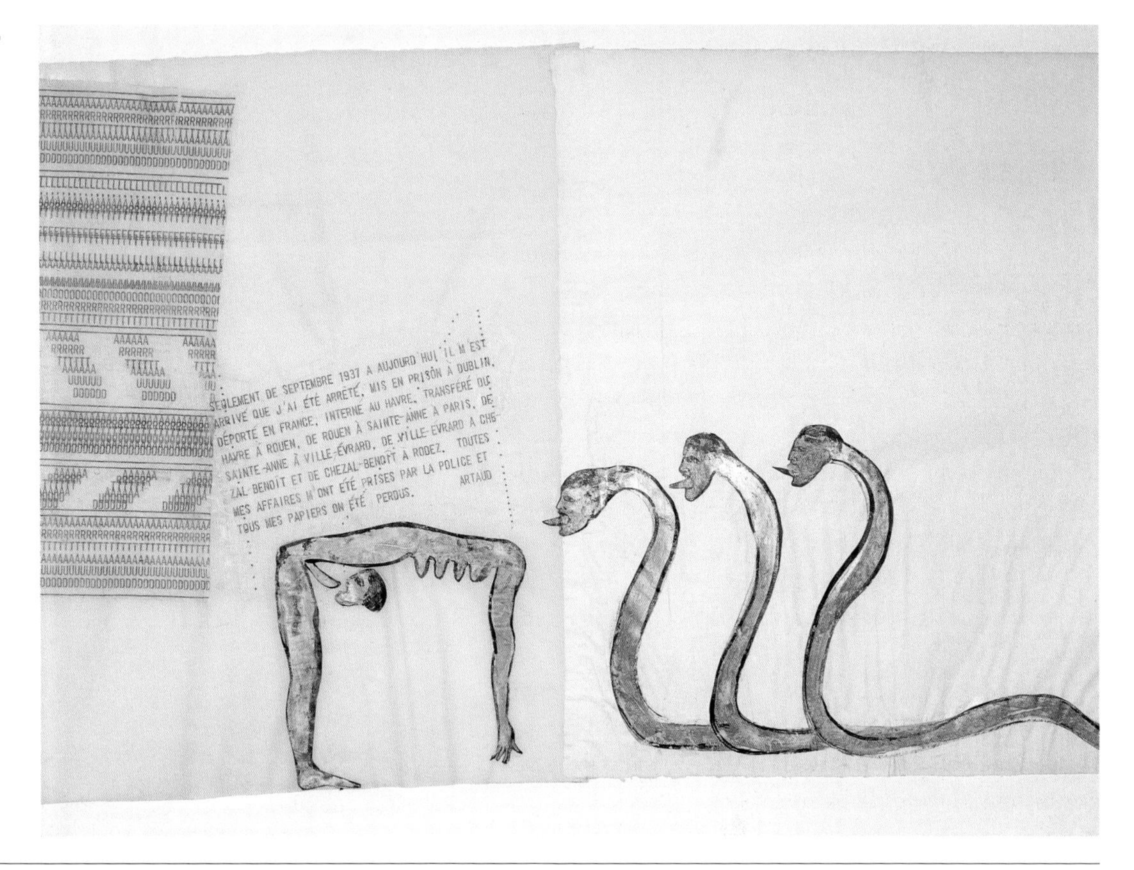

1970–1979

5 • Ana Mendieta, *Senza titolo*, dalla serie *Silhouette*, 1976
Silhouette con pigmento rosso sulla spiaggia, Messico

tato soprattutto in funzione della struttura psichica del maschio eterosessuale, per fargli godere appieno l'immagine femminile come oggetto erotico. Così, secondo la famosa formula del suo testo, la cultura patriarcale pone la "donna come immagine" e l'uomo come "padrone dello sguardo". La politica del saggio deriva da questo assunto: Mulvey invita alla distruzione del desiderio maschile in favore di un "nuovo linguaggio del desiderio". Questa analisi – che la cultura patriarcale, alta e bassa, è strutturata intorno ▲ "allo sguardo maschile" – fu fondamentale e diede forza a molta critica e pratiche artistiche femministe. Ma aveva anche dei punti ciechi, come Mulvey ebbe ad accorgersi. Gli sguardi sono strettamente ● maschili, femminili, eterosessuali, gay, bianchi, neri e così via? Questo genere di affermazione può portare a fissare l'identità in uno schema rigido, piuttosto che a liberarla. Tuttavia il concetto di sguardo maschile, come quello di femminilità essenziale, era una necessità strategica. Il suo stesso essenzialismo fu complicato da ■ artisti maschi come Victor Burgin, che ha indagato a sua volta la costruzione di questo sguardo e della mascolinità in generale.

Quando Mulvey pubblicava *Piacere visivo e cinema narrativo*, Mary Kelly aveva quasi completato la prima parte del suo *Documento postparto* del 1973-79 **[6]**. Benché le due opere siano quasi contemporanee, *Documento postparto* è altrettanto emblematica della terza fase dell'arte femminista quanto *Il pranzo di gala* della seconda. Kelly ha sviluppato con questa opera un modello di progetto artistico che ha uno statuto intermedio tra un caso clinico ▲ psicoanalitico e il resoconto di una ricerca etnografica sul campo. Composto da sei sezioni per un totale di 135 unità, combina diversi generi di immagini e testi in una doppia narrazione: da una parte, l'entrata di suo figlio nella famiglia, nel linguaggio, nella scuola e nella vita sociale; dall'altra, la propria reazione alla "perdita" del bambino a vantaggio di queste istituzioni. Nel farlo, Kelly esplora ● "la possibilità di un feticismo femminile", in particolare di quello della madre. Per Freud il feticcio è il sostituto di un oggetto erotico che sembra perduto: come il seno materno può in certi casi sembrare perduto per il neonato, il pene della madre per il bambino, o il bambino cresciuto per la madre. Kelly si concentra su questa ultima perdita, presentando i residui del bambino – i pannolini, i vestitini, i primi scarabocchi, le prime lettere e così via – come feticci della madre, come "emblemi del suo desiderio". Contemporaneamente giustappone a queste tracce delle note, alcune aneddotiche, altre teoriche, che confermano o contestano le idee della psicoanalisi sull'infanzia e sulla maternità. Il risultato è "un'archeologia della vita quotidiana" – dello svezzamento, dell'imparare a parlare, andare a scuola, scrivere, ecc. – che è anche un racconto della "difficoltà dell'ordine simbolico per le donne".

Kelly ha messo a punto altri progetti molto importanti in questo contesto. *Interim* (1985-89) valuta la mezza età delle donne come un periodo di intervallo, che si suppone dopo le cure erotiche e materne, un'età oscura priva di rappresentazione culturale. *Gloria Patriae* (1992) affronta le patologie della mascolinità del mondo ■ militare, specialmente come sono apparse dopo la Guerra del Golfo del 1991. Entrambi i progetti cercano di collegare indagini teoriche sulla vita psichica con istanze politiche di cambiamento sociale, e questo in un periodo reazionario dominato da Ronald Reagan e Margaret Thatcher. Forse è una magra consolazione per l'arte femminista, data la forte battuta d'arresto subita dal femminismo in generale, avere impresso un cambiamento tanto vigoroso all'arte contemporanea, ma l'ha fatto, come dice Kelly, "convertendo l'intenzione politica in responsabilità personale e traducendo la critica istituzionale nella questione dell'autorità". HF

ULTERIORI LETTURE:

Judy Chicago, *Beyond the flower: The Autobiography of a Feminist Artist*, Viking, New York 1996
Joanna Frueh, Cassandra L. Langer e Arlene Raven (a cura di), *New Feminist Art Criticism: Art, Identity, Action*, HarperCollins, New York 1994
Mary Kelly, *Imaging Desire*, MIT Press, Cambridge (Mass.) 1997
Lucy R. Lippard, *The Pink Glass Swan: Selected Essays in Feminist Art*, New Press, New York 1995
Linda Nochlin, *Women, Art and Power: And Other Essays*, Harper & Row, New York 1998, e Thames & Hudson, London 1989
Rozsika Parker e Griselda Pollock, *Framing Feminism: Art and the Women's Movement 1970-1985*, Pandora, London 1987
Griselda Pollock, *Vision and Difference: Feminity, Feminism, and Histories of Art*, Routledge, New York 1988
Catherine de Zegher (a cura di), *Inside the Visible: An Elliptical Traverse of 20th-Century Art*, MIT Press, Cambridge (Mass.) 1994

▲ 1977a, 1993a ● 1977b, 1987, 1993c ■ 1984a
▲ 1992 ● 1931a ■ 2009c

6 • Mary Kelly, *Documento postparto: Documentazione VI, Alfabeto prescrittorico, Esergo e diario*, 1978 (dettaglio)
Unità di perspex, carta bianca, resina e ardesia, una delle quindici sezioni di questa unità, 20 x 25,5 cm

1975b

Ilya Kabakov completa la sua serie di album *Dieci personaggi*, un importante monumento del Concettualismo moscovita.

Tra il 1972 e il 1975 l'artista sovietico Ilya Kabakov (nato nel 1933) realizzò un gruppo di album intitolato *Dieci personaggi*. Come suggerisce il titolo della serie, ognuno di questi dieci compendi multipagine era incentrato su un personaggio di finzione, come "Volante Komarov" o "Agonizzante Surikov". Le singole pagine includevano blocchi di testo scritto a mano e scene restituite in un piacevole stile figurativo simile a quello che si trova nei libri per bambini. Il lavoro ufficiale di Kabakov era infatti quello di illustratore di libri per bambini. Nell'Unione Sovietica non c'era un mercato libero per l'arte, di conseguenza il lavoro indipendente di Kabakov, un'ampia gamma di opere in stili o formati non autorizzati, era parte del mondo non ufficiale dell'arte, senza accesso ai musei di stato e alle gallerie o a qualsiasi potenziale commerciale all'interno dell'Urss. Benché non dichiarate esplicitamente illegali, le attività degli artisti non ufficiali potevano essere soggette a imprevedibili forme di repressione. Non che gli artisti non ufficiali si vedessero necessariamente come dissidenti, anche se Kabakov e molti dei suoi colleghi assunsero quelle che consideravano le assurdità e l'alienazione del discorso pubblico sovietico come argomenti della loro arte. In assenza di un pubblico più ampio, questi artisti formavano ciascuno la principale platea per ogni opera degli altri, raccogliendosi in piccole associazioni o gruppi collegati tra loro. La tendenza con cui Kabakov è associato divenne nota come "Concettualismo moscovita". Mentre la sua arte era dunque non ufficiale, la sua occupazione di illustratore di libri per bambini, come quella del suo collega e amico Erik Bulatov (nato nel 1933), gli rese economicamente possibile perseguire la sua pratica indipendente.

Anche se alcuni dei racconti dell'album *Dieci personaggi* di Kabakov condividono alcune caratteristiche con le fiabe, la loro struttura è molto diversa dalle trame formulari e dalle soluzioni preordinate per cui il genere è conosciuto. Nel suo importante libro *Il gruppo sperimentale: Ilya Kabakov, Concettualismo moscovita, avanguardie sovietiche*, lo storico dell'arte Matthew Jesse Jackson riassume la struttura degli album di Kabakov come segue: "Benché ogni album tratti un singolo 'personaggio' [...] Kabakov non include rappresentazioni della figura eponima. Ogni album procede invece secondo una formula rigida: una pagina con titolo, seguita da una pagina con una citazione dal personaggio, poi vengono due citazioni da fonti testuali 'reali'. [...] Dopo il preambolo l'osservatore incontra gli 'storyboard' che costituiscono la parte principale dell'opera. Come una *matrioska* (le tipiche bambole russe inserite l'una nell'altra), ogni sequenza rivela ulteriori album all'interno dell''album' di ogni personaggio". Ogni album dunque evoca un personaggio senza mai riuscire a definirlo. In luogo di un'identità stabile, Kabakov avvolge i suoi personaggi in strati senza fine di immagini e testi che, come una *matrioska*, rivela un centro vuoto dopo l'altro.

Nel vuoto

La questione del vuoto è la chiave non solo di personaggi come "Seduto-nell'armadio Primakov", che teme il grande vuoto al di fuori del suo sicuro rifugio, e di altri che rischiano di uscire nello spazio aperto, ma anche del modo in cui gli album sono strutturati. In *Seduto-nell'armadio Primakov* la seconda pagina dell'album cita il personaggio del titolo che dichiara: "Come un bambino mi sono seduto nell'armadio per sei mesi, dove nessuno poteva disturbarmi, e potevo immaginare cosa stesse accadendo nella stanza attraverso i rumori provenienti dalla parete. Seduto lì, immaginavo di star volando fuori dal ripostiglio sopra la città e sopra la terra intera e di sparire nel cielo" **[1a]**. Questa pagina è seguita da due con citazioni tratte dal racconto d'avventura sovietico ampiamente letto e tradotto *I due capitani* (1939-44) di Veniamin Kaverin **[1b, 1c]**, che è seguito da otto pagine che non consistono in altro che in una superficie nera con un box per didascalie nell'angolo in basso a destra che descrive le attività invisibili a Seduto-nell'armadio Primakov come "Il padre torna a casa dal lavoro" o "Olga sta facendo i compiti" **[2a]**. Alla fine, dopo il commento e un "album" di Primakov stesso, due pagine rappresentano l'apertura dell'anta dell'armadio, prima solo una parte e poi del tutto, rivelando la stanza di fronte **[2b, 2c]**. Attraverso questi dispositivi quasi cinematici, così come attraverso le varie digressioni descrittive, letterarie o filosofiche enumerate da Jackson, gli album nominano un personaggio ma al tempo stesso lo eludono; come un vuoto, sono esistenzialmente senza fondo. Per Kabakov questo vuoto fa da immagine dello stato sovietico. Nel suo testo *Sul soggetto del vuoto* parla dell'isolamento degli individui nel sistema sovietico che, come Primakov nel suo

1a–c • Ilya Kabakov, *Seduto-nell'armadio Primakov*, 1970-72 (dettagli)
47 pagine, disegni su carta incollata su cartoncino grigio in scatola fatta a mano, ognuno 51,5 x 35 cm (parte disegnata)

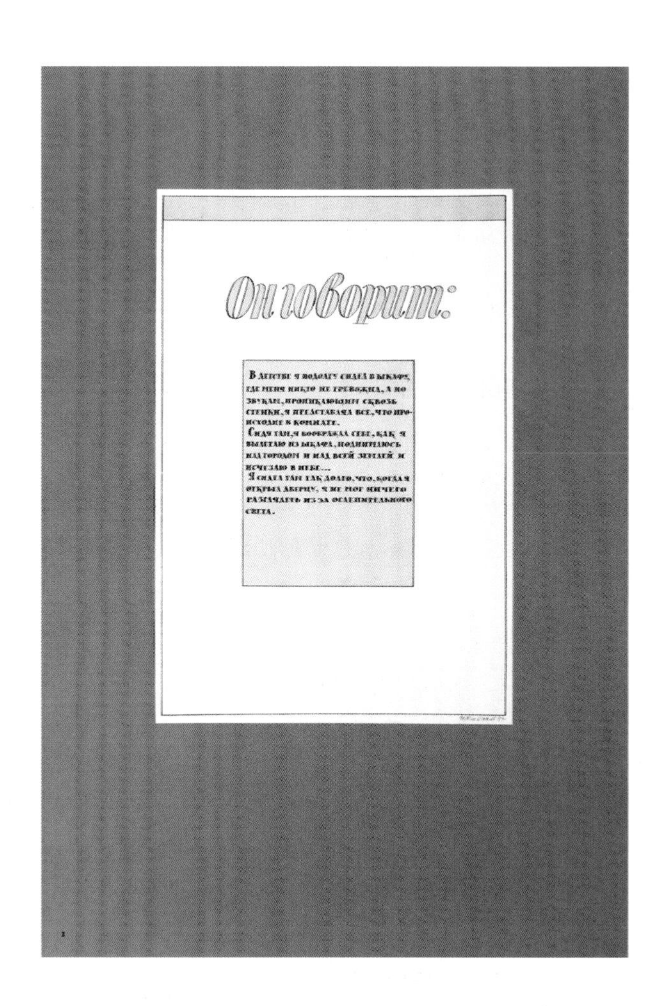

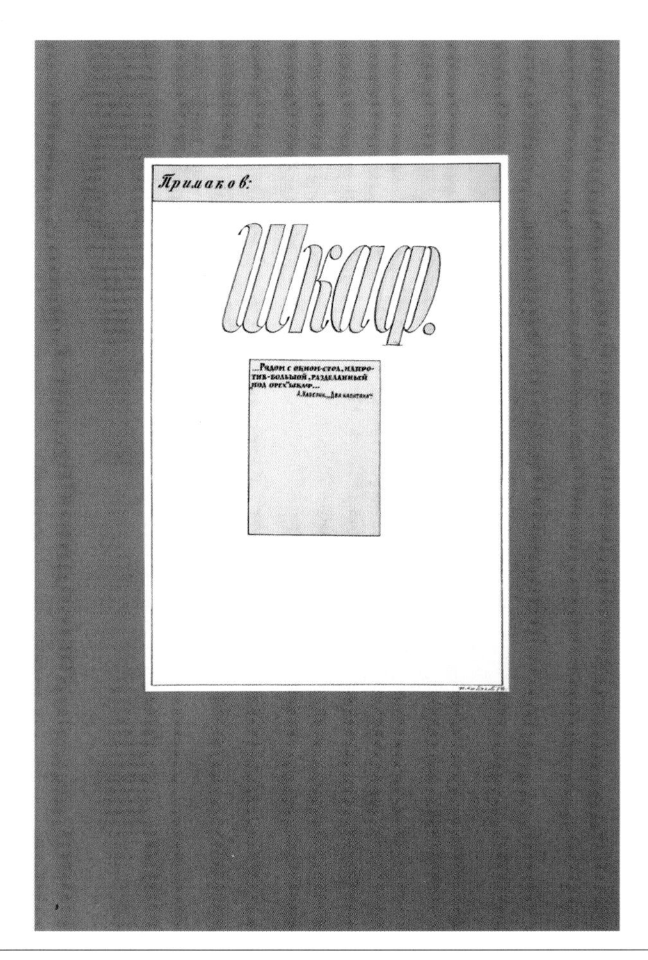

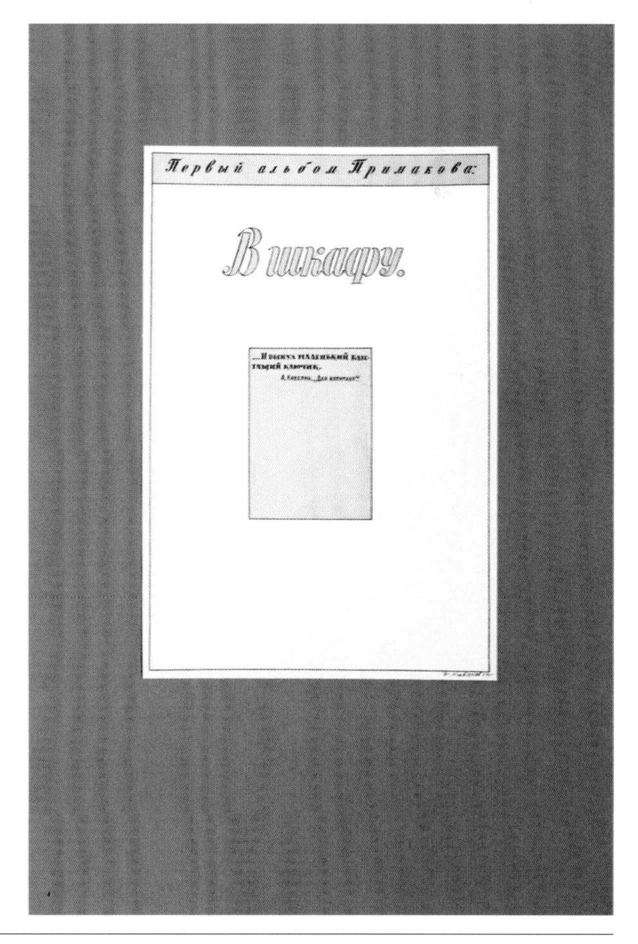

2a–c • Ilya Kabakov, *Seduto-nell'armadio Primakov*, 1970-72 (dettagli)
47 pagine, disegni su carta incollata su cartoncino grigio in scatola fatta a mano, ognuno 51,5 x 35 cm

armadio, "trovano rifugio in tane". Anche nelle grandi città, afferma Kabakov, quelle che possono superficialmente apparire come grandi folle sono propriamente "centinaia di persone che passano da una tana all'altra". Qui, in assenza di una società aperta e sviluppata, la privacy è intesa come un accovacciarsi, un nascondersi o un *rintanarsi*. Nessuna sorpresa, in sintonia con la resa di Kabakov del suo personaggio, se Primakov ha paura di lasciare il suo armadio. Per Kabakov il sistema di stato è quello che sta tra queste tane difensive; è "tutto ciò che è incarnazione del vuoto, che si mescola con esso e lo esprime". Kabakov descrive in modo memorabile questa nozione di governo con la metafora del vento: come il tempo, può essere imprevedibile in modo terrificante: "incomprensibile, il sistema di stato con tutte le sue raffiche e repentini cambi di direzione. La feroce pressione permanente, le raffiche fragorose e i suoni ululanti, già all'entrata delle tane causa orrore alle anime di quelli che vi si riparano, riempendole di costante paura". Qui lo stato sovietico è visto come arbitrario e insieme onnipotente; esemplifica un vuoto che Kabakov intende non come passivo, ma anzi come una potente forza affermativa pari all'"attività della natura, l'attività positiva dell'uomo, o di poteri più alti".

L'arte di Kabakov durante il periodo sovietico esprime un'oscillazione tra il vuoto, che raffigura l'imprevedibile comportamento dello stato sovietico, e la tana come luogo di intimità claustrofobica, rappresentata nell'album *Seduto-nell'armadio Primakov* dall'armadio di Primakov. Victor Tupitsyn ha collegato questa dialettica spaziale all'appartamento comunitario sovietico, una comproprietà in cui diverse famiglie condividono servizi di cucina e bagno. Nel suo libro *L'inconscio museologico* Tupitsyn scrive: "La frustrazione inerente a un simile modo di vita orwelliano [l'appartamento comunitario] era esasperato da un [...] contrasto tra l'interno comunitario e la facciata ideologica, tra l'appartamento sovraffollato e i miti dello spazio extracomunitario". Questa fondamentale opposizione tra interno comunitario e facciata ideologica (che rispecchia da vicino la dialettica di vuoto e tana di Kabakov) porta Tupitsyn a etichettare il movimento di cui Kabakov fu uno dei membri principali "Concettualismo comunitario moscovita". A questo riguardo è importante notare che a partire dal 1974-75 Kabakov chiamò tale intimità a *mettere in scena* il suo album. In quegli anni cominciò a "performare" queste opere per piccoli gruppi di una dozzina di persone, narrando ogni pagina in sequenza come se raccontasse una fiaba della vita sovietica. Come ha affermato Jackson, questa narrazione dal vivo, che secondo Boris Groys durava generalmente un'ora ma poteva essere molto più lunga, fu un modo per Kabakov di creare un pubblico intimo per la sua opera in assenza dell'accesso alle istituzioni artistiche ufficiali. La possibilità stessa di questa modalità di arte non ufficiale richiese il suo tipo di *tana*.

Contro il vuoto discorso ufficiale

A questo punto è necessario dire una parola sul Concettualismo moscovita in termini più generali. Come ha scritto Ekaterina Bobrinskaya nel suo saggio per il catalogo dell'importante mostra

3 • Erik Bulatov, *Orizzonte*, 1971-72
Olio su tela, 140 x 180 cm

del 2008 *Illuminazione totale: Arte concettuale a Mosca 1960-1990*, il Concettualismo moscovita comprende un'ampia varietà di pratiche artistiche diverse, comprese opere narrative allegoriche come gli album di Kabakov, dipinti che fanno diretto riferimento e ▲ rileggono le tradizioni ufficiali dello stile realista socialista sovietico di figure come Erik Bulatov e il duo Vitalij Komar (nato nel 1943) e Aleksandr Melamid (nato nel 1945), e gli abbondantemente sottovalutati "viaggi fuori porta" organizzati dal gruppo Azioni collettive nei territori deserti fuori Mosca. Quello che è noto come Concettualismo moscovita cominciò ad emergere alla fine degli anni Sessanta con l'opera di Kabakov e diventò un'importante tendenza dell'arte non ufficiale nell'Urss della metà del decennio seguente. Alla fine dei Settanta ci fu uno spostamento verso le opere performative del gruppo Azioni collettive, mentre i progetti seguenti di individui e gruppi posteriori risposero ai temi e alle procedure di queste tre strategie iniziali, aggiungendovi l'intensa condivisione di sperimentazione e dialogo. Grazie alla sua enfasi posta sulla vita sovietica e sull'ideologia come genere di "discorso" – o insieme di atteggiamenti e credenze istituzionali e ideologiche – il Concettualismo moscovita rimase una pratica vitale, nonché urgente, fino all'autunno dell'Unione Sovietica. Come scrive Boris Groys, un importante critico della prima ora del Concettualismo moscovita e curatore di *Illuminazione totale*, nel suo saggio in quel catalogo: "il discorso ufficiale su che cos'è l'arte ebbe un ruolo determinante in tutti gli ambiti della cultura sovietica. Il principale modus operandi del Concettualismo moscovita fu di utilizzare, variare e analizzare questo discorso ufficiale privatamente, ironicamente e sacrilegamente".

Groys punta qui al cuore del modo in cui il Concettualismo ● moscovita differisce dalla tradizione anglo-americana dell'Arte concettuale incentrata su quella che Benjamin H. D. Buchloh ha identificato come l'estetica dell'amministrazione attraverso i suoi riferimenti ai linguaggi burocratici e/o tecnici, come le definizioni del dizionario di Joseph Kosuth, o le procedure di archiviazione e indicizzazione come quelle adottate da Art & Language, o le strategie di documentazione e ricerca praticate da artisti diversi quali ▲ Hanne Darboven e Hans Haacke. La tradizione occidentale è ● anche strettamente associata a quella che la critica Lucy Lippard ha chiamato la smaterializzazione dell'oggetto d'arte, evidente nella sostituzione delle opere nei media "tradizionali" come pittura e scultura con proposizioni linguistiche che possono o meno essere ■ messe in atto, come nell'opera di Lawrence Weiner, o l'esperienza e ◆ documentazione di azioni effimere come quelle eseguite da Adrian Piper. Come abbiamo visto, Groys, insieme ad altri critici, ha sostenuto che i concettualisti moscoviti reagivano al linguaggio "pubblico" dell'ideologia sovietica invece che al carattere tecnico del discorso burocratico che è presente in entrambe le forme commerciale e governativa di amministrazione. Questo portò, come abbiamo già visto, a tipi molto diversi di strategie concettuali a Mosca. L'introduzione della caratterizzazione narrativa e trasversale negli album di Kabakov, per esempio, è radicalmente distinta dai metodi tipologici social-scientifici degli artisti concettuali anglo-americani, che tendevano a evitare la narrazione a favore delle procedure seriali "neutre" di definizione, archiviazione o compilazione. E ancora nel suo riferimento alla pedagogia per bambini – attraverso "fiabe" sovietiche inventate – combinata a varie "voci" negli album, che vanno dalla confessionale all'analitica, tutte incentrate, come abbiamo visto, intorno a un'immagine dello stato sovietico "smaterializzato" come vuoto, Kabakov infrange il linguaggio dominante del potere sovietico, proprio come gli artisti concettuali occidentali infrangevano il linguaggio dominante del potere burocratico.

▲ 1934a ● 1968b, 1970, 1984a

▲ 1971, 1972b ● 1966b, 1969, 2007a ■ 1968b ◆ 1993c

4 • Vitalij Komar e Aleksandr Melamid, *Doppio autoritratto*, 1973
Olio su tela, diametro 91,4 cm

Mentre Kabakov analizzava tale discorso ufficiale creando fiabe intriganti sulla vita sovietica, Bulatov e Komar e Melamid rivolgevano le loro forme più direttamente a riferimenti alla storia del Realismo socialista, che dalla metà degli anni Trenta era la forma accettata di arte ufficiale nell'Urss. Uno dei quadri più famosi di Bulatov è *Orizzonte* del 1971-72 **[3]**. In questa opera una spiaggia è popolata da bagnanti lontani, mentre più vicino un gruppo di cinque figure vestite di tutto punto avanza verso la sabbia dal primo piano a sinistra, voltando la schiena agli osservatori ma con lo sguardo presumibilmente rivolto al mare. Nel suo saggio per il catalogo ragionato di Bulatov, Yevgenij Barabanov cita l'artista che dice che queste figure sono derivate da una cartolina trovata in una stazione balneare del Baltico. Come dichiara Bulatov: "Fu una fortuna perché prima avevo capito di aver bisogno di persone 'effettivamente' 'sovietiche' per il quadro". Questi sovietici "effettivi", che camminano verso l'acqua come se entrassero in un ▲ radioso futuro (un topos ricorrente della retorica socialista sovietica), erano, al contrario, visivamente bloccate: proprio nel punto in cui sarebbe l'orizzonte, che è anche il centro della tela, Bulatov ha dipinto una spessa fascia orizzontale rossa e due più sottili d'oro che arrestano la proiezione immaginaria dell'osservatore nel paesaggio, insieme alla fiduciosa marcia verso il futuro delle figure sovietiche. Che questa fascia rosso e oro rappresenti il nastro dell'Ordine di Lenin, la più alta decorazione che lo stato sovietico possa conferire, rende il suo ruolo di blocco visivo ironicamente politico: sono gli ostacoli burocratici della cultura sovietica (e i blocchi sclerotici per cui è nota) a vanificare le sue mire ideologiche dichiarate. In generale i quadri di Bulatov creavano un forte tiramolla tra il nostro desiderio di entrare nello spazio fisico e il divieto di farlo stabilito attraverso vari dispositivi ottici, che abitualmente comportano elementi rosso vivo geometricamente • disposti in un modo che ricorda il Suprematismo e il Costrutti-

▲ 1934a ● 1915, 1921b

vismo russo. In un'opera come *Pericolo* (1972-73), per esempio, Bulatov ottiene questo effetto con un testo che riporta un laconico ma efficace avvertimento, "Pericolo", preso dai cartelli ferroviari e ripetuto per quattro volte a formare una cornice rettangolare interna di un'idilliaca immagine di un picnic in campagna.

L'insinuazione di Bulatov sul pericolo negli spazi quotidiani rimanda al racconto dello stato sovietico come un vuoto la cui forza è tanto persuasiva quanto imprevedibile come il tempo. I partecipanti al picnic del quadro di Bulatov sono ignari dell'atmosfera di minaccia che li circonda nella forma di lettere rosso vivo allineate geometricamente, che sembrano retrocedere nel loro spazio come l'elenco dei nomi di un film. Questa sovrapposizione visiva respinge l'occhio dell'osservatore dalla piacevole scena pastorale rappresentata al di là, stabilendo così un'allegoria visiva dell'intervento dello stato.

I primi quadri di Komar e Melamid amplificano una diversa dimensione degli album di Kabakov: la loro narrazione e caratterizzazione dei tipi sovietici. In *Doppio autoritratto* del 1973, per esempio, Komar e Melamid rappresentano se stessi in stile mosaico che ricorda le decorazioni del metrò moscovita (ma suggerisce anche la tradizione della Chiesa ortodossa russa, nei suoi riferimenti alla decorazione delle chiese bizantine) **[4]**. Più importante, inoltre, la composizione di *Doppio autoritratto* mima due diversi soggetti di doppi ritratti della cultura visiva dell'Unione Sovietica: i mitici capi Vladimir Lenin e Josif Stalin. In un'opera come questa Komar e Melamid suggeriscono che il fardello di un cittadino sovietico è quello di impiegare tipi già esistenti; e ancora, così facendo, portano giù in terra gli eroi dello stato sovietico in un gesto che era facilmente riconoscibile come forma di critica parodistica. In generale la loro opera, sia in Unione Sovietica sia negli Stati Uniti dopo la loro emigrazione nel 1978 passando per Israele, stabilisce una ironica nostalgia per il "Kitsch ideologico" sovietico, come è ora ampiamente considerato. Per questa ragione Komar e Melamid sono stati non soltanto strettamente associati al Concettualismo moscovita, ma anche alla correlata tendenza della Sots art, da molti considerata un analogo ▲ della Pop art americana, che invece di prendere la cultura consumistica come tema, ironicamente ha citato la cultura visiva della burocrazia sovietica.

In Bulatov così come in Komar e Melamid l'immagine dello ● spazio pubblico rappresentato nella pittura del Realismo socialista – di gioiosi cittadini devoti che lavorano o giocano – è resa sinistra o contraffatta. Come la rappresentazione del vuoto in Kabakov, questi dipinti introducono ironia e anche terrore nelle scene e nei comportamenti della vita quotidiana. Azioni collettive, un gruppo organizzato nel 1976 da Andri Monastyrski (nato nel 1949), rende letteralmente il vuoto scegliendo paesaggi "vuoti" come ambientazione per le sue performance. Un piccolo numero di spettatori-partecipanti venivano personalmente invitati a "gite fuori porta", in campi isolati raggiunti in treno da Mosca, dove eventi ellittici e sottotono avevano luogo, seguiti da lunga interpretazione e discussione tra chi aveva assistito. In realtà Groys ha

5 • Azioni collettive, *L'apparenza*, 13 marzo 1976
Performance

sostenuto che la documentazione, anziché l'esperienza diretta, era lo scopo di Monastyrski nel creare azioni "vuote" che sfidavano l'interpretazione. Nel loro attaccamento ai comportamenti ordinari e alle forme minime di documentazione testuale e fotografica, questi eventi assomigliavano di più alle strategie formali dell'Arte ▲ concettuale anglo-americana di quanto facessero gli altri pionieri del Concettualismo moscovita ricordati qui. Inoltre la dimensione politica di Azioni collettive – la sua evocazione della *vacuità* dove

▲ 1956, 1960c, 1962d, 1964b ● 1934a

▲ 1968b, 1970, 1984a

doveva sorgere la società civile – è del tutto coerente con gli approcci di Kabakov e Bulatov. Una performance intitolata *L'apparenza* **[5]** del 13 marzo 1976, per esempio, è descritta come segue nel catalogo del 2011 *Zone vuote: Andrei Monastyrski e Azioni collettive*:

> *Il pubblico aveva ricevuto inviti per un'azione intitolata* L'apparenza. *Quando tutti gli invitati (approssimativamente 30 persone) si erano raccolti su un lato di un campo, cinque minuti dopo due partecipanti dell'azione apparivano dal bosco su un altro lato. Attraversavano il campo, si avvicinavano al pubblico e distribuivano fogli ("verifica documentaria") che certificavano la presenza di ognuno a* L'apparenza.

Una delle dimensioni più importanti dell'arte del gruppo Azioni collettive, soprattutto in concordanza con i contemporanei progetti di Kabakov e Bulatov, è la loro evocazione del vuoto *percettivo*: in altre parole, gli eventi da loro prodotti presero posto nella "zona di indistinguibilità", come l'ha chiamata Monastyrski, sia riguardo alla loro esilità (così nient'altro che attraversare un campo in *L'apparenza*) sia perché le azioni stesse non sembrano "significare" niente di particolare. Come conclude Groys, l'intento del gruppo Azioni collettive era precisamente quello di provocare una discussione e un dibattito intorno a ciò che può o non può essere accaduto nelle loro opere, e tale spostamento dall'estetica degli oggetti o anche delle azioni a un'estetica del discorso è una delle caratteristiche principali ▲ dell'Arte concettuale di tutto il mondo.

Questa qualità era intensificata nell'ultimo collettivo del Concettualismo moscovita, Ermeneutica dell'ispezione medica, fondato nel 1987 da Pavel Pepperstein (nato nel 1966), Sergei Anufriev (nato nel 1964) e Yuri Leiderman (nato nel 1963) **[6]**. Come il gruppo Azioni collettive si dedicò all'interpretazione attiva invece che al fabbricare oggetti (talvolta adottando criteri analoghi al sistema di classificazione sovietico), Ermeneutica dell'ispezione medica voleva *ispezionare* gli studi degli artisti o altri luoghi dove gli artisti si riunivano nell'intento di comprendere l'arte come un sintomo, o un disagio. Jackson riferisce di una presentazione in cui la diagnosi era proiettata sulla cultura popolare sovietica, dove Pepperstein "incoraggiò i membri del pubblico di Mosca a indossare uno stetoscopio per sentire il 'battito cardiaco' di un bambino dipinto su una scatola vuota di cibo per bambini sovietici".

Dopo il collasso dell'Unione Sovietica l'opera di Bulatov, Kabakov e Komar e Melamid (tutti attualmente emigrati) è entrata con successo nei mercati dell'arte internazionale. Soprattutto Kabakov ha costruito una carriera globale del tutto evidente, ora in coppia con la moglie Emilia. Margarita Tupitsyn ha notato che "in Occidente si persero in gran parte i parametri testuali del [Concettualismo moscovita], che risultò nella ricezione della cultura sovietica da parte degli osservatori occidentali a livello essenzialmente visivo". Benché questo sia certamente vero, paradossalmente una delle qualità speciali del Concettualismo moscovita – la sua intensa coltivazione di una piccola comunità di artisti in vivaci dibattiti tra loro sui termini e i caratteri della vita quotidiana e dell'ideologia in Urss – ha avuto durevole e crescente influenza al di là di Mosca. A dispetto dell'apparente ermetismo, quest'arte comunica fortemente e grazie alla sua interpretazione intensamente *locale* del linguaggio internazionale dell'Arte concettuale, ha arricchito ed è andata oltre le semplicistiche narrazioni dell'esperienza sovietica che hanno prevalso in Occidente secondo le opposizioni manichee della Guerra fredda. DJ

ULTERIORI LETTURE

Yevgenij Barabanov, "Breakthrough to Freedom", in Matthias Arndt (a cura di), *Erik Bulatov: Catalogue Raisonné*, Wienand Verlag, Köln 2012

Boris Groys (a cura di), *Empty Zones: Andrei Monastyrski and Collective Actions*, Black Dog Publishing, London 2011

Boris Groys, *History Becomes Form: Moscow Conceptualism*, MIT Press, Cambridge (Mass.) 2010

Matthew Jesse Jackson, *The Experimental Group: Ilya Kabakov, Moscow Conceptualism, Soviet Avant-Gardes*, University of Chicago Press, Chicago 2010

Boris Groys (a cura di), *Total Enlightenment: Conceptual Art in Moscow 1960-1990*, Schirn Kunsthalle, Frakfurt, e Hatje Cantz, Osfildern 2008

Margarita Tupitsyn, "About Early Moscow Conceptualism", in Luis Camnitzer, Jane Farver e Rachel Weiss (a cura di), *Global Conceptualism: Points of Origin 1950s-1980s*, Queens Museum of Art, New York 1999

Victor Tupitsyn, *The Museological Unconscious: Communal (Post)Modernism in Russia*, introduzione di Susan Buck-Morss e Victor Tupitsyn, MIT Press, Cambridge (Mass.) 2009

▲ 1967c, 1968a, 1968b, 1970, 1971, 1972a, 1972b, 1984a

6 • Ermeneutica dell'ispezione medica, *I tre ispettori*, 1990 (ricostruzione del 2014)
Installazione multimediale, dimensioni variabili

1976

A New York l'apertura del P.S.1 coincide con la mostra *Re Tut* al Metropolitan Museum: importanti cambiamenti nella struttura istituzionale del mondo dell'arte sono testimoniati sia dagli spazi alternativi sia dalle esposizioni "blockbuster".

Nell'estate del 1966, come annunciava la rivista *Time*, il mercato dell'arte "si aspettava di raggiungere i 7 miliardi di dollari all'anno entro il 1970". La situazione surriscaldata doveva avere un doppio effetto: da un lato, incideva sulle finanze dei musei, rendendo gli acquisti e le esposizioni estremamente costosi; dall'altro, incoraggiava sempre più gli aspiranti artisti a cercare il successo e a pensare in termini di carriera. Questo coincideva anche con il primo programma governativo statunitense di ▲ inanziamento delle arti dai tempi del WPA e della Depressione.

Il Presidente Lyndon Johnson aveva firmato l'Arts and Humanities Bill il 29 settembre 1965 e nel 1966 spinse il Congresso ad approvare uno stanziamento di 63 milioni di dollari, di cui il ● nuovo National Endowment for the Arts (NEA) doveva assegnarsi 10 milioni nel suo primo anno (approssimativamente corrispondenti ai 4 milioni di sterline che il governo britannico diede nello stesso anno all'Arts Council). Questo finanziamento pubblico alle arti si orientò in due direzioni. Innanzitutto rese disponibili assegnazioni ai musei per il tipo di esposizioni che sarebbe stato sempre più visto come l'unica soluzione ai loro problemi, cioè grandi mostre "da botteghino" che avrebbero aumentato enormemente il denaro incassato con gli ingressi. Inoltre cominciò ad aprire un canale al di fuori del sistema delle gallerie commerciali aiutando il tipo di organizzazione autogestita che realizzò quelli che sarebbero stati chiamati "spazi alternativi".

Ma indirizzare il gettito finanziario è anche un modo per alimentarlo. Come sarebbe stato presto evidente, la sede che il NEA aveva edificato costruiva anche un nuovo "soggetto" culturale su misura e, come Guy Debord aveva predetto già alla fine degli anni Cinquanta, sarebbe diventato impossibile parlare della natura di ■ questo soggetto senza parlare allo stesso tempo di "spettacolo".

Un decennio dopo la realizzazione del NEA si cominciarono a vedere gli effetti. Nel 1976 il Metropolitan Museum di New York inaugurò *I tesori di Tutankamen*, una fastosa esposizione popolarmente ribattezzata *Re Tut*, che valse numeri record al museo, consolidando la nuova forma di esposizione spettacolare, ora normalmente soprannominata "blockbuster", iniziata nel 1969 con la mostra di enorme successo *Harlem on my mind*. Qualche anno dopo, nel 1980, il Museo d'Arte Moderna colse l'occasione della recente morte di Picasso per esporre tutta la sua collezione di pitture e sculture, realizzando così una retrospettiva completa dell'artista. Masse di spettatori si accalcarono in fila e i biglietti furono prenotati mesi prima. Il museo, prima così assiduo nell'accompagnare le sue mostre con accurati cataloghi di studio, decise quella volta di offrire un sontuoso volume illustrato, senza testi e senza apparati. L'"opera completa" di Picasso si svelò stanza dopo stanza in un'atmosfera di eccitazione di massa. Fu un'atmosfera – che si autoalimentava, per così dire – che diventò sempre più familiare, poiché l'esposizione "blockbuster" diventò un prodotto ricorrente, spesso strutturato intorno al tema dell'oro (*I tesori di Tutankamen*, *Alla scoperta di Alessandro* [oggetti preziosi micenei]), comunque sempre adattato al gusto più diffuso (Van Gogh, Impressionismo, Matisse, Impressionismo, Cézanne, Impressionismo...).

Le mostre d'oro

Non fu il gusto dominante a dettare i programmi degli spazi alternativi, ma una fuga dal commercialismo stesso che il corteggiamento contemporaneo di quel gusto da parte dei musei rappresentava. In parte per reazione al boom del mercato dell'arte degli anni Sessanta, molti artisti si allontanarono da una pratica radicata sia nella creazione di oggetti mercificabili sia nell'uso "friendly" dei media tradizionali. Lo spazio alternativo diventò il teatro dello sperimentale e dell'effimero: video, performance, musica, gigantesche installazioni di materiali vari, lavori site-specific a scala architettonica.

Nel 1971 il numero 112 di Greene Street aprì le porte per ospitare ▲ opere di Gordon Matta-Clark, Richard Nonas, Gene Highstein, George Trakis e Charles Simonds. Nel 1971 The Kitchen Center, una risposta alle nuove eccitate sperimentazioni ● sull'impatto del video, vide la nascita nella cucina del Broadway Central Hotel, per spostarsi poi nel 1973 in Broome Street **[1]**. Come spazio di performance e video ospitò Vito Acconci, ■ William Wegman (nato nel 1942) e Lawrence Weiner; nell'ambito della musica difese John Cage, Steve Reich e Philip Glass.

Forse l'organizzazione più paradigmatica di questo tipo fu l'Institute for Urban Resources, fondato da Alanna Heiss. Colpito dalla disponibilità di spazi e dalla facilità di esposizione che aveva

▲ 1936 ● 1987 ■ 1957a, 1998, 2007c

▲ 1967a ● 1973 ■ 1968b, 1974

1 • Vito Acconci, *Vd vive / Tv deve morire*, 1978
Caucciù, cavi, bocce e video sonoro.
Installazione presso The kitchen Center,
New York, maggio-novembre 1978

visto a Londra, in particolare al St. Catherine's Dock dove Bridget Riley e Peter Sedgely avevano aperto The Space, Heiss fondò un'organizzazione che offrisse gli stessi servizi a New York; nel 1973 l'Istituto di spostò nella Clocktower a Lower Manhattan, ai piani superiori di un blocco di uffici progettato nel 1912 da McKim, Mead e White. Nel 1976 acquisì infine il P.S.1, un edificio scolastico in rovina nel Queens, che affittò dal Comune di New York City per venti anni a un dollaro l'anno. Ribattezzato Project Studios 1, il P.S.1 ora aveva spazi da offrire su vasta scala insieme ad acri di quello spazio esattamente "alternativo" richiesto dal tipo di arte che era stata in parte allevata nella prima sede. Nel giugno 1976 il P.S.1 inaugurò *Stanze*, la sua prima mostra di questo tipo di lavoro.

Il terzo termine di questa simbiosi tra tipi di spazio e tipi di opera fu naturalmente il denaro. Nel 1976 The Kitchen Center lavorava con un budget di 200.000 dollari, circa metà dei quali ▲ veniva dal governo federale. Brian O'Doherty, che era succeduto a Henry Geldzahler come direttore del Programma di Arti Visive del NEA, fu particolarmente entusiasta degli spazi alternativi e volle sostenerli sempre di più. A supporto di queste organizzazioni seguì così l'instaurazione del programma Art in Public Places del governo, che aveva già cominciato ad istituzionalizzare, ma perciò anche a sradicalizzare, la Earth art.

Con pochi soldi e senza pensare molto alla sopravvivenza, questi progetti diventarono presto delle operazioni amministrative di se stessi. Artists Space, un luogo di ritrovo e di raccolta per artisti non affiliati a gallerie commerciali, cominciò ad approfittare del denaro pubblico ora disponibile. Nel 1976 si spostò nel Fine Arts Building, un edificio di Soho temporaneamente messo a disposizione dai proprietari, che ospitava gli uffici di altre organizzazioni come l'Ontological-Hysteric Theater di Richard Foreman e il New Museum.

Alla fine degli anni Ottanta, più di un decennio dopo questa istituzionalizzazione degli spazi alternativi, una particolare fusione cominciò a manifestarsi tra i due filoni dei finanziamenti degli anni Sessanta: il museo, con la sua mentalità blockbuster ancora intatta, ora iniziava a vedere lo spazio alternativo stesso ▲ come una opportunità commerciale nella forma di una sorta di parco a tema artistico.

Da nessun'altra parte questo fu più spettacolarmente evidente che nella ristrutturazione dell'immagine del museo Solomon R. Guggenheim di New York sotto la nuova direzione di Thomas Krens. Avendo convinto il governo del Massachusetts a convertire una vasta zona industriale abbandonata nella parte occidentale dello stato in un enorme spazio espositivo d'arte con alberghi e negozi, cosicché nel 1989 fu votato un finanziamento di 35 milioni di dollari per iniziare il progetto (chiamato MassMoCa), Krens fu catapultato nello stesso anno da un piccolo museo di college a capo del Guggenheim. Subito cominciò a rivedere l'istituzione come un'operazione globale e ad esplorare la possibilità di aprire "filiali" del Guggenheim in Europa (si parlò di Salisburgo, Venezia e Mosca), in Asia (Tokyo) e, naturalmente, nel Mussachusetts. Una delle filiali venne realizzata a Bilbao, con una struttura spettacolare progettata dall'architetto americano Frank Gehry (nato nel 1929) **[2]** e organizzata secondo il piano generale di Krens, in cui il governo locale paga l'edificio e i costi operativi oltre a un canone annuale al Guggenheim in cambio dei servizi di programmazione del museo (l'organizzazione di mostre temporanee così come l'esposizione a rotazione della propria collezione permanente).

▲ 2007a

▲ 2015

2 • Frank O. Gehry, Guggenheim Museum, Bilbao, Spagna

Finanziare la collezione

Partecipando in pieno alla logica della globalizzazione rilanciata nella sfera economica generale, il piano di Krens sfrutta l'idea capitalista di centralizzare e consolidare le operazioni attraverso cui un "prodotto" viene concepito (e talvolta realizzato) e così raccogliere i benefici economici di molti mercati in cui viene distribuito. Se il "prodotto" qui è in parte curatoriale (la progettazione di esposizioni, la compilazione di cataloghi, ecc.), è anche composto di qualcosa che non era mai stato pensato prima sotto questa rubrica, cioè di opere d'arte. Di nuovo, l'idea di mettere in circolazione le opere di una collezione per darle degli sbocchi all'estero fa parte dell'atteggiamento nei confronti dell'accumulazione capitalista diventato epidemico nello spirito del mercato libero degli anni Ottanta: il finanziamento, in cui le somme di denaro eccedenti sono prestate sulla base degli interessi correnti. Spostando la collezione da una precedente condizione di patrimonio culturale intoccabile al nuovo stato in cui si inserisce nel settore creditizio, questo movimento condivide le caratteristiche del tasso di profitto del "tardo" capitalismo: lo svelamento forzato del capitale in eccesso e la sua messa in circolazione. È il modo in cui il tardo capitalismo ha industrializzato settori della vita sociale – come il tempo libero, lo sport e l'arte – finora ritenuti impenetrabili dai caratteri dell'industria: meccanizzazione, standardizzazione, iperspecializzazione e divisione del lavoro. Come ha scritto l'economista belga Ernest Mandel (1923-95): "Lungi dal rappresentare una 'società postindustriale', il tardo capitalismo costituisce così per la prima volta nella storia un'industrializzazione universale generalizzata".

Se il precedente costituisce più che un interessante esempio di spostamento socio-economico storico durante l'ultimo decennio del XX secolo e degli sviluppi profondi nella produzione e nell'esperienza dell'arte stessa, è perché il modello del museo globalizzato, essendo spaziale più che temporale, rappresenta – come Krens stesso ha affermato per primo – uno spostamento del discorso. Il museo moderno era risolutamente storico e raccontava senza fine la rivelazione delle scoperte moderniste nel campo della ricerca formale, dell'analisi sociale, della ribellione psicologica. Il nuovo museo, sostenne Krens, deve rinunciare a questo apparato, sostituendolo con pochi artisti esposti in grande quantità in vasti spazi. La storia verrebbe così scaricata in favore di una sorta di intensità dell'esperienza, un valore estetico che non è tanto temporale (storico) quanto ora radicalmente spaziale.

Incarnando la sua specifica conversione dal vecchio tipo di "discorso" museale al nuovo nella sua esperienza del Minimalismo e nell'effetto dei giganteschi spazi espositivi recentemente realizzati (come i depositi di Schafhausen, in Germania, o gli hangar di ▲ Donald Judd a Marfa, nel Texas), Krens decise di acquistare opere minimaliste in massa, acquisendo la grande collezione Panza di Biumo per 30 milioni di dollari (e vendendo per questo tre dei capolavori moderni del Guggenheim, compreso un importante Kandinskij). Fu infatti il Minimalismo, le lunghe file di cubi luccicanti e riflettenti o le inafferrabili aureole di luci fluorescenti o i lucidi pavimenti di lastre d'acciaio, a offrire a Krens il modello di questa idea dell'arte come pura intensità **[3]**.

Ora, se la versione allucinatoria di Krens del Minimalismo – Minimalismo come puro spettacolo – poteva essere la base di una visione del museo come scintillante luna park, moltiplicandosi in vari spazi nel mondo, come Disneyland, è perché qualcosa era avvenuto nella percezione del Minimalismo stesso, qualcosa che aveva riprogrammato il movimento dai significati e dalle esperienze degli anni Sessanta a questa nuova condizione alla fine degli Ottanta • e nei Novanta, una condizione che il critico Fredric Jameson definirebbe "il sublime isterico". Niente poteva essere più lontano

▲ 1965 • 1984b

dall'allucinazione dell'esperienza originariamente ricercata dal Minimalismo. Negando che l'opera d'arte è un incontro tra due entità precedentemente stabilite e complete – da un lato, l'opera come deposito di forme note: il cubo o prisma come una sorta di dato geometrico; dall'altro, lo spettatore come soggetto integrale e biograficamente costituito, che esperisce cognitivamente queste forme perché le conosce in anticipo – il Minimalismo cercava di far "avvenire" l'opera su un filo di lama percettivo, all'interfaccia tra opera e suo osservatore. Inoltre intese questa esperienza come in grado di andare al di là del visivo per coinvolgere tutti i sensi fisici. Il suo modello di percezione voleva rompere con quella che vedeva come la condizione disincarnata e perciò esangue, algebrizzata, della pittura astratta, in cui una visualità separata dal resto del corpo e diventata modello di una tensione del modernismo verso l'autonomia era diventata l'immagine stessa di un soggetto interamente razionalizzato, strumentalizzato, serializzato. La sua insistenza sull'immediatezza dell'esperienza, intesa come immediatezza fisica – sentire nello stomaco la spinta gravitazionale del *Castello di carte* di Richard Serra, per esempio –, era vista come una liberazione dalla spinta della pittura modernista verso un crescente astrattismo positivista.

Ma la contraddizione interna a questa ambizione era che, se il desiderio era quello di invocare la pienezza corporea come resistenza e compensazione al carattere serializzato, stereotipato e banalizzato della vita moderna, gli strumenti usati dai minimalisti furono a doppio taglio. Il plexiglas e l'alluminio infatti, scelti per annullare l'interiorità connotata dal legno o dalla pietra della scultura tradizionale, erano anche materiali della produzione industriale di merci; semplici poligoni, invocati come strumenti di immediatezza percettiva, erano anche forme di produzione di massa razionalizzata; gli arrangiamenti ripetitivi e aggregativi, usati come resistenza alla composizione tradizionale, condividevano in profondità la serializzazione che struttura il capitalismo consumista. Così, anche se voleva combattere la mercificazione e tecnologizzazione, il Minimalismo paradossalmente perpetrava i codici di quelle stesse condizioni. È questo potenziale che venne poi sfruttato dal museo riorganizzato come luna park di un Minimalismo simulacrale.

Castelli di carte

Questa riprogrammazione culturale fu definita da Frederic Jameson come frutto della logica interna stessa del rapporto dell'arte moderna con il capitale avanzato, un rapporto in cui, nella loro resistenza a una particolare manifestazione del capitale – alla tecnologia o alla merce, o alla reificazione del soggetto della produzione di massa –, gli artisti producono un'alternativa a quel fenomeno che può anche essere letto come una sua funzione, altra versione della cosa stessa contro cui reagiscono. Così, mentre l'artista crede di creare un'alternativa utopica o una compensazione a un certo incubo indotto dall'industrializzazione, allo stesso tempo proietta uno spazio immaginario che produce la possibilità per il suo fruitore di occupare fittiziamente il territorio di quello che sarà un prossimo ▲ e più avanzato livello del capitale. Il museo globalizzato, con i suoi contenuti di spettacolo derealizzato e simulacrale, diventa un altro esempio dell'esaurimento di questa logica. RK

ULTERIORI LETTURE:

Hal Foster, *L'importanza del Minimalismo*, trad. it. in *Il ritorno del reale*, Postmedia, Milano 2006

Fredric Jameson, *Il postmoderno, o la logica culturale del tardo capitalismo*, trad. it. Garzanti, Milano 1989

Rosalind Krauss, *The Cultural Logic of the Late Capitalist Museum*, in *October*, n. 54, autunno1990

Brian O'Doherty, *Public Art and the Government: A Progress Report*, in *Art in America*, n. 3, maggio 1974, e *Inside the White Cube*, trad. it. John & Levi, Monza 2012

Phil Patton, *Other Voices, Other Rooms: The Rise of the Alternative Space*, in *Art in America*, n. 4, luglio 1977

3 • Donald Judd, *100 opere senza titolo in alluminio laminato*, 1982-86 (dettaglio)
Collezione permanente alla Chinati Foundation, Marfa, Texas

▲ 1969

▲ 2015

1977a

La mostra *Immagini* identifica un gruppo di giovani artisti le cui strategie di appropriazione e le cui critiche all'originalità avanzano la nozione di "postmodernismo" in arte.

All'inizio del 1977 il critico Douglas Crimp fu invitato da ▲ Helene Winer, direttore dell'Artists Space, a curare una mostra di artisti relativamente nuovi a New York: Troy Brauntuch, Jack Goldstein, Sherrie Levine (nata nel 1947), Robert ● Longo e Philip Smith. Winer, che più tardi aprirà la galleria Metro Pictures, indirizzò Crimp verso giovani artisti che, come altri nel loro ambiente – Cindy Sherman (nata nel 1954), Barbara Kruger (nata nel 1945), Louise Lawler (nata nel 1947) e altri –, erano collegati non dall'uso di uno stesso medium (usavano fotografia, video e performance, ma anche mezzi tradizionali come il disegno), ma da un nuovo senso dell'immagine come "*picture*", cioè come palinsesto di rappresentazioni, spesso trovate o "appropriate", raramente originali o uniche, che complicavano, anzi contraddicevano, le pretese di autorialità e autenticità così importanti per la maggior parte dell'estetica moderna. "Non cerchiamo origini", scriveva Crimp, "ma strutture di significazione: dietro ogni immagine c'è sempre un'altra immagine". *Immagini* voleva andare al di là di qualsiasi medium dato, prendendo il suo messaggio da pagine di riviste, come da libri, pubblicità e ogni altra forma di cultura di massa. Inoltre si prendeva gioco dell'idea che uno specifico medium possa costituire un atto di resistenza, una sorta di principio di verità che possa servire da origine estetica nel senso modernista, "verità dei materiali" o essenza rivelata che fosse. ■ *Immagini* non aveva un medium specifico, era trasparente come un fascio di luce, leggero come un solvente che si scioglie in acqua.

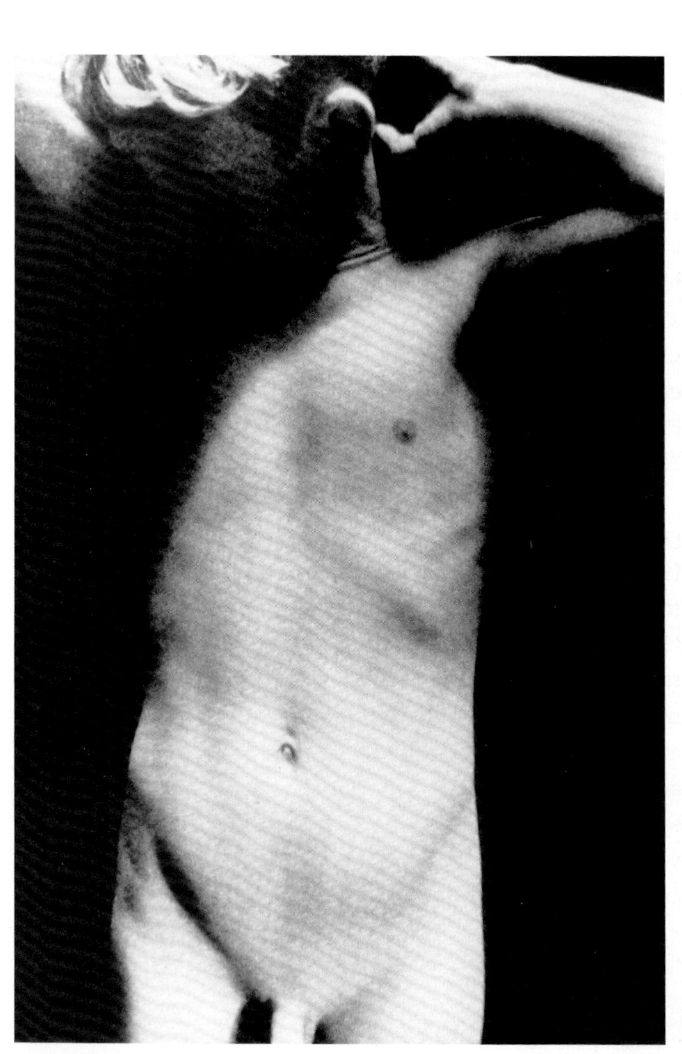

1 • Sherrie Levine, *Senza titolo, Da Edward Weston I*, 1980
Fotografia, 25,4 x 20,3 cm

L'"immagine" postmodernista

Da come questo lavoro collettivo si sviluppò negli anni seguenti, divenne chiaro che la sfida all'autoralità era più radicale nella pratica di Levine. Nel 1980, con la serie *Senza titolo, Da Edward Weston*, piratò palesemente un gruppo di immagini che Weston aveva scattato nel 1925 al giovane figlio Neil nudo e tagliato dall'inquadratura al torso [1]. Fondendo nel modo più assoluto il proprio statuto di autore con quello di Weston, Levine andava al di là della pura sfida alla statuto legale di creatore e dunque di proprietario del copyright della propria opera. La sua appropriazione parve invece estendersi alla stessa pretesa di originalità di Weston, nel senso di essere l'origine delle proprie immagini. Inquadrando il corpo del figlio in modo da ottenere una serie di graziosi torsi nudi, si può sostenere che Weston si stava servendo di uno dei tropi visivi più diffusi nella cultura occidentale: risalendo fino al nudo maschile del classicismo greco, già modello delle copie romane, ma filtrato attraverso la forma in cui queste antichità furono riprese nel mondo postrinascimentale, cioè decapitate e senza braccia, il torso tagliato finiva con il simbolizzare l'interezza ritmica del corpo. L'"autore" di questa immagine è

▲ 1976 ● 1980 ■ 1914, 1921b, 1960b, 1962c

dunque manifestamente multiplo: dagli antichi scultori anonimi che trafficarono in copie, ai gruppi di archeologi che scavarono le rovine, ai curatori di museo che esposero questi corpi, ai moderni pubblicitari che usano versioni di queste immagini per promuovere i loro prodotti. È in questa prospettiva che il furto di Levine dell'"autoralità" di Weston evidenzia una lunga serie di pretendenti a questo privilegio, mentre ironizza l'idea stessa di Weston come origine dell'immagine.

Che Levine avesse inscenato questa appropriazione con la fotografia di un'altra fotografia fu interpretato, d'altra parte, come l'attribuire un ruolo speciale alla fotografia stessa nel dissolvere la mistica dell'"origine" legata all'opera d'arte. Appartenendo a una generazione di artisti per i quali la lezione del saggio di Walter Benjamin del 1936 *L'opera d'arte nell'epoca della sua riproducibilità tecnica* era come una seconda natura, Levine comprese a fondo la condizione della fotografia come "multiplo senza originale". Così il valore cultuale dell'oggetto unico, l'originale artistico la cui magia estetica e "aura" veniva svuotata dall'invalidità di una copia o di un falso, fu messa in questione dalla natura stessa della fotografia. Scrive Benjamin: "Di una pellicola fotografica [...] è possibile tutta una serie di stampe; la questione della stampa autentica non ha senso". Così uno dei motivi degli artisti di *Immagini* era di contrapporsi al crescente mercato della fotografia, ai suoi negativi biffati e alle stampe vintage, con il termine basso e derisorio "immagine".

A partire da questa demistificazione di un tipo di origine (l'originale estetico), fu facile per Levine trasferirlo a un altro (l'originalità dell'autore). La fotografia, suggeriva, rende solo tecnicamente più facile e più trasparente realizzare quel tipo di furto – eufemisticamente detto "appropriazione" – che era sempre stato endemico nelle "belle arti", il cui statuto fondamentalmente decorativo ora la fotografia rivelava. Come il saggio di Benjamin aveva già predetto: "già precedentemente era stato sprecato molto acume per decidere la questione se la fotografia fosse un'arte, ma senza che ci si fosse posta la domanda preliminare: e cioè, se attraverso la scoperta della fotografia non si fosse modificato il carattere complessivo dell'arte". Levine e altri artisti appropriazionisti ora se la ponevano. Uno dei nomi assegnato alla loro critica fu "postmodernismo".

Benché non presente alla mostra *Immagini*, Louise Lawler assunse più costantemente il termine per riferirsi al proprio lavoro, così di mostra in mostra – *Quante immagini*, *Potrebbe essere Elvis e altre immagini*, *Dipinti, pareti, immagini* – integrò la sua opera nel mondo serializzato della produzione di massa, mettendo le sue fotografie dentro le piccole cupole di fermacarte di vetro, proiettando le sue immagini nella forma effimera della diapositiva, presentandole come una sorta di detrito culturale: copertine di scatole di fiammiferi, souvenir di vetro, dischi. Nella stessa logica di Levine, Lawler estese la struttura della molteplicità dal fatto tecnico delle copie generate da una matrice all'ambito estetico dell'autoralità, dissolvendosi così come punto di origine dell'opera nel bagno di un continuum sociale.

2 • Louise Lawler, *Allestito da Barbara e Eugene Schwartz*, 1982
Fotografia in bianco e nero, 40,6 x 59,7 cm

Molte sue fotografie hanno titoli come *Allestito da Barbara e Eugene Schwartz* [**2**] o *Lampada da tavolo di Ernesto Gismondi*, a segnalare le mutazioni nell'autoralità che documentano. La sottomissione delle opere d'arte alle forze del mercato ha mostrato che esse non sono del tutto integrate nel mondo della merce, perciò assumono la personalità dei loro proprietari, come la parete magistralmente allestita con ritratti di August Sander nello studio degli Schwartz. Ha anche significato che la forma merce a cui sono assimilate è quella in cui il loro valore di scambio esiste a livello disincarnato di segno, che le rende equivalenti a tanti marchi di moda che valgono molto più dell'occasionale borsetta o mocassino a cui sono attaccati. Questo statuto dell'arte come "valore di scambio segnico" è ancor più implicato dalle immagini di Lawler in cui, come in *Pollock e Tureen* (1984), la nostra attenzione è nettamente divisa tra una porcellana del XVIII secolo e il segmento di un quadro di Pollock che vediamo sopra di essa; o come in *A chi sei vicino?* (1990), dove uno Warhol verde è appeso su una parete magenta simmetricamente posizionato tra verdi cavalli cinesi, un coordinato di colori da rivista *Case e giardini*. Cedendo i suoi privilegi compositivi ai collezionisti delle opere, abdicando alle proprie prerogative stilistiche a favore di un'intera schiera di strumenti mass-mediali – gli stili fotografici delle riviste di moda, della pubblicità, della pura documentazione – e sostenendo la logica reciprocità implicita attraverso cui il "valore di scambio segnico" va oltre non solo l'opera di Pollock ma la sua stessa, Lawler sospende le proprie pretese di autore.

Sé readymade

Tutte queste "immagini" create dalla fotografia e che inficiano la triade delle belle arti – originalità, originale, origine – inserendo il mondo autonomo dell'oggetto d'arte nell'ambito esplosivo della cultura di massa, trovarono il loro sbocco nell'opera di Cindy Sherman. Elaborando la serie intitolata *Senza titolo Fotogrammi da film* tra il 1977 e il 1980 [**3, 4**], Sherman inanellò straordinari cambiamenti sull'idea di autoritratto come sparizione sotto le vesti delle star cinematografiche che impersonava (Monica Vitti,

▲ 1935 ▲ 1929, 1935 • 1980

Barbara Bel Geddes, Sophia Loren), dei personaggi che evocava (l'amante del gangster, la moglie maltrattata, l'ereditiera), dei registi i cui stili imitava (Douglas Sirk, John Sturges, Alfred Hitchcock) e dei generi che simulava (noir, suspense, melodramma).

Al di là del rigetto della propria personalità come autore e individuo, tuttavia, l'implicazione di queste opere è che la condizione stessa della personalità è costruita sulla rappresentazione: sui racconti sentiti da bambini o letti nei libri da adolescenti; sulle immagini che i media offrono, attraverso cui i tipi sociali vengono creati e interiorizzati; sulla risonanza tra trame cinematografiche e fantasie proiettate. Quindi la permeabilità della persona ai ruoli e alle situazioni che formano nel mondo-immagine pubblico, quello astutamente proiettato prima dal cinema e poi dalla televisione. Se l'opera di Sherman poteva essere frutto di altrettanti dispositivi hollywoodiani, le sue immagini sono eloquenti perché Sherman stessa, dentro la scena al nostro posto, è costruita da quegli stessi dispositivi. È in questo modo che ogni autore non solo si appropria delle proprie immagini, ma anche del proprio "sé".

A metà degli anni Ottanta tuttavia, e in seguito ad analisi femministe come *Piacere visivo e cinema narrativo* di Laura Mulvey, non fu più possibile vedere Sherman come in scena "al nostro posto" o assumere le manipolazioni del cinema hollywoodiano come genere neutro. Non solo diventò ovvio che i ruoli in questione nei

3 • Cindy Sherman, *Senza titolo Fotogramma da film # 7*, 1978
Fotografia in bianco e nero, 25,4 x 20,3 cm

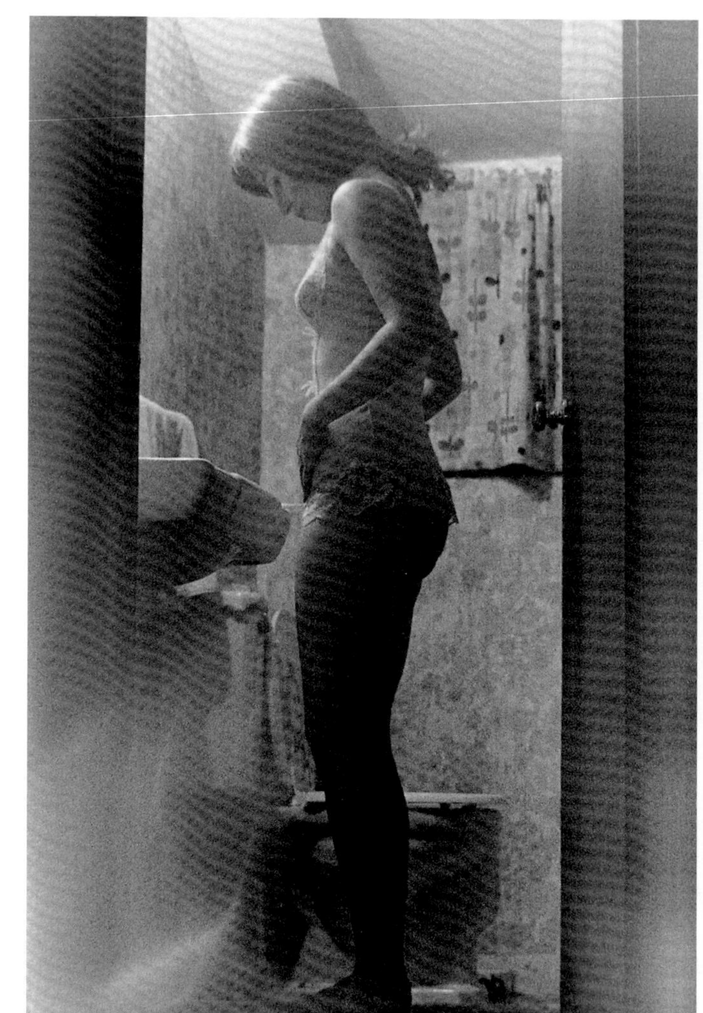

4 • Cindy Sherman, *Senza titolo Fotogramma da film # 39*, 1979
Fotografia in bianco e nero, 25,4 x 20,3 cm

Fotogrammi da film di Sherman erano femminili, ma l'idea femminista secondo cui questi ruoli erano mutati. Mulvey non auspicava più una sorta di presa di coscienza con cui le donne erano chiamate a mettere da parte i ruoli in cui erano state gettate, come un insieme di travestimenti che potevano cambiare se solo lo volevano. Sosteneva un'analisi molto più strutturale secondo cui la divisione del lavoro sotto il patriarcato non poteva essere cambiata: gli uomini erano gli attori in un mondo in cui le donne erano gli oggetti passivi; gli uomini erano quelli che parlavano, che creavano il senso, mentre le donne erano il supporto del senso. Se Hollywood ha seguito questi modelli, producendo star femminili come sonnolenti feticci visivi e quelle maschili come vigorosi agenti, è stato perché questi compiti erano cablati nella psiche collettiva, ineluttabili. Di conseguenza, le scene di Sherman andavano analizzate meno per le loro associazioni alla cultura di massa e più per i loro aspetti visivi: tracce di uno sguardo maschile portato su una donna in attesa e senza difese; modi in cui la donna reagisce a questo sguardo, lo asseconda, lo ignora, lo placa.

Come ha sostenuto inoltre il saggio di Mulvey, la divisione dei ruoli in termini di azione e visione si applica anche al linguaggio. Quando dice che la donna è il supporto del senso, si riferisce al

▲ 1975a

▲ 1975a, 1993a

5 • **Barbara Kruger,** ***Non vogliamo adattare la natura alla vostra cultura*****, 1983**

fatto che il corpo della donna è organizzato da quello che lo psicanalista francese Jacques Lacan ha chiamato il significante della differenza, cioè il fallo che non ha ma che – marcata dalla castrazione e dalla sua minaccia – è. Un altro modo per dirlo è che il suo corpo – completo nella sua bellezza, ma segnato dall'assenza di fallo – è il feticcio che indica il luogo di una mancanza. È in questo luogo e secondo questa mancanza che è costruita la differenza che fonda la possibilità stessa del senso, o del linguaggio.

L'opera di Barbara Kruger è costruita sul riconoscimento di questa divisione linguistica del lavoro solo per sospenderla. Come quelle di Sherman, Lawler e Levine, le basi dell'opera di Kruger sono prese dall'immaginario mass-mediale, qui nella forma di fotografie trovate, prese da riviste e altre fonti. Ma su di esse l'artista incolla delle taglienti dichiarazioni verbali. In *Non vogliamo adattare la nostra natura alla vostra cultura* **[5]**, per esempio, queste parole si stagliano sulla fotografia di una giovane che prende il sole con gli occhi coperti da foglie. Riferendosi alla binarietà che struttura non solo il linguaggio ma anche le forme culturali del senso – l'opposizione natura/cultura essendo quasi fondamentale di quella maschio/femmina –, la giovane di Kruger sta veramente "adattandosi" alla natura. Poiché giace su un prato appena visibile, non solo le foglie che coprono i suoi occhi incoraggiano un senso di cedimento alle condizioni naturali, come gli animali mimetici di Roger Caillois, ma questa maschera conferma anche le dinamiche sessuali di visione descritte da Mulvey: la giovane è l'oggetto, non l'agente della visione.

I nostri corpi, noi stessi

Ma, lavorando in opposizione alla conferma degli stereotipi sul genere, il testo innesca un altro aspetto dell'analisi linguistica ▲ proposta dagli strutturalisti, quello sulla natura dei pronomi • formulato dal linguista francese Émile Benveniste. Dividendo il linguaggio in due forme, narrazione e discorso – la prima è la forma dei resoconti storici od oggettivi, la seconda del dialogo interattivo (conversazione) –, Benveniste mirava a un altro tipo di divisione del lavoro, quella tra i pronomi di terza persona – egli, essi – collegati al tempo passato (storico) e i pronomi di prima e seconda persona – io, tu, noi, voi – collegati al tempo presente. I primi sono la matrice attraverso cui è riferito il fatto presumibilmente oggettivo, scientifico, ed è perciò lo strumento della conoscenza. I secondi sono lo strumento dell'esperienza attiva e vissuta attraverso cui chi parla assume la propria soggettività e la responsabilità della propria posizione di "io". Questa è la dimensione del linguaggio che i linguisti chiamano anche "performativa" e ciò che manca nel supposto valore di verità lo maschera nella sua assunzione di potere e di intervento. I due messaggi dell'immagine di Kruger sono allora decisamente "misti": uno che si adatta al sistema narrativo in cui la donna è l'oggetto della conoscenza, la sua passività costituendo la sua stessa "verità"; l'altro che assume il sistema discorsivo e, dicendo "io" (o, in questo caso, "noi"), la posizione performativa. Così facendo, la voce della donna rovescia aggressivamente lo sguardo maschile.

L'opera di queste quattro donne costituì una parte importante di quello che è identificato come "postmodernismo critico", espressione che associava la loro critica a quella dei teorici della ■ cultura di massa che, da Adorno a Habermas, avevano denunciato l'"industria della coscienza". Questa qualifica era necessaria per differenziare la loro opera da un'altra forma di postmodernismo che era avidamente promossa dagli stessi media che il gruppo di *Immagini* aveva svelato. Infatti un postmodernismo antimodernista aveva dichiarato guerra al "formalismo" tornando ai modi ◆ classicisti della pittura ad olio e della scultura in bronzo (per esempio l'italiano Sandro Chia), come aveva detto addio a una nozione progressista di storia assumendo ecletticamente un singolare assortimento di stili pittorici del passato, benché nessuno di essi avesse alcun significato interno definito storicamente (per esempio l'americano David Salle). Il gruppo *Immagini*, sostenendo che i media artistici non sono più valori neutri, ma sono contaminati dai media della comunicazione, parte del campo di battaglia della cultura moderna, diventò un emblema del postmodernismo inteso come critica. RK

ULTERIORI LETTURE:

Douglas Crimp, *On the Museum's Ruins*, MIT Press, Cambridge (Mass.) 1993

Hal Foster, *Postmodernism*, in *The Anti-Aesthetic*, Bay Press, Seattle 1983, e *L'importanza del Minimalismo*, trad. it. in *Il ritorno del reale*, Postmedia, Milano 2006

Craig Owens, *Beyond Recognition: Representation, Power, and Culture*, University of California, Berkeley-Los Angeles 1992.

Introduzione 1, 1931a • 1930b ▲ Introduzione 3 • Introduzione 4 ■ Introduzione 2, 1988 ◆ 1984b

1977b

Harmony Hammond difende l'astrazione femminista sulla nuova rivista *Heresies*.

▲ Sul primo numero della rivista femminista *Heresies* (gennaio 1977), dedicato a "Femminismo, arte e politica", Harmony Hammond pubblicò un saggio intitolato *Arte astratta femminista: un punto di vista politico*. Questo testo parlava di quello che Hammond considerava un paradosso poiché, a quel tempo, era ampiamente condiviso che se un artista si fosse dedicato a questioni relative alle donne, la sua opera avrebbe mimeticamente rappresentato aspetti delle condizioni sociali, dei piaceri o delle crisi femminili. Da questo punto di vista, l'astrazione costituirebbe una fuga dalla o un disconoscimento della politica – o, ancor peggio, l'affermazione di uno status quo sessista. Nel suo saggio Hammond descrive questo atteggiamento scettico affermando che "gli artisti vedono l'arte astratta come un'espressione privata che non è comprensibile o analizzabile dal pubblico, e quindi estranea agli obiettivi politici femministi". Infatti, nonostante ● la pittura e la scultura moderniste dell'inizio e della metà del XX secolo promuovessero esplicitamente ambizioni politiche nei loro sforzi di creare nuove forme sociali e nuove modalità percettive, dagli anni Settanta l'analisi femminista ha criticato l'attenzione quasi esclusiva della storia dell'arte per i risultati avanguardistici degli uomini. Dal punto di vista dell'identità politica l'astrazione veniva associata alla mascolinità e alle forze patriarcali che opprimono le donne. Nel contesto di *Heresies*, del cui collettivo editoriale Hammond era membro fondatore, la sua difesa dell'astrazione richiedeva alcune spiegazioni. L'artista ammette infatti che "l'arte astratta è diventata tabù per molte artiste che si considerano femministe politiche".

Nelle sue sculture e nei suoi quadri degli anni Settanta Hammond ha ripensato l'astrazione in almeno tre modi: collegando le sue procedure a forme di lavoro creativo tradizionalmente svolto dalle donne, come il cucito e l'intreccio di cesti; introducendo ■ caratteri del corpo in forme geometriche associate al Minimalismo; e infine ampliando il concetto di critica per abbracciare ogni membro del pubblico, non importa quanto inesperto possa essere di arte contemporanea. Per quanto riguarda quest'ultimo punto, Hammond raccomandava l'uso di una delle più importanti strategie del femminismo degli anni Settanta: la presa di coscienza, grazie alla quale un gruppo di donne può condividere esperienze e comportamenti per creare un forte e politicizzato senso di comunità. Come dice Hammond: "Questo approccio all'arte e all'arte del discutere si è sviluppato dall'esperienza della presa di coscienza. Esso riguarda primariamente l'opera in sé, cosa dice e come lo dice – piuttosto che una serie imposta di convinzioni estetiche". In breve, dunque, Hammond afferma che la ricezione dell'arte andrebbe organizzata e democraticizzata in base a un insieme di valori che mette da parte la competenza come criterio. Un'opera come *Abbraccio* (1979-80) **[1]** esemplifica le prime due dimensioni formali del lavoro femminile e della corporalità citate più sopra. È composta da due strutture a forma di scala, ciascuna avvolta, o legata, con stracci di stoffa, sulle cui superfici è stata poi data una mano – o pelle – di acrilico: la scala più piccola è appoggiata contro quella più grande, che a sua volta è contro il muro. Insieme queste due figure antropomorfe inscenano una rappresentazione allegorica dell'"abbraccio" del titolo. Di tale abbracciare viene data un'altra dimensione tramite l'impacchettamento di tessuto attorno alle forme, che genera le pieghe e i cuscinetti di una voluttuosa anatomia immaginaria. Hammond ha associato questi lavori al tessere e cucire delle tradizionali arti femminili di intrecciare ceste di vimini e del cucito, ma gli stracci che applica portano con sé anche la storia del loro utilizzo da parte delle donne. Simili modelli di corporeità, realizzati tramite le materie prime in uso e i loro contorni antropomorfi (o forse "ginecomorfi") dotano le sculture di Hammond di un sentimento rievocativo di artisti come Eva Hesse, che animava anch'essa forme geometriche attraverso riferimenti alla pelle o a corpi viventi.

Liberarsi delle norme

Benché lo sviluppo esplicito della "teoria queer" non si sia verificato fino agli anni Novanta (e benché l'arte femminista degli anni Settanta venga spesso distinta dalle opere femministe successive, orientate più al concettuale), l'arte di Hammond e quella di altri artisti lesbiche o gay che hanno operato negli anni Sessanta e Settanta possono essere vantaggiosamente comprese da tale punto di osservazione. La distinzione che la teoria queer introduce nei primi anni Novanta ai suoi esordi è fondamentale: invece di partire da un tipo di differenza radicata nell'identità apparentemente stabile di "eterosessuale" contrapposto a "lesbica" o "gay", la desi-

▲ 1975a ● 1913, 1921b, 1923, 1928a, 1933, 1937a, 1937c, 1943, 1949b, 1957a, 1959c ■ 1965

1 • Harmony Hammond, *Abbraccio*, 1979-80
Tecnica mista, 162,6 x 73,7 x 35,6 cm

2 • Kate Millett, *Opera terminale*, 1972
Gabbia di legno, sedie di legno, manichino vestito con borsa, dimensioni variabili

gnazione di queer indica una forma più incerta di *non-normatività*. La queer è quella che perverte, traveste, caricaturizza o desublima le norme e le convenzioni. Queer è più un punto di vista che un'identità fissa. Di conseguenza gli artisti eterosessuali possono creare un'opera che può venire considerata queer, mentre una persona lesbica può non farlo. Tuttavia la creazione formale queer è stata storicamente una strategia produttiva per lesbiche, gay e individui transgender. Hammond e altri artisti, come Paul Thek e Kate Millett, ▲ si può dire che abbiano "queerizzato" la forma minimalista e postminimalista, per lo più introducendo forti modelli di corporalità in convenzioni di astrazione geometrica.

Kate Millett è meglio conosciuta come l'autrice del controverso e rivoluzionario libro *Politica sessuale* (1970), la cui analisi del canone letterario occidentale in termini di iniquità di genere è uno dei testi fondatori degli studi delle donne e ha avuto un'enorme influenza sulle politiche femministe degli anni Settanta. Millett è anche un'artista le cui installazioni scultoree evocano costantemente geometrie di intrappolamento che, come l'artista ha suggerito in un saggio del 1988 sulla propria arte, descrive allegoricamente la condizione delle donne: "Con le donne, l'ho sempre saputo. Quella era la nostra vita: imprigionamento. Imprigionamento dentro imprigionamento, una serie di scatole cinesi; la tradizione inglese ha persino designato la nascita di un bambino con lo stesso termine 'confinement'". Le più potenti installazioni di Millett dei tardi anni Sessanta e dei Settanta erano spesso direttamente o indirettamente ispirate ai suoi tentativi di riappacificarsi con la storia di Sylvia Likens, una giovane ragazza che fu lasciata morire di fame, torturata e imprigionata in un seminterrato dalla proprietaria della pensione in cui risiedeva, una madre single. Come ha affermato la storica dell'arte Kathy O'Dell: "La storia di Sylvia Likens ha cambiato il corso della vita di Millett, quello che ne ha scritto, come ha fatto arte". Parte della forza della tragedia di Likens sembra fosse la sua elisione dell'intrappolamento fisico e psicologico. *Opera terminale* (1972) **[2]** collega tale esperienza di intrappolamento all'inaspettata notorietà ottenuta da Millett dopo la pubblicazione di *Politica sessuale*, che l'ha resa una rappresentante di alto profilo, sia per i sostenitori che per gli oppositori della liberazione delle donne. In *Opera terminale* si vede un manichino vestito somigliante a Millett seduto da solo in una fila di quarantasette sedie vuote disposte dietro sbarre di legno, in modo che l'artista in veste di celebrità venga fissata da un pubblico, che occupa di fatto il posto dello spettacolo di cui è testimone il surrogato seduto dell'autore. Come dice O'Dell: "In mostra davanti a tutti, ma contemporaneamente ingabbiato, la posizione del manichino è un equivalente visivo della situazione in cui Millett si è trovata dopo *Politica sessuale*, la situazione completamente pubblica, eppure profondamente alienata che è sinonimo di celebrità".

Nella serie di sculture di Paul Thek intitolata *Reliquari tecnologici* risalente alla metà degli anni Sessanta, la dinamica di imprigionamento in cui sono ingabbiati i manichini nell'opera di Millett è messa in atto in modo ancora più viscerale attraverso l'incassamento di pezzi di carne brutalmente tagliati o di arti recisi realizzati con cera a freddo, "reliquario" minimalista costruito in vetro o plexi-

▲ 1965, 1966b, 1969

3 • Paul Thek, *Senza titolo*, 1964
Cera, metallo, legno, pittura, capelli, corda, resina e vetro, 61 x 61 x 19,1 cm

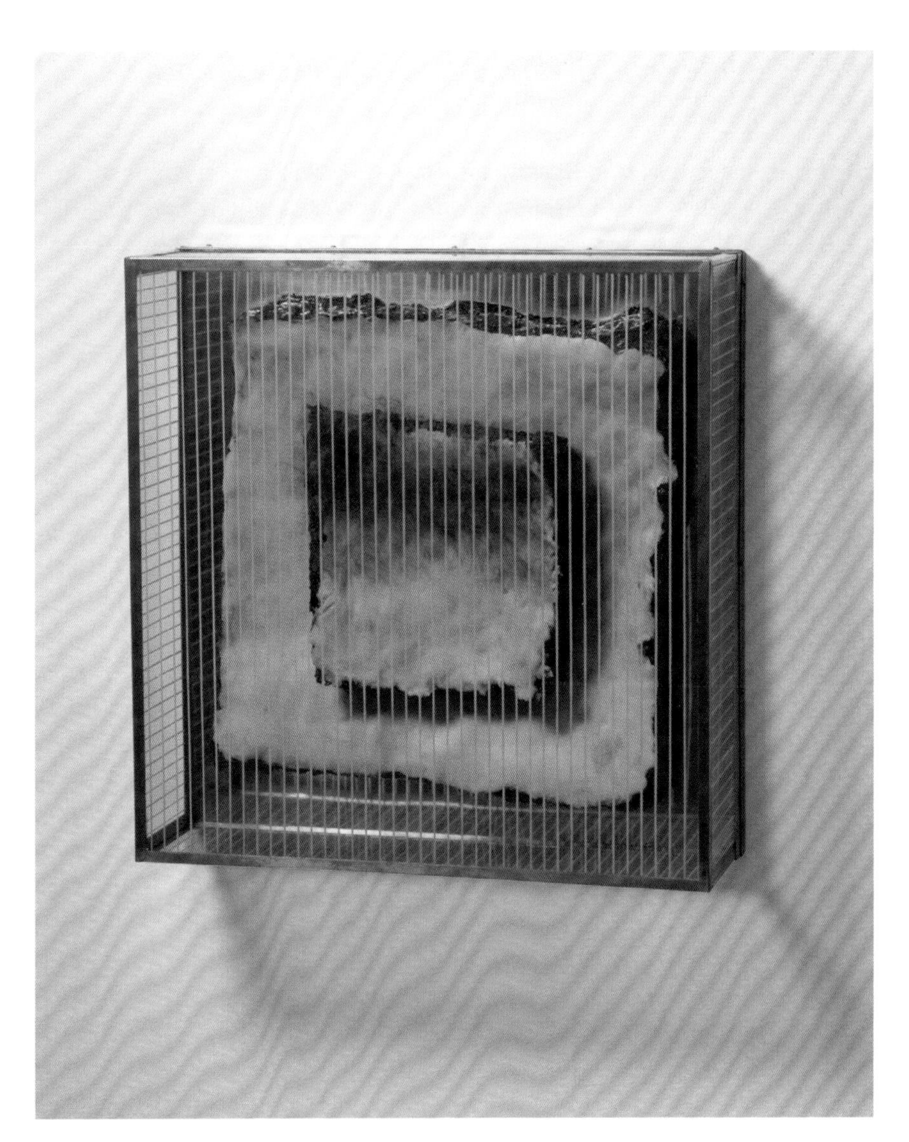

glas. Come Thek ha dichiarato in un'intervista del 1981: "Per me era assolutamente ovvio. Dentro le eleganti casse scintillanti – i materiali dell'"arte moderna' che erano di gran moda all'epoca: formica, vetro e plastica – c'era qualcosa di molto sgradevole e davvero spaventoso che sembrava assolutamente reale". *Senza titolo* (1964), per esempio **[3]**, consiste in una scatola di vetro appesa al muro, bordata di metallo e striata con linee gialle che racchiudono due quadrati di carne cruda fatti in cera – il pezzo più piccolo centrato su quello più grande. L'effetto nauseante di carne umana o animale è acuito dalla presenza di capelli sul pezzo più piccolo. L'ironia qui sta nel fatto che dopo lo shock iniziale all'incontro con l'"assolutamente reale" nelle decorative scatole di Thek, ci si può aiutare riconoscendo che la reliquia e il suo reliquiario condividono una logica compositiva: la carne all'interno, dopotutto, è tagliata in due quadrati e questa composizione geometrica, secondo Thek, ricorda quella di *Omaggio al quadrato* per la quale è famoso il pittore modernista ▲ Josef Albers, uno dei grandi coloristi del XX secolo.

In breve, in queste opere la carne è sia oggettivata sia forma geometrica. In un'intervista del 1966 con il critico G. R. Swenson, Thek accenna al suo modo di vedere tale oggettivazione corporea. Nel raccontare la sua esperienza di visita alle catacombe in Sicilia con il suo amico e amante, il fotografo Peter Hujar, Thek afferma: "Ci sono 8000 corpi – non scheletri, corpi – che decorano le pareti e i corridoi sono pieni di bare finestrate. Ne ho aperta una e ho raccolto quello che credevo fosse un pezzo di carta; era un pezzo di coscia essiccata. Mi sono sentito stranamente sollevato e libero. Mi rallegrava il fatto che i corpi potessero venire usati per decorare una stanza, come fossero fiori. Noi accettiamo intellettualmente il nostro essere-cose, ma la sua accettazione emotiva può essere una gioia". Per quanto macabro possa suonare, questo aneddoto apre una prospettiva sui reliquari di Thek che può aiutarci a comprendere la ▲ loro "essenza queer". Perché se l'arte minimalista era fatta di semplici forme geometriche finalizzate a creare situazioni percettive stimolanti per gli spettatori, che, secondo la migliore critica del periodo, dovevano rendere tali spettatori consapevoli dei loro modi di percepire soggettivi, Thek afferma che noi stessi in quanto spettatori – in quanto soggetti fatti di carne – siamo poco più che oggetti. La differenza tra forma oggettiva e percezione soggettiva che caratterizza il Minimalismo (quello che Thek intende quando dice: "i materiali dell'"arte moderna' che erano di gran moda all'epoca") è dunque

▲ 1947a ▲ 1965

collassata, causando un miscuglio promiscuo di umano e cosa. E anzi, Thek va anche oltre insistendo a dire che ci sono piacere e liberazione in questo essere-cose, in tale auto-oggettivazione. Qui è dove ciò che si potrebbe chiamare il "non-normativo" entra nell'opera di Thek, nel piacere che gli umani potrebbero trarre dalla propria oggettivazione.

Questo piacere, o eros, viene esplicitamente associato alla morte in una delle più importanti opere di Thek, *La tomba*, esposta alla Stable Gallery di New York nel 1967. Consisteva in una bassa ziggurat rosa, che ospitava al suo interno un cadavere iperrealistico sdraiato modellato su Thek stesso, ma normalmente denominato l'"Hippie". Come il suo mausoleo, la pelle e i vestiti dell'Hippie erano interamente tinti di rosa ed egli era circondato da vari oggetti rituali che ricordavano l'antica pratica funeraria, tra cui tre bicchieri di vetro, una ciotola coperta, lenzuola di carta bianche e sul muro dietro la testa una lettera personale, alcune fotografie e le dita mozzate dalla sua mano destra stretta a pugno. La lingua nerastra di Hippie si protende in modo raccapricciante fuori dalla bocca, mentre su ciascuna delle guance sono posizionati dischi con disegni psichedelici derivati da motivi di ali di farfalla. Un'etichetta sul muro che illustra la costruzione della tomba allude ironicamente alla ▲ dipendenza del Minimalismo da forme quotidiane di costruzione e trasparenza procedurale: "Benvenuto: ti trovi nella riproduzione di una tomba. È stata prefabbricata al costo di 950 dollari con materiale novaply di 2,5 x 7,5 cm dalla C and C Custom Woodwork. [...] La base misura 10 metri quadrati. Seguendo un angolo di 85 gradi si erge su tre piani per un'altezza di 2 metri e mezzo". In quest'opera la relazione tra un monumento solenne e il cadavere inquietante che lo occupa – l'alter ego di Thek – stabilisce un'allegoria del ruolo contraddittorio dell'artista (identica alla dinamica delle reliquie), in quanto sia soggetto sia oggetto della sua arte. Inoltre, *La tomba* richiama alla mente tutto ciò che gli hippie rappresentavano nel 1967, dallo stile di vita esplicitamente controculturale potenziato da droghe estatiche che alterano la mente alla dichiarata opposizione politica alla guerra nel Vietnam. Quello che unisce i suoi diversi e anche antitetici aspetti è il colore rosa. Il rosa è una tinta fortemente legata a una convenzionale visione della femminilità – anche iperfemminilità – e ha la capacità di rendere qualsiasi cosa – dalle tombe ai cadaveri – decorativa e persino graziosa. Tramite il rosa le cose che dovrebbero essere mortalmente serie – l'estetica del Minimalismo e i rituali sociali di mortalità – vengono queerizzati, pervertiti o deviati dai significati usuali.

Nella sua importante recensione di *La tomba* il critico Robert Pincus-Witten ha descritto l'opera come una forma di "feticismo assoluto". Con ciò si riferiva alla cura minuziosa con cui Thek ha mimato la forma e la fisionomia dell'Hippie morto: "I lunghi baffi alla Genghis di Thek, le ciglia e le palpebre sono stati scrupolosamente fissati, pelo per pelo, sulla maschera di cera. Feticismo assoluto". In generale il feticismo costituisce un surplus di investimento emotivo la cui incidenza e il cui significato cambiano a seconda di quale tipo di oggetto è in gioco: religioso, erotico o pop. È noto che Karl Marx ha identificato il feticcio della merce (in quanto analogo alle rappresentazioni tribali degli dei, spesso chiamati "feticci" dagli europei contemporanei di Marx) e Sigmund Freud ha teorizzato il feticcio erotico come strumento per lenire l'ansia sessuale maschile – con particolare riferimento alle paure di castrazione. Nell'opera di Thek il feticcio (come reliquia, cadavere o carne cruda) è collegato a un'erotica della morte – simile a quella che nel suo racconto sulle catacombe in Sicilia ha chiamato gioia dell'essere-cose.

In *Creature ardenti* (1962-63), il film più noto del contemporaneo di Thek Jack Smith **[4]**, viene inscenato un tipo diverso di eccesso: un'identificazione spropositata con le star hollywoodiane dei film di serie B o anche C e il fantastico mondo che incarnano. Nel suo saggio sull'attrice domenicana Maria Montez, nota per le sue appassionate interpretazioni in film hollywoodiani come *Notti arabe* (1942), *Alì Babà e i quaranta ladroni* (1944) e *Il cobra* (1944), Smith introduce il concetto di "immagine ardente". In questo testo, *La perfetta appropriatezza filmica di Maria Montez*, pubblicato su *Film Culture* nel 1962-63, Smith scrive: "Il trash vale per la pelliccia di Maria Montez ma anche per i gioielli". E infatti per Smith c'era poca differenza tra il "trash" e i gioielli poiché entrambi ugualmente capaci di ispirare fantasie voluttuose. Questa sorta di forte attrazione per l'emarginato, l'obsoleto e il dozzinale in quanto strade per il meraviglioso viene spesso chiamata "camp" e viene generalmente associata ai codici subculturali dei gay, soprattutto prima che i moti di Stonewall del 1969 cominciassero a rendere più semplice per l'omosessualità essere riconosciuta apertamente.

Quello che scaturisce (o "si infiamma") in *Creature ardenti* – che è strettamente legato alla leggendaria ma ben poco documentata vita di Smith, vissuta nel suo loft nel centro di New York – è tutto ciò che una buona recitazione e lo sviluppo della trama cercano di sopprimere nel tradizionale film hollywoodiano, vale a dire un'appariscente magia erotica che divampa attraverso le selvagge buffonate di personaggi liberamente interpretati che ricordano quelli impersonati da Montez sullo schermo, come "Delicious Delores", "Nostra Signora dei Docks" e "La Spagnola". Girato in pellicola bianco e nero vecchia maniera, che dà all'opera una consistenza tremolante e diafana, e accompagnato da un'appropriata colonna sonora che include un estratto da *Alì Babà e i quaranta ladroni*, insieme a varie canzoni pop nostalgiche, *Creature ardenti* erode simultaneamente i confini tra i generi (gli uomini sono vestiti da donne, ma non si sforzano di "andare oltre") e quelli tra gli organi, le pietre di costruzione dell'individuo: si succedono uno all'altro quadri viventi complessi e geroglifici, nei quali oscillanti peni detumescenti e seni possono essere messi insieme ad arti e indumenti di altre persone in una rappresentazione veramente perversa di un "corpo sociale". Il carattere queer si manifesta qui non solo nell'indeterminare genere e anatomia, ma anche nel reinventare completamente quella che può essere considerata una comunità. Queste "creature ardenti" hanno inventato un nuovo mondo sociale con un proprio universo di sensazioni. Ma questo, come Smith scrive nello stesso saggio, è anche un mondo consapevolmente filmico: "Il fascino primitivo dei film è questione di luce e ombre. Un

1970–1979

▲ 1965

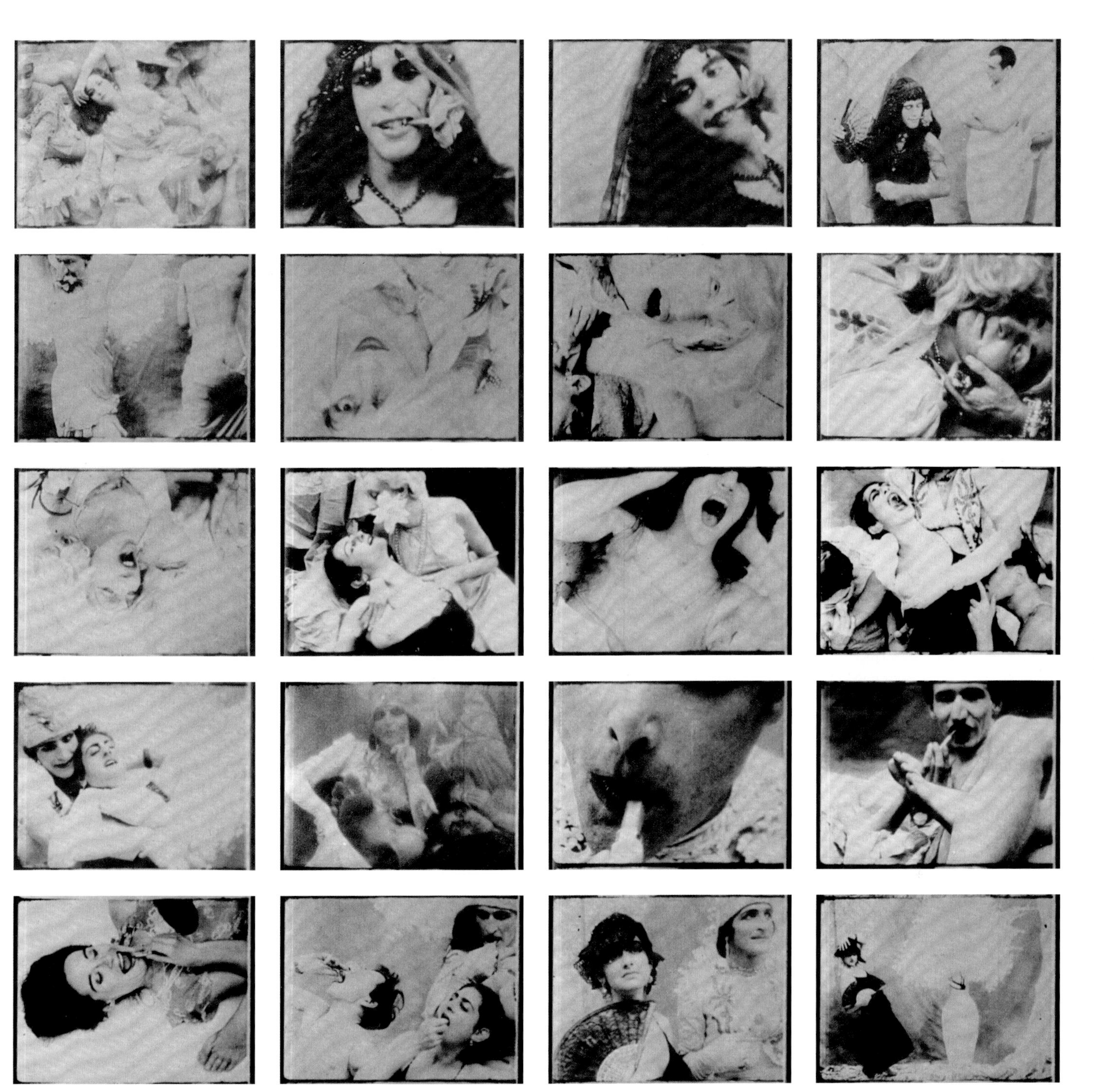

4 • Jack Smith, *Creature ardenti*, 1962-63
Film in 16mm, 43 minuti

cattivo film è un film che non tremola e non si sposta e muove attraverso luci e ombre, contrasti, texture di luce. Se ho questo, non mi preoccupano falsità (o la sincerità di attori intelligenti), trame ingenue (o le 'buone' trame romanzesche), assurdità e serietà".

Dalle immagini ardenti alle comunità

Creature ardenti inscena un'orgia di immagini, orgia che trova la sua eco nei dipinti e nei disegni di Nicole Eisenman della metà degli anni Novanta. Eisenman è una dei tanti artisti emergenti del periodo che si occupa di identità – nel suo caso, identità lesbica – con irriverenza, umorismo osceno e sessualità esplicita. Questa strategia può sembrare in conflitto con l'arte lesbica e gay impegnata ▲ nell'attivismo contro l'Aids a partire dalla metà degli anni Ottanta, ma in realtà, dato che la crisi dell'Aids ha fatto molta pressione sul popolo queer perché affermasse la propria normalità come difesa contro l'omofobia, la cosiddetta "sex-positivity" era un ordine del giorno attivista altrettanto importante, anche se controverso. Si potrebbe dire che Eisenman, insieme ad artisti come Catherine Opie e Lyle Ashton Harris agissero in favore delle libertà rivendicate da

▲ 1987

5 • Nicole Eisenman, *Installazione di disegni*, 1994
Veduta dell'installazione, Jack Tilton Gallery, New York

Creature ardenti agli inizi della "rivoluzione sessuale" degli anni Sessanta, proprio quando, nei tardi anni Ottanta e nei Novanta, quella rivoluzione era minacciata su diversi fronti – da parte di alcuni attivisti sia gay sia lesbiche che raccomandavano pratiche sessuali più prudenti (compreso, ma spesso andando oltre il sesso sicuro), e in modo molto più insidioso da parte dei conservatori cristiani, che di fatto mobilitavano il potere politico orchestrando il panico contro l'arte sessualmente esplicita nelle cosiddette "guerre di cultura" dell'epoca.

Eisenman spesso creava allestimenti da salon composti da diverse opere di differenti dimensioni e soggetti, che potevano combinare un commento mordace su istituzioni artistiche, autoritratti, ritratti di altri e scenari erotici **[5, 6]**. In quest'ultima categoria Eisenman assume esplicitamente atteggiamenti omofobici nei confronti delle lesbiche, esagerando enormemente gli stereotipi al limite dell'assurdo (una strategia adottata anche da Kara Walker in riferimento ▲ alla sessualità afro-americana). *Senza titolo (Cabina di reclutamento lesbico)* del 1992, per esempio, ridicolizza l'idea che le persone gay stiano cercando di "reclutare" gli eterosessuali, mentre *Cattura, taglio, infarcitura del pene, attacco alla cintura, accessoriamento* (1994) abbraccia satiricamente il mito che le lesbiche vogliono castrare gli uomini – una specie di inversione del feticismo detumescente di Smith in *Creature ardenti*.

Le opere di Eisenman degli anni Novanta, spesso realizzate in variegata monocromia, possono brulicare, come i quadri viventi di Smith, di orde di personaggi appassionati (spesso però sono affiancati, in contrasto, a ritratti e autoritratti), ma il suo marchio camp o "immagine ardente" costituisce un'inequivocabile ed energica risposta alla marginalizzazione delle lesbiche. Le figure in gabbia delle sculture di Millett sono chiaramente fuggite nei disegni e quadri di Eisenman e hanno deciso di causare scompiglio. Il mondo lesbico che l'artista immagina non è per nulla invisibile, docile o vittimizzato, assume anzi il controllo dei propri desideri fondando una comunità basata sull'identificazione e il piacere reciproci.

▲ 1993c

6 • Nicole Eisenman, *Installazione di disegni*, 1996
Veduta dell'installazione, Jack Tilton Gallery, New York

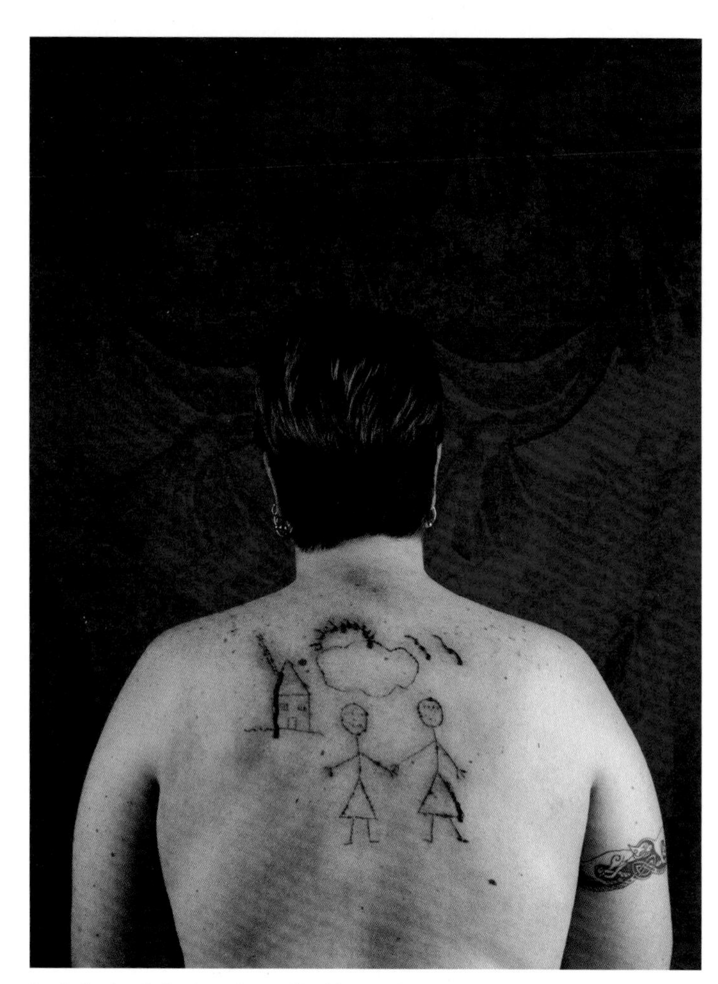

7 • Catherine Opie, *Autoritratto / Incidere*, 1993
C-print, 101,6 x 76,2 cm

Anche i ritratti fotografici di Opie e Harris aprono scenari di azione queer in associazione con le reti di affinità queer che abbracciano familiari e amici. Tra le opere più famose di Opie ci sono due autoritratti realizzati incidendo parole e immagini sulla pelle dell'artista, come parte di un tipo consensuale di gioco di taglio. Sia *Autoritratto/Incidere* del 1993 **[7]** sia *Autoritratto/Pervertito* dell'anno seguente mostrano Opie formalmente in posa di fronte a sfondi floreali, in un atteggiamento solenne e persino regale che l'artista associa agli imponenti ritratti di Hans Holbein. In *Autoritratto/Incidere* Opie fotografa se stessa di spalle, sulla sua schiena nuda è incisa una scena di vita familiare lesbica che sembra il disegno di un bambino: due figure stilizzate chiaramente femminili si tengono per mano davanti a una minuscola casa con il tetto a punta.

In *Autoritratto/Pervertito* l'artista si è fotografata di fronte, il volto coperto da una maschera di pelle, ma sul petto è incisa la scritta "pervertito", realizzata in una calligrafia elaborata e sottolineata con una greca decorativa a foglie, mentre le braccia sono trafitte con linee ordinate di aghi. In un articolo del 1998 sull'arte di Opie la critica Suzanne Muchnic cita l'artista: "'Non mi piaceva il modo in cui la comunità leather veniva rappresentata nella cultura tradizionale', dice. 'Pensano che siamo molestatori di bambini. [...] Un'altra cosa importante era che tanti miei amici stavano morendo di Aids. Ho deciso di offrire un insieme di opere che riguardava l'essere davvero fuori, e l'essere fuori riguardo la mia sessualità, e l'essere nell'S&M e leather e cose del genere. [...] Ho voluto fare una serie di ritratti di questa comunità che erano incredibilmente nobili".

In una serie di straordinarie fotografie risalenti al 1994 Harris si è avvalso di una comunità estesa di amici e familiari per creare una serie di Polaroid allestite, di largo formato, nelle quali le caratteristiche e le antinomie di genere, l'etnicità e i forti stereotipi che ne derivano scivolano da un corpo all'altro. L'artista Renee Cox, per esempio, è messa in posa con esagerate protesi nere lucide sui seni e sui glutei in veste di *Venere ottentotta 2000* (1994). La cosiddetta Venere ottentotta, il cui vero nome era Saartjie Baartman, era stata portata dal Capo Orientale del Sudafrica in Gran Bretagna e Francia per essere esibita come creatura esotica all'inizio del XIX secolo. Ma Cox, come i soggetti di Eisenman, non è altro che una schiva modella in mostra; come nell'arte di Thek, l'auto-oggettivazione viene qui sfruttata come fonte di potere.

Forse i lavori più intensi di Harris di quel periodo sono una serie di tre fotografie realizzate con suo fratello, il cineasta Thomas Allen Harris. Nella prima, *Fratellanza, incrocio eccetera #1* (1994), i fratelli, nudi ma con i volti abbelliti dal trucco, si abbracciano, mentre Lyle tiene l'apparentemente svenuto Thomas da dietro. Nella seconda della serie i fratelli sono girati di tre quarti, sempre nudi, uno di fronte all'altro, si baciano, ma i loro corpi di amanti sono divisi da una pistola che Thomas impugna e preme contro la gabbia toracica di Lyle **[8]**. L'ultima immagine della serie ritrae i fratelli ancora nudi uno di fronte all'altro e di profilo, mentre si abbracciano senza stringersi troppo e senza guardarsi, per rivolgere entrambi lo sguardo fuori dalla fotografia. Nella mano sinistra di Lyle, appoggiata sulla spalla sinistra del fratello senza stringerla, e nella mano destra di Thomas, disposta in modo simmetrico, ci sono due pistole che puntano verso lo spettatore. In questi lavori, come in tutti quelli dell'arte queer qui citati, i confini tra parentela, amore, sessualità e violenza vengono trasgrediti in modo da ridisegnare le relazioni dicotomiche tra corpo e genere, soggetto e oggetto, astrazione e mimesi, mentre si reimmaginano i corpi sociali che violano le regole senza perdere le comodità e le rivendicazioni politiche della comunità. DJ

ULTERIORI LETTURE

Jennifer Blessing, *Catherine Opie: American Photographer*, Solomon R. Guggenheim Museum, New York 2008

Samantha Topol (a cura di), *Dear Nemesis, Nicole Eisenman*, Contemporary Art Museum-Verlag der Buchhandlung Walther König, St. Louis 2014

Harmony Hammond, *Lesbian Art in America: A Contemporary History*, Rizzoli International Publications, New York 2000

Cassandra Coblentz et al, *Lyle Ashton Harris: Selected Photographs - The First Decade*, Centro de Arte Euroamericano, Caracas-Ambrosino Gallery, Coral Gables (Fla.)-Jack Tilton Gallery, New York 1996

Edward Leffingwell, Carole Kismaric e Marvin Heiferman (a cura di), *Flaming Creature: Jack Smith, His Amazing Life and Times*, Serpent's Tail; New York: Institute for Contemporary Art/P.S.1, London 1997

Kathy O'Dell, *Kate Millett, Sculptor: The First 38 Years*, Fine Arts Gallery-University of Maryland, Baltimore County, Baltimore 1997

Elisabeth Sussman e Lynn Zelevansky, *Paul Thek: Diver*, Whitney Museum of American Art, New York-Carnegie Museum of Art, Pittsburgh 2010

8 • Lyle Ashton Harris in collaborazione con Thomas Allen Harris, *Fratellanza, incrocio eccetera #2*, 1994
Polaroid in copia unica, 76,2 x 61 cm

1980–1989

688 1980 La Metro Pictures apre a New York: emerge un nuovo gruppo di gallerie che espongono giovani artisti impegnati a interrogare l'immagine fotografica e il suo uso nel giornalismo, nella pubblicità e nella moda. HF
box • Jean Baudrillard RK

692 1984a Victor Burgin tiene la conferenza *L'assenza della presenza: Concettualismo e postmodernismi*: la pubblicazione di questo e di altri saggi di Allan Sekula e Martha Rosler definisce un nuovo approccio alle eredità del fotoconcettualismo anglo-americano e alla scrittura di storia e teoria della fotografia. BB

698 1984b Fredric Jameson pubblica *Il postmoderno, o la logica culturale del tardo capitalismo*, mentre il dibattito sul postmodernismo si estende oltre gli ambiti di arte e architettura fino alla politica culturale e si divide in due posizioni opposte. HF
box • Cultural studies RK

702 1986 A Boston apre *Finale di partita: referenza e simulazione nella pittura e nella scultura recenti*: mentre alcuni artisti giocano sul collasso della scultura in merce, altri sottolineano l'importanza di design ed esposizione. HF

707 1987 Viene organizzata la prima azione ACT-UP: la crisi dell'Aids riaccende l'attivismo in arte, mentre gruppi e interventi politici diventano d'attualità e si sviluppa un nuovo tipo di estetica gay. HF
box • Le battaglie per l'arte negli Stati Uniti HF

714 1988 Gerhard Richter dipinge *18 ottobre 1977*: gli artisti tedeschi credono possibile un rinnovamento della pittura di storia. BB
box • Jürgen Habermas BB

719 1989 Apre a Parigi *Les Magiciens de la terre*, una selezione di opere d'arte provenienti da diversi continenti: il discorso postcoloniale e i dibattiti multiculturali influenzano sia la produzione che la presentazione dell'arte contemporanea. HF
box • Arte aborigena HF

1980

La Metro Pictures apre a New York: emerge un nuovo gruppo di gallerie che espongono giovani artisti impegnati a interrogare l'immagine fotografica e il suo uso nel giornalismo, nella pubblicità e nella moda.

"Non penso a me stessa come a una fotografa. Mi sono dedicata alla questione del ruolo della fotografia nella cultura [...] ma si tratta di un impegno nei confronti di un problema, piuttosto che di un medium". Con questa dichiarazione Sarah Charlesworth (1947-2013) parlava per un intero gruppo di artisti, quali Richard Prince (1949), James Welling (1951), James Casebere (1953) e Laurie Simmons (1949) tra gli altri, che, con ▲ Cindy Sherman, Barbara Kruger, Sherrie Levine e Louise Lawler, assursero a fama improvvisa tra la fine degli anni Settanta e l'inizio degli Ottanta. Alcuni avevano appena concluso gli studi presso scuole d'avanguardia come il California Institute of Arts (CalArts), dove insegnanti quali John Baldessari, Douglas Hueber e Michael ● Asher li avevano iniziati alle strategie dell'Arte concettuale e alla critica delle istituzioni. Tutti erano segnati però dai nuovi sviluppi del loro tempo: un'accresciuta sofisticazione della teoria femminista, che poneva in primo piano la questione della differenza sessuale nella rappresentazione visiva, e una trasformazione qualitativa nei mass media, che cambiava l'intero contesto della produzione, distribuzione e ricezione dell'immagine. Se fra i loro predecessori vi fu chi lottò con la discussa "eredità di Jackson Pollock", alcuni di questi figli del boom combatterono contro ■ l'ambiguo modello di Andy Warhol, il quale sembrò loro colludere con quello spettacolare mondo dell'immagine che pure aveva svelato.

Il seriale e il simulacrale

La maggior parte di questi artisti usò la fotografia secondo le linee descritte da Charlesworth: piuttosto che rifondare il medium "nella sua area di competenza" secondo una modalità modernista, come intendevano i critici formalisti, mirarono a mettere in discussione in modo postmoderno le sue usuali rivendicazioni di ◆ astrazione espressiva o di referenzialità documentaria. Questa messa in discussione operò su più fronti: da una parte essi erano ostili alla fotografia come forma d'arte che presuppone il valore dell'immagine unica legato alla pittura, dall'altra erano diffidenti nei confronti della fotografia come medium che mira a produrre effetti di consenso nell'ambito dell'informazione e di persuasione nell'ambito della pubblicità. Fatta spesso di immagini prese da altri contesti, quest'arte fotografica prese posizione anche contro la pittura neoespressionista e la sua rivendicazione manierista dell'auratico genio artistico. Questi postmodernisti trattarono la fotografia non solo come un'immagine "seriale", un multiplo senza una stampa originale, ma anche come un'immagine "simulacrale", una rappresentazione senza un referente sicuro nel mondo; ossia tesero a considerare la fotografia meno come una traccia fisica o un'impronta indicale della realtà e più come una costruzione codificata che produce "effetti di realtà", e con differenti accenti mirarono a investigare tali effetti. In questa esplorazione della retorica della fotografia Roland Barthes fu una guida cruciale, come lo furono Jean Baudrillard, Michel Foucault e Gilles Deleuze per il valore che diedero al "simulacro", nozione che Baudrillard usò per comprendere le recenti trasformazioni della merce e Foucault e Deleuze usarono per mettere in discussione le antiche concezioni platoniche della rappresentazione.

Come redattrice della rivista *The Fox*, Sarah Charlesworth fu coinvolta a metà degli anni Settanta nell'Arte concettuale di Joseph ▲ Kosuth e Art & Language. Il femminismo le suggeriva di fare un'arte propria e le sue prime opere fusero idiomi pop e concettuali in una critica emergente della rappresentazione della donna nei media (in questo era allineata con Kruger, Silvia Kolbowski e molte altre). Nel 1977 Charlesworth iniziò una serie che si avvicinava alle alterazioni dei format dei giornali dei primi lavori sia di Warhol che di Dan Graham. Così nel mese di settembre fotocopiò le prime pagine dell'*International Herald Tribune*, rendendo tutto bianco eccetto la testata e le fotografie. Ad un primo sguardo questa sottrazione sembrava produrre dei montaggi arbitrari, ma presto diventava evidente la strutturazione patriarcale dell'informazione, specialmente nella rappresentazione prevalente dei capi di Stato maschi. Charlesworth applicò questa strategia a un gruppo di giornali nordamericani, ottenendo effetti simili di manifesta casualità e latente adeguamento a un modello. Per esempio in tutti i giornali del 21 aprile 1978 esaminati appare una figura: il ministro italiano Aldo Moro rapito e assassinato dalle Brigate Rosse **[1]**. Qui, con il semplice dispositivo del "readymade assistito", Charlesworth mise in evidenza la priorità assoluta dei media dominanti: il mantenimento dell'autorità statale. In parte questa "ermeneutica del sospetto" post-Watergate riguardo all'in-

▲ 1977a, 1993a ● 1968b, 1970, 1971, 1984a ■ 1949, 1960b, 1960c, 1964b ◆ 1977a, 1984b ▲ 1968b

formazione fu anche una reazione critica nei confronti della svolta politica conservatrice tra la fine degli anni Settanta e l'inizio degli Ottanta.

Come alcuni suoi colleghi, Charlesworth continuò ad usare le immagini della pubblicità e della moda. In una serie intitolata *Oggetti del desiderio* si appropriò delle immagini da riviste, le rimontò e rifotografò su un campo saturo di un unico colore. Questi frammenti – di modelle in posa e di accessori ostentati – indicavano un linguaggio del desiderio altamente feticista: effetto che Charlesworth sottolineò con la brillantezza feticista delle sue stampe Cibachrome. Alcune di queste opere presentano pezzi isolati di corpo femminile, come un collo con una sciarpa chic, mentre altre giustappongono due immagini per creare una comparazione critica. In *Figure* (1983) un torso femminile in abito da sera su sfondo rosso è messo vicino a un corpo di donna fasciato e legato su sfondo nero; qui, come scrisse Abigail Solomon-Godeau "il (desiderabile) corpo femminile è avvolto non solo dall'abito, ma anche dalle convenzioni culturali sulla desiderabilità e dalla convenzione della rappresentazione stessa, che delimita e definisce". Come altri suoi colleghi, Charlesworth applicò la strategia del raddoppio dello stereotipo, in modo da ▲ mettere in evidenza l'azione ideologica o "mitica" (in senso barthesiano) dello stereotipo, azione che mira a rendere universalmente accetti i particolari interessi di un gruppo, di un genere sessuale o di una classe.

Anche Richard Prince si interessò delle convenzioni delle immagini pubblicitarie e di moda per ciò che rivelano della modellazione della soggettività. In gioco in questa schematizzazione delle immagini, suggerisce Prince, c'è la schematizzazione delle identità, di identità *come* immagini, oggi plasmate dalla rappresentazione mediatica molto più che da qualsiasi forma culturale del passato. A metà degli anni Settanta aveva lavorato come catalogatore di periodici nella biblioteca della Time-Life Incorporated, dove raccolse immagini di modelli e prodotti. Poi ordinò queste immagini per tipo e le rifotografò, prima in bianco e nero e poi a colori, ma sempre nello stesso ordine di scala, con l'intenzione di rivelare la ripetizione generica di pose e gesti, composizioni ed effetti **[2]**. Piuttosto che le immagini di celebrità preferite dalla Pop art, Prince rielaborò soggetti anonimi e lo fece non tanto in un registro di celebrazione o di critica, quanto in modo da testare la nostra ambivalente fascinazione nei confronti di tali modelli.

Come altri artisti postmoderni che usano la fotografia, Prince ▲ lavora con la serie, perché solo una struttura seriale può svelare il gioco di ripetizione e differenza che gli interessa. Nel 1981 cominciò a rifotografare due tipi di pubblicità che speculano sull'uso di stili di vita semimitici. La prima riguarda la campagna Malboro con un cowboy del West, spesso a cavallo, che associa le

Jean Baudrillard (1929-2007)

Alla fine degli anni Sessanta il sociologo francese Jean Baudrillard portò l'analisi marxiana nell'ambito strutturale-linguistico del segno, sostenendo che è il processo di significazione che controlla l'ideologia. A partire da *Il sistema degli oggetti* (1968) e *La società dei consumi* (1970) questo progetto fu sviluppato in *Per una critica dell'economia politica del segno* (1972) e *Lo specchio della produzione* (1973). La sua formulazione più provocatoria fu l'espressione "valore di scambio del segno" che spostò il valore di scambio dalle merci a ciò che le rappresenta, ad esempio il logo delle compagnie.

Per pensare tale spostamento Baudrillard lo incentrò sui simulacri, in cui la realtà è sostituita dalla sua rappresentazione. Disneyland fu uno dei suoi esempi preferiti: "Disneyland è lì per nascondere che il paese 'reale', tutta l'America 'reale' non sono altro che Disneyland (un po' come le prigioni sono lì per nascondere che è il sociale intero, nella sua onnipresenza banale, a essere carcerario)", scrisse in *La precessione dei simulacri*.

Fu convinzione di Baudrillard che la merce e il segno siano diventati una sola cosa, facilitati dall'azione di un "codice" attraverso il quale i significati vengono commutati in discorso. Baudrillard non fu convinto dall'idea del "feticismo della merce", che immagina gli oggetti investiti di un valore magico; gli oggetti invece, sostenne, sono astratti nei significanti per entrare nello scambio di significato governato dal "codice".

La cancellazione dell'oggetto da parte del significante, che trasforma l'oggetto in significato e lo prepara per lo "scambio", avviene ovunque, anche sul corpo, dove i significanti proliferano e sostituiscono la sostanza fisiologica. "Riscrivendo l'ordine culturale sul corpo", tatuaggi, piedi bendati, ombretto, mascara, braccialetti e gioielli, tutto ciò mostra che "l'erotico è la reiscrizione dell'erogeno in un sistema omogeneo di segni".

1 • Sarah Charlesworth, *21 aprile 1978*, 1978
Una di quarantacinque stampe in bianco e nero, ognuna 55,9 x 40,6 cm ca.

▲ Introduzione 3

▲ 1964b, 1968a, 1968b

2 • Richard Prince, *Senza titolo (Quattro donne che guardano nella stessa direzione) #1–#4*, 1977–9 Insieme di quattro stampe Ektacolor, 50,8 x 61 cm

sigarette ad una mascolinità da macho. Prince sviluppò un catalogo iperbolico di quest'uomo della frontiera in una maniera che appare tanto sospettosa quanto sedotta dalla leggenda. La seconda serie riguarda pubblicità di vacanze al mare, un'utopia dove il piacere sessuale e la vita familiare possono coesistere. Nella sua versione tuttavia i vacanzieri, fotografati in un granuloso bianco e nero su uno sfondo bruciato dal sole, sperimentano una vacanza che sembra un olocausto atomico. Prince poi si rivolse a soggetti sociali al di sotto degli standard usuali della classe media. In *Intrattenitrici* rifotografò le sordide foto di ballerine dei nightclub usate nelle pubblicità dei giornali e le inserì in pannelli di plexiglas nero; congelati in un fosco display, questi volti indistinti sono offerti al nostro oscuro voyeurismo. Poi raggruppò questo tipo di immagini in un modulo che chiamò "gang": essenzialmente grandi fogli in cui raccolse e ordinò fotografie in una griglia, mediante la quale riuscì anche a catturare un gioco di ripetizioni e differenze. Spesso i soggetti erano vere gang – bande di motociclisti e ragazze biker, travestiti, surfisti e così via – "sottoculture che operano al di fuori dell'egemonia della cultura alta", come ha detto il critico Jeffrey Rian. Ancora una volta, mentre queste figure "filtrano attraverso i media e mutano le nostre menti", Prince ci offre di ispezionare il nostro voyeurismo. Se il suo lavoro non è critico quanto l'analisi barthesiana di Kruger o Charlesworth, non è nemmeno estraneo a tale posizione; Prince ammette la sua parziale identificazione e l'ambivalente coinvolgimento con il mondo dell'immagine che mostra.

Effetti di realtà

Il lavoro di James Welling e James Casebere è più interno alla fotografia, più impegnato nelle questioni della tradizione e della tecnica, ma il risultato di tale atteggiamento rende la loro opera più decostruttiva nei confronti della fotografia stessa. Come ha notato il critico Walter Benn Michaels, invece che sfidare la dimensione referenziale della fotografia, insistono su di essa, con una modalità non realistica che sfrutta la sottile ambiguità del significante fotografico. Sono meno interessati alla simulazione e alla seduzione che alla differenza tra come vediamo noi e come vede la macchina fotografica; nelle loro fotografie gli "effetti di realtà" sono tutti generati da messa in scena, uso della luce, posizione della macchina e scala dell'immagine.

Welling aprì questo campo di indagine fin dal 1974, ancora studente alla CalArts, con un video nel quale della cenere che viene sparpagliata sembra un intero paesaggio. Nel 1980 a New York fotografò da molto vicino delle superfici di alluminio increspate, di nuovo con effetti ambigui: potevano essere scambiati per gli studi semiastratti di formazioni rocciose di Minor White o per quelli di porte erose dagli agenti atmosferici di Aaron Siskind. Un anno dopo le sue fotografie di scaglie di pasta sparse su un ricco panneggio apparvero ugualmente realistiche e astratte, al contempo piene di profondità spaziale e nient'altro che superficie. Con titoli come *Naufragio, Isola* e *La cascata,* queste immagini evocano paesaggi romantici quanto basta a farci riflettere sulla nostra proiezione sulla realtà fotografica (qui, come notò Barthes, la "connotazione" precede la "denotazione", non viceversa, come si pensa generalmente). La grande semplicità di significati apre queste immagini a diverse letture: *In cerca di...* **[3]** evoca una cresta alpina o un banco di ghiaccio e al contempo scaglie di pasta catturate dalle pieghe di un tessuto. Con Welling la "ricerca" di un'esperienza romantica diventa la ricerca di una referenzialità ambigua.

Anche James Casebere ha giocato dalla fine degli anni Settanta con l'ambiguità della fotografia, ma nel suo lavoro l'effetto di incertezza è dato dall'uso di modelli quasi-architettonici, fatti di tavole opache bianche, gesso e polistirene, che Casebere assembla e illumina come set di film in miniatura. Al contempo specifici e generici, questi *tableaux* evocano soltanto i loro soggetti, i quali, nei primi lavori, tendevano alle scene tipiche del West americano, della Guerra civile, del Sud anteguerra e così via. A volte le scene sono interamente ispirate a un romanzo, come ne *La grotta di Sutpen* **[4]**, che allude a una villa neoclassica costruita in una landa deserta da un personaggio diabolico della novella di Faulkner *Absalom! Absalom!* (1936). Come Welling, Casebere crea i suoi effetti di realtà attraverso il medium e il solo titolo. Ma ancora una volta gli effetti sono solo parziali o limitati: le immagini sono sospese in una terra di nessuno tra modello e referente, finzione e documento; i luoghi hanno la consistenza misteriosa dei sogni o dei miti, sono simili a fantasmi in cui la rappresentazione vorrebbe prendere il posto della realtà.

4 • James Casebere, *La grotta di Sutpen*, 1982
Stampa alla gelatina d'argento, 40,6 x 50,8 cm

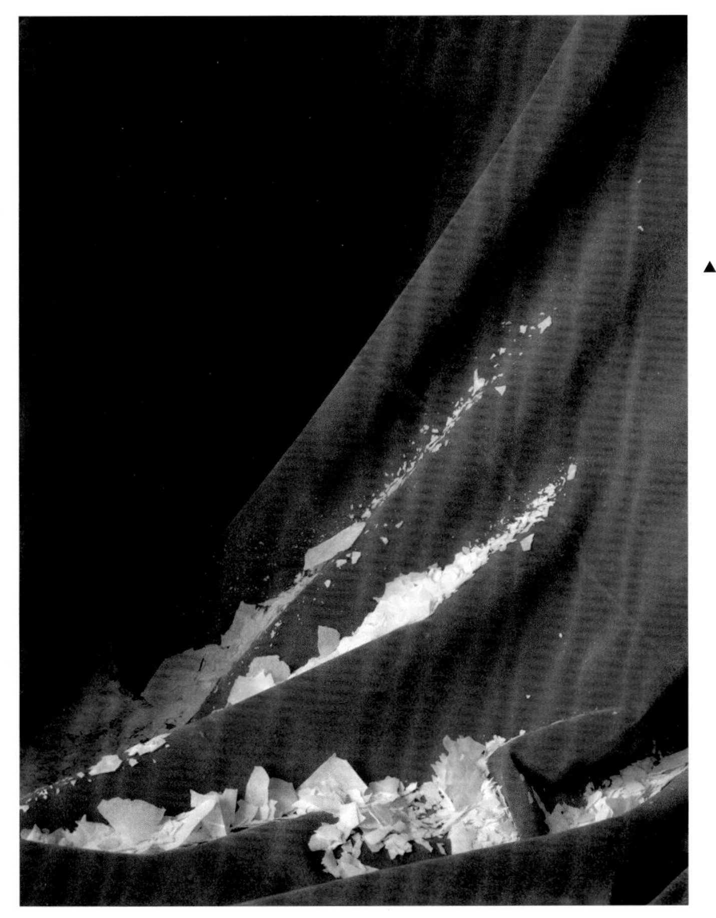

3 • James Welling, *In cerca di...*, 1981
Stampa alla gelatina d'argento, 22,9 x 17,8 cm

In tutti questi lavori basati sulla fotografia, le gerarchie di realtà e rappresentazione, di originale e copia diventano instabili, e in questa leggera infondatezza dell'immagine c'è un sottile sovvertimento del ruolo dello spettatore: la supremazia che la fotografia generalmente dà al soggetto – un punto di vista potenziato e una precisione della visione – gli viene tolta. Talvolta lo spettatore si sente quasi inghiottito da questi simulacri; come scrive Deleuze: "lo spettatore è reso parte del simulacro, il quale è trasformato e distorto a seconda del suo (dello spettatore) punto di vista". In questo disordine fantasmatico gli effetti di realtà della fotografia sono messi in discussione, come in questione è il suo statuto convenzionale di "messaggio senza codice" (Barthes), di documento che rende le cose ovvie e gli eventi naturali. Vent'anni fa questa fu un'intuizione critica, erano urgenti delle sfide alla ▲ pretesa di verità della rappresentazione fotografica, nell'informazione e altrove; ma sempre di più nel mondo dell'immagine contemporaneo il simulacrale trionfa sul referenziale e forse ciò di cui abbiamo bisogno oggi è meno critica della rappresentazione e più critica della simulazione. HF

ULTERIORI LETTURE:

Roland Barthes, *L'ovvio e l'ottuso*, trad. it. Einaudi, Torino 1985
Jean Baudrillard, *Selected Writings*, trad. ingl. Stanford University Press, Stanford 1988
Gilles Deleuze, *Logica del senso*, trad. it. Feltrinelli, Milano 1975
Louis Grachoes (a cura di), *Sarah Charlesworth: A Retrospective*, SITE Santa Fe, Santa Fe 1997
Jacques Guillot (a cura di), *Richard Prince*, Centre National d'Art Contemporain, Grenoble 1988
Sarah Rogers (a cura di), *James Welling: Photographs 1974-1999*, Wexner Center for the Arts, Colombus 2000
Abigail Solomon-Godeau, *Photography at the Dock: Essays on Photographic History*, Institutions and Practices, University of Minnesota Press, Minneapolis 1991

▲ 2009c

1984a

Victor Burgin tiene la conferenza *L'assenza della presenza: Concettualismo e postmodernismi*: la pubblicazione di questo e di altri saggi di Allan Sekula e Martha Rosler definisce un nuovo approccio alle eredità del fotoconcettualismo anglo-americano e alla scrittura di storia e teoria della fotografia.

▲ È importante comprendere che gli interessi fondanti dell'Arte concettuale – l'attenzione incentrata sulle proposizioni analitiche e sulle definizioni linguistiche – hanno avuto un corrispettivo visivo in un approccio sempre più analitico all'im● magine fotografica. Se l'arte postminimalista aveva spostato la percezione del linguaggio e del corpo sui registri della performatività, la basilare indicalità della fotografia aveva fornito il medium rigoroso con cui queste dimensioni temporali e spaziali potevano venir registrate. Così il medium fotografico ampliò gli interessi postminimalisti ai processi di produzione, ai luoghi specifici e all'attenzione a contingenza e contestualità. Non sorprenderà che la caratteristica peculiare della fotografia di registrare il minimo spostamento spazio-temporale e i cambiamenti incrementali o sequenziali all'interno di un evento l'abbiano resa anche strumento ideale per l'analisi sempre più acuta da parte del Concettualismo del processo e della produzione di *significazione*. *Fotopercorso* **[1]** dell'artista inglese Victor Burgin (nato nel 1941) segna la transizione da un'estetica contestuale a un'analisi del significato fotografico, nel preciso momento (1969) in cui Burgin stava iniziando la sua teorizzazione della "site-specificity" nel suo importante testo teorico *Estetica situazionale* sulla rivista inglese *Studio International.*

Il primo libro di Burgin, *Opera e commento:1969-1973*, del 1973, aderiva ancora, nell'insieme dei suoi progetti teorici ed artistici, all'ortodossia del Concettualismo anglo-americano della fine degli anni Sessanta, in particolare alle sfide poste dall'autocritica tardomodernista del gruppo Art & Language con la sua rivista *Art-Language*. Ma Burgin col tempo divenne il primo a criticare sistematicamente tale posizione proprio dalle pagine della rivista, sostenendo che "la funzione ottimale dell'arte è di modificare i modelli istituzionalizzati di orientamento verso il mondo e così di servire da agente socializzante. Non si può comprendere quindi nessuna attività artistica al di fuori dei codici e delle pratiche della società che la contiene; l'arte in auge è ineluttabilmente messa tra le parentesi dell'ideologia. [...] Dobbiamo accettare la responsabilità di produrre opere d'arte che non abbiano solo l'Arte come contenuto".

■ Il formalismo all'americana di Clement Greenberg aveva affascinato gli artisti inglesi (fino ai membri di Art & Language

1 • Victor Burgin, *Fotopercorso*, luglio 1969
Ventuno fotografie di ventuno sezioni continue di assi del pavimento

inclusi) per un tempo sorprendentemente lungo. Fu la scoperta di due eredità teoriche, introdotte inizialmente a un pubblico anglofono di filmmaker, artisti e scrittori dai redattori della rivista *Screen*, ad accelerare la disintegrazione del modernismo formalista. La ▲ prima fu la riscoperta del pensiero formalista russo e sovietico, la ● seconda l'incontro con la semiotica strutturalista francese e la teoria psicanalitica da Freud a Lacan. Entrambe le scoperte forni■ rono un nuovo fondamento teorico ad artisti come Burgin e Mary Kelly in Inghilterra e motivarono Burgin a troncare i propri legami

▲ 1968b ● 1969 ■ 1960b

▲ 1915 ● Introduzione 1, Introduzione 3 ■ 1975a

con modernismo e Concettualismo, come diventò evidente nel suo saggio del 1984 *L'assenza della presenza*. Se il lavoro di Burgin si basava largamente sulla semiotica e sulle teorie dell'immagine fotografica sviluppate in vari saggi da Roland Barthes, il lavoro di Michel Foucault sarebbe diventato il nucleo teorico centrale per Allan Sekula (1951-2013), conducendolo infine al suo innovativo saggio *Il corpo e l'archivio* (1986). Il femminismo lacaniano di Mary Kelly invece avrebbe trovato la sua controparte sia nella critica fortemente politicizzata della rappresentazione fotografica sia in una definizione attivista delle pratiche femministe e artistiche di Martha Rosler (nata nel 1943).

La svolta fotografica

L'eredità della fotografia entrò nell'arte americana degli anni Sessanta in modi diversi e tra loro contraddittori. Innanzitutto ci fu l'inserimento della fotografia "trovata" nel lavoro di Robert Rauschenberg e successivamente in quello di Andy Warhol, grazie alla quale avvenne una specifica trasformazione dell'estetica europea del fotomontaggio degli anni Venti. In un secondo luogo, ma in modo molto più complicato e inizialmente irriconoscibile, ci furono i molteplici riferimenti alla tradizione specificamente americana della fotografia a partire dagli anni Venti: la grande tradizione della fotografia diretta da Paul Strand a Walker Evans e quella dei fotografi della Farm Security Administration (FSA) e della tradizione documentaristica programmaticamente formulata negli anni Trenta. Gli artisti dei primi anni Sessanta, a partire da Warhol, contribuirono in vari modi al riemergere dell'immagine fotografica nel contesto della produzione delle neoavanguardie.

Una delle prime figure all'origine di quella che può essere vista come un'estetica specificamente fotografica, fu quella di Ed Ruscha, i cui libri, a partire dall'inizio degli anni Sessanta, cominciando da *Ventisei stazioni di servizio* (1962) e *Tutti gli edifici sul Sunset Boulevard* (1966), introdussero un tipo particolare di fotografia. Dal momento che lo si potrebbe descrivere come amatoriale e popolareggiante, questo genere comportò un processo di destrutturazione dell'immagine fotografica; infatti è nel contesto della Pop art (che aveva già sviluppato metodi propri di destrutturazione dell'opera d'arte) che i libri di Ruscha vennero inizialmente apprezzati. Nel dialogo tra Ruscha e Warhol, l'uso da parte di quest'ultimo delle fotografie "trovate" si tradusse nel principio di trattare parti del paesaggio urbano come materiale "trovato", da registrare, secondo Ruscha, nel modo più banale possibile.

Già alla metà degli anni Sessanta apparve un diverso tipo di produzione fotografica in quella che possiamo chiamare la fotografia protoconcettuale di Dan Graham. Per quanto in buona misura ancora dipendente dal lavoro di Ruscha, Graham mise il proprio lavoro in rapporto più evidente con le tradizioni dei fotografi documentaristi americani e in particolare con l'opera di Walker Evans. Le fredde immagini fotografiche di Graham dell'architettura tipica del New Jersey – come ad esempio le aree abitative suburbane di *Case per l'America* (1966-67) – richiamano direttamente le fredde fotografie di Evans di architetture industriali di Pittsburgh. Ma per quanto instauri una continuità con l'immaginario dell'architettura tipica, il lavoro di Graham opera una sorta di presa di distanza dalla qualità alta e ambiziosa della fotografia degli anni Trenta e Quaranta. Aggiungendo l'idea di una pratica fotografica popolare e locale a quella dell'architettura locale come soggetto, Graham esasperò il progetto originale di Ruscha di destrutturazione della produzione fotografica. L'uso di una macchina fotografica economica a mano, di una pellicola a colori economica e di una stampa commerciale crea dei risultati che hanno l'aspetto di fotografie fatte di fretta da un turista perso nel New Jersey.

Nel contesto dell'Arte concettuale, la fotografia assunse numerose funzioni oltre a quelle stabilite da Graham. Per prima cosa si rivolse al problema della forma della distribuzione dell'opera d'arte. A partire da Ruscha la fotografia fu usata come dispositivo per affermare la mediatizzazione, o la distribuzione di massa, dell'opera d'arte, un dispositivo che perciò contribuisce allo smantellamento della concezione dell'opera d'arte come pezzo unico. Sebbene avesse già dissacrato la condizione del dipinto come originale unico, alla fine Warhol era tornato esattamente a questa condizione in tutti i tipi della sua produzione. Ne risultò che per quanto i suoi quadri fossero determinati dall'immagine fotografica e dal processo serigrafico, il prodotto finale di tale procedimento era però un pezzo unico originale. Con Ruscha il prodotto finale fu effettivamente un oggetto multiplo, il libro prodotto economicamente, aperto alla distribuzione di massa, che dunque si poneva in aperta contraddizione nei confronti della pittura pop con la sua "aura" paradossalmente intatta.

In secondo luogo la fotografia entrò nel contesto protoconcettuale e concettuale introducendo un'intera gamma di temi precedentemente impensabili e invisibili. È con Ruscha che possiamo dire che l'urbanistica – questioni di architettura, di spazi urbani tipici, di circolazione del traffico – rientrò nella pratica artistica, attraverso soggetti che non erano figurati nell'opera di nessuno, né in Europa né negli Stati Uniti, da almeno trent'anni. Fino al periodo del pieno modernismo degli anni Trenta, era assolutamente implicito che architettura e urbanistica fossero soggetti adatti per le avanguardie; nel dopoguerra però tutti i soggetti che avevano a che fare con uno spazio collettivo, urbano, pubblico erano manifestamente spariti dalla produzione artistica. Solo col lavoro di Ruscha e con le successive pratiche di Graham e degli artisti concettuali le questioni dello spazio urbano, dell'architettura, del "pubblico" – e in primo luogo di come concepirlo – rientrarono nel campo della riflessione d'avanguardia.

Dall'indice all'informazione

Uno degli artisti americani nel cui lavoro concettuale questi interessi divennero centrali fu Douglas Huebler, che in particolare collegò la temporalità e la spazialità delle sue attività all'immagine fotografica e separò la sua pratica del medium dall'iconografia dell'arte alta. Nel 1971 avviò un progetto – *Pezzo variabile # 70 (in*

▲ 1971 ● 1920, 1953, 1960c, 1964b ■ 1916b, 1936 ◆ 1967a, 1968b ▲ 1968b ● 1960c, 1964b

2 • Douglas Huebler, *Pezzo variabile # 70 (in corso) Globale*, 1971-97 (dettagli)
Documentazione fotografica, testo, dimensioni variabili

corso) *Globale* – che consisteva nel produrre un ritratto universale collettivo di ciascun abitante della Terra, il quale in sé e per sé funziona sia come critica del genere del ritratto sia come tentativo – nella sua vasta estensione spaziale, temporale e quantitativa – di radicalizzare l'attenzione, tradizionalmente limitata, sulla rappresentazione e sulle sue convenzioni [**2**].

Dalla fine degli anni Sessanta comunque, in specifico confronto con le pratiche fotografiche del Concettualismo, numerosi artisti aggiustarono le loro posizioni attraverso una critica del Concettualismo da un lato e, come spesso accade nella formazione di una nuova posizione artistica, con una riscoperta e una rilettura di eredità precedenti, dall'altro: in questo caso, di quelle della tradizione documentaristica americana. A partire dalla California, nel ▲ contesto del gruppo che studiava con Allan Kaprow, John Baldessari e il poeta David Antin, questi artisti – in primo luogo Sekula, Rosler e Fred Lonidier – definirono il loro lavoro in opposizione all'apparente neutralità del Concettualismo. Uno degli esempi più importanti attraverso il quale si può individuare questa storica inversione di rotta è *29 arresti* [**3**] di Fred Lonidier, che ricapitola • l'esatta struttura dei libri di Ruscha e la neutralità inespressiva, quasi affettata con cui accumulazioni apparentemente casuali di oggetti trovati sono trasformate in soggetti. In questo progetto Lonidier fotografò delle persone mentre venivano arrestate nel corso di una manifestazione contro la guerra nel porto di San Diego, mentre navi militari partivano per il Vietnam con nuovi armamenti e rifornimenti. In questo modo la pratica apparentemente neutrale di Ruscha è criticata da un'improvvisa introduzione proprio di quelle contingenze – politica, contestuale, storica – che il Concettualismo aveva rifiutato.

Un motivo per cui questa generazione si oppose alla mentalità pop e concettuale di artisti come Huebler, Baldessari e Ruscha è costituito dal fatto che proprio in quel periodo, per quanto in ritardo, essi riscoprirono le eredità della New York Film e della Photo League degli anni Venti con la loro enfasi sui film russi. Così i loro lavori della fine degli anni Sessanta si nutrirono non solo dei film di Sergej Ejzenštein e Vsevolod Pudovkin, ma anche delle pratiche documentaristiche sociali della Film and Photo League, ▲ insieme a una seria riconsiderazione di figure come John Heartfield. In alcuni casi questo accadde attraverso l'esplicita mediazione dell'opera di Hans Haacke. Il lavoro fotografico di quest'ultimo nel 1970-71 (come l'opera sui beni immobili • *Shapolski et al.*, che con la sua attenzione per l'architettura e la struttura seriale è parallela alle pratiche di Ruscha e di Graham) è

3 • Fred Lonidier, *29 arresti*, (sopra) *#10: Quartieri generali dell'11° Distretto navale*; (sotto) *#18: Quartieri generali dell'11° Distretto navale*, 4 maggio 1972, San Diego
Trenta fotografie in bianco e nero, 12,7 x 17,8 cm

▲ 1961, 1968b • 1967a, 1968b
▲ 1920, 1937c • 1971, 1972b

un'altra svolta in cui la neutralità pop di un approccio senza commento né contestualizzazione è trasformata in modello di intervento attivista.

Dal Pop al fotomontaggio

Artisti come Rosler e Sekula presero i modelli del fotomontaggio e del documentario politico come punti storici di partenza. Il primo approccio è visibile nel lavoro di Rosler della fine degli anni Sessanta *Portando in casa la guerra: Il bello della casa* [**4**], che consiste in una serie di fotomontaggi presi quasi letteralmente dal modello di Heartfield (benché Rosler dichiari che all'epoca non conosceva Heartfield), nei quali le immagini di devastazione in Vietnam sono inserite nell'immaginario patinato di pubblicità, moda e arredamento. Rosler tentò di produrre questa serie di fotomontaggi colorati per la distribuzione di massa; anche se non ci riuscì, fu uno dei primi casi in cui la politicizzazione dell'estetica del fotomontaggio raggiunse un apogeo nel contesto americano.

Il secondo approccio, diversamente dalla riscoperta del fotomontaggio, implicò una complessa riconsiderazione dell'eredità delle tradizioni del documentarismo americano. Nell'orientamento di questo gruppo ci fu un chiaro desiderio di americanizzarne la pratica, guardando ai contesti e alle tradizioni storiche locali tipiche, invece che esclusivamente a quelle europee. Questo interesse per la cultura locale, che la Pop art aveva già introdotto in qualche misura con la sua persistente enfatizzazione dell'americanità del proprio progetto, costituisce la premessa per il dialogo che Rosler e Sekula aprirono con la Film and Photo League e con l'eredità della fotografia della FSA, ▲ nello sforzo di attingere a tradizioni e culture esistenti in seno alla storia americana.

L'ultimo elemento cruciale per il loro lavoro è il dibattito interno sullo statuto della fotografia stessa. Non solo questi artisti sono anche prolifici critici, teorici e storici della fotografia, ma fu in gran parte grazie ai loro scritti che si ampliò la discussione sulla complessa relazione tra modernismo e fotografia. È importante riconoscere a quale livello la fotografia documentaria entrasse a far parte della coscienza pubblica della storia culturale americana in quel periodo, in gran parte come risultato del contributo di vari saggi come *Pensieri in, intorno e poi sulla fotografia documentaria* (1981) di Rosler e *Smantellare il modernismo, reinventare il documentario* (1984) di Sekula. Nessuno dei due propone una cieca continuazione del progetto documentaristico, anzi, al contrario, entrambi sono estremamente critici e attenti a mettere in rilievo, ad esempio, le inadeguatezze storiche dell'eredità della fotografia della FSA.

4 • Martha Rosler, *First Lady (Pat Nixon)* dalla serie *Portare in casa la guerra: Il bello della casa*, 1967-72
Fotomontaggio stampato come fotografia a colori, 61 x 50,8 cm

▲ 1936

5 • Allan Sekula, *Sequenza di diapositive senza titolo*, 1972

Innanzitutto questi artisti-scrittori compresero chiaramente che, in confronto allo schieramento politico del loro lavoro, la ▲ neutralità politica di fotografi come Walker Evans o Dorothea Lange fu una grave mancanza, perché entrambi furono inconsapevoli o disinteressati del contesto politico contemporaneo all'interno del quale il loro lavoro sarebbe stato usato, sotto gli auspici del progetto FSA di Roy Stryker. Sia Rosler che Sekula esplorano sempre un conflitto, chiedendosi in che misura la pratica fotografica possa assumere un approccio attivista, interventista, da agitatore politico, o in che misura, in quanto fotografi, essi vengano integrati nelle convenzioni discorsive e nelle strutture istituzionali che impediscono loro di raggiungere l'efficacia politica.

Tra serialità e intervento

È uno dei dilemmi che i fotografi devono affrontare sia negli scritti che nella loro attività. In progetti come *Sequenza di diapositive senza titolo* di Sekula **[5]** o *La Bowery in due sistemi descrittivi inadeguati* **[6]** di Rosler si possono distinguere i loro sforzi di andare oltre i limiti della pratica documentaria tradizionale. Il lavoro di Sekula, progettato come un ciclo di diapositive a ripetizione continua, è una serie di ottanta immagini di lavoratori che alla fine del turno giornaliero lasciano la fabbrica aerospaziale General Dynamics Convair Division di San Diego. Si tratta di una chiara risposta alla trasformazione • californiana del Concettualismo da parte di qualcuno come Huebler, come anche alle immagini di movimento della classe operaia delle tradizioni documentarie sia di Weimar che americane. Il fatto della sua trasformazione dalla fotografia statica in bianco e nero alla sequenza in continuo movimento e le sue casuali inquadrature di lavoratori, che sottolineano la difficoltà di identificare i soggetti della classe operaia (al contrario della classe media o dei colletti bianchi), ci offre dunque un'immagine molto più accurata e complessa del soggetto della fotografia documentaria. Da una parte, poi, la riflessione semiotica su che cosa sia la fotografia (il suo statuto di "segno indicale"), su come produca significato e su come trovi spazio e venga diffusa a livello istituzionale e informale, si rivela cruciale per questa pratica, che prende le distanze da un ritorno ingenuo a una rivendicazione politica del documentario fotografico. Ciò nondimeno, allo stesso tempo, e con gesto opposto, quest'opera va oltre tale critica puramente semiotica sottolineando la necessità e la possibilità di una contestualizzazione o di una specificità storica nella riflessione sul soggetto. Potremmo dire dunque che la critica di un'ipotesi ingenua dell'efficacia politica del documentario americano si unisce alla critica della pura neutralità della fotografia concettuale.

La Bowery in due sistemi descrittivi inadeguati di Rosler è un progetto esemplare da questo punto di vista. Questo lavoro si rifà alla fotografia documentaria nelle sue forme più degradate con il suo immaginario bianco e nero granuloso e il significato storico che questo tipo di lavoro ha acquisito dagli anni Settanta. Svolge anche una critica nei confronti di un certo tipo di fotografia di strada newyorchese celebrata all'epoca da John Szarkowski del MoMA,

▲ 1936 ● 1968b

sot

tippler

winebibber

elbow bender

overindulger

toper

lushington

6 • Martha Rosler, *La Bowery in due sistemi descrittivi inadeguati*, 1974-75
Quarantacinque fotografie in bianco e nero e tre pannelli neri, ciascuno 20,3 x 25,4 cm, tiratura cinque copie

specialmente nell'opera di Garry Winogrand, in cui, con distaccato cinismo, la decrepitezza e la miseria della vita quotidiana diventano un soggetto spettacolare. Rifacendosi alla tradizione di Walker Evans – molte delle fotografie funzionano come citazioni della sua opera – Rosler si pone all'interno di quella che definisce "l'inadeguatezza della rappresentazione fotografica". Contemporaneamente definisce la manifesta inadeguatezza del sistema linguistico a rappresentare l'ubriachezza. Accostate alle immagini fotografiche, le pagine a fronte riportano liste di definizioni dello stato di ebbrezza, spaziando dal gergo più degradato alle espressioni più arcaiche del linguaggio letterario. Nella loro accumulazione seriale, queste liste sono la parodia della ripetizione pop, mentre si oppongono anche, sia con il loro tema sia con il loro statuto linguistico, alle pretese dell'Arte concettuale di aver acquisito una pura autoriflessività linguistica. Ricollegando il linguaggio alla sfera del somatico – come alla sfera dello squilibrio psichico, della devianza, della squalifica sociale – viene introdotta una dimensione di controrazionalità nel progetto razionale dell'Arte concettuale che è tipica di questa fase del dialogo tra queste due generazioni. BB

ULTERIORI LETTURE:

Richard Bolton (a cura di), *The Contest of Meaning*, MIT Press, Cambridge (Mass.) 1989

Victor Burgin, *The End of Art Theory: Criticism and Postmodernity*, Humanities Press International, Atlantic Highlands (N.J.) 1986

David Campany (a cura di), *Art and Photography*, Phaidon Press, London 2003

Martha Rosler, *Decoys and Disruptions: Selected Writings 1975-2001*, MIT Press, Cambridge (Mass.) 2004

Allan Sekula, *Photography Against the Grain: Essays and Photoworks 1973-1983*, The Press of the Nova Scotia College of Art and Design, Halifax 1984

Abigail Solomon-Godeau, *Photography at the Dock: Essays on Photographic History, Institution and Practices*, University of Minnesota Press, Minneapolis 1991

▲ 1936

1984b

Fredric Jameson pubblica *Il postmoderno, o la logica culturale del tardo capitalismo*, mentre il dibattito sul postmodernismo si estende oltre gli ambiti di arte e architettura fino alla politica culturale e si divide in due posizioni opposte.

Nessuna parola nella critica del dopoguerra è più discussa del termine "postmodernismo". Questo in buona misura perché esso può essere compreso solo in relazione ad altri termini ampi, che sono ugualmente difficili da afferrare, come "modernismo", "modernità" e "modernizzazione". "Postmodernismo" inoltre è già paradossale di per sé. Da una parte, suggerisce che il "modernismo" – compreso come raffinamento di ciascuna forma d'arte verso la sua essenza distinta o, al contrario, come critica di ogni distinzione estetica – è in qualche modo finito (la sua morte è stata annunciata da molti teorici). Dall'altra, nel lavoro di alcuni artisti e critici pure collegati al termine, il postmodernismo ha offerto nuove intuizioni sul modernismo, in special modo per quanto riguarda avanguardie storiche a lungo sottovalutate dai giudizi dominanti (come ad esempio Dadaismo e Surrealismo da parte di Clement Greenberg e dei suoi seguaci). ▲ Così il postmodernismo diventa un modo di rivisitare il modernismo tanto quanto di dichiararne la morte.

Come il modernismo, il postmodernismo non indica nessuno stile artistico preciso. Piuttosto, i suoi teorici più ambiziosi hanno usato il termine per indicare una nuova epoca culturale in Occidente. Per il critico americano Fredric Jameson, il cui *Il postmoderno, o la logica culturale del tardo capitalismo* è una classica analisi marxista, il postmoderno è, più che una rottura decisa con il moderno, uno sviluppo discontinuo di elementi vecchi (o "residuali") e di nuovi (o "emergenti"). Tuttavia è caratterizzato a sufficienza da definire un periodo come nuovo momento nella cultura, in rapporto a un nuovo stadio del capitalismo, spesso chiamato "capitalismo consumistico", che emerse dopo la Prima guerra mondiale. ● Così, per Jameson le immagini spettacolari associate alla cultura postmoderna – simulazioni seducenti in riviste e film, televisione e internet, che raramente rappresentano qualcosa di veramente reale – riflettono "la logica culturale" di un'economia guidata dal desiderio consumistico. Oppure, per il filosofo francese Jean-François Lyotard, il cui *La condizione postmoderna* (1979) inaugurò il dibattito filosofico sul termine, il postmoderno indica la fine di qualsiasi narrazione marxista, anzi di tutte le "grandi narrazioni" della "modernità", siano raccontate come storia del progresso (come l'espansione dell'illuminismo) o del declino (l'asservimento del proletariato). Eppure, anche se questi due antagonisti nel dibattito sul postmodernismo sono in disaccordo sulle sue ramificazioni, concordano sul fatto che la sua forza motivante rimane la "modernizzazione", o l'incessante trasformazione dei modelli di produzione e consumo, diffusione e comunicazione, nell'interesse del profitto. Per questa ragione può esserci una fine della formazione artistica chiamata "modernismo", forse anche una fine dell'epoca culturale chiamata "modernità", ma la fine del processo socio-economico chiamato "modernizzazione" è improbabile. Al contrario, il postmoderno può solo segnare l'estensione quasi globale di tale processo.

Postmodernismi rivali

Ma che cosa significò il termine "postmodernismo" in arte e architettura al culmine del dibattito, che corrisponde circa al 1984, l'anno in cui Ronald Reagan fu rieletto presidente? (Includo l'architettura perché è l'ambito in cui il dibattito divenne per la prima volta pubblico.) Negli Stati Uniti questo fu il momento massimo del neoconservatorismo in politica, che chiamava a un ritorno ai valori originari della famiglia, della religione, della nazione, in breve alla tradizione culturale. Ma fu anche, per lo meno nei mondi artistico e accademico, l'apice della teoria poststrutturalista, che mette in discussione tutte queste origini e ritorni. Difficilmente paragonabili in quanto antagoniste – la prima fu una forza politica, la seconda un orientamento intellettuale – queste due filosofie segnarono tuttavia le due fondamentali posizioni sul modernismo all'epoca, e per comodità le definirò come tali.

Allora come adesso il "postmodernismo neoconservatore" fu il più noto dei due. Definito per lo più in termini di stile, reagì contro il modernismo, che ridusse al solo aspetto astratto – allo Stile internazionale vetro e acciaio in architettura, alla pittura astratta in arte, alla sperimentazione linguistica in letteratura. Contrappose quindi a questo modernismo un ritorno all'ornamento in architettura, alla figurazione in arte e alla narrazione in letteratura. Il postmodernismo neoconservatore motivò questi ritorni in termini di eroica riscoperta non solo dell'individualità artistica in contrasto con la supposta anonimità della cultura di massa, ma anche della memoria storica in opposizione alla presunta amnesia della cultura modernista. Il "postmodernismo

▲ 1916a, 1920, 1924, 1925c, 1930b, 1931a, 1942a, 1942b, 1960b ● 1956, 1957a poststrutturalista", d'altro canto, mise in discussione sia l'originalità dell'artista che l'autorità della tradizione. Inoltre, invece di un ritorno alla rappresentazione, questo postmodernismo avanzò una sua critica, secondo cui era ritenuta costruire la realtà più che copiarla, sottometterci agli stereotipi più che rivelare la verità su di noi. E ancora, come vedremo, si può ritenere che queste due posizioni opposte condividano un'identità storica che nessuna delle due poteva prevedere.

In arte e architettura il postmodernismo neoconservatore predilesse una commistione eclettica di stili arcaici e strutture contemporanee. In architettura – rappresentata da Philip Johnson, Charles W. Moore, Robert Venturi, Michael Graves, Robert Stern e altri – questa pratica tese all'uso di elementi neoclassici come colonne e simboli molto popolari per abbellire il solito edificio moderno, razionalizzato in struttura e spazio per aumentare efficienza e profitto. In arte – rappresentata da Francesco Clemente (nato nel 1952), Anselm Kiefer (nato nel 1945), David Salle (nato nel 1952) e Julian Schnabel (nato nel 1951) – tese a usare riferimenti storico-artistici e citazioni molto da cliché per decorare il solito dipinto moderno (i riferimenti differiscono a seconda delle culture nazionali degli artisti, in questi casi rispettivamente italiana, tedesca e americana [**1**]). Dunque, in che modo questo lavoro fu postmoderno? Non discusse seriamente il modernismo né lo oltrepassò formalmente, piuttosto cercò una riconciliazione con il pubblico (cioè con il mercato), che si diceva si fosse alienato dall'arte e dall'architettura troppo concettuali degli anni Sessanta e Settanta. Lungi dall'essere democratica (come veniva talvolta definita), questa riconciliazione tese ad essere elitaria nelle allusioni storiche e manipolatrice nei suoi clichés consumistici. "Gli americani si sentono a disagio seduti in una piazza", osservò una volta Venturi, "dovrebbero essere a casa con la famiglia a guardare la televisione".

A questo proposito, il postmodernismo neoconservatore fu più antimodernista che postmodernista; come gli antimodernismi del periodo tra le due guerre, cercò stabilità, addirittura autorevolezza, attraverso il rimando alla storia ufficiale. Più che un programma stilistico, questo postmodernismo fu una politica culturale dalla duplice strategia: per prima cosa il blocco al modernismo, specialmente nei suoi aspetti critici (nello schema neoconservatore la cultura doveva solamente affermare lo status quo), e poi l'imposizione delle vecchie tradizioni culturali su un presente sociale complesso, che andava ben al di là di tali soluzioni stilistiche.

Proprio a questo punto iniziò a emergere la grande contraddizione di questo postmodernismo, che, pur riproponendo stili storici, con la sua combinazione di citazioni, spesso definita "pastiche", stese a privare tali stili non solo del contesto, ma anche del senso. Paradossalmente poi questo postmodernismo, invece di tornare alla tradizione, ne evidenziò la frammentazione, perfino la disintegrazione, per lo meno come coerente canone stilistico. In verità "stile", inteso come espressione propria di un individuo o periodo specifici, e "storia", intesa come abilità per quanto minima nel fare riferimenti culturali, furono minati più che rafforzati da questo postmodernismo. In questo modo il postmodernismo neoconservatore fu smascherato proprio dalla fase culturale dalla quale voleva fuggire. Gli anni Ottanta infatti, come Jameson in particolare ha posto in rilievo, furono segnati non da una risco-

1 • Julian Schnabel, *Esilio*, 1980
Olio e corna di cervo su tavola, 228,6 x 304,8 cm

▲ 1977a, 1980 ● 1972c ■ 1988

▲ 1919, 1934a, 1937a ● 1919

Cultural studies

Dopo aver analizzato l'intero orizzonte culturale alla ricerca di un discorso politico nascosto, il campo della semiotica si estese alla pubblicità, alla televisione, al packaging e alla moda. Quest'apertura semiotica al più ampio campo dell'attività culturale di massa fu contemporanea all'attacco mosso da Michel Foucault alla coerenza interna delle varie discipline che costituiscono il campo degli studi classici: letteratura, storia, arte, eccetera. In Inghilterra, all'Università di Birmingham, gli studiosi iniziarono ad obiettare all'idea che la cultura di massa fosse semplicemente una questione di manipolazione di consumatori passivi. Anzi, argomentarono critici della cultura come Stuart Hall, esistono strategie di consumo che si trasformano in forme di resistenza. Il rap può essere un buon esempio di una riprogrammazione della musica trasformata in un mezzo di aggressione contro i valori borghesi di decoro e obbedienza. Si sostenne anche che le forme più degradate di racconto popolare, i cosiddetti "romanzi rosa", potrebbero essere una forma di resistenza che ha permesso alle donne del ceto basso di crearsi uno spazio di intimità e fantasia.

Che la linea di demarcazione tra arte alta e cultura di massa sia specchio della lotta di classe fu sostenuto dal sociologo francese Pierre Bourdieu (1931-2002), che, in *Distinzione* (1979), affermò che la capacità di fruizione dell'arte alta equivale ad avere "capitale culturale" e così nelle società occidentali industrializzate si trasforma in vantaggio e potere monetario.

perta di coscienza storica, ma dalla sua erosione in un'amnesia consumistica e non dalla rinascita dell'artista come genio, ma dalla "morte dell'autore" (secondo la famosa espressione di Barthes), inteso come unica origine di tutti i significati.

▲ L'altro postmodernismo, il "postmodernismo poststrutturalista", si differenziò sotto molti aspetti e soprattutto nella sua opposizione al modernismo. Dal punto di vista neoconservatore, il modernismo doveva essere superato perché troppo critico; dal punto di vista poststrutturalista, doveva essere superato perché non abbastanza critico, divenuto l'arte ufficiale dei musei, l'architettura favorita delle aziende e così via. • Ma fu rispetto alla questione della rappresentazione che i due postmodernismi si differenziarono in modo più evidente: il postmodernismo neoconservatore sostenne un ritorno alla rappresentazione e diede per scontata la verità delle sue rappresentazioni; il postmodernismo poststrutturalista, dal canto suo, fu guidato da una critica della rappresentazione che mise in dubbio tale verità, e fu questa critica che allineò più intrinsecamente quest'arte alla teoria poststrutturalista.

Prese infatti a prestito la nozione poststrutturalista del "testo" frammentato come un opposto al modello modernista dell'"opera" unitaria. Secondo tale argomentazione, l'"opera" modernista implicava che un'opera d'arte fosse un'unità simbolica, unica nel suo sviluppo e perfetta nella sua forma. Il "testo" postmodernista implicava un tipo molto differente di entità: nell'autorevole definizione di Barthes, "uno spazio multidimensionale nel quale si mescola e si scontra una varietà di testi, nessuno dei quali originale". Questa definizione di "testualità" sembrò molto adatta alla strategia di appropriazioni di immagini e/o di testi anonimi usata nei primi foto-testi di Barbara Kruger e nei manifesti-dichiarazioni ▲ di Jenny Holzer (nata nel 1950) **[2]**, come pure nelle prime • opere copiate di Sherrie Levine e nelle composizioni fotografiche di Louise Lawler. In queste pratiche la testualità postmodernista si trovò dapprima a far riferimento alle idee moderniste di "capolavoro" e di "maestro", viste come "miti" ideologici da abbandonare, da "demistificare" o "decostruire". Dal momento che questi miti erano maschili, non fu un caso che tale critica sia stata condotta da ■ artiste femministe.

Pastiche e testualità

Come modelli di produzione artistica, quindi, l'"opera" modernista e il "testo" postmodernista sono piuttosto distinti. Ma che dire infine della effettiva diversità di "pastiche" neoconservatore e "testualità" poststrutturalista? Si consideri, come esempio di ciascuna pratica, l'opera di due artisti che divennero celebrità verso il 1984: i dipinti neoespressionisti di Julian Schnabel da una parte e le performance multimediali di Laurie Anderson (nata nel 1947) dall'altra **[3]**. Schnabel mescolò allusioni all'arte alta (come a Caravaggio in *Esilio*) con materiali di cultura bassa (come il velluto e le corna di cervo), ma non con l'intenzione di mettere in dubbio ciascun sistema di riferimento. Al contrario, con molti altri artisti del tempo, trasformò le tecniche moderniste di collage e assemblage in mezzi contemporanei miranti a sostenere proprio il medium che prima forzavano: la pittura. Senza dubbio alcuni suoi elementi pittorici sono frammentati (come i piatti rotti), ma sono tutti tenuti insieme dalle convenzioni della pittura moderna – come gesti espressivi, cornici eccessive, atteggiamenti eroici da

2 • Jenny Holzer, *Truismi*, 1977-79
Poster, 91,4 x 61 cm

▲ Introduzione 4 • 1972c

▲ Introduzione 1, 1977a • 1977a ■ 1975a

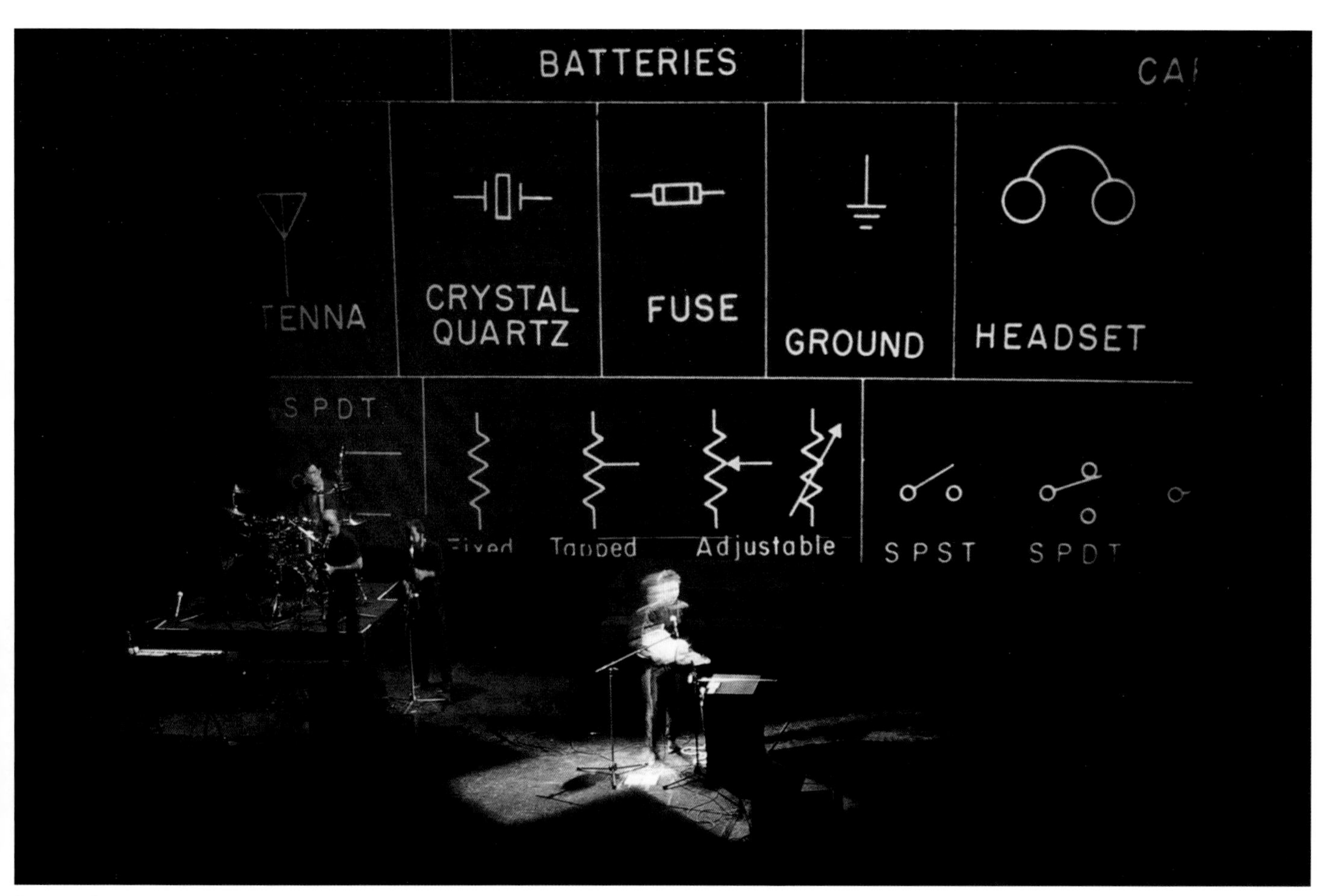

3 • Laurie Anderson, dettaglio della performance *Stati Uniti*, 1978-82

espressionista astratto – che Schnabel tentò di risuscitare. Anderson, d'altra parte, giocava con la storia dell'arte e con la cultura pop come clichés. Nelle sue performance, che volevano essere allegorie del disorientamento nella vita americana contemporanea, orchestrò una profusione di media artistici e segni culturali: immagini proiettate, racconti registrati, musica e voce alterate elettronicamente e così via. Questa mescolanza rese ambigua la posizione personale così come il riferimento sociale delle sue rappresentazioni, mantenendole al di fuori di un singolo medium che potesse reincluderli come "arte alta".

A prescindere da queste grandi differenze stilistiche e politiche, le pratiche del pastiche e della testualità si differenziavano in senso strutturale? Entrambe tendevano a infrangere l'idea di una soggettività stabile e a frantumare la nozione tradizionale di rappresentazione – Anderson intenzionalmente, Schnabel inavvertitamente. Se è così, il "ritorno" neoconservatore allo stile individuale e alla tradizione storica (qui esemplificato da Schnabel) potrebbe, vent'anni dopo il suo culmine, rivelarsi simile in effetti alla "critica" poststrutturalista di queste nozioni (di cui è esempio qui Anderson). In breve, pastiche e testualità possono ora essere considerati sintomi complementari della stessa crisi della soggettività e della narrazione che costituì "la condizione postmoderna" secondo Lyotard, dello stesso processo di frammentazione e disorientamento che informò "la logica culturale del capitalismo" secondo Jameson. Cosa esattamente costituiva questa soggettività e questa narrazione, che venivano in primo luogo considerate in crisi? Le si riteneva generali, addirittura universali; i critici della "condizione postmoderna" presto giunsero a considerarle più particolari, soprattutto legate all'identità di un bianco, borghese, maschio, dell'Europa occidentale o del Nordamerica. Per alcuni la minaccia a questa soggettività e a questa narrazione, alla grande tradizione moderna, era davvero grave e provocò lamenti e ripudi riguardo la fine dell'arte, della storia, del canone, dell'Occidente. ▲ Ma per altri, specialmente per le persone segnate come "altri" da un punto di vista sessuale, razziale e/o culturale, il postmodernismo non era il segno di una perdita reale, ma una potenziale apertura a tutt'altri tipi di soggettività e di narrazioni. HF

ULTERIORI LETTURE:

Roland Barthes, *L'ovvio e l'ottuso*, trad. it. Einaudi, Torino 1985

Hal Foster (a cura di), *The Anti-Esthetic: Essays on Postmodern Culture*, Bay Press, Seattle 1983

Fredric Jameson, *Il postmoderno, o la logica culturale del tardo capitalismo*, trad. it. Garzanti, Milano 1989

Rosalind Krauss, *L'originalità dell'avanguardia e altri miti modernisti*, trad. it. Fazi, Roma 2007

Jean-François Lyotard, *La condizione postmoderna*, trad. it. Feltrinelli, Milano 1981

Craig Owens, *Beyond Recognition: Representation, Power, and Culture*, University of California Press, Berkeley-Los Angeles 1992

Brian Wallis (a cura di), *Art after Modernism: Rethinking Representation*, David R. Godine, Boston 1984

▲ 1975a, 1977b, 1987, 1989, 1993c

1986

A Boston apre *Finale di partita: referenza e simulazione nella pittura e nella scultura recenti:* mentre alcuni artisti giocano sul collasso della scultura in merce, altri sottolineano l'importanza di design ed esposizione.

Come altri movimenti negli anni Sessanta, Pop art e Minimalismo operarono contro le nozioni tradizionali di composizione attraverso la serialità: un'immagine dopo l'altra, come nei quadri di Warhol; "una cosa dopo l'altra", come ▲ nelle sculture di Judd. Questo ordinamento seriale orientò inoltre Pop art e Minimalismo verso il mondo quotidiano delle merci seriali in modo più sistematico di qualsiasi precedente forma d'arte. Nel nostro mondo del capitalismo consumistico, il termine "consumo" non indica tanto l'uso di un dato prodotto, quanto la sua differenza come segno rispetto ad altri segni. Secondo il socio- ● logo francese Jean Baudrillard, è spesso questo "aspetto fittizio, differenziale, codificato, sistematizzato dell'oggetto" che consumiamo, più che l'oggetto in quanto tale; è la marca che accende il ■ nostro desiderio, la merce-come-segno che diventa il nostro feticcio.

1 • Jeff Koons, *Teca con due palloni 50/50 (Spalding serie Dr. J Silver, Wilson Supershot)*, 1985
Vetro, acciaio, acqua distillata e due palloni da basket, 159,4 x 93,3 x 33,7 cm

Codici di consumo

Una volta penetrati nell'arte la produzione seriale e il consumo differenziale, le distinzioni tra forme alte e basse divennero confuse al di là di qualsiasi prestito tematico o di condivisione di immaginario. Questa indistinzione diventò esplicita negli anni Ottanta, quando artisti come Jeff Koons (nato nel 1955) e Haim Steinbach (nato nel 1944) misero direttamente sullo stesso piano opere d'arte e merci; questo tipo di operazione ottenne per la prima volta larga attenzione in una mostra del 1986 intitolata *Finale di partita* all'Istituto d'Arte Contemporanea di Boston. Con i suoi primi palloni da basket immersi in un acquario, Koons produsse un effetto di ambivalenza quasi surrealista **[1]**, e anche la sua brillante campagna pubblicitaria e i suoi oggetti di lusso sembrarono in seguito tendere a qualcosa di più dell'autopromozione, poiché Koons sembrò compiacersi nichilisticamente della merce-feticcio e della celebrità mediatica come sostituti storici dell'opera d'arte auratica e dell'artista ispirato. Realizzò così fino in fondo ciò che Benjamin aveva ◆ predetto molto prima per la società capitalista: il bisogno di compensare la perdita d'aura dell'opera d'arte e dell'artista con "il falso incanto" della merce e della celebrità. Dopo Warhol, fu lasciato a Koons di fare di questa ridefinizione dell'aura come "falso incanto" non solo il soggetto, ma l'operazione di una carriera artistica. E se Koons, agente-di-borsa-diventato-artista, presentò un lancio pubblicitario come sostituto contemporaneo dell'aura, ▲ artisti non-meno-dotati-di-senso-pratico come Damien Hirst (nato nel 1965), il più noto dei "Giovani artisti britannici" emersi alla fine degli anni Ottanta e giunti a notorietà con la mostra *Sensazione* del 1997 alla Royal Academy a Londra, fecero circa la stessa cosa con il sensazionalismo dei media. Koons aveva messo nelle sue teche dei prodotti kitsch, Hirst andò fino in fondo e presentò nei suoi contenitori degli animali sezionati **[2]**. Gli sdegnati avversari di questi artisti fecero esattamente il loro gioco, perché insieme produssero un simulacro confezionato della provocazione artistica.

Mentre Koons focalizzò l'aspetto feticistico della merce-segno, Steinbach si concentrò sull'aspetto differenziale. Un pezzo del 1985 intitolato *Collegato e differente* mostra un paio di scarpe Nike

▲ 1962d, 1964b, 1965 ● 1980 ■ 1931a ◆ 1935

▲ 2007c

2 • Damien Hirst, *Questo maialino è andato al mercato, questo maialino è rimasto a casa*, 1996
Acciaio, vetro, un maiale, soluzione di formaldeide e due teche, ciascuna 120 x 210 x 60 cm

accanto a cinque calici di plastica, come a suggerire che le Air Jordan sono una versione contemporanea del Sacro Gral. Questo è tipico del suo lavoro: collocare i prodotti scelti su semplici ripiani o piedestalli in un'intelligente giustapposizione di forma e colore, in modo da mostrare quanto essi siano "collegati e differenti", collegati come merci, differenti come segni. Come Koons, Steinbach mette lo spettatore nella condizione del compratore, l'intenditore d'arte in quella del feticista della merce-segno, e celebra l'idea che la nostra "passione per il codice consumistico" (Baudrillard) sia sottesa a tutti gli altri valori: valore d'uso, valore estetico e così via. Con Steinbach questo codice di consumo è anzitutto un problema di design e di esposizione, e la sua logica appare totale, capace di assorbire qualsiasi oggetto in qualsiasi accostamento. Nel suo lavoro opposizioni come funzionale e disfunzionale, razionale e irrazionale, alla base dell'oggetto moderno fin dal Bauhaus e dal Surrealismo, sembrano crollate: il che rappresenta davvero il finale della partita giocata da questo tipo di "merce scultura".

Questi artisti "fingono di impegnarsi in un annichilimento critico della feticizzazione della cultura di massa", ha sostenuto Benjamin Buchloh, ma così facendo "rafforzano ancor di più la feticizzazione dell'oggetto della cultura alta: nessuna cornice del discorso viene annullata, nessun aspetto del sistema di supporto è ripensato, nessun dispositivo istituzionale è sfiorato". Essi non affrontano lo statuto contemporaneo dell'istituzione dell'arte, operano invece (come una volta si vantò uno di loro, Ashley Bickerton [nato nel 1959]) una "inversione strategica delle tecniche decostruttive" sviluppate per criticare questa istituzione da artisti ▲ come Broodthaers, Asher e Haacke negli anni Sessanta e Settanta. Se gli artisti della generazione precedente avevano esteso il mezzo • di presentazione dell'oggetto readymade per riflettere sulla condizione dell'esposizione, gli artisti più giovani riportarono il readymade al suo statuto di prodotto, anzi spesso lo trasformarono in una merce di lusso in bella mostra.

Ma non tutti gli artisti interessati alla trasformazione dell'arte in merce negli anni Ottanta soggiacquero a questa cinica inversione del vecchio dispositivo d'avanguardia del readymade. Allan McCollum (nato nel 1944) mostrò lo stesso posizionamento dell'arte – come oggetto del desiderio e come strumento di prestigio – come Koons e Steinbach, ma, per così dire, senza gli oggetti, invitandoci così a considerare le convenzioni dell'esposizione come motivo scatenante del consumo. I suoi *Surrogati di quadri* **[3]**, che consistono solo di una cornice minimale e di un rettangolo in luogo dell'immagine, sono altrettanti segni vuoti della pittura da cavalletto (prima dipinti ad acrilico su legno, poi colati in gesso); mentre i suoi *Strumenti perfetti* (1985), urne colate in Hydrocal solido e dipinte a fasce con smalti di colori differenti, sono simboli generici di oggetti scultorei. Come con altre serie seguenti, sia i *Surrogati* che gli *Strumenti* sono posti sul mercato in

1923, 1931a, 2007b

▲ 1970, 1971, 1972a, 1972b • 1914

3 • Allan McCollum, *Surrogati di quadri*, 1978-80
Acrilici e smalti su legno, misure varie

varie taglie e in grande numero: McCollum dirige uno studio che funziona come un sistema produttivo decentrato, qualcosa tra la bottega e la fabbrica, e lo usa per produrre una sovrabbondanza di multipli unici che frustrano invece che soddisfare il desiderio. In questo modo richiama alla memoria le differenze nella produzione e insieme provoca riflessioni sul consumo e crea un punto di distanza critico su vari modi di fare, mostrare, guardare e possedere all'interno di un'economia che lavora per precludere la consapevolezza di modalità alternative di produzione e di distribuzione.

Anche John Knight (nato nel 1945) ha lavorato a tecniche decostruttive dell'istituzione, con un occhio non solo alla trasformazione ▲ dell'arte in merce, ma anche alla sua trasposizione letterale nella grande industria, anzi *come* grande industria. Questo lo condusse a imitare le forme di design e di esposizione in pubblicità e architettura che si diffusero durante gli anni Reagan-Thatcher, quando fusioni corporative e marketing della cultura si diffusero esponenzialmente. Così per *Documenta 7* (1982), la mostra internazionale a • Kassel, in Germania, Knight creò otto logotipi dalle sue iniziali nel carattere Helvetica (che considerava "il non plus ultra del carattere tradizionale per aziende"), li montò su un rilievo di legno e li coprì con riproduzioni di poster di viaggi (in un pezzo mise invece una pubblicità della California Bank). In questo modo puntò al recupero storico delle forme moderniste di astrazione, rilievo e collage "per la disseminazione dell'ideologia e dei prodotti della cultura aziendale del dopoguerra" (Buchloh). Nello stesso tempo, collocati nelle due scale principali della hall di *Documenta*, i logotipi restavano in bilico tra opera d'arte e logo commerciale, tra sigla privata, individuale e segno pubblico, anonimo. In un certo senso Knight rese aziendali le sue iniziali, spostamento retorico che sottolinea la doppia condizione che gli artisti critici affrontavano in quel periodo: non solo il dominio da parte delle aziende delle istituzioni del mondo dell'arte, ▲ ma anche il forzato revival della pittura espressionista. La sua serie *Specchi* **[4]** rifletteva su entrambi questi sviluppi e sosteneva che l'apparente soggettività della pittura svolgeva il ruolo di piccola compensazione (e non così piccola mistificazione) della reale sovranità dell'azienda. Secondo Buchloh, Knight sagomò i suoi logo pseudoaziendali in diverse forme geometriche, sulla cui superficie pose degli specchi, per "ricordarci la realtà aziendale ultima che controlla e determina le più nascoste riflessioni interiori. Allo stesso modo, la banale domesticità degli specchi non lascia dubbi sul fatto che il rifiuto estetico dalla funzione sociale pubblica non ha altro luogo che non quello del riflesso privato incorniciato".

Anche altri artisti nello stesso periodo sottolinearono la volontà, da parte delle aziende di modellare le nostre identità. Per esempio Ken Lum (nato nel 1956) ha disposto comuni mobili moderni in posizioni bizzarre – divani in verticale, inclinati, talvolta combinati e accoppiati – come se avessero preso vita propria e rimpiazzato i loro proprietari umani. Andrea Zittel

▲ 1976, 2007c • 1972b ▲ 1984b

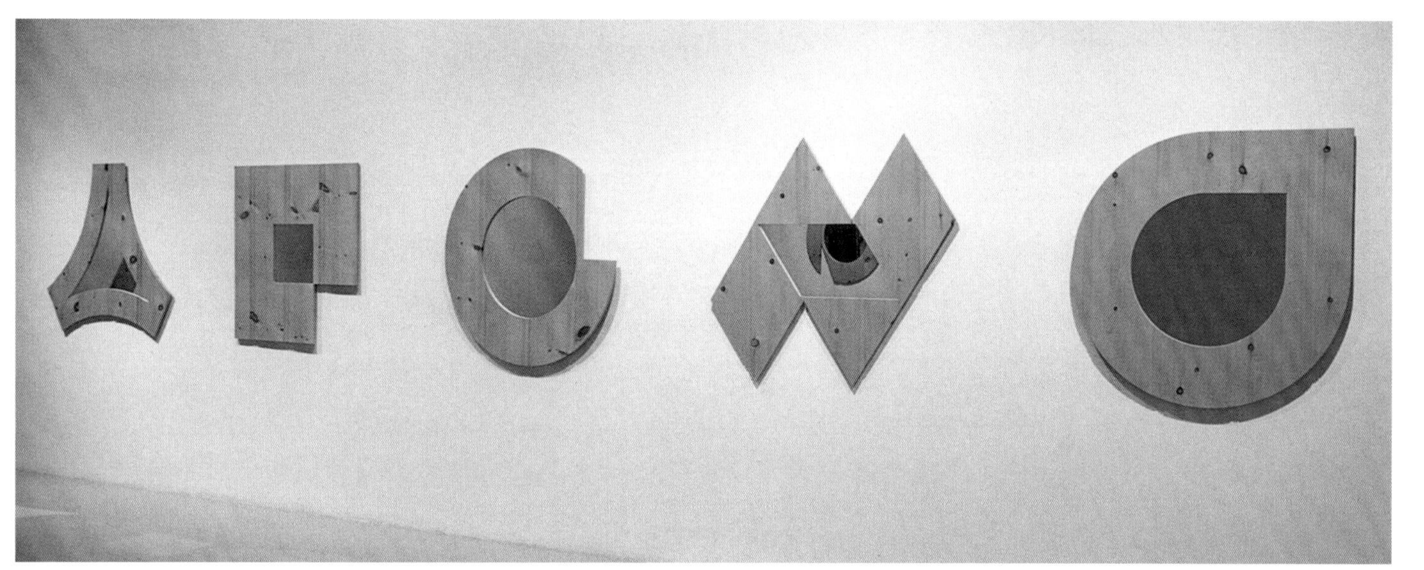

4 • John Knight, serie *Specchi*, 1986
Vista dell'installazione

(nato nel 1965) ha esplorato la modularizzazione dei nostri ambienti in una serie di finti modelli di uffici e case efficienti. Altri artisti hanno tentato di rivendicare una dimensione soggettiva all'interno del nuovo ordine di vita quotidiana sotto le mega-aziende. Come Knight, Lum e Zittel, anche Barbara Bloom (nata nel 1951) ha parodiato le forme culturali che modellano l'identità sociale. Tra le altre cose, ha prodotto poster e pubblicità, sovracopertine di libri e trailer di film in una scaltra sorta di mimesi decostruttiva di questi generi dell'industria culturale. "In tutte le mie opere 'somigliare' e 'apparire come se' hanno un ruolo importante", dice Bloom, "ma questo sembrare 'come', questi mezzi camaleontici per realizzare il mio scopo, sono, in superficie, una prima impressione. Le immagini, sovente attraverso l'ironia, offrono commenti riguardo il medium in cui sono trasposte e le immagini culturali (cliché) in generale".

Bloom sviluppò i suoi primi lavori a partire dagli interessi femministi della fine degli anni Settanta, incentrati sui temi del feticismo e della condizione dello spettatore; in un'installazione del 1985 intitolata *Lo sguardo fisso*, che prese la forma di uno showroom, tentò di cogliere in flagrante la nostra attrazione per le scarpe di design. Tuttavia i suoi lavori successivi non sono così distaccati; specialmente nelle sue mostre allestite come collezioni private Bloom ha introdotto frammenti di storia, sia immaginaria che (auto)biografica, attraverso fotografie e libri, cose personali e oggetti domestici, spesso riecheggianti il passato **[5]**. Qui, invece che indossare i panni del curatore pubblico, come hanno fatto molti artisti contemporanei, lei interpreta il ruolo del collezionista privato. Altri artisti hanno ricoperto questo ruolo prima di lei, o l'hanno combinato con quello del curatore (Broodthaers per esempio), ma Bloom è meno interessata a criticare il nesso galleria-museo che a trasformarlo in un teatro alternativo per esplorare le vite segrete delle parole e delle cose. Come per Benjamin, per Bloom il collezionista resiste alla riduzione dell'oggetto sia al suo valore d'uso sia a quello di scambio, e mobilita un tipo personale di feticismo contro il feticismo astratto della merce-segno. I collezionisti, scrisse Benjamin in *Tolgo la mia biblioteca dalle casse* (1931), elevano la merce "allo statuto di allegoria," trovandovi storie nascoste. Bloom compie una narrativizzazione simile dei suoi oggetti: "mi sembra di passare una grande quantità di tempo a chiedermi se un oggetto può essere abbastanza impregnato di significato da diventare un sostituto di una persona o di un evento".

Negli anni Ottanta gli artisti risposero in modi differenti alle pressioni del mercato e agli interessi delle corporazioni. Alcuni ▲ resero manifesti nei loro lavori questi accordi finanziari, come se esasperarli riuscisse in qualche modo a guastarli, mentre altri provarono a riflettere criticamente su queste nuove forze e a sviluppare più che distruggere gli effetti strutturanti del metodo del readymade. Benché le condizioni economiche fossero temporaneamente mutate dopo il minicrollo del mercato azionario del 1987, la metà degli anni Novanta vide un altro ciclo di espansione capitalista e alcuni artisti iniziarono a focalizzarsi meno sulla trasformazione dell'arte in merce, ormai considerata un dato di fatto, e più sull'ubiquità del *design*, o sul modo con cui gli oggetti o le pratiche sono spesso ricodificate, incluse in un insieme più vasto, trasformate in elemento di decoro o in stile di vita. Questo essere ombra, o doppio, del "buon design" da parte dell'arte d'avanguardia non è una storia ● nuova. Si consideri a questo proposito il percorso del Bauhaus: se il Bauhaus ha trasformato l'artigianato com'era concepito tradizionalmente, ha anche facilitato, come ha sostenuto Baudrillard, "l'estensione di fatto del sistema di valore di scambio all'intero ambito di segni, forme e oggetti". È questa una versione dell'"incubo" del modernismo, ovvero che le sue trasformazioni utopistiche delle forme d'arte possano essere recuperate come sviluppi del ■ mercato nella moda e nelle altre forme di merce.

Alcuni artisti contemporanei, come Jorge Pardo (nato nel 1963) e Karim Rashid (nato nel 1960), sembrano dare per scontato questo recupero e lavorare all'interno dei parametri del design. In questa logica, categorie e termini che una generazione fa erano

▲ 1977a, 1980 ● 1975a ■ 1972a ◆ 1935

▲ 1992 ● 1923, 1947a ■ 1925a, 2007c

5 • Barbara Bloom, *Il regno del narcisismo*, 1989
Materiali vari, dimensioni variabili

ritenuti in contraddizione produttiva – per esempio "scultura" ▲ contro "architettura" nell'Arte site-specific – si presentano come compositi privi di particolare tensione generativa, come nel caso delle molte combinazioni di immagini, oggetti e spazi nell'arte di installazione. In questo stato di inversione, l'Arte site-specific diventa una specie di arte ambientale e l'estetica situazionale sviluppata da artisti critici nei confronti dell'istituzione come Michael • Asher si trasforma in una sorta di estetica del design. In verità artisti come Pardo e Rashid usano elementi di arredamento – piastrelle e carta da parati, mobili e oggetti lussuosi – per trasformare lo spazio dell'arte in ambiente totale. In questo senso, se alcuni artisti un tempo spinsero la scultura dentro l'ambito dell'architettura, altri ora sottopongono la scultura ai dettami del design.

Invero anche qui, come con l'intensa mercificazione dell'arte negli anni Ottanta, ci sono risposte dialetticamente diverse a questa pervasiva logica del design. L'artista-architetto Judith Barry (nata nel 1949) si è per molto tempo appropriata a scopi critici di aspetti di questa logica nelle sue installazioni e mostre. Invece che esasperare gli effetti implosivi di tale logica, alcuni artisti, come Glenn Seator (1956-2002) e Sam Durant (nato nel 1961), hanno tentato di recuperare "il campo allargato della scultura" degli anni Sessanta e di resistere alla tendenza totalizzante del design attraverso una rimotivazione esplicita delle pratiche site-specific. Nel caso di Durant ▲ questo ha significato una riscoperta della dialettica sito/ non-sito di Smithson, ora letta attraverso riferimenti imprevisti sia alle sottoculture sia alla cultura di massa. Nel caso di Seator ha significato una • riscoperta dei tagli architettonici di Matta-Clark, ora compiuti in un modo in cui la storia architettonica esposta diventa l'indice sistematico di una storia sociale rivelata. HF

ULTERIORI LETTURE:
Brooks Adams (e altri), *Sensation: Young British Artists from the Saatchi Collection*, Thames & Hudson, London-New York 1998
Benjamin H. D. Buchloh, *Neo-Avantgarde and Culture Industry*, MIT Press, Cambridge (Mass.) 2000
David Joselit (a cura di), *Endgame: Reference and Simulation in Recent American Painting and Sculpture*, Institute of Contemporary Art, Boston 1986
Lars Nittve (a cura di), *Allan McCollum*, Rooseum, Malmo 1990
Peter Noever (a cura di), *Barbara Bloom*, Austrian Museum of Applied Arts, Vienna 1995

▲ 1967a, 1970 • 1970

▲ 1967a, 1970 • 1967a

1987

Viene organizzata la prima azione ACT-UP: la crisi dell'Aids riaccende l'attivismo in arte, mentre gruppi e interventi politici diventano d'attualità e si sviluppa un nuovo tipo di estetica gay.

In reazione ai governi conservatori negli Stati Uniti, nel Regno Unito e nell'allora Germania dell'Ovest, i primi anni Ottanta testimoniarono una rinascita dell'arte politica progressista, la più importante dal tempo della guerra del Vietnam. Eventi diversi si sovrapposero a provocarla: gli interventi militari nell'America Centrale, le scalate aziendali a Wall Street, la continua minaccia di un olocausto nucleare, gli attacchi fobici della Destra religiosa, reazioni violente contro i diritti civili e le conquiste femministe, tagli ai sussidi statali e ad altri programmi sociali, e – evento più tragico di tutti per il mondo dell'arte – l'epidemia di Aids, l'indifferenza dei governi nei confronti di questo problema e la brutale individuazione dei gay come capro espiatorio. Col trascorrere del decennio, l'arte politicamente impegnata negli Stati Uniti fu infiammata anche da una serie di pestaggi e altri avvenimenti violenti scatenati da motivi razziali e/o sessuali e da conflitti ideologici che misero il mondo dell'arte contro le agenzie governative istituite per supportarlo, sopra tutte il National Endowement for the Arts.

Le risposte furono espresse fondamentalmente in due modi. Il primo tese a una "rappresentazione della politica", nella quale identità sociali e posizioni politiche vennero trattate come un contenuto, da comunicare il più direttamente possibile. Il secondo tese a "una

1 • Group Material, *Linea del tempo dell'AIDS*, 1989
Installazione, materiali vari

Introduzione 2, 1977b, 1984a

politica della rappresentazione", nella quale le identità e le posizioni ▲ furono trattate come rappresentazioni costruite, da interrogare sia a livello formale che ideologico. Così alcuni artisti mirarono a presentare i problemi politici in modi diretti, altri a esercitare su di essi • critiche poststrutturaliste. Un rischio del primo approccio fu che qualche volta confermò gli stereotipi che voleva contestare; un pericolo del secondo fu che proprio il suo livello di sofisticazione talvolta rendeva oscura la sua stessa critica.

Alla svolta reazionaria in politica si accompagnò quella estetica, come fu evidente nella resurrezione di vecchie forme come la pittura ad olio e la scultura in bronzo; il nemico comune era la trasformazione progressista avvenuta negli anni Sessanta, sia in politica che in arte. Tuttavia, anche se ritornarono in vita i miti umanisti della Grande Arte e dei Grandi Artisti, il mondo dell'arte fu lasciato nelle mani delle forze del mercato come mai prima, specialmente alle manipolazioni finanziarie di collezionisti-investitori (come l'inglese Charles Saatchi, direttore di un'agenzia pubblicitaria) che estesero ■ alle istituzioni dell'arte la rampante privatizzazione della sfera pubblica sotto Reagan e Thatcher. Tra gli altri cambiamenti in peggio, questo significò lo scavalcamento di curatori e critici da parte dei collezionisti e venditori nel ruolo di arbitri dell'importanza e del valore artistico. Resistendo alla regressione ideologica in arte e alla evidente manipolazione del suo mercato, alcuni artisti perseguirono "progetti collaborativi, collettivi, cooperativi e comuni", come espresso nelle parole di un gruppo di New York chiamato COLAB. Spesso questi collettivi organizzarono spazi alternativi, qualche volta per mostre temporanee in vetrine di negozi abbandonati, a volte per attrarre comunità non servite dal mondo dell'arte e lontane dai suoi centri. Un esempio di mostre-guerriglia a New York fu *La mostra di beni immobili* (1980), che combinò ad hoc oggetti e installazioni di artisti locali con disegni murali e graffiti dei bambini della zona in uno spazio commerciale abbandonato nell'East Village, di proprietà del comune. Quasi subito la mostra venne chiusa dalle autorità, che resero così più evidenti i problemi di beni immobili che l'evento voleva rappresentare. Un esempio di spazio comunitario a New York fu Fashion Moda, una galleria in uno spazio commerciale nel Bronx costituita da Stefan Eins e Joe Lewis per mettere in contatto vari artisti con i residenti del luogo (alcuni dei quali vennero ritratti in busti di gesso dipinti da John Ahearn e Rigoberto Torres). L'attività di collettivi come Group Material di New York e Border Art Ensemble di San Diego spaziarono da mostre-messaggio e interventi di guerriglia urbana (come l'affissione illegale di manifesti) a

2 • Leon Golub, *Mercenari (IV)*, 1980
Acrilico su tela, 304,8 x 585,5 cm

▲ 1975a, 1977a, 1977b • 1977a, 1980, 1984b ■ 1976

progetti comunitari [1]. La dichiarazione di intenti del Group Material – "mantenere il controllo sul nostro lavoro, dirigendo le nostre energie verso le domande sociali, in opposizione alle richieste del mercato dell'arte" – colgono lo spirito di questo movimento di artisti motivati politicamente che cercarono di essere anche socialmente site-specific, uno spirito che ha continuato a vivere in altri gruppi come RePo History.

La rinascita delle associazioni artistiche politicizzate negli anni Ottanta ravvivò l'interesse nei confronti di alcuni precursori come la Art Workers' Coalition, che era stata costituita al culmine della guerra del Vietnam per promuovere la causa di un'unione degli artisti e per protestare contro l'assenza di artiste donne e di artisti delle minoranze nelle mostre e nelle collezioni. L'attenzione ricadde anche su artisti impegnati, come Leon Golub, che aggiornò i suoi quadri delle atrocità dei soldati americani in Vietnam con nuovi soggetti attuali, come i mercenari delle "guerre sporche" non dichiarate degli anni Ottanta [2]. A questa rappresentazione della politica si intrecciò poi una politica della rappresentazione, che condusse alcuni artisti a imitare strategie situazioniste, in particolare il *détournement*, ovvero il rimaneggiamento di simboli pubblici e di immagini dai media con sovversioni di significati sociali e memorie storiche. Così, a partire dal 1980 Krzysztof Wodiczko (nato nel 1943), di origine polacca, proiettò nottetempo immagini scelte, all'inizio in modo illegale, su monumenti ed edifici del potere finanziario e politico: missili nucleari su monumenti ai caduti, promesse presidenziali di fedeltà su edifici aziendali, persone senza tetto sulle statue di eroi e così via [3]. Il suo scopo era quello di opporsi ai linguaggi ufficiali e di rivelare le storie non-dette di queste architetture, con il risultato che sotto le proiezioni esse eruttassero, sintomaticamente, i contenuti e i legami repressi. Altri come Dennis Adams (nato nel 1948) e Alfredo Jaar (nato nel 1956) usarono strategie simili. Nelle sue fermate d'autobus Adams mise i passanti di fronte a fotografie di demoni politici che ancora perseguitano il presente, come il demagogo anticomunista John McCarthy e il boia nazista Klaus Barbie. In un sistema studiato di collegamenti Jaar sostituì le pubblicità patinate in metropolitana che glorificano affari e banche in patria con fototesti che raccontavano punto per punto il loro reale lavoro di sfruttamento.

Appropriazioni agitprop

I più efficaci di questi interventi neosituazionisti furono compiuti dai numerosi gruppi di artisti associati con l'ACT-UP, acronimo di Aids Coalition To Unleash Power, fondata nel marzo 1987 "per intraprendere un'azione diretta per porre fine alla crisi dell'Aids". Altrettanto sofisticati nelle critiche poststrutturaliste alla rappresentazione degli artisti citati sopra, questi gruppi (tra i quali Gran Fury, Little Elvis, Testing the Limits, DIVA TV, Gang, Fierce Pussy) schierarono media e tecniche differenti a seconda delle occasioni: manifesti audaci di immagini fatte proprie e testi inventati per specifiche manifestazioni, rimaneggiamenti sovversivi di pubblicità aziendali e di pagine di quotidiani per una vasta circolazione,

3 • Krzysztof Wodiczko, *Proiezione sulla South Africa House*, 1985
Trafalgar Square, Londra, dimensioni variabili

videocamere per opporsi agli abusi della polizia e alle manipolazioni dei media delle attività di ACT-UP e così via. Così facendo, attinsero a una vasta gamma di pratiche artistiche: i fotomontaggi di Heartfield, la grafica della Pop art, l'oltraggiosità della performance, la riflessività della critica alle istituzioni, la conoscenza delle immagini dell'arte di appropriazione, la sagacia caustica di artiste ▲ femministe come Barbara Kruger. "I valori estetici del mondo dell'arte tradizionale contano poco per gli attivisti anti-Aids", commentò nel 1990 il critico Douglas Crimp. "Ciò che conta nell'arte attivista è il suo effetto di propaganda; sottrarre le procedure di altri artisti fa parte del piano – se funziona, lo usiamo". Ovvero, come espresse in modo conciso un manifesto del 1988 di Gran Fury: "Con 42.000 morti l'arte non è abbastanza: scegli un'azione collettiva diretta a favore della fine della crisi dell'Aids".

Alcune di queste strategie erano già in atto in un manifesto anonimo comparso a New York prima della fondazione di ACT-UP: il provocatorio e lugubre *Silenzio = Morte* (1986). Queste due parole erano stampate in caratteri bianchi su sfondo nero con un triangolo rosa, il simbolo nazista per indicare i gay nei campi di concentramento. Con la semplice forza della sua condanna, il manifesto indicò l'inerzia governativa e l'indifferenza pubblica nei

• 1957a

▲ 1920, 1937c, 1956, 1960c, 1964b, 1971, 1975a, 1977a, 1980, 1992

confronti dell'epidemia di aids (spiegate nei dettagli in una serie di domande ed esortazioni stampate a caratteri minuscoli in basso), equiparate di fatto all'assassinio. Allo stesso tempo trasformò il marchio del triangolo rosa in un emblema di orgoglio identitario – una tipica transvalutazione, nello sviluppo politico di un gruppo oppresso, di uno stereotipo abusato. Seguì una quantità di segni, molti, come *Silenzio = Morte*, realizzati in forme varie (manifesti, cartelloni pubblicitari, magliette, spille, adesivi) e tutti furono usati come strumenti per organizzare e denunciare, indurre una presa di coscienza e un supporto, sopravvivere e reagire.

I gruppi di ACT-UP capirono che la guerra ideologica sull'Aids si combatteva tanto attraverso i media quanto nelle strade e con la partecipazione di artisti, registi, videomaker, architetti e designer progettarono manifesti ed eventi che non solo criticarono e corressero i media, ma sfruttarono anche le loro procedure e tendenze. Alcuni usarono una grafica horror, come un poster del 1988 di Gran Fury che mostra solo l'impronta di una mano rossa di sangue, segno di un assassino, con il testo "Il governo ha le mani insanguinate" sopra e "Una morte per Aids ogni mezz'ora" sotto **[4]**. Altri usarono l'umorismo goliardico, come in un poster del 1989, sempre di Gran Fury, che sostituì con la parola RIOT (rivolta) la vecchia icona pop di LOVE dipinta da Robert Indiana nel 1966 (il poster ne echeggiava uno precedente del gruppo canadese Idea Generale, con AIDS al posto di LOVE). Concepito per commemorare il ventesimo anniversario della Ribellione di Stonewall, l'insurrezione dopo un'irruzione abusiva in un bar gay a Greenwich Village spesso considerata l'inizio del movimento per i diritti dei gay, questo manifesto fu allo stesso tempo un richiamo alla memoria e alle armi, con le didascalie "Stonewall '69" sopra e "Crisi Aids '89" sotto. I gruppi ACT-UP puntarono anche contro funzionari statali e politici reazionari, oltre che contro i profittatori delle ditte farmaceutiche. La scellerata promessa elettorale del 1988 di George Bush contro nuove tasse – "Leggi le mie labbra" – diventò un tipo di promessa del tutto differente negli annunci di "kiss-in" gay e lesbiche. (Quando il gruppo Gang mise un pube al posto delle coppie che si baciavano e aggiunse le parole "Prima che vengano sigillate", "Leggi le mie labbra" prese un ulteriore significato: un atto d'accusa nei confronti dell'ostruzionismo di Bush contro la discussione sull'aborto nelle cliniche mediche). Simili taglienti appropriazioni furono praticate anche da altri collettivi di artisti, gruppi femministi come le Guerrilla Girls e gruppi antirazzisti come Pest: entrambi esponevano incisive condanne di discriminazioni sessuali e razziali nel mondo dell'arte e oltre.

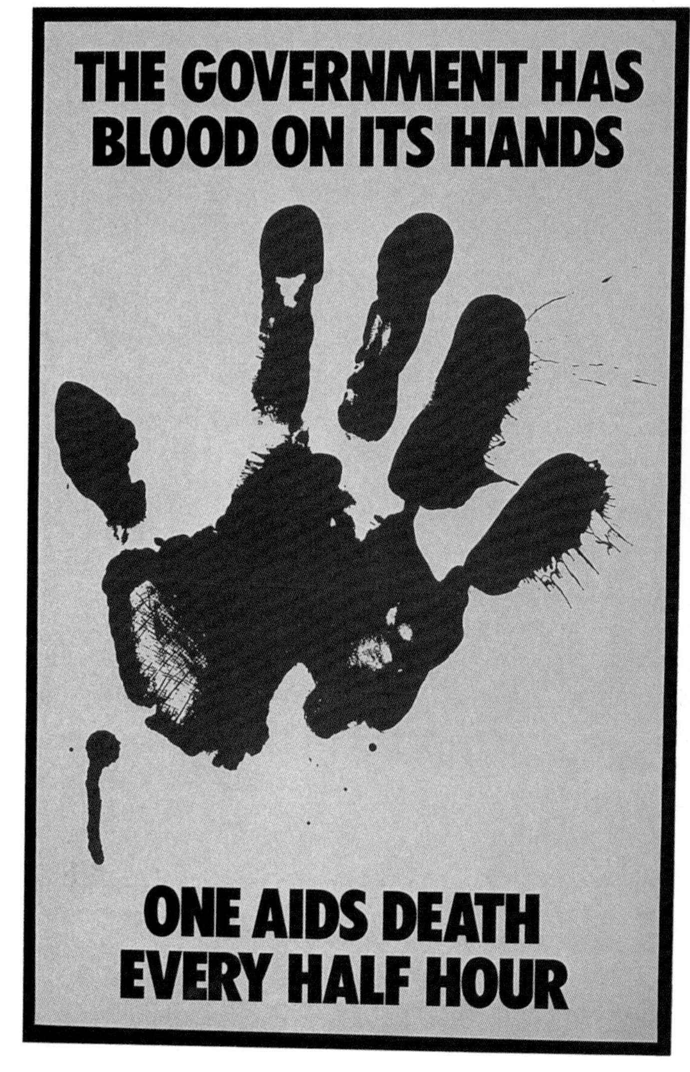

4 • Gran Fury, *Il governo ha le mani insanguinate*, 1988
Manifesto, litografia offset, 80,6 x 54,3 cm

Un'omosessualizzazione dell'arte

Sostenuti da ACT-UP, molti artisti gay e lesbiche iniziarono a esplorare l'omosessualità come soggetto d'arte in modi tra loro differenti ▲ – tra i più importanti Robert Gober (nato nel 1954), Donald Moffet (nato nel 1955), Jack Pierson (nato nel 1960), David Wojnarowicz (1954-92), Felix Gonzalez-Torres (1957-96) e Zoe Leonard (nata nel 1961). (La morte di Aids di due dei sei qui nominati è un piccolo esempio dell'orribile tributo sofferto dalle comunità gay e artistiche.) In un certo senso questi artisti condensarono le differenti ▲ rivendicazioni fatte dalle artiste femministe delle prime due generazioni e le "omosessualizzarono". Cioè, esplorarono l'omosessualità non solo come esperienza soggettiva essenziale in sé (precisamente ciò che negano i suoi nemici), ma anche come una costruzione sociale soggetta a variazioni culturali e storiche.

Meno aggressivo della maggior parte degli appropriatori di ACT-UP sostenuti da Crimp, Felix Gonzalez-Torres, che fu anche membro del Group Material, operò un'omosessualizzazione di altre forme artistiche degli anni Sessanta e Settanta. "Nel nostro caso", osservò una volta, "non dovremmo aver paura di usare tali riferimenti formali per il fatto che rappresentano l'autorità e la storia. Perché non usarli?" E così fece, con varianti personali: sistemò migliaia di fogli di carta, spesso litografati con colori o immagini che sconfinavano nel kitsch (per esempio uccelli nel cielo), in • cataste perfette che richiamavano i volumi minimalisti; sparse migliaia di caramelle dalle carte colorate nella forma (o antiforma) ■ degli spargimenti postminimalisti; dipinse una lista ellittica di eventi storici riguardanti i diritti degli omosessuali su tabelloni

▲ 1977b, 1994a

▲ 1975a ,1977b ● 1965 ■ 1969

Le battaglie per l'arte negli Stati Uniti

Nel 1987 un giudice statunitense respinse la causa intentata da Richard Serra per tentare di impedire che la General Services Administration, un'agenzia federale, rimuovesse la sua scultura *Arco inclinato* (sopra), che la stessa GSA aveva commissionato nel 1981 per la Federal Plaza a Manhattan. "Spostarla", sostenne Serra in maniera convincente riguardo alla sua opera site-specific, "significa distruggerla". Ciononostante, due anni dopo *Arco inclinato* fu rimosso col favore della notte. Certamente non sarà stato il primo caso di confisca o di distruzione di un'opera d'arte, ma esso aprì un'epoca di evidente intolleranza nei confronti di opere di artisti d'avanguardia.

Sempre nel 1987 l'artista Andres Serrano (nato nel 1950) vinse una borsa di studio del Southerneastern Center for Contemporary Art (SECCA) di Winston-Salem, nel North Carolina, che veniva sponsorizzato indirettamente dal National Endowment for the Arts (NEA). Durante il periodo in cui usufruì della borsa di studio Serrano produsse una fotografia che mostrava un piccolo crocifisso di plastica immerso in un liquido ambrato pieno di bolle. Soprattutto sulla base del titolo, *Cristo del piscio*, Serrano fu accusato di "intolleranza religiosa" dal reverendo Donald Wildmon, direttore dell'American Family Association. Ancora nel 1987 l'Istituto d'Arte Contemporanea di Philadelphia ricevette 35.000 dollari dal NEA come contributo alla retrospettiva del fotografo Robert Mapplethorpe (1947-89), che comprendeva cinque immagini di atti omosessuali. Per timore di una controversia, la galleria Corcoran cancellò l'esposizione a Washington. La mostra si spostò a Cincinnati, dove Dennis Barrie, direttore del Museo d'Arte Contemporanea di Cincinnati, fu accusato di oscenità. Capeggiati dal senatore Jesse Helms, i conservatori sfruttarono le controversie di Serrano e Mapplethorpe per chiedere la chiusura del NEA.

La più grande battaglia per l'arte dall'epoca del Vietnam era in piena esplosione e si poterono trarre da questi eventi almeno tre lezioni: il supporto pubblico all'arte contemporanea era stato drasticamente eroso; la Destra religiosa aveva usato questo fallimento per i propri fini; gli Stati Uniti si trovavano nella stretta di una politica culturale omofobica. Il Congresso segnalò opere anche di altri artisti che lavoravano sul tema dell'omosessualità (per esempio Holly Hughes e Tim Miller). Tutta quest'arte fu giudicata antifamiliare, antireligiosa e antiamericana. Un'interpretazione puramente letterale dominò questa battaglia fin dall'inizio. Molti ritennero che *Cristo del piscio* fosse una vera e propria dissacrazione di Gesù con l'urina. "Le immagini parlano da sole", dichiarò l'accusatore delle immagini di Mapplethorpe, come se il loro crimine fosse evidente da sé. Quanto ad *Arco inclinato*, una volta fu paragonato a un dispositivo terroristico.

Il risultato immediato di questi casi fu che *Arco inclinato* fu distrutto, fu inserita una clausola antioscenità (anticostituzionale, venne notato) nei contratti del NEA e la causa contro Dennis Barrie venne chiusa, ma vi furono altre implicazioni. L'arte contemporanea diventò materiale politico per la Destra; quando non venne associata all'oscenità o allo scandalo, fu ridicolizzata come un inganno e come spreco dei soldi dei contribuenti, con il risultato che anche molti sostenitori liberali voltarono le spalle all'arte. Un'enorme cappa scese sull'arte pubblica in particolare, mentre il NEA (e altre istituzioni come Public Broadcasting Stations e National Public Radio) era sotto un attacco pressoché constante. La tolleranza nei confronti delle sessualità al di fuori della norma si imbatté infine in una reazione brutale quando le terapie per l'Aids richiesero massicci finanziamenti.

da affissione pubblica nella maniera laconica dell'Arte concettuale.

Uno di questi manifesti apparve nel 1989 in Sheridan Square a New York. Consisteva semplicemente di uno sfondo nero sottotitolato con un corsivo bianco come segue: "Coalizione delle persone con l'Aids 1985 Molestie della polizia 1969 Oscar Wilde 1895 Corte Suprema 1986 Harvey Milk 1977 Marcia su Washington 1987 Ribellione di Stonewall 1969". Presto o tardi si capiva che tutte le date erano eventi epocali – associazioni e dimostrazioni, processi e ordinanze, omicidi e rivolte – dell'ultimo secolo di vita gay, ma non erano in nessun ordine o sequenza. La costruzione della narrazione veniva lasciata allo spettatore e la necessità di farlo era sottolineata dall'assenza di immagini, come se questa storia fosse ancora minacciata dall'invisibilità o dall'illeggibilità.

Le caramelle sparse sono ambigue in un altro modo. *Senza titolo (USA Today)* **[5]** consiste in trecento libbre di caramelle incartate in rosso, blu e argento brillanti, ammassate in un angolo. L'opera sfida i

▲ 1968b

tabù in arte contro il toccare, e tanto più il mangiare. Unisce anche suggerimenti stilistici solitamente tenuti separati: una disposizione ▲ postminimalista (Morris e Serra, tra gli altri, hanno fatto opere negli angoli) con materiali pop (la brillantezza ne ricorda una di • Warhol in particolare). Addirittura sembra annullare, anche se solo per un momento, la vecchia opposizione tra avanguardia e kitsch. Ma questi riferimenti artistici sono complicati da quelli più mondani. Il sottotitolo allude alle notizie addolcite che il giornale *USA Today* fornisce per il nostro consumo quotidiano e il consumo è in quest'opera letteralmente posto al centro, come un ritratto efficace degli "USA oggi" anche in un altro senso. Allo stesso tempo, l'eccessività dell'opera trasmette un senso di generosità e di offerta così diverso dal freddo cinismo di altri usi del readymade da parte di ■ Koons, Hirst e altri. Gonzalez-Torres sollecita la nostra partecipazione nell'ordine non solo del consumo, ma anche dello scambio di doni. Come le sue pile di carta, i mucchi di caramelle sono catalogati come "riserve senza fine", che ci ricordano, in un senso utopico, che la produzione di massa avrebbe delle possibilità democratiche latenti al proprio interno. Nonostante il suo spirito di offerta, tuttavia, quest'arte è anche permeata dal pathos della perdita. In *Senza titolo (5 marzo) # 2* (1991), per esempio, due lampadine sono appese, sostenute dai loro fili intrecciati, semplice testamento all'amore minacciato dalla perdita, dal momento che una lampadina deve necessariamente bruciare prima dell'altra. (Il 5 marzo era il compleanno del suo partner, che morì di Aids nel 1991, cinque anni prima di Gonzalez-Torres.) In un cartellone del 1992 vediamo solo una fotografia in bianco e nero di un letto matrimoniale vuoto, sfatto, dove hanno giaciuto di recente due corpi, elegia all'amante assente che condanna inoltre la legislazione antigay che criminalizza la camera da letto **[6]**.

Il problema del genere

Come molti della sua generazione, Gonzalez-Torres fu influenzato dalla critica poststrutturalista del soggetto. Eppure la sua arte si ▲ occupa più della costruzione di una soggettività gay che di una sua decostruzione, per la semplice ragione che essa presupporrebbe che l'identità gay fosse sicura e centrale come non può essere nella nostra società eterosessista. Nella sua arte, quindi, Gonzalez-Torres tentò di ricavare all'interno dello spazio eterosessuale una collocazione lirico-elegiaca per la soggettività e la storia gay. Nella sua, Zoe Leonard trova tali collocazioni in momenti di "crisi del genere" all'interno della società eterosessuale. In un manifesto del 1992 fatto con il gruppo di ACT-UP Fierce Pussy, Leonard reincorniciò semplicemente una fotografia del 1969 della sua classe, una seconda elementare a Manhattan, con la domanda scritta a macchina: "Sei un bambino o una bambina?". Questo è tipico della sua duplice tattica: problematizzare il genere, esporre quella che chiama "bizzarria" delle sue categorie, e costruire un'identità gay a partire da questo problema, inventare una storia lesbica nel "luogo in cui le aspettative vanno in pezzi". Leonard gioca con la "bizzarria del genere" nelle sue fotografie di una *Testa conservata di donna con la barba* (1992), trovata nel deposito del Museo Orfila di Parigi (esplora spesso i musei medici o di storia naturale in cerca di tali "esemplari"). Eppure la vera bizzarria non è quella della donna; per Leonard "è la sua decapitazione, il piedistallo e la campana di vetro. Ciò che disturba è che qualcuno o qualche gruppo di persone abbiano pensato che questo fosse accettabile". Così Leonard fotografa l'"esemplare" in modo che sembri fissare a sua volta gli spettatori, mettendo loro in mostra. Tale rovesciamento accade nella fotografia *Bambola in foggia maschile # 2* (1992), un giocattolo

5 • Felix Gonzalez-Torres, *Senza titolo (USA Today)*, 1990
Caramelle incartate in rosso, argento e blu, dimensioni variabili

6 • Felix Gonzalez-Torres, *Manifesto con letto*, 1992
Affissione a New York

▲ 1965, 1969, 1970 • 1960c, 1964b ■ 1986, 2007c

▲ 1977b

7 • Zoe Leonard, *Strani frutti*, 1992-97 (dettaglio)
295 bucce di banana, arancia, pompelmo e limone, filo, cerniere, bottoni, aghi, cera, plastica, fil di ferro e tessuto, dimensioni variabili

che Leonard ha trovato in un mercato delle pulci nell'Ohio. Lo descrive come "una piccola drag queen" con la faccia e il corpo di ragazza, "di solito reso in plastica, completamente rosa e senza sesso", ma con piccoli baffi disegnati: immagine del problema di genere che Leonard trasforma in una domanda per noi.

"Non ero interessata a riesaminare lo sguardo maschile", ha osservato Leonard. "Volevo capire il mio sguardo". Ma gli oggetti di desiderio e/o identificazione di questo sguardo non si trovano facilmente nella cultura eterosessuale, lacuna che lei sembra raffigurare nelle sue fotografie di specchi che riflettono più spesso un riverbero vuoto invece di un'immagine. Come Gonzalez-Torres quindi, Leonard risponde al bisogno non solo di criticare ciò che è dato come identità e storia, ma anche di immaginare altri tipi di costruzioni. Questo mandato può portare a un lavoro d'archivio, a un'invenzione storica o a entrambe le cose. Per esempio, nel suo *Archivio fotografico di Fae Richards* (1996), realizzato insieme al film *La donna anguria* di Cheryl Dunye, Leonard collaborò a costruire, attraverso differenti tipi di fotografie invecchiate artificialmente in camera oscura, i documenti della storia della vita di una donna immaginaria, nera e lesbica, dei primi del 1900, che interpretò "film razziali" a Hollywood. "Lei non è reale", afferma Leonard riguardo a Fae Richards, "ma è vera".

Insieme alle problematizzazioni del genere e alle immagini storiche, Leonard ha anche lavorato a un'arte di lutto per l'Aids e per ▲ questo progetto si è unita ad artisti come Robert Gober e Gonzalez-Torres. Il suo *Strani frutti* è un esempio sferzante di questo venire a patti con la perdita: un insieme di centinaia di frutti, la cui buccia ha ricucito dopo averla levata dal frutto **[7]**. Ispirata in parte dall'amico David Wojnarowicz, che una volta tagliò a metà una pagnotta e poi la ricucì con filo da ricamo rosso sangue, *Strani frutti* allude non solo a una vecchia espressione gergale per indicare gli omosessuali, ma anche a una canzone di Billie Holiday sul linciaggio, sull'odio e la violenza, sulla morte e la perdita. "Fu quasi un modo per cucire me stessa", ha commentato Leonard; ma le bucce cucite testimoniano più buchi che guarigioni, più "l'inevitabilità di una vita piena di cicatrici" che la possibilità di una vita riscattata. Da questo punto di vista sono patetici in un senso profondo, "depositi per il nostro dolore". Questo modello di arte mnemonica, quest'idea non redentrice di bellezza come sublimazione estetica, e invece lavoro per il cambiamento sociale, è un'importante offerta di artisti come Gober, Gonzalez-Torres e Leonard. HF

ULTERIORI LETTURE:

Anna Blume, *Zoe Leonard*, Secession, Vienna 1997
Judith Butler, *Gender Trouble: Feminism and the Subversion of Identity* Routledge, New York 1989
Douglas Crimp (a cura di), *Aids: Cultural Analysis/Cultural Activism*, MIT Press, Cambridge (Mass.) 1988
Douglas Crimp e Adam Roiston (a cura di), *Aids DEMOgraphics*, Bay Press, Seattle 1990
Lucy R. Lippard, *Get the Message? A Decade of Social Change*, Dutton, New York 1984
Nancy Spector, *Felix Gonzalez-Torres*, Guggenheim Museum, New York 1995

▲ 1994a

1988

Gerhard Richter dipinge *18 ottobre 1977*: gli artisti tedeschi credono possibile un rinnovamento della pittura di storia.

Nel rappresentare l'impatto dei violenti tentativi del gruppo Baader-Meinhof di rovesciare il capitalismo, il ciclo di dipinti di Gerhard Richter del 1988 intitolato *18 ottobre 1977* [**1**, **2**] concluse una lunga e complessa successione di sforzi, da parte degli artisti tedeschi, di riprendere la pittura come riflessione critica sulla storia tedesca. Mentre la maggior parte dell'arte visiva del dopoguerra, certamente in Europa e negli Stati Uniti, aveva evitato riferimenti al passato immediato, sia agli anni prima della guerra che all'esperienza stessa della guerra, la pittura tedesca dagli anni Sessanta in poi cercò specificamente di opporsi all'elisione di riferimenti storici che la neoavanguardia in generale aveva posto sotto mandato.

Nel contesto della Germania del dopoguerra, ci furono tentativi di ricollocare la pittura in rapporto alla storia già a partire dal ▲ 1963, con l'esposizione di *La grande notte nelle fogne* di George Baselitz (con conseguente scandalo e censura del quadro). Per prima cosa, con un fervore pressoché da manifesto, questo tipo di lavoro cercò di ricostruire lo spazio per una tradizione culturale specificamente tedesca e di creare per essa una continuità, opponendosi ai modelli adottati nei primi anni di cultura visiva del dopoguerra – in primo luogo i modelli della pittura informale e ● quelli imposti dal successo della Pop art americana. Le opere di Baselitz chiedevano invece a gran voce di essere viste come il risultato di una discendenza diretta che le lega alle tradizioni pittoriche ■ della Germania pre-Weimar, soprattutto alle eredità di Lovis Corinth e dell'Espressionismo. Perciò si propone non solo di eludere tutti i movimenti dell'avanguardia internazionale del dopoguerra, ma, in modo peculiare, anche di evitare tutte le ◆ pratiche basate sulla fotografia che furono specifiche del Dadaismo di Weimar e di farlo ristabilendo la pittura come centro della cultura visiva.

Il problema della storia

Come Baselitz, Richter era arrivato nella Germania dell'Ovest dalla Repubblica Democratica dell'Est e, come lui, si era chiesto se e come la storia recente della Germania potesse diventare il soggetto della cultura visiva. Questa questione si pose anche in diretta opposizione agli astrattisti informali, come Winter, Trier,

1 • Gerhard Richter, *18 ottobre 1977: Confronto 1*, 1988
Olio su tela, 111,8 x 102,2 cm

Götz, Hoeme – che furono gli insegnanti di Richter, Baselitz e compagni – e al loro tentativo di internazionalizzare l'arte tedesca del dopoguerra. Già nel 1962 Richter affrontò esplicitamente l'eredità rimossa della Germania tra il 1933 e il 1945 dipingendo un ritratto di Adolf Hitler (che poi distrusse). Nella stessa epoca iniziò a raccogliere le fotografie che avrebbero costituito il suo enorme progetto dell'*Atlante* [**3**], nel quale immagini di storia privata familiare venivano messe sempre più a confronto con immagini della storia pubblica tedesca. Nel corso degli anni, questo portò ai pannelli in cui Richter raccolse fotografie da Buchenwald e Bergen-Belsen.

Si può affermare che il progetto di far assumere alla pittura tedesca l'incarico di smantellare la repressione storica del dopoguerra può essere accreditato sia a Richter che a Baselitz, tuttavia i mezzi con i quali furono attuate tali strategie furono in realtà

▲ 1963 ● 1946, 1960c, 1962d, 1964b ■ 1908 ◆ 1920, 1929

2 • Gerhard Richter, *18 ottobre 1977: Funerale*, 1988
Olio su tela, 200 x 320 cm

molto diversi. La differenza raggiunse il culmine alla fine degli anni Sessanta nell'opposizione tra le opere di Richter e quelle di Anselm Kiefer.

▲ Da una parte, continuando a guardare al Nouveau réalisme e al lavoro di Andy Warhol – gli esempi francese e americano che fecero da riferimento per le sue prime opere –, Richter sostenne la necessità di porre la pittura tedesca in relazione con tutte le altre pratiche artistiche che emergevano all'inizio degli anni Sessanta. Dall'altra, Baselitz denunciò e rifiutò pressoché programmaticamente sia la cultura di massa che la fotografia, considerandole come presupposti che la pittura doveva contrastare. Di conseguenza, la discussione implicita (che agisce nelle opere a partire da Baselitz fino al giovane Kiefer) – all'interno della quale si chiedevano se fosse possibile stabilire un modello integro di identità nazionale e di specificità regionale proprio passando da Corinth ● all'Espressionismo, all'antimodernismo, a Baselitz e Kiefer stessi – fu rifiutata da Richter, che affermò che tutte le pratiche visive sono determinate sia da una tendenza a farsi influenzare dalla cultura di massa sia dal loro coinvolgimento nel modello di identità postnazionale della produzione culturale globale.

Poco dopo il 1962 il lavoro di Baselitz fu appoggiato da numerosi seguaci, tra i quali Markus Lüpertz, i quali tentarono di stabilire una forma di pittura specifica della Germania occidentale, che avesse il ruolo dell'idioma regionale della cultura contemporanea. In quel momento erano già stati stabiliti all'interno della pittura dei vincoli tra tale progetto e il problematico tentativo di costruire le fondamenta di un'identità culturale tedesca più estesa. Ciononostante Baselitz e i suoi seguaci neoespressionisti evitarono di porsi il problema se entrambe le rivendicazioni – della continuità di un'identità nazionale da una parte e di un modello di identità nella produzione culturale dall'altra – fossero credibili dopo la distruzione, da parte del nazismo, di qualsiasi modello di identità nazionale nella produzione culturale (in particolare di quella tedesca). Dunque la creazione di questa continuità – che nascose lo sfacelo reale, le rotture, l'effettiva distruzione storica che il nazismo aveva causato – era connessa al progetto di rinazionalizzare e di riregionalizzare la produzione culturale. Così, anche se le pratiche pittoriche non sono intrinsecamente reazionarie, qualsiasi tentativo di proiettare una continuità di esperienza al di fuori dello iato del fascismo è necessariamente in sé e per sé una finzione reazionaria.

Richter e Kiefer possono essere situati lungo quest'asse di opposizione tra la rivendicazione di un ritorno a un'autenticità storica radicata nella pittura e l'esigenza di un'identificazione dei vari momenti in cui questa rivendicazione è stata distrutta – dalla cultura dei media, dalle trasformazioni politiche, dalla critica dell'idea stessa che la produzione culturale possa formulare un modello di identità nazionale. Questa opposizione, che riemerse

▲ 1960a, 1960c, 1964b ● 1908, 1925b, 1937a

3 • Gerhard Richter, *Atlante: pannello 9*, 1962-68
Ritagli e fotografie in bianco e nero, 51,7 x 66,7 cm

negli anni Ottanta, quando si fece sentire un'ondata internazionale di interesse per la finzione di un ritorno alle culture regionali e nazionali (particolarmente nella ricezione americana del Neoespressionismo tedesco), può essere descritta come una questione di mediazione. Per prima cosa, dal momento che le opere di Kiefer si rivolgono esplicitamente all'eredità del nazi-fascismo tedesco, mentre quelle di Richter si concentrano su eventi della vita politica tedesca del passato recente (come nella serie *18 ottobre 1977*), il punto cruciale della mediazione sta negli eventi storici reali che le opere affrontano. A questo livello, il problema della possibilità della rappresentazione della storia tedesca è già infinitamente più complicato nell'opera di Richter che in quella di Kiefer, dal momento che Richter, a differenza di Kiefer, mette in discussione anche l'accesso e la capacità della pittura di rappresentare l'esperienza storica. In secondo luogo, la mediazione si pone a livello dell'esecuzione pittorica, dal momento che il lavoro di Kiefer ▲ rivendica l'accesso all'Espressionismo tedesco come mezzo per eseguire il suo progetto di rappresentazione storica. Richter, d'altro canto, enfatizza il grado con il quale la storia, ammesso che sia in qualche modo accessibile, è mediata dalle immagini fotografiche e l'idea che non solo la costruzione di una memoria storica, ma anche la sua stessa concezione siano dipendenti dalla rappresentazione fotografica.

Il ciclo di Richter *18 ottobre 1977* incarna un dubbio, dunque, sulla possibilità di un accesso non mediato all'esperienza storica attraverso il mezzo della pittura e insieme afferma la possibilità che la pittura possa realmente intervenire nel processo di autoriflessione critica e storica. Allo stesso tempo l'attenzione sul gruppo Baader-Meinhof come soggetto della storia recente della Germania conduce, in un modo molto più complicato, a una riflessione prolungata sulle questioni della Germania del dopoguerra. Chi scrisse sul movimento studentesco dopo il 1968 e sugli eventi che portarono alla formazione del gruppo Baader-Meinhof rese evidente che questa ribellione contro lo stato tedesco neocapitalista fu scatenata in gran parte da un orrore soggiacente sia per la complicità della generazione del dopoguerra con la partecipazione

▲ 1908

alla storia della Germania nazista, sia per l'insistente rifiuto di ammettere tale complicità. La riflessione di Richter sulla sorte del gruppo Baader-Meinhof è, di conseguenza, parte di un più ampio progetto per comprendere la formazione di un'identità tedesca dopo la guerra, che si rivolge alla seconda e alla terza generazione di questa traiettoria storica, piuttosto che tornare agli eventi del passato nazista, messi invece in scena nell'opera di Kiefer.

La rappresentazione di quegli eventi emerse nei primi lavori di Kiefer, la serie *Occupazioni* del 1969 **[4]**, in cui l'artista si era fotografato, da una distanza relativamente grande, all'interno di vari paesaggi maestosi (che richiamano le ambientazioni pittoriche del Romanticismo tedesco) o di complessi architettonici monumentali, mentre fa il saluto nazista. Il fatto che questa serie sia stata realizzata fotograficamente complica molto le contraddizioni tra la posizione di Richter e quella di Kiefer. Per prima cosa, l'operare di Kiefer si situa in un dialogo esplicito con le pratiche del fotoconcettualismo e della performance degli anni Sessanta, ma riorientandole all'interno del contesto contaminato della specifica storicità tedesca. Questo fu alla radice dello shock e dell'interesse estetico che il progetto suscitò quando fu visto per la prima volta, soprattutto perché *tentò* di ricollocare le pratiche artistiche europee – che subivano il fascino del Minimalismo americano e del Concettualismo alla fine degli anni Sessanta – all'interno del processo di contestualizzazione nella storia specifica tedesca; in secondo luogo, perché l'opera criticava i punti deboli del rinnovamento perpetuo delle pratiche culturali della Germania Occidentale nel loro approccio alla storia. Ciò che comunque è decisivo dell'uso da parte di Kiefer della fotografia in questa serie è che, diversamente dall'approccio dell'Arte concettuale alla fotografia documentaria di quel tempo, Kiefer coerentemente tratta la fotografia come un ibrido, un residuo, un mezzo di rappresentazione screditato quanto la pittura. Così c'è un impulso profondamente antifotografico nella raccolta di Kiefer di residui fotografici, come c'è un impulso antipittorico nel suo uso di materie non-pittoriche come paglia, terra e altri materiali, nella costruzione dei suoi quadri. Tuttavia, differentemente da Richter e dagli artisti della generazione della Pop art, Kiefer non mise mai in dubbio l'autenticità o l'originalità auratica del quadro come oggetto straordinario, o quella della pittura come "mestiere" che genera un'esperienza estetica unica. Infatti, per quanto il tropo visivo costante della serie *Occupazioni* sia un riferimento all'immaginario del Romanticismo tedesco di Caspar David Friedrich (come il suo *Viandante sul mare di nebbia* [1818 ca.]), alla fotografia viene chiesto di partecipare dell'esperienza sublime alla quale la pittura presumibilmente ha avuto accesso all'inizio del XIX secolo e alla quale il Neoespressionismo suppose si potesse ancora una volta legare.

Analizzando Kiefer, lo storico della cultura Eric Santner propone di considerare le sue strategie come un approccio "omeopatico" alle situazioni di repressione. Accoglie il progetto di Kiefer di confrontarsi con l'eredità della storia tedesca degli anni Trenta e Quaranta come un tentativo necessario di smantellare l'apparato repressivo e l'inibizione pressoché fobica della Germania del dopoguerra. Oltre a nascondere il passato nazista, questa repressione aveva bloccato anche ogni tentativo dei tedeschi di formulare real- mente la loro esperienza storica, inibendo anche il loro accesso alla cultura della fine del XIX secolo e dell'inizio del XX, dal momento che le principali figure che costituirono la cultura tedesca di quel periodo erano state considerevolmente contaminate dal loro coinvolgimento nell'ideologia nazista. Nei suoi ritratti, Kiefer mette provocatoriamente insieme figure che vanno da Heidegger a Hölderlin, da Moltke a Bismarck, quadri che Santner vede non come un progetto di risuscitare l'eroicità di una storia corrotta, ma come un tentativo necessario di forzare l'apparato repressivo che la cultura tedesca aveva interiorizzato e si era imposta nel periodo del dopoguerra. Santner segue perciò una logica conforme a quella sviluppata da Hans Jürgen Syberberg nel suo film degli anni settanta *Hitler, un film dalla Germania*, un progetto simile di aprire la questione di come la storia culturale tedesca possa venire ristabilita dopo lo iato storico del periodo nazista.

Si trovi o meno accettabile il modello dell'approccio "omeopatico" alla repressione, l'opera di Richter sembra al contrario prendere l'inestricabilità della cultura della Germania del dopoguerra e la sua repressione come punto di partenza, piuttosto che rivendicarne un rimedio. Sembra anche prendere i vari gradi di coinvolgimento culturale tedesco con certe forme di internazionalizzazione e di cultura consumistica americanizzata nel dopo-

Jürgen Habermas

Ultimo dei grandi filosofi tedeschi usciti dalla cosiddetta Scuola di Francoforte, Jürgen Habermas nacque negli anni in cui fu fondato l'Istituto di Francoforte per la Ricerca Sociale. A ventiquattro anni, ancora dottorando, pubblicò una violenta critica alla scellerata *Introduzione alla Metafisica* (1935) in cui Martin Heidegger aveva annunciato la conversione al nazismo, ripubblicata nel 1953 senza una sola parola di autocritica né di scusa. Nel 1956 Theodor W. Adorno invitò Habermas a diventare membro dell'Istituto per la Ricerca Sociale recentemente riaperto. Sotto la tutela del suo mentore e la tradizione dell'Istituto, Habermas sviluppò una sintesi di ricerca sociale empirica e di teoria critica, rivolgendosi alle particolari condizioni delle società del dopoguerra.

Nella sua prima opera innovatrice, *Storia e critica dell'opinione pubblica* (1962), sviluppò un concetto che avrebbe avuto importanti implicazioni per una comprensione storico-artistica del museo e delle funzioni dell'avanguardia, quello di sfera pubblica borghese, ripercorsa dai suoi inizi emancipatori nel XVIII secolo alla sua imminente dissoluzione sotto l'impatto dell'ultimo capitalismo corporativo. In *Conoscenza e interesse* (1968), la sua seconda opera fondamentale, che gli avrebbe dato fama internazionale, formulò i concetti di ragione e azione comunicativa come modelli normativi per la realizzazione soggettiva e socio-politica di un progetto di illuminismo dei giorni nostri fondato sul linguaggio.

▲ 1962a, 1962b, 1968b ● 1965 ■ 1935, 1956, 1960c, 1962d, 1964b

4 • Anselm Kiefer, *Occupazioni (Montpellier)*, 1969
Otto fotografie su cartone

guerra (per esempio un modello americanizzato della produzione della Pop art) come una condizione storica che non può essere annullata. Con questo atto di specifico disconoscimento di qualsiasi accesso alla storia culturale tedesca, il progetto di Richter critica e forse anche – come direbbero alcuni artisti e critici – perpetra la falsa internazionalizzazione e il suo intrinseco legame con l'atto di repressione storica.

I quadri di Richter dei membri del gruppo Baader-Meinhof, le varie scene, l'arresto e i funerali dei componenti vengono necessariamente da un passato molto recente. Rappresentano ciò che si potrebbe chiamare la fine delle aspirazioni utopiche del "movimento del 1968" nella loro drammatica conclusione con i presunti suicidi di Andreas Baader e Ulrike Meinhof nella prigione di Stammheim nel 1977. In conseguenza della loro iconografia, i quadri sono stati diffusamente riconosciuti come espressione elegiaca del dubbio e dello scetticismo tedesco sulle possibilità di una trasformazione politica utopica. Sono anche stati intesi come allegoria della vita e della storia della generazione tedesca del dopoguerra nel suo duplice tentativo di dissociarsi e ricollegarsi alla storia tedesca, di superare la repressione della generazione dei padri e allo stesso tempo di sviluppare dei contromodelli e delle possibilità politiche alternative nella radicalizzazione e nella mobilitazione del pensiero tedesco di sinistra negli anni Sessanta. Richter stesso ha respinto qualsiasi aspetto di questa lettura, rifiutando di essere associato a qualsivoglia interpretazione politica dei quadri e sostenendo che, se c'è una loro connessione con il pensiero politico, il suo scopo fu di articolare la natura problematica di *tutti* i progetti utopici. BB

ULTERIORI LETTURE:

Benjamin H. D. Buchloh, *A Note on Gerhard Richter's 18. Oktober 1977*, in Gerhard Storck (a cura di), *Gerhard Richter: 18. Oktober 1977*, Walther Koenig, Colonia; Kunstmuseum, Krefeld; Institute of Contemporary Arts, London 1989

Stefan Germer, *Unbidden Memories*, in Gerhard Storck (a cura di), *Gerhard Richter: 18. Oktober 1977*, Walther Koenig, Colonia; Kunstmuseum, Krefeld; Institute of Contemporary Arts, London 1989

Andreas Huyssen, *Anselm Kiefer: The Terror of the History, the Temptation of Myth*, in *Twilight Memories: Making Time in a Culture of Amnesia*, Routledge, London 1996

Lisa Saltzman, *Anselm Kiefer and Art After Auschwitz*, Cambridge University Press, Cambridge 1999

Robert Storr, *Gerhard Richter: October 18, 1977*, Museum of Modern Art, New York, e Thames & Hudson, London 2000

1989

Apre a Parigi *Les Magiciens de la terre*, una selezione di opere d'arte provenienti da diversi continenti: il discorso postcoloniale e i dibattiti multiculturali influenzano sia la produzione che la presentazione dell'arte contemporanea.

Negli anni Ottanta due mostre nei principali musei di New York e Parigi fecero da catalizzatori per i dibattiti postcoloniali sull'arte e focalizzarono una nuova attenzione sul vecchio problema della raccolta e dell'esposizione da parte dell'Occidente di arte proveniente da altre culture. La prima mostra, *Il primitivismo nell'arte del XX secolo*, organizzata da William Rubin e Kirk Varnedoe al Museo d'Arte Moderna di New York nel 1984, consistette in una brillante giustapposizione di opere moderne e tribali che si somigliavano da un punto di vista formale. Per i critici della mostra, tuttavia, queste giustapposizioni si limitarono a rimettere in scena solamente la comprensione per lo più astratta ▲ dell'arte tribale da parte dei modernisti europei e americani, un'appropriazione al di fuori del contesto che i curatori non misero adeguatamente in discussione.

La seconda esposizione, *Les Magiciens de la terre*, organizzata da Jean-Hubert Martin al Centre Georges Pompidou di Parigi nel 1989, prese fino a un certo punto in considerazione tali critiche. Incluse solo artisti contemporanei, cinquanta provenienti dall'Occidente, cinquanta dal resto del mondo, molti dei quali produssero le opere espressamente per la mostra. In questo modo *Les Magiciens* lottò contro alcune appropriazioni formaliste e astrazioni museologiche dell'arte non-occidentale che erano state riprese in *Il primitivismo*. Eppure per i *suoi* critici *Les Magiciens* esagerò in senso opposto nella rivendicazione implicita di un'autenticità speciale per l'arte non-occidentale, un'aura particolare di ritualità e magia. • "Chi sono i maghi della terra?", replicò Barbara Kruger nel suo scettico contributo alla mostra. "Dottori? Politici? Idraulici? Scrittori? Mercanti d'armi? Agricoltori? Star del cinema?"

Il nomade e l'ibrido

L'anno 1989 fu un momento di rivalutazione della retorica su vari fronti. Non solo l'opposizione tra Primo e Terzo Mondo, che aveva strutturato il rapporto tra arte moderna e tribale, era già andata in pezzi, insieme alla dicotomia tra centri metropolitani e periferie coloniali, ma anche quella tra Primo e Secondo Mondo era crollata, come segnalato dalla caduta del muro di Berlino in novembre. Stava emergendo un "nuovo ordine mondiale", come lo avrebbe definito trionfalmente George Bush dopo la guerra del Golfo nel 1991, un ordine principalmente americano di flussi multinazionali autorizzati di capitale, cultura e informazione per alcuni privilegiati, ma di confini locali rafforzati per la maggior parte degli altri. Questo sviluppo colpì profondamente molti artisti. "Ibridismo" diventò un motto per alcuni, da quando le critiche postmoderne ▲ dei valori modernisti di originalità artistica furono ampliate dalle critiche postcoloniali alle nozioni di purezza culturale. Gli artisti postcoloniali cercarono una terza via tra quelli che il critico Peter Wollen ha chiamato "arcaismo e assimilazione" e l'artista Rasheed Araeen "accademismo e modernismo". Non acconsentendo ad essere né illustratori di un passato folkloristico né imitatori di uno stile internazionale, tentarono di elaborare un dialogo riflessivo tra le tendenze globali e le tradizioni locali. A volte questo dialogo postcoloniale pretese un'ulteriore negoziazione tra la vita spesso nomade dell'artista e la sistemazione spesso site-specific del progetto che gli era chiesto di produrre. In questa nuova epoca di cosmopolitismo infatti gli artisti si sono mossi tanto quanto si erano mossi gli artefatti nei primi tempi del primitivismo.

La ricerca di una terza via ebbe dei precedenti nell'arte degli anni Ottanta. Alcuni artisti coinvolti in gruppi politici avevano già rifiutato le istituzioni artistiche, mentre altri impegnati, per così • dire, nell'arte dei graffiti come Jean-Michel Basquiat (1960-88) avevano già giocato con segni di ibridismo. Questa ricerca fu anche sostenuta da sviluppi teorici, i più importanti dei quali furono le critiche all'autodefinizione e costruzione occidentale della disciplina nel discorso postcoloniale, che, dopo la pubblicazione nel 1978 di *Orientalismo*, studio epocale del critico americano di origine palestinese Edward Said (1935-2003), prosperarono nelle opere dei teorici Gayatri Spivak, Homi Bhabha e molti altri. Naturalmente l'arte e la teoria postcoloniale hanno assunto forme diverse a seconda del contesto e delle intenzioni; tra gli Stati Uniti e il Regno Unito, per esempio, c'è una differenza di attenzione sul soggetto del razzismo, caratterizzato storicamente dalla schiavitù negli Usa e dal colonialismo in Gran Bretagna. Ci sono anche esigenze conflittuali di artisti e critici, che sono spesso divisi tra la richiesta di immagini positive di identità a lungo soggette a stereotipi negativi, da una parte, e dall'altra il bisogno di rappresentazioni critiche di ciò che lo studioso Stuart Hall ha definito "nuove etnicità", complicate dalle differenze sessuali e sociali. Qualche volta

▲ 1903, 1907 • Introduzione 1, Introduzione 5, 1977a ▲ 1977a, 1980, 1984b • 1987

Arte aborigena

Le più famose forme di arte aborigena in Australia sono le pitture dell'"Epoca del sogno", prodotte nelle regioni del centro-nord (sei artisti dell'Epoca del sogno erano presenti alla mostra *Les Magiciens de la terre*). Nelle credenze aborigene l'Epoca del sogno fu il periodo della creazione, quando esseri ancestrali diedero forma alla terra e ai suoi abitanti e la pittura dell'Epoca del sogno evoca quelle azioni; la rappresentazione delle figure creatrici, che assumono forme diverse (uomo, animale, pianta), tende a essere più realistica nei paesi del nord e più astratta, strutturata su punti e linee vivaci, nell'area centrale.

L'arte dell'Epoca del sogno è un buon esempio della terza via tra l'"arcaismo" e l'"assimilazione" nella cultura globale contemporanea. Da una parte, il suo disegno deriva da motivi e schemi usati nelle cerimonie sacre fin dai tempi arcaici (alcune pitture nei rifugi rupestri risalgono a 20.000 anni fa); dall'altra, la fioritura della pittura dell'Epoca del sogno su tela ha meno di trent'anni, stimolata tecnicamente dall'assimilazione della pittura acrilica dell'inizio degli anni Settanta e commercialmente dal mercato di immagini esotiche tra i collezionisti occidentali, la cui cultura sembra sempre più omogenea. (Il mercato dell'arte Maori è esploso negli anni Ottanta e altrettanto la richiesta di opere dall'Africa, dall'Artico, da Bali e così via). Così, benché l'arte aborigena sia ancora basata su pratiche cerimoniali di particolari comunità – ciascun dipinto è in parte una riaffermazione di una cosmologia passata di generazione in generazione – è anche proiettata nelle forze globali del gusto turistico, del commercio culturale e delle politiche identitarie.

Tuttavia, come forme simili di arte ibrida in Africa e altrove, la pittura dell'Epoca del sogno è sembrata svilupparsi sulle proprie contraddizioni. Anche se è spesso liquidata come un linguaggio molto semplificato, la sua mescolanza di idiomi indigeni e materiali stranieri è parte della sua creatività. Laddove la sua astrazione piace al gusto delle élite educate all'arte moderna, rimane altresì fedele alle proprie tradizioni e, mentre prende a prestito le tecniche moderne dell'acrilico su tela, continua a elaborare motivi antichi applicati anche sui corpi umani, sulla corteccia degli alberi o sulla terra. In breve la pittura dell'Epoca del sogno è un'arte rimasta autentica nei propri termini, anche se gioca sul desiderio occidentale dell'"autenticità" degli "altri". Questo uso delle forme non è a senso unico: anche artisti australiani moderni hanno disegnato motivi aborigeni e la Qantas Airlines una volta ha dipinto uno dei suoi aerei in stile aborigeno. È qui in atto una sorta di scambio, che va distinto dagli episodi precedenti di esotismo nel corso dell'arte moderna, come l'uso delle sculture africane nelle opere primitiviste di Picasso, Matisse e altri nei primi decenni del secolo, o la proiezione di primordialità dell'arte nativa americana da parte di alcuni espressionisti astratti o l'idea di un'Art brut assoluta o "outsider art" da parte di Dubuffet e altri alla metà del secolo. Nel caso della pittura dell'Epoca del sogno e di altre forme simili c'è un prestito sia dall'Occidente che dall'"altro".

"C'è un collegamento molto forte tra l'uso della simmetria nell'arte aborigena e il forte impegno nella ricerca di reciprocità, scambio e uguaglianza equilibrate nell'arte aborigena", ha sottolineato Peter Sutton, curatore del South Australian Museum. Allo stesso tempo ci ricordiamo bene che le genti aborigene australiane, come altri indigeni di altri continenti, sono state a lungo soggette a ricolonizzazioni forzate e anche peggio. Per citare di nuovo Frantz Fanon: "La zona in cui vivono i nativi non è complementare alla zona in cui abitano i coloni".

proprio questo conflitto tra nozioni di identità – data naturalmente o costruita culturalmente – è messo in primo piano, come in alcune opere di artisti neri inglesi come il filmmaker Isaac Julien (nato nel ▲ 1960), i fotografi Keith Piper (nato nel 1960) e Yinka Shonibare (nato nel 1962) e il pittore Chris Ofili (nato nel 1968). Più spesso questo conflitto ha portato a concezioni divergenti del ruolo dell'arte postcoloniale, di esprimere e rafforzare l'identità o di complicarne e criticarne la costruzione.

Secondo Homi Bhabha la ricerca di una terza via nell'arte coloniale comporta un riposizionamento dell'avanguardia, lontano dalla ricerca di un "oltre" utopico, da una visione di un futuro sociale unitario, e verso un'articolazione di un "tra" ibrido, una negoziazione tra diversi spazi e tempi culturali. Questa nozione ha trovato sviluppi paralleli nell'arte di figure particolari, come Jimmie Durham (nato nel 1940), David Hammons (nato nel 1943), • Gabriel Orozco (nato nel 1962) e Rirkrit Tiravanija (nato nel 1961).

Per quanto diversi per età e origini culturali, questi artisti hanno molte cose in comune. Tutti lavorano con oggetti e in luoghi in qualche modo ibridi e interstiziali, non facilmente sistemabili all'interno dei discorsi dati sulla scultura o sulla merce, o negli spazi dati dei musei o delle strade, ma solitamente dislocati da qualche parte nel passaggio tra queste categorie. Le fotografie rientrano in quest'arte fino a un certo punto, ma, come gli altri oggetti, sono spesso residui di performance, o, come le chiama Orozco, "tracce di situazioni specifiche". Questo lavoro si estende così dalla performance all'installazione, senza collocarsi facilmente in nessuna dei due. Certamente, un simile linguaggio fatto di oggetti trovati, detriti ricuperati, tracce documentarie, ha dei precedenti, in particolare negli anni Sessanta: vengono in mente i materiali per le ▲ performance di artisti come Manzoni e Oldenburg, la "scultura • sociale" di Beuys, gli assemblaggi di materiali arcaici e tecnologici nell'Arte povera e così via. (È importante notare che Durham e Hammons, che erano attivi già dall'inizio degli anni Settanta, videro coi loro occhi alcune di queste pratiche, mentre Orozco e Tiravanija le incontrarono più tardi, in mostre nei musei.) Nondimeno, questi quattro artisti contemporanei sono sospettosi nei confronti delle tendenze estetizzanti di questi precedenti. Benché spesso lirica, la loro estetica è anche più provvisoria ed effimera, in opposizione non solo alla vecchia idea di un'arte senza tempo, ma anche alle nuove rigidità della politica identitaria.

▲ 1993c • 2003 ▲ 1959, 1961 • 1964a, 1967b

Gioco sovversivo

Questi quattro artisti, a livelli diversi, lavorano con ciò che la critica Kobena Mercer ha definito "il grottesco stereotipico" e in questo vengono seguiti da importanti artisti afro-americani come Adrian ▲ Piper, Carrie Mae Weems, Lorna Simpson, Renée Green e Kara Walker. Fondamentalmente questo significa che giocano con i cliché etnici, qualche volta con arguzia divertente e acre, qualche volta con assurdità esagerata ed esplosiva. Così Durham ha inventato i "falsi manufatti indiani" e Orozco teschi messicani fatti secondo gli stereotipi; Hammons ha usato simboli neri forti e Tiravanija cucina thailandese da cliché. Si sono anche serviti di diversi ● modelli di oggetto primitivo, come il feticcio e il dono, che spesso giustappongono con prodotti o detriti "moderni". In un certo senso queste cose sovversivamente ibride sono ritratti simbolici di un tipo analogamente dirompente di identità complessa.

Come il performer James Luna (nato nel 1950), che ha tradotto in pratica gli stereotipi dell'indiano guerriero, sciamano e ubriacone, Jimmie Durham spinge i cliché primitivisti al punto di ridicolizzazione critica. Questo è particolarmente evidente in *Autoritratto* (1988), in cui rispolvera la figura lignea del folklore americano del capo indiano esposta davanti all'emporio, solo per attaccarvi etichette con reazioni assurde alle proiezioni razziste sugli indiani d'America. Durham inizialmente produsse i suoi falsi manufatti indiani con parti di vecchie auto e teschi di animali; poi aggiunse altri tipi di detriti di merce per produrre "manufatti dal futuro", le cui "storie fisiche [...] non sono volute andare insieme". Uno di questi manufatti giustappone su una tavoletta sconnessa un telefono cellulare e una pelle di animale su cui è scritta questa citazione dal rivoluzionario e teorico anticoloniale Frantz Fanon: "La zona in cui vivono i nativi non è complementare alla zona in cui abitano i coloni" **[1]**. Tale arte ibrida, che rimodella l'oggetto surrealista a fini postcoloniali, è obliquamente anticategorica per resistere a qualsiasi ulteriore "colonizzazione" in "zone" separate.

Anche David Hammons ha inserito associazioni etniche in un gioco sovversivo. All'inizio degli anni Settanta fece una serie di immagini e oggetti con vanghe, che sono contemporaneamente uno strumento di lavoro manuale e una parola gergale per indicare gli afro-americani. Uno di questi oggetti, *Vanga con catene* (1973), è particolarmente provocatorio nella sua simultanea suggestione di schiavitù e forza, vincolo e resistenza **[2]**. Hammons aveva già fatto parecchie sculture con miseri oggetti di scarto culturalmente densi di significato, come ossi avanzati da un barbecue dentro a sacchetti, capelli di afro-americani avvolti a gomitolo su fil di ferro, parti di pollo, sterco di elefante, e bottiglie trovate di vino economico attaccate a rami spogli o appese agli alberi. Per alcuni osservatori questi oggetti e installazioni evocano la disperazione del sottoproletariato urbano nero. Hammons, comunque, vede un aspetto sacro in questi oggetti profani, un potere rituale. "Accadono cose bizzarramente magiche quando fai il furbo con un simbolo", ha osservato

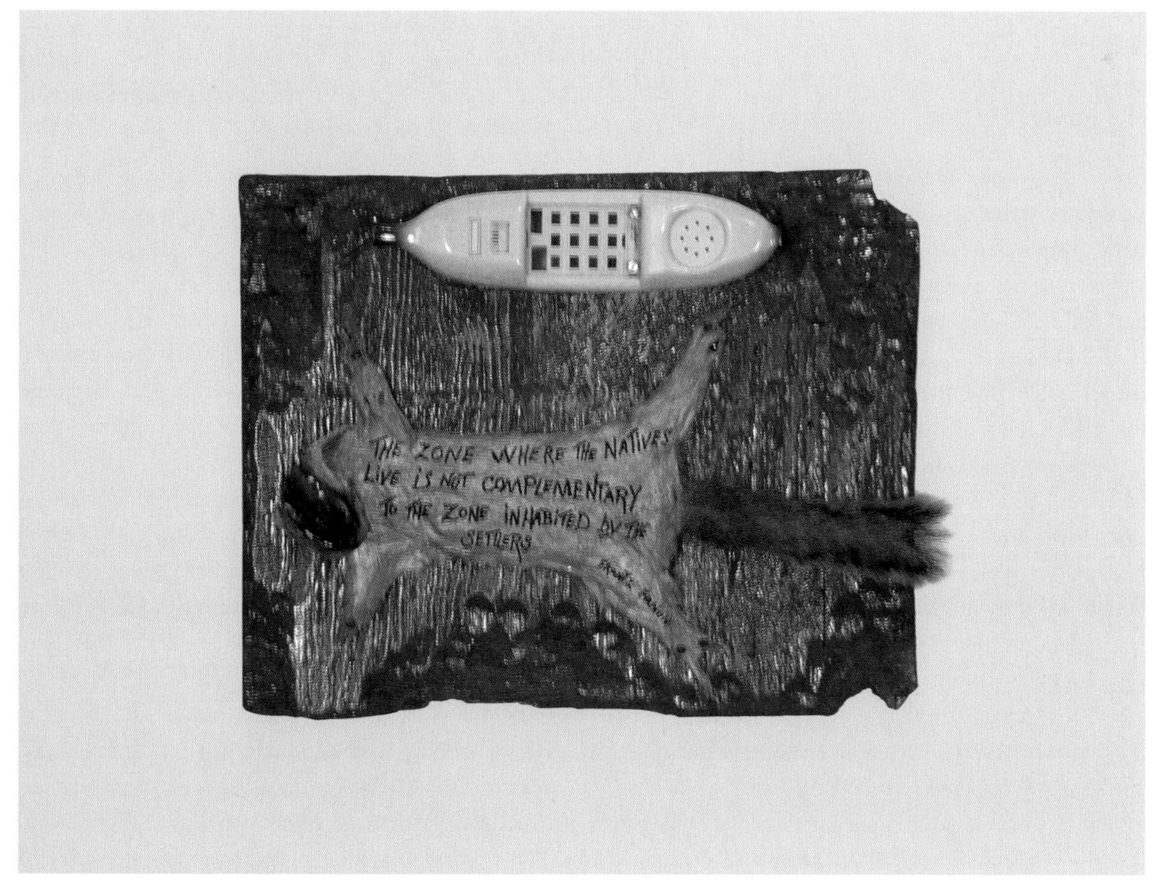

1 • Jimmie Durham, *Spesso Durham impiega...*, 1988
Materiali vari, legno, pelle di scoiattolo, pittura e plastica, 30,5 x 40,6 x 12,7 cm

▲ 1993c ● 1931a

2 • David Hammons, *Vanga con catene*, 1973
Vanga, catene, 61 x 25,4 x 12,7 cm

3 • David Hammons, *Vendita di palle di neve*, 1983
Installazione a Cooper Square, New York

una volta, "quando lavori con questo materiale tieni tra le mani gli spiriti di un sacco di persone". I suoi contradditori feticci contemporanei riportano l'arte alla strada, dove contemporaneamente la demistificano e la ritualizzano.

Il lavoro di Hammons e Durham, anche se spesso indirettamente, possiede nondimeno il taglio dell'impegno politico, quello di Hammons verso i diritti civili e i movimenti del Black Power e quello di Durham verso il movimento degli indiani d'America, del quale è anche attivista. Nato in tempi meno antagonistici, il lavoro di Orozco e Tiravanija è più lirico. Una performance del 1983 di Hammons può aiutarci a tracciare le direzioni che hanno preso. In *Vendita di palle di neve* Hammons presentò alcune file di palle di neve di diverse dimensioni in vendita, vicino ad altri venditori di oggetti in disuso lungo la strada, di fronte a Cooper Union a Manhattan **[3]**. Quest'opera intersecò spazi privati e pubblici e mescolò oggetti con e senza valore, in modo da suggerire che queste distinzioni sono spesso artificiali e che solo i privilegiati se le possono permettere – una dimostrazione fatta anche da Orozco. Allo stesso tempo, le palle di neve, come le scarpe di bambola di gomma che Hammons ha pure offerto lungo le strade, esistono in una patetica e parodica relazione con lo scambio di merci e indicano un sistema di rivendita, baratto e dono, che anche Tiravanija ha esplorato come alternativa critica alla rete capitalista dell'arte.

Dovrebbe bastare qui un esempio di ciascuna pratica. In un progetto del 1993 per il Museo d'Arte Moderna di New York, Orozco invitò le persone che abitavano negli appartamenti dell'edificio a nord del MoMA a mettere un'arancia su ciascun davanzale delle finestre che si affacciavano sul museo **[4]**. Ecco una scultura, argutamente intitolata *Fuoricampo*, che oltrepassò lo spazio fisico del museo-stadio. Allo stesso tempo mise ambiguamente in contatto tipi differenti di oggetti (frutta deperibile sui davanzali delle finestre, una scultura di bronzo nel giardino del museo), di agenti (semiprivati residenti e semipubblici curatori) e spazi (case e ▲ musei). Questa critica istituzionale ha un tocco lirico, che però, come nel caso di Tiravanija, non le toglie rilevanza.

In un'opera esemplare del 1992 anche Tiravanija usò la dislocazione nello spazio e l'offerta di cibo come mezzo per confondere le posizioni normali e i ruoli convenzionali dell'arte, dell'artista, dello spettatore e dell'intermediario (in questo caso il mercante d'arte). • Nella galleria 303 di New York spostò i locali privati non visitabili della galleria, che contenevano uffici, aree di imballaggio e spedizione e tutte le altre necessità per il funzionamento quotidiano,

▲ Introduzione 4, 1971, 1992 • 2009a

4 • Gabriel Orozco, *Fuoricampo*, 1993
Installazione in un appartamento, vista dal Museum of Modern Art, New York

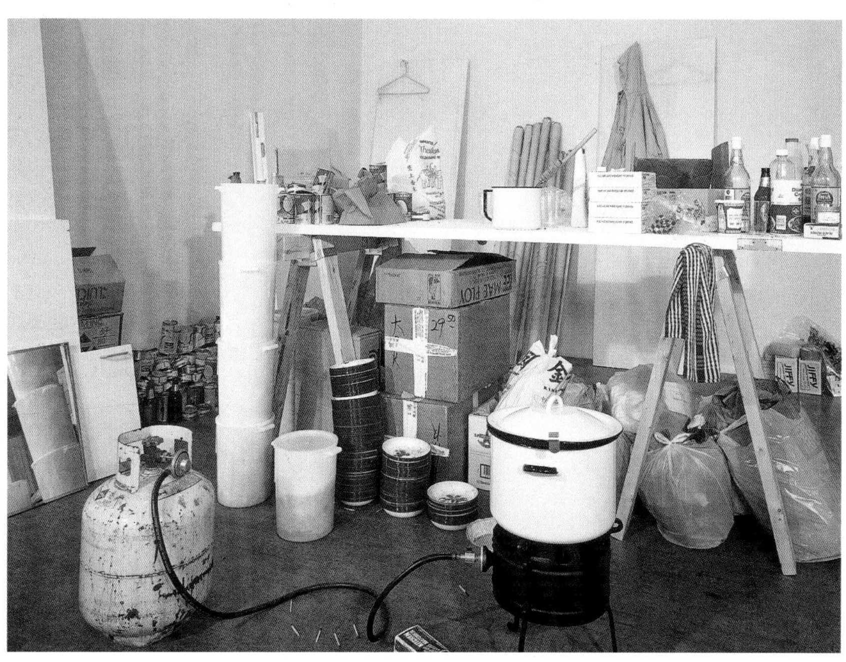

5 • Rirkrit Tiravanija, *Senza titolo (Libero)*, 1992
Installazione e performance alla Galleria 303, New York.
Tavole, sgabello, pentole e utensili da cucina, dimensioni variabili

negli spazi visibili al pubblico **[5]**. Il direttore e gli assistenti, alle scrivanie, erano in mostra nella galleria centrale, mentre Tiravanija lavorava ai fornelli nel retro della galleria, dove cucinò alla tailandese e servì verdure al curry su riso al gelsomino ai visitatori della galleria interessati, spesso conversando. Nei lavori successivi ha spesso giocato su questi ribaltamenti dello spazio fisico, sostituzioni delle funzioni previste e spostamenti di scambio di oggetti che invitano a riflettere sulla convenzionalità imposta a tutte queste categorie nel mondo dell'arte e oltre.

"Non il monumento", ha detto una volta Durham della sua opera, con parole che valgono anche per gli altri artisti, "non il quadro, non l'immagine", ma un "discorso eccentrico sull'arte" che ponga "domande indagatrici sul tipo di cose che potrebbe essere, ma sempre nel contesto della situazione politica del momento". In questo modo l'opera di questi artisti costituisce l'equivalente della "letteratura minore" definita dai critici francesi Gilles Deleuze (1925-95) e Felix Guattari (1930-92) nel loro studio su Franz Kafka: "I tre caratteri della letteratura minore sono quindi la deterritorializzazione della lingua, l'innesto dell'individuale sull'immediato politico, il concatenamento collettivo d'enunciazione. Ciò equivale a dire che l'aggettivo 'minore' non qualifica più certe letterature ma le condizioni rivoluzionarie di ogni letteratura all'interno di quell'altra letteratura che prende il nome di grande (o stabilita)". HF

ULTERIORI LETTURE:

Homi Bhabha, *I luoghi della cultura*, trad., it. Meltemi, Roma 2001

Tom Finkelpearl et al., *David Hammons*, MIT Press, Cambridge (Mass.) 1991

Jennifer A. González., *Subject to Display: Reframing Race in Contemporary Installation Art*, MIT Press, Cambridge (Mass.) 2011

Jean-Hubert Martin et al., *Les Magiciens de la terre*, Centre Georges Pompidou, Paris 1989

Laura Mulvey e altri, *Jimmie Durham*, Phaidon Press, London 1995

Molly Nesbit et al., *Gabriel Orozco*, Museum of Contemporary Art, Los Angeles 2000

Peter Wollen, *Raiding the Icebox: Reflections on 20th Century Culture*, Indiana University Press, Bloomington 1993

1990 – 1999

726 1992 Fred Wilson presenta *Minando il museo* a Baltimora: la critica alle istituzioni si estende al di là del museo e un ampio numero di artisti adatta un modello antropologico di arte progettuale basato sulla ricerca sul campo. HF
box • Interdisciplinarietà HF

732 1993a Martin Jay pubblica *Lo sguardo basso*, una riflessione generale sulla denigrazione della visione nella filosofia moderna: questa critica del visivo è esplorata da diversi artisti contemporanei. RK

737 1993b Mentre viene demolita *Casa* di Rachel Witheread, un calco di una villetta a schiera nell'est di Londra, un gruppo innovativo di artiste donne raggiunge la fama in Gran Bretagna. HF

741 1993c A New York, la Biennale del Whitney Museum mette in primo piano lavori incentrati sull'identità, mentre emerge una nuova forma di arte politicizzata degli artisti afro-americani. HF

747 1994a Un'esposizione delle opere della maturità di Mike Kelley mette in luce un interesse diffuso per le condizioni di regressione e abiezione, mentre Robert Gober, Kiki Smith e altri usano figure del corpo in frammenti per affrontare questioni di sessualità e morte. HF

752 1994b William Kentridge completa *Felix in esilio*, unendosi a Raymond Pettibon e altri nel dimostrare la rinnovata importanza del disegno. RK

756 1997 Santu Mofokeng espone *L'album fotografico nero / Guardami: 1890-1950* alla Seconda Biennale di Johannesburg. DJ

764 1998 Un'esposizione di video-proiezioni di grandi dimensioni di Bill Viola gira molti musei: l'immagine proiettata diventa un formato diffuso nell'arte contemporanea. RK/HF
box • La spettacolarizzazione dell'arte HF
box • McLuhan, Kittler e i nuovi media RK

1992

Fred Wilson presenta *Minando il museo* a Baltimora: la critica alle istituzioni si estende al di là del museo e un ampio numero di artisti adatta un modello antropologico di arte progettuale basato sulla ricerca sul campo.

Un modo per capire alcuni dei cambiamenti riguardo i materiali e i metodi susseguitisi lungo gli ultimi quarant'anni di arte d'avanguardia è considerarli una sequenza di interrogativi: dapprima sugli elementi costitutivi di un medium tradizionale quale la pittura, come nella pittura modernista autocritica sostenuta da Clement Greenberg; poi sulle condizioni di percezione di un oggetto d'arte definito più in termini di spazio che di medium dato, come nel Minimalismo; infine sulle basi materiali dei metodi del fare e del percepire, come esplorato in modi diversi dall'Arte povera, dall'Arte processuale e dalla Body art. Nel frattempo, l'Arte concettuale ha spostato l'attenzione dalle convenzioni specifiche di pittura e scultura a quelle generali dell'"arte come arte" e "arte come istituzione".

All'inizio l'istituzione dell'arte fu intesa principalmente in termini fisici – cioè i reali spazi dello studio, della galleria e del museo – e gli artisti mirarono a sottolineare questi parametri e/o a espanderli. Si pensi alla messa in mostra sistematica di questi spazi d'arte da parte di Michael Asher, Dan Graham, Marcel Broodthaers e Daniel Buren, il quale ha scritto anche un'importante serie di testi critici su tali argomenti. Questa "critica delle istituzioni" svelò che l'istituzione dell'arte non era solo uno spazio fisico, ma anche una rete di discorsi (che comprende critica, giornalismo e pubblicità) che si intreccia con altri discorsi, dunque con altre istituzioni (compresi i media e le imprese). Rivelò anche che lo spettatore dell'arte non può essere definito in termini strettamente percettivi, perché è anche un soggetto sociale segnato da una serie di differenze di classe, razza e sesso – un punto messo in rilievo soprattutto dalle artiste femministe. Certo, l'espansione delle definizioni di arte e di istituzione, di artista e di spettatore fu anche guidata dagli sviluppi sociali, come dalle critiche teoriche alla contrapposizione tra cultura alta e bassa e tra arte modernista e di massa. Insieme queste forze segnarono un più vasto impegno della cultura in generale. Così il campo dell'arte e della critica fu esteso ai "cultural studies", dove la cultura è intesa in un senso quasi antropologico.

Questa sequenza di indagini può anche essere intesa come un sistema di trasformazioni del luogo dell'arte: dalla superficie della pittura e dall'armatura della scultura alla struttura dello studio, della galleria, del museo, così come agli spazi alternativi delle installazioni site-specific e ai luoghi lontani della Land art. Qui, inoltre, avvenne un mutamento da un'interpretazione letterale, fisica del sito ad una comprensione più astratta, figurata, al punto che alla fine degli anni Ottanta artisti e critici potevano considerare desiderio o morte, Aids o problema dei senzatetto come altrettanti ambiti per progetti d'arte. Insieme a questa nozione allargata di sito si sviluppò un'operazione estesa di "mappatura", che pure spaziava dal letterale al figurato – per esempio dalla segnatura cartografica di siti (semi)naturali di Robert Smithson e altri alla mappatura sociologica di siti (sub)urbani di Dan Graham e altri (come nel suo *Case per l'America* [1966-67], un servizio giornalistico sulle strutture "minimaliste" di un centro abitativo del New Jersey).

Una svolta etnografica

La mappatura sociologica divenne più programmatica nella critica alle istituzioni durante gli anni Settanta, specialmente nel lavoro di Hans Haacke. Haacke passò da sondaggi sul profilo dei visitatori di musei e gallerie e da esposizioni archivistiche dei magnati dei beni immobili di New York (1969-73), a resoconti dettagliati sui successivi proprietari di determinati quadri di Manet e di Seurat (1974-75), a indagini sugli accordi finanziari ed ideologici stretti tra musei, aziende e governi. Tale opera mise in dubbio in modo incisivo queste autorità sociali, ma spesso non rifletté sulla propria autorità sociologica, sulla propria voce di verità. Questa riflessività fu più pronunciata in artisti quali Martha Rosler, che si impegnò in una critica delle modalità documentarie di rappresentazione che si pretendono trasparenti, immediate. Nel suo fototesto *La Bowery in due sistemi descrittivi inadeguati* (1974-75) simulò le fotografie documentarie e le descrizioni sociologiche dell'alcolismo e della povertà per mostrare l'"inadeguatezza" di entrambi i "sistemi descrittivi" di fronte a questo problema sociale di difficile soluzione.

Nell'arte femminista il sospetto nei confronti della rappresentazione documentaristica converse in un'elaborazione della critica alle istituzioni nelle opere di artiste come Louise Lawler e Silvia Kolbowski. Questa convergenza venne complicata da un interesse nei confronti dei modi quasi-etnografici del lavoro sul campo, dal momento che alcune artiste assunsero contemporaneamente i ruoli di etnografo e di indigeno informatore della vita quotidiana sotto il patriarcato. (Alcune di queste artiste, come Susan Hiller

▲ 1960b ● 1965 ■ 1967b, 1969, 1974 ◆ 1968b, 1970, 1971, 1972a
▲ 1984a, 1987 ● Introduzione 2, 1968b, 1970 ■ 1971, 1972b ◆ Introduzione 2, 1984a

[nata nel 1942] avevano studiato antropologia.) Fu in questo modo che Mary Kelly fece dei resoconti sulle convenzioni patriarcali del linguaggio, dell'educazione, del fare arte e dell'invecchiare in ▲ progetti come *Documento postparto* (1973-79) e *Interim* (1985-89). Dai primi anni Novanta l'arte basata sul reportage personale, sulla ricerca sul campo e/o d'archivio si diffuse: sempre più artisti venivano invitati a realizzare progetti site-specific presso musei e ● istituzioni collegate in tutto il mondo. La combinazione di una condizione nomadica dell'artista e le basi progettuali dell'arte fecero dell'installazione la modalità preferita di questo operare.

Tale svolta etnografica in una parte dell'arte degli anni Novanta ebbe molte ragioni, come, per esempio, un coinvolgimento in forme non artistiche di rappresentazione culturale, favorito anche dalla crescita degli "studi culturali" nel mondo accademico. Anche l'antropologia aveva il suo fascino per artisti e critici. Per prima cosa l'antropologia è la disciplina che prende la *cultura* come suo ■ oggetto, e molti artisti postmoderni desideravano questo campo allargato di operazioni. Secondo, l'antropologia è *contestuale* per sua natura, altro attributo molto apprezzato nell'arte e nella critica recenti. Terzo, è vista come intrinsecamente *interdisciplinare*, ulteriore caratteristica stimata in tali pratiche. Quarto, è una disciplina che studia *l'alterità*, aspetto che ha reso l'antropologia, insieme alla psicoanalisi, il linguaggio comune di molta arte e critica recente. Infine, anche la *critica* all'"autorità etnografica" avviata negli anni Ottanta rese attraente l'antropologia, perché suggerì un'autoconsapevolezza speciale nell'artista etnografico.

Tale autoconsapevolezza fu essenziale per artisti che ripresero il modello della ricerca sul campo. Lothar Baumgarten (nato nel 1944) fu uno dei primi a farlo nelle sue mappature delle culture indigene del Nord e del Sud America, spesso basate sui suoi numerosi viaggi. In molti progetti nell'arco degli ultimi due decenni Baumgarten ha inscritto i nomi delle società indigene di entrambi i continenti all'interno di diverse sistemazioni. Questi siti variano da musei del Nord (come la cupola neoclassica del Museum Fridericianum a Kassel, in Germania, nel 1982 **[1]** e la spirale modernista del Guggenheim Museum a New York nel 1993) a sedi del Sud (come a Caracas, in Venezuela), nelle quali Baumgarten qualche volta ha segnato i nomi delle specie locali minacciate e ha anche estratto materiali grezzi. I nomi delle varie società indigene in queste installazioni appaiono spesso un po' distorti, con le lettere sistemate sottosopra o rovesciate, come per sottolineare la rappresentazione storicamente travisata di questi gruppi, ma anche per sfidare questa rappresentazione nel presente. Così a Kassel i nomi indiani sembrarono suggerire che l'altra faccia dell'Illuminismo del Vecchio Continente (evocato dalla cupola neoclassica del museo) fu la conquista del Nuovo Mondo. Allo stesso tempo questi nomi a New York sembrarono suggerire che fosse necessaria un'altra mappa del globo (evocato dalla spirale dell'edificio di Frank Lloyd Wright), senza le gerarchie di Nord e Sud o moderno e primitivo.

Gli ultimi esempi indicano un potenziale problema con questi progetti quasi-etnografici: spesso commissionati dai musei, può sembrare che tali istituzioni importino questo tipo di critica come sostituto di un'analisi interna. Questa complicazione ha indotto alcuni critici a dichiarare che la critica alle istituzioni viene recuperata dai musei; la raffica di mostre internazionali di progetti site-specific commissionati tra la metà e la fine degli anni Novanta non contraddice questo punto di vista (la tendenza culminò nella manifestazione del 1999 al MoMA di New York con il significativo titolo *Museo come Musa*). D'altra parte, la collocazione nel museo è necessaria se i progetti vogliono in qualche modo rimapparne lo spazio o riconfigurarne il pubblico; comunque sia, questa posizione interna è la premessa di tutte le opere che hanno la pretesa di essere decostruttive. Questo vale anche per il più incisivo di questi progetti, cioè *Minando il museo* di Fred Wilson (nato nel 1954).

1 • Lothar Baumgarten, *Installazione a Documenta*, Rotonda del Museum Fridericianum, Kassel 1982

▲ 1975a ● 2003 ■ 1977a, 1980, 1984b

L'artista curatore

In *Minando il museo*, finanziato dal Museo d'Arte Contemporanea di Baltimora, Wilson assunse un approccio etnografico nei confronti della Società Storica del Maryland. Per prima cosa analizzò le sue collezioni di artefatti storici, specialmente quelli considerati marginali e lasciati nei depositi. Questo scavare rappresenta una prima interpretazione del verbo "minare" che appare nel titolo. Poi recuperò alcuni oggetti della collezione estremamente evocativi delle esperienze afro-americane, che non erano parte della storia ufficiale in esposizione; questo reimpossessamento è un secondo significato di "minare". Infine ricontestualizzò ancora altri oggetti che facevano già parte della storia ufficiale. Per esempio, in una vetrina già esistente di calici e caraffe di squisita fattura, con la didascalia "Oggetti metallici 1793-1880" **[2]**, Wilson inserì un paio di rozze manette da schiavo, trovate nel deposito. Questo terzo modo di "minare" spostò con forza gli oggetti in esposizione in un diverso contesto di significato, da un tipo di possesso a un altro. In questo modo Wilson ebbe un ruolo di antropologo non solo della Società Storica del Maryland, ma anche delle comunità afro-americane, là non rappresentate adeguatamente, una situazione che la Società finalmente cominciò a migliorare proprio grazie a questa esposizione. Wilson lavorava prima come curatore; come artista ha poi continuato criticamente questo lavoro con altri mezzi.

Andrea Fraser (nata nel 1965) è più conosciuta per le sue performance pungenti sui diversi ruoli nel mondo dell'arte, incluso quello del curatore, ma ha anche condotto numerose indagini etnografiche sulla cultura museale. In *Non sono adorabili?* (1992), per esempio, riaprì un lascito privato al museo dell'Università della California a Berkeley per investigare come gli oggetti domestici eterogenei di un determinato collezionista (dagli occhiali d'uso comune ai quadri di Renoir) siano trasformati nell'omogenea cultura pubblica di un comune museo d'arte. Mentre Wilson si è concentrato sul problema della repressione istituzionale, qui Fraser si è rivolta al processo di sublimazione istituzionale; in entrambi i casi gli artisti lavorano sulla museologia, con l'intenzione prima di esporre e poi di riformulare la codificazione istituzionale dell'arte e dell'artefatto: come gli oggetti specifici sono trasformati in attestati storici e/o in modelli culturali dai musei, investiti come tali di significato e valore, e per quali elettori questo viene fatto (o non fatto).

Anche Renée Green (nata nel 1959) ha adottato un approccio etnografico, in un modo che spesso si estende al di là del museo d'arte. Nei suoi progetti site-specific si è concentrata sui residui di ▲ razzismo, sessismo e colonialismo che rimangono inscritti in vari tipi di rappresentazione: film popolari e letteratura di viaggio, arredo domestico e architettura istituzionale, come pure collezioni private e allestimenti museali. Alcune delle sue installazioni hanno delineato una genealogia critica della principale figura della fantasia ● primitivista, il femminile esotico ed erotico, dalla "Venere ottentotta", uno stereotipo europeo del XIX secolo di una sessualità africana eccessiva, alla danzatrice jazz americana Joséphine Baker, ■ che incantò giovani modernisti come Le Corbusier nella Parigi degli anni Venti. In *Vista* **[3]** Green costrinse lo spettatore a stare su una speciale pedana per vedere le immagini di queste donne, mettendo sullo stesso piano, in realtà, lo spettatore contemporaneo con il voyeur storico di tali figure: non si può assumere una superiorità

2 • Fred Wilson, *Minando il museo*, 1992 (dettaglio)
Manette per schiavi in una vetrina di oggetti di metallo

▲ 1993c, 1997 ● 1903, 1907 ■ 1925a

Interdisciplinarietà

Molte posizioni nell'arte del dopoguerra vengono articolate a partire da intrecci o sovrapposizioni tra i media e le discipline: si pensi agli esperimenti al Black Mountain College, all'estetica di John Cage e Robert Rauschenberg, alle investigazioni dell'Independent group e dei situazionisti, alle diverse pratiche dell'assemblage, dell'happening e dell'environment, e ai più disparati movimenti come Fluxus, Neoconcretismo, Nouveau réalisme, Minimalismo, Arte processuale, Performance, Video art e così via. Alcune di queste pratiche hanno recuperato dei precedenti dal periodo prima della guerra, i quali o avevano attaccato le forme d'arte tradizionali, come il Dadaismo e il Surrealismo, o avevano cercato di trasformarle completamente, come il Costruttivismo. Ma hanno reagito anche contro una forte interpretazione modernista dell'arte che vedeva come propria missione il raffinamento percettivo dei media specifici. "I concetti di qualità e valore – e il concetto stesso di arte – sono significativi, o completamente significativi, solo *all'interno* delle singole arti," insistette Michael Fried nel suo celebre saggio del 1967 *Arte e oggettualità*. "Ciò che si trova *tra* le arti è teatro". Chiaramente aveva in mente alcune della pratiche già menzionate, i cui metodi interdisciplinari e le cui implicazioni temporali ("teatrale" è la sua definizione) considerava impropri per le arti visive.

Questa sua opposizione trascura molte forze ancora più importanti per la tendenza generale verso un'arte interdisciplinare degli ultimi quarant'anni. Per prima cosa c'è stata l'ispirazione sia della critica delle istituzioni politiche sia dell'espansione degli spazi culturali dei movimenti sociali degli anni Sessanta e Settanta, soprattutto movimenti studenteschi, per i diritti civili, contro la guerra e femministi. Secondo, insieme ad un incrocio dei media c'è stata anche un'erosione delle gerarchie tra forme alte e basse, pubblico d'élite e popolare, belle arti e arti commerciali. Terzo, ci sono state, soprattutto negli anni Ottanta, le provocazioni interdisciplinari della teoria poststrutturalista.

Per quanto diversi furono i loro interessi, tutte queste figure hanno praticato una critica del sospetto nei confronti di qualsiasi cosa apparisse originaria e autorevole, puramente appropriata e semplicemente presente – un sospetto che fu esteso alle forme artistiche e alle disposizioni istituzionali e senza il quale il postmodernismo non avrebbe potuto essere teorizzato. Infine ci fu, negli anni Novanta, l'effetto del discorso postcoloniale, che sviluppò la decostruzione poststrutturalista delle opposizioni concettuali nel contesto politico di decolonizzazione, come Primo e Terzo Mondo, centro e periferia, Occidente e Oriente. Nell'arte collegata a tali evoluzioni, critiche dell'identità e delle nozioni di ibrido divennero d'attualità.

Gli ultimi due sviluppi sono talvolta descritti, rispettivamente, come una svolta semiotica, nella quale il segno linguistico è il termine privilegiato dell'analisi, e una svolta etnografica, nella quale la pratica culturale diventa l'oggetto primario di studio. Nel primo caso alcuni artisti, architetti, registi e critici hanno adattato i modelli semiotici con lo scopo di ripensare il loro lavoro in termini di testo. Nel secondo caso hanno fatto pressappoco la stessa cosa con le nozioni antropologiche di cultura. Qualche volta, bisogna ammetterlo, questi scambi hanno seguito il principio dell'auto usata, secondo cui, non appena una pratica o una disciplina logorano un paradigma, si passa a un altro; ma questi scambi hanno anche ampliato molto i campi dell'arte e della critica. Nel presente, comunque, entrambi questi ambiti mostrano segni di un relativismo stagnante nel quale nessun paradigma è abbastanza potente da orientare la pratica e da indirizzare un dibattito rilevante, che abbia una qualche presa sulla cultura in generale. Per di più, l'inflazione del design e dello spettacolo nell'arte e nell'architettura contemporanea qualche volta sembra parte di una più ampia vendetta da parte del capitalismo avanzato sui campi allargati della cultura postmodernista, un indennizzo dei suoi incroci di arti e discipline, un rendere routine le sue trasgressioni. Non molto tempo fa, quando il tardo modernismo sembrava pietrificato nella specificità del medium, il postmodernismo promise un'apertura interdisciplinare. Che cosa potrebbe a sua volta rinnovare il postmodernismo?

morale con la distanza temporale. Green ha anche concentrato il nostro sguardo su aspetti del primitivismo più vicini al presente: in *Ufficio Importazione/Esportazione del funk* (1992), per esempio, ha esplorato le nostre leggende metropolitane sulla musica hip-hop e la virilità nera.

Mark Dion (nato nel 1961) ha portato l'approccio etnografico ancora più lontano: la "cultura" che studia è quella della natura, come è studiata dalla scienza, rappresentata nella letteratura e messa in scena nei musei di storia naturale. Per Dion la natura è "una delle più sofisticate arene per la produzione di ideologia" e i suoi progetti tentano di svelare aspetti di questa produzione con tecniche ispirate a vari artisti e intellettuali – i finti musei inventati di Broodthaers, le strategie luogo/non luogo di Smithson, le analisi storiche dei discorsi scientifici di Michel Foucault e così via. Per tutte le sue critiche dei disastri ecologici causati dalla storia coloniale e dall'economia postcoloniale, la sua arte è caratterizzata fortemente da una critica sdegnosa: Dion è anche un collezionista avido, che espone spesso la sua collezione di insetti e altre curiosità; le sue opere hanno attinto, anche, ai suoi numerosi viaggi nei tropici e altrove. In questo modo Dion interpreta il naturalista e l'ambientalista sia seriamente che ironicamente. Molto spesso le sue installazioni hanno preso la forma di un work in progress: esistono a metà strada tra un sito in un campo, l'ufficio di casa di un bizzarro naturalista e un allestimento museale finito **[4]**. "Estraggo dal mondo i materiali grezzi e poi li sistemo nello spazio della galleria", ha fatto notare. "Quando la collezione è completa, quando ho esaurito lo spazio, i materiali o il tempo il lavoro è finito".

Ciascuno di questi artisti complica l'approccio etnografico con altri modelli: Fraser è interessata alla sociologia dell'arte iniziata dal francese Pierre Bourdieu, Green alle dissertazioni postcoloniali di

▲ Introduzione 4, 1970, 1972a ● 1971 ▲ 1989

3 • Renée Green, *Vista*, 1990
Struttura di legno, 207 x 207 x 136 cm, lenti, ologramma, schermo, luce, sistema audio

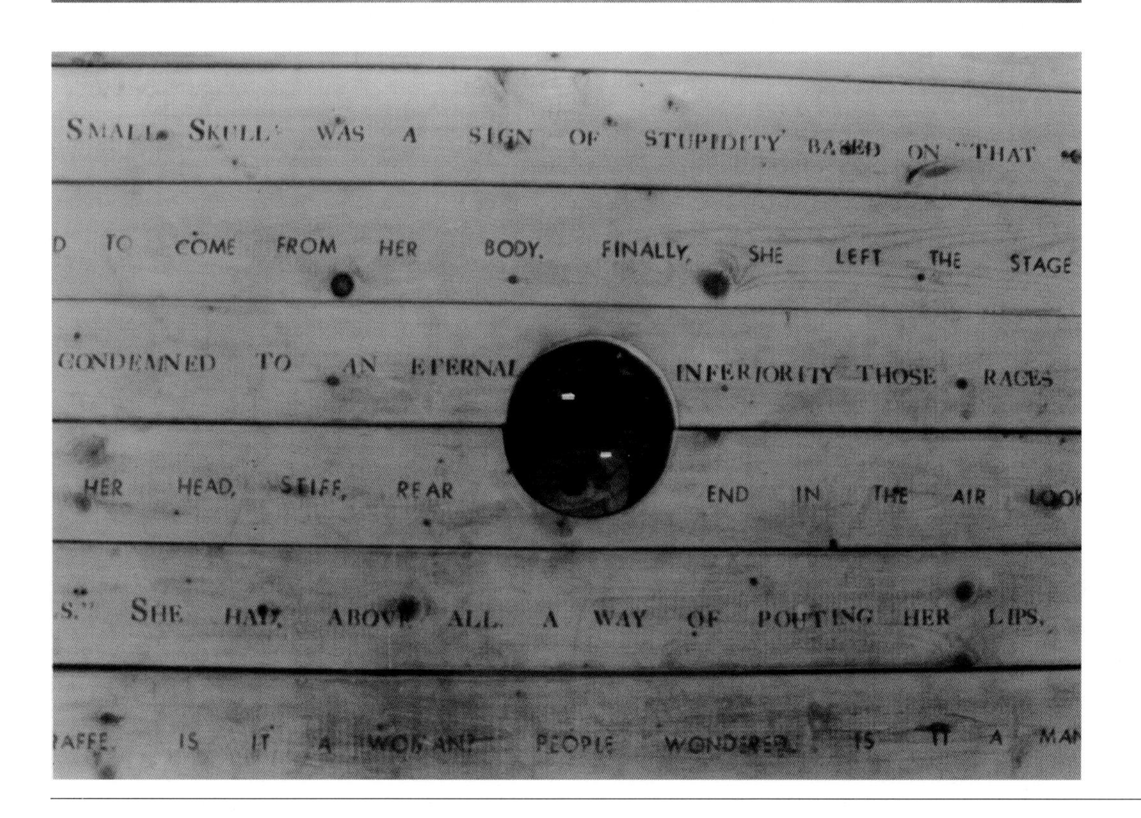

4 • Mark Dion, *Relitti galleggianti e merce gettata in mare (La fine del gioco)*, 1994
Installazione con materiali vari

critici come Homi Bhabha, Dion all'analisi delle discipline sviluppata da Foucault, e così via. Ma la svolta etnografica nell'arte recente ha anche sollevato alcune questioni. Il ruolo quasi antropologico costituitosi per l'artista può promuovere una presunzione di autorità etnografica tanto quanto una sua messa in discussione. In alcuni casi all'artista può essere chiesto di rappresentare una comunità trascurata solo perché faccia da controfigura di questa comunità nel museo, così da confermarne tanto quanto contestarne l'assenza in quel luogo. Il ruolo curatoriale può anche spingere alla scelta di sottrarsi alla critica delle istituzioni tanto quanto a quella di estenderla. In alcuni casi l'artista può diventare ▲ un curatore a noleggio, un consigliere in un programma didattico, o anche un consulente per una campagna di pubbliche relazioni. In verità gli anni Novanta hanno assistito all'evoluzione non solo dell'artista-curatore, ma anche della figura complementare del curatore-artista, la cui orchestrazione di una mostra o di un sistema di progetti site-specific spesso è sembrato l'atto creativo primario. Questo sviluppo della curatela come "medium" diffuso nell'arte contemporanea suggerisce un'ambiguità riguardo gli ambiti del fare e del curare l'arte, così come lo sviluppo dei progetti socialmente site-specific rivela ansia riguardo lo statuto del pubblico non solo per i musei d'arte ma per l'arte contemporanea in generale.

C'è una questione finale su questa svolta etnografica che vale la pena di prendere in considerazione. Tale arte è tanto inventiva quanto fortemente contingente: "Noi abbiamo cara la convinzione", ha commentato Dion, "che la nostra produzione possa avere molte forme diverse di espressione: fare un film, insegnare, scrivere, produrre un progetto pubblico, fare qualcosa per un giornale, curare o presentare un'opera di un certo valore in una galleria". Ma talvolta proprio la molteplicità può confondere il pubblico o incoraggiare l'accusa di dilettantismo. Per giunta, con l'arte concepita in termini di progetti e i progetti in termini di luoghi discorsivi, questi artisti possono essere spinti a lavorare orizzontalmente, in un movimento laterale da questione sociale a questione o da dibattito politico a dibattito, più che verticalmente, in un coinvolgimento diacronico con le forme storiche di un genere, medium o arte. Certo, una rigorosa concentrazione nei confronti dei propri problemi intrinseci può condurre a un'arte involuta e isolata, ma una stretta concentrazione sui dibattiti estrinseci può condurre l'arte a dimenticare il proprio repertorio di forme, la propria memoria di significati, a rinunciare alle possibilità critiche dei propri siti semiautonomi. HF

ULTERIORI LETTURE:
James Clifford, *I frutti puri impazziscono*, trad. it. Bollati Boringhieri, Torino 1999
Lisa Corrin e al., *Mark Dion*, Phaidon, London 1997
Hal Foster, *Il ritorno del reale. L'avanguardia alla fine del Novecento*, trad. it. Postmedia, Milano 2006
Andrea Fraser, *What's intangible...?*, in *October*, n. 80, estate 1997
Miwon Kwon, *One Place After Another: Site-Specific Art and Locational Identity*, MIT Press, Cambridge (Mass.) 2002
Arnd Schneider e Christopher Wright (a cura di), *Between Art and Anthropology: Contemporary Ethnographic Practice*, Berg, Oxford 2010

▲ 2003

1993a

Martin Jay pubblica *Lo sguardo basso*, una riflessione generale sulla denigrazione della visione nella filosofia moderna: questa critica del visivo è esplorata da diversi artisti contemporanei.

Con un sottotitolo quale "La denigrazione della visione", il libro *Lo sguardo basso* dello storico americano Martin Jay poteva facilmente sembrare un'altra teorizzazione del postmodernismo in sintonia con il crescente coro di interpreti che metteva in atto o analizzava questa sfida alla visione diffusasi nel mondo dell'arte fin dagli anni Sessanta. Dall'uso del linguaggio ▲ operato dall'Arte concettuale per bandire qualsiasi esperienza visiva eccentrica, alle strategie di nascondere, avvolgere, occultare svilup● pate da certi generi di Performance e di Body art, l'idea che la produzione estetica dovesse essere conformata all'esposizione ottica o al piacere visivo era stata sottoposta ai più severi attacchi già nell'ambito della pratica artistica. Mentre sul piano della critica la rottura tra modernismo e postmodernismo veniva intesa in termini di una trasformazione dei sensi – in questo caso quello della vista – non più considerati come dati biologici e, dunque, transstorici, bensì specificamente modellati dalla storia. Così, per analizzare ■ l'inizio del postmodernismo, Fredric Jameson descrive l'esperienza modernista del visivo, realizzata al tempo dell'Impressionismo, come costituzione di una modalità semiautonoma di percezione. Se il progetto del Realismo spinse verso l'espressione dell'esperienza del mondo come una totalità che, in quanto tale, coinvolge il campo sensoriale dell'intero corpo – tatto, udito, olfatto, equilibrio, moto, tanto quanto vista – l'Impressionismo separa quest'unico canale percettivo dall'insieme e lo trasforma in una fonte quasi astratta di piacere capace di giungere a nuovi vertici di pienezza e purezza. Nel dopoguerra, tuttavia, all'interno delle condizioni del capitalismo avanzato, Jameson sostiene che questa visualità astratta ma piena si è trasformata in una forma nuova e disorientante di irrealtà, una categoria generalizzata di visione che definisce "sublime isterico". Altri avrebbero interpretato questo senso di un'immagine del mondo priva di qualsiasi reale dietro di sé e dunque divenuta "simulacrale" ◆ come funzione di un effetto mai approfondito dello "spettacolo".

Lo sguardo basso, invece , lancia l'attacco alla visione come qualcosa di più che un fenomeno del dopoguerra o postmoderno; il sottotitolo completo recita: "La denigrazione della visione nel pensiero francese del XX secolo". Un tempo vista come luogo d'origine della cultura del pensiero *illu*minista, nel quale la capacità della visione di esaminare e ordinare, di astrarre e modellare gli elementi entro un dato campo ne aveva fatto il veicolo privilegiato della ragione stessa, la Francia veniva ora considerata come origine di un pensiero che ricopre la visione di un sospetto estremo per tutto il XX secolo. Nel resoconto di Jay, questo sviluppo si apre con il ripudio da parte di Henri Bergson dello spazio come modello dominante di esperienza, al quale gli altri ordini, come quello temporale, sono sottoposti. Ponendo in contrasto l'omogeneità dello spazio – una matrice di unità equivalenti ripetibili, ciascuna esterna all'altra – con l'eterogeneità del tempo, nel quale memoria e proiezione sono inestricabilmente condensati nel presente, Bergson formula l'idea della durata – la *durée* – come radicalmente inassimilabile allo spazio e, dunque, alla visione. A partire da Bergson, questa opposizione ▲ continua, in termini diversi, con i surrealisti e Georges Bataille; e poi con la quasi paranoia di Jean-Paul Sartre, nel suo *Essere e nulla*, sullo "sguardo" dell'altro che, intrappolando il soggetto nel suo raggio come un cervo bloccato nella luce di un fanale, reifica quel soggetto e ne limita la libertà. Poiché l'elenco di teorici francesi sospettosi nei confronti della visione si allunga fino a includere lo psicanalista Jacques Lacan (con la sua idea di disconoscimento), il marxista Louis Althusser (con il suo concetto di interpellanza), il filosofo Jacques Derrida (con la sua formulazione del "fallogocentrismo"), la femminista Luce Irigaray (con la sua nozione di speculum) e lo storico della ● cultura Michel Foucault (con la sua idea della sorveglianza), Jay afferma che "sebbene le ragioni siano ancora incerte, è legittimo parlare di una trasformazione discorsiva o paradigmatica nel pensiero francese del XX secolo, nella quale la denigrazione della visione ha soppiantato la sua precedente celebrazione".

Ottica di precisione

Nel caso dell'arte del XX secolo potrebbe sembrare strano definire il periodo dell'alto modernismo come "antioculare". Ondata su ondata, gli artisti modernisti hanno seguito l'istanza dell'Impressionismo di stabilire uno strato ottico "purificato" come campo di esperienza semiautonomo. Dall'estrapolazione di Robert Delaunay della forma otticamente indistinta dell'elica di aeroplano in una serie astratta di fasce circolari, alla ricerca futurista di Giacomo Balla sulle leggi dell'iridescenza pura, al tentativo di Vasilij Kandinskij di rendere l'intero ambito dell'emozione umana attraverso delle ondate sinfoniche di colore, al desiderio del Bauhaus di un'esplorazione sistematica del colore sposato alla forma geometrica, condotta ■ da Johannes Itten, Paul Klee e Joseph Albers, e nel dopoguerra al

▲ 1968b ● 1974 ■ 1977a, 1980, 1984b ◆ 1957a, 1980

▲ 1924, 1930b, 1931b, 1946, 1959c ● 1971 ■ 1908, 1909, 1913, 1923, 1947a

fenomeno della Colorfield painting e alla campagna di Clement ▲ Greenberg sull'"otticità", che egli estese anche alla scultura, sentiamo la pressione di un pensiero strettamente visivo.

Ad andare contro questa euforia otticista, comunque, fu un'altra tradizione completamente diversa, cui diede un'articolazione ● teorica il concetto di Bataille dell'"informe". Una generazione di artisti surrealisti abbracciò questo attacco alla *forma* e al privilegio che essa dava al dominio visivo dell'esperienza – dall'"antipittura" di Joan Miró a *Un chien andalou* di Salvador Dalí e Luis Buñuel (con il bulbo oculare tagliato con un rasoio). ■ Ma non furono i soli. Anche l'artista dada Hans Arp stava attaccando la stabilità della forma attraverso i collage che realizzava con carta strappata e spiegazzata, disposta a caso. Parlando del modo in cui queste opere promossero un progressivo inaridirsi della forma attraverso gli effetti devastanti dell'entropia, Arp chiedeva:

> *Perché sforzarsi di ottenere precisione e purezza se non vi si può mai giungere? Io ora accetto la decomposizione che inizia sempre una volta che l'opera è finita. Un uomo sporco mette il suo dito sporco su un dettaglio impercettibile in un quadro, per porlo in rilievo. Questo punto ora è segnato con sudore e grasso. Quest'uomo ha uno scoppio di entusiasmo e il dipinto è spruzzato di saliva... L'umidità crea muffa. L'opera si decompone e muore. Ora, la morte di un quadro non mi devasta più. Sono venuto a patti con la sua breve durata e con la sua morte e li ho inclusi nell'opera.*

Dal canto suo, Marcel Duchamp era, a questo punto, già entrato nella fase del suo lavoro che chiamò sarcasticamente "oculismo di precisione", sottolineandone la natura antiartistica con il fatto che le "macchine" oculistiche che stava producendo – dalle *Semisfere rotanti* (1925) come sculture al film *Anemic Cinema* (1925-26) e ai dischi visivi da fonografo, i *Rotorilievi* **[1]** – erano ora l'esplorazione ◆ scientifico-commerciale condotta dal suo alter ego Rrose Selavy, che invariabilmente sfidava l'idea della difesa intrinseca dell'arte dalla riproduzione sottoponendo tali invenzioni al copyright o al brevetto. La svolta ironica verso l'otticità elaborata da queste macchine oculistiche è costituita dal caos che riuscirono a causare con la forma. Dato che le spirali rotanti del "diagramma oculistico" si aprivano su un movimento pulsante dalla concavità alla convessità e viceversa, la pulsazione di questo movimento stordì e destabilizzò il campo della visione, rendendolo invece erotico e carnale, riempiendolo con un gioco suggestivo di "oggetti parziali": ora un seno, ora un occhio, ora un utero.

Questa idea di attacco alla visione continuò intensificandosi nel dopoguerra. Da una parte produsse il tipo di inoculazione contro l'ottico che ricorse nell'Arte concettuale: riempiendo il campo con la sostanza non visiva del linguaggio, come nel caso di Lawrence Weiner, o banalizzando a tal punto l'immagine da renderla inutilizzabile dalle forze della cultura di massa dello spettacolo. Dall'altra, andò oltre la strategia negativa di evitare il visivo verso un sistema più attivo di aggressione contro le prerogative stesse della visione.

1 • Marcel Duchamp, *Rotorilievo n. 6: Lumaca*, 1935
Uno di una serie di sei dischi di cartone stampati su entrambi i lati, diametro 20 cm

Una versione di questa strategia si organizzò attorno a una ripresa della forza pulsante dei *Rotorilievi* di Duchamp. Adottando sia il medium del film che quello del video, alla fine degli anni ▲ Sessanta, artisti come Richard Serra e Bruce Nauman realizzarono alcune opere usando una pulsazione ritmica ripetitiva: nel caso di Serra l'apertura e la chiusura di un pugno nel film *Mano che afferra piombo* **[2]**, nel caso di Nauman l'immagine troncata della parte inferiore di un viso e di un collo capovolti con la bocca che dice "sincronia delle labbra" ripetutamente (anche fuori sincrono) in *Sincronia delle labbra* (1969). In entrambi i casi la parte del corpo che agisce diventa organo (come le spirali di Duchamp) e il campo visivo instabile. Per Serra fu importante in particolare l'esempio di pratiche cinematografiche contemporanee nell'ambito del film d'avanguardia, specialmente il fenomeno del "film flicker", nel quale l'alternarsi di sequenze colorate con quantità più o meno uguali di pellicola nera produce luci lampeggianti in rapida successione. Sebbene possa sembrare che l'abbaglio visivo causato dal flicker sia semplicemente un altro caso di "otticità", in realtà il fenomeno dà il via ad una strana esperienza fisica, o tattile, dovuta al modo in cui la luce stimola la produzione, da parte dello spettatore, di un'immagine residua che viene poi proiettata nel campo vuoto del periodo momentaneo di nero. Ciò che "vediamo" in questi spazi interstiziali non è la superficie materiale del "fotogramma" né la condizione astratta del "campo" cinematografico, ma una produzione corporea del nostro sistema nervoso, la pulsazione ritmica del feedback della nostra rete neurale, la sua "ritenzione" e "protensione", a seconda che il tessuto nervoso trattenga o liberi le sue impressioni.

▲ 1960b ● 1930b, 1931b ■ 1913, 1916a, 1918 ◆ 1918

▲ 1966a, 1967a, 1969, 1970, 1973

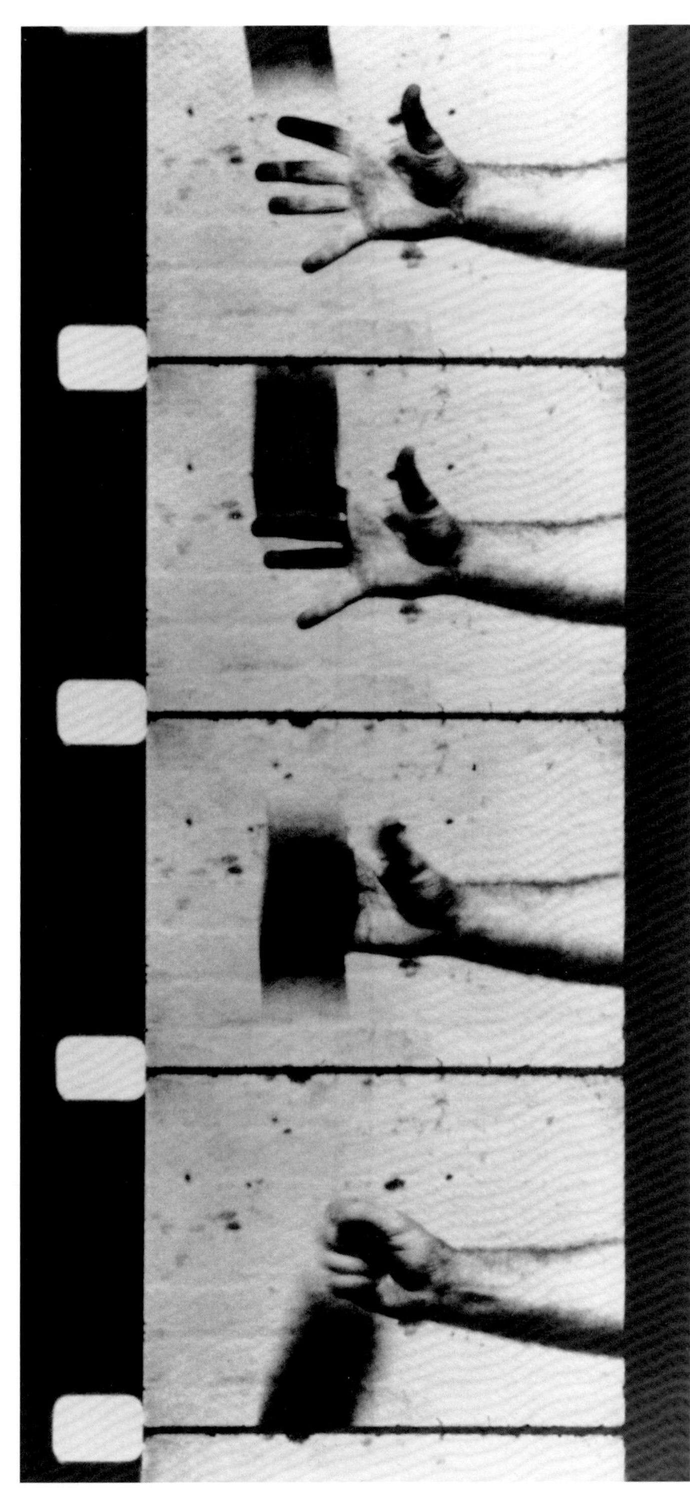

2 • Richard Serra, *Mano che afferra piombo*, 1968
Film 16mm in bianco e nero, muto, 210 minuti

È questo tipo di pulsazione che il film *Box (ahhareturnabout)* **[3]** ▲ di James Coleman (nato nel 1941) prende come materiale su cui lavorare. Questo incontro di pugilato filmato, spezzato in brevi raffiche da tre a dieci fotogrammi, interrotte da equivalenti esplosioni di nero, è girato in un movimento pulsante, che contemporaneamente si spezza e scavalca le fratture; il film di Coleman cioè enfatizza il movimento come forma di ripetizione, come serie di battiti separati da intervalli di estinzione assoluta, mentre l'urgenza del ritmo promette il loro ritorno senza fine. I gesti dei pugili, e dunque la parte propriamente figurativa dell'opera – qualche minuto di un documentario che mostra l'incontro storico tra Gene Tunney a Jacky Dempsey nel 1927 –, sembrano dar corpo a questo ritmo, con i loro colpi e le loro finte, e la minaccia sempre presente del tuffo nell'incoscienza. Inoltre, questo ambito della rappresentazione visiva è doppiato sul piano sonoro da una voce fuori campo che amplifica sia il movimento della ripetizione ("su/su", "ancora/ancora", "torna/torna") sia la possibilità sempre latente dell'emergere del niente ("fermo/f-e-r-m-a-l-o", "vincere/o morire").

Ma il fatto che il corpo dello spettatore – il suo sistema percettivo e le immagini retiniche proiettate che danno un "contributo" automatico al film – si inscriva nell'opera, significa che il soggetto di *Box* è un po' sfalsato in rapporto alla scena della rappresentazione (l'evento sportivo) e che è da ricercare nel campo ritmico costituito da due serie di pulsazioni: quelle dello spettatore e quelle dei pugili. Allo stesso modo i frequenti rumori di respiro – gli "ah/ah", "aha/ah", "p-a-m/p-u-m" del sonoro – danno voce non solo ai ritmi corporei del pugile, ma anche a quelli dello spettatore.

In tutti questi casi l'attacco alla nozione modernista di autonomia della visione viene così messa in scena in rapporto all'invasione del corpo e dei suoi ritmi nel campo ottico, ora privato della sua purezza e della sua stabilità formale. Ma nel decennio seguente venne sviluppata anche un'altra strategia per attaccare le prerogative della visione, strategia che potrebbe essere definita "sguardo perturbante", attraverso la quale si volle rivoltare *contro* il sistema di controllo dello "sguardo" il suo stesso potere per sconfiggerlo.

La teoria dello sguardo che controlla emerse da varie analisi delle operazioni di potere e dei modi di sorveglianza che, per esempio, inducono i singoli soggetti a interiorizzare sistemi di proibizione e perciò a comportarsi come soggetti disciplinati (l'acquirente che teme le telecamere a circuito chiuso, per esempio, e così si trattiene dal rubare). Introdotto nel campo della pratica artistica come teoria ▲ dello "sguardo maschile", il controllo visivo – ora sessualizzato come funzione patriarcale, e dunque maschile – blocca la donna nella posizione di oggetto-feticcio, resa immobile e muta dalla forza del desiderio maschile. Riorganizzato come corpo indifeso reso intatto dall'unità della sua bellezza, l'oggetto di questo sguardo è ora costretto a funzionare come una sorta di "prova" che il corpo maschile stesso non è minacciato, che non c'è nessun potere castrante che lo può toccare. Sviluppata in rapporto alla costruzione della donna da parte della cultura di massa – all'interno di pubblicità, cinema, pornografia, eccetera –, la teoria dello sguardo maschile venne agevolmente applicata anche alla pittura modernista, con la sua reciprocità tra l'oggetto visivo come unità autonoma e il singolo spettatore come soggetto indipendente.

● I primi lavori di Cindy Sherman *Fotogrammi senza titolo* (1977-80) hanno assunto la costruzione dell'immagine femminile della cultura di massa, con l'artista che si fotografa in pose prese da un assortimento di tipi cinematografici (pupa del gangster, oca bionda), generi (noir, melodramma) e stili (Michelangelo Anto-

▲ 2007a

▲ Introduzione 1, 1975a ● 1977a

3 • James Coleman, *Box (ahhareturnabout)*, 1977
Film 16mm in bianco e nero, proiezione continua con audio sincronizzato

nioni, Alfred Hitchcock). Poi, negli anni Ottanta, sviluppando l'idea di una prospettiva che può fissare l'identità femminile come punto focale controllato dal punto di vista dello spettatore (maschio), le opere si trasformarono in una sorta di campo visivo frantumato. Qualche volta esso è dato da una sorta di retroilluminazione che fa sì che uno scintillio emerga dal fondo dell'immagine per avanzare verso lo spettatore e così infrangere le condizioni della visione, generando la figura stessa come una sorta di punto cieco; in altri casi questa corrosiva dispersione visiva è il risultato di una specie di "luce selvaggia", lo spargimento di bagliori attorno all'immagine perlopiù buia, come se venisse rifratta attraverso le facce di un gioiello lavorato. È il caso di *Senza titolo n. 110* [**4**], dove Sherman si è concentrata sulla creazione di un senso della qualità completamente aleatoria dell'illuminazione. Mentre l'illuminazione piomba nel buio totale tre quarti del campo, mette in risalto il braccio e l'orlo drappeggiato dell'indumento della figura per creare un complesso incandescente, ingarbugliato, quasi inintelligibile.

In opposizione alla stabilità della prospettiva tradizionale in cui il soggetto è fissato, il cui sguardo assorbe, cattura, controlla tutto nella sua visione da un dato punto, questo ricorso a una luce rimbalzante apre a un'idea completamente diversa dello "sguardo", uno sguardo che destabilizza il suo soggetto, rendendolo vittima piuttosto che padrone della visione. Questo nuovo sguardo, teorizzato da Lacan come sguardo-*oggetto a* sguardo perturbante, è modellato sull'idea della luce che circonda ciascuno di noi. Tale irradiazione che brilla su di noi da ogni parte nello spazio non può essere assimilata al fuoco unico della prospettiva. Invece, per descrivere questo sguardo luminoso Lacan si rifà al modello del mimetismo animale, che ▲ Roger Caillois aveva descritto negli anni Trenta come effetto dello spazio su un organismo che, cedendo alle forze di questo sguardo generalizzato dello spazio, perde i propri limiti organici e si fonde con ciò che lo circonda in un atto quasi psicotico di imitazione. Trasformandosi in una sorta di camuffamento confuso, il soggetto mimetico ora diventa una parte informe del "quadro" dello spazio in generale. "Diventa una macchia", ha scritto Lacan, "diventa un'immagine, è inscritto nel quadro".

Nella misura in cui il nostro corpo è l'obiettivo di questo sguardo luminoso, inquietante, la sua relazione con il mondo stabi-

▲ 1930b

5 • Cindy Sherman, *Senza titolo n. 167*, 1986 Fotografia a colori, 152,4 x 228,6 cm

4 • Cindy Sherman, *Senza titolo n. 110*, 1982
Fotografia a colori, 114,9 x 99,1 cm

lisce la nostra percezione non nella trasparenza di una comprensione concettuale dello spazio, ma nella consistenza e nella densità di un essere che semplicemente intercetta la luce. È in questo senso che essere "nell'immagine" significa sentirsi disperso, soggetto di un quadro organizzato non dalla forma, ma dall'informe. Forse nessuna delle opere di Sherman cattura l'idea di entrare nel campo come una "macchia" quanto *Senza titolo n. 167* [**5**], dove l'effetto di mimetismo è al culmine. La figura, ora assorbita e dispersa nello sfondo, può essere individuata solo grazie a pochi residui appena visibili, solo a fatica, nella superficie chiazzata dei detriti oscurati che riempiono l'immagine. Scorgiamo la punta di un naso, l'apparire di un dito con l'unghia dipinta, la smorfia isolata di una dentiera. La prospettiva classica mette due unità opposte una di fronte all'altra: il punto di vista e il punto di fuga. Ciascuno rinforza il senso di centralità e la singolarità dell'altro. Lo sguardo non focalizzato, disperso, non offre un supporto al soggetto, non gli dà nulla con cui identificarsi, tranne la sua stessa dispersione. La frammentazione del "punto" di vista qui impedisce allo sguardo invisibile, non localizzabile, di essere il luogo della coerenza, del significato, dell'unità. Il desiderio così non è mappato come desiderio della forma, e dunque della sublimazione, ma modellato invece in termini di trasgressione contro la forma. RK

ULTERIORI LETTURE:

George Baker (a cura di), *James Coleman*, MIT Press, Cambridge (Mass.) 2003

Douglas Crimp, *On the Museum's Ruin*, MIT Press, Cambridge (Mass.) 1993

Hal Foster, *Il ritorno del reale. L'avanguardia alla fine del Novecento*, trad. it. Postmedia Books, Milano 2006

Martin Jay, *Downcast Eyes: The Denigration of Vision in Twentieth-Century French Thought*, University of California Press, Berkeley-Los Angeles 1993

Rosalind Krauss, *Cindy Sherman*, trad. it. in *Celibi*, Codice, Torino 2004

1993b

Mentre viene demolita *Casa* di Rachel Witheread, un calco di una villetta a schiera nell'est di Londra, un gruppo innovativo di artiste donne raggiunge la fama in Gran Bretagna.

Negli anni Novanta molti artisti iniziarono a guardare indietro agli anni Sessanta e Settanta come nuovi punti di partenza – al Minimalismo e all'Arte concettuale, alla ▲ performance e alla Video art, all'installazione e all'Arte site-specific. La più provocatoria di queste ricognizioni fu fatta in Gran Bretagna da giovani donne, come Mona Hatoum (nata nel 1952), Sarah Lucas (nata nel 1962), Cornelia Parker (nata nel 1956), Gillian Wearing (nata nel 1963) e Rachel Whiteread (nata nel 1963). I motivi di questi ritorni furono diversi, ma uno dei fattori fu lo scontento nei confronti di un mondo dell'arte sensazionalistico il quale, dalla fine degli anni Ottanta, sembrava dominato da strategie ● di marketing e scandali gonfiati. Più significativo comunque fu il mutamento di statuto di movimenti come Minimalismo e Concettualismo negli anni Novanta. Da un lato le traiettorie di tale produzione sembravano fatte finire negli anni Ottanta, spinte prematuramente nel passato. Dall'altro, ora che erano oggetti storici, questi movimenti costituirono un nuovo archivio di forme e mezzi per differenti forme di appropriazione nel presente. Questo stato liminale, quasi paradossale – considerato sia un inizio vitale di pratica postmodernista, sia un momento racchiuso nella storia dell'arte – attrasse giovani artisti, critici, curatori e storici.

Il Minimalismo fu particolarmente ambiguo a questo riguardo. Alcune artiste, come Whiteread e Hatoum, ne rielaborarono il linguaggio di forme semplici e ordinamenti seriali con nuovi fini psicologici e politici. Oppure, altre artiste, come l'americana Janine Antoni (nata nel 1964), reagirono contro la sua apparente austerità, che considerarono, riduttivamente, come un autoritarismo da macho, e reintrodussero quello che il Minimalismo aveva faticato tanto ad espellere, cioè una concezione dell'arte come questione di immagini e modello di significati dettati da riferimenti e/o da temi iconografici. Sicuramente il Minimalismo non fu assolutamente ignorato a suo tempo. Già alla fine degli anni Sessanta e all'inizio dei Settanta fu sviluppato nei modi che artiste come Whiteread e Hatoum avrebbero elaborato negli anni Novanta. Così, per esempio, le sue forme modulari furono ricollo■ cate nel contesto sociale da artisti come Dan Graham, il cui *Case per l'America* (1966-67) scoprì oggetti minimalisti readymade ◆ nelle zone abitative di case tutte uguali del New Jersey. Altre artiste come Eva Hesse scoprirono una dimensione irrazionale, addirittura assurda nel Minimalismo, che rivolsero contro la sua posizione ufficiale di oggettività estrema. Più che una reazione fobica, comunque, questa fu una critica ambivalente, come suggerito dallo strano complimento fatto da Hesse a Carl Andre nel 1970: "Mi sento, diciamo, emotivamente legata al suo lavoro. Mi scatena qualcosa dentro. Le sue lastre di metallo per me rappresentano il campo di concentramento".

Minimalismo con variazione

Artiste come Hesse, Ree Morton (1936-77), Dorothea Rockburne (nata nel 1932), Jackie Ferrara (nata nel 1929) e Jackie Winsor (nata nel 1941) erano a proprio agio con i dispositivi minimalisti ▲ del monocromo, della griglia e del cubo, ma li alterarono allo scopo di evocare strutture del sentire più o meno aliene al Minimalismo stesso. Per esempio, Ferrara costruì forme minimaliste come la piramide con materiali non minimalisti quali cartone, stracci, corda, pelliccia e tela di lino. Le sue costruzioni erano anche abbastanza irregolari da annullare, inoltre, l'idealità delle

1 • Jackie Winsor, *Pezzo bruciato*, 1977-78
Calcestruzzo, legno bruciato e filo di ferro, 36 x 36 x 36 cm

▲ 1965, 1967a, 1968b, 1970, 1973, 1974 ● 1976, 1987 ■ Introduzione 2, 1968b ◆ 1969 ▲ 1957b, 1962c, 1965

forme geometriche. Questo vale anche per Winsor, che scavò con la sgorbia, bruciò e segnò in altri modi i suoi cubi di legno, con metodi che testimoniavano il movimento del corpo attraverso atti significativi [1]. Come l'irregolarità della forma in Ferrara, l'intensità del processo in Winsor suggerì una psicologia, addirittura un'irrazionalità, che il Minimalismo aveva cercato di sopprimere. Queste artiste aprirono così le forme minimaliste per rivolgerle all'interno, così com'erano, per fare dei cubi segnati e delle scatole ▲ aperte altrettante metafore dell'interiorità non solo del corpo, ma anche della psiche. Allo stesso tempo, quest'arte postminimalista rimase astratta o abbastanza strutturata da non diventare riduttivamente referenziale o personale. Sotto questo aspetto non • sovvertì il più radicale conseguimento del Minimalismo – l'apertura dell'arte al campo fenomenologico del corpo – come nei trattamenti recenti del Minimalismo, che tendono al quadro, al pastiche o al confezionamento in altri modi delle sue forme come altrettante immagini teatrali. (La spettacolarizzazione è estesa all'Arte processuale e alla Performance nelle installazioni e nei film barocchi dell'americano Matthew Barney [nato nel 1967]).

Spesso fragili ed effimere, molte di queste opere postminimaliste sono ora dimenticate, quando non sono andate del tutto perse. Alcune artiste come Hesse e Morton sono morte giovani, mentre altre sono cadute tra le pieghe delle categorie istituzionali dell'arte ▲ minimalista, processuale e femminista. Comunque, alla fine degli anni Ottanta e all'inizio dei Novanta questa linea di lavoro fu ripresa da artiste come Whiteread e Hatoum, che forse hanno anche beneficiato inavvertitamente di una ricezione in qualche modo ritardata del Minimalismo in Inghilterra. Anche se impegnata in altri propositi, la loro arte sta enigmaticamente tra astrazione e figurazione, struttura e referenza, letterale e metaforico.

Nata a Beirut da genitori palestinesi, Hatoum rimase bloccata a Londra nel 1975, quando scoppiò la guerra in Libano. Questa condizione di deriva diventò un sottotesto della sua arte, come in una performance del 1985 nella quale camminò scalza per Brixton,

2 • Mona Hatoum, *La luce alla fine*, 1989
Struttura d'angolo in ferro, sei elementi elettrici incandescenti, 166 x 162,4 x 5 cm

▲ 1969 • 1965 ▲ 1975a

sede di una comunità lacerata da lotte razziali, con gli stivali Dr. Marten allacciati alle caviglie come fossero le palle ai piedi dei carcerati. Le sue prime performance, che richiamano in qualche ▲ modo alla memoria Vito Acconci, mettevano alla prova i tabù del corpo (che cosa è considerato pulito o sporco, appropriato o no), mentre i suoi primi video si focalizzarono sulle strutture di sorveglianza. Hatoum continua ad elaborare entrambi questi interessi nelle sue installazioni, che qualche volta includono residui espulsi dal corpo umano, come unghie, pelle e capelli. Così il suo video del 1994 *Corps étranger*, che esplora l'interno del suo corpo attraverso una microcamera, porta la sorveglianza del corpo all'estremo. Questo tracciare limiti (sia corporei che sociali) completa la sequenza degli spiazzamenti (sia personali che politici), ed entrambi strutturano la sua arte.

Un'installazione del 1989, *La luce alla fine* **[2]**, segnò "un modo completamente nuovo di lavorare" per Hatoum. Nel vertice buio di una galleria triangolare a Londra, mise sei barre elettriche in una struttura verticale d'acciaio, in modo che sembrassero una gabbia astratta. Lo spettatore era attratto dalla semplice bellezza delle barre rosso acceso, solo per essere respinto, nell'avvicinarsi, dall'estremo calore: qui diventò reale il senso di minaccia spesso proiettata sugli oggetti minimalisti. Rovesciando il cliché, "la luce alla fine" di questo particolare tunnel non ammette né fuga né dilazione; come ha commentato Hatoum, sono evocati solo "prigione, tortura e dolore". Posizionato sul lato aperto dello spazio, uno spettatore si sarebbe potuto identificare con il carceriere implicito. Eppure, quando si accorgeva che sotto alle barre c'era uno spazio sufficiente a passare, avrebbe potuto identificarsi anche con il prigioniero implicito. In questo modo Hatoum usò ● un'estetica minimalista – la ripetizione modulare di un Judd, la luminosità spaziale di un Flavin – per produrre una situazione psicologica tanto quanto fenomenologica, un teatro dell'ambivalenza in cui le posizioni nello spazio diventano fantasmatiche posizioni di potere. Infatti Hatoum rilesse il Minimalismo attra■ verso il filosofo francese Michel Foucault, in particolare attraverso la sua analisi dell'architettura di sorveglianza in *Sorvegliare e punire* (1975). Continuò poi a esplorare questi effetti in installazioni come *Condanna leggera* (1992), un labirinto di armadietti di maglia di filo metallico ai quali diede un aspetto di carcere attraverso le ombre proiettate da un'unica lampadina, al centro, che si muoveva lentamente su e giù.

Il corpo sociale

Corpi allo stesso tempo fragili e porosi, limiti ad un tempo non negoziabili e reversibili, soggetti spiazzati ma anche controllati, queste sono le esperienze che Hatoum evoca attraverso materiali, strutture e spazi, più che attraverso i temi che illustra per immagini. (Quando crea immagini su questi argomenti, va detto, il suo lavoro è meno efficace). Questo è vero anche per Rachel Whiteread, che pure è interessata alle esperienze dell'esposizione, dello spiazzamento e della mancanza di casa. Alla fine degli anni Ottanta Witheread cominciò a fare calchi di oggetti associati alla casa – vasche da bagno e materassi, armadi e stanze – in materiali come gomma e resina, gesso e calcestruzzo. Spesso, dal momento che gli ▲ oggetti sono usati come stampi, i calchi ne sono gli spazi in negativo, i vuoti che essi formano. In questo senso sono al tempo stesso ovvi dal punto di vista della produzione, ma ambigui dal punto di vista della referenza. Per esempio, benché basate su oggetti utili e luoghi quotidiani, le sue sculture negano la funzione e condensano lo spazio in una massa. Allo stesso tempo, sebbene appaiano unitarie e solide, sembrano anche frammentarie e spettrali. Più ambiguamente ancora, queste tracce letterali suggeriscono tracce simboliche, specialmente memorie di infanzia e di famiglia. Come ha sostenuto il critico Jon Bird, esse evocano "lo spazio culturale della casa" come luogo di inizi e conclusioni, di partenze e ritorni, come luogo perseguitato dalla realtà della perdita e dalla presenza dell'assenza. L'effetto di queste opere, così, viene spesso associato ● al "perturbante" – ovvero, al ritorno delle cose familiari rese strane dalla rimozione. Dunque, come "maschere funerarie" di oggetti familiari e spazi materni di cui viene fatto il calco in gomma dura e in gesso freddo, rendono il familiare qualcosa di *unheimlich* (parola tedesca per "perturbante", letteralmente "non familiare"). Ma proprio in quanto maschere funerarie possono anche apparire più melanconiche che perturbanti, suggerire la persistenza della perdita più che il ritorno del rimosso. Alcuni di questi oggetti,

3 • Rachel Whiteread, *Senza titolo (Letto matrimoniale color ambra)*, 1991
Gomma e gommapiuma densa, 106 x 136 x 121,5 cm

▲ 1974 ● 1962c, 1965 ■ 1971

▲ 1967a, 1974 ● 1924, 1931a

4 • Rachel Whiteread, *Casa*, 1993
Calco dell'interno della casa in Grove Road n. 193, Bow, Londra (distrutto)

specialmente le vasche da bagno e i materassi, evocano un corpo svuotato di desiderio, addirittura morto e calcificato; e infatti Whiteread ha realizzato anche calchi di lastre funerarie.

Gli effetti di questi calchi non sono solo psicologici; essi "portano anche i segni della storia scritti nel corpo sociale" (Bird). Da una parte, il materasso duro infossato di *Senza titolo (Letto matrimoniale* color ambra) **[3]** richiama gli eventi archetipici del letto – l'amore, la nascita, la morte. Dall'altra, ha una specifica risonanza sociale: accasciato contro il muro come se fosse lungo la strada, richiama i letti sporchi di un senzatetto. Infatti è della mancanza di casa che Whiteread si occupa, tanto quanto della *Unheimlichkeit*. Questo è particolarmente vero nel suo lavoro più famoso fino a oggi, *Casa* **[4]**, un calco in calcestruzzo dell'interno di una casa (senza il tetto) di una vecchia zona operaia dell'est di Londra. In collaborazione con l'associazione culturale Artangel, Whiteread si accordò con la municipalità locale per fare il calco di una villetta a schiera che doveva essere demolita. Questo stampo negativo di stanze ora scomparse, inscritto non solo con i profili leggeri dei davanzali delle finestre, delle cornici delle porte e dei cavi, ma anche con le tracce lievi dei passati inquilini, rimase in un piccolo parco per alcuni mesi come un fantasma invendicato di qualche passato sociale. La stessa sera in cui Whiteread vinse il Turner Prize, il premio più prestigioso per l'arte contemporanea in Gran Bretagna, passò il voto per demolire *Casa* da parte del consiglio locale; seguì una tempesta di polemiche. Come ha suggerito Bird, la grande provocazione di *Casa* fu quella di unire psichico e sociale, "lo spazio perduto dell'infanzia" e la cultura perduta del proletariato dell'est di Londra, entrambi minacciati dallo sviluppo del capitalismo rampante. (La nuova area del commercio Canary Wharf, il più notevole esempio di questo sviluppo a Londra, era visibile da *Casa*). Forse i suoi detrattori colsero inconsciamente questo collegamento, o forse semplicemente rifiutarono una scultura pubblica che non idealizzava la vita sociale o monumentalizzava la memoria storica. *Casa* fu davvero una scultura pubblica che, per quanto astratta, è stata sia specifica che inesorabile. Si stagliava come un memoriale involontario di forze socioeconomiche catastrofiche, in una Pompei contemporanea.

Attraverso diversi rovesciamenti di interno ed esterno, Hatoum e Witheread indicano un mondo sociale in cui lo spazio privato appare spesso oscenamente esposto e lo spazio pubblico quasi collassato; indicano una cultura melanconica, fissata su eventi traumatici. E danno forza a questi commenti attraverso un'elaborazione pertinente dell'arte del dopoguerra. Ciascuna ha antecedenti diversi: oltre a diversi minimalisti, Hatoum si avvicina a Piero Manzoni e all'Arte povera con i suoi materiali pregni, mentre Whiteread ▲ richiama Gordon Matta-Clark e Bruce Naumann con i suoi stampi architettonici. Ma entrambe adattano i loro antecedenti a scopi simili, rendendoli strumenti psicologici e mnemonici. Comunque Hatoum e Whiteread rappresentano solo due esempi del reimpiego • diffuso dell'arte del passato recente. Proprio come la "neoavanguardia" degli anni Cinquanta e Sessanta si rifece alle varie strategie delle "avanguardie storiche" degli anni Dieci e Venti, così, si potrebbe dire, anche molti artisti degli anni Novanta sono tornati a diversi paradigmi degli anni Sessanta e Settanta. Come nel caso della neoavanguardia, alcune riscoperte furono opportunistiche e riduttive, e quindi spettacolarizzarono il passato, mentre altre furono innovative e foriere di sviluppi, e quindi lo elaborarono in maniera critica e pertinente. È cruciale distinguere tra le diverse riprese, perché in gioco vi è l'alternativa, in un tempo di amnesia diffusa, tra una cultura artistica abbandonata a un recupero consumistico e un'altra che cerca ancora di rivendicare un passato differente per aprire un futuro diverso. HF

ULTERIORI LETTURE:

Guy Brett et al., *Mona Hatoum*, Phaidon, London 1997
James Lingwood (a cura di), *Rachel Whiteread: House*, Phaidon, London 1993
Susan L. Stoops (a cura di), *More Than Minimal: Feminism and Abstraction in the 70's*, Rose Art Museum, Waltham 1996
Chris Townsend (a cura di), *The Art of Rachel Whiteread*, Thames & Hudson, London 2004
Catherine de Zegher (a cura di), *Inside the Visibile*, MIT Press, Cambridge (Mass.) 1996
Lynne Zelevansky, *Sense and Sensibility: Woman Artists and Minimalism in the Nineties*, Museum of Modern Art, New York 1994

▲ 1959a, 1967a, 1967b, 1970, 1974 • 1960a

1993c

A New York, la Biennale del Whitney Museum mette in primo piano lavori incentrati sull'identità, mentre emerge una nuova forma di arte politicizzata degli artisti afro-americani.

Negli ultimi decenni le differenti politiche identitarie – razziale, multiculturale, femminista e omosessuale – qualche volta hanno seguito traiettorie simili, almeno per ▲ come sono state prese in considerazione in arte. In una prima fase viene rivendicata una natura essenziale – di africanità, etnia, femminilità o omosessualità – contro gli stereotipi negativi e vengono proposte immagini positive di questa natura (una volta che gli artisti delle minoranze hanno ottenuto l'accesso alle istituzioni artistiche). Poi, in una seconda fase, la critica agli stereotipi è spinta al punto che tale identità è vista come una costruzione sociale più che una natura essenziale, e l'assunzione di semplici categorie è complicata da differenze multiple (per esempio uno potrebbe essere nero, donna e/o omosessuale contemporaneamente). L'eliminazione degli stereotipi è un compito particolarmente urgente per gli artisti interessati alla formazione di immagini della razza, i quali sviluppano alcune strategie a questo scopo, comprese critiche alle forme documentarie di rappresentazione, testimonianze di esperienze personali e svolte verso tradizioni artistiche alternative.

Rovesciare le situazioni

Una delle artiste più importanti impegnate in questo progetto è Adrian Piper (nata nel 1948). Già attiva nei circoli d'avanguardia alla fine degli anni Sessanta e all'inizio dei Settanta, Piper ha adot- ● tato numerose strategie della Performance e dell'Arte concettuale nelle sue analisi della "patologia visiva" del razzismo. Nella sua serie *Essere mitico* (1973-75), per esempio, fece delle performance in spazi pubblici che sottolinearono la costruzione ideologica o "essere mitico" dell'immagine da macho del maschio afro-americano, che lei stessa impersonava. Più tardi, in *Il mio biglietto da visita n. 1* (1986), usò la tecnica concettuale della dichiarazione scritta, qui nella forma di un biglietto da visita che informa colui che lo riceve dopo aver fatto un commento razzista, che la persona indicatavi (Piper) è nera. Piper trasformò anche le tecniche dell'installazione e della Video art per le sue finalità critiche. Per esempio, *Quattro intrusi più sistemi d'allarme* (1980) mette il pubblico a confronto con quattro grandi fotografie di "giovani uomini neri arrabbiati"; mentre gli spettatori esaminano la loro reazione a

1 • Adrian Piper, *Messo in un angolo*, 1988
Videoinstallazione: nastro video, monitor, tavola, sedie, certificato di nascita, dimensioni variabili, 17 minuti

quelle immagini, ascoltano anche una recitazione registrata di ipotetiche reazioni di (altri) visitatori bianchi. *Messo in un angolo* **[1]** pone di nuovo il suo pubblico a confronto con qualcosa, in questo caso un tavolo rovesciato in un angolo che a sua volta "mette in un angolo" gli spettatori con un video in cui Piper considera la probabilità che tra le persone bianche presenti alcune abbiano antenati neri: ancora una volta il mito dell'identità pura o semplice viene messo in discussione.

Negli anni Settanta Piper studiò la filosofia di Kant che ancora oggi insegna. Il relatore della sua tesi di dottorato ad Harvard fu John Rawls, il cui *Una teoria della giustizia* (1971) è una pietra miliare nel campo della filosofia politica; nella sua arte Piper ha posto coerentemente i temi specifici riguardanti l'iniquità razziale all'interno della struttura delle questioni dei diritti umani. Altri artisti coinvolti nella messa in discussione delle rappresentazioni razziali hanno propeso piuttosto verso un sospetto postmodernista nei confronti delle rivendicazioni universali. Piper è scettica nei confronti di qualsiasi posizione che rinunci ai "potenti mezzi della razionalità e dell'oggettività", che considera necessari alla critica della "pseudorazionalità" del razzismo, "delle difese che usiamo per sminuire in modo razionale l'unicità dell'"altro"". "Tutto quello che devi fare", sostiene Piper, "è echeggiare o descrivere quelle categorizzazioni difensive così come sono, senza

▲ 1975a, 1977a, 1977b, 1987, 1989, 1997 ● 1968b, 1974

2 • Carrie Mae Weems, *Senza titolo (Uomo che legge il giornale)*, dalla serie *Tavolo di cucina*, 1990
Tre stampe alla gelatina d'argento, ciascuna 71,8 x 71,8 cm

abbellimenti estetici o letterari, per generare un certo grado di autoconsapevolezza di quanto inadeguate e semplicistiche siano". Piper qualche volta rende questa "eco" concreta attraverso testimonianze fotografiche e documentarie della storia della propria esperienza.

Anche Carrie Mae Weems (nata nel 1953) usa spesso immagini e storie personali. Tuttavia, dopo aver studiato al California Institute of the Arts e all'Università della California di San Diego – due focolai dell'arte e della teoria postmoderniste – Weems è più incline di Piper a mettere in dubbio le rivendicazioni oggettive del valore di verità. D'altro canto si avvicina meno ai modelli dell'avanguardia degli anni Sessanta e Settanta e più ai precedenti afro-americani dell'Harlem Renaissance degli anni Quaranta, in ▲ particolare alla scrittrice Zora Neale Hurston e al fotografo Roy DeCarava. Nei suoi fototesti, Weems non è soddisfatta né delle rappresentazioni rigorosamente positive dell'identità afro-americana, né delle demistificazioni meramente negative.

Weems ha sviluppato la sua combinazione tipica di fotografie e narrazioni intime in *Immagini e storie di famiglia* (1978-84). Qui, accompagnate da testi e registrazioni, istantanee 35mm raccontano la storia di quattro generazioni della sua numerosa famiglia nelle varie emigrazioni dal Mississipi. Anche se l'opera testimonia dure condizioni di razzismo, povertà e violenza, resiste all'assunzione automatica di una vittimizzazione dei neri. Come ha notato il critico Andrea Kirsh, "*Immagini di famiglia* prende due pratiche come punti a cui opporsi: primo la formazione di un'immagine ● dell'uomo di colore come 'altro' nella tradizione fotodocumentaria (una tradizione che è pressoché di pertinenza esclusiva dei fotografi bianchi); secondo, gli studi sociologici ufficiali commissionati dal governo degli Stati Uniti negli anni Sessanta". Weems mette in discussione l'oggettivizzazione prodotta spesso nella tradizione sociologica attraverso una sfaccettata considerazione delle famiglie nere tratta dal suo repertorio di memorie ed esperienze e interroga la creazione dell'"altro" spesso prodotta dalla tradizione documentaria attraverso una visione alternativa delle comunità nere come è stata sviluppata nel lavoro di DeCarava e altri.

Nella serie *Tavolo di cucina* **[2]** Weems ha raffinato il suo complesso approccio. Quest'opera consiste in scene di uno o due soggetti neri (un uomo e una donna, due amiche e così via), seduti a un tavolo di cucina sotto una luce cruda; insieme alle immagini scorrono dei testi narrativi in terza persona (spesso femminile, qualche volta maschile) che rimuginano sulle diverse esigenze dei desideri personali, sulle relazioni romantiche, sulle sistemazioni domestiche e sugli obblighi del lavoro quotidiano. È raro nell'arte americana, per non dire nella cultura americana in generale, che a tali soggettività sia data un'espressione tanto evocativa.

▲ 1943, 1959d ● 1936, 1959d, 1984a, 1997

Come Piper e Weems, anche Lorna Simpson (nata nel 1960) presenta immagini razziali alla nostra riflessione critica, eppure i suoi fototesti non sono né basati sulla messa a confronto come quelle di Piper né intime come quelle di Weems (sua compagna di studi all'UCSD). Sebbene anch'essa interessata all'alienazione prodotta dagli stereotipi, Simpson si concentra sull'uso della fotografia come prova dimostrativa, specialmente nella costruzione di tipologie pseudooggettive di identità nere. La manipolazione di fotografie e testi per fini di identificazione e sorveglianza fu sviluppata nel XIX secolo dal criminologo francese Alphonse Bertillon e dall'inglese Francis Galton, ma continua chiaramente nel presente, per esempio nel "profilo" usato (programmaticamente o no) dalla polizia, dai datori di lavoro e dalla gente per le strade. Nelle prime opere Simpson era interessata a rispecchiare questo sguardo tipologico e per impedirne classificazioni piene di pregiudizi.

Questo lavoro presenta semplici fotografie di figure nere, la maggior parte femminili, spesso con acconciature e abiti che suggeriscono un particolare gruppo o identità di classe (chignon o treccine, una camicia bianca di cotone da domestica o un completo nero). Raramente Simpson mostra volti interi e spesso i suoi modelli ci danno le spalle: tali visioni nascoste o parziali sollecitano la nostra curiosità, ma frustrano anche qualsiasi desiderio di impadronirsi delle figure attraverso dettagli feticistici o immagini totali. I brevi testi che accompagnano le fotografie, spesso parole singole o frasi semplici, sfidano ulteriormente qualsiasi abitudine di lettura voyeuristica o sociologica o entrambe le cose: sebbene spesso ellittici, i testi possono essere ammonitori o addirittura accusatori. Per esempio, *Condizione sorvegliata* (1989) consiste in diciotto stampe Polaroid di una donna nera di età ignota in abiti da domestica, vista da dietro con le braccia incrociate dietro la schiena. Sotto alle foto scorrono due testi in stampatello che si alternano da un capo all'altro della sequenza: "attacchi razziali... attacchi sessuali...". Qui, con grande sintesi e forza, Simpson dà l'idea della condizione di molte donne nere come doppi obiettivi di razzismo e sessismo. Allo stesso tempo, come Weems, non indulge in vittimismo: le pose possono essere lette come difensive o provocanti o in entrambi i sensi, e le parole "razziali" e "sessuali" sono sottolineate in un modo che sembra rafforzare piuttosto che debilitare la donna raffigurata.

Ancora una volta come Weems, Simpson fonde critica e bellezza nella sua opera, come per confutare i sostenitori di entrambi i principi, che giudicano l'unione in qualche modo impossibile. Per esempio, il suo raffinato lavoro *La portatrice d'acqua* **[3]** presenta una ragazza nera, ancora una volta con una camicia bianca di cotone che ci rivolge la schiena. Nella mano destra la ragazza tiene per il manico una bottiglia di plastica e nella sinistra una caraffa d'argento e con nonchalance lascia cadere l'acqua da entrambi i contenitori. Sotto all'immagine c'è un testo in stampatello: "Lo vide sparire nel fiume. / Le chiesero di raccontare cosa era accaduto, / solo per non dar credito al suo ricordo". *La portatrice d'acqua* "dichiara l'esistenza di un sapere soggiogato", come ha detto il critico Bell Hooks, ma è un sapere che sembra resistere anche quando è ignorato, perché l'azione della ragazza indica un piccolo rifiuto, una leggera sovversione: spandendo l'acqua, liberandosi del suo carico, rinunciando ai suoi compiti, disprezza con nonchalance i suoi impliciti smentitori. La sua posa porta con sé anche una sottile trasformazione: le braccia sbilanciate suggeriscono l'inclinazione di una bilancia della giustizia e la sua posizione *a chiasmo* richiama numerose figure canoniche dell'arte occidentale – dalle muse antiche, alle domestiche di Vermeer, ai dipinti di Ingres, Seurat e molti altri – solo per reindirizzarle verso un tema raramente rappresentato. *La portatrice d'acqua* richiama così una tradizione classica di bellezza e grazia allo scopo di rimodellarla quasi spensieratamente. Nei suoi video e film recenti Simpson ha sviluppato ancora di più questa estetica della bellezza sovversiva.

3 • Lorna Simpson, *La portatrice d'acqua*, 1986
Stampa alla gelatina d'argento con testo su vinile, 114 x 194 x 4 cm

Il grottesco stereotipico

Se Piper, Weems e Simpson resistono agli stereotipi razziali e li ridisegnano, altri artisti li esasperano fino ad arrivare a un'esplosione critica – una strategia complementare che il critico Kobena Mercer ha chiamato "il grottesco stereotipico". All'inizio degli anni ▲ Settanta artisti statunitensi come Betye Saar (nata nel 1929), Faith • Ringgold e David Hammons furono i pionieri di questa specie di parodia che venne sviluppata negli anni Ottanta e Novanta in Gran Bretagna da artisti come Rotimi Fani-Kayode (1955-89), Yinka Shonibare e Chris Ofili, tra gli altri, in fotografia, pittura e altri media. Influenzato dai ritratti omoerotici di Robert Mapplethorpe, Fani-Kayode, originario della Nigeria (si compiaceva del proprio stato di outsider, in quanto africano gay a Londra), esagerò i cliché primitivisti della sessualità africana nei suoi ritratti di uomini neri seminudi, che sono mostrati dipinti, con piume o altro genere di costume esotico "tribale" **[4]**. Nel frattempo, il compatriota Shonibare fa delle caricature di un altro aspetto della fantasia primitivista: per esempio, nella serie di tre fotografie *Effnick* **[5]**, si attribuisce i costumi sontuosi e le pose altezzose di un gentiluomo inglese imparruccato della fine del XVIII secolo, uno sfaccendato uomo di lettere (o forse un dandy che adotta questo stile anacronisticamente). Questo falso aristocratico, forse proprietario di piantagioni coloniali lavorate dagli schiavi, potrebbe essere facilmente il soggetto di un quadro di Sir Joshua Reynolds, tranne per il fatto che è nero. L'impostura diventa così una sorta di parodia che rende le coltivazioni dell'aristocratico più che sospette.

In Gran Bretagna sicuramente l'ideologia razzista è collegata ad una storia complessa di colonialismo più che all'eredità traumatica dello schiavismo. Un risultato è che "nero" è una categoria più ampia che negli Stati Uniti e la sua analisi coinvolge molti soggetti, culture e tradizioni diversi. Infatti l'arte e i film neri britannici hanno esplorato una vasta gamma di questioni della diaspora africana e dell'"Atlantico nero". Negli anni Ottanta e Novanta questo grande multiculturalismo di differenze multiple e di condizioni ibride provocò una fioritura straordinaria di pittura, fotografia e film di artisti diversi come Isaac Julien, Sonia Boyce, Steve Mc Queen, Keith Piper e Ingrid Pollard, per nominarne solo alcuni.

È particolarmente pertinente qui il lavoro di Julien, il quale ha gettato un ponte tra film, documentari televisivi e videoinstallazioni. Da *Chi ha ucciso Colin Roach?*, un documentario del 1983 sulla morte sospetta di un giovane nero mentre era sotto la custodia della polizia, passando per *Cercando Langston*, un cortometraggio sensuale del 1988 che evoca la vita gay e l'estetica del grande poeta ■ Langston Hughes, un leader dell'Harlem Renaissance, alle videoinstallazioni degli anni Novanta con doppie e triple proiezioni, come *Il sorvegliante* e *La lunga strada per Mazatlàn*, Julien ha esplorato differenti rappresentazioni di razza, classe, arte e omosessualità nella cultura inglese e americana. Ripetutamente ha usato la forza del desiderio per infrangere ogni rigidità nella definizione di queste categorie e ha accentuato la sfocatura tematica dei limiti tra generi e sessualità con una sfocatura formale delle linee che dividono generi e discipline: finzione e realismo, immagini e narrazione, arte e documentario, film e video. Cofondatore della Sankofa Film and Video, un collettivo di registi neri inglesi, nei primi anni Ottanta, Julien ha collaborato a lungo a progetti in cui politica ed estetica non si escludono a vicenda; allo stesso tempo ha sviluppato uno stile cinematografico radicato nella sensibilità nera omosessuale, ma non limitato a un'identità restrittiva.

4 • Rotimi Fani-Kayode, *Niente da perdere IV (Corpi di esperienza)*, 1989

Leggibilità della razza

La strategia del "grottesco stereotipico" è sviluppata anche da artisti americani giovani, come Kara Walker (nata nel 1969), i cui tableaux e le installazioni consistono in affissioni e proiezioni di figure di carta nera sulle pareti bianche di gallerie e musei **[6]**. Walker cita i generi del cammeo e della silhouette, ma dove ci si potrebbero aspettare i profili innocui di persone amate, soggetti tipici di queste forme discrete, Walker rimette in scena le caricature prebelliche degli schiavi e dei padroni del Profondo Sud coinvolti in scene selvagge di sesso e violenza. In effetti rimette in scena i miti della tradizione razzista, ma in un modo ribaldo, che allo stesso tempo li mina. Walker sostiene che queste fantasie persistono oltraggiosamente nell'inconscio americano; allo stesso tempo le sottopone a una reimmaginazione sovversivamente esagerata.

Le silhouette di Walker sono sia molto evidenti che abbastanza anonime, in modo da indicare l'ambigua leggibilità della razza

▲ 1975a • 1989 ■ 1943

5 • Yinka Shonibare, *Senza titolo*, dalla serie *Effnick*, 1997
C-print, riproduzione di una cornice barocca, 122 x 91,5 cm

6 • Kara Walker, *Signorine di Camptown*, 1998 (dettaglio)
Carta adesiva ritagliata su muro, dimensioni variabili

nelle relazioni sociali d'oggi. Questa ambiguità è discussa da alcuni artisti nel medium della pittura, spesso attraverso l'analogia della tela con la pelle e del pigmento con il colore della pelle. Ellen Gallagher (nata nel 1956) ha sviluppato un linguaggio composto di serie di piccole pittografie su ampie superfici di carta e di tela **[7]**. Spesso costruiti con un leggero rilievo, i suoi simboli da una certa distanza sembrano forme astratte; la loro combinazione di ripetizione e variazione talvolta è associata ai quadri astratti di Agnes ▲ Martin. Solo a un esame più ravvicinato queste forme si rivelano occhi, bocche, facce, acconciature e così via, cioè attributi fisici che sono scelti per il loro significato particolare nella fisiognomica razzista. Anche se Gallagher mima questo processo tipologico, tuttavia, fa a pezzi le parti di cui è costituito, i suoi dettagli pregnanti, quasi al punto della loro totale decostruzione.

Anche Glenn Ligon (nata nel 1960) gioca con la leggibilità della razza, qui attraverso il tropo della pittura nero su bianco e bianco

▲ 1957b

7 • Ellen Gallagher, *Riserva (giallo)*, 2001
Olio, matita e carta su pagina di rivista, 33,7 x 25,4 cm

su nero [**8**]. Si rifà a testi e immagini sulla razza, spesso tratti da scrittori come James Baldwin e critici come Frantz Fanon, disponendoli su tela con vari gradi di contrasto tra figura e sfondo, superficie e profondità. In effetti Ligon trasforma le questioni formali della pittura modernista in test percettivi di interpretazioni razziali e viceversa. Qui la messa in discussione strutturale di ▲ astrazione e significazione – dalle prime tele di Jasper Johns attraverso le investigazioni di Robert Ryman – assume nuovo significato sociale e nuova valenza politica. HF

ULTERIORI LETTURE:

Coco Fusco, *The Bodies That Were Not Ours*, Routledge, New York 2001
Thelma Golden, *Black Male: Representations of Masculinity in Contemporary Art*, Whitney Museum of American Art, New York 1994
Stuart Hall e Mark Sealy, *Different: Contemporary Photography and Black Identity*, Phaidon, London 2001
Kellie Jones et al., *Lorna Simpson*, Phaidon, London 2002
Kobena Mercer, *Welcome to the Jungle: New Positions in Cultural Studies*, Routledge, New York 1994
Jennifer A. González, *Subject to Display: Reframing Race in Contemporary Installation Art*, MIT Press, Cambridge (Mass.) 2011

8 • Glenn Ligon, *Senza titolo (Mi sento più colorato...)*, 1990
Olio su tavola, 203,2 x 76,2 cm

▲ 1957b, 1958, 1962d

1994a

Un'esposizione delle opere della maturità di Mike Kelley mette in luce un interesse diffuso per le condizioni di regressione e abiezione, mentre Robert Gober, Kiki Smith e altri usano figure del corpo in frammenti per affrontare questioni di sessualità e morte.

Sebbene molto conosciute negli anni Sessanta e Settanta, Louise Bourgeois ed Eva Hesse sono diventate veramente influenti solo negli anni Ottanta e Novanta, poiché hanno dovuto attendere un contesto nuovamente favorevole all'esplorazione di un corpo e di uno spazio modellati psicologicamente da pulsioni e fantasie. Questa ricezione fu predisposta da artiste femministe come Kiki Smith (nata nel 1954), Rona Pondick (nata nel 1952) e Jana Sterbak (nata nel 1955), che volevano tornare all'immagine femminile dopo i parziali tabù nell'arte femminista della fine degli anni Settanta, ma non necessariamente nella maniera "positiva" dell'arte femminista dell'inizio di quel decennio. Fu anche sostenuta da artisti gay come Robert Gober, il quale, in risposta alla crisi dell'Aids, mirò a trasformare i feticci surrealisti eterosessuali in segni enigmatici di lutto e melanconia omosessuale. Come Bourgeois, questi artisti hanno sviluppato un modello d'arte come "ripetizione dell'esperienza traumatica", che intesero talvolta come racconto di un evento traumatico, in cui l'arte diventa un luogo dove trovare la memoria o la fantasia e qualche volta come accesso simbolico a un evento, nel quale l'opera diventa un luogo dove si può tentare un "trattamento" o un "esorcismo" (Bourgeois).

Fantasie oggettivizzate

Come ha sostenuto il critico Mignon Nixon, alcuni di questi artisti sembrano oggettivare le fantasie di un bambino. Per esempio, nelle sue installazioni Rona Pondick ha costruito dei teatri quasi infantili di pulsioni orali-sadiche, non solo in *Bocca* **[1]**, una moltitudine di bocche sporche con denti disgustosi, ma anche in *Latte latte* (1993), un paesaggio di rilievi mammari con capezzoli multipli. Nel frattempo altri artisti hanno focalizzato la loro attenzione sugli effetti immaginati di tali fantasie, particolarmente quelli su madre e figlio. Come Bourgeois, Kiki Smith evoca entrambi i soggetti, ma in modo più letterale di Bourgeois. Smith ha spesso colato organi e ossa, come cuori, uteri, bacini e costole, in diversi materiali quali cera, gesso, porcellana e bronzo. In *Intestino* (1992) vediamo una linea raggrumata in bronzo, lunga come un vero intestino, distesa inerte sul pavimento. "Anche i materiali sono degli oggetti erotici", ha rimarcato Smith, "che hanno in sé vita o morte". Qui si tratta soprattutto di morte, e se c'è una pulsione primaria evocata nel suo lavoro, è appunto la pulsione di morte. Smith non immagina, come Bourgeois, che le interiora vengano animate dall'aggressione, ma che siano evacuate a causa di essa.

1 • Rona Pondick, *Bocca*, 1993 (dettaglio)
Gomma, plastica e lino, seicento pezzi, dimensioni variabili

Smith ha parlato di questa perdita delle "interiora" come una perdita del sé, come suggerito in *Intestino*. Ma più spesso questa ansia di perdita sembra incentrata sul corpo materno, come evocato da *Favola* (1992), una figura femminile nuda carponi che trascina dietro di sé una lunga coda di viscere sparse. Questa figura richiama il corpo materno concepito, secondo la psicanalista Melanie Klein, come il veicolo del bambino ambivalente che lo immagina leso e risanato ciclicamente. Nel gesso *Trogolo* (1990)

▲ 1966b, 1969 ● 1975a ■ 1977b, 1987

2 • Kiki Smith, *Pozza di sangue*, 1992
Bronzo dipinto, 35,6 x 55,9 cm

questo corpo giace tagliato a metà, recipiente vuoto morto e cavo, mentre nel bronzo *Utero* (1986) appare intatto anche se inaccessibile. Smith echeggia questa ambivalente creazione dell'immagine della madre nella sua rappresentazione del bambino. In una figura senza titolo in cera bianca (1992), una ragazza si accoccola, con la testa remissivamente abbassata, le braccia allungate, stese con i palmi delle mani all'insù, in un gesto di supplica estrema. Smith presenta anche il bambino violato quanto la madre: nel macabro *Pozza di sangue* **[2]**, una bambina malformata, dipinta in un rosso viscoso, è in posizione fetale e la sua colonna vertebrale è una doppia fila di ossa sporgenti, come denti. È come se il sadismo orale evocato da Pondick in *Bocca* fosse tornato per attaccare il bambino stesso. Come spesso fa Bourgeois, Smith evoca un assalto al patriarcato, ma mentre Bourgeois immagina che sia l'uomo ad essere distrutto, Smith si concentra sulla donna violata e/o in lutto.

Lutti d'altro tipo sono evocati da Robert Gober, che fa, anche lui, in cera e altri materiali, dei calchi di parti del corpo come gambe e sederi maschili, collocati da soli su di un pavimento o in disposizioni sobrie con strani arredi. Spesso queste parti, quasi tutte maschili, appaiono troncate dalla parete e sono vestite, con stivali, pantaloni o mutande, fino a farle sembrare più esposte. Ancora più stranamente, qualche volta hanno tatuaggi raffiguranti battute di uno spartito o candele o tubi di scarico piantati addosso **[3]**. Come Bourgeois, Smith e Pondick, Gober presenta queste parti del corpo per richiamare i rapporti intricati tra esperienza estetica, desiderio sessuale e morte. La sua arte è interessata anche alla memoria e al trauma: "La maggior parte delle mie sculture", ha sottolineato, "sono ricordi rifatti, ricombinati e filtrati attraverso la mia esperienza reale". Spesso i suoi tableaux evocano fantasie enigmatiche più che eventi reali; sotto questo aspetto Gober è sia più realistico che meno letterale di Smith. Infatti ha definito le sue installazioni "diorami di storia naturale sugli esseri umani contemporanei"; talvolta possiedono la dimensione iperreale, quasi allucinatoria di tali dispositivi. Ci mettono in uno spazio ambiguo – come in un sogno ci sembra di essere sia fuori che dentro le scene – che è anche un tempo ambiguo, "ricordi filtrati attraverso la mia esperienza ▲ reale" appunto. Il risultato è un'esperienza perturbante che sembra sia passata che presente, sia immaginata che reale.

Ma diversamente da Bourgeois, Smith e Pondick, Gober mette in scena desideri adulti, più che pulsioni infantili. Così con il suo enigmatico seno femminile (1990) in rilievo, come un oggetto parziale, Gober sembra chiedere: "Cos'è un oggetto sessuale e per chi?". E con il suo strano torso ermafrodita (1990), da un lato maschio, dall'altro femmina, sembra domandarsi: "Cos'è un soggetto sessuale e come sappiamo che genere siamo?". Proprio mentre interroga le origini del desiderio, Gober considera anche la natura della perdita. In effetti rielabora l'estetica surrealista del desiderio, fortemente eterosessuale, in un'arte della melanconia e del lutto, qui con una sfumatura omosessuale, un'arte di perdita e ● sopravvivenza nell'età dell'Aids. "Per me", rimarcò Gober nel 1991, "la morte ha momentaneamente superato la vita a New York".

Condizioni abiette

Quando rivediamo quest'arte dell'inizio degli anni Novanta e ci stupiamo di tante figure di psiche frustrata e corpi feriti, dobbiamo ricordare che fu un periodo di grande risentimento e disperazione per la persistente crisi dell'Aids e la sconfitta dello stato assistenziale, per la malattia che continuava a diffondersi e per la povertà crescente. In questo periodo opprimente molti artisti misero in scena la regressione come espressione di protesta e di sfida, spesso in forma di performance, video e installazioni. Questa regressione fu particolarmente aggressiva nel lavoro di Paul McCarthy (nato nel 1945) e Mike Kelley (1954-2012), entrambi residenti a Los Angeles, il cui lavoro è caratterizzato da continui rimandi alla Performance tipica di quella città: sia incentrata sul pathos del fallimento, come in Bruce Nauman, sia sulle patologie della ■ trasgressione, come in Chris Burden. McCarthy e Kelley hanno fuso i due modi della Performance e portati a nuovi estremi.

◆ A metà degli anni Sessanta, ignaro del precedente di Yves Klein, Paul McCarthy bruciò con una torcia le sue tele e chiamò i resti carbonizzati "dipinti neri". All'inizio degli anni Settanta sviluppò queste azioni antiestetiche con delle performance dirette, in cui il suo stesso corpo diventa il pennello, con sostanze alimentari come ketchup al posto del colore: un ritratto dell'artista come infante o pazzo o entrambe le cose. Nelle sue performance successive, molte delle quali furono filmate o riprese, McCarthy attaccò le figure convenzionali dell'autorità maschile con l'aiuto di maschere grottesche e costumi bizzarri. Alcuni di questi personaggi svolgono ruoli o funzioni a loro completamente aliene – in *Il mio dottore* (1978) il protagonista maschile partorisce sanguinosamente dalla testa una bambola, come uno Zeus da film dell'orrore – mentre altri (padri e nonni, un capitano di mare) sono spinti al di là dello stereotipo fino al grottesco. McCarthy ha riservato la sua derisione più perfida alla

▲ 1966b ● 1924, 1931a, 1987 ■ 1974 ◆ 1960a, 1967c

3 • Robert Gober, *Senza titolo*, 1991
Legno, cera d'api, pelle e tessuto, 38,7 x 42 x 114,3 cm
(esposto con *Foresta*, serigrafia su carta)

figura dell'artista, soprattutto al pittore espressionista, che ha presentato come un mostro di regressione.

Negli anni Ottanta e Novanta McCarthy espose spesso come installazioni gli strumenti delle sue performance – animali di pezza, bambole e parti di corpi artificiali, trovati per strada o nei negozi di cianfrusaglie. Alcune di queste installazioni vennero trasformate in strani congegni che mettevano in scena azioni oltraggiose, come accoppiamenti di figure che sfidano tutti i confini tra le differenze – vecchio e giovane, umano e animale, persona e cosa **[4]**. Per sua stessa dichiarazione, McCarthy usa i suoi strumenti "come potrebbe usarli un bambino, per manipolare un mondo attraverso i giochi, per creare una fantasia". Comunque, anche quando sono comiche, queste fantasie sono spesso oscene, più fosche che in qualsiasi precedente, poiché McCarthy continua a scompigliare gli ordini dei mondi sia naturali che culturali e a dissolvere tutte le strutture di identità, in particolare la famiglia.

Da molti punti di vista Mike Kelley era vicino a McCarthy, con il quale aveva collaborato per numerose performance e video (il loro *Heidi* [1992] ricrea la famiglia svizzera strappalacrime come un film dell'orrore americano amatoriale). Anche Kelley dispiega capovolgimenti carnevaleschi di personaggi e inversioni di ruoli, ma in modo più specifico quanto ai riferimenti sociali e ai bersagli culturali. Spesso attinge agli aspetti della sua infanzia di proletario cattolico e altrettanto alla sua adolescenza sottoculturalizzata, all'insegna del rock-and-roll; come i suoi compagni di lunga data John Miller (nato nel 1954) e Jim Shaw (nato nel 1952), è molto attento alle connessioni tra l'oppressione sociale e la sublimazione artistica, tra le gerarchie all'interno delle classi e i valori all'interno della cultura (Shaw, per esempio, ha curato mostre di quadri trovati di dilettanti, ponendo così delle opere marginali in gallerie importanti). Se McCarthy attacca l'ordine simbolico con performance di regressione infantile, Kelley rivela che quest'ordine è già incrinato con le sue installazioni che spesso seguono le tracce degli interessi devianti dell'adolescente maschio. Kelley usa questo personaggio,

4 • Paul McCarthy, *Teste di pomodoro*, 1994
Sessantadue oggetti, fibra di vetro, uretano, gomma e abiti di metallo, 213,3 x 139,7 x 111,7 cm

che chiama "l'adulto disfunzionale", per drammatizzare i fallimenti (o i rifiuti) della socializzazione, e da questo punto di vista è attratto più dall'"abietto" che dal grottesco. Infatti preferisce oggetti trovati che, anche se riutilizzati, non sono riscattati, come animali di pezza sciupati e tappetini sporchi gettati via dall'Esercito della Salvezza, oggetti fuori uso e fuori scambio, che Kelley rende ancora più patetici giustapponendoli e combinandoli.

La nozione di abietto ebbe grande diffusione nell'arte e nella critica dell'inizio degli anni Novanta. Secondo la definizione della psicanalista Julia Kristeva, l'abietto è una sostanza caricata psichicamente, spesso immaginaria, che si situa da qualche parte tra un soggetto e un oggetto. Ci è allo stesso tempo alieno e intimo e svela la fragilità dei nostri limiti, della distinzione tra ciò che è all'interno e ciò che è all'esterno. L'abiezione così è una condizione nella quale la soggettività è messa in crisi, "dove i significati collassano" (Kristeva); da qui l'attrazione che esercita su artisti come Kelley, McCarthy e Miller, i quali spesso la raffigurano attraverso detriti sociali e residui corporali (talvolta sono messi sullo stesso piano). Infatti l'arte dei primi anni Novanta sembra pervasa di avvilimento e rigetto, di confusione e sparpagliamento, di sporco ed escrementi (o loro sostituti). Sicuramente queste sono condizioni e sostanze che si oppongono all'ordine sociale; infatti, in *Il disagio della civiltà* (1930), Freud affermò che la civiltà si fonda sulla rimozione del corpo basso, dell'analità e dell'olfatto, e sul privilegio del corpo eretto, della genitalità e della vista. Alla luce di questa idea, è come se l'Arte abietta cercasse di rovesciare questo primo passo verso la civiltà, per annullare rimozione e sublimazione, soprattutto attraverso un'ostentazione dell'anale e del fecale. Tale sfida è una forte corrente sotterranea nell'arte del XX secolo, dal macinino di caffè di ▲ Duchamp, passando per la merda in scatola di Piero Manzoni, fino alle pratiche di Kelley, McCarthy e Miller, con cui diventa autocosciente, quando non autoparodica. "Parliamo di disobbedienza", dice uno striscione fatto in casa da Kelley. "Me la faccio addosso e ne vado fiero", recita un altro.

Per quanto patetica, questa sfida può anche essere perversa: una distorsione delle leggi della differenza sessuale, una messa in scena

▲ 1959a

5 • Mike Kelley, *Dialogo n. 1 (Una citazione da "Teoria, spazzatura, animali di pezza, Cristo")*, 1991
Coperta, animali di pezza e registratore, 30 x 118 x 108 cm

della regressione a un universo anale dove la differenza in quanto tale è oscurata. Questo è lo spazio immaginario che artisti come Kelley, McCarthy e Miller istituiscono per giochi trasgressivi. Per esempio in *Dick/Jane* (1991) Miller sporcò di marrone una bambola bionda con gli occhi azzurri e la seppellì fino al collo in qualcosa che assomigliava a degli escrementi. Personaggi familiari della vecchia scuola elementare, "Dick" e "Jane" insegnarono a generazioni di bambini americani a leggere – e a leggere le differenze sessuali. Nella versione di Miller, Jane è trasformata in un composto fallico e affondata in un tumulo fecale. La differenza tra maschio e femmina qui è cancellata e sottolineata allo stesso tempo, come la differenza tra bianco e nero. In questo modo Miller crea un mondo anale che testa i termini convenzionali della differenza: sessuale e razziale, simbolica e sociale.

Anche Kelley spesso colloca le sue creature in un universo anale. "Noi interconnettiamo tutto, creiamo un campo", ha fatto dire Kelley dal coniglio all'orsetto in *Teoria, spazzatura, animali di pezza, Cristo* **[5]**, "così non c'è più nessuna differenziazione". Come McCarthy e Miller, Kelley esplora questo spazio dove i simboli si mescolano, dove "i concetti *feci* (denaro, dono), *bambino* e *pene* sono a mala pena distinti l'uno dall'altro", come scrisse Freud sullo stadio anale. Come gli altri, Kelley fa così non tanto per celebrare l'indistinzione materiale quanto per mettere in crisi la differenza simbolica. *Lumpen*, la parola tedesca che indica lo straccio, dalla quale viene *Lumpenproletariat* ("il rifiuto, la feccia, la schiuma di tutte le classi" che tanto interessò Karl Marx), è un termine cruciale nel lessico di Kelley, una sorta di sinonimo di abietto. La sua arte è infatti caratterizzata da forme *lumpen* (animali giocattolo sporchi legati insieme in masse deformi, tappetini sporchi gettati sopra forme disgustose), temi *lumpen* (immagini di sporco e spazzatura) e personaggi *lumpen* (uomini disfunzionali che costruiscono nei seminterrati e nei giardinetti dietro casa bizzarri congegni con pezzi presi da chi sa dove), un'arte di cose degradate che resistono a una modellazione formale, e ancor più a una sublimazione culturale o a un riscatto sociale. HF

ULTERIORI LETTURE:

Russell Ferguson (a cura di), *Robert Gober*, Museum of Contemporary Art, Los Angeles 1997
John Miller, *The Price Club*, JRP Editions, Geneva-Dijon 2000
Helaine Posner (a cura di), *Corporal Politics*, MIT List Visual Arts Center, Cambridge (Mass.) 1992
Ralph Rugoff et al., *Paul McCarthy*, Phaidon, London 1996
Linda Shearer (a cura di), *Kiki Smith*, Wexner Center for the Visual Arts, Columbus 1992
Elisabeth Sussman et al., *Mike Kelley: Catholic Tastes*, Whitney Museum of American Art, New York 1993

1994b

William Kentridge completa *Felix in esilio*, unendosi a Raymond Pettibon e altri nel dimostrare la rinnovata importanza del disegno.

Nel Rinascimento, l'autocoscienza artistica spaccò in due metà le arti pittoriche a cui vennero associate le città che sembrarono rappresentare le due officine più intense di ciascuna pratica. Queste città erano Roma e Venezia, la prima il centro del *disegno*, la seconda il quartier generale del *colore*. Raffaello e Michelangelo furono i grandi modelli del disegno, dimostrarono i poteri concettuali di quest'arte del contorno e della composizione. A Venezia i principali artisti del colore furono Bellini, Giorgione, Tiziano, Tintoretto e Veronese, le cui grandi pale d'altare e i polittici mostrarono come la pittura può dissolvere la solidità del gesso e della pietra per riempire gli spazi interni del quadro con uno splendore incorporeo.

In Francia, l'Académie de Beaux-Arts istituzionalizzò la divisione rinascimentale della pittura nella competizione per il prestigioso Prix de Rome. Il premio richiedeva la maestria nel disegno di figura di un'"accademia", o studio di nudo maschile, e nella composizione con più figure di un quadro storico complesso. Jacques-Louis David (1748-1825) vinse il Premio alla fine del XVIII secolo, seguito presto da Jean Auguste Dominique Ingres (1780-1867). La preferenza accordata al disegno non fu contestata finché Eugène Delacroix (1798-1863) emerse non solo come grande colorista, ma come ardente "orientalista", grazie alla sua immaginazione ispirata dagli schemi decorativi e dalla tavolozza del Medio Oriente, con le sue moschee, i suoi harem, le sue fumerie d'oppio. Incoraggiati dal successo di Delacroix, i paesaggisti che si affermarono negli anni Settanta dell'Ottocento e divennero famosi come impressionisti perseguirono gli effetti del colore attraverso la pittura *en-plein-air* (all'aperto) nella quale scoprirono come il vero colore delle ombre proiettate dal sole dorato sia viola. Mescolando tratti di colori complementari sulle loro figure in tratteggi rapidi e fragili, la loro pennellata dissolse il disegno in un bagliore di luce colorata. Negli anni Ottanta Claude Monet e Auguste Renoir, i principali impressionisti, temettero la dissoluzione della linea e della forma, esito della loro attenzione per il colore. L'emergere del Neoimpressionismo nelle opere di Georges Seurat e Paul Signac rappresentò il riconoscimento della ripresa dei diritti del disegno.

La spaccatura tra colore e disegno sembrò continuare, rafforzata, nel XX secolo, quando il Cubismo ▲ giunse a dominare la pratica avanguardistica con un'arte di ombreggiatura monocroma ▲ (chiaroscuro); solo Matisse progettò una sfida seria in nome del colore. Ma Matisse stesso, come ha mostrato Yves-Alain Bois, parlava di "colore di motivo" o "colore di disegno", formulazione che fa crollare la distinzione, vecchia di secoli, che ha formato la logica delle arti pittoriche. Quando Mondrian iniziò a disegnare con ● la linea colorata nelle ultime tele *New York* e *Victory Boogie-Woogie*, si unì a Matisse nel far implodere la differenza tra linea e colore e scoprì una forma di astrazione che sintetizza le opposizioni che si verificano all'interno dell'esperienza visiva della realtà: colore contro contorno, figura contro sfondo, luce contro ombra, ecc.

Forse la più spettacolare di queste sintesi fu realizzata dai ■ maggiori dripping che Jackson Pollock eseguì nel 1950 e 1951, tele immense riempite con nient'altro che enormi intrichi di colore liquido sgocciolato e gettato, che tessono linee colorate l'una sull'altra in modo da non permettere la delimitazione di una singola forma e dunque la formazione di un contorno. L'effetto, come lo espresse il critico Michael Fried, fu di non demarcare o circoscrivere "nulla eccetto, in un certo senso, la capacità visiva". Ancora una volta, la linea emerse come la risorsa principale, una componente della pittura che era in grado di generare l'esperienza della luce e del colore senza rinunciare alla propria astrazione.

Questo dispiegamento paradossale della linea al servizio dell'astrazione riflette lo sviluppo dei due aspetti più importanti del disegno nel Novecento. Come ha dimostrato Benjamin Buchloh, il disegno venne essenzializzato o come forma di matrice o come forma di grafema. Il primo si identifica nella rappresentazione bidimensionale e astratta dello spazio, come quando la griglia cubista semplificò il reticolo della prospettiva rinascimentale, identificandolo alla descrizione della trama della tela; il secondo nel segno ◆ espressivo, come quando alcuni espressionisti astratti sfruttarono la traccia gestuale o Cy Twombly usò uno scarabocchio simile ai graffiti per ottenere una registrazione indicale degli impulsi neuro-motori e psico-sessuali. Secondo Buchloh, se il modello matrice del disegno dà vita ad una forma astratta dell'oggetto, il modello grafema realizza una versione astratta del soggetto.

Negli anni Sessanta Sol LeWitt sviluppò un genere di disegno su muro che ripeteva l'atto di sintesi di Pollock, dal momento che dissolveva allo stesso modo la forma riconoscibile all'interno di una matrice lineare luminosa, in grado di generare l'esperienza del

▲ 1911

▲ 1903, 1906, 1910, 1944b ● 1944a ■ 1949a, 1960b ◆ 1947b, 1949a, 1953, 1957b

colore e anche della luce. Ma il lavoro di LeWitt, eseguito da assistenti che seguono istruzioni in formule (per esempio, *Diecimila linee lunghe 2,5 cm spaziate regolarmente su ciascuna delle sei pareti* [**1**]), riconosce l'incursione all'interno del lavoro manuale delle forme industrializzate e tecnologizzate di disegno come il rendering commerciale e la grafica computerizzata. Questa dimostrazione ▲ dell'obsolescenza del disegno proseguì con Andy Wharol e Roy Lichtenstein, artisti pop nelle cui mani il disegno venne ancora una volta posto al servizio della rappresentazione piuttosto che dell'astrazione. Infatti, l'industrializzazione della rappresentazione da parte delle forze della cultura di massa, che hanno utilizzato il disegno per le pubblicità nelle riviste e per la narrativa a fumetti, ha carpito l'espressione grafica dalla sfera del privato e dell'espressivo, dalla quale era sempre sembrato fosse scaturita, e l'ha forzata ad entrare nel dominio del commerciale e del pubblico.

L'artista californiano Raymond Pettibon (nato nel 1957) si interessa al disegno proprio nell'intersezione tra pubblico e privato, situandolo all'interno della cultura dei libri e delle riviste di fumetti

1 • Sol LeWitt, *Disegno su muro n. 150, Diecimila linee lunghe 2,5 cm spaziate regolarmente su ciascuna delle sei pareti*, 1972 (dettaglio)
Matita nera, dimensioni variabili

▲ 1960c, 1964b

che si è sviluppata sulle rovine della controcultura della West Coast della fine degli anni Sessanta. Basando il suo stile sulla semplificazione della linea adattata alle tecniche di riproduzione, Pettibon situa la sua arte in un ambito dal quale la vita individuale soggettiva è stata rimossa e rimpiazzata dalle più impersonali e stereotipate caricature dell'individualità. Il controllo della pratica della cultura di massa all'opera nell'espressione grafica di Pettibon non mostra solo il carattere appiattito della vita all'interno del mondo di ciò che la Scuola di Francoforte ha definito l'"industria della coscienza", ma rende anche evidente l'opacità delle forme della comunicazione sociale all'interno della sfera della cultura sviluppata dal consumatore. Ma Pettibon mira altrettanto a rendere omaggio ai suoi ▲ predecessori modernisti: da Matisse a Lichtenstein. Il suo disegno *Senza titolo (Io penso la matita)* **[2]**, richiama l'imitazione di Lichtenstein della resa fumettistica dei rumori; riduce anche i contorni delle figure a un segno non caratterizzato tipico di un illustratore mediocre. Questa qualità meccanica riflette ironicamente sulla promessa di un gesto espressivo impersonato dalla matita nella mano tanto quanto dallo "SNAP" esuberante.

L'artista sudafricano William Kentridge (nato nel 1955) segue una linea di condotta diversa nei confronti del disegno, facendo immagini a carboncino le cui minute cancellature e correzioni sono filmate con una tecnica nella quale vengono realizzati uno o due fotogrammi alla volta: il disegno finito appare "animato" una volta che il film intero viene proiettato di seguito. Il mondo dei film (cartoni) animati non è distante da quello delle "strisce"; così l'arte di Kentridge occupa una sfera situata tra la sottocultura e la cultura di massa che confina con quella di Pettibon. Il mondo dei cartoni animati di Kentridge prende la forma di una "storia" serializzata sulle vite di un numero ristretto di personaggi: il proprietario di una miniera Soho Ekstein, sua moglie e l'artista Felix Teitelbaum, attratto sessualmente dalla signora Ekstein. Ma la "storia" di Kentridge riguarda anche la forma che pratica e le risorse e le possibilità del disegno. Le metamorfosi meccaniche compiute dall'animazione avvertono che queste risorse oggi sono minacciate da una disinvoltura tecnologica che presto le renderà obsolete. Ma è questa stessa disinvoltura a permettere a Kentridge di descrivere il proprio processo, come quando il movimento dei tergicristalli sul parabrezza imita l'azione delle sue stesse cancellature, necessarie alla produzione dell'opera.

In *Felix in esilio* Felix Teitelbaum è in un hotel di Parigi ed esamina con cura una valigia di disegni che rappresentano corpi massacrati di manifestanti neri, sparsi nei campi presso Johannesburg. L'autrice di questi disegni è Nandi, una donna nera sopravvissuta, le cui attività sembrano investigative, dato che non solo rappresenta i corpi, ma disegna anche delle linee attorno alle loro sagome, come una sorta di indicazione di dove sono caduti nei campi. Questa è una regressione nella storia del disegno verso un • segno grafico "destrutturato", che non è altro che la traccia meccanica di un oggetto. I disegni di Nandi registrano anche i rivoli di sangue che colano dalle ferite dei corpi, sgocciolature che richia- ■ mano la linea di Pollock e sono una manifestazione ironica della

2 • Raymond Pettibon, *Senza titolo (Io penso la matita)*, 1995
Penna e inchiostro su carta, 61 x 34,3 cm

tradizione del grafema. Lo strumento ottico di Nandi (il teodolite) le permette, come sopravvissuta, di oggettivare la sua visione della carne umana mutilata che deve registrare. È il teodolite quindi a fare da ponte tra Felix, che sta davanti allo specchio nella sua stanza d'albergo a radersi **[3]**, e Nandi, che gli restituisce lo sguardo dalla remota Africa e permette a Felix di osservare l'assassinio di lei, colpita da un colpo di pistola mentre disegna **[4]**. Kentridge è deciso, così, a far sì che la soggettività e le forme estreme di emozione, possano entrare ed essere sviluppate all'interno del campo dell'intrattenimento culturale di massa nel quale vive il suo medium.

L'approccio di Kentridge al disegno non è né matrice né grafema, ma una forma di cancellatura in cui le tracce delle linee cancellate rimangono sulla pagina formando una lieve bruma di carboncino. Questo tipo di sovrapposizione di linee ha il nome tecnico di "palin-

▲ 1903, 1906, 1910, 1944b, 1960c • 1968b ■ 1949a, 1960b

3 • William Kentridge, *Felix in esilio*, 1994 (dettaglio) Carboncino su carta, 120 x 160 cm

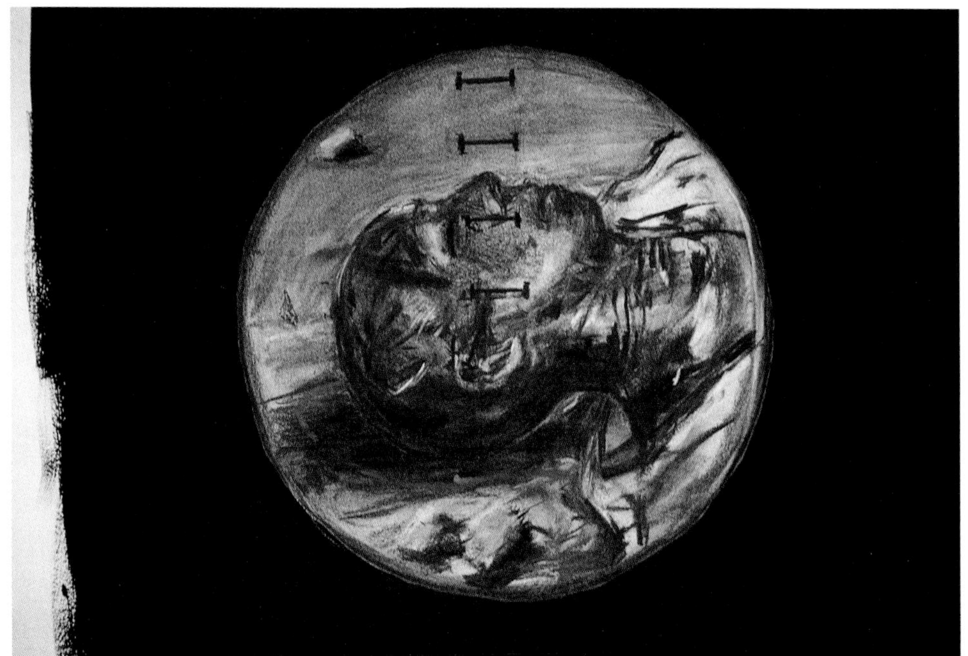

4 • William Kentridge, *Felix in esilio*, 1994 (dettaglio) Carboncino su carta, 45 x 54 cm

sesto" che si usa per le più antiche forme umane di attività grafica. Nelle rappresentazioni delle caverne del Paleolitico troviamo talvolta animali stratificati uno sull'altro, un bisonte che copre e cancella un gruppo di mammut. Il palinsesto fa per il tempo quello che la matrice ha fatto per l'oggetto e il grafema per il soggetto: lo rende astratto. Piuttosto che una composizione narrativa o storica, ci sono date cancellazione e sovrapposizione.

Se il contorno indicale dei corpi è un modo di ammettere l'essere fuori moda del disegno, dal momento che il lavoro a mano è reso obsoleto dalle forme di grafica meccanizzate, la pratica di animazione di Kentridge è una meditazione sul destino delle arti ▲ sotto la pressione delle tecnologie avanzate. Walter Benjamin ha scritto che i media artistici talvolta hanno fronteggiato la loro obsolescenza causata dalle tecnologie riandando alle prime fasi della propria storia in cui è inscritta la promessa utopica del medium stesso. Nel caso di Kentridge, questo è un richiamo alle prime forme di film nelle quali i piccoli disegni incollati nel rullo dello zootropo resero possibile un'esperienza collettiva, trasformando il consumatore privato nell'insieme collettivo del pubblico. RK

ULTERIORI LETTURE:

Benjamin H.D. Buchloh, *Raymond Pettibon: Return to Disorder and Disfiguration*, in *October*, n. 92, primavera 2000

Carolyn Christov-Bakargiev, *William Kentridge*, Palais des Beaux-Arts, Bruxelles 1998

Rosalind Krauss, *La roccia: I disegni per la proiezione di William Kentridge*, trad. it. in *Reinventare il medium*, Bruno Mondadori, Milano 2005

Raymond Pettibon, *Plots Laid Thick*, Museu d'Art Contemporani, Barcelona 2002

Benjamin H.D. Buchloh, Raymond Pettibon: Here's Your Irony Black, Steidl, Göttingen 2011

▲ 1935

1997

Santu Mofokeng espone *L'album fotografico nero / Guardami: 1890-1950* alla Seconda Biennale di Johannesburg.

Nel 1997 Santu Mofokeng (nato nel 1960) espone un'opera intitolata *L'album fotografico nero / Guardami: 1890-1950* alla controversa seconda (e ultima) Biennale di Johannesburg. Come suggerisce il titolo, *L'album fotografico nero* è strutturato come un archivio e riproduce una collezione di ritratti storici di sudafricani neri realizzati in studio, che l'artista ha scoperto mentre collaborava al progetto di storia orale dell'African Studies Institute dell'Università di Witwatersrand, dal 1988 al 1998. Dal momento che sembrano i prodotti di studi fotografici commerciali presenti ovunque nel mondo sviluppato, i ritratti a prima vista appaiono irrilevanti: i soggetti posano in abiti europei e guardano verso la macchina fotografica con la formalità tipica di tali situazioni [**1**]. Quello che ha attratto Mofokeng di queste immagini è suggerito da uno dei pannelli di testo che accompagnano la serie (in aggiunta a "didascalie" più specificatamente descrittive che forniscono qualche piccola informazione disponibile su ogni modello). Questo testo pone una domanda che indubbiamente preoccupava sia l'artista sia i molti spettatori dell'opera: "Queste immagini sono la prova di una colonizzazione mentale o servivano a sfidare le immagini predominanti dell''Africano' nel mondo occidentale?" In altre parole, questi ritratti in studio in abiti occidentali obbligano inevitabilmente i loro soggetti africani a conformarsi alle norme della società bianca europea? E se è così, perché uno dei più importanti artisti di colore del Sudafrica vuole recuperare e presentare queste immagini?

Lotte in bianco e nero

Mofokeng ha iniziato la carriera di fotografo di strada senza alcuna formazione professionale e in seguito ha lavorato come assistente alla camera oscura, prima di diventare un fotografo freelance nel 1985. È stato membro dell'autorevole collettivo Afrapix, fondato nel 1982 da Omar Badsha (nato nel 1945), Paul Weinberg (nato nel 1956) e da un gruppo di fotografi professionisti e amatoriali per fornire immagini attiviste ai media alternativi e indipendenti del Sudafrica che documentavano le violente lotte anti-apartheid che avevano luogo a quel tempo – una strategia politicamente efficace sia all'interno del paese sia a livello internazionale. Oltre a fungere da agenzia fotografica, Afrapix pubblicava anche libri importanti, come *Sudafrica: il cuore transennato* (1986) e *Dietro le barricate: la resistenza popolare in Sudafrica* (1989), prima di sciogliersi nel 1991. L'attività di fotogiornalista di Mofokeng – il suo ruolo in quella che egli spesso ha chiamato "fotografia di lotta" in Sudafrica – ci aiuta a dare un contesto a *L'album fotografico nero*. Alla base del suo giornalismo, della sua ricerca d'archivio e dei suoi reportage fotografici c'è una delle questioni fondamentali in gioco nell'apartheid sudafricana: il rapporto tra gli africani neri e l'urbanistica.

Dopo l'elezione dell'Afrikaner National Party nel 1948 l'apartheid (un termine afrikaans che significa "separazione" o "la condizione dell'essere separato") emerse come struttura legale nella quale gli africani di colore erano geograficamente isolati in quelli che venivano chiamati *bantustans* (in seguito rinominati "terre natie") e anche segregati in sobborghi periferici conosciuti come "distretti". Queste aree rappresentavano una piccola percentuale del territorio sudafricano nel suo complesso e fornivano ai loro residenti servizi e infrastrutture scadenti. Anche se l'ideologia dell'apartheid sosteneva che queste sistemazioni creavano comunità "separate ma uguali" di africani neri, noti come "nativi", e africani di stirpe europea, in realtà le persone di colore erano state espropriate delle loro terre, era stata loro negata l'istruzione e altri servizi sociali importanti disponibili per i bianchi ed erano stati costretti a lavorare sottopagati in imprese come le miniere d'oro e di diamanti – i pilastri dell'economia sudafricana del XIX e XX secolo – o nel servizio domestico nelle aree bianche del paese. Sebbene un lungo e difficile pendolarismo fosse una conseguenza necessaria, la mobilità per i neri in Sudafrica era severamente limitata e minuziosamente regolamentata attraverso un odioso sistema interno di permessi. La politica dell'apartheid istituì così con la forza e la violenza una forza lavoro nera dislocata, urbana, industriale e terziaria che era segregata in aree abitative lontane dai loro luoghi di lavoro. Eppure nello stesso periodo la rappresentazione visiva dominante dei sudafricani di colore da parte delle élite bianche (così come dei turisti internazionali) era l'immagine etnografica idealizzata di un'Africa tribale. Uno dei più famosi esempi di questo discorso fotografico in Sudafrica è il lavoro di Alfred Duggan-Cronin (1874-1954), che si recò nel paese nei tardi anni Novanta dell'Ottocento in veste di guardia presso le miniere di diamanti De Beers e nel 1904 iniziò un'ambiziosa documentazione fotografica delle culture tribali, che venne infine pubblicata col titolo *Le tribù bantu del Sudafrica* in quattro volumi tra il 1928 e il 1954.

Mentre l'industrializzazione e la segregazione etnica iniziate durante l'era coloniale, e in seguito potenziate dall'apartheid, crea-

1 • Santu Mofokeng, *L'album fotografico nero / Guardami: 1890-1950*, 1997 (dettagli)
Proiezione di diapositive in bianco e nero, edizione di 5; in senso orario da in alto a sinistra: diapositiva 4/80, 8/80, 10/80, 51/80

rono una moderna forza lavoro nera urbana, lo sfruttamento draconiano alla base del sistema venne mascherato tramite rappresentazioni dei sudafricani di colore in veste di abitanti di un'Africa tribale senza tempo; in altri termini, la loro dislocazione territoriale venne rispecchiata, e di fatto favorita, da una sorta di rimozione visiva dalla modernità urbana. È questo il motivo per cui *L'album fotografico nero* fu importante: perché recuperò una realtà culturale – e visuale – che era stata surclassata da immagini etnografiche in linea con quelle di Duggan-Cronin. La risposta alla domanda posta da Mofokeng, se i ritratti in studio degli africani neri in abiti europei fossero la "prova di una colonizzazione mentale", deve essere quindi "no": identità africana e modernità non sono in opposizione, come è suggerito per esempio nelle immagini primitivizzanti della fotografia etnografica e turistica. Di fatto, rimediando all'assenza di immagini di vita urbana nera in Sudafrica, egli ha caratterizzato molta della fotografia prodotta nel paese a partire dagli anni Cinquanta, quando nacque la rivista *Drum*, un importante veicolo di cultura visiva della modernità di colore. Essa venne fondata nel 1951 a Città del Capo con il nome di *The African Drum* – e il sottotitolo "Una rivista dell'Africa per l'Africa" – ma presto si trasferì a Johannesburg e abbreviò il proprio nome. Nonostante appartenesse ai sudafricani bianchi, *Drum* impiegò molti importanti scrittori e fotografi di colore che documentarono la vivace vita sociale e politica tra i neri in quartieri come Sophiatown a Johannesburg. Come illustrato da Darren Newbury nel suo libro *Immagini ribelli: la fotografia e il Sudafrica dell'apartheid*, dopo alcuni primi numeri di scarso successo, nei quali si perseguiva una politica editoriale in linea con le fantasie tribali del Sudafrica bianco, *The African Drum* cambiò rotta e si mise a pubblicare un misto entusiasmante di fotografie e reportage fotografici su musica, cultura popolare, vita notturna e politica, che rappresentava con franchezza l'urbanità nera moderna. Cosa forse più importante, *Drum* fu un'incubatrice per l'emergente tendenza documentaria della fotografia di lotta. A questo proposito, uno dei primi spartiacque furono le fotografie scattate da Peter Magubane (nato nel 1932) durante il funerale che seguì il massacro di Sharpeville del 21 marzo 1960, quando la polizia sparò su dimostranti pacifici che protestavano contro la "legge dei pass", uccidendo o ferendo più di duecento persone disarmate. Le foto pubblicate da Magubane comprendono un'immagine oggi famosa di una fila di bare che si estende in lontananza ed è circondata da un'enorme folla di solenni persone in lutto **[2]**. Fotografie come questa, e quella ugualmente efficace e straziante scattata da Sam Nzima al dodicenne morente Hector Pieterson mentre viene portato via dopo esser stato colpito dalla polizia durante una dimostrazione pacifica a Soweto, furono armi essenziali nella guerra internazionale contro l'apartheid. Queste immagini diventarono icone della lotta, le cui chiavi emotive andavano dal profondamente tragico, come nell'immagine di Magubane del funerale di Sharpeville, all'aggressiva denuncia, come nell'opera del cosiddetto Bang Bang Club – che comprendeva i fotografi Kevin Carter (1960-94), Greg Marinovich (nato nel 1962), Ken Oosterbroek (1963-94) e João Silva (nato nel 1966) – le cui immagini condividevano un valore di potere viscerale e di shock sincero allo scopo di comunicare l'orrore della violenza dell'apartheid.

2 • Peter Magubane, *Funerale di Sharpeville*, 21 marzo 1960

3 • David Goldblatt, "Pale recuperate dal sottosuolo, Deposito centrale, Randfontein Estates, Randfontein", 1996 (a sinistra); "Ingrassatore, Avvolgitore a nord n. 2, Randfontein Estates", 1965; "Squadra di lavoro in superficie, miniera di platino di Rustenburg", 1971; tutte dal libro *Sulle miniere*, 1973

Riscoprire l'ordinario

Per quanto importante sia questa tradizione documentaristica – che va dal 1960 alla fine dell'apartheid nel 1994 e ha contribuito in modo significativo alla sua caduta – molti fotografi sudafricani (così come scrittori e artisti cimentatisi in altri ambiti espressivi) hanno cercato un'alternativa rispetto al racconto violento e spesso semplicistico che essa dà della vita sotto l'apartheid. Il romanziere e teorico letterario Njabulo S. Ndebele ha cristallizzato questo atteggiamento individuando quella che chiama spettacolarizzazione della vita quotidiana in Sudafrica. In un'autorevole conferenza del 1984, successivamente pubblicata in forma di saggio nel 1991, ha dichiarato: "Tutto in Sudafrica è stato incredibilmente spettacolare: la mostruosa macchina da guerra sviluppata nel corso degli anni; i casuali assalti massivi ai pass; le masse colpite con armi da fuoco e uccise; lo sfruttamento economico di massa, il cui massimo simbolo è l'industria mineraria. [...] Si potrebbe quindi dire che la caratteristica più eccezionale dell'oppressione sudafricana è la sua sfrontata ed esibizionista franchezza". Contro questo punto di vista spettacolare che, come l'apartheid, vede tutto in bianco e nero, Ndebele raccomandava di reindirizzare l'attenzione al quotidiano, o a ciò che nel titolo della sua conferenza egli chiamava la "riscoperta dell'ordinario".

David Goldblatt (nato nel 1930), considerato il padre della fotografia documentaristica in Sudafrica, si è dedicato in molti modi a questo progetto di "riscoperta dell'ordinario". Goldblatt, figlio di un uomo d'affari bianco, è cresciuto a Randfontein, una città mineraria, e ha iniziato a lavorare come fotografo commerciale nel 1963, prima di realizzare una serie di importanti reportage fotografici che documentavano la vita sudafricana. Il suo primo libro, *Sulle miniere* (1973), che comprende un saggio dell'attivista anti-apartheid e vincitrice del Premio Nobel per la letteratura Nadine Gordimer, rappresenta un particolare tipo di esperienza "ordinaria": i contatti quotidiani che superavano le barriere ufficiali tra le "razze" sotto l'apartheid. Gordimer scrive in modo commovente a proposito dei minatori bianchi e neri: "La barra dei colori li tiene separati. Sotto, al lavoro, li accomuna una dipendenza per la vita e la morte. È stata codificata in qualcosa chiamato Safety Regulations. Questo codice è il riconoscimento di una necessaria fede ultima tra uomo e uomo, per la sopravvivenza". E infatti le fotografie di Goldblatt dimostrano una vicinanza tra uomini bianchi e neri impiegati nell'impresa mineraria, pur mantenendo comunque la notevole e violenta distanza sociale che li separa.

Le sue stampe in bianco e nero dai toni carichi spesso comunicano peso ed equilibrio geometrici, come nell'immagine del 1966 di un cumulo di pale (usate dai minatori per rimuovere i detriti) impilate ordinatamente in una specie di piramide presso un deposito a Randfontein, quasi a formare un monumento ad hoc per l'estenuante lavoro sottoterra **[3]**. Le immagini di Goldblatt dei minatori sia bianchi sia neri – non solo in gruppo, ma anche ritratti individualmente – esprimono un'analoga gravità emotiva. In *Sulle miniere* queste vicinanze umane sono accompagnate dall'implicita mappa

4 • Santu Mofokeng, "Mani in preghiera, linea Johannesburg-Soweto", da *Treno chiesa*, 1986
Stampa d'argento, edizione di 5

socioeconomica che Goldblatt traccia dei cicli e dei risultati economici delle attività minerarie: il libro inizia con le fotografie di miniere abbandonate, presumibilmente a causa dell'esaurimento delle risorse o dell'improduttività, e procede con alcune immagini della Johannesburg urbana, inclusa un'immagine particolarmente inquietante di una fontana nel cortile della sede centrale della General Mining and Finance Company, che presenta tre figure in bronzo scuro (ma probabilmente di etnia bianca), due delle quali coricate, come se fossero cadute. La sezione centrale del libro di Goldblatt è dedicata alle pericolose procedure di scavo di pozzi e la parte finale comprende una serie di ritratti individuali o di gruppo. Il volume delinea dunque il complesso mondo minerario presentandolo sia come una configurazione sociale strutturata dall'apartheid – esemplificata nella fotografia del funerale di cinquantotto scavatori di pozzi basotho a Buffelsfontein nel 1969, dove partecipanti bianchi ritratti di spalle in primo piano sono superati numericamente di molto da un'ampia cerchia di neri – sia come un sistema economico, con l'emergere del capitale sudafricano dal suolo sotto forma di prodotti grezzi che diventano poi esibizioni urbane di prosperità come la fontana della corporazione.

Come raccomandava in seguito Ndebele nella sua conferenza del 1984, Goldblatt si astenne dallo spettacolarizzare l'apartheid in *Sulle miniere*, scegliendo invece di rappresentare la rete delle sue interazioni quotidiane: i punti di contatto in cui si deve impedire che vicinanza e collaborazione portino a intimità o uguaglianza tra bianchi e neri. In un toccante reportage fotografico del 1986 intitolato *Treno chiesa*, Mofokeng ritraeva un altro tipo di risposta quotidiana all'apartheid, che diversamente da Goldblatt era interna alle comunità nere **[4]**. Come descritto sopra, la segregazione degli africani neri in terre natie o distretti lontani dai centri urbani richiedeva un pendolarismo impegnativo verso il luogo di lavoro – tre ore per ogni tragitto. Una risposta a questa difficile situazione fu lo sviluppo dei treni chiesa. Come dice Mofokeng in un catalogo del 2011: "Al mattino presto, nel tardo pomeriggio e alla sera i pendolari pregano il gospel sui treni in viaggio da e per il lavoro. La corsa in treno non è più il mezzo per un fine, ma un fine in se stesso perché persone di diversi distretti si riuniscono nelle carrozze, per cantare con l'accompagnamento di percussioni improvvisate (colpi sui fianchi del treno) e campane". Le fotografie di Mofokeng dei treni chiesa sviluppano un senso di intimità molto diverso rispetto a quelle delle miniere di Goldblatt: su treni affollati il fotografo ritrae dall'interno l'azione di una preghiera animata e dell'imposizione delle mani. Laddove Goldblatt tracciava una linea tra la miniera e la metropoli, mostrando come l'accumulo di capitale attraverso l'estrazione di materie prime si spostasse dal suolo alla città, Mofokeng punta a una serie diversa di connessioni: tra le forme quotidiane di fatica, come il pendolarismo, e un "mondo al di là" nel quale si potrebbe trovare un balsamo spirituale per le demoralizzanti condizioni terrene. Alla ricerca di quello che Ndebele chiamava la riscoperta dell'ordinario, entrambi gli artisti mostrano qualcosa di fondamentale, se non di spettacolare, sull'apartheid: i mezzi tramite cui le sue violente dicotomie venivano paradossalmente sia messe in atto sia potenzialmente trasgredite attraverso le interazioni quotidiane che implacabilmente incidevano i suoi valori nelle menti dei sudafricani sia bianchi sia di colore.

Oltre ai suoi progetti fotografici personali, Goldblatt svolse un ruolo importante nella storia della fotografia in Sudafrica in quanto fondatore del Market Photo Workshop nel 1989, una scuola di fotografia multietnica che fu uno dei pochi luoghi in cui i sudafricani neri poterono imparare il mestiere (si ricordi che Mofokeng, per esempio, non ricevette un'educazione formale da fotografo). La missione del laboratorio, che esiste tutt'oggi, era rendere "accessibili l'alfabetizzazione visiva e il mestiere di fotografo a persone di tutte le razze, specialmente quelle a cui l'apartheid aveva per lo più negato la possibilità di acquisire quelle abilità". L'importanza di questo accesso all'educazione non può essere sopravvalutata. Ad esempio, l'unico modo in cui Zwelethu Mthethwa (nato nel 1960), oggi uno degli artisti sudafricani più noti tra quelli di una generazione maturata negli anni del declino dell'apartheid, poté studiare in un'istituzione "bianca", ovvero l'Università di Città del Capo, fu, come egli stesso racconta, quello di "scegliere un corso che l'università nera non offriva. Così ho scelto la fotografia". Il Market Photo Workshop ha avuto un impatto considerevole sulla fotografia sudafricana contemporanea: vi hanno studiato, ad esempio, Zanele Muholi (nato nel 1972) e Nontsikelelo Veleko (nato nel 1977), due fotografi più giovani, le cui carriere sono cresciute a partire dal 1994, anno in cui l'apartheid venne smantellata e in Sudafrica fu adottato uno statuto democratico.

Mthethwa e i suoi più giovani colleghi attivi nell'era post-apartheid condividono uno spostamento dell'enfasi dall'esplicita lotta politica tipica della fotografia documentaria alla ricerca di identità complesse, a volte anche tormentate, che caratterizzavano non solo l'arte sudafricana negli anni Novanta, ma anche molte pratiche estetiche internazionali orientate all'identità di questi stessi anni. Per Mthethwa uno dei mezzi più efficaci per realizzare questo cambiamento era il colore: la sua serie *Interni* (1995-2005), per esempio, comprende ritratti di residenti all'interno delle loro case in insediamenti informali nella regione di Cape Flats, fuori Città del Capo.

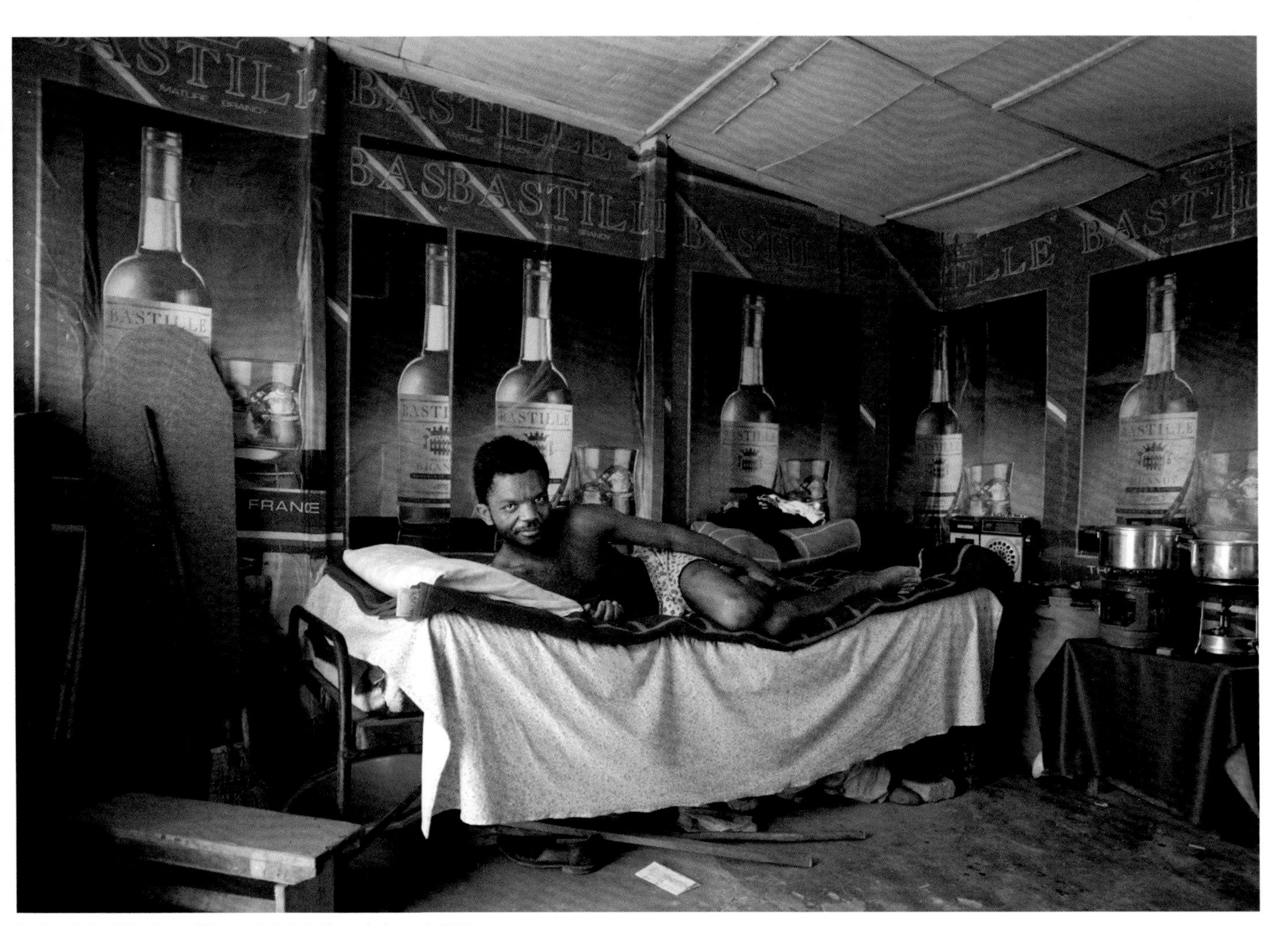

6 • Zwelethu Mthethwa, "Senza titolo", dalla serie *Interni*, 2008
C-print digitale, 96,5 x 122,5 cm

6 • **Nontsikelelo Veleko, *La bellezza è negli occhi di chi guarda: Thobeka II*, 2003/6**
Inchiostro a pigmenti su carta cotone, immagine 29,6 x 19,7 cm; carta 36 x 24,7 cm

7 • **Nontsikelelo Veleko, *La bellezza è negli occhi di chi guarda: Kepi I*, 2003/6**
Inchiostro a pigmenti su carta cotone, immagine 29,6 x 19,7 cm; carta 36 x 24,7 cm

Mentre questi spazi domestici sono modesti e improvvisati, gli abitanti sono visivamente individualizzati e talvolta persino appariscenti. Il soggetto di una fotografia, ad esempio, è sdraiato in boxer tra una serie di grandi cartelloni pubblicitari di un dorato brillante brandy francese, che lo racchiudono come in un padiglione di ebbrezza **[5]**. In un'intervista del 1998 con Rory Bester, Mthethwa spiega il suo atteggiamento nei confronti del colore, che è sia etico sia visivo: "Le fotografie degli insediamenti informali che precedono le elezioni del 1994 erano per lo più immagini in bianco e nero. I fotografi non scattavano per loro stessi, ma svolgevano un incarico e bianchi e neri venivano usati per assecondare i programmi politici dell'epoca. Per me a queste immagini mancava molto del colore degli insediamenti informali. Volevo dare un po' di dignità nera ai modelli. Volevo che avessero un senso di orgoglio e per me il colore è un mezzo nobilitante".

Secondo la formulazione di Mthethwa il colore dà dignità perché individualizza, che è anche l'effetto della straordinaria serie di fotografie di Nontsikelelo Veleko intitolata *La bellezza è negli occhi di chi guarda*, che cattura lo stile di strada sudafricano. Queste immagini esemplificano un periodo della storia sudafricana che Sarah Nuttall, direttrice del Wits Institute for Social and Economic Research presso l'Università di Witwatersrand, nel 2008 descrive come "un'immensa coincidenza, così tangibile nella Johannesburg odierna, tra la fine dell'apartheid e lo sviluppo di una nuova cultura dei media e di nuove culture del consumo". La cultura giovanile a cui si riferisce Nuttall è evidente nelle immagini di Veleko grazie alle straordinarie combinazioni di colori e indumenti – una specie di remix sartoriale **[6, 7]**. I suoi soggetti si rivolgono tipicamente alla macchina fotografica con un atteggiamento e uno sguardo sicuri che tendono alla sfida – un effetto amplificato dal loro frequente posizionarsi in una strada vuota o contro un muro vivacemente colorato come se rivendicassero la città come loro palcoscenico. Una dichiarazione di Mthethwa in un'intervista del 2011 chiarisce il tipo particolare di autoaffermazione rappresentata in queste immagini: "In Sudafrica lo sguardo è una questione politica. In Sudafrica, dove la gente di colore era vista come non-cittadina, ai neri non era permesso restituire lo sguardo, ma per me, quando mi fissano è come se dicessero: 'Sono qui, ho il potere di guardarti. Tu mi stai guardando, ma anche io ti sto guardando'".

La restituzione dello sguardo assume grande intensità nella sequenza di fotografie di lesbiche nere di Zanele Muholi, intitolata *Facce e fasi*, che l'artista ha iniziato nel 2006 [**8**, **9**]. Nel realizzare ritratti della sua comunità dalle pose classiche e dai toni carichi Muholi si vede come un'attivista visuale che grazie alle sue rappresentazioni di lesbiche sudafricane aiuta a combattere l'omofobia rendendole insieme visibili e potenti nella loro autoaffermazione. Questa particolare serie (ma non l'intera opera di Muholi) è in bianco e nero. Forse, come ha suggerito la storica dell'arte Tamar Garb, è nell'urgenza di documentare queste vite, di creare un archivio delle lesbiche sudafricane contemporanee di colore non dissimile da quello che Mofokeng ha fatto con i ritratti in studio in *L'album fotografico nero*, che Muholi strategicamente si avvale dei codici del documentario così intimamente legati alla fotografia in bianco e nero. La lotta contro l'apartheid era infatti una lotta su a chi era concesso il potere di documentare chi – dalla forma letterale di documentazione impegnata a costringere i sudafricani di colore a portare i pass al regno dello spettacolo nel quale diverse rappresentazioni fotografiche di vita nera paternalistiche o primitivizzanti combattevano con le immagini di urbanità. Il collasso dell'apartheid non ha messo fine all'ineguaglianza economica o al razzismo in Sudafrica. Le connesse tradizioni del documentario e della fotografia artistica si dedicano oggi a nuove battaglie, comprese le affermazioni di identità dissidenti, il problema della povertà e la relazione del Sudafrica con il continente che un tempo lo evitava e all'interno del quale ora assume un ruolo di leadership. DJ

ULTERIORI LETTURE

Corinne Diserens (a cura di), *Chasing Shadows: Santu Mofokeng – Thirty Years of Photografic Essays*, Prestel, Munich 2011

Okwui Enwezor and Rory Bester (a cura di), *Rise and Fall of Apartheid: Photography and the Bureaucracy of Everyday Life*, International Center of Photography and DelMonico Books, New York / Prestel, Munich 2013

Tamar Garb, *Figures & Fictions: Contemporary South African Photography*, V & A Publishing, London/Steidl, Göttingen 2011

Njabulo S. Ndebele, *Rediscovery of the Ordinary: Essays on South African Literature and Culture*, University of KwaZulu-Natal Press, Scottsville (South Africa) 2006 (originariamente pubblicato da COSAW nel 1991)

Darren Newbury, *Defiant Images: Photography and Apartheid South Africa*, Unisa Press, Pretoria 2009

Sarah Nuttall e Achille Mbembe (a cura di), *Johannesburg: The Elusive Metropolis*, Duke University Press, Durham 2008

John Peffer, *Art and the End of Apartheid*, University of Minnesota Press, Minneapolis 2009.

8 • Zanele Muholi, *Ziyanda Majozi Sandton Johannesburg*, 2013
Stampa in gelatina d'argento, immagine 76,5 x 50,5 cm; carta 86,5 x 60,5 cm

9 • Zanele Muholi, *Vuyelwa Vuvu Makubetse Daveyton Johannesburg*, 2013
Stampa in gelatina d'argento, immagine 76,5 x 50,5 cm; carta 86,5 x 60,5 cm

▸ 1916b, 1929, 1930a, 1935, 1936, 1959d, 1993

1998

Un'esposizione di video-proiezioni di grandi dimensioni di Bill Viola gira molti musei: l'immagine proiettata diventa un formato diffuso nell'arte contemporanea.

La percezione, in tutta la sua complessità, è l'interesse principale della filosofia fenomenologica, e, in quanto tale, fu di ▲ particolare interesse per artisti minimalisti come Robert Morris, il quale incitò a "portare le relazioni fuori dall'opera e renderle una funzione dello spazio, della luce e del campo visivo dello spettatore". La fenomenologia getta un dubbio in particolare sulle geometrie ideali, come i cubi, le sfere e i poliedri regolari, sostenendo che il corpo di chi guarda interrompe il campo visivo e così complica qualsiasi lettura di queste forme. "Anche la più inalterabile proprietà, la forma, non rimane costante", sostiene Morris, "poiché cambiando di posizione, lo spettatore cambia anche continuamente la forma apparente dell'opera". Portando in primo piano la variabile apparenza di forme semplici nelle loro istallazioni, i minimalisti resero esplicita la nozione di Marcel Duchamp che è l'osservatore a completare l'opera.

L'arte della sutura

Se l'Arte minimal riconobbe le condizioni sia dello spazio-ambiente sia del soggetto che guarda, lo fece strettamente in termini fisici e percettivi. Per questa ragione le sue basi fenomenologiche furono poste in discussione negli anni Settanta e Ottanta da alcuni artisti e critici, i quali asserirono che lo spazio dell'arte non è mai così neutrale e che lo spettatore considerato in modo fenomenologico astratto è verosimilmente maschio, bianco ed eterosessuale. ● Gli artisti permeati dalle teorie femministe, postcoloniali e omosessuali incitarono ad attaccare questi presupposti; questo lavoro di confronto tra rappresentazione e identità prese spesso la ■ forma di una manipolazione critica di immagini date, spesso in ◆ fotografia. Altre pratiche – Performance, Video art e installazione in particolare – proseguirono invece l'apertura al corpo e ai suoi spazi inaugurata dal Minimalismo. La performance e la Video art impegnano lo spettatore direttamente, ma le restrizioni della messa in scena per l'una e della dipendenza dal monitor per l'altra spesso tengono lo spettatore a distanza. Fu l'installazione a proiettare tutto sull'esperienza dello spettatore; questo avviene in modo più chiaro che in qualsiasi altro artista, nell'opera di James Turrell (nato nel 1943), che realizzò enormi campi di luce colorata **[1]**. Spesso questi campi sono prodotti da un'apertura poco profonda

1 • James Turrell, *Volo di routine III*, 2002
Luce nello spazio

in una parete della galleria dietro alla quale è posto un piano obliquo, illuminato in modo brillante, ma la cui esatta collocazione è pressoché impossibile da determinare proprio a causa dell'illuminazione. Un'installazione di Turrell sembra esistere come un'immagine residua, una forma fantasma proiettata dalla nostra attività retinica e del sistema nervoso piuttosto che come un oggetto fissato in sé e per sé. Invece degli spettatori riflessivi e degli spazi delineati del Minimalismo, quest'arte tende a realiz-

▲ 1965, 1969 ● 1975a, 1977b, 1987, 1989, 1994a ■ 1977a, 1980 ◆ 1973, 1974

zare una sorta di esperienza sublime in cui lo spettatore è sopraffatto da un'apparizione che lui stesso sembra proiettare in essere. Per molti spettatori questa esperienza estetica in fluttuazione libera è esilarante; per alcuni, invece, porta con sé una relazione disturbante con le forme abbaglianti dello spettacolo tecnologico.

Artisti che si dedicano all'installazione, come Turrell, fanno da complemento a video-artisti come Peter Campus e Bruce Nauman, che usarono la videocamera per trascinare lo spettatore direttamente dentro al campo dell'opera, spesso combinando il tempo della percezione con quello del video, attraverso la capacità del mezzo di trasmissione immediata e di riproduzione rapida. Fu lasciato agli artisti seguenti, come Bill Viola e Gary Hill, di combinare gli effetti differenti di queste installazioni e questa Video art, con gli spettatori immessi in spazi bui interrotti da proiezioni luminose. Spinti dai progressi nei mezzi di proiezione, Viola e Hill trascesero la scala limitata del monitor, qualche volta rendendo il campo del display grande come tutta la parete di un museo e creando uno spazio-immagine immenso e insieme misterioso, completamente mediato per quanto apparentemente immediato. Questa riformattazione del video trasforma i termini del suo spazio e anche del suo spettatore: l'uno è letteralmente oscuro e l'altro tra il contemplativo e l'atterrito. Eppure gli effetti fenomenologici delle installazioni minimaliste non scompaiono del tutto; da un certo punto di vista sono accresciuti, ma in un modo che spesso confonde la percezione corporea e la mediazione tecnologica.

Di sicuro la luminosità seducente e la proiezione immensa erano già state unite nel cinema di Hollywood, il quale, a sua volta, attiva anche un altro tipo di proiezione: un'identificazione caricata psichicamente del pubblico con le figure che gli vengono presentate come modelli visivi o figure ideali. La teoria filmica ha analizzato l'esperienza di tale cinema come materia di identificazione proiettiva attraverso la "sutura", il processo attraverso il quale il pubblico viene avviluppato nella matrice dell'evento filmico grazie all'allineamento con il punto di vista della telecamera: quando la telecamera si rivolge a una figura all'interno del suo campo visivo, il pubblico immagina se stesso entrare nel campo narrativo, unendosi perciò agli attori e ai loro cambiamenti di punto di vista. In questo modo il cinema raddoppia la proiezione psicologica con la proiezione delle immagini. Generalmente questo raddoppiamento è adattato piuttosto che rifiutato nelle grandi video-installazioni di Viola, Hill e altri, e benché siano molto meno narrative dei film e usino meno la sutura dello spettatore attraverso la telecamera e la storia, qualche volta sono anche più coinvolgenti, maggiormente capaci di immergere lo spettatore in uno spazio totale di immagine e suono. Anche quando gli schermi video sono disposti in configurazioni diverse, qualche volta di fronte allo spettatore, qualche volta attorno a lui, lo spazio sembra addirittura più virtualizzato, il medium più derealizzato che nel cinema. A quali fini sono prodotti questi effetti?

Nelle sue video-installazioni Viola ha cercato coerentemente di rappresentare, anzi di riprodurre, differenti esperienze corporee. Stati di tranquillità e agitazione spesso collidono nella medesima opera: in *Il sonno della ragione* (1988) un monitor mostra un primo piano di una persona che dorme; casualmente, come in un sogno, la stanza diventa buia e immagini violente appaiono sulle pareti mentre suoni strepitanti riempiono la stanza; poi lo spazio ritorna alla normalità. Inoltre, questi stati corporei evocano frequentemente condizioni mentali estreme: in *Ragioni per bussare ad una casa vuota* (1982) un monitor mostra un uomo colpito da dietro a intervalli (con un sottofondo di suoni di scoppi) mentre lo spettatore siede in una sedia di legno ascoltando nelle cuffie voci che si raccontano di un'orribile ferita alla testa. Inoltre queste condizioni mentali sono spesso analoghe ad esperienze spirituali: in *Stanza per S. Giovanni della Croce* (1982) immagini di picchi montani sono accompagnate dai suoni di un violento temporale mentre vengono recitati i versi turbolenti del mistico spagnolo del Cinquecento. Continuamente Viola mette in primo piano passaggi rituali e stati visionari: dal battesimale *Piscina riflessiva* (1977-79), nel quale un uomo salta sopra a una piscina solo per sparire, a *Trittico di Nantes* (1992) che giustappone una giovane donna che partorisce, un uomo vestito galleggiante sott'acqua e una vecchia che muore, a *L'attraversamento* **[2]**, che mostra una figura consumata dal fuoco da una parte

2 • Bill Viola, *L'attraversamento*, 1996
Installazione video e sonora al Grand Central Market, Los Angeles

La spettacolarizzazione dell'arte

Negli anni Novanta l'architettura e il design acquisirono una nuova importanza nella cultura in generale. Sebbene derivata dai dibattiti inaugurali del postmodernismo incentrati sull'architettura, questa importanza venne confermata dall'inflazione del design e dell'esposizione in molti aspetti della vita consumistica, nella moda e nella vendita al minuto, nei marchi aziendali e nella riqualificazione urbanistica e così via. Questa enfasi economica ha poi influenzato sia la pratica curatoriale sia l'architettura museale: ogni grande esposizione sembra concepita come un'installazione in se stessa e ogni nuovo museo come una spettacolare *Gesamtkunstwerk*. Per prendere due esempi illustri il Guggenheim Museum (1991-97) di Frank Gehry a Bilbao e la Tate Modern (1995-2000) di Herzog e De Meuron a Londra sono ora attrazioni turistiche in sé. Come altri megamusei, sono stati disegnati per ospitare il campo allargato dell'arte del dopoguerra, ma in qualche modo hanno anche calpestato quest'arte: ne hanno usato le grandi dimensioni, che inizialmente avevano sfidato il museo moderno, come un pretesto per gonfiare il museo contemporaneo fino a farlo diventare un gigantesco spazio-evento che può inghiottire intera qualsiasi arte, e tanto più qualsiasi spettatore. In parte la nuova importanza assegnata all'architettura ha una dimensione compensatoria: da alcuni punti di vista l'architetto famoso è l'ultima figura dell'artista genio del passato, un creatore mitico dotato di visioni magistrali e di possibilità di agire sul mondo che il resto di noi non può possedere in una società di massa.

In *La società dello spettacolo* (1967) Guy Debord definì lo spettacolo come "capitale a un tal grado di accumulazione da divenire immagine". Questo processo è divenuto più intenso negli ultimi quarant'anni, tanto che media-comunicazione-e-intrattenimento conglomerati sono le istituzioni ideologiche dominanti nella società occidentale. In questo modo anche il corollario della definizione debordiana è diventato vero: lo spettacolo è "un'immagine a tal grado di accumulazione da divenire capitale". È la logica di rimodellamento postindustriale della vecchia città industriale resa ora sicura per compratori e spettatori, rimodellamento che spesso coinvolge lo spostamento di classi di lavoratori e di disoccupati e l'avanzamento di "diritto di marchio" per le aziende globali.

dello schermo e una inondata d'acqua dall'altra. Nella sua opera più complessa fino ad oggi, *Procedendo dal giorno* (il titolo è derivato dal *Libro dei morti* egiziano) lo spettatore è circondato da cinque vasti video proiettati a rallentatore. Ispirato in parte dagli affreschi di Giotto alla cappella degli Scrovegni a Padova (1303-5 ca.), le diverse parti di questo "affresco cinematografico" sono intitolate *Nascita di fuoco* – un altro battesimo, qui in acque di fuoco e sangue; *Il sentiero* – un corteo di persone lungo un sentiero nella foresta; *Il diluvio* – l'allagamento di un appartamento; *Il viaggio* – la morte di un vecchio lungo un fiume; e *Prima luce* – la testimonianza di una persona salvata da un gruppo di salvataggio esausto. Il *New York Times* ha descritto il pezzo come "un'ambiziosa meditazione sui temi epici dell'esistenza umana: individualità, società, morte e rinascita". Questa ambizione suggerisce perché Viola miri a rendere virtuale il suo spazio e a rendere irreale il suo medium: così la sua visione astorica della trascendenza spirituale può essere realizzata, ▲ cioè può essere trasmessa come effetto. Fin dai suoi inizi, la Video art tese a un genere tecnologico di misticismo (con Nam June Paik ha un'aria più buddista zen, qui è più cristiana). Sicuramente il cinema ha avuto un'inclinazione simile e continua a sforzarsi per effetti sempre più intensi di immediatezza attraverso forme sempre più ● elaborate di mediazione. Come con Turrell, lo stato in cui ci si sente rispetto a tale illusione guiderà quello in cui ci si sente di fronte a tali opere: per molti questa esperienza mistica è un effetto genuino di una grande arte; per alcuni non è altro che mistificazione.

Il sublime traumatico

Molta arte contemporanea dedita all'immagine proiettata richiama il movimento in due parti del Sublime, quale venne trattato dal filosofo tedesco Immanuel Kant, con un primo momento in cui lo spettatore è quasi sopraffatto, addirittura sconvolto, da una visione e/o suono imponente, seguito da un secondo nel quale comprende l'esperienza e la recupera intellettualmente, provando un impeto di potere, non di perdita, nel farlo. Viola privilegia il secondo momento, di redenzione. Una lista parziale di altri artisti impegnati nella proiezione di video e film che favorisce il primo momento, traumatico, potrebbe includere Matthew Buckingham (nato nel 1963), Janet Cardiff (nata nel 1957), Stan Douglas (nato nel 1960), Douglas Gordon (nato nel 1966), Pierre Huyghe (nato nel 1962), Steve McQueen (nato nel 1969), Tony Oursler (nato nel 1957), Paul ■ Pfeiffer (nato nel 1966), Pipilotti Rist (nata nel 1962), Rosemarie Trockel (nata nel 1952) e Gillian Wearing. Qualche volta questi artisti proiettano immagini insieme di bellezza e di violenza. Per esempio nel suo dittico video *Mai è sopra tutto* (1997), Pipilotti Rist mostra un campo di fiori rossi e gialli su uno schermo, e sull'altro una giovane donna in un abito blu che passeggia per una strada cittadina sfasciando finestrini d'auto. Da parte sua Douglas Gordon si concentra più strettamente sul traumatico; infatti sembra ossessionato dalle spaccature di ogni sorta – d'immagini, formali, tematiche e psicologiche. Spesso Gordon usa schermi divisi per proiettare i film di cui si appropria, qualche volta con le scene scelte che si specchiano nelle due metà; spesso sfrutta questi mezzi per mettere in luce una soggettività divisa. Una sua video-proiezione, *Confessioni di un peccatore assolto* (1996), contiene tutti questi elementi: estratti dal *Dottor Jekyll e Mister Hyde* sono proiettati su due schermi, un'immagine in positivo e l'altra in negativo, come se la personalità divisa del protagonista avesse penetrato tutto, compresa la sua rirappresentazione. Gordon sembra identificarsi con la divisione: *Mostro* (1996-97) include un doppio autoritratto con una fotografia del suo volto inespressivo e l'altra trasformata in una maschera grottesca con la sua faccia deformata dallo scotch. (Forse qui c'è anche una dimensione religiosa: l'artista è cresciuto a

▲ 1973 ● 1935 ■ 1993b, 2003, 2009a

Glasgow, in una famiglia calvinista, con una visione manichea del bene e male). La sua opera più famosa si appropria del più celebre film sulla schizofrenia, *Psycho*; Gordon, però, rallenta il film di Hitchcock fino ad un ritmo ipnotico, quasi catatonico, da cui il titolo *Psycho 24 ore* [**3**].

Qualche volta Gordon interrompe i film di cui si è appropriato in un modo che produce un effetto isterico di spasmodiche partenze e blocchi. L'isteria è un interesse comune a molti di questi artisti, specialmente Martin Arnold e Paul Pfeiffer: entrambi usano materiale filmico trovato (Arnold è incline ai vecchi film hollywoodiani, Pfeiffer agli spettacoli commerciali recenti), che assoggettano alla ripetizione compulsiva. Questi interessi suggeriscono dei precedenti specifici: se un modello è il cinema di Andy Warhol, con la sua telecamera spesso fissa, le inquadrature prolungate e gli schermi divisi, un altro modello sono i film *flicker*, il cui pioniere fu Peter Kubelka a Vienna, sviluppati da Hollis Frampton, Paul Sharits e altri nella New York degli anni Sessanta e Settanta. L'effetto flicker è prodotto attraverso un'alternanza rapidissima tra fotogrammi chiari di film e fotogrammi opachi; questa balbuzie visiva permette allo spettatore di vedere effettivamente gli insiemi separati che costituiscono il medium cinematografico proprio nel corso della sua proiezione. Da una parte, questo attacco visivo interrompe qualsiasi identificazione basata sulla sutura; dall'altra, stimola il sistema nervoso in modi specifici. Mentre la luce chiara provoca la retina a proiettare nel campo visivo le sue forme come immagini residue nel colore complementare, rettangoli viola cominciano a ballare sul campo del nero come proiezioni dei fotogrammi chiari; il corpo così sembra sospinto nel campo dello schermo. Ispirati dalle analisi moderniste del medium (per esempio, quelle di Sergei Eisenstein e Dziga Vertov), i filmmaker che usarono il flicker erano interessati a rivelare non solo i riflessi del corpo, ma anche la materialità della celluloide, l'apparato della telecamera e del proiettore, lo spazio dello schermo e così via. Diversamente dai loro predecessori modernisti, essi usano il flicker e gli effetti che ne derivano per indurre un'esperienza di shock fisico, di soggettività traumatizzata. Diversamente dai loro predecessori postmodernisti, sembrano interessati a produrre spazi-immagine di intensità psicologica, più che riflessioni critiche sulle rappresentazioni date.

Il film come archivio

I recenti progressi nelle tecnologie dell'immagine sono stati accompagnati da un crescente apprezzamento dei dispositivi fuori moda; l'interesse rinnovato nei confronti dei film flicker è solo uno dei casi di questa attenzione. Non molto tempo fa il film era considerato il medium del futuro; ora appare come un indice privilegiato del passato recente. Il cinema degli inizi in particolare è emerso come un archivio di esperienza storica, un deposito di vecchie sensazioni,

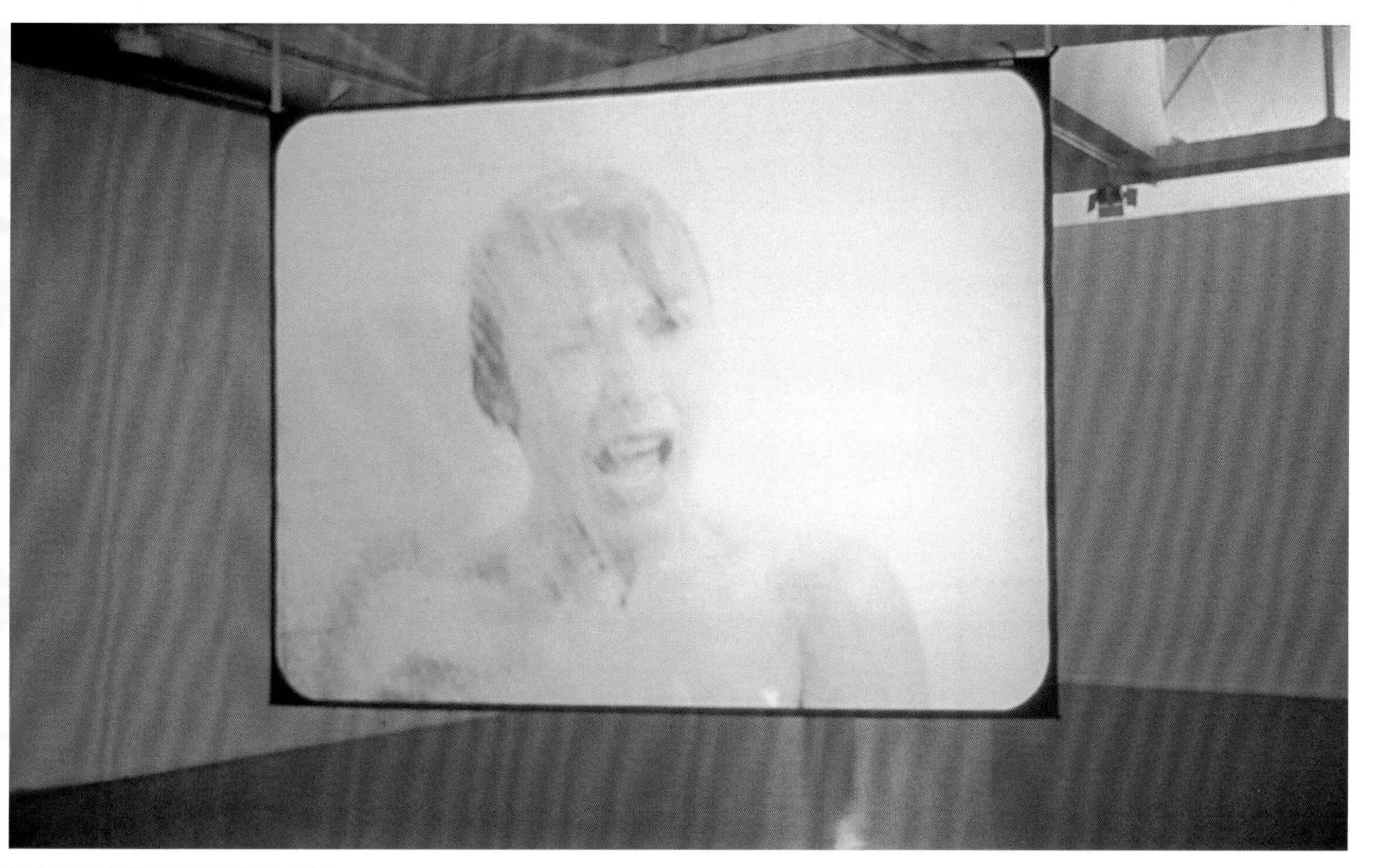

3 • Douglas Gordon, *Psycho 24 ore*, 1993
Videoproiezione

1973, 1993a ● 1925d

fantasie private e speranze collettive, ed è spesso considerato in ▲ questi termini da Buckingham, Cardiff, Tacita Dean (nata nel 1965), Douglas, Huyghe, McQueen e altri. "Sia in termini di presentazione che di contenuto del mio lavoro", ha sottolineato Stan Douglas, "la mia attenzione è stata assorbita da utopie fallite e tecnologie obsolete. In larga misura, il mio interesse non è quello di riscattare questi eventi passati, ma di riconsiderarli: capire perché questi momenti utopici non si sono realizzati, quali forze maggiori hanno bloccato uno specifico momento nella condizione di momento minore e cosa vi era là di prezioso, che cosa potrebbe essere ancora utile oggi". Per citare solo un caso di questo interesse collettivo, *Ouverture* **[4]** è un'installazione video di Douglas che combina materiale filmico d'archivio della Edison Company dal 1899 e 1901 con testi audio da *Alla ricerca del tempo perduto* di Marcel Proust (1913-22). Il vecchio film fu girato con una telecamera montata sulla locomotiva di un treno mentre viaggiava lungo precipizi e attraverso gallerie nella Columbia Britannica; il brano di Proust è una meditazione sullo stato di semicoscienza che esiste tra il sonno e la veglia. Ci sono sei estratti da Proust e tre sezioni del film scandite da altrettanti passaggi in galleria, così che quando il brano del film si ripete è accompagnato da un testo differente, in modo da testare il nostro senso di ripetizione e differenza, memoria e spiazzamento. *Ouverture* è interessato non solo alla transizione tra sonno e veglia, ma anche al cambiamento di dominanza da un tipo di medium narrativo (il racconto) ad un altro (il film). Giustappone momenti di rottura – nell'esperienza soggettiva tanto quanto nella storia culturale – in cui altre versioni di personalità e società sono intravisti, persi e poi intravisti di nuovo. "Forme di comunicazione obsolete", ha commentato Douglas, "diventano l'indice di una comprensione di un mondo che per noi è perso. Viviamo in quello che rimane di quei momenti in cui la storia sarebbe potuta andare in un modo o in un altro e, bene o male, il loro potenziale non è ancora speso".

In questo modo le proiezioni recenti di video e film suggeriscono una dialettica tra tecniche avanzate e fuori moda, tra ● possibilità future e passate nei media. Da una parte, sempre più arte contemporanea sembra rimodellata in termini cinematografici (la traiettoria di un artista illustre come Matthew Barney – da elaborate installazioni-performance a un gigantesco ciclo di film intitolato *Cremaster* – dice molto a questo riguardo); dall'altra, c'è un impulso opposto a complicare la storia dei media come mai prima, a trovare nuove strade di espressione all'interno di modi sorpassati. Perché questa svolta verso il cinematografico in arte? Non c'è dubbio che una ragione è la pura leggibilità dei film: "Cerco di usare il film come un comune denominatore", ha sottolineato Douglas Gordon. "I film sono le icone di uso comune". Forse, inoltre, questi artisti considerano questo medium come il più adatto a trattare le trasformazioni fondamentali di esperienza e soggettività nella società contemporanea, cioè un'esperienza che è tanto spesso instradata attraverso dispositivi di immagini e una soggettività che ha imparato non solo a sopravvivere ma anche a fiorire sugli shock tecnologici. RK/HF

McLuhan, Kittler e i nuovi media

Gli strumenti del comunicare (1964) dell'antropologo canadese Marshall McLuhan fu un passo in avanti nella teoria della cultura, che lanciò espressioni come "galassia Gutenberg" e "il medium è il messaggio". Per McLuhan tutti i media sono "estensioni dell'uomo" che modificano o amputano un'altra estensione precedente. L'applicazione militare della polvere da sparo alle armi da fuoco, che portò alla perdita dell'abilità nel tiro con l'arco, è un esempio di come la nuova tecnologia rende obsolete le abilità precedenti. Il telefono estende la voce, ma "amputa" al tempo stesso l'arte della scrittura. L'invenzione dei caratteri mobili da parte di Gutenberg produsse il nuovo medium del libro, che provocò una riduzione dei rapporti comunitari poiché viene consumato in privato. È stata soltanto la televisione, un medium elettronico di massa, a instaurare nuovamente quello che McLuhan ha chiamato il "villaggio globale". Il termine "galassia", metà dell'espressione "galassia Gutenberg", rivela le ambizioni di McLuhan di concepire periodi storici, o paradigmi, distinti, molto simili a quello che fu l'"epoca" per il Walter Benjamin di *L'opera d'arte nell'epoca della riproducibilità tecnica*. La concentrazione del libro di McLuhan *La sposa meccanica*, del 1951, sull'incitamento della pubblicità a desiderare la merce situa i media nell'orbita della duchampiana *Sposa messa a nudo dai suoi celibi, anche*, dove la Sposa scatena l'intenso desiderio dei Celibi per la sua nudità. L'aforisma più famoso di McLuhan, "Il medium è il messaggio", non si riferisce all'analisi autocritica modernista di un medium estetico – il cui "messaggio" autoriflessivo sarebbe la natura del medium stesso: la pittura "sulla" pittura, ecc. Il suo medium invece non è una tradizione estetica, ma piuttosto la condizione di un dato stadio dei media. Il "messaggio" qui sta per il contenuto di ogni nuovo medium – o forma dei media – in quanto contenuto "su" uno precedente; per McLuhan il contenuto della scrittura è il discorso orale, così come la parola scritta è il contenuto della stampa, e la stampa il contenuto del telegrafo.

Friedrich Kittler, professore di estetica e storia dei media all'università Humboldt di Berlino, va oltre, vedendo nella ricerca militare il motore stesso dei nuovi media, come nel suo *Grammofono, film, macchina da scrivere* (1986). Il rilascio di impulsi magnetici ad alta intensità di un'esplosione nucleare che neutralizzerebbe le reti di comunicazioni indusse i militari, scrive Kittler, a sviluppare il canale di trasmissione a fibra ottica che supporta la rete cyber-spaziale. Prodotto della Bomba, dunque, Internet riunisce i caratteri del fucile a ripetizione al cineproiettore, e di conseguenza al desiderio di cinema.

ULTERIORI LETTURE:

Russell Ferguson et al., *Douglas Gordon*, Museum of Contemporary Art, Los Angeles 2001

Lynne M. Herbert et al., *James Turrell: Space and Light*, Contemporary Arts Museum, Houston 1990

Chrissie Iles et al., *Into the Light: L'immagine proiettata in American Art, 1964-1977*, Whitney Museum of American Art, New York 2001

David Ross et al., *Bill Viola*, Whitney Museum of American Art, New York 1998

Chris Townsend (a cura di), *The Art of Bill Viola*, Thames & Hudson, London 2004

Scott Watson et al., *Stan Douglas*, Phaidon, London 1998

▲ 2003, 2009a ● 2003

4 • Stan Douglas, *Ouverture*, 1986
Film 16mm in bianco e nero con dispositivo di ripetizione e colonna sonora mono-ottica, ciascuna rotazione di sette minuti

2000–2015

773 2001 Un'esposizione delle opere della maturità di Andreas Gursky al Museum of Modern Art di New York segna il nuovo prevalere di una fotografia pittorica, spesso elaborata con mezzi digitali. HF

778 2003 Con esposizioni come *Stazione utopia* e *Zona d'urgenza*, la Biennale di Venezia esemplifica la natura informale e discorsiva di molte recenti produzioni artistiche e curatele. HF

784 2007a Parigi riconosce l'importanza dell'artista americano Christian Marclay per il futuro dell'arte d'avanguardia con una grande retrospettiva alla Cité de la Musique; Sophie Calle è invitata a rappresentare la Francia alla Biennale di Venezia; intanto la Brooklyn Academy of Music commissiona al sudafricano William Kentridge le scenografie del *Flauto magico*. RK
box • Brian O'Doherty e il "white cube" RK

790 2007b *Non monumentale: L'oggetto nel XXI secolo* apre al New Museum di New York: la mostra segna un nuovo interesse per l'assemblage e l'accumulazione tra la generazione più giovane di scultori. BB

798 2007c Dal momento in cui Damien Hirst espone *Per l'amore di Dio*, una fusione in platino di un teschio umano costellata di diamanti del costo di 14 milioni di sterline e in vendita a 50 milioni, una certa arte si pone esplicitamente in termini di sensazionalismo mediatico e investimento finanziario. HF

804 2009a Al convegno multimediale "La nostra velocità peculiare" Tania Bruguera presenta *Capitalismo generico*, una performance che visualizza i vincoli e i rapporti di fiducia e affinità con il pubblico del mondo dell'arte trasgredendo questi stessi vincoli. DJ

810 2009b Jutta Koether allestisce *Lux Interior* alla galleria Reena Spaulings di New York, una mostra che introduce performance e installazione al centro del contenuto della pittura: l'impatto delle reti anche sui media estetici più tradizionali – la pittura – si diffonde tra gli artisti in Europa e negli Stati Uniti. DJ

818 2009c Harun Farocki espone al Museo Ludwig di Colonia e da Raven Row a Londra una serie di opere su guerra e visione che dimostrano il rapporto tra forme popolari di intrattenimento dei nuovi media come i videogame e la conduzione della guerra moderna. DJ

824 2010a Si inaugura nella Turbine Hall della Tate Modern di Londra la grande installazione di Ai Weiwei *Semi di girasole*: l'artista cinese risponde alla rapida modernizzazione e crescita economica della Cina con opere che si occupano del ricco mercato del lavoro rurale e al tempo stesso si trasformano in progetti sociali e di occupazione delle masse. DJ

830 2010b L'artista francese Claire Fontaine, la cui "operazione" composta da due assistenti umani è un'esplicita divisione del lavoro, mette in scena l'economia dell'arte in una grande retrospettiva al Museo d'Arte Contemporanea di North Miami, in Florida: la mostra segna l'emergere dell'avatar come nuova forma di soggettività artistica. DJ

836 2015 Mentre la Tate Modern, il MoMA e il Metropolitan Museum progettano ulteriori espansioni, il Whitney Museum apre la sua nuova sede, coronando un periodo di crescita internazionale dello spazio espositivo dedicato all'arte moderna e contemporanea, compresi performance e danza. HF

2001

Un'esposizione delle opere della maturità di Andreas Gursky al Museum of Modern Art di New York segna il nuovo prevalere di una fotografia pittorica, spesso elaborata con mezzi digitali.

La fotografia sembra distante dall'immagine digitale. Con la sua registrazione chimica di gradienti continui della luce ambientale sulla carta trattata chimicamente, la fotografia potrebbe essere presa come esempio dell'immagine analogica, impronta diretta delle cose nel mondo, in opposizione all'immagine digitale, schermo manipolato di informazioni analizzate con un computer. Lentamente ma con decisione le tecniche digitali sono invece penetrate nella produzione fotografica dell'immagine attraverso molte forme di medium e in alcuni casi l'hanno sostituita del tutto. Molti artisti hanno esplorato la non facile unione del fotografico e del digitale – tra questi Jeff Wall (nato nel 1965) e Andreas Gursky sono i più illustri – e qualche volta l'hanno fatto in modi che utilizzano la nostra incertezza sullo statuto fisico e la natura ontologica dell'immagine risultante. Ancor oggi le caratteristiche a lungo associate alla fotografia – prospettiva monoculare, dettaglio realistico e soprattutto referenzialità documentaria – rimangono abbastanza naturali per noi, così che qualsiasi alterazione digitale di questi termini appare ancora dirompente, ma forse presto sarà diverso. (Naturalmente ci sono anche altri tipi di arte digitale, come anche diversi esperimenti in Web art o in Internet art, ma i termini pratici di questo lavoro, anche lasciando da parte i termini critici della sua valutazione, non sono ancora stabiliti; anche questo potrebbe cambiare presto.)

Unità surrogate

L'ultimo decennio ha visto una trasformazione nelle tecnologie dell'immagine altrettanto sconvolgente dei cambiamenti testimoniati dalle discussioni sulla fotografia alla fine degli anni Venti e ▲ all'inizio dei Trenta e dalle svariate manifestazioni pop tra la fine degli anni Cinquanta e l'inizio dei Sessanta. Come ha osservato Wall fin dal 1989, "la coscienza storica del medium [della fotografia] è cambiata": invece che un diretto "messaggio senza codice" (come lo definì Roland Barthes in *Il messaggio fotografico* [1961]), la fotografia potrebbe ora essere attraversata da codici complicati di vario genere (incluso il senso informatico di "codice"). Questo nuovo statuto della fotografia non solo ne qualifica la presunta referenzialità, ma ne rivede anche le possibili applicazioni in arte. ● Si considerino il fotocollage e il fotomontaggio: nel modernismo questi dispositivi furono usati in modi differenti, ma tutti dipendenti, per i loro effetti, dalla giustapposizione esplicita di fotografie referenziali, si tratti di effetti esteticamente sovversivi come nel Dadaismo, caricati psicologicamente come nel Surrealismo, o politicamente sovversivi come nel Costruttivismo (e anche in molto Dada). Comunque, con la manipolazione digitale – cioè di immagini scattate con una macchina fotografica digitale o di negativi fotografici scannerizzati in file digitali che possono essere rivisti o modificati totalmente, producendo negativi del tutto nuovi – la vecchia logica non solo della fotografia documentaria, ma anche del montaggio fotografico è trasformata. Le proporzioni possono essere adattate, le prospettive corrette, i colori cambiati (Gursky, per esempio, opera tutte queste alterazioni) e possono essere sintetizzate immagini completamente nuove. Nel processo, il montaggio diventa non solo nascosto, ma anche interno alla singola immagine, pressoché intrinseco ad essa: più congiunzione senza cuciture che taglio fisico, più morfema che montaggio, il composto digitale sta tra il documento fotografico e il puzzle elettronico.

Nello stesso momento in cui questa fotografia digitale segnala un progresso tecnologico nelle mani di chi la pratica, come Wall e Gursky, spesso evoca l'arte storica (una vivace dialettica coinvolge ▲ a questo proposito anche le immagini proiettate). A prescindere completamente dalla dimensione spesso grandiosa e dai riferimenti talvolta espliciti, queste opere tendono alla composizione pittorica, addirittura a temi narrativi, in modi che spesso la allineano alla pittura figurativa o al cinema classico molto più che non alla fotografia non manipolata o diretta. Se l'immagine pittorica fu attaccata nell'arte d'avanguardia dopo il Minimalismo ● (soprattutto nell'Arte processuale, nella Body art e nell'installazione) – in larga misura perché sembrava promettere uno spazio virtuale nel quale una coscienza personale o un soggetto unitario sarebbero potuti entrare e stare –, l'immagine pittorica ora torna trionfante nella fotografia digitale (e in molta altra arte). Per ■ giunta se il "pittorialismo" dominò la pittura e la fotografia *prima* dell'arte modernista, ora sembra regnare supremo anche *dopo* di essa. Questo ha portato alcuni critici a considerare conservatori artisti come Wall e Gursky, ma si potrebbe anche pensare che essi recuperano un tipo di immagine ibrida da un punto di vista semiotico ed eterogenea da un punto di vista temporale diffusa prima

▲ 1929, 1930a, 1930b, 1935, 1959d, 1964b, 1968a, 1968b ● 1920, 1924, 1930b, 1937c ▲ 1998 ● 1969, 1974 ■ 1916b

1 • Jeff Wall, *Il contastorie*, 1986
Diapositiva a colori in lightbox, 229 x 437 cm

che diventassero dominanti la pittura astratta e la fotografia diretta – recupero (come ha affermato il curatore Peter Galassi riguardo a Gursky) di una "lunga tradizione di fluida mendacia".

Wall è esplicito riguardo alla dimensione restaurativa della sua pratica. Dal suo punto di vista l'estetica d'avanguardia del frammento – del collage e del montaggio – è diventata quasi un automatismo, come il privilegio dato a ogni rottura con la storia dell'arte; per Wall questa è una celebrazione illegittima della discontinuità a cui sfugge la continuità più grande "che è quella del capitalismo stesso". "La retorica della critica ha dovuto creare un 'altro' al di fuori del pittorico", ha accusato; "questa verità è stata totalizzata, e trasformata in quello che [Theodor] Adorno ha definito 'identità'. Io sto cercando di liberarmi da questa identità". Secondo tale argomentazione, la frammentazione sia dell'opera d'arte sia del soggetto che la guarda ora è una norma, "la nostra forma ortodossa di lucidità culturale", per cui rende il ritorno alla pittura unificata e allo spettatore centrato una mossa critica, una "trasgressione nei confronti dell'istituzione della trasgressione" (Wall).

Per alcuni critici di Wall questo argomento è un sofisma, e non è neppure tutto, o non precisamente, ciò che Wall fa con le sue grandi diapositive a colori poste in luminosi lightbox. Anche se il formato imita l'esposizione pubblicitaria, le sue immagini spesso si richiamano a dipinti storici, e talvolta sono composte in modo da richiamare chiaramente il tableau neoclassico, cioè un insieme inscenato di figure dipinte, colte in azioni significative o in momenti pregnanti. *Diatriba* (1985), che mostra due madri, una delle quali con un bambino al fianco, in un terreno indefinito di una zona operaia, intende richiamare – per differenza e per similitudine – i dipinti dei maestri antichi come *Paesaggio con Diogene* (1648) di Nicolas Poussin. *La stanza distrutta* (1978) che mette in scena la devastazione di quello che sembra l'appartamento di una prostituta, con abiti sparpagliati e il materasso tutto tagliato, vuole evocare *La morte di Sardanapalo* (1827) di Eugène Delacroix, la sua visione romantica (anzi orientalista) di un intero harem passato a fil di spada. Infatti Wall focalizza il suo sguardo storico-artistico non solo sulla pittura tradizionale, ma anche su quella modernista degli inizi. Come ha scritto il critico Thierry De Duve: "È come se Wall fosse tornato indietro al bivio della storia, al momento preciso in cui, attorno a Manet, la pittura stava registrando lo shock della fotografia; come se avesse seguito la strada che non è stata presa dalla pittura moderna e avesse incarnato, da fotografo, il pittore della vita moderna". In questo modo, anche se sembra reinscrivere "la pittura della vita moderna" nella fotografia contemporanea, Wall vuole anche reimpiegare la sua critica sociale, per esporre i nuovi miti della società capitalista, come fece Manet con i vecchi miti, nello stesso momento in cui li mette in scena. Wall ha citato Manet molte volte. *Donna e suo dottore* (1980-81), che mostra queste due figure benestanti sedute insieme ad una festa, attualizza l'appuntamento ambiguo di una coppia borghese rappresentato da Manet in *Nella serra* (1879); *Il contastorie* **[1]** rifà la famosa *Colazione sull'erba* (1863) in un'area abbandonata sotto un viadotto autostradale, dove Wall sostituisce i bohémien parigini sfaccendati con dei senzatetto canadesi indigeni originari di Vancouver, sua città di residenza.

Per alcuni critici l'unitarietà di quest'arte è forzata, per altri sono problematici proprio la sua assenza di coerenza e il suo pastiche di riferimenti. Da parte sua Wall sembra proporsi entrambi gli effetti: produrre un ordine pittorico che rifletta (su) un ordine sociale e suggerire che entrambi sono in decadimento, e il primo è sintomo del secondo. Questa è la lezione principale che prende da Manet, che, secondo Wall, ereditò un quadro tradizionale (ancora una volta, il tableau) che era in crisi, una crisi che la nascita della fotografia esacerbò solamente. Ciò che una volta sembrava organico e composto nella pittura tradizionale è diventato meccanico e frammentato in Manet, che oppose le "unità surrogate" dei quadri del Salon contemporaneo a ciò che Wall definisce una "unificazione negativa, quasi commemorativa dell'immagine attorno a un concetto in rovina, o forse morto, della pittura". Wall cerca di recuperare e di far progredire questa dialettica di "unità e frammentazione" ("Sento, infatti, che il mio lavoro è sia classico che grottesco"), e di renderlo lo strumento di "illuminazione profana" del suo mondo sociale.

Spazi deliranti

Anche Sam Taylor-Wood (nata nel 1967) cita dipinti storici in alcuni dei suoi lavori, i quali includono installazioni video e sonore e grandi fotografie; il suo *Naufragato* (1996), per esempio, è una versione contemporanea dell'*Ultima cena* di Leonardo. "Queste allusioni e citazioni sono un'autodisciplina che impongo alla mia storia", ha osservato Taylor-Wood; ma, come in Wall, ci sono anche qui intuizioni sulla società contemporanea. La sua serie *Cinque secondi rivoluzionari* (1995-98), per esempio, presenta un fregio panoramico di soggetti principalmente annoiati in case

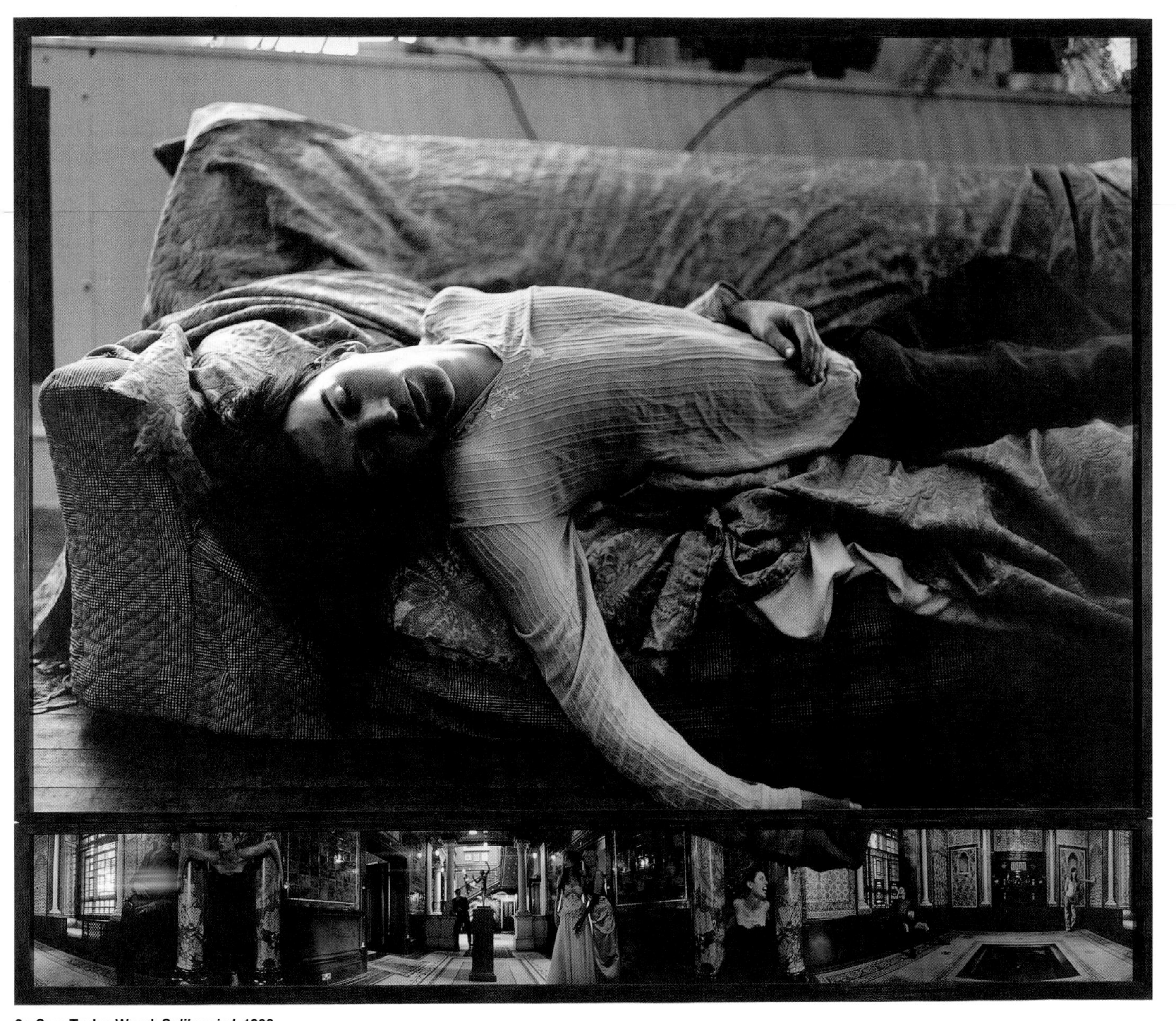

2 • Sam Taylor-Wood, *Soliloquio I*, 1998
Stampa a colori C-print (incorniciata), 211 x 257 cm

3 • Andreas Gursky, *Banca di Hong Kong e Shanghai*, 1994
Stampa a colori cromogenica, 226 x 176 cm

per lo più ricche, uniti solo da atti o gesti intermittenti di violenza. Come molti dei suoi coetanei che usano immagini proiettate, Taylor-Wood è interessata alle condizioni estreme (questo è evidente anche solo dai titoli): "Ho un interesse, sia personale che sociale, a scollare lo scenario". Nella sua serie *Soliloquio* **[2]** presenta grandi ritratti di figure nella parte superiore, con più piccole visioni panoramiche di varie scene sotto, secondo il modello dell'altare rinascimentale con la predella sottostante. Qui un formato antico, sviluppato per far coesistere diversi ordini di esistenza (celeste e terreno) in scene di vita di un santo, è attualizzato per evocare differenti ordini di esperienza, oggettiva e soggettiva, pubblica e privata, forse conscia e inconscia.

▲ Influenzata da James Coleman, Taylor-Wood attinge a precedenti nel cinema, nel teatro e nel *tableau vivant* tanto in pittura che ● in fotografia e come i suoi coetanei (ad esempio Tacita Dean) usa ora un medium ora l'altro nel tentativo di "offrire una 'provocazione' di significati". Andreas Gursky è assai più focalizzato sulle tradizioni della fotografia, ma anche lui produce una sorta di tensione pittorica, qui prodotta in parte attraverso il montaggio digitale. All'inizio degli anni Ottanta, insieme a Thomas Struth, ■ Thomas Ruff e Candida Höfer, Gursky studiò con Hilla e Bernd Becher all'Accademia di Düsseldorf, dove fu istruito secondo l'approccio tipico dei Becher: fotografare un singolo soggetto più uniformemente e obiettivamente possibile, generalmente in bianco e nero, poi esporre il risultato in ordine tipologico, generalmente in griglie o serie. Le sue prime fotografie di guardie della sicurezza e di attività domenicali adottarono questi principi. Tuttavia, diversamente dai Becher, Gursky lavorò a colori (la sua è la prima generazione di fotografi tedeschi a usarli ampiamente) e presto sperimentò anche il montaggio digitale (inizialmente per creare panorami urbani patinati). Nel corso degli anni Novanta la maggior parte delle sue stampe era diventata grande e pittorica, sebbene non fosse interessato alle allusioni storico-artistiche quanto Wall (dal quale Gursky tuttavia ammette di essere stato influenzato a quel tempo). Occasionalmente Gursky ha realizzato paesaggi romantici (per esempio *Il ghiacciaio Aletsch* [1993]), ma il suo interesse principale sta nei tipi di "sublime" contemporaneo, negli spazi intensi della produzione di merci (*Siemens* [1991]), negli scambi finanziari frenetici (*La borsa di Tokyo* [1990]), negli sport spettacolari (*EM, Arena, Amsterdam I* [2000]), nella cultura giovanile rave (*May Day IV* [2000]), nell'esposizione eccessiva dei prodotti (*99 Cent* [1999]) e in altri "iperspazi" del genere, caratteristici del capitalismo globale sia del lavoro che del divertimento **[3]**.

Molti di questi spazi sono già spettacolari in sé, con persone e prodotti sistemati in un design totale o come "ornamenti di massa" (per usare il termine del critico Siegfried Kracauer, che per primo indicò questo fenomeno nella cultura industriale), eppure Gursky manipola anche le sue immagini panoramiche per aumentare ulteriormente le combinazioni fotogeniche di forme e colori ripetuti. Qualche volta il suo trattamento digitale della fotografia – immagini montate con due o tre prospettive e così via – sembra guidato da un desiderio di spazi-immagine che non potrebbero altrimenti essere dati alla vista o alla rappresentazione, che testano la nostra "mappa cognitiva" del mondo postmoderno (per prendere a ▲ prestito un termine del critico Fredric Jameson). Per esempio, *Salerno* (1990) è un vasto panorama di veicoli, container, gru e vagoni merci codificati secondo i colori, una "seconda natura" della distribuzione commerciale che ha sommerso l'antico paesaggio di questo porto del Mediterraneo, il quale non è tuttavia che un minimo frammento della rete del trasporto marittimo. Altri spazi raffigurati da Gursky sembrano quasi astratti (la pista in *Schiphol* [1994], il deposito in *Toys "R" Us* [1999], le banchine lungo il fiume in *Reno II* [1999] e così via); attestano una deterritorializzazione dello spazio che è anch'essa caratteristica del capitalismo avanzato, una spoliazione che Gursky sottolinea con ulteriori elaborazioni digitali.

Per Jameson gli spazi deliranti sono un attributo distintivo della cultura postmoderna e il suo primo esempio sono i vasti atri degli hotel di John Portmann, dei quali Gursky ha tentato più di una volta di fare delle immagini, sempre attraverso elaborazioni digitali. In *Times Square* (1997), per esempio, ha montato due vedute di uno di questi atri, viste da due direzioni opposte lungo la stessa linea di veduta, per dare l'idea della sua ampiezza vertiginosa. Di nuovo, una scommessa della sua fotografia è la vera e propria rappresentabilità di un ordine postfordista dove i capitali sembrano in flusso continuo e architettura e spazi urbani sembrano sommersi dalle immagini – dove, infatti, la "faccia fotografica" del mondo moderno descritto da Kracauer nel 1928 sembra superata dal "significante comunicazionale" di un mondo postmoderno in cui media e ambiente sono spesso difficili da distinguere. Forse non si possono creare immagini di questo mondo con i vecchi mezzi della pittura e della fotografia, che tendono ancora a collocare lo spettatore esattamente in un luogo. Forse questo può essere fatto solo dal tipo di "visione computerizzata" che Gursky e altri preferiscono, precisamente perché questa visione sembra eccedere qualsiasi prospettiva umana, qualsiasi collocazione fisica. Ma il pericolo è che tale visione possa anche rendere naturale questo mondo, addirittura bello o di nuovo sublime, tutto in una maniera feticistica che rende completamente l'apparenza dell'immagine, ma d'altro canto oscura la realtà del ● lavoro. (Mi rifaccio qui alla famosa critica che Walter Benjamin fece ai fotografi della Nuova oggettività come Albert Ranger-Patzsch nel 1931, che rendevano bello il mondo industriale). In altre parole, queste belle immagini potrebbero aiutarci a riconciliarci con un mondo senza qualità dove il soggetto umano ha poco posto. Da questo punto di vista Gursky potrebbe alla fine sottrarre ciò che Wall sembra recuperare troppo velocemente: l'autorità di una soggettività unificata. HF

ULTERIORI LETTURE:

Hubertus von Amelunxen (a cura di), *Photography After Photography*, G&B Arts, Amsterdam 1996

Michael Bracewell et al., *Sam Taylor-Wood*, Hayard Gallery, London, e Steidl, Göttingen 2002

Thierry de Duve et al., *Jeff Wall*, Phaidon, London 1996

Peter Galassi, *Andreas Gursky*, Museum of Modern Art, New York 2001

Charlotte Cotton, *The Photograph as Contemporary Art*, Thames & Hudson, London 2008

▲ 1993a, 2007a ● 1998, 2003 ■ 1968a

▲ 1968a, 1984b ● 1929, 1935

2003

Con esposizioni come *Stazione utopia* e *Zona d'urgenza*, la Biennale di Venezia esemplifica la natura informale e discorsiva di molte recenti produzioni artistiche e curatele.

Nello scorso decennio in una galleria avreste potuto trovare una delle seguenti scene: una stanza vuota eccetto un ▲ mucchio di caramelle identiche tra loro, avvolte in carta luccicante, da prendersi liberamente; o uno spazio in cui il contenuto di un ufficio è trasferito nell'area espositiva e un paio di ● pentole di cibo tailandese sono offerte ai visitatori, i quali possono restare abbastanza confusi da fermarsi, mangiare e conversare; o ■ un insieme di tabelle astratte, tavoli da disegno e piattaforme di discussione, alcune riguardanti personaggi che hanno sostenuto ruoli importanti nel passato recente (come Robert McNamara, segretario della Difesa sotto i Presidenti Kennedy e Johnson), come se si stesse facendo un testo documentario o se un seminario di storia fosse appena stato lasciato inconcluso **[1]**; o, infine, un altare improvvisato, un monumento, un chiosco, abborracciato insieme con plastica, cartone e nastro adesivo e riempito, come un tabernacolo fatto in casa, con immagini e testi dedicati a un particolare artista, scrittore o filosofo (per esempio Piet Mondrian, Raymond Carver o Georges Bataille) **[2]**. Tali lavori, che si collo-

1 • Liam Gillick, *McNamara*, 1994
TVC Brionvega Algol 11r, film a 35mm riversato in formato appropriato, tavolo florence Knoll (opzionale), copie di varie bozze del film *McNamara*, dimensioni variabili

▲ 1987 ● 1989, 2009a ■ 1913, 1917a, 1930b, 1931b, 1944a

2 • Thomas Hirschhorn, *Altare per Raymond Carver*, 1998-89
Installazione a The Galleries at Moore, Philadelphia

cano tra un'installazione pubblica, una performance oscura e un archivio privato, si possono anche trovare in spazi non artistici, fatto che potrebbe renderli ancora più difficili da decifrare in termini estetici; nondimeno, possono essere presi per indicare una svolta distintiva nell'arte recente. In gioco nei primi due esempi – opere rispettivamente del cubano-americano Felix Gonzalez-Torres e del ▲ tailandese Rikrit Tiravanija – è una nozione di arte come offerta effimera, come dono precario; nei secondi due – lavori rispettivamente dell'inglese Liam Gillick (nato nel 1964) e dello svizzero Thomas Hirschhorn (nato nel 1957) – una nozione di arte come indagine informale di una specifica figura o avvenimento nella storia o nella politica, nella letteratura o nella filosofia. Inoltre c'è una dimensione utopica nel primo approccio e un impulso archivistico nel secondo.

Questo modo di operare include altri artisti importanti come il • messicano Gabriel Orozco, lo scozzese Douglas Gordon, i francesi Pierre Huyghe, Philippe Parreno (nato nel 1964) e Dominique Gonzalez-Foerster (nata nel 1965), gli americani Renée Green, ■ Mark Dion e Sam Durant e l'inglese Tacita Dean. Si rifanno ad una ampia serie di precedenti artistici, come gli oggetti performativi di Fluxus, i materiali umili dell'Arte povera e le strategie site specific di artisti che criticarono le istituzioni come Marcel Broodthaers, ▲ Michael Asher e Hans Haacke. Ma la generazione attuale ha anche trasformato i dispositivi ben noti del readymade, della collaborazione e dell'installazione. Per esempio, alcuni di questi artisti trattano gli show televisivi e i film hollywoodiani come immagini trovate: in *La terza memoria* (2000) Huyghe riprende parti del film del 1975 con Al Pacino *Quel pomeriggio di un giorno da cani* con il protagonista reale (un riluttante ladro di banca) ritornato al ruolo principale [**3**], e Gordon ha adattato in modo drastico alcuni film • di Hitchcock. Per Gordon questi pezzi sono "readymade temporali", racconti dati per essere campionati in grandi proiezioni di immagini (un medium sempre più diffuso nell'arte contemporanea), mentre il critico francese Nicolas Bourriaud ha classificato tali opere sotto il nome di "postproduzione". Questo termine sottolinea le manipolazioni secondarie (editing, effetti speciali e così via) che in quest'arte sono pronunciate quasi quanto nel cinema; e prospetta un mutamento di statuto dell'"opera" d'arte in un'epoca di informazione. In qualsiasi modo si guardi a quest'epoca (ammesso che esista un'epoca distinta dalle altre), "l'informazione" spesso appare come una sorta di readymade estremo, come una serie di dati da rilavorare e ridistribuire; alcuni di questi artisti lavorano di conseguenza "a elencare e selezionare, usare e scaricare" (Bourriaud), a rivedere non solo immagini e testi

▲ 1987, 1989, 2009a, 2009c • 1989, 1998 ■ 1992, 1993c, 1998

▲ 1962a, 1967b, 1970, 1971, 1972a • 1998

3 • Pierre Huyghe, *La terza memoria*, 1999
Doppia proiezione, Beta digitale, 4 minuti e 46 secondi

trovati, ma anche forme date di esposizione e di distribuzione.

Un risultato di questo modo di lavorare è una "promiscuità di collaborazioni" (Gordon) nella quale le complicazioni postmoderniste ▲ dell'originalità e dell'autorialità artistica sono portate al limite. Si consideri un'opera collaborativa come *Nessun fantasma, solo un lenzuolo* (1999-2002) condotta da Huyghe e Parreno. Saputo che una compagnia di animazione giapponese voleva vendere alcuni dei suoi personaggi minori, hanno comperato una di queste persone-segno, una ragazza che si chiama AnnLee, e hanno invitato altri artisti a usarla nelle loro opere. Qui il pezzo d'arte diventa una "catena" di pezzi: per Huyghe e Parreno *Nessun fantasma, solo un lenzuolo* è "una struttura dinamica che produce forme che sono parte di essa"; è anche "la storia di una comunità che trova se stessa in un'immagine". O si consideri un altro progetto di gruppo che adatta un prodotto readymade a fini inusuali: qui Gonzalez-Foerster, Gillick, Tiravanija e altri hanno esposto minuziosamente come fare, secondo le esigenze specifiche dei clienti, una bara economica da IKEA: l'opera è intitolata *Come uccidersi in qualsiasi punto del mondo per meno di 399 $*.

La tradizione degli oggetti readymade, da Marcel Duchamp a ▲ Damien Hirst, spesso deride l'arte alta o la cultura di massa o entrambe; in questi esempi è mordace anche nei confronti del capitalismo globale. Nondimeno, la sensibilità prevalente di queste nuove opere tende ad essere espansiva, addirittura ludica, di nuovo un'offerta ad altre persone e/o un'apertura ad altri discorsi. A volte è anche proposta un'immagine benigna della globalizzazione (questo gruppo internazionale di artisti trova in essa uno dei suoi prerequisiti) e di nuovo ci sono anche dei momenti utopici: per ● esempio, Tiravanija ha diretto uno "spazio di enormi dimensioni condotto da artisti" nella Thailandia rurale, chiamato "La Terra", progettato come un collettivo "per il coinvolgimento sociale". Più modestamente, questi artisti aspirano a trasformare gli spettatori passivi in comunità temporanee di persone che discutono attivamente. Da questo punto di vista Hirschhorn, che una volta lavorava in un collettivo comunista di designer grafici, vede le sue strutture improvvisate dedicate ad artisti, scrittori e filosofi come una sorta di pedagogia appassionata; le sue installazioni hanno qualcosa dei chioschi da agitatore politico del costruttivista Gustav

▲ 1977a, 1980, 1984b

▲ 1914, 1986, 2007c ● 1989, 2009a

▲ Klutsis e delle costruzioni ossessive del dadaista Kurt Schwitters. Con queste opere Hirschhorn cerca di "distribuire idee", "irradiare energia" e "liberare l'attività" tutto in una volta: vuole non solo rendere familiare al suo pubblico una cultura pubblica alternativa, ma anche caricare questa relazione di affetto. Altri artisti, alcuni dei quali hanno studiato per diventare scienziati o architetti (come il belga Carsten Höller [nato nel 1961] e l'italiano Stefano Boeri ● [nato nel 1956]), adattano un modello di ricerca collaborativa e di esperimento più vicino al laboratorio scientifico o allo studio di design che a un tradizionale studio d'artista. "Prendo letteralmente la parola 'studio'", commenta Orozco, "non uno spazio di produzione ma un tempo di conoscenza".

"Una promiscuità di collaborazioni" ha anche significato una promiscuità di installazioni: l'installazione è il formato inevitabile e l'esposizione è il medium comune della maggior parte dell'arte contemporanea (in una certa misura questa tendenza è guidata dalla crescente importanza nel mondo dell'arte di mostre enormi: oggi ci sono biennali e triennali a Venezia, San Paolo, Istanbul, Gwangju, Seul, Yokohama). Spesso intere esposizioni sono abbandonate ad una giustapposizione confusa di progetti – foto e testi, immagini e oggetti, video e schermi – e alle volte questi effetti sono più caotici che comunicativi: in questi casi la leggibilità come arte è sacrificata senza grandi risultati in altri ambiti della comprensione. Tuttavia, discorsività e socievolezza sono interessi centrali di questo nuovo modo di lavorare, sia per quanto riguarda la produzione che la fruizione. "La discussione è diventata un momento importante nella costituzione di un progetto", ha commentato Huyghe, mentre Tiravanija mette la sua arte, come un "luogo di socializzazione", sullo stesso piano di un mercato di paese o una pista da ballo.

Estetica interattiva

In questo periodo di megaesposizioni l'artista spesso ha il doppio ruolo di curatore. "Sono il capo di una squadra, un allenatore, un produttore, un organizzatore, un rappresentante, un capo di una claque, un ospite della festa, un capitano della barca", commenta Orozco, "in breve un attivista, un attivatore, un incubatore". Il sorgere dell'artista-curatore ha come complemento il sorgere del curatore-artista; gli artefici delle grandi mostre sono diventati molto celebri nel corso dell'ultimo decennio. Spesso queste due attività condividono modelli di lavoro e termini di descrizione. Per esempio, alcuni anni fa Tiravanija, Orozco e altri artisti iniziarono ■ a parlare dei progetti come di "piattaforme" e "stazioni", come "luoghi che raggruppano e poi disperdono", allo scopo di sottolineare il loro tentativo di creare delle comunità casuali. Nel 2002 *Documenta 11*, curata da un team internazionale diretto dal nigeriano Okwui Enwezor (nato nel 1963) fu concepita in termini di "piattaforme" di discussione, disseminate per il mondo, su temi come "Democrazia irrealizzata", "Processi di verità e riconciliazione", "Meticciato e meticciamento" e "Quattro città africane"; l'esposizione vera e propria a Kassel, in Germania, fu solo la conclusione di queste "piattaforme". La Biennale di Venezia del 2003, curata da un altro gruppo internazionale guidato dall'italiano Francesco Bonami (nato nel 1955), fu caratterizzata da sezioni intitolate "Stazione utopia" e "Zona d'urgenza", le quali esemplificavano la discorsività informale di tanta produzione artistica e curatela recenti. Come "chiosco", i termini "piattaforma" e "stazione" ricordano la vecchia ambizione modernista di moder- ▲ nizzare la cultura in accordo con la società industriale (El Lisickij parlò dei suoi progetti *Proun* come di "stazioni tra l'arte e l'architettura"). Ma questi termini evocano anche la rete elettronica: molti artisti e curatori usano la retorica di internet dell'"interattività", sebbene i mezzi applicati a questo fine siano di solito molto più diretti e frontali di qualsiasi chat room nella rete.

Insieme all'enfasi sulla discorsività e sulla socievolezza, viene spesso espresso un interesse nei confronti dell'etico e del quoti- ● diano: l'arte è "un modo di esplorare altre possibilità di scambio" (Huyghe), un modello di "vivere bene" (Tiravanija), un mezzo per essere "insieme nel quotidiano" (Orozco). "D'ora innanzi", dichiara Bourriaud, "il gruppo è opposto alla massa, la vicinanza alla propaganda, la bassa tecnologia all'alta e il tattile al visivo. E soprattutto il quotidiano ora risulta essere un terreno molto più fertile della cultura pop". Le possibilità di tale estetica interattiva sembrano abbastanza chiare, ma ci sono problemi anche qui. Qualche volta una vacillante analogia tra un'opera aperta e una società inclusiva fa attribuire all'arte delle volontà politiche radicali, come se una forma occasionale potesse evocare una comunità democratica o un'installazione non gerarchica potesse pronosticare un mondo egalitario. Hirschhorn vede i suoi progetti come "siti di costruzione senza fine", mentre Tiravanija respinge "il bisogno di fissare un momento in cui tutto sia completo". Ma un servizio che l'arte può ancora rendere è quello di fare una sosta, prendere una posizione, in un registro concreto che costella l'estetico, il cognitivo e il critico. Per di più l'informe nella società potrebbe essere una condizione da contestare più che da celebrare in arte – una condizione da trasferire in una forma di proposte di riflessione e resistenza (come alcuni pittori modernisti hanno ■ cercato di fare). Gli artisti in questione spesso citano i situazionisti come modello di critica, ma i situazionisti apprezzavano interventi precisi e organizzazione rigorosa, soprattutto.

"La domanda", sostiene Huyghe, "è più 'a chi?' che 'che cosa?' Diventa una questione di interlocuzione". Anche Bourriaud vede l'arte come "un insieme di unità che devono essere riattivate dallo spettatore-manipolatore". Per molti aspetti questo approccio è un'altra eredità della provocazione duchampiana, ma quando questa "riattivazione" diventa un peso troppo grosso da porre sulle spalle dello spettatore? Come nei tentativi precedenti di coinvolgere ◆ direttamente il pubblico (per esempio in certa Arte concettuale), c'è un rischio di illeggibilità che potrebbe far ridiventare l'artista la figura principale e l'interprete primario del lavoro. A volte, bisogna ammetterlo, "la morte dell'autore" non significa "la nascita del lettore", come ha pensato Roland Barthes nel suo saggio del 1968 che portava quel titolo, quanto la messa in confusione dello spetta-

▲ 1920, 1926 ● 1992 ■ Introduzione 5

▲ 1926 ● 2009a ■ 1957a ◆ 1968b, 1971, 1972b, 1984a

tore. Per di più, quando mai l'arte *non* ha coinvolto la discorsività e la socievolezza, almeno a partire dal Rinascimento? Tale enfasi potrebbe porre il rischio di una strana situazione di discussione e interazione fine a se stessa. La collaborazione, inoltre, spesso viene considerata positiva in sé: "La collaborazione è la risposta", ha osservato il curatore peripatetico Hans Ulrich Obrist ironicamente, "ma qual è la domanda?".

Forse discorsività e socievolezza oggi sono messe in primo piano nell'arte perché sembrano poco presenti nelle altre sfere (almeno negli Stati Uniti), e riguardo all'etico e al quotidiano si può considerare vera la stessa riflessione; è come se l'idea di comunità avesse preso un'inflessione utopica. Anche il pubblico dell'arte non può essere dato per scontato, ma deve essere creato ogni volta: questa può essere una delle ragioni per cui le esposizioni contemporanee qualche volta sembrano delle opere di recupero della socializzazione ("vieni a giocare, parlare e imparare con noi"). Ma se la partecipazione, in altre aree della vita, appare minacciata, privilegiarla in arte funziona in parte come una sostituzione compensatoria. Ad un certo punto Bourriaud quasi consiglia: ▲ "Rendendo piccoli servizi, gli artisti riempiono le crepe del legame sociale". Solo quando è più cupo, rivela di più: "La società dello spettacolo, così, è seguita dalla società degli extra, dove ciascuno trova l'illusione di una democrazia interattiva in canali di comunicazione più o meno tronchi". Può sembrare che la situazione nel mondo globale dell'arte non sia diversa.

2000–2015

Un impulso archivistico

Ma ci sono anche segni promettenti, non solo nelle aspirazioni utopiche di quest'arte, ma anche nel suo impulso archivistico, che potrebbero essere presi come un paradigma tacito all'interno della pratica contemporanea. Questo impulso, che ha molti precedenti nell'arte del dopoguerra, è evidente in una volontà di fare informazione storica, spesso persa, marginale o soppressa, fisica e spaziale, anzi interattiva, spesso attraverso immagini, oggetti e testi trovati e sistemati in installazioni. Come qualsiasi archivio, i materiali di quest'arte sono trovati ma anche costruiti, pubblici ma anche privati, reali ma anche falsi, e spesso sono messi insieme semplicemente per l'occasione. Frequentemente questo lavoro mostra anche • una sorta di architettura archivistica, un complesso fisico di informazione (come nei chioschi di Hirschhorn o nelle piattaforme di Gillick), come pure anche una sorta di logica archivistica, una matrice concettuale di citazioni e giustapposizioni. Hirschhorn parla del suo processo come di "ramificazione" e molta di questa arte estende la propria attività come un albero, o meglio come un'erbaccia o un "rizoma" (un termine preso dal filosofo Gilles Deleuze che anche altri come Gillick e Durant usano). Forse la vita di qualsiasi archivio è una questione di crescita trasformativa di questo genere, attraverso le connessioni e sconnessioni che anche quest'arte rivela. "Laboratorio, magazzino, spazio dello studio, sì", ha osservato Hirschhorn. "Io voglio usare queste forme nelle mie opere per fare spazi per il movimento e la non finitezza del pensiero...".

L'impulso archivistico è forte in Tacita Dean, che lavora in una varietà di medium, fotografia, disegno e suono, ma principalmente ▲ cortometraggi e video accompagnati da testi che chiama "a parte". Dean è attratta da persone, cose e luoghi che sono diventati in qualche modo perduti, secondari o abbandonati. Di solito inizia con uno di questi eventi, di cui ricostruisce le ramificazioni in un archivio, come spontaneamente. Si consideri *Passeggera clandestina* (1994), un film 16mm della durata di 8 minuti in bianco e nero e a colori con un "a parte" narrativo. Qui Dean si è imbattuta in una fotografia di una giovane clandestina che si chiamava Jean Jeinnie, la quale nel 1928 si introdusse furtivamente in una nave chiamata Herzogin Cecilie, diretta dall'Australia verso l'Inghilterra. Molti anni dopo la nave fu rimorchiata verso Starehole Bay nella costa sud del Devon, dove alla fine si era sfasciata.

L'archivio di *Passeggera clandestina* forma una sorta di intreccio di coincidenze. Prima Dean perde la fotografia a Heathrow, in una borsa inviata alla destinazione sbagliata, un'altra "clandestina" che ricompare più tardi a Dublino. Poi, mentre svolge ricerche su Jean Jeinnie, sente dappertutto echi del suo nome, dallo scrittore Jean Genet alla canzone di David Bowie *Jean Genie*. Quando Dean raggiunge Starehole Bay per fare indagini sulla nave, una ragazza viene uccisa nelle scogliere sopra al porto proprio durante la notte che anche Dean trascorre là. *Passeggera clandestina* è così un archivio che include al suo interno l'artista-archivista. "Il suo viaggio l'ha portata da Port Lincoln a Falmouth", scrive Dean. "Aveva un inizio e una fine, una temporalità ben definita. Il mio non segue una narrazione altrettanto lineare. È iniziato nel momento in cui ho trovato la foto, ma da allora ha seguito una traiettoria sinuosa attraverso ricerche non segnate sulla mappa, verso destinazioni non scontate. Era diventato un passaggio dentro la storia, lungo la linea che divide i fatti dalle invenzioni, più simile a un viaggio lungo un mondo sommerso dove interventi del caso e incontri epici contano di più che in qualunque altro posto io conosca. La mia storia parla della coincidenza, di quello che è stato invitato e di quello che non lo è stato". In questo modo il lavoro archivistico è anche un'allegoria del lavoro artistico.

In un altro pezzo costituito di film e testo Dean racconta la storia di un'altra figura perduta e ritrovata. Nel 1968 un certo Donald Crowhurst, un uomo d'affari fallito di Teignmouth, una cittadina costiera inglese affamata di popolarità turistica, fu spinto a partecipare al Golden Globe Race: sarebbe stato il primo uomo a fare il giro del mondo non stop in solitaria in barca a vela. Tuttavia né il marinaio né l'imbarcazione, un trimarano battezzato Elettrone di Teignmouth, erano preparati e Crowhurst vacillò presto: falsificò i suoi giornali di bordo, poi interruppe i contatti radio. Iniziò a soffrire di squilibrio temporale, con annotazioni incoerenti sul giornale di bordo riguardo un discorso privato su Dio e l'Universo. Alla fine Crowhurst si lanciò dalla barca con il suo cronometro, appena a poche centinaia di miglia dalla costa inglese.

Dean tratta questo evento obliquamente in tre cortometraggi. I primi due *Sparizione in mare I* e *II* (1996, 1997), vennero girati presso due differenti fari: nel primo, filmato vicino a Berwick,

▲ 2009a ● 2009b ▲ 1998

4 • Tacita Dean, *Casa bolla*, 1999
Fotografia R-type, 99 x 147 cm

immagini delle lampade del faro si alternano a vedute vuote dell'orizzonte mentre scende lentamente l'oscurità; nel secondo, filmato in Northumberland, la telecamera montata sul meccanismo del faro offre un panorama continuo di un mare privo di vita umana. Per il terzo film, *Elettrone di Teignmouth* (2000), Dean si recò a Cayman Brac, nei Caraibi, a documentare i resti del trimarano. Aveva "l'aspetto di un carro armato o di una carcassa di un animale o di un esoscheletro lasciato da una famigerata creatura oggi estinta", scrive. "In ogni modo, niente più tracce della sua funzione, dimenticato dalla sua generazione e abbandonato dal suo tempo". In quest'opera allargata, dunque, "Crowhurst" è un termine che ne implica altri, in un archivio che mette in luce una città ambiziosa, una gara sciagurata, un mal di mare metafisico e un residuo enigmatico.

Dean lascia ramificare questo archivio ancora oltre. Mentre si trova a Cayman Brac, si imbatte in un'altra struttura derelitta soprannominata dai locali "la casa bolla" **[4]** e documenta questa "compagna perfetta" per l'Elettrone di Teignmouth in un altro breve film accompagnato da un testo (1999). Disegnata da un francese finito in prigione per appropriazione indebita, la casa bolla era "una visione per un riparo perfetto dagli uragani, a forma d'uovo e resistente al vento, stravagante e audace, con le sue finestre grandi come un Cinemascope che guardano fuori, sul mare". Mai completata e abbandonata da tempo, ora è in rovina, "come un messaggio da un'altra era". "Mi piacciono questi strani monoliti che stanno in questo non luogo", osserva Dean riguardo a un'altra "visione futuristica fallita" di cui si è appropriata come un oggetto d'archivio, completamente consapevole che un "non luogo" è il significato letterale di "utopia" e che evoca anche un "non tempo". In un certo senso tutti i suoi oggetti fungono da arche di temporalità malsicure, nelle quali il qui e ora dell'opera funziona come un nodo tra un passato non finito e un futuro riaperto. Sta qui l'aspetto più straordinario di quest'arte d'archivio: il suo desiderio di volgere visioni fallite del passato in scenari di futuro alternativo – in altre parole, di trasformare i resti archivistici del non luogo in una sua possibilità utopica. HF

ULTERIORI LETTURE:
Claire Bishop, *Antagonism and Relational Aesthetichs*, in *October*, n. 110, autunno 2004
Laurence Bossé et al., *Tacita Dean: 7 Books*, Musée d'Art Moderne de la Ville, Paris 2003
Nicolas Bourriaud, *Postproduction*, trad. it. Postmedia, Milano 2004, e *Estetica relazionale*, trad. it. Postmedia, Milano 2010
Okwui Enwezor (a cura di), *Documenta 11: Platform 5*, Hatje Cantz Verlag, Kassel 2002
Tom McDonough, *No Ghost*, in *October*, n. 110, autunno 2004
Hans Ulrich Obrist, *Interviste, Volume I*, Charta, Milano 2003

2007a

Parigi riconosce l'importanza dell'artista americano Christian Marclay per il futuro dell'arte d'avanguardia con una grande retrospettiva alla Cité de la Musique; Sophie Calle è invitata a rappresentare la Francia alla Biennale di Venezia; intanto la Brooklyn Academy of Music commissiona al sudafricano William Kentridge le scenografie del *Flauto magico*.

▲ In *Pittura modernista*, pubblicato nel 1960, Clement Greenberg sosteneva che il vero artista d'avanguardia autoriflessivo – o, come lo definiva, "autocritico" – è quello che mette l'opera d'arte alla prova della logica delle sue condizioni specifiche e che riconosce la tradizione del suo medium riferendosi alla sua storia, almeno implicitamente. "L'autocritica del modernismo deriva dalla critica illuminista ma non coincide con essa. L'Illuminismo criticava dall'esterno, come fa la critica comunemente intesa; il modernismo critica dall'interno, attraverso le procedure stesse di ciò che viene criticato", procedure che Greenberg chiamava "area di competenza" di un medium specifico. (Conseguentemente, scriveva, "non insisterò mai abbastanza sul fatto che il modernismo non ha mai significato, nemmeno ora, una rottura con il passato. Può significare un trasferimento o un dipanarsi della tradizione, ma significa anche una sua ulteriore evoluzione. L'arte modernista continua il passato senza salti o rotture, e ovunque andrà a finire non smetterà mai di essere intelligibile nei termini del passato".)

La prima arte modernista si può dunque dire che abbia "reso manifesto" il supporto dell'opera – facendo appello alla superficie come immagine riflessiva dello sfondo dell'opera – come quando la griglia cubista non solo rappresenta la bidimensionalità, lo sviluppo laterale della sua superficie e la forma della cornice rettangolare del quadro, ma imita anche – o "manifesta" – la maglia intrecciata della tela. Possiamo chiamare queste strategie le "regole" ▲ della griglia. In questo modo, nella sua serie del 1916 *Molo e oceano*, Piet Mondrian trasformò le sue notazioni sulle onde increspate in glifi assiali a croce in modo che il mare "rendeva manifeste" simultaneamente la prospettiva dello spazio visivo (la sua linea d'orizzonte incrociata dalla traiettoria della penetrazione visiva dello spazio) e la bidimensionalità e trama della tela. L'adempimento di questo obbligo estetico posizionò il Cubismo e Mondrian direttamente nelle fila dell'avanguardia autentica secondo Greenberg. ● Nel campo opposto Greenberg pose il "kitsch", che aveva criticato nel suo saggio *Avanguardia e kitsch* come simulacro dell'arte più che cosa reale, aggiungendo che era diventato l'atmosfera inquinata della cultura stessa che respiriamo. L'identità del kitsch, sosteneva, deriva dalla sua irresponsabile indifferenza all'idea di medium, rafforzando così la corruzione del gusto con la sostituzione degli effetti simulati – come nelle imitazioni del legno e del marmo nella formica – al posto dell'"autocritica". Se l'avan-

1 • Christian Marclay, *Quartetto video*, 2002
Proiezione dvd a quattro canali, con sonoro, durata 14 minuti, ogni schermo 243,8 x 304,8 cm, insieme dell'installazione 243,8 x 1219,2 cm

▲ 1960b ▲ 1917a ● 1960b

guardia ha una vocazione autentica, questa è, scriveva, combattere una crociata contro la pervasiva diffusione del kitsch.

A partire dagli anni Settanta, comunque, tre ulteriori sviluppi sembrarono consegnare questa visione dell'avanguardia modernista e della specificità del medium alla discarica della storia: la "smaterializzazione" dell'oggetto estetico, l'avvento del concettualismo e il sorpasso di Duchamp su Picasso come più importante artista del secolo. Nel suo *Sei anni: la smaterializzazione dell'oggetto d'arte* (1973) Lucy Lippard dimostrò come l'arte contemporanea (per lei ▲ il postminimalismo) condannava la condizione di crasso mercato dell'opera d'arte mercificata del Minimalismo – considerato logica derivazione della specificità del medium di Greenberg –, situazione rimediata soltanto dalla condizione effimera degli interventi *site specific*, come i *wall drawing* di Sol LeWitt, e dell'evanescente ● performance, come nell'opera di Chris Burden e Vito Acconci.

Un'altra forma di smaterializzazione parallela a queste manifestazioni fu la trasformazione dell'oggetto in "idea". Fu la strada intrapresa da Joseph Kosuth nel suo manifesto *L'arte dopo la filosofia* del 1968. Rifacendosi al modo in cui, dopo Ludwig Wittgenstein, Willard Quine e A. J. Ayer, la filosofia trascendentale occidentale è stata sostituita dall'analisi del linguaggio, Kosuth sviluppò un parallelo tra questa trasformazione in filosofia e quella introdotta da Duchamp quando, con i suoi readymade, propose che l'oggetto prodotto in serie venisse inteso puramente come la proposizione "Questo è arte". Insistendo che la trasposizione di Duchamp smaterializza l'oggetto in pura idea o definizione estetica, Kosuth concludeva che per definire l'arte in quanto tale occorre abbandonare la dottrina modernista del medium specifico che la sottende:

> *Essere un artista oggi vuol dire mettere in questione la natura dell'arte. Se un artista discute la natura della pittura, non sta mettendo in questione la natura dell'arte. Se accetta la pittura (o la scultura), accetta la tradizione che l'accompagna. Questo perché [...] dipingendo, si accetta già la natura dell'arte (e non ci si interroga su di essa).*

L'ascendente di Duchamp sul dominio apparentemente inattaccabile di Picasso segna già il declino, in *Arte dopo la filosofia*, del medium specifico, come quando Kosuth respinge l'importanza della domanda modernista di riflessione "autocritica" sulla natura della pittura o della scultura dicendo che la trasformazione dell'oggetto in dichiarazione da parte di Duchamp ha già destituito la necessità di media specifici. Con *Ceci n'est pas une pipe* ▲ René Magritte ha poi sottoposto la rappresentazione al linguaggio e Marcel Broodthaers, con la sua scritta ripetuta "Questo non è un'opera d'arte", nel suo *Dipartimento delle aquile, Sezione cataloghi*, si unì a loro nel considerare l'opera una dichiarazione. La ● dimostrazione del concettualismo dello stesso Kosuth, *Una e tre sedie*, accostò una normale sedia readymade con una fotografia della stessa sedia. Sulla parete vi era poi un pannello con la definizione da dizionario della parola "sedia". Con questa invasione duchampiana di linguaggio verbale in arte, il paradigma inventato da Picasso sembrava ora spazzato via. Quello che era rimasto del ■ collage, da un lato, era stato ridotto alla pratica del *décollage* o del fotomontaggio, mentre la griglia cubista, dall'altro, era stata mantenuta soltanto nelle variazioni sul monocromo.

L'arte nell'epoca della condizione postmediale

L'arte dell'installazione, le presentazioni multimediali di *tableaux* in musei e gallerie, con il suo rifiuto del medium specifico, può essere interpretata come l'erede contemporanea dell'attacco alla specificità del medium da parte della smaterializzazione dell'oggetto d'arte, del concettualismo e di Duchamp. Come tale è l'araldo di quella che chiamo la "condizione postmediale", che possiamo vedere come il marchio della nostra epoca di produzione artistica. E ancora, benché l'arte dell'installazione possa essere sembrata pervasiva negli anni

▲ 1966b, 1968b, 1969 ● 1974

▲ 1927a ● 1972a ■ 1911, 1957b, 1960a

2 • Christian Marclay, *Telefono*, 1995
Video, durata 7 minuti e 30 secondi

recenti, non tutti gli artisti contemporanei si sono inchinati a questa condizione. Alcuni hanno sviluppato nuovi media come fondo o supporto delle loro rappresentazioni e spesso invocano la storia di questi media, anche se ora sono rielaborati. Così facendo, sono infatti tornati a una forma di specificità del medium, benché in modalità lontane dalla dottrina modernista originaria di Greenberg. Gli artisti che oggi vestono il manto della vera avanguardia e resistono al kitsch della condizione postmediale, lo fanno sviluppando le regole dei loro nuovi media individuali e concepiscono nuove modalità per "manifestare" questi supporti (che, per differenziarli dai tradizionali media storici, chiameremo "supporti tecnici"), a loro volta da modelli commerciali come il giornalismo, il cinema d'animazione o le presentazioni PowerPoint.

Manifestare il supporto

Una prima influenza per i dissidenti della condizione postmediale è ▲ stato Ed Ruscha, la cui opera degli anni Sessanta consisteva spesso in piccoli ed economici pieghevoli con fotografie in cui catturava soggetti stereotipati di Los Angeles: palme, piscine, parcheggi, aree di servizio. Ruscha spiega così quest'ultima scelta: "Mi piaceva tornare in automobile [a Oklahoma, sua città natale] quattro o cinque volte all'anno", dice, "e cominciavo a sentire che c'era tanta terra desolata tra Los Angeles e Oklahoma che qualcuno doveva portare le notizie alla città. Allora ho avuto questa idea per il titolo di un libro – *Ventisei stazioni di rifornimento* – e nella mia mente è diventata una regola immaginaria che sapevo che avrei seguito". Fotografò i suoi *Parcheggi* da un aereo, rendendo ogni stampa una pagina manifestamente piatta, con la griglia di linee bianche dipinte degli spazi vuoti per le automobili. Come la griglia modernista, i reparti ripetuti rappresentano l'idea dell'automobile come multiplo, prodotto in serie, come il pieghevole stesso – un omaggio alla convinzione di Benjamin che viviamo in un'"epoca della riproducibilità tecnica". I ricorrenti riferimenti di Ruscha all'automobile e alla cultura automobilistica suggeriscono che il suo "supporto tecnico" è appunto l'automobile stessa, che a sua volta genera le "regole" del suo medium, garantendo la sua specificità come la griglia cubista forniva le "regole" della pittura modernista. Pozze di olio di motore macchiano l'asfalto dei *Parcheggi*, tracce delle automobili che vi erano parcheggiate. Da qui Ruscha deve aver tratto la regola di una serie seguente di libri, che ha intitolato *Macchie*. Spiegando che il medium tradizionale dell'olio su tela non lo interessava più, si spostò invece su materiali eccentrici per sostituire il colore con cui macchiare le copertine in tessuto dei libri (seta moiré, taffetà): sostanze come succo di mirtillo, curry, sciroppo di cioccolato e caviale. In questo modo le *Macchie* di Ruscha ammiccano allo sviluppo precedente dell'arte modernista in "pittura a macchie", detta anche Color field.

Come con Ruscha e l'automobile, l'artista americano Christian Marclay (nato nel 1955) si riferisce insistentemente nella sua opera alla storia e alla cultura della musica, e più in generale del suono. In *Quartetto video*, il suo capolavoro del 2002, Marclay dispone quattro schermi in fila orizzontale, ognuno con una selezione di estratti da famosi film. Il grido a bocca spalancata di Janet Leigh nella doccia di *Psycho* su uno schermo entra in competizione con il canto meditativo di Ingrid Bergman di "You Must Remerber This" da *Casablanca* sul seguente. Questi passaggi simultanei, ognuno esempio del medium filmico commerciale di suono sincronizzato, sono temporizzati da Marclay in modo da apparire in congiunzione l'uno con l'altro, in una cacofonia che confonde e al tempo stesso emoziona. Qui si può dire che il suono sincronizzato è il "supporto tecnico" di Marclay, costituendo un medium derivato dal cinema che l'artista rielabora per "rendere manifesto". Un esempio è l'estratto da *West Side Story* in cui cinque membri della gang schioccano le dita all'unisono. Un altro esempio accoppia la scena di Marilyn Monroe da *Gli uomini preferiscono le bionde* che richiude il ventaglio con un sonante click nell'esatto momento in cui una geisha schiocca il suo sullo schermo accanto. Un terzo esempio giustappone un'immagine del muto Harpo Marx con un fotogramma di scarafaggi che cadono sulla tastiera di un pianoforte, su cui corrono freneticamente in totale silenzio **[1]**. Entrambi gli estratti catapultano lo spettatore

▲ 1960c, 1967a, 1968b

indietro nella storia del cinema, da quello muto al 1929, anno della determinante invenzione del suono sincronizzato. Potremmo dire che ci fanno *vedere* l'immagine pressoché impossibile del bordo del nastro audio che scorre lungo il lato della striscia di celluloide, cosicché Marclay usa il silenzio per "rendere manifesto" il suono.

In *Quartetto video* Ingrid Bergman canta la sua canzone con aria meditativa mentre si guarda allo specchio, come fa Doris Day in un'altra scena. Anche se cantante e riflesso sono nello stesso fotogramma, costituiscono una "manifestazione" della tecnica di montaggio cinematografico del campo/controcampo. Un altro esempio di questo tropo si trova nel video *Telefoni*, del 1995, dove il campo/controcampo regola lo scambio tra due interlocutori poiché noi ci concentriamo sul volto di uno solo, poi saltiamo sulla reazione dell'altro e infine torniamo al primo per vedere la sua riposta **[2]**. Questo alterno avanti e indietro è un modo per stabilire la continuità e densità dello spazio filmico. Niente può mostrare meglio il campo/controcampo dello squillo del telefono interrotto e accolto dall'inevitabile "Pronto?" Taglio su chi ha chiamato: "Cara, sono io..."; taglio: "Cosa?"

Come *Telefoni*, il magistrale *I.N.I.Z.I.A.L.I.* di James Coleman, un'opera composta da una sequenza di diapositive unite a una registrazione audio (come in una presentazione PowerPoint), evoca lo stesso tropo. Coreografando l'immagine di due interlocutori disposti frontalmente ed entrambi rivolti direttamente fuori quadro invece che rivolti l'uno verso l'altro, Coleman "manifesta" l'immobilità fotografica e dunque l'indisponibilità del dispositivo campo/controcampo per la singola diapositiva **[3]**. Roy Lichtenstein aveva ▲ mostrato lo stesso limite nelle inquadrature dei fumetti, come con gli amanti che si scambiano confidenze, pur minando la cosa alla base, dato che entrambi guardano direttamente verso lo spettatore. Il riconoscimento autocritico da parte di Coleman di questa "regola" del supporto tecnico si rende manifesto nel sonoro di *I.N.I.Z.I.A.L.I.* in una citazione da *Il sogno delle ossa* di W. B. Yeats, quando il narratore chiede: "Perché vi guardate l'un l'altro... e poi vi voltate?", in un perfetto riconoscimento dei limiti della proiezione di diapositive.

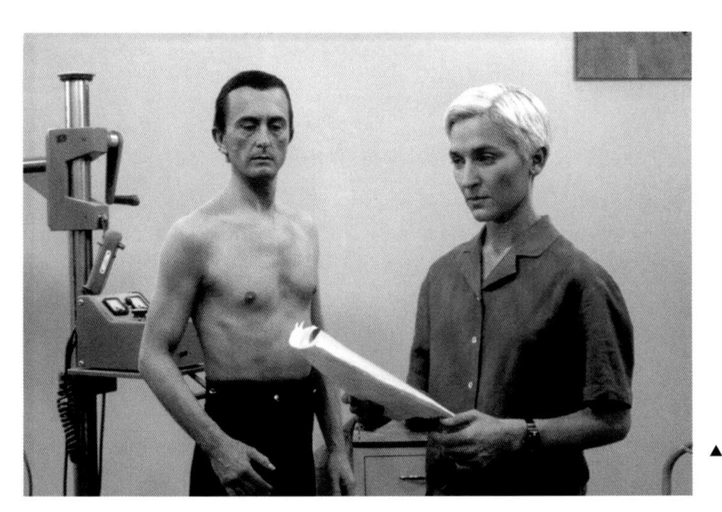

3 • James Coleman, *I.N.I.Z.I.A.L.I.*, 1993-94
Immagini proiettate con narrazione audio

4 • Sophie Calle, *Abbi cura di te*, 2007 (particolare con Miranda Richardson)
Stampa fine art montata su alluminio, cornice di legno, vetro, 98 x 78,5 cm

L'artista francese Sophie Calle (nata nel 1953) ha iniziato la sua carriera come fotografa concettuale, combinando testo e immagine. Velocemente, tuttavia, è passata a un nuovo "supporto tecnico" per lo sviluppo del suo medium: adattando il giornalismo investigativo (si pensi allo *Washington Post* e al Watergate), Calle si è trasformata in un reporter sulle tracce di uno sconosciuto. Così l'opera *Rubrica degli indirizzi*, del 1983, si è sviluppata a partire dalla piccola rubrica telefonica che qualcuno aveva perso in un bar a Parigi. Calle si impadronì dell'oggetto abbandonato e chiamò tutti i numeri della rubrica, come per intervistare i loro titolari sul proprietario assente della lista, il suo progetto essendo quello di farsi un'idea dell'uomo a partire dalla rete delle sue conoscenze. Assumendo il giornalismo investigativo come "supporto tecnico" dell'opera, queste interviste e le conclusioni di Calle sulla figura del proprietario venivano pubblicate giornalmente sul quotidiano francese *Libération*.

L'opera seguente, *Una giovane donna sparisce*, è incentrata sui resoconti dei giornali su Bénédicte, una guardiana del Centre Pompidou durante la retrospettiva *Mi hai vista?* di Calle del 2003. Affascinata dal processo artistico di Calle, la guardiana seguì i visitatori della mostra e furtivamente scattò loro delle foto. Più tardi un misterioso incendio sull'isola Saint Louis, dove si trovava l'appartamento parigino di Bénédicte, ridusse in cenere la sua abitazione. La polizia trovò i negativi bruciati delle immagini, ma Bénédicte era sparita. I resoconti giornalieri della polizia – dragaggio della Senna, interrogatori ai residenti del quartiere di Bénédicte – fotografati dai giornali e trasformati in opera, permisero a *Una giovane donna sparisce* di "manifestare" il supporto giornalistico di Calle.

Nel 2007, quando venne scelta per rappresentare la Francia alla Biennale di Venezia, Calle mise in opera il suo particolare senso dell'umorismo, mettendo un'inserzione su un quotidiano per ▲ cercare un curatore per la sua mostra. Quando Daniel Buren rispose all'annuncio, lo accettò. L'opera in causa, *Abbi cura di te*, prendeva a soggetto una mail spedita a Calle da un amante per metter fine definitivamente e bruscamente al loro rapporto. Colmo dell'ipocrisia, la

▲ 1960c

▲ 1971

Brian O'Doherty e il "white cube"

All'inizio degli anni Sessanta, quando l'Espressionismo astratto cedette il passo al Minimalismo, il centro del mondo dell'arte di New York si spostò. Gli studi che avevano riempito l'Ottava strada e il Greenwich Village si trasferirono verso sud nel quartiere degli edifici in ghisa prima dedicati all'industria leggera, che fornirono grandi spazi senza pareti divisorie detti "loft". I più importanti galleristi seguirono l'onda e la produzione ed esposizione dell'arte occuparono ora lo spazio urbano chiamato Soho. Dipinti di bianco e pieni di luce, i loft incoraggiarono opere sempre più grandi, e il precedente impiego degli spazi suggerì i materiali industriali. L'opera di Donald Judd o Robert Morris sarebbe inimmaginabile senza il nuovo tipo di spazio, che il critico e artista irlandese Brian O'Doherty ha chiamato "white cube", cubo bianco.

Originariamente pubblicato come serie di saggi sulla rivista *Artforum* nel 1976, *Inside the White Cube: L'ideologia dello spazio espositivo* di O'Doherty diffuse il rifiuto radicale della dottrina modernista. Riaffermando l'importanza dell'arte effimera e del concettualismo come sostituti dell'oggetto minimalista, l'espressione "white cube" catturò come modo per beffarsi del protocollo modernista di obbligo autocritico per un medium di dichiarare la propria "area di competenza". Secondo O'Doherty l'"ideologia" delle nuove gallerie derivava dall'omologia dello spazio del commercio con quello della creazione, come un nastro di Moebius in cui l'uno non si distingue più dall'altro. L'obiettivo del modernismo era stato quello di rafforzare l'*autonomia* dell'opera d'arte, la sua assoluta chiusura nella cornice, nell'*autoreferenzialità* attraverso cui niente poteva penetrare dall'esterno. L'autoreferenzialità era un altro modo per dire autorappresentazione – a sua volta condizione fondamentale dell'astrazione. Nella sua *Critica del giudizio* Immanuel Kant aveva dichiarato questo "disinteresse" autonomo come una delle condizioni della bellezza – disinteresse fondato sull'esclusione dall'opera di tutto ciò che è fuori, sia l'oggetto della rappresentazione sia ogni altro "concetto". Derivato dalle bianche gallerie espositive dei palazzi musei, il cubo bianco venne considerato la base della "purezza" – altro termine per autonomia – dell'opera d'arte. Ma una volta diventata innegabile la sinonimia di galleria e loft, la "purezza" svanì dietro uno schermo di interessi finanziari. La fine dell'autonomia modernista diede il via allo sviluppo dell'arte dell'installazione della condizione postmediale. Proiezioni video spazzarono via l'impermeabile presenza della superficie della pittura mimando invece la condizione onirica di foschia o nebbia. Appena il "cubo bianco" collassò, la tensione tra l'oggettività della parete e l'esperienza soggettiva dello spettatore non lasciò nessuno spazio al supporto resistente del medium.

L'attività di O'Doherty si estese al di là dei suoi testi provocatori. Nel 1967 pubblicò *Aspen 5 + 6*, una rivista sponsorizzata da una colonia di artisti di Red Mountain in Colorado. La "rivista" era una bianca scatola quadrata di 20 centimetri di lato per 7,5 di spessore contenente dischi (Alain Robbe-Grillet che recita brani di *Gelosia*), bobine di film (*Sito*, pièce di danza di Robert Morris) e la prima edizione di *La morte dell'autore* di Roland Barthes. O'Doherty convinse anche Marcel Duchamp a leggere *L'atto creativo* per la rivista. Non era il primo incontro tra i due. Durante la sua attività di medico a Dublino, O'Doherty aveva già convinto Duchamp a sottoporsi a una registrazione per elettrocardiogramma del suo battito cardiaco. Nei disegni dell'ago risultati da questa linea della vita Dada, lo spettatore è lasciato nel dubbio se quello che vede sia un readymade o un'opera creata.

O'Doherty fa anche l'artista, interrogando le convenzioni artistiche e gli assunti su cui basiamo i nostri giudizi estetici con un lavoro fortemente influenzato da Duchamp. Esso spazia da opere concettuali a ironiche "opere di corda" sulla purezza del cubo bianco: tirando fili intrecciati da un angolo all'altro della galleria o della sala di museo, le corde colorate si fondono visivamente nell'illusione di un piano sospeso – una Gestalt ottica che cancella la dimensione fisica della scatola stessa.

Nel 1972 O'Doherty ha cominciato a firmare le opere "Patrick Ireland" per protesta contro il massacro della Domenica di sangue perpetrato dall'esercito inglese a Derry, nell'Irlanda del Nord. Nel 2007 la Grey Art Gallery dell'Università di New York ha organizzato una retrospettiva dell'opera di O'Doherty/Ireland, un anno prima che O'Doherty "seppellisse" cerimoniosamente il suo alter ego al Museo irlandese d'arte moderna di Dublino in segno di riconoscimento del crescente successo del processo di pace in Irlanda.

mail finiva con "abbi cura di te". Sui diversi schermi video che compongono l'opera diverse donne, tutte professioniste nei loro specifici ambiti, tra cui le attrici Catherine Deneuve, Jeanne Moreau e Miranda Richardson **[4]**, leggono la lettera ad alta voce, interpretandone la crudeltà. Altre la cantano, altre ancora la traducono in "segni". Come *Rubrica degli indirizzi*, l'opera voleva costruire un'immagine del suo autore. A differenziare quest'opera da altre simili però è la delicata domanda se l'autore della lettera sia la stessa Calle o no. Paradossalmente un'artista, la cui intera opera ruota intorno alla questione del documentare l'Altro sconosciuto, può finire a fabbricare un oggetto di "confessione" sentimentale perché sia interpretato da estranei. Nell'estate del 2008 *Abbi cura di te* ebbe un'altra versione espositiva all'ex Biblioteca Nazionale di Parigi. All'entrata della magnifica sala di lettura Labrouste veniva data al visitatore una copia della lettera, che veniva proiettata nei monitor sparpagliati sui lunghi tavoli, dove le varie donne la leggevano per il loro invisibile pubblico. Ospitando l'opera nella sala di lettura foderata delle pagine di volumi rilegati in pelle, la biblioteca intensificava l'effetto dell'opera stessa come serie di recite testuali.

Se Marclay adotta il suono sincronizzato del cinema come suo "supporto tecnico" e Coleman e Calle le tecniche rispettivamente di PowerPoint e del giornalismo investigativo, l'artista sudafricano ▲ William Kentridge sceglie per sé il film d'animazione. Lavorando sulla forma d'arte commerciale dell'animazione, realizza un

▲ 1994b

5 • (a sinistra) William Kentridge, fotogramma da *Armadietto dei medicinali*, 2000

6 • (sotto) William Kentridge, fotogramma da *Storia della grande protesta*, 1996

disegno a carboncino, lo fotografa, lo cancella leggermente e scatta un altro fotogramma di film per registrare la nuova immagine modificata: processo che dura per l'intera pellicola. Nel 2000 ha realizzato *Armadietto dei medicinali*, immagine frontale di alcuni ripiani con bottiglie, tubetti e spazzole, tutti davanti a uno specchio, che proiettava sul fondo di un vero armadietto medico **[5]**. Il film si apre con il riflesso di Kentridge stesso, che trasforma l'immagine in un'esperienza ambigua dello spazio: il volto è *al di là* del piano frontale, come nella maggior parte dei quadri, o è *su* quella superficie? È l'ambiguità che i pittori hanno esplorato per secoli, dai *Coniugi Arnolfini* di Jan van Eyck all'*Autoritratto in uno specchio convesso* di Parmigianino.

Alla fine del film, un gruppo di corvi prende il volo sopra la testa dell'artista, scuotendo l'aria con le loro ali nere, come imitando il procedimento di animazione di Kentridge per produrre le forme fantasma di una sequenza di pallide cancellature. Le ali sbavate degli uccelli in volo riempirono anche il fondale della scenografia che Kentridge ha realizzato per *Il Flauto magico* della Brooklyn Academy of Music nel 2007. Questo "manifestare" la sua tecnica era già stato esplorato nella *Storia della grande protesta* del 1996. Mentre il suo protagonista guida l'automobile sotto la pioggia, le spazzole del tergicristallo sfocano ritmicamente il vetro in una rappresentazione della cancellatura stessa **[6]**. Le strisciate delle cancellature di Kentridge si collegano, tecnicamente, alle sfocature delle macchie di Ruscha, riferendosi entrambe alla storia della lotta modernista contro la rigidità dei contorni convenzionali. Kentridge, nato in Sudafrica da un padre famoso avvocato sostenitore dell'African National Congress (il partito di Nelson Mandela), lasciò il Sudafrica per Parigi, dove si unì a una compagnia teatrale dedita al repertorio modernista del genere Samuel Beckett. Tornato in Sudafrica, Kentridge si dedicò al paradosso estetico sollevato dall'arte politica.

"Questi due elementi – la nostra storia e l'imperativo morale che ne deriva – sono i fattori per far sì che un faro personale si elevi sull'immobile roccia dell'apartheid. Sfuggire a questa roccia è il compito dell'artista. Questi due elementi costituiscono la tirannia della nostra storia. E sfuggire è necessario, perché, come ho detto, la roccia è possessiva e nemica del buon lavoro. Non dico che l'apartheid, e dunque la redenzione, non siano degni di rappresentazione, descrizione e analisi. Dico che le dimensioni e il peso con cui questa roccia si presenta sono ostili a quel compito. Non si può affrontare di petto la roccia: la roccia vince sempre". La determinazione di Kentridge a "manifestare" la cancellatura su cui il suo medium si basa è la caratteristica della sua resistenza alla "roccia". RK

ULTERIORI LETTURE:

Clement Greenberg, *Avanguardia e kitsch*, trad. it. in *L'avventura del modernismo*, Johan & Levi, Monza 2011

Ed Ruscha, *Leave Any Information at the Signal: Writings, Interviews, Bits, Pages*, MIT Press, Cambridge (Mass.) 2002

Jean-Pierre Criqui (a cura di), *Christian Marclay: Replay*, JRP/Ringer, Zürich 2007

George Baker (a cura di), *James Coleman*, MIT Press, Cambridge (Mass.) 2003

Sophie Calle, *Take Care of Yourself*, Dis Voir/Actes Sud, Paris 2007

Rosalind Krauss, *La roccia: i disegni per la proiezione di William Kentridge*, trad. it. in *Reinventare il medium*, Bruno Mondadori, Milano 2005

Rosalind Krauss, *Inventario perpetuo*, trad. it. Bruno Mondadori, Milano 2010

2007b

Non monumentale: L'oggetto nel XXI secolo apre al New Museum di New York: la mostra segna un nuovo interesse per l'assemblage e l'accumulazione tra la generazione più giovane di scultori.

▲ Dalla fine degli anni Ottanta e inizi Novanta, una generazione di scultori ha definito la propria opera in manifesta opposizione alla grande eredità del Minimalismo (di artisti come • Donald Judd e Carl Andre), del postminimalismo (Eva Hesse, Bruce Nauman e Richard Serra) e delle dichiarazioni esplicitamente antiscultoree espresse dagli artisti concettuali che affermavano di aver rimosso una volta per tutte le pratiche mate- ■ riali del modellare, tagliare, intagliare e costruire (Hans Haacke, Douglas Huebler e Lawrence Weiner). Questa eredità aveva dominato la percezione della scultura durante gli anni Sessanta e Settanta, ma dagli anni Ottanta la pratica scultorea aveva cominciato a esplorare paradigmi diversi, a partire da artisti come Isa ◆ Genzken (nata nel 1948), Thomas Hirschhorn, John Miller e Gabriel Orozco. Raggiungendo l'apice nell'opera posteriore di questi artisti, questi sviluppi innescarono a loro volta risposte da parte degli scultori più giovani come Carol Bove (nata nel 1971), Tom Burr (nato nel 1963) e Rachel Harrison (nata nel 1966).

2000–2015

Nuove motivazioni, nuovi paradigmi, nuove strategie

Un numero di forze eterogenee era stato certamente necessario per questo radicale spostamento generazionale e il suo cambio di paradigma. Un abbraccio quasi masochista delle merci a buon mercato può essere identificato tra le prime di queste forze. La merce è proprio il tipo di oggetto a cui la scultura – con l'eccezione del readymade – si era opposta nella storia del modernismo, che rivendicava la durata monumentale o la costruzione utopica contro l'obsolescenza immanente della merce. In esplicita opposizione, l'opera attuale combina senza problemi diffusi oggetti di consumo di massa, integra nel corpo della scultura materiali economici, effimeri e viscosi (come polistirolo, Parex, nastro adesivo, alluminio, detriti industriali trovati) e mima i cicli dell'oggetto comune perpetuamente rinnovati, dall'innovazione e obsolescenza programmata alla spazzatura e al disastro ecologico. Com'era stato con il readymade di Duchamp, la decisione di fare scultura simulando la presenza universale e l'obsolescenza dell'oggetto comune non solo sembra negare le aspirazioni transstoriche della scultura, ma fondamentalmente minaccia la resistenza dell'autonomia estetica. Non è stato però soltanto il readymade duchampiano ad aver preparato il terreno per quella che Hal Foster ha identificato come la nascita della *scultura di merci*. È stata piuttosto tutta una varietà di fonti tra la metà degli anni Cinquanta e i primi Sessanta a rinno- ▲ vare la radicalità epistemica del readymade. Si parte dai *Combine* di Rauschenberg, passando per le accumulazioni di Arman e le sublimi costellazioni di oggetti di plastica di Martial Raysse **[1]**, fino alle *Scatole Brillo* di Warhol e alle costruzioni critico-semiologiche di Hans Haacke. Che questa eredità minacciasse la scultura stessa diventò esplicito nell'incongruenza tra l'iconografia della Pop art e le quasi simultanee posizioni fenomenologiche dei minimalisti, polemicamente dichiarate negli anni Sessanta, quando Carl Andre accusò gli artisti pop di essere stati corrotti dai loro rapporti simulacrali con la cultura consumistica.

Questo conflitto tra la presunta continuità di autonomia discorsiva della scultura e un annichilimento programmatico delle sue • aspirazioni costruttiviste, minimaliste o fenomenologiche è una delle dialettiche cruciali della scultura lungo tutto il XX secolo, che ha ritrovato una nuova urgenza con gli artisti emergenti negli anni Ottanta. Al di là della fissazione sull'oggetto di massa, i nuovi scultori condividono una seconda determinazione storica: precisamente la loro decisione nel cambiare le convenzioni della plasticità scultorea con un ampio spettro di testualità, a partire dai simulacri della pubblicità e della propaganda fino ai miti mediati fotograficamente e le icone costruite con i metodi della cultura di massa (come la "celebrità"). Come diretto risultato dell'ammettere l'immagine mediatizzata all'interno del corpo della scultura, le forme monolitiche tradizionali (per esempio i cubi e quadrati quasi universali del Minimalismo) e le morfologie (come le pure superfici autoreferenziali, anche se prodotte tecnologicamente) vengono sloggiate dall'uso preminente di combinazioni e accostamenti quasi infiniti di oggetti, texture e immagini nello spazio. Tutti questi segnali che la percezione scultorea è ora prima di tutto mediata dalle forze che controllano gli spazi pubblici e privati nella realtà: la pubblicità, la produzione di merci, il media design e i dispositivi tecnologici.

Un terzo e correlato insieme di motivazioni condiviso dagli artisti sfida gli assunti tradizionali della scultura sulla sua funzione nel definire l'esperienza dello spazio pubblico. Mentre gli oggetti scultorei del XX secolo aspiravano ancora ad essere visti come situati all'interno della sfera pubblica, e anche a contribuire alla sua

▲ 1965 • 1966b, 1969 ■ 1968b, 1971, 1984a ◆ 1989, 1994a, 2003, 2009b ▲ 1960a • 1914, 1928a, 1965, 1986

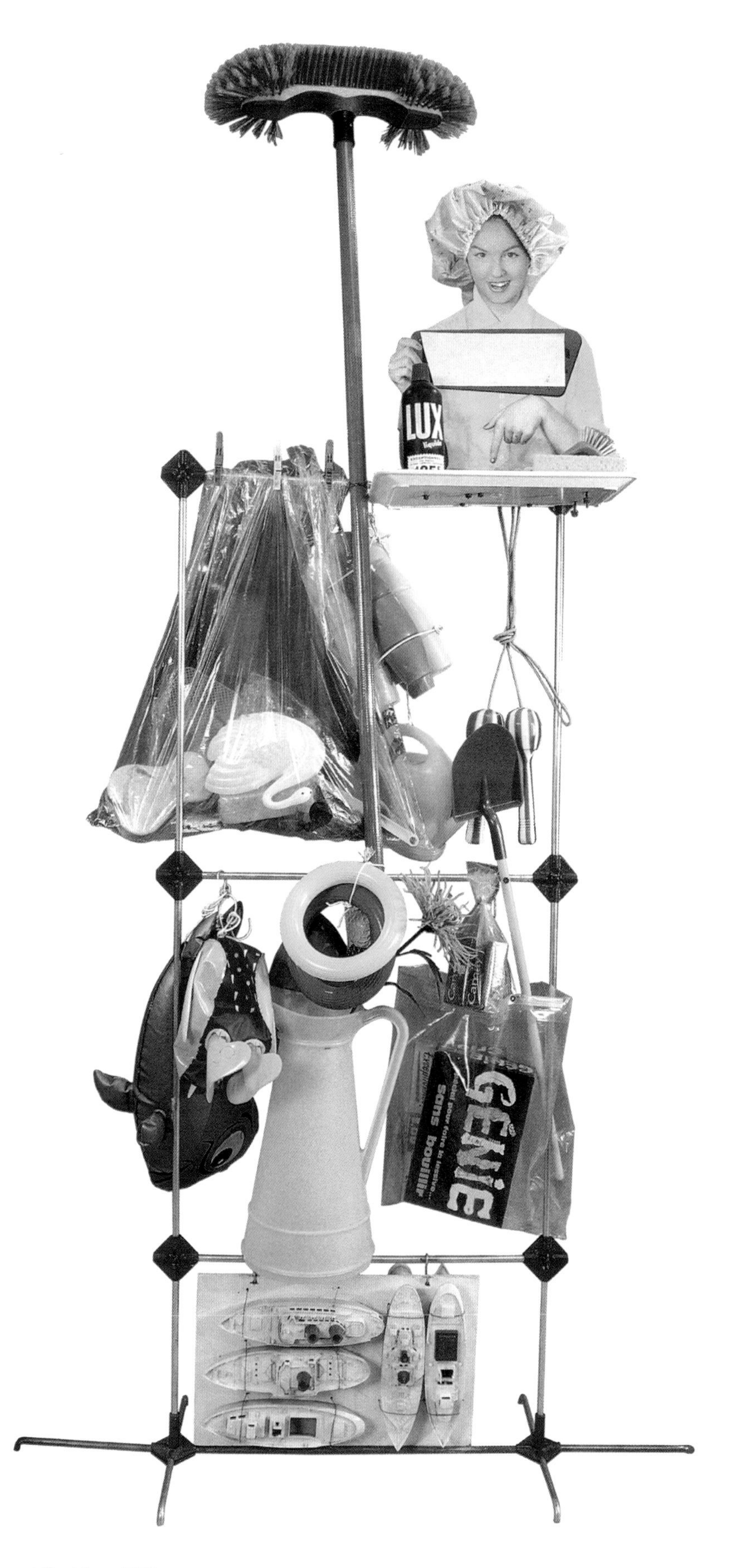

1 • Martial Raysse, *Espositore: Igiene della visione*, 1960
Insieme di oggetti, 210 x 70 cm

2 • Isa Genzken, *Slotmachine*, 1999-2000
Materiali diversi, 160 x 65 x 50 cm

costruzione (evidente nell'eterno desiderio della scultura di passare dall'oggetto al monumento e nell'architettura), nel presente la percezione della dimensione pubblica è stata da tempo controllata dai regimi delle tecnologie mediatiche e di produzione delle merci. Le immagini mediatiche, dalla fotografia al cinema e alla televisione, più che la scultura sono diventate gli strumenti della diffusione delle rappresentazioni oggi integrate alle forme spettacolari o ideologiche dell'identità pubblica.

Far fronte alla pervasività della mediazione fotografica dello spettacolo è quindi diventata una delle necessità dell'epoca attuale. Di conseguenza tutti questi artisti dispiegano ora immagini fotografiche all'interno delle loro costruzioni scultoree. Alcuni incorporano direttamente delle fotografie, come fa più frequentemente Hirschhorn in quelli che potremmo chiamare dei monumentali collage spazializzati: le sue imponenti e tumultuose accumulazioni di immagini appaiono oggi come la negazione storicamente necessaria di quelle che un tempo sono state le aspirazioni utopiche dei murali fotografici e dei progetti espositivi su ▲ larga scala degli artisti sovietici, francesi e spagnoli degli anni Venti e Trenta. Altri artisti realizzano vaste documentazioni fotografiche che corrono parallele, ed equivalgono, alla loro produzione di oggetti (come nell'opera di Genzken **[2]**, Harrison, Miller e Orozco). Questi composti di plasticità e fotografia non segnalano semplicemente il fatto che l'essere situato del soggetto nella sfera pubblica è determinato da diverse forme di rappresentazione, ma sfidano inoltre la pretesa che solo le costruzioni materiali possano realmente generare condizioni credibili di percezione simultanea, tradizionalmente quella delle aspirazioni fondative della plasticità e delle esigenze dell'esperienza scultorea.

Gli assemblage postsurrealisti – in particolare le scatole di Joseph Cornell e gli assemblage di Robert Rauschenberg e Bruce ▲ Conner – avevano già fornito una patente scultorea al dispiegamento di fotografie come controfigure di quella teoria della plasticità. Eppure, mentre questi artisti incorporavano fotografie principalmente come dispositivi mnemonici, la fotografia come condizione mediale era ancora rigorosamente esclusa dai discorsi della scultura del dopoguerra fino all'opera di Nauman e dei concettuali. Così non sorprenderà che i paradigmi del collage, del montaggio e dell'assemblage, e l'espansione spaziale e quantitativa • di questi paradigmi nella Pop art e nel Nouveau réalisme, sarebbero

▲ 1921b, 1926, 1937a, 1937c

▲ 1931a, 1959b • 1960a, 1964b, 1980

diventati un riferimento fondamentale per gli artisti più giovani degli anni Ottanta. Le permutazioni combinatorie di cornici spaziali e discorsive, oggetti trovati e una moltitudine di immagini fotografiche apparentemente casuali sottolineano il fatto che la formazione di identità e di spazi sociali di autocostituzione nel passato e nel presente deriva a un grado uguale, se non superiore, dal design e dai media, piuttosto che dalla spazialità e plasticità della scultura tradizionalmente definite.

Design, esposizione e decorazione

La ricezione inizialmente ritardata dell'opera di questa nuova generazione di scultori suggerisce che le nostre aspettative nei confronti della scultura, a dispetto di un secolo di readymade e assemblage, non erano state ancora sufficientemente cambiate. Altrimenti avremmo riconosciuto prima che la scultura nel presente dovrebbe essere confinata alle rappresentazioni metonimiche dei discorsi infinitamente ampliati e pervasivi del consumo spettacolarizzato. Queste condizioni determinano l'esperienza scultorea odierna altrettanto profondamente di quanto gli orizzonti della produzione industriale e della costruzione utopica hanno definito la scultura fino all'ultima parte del XX secolo. Parlare di scultura come produzione, concetto che è stato essenziale per la definizione tradizionale di scultura almeno fino al Minimalismo e a Serra, non è più appropriato, a partire dal quartetto classico di intaglio, taglio, fusione e costruzione, che ha mimato i processi artigianali e industriali, ora programmaticamente smantellato. In esplicita opposizione a una mitologia maschilista del lavoro e della costruzione industriali, l'opera di questi giovani artisti ricalibra i corpi e gli spazi scultorei con proposte sorprendenti molto lontane da quello che ci hanno indotto ad aspettarci Minimalismo e postminimalismo.

I nuovi scultori spesso organizzano oggetti come mere sistemazioni e simulano relazioni oggettuali e situazioni spaziali come se fossero il risultato di incontri casuali, costellazioni trovate e assemblate alla meno peggio. Essi danno spazio precisamente alle procedure che sono state tradizionalmente squalificate come strane o femminili: organizzare, preparare, decorare, in questo modo dispiegando effetti tattili nascosti e differenti della vita quotidiana e puntando ad alternare interazioni con il mondo dei materiali e degli oggetti. La scultura è così, ancora una volta, inaspettatamente aperta a quelle sfere dell'esperienza che sono state prima considerate indesiderabili e impensabili nell'ambito della plasticità: la moda, il design, la vita domestica e l'architettura degli spazi vernacolari.

Nell'opera di Bove, Burr e Miller, per esempio, possiamo riconoscere una quasi malinconica evacuazione delle pretese scultoree tradizionali, mentre Genzken, Harrison e Hirschhorn danno inizio a travestimenti più psicoticamente aggressivi o polemicamente derisori delle tradizioni scultoree, violente negazioni della promessa stessa che la scultura, come costruzione materiale pubblica e critica razionale o allegorica, possa ancora cambiare la percezione delle strutture sociali e degli spazi che ci circondano. La concezione dello spazio pubblico di Tom Burr (parzialmente derivata dalla sua iniziale comprensione dell'opera di Dan Graham, Hans Haacke e Dara Birnbaum) si oppone chiaramente a qualsiasi definizione transstorica della spazialità fenomenologica e le sue strutture mostrano l'esperienza spaziale stessa come sempre già controllata dagli interessi sociali e dagli investimenti ideologici. Allo stesso tempo le dimensioni allegoriche di quest'opera resistono e *détournano* – cioè deviano, dirottano – queste condizioni innate di regolazione e controllo e suggeriscono configurazioni sociali e spaziali alternative di dissenso e desiderio sovversivi.

Il suo *Sedile di sala cinematografica in una scatola*, del 1997, incarna perfettamente queste complesse strategie **[3]**. A prima vista la scatola appare come un altro cubo minimalista, essendo realizzata con compensato e superfici specchianti che sono stati i materiali tipici di Judd e Morris. Ma, come in un cubo di Eva Hesse, ora a contare, altrettanto se non di più, non è soltanto l'involucro esterno del cubo classico ma il suo interno. Il cubicolo, con il suo piano coperto di tappeto, ospita un sedile reale preso da una qualche sala cinematografica decrepita. Questo cimelio, strappato dagli spazi logori dei rituali della cultura di massa, è imbottito sul recto con il tipico velluto rosso e porta sul verso una gomma da masticare furtivamente lasciata da uno spettatore – quasi come una *scultura involontaria* di Brassaï o un'estrema parodia microcosmica della plasticità di Hannah Wilke. Così il classico cubo della neutralità scultorea è permeato da un volgare vernacolo di texture, superfici e materiali corporei caricati di erotismo. In un istantaneo, quasi universale flashback di esperienza culturale di massa, il sedile

3 • Tom Burr, *Sedile di sala cinematografica in una scatola*, 1997
Legno, specchio in perspex argento, tappeto, sedile, chewing gum, 107 x 91,5 x 91,5 cm

▲ 1965, 1969
▲ 1966b

non solo offre un'intimità perturbante e una memoria di magia a buon mercato, ma l'oggetto appare anche come un frammento storicamente mediato, controllato da un'incredibilmente potente istituzione della cultura di massa del passato che ha ora perso quasi tutto il suo fascino. Questa dimensione nostalgica si trasforma poi velocemente in una rivelazione critica quando si riconosce che il cubo e il sedile si confrontano l'un l'altro esattamente come quell'irrisolvibile conflitto storico tra la plasticità e l'utopismo scultoreo da un lato, e l'attualità della sfera massmediatica dall'altro, una sfera al cui interno ogni aspirazione a una comunicazione collettiva simultanea nuovamente emergente è già stata fin dall'inizio sepolta.

Carol Bove non persegue un'esplicita agenda sovversiva di critica delle iscrizioni normative sociali e ideologiche che operano in date formazioni architettoniche. Suggerisce piuttosto che la scultura può anche essere definita come una sequenza di oggetti disposti alla maniera di un designer d'interni, un arredatore o un curatore di museo (e qui Bove ha trasferito le strategie fotografiche ▲ di Louise Lawler nelle strutture scultoree), certamente insinuando una critica femminista degli assunti a lungo prevalenti sui ruoli di genere nella ristrutturazione scultorea dello spazio. Bove – come Burr – allegorizza la scultura accostando oggetti apparentemente incompatibili (legno, fotografia in bianco e nero di nudi e modelli, cubi di cemento, penne di pavone, mobili di design, ecc.) in combinazioni la cui logica sembra all'inizio completamente non plausibile alla comprensione razionale o alla percezione fenomenologica. Ma – com'è stato sempre con l'opera di Cornell – la logica di questi arrangiamenti appare improvvisamente evidente secondo gli ordini del desiderio inconscio. Come i suoi colleghi scultori allegoristi, Bove ha interiorizzato la condizione di universale interscambiabilità dell'oggetto e il suo consumo spettacolarizzato come regimi latenti dell'opera. E dacché la permeazione di tutti gli oggetti con l'istantaneità irreversibile dell'obsolescenza ha reso una farsa anche la mitica stabilità e solidità della scultura, Bove sembra scegliere i suoi oggetti secondo la prospettiva rovesciata del loro destino finale, non dalle loro promesse per il futuro. Inevitabilmente, allora, anche l'obsolescenza del medium stesso entra nell'esposizione dell'obsoleto di Bove, e la scultura figura nei suoi arrangiamenti senza privilegi all'intersezione di varie formazioni plastiche e discorsive. La radicalità sopravvissuta delle aspirazioni iniziali dello scultore (evidenti per esempio nella citazione di un modello Snelson di fili tesi nel quasi programmatico titolo *Utopia o oblio* del 2002 **[4]**) è letteralmente contenuta in quello che appare come l'inevitabile declino della scultura nel design: due tavolini Knoll in legno e cromo, impilati alla maniera del Minimalismo, formano due espositori cubici, dato che l'interno e l'esterno dei cubi ora servono al tempo stesso come base e cornice del modello Snelson, ma anche come scaffale e ripiano di una pila di libri. Esposta nel registro più alto della scultura, la pagina aperta di uno dei volumi fa da readymade fotografico e riporta un nudo femminile come allegoria delle origini del desiderio scultoreo. O in *Il cielo sopra Berlino il 2 marzo*, del 2006, la base del dispositivo scultoreo è stata ora interamente mappata sul posto e fa la funzione di un ripiano architettonicamente incorporato (in altre opere la base scultorea è semplicemente definita come ripiano di legno per l'esposizione di vari oggetti incongruenti). Ma questo contenimento è contraddetto dalla citazione di un altro momento perduto del pensiero utopico radicale, sospeso come un soffitto cinetico sul dispositivo: una citazione della dissoluzione allora euforicamente tecnocratica del corpo scultoreo in unità percettive e fenomenologiche di Jesús-Rafael Soto della fine degli anni Cinquanta. ▲

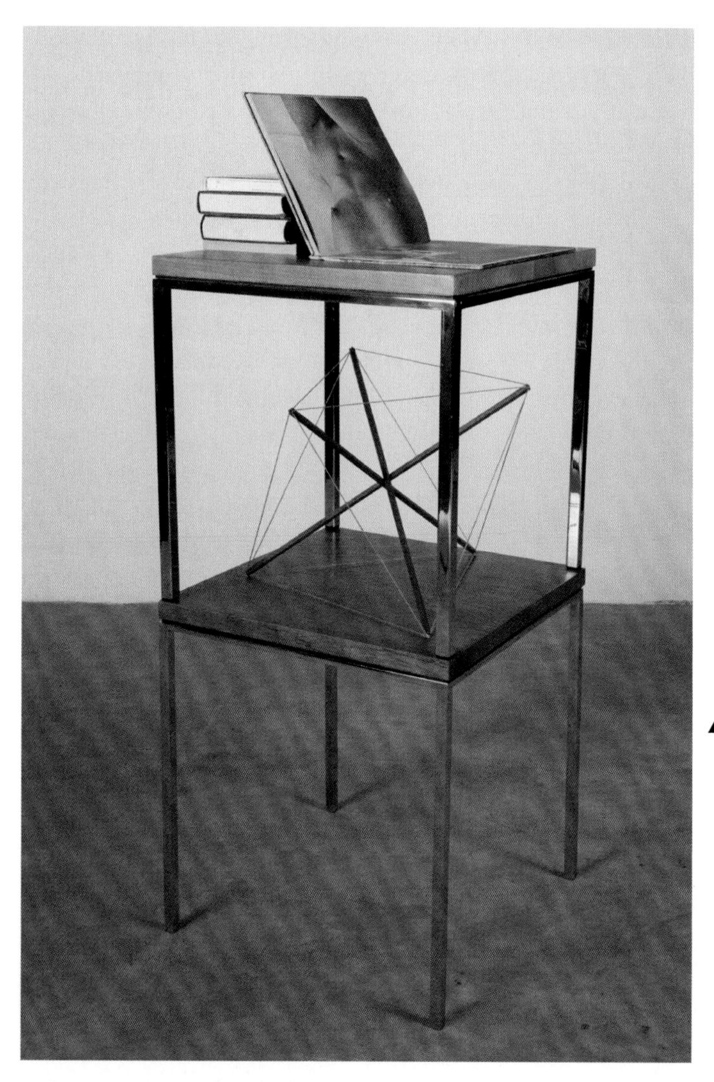

4 • Carol Bove, *Utopia o oblio*, 2002
Tavolini Knoll, oggetto in legno e corda, cinque libri, 114 × 46 × 46 cm

Per contrasto l'opera di Rachel Harrison è impegnata in una scaltra e comica sovversione delle pretese magniloquenti con cui le costruzioni massicce (come l'opera tarda di Richard Serra) o le accumulazioni gigantesche (come l'opera recente di Jason Rhoades) hanno preteso di agire come forze oppositive nella sfera pubblica, quando in realtà replicano puramente gli spazi di controllo, sorveglianza e spettacolarizzazione o la cieca violenza dell'oggetto, a cui siamo tutti sottoposti nella quotidianità. Infatti si può dire che i divertenti arrangiamenti di Harrison confinano con il travestimento dell'idea stessa che le costellazioni allegoriche possano sostenere il potenziale critico con cui un artista come Hans

▲ 1977a
▲ 1955b

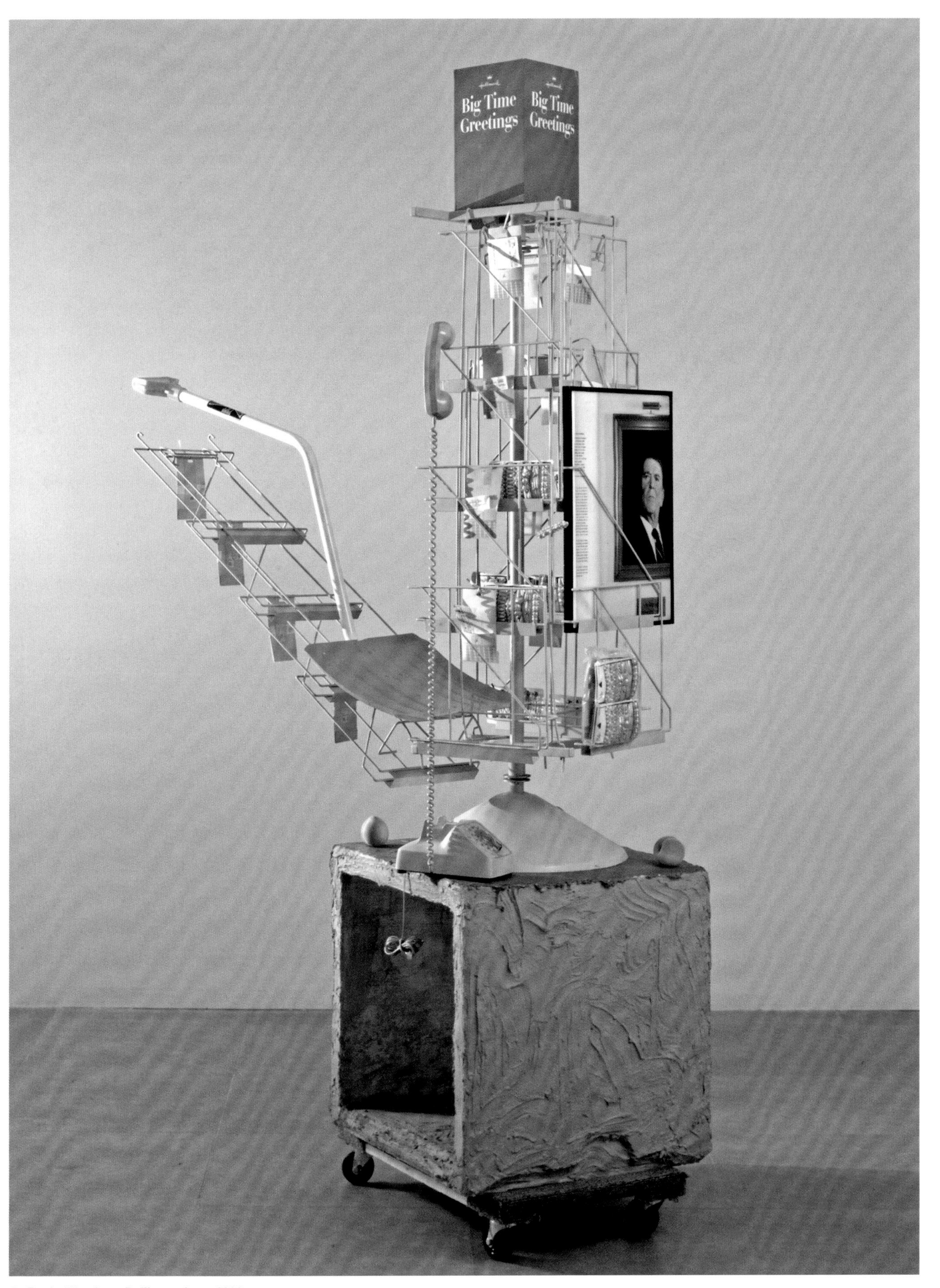

5 • Rachel Harrison, *Bell'espositore*, 2006

Legno, poliestere, cemento, Parex, acrilico, stampa digitale, bambola, espositore, pala da neve, mollette per capelli ingioiellate e telefono a disco, 251,5 x 160 x 71,1 cm

Haacke, o Burr nella sua scia, hanno combinato gli elementi dei loro assemblaggi per un illuminante, se non pedagogico, confronto con il pubblico. Così *Bell'espositore* di Harrison, del 2006 **[5]**, cita esplicitamente un'opera di Haacke con un dettaglio fotografico della sua installazione *Omaggio a Marcel Broodthaers* (1986). La citazione è integrata da un altrettanto subdolo omaggio a *In anticipo sul braccio rotto* di Duchamp, e un certo numero di economici aggeggi di moda su un espositore Hallmark, sormontato da un cartello che annuncia "Saluti di prima classe". Ma resta comunque oscuro se la funzione della citazione sia un mero travestimento delle aspirazioni critiche del genere di assemblage alla Haacke o invece un malinconico riconoscimento della perdita di qualsiasi aspirazione critica per la scultura nel presente.

Se la ragione illuminista e la critica dialettica motivavano ancora le combinazioni di Haacke, egli presupponeva anche un pubblico che riceveva la sua opera con una disposizione attenta e di risposta dialogica. Le strutture di Harrison invece anticipano la derisione con cui il pubblico contemporaneo affronterà il progetto di critica illuminista e l'artista rende quel disprezzo e indifferenza parte integrante della sua costellazione oggettuale. Ma, secondo il principio di ragione cinica, Harrison annulla il potenziale mnemonico della scultura insieme alle sue dimensioni critica e utopistica. E poiché ogni opera scultorea, produzione o citazione inevitabilmente dichiarano la loro affinità e solidarietà con gli oggetti, materiali e spazi, la scultura di Harrison ci mette di fronte all'inevitabile interrogativo sulla solidarietà che dichiara. Dopo tutto, il grottesco e il comico enunciati in queste costruzioni non servono soltanto come forme palliative di riconciliazione con l'inaccettabile; come tutti gli scherzi, sono sempre su qualcuno e non è chiaro se gli scherzi sono su di noi come spettatori della scultura, sull'eredità della scultura, o sulla disperazione stessa dell'artista di dover continuare il proprio mestiere di scultore citazionista. Di fatto ci si può chiedere se non sia precisamente l'opprimente privazione della trascendentalità per il soggetto, confinata nella privacy dell'esperienza oggettuale e nella condizione universale di consumo al centro di queste sculture, a ridurre gli orizzonti metafisici della scultura dall'invocazione sublime e mnemonica delle dimensioni utopiche perdute della scultura di Serra o dalla criticità melanconica delle costellazioni allegoriche di Broodthaers e Haacke, alla struttura affermativa della battuta scherzosa come ultimo rinvio dell'affermazione totale.

Figurine e la stanza dei manichini

Un quinto fenomeno, strano e inatteso all'inizio, ha ora acquisito la condizione di un tratto stilistico condiviso. Si tratta della peculiare presenza del manichino in molte strutture e allestimenti di Genzken, Hirschhorn, Harrison e Miller. Mentre i manichini dei sarti e da vetrina hanno una complessa storia iconografica nel XX secolo, dopo la loro apparizione nei quadri metafisici di Giorgio de ▲ Chirico e il loro impatto sulle rappresentazioni Dada e surrealiste del corpo reificato, la loro presenza nella scultura contemporanea differisce significativamente da questi utilizzi iniziali. Fino a poco tempo fa la nostra concezione del readymade non avrebbe mai incluso la figurazione antropomorfa e l'iconicità fisiognomica (a parte nelle sue versioni fotografiche). Ma nel loro ritorno contemporaneo dal regno dei morti, queste figurine semplicemente si mescolano come un altro readymade in una pura infinità di reliquie e rifiuti industriali. Esse producono però l'improvvisa e perturbante intensità degli ibridi: sospesi tra indicalità e iconicità, queste figure oggetti sono ora paragonabili all'immagine fotografica e acquistano una presenza che causa un intenso disagio precisamente per tale sospensione. Inoltre la presenza perturbante di queste statue industriali destabilizza i confini dei generi e delle convenzioni espositive. Dopo tutto, la loro primaria affiliazione (e nostra prima associazione) non è con una mostra di scultura ma con un'esposizione industriale, sconvolgendo così le nette divisioni disciplinari tra un'esposizione di moda e una produzione scultorea. Che la distruzione di queste distinzioni fosse imminente era già stato profetizzato in una delle opere più ambiziose di ▲ Duchamp, il suo progetto per l'*Esposizione surrealista* del 1938 a Parigi, un'opera che pareva dimenticata e poteva anche rimanere illeggibile se non grazie alla sua resurrezione nelle pratiche presenti. La ridefinizione del readymade di Duchamp come oggetto potenzialmente iconico è sorta in uno stato di eccezione. Niente poteva denunciare in modo più decisivo le pericolose pretese di un ritorno all'ordine sotto l'egida del fascismo dei manichini di Duchamp nella mostra del 1938 (non per niente una marcia tedesca veniva diffusa nell'installazione mentre i sacchi di carbone lentamente rilasciavano la loro polvere dal soffitto). Ma l'artista non articolò soltanto la sua risposta polemica al *rappel à l'ordre* umanista che aveva fatto eco all'emergere del fascismo in Europa. Piuttosto la figurazione istantanea del readymade segnalò una condizione fino ad allora inimmaginabile della reificazione universale: l'impossibilità decisiva di sostenere una differenza fondativa tra soggetto e oggetto. La soggettività, nel tardo capitalismo e nel tempo di guerra, era stata costituita all'interno di atti simultanei di consumo e distruzione; e l'oggettività era stata portata a un inimmaginabile apice di soggettività simulata ideologicamente. Come con la collezione dei folli manichini di Duchamp (ognuno era stato disegnato da un artista diverso, ognuno scomponeva la compostezza artificiale di identità costruita del soggetto), le figurine possono all'inizio apparire perturbanti come le ultime rappresentazioni della figura umana intatta, scombussolate però dall'accumulo in ciascuna di oggetti di moda e domestici innestati sui loro corpi e nei contenitori spaziali intorno ad esse. Nell'opera recente di Genzken, soprattutto a partire dalla serie *Impero/Vampiro: chi uccide la morte* (2006) e dall'installazione *OLIO* alla Biennale di Venezia del 2007, e ancor più nelle recenti installazioni di Hirschhorn, l'espansione quantitativa e qualitativa dell'assemblage nella nuova tipologia di scene totalmente folli ed eccentriche sabota sistematicamente la domanda dello spettatore di un minimo di coesione, o almeno di un minimo di orientamento negli spazi labirintici e nelle quantità accumulate di oggetti, immagini, texture e superfici esposte.

▲ 1909, 1916a, 1920, 1924, 1942b, 1966a

▲ 1942b

6 • John Miller, *Mano felice*, 1998
Materiali diversi, 160 x 81,3 x 38,1 cm

Queste aspettative di coesione sono profondamente frustrate dalle pure dimensioni, discontinuità e eterogeneità dei dispositivi. L'attuale collasso dei confini che hanno tradizionalmente separato la vita privata da quella pubblica è mimeticamente inscritto in questi disordini, che rispecchiano la permeazione universale di ogni sfera d'esperienza attraverso la domanda di spettacolarizzazione. Ancora una volta, come già nel progetto di esposizione di Duchamp, sia nell'opera di Genzken che di Hirschhorn queste figurine olistiche apparentemente intatte sono plausibilmente poste all'intersezione tra la moda e una condizione di sempre maggiore consunzione, la cui funzione è di rimuovere uno stato di guerra apparentemente permanente. Le figurine di Miller (o i suoi frequenti assembramenti di invitante frutta di plastica, altro readymade iconico impiegato anche da Harrison) appaiono spesso contro amorfi fondali di soggetto entropico, come ammassi di rifiuti dorati o dai colori scatologici, di origine e destinazione non identificabili (dove si riconosce l'influenza generalmente inconfessata di Dieter Roth) che segnalano un'imminente apocalisse ecologica **[6]**. Smontare l'immaginaria sicurezza di una separazione sostenibile tra la sfera del consumo da un lato e la distruzione ecologica quotidiana e la pratica di guerra perpetua dall'altro, e presentare le due dimensioni come i volti di Giano della nostra epoca, è una delle idee più importanti che queste opere trasmettono.

Dalla composizione alla compulsione

È utile considerare la differenza tra l'opera di Bove e Burr e quella di Genzken e Hirschhorn. È un'opposizione tra gesti allegorici e intenzionali di selezione e arrangiamento e un'apparente assenza di intenzione in accumuli massicci e combinazioni capricciose (con Harrison e Miller a metà strada tra questi due poli estremi). In altre parole, questi scultori mettono in atto le differenze tra pretese tradizionali di un controllo formale della morfologia e dei materiali e la perdita ostentata di intenzione e controllo del soggetto in risposta alla distruzione incessante del valore d'uso e della specificità materiale, simulando un informe imposto dall'esterno. Dopo tutto, come possono essere sostenuti dei criteri di selezione materiale e discriminazione formale contro il perpetuo assalto di equivalenze di oggetti, strutture e materiali?

Ciò che il collage ha fatto alla pittura – cioè dissolvere la sua unità formale, procedurale e materiale – l'assemblage lo infligge ora al corpo olistico intagliato, modellato e fuso della scultura. Ancora per un lungo periodo nel XX secolo i concetti di accumulazione casuale e costellazioni aleatorie sono sembrate fondamentalmente inconcepibili in scultura. Soltanto con Arman, Rauschenberg e Raysse è diventato evidente che l'espansione continua di oggetti e qualità nella produzione sociale dovesse trovare la sua corrispondenza nelle pure dimensioni e quantità delle rappresentazioni assemblate casualmente dei campi di battaglia degli oggetti. E l'intimità di una scatola composta con cura alla Cornell doveva essere sostituita da collezioni iterative di Arman e accumuli che generano un manifesto conflitto tra le strutture da collezione e composizione e quelle di compulsione e ripetizione come principi ordinativi alternativi della scultura. Una volta diventato evidente che un'infinità di ripetizioni e processi, una perpetua proliferazione dello stesso e un diluvio di materia e detriti privi di valore sarebbero diventati i nuovi regimi dell'esperienza oggettuale, la scultura non poté più negare a questi parametri un ruolo centrale tra i suoi principi formali e procedurali. BB

ULTERIORI LETTURE:

Richard Flood, Laura Hoptman, Massimiliano Gioni e Trevor Smith, *Unmonumental: The Object in the 21th Century*, Phaidon Press, London 2007

Julia Robinson (a cura di), *New Realisms, 1957-1962: Object Strategies Between Readymade and Spectacle*, Museo Nacional Centro de Arte Reina Sofia, Madrid, e MIT Press, Cambridge (Mass.) 2010

Tom Eccles, David Joselit e Iwona Blazwick, *Rachel Harrison: Museum without Walls*, Bard College Publications, New York 2010

Iwona Blazwick, Kasper König e Yve-Alain Bois, *Isa Genzken: Open Sesame*, Walter König, Köln 2009

Benjamin H. D. Buchloh e David Bussel, *Isa Genzken: Ground Zero*, Steidl, Göttingen 2008

Florence Derieux, *Tom Burr: Extrospective: Works 1994-2006*, JRP Editions, Zürich 2006

2007c

Dal momento in cui Damien Hirst espone *Per l'amore di Dio*, una fusione in platino di un teschio umano costellata di diamanti del costo di 14 milioni di sterline e in vendita a 50 milioni, una certa arte si pone esplicitamente in termini di sensazionalismo mediatico e investimento finanziario.

Nella condizione postmoderna, come abbiamo già detto, le grandi narrazioni della storia moderna non sono più credibili, incluso ogni racconto sul progresso dell'arte, e la pura eterogeneità della scena dell'arte contemporanea sembrerebbe supportare questa visione. Ma già nel 1975 Andy Warhol ha visto un'unica via verso il futuro: "La Business art è il gradino subito dopo l'Arte", scriveva nel suo *La filosofia di Andy Warhol*. Non solo un artista può puntare a fare soldi, ma "fare soldi è arte" e "fare buoni affari è l'arte migliore". Tra le implicazioni vi è che la produzione artistica poteva essere basata sul modello degli affari (Warhol aveva fondato le "Andy Warhol Enterprises" già nel 1957, e libri, film, programmi tv e la rivista *Interview* seguirono negli anni) e che ogni opposizione d'avanguardia all'ordine economico era donchisciottesca o bizzarra. Implicito, tuttavia, vi era anche che almeno una narrazione dell'arte del dopoguerra può ancora avere senso, quella che traccia la sua graduale commistione con le operazioni della moda, dei media, del marketing e dell'investimento. Certamente nel 2000, nel diffuso congedo di altre modalità di giudizio, il valore artistico spesso è equiparato alla fama e al successo finanziario.

Mecenati neoliberali

La produzione per il mercato è stata una condizione fondamentale dell'arte fin dal Rinascimento, quella di promuovere le sue caratteristiche forme di pittura e scultura trasportabile. Tuttavia il mercato dell'arte come abbiamo imparato a conoscerlo è una creazione molto più recente, effetto di una borghesia internazionale, ricostruita dopo la Seconda guerra mondiale, emersa negli anni Sessanta del boom con denaro da spendere in arte, in particolare nella Pop art americana, il marchio che, come ha affermato lo storico dell'arte Thomas Crow, "assomigliava alla merce essendo venduto come merce". A quel tempo, inoltre, la rete delle gallerie commerciali si espandeva molto, così come l'influenza dei mercanti e dei collezionisti. Che l'arte contemporanea potesse essere vista in prima istanza come un investimento diventò presto chiaro con l'aumento delle aste ad alto rendimento, la più nota delle quali fu la vendita nel 1973 della collezione di Robert e Ethel Scull incentrata sulla Pop art (gli artisti furibondi non ne trassero nessun profitto).

Dopo i recessivi anni Settanta, le politiche antiregolative di Reagan e Thatcher promossero una nuova classe di superricchi, alcuni dei quali diventarono collezionisti molto in vista e, naturalmente, favorirono la pittura e la scultura comprovate dal mercato sulle forme critiche di arte concettuale, performativa e site specific. Una figura significativa nel boom degli anni Ottanta fu Charles Saatchi, il capo di un impero pubblicitario con base a Londra, che era attento non solo al nuovo potenziale di investimento dell'arte contemporanea ma anche al valore pubblicitario dei suoi attori più famosi (Saatchi fu uno dei primi sostenitori di Young British Artists come Damien Hirst e Tracey Emin). Il mercato dell'arte ebbe un drammatico crollo nel 1990, tre anni dopo quello in borsa del 1987 (arte e finanza sono collegati ma non sincronizzati); tuttavia, più tardi nel decennio, un'economia completamente neoliberale produsse fortune individuali ancora superiori a quelle degli anni Ottanta e un mercato dell'arte irrazionalmente esuberante ruggì alla vita.

Se il portabandiera del boom degli anni Ottanta è stato un pubblicitario come Saatchi, la sua controparte nell'ultima ripresa è stato un manager della finanza come Steven Cohen, che ha usato i suoi enormi profitti come fondatore della SAC Capital per costruire in brevissimo tempo una grande collezione di arte del dopoguerra. Secondo Amy Cappellazzo, vice presidente della casa d'aste Christie's, il nuovo tipo del collezionista considerava l'arte contemporanea come "un bene che si può prendere a prestito o far fruttare e per dilazionare le tasse sul plusvalore" e guardava il mercato dell'arte essenzialmente come un ramo del mercato dei titoli. Un'ulteriore attrattiva fu che l'abuso di informazioni riservate e la fissazione dei prezzi, illegale nelle altre aree di investimento, restarono pratiche standard nel mondo dell'arte. Cappellazzo riassunse così la situazione nella primavera del 2008: "La recente attrattiva finanziaria dell'arte deriva dall'idea che opere d'arte di alta qualità erano sottovalutate e che, poiché il mercato sarebbe diventato ancora più globale nel giro di cinque anni, il loro valore sarebbe cresciuto di prezzo come risultato di a) una crescente domanda di oggetti rari, b) un enorme giro di ricchezze private senza precedenti, e c) la necessità del mercato di una nuova classe di beni che potesse essere commerciata tra gli individui a livello globale".

Nella scia della crisi finanziaria dell'autunno del 2008 queste condizioni cambiarono – ma non così drammaticamente come ci si

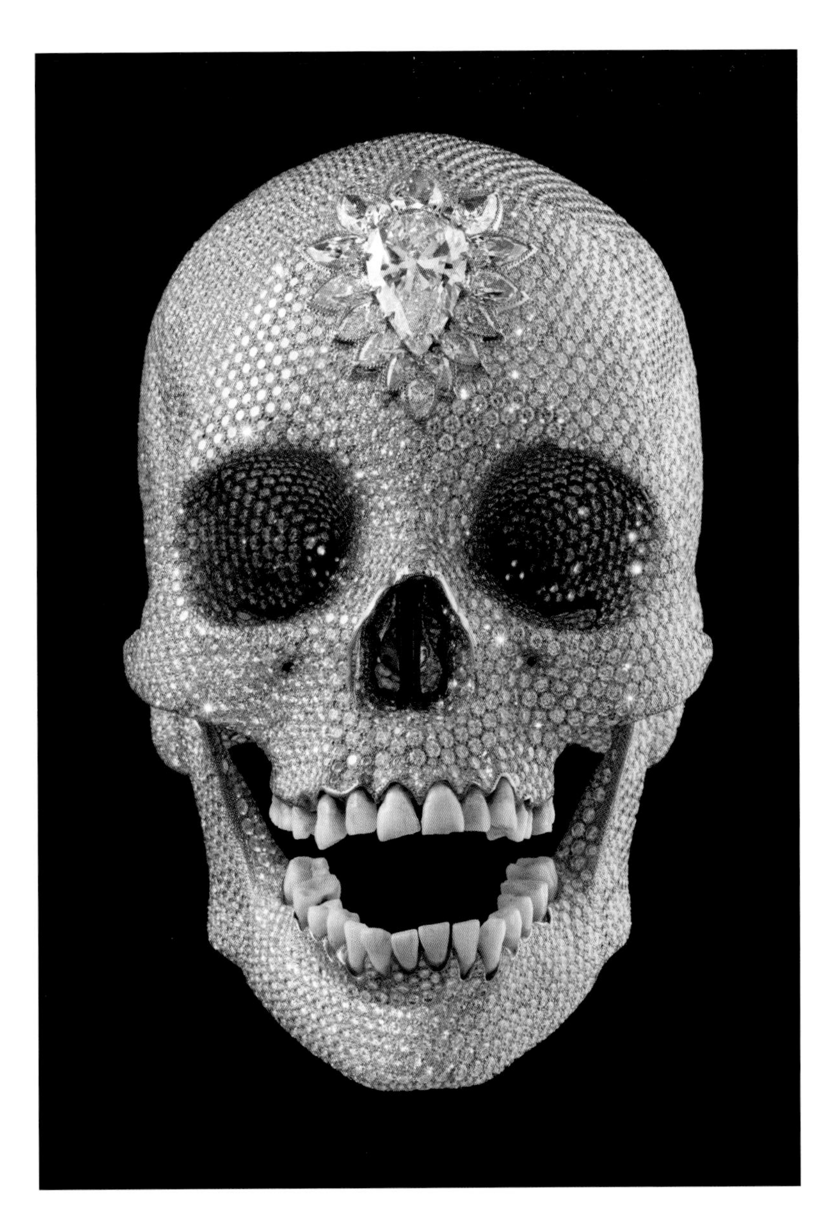

1 • Damien Hirst,
***Per l'amore di Dio*, 2007**
Platino, diamanti, denti umani,
17,1 x 12,7 x 19,1 cm

poteva aspettare – e in ogni caso l'estensione dell'attività del mercato dell'arte fino a quel momento fu molto impressionante, soprattutto perché plutocrati del petroldollaro provenienti dalla Russia e dal Medio Oriente, così come nuovi collezionisti dall'Asia e dall'India, si aggiunsero a pubblicitari e finanzieri dell'Europa occidentale e del Nord America come animatori e promotori. L'intensità di questa attività era indicata dal fatto che il turnover alle aste d'arte contemporanea quadruplicò tra il 2002 e il 2006, con vendite in ognuna delle due principali case d'asta, Christie's e Sotheby's, che si avvicinarono a 1,5 miliardi di dollari solo nel 2007. (Incidentalmente, Christie's è controllata da François Pinault, che apre il suo museo a Palazzo Grassi, a Venezia, e, attraverso Christie's, la propria galleria, Haunch of Venison, a Londra, Berlino e New York; per questo importante collezionista, che possiede anche Gucci tra altri marchi, comprare, attribuire valore e vendere arte possono tutti essere fatti in casa, come appunto è avvenuto.) Tuttavia anche in tempi effervescenti l'arte contemporanea non è un investimento sicuro e l'investimento non può spiegare del tutto il suo andamento in ogni caso. "Questi compratori hanno un enorme surplus di capitale economico e un altrettanto grande deficit di capitale sociale e culturale", scrive Olav Velthuis, un esperto di mercato dell'arte. "Acquistando arte contemporanea, comprano l'accesso al mondo sociale". In questa interpretazione il motivo dei collezionisti rimaneva quello antico del prestigio, della posizione e del "piacere di partecipare" (come si esprime Crow) – "cene d'inaugurazione, feste giuste, deferenza da parte dei partecipanti minori, conoscenza degli artisti, ecc.".

Ciò che rende questo più che un interesse sociologico è il suo effetto sulla produzione e sulla ricezione dell'arte contemporanea. Per esempio, il desiderio di esibire ha portato una domanda di dimensioni e spettacolo che ha aumentato i costi sia del fare che dell'esporre, che le opere in questione siano le grandi sculture di Richard Serra, le performance sontuose, i film e le installazioni di Matthew Barney o le stravaganti ambientazioni di Olafur Eliasson. I costi di tali progetti sono enormi e così, per quanto internazionale, la clientela di molta arte contemporanea resta esclusiva. Infatti un sistema chiuso di grandi mecenati è tornato, con le opere più ambite spesso ordinate prima ancora di essere prodotte. Questo sviluppo ha portato il pubblico a vedere l'arte, anche più del previsto, come un affare privato, senza riguardo per la natura del suo contenuto o la modalità del suo comunicare; e la profusione di musei privati negli Stati Uniti, Europa e altrove ha rafforzato questo sospetto (quanto potrà sopravvivere, finanziariamente, non è chiaro).

Certo, c'è una lunga storia di collezioni diventate musei, ma il fenomeno attuale equivale a una parziale privatizzazione della cultura pubblica così come del contrario. Un caso ad hoc è la "filantropia rischiosa" del miliardario immobiliare Eli Broad, che ha effettivamente istituito la sua collezione, dunque il suo museo, all'interno del complesso finanziato con le tasse pubbliche del Los Angeles County Museum of Art, senza garanzie per il futuro. Un amministratore di un'istituzione che agisce nel proprio interesse è quasi un caso unico, ma è sintomatico di una situazione che ha portato molti direttori e curatori di musei a comportarsi da servi di un padrone in prima istanza, e da custodi di un patrimonio collettivo in seconda.

La commistione di molta arte contemporanea con i media e il mercato si è fatta sentire anche in altri modi. Il critico Julius Stallabrass mette in evidenza questi paralleli con la cultura di massa aziendale: "un'enfasi sull'immagine della giovinezza, la prevalenza di opere che figurano bene sulle pagine delle riviste e la nascita di artisti celebrità; l'opera che flirta con la cultura della merce e l'industria della moda e serve come miele per attirare gli sponsor; e la mancanza di critica, eccetto in circostanze definite e controllate". Tali collegamenti sono significativi, ma altri possono anche essere ancora più strutturali. Per esempio, una volta visto come un outsider bohémien, l'artista è ora spesso guardato come modello del lavoratore innovativo in un'economia postfordista. Secondo i sociologi Luc Boltanski e Eve Chiapello il discorso manageriale degli ultimi due decenni ha promosso atteggiamenti e attributi un tempo associati alla personalità artistica: "autonomia, spontaneità, capacità rizomorfa, versatilità (in contrasto con la stretta specializzazione della vecchia divisione del lavoro), convivialità, apertura agli altri e alle novità, disponibilità, creatività, intuito visionario, sensibilità alle differenze, capacità di ascolto dell'esperienza vissuta e ricettività verso tutta la gamma delle esperienze, attrazione per l'informalità e la ricerca di contatti interpersonali".

Proprio mentre il discorso manageriale ha assimilato le qualità artistiche in questo modo, anche gli artisti hanno abbracciato i modelli affaristici con un rigore che farebbe arrossire Warhol. Hirst è versatile come un pazzo: si è fatto la propria casa editrice, una linea di abiti e un ristorante. L'apertura al pubblico della sua collezione "Murderme" (Uccidimi) di arte e curiosità è prevista nella sua villa gotico-vittoriana nell'area Cotswolds dell'ovest rurale dell'Inghilterra. Ha anche un esercito di assistenti, come hanno i suoi pari in Business Art, Jeff Koons e Takashi Murakami. A volte sottolineando il collasso tra l'arte da museo e la cultura di massa, altre volte riscrivendo le differenze a proprio beneficio, questi artisti esemplificano gli sviluppi qui in questione. In ogni caso, il mercato struttura le pratiche artistiche, in un certo senso è il medium stesso dell'arte.

Il mercato è il medium

▲ Come notato in un capitolo precedente, Koons giocava sulla convergenza della mostra d'arte e dell'esposizione delle merci nelle sue prime opere degli anni Ottanta che introducevano una lieve ambiguità nell'equazione: perché accatastare aspirapolvere nuovi in contenitori di Plexiglas ben illuminati, per esempio, o immergere delle palle da basket nuove in una vasca piena d'acqua? Estranee al gusto del mondo dell'arte erano anche le serie seguenti, che rifacevano in acciaio inossidabile simboli del tempo libero suburbano, come accessori da bar, o figurine di soprammobili di gusto provinciale, come animali domestici carini e da cortile, in legno policromo. Con oggetti che andavano dal busto di Luigi XIV alla statuetta di Bob Hope, dalla figura popolare di Kiepenkerl (un venditore ambulante della Germania medievale) alla figura pop di Michael Jackson e del suo scimpanzé domestico Bubbles, Koons mostrava un senso scaltro della vasta natura del kitsch. Ma il disagio sociale prodotto da una consapevole esposizione del cattivo gusto non era la questione centrale per Koons, il quale, alla maniera warholiana, insisteva sulla sincerità del suo messaggio. "Non vedo una figurina Hummel come priva di gusto," ha commentato questo genere di arte falso-popolare. "La vedo bella. La vedo e reagisco al sentimentalismo dell'opera". Se l'avanguardia era un tempo definita in opposizione al kitsch, il suo abbraccio può allora portare ancora un po' di sorpresa, ma vi è una piccola sfida avanguardista qui, cioè ancora l'opposizione di fatto: "Ho sempre cercato di creare un'opera che non alieni nessuna parte del mio pubblico", dichiara Koons. "Attraverso il mio lavoro invito le persone ad abbracciare il loro passato, ad abbracciare ciò che sono". Secondo Koons questo passato, questa identità sono costruiti dai simboli della "storia della cultura di massa", che siamo incoraggiati a considerare "perfetta così com'è".

La serie più pertinente al riguardo è "Celebrazione" (1994-2006), che comprende venti grandi sculture di figure di palloncini, cuori di San Valentino, anelli di diamanti e uova aperte, fuse in acciaio inossidabile cromato, rivestito di colore trasparente e lucidato fino a splendere, evocando così una confezione da regalo di lusso. La serie non era iniziata bene, con difficoltà di produzione che hanno comportato lievitazione dei costi che ha spinto Koons quasi alla bancarotta. Ma quando i suoi prezzi alle aste sono saliti molto, uno dei suoi mercanti, Jeffrey Deitch, fu abile nel mettere insieme un consorzio di galleristi e mecenati per comprare alcune delle opere in anticipo, a scatola chiusa. (Significativamente Deitch è poi diventato direttore del Museo d'Arte Contemporanea di Los Angeles.) Si rivelò un investimento intelligente: una delle opere, *Cuore appeso (Magenta/oro)*, è stata venduta nel 2007 da Sotheby's per 23,6 milioni di dollari. Che cosa rende questi oggetti apparentemente così attraenti per i collezionisti e il pubblico? Prendiamo *Cane di palloncini* (1994-2000), in deliziosi giallo, arancio o magenta **[2]**. Offre il sottile *frisson* di un piccolo giocattolo, fragile ed effimero diventato monumentale, duro e permanente, prodotto con grande spesa e venduto a un ancor più grande prezzo; presenta inoltre un mix seducente di populismo nell'immagine e insieme esclusività di

▲ 1986

2 • Jeff Koons, *Cane di palloncini (Magenta)*, 1994-2000, installato nella reggia di Versailles, Francia, 2008
Acciaio inossidabile cromato con rivestimento in colore trasparente, 307,3 x 363,2 x 114,3 cm

3 • Damien Hirst, *Il sogno*, 2008, esposto alla mostra dell'asta "Bello nella mia testa per sempre" alla Sotheby's, Londra, settembre 2008

possesso. Per alcuni commentatori questa formula rende una scultura di Koons l'arte pubblica ideale e i suoi difensori parlano di "una panoramica della società" presa di mira nella sua opera. Ma il critico Peter Schjeldahl cattura bene ciò in cui consiste questa "panoramica": Koons "apostrofa la nostra era di democrazia plutocratica, investendo quantità di denaro in un gesto di solidarietà con il gusto delle classi più basse". Appropriatamente, nell'autunno del 2008 Koons ha allestito una sua mostra in quella Mecca del turismo che è la reggia di Versailles.

Due anni dopo Murakami ha causato una grande polemica con la sua esposizione nello stesso luogo. L'artista giapponese ha sfruttato la convergenza di arte, media e mercato ancor più a fondo di Koons. Se quest'ultimo opera con intelligenti selezioni dal repertorio del kitsch occidentale, il primo sviluppa figure del suo marchio ispirate dalle subculture giapponesi di *otaku* (perlopiù tradotto con "imbranato") e *kawaii* ("carino"). I fan dell'*otaku* sono perlopiù adolescenti maschi ossessionati da particolari personaggi dei *manga* (fumetti) e *anime* (programmi televisivi e film); alcuni sono figure d'azione con cui identificarsi, mentre altri sono ragazze remissive su cui fantasticare. Un primo interesse da parte di Murakami per la vena *otaku* fu *Miss Ko*^{2} (1997), una combinazione di uno spiritello femminile con capelli biondi legati con un nastro e di una pornostar prosperosa in costume da giovane cameriera. *Miss Ko*^{2} non fu un successo tra i fan di *otaku* – sembra che non appaia abbastanza remissiva – ma Murakami ha avuto più successo con i motivi che giocano sulla subcultura femminile di *kawaii*, come i suoi curiosi funghi, i fiori sorridenti, i bambini Kaikai e Kiki e soprattutto Mr DOB. Così nominato da un personaggio *manga*, DOB assomiglia da vicino a Mickey Mouse, la cui testa (che è tutto quello che è) scandisce il suo nome (D e B appaiono sulle orecchie e la faccia è una O). Dentato e sinistro nella sua prima incarnazione, DOB fu velocemente ridisegnato in versione infantile e carina; come capita, Mickey Mouse ha avuto un'evoluzione simile e il marchio di DOB sembra basato su quello della star di Disney.

Sebbene il Giappone non possieda la separazione tra cultura alta e bassa che un tempo caratterizzava l'Occidente moderno, Murakami attraversa i registri socioeconomici in un modo che si può dire senza precedenti. I suoi vivaci mutanti come DOB appaiono sia nei dipinti e sculture più costosi sia nella mercanzia più economica (adesivi, distintivi, portachiavi, bambole, ecc.); li si può trovare nei più importanti musei come nei minimarket. Il graffitista Keith Haring aveva messo sul mercato alcune delle sue serie negli anni Ottanta; anche la sua figura distintiva del "bambino raggiante" e del "cane che abbia" si estendeva dalla t-shirt all'opera. Ma il suo "Pop

Shop" era piccolo in confronto alla società di Murakami, che offre servizi come pubblicità, packaging, animazione, progetti di esposizioni e produzione di siti web. Forse il suo colpo più importante in Occidente lo mise a segno nel 2002, quando Marc Jacobs gli commissionò il progetto di una versione del monogramma di Louis Vuitton; la vendita delle borsette con il simbolo ridisegnato, che comprendeva anche il suo "occhio di medusa" e i motivi a fiori di ciliegio, superò i 300 milioni di dollari nel primo anno di produzione. Che Murakami consideri tale attività interamente in linea con la sua pratica artistica divenne chiaro con lo schiaffo della presenza della boutique di Louis Vuitton al centro della sua retrospettiva del 2007-2008 al MoCA di Los Angeles, che era intitolata ©*Murakami*, come fosse un luogo di vendita come gli altri.

▲ Probabilmente, con Warhol c'era ancora un elemento di disturbo in questa confusione di posizioni e valori – di artistico e commerciale, alto e basso, raro e di massa, prezioso ed economico, e così via. C'è una leggera tensione, e non molta compenetrazione, ora che queste coppie sono implose: un piacere assopito, una stanca disperazione, o un cocktail maniacodepressivo dei due. "Nel momento in cui facciamo la cosa onesta", ha detto una volta Murakami in un istruttivo gioco di parole, "vinciamo. La gente trova molto difficile individuare il proprio desiderio onesto. Andy Warhol faceva questo". Ma al di là del discorso apparentemente ineccepibile di Murakami o della gioia quasi terapeutica di Koons si può talvolta cogliere una nota sinistra e/o perversa (come infatti è anche in Warhol). Per quanto innocente al primo sguardo, anche in *Cane di palloncini* traspare una sessualità polimorfa, con le parti a salsicciotto del barboncino che si trasformano in seni e peni, e il primo DOB tradisce più di una traccia del gusto sadomaso rilevabile anche in ● Mickey Mouse o Donald Duck. Walter Benjamin una volta ha ipotizzato che i primi film di Disney fossero così popolari perché "il pubblico riconosce la propria vita" nelle prove che Mickey e Donald sopportano, e che la loro lezione primaria è insegnarci come "sopravvivere a una civiltà" che diventa barbarica. Vi è qualcosa di questo strano fascino nell'attraente degrado che le figure di Koons e Murakami incarnano. Certamente Murakami intende in modo simile gli aspetti infantili delle subculture *otaku* e *kawaii*, riferendoli agli effetti traumatici dell'olocausto nucleare e della sottomissione nel dopoguerra in Giappone.

Questo lato oscuro è più evidente nell'opera di Hirst, il quale, con il suo gusto per la provocazione, è il campione del trasformare l'attenzione dei media in fatto commerciale. Ma anche prima di far galleggiare il suo famoso squalo in una vasca di formaldeide o di lasciare una testa di mucca a marcire in una vetrina, Hirst riconosceva che "essere sensazionale non è più sensazionale", che l'anestesia era l'altra faccia dello shock, e che la morte era il suo vero tema. Da questo punto di vista la sua *pièce de résistance* arrivò nel 2007 quando espose una fusione in platino di un teschio umano tempestata di diamanti del valore di 14 milioni di dollari **[1]**. Alcuni hanno interpretato questo tesoro da pirati *cum* gioiello della corona come una *vanitas* o un *memento mori*, ma, se così fosse, sarebbe una *vanitas* alquanto glamour e per giunta un investimento: è arrivato ad essere valutato 50 milioni di dollari. Hirst stesso è l'azionista di maggioranza, che possiede due terzi dell'opera; il rimanente terzo è di proprietà di un consorzio. Hirst ha anche emesso titoli il 15-16 settembre 2008, quando ha scavalcato i suoi due principali mercanti e messo all'asta un grande lotto di nuove opere direttamente alla Sotheby's (erano 223 pezzi in tutto), battendo le esorbitanti stime con un notevole margine **[3]**. Le vendite totalizzarono 200,7 milioni di dollari, dieci volte il precedente record per un insieme di un singolo artista, che era di Picasso con 88 opere nel 1993. Com'è noto, Wall Street crollò in quegli stessi giorni, con storici istituti finanziari acquistati a prezzi di svendita, svaniti nel niente o salvati a costi enormi per i contribuenti. Forse il teschio di diamanti diventerà un monumento commemorativo di quel momento.

Immerso nella Depressione degli anni Trenta, Benjamin affermava che il comportamento antisociale dell'artista bohémien può non essere sovversivo come alcuni di noi amano pensare, e con un occhio per i realismi disillusi e i surrealismi falliti di quel momento notava: "Venne permesso alla borghesia del XX secolo di incorporare il nichilismo nel suo apparato di dominio". Riflettere su questo nichilismo, ma anche aggiornarlo e promuoverlo, è parte dell'ambiguo successo della linea warholiana di Koons, Murakami e Hirst.

Estetiche recessive?

Il crollo del 2008 rese incerti alcuni degli sviluppi, così può essere appropriato concludere con alcune domande a cui oggi non si può rispondere in maniera definitiva. Quali sono gli effetti della recente recessione sul ruolo dell'artista? Ha annullato alcune delle aspettative associate all'arte come intrattenimento o spettacolo? Qualche dimensione della sfera pubblica può essere reclamata dall'arte contemporanea? È sostenibile il museo d'arte dell'era neoliberale, o può il (prossimo) fallimento di molte istituzioni portare modi diversi di organizzazione? Può la crisi rappresentare un'opportunità per i paesi sottocapitalizzati o, al contrario, i mecenati neoliberali consolideranno ulteriormente il loro potere? Poiché l'arte contemporanea ha prosperato con i fondi comuni e le megabanche – spesso creando prodotti con stesse strategie derivate, come quelle che creavano le ricchezze virtuali di quelle entità finanziarie –, in che cosa consiste la sua complicità con questo sistema? Il modello economico di sviluppo locale e commercio internazionale che ha sostenuto le biennali d'arte è ancora sostenibile? Può l'enfasi essere posta su altri caratteri della globalizzazione, o ci sarà una ritirata nel locale, una sorta di protezionismo del mondo dell'arte? Infine, la critica d'arte può, a lungo irrilevante per un mercato dell'arte guidato da potenti mercanti e collezionisti, riguadagnare un qualche valore? HF

ULTERIORI LETTURE:

Artforum, vol. XLVI, n. 8, aprile 2008 (numero speciale su "L'arte e i suoi mercati")

Luc Boltanski e Eve Chiapello, *The New Spirit of Capitalism*, trad. ingl. Verso, London 2005

Isabelle Graw, *High Price: Art Between the Market and Celebrity Culture*, Semberg Press, Berlin-New York 2009

Julian Stallabrass, *Art Incorporated*, Verso, London 2004

Olav Velthius, *Taking Orices: Symbolic for Prices on the Market for Contemporary Art*, Princeton University Press, Princeton 2005

▲1960c, 1962d, 1964b ●1935

2009a

Al convegno multimediale "La nostra velocità peculiare" Tania Bruguera presenta *Capitalismo generico*, una performance che visualizza i vincoli e i rapporti di fiducia e affinità con il pubblico del mondo dell'arte trasgredendo questi stessi vincoli.

Nel 2009 l'artista cubana Tania Bruguera (nata nel 1968) presentò *Capitalismo generico* come suo contributo alla seconda parte di un pluriennale convegno-cum-festival accademico-sperimentale intitolato "La nostra velocità peculiare". Alcuni membri del pubblico all'evento del fine settimana all'Università e all'Istituto d'arte di Chicago, così come in altri luoghi sparsi nella città, furono sorpresi di vedere Bruguera che semplicemente assisteva all'evento invece che parteciparvi direttamente, essendo diventata famosa negli anni Ottanta e Novanta perché coinvolgeva il suo corpo nella sua arte. Notevole tra queste prime opere fu una serie di rifacimenti iniziati nel 1986 di azioni dell'importante artista ▲ femminista Ana Mendieta, lei pure di origine cubana, che visse negli Stati Uniti dal 1961 alla morte avvenuta nel 1985. L'opera di Mendieta andava da performance implicitamente traumatiche come *Senza titolo (Tracce del corpo)* del 1974 **[1]**, in cui trascinava le braccia e le mani, immerse in sangue o pittura, su superfici come carta, tessuto o direttamente sulla parete, alle quasi rituali *Siluetas*, una serie di silhouette antropomorfe, spesso realizzate col fuoco, che diventavano dei segni nel paesaggio. Bruguera, che divideva il suo tempo tra Cuba e Stati Uniti, cercò di reinserire Mendieta nella storia dell'arte cubana "rivivificando" le sue azioni – operando così il ritorno della più anziana artista "esiliata" al suo luogo di origine. Questo fu il primo dei tentativi di Bruguera di esplorare come gli effetti effimeri dell'arte della performance possano venire ricordati e rappresentati sia nelle menti dei singoli membri del pubblico sia anche nelle collezioni dei musei attraverso l'acquisto di archivi e istruzioni per la rimessa in scena.

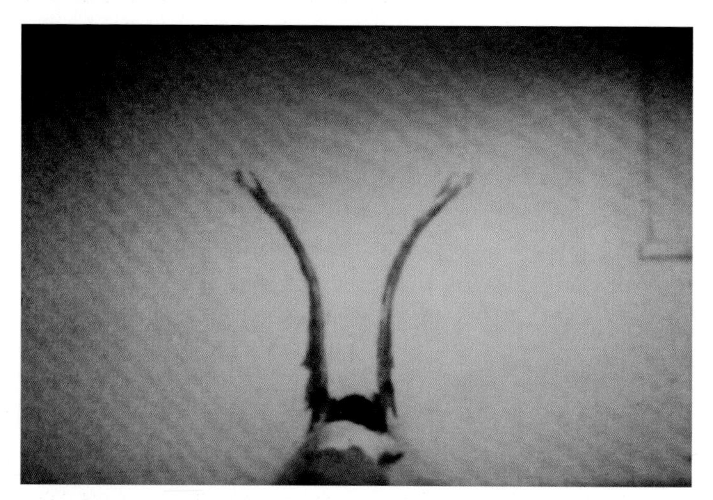

1 • Ana Mendieta, *Senza titolo (Segno di sangue, n. 2 / Tracce del corpo)*, 1974
Film muto, super-8 a colori

Capitalismo generico **[2]** fu un altro tipo di opera del genere, più coerente con quella che Bruguera chiama Arte de Conducta, o "Arte del comportamento", una pratica a cui ha dedicato il centro studi Cátedra Arte de Conducta all'Avana dal 2003 al 2009 aperto alle collaborazioni. Il fine di Arte de Conducta è la rottura della separazione tra arte e vita in azioni artistiche che hanno un impatto sociale diretto. Come ha affermato l'artista in un'intervista alla storica della performance e curatrice RoseLee Goldberg nel 2004: "Voglio lavorare con la realtà. Non con la rappresentazione della realtà. Non voglio che la mia opera rappresenti qualcosa. Voglio che le persone non guardino ad essa ma siano in essa, talvolta anche senza sapere che è arte". In *Capitalismo generico* gli spettatori erano infatti incorporati nell'opera come testimoni di una tavola rotonda cui partecipavano la coppia Bernardine Dohrn e Bill Ayers, attivisti negli anni Sessanta della Weather Underground, la cui notorietà era ulteriormente cresciuta nel 2008 grazie ai tentativi del Partito repubblicano di screditare Barack Obama durante la campagna presidenziale sottolineando i suoi legami con Ayers, che fu dipinto come un pericoloso radicale. Invitando queste due figure carismatiche e profondamente etiche a parlare a un pubblico politicamente perlopiù progressista (che fu attratto tanto dai partecipanti al convegno quanto dai membri del pubblico stesso) predispose un evento stimolante, ma lanciò una dura sfida ai preconcetti politici

▲ 1975a

2 • Tania Bruguera, *Capitalismo generico*, 2009, performance al convegno "La nostra velocità peculiare", Chicago, 2009

della maggior parte delle persone presenti. Dohorn è oggi docente di Legge e direttore del Children and Family Justice Center alla Northwestern University e sua moglie Ayers è un'illustre insegnante. Questa compiacenza fu rotta dunque quando alcuni membri del pubblico cominciarono a sfidare aggressivamente sia Dohorn che Ayers, e per estensione il presunto consenso politico diffuso tra gli uditori. I radicali di un tempo vennero accusati da alcuni di non essere stati abbastanza radicali e da altri di essere fuori dal mondo. Questa atipica esplosione di dissenso reale e discussione appassionata a un evento d'arte fu molto corroborante e portò a una delle discussioni più stimolanti e vivaci che per molti rimase memorabile, un vero esempio di dibattito democratico in azione.

Più tardi emerse che Bruguera aveva concordato la maggior parte degli interventi più diretti a insaputa di Dohorn e Ayers, che furono visibilmente presi alla sprovvista dalla veemenza dei loro interlocutori. Quella che venne percepita come una conversazione spontanea ed esplosiva era stata dunque manipolata, e portò a un'altra, non manipolata ma ugualmente appassionata discussione al convegno il giorno seguente, in cui molti partecipanti espressero il loro senso di tradimento che la discussione fosse stata prestabilita. In *Capitalismo generico* Bruguera ha portato con successo l'arte nella vita non introducendo qualche contenuto politico esterno dentro il contesto dell'arte, come sembrava aver fatto invitando Dohorn e Ayers a partecipare come "performer" ospiti, ma confrontando un pubblico di "addetti ai lavori" con due tipi di ipotesi implicitamente legate tra di loro: prima, un presunto accordo su posizioni politiche di base e, seconda, la fiducia che l'interscambio pubblico sia libero e disinteressato invece che manipolato dall'artista (o altri). In altre parole Bruguera non "predicò ai convertiti" riconfermando le ipotesi liberali di un pubblico che si presumeva liberale. Rese invece queste ipotesi inconsce dolorosamente visibili, mentre al tempo stesso introduceva la manipolazione all'interno di un'occasione putativamente governata dalla libera espressione. Forse questa presenza di manipolazioni tra una "comunità immaginata" (il termine è del politologo Benedict Anderson) è la ragione per cui Bruguera ha intitolato l'opera *Capitalismo generico*, perché nell'economia di mercato in cui, per esempio, il "tempo di trasmissione" su radio, televisione e spesso anche su Internet deve essere pagato, la parola è vulnerabile alla manipolazione da parte di chi ha i mezzi per comprarla.

"Un fascio di relazioni"

In breve, l'"Arte del comportamento" di Bruguera è molto più specifica che una partecipazione o interattività generalizzata tra pubblico e opera d'arte. Essa delinea *i legami che collegano* i membri di un particolare pubblico tra loro piuttosto che le loro simultanee, ma comunque individuali connessioni con un'immagine, oggetto o evento (quest'ultimo funziona qui come pretesto per chiarire i rapporti interpersonali del pubblico invece che come un fine in sé). In altre parole, l'opera di Bruguera esplora la natura dei legami o associazioni sociali; di fatto questa rete di connessioni costituisce il suo medium. A questo riguardo, benché non sia stata esplicitamente categorizzata in questo modo, Arte de Conducta può essere intesa alla luce di quella che Nicolas Bourriaud ha influentemente identificato come "estetica relazionale". Bourriaud ha elaborato la sua posizione in una serie di importanti mostre e più direttamente nel suo libro *Estetica relazionale*, uscito in Francia nel 1998. In una dichiarazione che risuona con l'opera di Bruguera, Bourriaud scrive: "Ogni particolare opera d'arte è una proposta di vivere in un mondo condiviso, e l'opera di ogni artista è un fascio di relazioni con il mondo, che creano altri rapporti, e così via all'infinito". L'espressione di Bourriaud "fascio di relazioni" è particolarmente adatta e utile per esplorare la distinzione tra gli artisti europei e nordamericani che sono stati associati all'estetica relazionale dalla metà degli anni Novanta – tra cui Pierre Huyghe, Philippe Parreno, Liam Gillick, Dominique Gonzalez-Foester, Rirkrit Tiravanija e molti altri – e i pionieri della performance e dell'installazione degli inizi del XX secolo.

È importante riconosce che le opere di arte partecipativa, incluse le installazioni che incorporano i visitatori in un ambiente immer-

▲ 2003 ● 1916a, 1961, 1962a, 1962b, 1973, 1974, 1987, 1989, 1998, 2003

3 • Rirkrit Tiravanija, *Senza titolo (Gratis)*, 1992
Installazione e performance alla galleria 303, New York. Tavoli, sgabelli, cibo, stoviglie, utensili per cucinare, dimensioni variabili

sivo e le azioni che mettono in scena un incontro intensificato con il corpo di un artista e/o performer, sono state parte dell'arte moderna ▲ almeno dal 1916, quando il Cabaret Voltaire Dada aprì le porte a Zurigo. Ma i formati estetici dell'installazione e della performance si consolidarono come *media* soltanto durante il periodo che va dall'invenzione degli "happening" da parte di Allan Kaprow nel 1959 • alla pratica diffusa della Body art in Europa, America Latina e Stati Uniti negli anni Settanta. Entrambi i tipi di pratiche cercavano di spostare le percezioni dello spettatore dagli oggetti ai contesti e ai rapporti. Le opere basate sull'installazione sostituivano quadri e sculture separati con spazi che fondamentalmente si aprivano a una ■ vasta gamma di pratiche cosiddette post-studio, come la Land art, in cui gli artisti cercavano di sensibilizzare i visitatori a vari tipi di paesaggi talvolta insignificanti come l'aperto deserto. In genere, happening e installazioni orchestravano uno o più ambienti interconnessi che spesso circondavano il pubblico, ma l'interazione fisica, quando necessaria, era solitamente limitata alla manipolazione di dispositivi predisposti o di specifiche regole o partiture da seguire, previste dall'artista. Nella Body art, come nelle opere di Ana Mendieta, gli spettatori erano resi vividamente consapevoli sia della persona del performer come oggetto – in particolare come oggetto sessuato, come in molta significativa performance femminista dagli ◆ anni Settanta – sia del rapporto etico tra sé e il performer, soprattutto nelle opere in cui un artista si sottoponeva al rischio fisico o psicologico in presenza di spettatori come testimoni.

Per contrasto, opere classificate come estetica relazionale tendono ad essere meno prestabilite – e infatti una delle forme favorite da artisti come Gillick, Parreno e Huyghe è quella che chiamano sceneggiatura, in altre parole strutture testuali, filmiche o spaziali che rimangono aperte a una vasta gamma di interazioni e interpretazioni. Di conseguenza il centro di gravità di un'opera d'arte si sposta dal rapporto unilaterale dello spettatore con l'installazione o il performer a una rete multilaterale di rapporti *tra* spettatori come in *Capitalismo generico* di Bruguera. Molti artisti sostenuti da Bourriaud hanno sviluppato strutture del genere mediante atti di ospitalità, in cui un artista *predispone* situazioni senza cercare di occupare il centro della scena sia con oggetti che produce sia con la propria persona. Cucinare e servire pasti, per esempio, è la dimen- ▲ sione centrale dell'arte di Rirkrit Tiravanija. In *Senza titolo (Gratis)*, del 1992, una delle sue prime esposizioni a New York, spostò tutto il contenuto di una stanza sul retro della piccola galleria 303 (incluso il direttore della galleria e il suo spazio di lavoro) nella stanza principale e installò nel retro una cucina per preparare cibi al curry per tutti gli intervenuti **[3]**. Uno degli aspetti più intriganti della pratica di Tiravanija è quella che chiama "uscita dall'azione" – quando, per esempio, nessuna cucina è messa in atto ma i resti dell'attività rimangono comunque presenti: gli utensili sporchi e i frammenti di cibo vengono lasciati incrostarsi o degradarsi in quella che può essere letta come un'allegoria di una sfera pubblica caduta in rovina.

Il gesto ospitale di Tiravanija fu reso ulteriormente letterale in *Senza titolo (Domani è un altro giorno)* del 1997, che consistette di una copia in compensato a grandezza naturale dell'appartamento newyorchese dell'artista, completo di strumenti di lavoro della cucina e del bagno. Gli ospiti erano invitati a occupare questa "casa fuori casa" nel modo che preferivano, ventiquattro ore al giorno, sei giorni alla settimana, per la durata della sua mostra al Kunstverein di

▲ 1916a • 1961, 1973, 1974 ■ 1967a, 1970 ◆ 1974, 1975a ▲ 1989, 2003

4 • Rirkrit Tiravanija, *Secessione*, 2002
Installazione e performance al Padiglione della Secessione, Vienna

Colonia. In altre parole, l'opera d'arte era offerta ai visitatori come un *servizio* piuttosto che come un oggetto di contemplazione. Ma che cosa esattamente viene servito? Il visitatore occasionale o non informato del museo si trovava di fronte a un dilemma: doveva decidere se invadere la "privacy" dell'opera e della scena – un atto che poteva facilmente apparire trasgressivo o imbarazzante – mentre, dall'altra parte, gli addetti ai lavori che conoscevano le intenzioni di Tiravanija potevano sentirsi più a loro agio, ma soltanto a rischio di far collassare le ambizioni pubbliche dell'opera in un gioco interno all'arte. Questo dilemma, incentrato su come ci si crede autorizzati a usufruire dei servizi di un artista e quanto spontanea può o deve essere questa modalità di relazione, è sviluppato in opere posteriori come *Secessione* al Padiglione della Secessione di Vienna nel 2002 **[4]**. Come molte opere degli anni Novanta e oltre, *Secessione* includeva un frammento architettonico praticabile animato da un programma di attività dal vivo. Così diverse opere di Tiravanija hanno incorporato modelli a grandezza pressoché naturale di progetti di architetti modernisti come Le Corbusier, Jean Prouvé e Philip Johnson, che funzionano come citazioni della "pianta aperta" modernista – "predecessore" storico e spaziale della sceneggiatura aperta cara a sostenitori dell'estetica relazionale. A Vienna Tiravanija incluse una riproduzione cromata di una porzione di una casa che l'architetto viennese emigrato Rudolf Schindler realizzò a Los Angeles nel 1922, notoriamente progettata come insieme di padiglioni aperti a composizione indeterminata. Alcune attività di accompagnamento durante il corso della mostra andavano dal barbecue e dj-session al massaggio thai e proiezione di film. Tiravanija, come molti suoi colleghi, lega citazioni di architettura a presentazioni mediatiche, forse perché questa congiunzione mette insieme i due tipi di spazio ▲ che tutti oggi devono praticare: il reale e il virtuale. Huyghe e Parreno, per esempio, sono interessati soprattutto a come lo spazio cinematografico può diventare uno spazio di *associazione*, come quando Huyghe ha usato i protagonisti "reali" su cui era basato *Quel pomeriggio di un giorno da cani* (1975) per rifare alcune scene dal film nella sua videoinstallazione *La terza memoria* (2000), confondendo finzione e documentario, atto e rifacimento in una molteplicità di modi. Come ha dichiarato in un'intervista con lo storico dell'arte George Baker pubblicata nel 2004: "un film è uno spazio pubblico, uno spazio comune. Non è un monumento, ma uno spazio di discussione e azione. È un'ecologia".

Tiravanija e Huyghe creano occasioni. La cucina di Tiravanija, per esempio, va in parallelo con gli eventi che organizza Huyghe, come la Giornata di Streamside, nel 2003, una festa di inaugurazione di un complesso residenziale a nord di New York, completa di sfilata, costumi e spettacolo. Inventando una vacanza per un generico quartiere di lusso, Huyghe tentò, forse ironicamente, di costruire un senso di comunità o di identità simbolica per un luogo nuovo ritagliato nella campagna circostante. Per la relativa installazione in galleria venne proiettato *Le follie della giornata Streamside* **[5]**, un "documento" video dell'evento, in un padiglione nomade di schermi – un gruppo di cinque pareti mobili, originariamente abbastanza distanti l'una dall'altra e posizionate lungo il perimetro delle

▲ 1998, 2003

5 • Pierre Huyghe, *Follie di una giornata al fiume*, 2003
Proiezione di video digitale da film super-16 e trasferimenti video, a colori, sonoro, 26 minuti

stanze, mosse lentamente lungo dei binari disposti sul soffitto a formare un provvisorio recinto al centro di una grande galleria. L'ethos di ospitalità e celebrazione che Tiravanija e Huyghe incarnano, e che è tipico di artisti identificati all'estetica relazionale, sembra dunque l'opposto dell'Arte de Conducta di Bruguera. Se il primo esibisce un'ottimistica convinzione che nuove e significative associazioni comunitarie possono essere costruite attraverso l'arte, la seconda fa perno sulla visualizzazione delle forme di pregiudizio e acriticità della solidarietà di classe che infestano le forme di associa- ▲ zione più utopiche.

Ospitare connessioni

Tutte queste opere condividono un'enfasi sull'*ospitare* – che sia un dibattito, un pasto o una sfilata – ma ognuno si svolge in uno *spazio reale*. Nell'epoca delle reti sociali online vi è un altro tipo di luogo disponibile per gli artisti: lo spazio virtuale utilizzato da Anton Vidokle (nato nel 1965) e Julieta Aranda (nata nel 1975) per agevolare e-flux, il loro servizio informativo per e-mail a funzionamento collaborativo. E-flux *ospita* nel modo in cui lo fa un computer o un sito web: normalmente distribuisce quattro annunci al giorno **[6]**, che informano su mostre, eventi, concorsi e offerte di lavoro di tutto il mondo. Attraverso tasse caricate sui suoi "clienti", l'impresa raccoglie fondi sufficienti per supportare una varietà di altre attività e-flux, compresa una galleria nella Lower East Side di Manhattan e una rivista elettronica spedita a tutti gli abbonati, così come vari progetti speciali. Benché Vidokle e Aranda si considerino risolutamente degli artisti in tutte le loro attività, vi sono state diverse controversie sulla designazione del servizio di annunci e-flux come *arte*, in parte perché è una "mera" ridistribuzione di comunicati stampa esistenti (benché spesso in forma seria e anche sperimentale) e inoltre perché produce un profitto diretto, come un comune lavoro, invece che proteggere gli artisti dal commercio attraverso la mediazione di una galleria. A questo riguardo è giusto ricordare l'in- ▲ tuizione fondamentale dell'Arte concettuale che l'informazione è una forma fungibile, costantemente interscambiabile in diversi tipi di comunicazione, e che l'arte, esplorando il proprio statuto come un genere particolare di informazione autoriflessiva, può articolare queste "forme", che vanno dalla razionalità (o pseudorazionalità) burocratica ai guasti che si creano a causa di interferenza e "rumore".

Come un ufficio informazioni sul mondo dell'arte, gratuito per gli abbonati e dunque votato all'accesso ampio a una vasta gamma di eventi diffusi, *immerge* gli utenti, come l'Arte de Conducta di Bruguera, in una situazione – cioè nel sovraccarico di informazioni – invece che rappresentarla come loro sfondo. In un'epoca in cui la proliferazione di grandi mostre internazionali, detta "febbre delle biennali", rende doppiamente non plausibile per tutti comprendere lo scopo reale dell'arte contemporanea – primo perché è fisicamente e finanziariamente irrealizzabile viaggiare ovunque e secondo perché ogni importante esposizione internazionale è ora così grande da richiedere diversi giorni per una visita adeguata – e-flux fornisce agli abbonati gli strumenti necessari per sviluppare quello che il teorico della cultura Fredric Jameson chiamerebbe una "mappa cognitiva" del mondo dell'arte come database multifocale. In breve,

▲ 2003

▲ 1968b, 1971, 1972a, 1972b, 1984a

e-flux offre un "algoritmo di ricerca" per l'arte attuale basato sulle scelte di inclusione, da parte di Vidokle e Aranda, tra le proposte che ricevono ogni giorno. Anche con questo database ridotto, l'abbonato stesso deve orientarsi tra ciò che è disponibile per trarre senso e valore dal sovraccarico di informazioni sull'arte. In altre parole, e-flux rende visibile uno dei principi strutturali dominanti dell'arte contemporanea: la sua migrazione verso un "panorama" o una struttura a database piuttosto diversi dalla storia del modernismo in cui gli stili e i movimenti erano tipicamente usati solo per organizzare i contenuti estetici. Nel rendere manifesto l'"inconscio informatico" della produzione, archiviazione e ricupero di dati dell'arte contemporanea, e-flux prende posto nella tradizione dell'Arte concettuale e soprattutto tra gli artisti associati alla critica ▲ istituzionale, come Hans Haacke o Hanne Darboven, che hanno dimostrato come il contenuto e il valore dell'arte sono profondamente condizionati dal loro contesto istituzionale di esposizione, scambio e diffusione.

Nella sua struttura economica e-flux solleva un ulteriore gruppo di questioni che riguardano l'autonomia economica (e artistica) dell'artista in un periodo in cui il mercato dell'arte si è esteso enormemente. Per alcuni artisti la crescita imponente di gallerie e ● collezionisti negli anni Novanta e Duemila ha aperto nuove possibilità, mentre per molti altri che non avevano (o non desideravano acquisire) attrattiva "giusta" per il mercato, è stata molto limitante e anche demoralizzante. Piuttosto paradossalmente Vidokle, Aranda e i loro vari collaboratori si sono letteralmente *guadagnati* la loro indipendenza dal mercato dell'arte inventando, benché unilateralmente, una piattaforma remunerativa con il loro servizio di annunci e-flux. Come ha sostenuto Vidokle in una dichiarazione del 2009: "Un artista oggi aspira a una certa sovranità, che implica che oltre a produrre arte deve produrre anche le condizioni che rendono possibile tale produzione e i canali per la sua circolazione. Di conseguenza la produzione di queste condizioni può diventare così critica della produzione di opere, da assumere la forma dell'opera stessa". L'idea di Vidokle che l'opera d'arte è essa stessa *produzione sociale* delle proprie condizioni di esistenza ci fa tornare alla questione dell'interazione sociale, o associazione, sollevata da Arte de Conducta e dall'estetica relazionale. È chiaro che il risultato fondamentale in tutte queste opere non è la mera evidenziazione e/o creazione di un rapporto tra osservatori o "utenti" *in quanto* rapporto, ma piuttosto l'investigazione *estetica* della natura, valore e qualità di diversi tipi di legame sociale. Per Bruguera è questione della buona o cattiva fede nell'associazione tra cittadini – le loro ipotesi sull'identità collettiva e i meccanismi di democrazia partecipativa. Per Tiravanija o Huyghe è una questione di consolidamento di un gruppo – talvolta un gruppo esclusivo e non sempre un pubblico – attraverso celebrazioni, riti o feste contemporanee. Infine per Vidokle, Aranda ed e-flux è una questione di comprensione dei diversi gradi di associazione informatica – dall'imprenditoriale al pedagogico, secondo uno spettro di database che va dalle e-mail virtuali agli incontri faccia a faccia. In ogni caso l'opera d'arte si definisce non come oggetto, ma come rete o struttura di associazione al cui interno può apparire una particolare forma di comunicazione.
DJ

ULTERIORI LETTURE:

Carrie Lambert-Beatty, "Political People: Notes on Arte de Conducta", in *Tania Bruguera: On the Political Imaginary*, Charta-Purchase-Neuberger Museum of Art, Milano-New York-Neuberger 2009

Tania Bruguera, La Biennale di Venezia, Venezia 2005

Nicolas Bourriaud, *Estetica relazionale*, trad. it. Postmedia, Milano 2010

George Baker, "An Interview with Pierre Huyghe", in *October*, n. 110, autunno 2004, pp. 80-106

Anton Vidokle, *Produce, Distribute, Discuss, Repeat*, Lukas & Stemberg, New York 2009

Anton Vidokle, "Response to "A Questionnaire on 'The Contemporary'", in *October*, n. 130, autunno 2009, pp. 41-43.

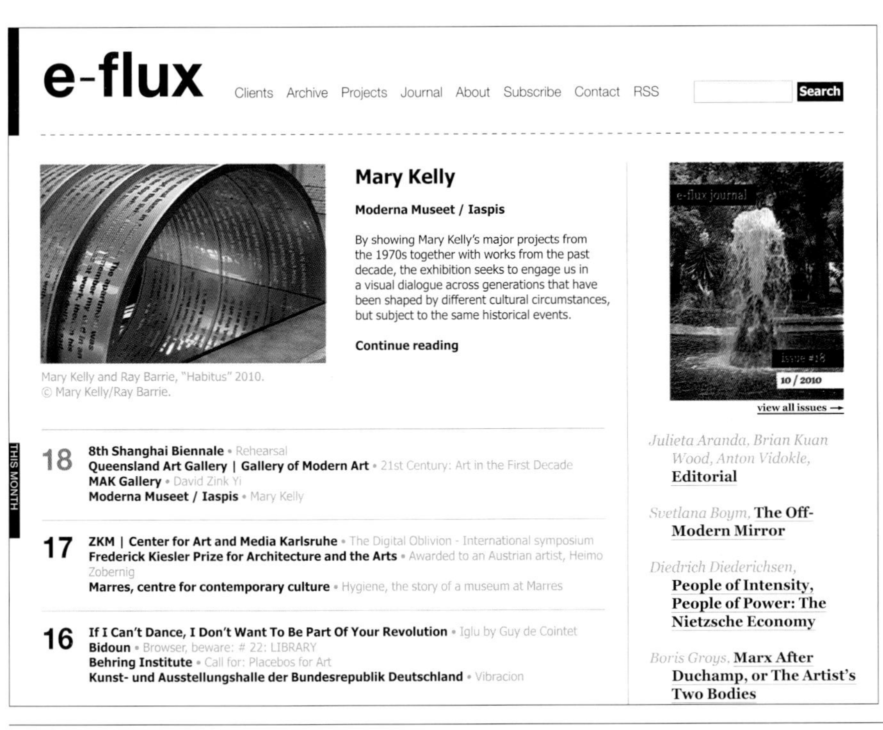

6 • Annuncio e-flux, ottobre 2010
Pagina di sito web

▲ 1971, 1972b ● 2007

2009b

Jutta Koether allestisce *Lux Interior* alla galleria Reena Spaulings di New York, una mostra che introduce performance e installazione al centro del contenuto della pittura: l'impatto delle reti anche sui media estetici più tradizionali si diffonde tra gli artisti in Europa e negli Stati Uniti.

Con un caratteristico gioco di perversioni che legano la pittura alla pasta, l'artista tedesco Martin Kippenberger (1953-97) identificò in un'intervista del 1990-91 il problema pittorico più importante sollevato a partire dalle serigrafie di Warhol degli anni Sessanta: "Appendere semplicemente un quadro alla parete e dire che è arte è terribile. Tutta la rete è importante! Anche gli spaghetti... Quando dici arte, tutto il possibile ne fa parte. In una galleria lo è anche il pavimento, l'architettura, il colore delle pareti". Nell'opera di Kippenberger, che comprendeva pittura e scultura così come molte pratiche ibride tra le due, i limiti di un singolo oggetto vennero costantemente sfidati. Già nel suo primo progetto pittorico del 1976-77, *Uno di voi, un tedesco a Firenze* [**1**], Kippenberger spostò l'attenzione dalle singole opere eseguendo velocemente un centinaio di tele in bianco e nero, tutte delle stesse dimensioni, che riproducevano istantanee o ritagli di giornali. La sua intenzione era di realizzare abbastanza quadri perché impilati avrebbero raggiunto la sua statura. Qui dipingere comprende diversi tipi di rete insieme: ogni singola tela fa parte di un "raggruppamento famigliare"; tutte sono assimilate all'economia fluida dell'informazione fotografica, che sia la fotografia personale o il documento giornalistico; e la dimensione della serie era indicizzata sulle caratteristiche fisiche dell'artista – cioè la sua statura – così come sulle sue attività quotidiane, in quanto segnata dalla scelta di soggetti che potevano essere stati presi da qualsiasi tedesco appassionato, benché eccentrico, residente a Firenze.

Se prendiamo in parola Kippenberger, sorge una domanda significativa: come può la pittura incorporare reti multiple che la contestualizzano? Questo problema di fine XX secolo, la cui rilevanza non ha fatto che aumentare con il passaggio al XXI e la crescente ubiquità delle reti digitali, va insieme a una sequenza di ▲ sfide moderniste alla pittura. All'inizio del secolo scorso il Cubismo spinse i limiti di ciò che poteva essere un segno pittorico coerente mostrando i requisiti minimi della coerenza visiva. A metà del • secolo l'astrattismo gestuale, riassunto dall'Espressionismo astratto, sollevò la questione di come la rappresentazione potesse assumere lo statuto di puro contenuto – consistente in nient'altro che pura pittura applicata sulla tela. E infine, negli anni Sessanta un'intera ■ gamma di procedimenti fotomeccanici introdotti dalla Pop art e relativi artisti negli Stati Uniti e in Europa esplorarono il rapporto tra immagine dipinta e riproduzione meccanica (più recentemente

1 • Martin Kippenberger, *Senza titolo*, dalla serie *Uno di voi, un tedesco a Firenze*, 1976-77
Olio su tela, ognuno 50 x 50 cm

▲ 1911, 1913, 1921a • 1947b, 1949, 1951 ■ 1960c, 1964b, 1967c

2 • Jutta Koether, *Lux Interior*, galleria Reena Spaulings, New York, 2009
Veduta dell'installazione

compresi video e fotografia digitale). Nessuna di tali questioni, che hanno strutturato la storia dell'arte del XX secolo, esiste isolatamente, ma nessuna è sparita; si è invece spostato l'accento per cui quelle prime sfide o preoccupazioni estetiche sono riformulate attraverso altre più nuove.

Il passaggio della pittura

Certo, la pittura è sempre appartenuta alle reti di distribuzione e di esposizione, ma Kippenberger rivendica qualcosa di più, cioè che, dall'inizio degli anni Novanta, un singolo quadro possa esplicitamente visualizzare e incorporare tali reti nella sua forma di oggetto. E infatti i suoi assistenti e colleghi più prossimi (qualcuno li chiamerebbe collaboratori) come Michael Krebber (nato nel 1954), Merlin Carpenter (nato nel 1967) e la sua intervistatrice del 1990-91, Jutta Koether (nata nel 1958), hanno sviluppato pratiche in cui la pittura collega il mondo delle immagini di un quadro a una rete esterna composta di attori umani. Nella mostra di Koether del 2009 *Lux Interior* alla galleria Reena Spaulings di New York, per esempio, la pittura funzionava come un incrocio di performance, installazione e tele dipinte **[2]**. La mostra era incentrata su una singola opera montata su una parete ad angolo sospesa – tipo schermo – che, come si esprime Koether, aveva un piede dentro e uno fuori dalla piattaforma sollevata che delineava l'area espositiva della galleria, come catturata nell'atto di salire sul palcoscenico. Questo effetto era aumentato da un faro vintage puntato sul quadro, che era stato salvato dal Saint, un famoso nightclub gay che ha ufficialmente chiuso le sue porte nel 1988 soprattutto a causa della crisi Aids. La tela stessa, *Verga bollente (da Poussin)*, è un rifacimento quasi monocromatico del *Paesaggio con Piramo e Tisbe* (1651) di Poussin, che rappresenta un racconto romano incentrato sulla fine dell'amore – e della vita – causata dal fraintendimento di elementi visivi (Piramo vede il velo strappato di Tisbe e ne deduce che è stata uccisa da una leonessa, questo lo porta al suicidio e poi, al momento del ritrovamento del suo cadavere, a quello di Tisbe). Il quadro è prevalentemente rosso – il colore del sangue e della collera (e per estensione dell'Aids) – ed è incentrato su un dettaglio ingrandito: un gigantesco fulmine che nel quadro di Poussin ha un ruolo molto meno importante. Questa forma frastagliata divide la composizione come una cicatrice, intorno a cui sono disposte pennellate come limatura di metallo intorno a una calamita. I segni sono insieme tentativo e asserzione, qualcosa come una carezza prima di uno schiaffo. Infatti, ispirato dall'ampia interpretazione del Poussin dello storico dell'arte T. J. Clark nel suo libro del 2006 *La vista della morte*, Koether ha sviluppato un gesto profondamente ambivalente: composti in egual misura di autoaffermazione e interpretazione, i

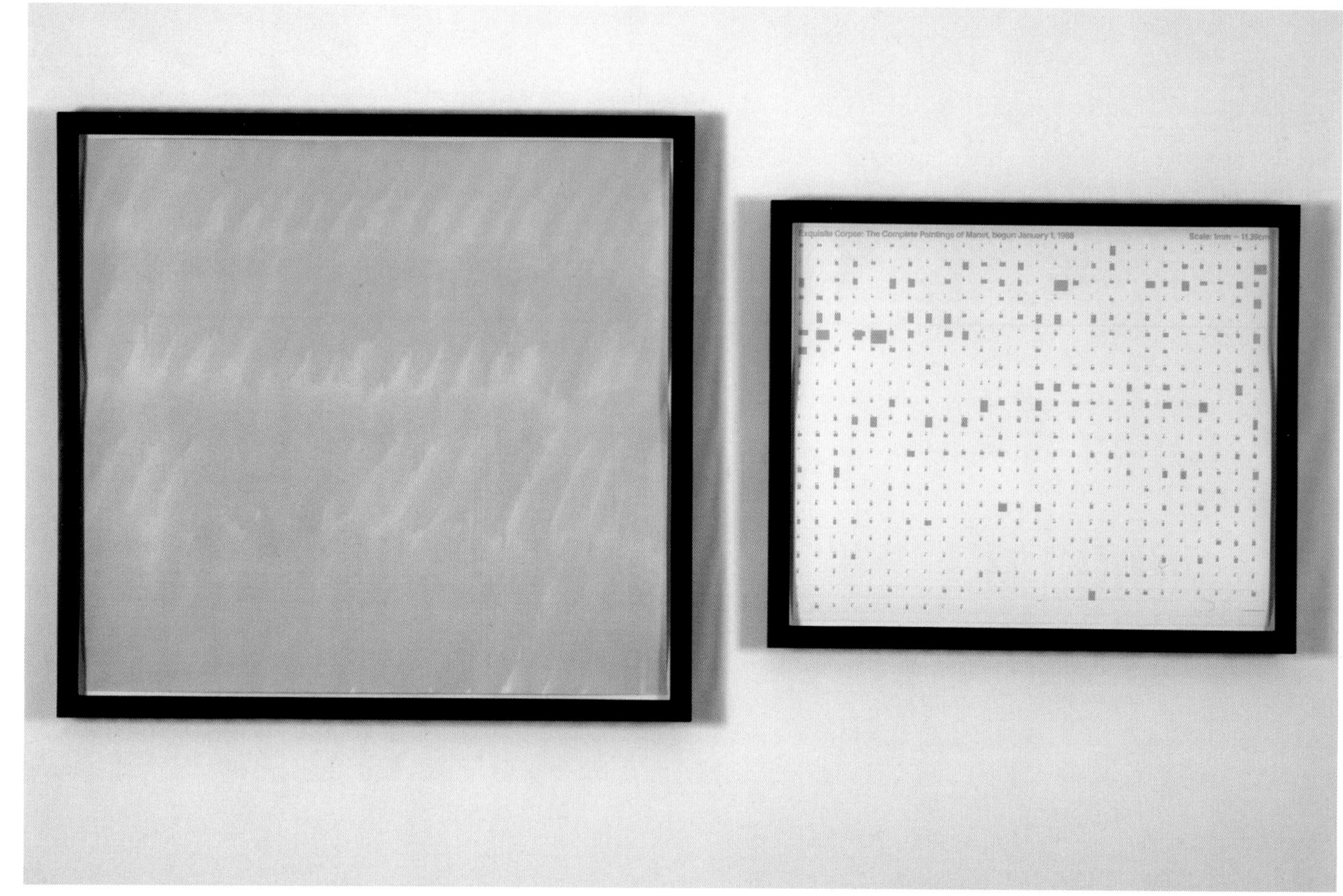

3 • Stephen Prina, *Cadavere squisito: l'opera completa di Manet, 207 di 556. La ferrovia, 1873*, National Gallery, Washington, 20 gennaio 2004
Pannello di sinistra: inchiostro su carta di stracci, 93 x 112 cm; pannello di destra: litografia offset su carta, 66 x 83 cm

suoi segni sembrano scavati dal tempo trascorso tra l'opera di Poussin del 1651 e il suo rifacimento nel 2009. Tre letture dal vivo accompagnavano la mostra, in cui Koether si muoveva intorno e anche sopra la parete a cui era appeso il quadro – il suo corpo e l'ira accesa della sua recitazione del collage di testi fornivano un contesto al quadro. La presenza del quadro come un personaggio – o un interlocutore – era ulteriormente aumentata da lampi stroboscopici proiettati su di esso in diverse configurazioni durante gli eventi dal vivo, come se la pittura e il pittore si trovassero in una sala da ballo.

Lux Interior offre una risposta sofisticata alla domanda di come la pittura visualizza e incorpora reti. Vale la pena soffermarsi a considerare quanto difficile sia rappresentare reti, che, nella loro varietà incomprensibile, dal microchip estremamente piccolo all'estremamente vasto internet globale, incarnano veramente il sublime contemporaneo. Basterebbero soltanto le "mappe internet" di google per uguagliare immagini del tipo *Star Trek* di sistemi solari interconnessi, che aumentano poco la nostra comprensione del traffico nell'informazione ma legano molto i mondi digitali alle antiche tradizioni di osservare le stelle. Koether accosta il problema in modo diverso. Invece di cercare di visualizzare i contorni generali di una rete, attualizza il *comportamento degli oggetti nelle reti*, mostrando quella che può essere chiamata la loro transitività. L'Oxford English Dictionary dà una definizione di *transitivo* come "esprimente un'azione che passa per un oggetto". Il termine *passaggio* è adatto a catturare lo stato degli oggetti nella rete, che sono definiti dalla loro circolazione da un posto all'altro e dalla loro conseguente traduzione in contesti nuovi. In *Lux Interior* Koether stabilisce due diverse modalità di passaggio. Prima, ogni pennellata del suo rifacimento del *Paesaggio con Piramo e Tisbe* di Poussin incarna il passaggio di tempo tra il Poussin che fa da modello e il quadro di oggi. Questo asse temporale di pittura è intrecciato a un secondo tipo di passaggio spaziale che va dal quadro in varie reti sociali che lo circondano, come indicato dal comportamento di *Verga bollente* come un personaggio ("sale" sul palcoscenico ed è illuminato da lampade da nightclub, ecc.), così come dalla performance dell'artista come interlocutore del quadro nelle sue tre letture-evento.

Ciò che definisce la pittura transitiva, di cui Koether rappresenta solo un "umore", è dunque la capacità di produrre due tipi di *passaggio* in sospensione: un tipo che è interno a un quadro e un altro che ne è esterno. A questo riguardo la pittura dagli anni Novanta ha assorbito in sé la cosiddetta "critica istituzionale" – la pratica di incorporare i valori convenzionali del mondo dell'arte e i sistemi di rappresentazione nell'opera stessa. Stephen Prina (nato nel 1954) ha sviluppato un certo numero di progetti pittorici che, più esplicitamente di Koether, integrano questi temi di critica istituzionale e di conseguenza esemplificano una modalità più fredda di pittura transitiva. Nel 1988 Prina ha iniziato un progetto tuttora in corso intitolato *Cadavere squisito: l'opera completa di Manet*, in cui una litografia offset rappresentante un sommario visivo del corpus di 556 opere di Édouard Manet (disposte in scala in una griglia di "bianchi" basati sui contorni e le dimensioni di ogni quadro o disegno) veniva esposta vicino a ogni disegno monocromo a inchiostro color seppia realizzato da Prina delle dimensioni esatte delle opere corrispondenti di Manet **[3]**. Mentre a un esame distratto questi disegni possono sembrare vuoti, l'artista giustamente insiste sul loro effetto visivo positivo. In un'intervista del 1988 ha dichiarato:

> *Possono essere il minimo denominatore comune dell'espressività. Le superfici sono slavate con inchiostro diluito color seppia. Alcuni le vedono come immagini mancanti o vuote. Sono delicate ma non sono vuote. In qualche modo sono piene come devono essere. C'è del pigmento da un lato all'altro. Ogni centimetro quadrato è stato mappato, segnato e occupato. Sono abbastanza chiaramente fatte a mano.*

Se per Koether la pittura funziona come punto nodale di performance, installazione e uno stile figurativo di libero "rifacimento" gestuale, per Prina segna l'intersezione di un'opera completa d'artista (rappresentata dall'inventario di Manet), il formato del singolo oggetto (le sue dimensioni e contorni) e un semplice e maldestro metodo di applicazione di una singola mano di pittura su carta. Il tono di *Cadavere squisito* è dunque drammaticamente diverso da *Lux Interior*, ma Koether e Prina condividono lo stesso progetto: visualizzare la pittura in una rete sociale integrata, un campo allargato di condizioni personali, estetiche, critiche e storiche. Come dichiara Prina nella stessa intervista del 1988: "Ho intitolato il progetto Manet *Cadavere squisito* perché sembrava necessario per vedere un corpo completo dell'opera, in rapporto al suo corpo e al mio corpo".

La pittura transitiva perciò si pone come un equilibrio dinamico tra due tipi di passaggio: quelli interni al quadro, incluso il segnare e il delineare soggetti, e quelli esterni, che comprendono la posizione dell'opera nello spazio, la sua collocazione in un particolare insieme di istituzioni, il suo rapporto con la storia dell'arte e i collegamenti sociali stabiliti tra autore e spettatori. In altre parole, per artisti come Kippenberger, Koether e Prina la struttura di un quadro è profondamente segnata dalle condizioni esterne di esposizione e ricezione che la contestualizzano. A questo riguardo è possibile collegare queste strategie transitive a una precedente innovazione dell'arte della metà del XX secolo in cui si è esercitata la pressione esterna ▲ sull'immagine pittorica. I quadri a strisce nere di Frank Stella, iniziati nel 1958, riassumono quello che Yve-Alain Bois ha chiamato non-composizione per *deduzione*: invece di inventare soggetti pittorici di propria fantasia o di farli sorgere attraverso atti spontanei di sgocciolamenti, macchie o versamenti di colore sulla tela, Stella ha creato un pattern geometrico basato sulla forma e i contorni del supporto tela, e un semplice insieme di regole secondo cui applicare smalto commerciale con un pennello da imbianchino. Le sue strisce sembrano muovere dal perimetro della tela al suo interno come una sorta di eco interna dei suoi bordi esterni, segnalando così implicitamente il fatto che nessuna pittura può essere interamente estratta dal suo ambiente. Ma nel caso di Stella la dimostrazione di una pressione esterna sulla composizione interna si limitava ai limiti fisici della tela – che funzionava come un limite stabile tra quadro e mondo. Molti degli artisti più giovani che attualmente esplorano il comportamento transitivo della pittura hanno adottato sia l'aspetto sia le procedure della non-composizione deduttiva, senza però trascurare di trasgredire sia concettualmente sia letteralmente i limiti fisici della tela. In queste opere l'"eco interna" del limite fisico della tela è accoppiato a un'"eco esterna" in cui proprietà e allusioni entrano dall'esterno dentro l'opera.

Vuoto spettacolare

In due mostre collegate del 2009, *Cromacromi di Robert Macaire* da Andrew Kreps a New York e *Piedestalli, taglio obliquo/Robert Macaire/Cronocromi* alla galleria Daniel Buchholz di Berlino **[4, 5]**, per esempio Cheyney Thompson (nato nel 1975) ha presentato due serie correlate di opere il cui pattern bidimensionale astratto è stato derivato da una scansione digitale ingrandita del supporto di lino dei quadri (a New York l'orientamento del tessuto era fedele, invece

4 • Cheyney Thompson, *Piedestallo IV*, 2009
Resopal, MDF, carta, 94,3 × 96,5 × 122 cm

▲ 1958

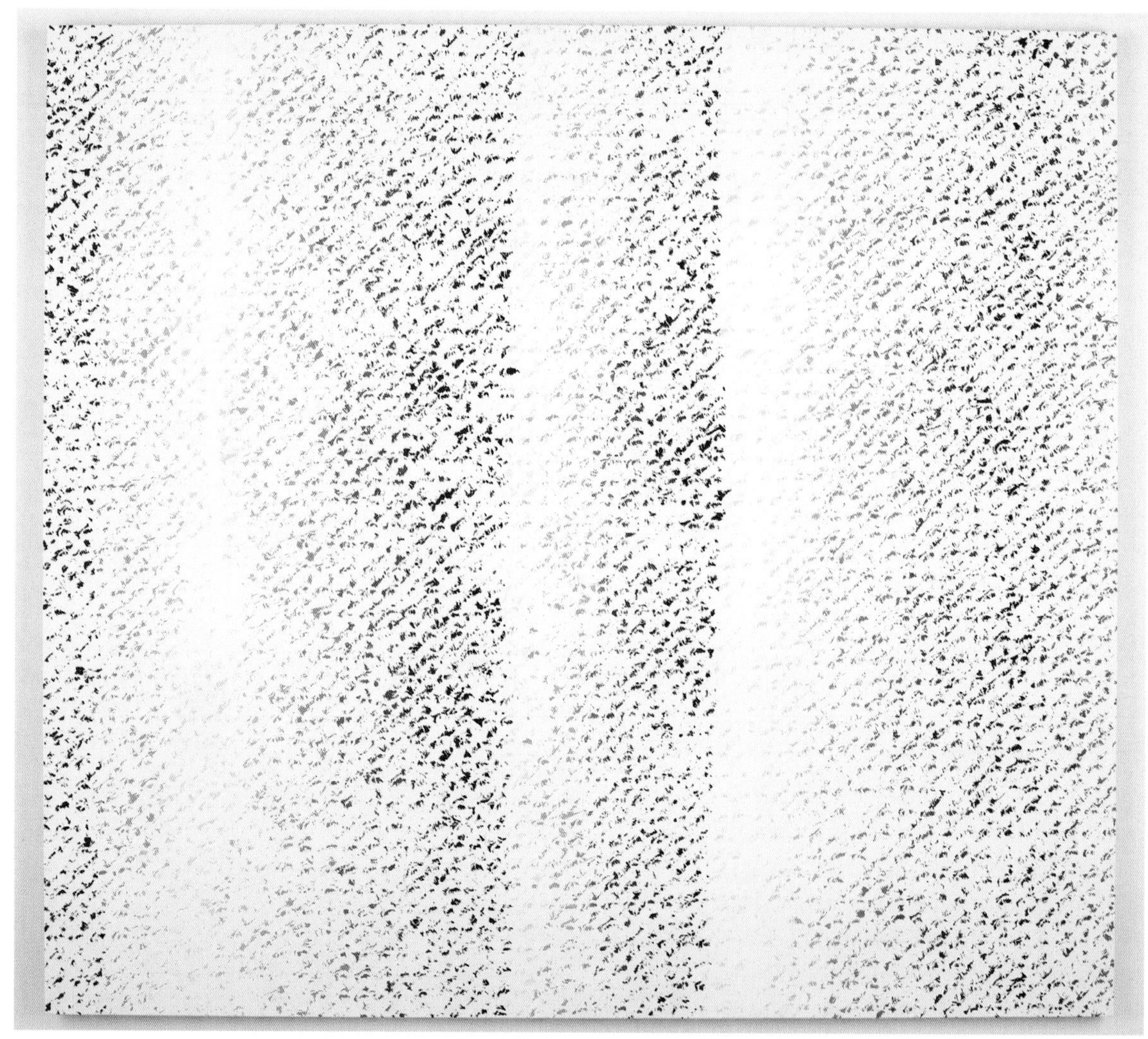

5 • Cheyney Thompson, dalla mostra *Piedestalli, taglio obliquo / Robert Macaire / Cronocromi*, galleria Daniel Buchholz, Berlino, 2009
(in alto) veduta dell'installazione
(sopra, a sinistra) *Chronochrome V*, 2009, olio su tela, 140 × 158 cm
(sopra, a destra) *Chronochrome X*, 2009, olio su tela, 140 × 4 cm

a Berlino era "per obliquo"). Diversamente da Stella, la cui composizione deduttiva era generata dai limiti fisici della tela, Thompson inserisce un gradino intermedio di riproduzione digitale in cui lo *sfondo* del dipinto è trasposto come sua figura, o collocato in maniera leggermente diversa, per cui il supporto di un'immagine (il lino) diventa l'immagine stessa. Tale spettacolarizzazione del vuoto (o l'insinuazione che tutto, anche il formato più neutrale, è ora diventato un'immagine) venne portata a compimento in un modo differente nella mostra di Wade Guyton (nato nel 1972) alla galleria Friedrich Petzel, a New York, con l'uso di un formato ready-made da computer – cioè un rettangolo disegnato e riempito usando Photoshop – come fonte di una serie di monocromi neri generati con stampante ad inchiostro **[6]**. Per entrambi gli artisti, le cui opere al primo sguardo sembrano completamente non-oggettive e rigorosamente deduttive, forze esterne associate a economie di lavoro ricontestualizzano in maniera fondamentale i loro spettacolari formati vuoti. Per Thompson la tonalità e il valore di questi soggetti autoriflessivi esposti a Berlino indicano la quantità di tempo e l'ora del giorno in cui li ha realizzati, dando ai suoi quadri il carattere di cartellino da lavoro; mentre l'opera di Guyton richiede un intero apparato esterno di computer, software e stampante per generare le immagini, come se fossero prodotti di un ufficio d'azienda in rete. Mentre questi artisti sono dunque gli eredi delle strategie deduttive di Stella, partecipano anche degli sforzi di Koether e Prina di incorporare le reti sociali nel corpo del dipinto, benché in un modo molto meno critico.

6 • Wade Guyton, mostra alla galleria Friedrich Petzel, New York, 2007
Veduta dell'installazione

L'archivio come medium

L'introduzione letterale di condizioni sociali contemporanee nel quadro, come opposta alla storicizzazione di reti di Koether e Prina o dell'estetizzazione del lavoro di Thompson e Guyton, venne resa esplicita in una mostra intitolata *Da una O all'altra* alla sede del collettivo Orchard di New York nel 2008. L'esposizione fu una collaborazione tra il critico e storico Rhea Anastas (nata nel 1969) e gli

7 • R. H. Quaytman, dalla mostra *Da una O all'altra*, Orchard, New York, 2008
Veduta dell'installazione della rastrelliera per quadri

artisti R. H. Quaytman (nato del 1961) e Amy Sillman (nata nel 1954). Come molti dei progetti a Orchard – esso stesso una sorta di opera d'arte collaborativa – questa installazione pluristratificata rifletteva direttamente sul contesto della galleria, incluso il suo ampiamente involontario effetto come forza di imborghesimento nel quartiere Lower East Side. Come suo contributo alla mostra Anastas presentò una selezione di ritagli stampa su Orchard in vetrine, mentre Sillman realizzò astutamente sofisticati ritratti a gouache e acquerello su carta (solo il volto) dei partecipanti e amici di Orchard. Invece che appesi alle pareti, i disegni di Sillman erano a disposizione di chiunque, da sfogliare e risistemare su un lungo tavolo come scrivania che occupava il centro della stretta sezione anteriore della galleria. Il contributo di Quaytman consisteva di tre parti. La più importante era una serie di dipinti su tavola intitolata *Capitolo 10: Arca*, che era stata realizzata durante gli anni in cui l'artista era direttore di Orchard. Alcuni pannelli della serie erano appesi alle pareti in modo usuale, mentre altri erano mantenuti *in potenza* – stoccati in una rastrelliera somigliante a quelle nei magazzini dei musei o delle gallerie **[7]**. I visitatori erano invitati dagli assistenti di galleria a esplorare questo deposito aperto appoggiando i quadri sul ripiano superiore per uno sguardo veloce, o appendendoli in alcuni punti delle pareti adiacenti predisposte all'uopo. Quaytman realizzò anche una nuova versione di *Foglio elettronico Orchard*, che delineava in termini finanziari la vita dell'organizzazione, e un bel catalogo, *Esche allegoriche*, progettato da Geoff Kaplan per funzionare alla rovescia: la sovracopertina si apriva in un ampio poster raffigurante un archivio delle illustrazioni del libro, mentre le pagine riportavano soltanto testo.

Questa mostra era dedicata al problema etico di come e per chi ▲ sono costruiti gli archivi e come servono da "medium" di reti sociali della pittura. Sembra significativo per esempio che sia Sillman che Quaytman sollecitassero il *maneggiare*: i visitatori erano chiamati a pensare con gli occhi e con le mani simultaneamente. E in entrambe le opere degli artisti era il "tema" dell'istituzione a dover essere maneggiato: i volti di chi ha fatto e consumato i programmi Orchard nei disegni di Sillman, lo spazio stesso di Orchard nei dipinti litografati di Quaytman, rappresentati in inquadrature derivate da Polaroid dell'architettura della galleria, vuota (tipicamente fotografata da prospettive sghembe) o con visitatori che potevano essere i membri del collettivo o loro amici. Su tale materiale di base derivato da fotografie Quaytman a volte ha serigrafato una fitta trama di linee orizzontali che producevano un bruciore ottico che sconfinava nel dolore. Basti dire che la connessione stabilita tra vedere e maneggiare, così come la fusione di sensazione di disorientamento ottico e forte consapevolezza del reale trovarsi in un luogo particolare in una particolare città, rendevano necessario al visitatore posizionarsi in un'esperienza ottica *e* al tempo stesso in una rete di associazione istituzionale: i passaggi interni ai dipinti erano in equilibrio dinamico con l'impatto esterno della galleria fenomenologicamente come spazio e sociologicamente come istituzione di quartiere, in un potente esempio di pittura transitiva. Le opere di Quaytman e Sillman innescavano una reale connessione da parte del visitatore dall'interno del quadro alle sue condizioni contestuali – dalla visione che si presume autoposseduta allo spossessamento di un quartiere in fase di imborghesimento.

I quadri possono funzionare come archivi di tali connessioni reali tra l'occhio (la persona) e il mondo. Il filosofo e storico Bruno Latour ha introdotto un termine quasi museologico adatto a descrivere quello che dovrebbero fare i sociologici dal suo punto di vista: raccogliere il sociale, o meglio, secondo il titolo del suo libro del 2005, *Riassemblare il sociale*. È responsabilità di chi lavora con gli archivi (inclusi gli artisti, i critici e gli storici dell'arte) costruirli con cura perché così facendo riassemblano il sociale. Vi sono quattro condizioni che si riscontrano nell'archivio pittorico di Quaytman: 1) la visione causa dolore (bruciore ottico), 2) i quadri sono accumulati (come merci, in ripiani di magazzino), 3) i visitatori guardano perché vogliono porsi in modo significativo nello spazio architettonico e urbano, e 4) nessuna disposizione delle immagini è definitiva. Queste condizioni archivistiche offrono un corredo di strumenti – uno tra molti che Orchard ha messo a disposizione nella sua breve vita – per ripensare le *forme e responsabilità di associazione*, per riassemblare il sociale.

Le varie pratiche transitive qui in discussione si sono diffuse molto perché offrono una via d'uscita da una morte critica particolarmente perdurante nella scrittura d'arte contemporanea. In quanto tipo di arte più facilmente collezionabile, che combina massimo prestigio e massima convenienza espositiva (entrambi per collezionisti privati e istituzionali), il quadro è il medium più frequentemente condannato per l'intrinseco rapporto con la ▲ mercificazione. Inutile dire che si tratta di una diagnosi corretta, ma il problema con il termine mercificazione è che connota l'arresto permanente della circolazione dell'oggetto in una rete: è fermato, pagato, appeso a una parete o spedito al deposito, pertanto permanentemente cristallizzante un particolare rapporto sociale. La pittura transitiva, dall'altro lato, inventa forme e strutture il cui scopo è di dimostrare che una volta che un oggetto entra in una rete, non può mai essere pienamente bloccato ma soltanto assoggettato a diversi stati materiali e velocità di circolazione che vanno dalla lentezza geologica (ibernazione) all'infinitamente veloce. Un Poussin può finire nelle mani di Jutta Koether o Stephen Prina può impadronirsi dell'intera opera di Manet. DJ

ULTERIORI LETTURE:

Yve-Alain Bois, *Painting as Model*, MIT Press, Cambridge (Mass.) 1990

Johanna Burton, "Rites of Silence: On the Art of Wade Guyton", in *Artforum*, vol. XLVI, n. 10, estate 2008, pp. 364-373, 464

T. J. Clark, *The Sight of Death: An Experiment in Art Writing*, Yale University Press, New Haven-London 2006

Ann Goldstein, *Martin Kippenberger: The Problem Perspective*, Museum of Contemporary Art, Los Angeles, MIT Press, Cambridge (Mass.), 2008

Texte zur Kunst, "The [Not] Painting Issue", marzo 2010

▲ 2003

▲ 1986, 2007c

2009c

Harun Farocki espone al Museo Ludwig di Colonia e da Raven Row a Londra una serie di opere di guerra e visione che dimostrano il rapporto tra forme popolari di intrattenimento dei nuovi media come i videogame e conduzione della guerra moderna.

L'immagine televisiva più strana sull'invasione americana del l'Iraq del 2003 fu anche la più banale: una veduta virtualmente immutabile di una strada di Bagdad ripresa dall'hotel dove la maggior parte dei giornalisti occidentali era acquartierata. Come immagine di guerra, questa blanda prospettiva poteva difficilmente competere con la grafica pirotecnica e la trascinante musica marziale che apriva i telegiornali negli Stati Uniti. Eppure, come una videocamera di sorveglianza, il suo punto di vista fisso era stranamente avvincente, in parte perché nasceva da un paradosso: che i rappresentanti (benché non ufficiali) di una forza di invasione potessero entrare nell'hotel di una città sotto assedio per monitorare il suo bombardamento. Quando il bombardamento arrivò, la sua copertura – dalla prospettiva distanziata dell'hotel – assomigliò a niente più che fuochi d'artificio per una festa. I reporter a Bagdad, poi, come i loro colleghi sul campo di battaglia che erano stati assegnati ad accompagnare specifiche unità combattenti una volta iniziata la guerra sul campo, erano, per usare un termine militare ufficiale, *embedded*, intruppati. E infatti, dato che ai giornalisti sul campo non era permesso svelare la loro posizione o qualcosa sul contenuto delle attività delle "loro" unità, quello che potevano comunicare, come le loro controparti che guardavano dalle finestre dell'hotel di Bagdad, era largamente obbligato dal punto di vista dei militari.

Forse più di qualsiasi altro conflitto armato della storia, la Guerra d'Iraq è stata sceneggiata per il consumo domestico. Poiché era ampiamente ammesso che l'erosione di consenso per la Guerra del Vietnam – l'ultimo conflitto sostenuto dagli Stati Uniti fuori dai confini nazionali – era stata causata dalla trasmissione televisiva dei suoi eventi nei notiziari della sera, gli strateghi della Guerra d'Iraq cercarono di controllare accuratamente la sua immagine in almeno due modi: primo, mantenendo a distanza o espurgando la violenza dell'invasione attraverso un'enfasi posta sulla tecnologia degli armamenti, presentati come strumenti altrettanto precisi e salutari di quelli di un medico (da qui l'espressione frequentemente ripetuta di "attacco chirurgico" per descrivere la guerra aerea iniziale); secondo, controllando strettamente l'accesso dato ai reporter. Assegnando i giornalisti a una particolare unità di combattimento, per esempio, veniva virtualmente assicurato che i racconti della guerra sarebbero emersi dalla prospettiva eroica degli amichevoli soldati con cui i reporter "intruppati" avrebbero stabilito naturalmente uno spirito di corpo. Ognuna di queste strategie venne legata strutturalmente ai generi di intrattenimento familiare occidentale: l'"attacco chirurgico", compiuto dalle bombe con videocamera incorporata, trasponeva la guerra reale in estetica virtuale da videogame, a sua volta adattata all'addestramento dei piloti militari; e i resoconti in prima persona della guerra dal punto di vista del combattente facevano eco alle convenzioni narrative dei film hollywoodiani.

Il potere dell'immagine / l'immagine del potere

La rappresentazione ufficiale della Guerra d'Iraq offre dunque uno degli esempi più toccanti, e più tragici, dell'inizio del XXI secolo di come le immagini hanno esercitato il potere imponendo un punto di vista che marginalizza le altre prospettive. Gli artisti risposero a questa situazione in una varietà di modi: enfatizzando il modo in cui le immagini alternativamente stabiliscono o dissolvono le associazioni tra i cittadini, mostrando come le nuove tecnologie della visione migrano dall'ambito dell'intrattenimento a quello della guerra, e infine dimostrando come il mondo dell'arte può offrire uno spazio relativamente libero per il discorso politico. Malgrado le strategie visive molto differenti, gli artisti che prendiamo qui in considerazione esplorano tutti come le immagini mettono gli spettatori di fronte agli eventi controversi e traumatici della Guerra d'Iraq: stabilendo un senso di appartenenza (o, al contrario, di alienazione) condivisa, classificando in tipi i cittadini e le loro reazioni, e rappresentando come viene mediatizzato il trauma di guerra individuale. La prima di queste procedure venne evidenziata in due mostre concettualmente legate tra loro da Thomas Hirschhorn, *Utopia, utopia = Un mondo, una guerra, un esercito, un abito* (2005) all'Istituto d'Arte Contemporanea (ICA) di Boston e *Impegno superficiale* (2006) alla galleria Barbara Gladstone di New York. L'arte di ▲ Hirschhorn è famosa per i chioschi, le vetrine, i monumenti e le installazioni immersive che costruisce, che sono composte di vari media, dai libri a Internet, e solitamente tenute insieme con materiali modesti come il cartone e il nastro adesivo. Le sue opere sono dedicate a quella che si potrebbe chiamare un'etica delle immagini, attraverso l'esplorazione e la dimostrazione di come le immagini possono costruire il nostro rapporto con gli altri e determinare l'esperienza di un mondo condiviso. In questo progetto generale le mostre di Hirschhorn a Boston e New York perseguono due distinti benché complementari approcci.

Utopia, utopia, il cui tema era la proliferazione mondiale della mimetizzazione come motivo decorativo ubiquitario, proponeva la

▲ 2003, 2007b

1 • Thomas Hirschhorn, *Utopia, utopia = Un mondo, una guerra, un esercito, un abito*, Istituto d'Arte Contemporanea, Boston, 2005
Vedute dell'installazione

tesi che esponendo un particolare pattern astratto come quello mimetico (indossandolo o acquistando prodotti decorati con esso), ci si unisce a "un mondo" e a "una guerra" di una società globale. Detto crudamente, Hirschhorn suggerisce che i mondi della moda e delle pop star stiano sartorialmente – per quanto inconsapevolmente – "firmando" la "guerra una" esemplificata dal conflitto in Iraq quando vestono motivi mimetici sulle strade di Parigi, Los Angeles o Tokyo. *Utopia, utopia* comprendeva talmente tanti esempi decorati con motivi mimetici, dagli accendini alla biancheria intima, che il motivo cominciò a perdere la propria specificità come simbolo o attributo della guerra moderna [**1**]: al contrario, la sua ripetizione ossessiva lo sterilizzava, prosciugandolo di ogni associazione diretta con la violenza. Se l'esposizione che mette insieme un particolare tipo di segni crea una "comunità", suggerisce Hirshhorn, si tratta di una comunità di consumatori in cui la cultura popolare e l'aggressione militare sono apparentemente intrecciate in un mondo in cui le modelle vestono travestite da militari e i dirigenti di provincia guidano Hummer. Questa diffusa ricodifica della guerra come scelta commerciale di moda aiuta a costruire il consenso per un reale conflitto, rendendolo glamour, anche durante il tempo di pace.

In *Impegno superficiale*, dall'altra parte, il legame etico tra cittadini, come stabilito attraverso la spettatorialità collettiva, venne posto per mezzo di un aspro contrasto tra insopportabili fotografie che rappresentavano i corpi sconvolti di vittime della guerra, molte delle quali scaricate da Internet, e il potere di "redenzione" dell'arte. Le prime erano incollate e mescolate come una sorta di base topografica in diorami a grandezza naturale che riempivano la galleria [**2**], mentre il secondo era rappresentato da riproduzioni di composizioni astratte montate su cartone, molte delle quali dell'artista mistica Emma Kunz, che salivano o scendevano, a seconda della prospettiva da cui si guardava, dal paesaggio di carneficina in formazioni che ricordavano uccelli in volo o esplosioni berniniane di luce divina. *Impegno superficiale* dunque metteva in scena una chiara opposizione tra la capacità delle immagini di ferire, disgustare o irritare e le pretese dell'arte (in particolare dell'astrattismo) di curare. Per quanto difficile fosse guardare gli intestini sparsi e i crani esplosi che Hirshhorn presentava, è stato enormemente coraggioso che l'artista abbia messo in primo piano immagini che erano volutamente

2 • Thomas Hirschhorn, *Impegno superficiale*, galleria Barbara Gladstone, New York, 2006
Vedute dell'installazione

omesse dai resoconti ufficiali della Guerra d'Iraq in cui ci si poteva riferire eufemisticamente a bombardamenti devastanti come "attacchi chirurgici". Mentre naturalmente vi è una grande differenza tra vestire motivi mimetici come scelta di moda e confrontare rappresentazioni esplicite di vittime della guerra, la quasi simultaneità delle due mostre suggerisce un loro collegamento. Infatti addomesticare la guerra attraverso la cultura popolare aiuta a oscurare le sue conseguenze reali e così a renderla moralmente perdonabile per i cittadini.

Sia in *Utopia, utopia* che in *Impegno superficiale* Hirschhorn ha fatto uso di una strategia compositiva che incarna vividamente la potenziale malignità delle immagini, quello che potremmo chiamare lo "sciame di immagini". Ognuna di queste installazioni stabiliva un paesaggio claustrofobico che avvolgeva gli spettatori in un'atmosfera disorientante. Infatti lo sciame di immagini manifesta brillantemente sia il modo in cui esse circolano in un mondo connesso in rete, sia il modo in cui il loro eccesso può portare a un'atmosfera di indifferenza o "rumore" che è difficile navigare. Gli sciami *saturano* gli spazi di rappresentazioni e questo può portare ad effetti benigni oppure tragici. Tale saturazione dello scandalo è stata esemplificata nella più famosa rappresentazione non pianificata della Guerra d'Iraq: quando le umilianti fotografie di prigionieri scattate da un gruppo di soldati americani di stanza a Abu Ghraib vennero alla luce, assunsero una loro vita autonoma nei media e non poterono più essere rimosse da nessun intervento diplomatico di controllo.

Un proliferare di verità

Le installazioni di Hirschhorn rappresentano uno specifico modello di come le immagini (o le informazioni) circolano in un'ecologia dei media densamente integrata che opera senza sosta, ventiquattr'ore al giorno, sette giorni alla settimana. Che sia l'improvvisa esplosione di una tendenza di moda (come il mimetismo) o uno scandalo (come Abu Graib), le immagini acquistano potere attraverso la loro capacità di saturare molti canali mediatici nello stesso tempo: sono *virulente* se inducono abbastanza consumatori e/o spettatori a identificarsi in un'immagine comune. Per così dire, Hirschhorn permette alle immagini di comportarsi "naturalmente", espandendosi in modo esponenziale nello spazio fisico come si espandono nelle reti virtuali di Internet. Un'installazione video a dieci canali, *9*

3 • **Andrea Geyer, Sharon Hayes, Ashley Hunt, Katya Sander e David Thorne, *9 sceneggiature da una nazione in guerra*, Documenta 12, Kassel, Germania, 2007**
Veduta dell'installazione

sceneggiature da una nazione in guerra (2007), prodotta da un gruppo di artisti – Andrea Geyer, Sharon Hayes, Ashley Hunt, Katya Sander e David Thorne – ed esposta per la prima volta a Documenta 12 di Kassel, in Germania, occupa il lato opposto dello spettro. Invece che focalizzarsi, come fa Hirschhorn, sui modi in cui le immagini *sciamano* o *saturano*, *9 sceneggiature* dimostra come diversi tipi di persone, ognuna delle quali fa esperienza e rappresenta la Guerra d'Iraq da un diverso punto di vista, filtrano le loro immagini della guerra. Le "sceneggiature", ognuna delle quali è incentrata su un differente tipo di persona – Cittadino, Blogger, Corrispondente, Veterano, Studente, Attore, Intervistatore, Avvocato, Detenuto e Fonte – rispondono tutte, secondo la descrizione del progetto dell'artista, a una domanda centrale: "Come fa la guerra a determinare ruoli specifici che gli individui possono ricoprire, rappresentare e dal cui punto di vista parlano o resistono?" In altre parole *9 sceneggiature* oppone una proliferazione di persone alla proliferazione di immagini di Hirschhorn.

Nella prima versione di *9 sceneggiature* a Documenta 12 i suoi dieci canali erano presentati su monitor incorporati singolarmente o a gruppi in scrivanie simili a tavoli da studio **[3]**. Questi tavoli erano esposti in un'area pubblica adiacente alle gallerie, la cui entrata era libera. L'uso di piccoli monitor, cuffie per il suono e sedute individuali incoraggiavano, quindi richiedevano, una forma intima di fruizione concentrata – come la lettura in biblioteca – che contrastava con il vivace traffico nell'atrio. Questo modo quasi didattico di esporre, che era offerto *di passaggio* agli spettatori che magari transitavano dal movimentato caffè adiacente all'atrio, corrispondeva alla struttura narrativa altrettanto didattica delle singole registrazioni. Le sceneggiature dedicate a nove dei dieci tipi di persona inclusi nell'opera erano filmate in modo da richiamare l'attenzione sulla presenza o meno di un pubblico: i Veterani fanno brevi discorsi basati sulla loro esperienza in un ampio uditorio vuoto; i Cittadini scrivono una serie di predizioni di quello che faranno quando la democrazia infine arriverà su una lavagna come per un gruppo invisibile di studenti e l'Avvocato parla a un pubblico che entra ed esce dall'inquadratura a seconda della carrellata della videocamera. Queste scene forzano la questione al centro di *9 sceneggiature da una nazione in guerra*: come può essere sempre comunicato onestamente e accuratamente l'evento – l'*immagine* – della Guerra d'Iraq?

9 sceneggiature affronta questa importante domanda usando le sue diverse ore di "testimonianze" registrate per creare il dubbio sull'autorevolezza di ciascuna dichiarazione individuale – e in particolare per suggerire che l'opinione personale è regolata dai ruoli pubblici, come semplificato dai dieci tipi di persone. Questo dubbio è rappresentato dalla separazione degli oratori dai loro discorsi in almeno tre modi. Primo, come indicano i titoli di ogni canale, gli individui sono raggruppati secondo i tipi che "condividono" un racconto che procede (cioè diverse persone parlano in successione lo stesso monologo e i ruoli di intervistatore vs intervistato possono cambiare o rovesciarsi). Questo suggerisce che la cosiddetta "posizione del soggetto", o una particolare pratica sociale e punto di vista psicologico basati su caratteri identitari come professione, nazionalità, razza, genere o sessualità, determinano la prospettiva degli individui che meramente "leggono il testo" di un copione dato loro da recitare. Secondo, come ho già suggerito, viene introdotto un divario tra pubblico e oratore facendolo parlare in uditori vuoti, o alternativamente includendo o escludendo l'immagine del pubblico attraverso movimenti della videocamera come zoom in avanti o all'indietro. In entrambi i casi il discorso è mostrato come in difficoltà a raggiungere i suoi ascoltatori, anticipati o inseguiti. Infine, in molte delle registrazioni il discorso autentico (in cui una persona dà un resoconto a partire dalla propria esperienza di vita) è separato da colui che *enuncia* quel discorso. Nella sceneggiatura dell'"Avvocato", per esempio, un'attrice recita un monologo basato su un'intervista con un avvocato statunitense che rappresenta detenuti yemeniti alla Baia di Guantanamo; nella sceneggiatura dell'"Attore" gli attori cercano di imparare i loro testi basati su vari resoconti di persone

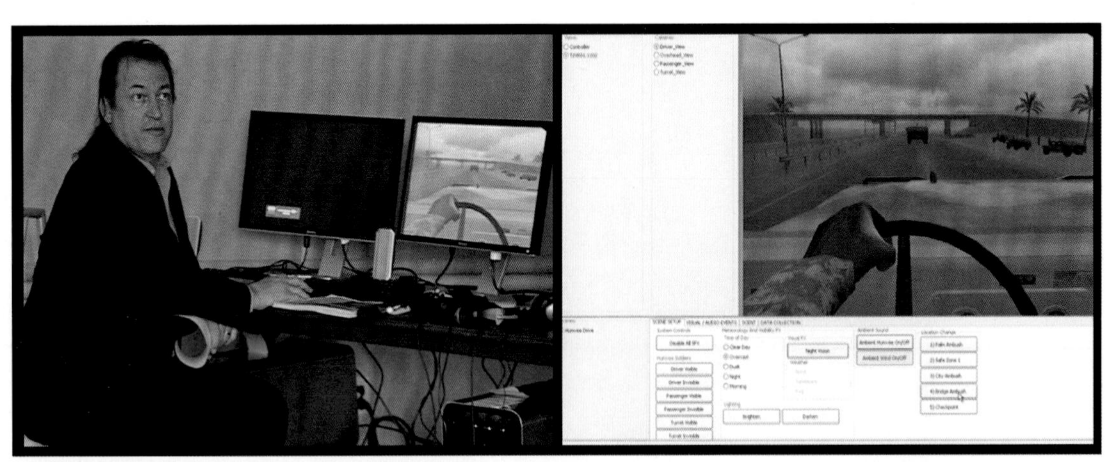

4 • Harun Farocki, *Giochi seri 1: Immersione*, 2009
Installazione video su due canali, video di 20 minuti

coinvolte nella guerra; e anche nella registrazione del "Veterano" un'intervista trascritta viene sistemata per diventare una conferenza formale che, benché pronunciata dai veterani stessi, cambia il genere, e dunque l'urgenza emotiva, della testimonianza individuale. In questi tre modi – impersonando un tipo collettivo, mostrando l'assenza o la presenza di un pubblico e dimostrando come la testimonianza può essere ricodificata o anche finalizzata – le singole voci sono snaturate, separate dai particolari individui e filtrate invece da tipi e situazioni.

Mentre Hirschhorn dimostra che le immagini guadagnano quantitativamente potere attraverso la *saturazione* (come un marchio commerciale che conquista il mercato o come uno scandalo che divampa nei canali dei media), *9 sceneggiature* fa perno sul come le immagini maturano un diverso modo di potere, cioè raggiungendo valore di verità documentaria. Questo potere si crea attraverso l'associazione con un garante dell'autorevolezza: per esempio, le dichiarazioni di un avvocato sono accreditate diversamente da quelle di un detenuto, o quelle di un giornalista diversamente dalla sua fonte, per menzionare due coppie complementari tra le molte possibilità generate in *9 sceneggiature*. Nessun singolo evento nella storia della Guerra d'Iraq esemplifica meglio la centralità di queste procedure di *autorizzazione* della proiezione di Colin Powell di una fotografia dei servizi segreti granulosa e palesemente non conclusiva nella suo presentazione del 2002 alle Nazioni Unite come "prova" che l'Iraq possedeva armi di distruzione di massa nascoste. La "prova" (che poi si dimostrò ingannevole) fu interamente sostenuta dall'integrità di Powell come ex generale, dallo statuto del suo incarico di segretario di stato e dalle ampie risorse dell'intelligence degli Stati Uniti a cui aveva accesso speciale. In assenza di questo autorevole sostegno, il *documento* di Powell sarebbe apparso nel 2002 come la *finzione* che ora sappiamo che era. È precisamente questo meccanismo di *autorizzazione*, di assegnazione di diverso valore di verità, che va dal fatto alla finzione, alla *medesima* immagine o esperienza che *9 sceneggiature* dimostra, raccontando la Guerra d'Iraq in una pluralità di voci, nessuna delle quali è definitivamente assegnata a una posizione sicura.

Immergere lo spettatore

A partire dalla fine degli anni Sessanta il filmmaker e artista tedesco Harun Farocki (1944-2014) si è dedicato allo stesso slittamento tra fatto e finzione nella gestione della guerra. Come Hirschhorn, si è acutamente interessato a come il consumo apparentemente benigno di valori marziali – come stile o, più frequentemente in questo caso, come intrattenimento – sia sempre all'opera culturalmente per giustificare i conflitti una volta che sono esplosi. Per Farocki quello che potremmo chiamare il complesso militare-intrattenimento spesso fa perno sul gioco virtuale, dove l'intrattenimento e la guerra sono intimamente legati.

Se Hirschhorn mostra il potere che le immagini acquisiscono attraverso la *saturazione* dello spazio fisico e virtuale, mentre *9 sceneggiature da una nazione in guerra* rivela come le immagini guadagnano influenza attraverso la loro *autorizzazione* da poteri extraestetici, *Immersione* di Farocki, dalla serie *Giochi seri I*, come suggerisce il titolo, esplora un terzo tipo di potere esercitato dalle immagini: la loro capacità di racchiudere gli spettatori in mondi virtuali, di *immergerli* **[4]**. I videogame sono oggi la forma popolare più diffusa di immersione nell'immagine e l'opera ultima di Farocki ha esplorato come questa modalità di intrattenimento può migrare nell'ambito della guerra. *Immersione* è una proiezione video su due canali tratta da filmati che l'artista ha registrato a uno workshop dimostrativo di una nuova terapia per i veterani della Guerra d'Iraq che soffrono di disordini da stress posttraumatico (PTSD), sponsorizzato dall'Istituto di Tecnologia Creativa dell'Università della California del Sud. In questa terapia i soldati raccontano le esperienze traumatiche di guerra, in particolare con riferimento alle vittime tra i camerati, mentre li "rivivono" attraverso software che simulano gli eventi trasmessi in occhiali per realtà virtuale. In un alternarsi ritmico punteggiato di schermi vuoti, i soldati con i loro occhiali sono mostrati sullo schermo di destra mentre raccontano le loro esperienze, mentre lo schermo di sinistra mostra alternativamente la simulazione digitale stilizzata che non può mai catturare il dettaglio vivido dei racconti orali che dovrebbero rappresentare e i tecnici-terapisti che manipolano il programma software per accompagnare i racconti. Quando un "soldato" maschio interrompe per un momento l'orribile racconto del suo superiore che viene ucciso da una mina (allo spettatore non è chiaro se questa sia la storia *del* soldato o quella che egli "interpreta", com'è effettivamente il caso, poiché la parte filmata è quella in cui i terapisti civili addestrano quelli militari mettendoli al posto dei pazienti), il terapista che lavora con lui finisce la sessione con la dichiarazione: "Avevo difficoltà a tenerlo dentro l'immagine".

Questa dichiarazione va al cuore dell'etica delle immagini in tempo di guerra: i gestori del conflitto lavorano duramente per tenere sia i civili che i soldati *dentro l'immagine* (si potrebbe anche dire: *intruppati in essa*). Che sia attraverso la seduzione, la coercizione, la disciplina o la terapia, il consenso richiede che venga mantenuta un'immagine mentale della guerra sufficientemente positiva. Uno dei modi in cui gli artisti hanno sfidato questa *saturazione, autorizzazione* e *immersione* delle immagini di guerra è portando informazioni poco note o di difficile accesso sul conflitto iracheno nella sfera pubblica relativamente libera del mondo dell'arte. Una componente di ogni mostra di *9 sceneggiature da una nazione in guerra*, per esempio, era una lettura dal vivo di trascrizioni di detenuti della durata di quasi quattro ore. Allo stesso modo i "quadri di revisione" di Jenny Holzer, del 2005-6, riproducono documenti relativi alla Guerra d'Iraq come quadri leggibili che spettacolarizzano la regolamentazione – o censura – dell'informazione. I documenti rappresentati sono quasi scioccanti per le loro numerose cancellazioni di nomi, frasi e passaggi, come se raccontassero atrocità nel blando linguaggio delle forme burocratiche: vedere queste pagine butterate esposte pubblicamente (e *come quadri*) è un promemoria potente del fatto che in qualsiasi guerra moderna un fronte importante deve considerare l'informazione. I più interessanti tra i quadri di Holzer sono quelli in cui le cancellature sono così intransigenti che intere pagine-tele sono coperte di blocchi di nero **[5]**. Qui l'informazione incontra la storia del monocromo (in ▲ quanto assomiglia a un'opera imbastardita di Mark Rothko o Ad Reinhardt) in una provocatoria dialettica di astrazione e discorso. La proposta di Holzer che l'astrazione può presentarsi come il sottoprodotto della censura va intesa come una condanna della pittura moderna, o il suo trasferimento di documenti oscuri e strazianti in opere d'arte è un modo di restaurare il loro statuto di discorso pubblico? Queste domande, e il problema più generale di come le immagini partecipano al consolidamento del consenso politico, sono essenziali per comprendere come l'arte possa resistere alla prosecuzione della guerra sul fronte interno sfidando la sua strategia di disinformazione. DJ

ULTERIORI LETTURE:

Giovanna Borradori, *Philosophy in a Time of Terror: Dialogues with Jürgen Habermas and Jacques Derrida*, University of Chicago Press, Chicago 2003

Antje Ehmann e Kodwo Eshun (a cura di), *Harun Farocki: Against What? Against Whom?*, Koenig Books, London 2009

Alison M. Gingeras, Benjamin H. D. Buchloh e Carlos Basualdo, *Thomas Hirschhorn*, Phaidon Press, London 2004

http://www.9scripts.info

Robert Storr, *Jenny Holzer: Redaction Paintings*, Cheim & Reid, New York 2006

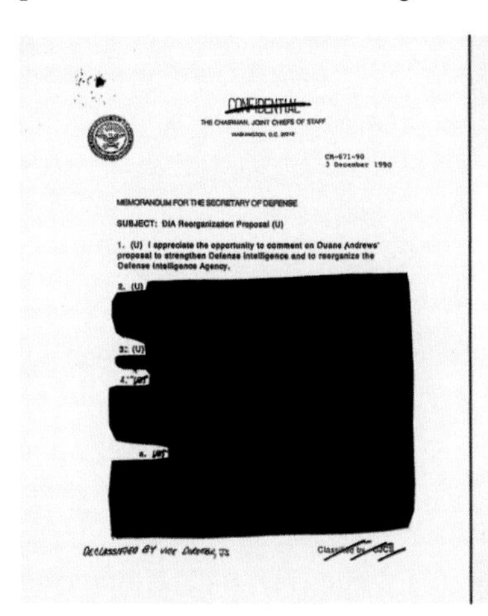

CONFIDENTIAL

THE CHAIRMAN, JOINT CHIEFS OF STAFF

CM-671-90
3 December 1990

MEMORANDUM FOR THE SECRETARY OF DEFENSE

SUBJECT: DIA Reorganization Proposal (U)

1. (U) I appreciate the opportunity to comment on Duane Andrews' proposal to strengthen Defense Intelligence and to reorganize the Defense Intelligence Agency.

2. (U)

3. (U)

CONFIDENTIAL

CONFIDENTIAL

CONFIDENTIAL

7. (U)

COLIN L. POWELL
Chairman
Joint Chiefs of Staff

Copy to:
Deputy Secretary of Defense
ASD (C3I)

5 • Jenny Holzer, *Colin Powell verde bianco*, 2006
Olio su lino, 83,8 x 64,8 x 3,8 cm (ciascun elemento), 83,8 x 259,1 x 3,8 cm (installazione)

▲ 1947b, 1957b

2010a

Si inaugura nella Turbine Hall della Tate Modern di Londra la grande installazione di Ai Weiwei *Semi di girasole*: l'artista cinese risponde alla rapida modernizzazione e crescita economica della Cina con opere che si occupano del ricco mercato del lavoro rurale e al tempo stesso si trasformano in progetti sociali e di occupazione delle masse.

Il contributo di Ai Weiwei (nato nel 1957) a Documenta 12 nel 2007, la manifestazione internazionale d'arte contemporanea che ▲ si tiene ogni cinque anni a Kassel, in Germania, era giustamente intitolato *Favola* [1]. Come parte dell'opera, 1001 cittadini cinesi, la maggior parte dei quali lavoravano all'estero per la prima volta, erano stati portati a Kassel come "turisti". Come in una favola, questi lavoratori erano stati trasportati in un mondo diverso – un *mondo dell'arte* – a costi minimi e con assistenza tecnica del consistente staff di Ai per tutto il viaggio. Nessun dubbio che fosse una favola fatta su misura per un'era di globalizzazione: gli inviti a partecipare vennero pubblicati sul blog di Ai e in tre giorni furono oltre tremila le risposte, costringendo l'artista a chiudere le applicazioni per evitare di deludere un numero ancora maggiore di richiedenti. Il viaggio a Kassel, che si verificò in cinque ondate durante l'estate, aveva la sua "identità" visiva o marchio: Ai progettò gli alloggi, le valigie, gli armadi e le t-shirt per i viaggiatori in una simulazione del turismo di massa che ha reso il viaggio accessibile a un sempre più grande numero di persone, soprattutto nel mondo sviluppato. Ma come le favole sinistre dei fratelli Grimm, che sono nati a Kassel e si dice abbiano ispirato il progetto di Ai per Documenta, anche *Favola* rimanda al lato più oscuro della mobilità globale.

Mentre il viaggio è solitamente dato per scontato dai benestanti del mondo sviluppato, la mobilità finanziaria e politica è lungi dall'essere ugualmente accessibile a tutti. Come ha chiarito Ai in un'intervista del 2007, uno degli obiettivi di *Favola* era di richiamare l'attenzione su – e superare – gli ostacoli amministrativi che si creano nei viaggi all'estero dalla Cina: "Questo processo ha fatto comprendere che cosa significa essere un uomo o una donna in quanto a identità e nazionalità: devi attraversare il sistema e il sistema può essere semplice o più complesso. [...] I partecipanti hanno cominciato a pensare come ottenere un visto e il visto è materia di affari esteri". È paradossale che un prerequisito per il diritto a viaggiare internazionalmente sia quello di possedere un'identità *nazionale* accertata, che deve essere politicamente autorizzata e ampiamente, se non universalmente, riconosciuta. Il fatto che l'identità nazionale non sia né naturale né ottenibile da tutti gli abitanti di un dato territorio (come gli immigranti illegali) era implicito nelle difficoltà incontrate da molti dei turisti di Ai nell'ottenere un visto – ad alcuni venne di fatto negato. Ancor prima che uno dei viaggiatori cinesi mettesse piede a Kassel, *Favola* diede così nella vita reale un'istantanea delle realtà che stanno sotto la liscia superficie della facile mobilità della globalizzazione. Infatti il modo in cui i viaggiatori di Ai sono stati *gestiti* come popolazione di *Favola*, così come la scala della loro "migrazione", che con i 1001 viaggiatori superava di molto la media dei viaggi organizzati, suggeriscono i movimenti dei lavoratori migranti e dei rifugiati come altrettanto "turistici": inoltre, alloggiando i suoi ospiti in dormitori che, a dispetto del loro design gioioso, inevitabilmente suggerivano i campi di raccolta [2], Ai insinuava che il genere di viaggio intrapreso non fosse di piacere, ma per necessità economica o politica.

Ciò che unisce tutti i viaggiatori, dagli uomini d'affari ai rifugiati, è come i governi, così come le organizzazioni sovranazionali non governative, cercano di gestire i gruppi di individui come popolazioni, monitorando i documenti personali come i passaporti da un lato e compilando dati statistici generalizzati su viaggi e migrazioni dall'altro. In *Favola* Ai ha istituito tale intima associazione tra cittadini e informazione sia a livello micro che macroscopico raccogliendo due tipi di dati dai suoi "turisti": prima della partenza hanno risposto a un questionario di novantanove domande e, inoltre, un'ampia documentazione venne realizzata prima, durante e dopo i viaggi. Ancora una volta le strategie di Ai hanno due facce, perché se la sua raccolta di informazioni tende ad aggregare i turisti come gruppo, il suo progetto è anche teso a fornire a ogni singolo partecipante la sua individuale esperienza. Come ha affermato in un'intervista del 2007: "Quello che veramente vogliamo sottolineare è l'1, non il 1001. Ogni partecipante è una singola persona. [...] In questo progetto 1001 non è rappresentato da un solo progetto ma da 1001 progetti, poiché ogni individuo avrà la sua esperienza indipendente". Infatti la giustapposizione da parte di Ai della "massa" (i 1001) con l'"individuo" (l'1) concorda con il concetto di "moltitudine" che ha assunto importanza nel dibattito sulla globalizzazione a ▲ partire dalla pubblicazione nel 2000 dell'influente libro di Michael Hardt e Antonio Negri *Impero*. Come scrivono Hardt e Negri: "La mobilità delle merci, e così di quella speciale merce che è la forza-lavoro, è stata presentata dal capitalismo fin dalla sua origine come la condizione fondamentale dell'accumulazione. I tipi di spostamento degli individui, gruppi e popolazioni che troviamo oggi [...] non possono essere completamente soggiogati alle leggi dell'accumula-

▲ 1972b

▲ Introduzione 5

1 • AI Weiwei, *Favola*, progetto per Documenta 12, Kassel, Germania, 2007
1001 visitatori cinesi

2 • Ai Weiwei, *Favola*, progetto per Documenta 12, Kassel, Germania, 2007
Gottschalk-Hallen: Dormitorio femminile n. 9

zione capitalista. [...] Gli spostamenti della moltitudine indicano nuovi spazi, e i suoi viaggi stabiliscono nuove residenze".

Ci sono due punti importanti da estrarre da questo passaggio di *Impero*. Primo: Hardt e Negri distinguono tra il potere creativo di gruppi di persone in movimento e il loro statuto di lavoratori – o di unità mercificate di lavoro. Vi è una libertà residuale che la moltitudine possiede e che può essere portata in "nuovi spazi" o "nuove residenze" (come le esperienze dei 1001 cinesi trasportati a Kassel). La divisione internazionale del lavoro fondamentale per la globalizzazione, per cui vengono aperte fabbriche in paesi in via di sviluppo – in luoghi come la Cina – per ridurre i costi di produzione per le imprese multinazionali occidentali, è, dall'altro lato, dedita a quella che gli autori chiamano "accumulazione", cioè al puro ricavo di profitti. Secondo: Hardt e Negri pensano di usare il concetto di moltitudine per rovesciare le immagini negative e spesso esplicitamente tragiche del rifugiato o del lavoratore emigrante (il lavoratore che è al di fuori della protezione dello stato nazione in sé) insistendo sul potenziale creativo di liberazione che queste popolazioni possiedono. Da questa prospettiva Ai ha non soltanto "rappresentato" ma realmente costituito una moltitudine mettendo insieme i suoi turisti in quella che sperava essere un'esperienza di trasformazione.

La "moltitudine" e le sue implicazioni di un salto di scala tra l'"uno" e i "molti", che è fondamentale per qualsiasi dibattito sulla globalizzazione, è espressa ancor più esplicitamente in termini di lavoro in *Semi di girasole* **[3]**, che è composto di quasi 100 milioni di semi di girasole in porcellana a grandezza naturale, disposti sul pavimento della grande Turbine Hall della Tate Modern di Londra come sabbia o ghiaia (e infatti, fino a quando vennero scoperti rischi di salute dovuti alla polvere di porcellana, il pubblico era invitato a camminare sopra questo tappeto di semi scricchiolante). Ogni pezzo era sta fatto a mano in un periodo di diversi anni da lavoratori del Jingdeshen, che in passato aveva fornito la porcellana per la corte imperiale cinese. Se l'inimmaginabile numero di 100 milioni è, come il "globo", al di là del pensiero individuale – una sorta di "sublime" della popolazione – questo mare composto di milioni di piccoli oggetti abilmente realizzati funziona come traccia fisica delle grandi riserve di lavoro che, più di ogni altro fattore, hanno alimentato il boom economico della Cina.

Come in molti altri importanti progetti degli anni Duemila, *Favola*, così come *Semi di girasole* con il suo originale aspetto di tappeto di piccoli oggetti da calpestare, sono "composizioni" di rapporti umani. Ma i 1001 turisti che hanno viaggiato dalla Cina alla Germania sono solo una parte dell'opera: la sua composizione *sociale* era completata da una composizione di *oggetti* analoghi ai semi del pavimento della Turbine Hall. In tutte le sedi della grande mostra di Documenta Ai ha sparso 1001 sedie delle tarde dinastie Ming e Qing in varie configurazioni flessibili che invitavano i visitatori a fermarsi per un momento e magari conversare con qualcuno, all'interno della grande esposizione **[4]**. Ai ha frequentemente riutilizzato antichità cinesi in modi sorprendenti che richiamano l'attenzione sul pericolo che corre la cultura materiale cinese sotto la pressione del suo rapido sviluppo. Forse l'esempio più noto di questa strategia è il suo gesto del 1995 di lancio di un'urna della dinastia Han, lasciandola frantumarsi a terra – un piccolo dramma di perdita e distruzione che è registrato in una serie di tre fotografie. Ai ha anche ridipinto ceramiche antiche, blasonando un vasetto con il logo della Coca-Cola e racchiudendo una figura di cortigiana della dinastia Tang in una bottiglia vuota di vodka Absolute. Ha usato antichità di legno come parti di edifici per sue nuove sculture angolose, alcune delle quali riempiono intere stanze con una complessa rete di rami intrecciati. Riutilizzando oggetti antichi, Ai non solo richiama l'attenzione sulla massa di antichità di dubbia provenienza dilagata nel mercato cinese, ma dà anche una viscerale dimostrazione della sparizione del tessuto urbano di città come Beijing.

In altre parole, l'uso di Ai – si potrebbe anche dire la sua distruzione – di antichità richiama l'attenzione sull'economia globale dei beni culturali proprio nel momento in cui il governo cinese ha favorito politiche che lo rendono la più gigantesca impresa di produzione del mondo. Le 1001 persone e le 1001 sedie che hanno visitato Kassel sotto l'egida di Ai hanno così posto una delle più

3 • Ai Weiwei, *Semi di girasole*, Turbine Hall, Tate Modern, Londra, 2010
Veduta dell'installazione

4 • Ai Weiwei, *Favola*, progetto per Documenta 12, Kassel, Germania, 2007
Sedie in legno della dinastia Qing (1644-1911)

importanti domande strutturali sulla globalizzazione: come flussi di oggetti (sia venerandi beni culturali sia nuovi prodotti) vengono articolati con flussi di persone (incluso il lavoro umano). Non è certo un caso che nonostante la complessità molto maggiore del trasporto di 1001 persone a Kassel rispetto alla spedizione di 1001 sedie, è molto probabile che il visitatore medio di Documenta non abbia nessun contatto, e forse nessuna coscienza dei turisti cinesi di *Favola*, mentre tutti i visitatori avranno notato la presenza delle 1001 sedie che connotano la tradizionale "identità cinese". Parte della *Favola* di Ai riguarda come gli oggetti comunicano come inviati di persone o nazioni – e quale migliore immagine di tali sostituti delle sedie vuote? *Favola*, dunque, giustappone due diversi pubblici che erano in pericolo di non incontrarsi per niente: un pubblico composto di cittadini cinesi che scoprono una città europea per la prima volta e un pubblico composto di europei e americani entusiasti d'arte che scoprono un insieme di artefatti cinesi. Ogni gruppo ha portato i propri preconcetti e aspettative nell'esperienza e quindi inevitabilmente si è portato via significati che hanno molto a che vedere con loro stessi, come il loro incontro con lo straniero. In altre parole, *Favola* procura una variegata e stratificata rappresentazione della globalizzazione, non come un piccolo mondo unificato, ma come un mondo di persone e cose che viaggiano a diverse velocità, in cui le connessioni vengono smarrite altrettanto spesso di quanto siano realizzate.

In questa concezione dell'opera come una composizione di diversi pubblici, Ai fornisce una giusta introduzione all'arte contemporanea in Cina, che dalla metà degli anni Novanta è stata oggetto di fascinazione e speculazione finanziaria in Occidente. Lo storico dell'arte Wu Hung ha sostenuto che queste *esposizioni* sono centrali per la comprensione dell'arte cinese contemporanea attraverso la loro capacità di aprire piccole, temporanee, ma spesso virulente sfere pubbliche, dove un'avanguardia intellettuale e artistica può allargare sempre più la portata della libertà così come del discorso politico in Cina. La prima mostra spartiacque dopo la fine della Rivoluzione culturale di Mao Tse-tung nel 1976 – un periodo durante il quale la vita culturale e intellettuale era severamente repressa e la produzione artistica era strettamente incanalata nelle rappresentazioni ufficiali del Realismo sociale al servizio dello Stato – venne organizzata da un gruppo chiamato le "Stelle" nel 1979. Era lo stesso anno in cui il leader cinese Deng Xiaoping iniziava le riforme del mercato che davano il via alla grande crescita economica dei decenni seguenti. I membri delle Stelle (che comprendevano Ai Weiwei) lavoravano con stili diversi, ma quella che gli storici identificano come la loro realizzazione più significativa come gruppo fu l'invenzione della "mostra non ufficiale" in Cina, tipicamente presentata negli annunci ufficiali come una sorta di "parassita". La mostra *Stelle* del 1979, per esempio, venne installata all'esterno della porta est della Galleria Nazionale d'Arte di Beijing durante l'Esposizione Nazionale d'Arte per il trentesimo anniversario della fondazione della Repubblica popolare cinese; fu subito chiusa dalla polizia, portando a una dimostrazione convocata al famoso Muro della Democrazia di Beijing e infine guadagnandosi un articolo in prima pagina sul *New York Times*, così come la costernazione dei più alti ranghi del governo cinese.

Dieci anni dopo, nel 1989, alcuni mesi prima che il Movimento per la Democrazia (noto come Movimento del 4 Giugno) fosse brutalmente represso dall'esercito in Piazza Tienanmen, l'altra importante mostra *Cina/Avanguardia* venne chiusa due volte in due settimane. Questa mostra illustrava una vivace gamma di gruppi artistici e di attività sperimentali che si erano svolte tra il 1985 e il 1989 come parte di quella che fu chiamata la Nuova Ondata e comprendeva esperimenti con diversi media, incluse la performance e l'installazione. Questa fioritura di attività culturale sorse in parte in risposta ai nuovi flussi di informazione sull'arte e la teoria critica

5 • Wang Guangyi, *Grande critica: Marlboro*, 1992
Olio su tela, 175 x 175 cm

▲ Introduzione 5

contemporanea provenienti dall'estero durante gli anni Ottanta, e in parte fu dovuta all'infrastruttura interna dei giornali d'arte non ufficiali, inclusi il settimanale di Beijing *Belle arti in Cina* e il trimestrale di Wuhan *Le tendenze del pensiero artistico*, che collegavano diverse pratiche sparse nel mondo dell'arte emergente in Cina. Questi dibattiti specificamente estetici accadevano in parallelo, e parzialmente come sua espressione, alla crescita della domanda di democratizzazione politica, il cui tragico epilogo furono gli eventi di Piazza Tienanmen. È, forse paradossalmente, dopo il 1989 e i tentativi del governo di spegnere il Movimento per la Democrazia che il tipo di sfera pubblica esplorata nelle mostre d'arte non ufficiali cominciò a ottenere un supporto commerciale, prima dall'estero e poi anche da fonti interne. I primi artisti che ottennero ampia visibilità internazionale divennero noti come "realisti cinici" o artisti "pop politici". Le loro opere, come sintetizza Wang Guangyi (nato nel 1957), spesso assumevano i codici della propaganda politica del Realismo sociale e li trasformavano in maniera ironica o sarcastica, e/o li mescolavano con i segni del crescente commercialismo, come i marchi aziendali, che aveva invaso la Cina **[5]**.

Infatti Wu Hung ha sostenuto che il periodo che comprende la mostra *Stelle* del 1979, *Cina/Avanguardia* del 1989 e il sorgere di nuove forme di realismo iconoclasta contro la propaganda ufficiale come una sorta di kitsch, fu una specie di "esorcismo" delle privazioni e restrizioni della Rivoluzione culturale. Se la mostra non ufficiale, la rivista e il gruppo di artisti furono gli strumenti preferiti per espandere il mondo dell'arte cinese come sfera pubblica nascente, a cominciare dagli anni Novanta queste funzioni furono incorporate dal commercio, che aveva definitivamente consolidato il suo potere dal tempo dell'asta di Sotheby di arte cinese a New York nel 2006. Questa breve sintesi può difficilmente rendere giustizia alla storia dell'arte contemporanea cinese e tanto meno alla vasta gamma di artisti interessanti e importanti attivi in Cina o nella diaspora cinese, ma quello che può fare è illuminare *Favola* di Ai Weiwei di una luce differente. Infatti, a partire dal 1979, l'arte contemporanea cinese è stata strettamente allineata con la liberalizzazione politica attraverso mostre pubbliche – una pratica che Ai ha adattato a Internet con il suo importane blog, che ha realizzato una ricerca coraggiosa e rivelatrice sulle tragiche morti di bambini nelle scuole malamente costruite nel grande terremoto di Sichuan del 2008. Può sembrare che l'abbraccio entusiasta del mondo dell'arte cinese nei confronti del mercato lo squalifichi come forza politica, ma nel suo importante libro *La festa e l'arte in Cina: la nuova politica della cultura* (2004), il politologo Richard Curt Kraus sostiene l'opposto. Kraus afferma che il successo degli artisti cinesi nel mercato dell'arte internazionale ha portato a ridurre le restrizioni nell'ambito culturale e conseguentemente a più grandi aperture politiche in generale. Come dichiara: "A dispetto della violenza del Massacro di Beijing del 1989, la riforma politica in Cina è stata più profonda di quanto è solitamente riconosciuto: gli artisti (e gli altri intellettuali) hanno stabilito un nuovo rapporto più autonomo con lo stato.

La sfera pubblica commerciale che Kraus identifica è strettamente legata a uno spostamento tematico nell'arte cinese. Se l'eredità della Rivoluzione culturale è stata largamente superata dal momento in cui l'arte contemporanea cinese ha cominciato ad acquisire importanza internazionale alla metà degli anni Novanta, un nuovo gruppo di sfide storiche si è già presentato. Gli artisti ora hanno di fronte la straordinaria modernizzazione della Cina, che ha rapidamente trasformato il paesaggio urbano della nazione e drammaticamente influenzato gli stili di vita della sua popolazione. Poche figure dimostrano meglio il cambiamento di stato degli artisti e le loro ben maggiori opportunità in queste condizioni di Zhang Huan (nato nel 1965), che a metà anni Novanta venne alla ribalta con le sue radicali performance, ma che, dagli anni Duemila, è diventato una star dell'arte internazionale capace di produrre dipinti e sculture su larga scala con l'aiuto di un'impressionante schiera di assistenti. Quello che unisce questi diversi momenti della sua carriera è la costante attenzione di Zhang allo sviluppo economico da un lato e alla commemorazione dall'altro. *12 m²* del 1994 è probabilmente la più ampiamente discussa delle prime performance di Zhang **[6]**. In essa sedette nudo per un'ora, coperto di miele e olio di pesce in un sudicio gabinetto pubblico del suo quartiere nella parte est di Beijing, noto come East Village in omaggio agli artisti residenti

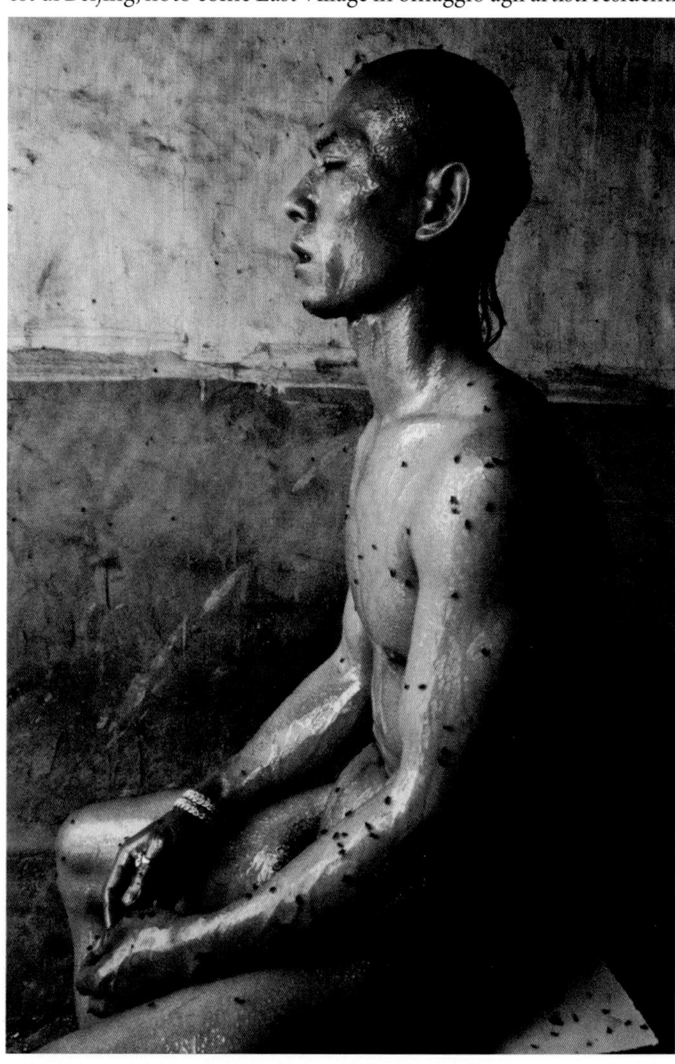

6 • Zhang Huan, *12 M²*, 1994
Performance, dettaglio che mostra l'artista coperto di miele, olio di pesce e mosche

7 • Zhang Huan, *Costruzione di un canale*, Pace Gallery, New York, 2008
Veduta dell'installazione

nell'East Village di New York. Durante questa ora, a dispetto del fatto di essere coperto di mosche e guardato a bocca aperta dai frequentatori della toilette, Zhang mantenne la concentrazione e la calma associate alle performance basate sulla resistenza di artisti come Chris Burden o Marina Abramović. Dopo sessanta minuti Zhang entrò tranquillamente in un laghetto vicino finché fu immerso nelle sue sporche acque e le mosche furono lavate via dal suo corpo.

12 m² dimostrò lo sviluppo irregolare delle città cinesi dove le strutture primitive e obsolete possono esistere a fianco di grattacieli serviti da infrastrutture urbane completamente nuove. Fotografato e filmato durante la performance, Zhang ha mostrato apertamente quello che la modernizzazione cerca di nascondere o espurgare: i bisogni impellenti e la materialità abietta del corpo. La gestione dei *rifiuti* nelle città moderne – la sua consegna a vari sistemi tecnologici invisibili – qui sperimenta il ritorno del rimosso. Ma l'opera di Zhang serve anche come allegoria dei rapporti tra presenza fisica ed emotiva e memoria retrospettiva. Come riflette in una dichiarazione del 2008: "Durante l'intero processo ho fatto del mio meglio per dimenticare la realtà e separare la mia mente dal mio corpo. Ma ero continuamente ricondotto alla realtà. Solo dopo la performance ho capito che cosa stavo sperimentando".

Più recentemente Zhang ha realizzato spettacolari dipinti e sculture, nonché l'ibrido dei due intitolato *Costruzione di un canale* **[7]** del 2008. Quello che all'inizio era visibile di *Costruzione di un canale*, quando si entrava nella cavernosa Pace Gallery di New York dove era esposto, era un enorme blocco grigio alto un metro e mezzo, lungo circa 18 metri e largo quasi 6, attraversato da un ponte di metallo. Una volta salite le scale sulla stretta campata della passerella sospesa, diventava chiaro che il grande blocco, fatto di ceneri compresse, era lo sfondo di una vasta riproduzione di una fotografia degli anni Cinquanta che documentava un progetto di costruzione su larga scala durante il Grande Balzo in avanti della Cina, realizzato in ceneri di diversi toni di grigio. Questa icona di architettura industriale, visibile soltanto dalla corsia sospesa, è chiaramente anche il frutto della produzione culturale contemporanea su vasta scala: durante la mostra, l'intricatissima e fragile opera era completata da assistenti sospesi su un basso ponteggio, che si muovevano lungo l'immagine come scanner umani. Anche Zhang ha usato il lavoro dei suoi assistenti per ordinare i vari toni di grigio delle ceneri d'incenso che aveva acquistato nei templi di Shanghai che le avevano bruciate nelle cerimonie. In altre parole, il residuo o rifiuto di tradizionali cerimonie religiose cinesi – che Zhang aveva capito sarebbero state buttate via – veniva riciclato per creare un'immagine di architettura industriale in un progetto che appartiene all'economia postindustriale dell'arte contemporanea globale. L'enfasi di Zhang sui rifiuti e il riciclo, così come il suo stabilire una catena di memorie e residui in questa opera – il Grande Balzo in avanti, le cerimonie religiose e la produzione d'arte contemporanea – la collega alle sue prime performance. Inoltre anche lui, come molti artisti in Cina ha deciso di lavorare *con* piuttosto che *contro* il grande mercato del lavoro che ha alimentato il boom in Cina, quasi come un piccolo proprietario d'azienda. Nelle mani di artisti come Ai e Zhang l'opera d'arte diventa un progetto realmente sociale: le sfere pubbliche non ufficiali esplorate dagli artisti negli anni Ottanta e primi Novanta si sono trasformate in un nuovo genere di industria culturale cinese che può gestire popolazioni reali – di "turisti", assistenti e anche pubblici del mondo dell'arte. DJ

ULTERIORI LETTURE:

Jochen Noth et al., *China Avant-Garde: Counter-currents in Art and Culture*, Oxford University Press, Oxford 1994

Yilmaz Dziewior at al., *Zhang Huan*, Phaidon Press, London 2009

Michael Hardt e Antonio Negri, *Impero*, Rizzoli, Milano 2002

Richard Curt Kraus, *The Party and the Arty in China: The New Politics of Culture*, Rowman & Littlefield Publishers, Lanham 2004

Charles Merewether, *Ai Weiwei: Under Construction*, University of New South Wales Press, Sydney 2008

Wu Hung, *Transience: Chinese Experimental Art at the End of the Twentieth Century*, The David and Alfred Smart Museum of Art, Chicago-University of Chicago Press, Chicago 2005

Gao Minglu, *Total Modernity and the Avant-Garde in Twentieth-Century Chinese Art*, MIT Press, Cambridge (Mass.) 2011

2010b

L'artista francese Claire Fontaine, la cui "operazione" composta da due assistenti umani è un'esplicita divisione del lavoro, mette in scena l'economia dell'arte in una grande retrospettiva al Museo d'Arte Contemporanea di North Miami, in Florida: la mostra segna l'emergere dell'avatar come nuova forma di soggettività artistica.

Da quando Marcel Duchamp ha inventato i primi readymade negli anni Dieci del XX secolo, usare merci trovate e spesso di serie in opere d'arte è diventato altrettanto diffuso del disegno figurativo tra i pittori. Ci sono due giustificazioni date più frequentemente per presentare le merci al posto ▲ dell'arte. La prima, basata sulle dichiarazioni spesso citate di Duchamp, dice che la *scelta* di un oggetto da parte dell'artista è ciò che conta per fare di un oggetto un'opera d'arte; che, per definizione, gli artisti sono autorizzati a legittimare virtualmente qualsiasi cosa come arte, da una ruota di bicicletta a una pala da neve, per fare due esempi dall'opera di Duchamp, semplicemente nominandoli. Una seconda giustificazione integra la prima: le merci stesse contengono potenti messaggi visivi che possono essere utilizzati – per non dire "parlati" – come un linguaggio ● simbolico ready-made, come quando Robert Rauschenberg o Andy Warhol si appropriavano del marchio Coca-Cola come icona americana. A partire dalla fine degli anni Settanta, quando la questione dei codici sociali di genere cominciò a emergere in ■ artisti come Cindy Sherman o Barbara Kruger, una terza interpretazione del readymade emerse: gli stereotipi vennero identificati e ri-presentati come espressione di quello che possiamo chiamare il "readymade umano". Sherman, per esempio, incarnò stereotipi di protagoniste o comparse femminili hollywoodiane nei suoi *Fotogrammi da film*, mentre Kruger si appropriò di tali stereotipi utilizzando fotografie trovate come sfondo di incisivi testi grafici che operavano come "citazioni" disarmanti. Entrambe le artiste ricontestualizzavano il "readymade umano" per sfidare il preconcetto che la femminilità sia costituita da un insieme di attributi biologicamente determinati.

Negli Stati Uniti le battaglie e controversie intorno alle politiche identitarie che hanno caratterizzato buona parte della fine degli anni Ottanta e i Novanta, e che erano fortemente indebitate con le strategie di imitazione e appropriazione esplorate da artisti come Sherman e Kruger, in definitiva si risolsero in uno sforzo per impossessarsi e ricodificare questi stereotipi, o in alternativa per esprimere il disagio o la rabbia per essere mal rappresentati, o *spossessati*, da ◆ essi. Da qui l'opera di Adrian Piper o Lorna Simpson mise gli spettatori di fronte ai loro presunti preconcetti stereotipati sugli afro-americani nel tentativo di andare oltre tali caratterizzazioni ready-made. In altre parole, come il cosiddetto nominalismo di Duchamp, dove una merce era considerata come opera d'arte dal momento che era nominata tale, molta dell'arte associata alle politiche identitarie fece perno sull'autorizzazione a *nominare* – in questo caso un'identità invece di un'opera d'arte. Più recentemente una strategia molto diversa riguardante la personalità è emersa in artisti che introducono personaggi di finzione come readymade – o *avatar* – in diversi ambienti reali o virtuali. Come gli attori sostituti nei videogame noti come avatar, questi personaggi-artisti non hanno legami essenziali con una persona esistente o un'identità in sé. Sono invece avatar controllati da lontano, che, come i loro cugini virtuali nel mondo dei giochi, possono viaggiare in luoghi o articolare significati che sarebbero inaccessibili a qualsiasi individuo in carne e ossa. In altre parole, artisti avatar "liberi" dall'identità permettono di proporre forme di ipseità o soggettività che possono essere collettive, immaginarie o utopistiche.

Artista Inc.

Il termine *corporation* è normalmente associato all'impresa d'affari, ma può significare qualsiasi tipo di gruppo organizzato. Nelle condizioni della società mediatica contemporanea, le corporazioni di ogni genere si distinguono esteticamente attraverso l'adozione di "identità visive" (cioè campagne di design coordinato che comprendono marchio, merchandising e pubblicità) ed empaticamente attraverso la rappresentazione di un leader o un portavoce pagato. Anche artisti che vogliono disenfatizzare la loro individualità – e il potente mito della creatività artistica che comporta – hanno formato entità corporative che funzionano come una sorta di marchio antropomorfo o avatar. La Bernadette Corporation, per esempio, è un gruppo di artisti fondato nel 1994 e noto per le sue incursioni nella moda, nel mercato dell'arte e nell'attivismo, il cui flessibile modello di "holding" gli permette di fare la spola tra il mondo dell'arte e la politica come altri collettivi creatisi negli anni ▲ Ottanta, come ACT-UP o le Guerrilla Girls. Nel 2004 la Bernadette Corporation ha pubblicato un racconto intitolato *Reena Spaulings*, che fa un po' da manifesto o da teoria generale degli avatar **[1]**. In esso le avventure fittizie del personaggio del titolo, Reena Spaulings, indicano due forme di potere dell'immagine: primo, la

▲ 1918, 1960a, 1961, 1986 ● 1960c ■ 1977a ◆ 1993c

▲ 1987

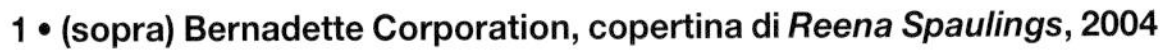

1 • (sopra) Bernadette Corporation, copertina di *Reena Spaulings*, 2004

2 • (a destra; sopra e sotto) Reena Spaulings, *La sola e l'unica*, Sutton Lane Gallery, Londra, 2007
Vedute dell'installazione

capacità delle immagini di assorbire gli esseri umani attraverso l'*identificazione*, e secondo, la *proiezione* di potenti rappresentazioni in situazioni reali per manipolare gli eventi.

Nel capitolo di apertura di *Reena Spaulings* Reena, che lavora come guardiano al Metropolitan Museum, precipita in una vasta meditazione sul famoso quadro di Édouard Manet *Donna con pappagallo* (1866) appeso nella stanza dove è di turno. Ripetutamente il libro narra incontri tra persone e quadri dove le differenze tra loro cominciano a sfumare: "Si sollevò un po' dritta e fissò lo sguardo su un Manet appeso alla parete di fronte. La donna nel dipinto aveva il bianco pallore e la presenza furtiva di Reena. Reena potrebbe essere un Manet, una di queste immagini serie che non puoi capire, per quanto a lungo le fissi". Reena diventa precisamente una "immagine seria" quando Maris Parings, un vistoso impresario, riconosce il suo marchio particolare di chic bohémien e la trasforma in una modella di biancheria intima, dandole una nuova mobilità sociale come celebrità (cioè un'immagine umana o avatar) e le permette di costruire nuove comunità attraverso una sequenza delirante di vita e rappresentazioni mediatizzate. Se Reena incrocia e riconosce se stessa come immagine nel suo incontro con il Manet, e *diventa* un'immagine nella sua metamorfosi in modella di moda, nel terzo paradigma esplorato da *Reena Spaulings*, queste immagini personificate cominciano a operare come agenti. Questo spostamento nell'immagine-agente – o nell'ambito dell'avatar – avviene più esplicitamente in una sommossa inscenata dalla società di Parings, Vive la Corpse, e intitolata *Cinema dei dannati* (o Battaglia su Broadway), in cui una performance che comprende Reena e un intero cast di insorti per strada sfuma in una sommossa reale. Quando le immagini agiscono, sembra affermare *Reena Spaulings*, la finzione ha conseguenze reali, come una sorta di catalizzatore, e l'arte raggiunge il potenziale per funzionare come politica – in altre parole, come un avatar.

Infatti nel 2004, lo stesso anno della pubblicazione del racconto, ▲ il personaggio fittizio di Reena Spaulings comincia a operare come avatar nel mondo – sia come mercante d'arte, che apre la galleria Reena Spaulings a New York (fondata dallo scrittore John Kelsey e dall'artista Emily Sundblad), sia come artista che ha contribuito con opere a mostre di gruppo, ha realizzato una sua personale ed è anche entrata nella collezione del Museo d'Arte Moderna di New York. Gli oggetti d'arte di Spaulings sono talvolta prodotti in collaborazione con artisti della galleria e talaltra composti di materiali presi da comuni "artefatti" di galleria, come libri in esposizione o tovaglie da cene di inaugurazione. Nella sua prima mostra, *La sola e l'unica*, nel 2005, introdusse un genere potentemente iconico di oggetti: vari tipi di bandiere montate su normali pennoni da interno **[2]**. La bandiera è naturalmente un genere speciale di rappresentazione, il cui scopo è di affermare la sovranità. Ponendosi come una bandiera, un'opera d'arte rivela il suo impulso imperialista inconscio: pretendere spazio e chiedere attenzione. A questo gesto fa eco l'altrettanto "imperialista" assorbimento nella bandiera di due media classici: la pittura come superficie colorata e la scultura come oggetto tridimensionale (queste opere accennano anche ai media temporali, poiché la bandiera si muove col variare delle correnti d'aria). In breve, Reena Spaulings iniziò la sua carriera pubblica come artista piantando una bandiera: voleva occupare uno spazio nei circuiti fisici e informativi del mondo dell'arte e abbracciare più media possibili in quella che Rosalind Krauss ha chiamato la "condizione postmediale". Un terzo impulso ha completato questi primi due: l'insistenza di Reena sull'essere *sia* artista che gallerista. Invece di entrare *in* un mondo dell'arte, si potrebbe dire che Reena Spaulings *è diventata* un mondo dell'arte.

Rompere le divisioni

Dagli anni Sessanta è emerso un vasto numero di nuove gallerie, fiere, biennali e musei – spesso progettati da architetti celebri –, causando una crescita del mondo dell'arte così grande e spettacolare da funzionare come branca dell'intrattenimento e dell'industria turistica. Sono queste le condizioni generali a cui risponde Bernadette Corporation, così come altri avatar come la parigina Claire Fontaine (il cui nome è preso dalla nota azienda francese di cartoleria Clairefontaine, e che è "fatta funzionare" dai suoi assistenti umani Fulvia Carnevale e James Thornhill). Non è più sufficiente per un artista realizzare oggetti in uno studio; piuttosto, come implica Reena Spaulings, l'intero sistema di produzione, distribuzione, vendita e ricezione critica che costituisce il mondo dell'arte deve essere, come indica l'economia, integrato verticalmente. Infatti Claire Fontaine, la cui opera spesso fa eco ad altri artisti – come quando realizza bandiere che ricordano il lavoro di Reena Spaulings –, è profondamente interessata alle questioni del lavoro. Come ha dichiarato in un'intervista del 2006 con John Kelsey: "La divisione del lavoro è *la* problematica fondamentale della nostra opera. Claire Fontaine è nata dall'impossibilità di accettare la divisione tra lavoro intellettuale e manuale; il mondo dell'arte è il più adatto per evitare questo tipo di gerarchia". Claire Fontaine intende se stessa come un'artista ready-made, ma più profondamente esplora una divisione del lavoro che caratterizza sempre più i sistemi economici globalizzati: la separazione tra produzione manuale, che può prendere posto in località e culture molto lontane dal lavoro intellettuale che la governa dai centri metropolitani. Infatti i suoi progetti riconoscono spesso le più ampie condizioni geopolitiche del lavoro globale, che abitualmente attraversano le frontiere nazionali con l'emigrazione – legale o illegale – e il subappalto d'impresa. In *Stranieri ovunque* **[3]**, per esempio, che era visibile da una finestra a Gerusalemme est nel 2008, tale divisione etnico-nazionale è direttamente enunciata. Come racconta Claire Fontaine in un'intervista di quell'anno: "Le traduzioni in ebraico e in arabo [scritte in neon] della frase di San Paolo 'Dividi la divisione', o 'Dividi il diviso', si accendono e si spengono alternativamente nelle due lingue, una sopra l'altra. [...] Certo, la violenza delle traduzioni è al centro del nostro gesto: in arabo la frase suona più come 'Rompi la divisione'".

3 • Claire Fontaine, *Stranieri ovunque (Romania)*, 2010
Vetro all'argon verde smeraldo, intelaiatura, trasformatori elettrici e cavi, 10 x 228 x 5 cm

Poiché gli artisti sono tra le poche persone rimaste (corporazione o altro) che solitamente riuniscono lavoro manuale e intellettuale in un singolo individuo, il loro "modo di produzione" può servire come laboratorio per rinterrogare la divisione del ▲ lavoro che caratterizza più ampiamente l'economia globale. Infatti, come ha sostenuto il filosofo Bruno Latour, in un mondo

▲ 2009b

▲ Introduzione 5

connesso il locale e il globale sono sempre direttamente legati, esistendo solitamente uno accanto all'altro (prende le linee ferroviarie come esempio di come anche una lontana stazione di campagna sia direttamente collegata a una vasta infrastruttura di trasporti). Bernadette Corporation e Claire Fontaine resistono spostando i meccanismi di globalizzazione in forze o condizioni esterne ad esse: l'arte non *riflette* la divisione globale del lavoro, piuttosto l'artista stesso è formato da queste divisioni. Non sorprende per questo che la più importante retrospettiva di Claire Fontaine, del 2010, al Museo d'Arte Contemporanea di North Miami, in Florida, fosse intitolata *Economie* e comprendesse un'opera che esplicitamente minava il rapporto finanziario tra l'artista e la sua galleria. Come molti mercati specializzati basati su prodotti altamente customizzati, come la moda e la grafica, l'economia del mondo dell'arte è largamente basata sulla fiducia (a dispetto del segreto di Pulcinella che gli artisti sono sfruttati economicamente dalle loro gallerie e che i collezionisti sono spesso lenti nel pagare le opere). *Economie* includeva una serie di assegni in bianco incorniciati – ognuno intitolato *Fiducia* con il nome del suo firmatario tra parentesi – rilasciati da diverse gallerie di Claire Fontaine sparse nel mondo. Se il collezionista "rompe il vetro" e riempie l'assegno, distrugge l'opera di Fontaine, mentre simultaneamente ne trae profitto e forse manda in bancarotta la galleria in questione. Certamente vi è un dilemma parallelo per il gallerista che dovrebbe decidere se onorare o meno l'assegno.

Il successo di un avatar dipende dalla sua capacità di agire in un particolare mondo (dopo tutto sarebbe impossibile "vedere" l'operazione globale di una multinazionale tutta in una volta, ma è facile capire l'allegoria di *carte blanche* di Claire Fontaine). Realizzare un avatar di successo comporta così di abitare un mondo particolare, padroneggiando ed esponendo le regole di comportamento.

Entrare nell'immagine

L'artista cinese Cao Fei (nato nel 1978), per esempio, ha costruito una simulazione tridimensionale della Cina contemporanea – la sua RMB City – in Second Life, una "community" lanciata dal Linden Lab nel 2003 che permette agli utenti (noti come residenti) di costruire e abitare una vasta gamma di ambienti inventati. Vi è una grande differenza estetica tra le tecniche ispirate all'Arte concettuale di Bernadette Corporation e Claire Fontaine e le lussureggianti animazioni dei video elegiaci di Cao in Second Life, che richiamano gli *anime* giapponesi e la cultura mondiale di fumetti e cartoni animati **[4]**. Quello che distingue maggiormente l'arte di Cao, comunque, è l'*immersione* dello spettatore nella sua immagine di RMB City. Per i partecipanti il fascino di Second Life, dopo tutto, sta nell'*entrare collettivamente in un'immagine*: il gioco stesso è un esperimento sociale su come un gruppo di "residenti" provenienti da tutto il mondo possono abitare insieme lo stesso spazio virtuale. Benché l'atmosfera prevalente di Second Life sia di

4 • Cao Fei, *La nascita della città di RMB*, 2009
Ambiente di Second Life

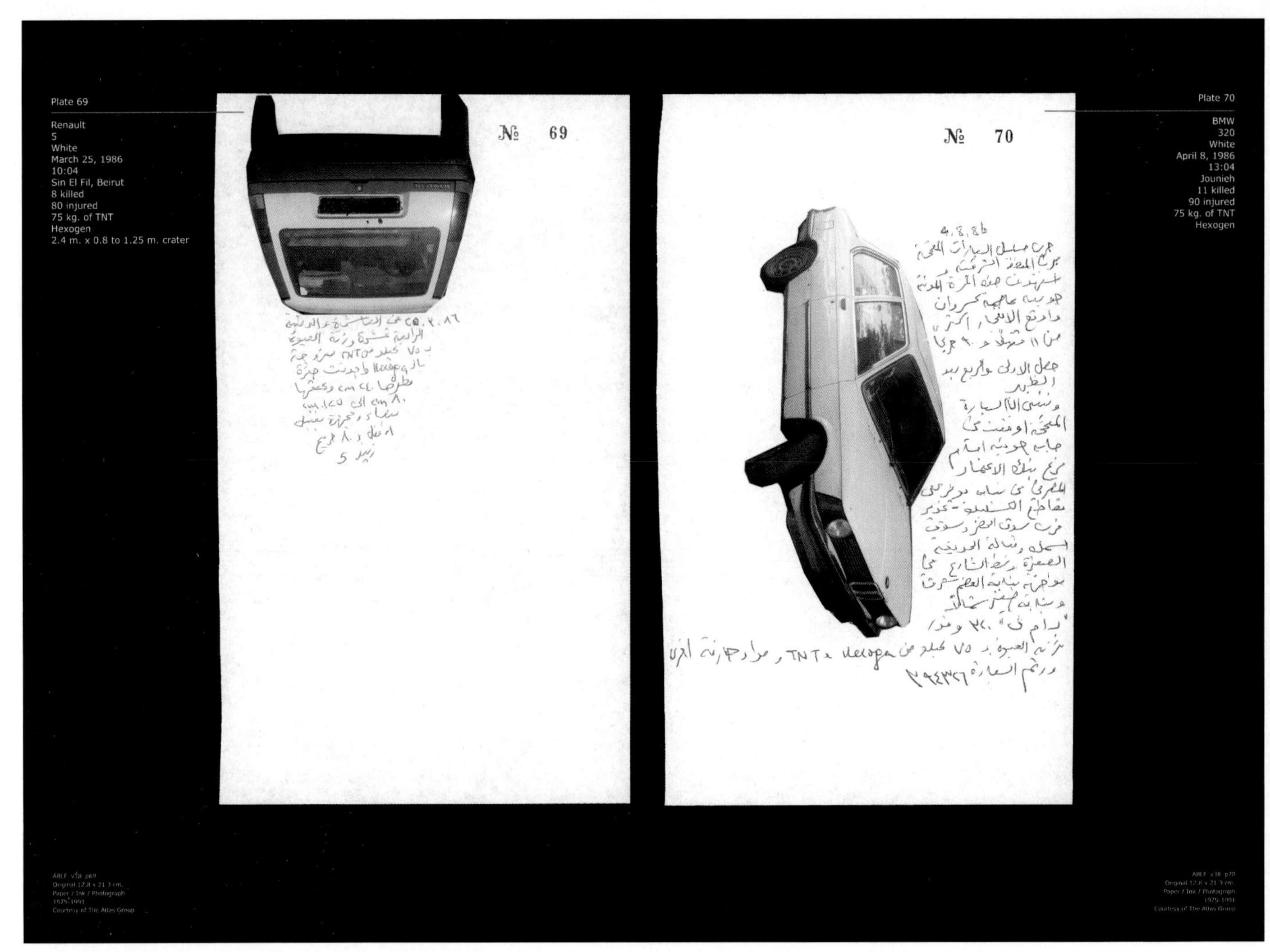

5 • The Atlas Group / Walid Raad, *Taccuino Volume 38: Già stato in un lago di fuoco [cat. A]_Fakhouri_Notebooks_38_055-071*, 1999 / 2003
Dettaglio, da un insieme di nove tavole, ognuna 31,3 x 43,3 cm, edizione di 7 + 1 PA

piacevole fuga – come se i suoi residenti stessero in vacanza su un'isola –, affari, eventi artistici e attività politica vi hanno tutti messo radice e una genuina economia è facilitata dalla moneta del gioco, il dollaro Linden. RMB City di Cao comprende molte delle "icone" caratteristiche della Cina, dal panda fluttuante al modello sospeso del progetto di Rem Koolhaas per il quartier generale della CCTV a Beijing. Ma qui lo stereotipo ready-made, diversamente da quelli profferti dagli artisti dell'appropriazione e delle politiche identitarie, è letteralmente inabitabile: vi si può navigare ma come *ambiente* e l'avatar di Cao, China Tracy, fa così, come se portasse fisicamente i suoi visitatori attraverso un'allegoria della recente storia della Cina, il cui volto fisico sembra cambiare giorno per giorno e le identità dei cui cittadini sono a loro volta in continua ricostruzione.

I video che ci conducono attraverso RMB City sono molto belli e gli avatar che si vedono nelle strade sono esotici: talvolta umanoidi, talaltra no, talvolta danzano da soli in eleganti movenze, talaltra conversano intensamente in intimità. Ma forse l'aspetto più significativo del progetto di RMB City di Cao è come rappresenta due tipi di movimenti interni ai mondi virtuali: primo, un morbido scorrere e, secondo, salti da un luogo a un altro. Ogni tipo di movimento offre un'alternativa distinta per i ▲ navigatori all'interno dell'immagine – o il totale assorbimento corrispondente alla fantasia di un Internet senza attriti e di gioco avvolgente; o la mobilità istantanea che bandisce gravità e spazio, permettendo movimenti improvvisi da un luogo a un altro senza rapporto tra loro. In entrambi i casi lo spazio virtuale suggerisce un mondo di privilegio sovrano che, nella RMB City di Cao, sembra intimamente legato alle condizioni di esasperato sviluppo edilizio nella Cina urbana contemporanea – una condizione segnata dalla frequente presenza di segni di avvicendamento che proclamano la "contrada" Second Life in vendita.

L'autorità dell'informazione visiva

Per quanto familiari siano questi due tipi di spostamento, è importante esplorarli e comprenderli perché, se il nostro mondo quotidiano comincia a consistere sempre più di ambienti digitali di vari tipi, la domanda di come coabitare un'immagine diventa dovere civico pressante – così dare nuovo significato al progetto

▲ 2009c

tradizionale di storia dell'arte di interpretazione dei codici visivi. Infatti uno dei compiti contemporanei più significativi in un'epoca in cui le fotografie possono essere presentate come prova per giustificare la dichiarazione di guerra (come ha fatto Colin Powell alle Nazioni Unite nel 2002 in veste di segretario di stato degli Stati Uniti) e gli scienziati fanno scoperte attraverso modelli visivi di simulazione, è di interpretare il significato e la veridicità delle immagini, di sviluppare il cosiddetto "alfabetismo visivo". La storica dell'arte Carrie Lambert-Beatty ha usato il termine "parafinzione" per descrivere vari progetti artistici che si riferiscono a questa situazione giocando sulla linea di confine spesso sottolineata tra immaginazione e documentazione. Tra i più noti di questi progetti vi sono quelli dell'artista libanese Walid Raad (nato nel 1967), che opera sotto la denominazione di The Atlas Group, un'entità inventata da Raab dedita a documentare la storia recente del Libano.

The Atlas Group ha prodotto tre tipi di documenti, catalogati nel suo archivio online: "Tipo A: per i file che contengono documenti che produciamo e che attribuiamo a individui od organizzazioni detti immaginari. Tipo FD: per i file che contengono documenti che produciamo e che attribuiamo a individui od organizzazioni anonimi. Tipo AGP: per i file che contengono documenti che produciamo e che attribuiamo a The Atlas Group". In altre parole, The Atlas Group ha prodotto un archivio immaginario che riguarda eventi storici reali. Il file Fakhouri, per esempio, è una serie di 226 taccuini e 2 film lasciati in eredità a The Atlas Group nel 1994 dal Dr. Fadi Fakhouri, "il principale storico delle guerre libanesi". Questi documenti danno con una mano quello che tolgono con l'altra, come in "Già stato in un lago di fuoco_ Taccuino numero 38", che include eleganti collage comprendenti ritagli di tutti i modelli di automobile usata come autobomba tra il 1975 e il 1991, così come dettagli delle esplosioni e delle loro vittime **[5]**. Questi pezzi sono insieme deliranti e belli: le automobili sono disposte in diverse posizioni in quella che sembra una feroce parodia della loro imminente esplosione. Ma mentre il fatto delle autobombe è molto reale, questo stravagante "documento" è del tutto immaginario – e così la sua autorità è *tolta*. La storia è mostrata come una follia estetica che porta gli spettatori a esaminare – piuttosto disgustati – le loro convinzioni sulla veridicità degli archivi. E il fatto che le immagini devono avere autorevolezza per pretendere un valore di verità è reso abbondantemente chiaro.

La questione dell'autorevolezza è ancor più potentemente in gioco nell'opera di Yes Men, una coppia di artisti-attivisti che si sono posti con successo come portavoce d'impresa, creando siti web che sembrano ufficiali per chiamare invitati reali a parlare in conferenze d'affari o stampa. Il loro progetto più spettacolare ad oggi è stato l'annuncio di "Jude Finisterra" (uno degli Yes Men si faceva passare per rappresentante della Dow Chemical Corporation) sulla televisione BBC, che Dow si assumeva la responsabilità del devastante disastro chimico della Union Carbide a Bhopal, in India, nel 1984, per il quale la compagnia aveva respinto la responsabilità dopo l'acquisto della Union Carbide nel 2001 **[6]**. Per

6 • The Yes Men, *Dow fa la cosa giusta*, 2004
Performance

qualche ora il mondo pensò che un'importante multinazionale stava facendo la cosa giusta: a Bhopal le vittime del disastro gioivano pur con (giustificata) incredulità e in Occidente il prezzo dei prodotti della Dow crollavano, avendo il mercato accettato immediatamente la notizia ancora tutta da verificare. In un circuito mediatico integrato, dove le notizie sono tratte da altri spacci di notizie e riciclate all'infinito, anche poche ore sono sufficienti perché la storia circoli nel mondo, e naturalmente quando la smentita emerge, la ripercussione è ugualmente rapida e decisiva. Come avatar, gli Yes Men non soltanto hanno letteralmente riformulato i discorsi di una gigantesca multinazionale (anche solo per un breve momento), ma hanno dimostrato la maniacale circolazione e riciclo dell'informazione che caratterizza i media contemporanei. Entrambe le operazioni facevano perno sulla sorprendente facilità con cui si dà *autorevolezza* all'informazione.

Gli avatar di cui parliamo qui sono di tre categorie: la *corporazione*, il cui scopo è di esplorare come gli artisti riorganizzano il loro lavoro come un mondo dell'arte "verticalmente integrato" in forma di microcosmo; l'*immaginario*, in cui gli spazi virtuali offrono forme mitiche di libertà di movimento e associazione; l'*interventista*, dove le "contraffazioni" parafittizie, archivi o personaggi, urtano contro eventi reali. In ogni caso la questione di una data identità dell'artista è messa da parte per immaginare forme di intervento che nessuna persona singola, agendo da sola, può mettere in atto. DJ

ULTERIORI LETTURE:

The Atlas Group, *The Truth will be Known When the Last Witness is Dead: Documents from the Fakouri File in The Atlas Group Archive*, Walther König, Köln 2004

Bernadette Corporation, *Reena Spaulings*, Semiotext(e), New York 2004

Eleanor Heartney, *Life Like*, in *Art in America*, vol. 96, n. 5, maggio 2008, pp. 164-5, 208

Ruba Katrib e Tom McDonough, *Claire Fontaine: Economies*, Museum of Contemporary Art, North Miami 2010

Carrie Lambert-Beatty, *Make-Blieve: Parafiction and Plausibility*, in *October*, n. 129, estate 2009, pp. 51-84

2015

Mentre la Tate Modern, il MoMA e il Metropolitan Museum progettano ulteriori espansioni, il Whitney Museum apre la sua nuova sede, coronando un periodo di crescita internazionale dello spazio espositivo dedicato all'arte moderna e contemporanea, compresi performance e danza.

Quando il nuovo Whitney Museum, concepito dall'architetto italiano Renzo Piano, ha aperto le porte sul fiume Hudson a New York City nel maggio del 2015, la stampa ha paragonato i suoi piani a gradoni con i ponti esterni di un transatlantico [**1**]. Contemporaneamente, sul Tamigi di Londra, la Tate Modern 2 progettata dal team svizzero Jacques Herzog e Pierre de Meuron si è inserita nello spazio accanto alla Tate Modern, una vecchia centrale elettrica convertita in museo dallo stesso studio nel 2000 [**2**]. Guidato dall'impresa americana Diller Scofidio + Renfro, il Museo d'Arte Moderna (MoMA) nel centro di Manhattan progetta un'altra espansione (l'ultima era stata completata solo nel 2004) e a nord il Metropolitan Museum pianifica una nuova ala per l'arte moderna e contemporanea, ideata dall'architetto inglese David Chipperfield, che, come gli altri, è un veterano del design museale. Questi esempi sono presi solo da Londra e New York, per non parlare del boom di musei in corso in Europa, nel Medio Oriente, in Cina e altrove. Ma tutte le istituzioni che mirano ad abbracciare l'arte moderna e contemporanea affrontano problemi simili, e non tutti sono di natura politica o economica.

1 • Renzo Piano Workshop, Whitney Museum of American Art, New York, 2007-15
Situato tra l'Hudson River e l'High Line, l'edificio comprende 5.000 metri quadri di gallerie interne e 1.300 metri quadri di spazi espositivi esterni e terrazze

Dopo il cubo bianco

Il primo dilemma affrontato da questi musei riguarda le diverse dimensioni delle opere d'arte moderna e contemporanea e i diversi spazi che servono per esporle. La prima ambientazione dei dipinti e delle sculture moderne, realizzati com'erano originariamente per il mercato, fu l'interno ottocentesco, in genere l'appartamento borghese, e così i primi musei per quest'arte vennero concepiti in modo conforme, spesso in stanze ristrutturate dello stesso tipo. Gradualmente nel XX secolo questo modello di esposizione fu sostituto da un altro: quando l'arte moderna divenne più astratta e ▲ più autonoma, richiese uno spazio che rispecchiasse questa condizione di senza fissa dimora, uno spazio che finì per diventare noto come "white cube", cubo bianco, che alcuni vedevano come austero e altri come sublimato. A sua volta questo modello venne messo alla prova dalle dimensioni crescenti di opere ambiziose, soprattutto dopo la Seconda guerra mondiale, dalle grandi tele di Jackson ● Pollock, Barnett Newman e altri, agli oggetti seriali di minimalisti come Carl Andre, Donald Judd e Dan Flavin, fino alle installazioni site-specific e postmediali di artisti successivi.

Tenere insieme le vaste sale richieste dalla produzione contemporanea con le gallerie più limitate adatte ai dipinti e alle sculture moderniste non è un compito facile, come una visita qualsiasi alla Tate Modern o al MoMA dimostra. Questo problema è poi complicato dal fatto che una certa arte recente esige un altro spazio ancora: ■ un'area chiusa e buia per la proiezione di immagini (siano esse film, video o digitali) che è chiamata "scatola nera". Infine, con il nuovo interesse per la performance e la danza presentate nei musei, queste istituzioni pensano ad altre stanze ancora, che i progetti iniziali per l'espansione del MoMA chiamavano "scatole grigie" e "art bay": le prime sono un incrocio tra un cubo bianco e una scatola nera, mentre le seconde suggeriscono un ibrido tra un'area per performance e uno spazio per eventi. Ogni museo che intende esibire una varietà rappresentativa di arte moderna e contemporanea deve in qualche modo tener conto di tutti questi ambienti, e deve farlo in un unico edificio.

Due fattori sono stati centrali per la recente espansione dei musei d'arte moderna e contemporanea. Negli anni Sessanta, quando l'industria iniziò a collassare a New York e in altre città, i loft industriali vennero trasformati in studi economici per artisti come i minimalisti, parte dei quali realizzò così opere che poterono mettere alla prova i limiti del cubo bianco. Alla fine, però, le strutture industriali furono rimodellate come gallerie e musei al fine di gestire le dimensioni crescenti di questa arte (la centrale elettrica che divenne la Tate Modern è solo un esempio). Emerse qui una circolarità, evidente in istituzioni come la Dia:Beacon (2003), una mecca dell'arte minimalista e postminimalista nel nord dello stato di New York, che era una vecchia fabbrica di scatole per biscotti trasformata in un insieme di cupe caverne adatte a contenere le ◆ sculture gigantesche di Richard Serra e altri. La seconda strada di questa espansione fu più diretta: la costruzione di musei completamente nuovi come vasti contenitori per opere d'arte enormi, come

2 • Herzog & de Meuron, Tate Modern 2, Londra, 2005-16
I serbatoi di petrolio sotterranei della vecchia centrale elettrica formano le fondamenta del nuovo edificio: il suo volume si eleva da queste strutture sottostanti a forma di trifoglio, raddoppiando lo spazio espositivo del museo e creando aree sotterranee per le performance

▲ esemplifica il Guggenheim di Bilbao (1997), progettato da Frank Gehry. Sotto alcuni aspetti questa grandezza è il risultato di una gara di spazio tra architetti come Gehry e artisti come Serra, e oramai sembra quasi naturale. Ma non vi è nulla di definitivo al riguardo: gli artisti stimati emersi negli ultimi vent'anni, come ● Pierre Huyghe, Rirkrit Tiravanija e Tino Seghal, insieme a molti altri, non pretendono stanze simili e le rifiutano in vari modi.

Il Guggenheim di Bilbao rimane l'esempio migliore di un terzo problema: il museo come icona. Leader di una città depressa o di una regione trascurata vogliono riattrezzarsi per una nuova economia di turismo culturale e credono che un simbolo architettonico serva anche come emblema mediatico e possa aiutarli a raggiungere questo obiettivo. Per ottenere questa iconicità, tuttavia, l'architetto prescelto è autorizzato, persino incoraggiato, a modellare volumi idiosincratici su scala urbana e spesso dentro o vicino a quartieri poveri che vengono così scombussolati, se non rimossi del tutto (il MACBA, Museo d'Arte Contemporanea di Barcellona, progettato nel 1995 dall'americano Richard Meier, può essere preso ad esempio di questo sconvolgimento). Alcuni musei sono così scultoreamente espressivi che l'arte può solo arrivare dopo, come un atto secondario; questo spesso accade al MAXXI (Museo nazionale delle Arti del XXI secolo) di Roma, un intreccio neofuturista di volumi ribassati creato dall'architetto iracheno-britannico Zaha Hadid **[3]**. Contemporaneamente altri musei sono così visivamente

▲ 1926, 2007a ● 1947b, 1949a, 1951, 1960b, 1962c, 1965, 1966b, 1969, 1970 ■ 1973, 1998 ◆ 1969, 1970 ▲ 1976 ● 1989, 1998, 2003, 2009a

3 • Zaha Hadid Architects, MAXXI: Museo nazionale delle Arti del XXI secolo, Roma, 1998-2009
Primo museo pubblico italiano dedicato alla creatività contemporanea, il MAXXI intendeva essere, nelle parole degli architetti, "non solo un'arena in cui esporre arte, ma una 'serra' per la ricerca – uno spazio in cui i linguaggi contemporanei del design, della moda, del cinema, dell'arte e dell'architettura possono incontrarsi in un nuovo dialogo"

brillanti che gli artisti devono rispondere innanzitutto all'architettura; questo è il caso dell'Istituto d'Arte Contemporanea progettato da Diller Scofidio + Renfro sul fronte del porto di Boston, talmente ingegnoso da essere come una macchina per vedere ed essere spettatori **[4]**. Altri musei ancora attraggono a tal punto il nostro interesse che diventano la principale opera in mostra e rubano così la scena all'arte che dovrebbero presentare; questa potrebbe essere l'impressione che dà la Tate Modern 2. Naturalmente, gli architetti operano anch'essi in un'arena visiva e difficilmente si può contestare loro di farlo, ma a volte l'enfasi sul potere immaginifico del design può distogliere l'attenzione da argomenti fondamentali quali la funzione e il contesto.

La questione del programma indica un quarto problema, ovvero un'incertezza pervasiva su ciò che l'arte contemporanea è e quali spazi potrebbero essere adatti ad essa. Come si può fare un progetto per qualcosa che non si conosce veramente e non si può prevedere correttamente? Come risultato di questa incertezza abbiamo visto aumentare le "rimesse culturali" che hanno un piccolo programma manifesto; una struttura simile, la Culture Shed progettata da Diller Scofidio + Renfro e Rockwell Group, con grandi coperture da aprire e chiudere per i diversi eventi, è in costruzione per l'area dell'Hudson Yards nel West Side di Manhattan ed è previsto che apra nel 2019 **[5]**. La logica di queste rimesse sembra essere quella di costruire un contenitore e poi lasciare che gli artisti reagiscano ad esso. Il risultato sul piano artistico è probabile che sia una forma predefinita di installazione, mentre dal punto di vista architettonico la progettazione di nuovi spazi come "scatole grigie" e "art bay" potrebbe ostacolare proprio l'arte che hanno lo scopo di presentare. Quello che sembra flessibilità può finire per diventare l'opposto: lo dimostrano le esageratissime gallerie del New Museum nel Lower East Side di New York, o addirittura del MoMA, che tendono a imporsi sull'arte lì in mostra.

Un quinto problema, anche se un po' fuori dal nostro ambito, può essere accennato brevemente: l'aumento dei musei privati che ospitano le collezioni artistiche dei super-ricchi. L'arte contemporanea è una cosa meravigliosa per questi collezionisti, che hanno guadagnato tantissimo dall'economia neoliberale di deregolamentazione e finanziarizzazione, poiché è al contempo auratica come un oggetto e fruibile come un bene. Sebbene la versione americana di queste indennità fiscali di classe internazionali sia sospesa (dal momento che le collezioni sono nominalmente aperte ai visitatori che possono organizzare il pellegrinaggio), questi istituti non aspirano a nessuna connessione reale con la sfera pubblica. Spesso a un passo dai centri urbani, essi sono per lo più musei che sfoggiano un capitale proprio, diviso equamente tra prestigio e portafoglio, e competono per avere le migliori opere d'arte con istituzioni che sono almeno semipubbliche, provocando in tal modo l'aumento dei prezzi.

4 • Diller Scofidio + Renfro, Institute of Contemporary Art, Boston, 2006
Le gallerie si trovano al piano più alto dell'edificio, che è teatralmente aggettante sulla Harbor Walk, un viale pedonale pubblico lungo 75 chilometri che costeggia il litorale

5 • Diller Scofidio + Renfro e Rockwell Group, Culture Shed, New York City, 2015-19
Situato nell'Hudson Yards del distretto newyorkese di Chelsea, l'edificio ospiterà "arte, performance, film, design, cibo, moda e nuove combinazioni di contenuti culturali"

Esperienza o interpretazione?

Nonostante le apparenze, molti nuovi e rinnovati musei hanno un programma, un mega-programma che solitamente viene taciuto: l'intrattenimento. La maggior parte di noi vive ancora in una società dello spettacolo (la nostra dipendenza finanziaria dall'informazione non ha alterato molto il nostro investimento culturale in immagini) o, per usare una frase anodina, viviamo in una "economia dell'esperienza". Quale rapporto hanno questi musei con una cultura che premia così l'intrattenimento? Già ne 1997 il direttore della Tate Nicholas Serota inquadrava "il dilemma dei musei d'arte moderna" in una severa alternativa – "esperienza o interpretazione" – che potrebbe essere riformulata come intrattenimento e spettacolo da un lato e contemplazione estetica e comprensione storica dall'altro. Più di vent'anni dopo, però, questa scelta tra uno o l'altro non dovrebbe più ostacolarci. Lo spettacolo è qui per rimanere, almeno fino a quando esisterà il capitalismo, e i musei ne fanno parte: è un dato di fatto, ma proprio per questo motivo non deve essere uno scopo.

Tuttavia, per molti musei, anche quelli che non dipendono dalla vendita di biglietti, lo spettacolo sembra essere uno scopo. Lo dimostra tutto lo spazio che queste istituzioni dedicano a stanze per eventi, a grandi negozi e a ristoranti estrosi, ma è suggerito anche dalle recenti tendenze nel programmare. Si consideri la ▲ moda di performance e danza e la rimessa in scena di esempi storici di entrambe nei musei d'arte nel corso degli ultimi dieci anni e più. La retrospettiva di Marina Abramović al MoMA nel 2010 intitolata *L'artista è presente*, che comprendeva uno spettacolo di dieci settimane nel quale l'artista fissava chiunque si sedesse di fronte a lei, è un buon esempio di questa prima ▲ tendenza; il Judson Dance Theater (Yvonne Rainer, Steve Paxton, Trisha Brown e altri) ha avuto un ruolo di primo piano nella seconda. Negli anni Sessanta e Settanta le performance tendevano a essere irripetibili e questo dover-esser-lì (implicito anche nel termine "happening" usato in precedenza) veniva considerata una peculiarità distintiva della pratica (era un aspetto che la differenziava dal teatro). Poiché la danza prevede solitamente una partitura ed è così intrinsecamene interattiva, evita il problema; e anche quando la danza viene riproposta nei musei, tende ad apparire anch'essa una performance, vale a dire un evento visivo, un'opera d'arte.

L'istituzionalizzazione della performance e della danza sperimentali può essere vista in modo negativo come recupero di pratiche una volta alternative o positivamente come la riscoperta di eventi altrimenti perduti; come il cinema indipendente, la performance e la danza sono arrivate nei musei in parte perché le loro sedi sono cadute in tempi duri dal punto di vista economico. Questo da solo non spiega però l'apertura a eventi dal vivo in istituzioni altrimenti dedicate all'arte inanimata. Durante il primo boom dei musei nella "nuova Europa" dopo il 1989 l'architetto olandese Rem Koolhaas osservava che, dal momento che non c'è abbastanza passato da andare a visitare, le sue azioni possono solo aumentare di valore. Oggi sembra che non ci sia abbastanza presente da andare a vedere; per ragioni che sono alquanto ovvie in un'era ipermediatizzata, anche il presente è molto richiesto, come tutto ciò che viene sentito come presenza.

▲ 1973, 1974

▲ 1961, 1974

Alcune istituzioni hanno riallestito anche mostre d'arte storiche ed è significativo il fatto che l'attenzione sia caduta su esposizioni ▲ che mettono in primo piano il presente e il processo, come *Strutture* • *primarie* (1966) e *Quando le attitudini diventano forma* (1969), che figurano tra le rappresentazioni inaugurali rispettivamente del ■ Minimalismo e del Postminimalismo. La ricostruzione perfetta di una mostra passata è impossibile, ma qui non si cercava di fare questo: spesso le opere originali vengono riprodotte in ingrandimenti fotografici appesi alle pareti o con contorni sul pavimento. Questo trattamento non aiuta anzi derealizza l'arte, e la derealizzazione agisce anche sullo spettatore. Con alcuni allestimenti di performance e danza entriamo infatti in una zona grigia, né presente né passato, addirittura in uno stato di zombie, né vivo né morto, e questa strana temporalità difficilmente è il crepuscolo della civetta della conoscenza storica reso famoso da Hegel: in realtà potrebbe essere di ostacolo a questo venire a patti con il passato.

Un importante contraltare è la pratica di ricostruzione di artisti come Jeremy Deller (nato nel 1966), Sharon Hayes (nata del 1970) e Mark Tribe (nato nel 1966), che spesso rievocano eventi passati di natura politica altrimenti a rischio di oblio storico. "L'ho sempre descritto come un cadavere che viene esumato e a cui è data una vera e propria vita post-mortem", ha commentato Deller a proposito di *La battaglia di Orgreave* (2001), il suo riallestimento filmato dello scontro del 1984 tra polizia e minatori in sciopero nel South Yorkshire, in Inghilterra, un momento cruciale del neoliberalismo thatcheriano **[6]**. Per Deller la ricostruzione storica non mette a tacere il passato ma lo rimette invece in gioco; è una specie di storia assurda – assurda (*preposterous*) perché evoca sia il prima (pre) sia il dopo (post) in un modo che mira a creare possibilità per il presente. Da parte sua Hayes spesso "ri-comunica" azioni politiche in movimenti per i diritti civili, femministi e di altro genere, come nell'opera *Nel prossimo futuro* (2009) **[7]**. Indagando in tal modo questo passato, l'artista mira a esaminare "l'atto linguistico, il segno politico e la contrazione contemporanea dello spazio e del discorso pubblico".

La promiscuità del lavoro artistico

C'è un altro motivo per cui la performance è adottata dai musei oggi: si dice che sia, come per l'arte che mette in primo piano il processo, per "attivare" lo spettatore, specialmente quando le due cose si combinano, vale a dire quando un processo – un'azione o un gesto – viene performato. Il presupposto qui è che lasciare un'opera incompleta induce lo spettatore a completarla, ma questo atteggiamento può facilmente diventare una scusa dell'artista per non portare a termine il lavoro. Un'opera che appare incompiuta non garantisce che lo spettatore se ne occuperà: l'indifferenza è un risultato probabile, forse il più probabile. In ogni caso, questa informalità tende a scoraggiare un'attenzione prolungata, sia estetica sia critica: è probabile che sorvoliamo velocemente l'opera perché il suo creatore sembra aver fatto lo stesso prima di noi o perché una rapida impressione sembra essere stata pianificata fin dall'inizio. Altri due presupposti non sono meno discutibili. Il primo è il fatto che, tanto per cominciare, lo spettatore è in qualche modo passivo, cosa che non è necessariamente vera, e il secondo consiste nell'idea che un'opera finita nel senso tradizionale non può attivare lo spettatore nel miglior modo, il che è altrettanto falso.

Ultimamente i musei sembrano non lasciarci soli, sollecitandoci come i genitori spesso fanno con i bambini. E sovente questa attivazione è diventata un fine, non un mezzo, perché, nell'arte in genere, la comunicazione e la connettività vengono promosse per se stesse, con poco interesse per la qualità della soggettività e della socialità così ottenute. Questa attivazione aiuta a convalidare il museo, così come i gestori e gli spettatori, come importanti, essenziali o sempli-

6 • Jeremy Deller, *La battaglia di Orgreave*, 2001
La ricostruzione di due giorni che ha coinvolto 800 partecipanti, compresi reenactor storici, ex minatori ed ex poliziotti

▲ 1965 • 1969 ■ 1962c, 1965, 1966b, 1969

7 • **Sharon Hayes, *Nel prossimo futuro*, 2009 (dettaglio)**
Installazione con proiezione di diapositive multiple 35 mm, 13 proiezioni, edizione di 3 + 1 PA

cemente impegnati – ma, più che lo spettatore, è il museo che il museo cerca di attivare. Stranamente però questo conferma solo l'immagine negativa che i detrattori hanno avuto di esso per lungo tempo: non solo che la contemplazione estetica è noiosa e la comprensione storica è elitaria, ma che il museo è un luogo morto, un mausoleo.

"Museo e mausoleo sono collegati da qualcosa di più che un'associazione fonetica", ha scritto il filosofo tedesco Theodor Adorno nel suo saggio *Valéry, Proust e il museo* (1953). "I musei sono i sepolcri di famiglia delle opere d'arte. Essi testimoniano la neutralizzazione della cultura". Per Adorno questo è il punto di vista dell'artista nello studio che può solo guardare il museo come un luogo di "reificazione" e "caos", una visione che egli attribuisce al poeta francese Paul Valéry. Adorno assegna la posizione opposta allo scrittore francese Marcel Proust, che nel suo racconto comincia da dove Valéry si è interrotto, con "la vita al di là dell'opera", che Proust vede dal punto di osservazione dello spettatore nel museo. Per lo spettatore idealista alla Proust il museo perfeziona lo studio: è un regno spirituale in cui la confusione materiale della produzione artistica viene distillata, in cui, per dirlo con le sue parole, la "sala di museo con la sua nudità e l'assenza di ogni particolarità simboleggia molto meglio gli spazi interiori dove l'artista si è astratto per creare". Piuttosto che un luogo di reificazione, allora, il museo per Proust è un mezzo di rianimazione.

Per quanto contrapposti sembrino i due termini, "reificazione" e "rianimazione" ne invocano un altro: proprio come va postulato che lo spettatore debba essere passivo affinché venga attivato, si deve ritenere l'opera d'arte morta perché possa essere resuscitata. Centrale per il dibattito moderno sul museo d'arte, questa ideologia è fondamentale per "la storia d'arte in quanto disciplina umanistica", la missione della quale è, come lo storico dell'arte Erwin Panofsky ha scritto oltre settant'anni fa, "richiamare in vita ciò che altrimenti resterebbe morto". Qui la risposta adeguata ai giorni nostri viene dalla storica dell'arte medievale Amy Knight Powell: "Né un'istituzione né un individuo possono restituire la vita a un oggetto che non l'ha mai posseduta. La promiscuità dell'opera d'arte – il ritorno, la reiterazione e il perpetuare oltre il suo momento d'origine – è la prova certissima del fatto che non è mai stata viva".

Il risultato è questo: gli spettatori non sono tanto passivi da dover essere attivati, le opere d'arte non sono così morte da dover essere rianimate e, se progettati e pianificati in modo intelligente, i musei possono ammettere sia l'intrattenimento sia la contemplazione e promuovere la comprensione lungo il percorso. Vale a dire che possono far coesistere spazi in cui le opere d'arte rivelano la loro "promiscuità" con altri momenti di produzione e ricezione. Il compito essenziale del museo in questo modo è fungere da macchina spazio-temporale, trasportarci in diversi periodi e culture – diversi modi di percepire, pensare, rappresentare ed essere – così che possiamo testarli in relazione con i nostri e viceversa, e forse essere trasformati un poco nel processo. Questa apertura a vari "prima e dopo" è urgente soprattutto nell'era del presentismo consumistico, del provincialismo politico e della cittadinanza ristretta. Infine, se i musei non sono luoghi dove le diverse costellazioni di passato e presente sono cristallizzate, perché averli? HF

ULTERIORI LETTURE

Bruce Altshuler, *Salon to Biennial: Exhibitions that Made Art History, Volume I: 1863–1959*, Phaidon, London 2008

Bruce Altshuler, *Biennials and Beyond: Exhibitions that Made Art History, Volume II: 1962–2002*, Phaidon, London 2013

Hal Foster, *The Art-Architecture Complex*, Verso Press, London-New York 2011

Brian O'Doherty, *Inside the White Cube: L'ideologia dello spazio espositivo*, trad. it. Johan & Levi, Monza 2012

Nicholas Serota, *Experience or Interpretation: The Dilemma of Museums of Modern Art*, Thames & Hudson, London 1997

tavola rotonda

La difficile situazione dell'arte contemporanea

RK: Abbiamo strutturato i nostri capitoli sull'arte del XX secolo attraverso le prospettive analitiche che ognuno di noi tende a favorire: quella di Hal è psicanalitica, quella di Benjamin storico-sociale, quella di Yve-Alain formalista e strutturalista, la mia post-strutturalista. Un modo per guardare indietro allo sviluppo dell'arte nel dopoguerra è quello di considerare cosa è accaduto agli strumenti metodologici, se la loro rilevanza è cresciuta o diminuita.

YAB: Nessuno di noi ha sposato un metodo in particolare.

HF: Giusto: il mio interesse per la psicanalisi non è così forte come dici; spesso l'arte mi ha portato metodologicamente del tutto altrove. Ma la tua domanda è in realtà sul destino di questi diversi metodi nell'arte e nella critica del dopoguerra. Su questo punto, per quanto riguarda la psicanalisi, l'interesse dei surrealisti per l'inconscio continua dopo la Seconda guerra mondiale, ma su un registro più privato che politico. Molti artisti dall'Espressionismo ▲ astratto a Cobra cercano di aprire questo inconscio privato a una dimensione più collettiva; c'è uno spostamento, per esempio, dalla focalizzazione freudiana sul desiderio a un interesse junghiano per gli archetipi. Questa svolta viene presto bloccata, almeno negli Stati Uniti, dall'affermarsi della psicologia dell'io, che fa sorgere un'altra reazione. Un'avversione all'io privato come fonte della creazione è palpabile da John Cage, Robert Rauschenberg e ● Jasper Johns ai minimalisti: a diversi gradi cercano tutti di depsicologizzare l'arte e, di fronte all'opera molto carica di pathos degli anni Cinquanta, si può capire perché.

L'unica ironia del Minimalismo è che, nonostante il suo fare arte più pubblica nel contenuto, più oggettiva nel contesto, rimette anche in gioco il soggetto in una forma fenomenologica, incluso nello ■ spazio. Quando poi postminimalisti come Eva Hesse complicano questo soggetto generale, evidenziando come è segnato in modi diversi da immaginario, desiderio e morte, la psicanalisi fa il suo ritorno. Questo diventa esplicito negli anni Settanta, quando le artiste e teoriche femministe si chiedono come il soggetto sia diviso dalla differenza sessuale e come essa incida sia sul fare arte che sul fruirla. La psicanalisi è molto efficace per molte femministe, anche se non mancano di criticare i suoi presupposti, e lo stesso vale per alcuni artisti e teorici omosessuali, così come per alcuni critici postcoloniali.

Su un livello più astratto la psicanalisi ha fornito intuizioni sulle forme artistiche che altri modelli non colgono altrettanto bene, per esempio l'evocazione costante dell'"oggetto parziale" da Duchamp, via Johns, Louise Bourgeois, Hesse e Yayoi Kusama, fino a molto artisti recenti. Comunque la psicanalisi non è molto importante nel dopoguerra: la sua presenza cresce o diminuisce secondo l'avanzare o recedere dell'interrogazione sulla soggettività e sulla sessualità.

YAB: Il destino degli strumenti metodologici del formalismo e dello strutturalismo nel dopoguerra è in parte discusso nella mia introduzione. Lì traccio la trasformazione di una concezione morfologica del formalismo (alla Roger Fry prima della guerra, ma ▲ rivista da Clement Greenberg nel dopoguerra) in una strutturalista, poi quella della posizione strutturalista in una "poststrutturalista", che Rosalind a sua volta spiega nella sua introduzione. Lì discute come molti artisti a metà degli anni Settanta e all'inizio degli Ottanta abbiano trovato nel "Poststrutturalismo" un potente alleato teorico che li ha aiutati ad affrontare le questioni della loro opera. (Se metto tra virgolette "Poststrutturalismo", come faccio con "postmodernismo", è perché, per quanto ne so, il termine non è mai stato usato dagli autori indicati da questa etichetta.) Qui vorrei sottolineare che lo Strutturalismo ha lasciato un segno anche sulla produzione artistica degli anni Sessanta. Sappiamo che un certo numero di artisti a New York leggevano Roland Barthes e Claude Lévi-Strauss (per esempio i loro libri c'erano nella biblioteca di ● Robert Smithson) e, cosa forse più importante, i romanzi del Nouveau roman francese (come quelli di Alain Robbe-Grillet), scritti in contesto strutturalista (Barthes era il più grande sostenitore dei primi romanzi di Robbe-Grillet). In molti modi l'antisoggettivismo, che è un elemento essenziale dello Strutturalismo, fu parallelo alla

▲ 1947b, 1949a, 1957a, 1960b ● 1953, 1958, 1962d, 1965 ■ 1966b, 1969 ▲ 1906, 1960b ● 1967a, 1970

tendenza depsicologizzante, appena ricordata da Hal, di molti artisti in opposizione al pathos dell'Espressionismo astratto negli ▲ Stati Uniti e dell'Art informel in Europa. La tendenza anticompositiva che caratterizza tanta arte prodotta dalla metà degli anni Cinquanta fino al Minimalismo – atteggiamento seriale, ● interesse per i procedimenti indicali, monocromo, griglia, caso, ecc. – va mano nella mano con la ribellione dello Strutturalismo contro l'Esistenzialismo.

Questo mi porta all'altra metodologia nominata da Hal, che non appare nel nostro quartetto: la fenomenologia. È molto interessante che la *Fenomenologia della percezione* di Maurice Merleau-Ponty sia diventato il libro di riferimento per molti artisti ■ americani (per esempio Robert Morris) e critici (per esempio Michael Fried) subito dopo la sua pubblicazione in inglese nel 1962. La formazione teorica di Merleau-Ponty era identica a quella di Sartre e del suo Esistenzialismo (il testo fondamentale per entrambi fu il lavoro teorico di Edmund Husserl), ma Sartre ebbe un fascino limitato sugli artisti (principalmente in Europa e per breve tempo). Forse perché – diversamente da Merleau-Ponty, che scrisse bene di Ferdinand de Saussure – rimase ostile alla posizione strutturalista (per non parlare della sua posizione imbarazzata riguardo alla psicanalisi). In altre parole, Sartre continuò a presupporre un "soggetto libero" e così rimase in parte prigioniero della filosofia classica della coscienza ereditata da Cartesio. Non era perciò in sintonia con ciò di cui si occupavano molti artisti dopo l'Espressionismo astratto (il suo sostenitore nel mondo dell'arte americano fu Harold Rosenberg, a sua volta identificato con la versione "pathos" dell'estetica espressionista astratta). Per contrasto, Merleau-Ponty, anche se aveva poca conoscenza dell'avanguardia artistica del suo tempo (le sue pagine migliori sull'arte riguardano Cézanne), toccò dei punti che risuonarono con gli interessi degli artisti degli anni Sessanta.

RK: Hal, quando Yve-Alain ed io abbiamo curato la mostra *L'informe: istruzioni per l'uso* al Centre Pompidou di Parigi nel 1996, abbiamo messo in primo piano l'operazione dell'"informe" in un gran numero di produzioni artistiche da Duchamp a Mike Kelley; per comprendere questo informe, fu importante per noi ripensare i problemi della "desublimazione" e la psicanalisi era ancora fresca, ancora urgente, per quell'investigazione.

YAB: È questione degli usi diversi che si fanno dello stesso modello. Anche questo è qualcosa che abbiamo appreso da Georges ◆ Bataille, da cui abbiamo preso l'anticoncetto di *informe*. Bataille si è opposto al modo letterario in cui André Breton ha applicato la psicanalisi nel suo Surrealismo, riducendo il discorso dinamico di Freud a una raccolta di miti e simboli. Per Bataille i simboli e i miti andavano contestati; sono illusioni, sul versante dell'ideologia dominante della rappresentazione, e la psicanalisi è uno strumento per dissezionarli e dissiparli. Il suo lavoro ci ha forzato a ripensare quali aspetti della psicanalisi possono parlare alle pratiche artistiche che ci interessano, come può essere usata per configurare un diverso insieme di oggetti e concetti che non si trovano in altri tipi di interpretazioni – in parte perché non coinvolti in un'operazione di desublimazione. Forse è questo il progetto di ognuno di noi in questo libro: suggerire diversi tipi di riconfigurazione.

Per Bataille lo stesso modello poteva essere usato in modo conservatore o in modo rivoluzionario (suppongono che oggi non useremmo questo termine); è una costante in tutti i suoi testi riguardanti non solo la psicanalisi, ma anche il Marxismo, Nietzsche, de Sade e quasi tutti gli altri sistemi filosofici o modelli interpretativi che ha discusso. Penso che questo sia legato al nostro tipo di approccio qui. Per esempio, Hal ha scritto un saggio ▲ all'inizio degli anni Ottanta che sottolinea che ci sono due tipi di "postmodernismo" in arte, uno autoritario e uno progressista, e ha scritto anche in modo simile sulle diverse eredità del Costruttivismo russo e del Minimalismo. Questo va di pari passo con quello che ho detto a proposito dei due tipi di formalismo, uno morfologico e uno strutturale.

HF: Forse la "desublimazione" è un modo per sollevare la questione della storia sociale dell'arte nel dopoguerra. L'attacco alla Bataille alle forme reificate e ai significati codificati è una delle versioni del processo, ma c'è anche lo spettro della "desublimazione repressiva" nel senso marxista di Herbert Marcuse. Quali sono gli effetti sociali quando le forme artistiche e le istituzioni culturali sono desublimate: per esempio quando sono fatte esplodere dalle energie libidinali? Non è sempre un evento liberatorio: può anche aprire queste sfere a una ricanalizzazione spoliticizzata del desiderio da parte dell'"industria culturale".

BB: Come ho sviluppato nella mia introduzione, la dialettica di sublimazione e desublimazione gioca un ruolo importantissimo nella storia dell'arte del dopoguerra. Forse è anche una delle dinamiche centrali del periodo, certamente più che nella storia delle avanguardie dell'anteguerra. È definita diversamente dai differenti teorici, sia come strategia avanguardista di sovversione sia come strategia dell'industria culturale per incorporare e sottomettere. Un asse su cui questa dialettica viene condotta nel dopoguerra in modo più programmatico che mai è il rapporto della neoavanguardia con l'apparato in espansione del dominio dell'industria culturale: come negli anni Cinquanta, nel contesto ● dell'Independent group in Gran Bretagna, per esempio, o nella ■ prima Pop art negli Stati Uniti, quando l'appropriazione dell'immaginario e delle strutture della produzione industriale divenne uno dei metodi con cui gli artisti cercarono di riposizionarsi tra un fallito modello umanista di aspirazioni avanguardiste e un

▲ 1946, 1947b, 1949a, 1960b ● 1957b ■ 1965 ◆ 1924, 1930b, 1931a, 1931b ▲ 1984b ● 1956 ■ 1960c, 1964b

apparato emergente il cui potenziale totalitario poteva non essere del tutto visibile all'inizio. La desublimazione in Gran Bretagna servì come strategia radicale insieme per rendere popolare la pratica culturale e per analizzare le condizioni dell'esperienza collettiva della pervasiva cultura di massa. La desublimazione in Andy Warhol, per contrasto, operò più all'interno del progetto di un annichilimento finale di qualsiasi aspirazione politica e culturale che potessero ancora nutrire gli artisti dell'immediato dopoguerra.

Per quanto schematico possa apparire, il mio lavoro è situato metodologicamente tra due testi: uno del 1947, *La dialettica dell'Illuminismo* di Theodor Adorno e Max Horkheimer, in particolare il capitolo "L'industria culturale", e l'altro del 1967, *La società dello* ▲ *spettacolo* di Guy Debord. Più penso a questi testi e più mi sembra che storicizzino gli ultimi cinquant'anni di produzione artistica, perché dimostrano come gli spazi autonomi della rappresentazione culturale – spazi di sovversione, resistenza, aspirazione utopica – sono gradualmente erosi, assimilati o semplicemente annientati. È quello che è accaduto nel dopoguerra con la trasformazione delle democrazie liberali negli Stati Uniti e in Europa: dal mio punto di vista si è amaramente realizzata non solo la prognosi di Adorno e Horkheimer del 1947, ma anche quella ancor più nichilista di Debord del 1967, perfino superata. La situazione del dopoguerra può essere descritta come una teleologia negativa: un continuo smantellamento di pratiche, spazi e sfere autonome della cultura e una perpetua intensificazione dell'assimilazione e omogeneizzazione, al punto che oggi assistiamo a quello che Debord ha chiamato lo "spettacolo integrato". Dove vanno le pratiche artistiche oggi e come possiamo, in quanto storici e critici d'arte, indirizzarle? Esistono ancora spazi al di fuori dell'apparato omogeneizzante? O dobbiamo riconoscere che gli stessi artisti non si vogliono situare al di fuori?

HF: Siete d'accordo con il carattere definitivo di questa analisi?

YAB: È una diagnosi terribile (dopo tutto Debord si è suicidato), ma penso che tutti noi la condividiamo in qualche misura.

HF: Sì, ma se siete completamente d'accordo con Adorno e/o Debord, si può dire qualcosa di più.

BB: Prendo sul serio l'ultima affermazione che ho fatto: non concludo che tutti gli artisti oggi definiscono la propria opera come inestricabilmente integrata e affermativa. Può ancora esistere la capacità artistica non solo di riflettere sulla posizione che l'opera d'arte assume nel sistema più ampio di rappresentazioni infinitamente differenziate (moda, pubblicità, intrattenimento, ecc.), ma anche di riconoscere la sua suscettibilità di venire integrata in questi sottoinsiemi di controllo ideologico. Inoltre, se esistono pratiche artistiche che stanno ancora al di fuori del processo di omogeneizzazione, sono meno convinto che possano sopravvivere e che noi critici e storici possiamo sostenerle e supportarle in modo sostanziale ed efficace per prevenire la loro totale marginalizzazione.

DJ: Vi è un approccio metodologico che accetta la struttura dello spettacolo come nuovo contesto visivo in cui agire, dove le opere d'arte sono riconosciute come un tipo di immagine tra le altre, dal cinema e dalla televisione a Internet e ai cellulari. Influenzato da un lato da figure dei *media studies* come Lev Manovich e dall'altro dalla teoria dell'attore-rete di Bruno Latour, questo approccio è incentrato meno sulla critica in sé, che implica negazione, e più ▲ sulle nuove configurazioni di associazione *produttive* di nuove reti, o – per rimandare a Debord – di nuove *situazioni*. Latour usa una magnifica espressione che ricorda il museo: "riassemblare il sociale". Con questa espressione insiste che non esiste nessuna stabile versione unificata del "sociale" che attende di essere scoperta e sovvertita, che non c'è nessuna comunità ready-made, ma soltanto configurazioni di associazione, di rapporti che possono essere assemblati o "collezionati". Questa prospettiva è utile per individuare un'ampia gamma di tendenze e opere nell'arte contemporanea. Molti artisti lungo il XX secolo, ma soprattutto dagli anni Sessanta in poi, hanno cercato di forgiare comunità alternative attraverso l'arte. Questo è chiaro all'inizio della storia • della Video art, che non solo cercò alternative alla televisione commerciale e nuove esperienze fenomenologiche per lo spettatore, ma spesso riguardò anche disposizioni e strutture di lavoro, un tipo di organizzazione cellulare strutturalmente analoga alle reti mediali. Più recentemente molte pratiche artistiche collettive e sperimentali che sono talvolta messe sotto la categoria di "estetica relazionale" sono incentrate sull'associazione come atto estetico.

I cosiddetti nuovi media, e soprattutto la capacità di replicare e riformattare immagini digitali, offrono un'opportunità per ripensare le nostre concezioni del valore dell'arte in quanto derivante dalla sua rarità o scarsità. Come concorrenti nell'industria culturale, figure come Warhol – o Matthew Barney – hanno insegnato a diffondere immagini a una scala che si avvicina a quella della cultura popolare. Oggi, in condizioni in cui gli artisti devono costruire una sorta di "marchio" che sia riconoscibile in un mondo dell'arte globalizzato, la distribuzione e la "saturazione" dei mercati ritrovano un nuovo interesse.

HF: Guardiamo indietro al di là degli ultimi decenni agli esempi in cui le alternative critiche furono proposte. Indicando qualche "progetto incompleto", possiamo aiutarci a guardare avanti.

BB: Sì: che posto ha la pratica della neoavanguardia nel presente, paragonato a quello che aveva nel 1968, per esempio? O anche negli anni Settanta, quando la relativa autonomia di tale pratica aveva un ruolo nella sfera pubblica borghese liberale come luogo di

▲ 1957a

▲ 2009a, 2009b • 1973, 1998

differenziazione dell'esperienza e della soggettività? Poi venne sostenuta, o almeno presa sul serio, dallo stato, dai musei e dalle università. Così negli anni Ottanta la produzione artistica fu integrata nella pratica più generale dell'industria culturale, dove ora funziona come merce, investimento e intrattenimento. Da questo punto di vista vedi come Matthew Barney, ancor più che Jeff ▲ Koons, ha espresso – cioè sfruttato – queste tendenze. In questo senso per me è un artista protototalitario, un dilettantesco Richard Wagner americano che mitizza le catastrofiche condizioni di esistenza nel tardo capitalismo.

HF: Di nuovo, possiamo complicare ulteriormente la posizione adorniana secondo cui la sfera culturale totalitaria è semplicemente continuata nell'industria culturale americana e questa industria ha completamente integrato l'arte?

YAB: Esistevano espressioni forti di libertà artistica in seguito al 1968 – e anche prima...

BB: Certo, c'era un'importante cultura artistica negli Stati Uniti del • dopoguerra, dall'Espressionismo astratto, attraverso la Pop art e il Minimalismo, fino almeno al Concettualismo. Va tenuto in conto. Perché fu possibile? Perché gli Stati Uniti erano una democrazia liberale al suo più alto livello di differenziazione. Ma non più.

HF: Altre possibilità si sono aperte in altre parti del globo, soprattutto in vari incontri tra diversi modernismi. Per esempio, Yve-Alain discute dell'elaborazione del Costruttivismo nel ■ Neoconcretismo in Brasile, così come della performance dopo Pollock con il gruppo Gutai in Giappone. Già queste pratiche complicano la vecchia storia del puro spostamento dall'Europa al Nordamerica o, ancora più riduttivamente, da Parigi a New York. È un racconto alternativo della *différance* culturale, delle pratiche d'avanguardia in altri spazi-tempi.

YAB: All'inizio tuttavia il paradigma usuale non è cambiato molto: almeno per due decenni queste attività d'avanguardia in vari continenti si definiscono ancora in rapporto ai vecchi centri. Per esempio, i brasiliani guardano ancora a Parigi e Gutai a New York, soprattutto a Pollock, che leggono attraverso le fotografie di Hans Namuth. È solo più tardi, una volta che hanno avuto un po' di storia nel loro modo di lavorare, che stabiliscono un rapporto competitivo con i vecchi centri. A questo livello il 1968 segna una data molto importante: c'è una straordinaria internazionalizzazione non solo della ribellione politica, ma anche dei suoi prodotti artistici, con fermento sociale in tutta Europa, Stati Uniti e ovunque (la Primavera di Praga e la sua ripercussione nell'Unione Sovietica; la convenzione democratica di Chicago seguita da violenti scontri, e così via), tutto nel contesto della Guerra del Vietnam. Fu un forte elemento politico unificatore per le menti progressiste nel mondo, non dimentichiamolo. Certi aspetti delle presenti e recenti situazioni politiche ricordano un po' quel periodo, soprattutto il fatto che l'amministrazione Bush ha unificato molte parti del mondo contro l'imperialismo americano. Resta da vedere, naturalmente, se questo "internazionalismo negativo" avrà conseguenze dirette nella sfera culturale.

DJ: La cosiddetta globalizzazione del mondo dell'arte ha reso molto diversa la "direzionalità" dell'influenza nell'arte contemporanea. Da un lato, penso che si possa fare un esempio forte, quello cioè che esiste oggi uno stile internazionale, che ▲ potremmo chiamare "Concettualismo globale" dal titolo dell'importante mostra organizzata dal Queens Museum di New York nel 1999. Dall'altro lato, si potrebbe essere cinici e sostenere che i materiali dell'Arte concettuale – testo, fotografia e video – viaggiano più agevolmente (e a costi più bassi) dei media tradizionali della pittura e della scultura, come naturalmente l'importante curatore e "impresario" dell'Arte concettuale Seth Siegelaub riconobbe già a suo tempo. Ma è altrettanto importante che questo "linguaggio" condiviso sia soffuso di inflessioni (o accenti) locali. Come sostengono James H. Gilmore e B. Joseph Pine nel loro libro *Autenticità: quello che il consumatore vuole veramente*, del 2007, l'implacabile standardizzazione che l'industria culturale impone genera anche una sorta di domanda compensatoria di "customizzazione", di "autenticità". Credo che questi effetti si siano visti nel mondo dell'arte contemporanea. Per esempio come i grandi poteri "socialisti", l'Urss e la Cina, hanno cominciato a entrare nei mercati globali capitalisti – la rinata Russia all'inizio degli anni Novanta e la Cina alla fine dei Novanta e inizio dei Duemila – e come vi fu un'enorme fascinazione per queste opere e un loro corrispondente boom di mercato. Da un lato potremmo condannarlo come un altro mero esempio in cui l'opera d'arte serve da avanguardia economica – creando nuovi mercati culturali per superpoteri economici emergenti – ma il fascino che queste opere (e quelle di molti altri paesi) ispirano in Occidente è anche una forma di curiosità in buona fede. Esse formano un'avanguardia di traduzione culturale che aiuta a introdurre sistemi non familiari di valori e significati attraverso la retorica familiare dell'Arte concettuale.

HF: Molto prima del 1968, il periodo prima della guerra vide la risurrezione internazionale di alcuni movimenti – come Dadaismo, • Surrealismo e Costruttivismo – che fin dall'inizio furono internazionali nelle ambizioni. Anche il Bauhaus ha avuto diverse risurrezioni in diversi luoghi dopo la Seconda guerra mondiale. Questo è ulteriormente complicato da un movimento centrifugo rispetto a Parigi e New York. Cobra per esempio inizia un parziale spostamento da Parigi ad altre città europee; e più tardi, per fare ■ un altro esempio, nasce l'Arte povera in Italia. Così vi è una rimappatura dell'Europa, una relativizzazione di Parigi come

▲ 1986, 2007c ● 1947b, 1949a, 1951, 1960c, 1962d, 1964b, 1965, 1968b ■ 1921b, 1928a, 1955a, 1959e ▲ Introduzione 5 ● 1916a, 1920, 1921b, 1924, 1928a, 1930b, 1931a ■ 1949b, 1957a, 1967b

capitale d'arte, fragile ma significativa. Lo stesso vale anche per gli Stati Uniti, con una relativizzazione simile di New York, soprattutto da parte degli artisti della California, la performance beat e gli artisti ▲ dell'assemblage di San Francisco e Los Angeles, e anche la Pop art tarda e gli astrattisti californiani.

BB: Sì, ma allora, se torniamo al presente, cosa vediamo? Guarda Michael Asher, per molti versi la figura più radicale di quelle impegnate nella critica istituzionale dalla fine degli anni Sessanta in poi e a lungo attivo a Los Angeles: la sua opera è ora per lo più dimenticata; la stessa radicalità della sua contestazione sembra dimenticata. Chiaramente la complessità dell'opera di Asher sembra porre, ora più che mai, ostacoli insormontabili alla sua ricezione all'interno dei parametri attuali del mondo dell'arte. Così, come con la repressione sociale in generale, il modo di rispondere all'opera è semplicemente quello di sradicarla dalla memoria storica e isolare i suoi produttori come outsider. Daniel Buren, un altro artista radicale della critica istituzionale, è il suo pendant dal lato europeo, solo che Buren ora si è trasformato, di buon grado, in un affermativo artista di ● Stato per evitare il destino che ha segnato Asher.

HF: Ancora una volta, il vostro racconto può essere complicato ulteriormente? Non comporta una teleologia riduttiva e disfattista?

RK: Forse aiuterà un racconto diverso, benché non meno disastroso. Dal mio punto di vista il postmodernismo, visto attraverso il prisma del Poststrutturalismo, ha costituito una grande critica del pensiero essenzialista, cioè di ciò che è specifico di una data categoria o attività. Ha annientato l'idea stessa di identico e lanciato un attacco particolarmente violento all'idea di medium (esplicito nel saggio di Jacques Derrida, *La legge del genere*). Così il medium è finito sotto l'assalto concertato dei pensatori più sofisticati degli anni Sessanta e Settanta, che si unì alla critica similare dell'Arte concettuale alla specificità del medium in arte (che la pittura parli solo delle forme della pittura, ecc.); questo fu supportato a sua volta dalla ricezione di Duchamp in quel periodo, che risottolineò il disprezzo concettualista per il medium. Poi il video entrò nell'ambito della pratica estetica e disturbò ulteriormente l'idea del medium (è molto difficile trovare la specificità del video). Così Poststrutturalismo, Arte concettuale, ■ ricezione di Duchamp, Video art insieme smembrarono di fatto il concetto di medium.

Il problema è che questo smembramento diventò poi una sorta di posizione ufficiale (la diffusione dell'installazione è uno dei segni di questo stato delle cose) e ora è un luogo comune tra gli artisti e i critici, è considerato un dato di fatto. Se come critico oggi ho una responsabilità, è quella di dissociarmi da questo attacco al medium e di parlare della sua importanza, cioè della continuità del modernismo. Non so se il Poststrutturalismo mi aiuterà a farlo e dunque non so se posso mantenere il mio coinvolgimento in questa opzione metodologica.

HF: È una posizione strana per l'autrice di *La scultura nel campo allargato*, uno dei saggi che teorizzarono le dimensioni intermedie e interdisciplinari del postmodernismo. Cosa intendi ora con "medium"? Sicuramente non specificità del medium in senso greenberghiano.

RK: No. Intendo il supporto tecnico dell'opera. Non deve essere un supporto tradizionale, come la tela, che è il supporto della pittura ad olio, o l'armatura di metallo, che è il supporto della scultura modellata. Un medium fonda una produzione artistica e fornisce un insieme di regole per quella produzione. È più complicato di quanto sembri: un buon esempio è l'uso dell'automobile da parte di Ed Ruscha come una sorta di medium, come coerente supporto della ▲ sua opera. Il suo primo libro di fotografie, *Ventisei stazioni di rifornimento* (1962), documenta un numero di aree di servizio sul percorso da Oklahoma City a Los Angeles e ritorno; quell'idea gli dà una regola per realizzare il suo libro. Ancora, un medium è una fonte di regole che induce la produzione, ma la limita anche, e spinge l'opera a una riflessione sulle regole stesse.

HF: Questa nozione di medium mi sembra un po' arbitraria, quasi libera da motivazioni storiche e convenzioni sociali. Da questo punto di vista non è chiaro quanto di correttivo ci sia alla condizione relativista dell'arte contemporanea. Sicuramente un medium è sia un contratto sociale con un pubblico che un protocollo privato per il fare arte.

RK: Talvolta sembra soltanto arbitrario. A un certo punto del suo lavoro Ruscha può usare qualsiasi cosa come supporto del colore, come lo sciroppo di mirtilli, la cioccolata, il grasso o il caviale. Quello che ha fatto con questi generi commestibili è stato un portfolio di stampe intitolato *Macchie*, opere che si riagganciano ● alla storia della pittura a macchie, da Pollock attraverso Helen Frankenthaler e la Colorfield painting. Questo lo porta fuori dall'arbitrarietà indietro nella storia dell'arte recente.

YAB: Se ho capito bene, è una questione non tanto della materialità del medium quanto del concetto di medium. Il medium può fluttuare da una serie di opere a un'altra, ma l'artista deve avere un insieme di regole da seguire.

RK: L'idea di un insieme coerente di regole significa che la struttura dell'opera sarà ricorsiva e genererà degli analoghi del medium stesso.

HF: Ora la tua definizione di medium suona tanto formalista quanto arbitraria.

RK: Senza la logica di un medium l'arte corre il rischio di cadere nel kitsch. L'attenzione al medium è un modo con cui il modernismo si difende dal kitsch.

HF: Ora è Greenberg che ritorna.

tavola rotonda

▲ 1959b, 1960c ● 1970, 1971 ■ 1966a, 1968a, 1968b, 1970, 1972b, 1973, ▲ 1968b ● 1949a, 1960b

YAB: Come concetto il kitsch sembra molto datato; è stato sostituito da quello di spettacolo.

RK: Non penso che sia datato. Il kitsch è l'appariscente e lo vediamo ovunque. D'altro canto, quella di Greenberg era una condanna globale del kitsch e, come ha sostenuto Yve-Alain, ▲ alcune pratiche kitsch, come l'uso della ceramica da parte di Lucio Fontana o quello del colore da parte di Jean Fautrier, comporta la presunzione che l'arte "avanzata", come le composizioni di tipo cubista o gli eleganti monocromi, sia l'epitome del buon gusto. Gli ultimi quadri di Francis Picabia sono un altro caso della mobilitazione del kitsch. Possiamo parlare oggi di un artista come ● Jeff Koons senza far ricorso al concetto di kitsch?

BB: Non sono d'accordo con molte delle affermazioni che hai fatto. Vorrei sostenere la tua domanda di una continuazione del modernismo – invece che guardare indietro alla sua morte con atteggiamento malinconico –, ma come si possano preservare le sue pratiche non è questione di decisioni volontaristiche all'interno della sfera culturale. Quello che è realizzabile esteticamente non lo è in base al controllo di critici o storici o anche artisti, a meno che la pratica artistica sia diventata una pura riserva, uno spazio di autoprotezione. E anche qui ci sarebbero dei problemi. Si può sostenere che Brice Marden, per esempio, o Gerhard Richter conservino uno spazio di esenzione per la pittura in un modo ■ relativamente credibile, come fa Richard Serra in scultura. Ma nel momento in cui formalizzano questa posizione sconfinano in una posizione conservatrice che contraddice il loro progetto iniziale. La questione diventa se preservare il modernismo sia auspicabile, oltre che possibile.

HF: Non mi piace neppure questa storia di un modernismo della specificità del medium, seguito da una condizione postmoderna, che sarebbe allora risarcita in qualche modo da una ripresa del medium, anche se in un senso allargato. Ci sono molteplici rotture nel dopoguerra che non possono essere ricucite così facilmente. Una trasformazione va registrata con l'eclisse della tensione stessa tra avanguardia e kitsch su cui Rosalind ancora insiste. Molti artisti – forse la maggior parte sotto i cinquant'anni – sostiene che quella dialettica è ora sorpassata, perché si lavora in una condizione di spettacolo. Questo non significa che si arrendono, benché vediamo esempi particolari anche di quell'adesione. (Lo spettacolo è la logica stessa di un Matthew Barney, il suo "medium" se volete, e secondo molti riesce a volgerlo a proprio vantaggio.) Alcuni artisti trovano delle incrinature produttive anche all'interno di questa condizione; ma non senza cuciture, come pretende Benjamin.

BB: Facci un esempio.

◆ **YAB**: All'inizio era Andy Warhol. È la ragione per cui è diventato così importante per gli artisti seguenti: hanno capito come ha lavorato con lo spettacolo.

BB: Sì, era l'oracolo delle cose a venire.

HF: Spero che tu non intenda che Warhol era *solo* un rappresentante dello spettacolo. Per prendere un esempio dalla sua opera, esiste una denuncia più critica del lato oscuro dello spettacolo delle sue immagini della "morte in America" consumista del 1963, cioè dei rottami d'automobile e delle vittime di botulismo? Un altro esempio già menzionato sono i libri di fotografie di Ruscha degli anni Sessanta: io non li vedo come affermativi del paesaggio dell'automobile-merce (come si ritiene più spesso); mostrano il suo aspetto nullo, o documentano il suo spazio come bene immobile strutturato a griglia, o entrambi. Un altro esempio è Dan Graham, anche lui diventato così importante ▲ per i giovani artisti: il suo *Case per l'America* (1966-67), per esempio, indica come la logica seriale in gioco nel Minimalismo e nella Pop art fosse già all'opera nella società capitalista in generale, soprattutto nello sviluppo delle case a schiera di periferia. Qui, nella stessa similitudine con la logica di produzione tra arte d'avanguardia e sviluppo capitalista, Graham seppe indicare la possibilità sia di visione critica che di innovazione artistica. Molti ● altri esempi potrebbero essere citati, in Fluxus e in opere anche più vicine a noi. Cindy Sherman ha tratto la sua arte da un gioco ambivalente con i tipi riduttivi di donne offerti dallo spettacolo. Mike Kelley ha preso la sua da un'esplorazione affascinata delle sottoculture ribelli di "adulti inabili" che lo spettacolo non può sempre nascondere. Con le sue trasandate installazioni di oggetti, ■ foto e fogli di alluminio, Thomas Hirschhorn fa quello che può (nella vecchia linea maestra di Marx) per far "danzare ancora una volta le condizioni reificate della vita, suonando il loro stesso motivetto". E così via. Così non possiamo dire che gli artisti non abbiano diagnosticato il problema e prodotto opere che vi si riferiscono.

YAB: Forse le condizioni sono cambiate di nuovo e, invece di un'opposizione polare alla Adorno tra arte alta resistente e cultura di massa trash, entrambe sono diventate, nel contesto dei media globali, altrettanti pezzi della rete planetaria. Il paradigma non è più resistenza versus dissoluzione: la resistenza è immediatamente dissolta nella nuova situazione. I giovani artisti non sono necessariamente suicidi rispetto a questo (su questo sono d'accordo); vogliono farne qualcosa.

DJ: Forse invece di sovvertire il sistema, gli artisti possono *giocare* con il sistema o *far leva* in qualche modo su di esso. In effetti molte strategie performative contemporanee si risolvono in parte se non completamente in merci, ma causano una rottura nei presupposti etici sostenuti sia dalle istituzioni che dagli spettatori. Per ◆ esempio, nell'opera di Tania Bruguera o di Tino Sehgal, che ha assunto la posizione secondo cui le sue "situazioni", spesso

▲ 1946, 1959a ● 1986, 2007c ■ 1962d, 1969, 1970, 1988 ◆ 1960c, 1962d, 1964b

▲ Introduzione 2, 1968b ● 1962a ■ 2003, 2007b, 2009c ◆ 2009a

basate su confronti semi-previsti e semi-improvvisati tra spettatori e persone della galleria (talvolta impiegati del museo come guardiani, talaltra "performer"), non possono essere documentate in alcun modo. È andato così lontano da vendere le opere a collezioni come quella del Museo d'Arte Moderna di New York attraverso puri contratti orali. Queste strategie sono incentrate sulla dimensione etica e legale dell'associazione che ho menzionato prima attraverso un'arte interamente dedita alla connettività, per usare un termine preso da Internet. Non posso pensare a nessun gesto che metta maggiormente in questione la buona o cattiva fede di un museo che costringerlo ad acquistare qualcosa senza nessuna protezione legale!

Ci sono state molte reazioni rabbiose tra gli artisti in risposta alla retrospettiva di Marina Abramovič al MoMA nel 2010, dove molte delle sue performance canoniche sono state rifatte e altre documentate. Io ero perplesso perché questa mostra ispirava due diversi tipi di reazione: da un lato, fascino al limite dell'adulazione in un pubblico generalista molto ampio, e dall'altro, serio rancore tra gli spettatori più specializzati. Ne conclusi che i visitatori del museo erano molto colpiti dal fatto che Abramovič fosse fisicamente presente nell'atrio del MoMA per tutto il tempo in cui il museo era aperto, pronta a sedersi con chiunque avesse il tempo per aspettare in coda. Ma il fatto che avesse sviluppato una carriera galleristica di alto profilo al di fuori del suo lavoro di performance può essere stato visto come una sorta di tradimento o di ipocrisia in chi è più profondamente coinvolto nel mondo dell'arte. Penso che comunque *sia* possibile per gli artisti creare "eventi" dentro lo spettacolo, come quando ACT-UP ha inventato il triangolo rosa ▲ rovesciato o The Yes Men introducono false informazioni nei circuiti mediatici per dimostrare l'ipocrisia e la vigliaccheria del linguaggio evasivo delle multinazionali. Queste immagini hanno la capacità di diventare virali (come ha fatto l'arte di Warhol in questo ambito).

BB: Certo, artisti diversi come Allan Sekula, Mark Lombardi e Hirschhorn pongono la condizione di produzione artistica sotto la legge di una forma intensamente espansionista di tardo capitalismo e imperialismo corporativo, ora generalmente identificato con il termine anodino e senza senso di "globalizzazione". Tutti loro sono riusciti ad articolare il fatto che l'ideologia dello stato-nazione e i modelli tradizionali di costruzione-identità convenzionale non sono più validi per una produzione artistica pertinente, perché l'internazionalizzazione della cultura corporativa non desidera altro che un ritiro culturale in modelli mitici di formazioni-identità compensative. Allo stesso tempo tali artisti hanno fatto una delle loro priorità il *lavorare attraverso* le reti sempre più complesse delle intersezioni politiche, ideologiche ed economiche che truccano le ● forme di globalizzazione che si spacciano per liberatorie. In tal modo compiono un'analisi critica di fenomeni che sono generalmente presentati dai media, ma anche dagli organizzatori e funzionari della cultura, come una realizzazione emancipativa e quasi utopistica.

Ma la globalizzazione è solo uno dei fattori guida. Ce ne sono almeno altri due. Uno è lo sviluppo tecnologico, che mette artisti, critici e storici di fronte a problemi che nessuno di noi poteva veramente prevedere negli anni Sessanta o Settanta. Il secondo fattore è più complesso ed è difficile non sembrare estremisti a suo riguardo: la costruzione stessa di una sfera oppositiva di artisti e intellettuali sembra essere stata eliminata; questo è certamente vero nell'ambito della produzione culturale. Questa produzione è oggi omogeneizzata come un campo economico di investimento e speculazione. L'antinomia tra artisti e intellettuali da un lato e produzione capitalista dall'altro è stata annullata o è scomparsa per usura. Oggi siamo in una situazione politica e ideologica che, pur non essendo ancora del tutto totalitaria, punta verso l'eliminazione della contraddizione e del conflitto, e questo rende necessario un ripensamento di quello che la pratica culturale può essere sotto le condizioni globalizzanti dell'organizzazione capitalista avanzata.

HF: L'accelerazione nel dopoguerra delle nuove tecnologie era già evidente all'inizio degli anni Sessanta e fu individuata non solo da guru dei media come Marshall McLuhan, ma anche da artisti del ▲ Minimalismo, della Pop art e di altri movimenti. Questi artisti trattarono i nuovi materiali e tecniche extra-artistici (per esempio il plexiglas in Donald Judd, le luci fluorescenti in Dan Flavin, la serialità della serigrafia in Warhol) secondo le migliori modalità della scultura e pittura per verificare i loro effetti. Questi esempi (per non parlare del video) suggeriscono che i "nuovi media" avevano già una storia complessa nell'arte del dopoguerra, infatti tutta la storia è cosparsa di "nuovi media". Dunque, le conseguenze dei "nuovi media" sono veramente così globali oggi? Per esempio, non vi è qui una dialettica, per quanto fragile possa sembrare, per cui i "nuovi media" producono anche forme fuori moda come effetto secondario – forme fuori moda che allora sono come cifre di estetiche sorpassate o soppresse e di esperienze sociali che gli artisti contemporanei possono recuperare criticamente? Accanto all'abbraccio dei "nuovi media" c'è una riscoperta di modalità ● dismesse, che possono essere indagate come archivio di identità e socialità del passato.

Ammetto che questi tentativi di aprire la storia culturale attraverso vecchi media siano modesti e certamente sembrano sopraffatti dall'attenzione istituzionale riservata ai "nuovi media". Qui ho in mente stravaganze tecnofiliache come le recenti video-installazioni ■ di Bill Viola, che sembra voler liberare quello che Walter Benjamin una volta ha chiamato, negli anni Trenta in rapporto al cinema, "il fiore blu nel paese della tecnologia", cioè l'effetto di immediatezza spirituale attraverso strumenti di mediazione intensiva. Questo

▲ 1987, 2010b ● Introduzione 5
▲ 1962c, 1964b, 1965 ● 2003 ■ 1935, 1998

effetto è una sorta di tecno-sublime che travolge corpo e spazio, ma che oggi va ben al di là della semplice distrazione (quella che interessava Benjamin negli anni Trenta) in una completa immersione. Un'esperienza di immersione, anche se mesmerica, sembra essere l'effetto desiderato da molta arte oggi (lo si vede anche in molta fotografia digitale) ed è molto popolare, in parte perché estetizza, o "artisticizza", un'esperienza già familiare, cioè le intensità allucinanti prodotte dalla cultura mediale in generale. In questa arte subiamo l'assalto di effetti speciali insieme al surplus di valore estetico.

DJ: In quanto molto interessato ai media, inclusi quelli solitamente definiti "nuovi", voglio manifestare il mio accordo con Hal sulle facili ed esagerate pretese di novità spesso avanzate in nome dei nuovi media. Lavorando sulla televisione, ho capito che le storie della radio, televisione (comprese le prime trasmissioni via cavo) e Internet seguono schemi simili: sviluppo di una tecnologia per scopi militari senza mercato di consumo; graduale diffusione di queste tecnologie attraverso l'uso amatoriale o hobbistico, che porta a una soglia di saturazione quando la rete creata dalla tecnologia diventa così densa, così essenziale per tutti coloro che vogliono rimanere in comunicazione, da costringere un pubblico di massa al suo uso. L'omologia di questi sviluppi mi ha fatto interessare ai processi di saturazione (in quanto opposta alla scarsità solitamente associata all'arte) così come a quelli che mi piace chiamare *formati*, invece che media, in altre parole configurazioni di associazioni invece che supporti materiali, o secondo la più sofisticata definizione di Rosalind del medium come insieme ricorsivo di regole. Come nel software, ogni contenuto può essere trasmesso in formati molto diversi. È importante ricordare che alcune abilità estetiche molto venerande e che sono praticate fin dall'inizio del modernismo, come il collage, sono state ora *accelerate* e *disseminate* in modo che chiunque possieda un computer può realizzare un collage in una manciata di minuti. Queste qualità di saturazione, quantità e velocità introducono diverse condizioni in quelli che sono stimoli ampiamente simili a comunicare e a rappresentare.

HF: Ciò nonostante, ci sono anche artisti che abbozzano un progetto diverso, una sorta di archeologia delle forme fuori moda e, cosa interessante, lo fanno spesso con il cinema, ora che non è più il medium del futuro o anche del presente, ma è già toccato dall'arcaismo...

BB: Artisti come chi?

▲ **HF**: Stan Douglas, Tacita Dean, Matthew Buckingham, per nominarne alcuni.

● **RK**: Un altro artista impegnato nel fuori moda è William Kentridge.

■ **HF**: Giusto. Una ragione per cui James Coleman è così interessante per gli artisti più giovani è che ha esplorato a fondo gli spazi sociali dei media fuori moda. Si potrebbe sostenere che la separatezza di questi spazi è illusoria, che l'industria della cultura è sempre pronta a ricolonizzarli, ma non possiamo dire che non sono mai esistiti.

BB: Abbiamo già visto questo recupero con il Surrealismo e la pubblicità.

HF: Assolutamente, ma non possiamo dichiarare questa dialettica conclusa per sempre.

YAB: Il fuori moda resiste solo fino a un certo punto e solo per un certo tempo. Mi ha colpito sentire che i registi radicali Jean-Marie Straub e Danièle Huillet rifiutano il video e il dvd: vogliono che i loro film siano proiettati sullo schermo. Per quanto possono sostenere questa posizione e non venire dimenticati? Sotto questo aspetto sono l'equivalente di Asher nel mondo del cinema.

RK: Inoltre la questione del fuori moda è che anche le nuove tecnologie – forse perfino il dvd – passeranno, o almeno verranno sorpassate, rese fuori moda. Cosa farà per esempio Coleman quando la Kodak non produrrà più proiettori di diapositive? Sono stati messi fuori moda dalla proiezione digitale e PowerPoint.

YAB: La digitalizzazione delle immagini sta diventando l'Esperanto della globalizzazione. Vi è un'uniformizzazione del formato a livello di produzione e di distribuzione. I giovani artisti vogliono lavorare su questo.

BB: Per tornare un momento all'opposizione di Bill Viola e James Coleman: rivelano due tendenze che sono molto complesse nei loro rapporti. Una è l'intensificazione del desiderio di mito, che è il segreto del successo di Viola. Ha successo nel rivestire la rappresentazione tecnologica di immaginario mitologico, perfino di esperienza religiosa...

HF: Questo tipo di rifascinazione cultuale attraverso i nuovi media, la si vede ovunque. Benjamin ha visto una dimensione fantastica in questa immediatezza manipolata e forse è proprio giusto.

RK: Viola fa del monitor una scatola nera come analogo della testa dello spettatore: lo spazio psichico proiettato all'esterno come ambiente fisico. Una volta convertito in questo modo lo spazio fisico in spazio psicologico (da notare che non parlo di spazio fenomenologico), ogni legame con la realtà dei mezzi artistici è dissolto.

HF: Giusto: è un'esperienza "falso-fenomenologica": esperienza rilavorata, rianimata, restituita a noi, come immediata, spirituale, assoluta, in modo molto mediato.

RK: Da questo punto di vista il concetto di kitsch è ancora rilevante.

BB: È una tendenza traditrice. In opposizione ad essa Coleman riesce a mettere insieme due cose che sembrano escludersi a vicenda, cioè la dimensione mnemonica dell'arte e una modalità

▲ 1998, 2003 ● 1994b, 2007a ■ 1993a, 2007a

tecnologica di rappresentazione. È estremamente importante oggi; inoltre, come abbiamo appena notato, la potenzialità dell'attingere alla memoria attraverso il fuori moda è estremamente fragile. Non c'è più resistenza innata nella memoria di quanta ce ne sia nel fuori moda: entrambi sono molto precari. Sappiamo che la dimensione mnemonica in arte (intrinseca al modernismo a partire da Baudelaire) è la più suscettibile di feticizzazione e spettacolarizzazione, come hanno ampiamente ▲ provato opere come quelle di Anselm Kiefer. Da un lato, lo sforzo di mantenere o ricostruire la capacità di ricordare, di pensare storicamente, è uno dei pochi fatti che si possono opporre all'implementazione quasi totalitaria delle leggi universali del consumo. Dall'altro, come dimostrano artisti come Viola e Barney, dedicare l'abilità estetica alla costruzione di immagini di memoria per la vorace domanda di un apparato che manca completamente di volontà di ricordare e riflettere storicamente, e farlo in forma di mito risuscitato, è una strada pressoché garantita per il successo nel presente mondo dell'arte, soprattutto con la sua nuova ala dell'"industria della memoria".

HF: C'è un ulteriore rischio qui. Come suggerisci, la memoria scade facilmente nel memorialismo, cioè in una domanda di monumentalizzazione della storia, e spesso oggi ad essere monumentalizzato è il traumatico. L'esempio principe qui, tra altri innumerevoli, è il World Trade Center disegnato da Daniel Libeskind, con il suo grande archivio memoriale e l'immensa guglia di vetro: il trauma storico qui è diventato non solo monumentale ma spettacolare e trionfale. Abbastanza paradossalmente, poi, può non esserci contraddizione tra una fissazione sul trauma storico e un'industria culturale che produce amnesia storica come condizione di un consumo sempre rinnovato (accanto al memoriale ci saranno i soliti Gap, Starbucks, ecc.). Questa condizione è in duro contrasto con la dimensione utopica di tanta arte e architettura modernista dell'inizio del XX secolo che pure ha subito grandi traumi: sembriamo vivere in una cultura fissata su passati orribili, non in una desiderosa di futuri trasfigurati. Dal mio punto di vista gli effetti politici sono disastrosi: viviamo nel terrore repressivo di ricatti antidemocratici ("11 settembre", "guerra contro il terrorismo", ecc.).

RK: A partire dagli anni Novanta la questione del trauma diventa una sorta di moda intellettuale. Essenzialmente è un modo di reinserire il soggetto nel discorso della storia e della cultura. Il discorso sul trauma effettivamente ricostituisce il soggetto. Questo modo di privilegiare il soggetto scade ancora in una ricostituzione del soggetto biografico e quel progetto diventa molto sospetto da un punto di vista post-strutturalista.

HF: In un certo senso la critica post-strutturalista del soggetto biografico è continuata nella comprensione psicanalitica del soggetto traumatizzato, anche se, da un'altra angolatura, qui è anche indennizzato. Non penso che i due discorsi siano così opposti come tu dici: entrambi si fissano sui rischi, le rotture – le aporie – in un modo che talvolta suggerisce un'altra versione contemporanea del sublime.

BB: Ma perché fissarsi su una critica post-strutturalista del soggetto oggi? Non è diventato evidente che tale critica impedisce non solo una riflessione sui fondamenti storici della cultura del dopoguerra, ma anche una comprensione delle loro condizioni traumatiche?

YAB: Perché dici questo? Come impedirebbe tale comprensione, ▲ per esempio, Michel Foucault?

BB: Per quanto ne so, Foucault non ha riflettuto su quelle condizioni della cultura del dopoguerra come ha fatto Adorno, per esempio, dagli anni Quaranta in poi. La critica di Adorno è sempre diretta sia alla pratica culturale sia al soggetto nell'Europa post-Olocausto e nella società americana.

YAB: La critica della soggettività di Foucault non comporta nessuna separazione dalle lotte storiche. Era molto impegnato politicamente, come sai, soprattutto nel periodo in cui scrisse *Sorvegliare e punire* e rifletteva sulla natura del potere. Attraverso il suo impegno politico, in particolare dalla parte dei prigionieri che lottavano per i loro diritti, diventò molto attento al modo in cui la memoria collettiva – soprattutto quella che chiamava "memoria popolare" – è violentemente cancellata dallo Stato e dai media. Questa è probabilmente la ragione per cui, diversamente da Adorno, fu riluttante a fare dell'Olocausto una sorta di limite assoluto del male. E probabilmente è questo che gli impedì, contrariamente ad Adorno, di essere sordo alle rivolte studentesche nel 1968.

HF: Sono d'accordo, ma la critica poststrutturalista del soggetto è stata messa in discussione anche in altri modi. Fu a sua volta criticata perché riguardava solo un tipo particolare di soggetto, come fecero notare dapprima la teoria femminista e poi quella post-coloniale. Entrambe sostennero che molti gruppi non hanno ancora accesso a quegli stessi privilegi che la critica post-strutturalista voleva mettere in dubbio o di cui fare a meno del tutto. Perché criticare una soggettività, sostennero questi gruppi, che in primo luogo era negata?

BB: È stata una questione molto importante.

HF: Sì, e un altro problema con la critica poststrutturalista del soggetto fu che talvolta era trasformato in un cliché della costruzione del soggetto – che siamo tutti socialmente costruiti, da capo a piedi – e questa versione riduttiva della critica poststrutturalista non era abbastanza resistente al modello consumista del soggetto: che possiamo essere continuamente fatti e rifatti in termini di nuovi vestiti, automobili e cucine – e anche

▲ 1988

▲ 1971

d'arte, certo. Per molti il "postmodernismo" non è molto più che un astuto consumismo aggiornato.

DJ: Certo, Foucault è stato incredibilmente importante per artisti di colore e femministe – anche se non erano d'accordo con molte sue tesi specifiche – perché ha elaborato un modello di soggettività *produttiva*. In altre parole, con la sua opera si può teorizzare una persona che non sia soltanto passivamente soggetta a una disciplina, ma che possieda una capacità corrispondente di comportamento regolativo, esasperandola (lo si vede in artisti ▲ diversi come Kara Walker e Cindy Sherman) o reindirizzandola. All'intuizione di Foucault che la disciplina – o la repressione – è costantemente rimessa in atto, per esempio che i discorsi sociali devono sempre essere *reiterati* per sopravvivere e che a questo riguardo mostrano una certa vulnerabilità tra un momento di enunciazione e il seguente, è data piena articolazione dal modello molto influente di performatività di Judith Butler. Il pericolo è stato – come ha riconosciuto e ammonito Butler – immaginare che l'identità fosse poco più che un "costume" che si può indossare a comando. Invece il punto profondo che lei e Foucault indicano è che anche le norme più coercitive devono essere incarnate e messe in atto dagli *stessi* oggetti di controllo e questo ci dà spazio per operare efficacemente. Penso che questa sia la ragione per cui le prospettive psicanalitiche sono state "reinventate" nei modi di cui ha parlato Hal. Questo spiega anche perché vediamo tante strategie di riconversione e ricontestualizzazione, a partire dal primo grande momento di questa strategia di appropriazione degli anni Sessanta e Ottanta.

BB: La ricezione di Cindy Sherman, per esempio, lo dimostra.

HF: Secondo me l'interesse negli anni Novanta per il soggetto ● traumatico – un soggetto fissato dal trauma, bloccato nell'abiezione – fu in parte una reazione a quella versione consumista del soggetto costruito. Chiamò in questione l'idea che galleggiamo su tante combinazioni di segni e merci. Così, per quanto riduttivo possa sembrare ora, e per quanto truce poi, il discorso del trauma ha avuto un senso, forse anche politico, e Cindy Sherman fu importante anche in questo (non fu cieca a come fu recepita la sua opera).

BB: Il tuo primo argomento riguardante la circospezione postcoloniale nei confronti della critica poststrutturalista offre il ■ modo di tornare alla questione della globalizzazione. Ci fu uno spostamento di interesse delle pratiche e istituzioni nell'Europa occidentale e negli Stati Uniti, riconoscendo che la rappresentazione culturale può anche essere una forma di rappresentazione politica. Con uno zelo quasi missionario, il mondo dell'arte rispose all'aspirazione che tutte le culture, tutti i paesi, a qualsiasi livello, possano avere accesso alle pratiche artistiche contemporanee. Questo è politicamente progressista, anche radicale, ma è anche ingenuo e talvolta problematico, perché il problema nella globalizzazione della cultura è il fallimento nel riconoscere la dialettica della diffusione, cioè che nella diffusione è inerente la possibilità di nuove forme di mercificazione e di blocco, così come di autocostituzione e autorappresentazione. Questa contraddizione non è ben compresa nell'avido globalizzare delle attuali imprese curatoriali.

HF: Per specificare meglio questo punto, possiamo considerare quello che accadde tra la mostra *Les magiciens de la terre* al Centre ▲ Pompidou nel 1989 e l'attuale fiorire di biennali internazionali, dove i tipi di opere sembrano al tempo stesso pochi e genericamente validi (i modelli principali comprendono l'installazione, l'immagine proiettata o il video, la grande fotografia pittorica o la sequenza fotografica, la chat room piena di ogni tipo di testi, documenti, immagini...). *Les magiciens de la terre* fu un tentativo enfatico di aprire il centro alle periferie, anche se venne in un periodo in cui i due non potevano più venire opposti in quel modo. C'era una grande diversità di opere e un'attenzione concertata per le tradizioni locali. Era il non così lontano 1989 e oggi le mostre internazionali – *Documenta*, biennali di Venezia, Johannesburg, Gwangju, Istanbul e così via – sembrano molto diverse.

YAB: Il modello rappresentato da *Les magiciens de la terre* non era così diverso da qualsiasi mostra coloniale. Le cose sono ora diverse in parte perché il mercato è a due sensi. Le opere giungono dal Sudafrica, per esempio, ma anche parte del mondo dell'arte vi si reca e la sua rete può non catturare niente. Non è più l'esotismo; è materiale per la rete dei mercati.

BB: Un curatore come Okwi Enwezor potrebbe dire che stiamo assistendo a questo fenomeno solo da una prospettiva occidentale egemonica e che non vediamo che lo sviluppo delle attività culturali in questi paesi ha tremende conseguenze sia sui produttori che sugli spettatori. Esse sviluppano forme di rappresentazione, comunicazione e interrelazione che non potevano venir istituite così prontamente senza la globalizzazione delle pratiche culturali.

● **YAB**: In Sudafrica c'è stato un grande sviluppo nella pratica artistica dalla fine dell'apartheid e gli spazi espositivi alternativi si sono moltiplicati. Così anche gli artisti.

BB: Ma non sappiamo ancora se un'espansione quantitativa sia un effetto auspicabile in sé. Dal punto di vista di un mondo dell'arte che è più affollato che mai, la semplice moltiplicazione di pratiche artistiche e di spazi alternativi può non essere desiderabile se non è collegata a un reale programma di forme nuove di articolazione politica attraverso strumenti culturali.

YAB: È troppo presto per dirlo. Ma possiamo dire che c'è un'accelerazione incredibile nella produzione e ricezione artistica in molti paesi come risultato della globalizzazione.

▲ 1977a, 1993a ● 1994a ■ Introduzione 5 ▲ Introduzione 5, 1989 ● 1997

DJ: Penso che dobbiamo ricordare che una definizione rigorosa di globalizzazione comporta non solo una consapevolezza indifferenziata di altre parti del mondo, ma anche una sorta di coscienza postcoloniale: essa denota una distribuzione del lavoro che è diventata assolutamente globale. In altre parole, con il calcolo sofisticato e le forme razionalizzate di trasmissione, i capitali della finanza globale possono diventare stazioni di comando informatiche che coordinano la produzione in diverse vaste regioni del mondo. Non è più vero esclusivamente per l'industria manifatturiera; la globalizzazione ha permesso una decentralizzazione in tutto il mondo anche dell'economia dei servizi. Prendiamo per esempio l'esperienza oggi comune di parlare con operatori in India quando chiamiamo un servizio per clienti dagli Stati Uniti o dall'Europa. Allo stesso modo ingegneri informatici indiani sono stati poi ricercati per lavorare alla Silicon Valley e i cinesi hanno finanziato il deficit americano. Anche il mondo dell'arte opera attraverso la "customizzazione di massa" resa possibile dalla decentralizzazione e distribuzione globale. Questo non significa che le opere d'arte ora siano più o meno mercificate di quanto lo sono state dagli anni Ottanta, o dai Sessanta. La differenza è che, come dicevo prima, lo "stile internazionale" dei linguaggi dell'Arte concettuale è oggi regionalmente customizzato per la circolazione globale. Penso che questa sorta di esplosione dell'accesso richieda nuovi strumenti critici diversi dal puro pessimismo.

RK: Un effetto positivo possibile della globalizzazione è l'internazionalizzazione del mondo dell'arte. Questo era molto importante nelle prime aspirazioni dell'avanguardia: abbandonare la cultura nazionalista e instaurare una rete di collegamenti internazionali.

HF: Ma, come dicevamo nella prima tavola rotonda, quell'aspirazione era spesso guidata dalla fede nella rivoluzione socialista. Che progetti sociali guidano l'internazionalismo presente?

BB: La cultura corporativa!

HF: Ok, quale *altro* progetto sociale? Ce ne sono in opposizione alla cultura corporativa, all'Impero americano, anche se a questo punto sembrano spesso piuttosto romantici (come quello proposto, per esempio, da Toni Negri e Michael Hardt). Ma poi nessuno di noi è nella posizione di poter discutere quali progetti stiano emergendo in altre parti del globo. C'è molto interesse per l'arte contemporanea, per esempio, in Cina: che ruolo può assumere internazionalmente? O l'arte prodotta nel subcontinente indiano, che ha una propria storia moderna di forme nazionali e di responsi internazionali? O nell'Islam contemporaneo? E così via. Il discorso postcoloniale ci ha fornito alcuni strumenti concettuali con cui affrontare queste formazioni – che hanno a che fare con spazi ibridi e temporalità complicate –, ma ora quelle pratiche come vanno articolate con quelle a noi più familiari, in un modo che non sia né restrittivamente particolare né disinvoltamente sintetico? Questo apre una questione che non abbiamo affrontato, ma che va al cuore non solo del nostro doppio statuto come storici dell'arte modernista e critici d'arte contemporanea, ma anche della seconda parte di questo libro. Esistono modi plausibili di narrare l'attuale miriade di pratiche d'arte contemporanea degli ultimi vent'anni almeno? Non indico questo lasso di tempo a caso: negli ultimi anni i due modelli primari che abbiamo usato per articolare i diversi aspetti dell'arte del dopoguerra hanno perso di efficacia. Intendo, da un lato, il modello di modernismo basato sulla specificità del medium sfidato da un postmodernismo interdisciplinare e, dall'altro, il modello di avanguardia storica (per esempio quelle critiche della vecchia istituzione borghese ▲ dell'arte come il Dadaismo e il Costruttivismo) e di neoavanguardia che rielabora questa critica (abbiamo discusso entrambi questi modelli nella prima tavola rotonda). Oggi la strategia ricorrente del "neo" sembra altrettanto attenuata come logica oppositiva di quanto appare stanca quella del "post": né basta come paradigma forte per una pratica artistica o culturale, né un altro modello ne prende il posto; oppure, detto diversamente, molti diversi modelli locali sono in competizione, ma nessuno può sperare di diventare paradigmatico. Noteremo inoltre che i metodi discussi anche qui – psicanalisi, storia sociale marxista, Strutturalismo e Poststrutturalismo – sono difficilmente estendibili. Per molti questa condizione è una buona cosa: permette libertà artistica e diversità critica. Ma il nostro paradigma del non paradigma ha anche favorito una piatta indifferenza, un'incommensurabilità stagnante, una cultura turistica consumista di campionamento dell'arte. Alla fine, questa inadempienza poststorica dell'arte contemporanea è un grande passo avanti rispetto al vecchio determinismo storicista dell'arte modernista alla Greenberg e compagni? Allora dobbiamo collegare questo problema alla questione del racconto dell'arte nel contesto globale.

Il problema non è astratto: è nelle stanze dei musei (ma non, curiosamente, nelle hall delle case d'asta). È evidente nella proliferazione di musei di artisti singoli e singoli periodi: la ● Dia:Beacon concentrata su Minimalismo e postminimalismo è solo un esempio. È evidente anche nelle tematiche confuse della Tate Modern, per esempio, con opere di tutto il secolo raggruppate sotto titoli iconografici come "Nudo/Azione/Corpo" o "Natura morta/Oggetto/Vita reale". Questo senso di *post-histoire* oggi è, abbastanza paradossalmente, un effetto istituzionale comune: passeggiamo per le stanze del museo come fossimo dopo la fine del tempo.

▲ 2010a ● Introduzione 5, 1968a, 1968b, 1970, 1971, 1972a, 1972b, 1975b, 1984a
▲ 1916a, 1920, 1921b, 1925c, 1926, 1928a ● 1965, 1966b, 1969

BB: La maggior parte dei partecipanti al mondo dell'arte contemporanea (compresi noi stessi) non ha ancora sviluppato una comprensione sistematica di come quell'elemento un tempo integrale della sfera pubblica borghese (rappresentato dall'istituzione dell'avanguardia altrettanto che da quella del museo) sia irrimediabilmente scomparso. È stato sostituito da formazioni sociali e istituzionali per cui non solo non abbiamo ancora nessun concetto e termine, ma il cui modus operandi è profondamente opaco e incomprensibile alla maggior parte di noi. Per esempio, abbiamo più artisti, gallerie e curatori di quanti ne abbiamo mai avuti nel dopoguerra, ma nessuno di questi opera in un modo paragonabile a quello in cui hanno funzionato dagli anni ▲ Quaranta ai Novanta. Abbiamo sempre più grandi imponenti musei e istituzioni tutto intorno a noi, ma la loro funzione sociale, un tempo paragonabile all'ambito dell'educazione pubblica e dell'università, per esempio, è diventata completamente prolissa. Queste nuove funzioni vanno da quelle di una banca – che conserva, se non la base aurea, almeno le garanzie di qualità e di valore per gli investitori e gli speculatori del mercato dell'arte – a quelle di uno spazio di congregazione, per di più semipubblico, in cui vengono celebrati riti che promettono di compensare, se non di obliterare, la perdita reale del nostro senso di un desiderio un tempo stabilito e di una domanda di autodeterminazione politica e sociale.

YAB: Ma non possiamo dire che questa diffusa amnesia è in gran parte ciò che ci ha motivato a scrivere questo libro? Non penso che resteremo delusi nel pensare che andiamo verso un cambiamento della colonizzazione globale della sfera culturale dello spettacolo, né penso che ce ne lamenteremo. Dopo tutto siamo stati uniti nel nostro desiderio di rimescolare le carte, non solo di rivisitare i momenti canonici del modernismo e "postmodernismo", ma anche di togliere dall'oblio molti aspetti della produzione culturale di questi ultimi cent'anni e più che sono stati ignorati o deliberatamente rimossi. Così facendo, penso, abbiamo presentato un quadro molto più complesso di quello fornitoci quando eravamo studenti. Chissà, potrebbe avere un effetto liberatorio.

La discussione della tavola rotonda è originariamente avvenuta nel dicembre 2003. I partecipanti erano Yve-Alain Bois, Benjamin H. D. Buchloh, Hal Foster e Rosalind Krauss. David Joselit ha contribuito con i suoi interventi nel settembre 2010.

▲ 2015

glossario

Il MAIUSCOLETTO indica altri termini del glossario

alessandrinismo
L'avanguardia ha assunto diverse posizioni lungo il suo percorso: opposta all'arte accademica, impegnata nella critica politica, rivolta all'interno sui propri dati materiali o all'esterno verso la cultura di massa, e così via. Comune a tutte queste posizioni fu l'imperativo di *avanzare* – "mantenere in movimento la cultura", come scrisse Clement Greenberg in *Avanguardia e kitsch* (1939), "fra le nebbie della confusione ideologica e della violenza" (notare la data del saggio, alla soglia della Seconda guerra mondiale). Paradossalmente, in una società in trasformazione o in agitazione, quando le "verità" della tradizione sono messe in questione, "un alessandrinismo immobile" può prendere il sopravvento sulle pratiche culturali: "un accademismo in cui le questioni realmente importanti non si toccano poiché implicano il dibattito, e l'attività si riduce a virtuosismo esercitato sui piccoli dettagli formali, mentre tutte le questioni più rilevanti si decidono in base al precedente dei Grandi maestri". Secondo Greenberg l'avanguardia emerse per la prima volta a metà del XIX secolo come sfida a questa condizione di stallo delle cose; ma tale alessandrinismo non è un evento unico. L'illusione di grande movimento che nasconde una stasi oppressiva può diventare la regola più che l'eccezione nella società capitalista; se è così – se il problema dell'alessandrinismo non è scomparso – allora forse neppure la necessità di un'avanguardia.

alogismo
Questo termine, coniato da Kasimir Malevič intorno al 1913-14, si riferisce a un insieme di opere che realizzò nello stesso periodo in cui stava trasformando il linguaggio del Cubismo sintetico nel suo particolare tipo di astrattismo, il Suprematismo, che vide la luce nel 1915. Giustapponendo sulle sue tele alogiche figure senza rapporto tra loro, rappresentate come fossero in un dizionario illustrato e bruscamente contrastanti per dimensioni, che non potevano appartenere alla stessa scena, Malevič cercò di creare l'equivalente pittorico della poesia "transrazionale" (o ZAUM) dei suoi amici Aleksej Kručenik e Velemir Klebnikov.

alterità
Etimologicamente "alterità" è la condizione dell'"essere altro", che fu a lungo l'obiettivo di molti modernisti (si ricordi la famosa dichiarazione del poeta francese Arthur Rimbaud nel 1871: "Io è un altro"). Spesso questa alterità fu proiettata sulle culture lontane; l'esempio più famoso è quello di Paul Gauguin, che andò a Tahiti in cerca di un nuovo modo non solo di fare arte, ma di vivere. Essa può però anche essere cercata in luoghi vicini, nelle tradizioni locali, nell'arte popolare, nella cultura contadina, e così via. Altre volte questa alterità fu vista ancora più interiormente nell'inconscio, alterità dell'oscurità dei sogni e dell'ambiguità dei desideri esplorata soprattutto da surrealisti come Max Ernst. In sintesi, molti modernisti inseguirono l'alterità per il suo potenziale trasgressivo, ma essa non ha mai avuto una sede fissa. Nella scia delle teorie femministe e postcoloniali il termine ha assunto una valenza nuova, in cui l'alterità è privilegiata come posizione di critica radicale della cultura dominante – di ciò che non può assolutamente pensare o dire o permettere – più che un luogo di fuga romantica da essa.

anomia/anomico
Il termine, definito per la prima volta da Émile Durkheim nel 1894, è stato generalmente usato nella storia e teoria sociale per descrivere particolari formazioni storiche di assenza di regole sociali, periodi in cui i fondamentali contratti di etica sociale che tradizionalmente regolano l'interazione dei soggetti e tra i soggetti e lo Stato sono stati cancellati. Nei tempi recenti, esempi tipici dell'espansione dell'anomia sociale si possono trovare negli atteggiamenti complessivi del neoliberalismo capitalista, che ha sistematicamente smantellato fondamentali istituzioni sociali come l'educazione, la salute e gli elementari processi politici di partecipazione e rappresentanza (per esempio la sindacalizzazione). Trasposto in estetica e nei dibattiti di storia dell'arte, il termine identifica le condizioni di lavoro degli operatori culturali per cui le aspirazioni utopiche dell'avanguardia, o anche il desiderio di un minimo di rilevanza socio-politica, si sono esaurite. L'assenza di una dimensione sociopolitica nella produzione artistica porta inevitabilmente a condizioni anomiche nella cultura in generale (per esempio Jeff Koons, Matthew Barney), in cui i principi neoliberisti di opportunità speculative e di investimento guidate dalla promessa di massimizzazione del profitto dominano anche la politica di artisti, collezionisti e istituzioni. La cultura in queste condizioni di anomia acquista nel caso migliore i caratteri di un SIMULACRO di legittimazione e di prestigio, nel peggiore quelli di un sistema a circuito chiuso di consulenza di investimenti specializzati.

aporia/aporetico
Derivati dalla filosofia e dalla retorica, i termini "aporia" e "aporetico" descrivono quella che sembra una condizione quasi intrinsecamente necessaria dell'opera d'arte, quella per cui essa genera intrinsecamente strutture di contraddizione paradossale irrisolvibile. Per esempio, essere insieme rappresentativa e autoreferenziale, pretendere uno statuto autonomo pur essendo totalmente soggetta agli interessi ideologici, rivendicare libertà dalla strumentalizzazione ed essere determinata dalla struttura della cultura di massa e dai grandi interessi economici sono solo alcuni dei casi più evidenti delle aporie artistiche di oggi. Strutture aporetiche più sottili sono le pretese dell'estetica di essere universalmente leggibile e insieme sempre confinata in situazioni privilegiate di interpretazione e ricezione. Aporetico è anche il desiderio dell'opera di espandere il suo pubblico per diffondere la riflessione critica, per finire poi nelle formazioni della cultura di massa di una cultura dello spettacolo che recupera tutto voracemente. Così si potrebbe sostenere che l'aporetico sia diventato di fatto uno dei TROPI retorici fondamentali dell'estetica attuale. Resta da chiarire se sia reattivo, nel senso che tutte le opere d'arte hanno a che fare con contraddizioni irrisolvibili, o proattivo, nel senso che è precisamente la funzione dell'opera d'arte quella di sovvertire e implodere le fissazioni e le certezze delle strutture di comportamento e di percezione della vita quotidiana, affrontandole con un continuo sbarramento di contraddizioni irrisolvibili.

Art autre
"Arte diversa" o, più letteralmente, "arte che è altra", questa espressione fu lanciata nel 1952 dal critico francese Michel Tapié per mettere sotto la stessa sigla l'arte di Jean Dubuffet, Jean Fautrier e Wols (che era morto l'anno prima), insieme a quella dei loro imitatori e di un eclettico insieme di espressionisti astratti e neosurrealisti. Tapié la sostituì presto, e con maggiore successo, con la denominazione ART INFORMEL (benché Dubuffet e Fautrier sbottassero che cambiava poco).

Art informel
Quando, nel 1962, lo scrittore francese Jean Paulhan pubblicò il libro *L'Arte informale*, il nome, coniato da Michel Tapié un decennio prima, non aveva guadagnato molto in chiarezza. Da allora indica uno stile pittorico (o anche scultoreo) postcubista in cui le figure, astratte o meno, non erano facilmente leggibili, ma emergevano gradualmente alla coscienza dello spettatore da un groviglio di gesti o accumulazione di materia. La maggior parte dei pittori soddisfatti di questa denominazione furono detti anche TACHISTI.

atavismo
Dal termine latino che sta per "antenato", "atavismo" significa la tendenza ad assomigliare, per un dato tratto, a un progenitore più che a un genitore. Nel XIX secolo, per influenza della biologia razzista, "atavismo" assunse una connotazione patologica, per cui tale somiglianza era usata per suggerire un ritorno a uno stato malato che era passato in remissione per una generazione o due. Usato in questo modo, il termine connota una regressione a una condizione primitiva o degenerata, ambiguamente fisica, psicologica o entrambe, con una colorazione negativa che risuona ancora nel suo uso nella critica d'arte e nel dibattito culturale di oggi.

avatar
Mentre originariamente denotava un dio hindu, il termine "avatar" oggi è comunemente associato alle rappresentazioni grafiche di identità sostitutive nei giochi e chatroom online. Quello che è più significativo di un avatar nel contesto dell'arte contemporanea è che, come le figure sostitutive nei videogame, che sono anche note propriamente come avatar, questi personaggi costruiti come artisti non hanno essenziali legami con una persona o identità esistente in sé. Sono invece sostituti controllati a distanza che, come i loro cugini virtuali nel mondo dei giochi, possono viaggiare in luoghi o articolare significati che sarebbero inaccessibili a qualsiasi individuo in carne e ossa. In altre parole, gli avatar "liberano" gli artisti dal "dover" esporre una particolare identità, in tal modo permettendo loro di proporre forme, o soggettività, che possono essere collettive, immaginarie o utopiche.

biografismo
Con l'eclisse del modernismo negli anni Settanta, la logica formale dell'arte astratta cominciò a sbiadire, lasciando il posto a una nuova convinzione che il significato delle opere d'avanguardia andasse trovato nella vita dell'artista, di cui gli oggetti d'arte servivano dunque da emblemi. Nello stesso periodo il biografismo subì un duro attacco, per esempio nel saggio di Roland Barthes *La morte dell'autore* (1968) e il feroce *Cosa dice chi parla?* di Michel Foucault (in *Che cos'è un autore?* [1969]). Seguendo *Un ricordo d'infanzia di Leonardo da Vinci* (1910) di Freud, gli storici e critici d'arte cercavano nei dati biografici un dettaglio sintomatico che "svelasse" l'opera. L'abitudine di Picasso di firmare i suoi quadri e disegni non solo con il nome, ma con la data precisa e perfino l'ora della sua realizzazione, diede credibilità a questa credenza. Jaume Sabartés, il segretario di Picasso, predisse che, una volta seguiti questi indizi, "scopriremo nelle sue opere le sue vicissitudini spirituali, i tiri del destino, le soddisfazioni e le seccature, le gioie e i piaceri, le pene sofferte in un dato giorno o in un certo momento di un dato anno".

calligramma/calligrammatico
Nel 1918 Guillaume Apollinaire pubblicò un libro di suoi calligrammi, composti mentre era segregato in trincea durante la Prima guerra mondiale. I calligrammi sono poesie composte in modo che le parole prendono la forma dell'oggetto nominato. Un esempio è *Piove*, con le lettere che scendono in linee verticali a imitazione della pioggia; un altro è *La cravatta e l'orologio*, con entrambi gli oggetti rappresentati con le parole della poesia. La combinazione per analogia di linguaggio verbale e immagine, come nei collage cubisti o nei quadri di Jasper Johns e Edward Ruscha, è perciò detta "calligrammatica".

complesso d'Edipo
Concetto fondamentale della psicanalisi freudiana, il complesso d'Edipo è la rete di desideri, paure e divieti che cattura la vita psicologica del bambino, maschio e femmina. Così chiamato dalla tragedia *Edipo re* di Sofocle, il complesso comporta un desiderio sessuale per il genitore di sesso opposto e un desiderio di morte del genitore dello stesso sesso. Il complesso è più acuto dai tre ai cinque anni, ma torna, dopo il periodo di latenza sessuale, nella pubertà, quando è solitamente decisa la scelta di un oggetto sessuale al di fuori della famiglia (benché la scelta possa anche portare avanti in altra forma le preferenze sviluppate all'interno del complesso, cioè per un uomo la madre e per la donna il padre). Secondo Freud, il figlio è spinto fuori dal complesso d'Edipo attraverso la minaccia del padre, spesso, letteralmente o figuratamente, minaccia di castrazione. La figlia non affronta la stessa minaccia e dunque, per Freud, il complesso d'Edipo non trova una fine così definitiva per la ragazza. Com'è logico, questa nozione interessò i surrealisti e continua a provocare le artiste e teoriche femministe.

condensazione
Sigmund Freud sviluppò questo termine nella sua interpretazione dei sogni, ma esso finì col significare un processo basilare dell'inconscio in generale, per cui una singola idea – immagine e/o parola – arriva a rappresentare diversi significati per associazione. Questa idea attira diversi livelli di significati associati, li "condensa", e assume così, grazie ad essi, una particolare intensità (nonché una speciale oscurità). In questa luce si può comprendere la sua funzione nei sogni, il cui "contenuto manifesto" (il racconto che crediamo di scorgere) è più concentrato e confuso del "significato latente" (il senso che possiamo decodificare); inoltre la condensazione è in gioco anche nella formazione dei sintomi, che possono così combinare diversi desideri in un unico tratto o azione. Nella misura in cui le immagini sono analoghe ai sogni o ai sintomi, la "condensazione" ha un valore d'uso anche nella critica d'arte. Il suo complemento in psicanalisi, come processo fondamentale dell'inconscio, è lo SPOSTAMENTO e il suo parallelo in linguistica, come stratificazione di significati associati, è la metafora (vedi METONIMIA).

condizione postmediale
Negli anni Sessanta e Settanta cinque fenomeni separati ma collegati fra loro sembrarono consegnare alla storia la SPECIFICITÀ DEL MEDIUM che era stata così centrale per il modernismo. Il primo fu il postminimalismo, che vedeva la concertata smaterializzazione dell'oggetto d'arte in linee disegnate sulle pareti, registrazioni fotografiche di camminate nel paesaggio inglese e colate di asfalto versato giù per pendii. Il secondo fu l'Arte concettuale, legata all'inizio alla sua dipendenza dalla fotografia e al rifiuto dell'oggetto materiale, poiché, come ha sostenuto uno dei suoi fondatori, Joseph Kosuth, il suo unico interesse era una nuda, e verbale, definizione della parola "arte". Il terzo fenomeno fu l'ascesa di Marcel Duchamp, che sembrò eclissare Pablo Picasso come artista più influente del secolo. Il quarto fu il postmodernismo, un movimento in pittura, scultura e architettura che cercò di annullare tutto quello per cui l'arte modernista aveva combattuto. Se l'architettura modernista del Bauhaus e Mies van der Rohe aveva perseguito il detto "la forma segue il contenuto", era per produrre volumi spaziali che articolassero i principi della loro costruzione in tensione verso l'astrattismo. Sprezzando l'astrattismo, da parte loro architetti postmoderni come Michael Graves e Charles W. Moore realizzarono architetture in una specie di decorazione, imitando i colonnati scanalati delle classiche banche o i mattoni dei padiglioni da giardino del XVIII secolo o le "follie". Nell'ambito della pittura e della scultura, gli artisti italiani raccolti sotto la rubrica "Transavanguardia" abbandonarono la scultura costruita per tornare alla fusione in bronzo e buttarono via il monocromo e altre forme di astrattismo per importare i nudi classici del realismo fascista. Il quinto elemento del mix fu la "decostruzione", l'ondata intellettuale della fine degli anni Sessanta e dei Settanta, centrata sull'opera del filosofo francese Jacques Derrida. La SPECIFICITÀ DEL MEDIUM, come la definiva Clement Greenberg, richiedeva che l'artista modernista autoriflessivo – o "autocritico" – determinasse "l'unica ed esclusiva area di competenza di ogni arte [che] coincideva con tutto ciò che era unico quanto alla natura del suo medium". Il compito di questa "autocritica" era quello di eliminare dagli effetti specifici di ogni arte qualsiasi effetto che potesse plausibilmente essere preso in prestito da o attraverso il medium di un'altra arte. Così "ogni arte sarebbe stata resa 'pura', e nella sua *purezza* avrebbe trovato la garanzia dei propri standard di qualità e della propria indipendenza" [corsivo nostro]. Le nozioni di "proprio" e di "purezza" erano legate al significato di *propre*, termine francese che ha entrambi i significati, concetti che erano considerati illusori dai decostruzionisti. L'idea di proprio è legata alla coscienza del soggetto che riflette sulla sua presenza a sé nella padronanza dell'unicità del suo essere specifico, che Derrida ha deriso come "metafisica della presenza". Questi attacchi concertati a tutto ciò che aveva garantito la "specificità" del medium hanno portato a quella che alcuni critici d'arte hanno cominciato a chiamare "condizione postmediale", in cui i pittori e scultori contemporanei hanno visto una forte inibizione contro il ritorno delle pratiche che erano state eliminate nella valanga della critica postmodernista.

cultura affermativa io
Il concetto di una cultura affermativa fu inizialmente coniato dal filosofo Herbert Marcuse nel testo *Sul carattere affermativo della cultura*, in cui sostenne che la produzione culturale supporta intrinsecamente le strutture di potere politico, economico e ideologico esistenti con il suo carattere legittimante innato. Questo significa che la produzione culturale non solo fornisce l'evidenza presunta indiscutibile di autonomia sociale e soggettiva a ogni sistema politico dato, ma impedisce anche la contestazione e il cambiamento poiché con la sua stessa esistenza sancisce lo *status quo* come valido e produttivo; o, come ha detto una volta T. W. Adorno, "la cultura con il puro fatto della sua esistenza impedisce il cambiamento socio-politico che promette". In particolare gli artisti dagli anni Sessanta hanno cercato di vincere la generalizzazione pessimistica di Marcuse (rappresentata al meglio dal successo universale di Andy Warhol) e hanno risposto sviluppando una varietà di critiche e contestazioni specifiche. Di fatto si può sostenere che i successi momentanei di pratiche artistiche come la critica istituzionale degli anni Settanta, gli interventi femministi degli Ottanta e l'attivismo gay dei Novanta hanno provato che forme di opposizione culturale possono incidere sulla coscienza politica pubblica. Questo non significa tuttavia che l'arsenale in continua espansione del veloce recupero che trasforma l'opposizione culturale in puro bene di mercato – e di museo – non costituisca una sfida permanente per gli artisti e richieda una cambiamento continuo di strategie.

décollage
Il décollage fu inizialmente inventato dallo scrittore tardo-surrealista Léo Malet, che nel 1936 predisse che nel futuro il processo del collage sarebbe stato trasferito dalla piccola scala e dalle collezioni private di resti quotidiani trovati e incollati (per esempio Kurt Schwitters), attraverso un'espansione aggressiva, alle strutture di grandi dimensioni dei cartelloni pubblicitari, fino ad assumere sempre più il controllo degli spazi urbani. È solo nell'immediato dopoguerra a Parigi che la prognosi di Malet sarebbe stata realizzata da un gruppo di giovani artisti che furono altrettanto delusi dal Surrealismo quanto dall'Art brut o ART AUTRE. Jacques de la Villeglé e Raymond Hains iniziarono il décollage nel 1946 raccogliendo manifesti strappati e trasferendone i resti in formati pittorici, identificando il loro lavoro con atti volontari di collaborazione con vandali anonimi che si oppongono al potere della propaganda delle merci. Questa dimensione collaborativa, altrettanto della natura completamente aleatoria delle lacerazioni trovate, fu un aspetto importante del processo. Il décollage si pose in un dialogo complesso con il culto dell'*allover pittorico* di Pollock,

sostituendolo con una *struttura allover della testualità*. Fu anche la prima attività del dopoguerra a risituare la produzione artistica all'intersezione tra spazio architettonico urbano, pubblicità, e condizioni di testualità e interpretazione sotto i regimi appena emersi delle forme avanzate di cultura del consumo.

desublimazione

Il concetto di desublimazione figura in modi contraddittori nella critica e nei testi di storia dell'arte in chiave psicanalitica. Nella evidente rispondenza al modello freudiano della SUBLIMAZIONE come presunta condizione preliminare di ogni tipo di produzione culturale, essa descrive innanzitutto le condizioni sociali che frustrano le capacità del soggetto di sublimare le pulsioni e di differenziare l'esperienza nelle forme sempre più complesse dei rapporti sociali, del sapere e della produzione. La critica di Adorno alla "desublimazione" dell'ascolto musicale, nata con le tecnologie di riproduzione musicale come la radio e il grammofono, è un esempio ad hoc. La desublimazione vi viene identificata come un fattore socialmente e storicamente determinante di declino culturale causato dalle trasformazioni della cultura di massa. Ma nella sua definizione opposta, la desublimazione ha assunto il significato di una strategia per portare in primo piano gli impulsi conflittuali all'interno dell'oggetto estetico. All'imposizione sociale della sublimazione si contrappongono i gesti, processi e materiali estetici che screditano il trionfalismo sublimatorio dell'arte alta. La desublimazione è messa in opera in tutto il XX secolo nella dialettica tra arte alta e cultura di massa come controidentificazione con le iconografie e le tecnologie della cultura di massa per scalzare le false pretese di autonomia con cui il modernismo ha puntellato i suoi miti. Allo stesso tempo questi gesti antiestetici sottolineano che tutti gli atti di sublimazione sono sempre anche atti di repressione della libido e che l'opera d'arte è l'unico luogo che rende manifeste queste contraddizioni con la sua enfatica invocazione delle origini corporee della produzione artistica.

détournement

Termine francese per deviazione, diversione, cambio di direzione, distorsione, uso improprio, distrazione, dirottamento o fuorviare qualcosa dal suo normale corso o scopo, il *détournement* è una tecnica sviluppata negli anni Cinquanta dai situazionisti. È così definito nel terzo numero dell'*Internationale Situationniste* (1959): "*détournement* è [...] prima di tutto una negazione del valore della precedente organizzazione dell'espressione". In generale si verifica dove una produzione artistica o non artistica – che sia un'opera d'arte, un film, una fotografia documentaria, un poster, una pubblicità, un testo, un discorso o qualsiasi altra forma d'espressione visiva o verbale – è rielaborato in modo che la nuova versione abbia un significato antagonistico o antitetico a quello originario. In una prima teorizzazione del concetto, *Una guida all'uso del détournement* (1956), Guy Débord e Gil J. Wolman definirono due tipi di *détournement*: minore e ingannevole. "Il *détournement* minore è quello di un elemento che non ha nessuna importanza in sé e dunque trae tutto il suo significato dal nuovo contesto in cui viene posto. Per esempio, un ritaglio di stampa, una frase neutra, una fotografia comune. Il *détournement* ingannevole [...] è invece quello di un elemento intrinsecamente significativo, che deriva uno scopo diverso dal nuovo contesto. Uno slogan di Saint-Just, per esempio, o una sequenza filmica di Eisenstein". I situazionisti riconoscevano che il loro sviluppo della tecnica del *détournement* aveva avuto un certo numero di precursori e influenze, tra le quali l'uso surrealista del collage e la pratica di porre oggetti incongrui uno accanto all'altro. "Il *détournement*, il riutilizzo di elementi artistici preesistenti in un nuovo insieme, è stato una tendenza costantemente presente dell'avanguardia contemporanea, sia prima che dopo la formazione del SI", scrivono nel numero del 1959 di *Internationale Situationniste*. Ma continuarono a insistere che il loro uso della tecnica si estendeva alla vita quotidiana: "Esempi del nostro uso dell'espressione deviata comprendono i dipinti alterati di Jorn; il libro *Mémoires* di Debord e Jorn, 'composto interamente di elementi prefabbricati', in cui il testo di ogni pagina scorre in tutte le direzioni e i rapporti delle frasi tra di loro sono invariabilmente incompleti; i progetti di Constant per deviare sculture; e il film documentario deviato di Debord *Sul passaggio di alcune persone attraverso un'unità di tempo piuttosto breve*. Nell'ambito di quello che *La guida per l'uso* chiama 'ultra-*détournement*, cioè la tendenza del *détournement* a operare nella vita sociale quotidiana' (per esempio parole d'ordine o travestimenti appartengono alla sfera del gioco), possiamo menzionare, a diversi livelli, la pittura industriale di Pinot Gallizio; il progetto 'orchestrale' di Wyckaert per la pittura a catena di montaggio con una divisione del lavoro basata sul colore; e numerosi *détournement* di edifici che erano all'origine dell'urbanistica unitaria. Ma possiamo anche menzionare in questo contesto le forme stesse di 'organizzazione' e propaganda del SI". Gli ultimi esempi puntano alla fede dei situazionisti nel potenziale rivoluzionario del *détournement*, che consiste nel rigirare espressioni del sistema capitalista contro se stesso. Secondo la *Guida per l'uso*, "il *détournement* non solo porta alla scoperta di nuovi aspetti del talento; inoltre, scontrandosi con tutte le convenzioni sociali e legali, non può mancare di essere una potente arma culturale al servizio di una reale lotta di classe. L'economicità di questi prodotti è l'artiglieria pesante che rompe tutte le muraglie cinesi della comprensione. È uno strumento reale dell'educazione artistica proletaria, il primo passo verso un comunismo letterale".

diacronico

Benché questo termine, derivato dal greco, esistesse prima del linguista svizzero Ferdinand de Saussure, la sua accezione moderna venne forgiata nel suo *Corso di linguistica generale*, pubblicato postumo nel 1916, dove è usato in diretta opposizione a SINCRONICO. "Diacronico" indica ogni processo osservato dal punto di vista del suo sviluppo storico. Lo studio diacronico di un linguaggio affronta esclusivamente la sua evoluzione (per esempio dall'antico inglese a quello odierno).

dialogismo/dialogico

Gli scritti di Michail Bachtin penetrarono il mondo dello Strutturalismo negli anni Sessanta, quando un gruppo di europei dell'Est – Tzvetan Todorov e Julia Kristeva tra gli altri – emigrarono in Francia, portando con sé la conoscenza della linguistica russa fino ad allora sconosciuta in Occidente. *Estetica e romanzo* (1934) e *Dostoevskij: poetica e stilistica* (1929) furono le importanti fonti della nozione di dialogismo o principio dialogico. I romanzi di Dostoevskij, osservò Bachtin, sono polifonici, cioè in essi esiste "una pluralità di voci e coscienze indipendenti e separate". "Ciò che si dispiega in quest'opera", scrive, "non è una moltitudine di personaggi e destini in un unico mondo oggettivo, illuminati da un'unica coscienza autorale; invece una pluralità di coscienze, con uguali diritti e ognuna con il proprio mondo, si combinano senza fondersi nell'unità dell'evento". Il romanzo convenzionale, a cui questa tecnica si oppone, cerca di sintetizzare queste voci nella visione di un'unica coscienza – quella dell'autore –, creando così un universo monologico. Il principio dialogico rimanda alla concezione bachtiniana dell'espressione linguistica, che lo Strutturalismo descriveva come un messaggio codificato trasmesso da un mittente a un ricevente. Il dialogismo di Bachtin invece affermava che ogni messaggio tiene già conto della posizione del ricevente e ne è perciò influenzato: supplicandolo, confutandolo, placandolo, seducendolo.

discorso postcoloniale

Questa forma interdisciplinare di critica vuole decostruire l'eredità coloniale contenuta nelle rappresentazioni occidentali, verbali, visive e d'altro tipo. Eclettico nelle fonti teoriche, attinge dai metodi marxista e freudiano, soprattutto come sono stati modulati da Michel Foucault, Jacques Derrida e Jacques Lacan; elabora inoltre il pensiero più antropologico nell'impostazione, come gli "studi subalterni" in India e i "cultural studies" in Gran Bretagna. Anche se il discorso postcoloniale lavora sui residui culturali-politici del colonialismo, cerca di dimostrare come i suoi concetti – centro e periferia, metropoli e retroterra in un globo diviso in Primo, Secondo e Terzo Mondo – non siano più rilevanti. Il discorso postcoloniale fu inaugurato da Edward Said con il suo *Orientalismo* (1978), una critica della "geografia immaginaria" del Vicino Oriente e fu poi sviluppato da Gayatri Spivak, Homi Bhabha e molti altri.

durée

Il filosofo francese Henri Bergson, la cui opera fu molto considerata dai futuristi italiani, opponeva un "tempo oggettivo" e uno "soggettivo", che chiamò *durée* (durata). Mentre il tempo oggettivo è spazio travestito, sosteneva Bergson, come mostrano gli strumenti spaziali usati per misurarlo o rappresentarlo (l'orologio, la freccia), il tempo soggettivo dell'esperienza fluisce indivisibile e la sua apprensione intuitiva è uno degli strumenti con cui la coscienza umana accede alla propria unità. Le idee di Bergson, di grande successo negli anni Dieci e Venti (vinse il Nobel per la letteratura nel 1927), vennero eclissate dalla psicanalisi, per la quale la psiche umana è un campo diviso da forze in conflitto tra loro, ma sono ritornate in circolazione dagli anni Sessanta in poi, in gran parte grazie all'opera del filosofo francese Gilles Deleuze.

egemonia/egemonico

Termine che appare nei testi sia di Lenin che di Mao, "egemonia" è perlopiù associato al pensiero del marxista italiano Antonio Gramsci. Nelle sue *Lettere dal carcere*, scritte quando fu messo in prigione dai fascisti, Gramsci sostenne che il potere moderno non è limitato al diretto governo politico, ma opera anche attraverso un sistema indiretto di istituzioni sociali e discorsi culturali che promuovono l'ideologia delle classi dominanti come normale, naturale, di senso comune, quotidiana. Tale potere discorsivo può sembrare più benigno dell'asservimento diretto, ma è anche più sottile, per cui l'opposizione ad esso va ripensata di conseguenza: la "rivoluzione" consiste allora non solo nella conquista del controllo della politica e dell'economia, ma anche nella trasformazione delle forme di coscienza e di esperienza. In questa ridefinizione della politica come lotta per l'egemonia, l'arte e la cultura guadagnano di importanza, non sono più viste solo come effetti "sovrastrutturali" dell'economia. La revisione implica – a volte romanticamente – che il cambiamento politico venga realizzato attraverso interventi critici nell'arte e nella cultura.

entropia

La legge dell'entropia, che è la seconda della termodinamica, una branca della fisica fondata nel XIX secolo, predice l'inevitabilità della dispersione dell'energia in un dato sistema, dunque la dissoluzione futura e irreversibile di qualsiasi organizzazione e il ritorno allo stato di indifferenziazione. Il concetto di entropia ha avuto un effetto immediato ed enorme sull'immaginario popolare, soprattutto perché l'esempio scelto da Sadi Carnot, uno dei suoi scopritori, fu il fatto che il sistema solare si andava inevitabilmente raffreddando. Fu subito importato in molti ambiti del sapere, non solo delle scienze naturali ma anche delle scienze umane, attirando l'attenzione di autori tanto diversi quanto Sigmund Freud in psicologia, Claude Lévi-Strauss in antropologia e Umberto Eco in estetica. Mentre il modo in cui le parole diventano cliché e gradualmente perdono di significato – un argomento di grande interesse per gli scrittori modernisti, a partire da Stéphane Mallarmé – poteva già essere caratterizzato come un processo entropico, è solo con l'assunzione del concetto di entropia da parte dei teorici dell'informazione Claude Shannon e Norbert Wiener alla fine degli anni Quaranta che venne applicato direttamente al campo della comunicazione. Nella loro definizione, un messaggio meno contenuto informativo possiede, più è entropico: per esempio, se tutti i presidenti americani fossero assassinati, l'annuncio della loro morte sarebbe molto entropico; all'opposto, poiché i presidenti americani vengono molto raramente assassinati, l'omicidio di John F. Kennedy ebbe un valore informativo eccezionale per i media. Fino alla sua scelta da parte di Robert Smithson come suo motto principale negli anni Sessanta, l'entropia era sempre stata intesa come una sorta di oscuro destino inevitabile. Affascinato dalla potenza e inevitabilità dell'entropia in ogni processo, Smithson la vide, positivamente, come operante in sé una critica dell'umanità e della sua pretesa di essere l'unica condizione universale di tutti gli esseri e le cose.

epistemologia

Derivato dalle parole greche *episteme* (scienza, sapere) e *logos* (studio, discorso), questo termine significò dapprima teoria della conoscenza o della scienza. All'inizio del XX secolo tuttavia una grande crisi dei fondamenti della matematica e della fisica portò le indagini epistemologiche – cioè le analisi critiche dei principi generali e dei metodi della scienza – nel campo della logica pura, una corrente che domina ancora nell'epistemologia anglosassone. Un'altra tendenza, particolarmente attiva in Francia nell'immediato dopoguerra (con Gaston Bachelard, Alexandre Koyré e Georges Canguilhem) e rappresentata negli Stati Uniti da Thomas Kuhn, è incentrata sulla formazione delle discipline scientifiche e sull'evoluzione interna delle teorie scientifiche. È da questo ramo dell'epistemologia che deriva l'uso da parte di Michel Foucault del concetto di episteme, in *Le parole e le cose*, come modo specifico della conoscenza articolato in varie scienze, o meglio in pratiche discorsive, in ogni specifico periodo, che determina ciò che è pensabile in un dato momento. Mentre lo spostamento storico da un'episteme a un'altra è sempre segnato da una rottura, ogni episteme è caratterizzata da uno specifico gruppo di diverse pratiche discorsive dominanti che si conformano tutte a uno stesso modello coesivo. In *Le parole e le cose* Foucault identificò e discusse tre successive episteme nel pensiero occidentale, quella del Rinascimento, incentrata sulla somiglianza, quella dell'Età classica, per la quale è cruciale la rappresentazione, e quella della modernità, che ha presieduto all'avvento delle scienze umane.

ermeneutica

Derivato dalla parola greca che significa "interpretare", l'ermeneutica si riferì dapprima all'esegesi della Bibbia considerata come testo storico che non va letto letteralmente. Per estensione ha finito con l'indicare qualsiasi metodo di interpretazione che cerchi il significato di un testo sotto la sua espressione letterale. Dobbiamo al filosofo tedesco Wilhelm Dilthey, alla fine del XIX secolo, la prima analisi del rapporto tra storia ed ermeneutica. Sostenendo che vi è una differenza radicale tra scienze umane, i cui fatti possono essere appresi solo attraverso l'interpretazione, e scienze naturali, i cui fatti possono essere verificati empiricamente, si oppose direttamente alla visione positivista secondo cui il modello ideale della conoscenza è la fisica. L'analisi della storia di Dilthey, di come vengono studiati i fatti storici e collegati causalmente, lo portò alla formulazione di quello che chiamò il "cerchio ermeneutico": per interpretare un documento dobbiamo prima comprendere non solo il suo insieme, ma anche la cultura a cui appartiene (o ciò di cui è solo un esempio, o l'intenzione del suo autore), la cui comprensione dipende dalla nostra conoscenza di documenti simili.

estetica relazionale

Estetica relazionale è una denominazione critica resa famosa dal curatore e critico francese Nicolas Bourriaud attraverso varie esposizioni e testi, molti dei quali raccolti nel suo influente libro dallo stesso titolo, pubblicato in Francia nel 1998. L'espressione identifica un tipo di arte che stabilisce spazi, situazioni o "piattaforme" progettate per ospitare una varietà di attività sociali – spesso molto comuni, come mangiare o guardare film, e talvolta occasioni più celebrative, come una parata o un intervento musicale. Alcuni dei principali artisti associati all'estetica relazionale, come Pierre Huyghe, Philippe Parreno, Liam Gillick, Dominique Gonzalez-Foester e Rirkrit Tiravanija, hanno descritto il loro obiettivo come quello di creare "sceneggiature aperte", in cui possono o meno entrare gli altri, causando così rapporti sociali che sono atti estetici, cioè estetica relazionale. Talvolta queste attività si svolgono dal vivo come parte dello svolgimento dell'esposizione; in altri casi sono presentati attraverso alcune forme di documentazione come film o video.

fallogocentrismo

Questo termine di conio femminista collega il concetto di LOGOCENTRISMO, sviluppato dal filosofo Jacques Derrida, con il concetto di "fallo", sviluppato dallo psicanalista Jacques Lacan. Se "logocentrismo" significa il persistente privilegio dato nella cultura occidentale al discorso, all'"autopresenza" della parola detta (come nella Parola, o *logos*, di Dio), il prefisso "fallo" suggerisce che questo privilegio è supportato dal potere simbolico accordato, nella stessa tradizione, al fallo come significante primario di ogni differenza, primario perché significa la differenza a fondamento di tutte le altre, quella tra i sessi. Per le artiste e teoriche femministe questo privilegio è un'ideologia, per quanto radicato possa essere nella formazione soggettiva e culturale, e come tale è soggetto a decostruzione radicale.

fattura/faktura

Questi due termini sono intrinsecamente collegati e segnano uno spostamento significativo nella valutazione della competenza artigianale e delle capacità artistiche nell'esecuzione pittorica o scultorea. Mentre la *fattura* svolgeva un ruolo importante nel giudizio sulle tecniche pittoriche fino alla fine del XIX secolo (già sfidata dalla fattura meccanica di Seurat nel Divisionismo), se non fino all'inizio del XX, il suo statuto di criterio svanì con la nascita dell'estetica del collage nel Cubismo. Ma anche durante il tempo della sua validità la *fattura* subì grandi cambiamenti: dalla concezione della pittura come atto di abilità manuale ed esibizione di virtuosismo, all'insistenza modernista (a partire da Cézanne e culminante nel Cubismo) sulla chiarezza del rendere trasparente ogni dettaglio e passaggio dell'esecuzione pittorica in termini di procedimento di produzione e di composizione. Con il sorgere dell'estetica del collage, un quadro diventa un oggetto, invece che il sostrato di convenzioni illusionistiche e prospettiche, fino al punto da aspirare a diventare un oggetto della contemporaneità, esso stesso soggetto a un'estetica che imita il montaggio industriale, denigrando in tutti i modi i presunti sacri fondamenti della pittura artigianale. Così *fattura* arrivò poi a significare il grado in cui l'oggetto pittorico o scultoreo metteva in primo piano il proprio statuto e la propria condizione di essere *fabbricato*, rivelando in maniera autoriflessiva i principi del suo fare e i processi della sua produzione (invece che pretendere di essere emerso da un'ispirazione trascendentale o da talenti sovrannaturali). L'artista che enfatizza la *fattura* in questo modo è impegnato nel demistificare il processo creativo e l'oggetto artistico stesso, poiché la *fattura* rende l'oggetto contingente, invece che autonomo o trascendentale.

fenomenologia

Negli anni Sessanta, la traduzione in inglese della *Fenomenologia della percezione* (1945) di Maurice Merleau-Ponty produsse una riflessione collettiva sul modo in cui le coordinate spaziali determinano il significato degli oggetti. Il corpo di un individuo infatti è vissuto nel suo orientamento nello spazio – la testa sopra, i piedi sotto, il davanti fondamentalmente diverso dal dietro che non può vedere –, questo corpo realizza un significato "preoggettivo" che determina le Gestalt che l'individuo deve formare. Il significato preoggettivo essendo un altro modo per dire astrazione, la fenomenologia venne vista come un supporto per l'idea di arte astratta.

feticcio/feticismo
Nel senso antropologico del termine, un feticcio è qualsiasi oggetto dotato di un valore cultuale o di un potere autonomo, spesso inteso come forza magica o divina, che razionalmente non possiede. La parola ha un'etimologia complessa: originariamente usata dai mercanti portoghesi e olandesi per indicare oggetti che le tribù africane escludevano dal commercio (irrazionalmente, secondo gli europei), finì col significare la forma più bassa di spiritualità in vari studi sulla religione (per esempio in Hegel), cioè col rappresentare la volgarità superstiziosa di una cosa presa per entità sacra. È questa nozione di feticcio – di oggetto sopravvalutato dai suoi produttori in un modo che li soggioga a loro volta – che Karl Marx e Sigmund Freud volsero a proprio vantaggio. In un famoso passaggio del *Capitale* (volume 1, 1867) Marx sostenne che la divisione del lavoro nella produzione capitalista ci porta a dimenticare come sono prodotte le merci, con il risultato che le "feticizziamo", dotandole di un potere magico. Qualche decennio dopo Freud suggerì che tutta la vita erotica comporta un po' di feticismo, cioè l'investimento libidico di oggetti inanimati. In breve, sia Marx che Freud implicarono che anche noi moderni illuminati siamo a volte superstiziosi feticisti. In tutte e tre le definizioni – antropologica, marxista e freudiana – il feticismo è diventato un concetto centrale della critica della cultura e una categoria polivalente dell'oggetto che i modernisti avevano evocato, di nuovo, per mettere alla prova i parametri dati – culturali, economici e sessuali – dell'opera d'arte.

fonema
Un fonema è la più piccola unità distintiva del discorso articolato, un atomo di linguaggio. I fonemi sono suoni vocali che non possono essere scomposti in unità più piccole e che hanno una funzione distintiva, differenziale.

Gesamtkunstwerk
Termine tedesco tradotto con "opera d'arte totale", la *Gesamtkunstwerk* fu decantata dal compositore del XIX secolo Richard Wagner per indicare l'ambizione estetica delle sue grandi opere di comprendere tutte le arti all'interno del teatro musicale, di realizzare un'esperienza estetica così potente da poter essere, se non redentiva, almeno rituale. In seguito la nozione prese vita propria (nel senso che diventò un FETICCIO artistico), presto centrale per quei progetti che pretendono di avere una dimensione artistica trascendentale o totale, con arti diverse nominate di volta in volta come forma principale che riunisce sotto di sé tutte le altre. Così, per esempio, nell'Art nouveau il design funzionò come termine dominante del genere, in De Stijl fu la superficie pittorica, nel Bauhaus il costruire. Tuttavia, poiché prende sotto di sé tutte le arti, la *Gesamtkunstwerk* diventò il nemico di un altro imperativo del modernismo, quello della "specificità del medium", che definiva ogni arte precisamente nella sua differenza dalle altre. Benché oggi appaia arcaica, la nozione di *Gesamtkunstwerk* non è scomparsa del tutto: rinata negli happening e nelle performance dopo la Seconda guerra mondiale, è rivissuta in alcuni spettacoli del Nouveau réalisme e della Pop art e ha trovato una risorgenza in molta arte installativa recente.

grafema
Nell'uso corrente un grafema è l'unità più piccola del linguaggio scritto, un elemento della scrittura che non può essere scomposto in unità più piccole dotate di significato. Anche prima di rappresentare alcunché, qualsiasi sedimento lineare può essere associato a un mondo del disegno o del significato, che sia la linea di legno del disegnatore meccanico, o il segno fluente del fumettista, o i contorni affettati del pubblicitario. Questa identificazione per associazione è opera del grafema, o segno corsivo di cui ogni disegno è fatto.

heghelismo
Il termine indica una sintesi delle idee di Georg Wilhelm Friedrich Hegel (1770-1831), il più grande filosofo dell'inizio del XIX secolo. Ancora importante per molti artisti e critici un secolo dopo, Hegel sostenne che la storia procede per stadi dialettici, attraverso contraddizioni, in un progresso continuo di *tesi*, *antitesi* e *sintesi*, verso l'autocoscienza dello Spirito. Per Hegel tutti gli aspetti della società e della cultura partecipano in questo cammino dello Spirito verso la libertà e vanno giudicati secondo il loro contributo a tale sviluppo. Nel suo schema dunque vi è una gerarchia naturale nelle arti, dalla più materiale alla più spirituale, dall'architettura, passando per la scultura e la pittura, alla poesia e alla musica, tutte culminanti poi nella pura riflessione della filosofia. Questo idealismo, con la sua promessa di raffinamento artistico e di progresso culturale, influenzò molti modernisti, soprattutto pittori astratti come Kasimir Malevič e Piet Mondrian, che nutrirono aspirazioni trascendentali.

iconico
Il filosofo americano Charles Sanders Peirce, volendo analizzare l'efficacia dei segni, sentì il bisogno di separare la varietà dei segni in un numero limitato di tipi correlati. I tre generi che isolò a questo scopo furono: simboli, icone e indici. Sostenendo che ognuno di essi intrattiene un diverso rapporto con il suo referente (la cosa per cui sta), pensò che i simboli hanno un rapporto puramente convenzionale, un esempio del quale possono essere le parole di una lingua; gli indici, d'altro canto, hanno un rapporto causale, poiché sono il precipitato o le tracce di una causa che li genera, come le impronte sulla sabbia o i rami rotti di un bosco sono le tracce di qualcuno che è passato di lì; il rapporto dell'icona è invece basato sulla somiglianza: essa assomiglia al suo referente o condividendone la forma (come nel caso di una mappa) o registrandone l'immagine (come la fotografia). Il problema per questa semiologia è che i segni possono essere misti: le fotografie sono sia icone che indici, i pronomi sono sia simboli che indici (il referente del pronome "io" essendo causato dalla fonte dell'espressione – chi parla – all'interno del flusso del discorso).

iconografia
Questo approccio allo studio delle immagini e degli oggetti è incentrato su questioni di contenuto (più che di forma, stile, ecc.), per cui spesso si riferisce alle fonti testuali esterne all'opera. Il termine è perlopiù associato all'opera dello storico dell'arte di origine tedesca Erwin Panofsky (1892-1968), che propose l'iconografia come operazione basilare della storia dell'arte subito dopo la sua fuga dalla Germania nazista negli Stati Uniti all'inizio degli anni Trenta. (In quei primi anni l'iconografia offrì il vantaggio di una tecnica che poteva essere studiata e riprodotta-professionalizzata.) Panofsky propose tre livelli di contenuto nell'arte: "il contenuto primario o naturale", che può essere trattato con una "descrizione preiconografica" dell'opera; il "contenuto secondario o convenzionale", che può essere collegato a temi noti della cultura generale (che è propriamente il lavoro dell'iconografia); il "contenuto o significato intrinseco", che riguarda "l'atteggiamento di un popolo, di un periodo, di una classe, di una convinzione religiosa o filosofica, qualificato da una personalità e condensato in un'opera" (Panofsky chiamò "iconologia" questo livello, che ricorda la nozione di KUNSTWOLLEN). L'analisi iconografica è più adatta all'arte antica, medievale e rinascimentale, formate sulla mitologia classica e la dottrina cristiana, che alle pratiche moderne, che spesso sfidano la presunzione di un rapporto illustrativo tra immagine e testo (per esempio attraverso l'astrazione, il caso, gli oggetti trovati o il readymade).

ideogramma
Scartato dalla maggior parte dei linguisti contemporanei, che lo considerano improprio, questo termine fu coniato nel XIX secolo per indicare un simbolo che rappresenta direttamente un'idea, invece che il suo nome (i caratteri cinesi e i geroglifici egizi furono a lungo ritenuti dei puri ideogrammi, o pittogrammi, mentre ora sappiamo che la loro complessa formazione è lungi dal comportare un semplice legame uno-a-uno tra idea e sua espressione figurativa). Della parola "ideogramma" si appropriò Barnett Newman nel 1947 per spiegare la modalità di significazione che lui e i suoi amici, come Mark Rothko o Clifford Still, volevano mettere in opera nella loro arte. Opposta sia al modello del Surrealismo (con la sua simbologia derivata da Freud) sia a quello dell'arte astratta (che considerava un esercizio formalista), Newman guardava invece all'arte degli indiani della costa nord-occidentale, che qualificò come "immagini ideografiche". Per l'artista kwakiuti, scrisse Newman, "una forma è una cosa viva, lo strumento di un pensiero astratto, il veicolo di sentimenti profondi che sentiva prima del terrore dell'inconoscibile". Benché la nozione di ideogramma continuasse a essere usata da alcuni critici a proposito dei segni pseudoglifici che riempivano le tele del suo amico Adolph Gottlieb fino a metà degli anni Cinquanta, sparì prestissimo dal vocabolario di Newman: egli non solo comprese che un vero modo ideografico di comunicazione richiederebbe l'elaborazione di un codice condiviso da mittenti e riceventi, ma dal 1948 non volle più rappresentare "idee pure" nella sua arte, né pensò che fosse possibile.

informe
Georges Bataille, l'alternativa al gruppo surrealista di André Breton, fondò una propria rivista negli anni Venti e Trenta, intitolata *Documents*. Sulla rivista apparve un dizionario di definizioni per termini come "sputo", "occhio" e "informe". L'*informe*, scrisse, non può avere una definizione, può solo avere un compito, cioè quello di distruggere l'universo stesso delle classificazioni "declassando" il linguaggio o abbassandolo nel mondo. In questo modo, affermò, le parole non assomigliano più a niente, bensì, informi, agiscono come un ragno o uno sputo. Alberto Giacometti, operando secondo l'informe, sfumò in opere come *Palla sospesa* la differenza tra maschio e femmina (da cui dipende il concetto di genere).

intertesto
Nella definizione di DIALOGISMO, il concetto di dialogo di Bachtin modificò l'idea strutturalista di espressione per mostrare come il messaggio del mittente è sempre già segnato dalla risposta immaginata del ricevente. Un'ulteriore modifica di questo schema riguarda il canale di emissione e di ricezione, che lo strutturalista chiamava "contatto", quasi si parlasse di un telegrafo: Bachtin lo ridefinì "intertesto", poiché non si tratta del collegamento neutro del "contatto", ma dell'universo di rapporti associativi che il mittente stesso si figura in anticipo.

isotropo
Usato in fisica, il termine significa "che presenta le stesse proprietà fisiche in tutte le direzioni". Un corpo di pura acqua, per esempio, è isotropo. La nozione è stata spesso usata dagli architetti modernisti, a partire dagli anni Venti, per esprimere la loro concezione dello spazio non gerarchico e il loro desiderio di creare edifici che non abbiano né centro né punti privilegiati (disegnavano in proiezione isometrica, una modalità di rappresentazione in cui ognuna delle tre dimensioni è disegnata in prospettiva). È stata applicata anche ai dripping allover di Jackson Pollock.

kitsch
Il kitsch è una forma di simulazione della natura del materiale di cui è fatto un oggetto, una forma che è il risultato della produzione industriale. Così, quando l'argentiere non lavora più il metallo a mano, che è puramente stampato da una matrice, le forme non sono più concepite rispettando la resistenza naturale del metallo, ma ad imitazione di altri modelli, come motivi floreali o capitelli di colonne ioniche. È questo scimmiottamento che viene chiamato kitsch e che Clement Greenberg definì nel suo *Avanguardia e kitsch* (1939) come nemico naturale dell'avanguardia. Una definizione più violenta fu data da Milan Kundera nel suo romanzo *L'insostenibile leggerezza dell'essere*, quando parlò della trasformazione del cattivo gusto del kitsch in approvazione universale e così della sua dissimulazione della presenza della merda nella vita umana. Il kitsch è dunque la stupida adesione al luogo comune come difesa contro la pesantezza della realtà umana. A causa di questa difesa, scrive, "l'esistenza umana perde le proprie dimensioni e diventa insostenibilmente leggera".

kunstwollen
Concetto sviluppato dallo storico dell'arte viennese Alois Riegl, *kunstwollen* è solitamente tradotto con "volere artistico" e propone, in maniera hegeliana, che una caratteristica volontà-di-formare, insieme spirituale ed estetica in sé, permei tutti gli aspetti di una data cultura e/o periodo, dal "basso" artigianato (Riegl è stato curatore del Museo Austriaco di Arti Applicate) alle arti "alte". Diversamente da Hegel tuttavia, Riegl sostenne che nessuna di queste forme o epoche va sminuita e concentrò il proprio lavoro su pratiche e periodi che erano da tempo sottovalutate, come i ritratti di gruppo barocchi e "l'arte industriale tardo-romana". Impugnato contro le teorie dell'architetto Gottfried Semper (1803-79), che privilegiò i ruoli positivi di materiale, tecnica e funzione, l'idealismo del *kunstwollen* attrasse alcuni artisti dei primi del XX secolo, soprattutto quelli della Secessione viennese, il cui motto lo conteneva: "A ogni epoca la sua arte, all'arte la sua libertà".

lavoro onirico
In psicanalisi questa espressione comprende tutte le operazioni del sogno in quanto trasforma i suoi vari materiali (stimoli fisici mentre si dorme, tracce degli eventi del giorno prima, antichi ricordi e così via) in racconti visivi. Le due operazioni essenziali sono la CONDENSAZIONE e lo SPOSTAMENTO; inoltre due altri meccanismi sono altrettanto importanti: le "condizioni di rappresentabilità" e la "elaborazione secondaria". Il primo meccanismo seleziona i pensieri che possono essere rappresentati da immagini e li trasforma conformemente. Il secondo dispone poi queste immagini in modo che possano formare uno scenario abbastanza fluido da rappresentare il sogno in prima istanza. In un certo senso entrambe le operazioni – "rappresentabilità" ed "elaborazione" – fanno già pensare ad attività di fabbricazione di immagini e possono così sembrare di diretto utilizzo in campo artistico. Ma questa prossimità è anche pericolosa: un quadro che prende a modello il sogno – come hanno fatto talvolta implicitamente Paul Gauguin o il giovane Jackson Pollock, o esplicitamente i surrealisti – rischia una circolarità riduttiva per cui il quadro illustra il sogno, che a sua volta fornisce la chiave del suo significato.

logocentrismo/logocentrico
Nella sua tesi di dottorato, pubblicata con il titolo *La voce e il fenomeno* (1973), il filosofo francese Jacques Derrida esaminò la teoria del linguaggio di Edmund Husserl, che privilegia la voce su ogni altra trasmissione del senso, come la scrittura o la memoria. Husserl insisteva che il senso deve essere immediato per chi parla, risuonando nella sua mente mentre lo produce e lo esprime. Tutte le altre forme spezzano questa immediatezza, o forzando il senso a venire dopo la sua concezione – un distanziamento temporale che Derrida chiamò "differenziale" – o traducendo il senso differenziandolo da essa. Il termine di Derrida per questo duplice tradimento è *différance* (scritto con la "a" per rendere la sua forma scritta necessaria alla sua ricezione). Il rifiuto della scrittura da parte di Husserl in nome della voce, o logos (che qui significa "presenza vivente" della parola), Derrida lo chiamò logocentrismo, ideologia del *logos* e condanna del GRAFEMA.

matrice
La Gestalt, o figura, dipende dalla sua distinzione dallo sfondo. Questa distinzione porta con sé l'assunto che ogni figura è separata sia da ciò che le sta accanto sia dallo spazio in cui esiste. Pensando a questo ordine del visivo, il filosofo francese Jean-François Lyotard costruì una terza possibilità, che chiamò "matrice", per descrivere una spazialità che non è identificabile con le coordinate dello spazio esterno e da cui sono esclusi gli intervalli e le differenze che rendono riconoscibile e osservabile il mondo esterno. Come la concezione freudiana dell'inconscio, la matrice contiene figure incompatibili che occupano contemporaneamente lo stesso posto, in guerra l'una con l'altra e con l'esperienza conscia. La matrice può così essere vista come variante del concetto di INFORME di Georges Bataille.

metonimo/metonimia/metonimico
Figura del discorso con cui si esprime un concetto attraverso un termine che si riferisce a un altro concetto esistenzialmente legato ad esso. La forma più comune di metonimia è la sineddoche, dove una parte sta per l'intero (come in "vele" per "navi") o l'intero per una parte (come in "la Cina sta perdendo" per "la squadra di calcio cinese sta perdendo"). È stato il linguista russo Roman Jakobson a stabilire la metonimia come uno dei due assi principali del linguaggio (l'altro è la metafora), che accostò all'opposizione di SINTAGMA e PARADIGMA in Ferdinand de Saussure e a quella di SPOSTAMENTO e CONDENSAZIONE di Freud. Benché più tardi ammettesse che la linea di demarcazione tra metonimia e metafora è talvolta vaga, Jakobson è ricorso a questi due concetti in tutta la sua opera su una quantità di fenomeni (identificando per esempio il Surrealismo con la metafora e il collage cubista e dadaista con la metonimia). La sua elaborazione più esplicita dell'opposizione tra i due assi figura nel suo studio sull'afasia (o incapacità di comunicare linguisticamente), in cui distinse due tipi di disturbi: un paziente affetto nella funzione metonimica non può combinare termini linguistici e costruire proposizioni, mentre un paziente affetto nella funzione metaforica non può scegliere tra parole né mettere in rapporto omonimi o sinonimi.

mimesi/mimetico
Parola greca per "imitazione", mimesi viene dall'assunto che il doppio imitativo riproduce un oggetto che viene prima di esso, che è dunque duplicato per imitazione. Nel suo importante saggio *La doppia seduta* (1981) Jacques Derrida interroga questo tradizionale concetto di rappresentazione come imitazione, introducendo il testo di Stéphane Mallarmé intitolato *Mimica*, in cui "la falsa apparenza del presente" è usata in riferimento all'azione di un mimo di contenuto impossibile, come "morire dal ridere". In questo modo il mimo non imita ma piuttosto inizia, istituisce qualcosa. Come scrive Mallarmé: "La scena non illustra che l'idea, non un'azione effettiva, in un imene (donde procede il Sogno) vizioso ma sacro, fra il desiderio e il compimento, la perpetrazione e il suo ricordo: qui sopravanzando, al futuro, al passato, in un'apparenza falsa di presente".

objet trouvé
Insieme al readymade, la costruzione e l'assemblage, l'*objet trouvé* è un'alternativa critica alla scultura tradizionale basata sul modello idealista della figura umana. Praticato da surrealisti come André Breton e Salvador Dalí, l'oggetto trovato è definito per differenza dal dispositivo ad esso più vicino, il readymade. Proposto per primo da Marcel Duchamp, il readymade è un prodotto industriale – una ruota di bicicletta, uno scolabottiglie, un orinatoio – che, riproposto come opera d'arte, interroga le concezioni basilari dell'arte e dell'artista; il readymade tende all'anonimato, staccato dalla soggettività e dalla sessualità, con minimo o nessun segno di lavoro umano. Non così l'oggetto trovato, almeno non nelle mani dei surrealisti, che erano attratti dagli oggetti vecchi e strani, spesso trovati nelle bancarelle o nei mercatini delle pulci, che parlavano ai desideri repressi nell'artista e/o di un tipo di produzione obsoleto nella società in generale. Un oggetto del genere, che riunisce entrambi i tipi di impulsi enigmatici, fu il "cucchiaio-scarpetta"

che Breton trovò un giorno in un mercatino delle pulci dei sobborghi di Parigi (come racconta in *L'amour fou* [1937]). Utensile di legno, di fabbricazione rurale, con una scarpetta a una estremità, il cucchiaio era un oggetto fuori moda che Breton prese come segno di un desiderio passato e di un amore futuro.

ontologia/ontologico
Derivata dalle parole greche *ontos* (essere) e *logos* (discorso, ragione), "ontologia" è un termine inventato nel XVII secolo per indicare la parte della filosofia che riguarda l'"essere in quanto essere" o "essenza dell'essere", che aveva costituito la parte più importante della metafisica a partire da Aristotele. Per estensione, l'aggettivo "ontologico" significa "che riguarda l'essenza". La concezione di Clement Greenberg della storia di ogni arte come ricerca della propria essenza è sia TELEOLOGICA che ontologica.

paradigma/paradigmatico
Benché Ferdinand de Saussure abbia usato solo la forma aggettivale "paradigmatico", l'opposizione tra paradigma e SINTAGMA è centrale nella sua linguistica e per estensione per la SEMIOLOGIA e per lo Strutturalismo. Avendo stabilito che nella lingua "tutto è basato sui rapporti", Saussure ne distinse due tipi: quelli sintagmatici riguardano l'associazione di unità linguistiche discrete risultanti in elementi del discorso (una parola come "riletto" è un sintagma fatto di due unità semantiche, "ri", che significa ripetizione, e "letto"; una frase come "Dio è buono" è un sintagma composto di tre unità); quelli paradigmatici riguardano le associazioni fatte *in absentia* tra ogni unità del sintagma e altre unità appartenenti allo stesso sistema. La parola "rivoluzione", per esempio, "ricorderà inconsciamente un gruppo di altre parole": "rivoluzionario" e "rivoluzionare", ma anche "rotazione", "giro", "riorganizzazione", e ancora "evoluzione" e qualsiasi altra parola che finisce con il suffisso "zione", come "popolazione" o "argomentazione", o che inizia con il prefisso "ri", come "riletto". Il gruppo di queste possibili associazioni, che sono governate da regole specifiche (fonetiche e/o semantiche), ma il cui numero è indeterminato e che può apparire a qualsiasi livello (come opposto alla successione di unità in un sintagma) è detto paradigma. In anni recenti il termine ha acquistato un nuovo significato nell'ambito della storia delle scienze, dove è stato introdotto da Thomas Kuhn in *La struttura delle rivoluzioni scientifiche*. Quasi sinonimo del concetto di *episteme* di Michel Foucault, indica l'orizzonte intellettuale di una scienza durante un determinato periodo, che determina una soglia al di là della quale non si può andare se non cambiando i suoi principi e metodi (il paradigma newtoniano della fisica, per esempio, è stato definitivamente sostituito da quello einsteiniano).

performativo/performatività
Nel suo libro *Come fare cose con le parole*, il filosofo inglese John Langshaw Austin (1911-60) divide il linguaggio in due modalità, quella constatativa e quella performativa: la prima è una descrizione delle cose che il linguista strutturale Émile Benveniste ha chiamato "narrativa" (che usa la terza persona e il passato remoto); la seconda è una promulgazione di cose, come quando un giudice dice: "La condanno a cinque anni di prigione", o una persona dice: "Sì" alla cerimonia di matrimonio, o: "Lo prometto". Benveniste lo chiama "discorso" (che usa la prima e seconda persona e il presente).

Poesia concreta
Come denominazione storica, la Poesia concreta identifica la risurrezione e accademizzazione nel dopoguerra degli esperimenti linguistici e poetici delle avanguardie radicali degli anni Dieci e Venti condotti nel contesto del Futurismo russo e delle pratiche del Dadaismo internazionale a Berlino, Zurigo, Hannover e Parigi. Se i pittori e poeti dadaisti (come Hugo Ball e Raoul Hausmann) furono impegnati in un'opposizione radicale ai linguaggi pittorici e poetici tradizionali (per esempio la poesia sonora come parodia del culto tedesco del poeta Rainer Maria Rilke o dell'Espressionismo), i poeti sonori russi e sovietici (per esempio la poesia ZAUM di Velemir Klebnikov) sviluppò una comprensione teorica dei processi e delle funzioni poetiche nel Formalismo russo. I poeti concreti del dopoguerra emersero non a caso in aree sia lontane che protette dai cataclismi della Seconda guerra mondiale, sia privilegiati che svantaggiati riguardo all'ingenuità della loro riscoperta di quei progetti delle avanguardie. Così troviamo le prime risurrezioni con il nome Poesia concreta nel contesto dei paesi latino-americani e in Svizzera negli anni Quaranta, spesso lavorando in tandem con l'accademizzazione dell'astrattismo (per esempio Eugen Gomringer e Max Bill). Qui la celebrazione di una ritrovata irrilevanza ludica e di maestria tipografica sostituì sia la radicalità politica e grafica che quella semiologica delle figure originarie.

polisemia/polisema/polisemico
La polisemia di una parola (e per estensione di qualsiasi altro tipo di segno, compresi quelli visivi) è la sua qualità di avere diversi significati distinti. "Polisemia" è spesso sostituito da "ambiguità", la cui connotazione di vaghezza però non le appartiene. Molte più parole sono polisemi o polisemiche di quanto si pensi (come rivela la consultazione di qualsiasi buon dizionario), fatto su cui si basa la maggior parte dei giochi di parole.

Positivismo
Fu il filosofo francese Auguste Comte (1798-1857) ad usare per primo questo termine, o l'espressione "filosofia positivista", per caratterizzare la sua dottrina come radicalmente opposta alla metafisica. Invece di cercare di scoprire l'essenza delle cose, secondo Comte, la filosofia deve respingere tutti i principi aprioristici e fornire una sintesi sistematica dei fatti osservabili (positivi). Basata sull'esperienza dei sensi, la teoria empirica della conoscenza di Comte sottolineò che non esistono differenze di principio tra i metodi delle scienze sociali e di quelle fisiche, un'idea che fu direttamente messa in discussione dalla concezione del cerchio ERMENEUTICO di Wilhelm Dilthey. Benché i filosofi e i matematici del Circolo di Vienna raccolti intorno a Rudolf Carnap (1891-1970) e Otto Neurath (1882-1945) nella scia di Ludwig Wittgenstein dessero una base filosofica più solida alla concezione di Comte nel loro Positivismo logico, i principi del Positivismo sono stati screditati dalla maggior parte dei pensatori – e sicuramente da tutti gli storici dell'arte – considerati in questo volume.

psicologia della *Gestalt*
Emersa negli anni Trenta nell'opera di Wolfgand Köhler e Kurt Koffka, la psicologia della Gestalt era nata come confutazione del Comportamentismo, allora teoria dominante dello sviluppo mentale umano. I comportamentisti descrivevano il comportamento umano e animale come una serie di risposte apprese e automatiche che reagiscono a stimoli (come il campanello che accompagna il cibo offerto al cane, che provoca allora la salivazione nel cane anche quando non accompagna nessun cibo). Questa visione della condizione umana come interamente passiva e, peggio, soggetta a qualsiasi addestramento, non era condivisa dai gestaltisti, che teorizzarono una parte attiva nel soggetto umano, parte necessaria per comprendere e rispondere creativamente al proprio ambiente. Concentrandosi sull'apparato percettivo di cui ogni essere umano è dotato, i gestaltisti si rifiutarono di dare una visione puramente empirica della percezione, in cui l'occhio umano si forma un'immagine del mondo interiorizzando passivamente gli stimoli visivi che cadono nel suo campo retinico. Sostennero invece che fin dall'infanzia l'osservatore umano domina quel campo scegliendo quali elementi del modello retinico associare per formare una "figura", mentre tutto ciò che vi sta intorno costituirà uno "sfondo". La figura attivamente costituita era chiamata "Gestalt", o forma, con in più una forza di coesione, il cui termine gestaltista era "pregnanza". Dato il periodo in cui la psicologia della Gestalt si sviluppò, è chiaro che il sorgere del nazismo tarpò le ali al suo insegnamento.

referente
Nella linguistica strutturale è importante differenziare l'idea a cui un segno si riferisce dall'oggetto che può nominare. Questo perché, come ha insegnato il suo fondatore Ferdinand de Saussure, "il significato è oppositivo, relativo e negativo". Il significato cioè si forma intorno a delle opposizioni, che gli strutturalisti dicono "binarie" o "PARADIGMI", per cui il significato di qualcosa dipende dal suo contrasto con ciò che non è: "alto", per esempio, si differenzia da "basso", o "nero" da "bianco". Il referente è questo risultato "relativo e negativo" di opposizioni: non un oggetto, ma un concetto.

semiologia/semiotica
Nel suo *Corso di linguistica generale*, pubblicato postumo nel 1916, Ferdinand de Saussure immaginò una "scienza che studi la vita dei segni nella società" e che chiamò semiologia (dalla parola greca *semeion*, segno). Essa "mostrerebbe ciò che costituisce i segni, ciò che li governa" e queste leggi verrebbero applicate alla linguistica, che includerebbe come scienza di un sistema particolare di segni, il linguaggio. Intorno allo stesso periodo e indipendentemente, il filosofo americano Charles Sanders Peirce sviluppò la propria scienza dei segni, che chiamò semiotica. "Semiologia" e "semiotica" sono spesso usati in modo interscambiabile, benché vi siano importanti differenze tra l'impresa di Saussure e quella di Peirce. Paradossalmente, benché Saussure sottolineasse che la linguistica è solo una parte, per quanto privilegiata, della futura semiologia, questa si modellò su quella quando si sviluppò nel dopoguerra, al punto che lo strutturalista Roland Barthes affermò nel

suo *Elementi di semiologia* (1964) che appunto la semiologia dipende di fatto dalla linguistica. Questa asserzione alimentò a sua volta la critica di Jacques Derrida della semiologia come disciplina LOGOCENTRICA. Per contrasto, la semiotica di Peirce, che consiste perlopiù in una TASSONOMIA dei segni dal punto di vista della loro referenza, rimase molto meno dipendente dal modello linguistico. Peirce distinse tre categorie di segni: il *simbolo*, in cui il rapporto tra segno e referente è arbitrario; l'*indice*, in cui questo rapporto è determinato dalla contiguità o compresenza (un'orma nella sabbia è un segno indicale di un piede, il fumo del fuoco, ecc.); l'*icona*, in cui questo rapporto è caratterizzato dalla somiglianza (un ritratto dipinto). Queste categorie sono comunque porose (una fotografia è sia un indice che un'icona, per esempio) e, benché la maggior parte dei segni linguistici siano simboli, alcune categorie di parole sono segni indicali (il significato di queste parole, dette *deittiche*, cambia secondo il contesto: "io", "tu", "adesso", "qui", ecc.), mentre altre, come le onomatopee (il baubau del cane, il chicchirichi del gallo, ecc.) sono segni iconici.

significato/significante
Volendo sottolineare l'immaterialità del referente, Saussure divise il segno in due parti, l'ambito concettuale del senso, o significato, e l'ambito materiale del significante, o supporto della significazione, sia scritto che sonoro.

Simbolico, il
Il termine ha un significato specifico nella psicanalisi di Jacques Lacan che va distinto dal suo uso generale. Nel suo controverso pensiero il "Simbolico" rappresenta tutti i fenomeni della psiche che sono strutturati come un linguaggio, non cioè formati come immagini (questo ambito adiacente lo chiama "Immaginario"). Tali fenomeni comprendono in parte sogni e sintomi (vedi CONDENSAZIONE e SPOSTAMENTO). In effetti Lacan rilesse la concezione freudiana dell'inconscio attraverso la linguistica strutturale di Ferdinand de Saussure e Roman Jakobson (che Freud non poteva aver conosciuto). Allo stesso tempo Lacan intese con il termine "Simbolico" che queste operazioni linguistiche dell'inconscio sono anche all'opera nell'ordine sociale in genere (in questo fu influenzato dall'antropologo suo contemporaneo Claude Lévi-Strauss): il soggetto umano è inserito nella società come lo è nel linguaggio, e viceversa. In questo senso "Simbolico" sta anche per un sistema di identificazioni e proibizioni – o leggi – che ognuno di noi deve interiorizzare per diventare essere sociale funzionale. Secondo Lacan le nostre difficoltà con questo ordine sono spesso espresse attraverso nevrosi; ogni negazione diretta di questo ordine equivale a una psicosi. Suggestivo per molti artisti e teorici, questo modello può però anche costituire la fonte di un atteggiamento conservatore nei confronti dell'ordine sociale, che appare come assoluto.

simulacro
Termine della filosofia antica, un simulacro è una rappresentazione che non è necessariamente legata a un oggetto nel reale. Come una copia senza un "originale" – nel duplice senso di un referente fisico e di una prima versione – il simulacro è spesso usato, nella critica della cultura, per descrivere lo statuto dell'immagine in una società dello SPETTACOLO, del consumismo massmediale. Così, nella teoria poststrutturalista il simulacro è evocato per interrogare l'ordine platonico della rappresentazione che giudica tra copie "belle" e "brutte" a seconda della loro relativa aderenza, o apparente similitudine, ai modelli nel (o, in Platone, al di là del) mondo. Questa sfida torna in maniera intermittente nell'arte del XX secolo, per esempio nei quadri di René Magritte e nelle serigrafie seriali di Andy Warhol, immagini che, anche se appaiono come rappresentazioni, dissolvono le pretese di verità della rappresentazione. Il simulacro è infatti un concetto determinante sia per la comprensione dell'arte surrealista che di quella pop, come testimoniano importanti testi su questi argomenti di Gilles Deleuze, Michel Foucault, Roland Barthes e Jean Baudrillard.

sincretismo
Derivato dalla parola greca che significa "unione di tutti i cretesi", questo termine fu coniato per caratterizzare l'opera di Proclo (410-485 a.C.), l'ultimo grande filosofo dell'antica Grecia, che tentò una sintesi di tutte le dottrine filosofiche e scientifiche del passato. Benché all'inizio non avesse connotazioni negative e possa ancora essere usata in senso positivo, questa parola è ora più comunemente usata per descrivere qualsiasi combinazione incoerente di dottrine o sistemi contraddittori.

sincronico
Storico comparativista del linguaggio, il fondatore della linguistica strutturale Ferdinand de Saussure comprese che per studiare la struttura essenziale della lingua (almeno quella comune alle lingue indoeuropee), doveva ignorare gli sviluppi storici ed esaminare la sezione di un linguaggio in un dato momento, passato o presente, come un biologo guarda un qualche tessuto al microscopio per studiare la sua struttura cellulare. Questa ipotetica sezione è detta sincronica perché tutti i suoi elementi sono congelati nel tempo. L'opposto di sincronico, nella terminologia saussuriana, è DIACRONICO.

sineddoche
Il discorso può essere inteso o in senso letterale o in senso figurato, quando le figure del discorso deviano dai nomi letterali in rapporti immaginisti con le cose. Nella *Scienza nuova* (1725) il filosofo Giambattista Vico si chiese come può essere stata acquisita la conoscenza se non rivelata all'uomo da Dio. Immaginando un uomo delle caverne, affermò che i suoi unici strumenti di conoscenza erano un paragone tra l'ignoto e il noto, che è il proprio corpo. Sentendo un tuono, il selvaggio lo paragona a ciò che conosce e decide che è una voce forte, dove l'atto del paragonare costituisce la forma poetica della metafora. La volta seguente il selvaggio si interroga sulla sua causa e immagina un grandissimo corpo che produce la voce, il corpo, pensa, di un dio, dove la nozione di causa costituisce la forma poetica della METONIMIA. Infine il selvaggio si chiede perché il dio emetta quel suono e decide che è perché è arrabbiato, causa o fondamento concettuale che costituisce per Vico la forma poetica della sineddoche. Non sorprenderà che Vico chiamasse questa progressione dall'ignoto al noto "conoscenza poetica". È la conoscenza poetica che struttura a sua volta lo studio di Michel Foucault dei periodi dello sviluppo storico occidentale, *Le parole e le cose* (1970), che identificò a diverse episteme. Il Rinascimento, ha insegnato, immagina una conoscenza basata sulla somiglianza, o metafora; i secoli XVII e XVIII, che chiamò periodo classico, la immaginano come identità e differenza, o metonimia; mentre il secolo XIX, durante il quale sono nate le moderne discipline, lo immagina come analogia e successione, o sineddoche.

sintagma/sintagmatico
Definito per la prima volta da Ferdinand de Saussure come uno dei più importanti elementi del linguaggio, un sintagma è ogni successione nella catena del discorso di un minimo di due unità semantiche che non possono essere sostituite o il cui ordine non può essere cambiato senza che cambi il significato o l'intelligibilità dell'espressione. I sintagmi possono essere parole ("riletto" è composto di due unità, "ri" e "letto"), più parole ("vita umana") o intere frasi ("Dio è buono"). I rapporti sintagmatici, che opponeva a quelli PARADIGMATICI, erano particolarmente importanti per Saussure, il cui interesse principale era il linguaggio come fatto sociale, perché in essi la distinzione tra uso collettivo e uso individuale del linguaggio è particolarmente difficile da fissare. È più semplice quando si tratta dei sintagmi colloquiali (che appartengono all'uso comune e dunque non possono essere cambiati), ma anche la formazione di parole nuove (neologismi) è governata da regole trasmesse dalla tradizione, e dunque dall'uso comune. Dopo Saussure, Roman Jakobson mise in rapporto METONIMIA e metafora, che vide come i due assi portanti del linguaggio, rispettivamente corrispondenti ai rapporti sintagmatico e paradigmatico di Saussure.

specificità del medium
Con l'emigrazione dei surrealisti negli Stati Uniti allo scoppio della Seconda guerra mondiale, le loro opere, che il critico Clement Greenberg trovava futilmente letterarie, minacciavano, scriveva, "di [assimilare] le arti all'intrattenimento puro e semplice". Per sfuggire a questo atroce destino, le arti dovevano emulare la filosofia illuminista di Immanuel Kant, che "fu il primo a criticare i mezzi stessi della critica". Poiché questa "autocritica" diventava il compito di pittori e scultori, ognuno si faceva il dovere di evidenziare ciò che era "specifico" di un dato medium artistico: "Bisognava mostrare", scriveva Greenebrg in *Pittura modernista*, "non solo ciò che era unico e irriducibile nell'arte in generale, ma anche ciò che era unico e irriducibile in ogni singola arte". Secondo Greenberg l'essenza del modernismo risiedeva "nell'uso di metodi caratteristici di una disciplina per criticare la disciplina stessa, non per sovvertirla ma per circoscriverla con maggior rigore nella sua area di competenza. [...] Ogni arte doveva determinare, attraverso i propri procedimenti e le proprie opere, gli effetti che le erano propri. Così facendo, l'arte avrebbe sicuramente ristretto la sua specifica area di competenza, ma al contempo avrebbe reso il possesso di quell'area molto più sicuro. Ben presto si vide che l'area di competenza unica ed esclusiva di ogni arte coincideva con tutto ciò che era unico quanto alla natura del suo medium. Il compito dell'autocritica divenne quello di eliminare dagli effetti specifici di ogni arte tutti quelli che ragionevolmente potevano essere presi o dati a prestito dal medium di una qualsiasi altra arte. In questo modo ogni arte sarebbe stata resa 'pura', e nella sua 'purezza' avrebbe trovato la garanzia dei propri standard di qualità e della propria indipendenza. [...] il modernismo usava l'arte per richiamare l'attenzione sull'arte. Le

limitazioni che costituiscono il medium della pittura – la superficie piatta, la forma del supporto, le proprietà del pigmento". Per gli antichi maestri erano dei limiti che andavano nascosti, ma per il modernismo diventavano fattori da riconoscere, perché erano specifici del medium della pittura e soltanto della pittura.

spettacolo
Sviluppato nel dibattito critico all'interno del movimento radicale europeo dell'Internazionale situazionista (1957-72), "spettacolo" è usato per segnalare un nuovo stadio del capitalismo avanzato, evidente soprattutto nel periodo di ricostruzione dopo la Seconda guerra mondiale, in cui consumo, tempo libero e immagine (o SIMULACRO) diventano importanti quanto mai prima nell'economia della vita sociale e politica. Per la figura guida del Situazionismo Guy Debord, lo "spettacolo" è il terreno delle nuove forme di potere ma, come tale, anche delle nuove strategie di sovversione, che i situazionisti insieme teorizzano e praticano. Rifacendosi alle nozioni marxiste di "FETICISMO" e "reificazione", Debord sostenne in *La società dello spettacolo* (1967) che la merce e l'immagine sono diventate strutturalmente un'unica cosa ("lo spettacolo è il capitale", scrisse in un passo famoso, "a un tal grado di accumulazione da divenire immagine") e che, come risultato, ne è derivato un salto qualitativo nel controllo, che, attraverso il consumo, rende i suoi soggetti politicamente passivi e socialmente isolati. La speranza situazionista resta che, se il potere continua a vivere di spettacolo, possa essere sfidato sullo stesso terreno.

spostamento
Complemento della CONDENSAZIONE in psicanalisi, lo spostamento è l'altro processo essenziale al lavoro nei sogni, o nel LAVORO ONIRICO, secondo Freud. Invece che una stratificazione di significati in associazione verticale (o metafora), come nella condensazione, lo spostamento significa uno slittamento di significati in connessione orizzontale (o METONIMIA). Nel caso dello spostamento, un'idea – una parola e/o un'immagine investita di una particolare energia o significato – passa parte di questa carica a un'idea adiacente, che, come nella condensazione, guadagna sia in intensità che in oscurità. Come nella condensazione, inoltre, lo spostamento è spesso all'opera nella formazione dei sintomi e di altre produzioni inconsce e può anche essere applicato, con cautela, all'interpretazione dell'arte nei termini dei processi inconsci coinvolti sia nel produrre che nell'interpretare l'opera.

straniamento
Questo termine, spesso maltradotto dal tedesco o dal russo con "alienazione", trasse origine dalle teorie letterarie dei formalisti russi e diventò un concetto centrale nella pratica e teoria di Bertolt Brecht. I formalisti russi concepirono l'*ostranenie* (i dispositivi e i processi dell'"estraniare") come uno dei compiti essenziali delle operazioni estetiche. Lo scopo di questo straniamento artificiale era prima di tutto di allertare lo spettatore/lettore per una diversa percezione del mondo, di rompere la ripetitività meccanica dei discorsi quotidiani e di rinvigorire i sensi estraniandoli dalle loro rappresentazioni convenzionali. Ma straniamento significava anche allertare lo spettatore/lettore sui dispositivi formali e gli strumenti materiali del linguaggio come elementi integranti dei processi di significazione. Seguendo i loro principi e la loro logica interna, essi possono anche sostituire gli elementi più tradizionali del significato come la narrazione, la semantica e la referenza al mondo degli oggetti. La *teoria o effetto di straniamento* di Brecht trasferisce il concetto dall'analisi linguistica alla situazione politica e sociale del soggetto. Con la sua opera Brecht tentò di definire la partecipazione dello spettatore come trasformazione attiva di quelle strutture cognitive e comportamentali che sono state *naturalizzate*, come avrebbe detto più tardi Roland Barthes, e che sono invisibili al soggetto. Straniamento in Brecht dunque significò di fatto l'esatto opposto di *alienazione*, poiché uno dei compiti dello *straniamento* è precisamente di risituare il soggetto in una comprensione del determinismo sociale e politico che improvvisamente appare come "fatto" invece che "fato" e incoraggia così gli spettatori delle opere di Brecht a prendere in mano direttamente la materia dello scambio politico.

struttura deduttiva
La griglia cubista è forse il primo esempio del tipo di composizione pittorica che percorre tutto il XX secolo fino ai dipinti di Frank Stella. Derivata dalla forma della tela attraverso la ripetizione dei suoi lati orizzontale e verticale in una serie di linee parallele, la griglia è un esempio di disegno che non sembra delimitare un oggetto rappresentato, ma, riflettendo la superficie su cui è proiettata, non "rappresenta" nient'altro che la superficie stessa. Stella enfatizzò ancor più questo "rispecchiamento" sagomando i suoi quadri in forme strane, a V o a U o altro. Con il suo disegnare queste linee parallele, per creare una serie di fasce concentriche, non solo la questione era concentrata sulla forma stessa, ma non vi era neppure più possibilità di leggere uno spazio "profondo" o illusionistico sulla superficie, che era tesa come una pelle di tamburo dalla costante rappresentazione di sé. Scrivendo dell'opera di Stella, il critico Michael Fried chiamò questo procedimento "struttura deduttiva".

sublimazione
In psicanalisi la sublimazione rimane un concetto sfuggente, mai precisamente definito da Freud né dai suoi seguaci. Riguarda la deviazione degli istinti dall'ambito sessuale a quello non sessuale; queste pulsioni sono "sublimate" – insieme raffinate e canalizzate altrove – nel raggiungimento di scopi più accettati, o almeno meno dirompenti, dell'attività sessuale nella società in genere: fini intellettuali e artistici (quelli sottolineati da Freud), ma anche sportivi e di ogni tipo e attività. L'energia resta sessuale, ma le mire sono sociali; per Freud infatti non c'è civiltà senza sublimazione (per non dire repressione). Comunque non esiste una netta separazione tra erotico ed estetico e alcuni artisti del XX secolo – Duchamp, notoriamente – giocarono sulla sovrapposizione dei due; altri – per esempio i dadaisti – cercarono più aggressivamente di rovesciare il processo di sublimazione, aprendo le forme estetiche alle energie libidinali, strategia talvolta chiamata "DESUBLIMAZIONE".

Tachisme
Versione europea sottotono dell'Espressionismo astratto, il Tachisme (dal francese *tache*, che significa "macchia", "chiazza") fu anche chiamato "Astrattismo lirico". La principale differenza tra le opere tachiste e la loro controparte americana è costituita dalle loro dimensioni modeste e dal legame mantenuto con la tradizione figurativa del paesaggio. Nonostante l'interesse espresso da molti artisti tachisti per il metodo automatico preferito da Pollock, la loro arte rimase molto basata sulla composizione e come tale dipendente da una concezione cubista del quadro come totalità armoniosa. Vedi ART INFORMEL.

tassonomia
Dalla parola greca *taxis*, che significa "mettere in ordine", la tassonomia è la pratica del principio di classificazione o di raggruppamento. Quando il botanico svedese del XVIII secolo Linneo realizzò un grafico come modo per classificare gli ordini degli esseri viventi, dispose in verticale le categorie più grandi (come "animale"), e le chiamò *genus*, e sull'asse orizzontale quelle più piccole (come "cane", "gatto", ecc.), e le chiamò *species*. Tale grafico inclusivo è una tassonomia.

telos/teleologia/teleologico
Telos significa "scopo" o "fine" in greco, e inizialmente "teleologia" designò lo studio della finalità. Il primo grande argomento teleologico, che deduceva dalle regolarità nelle operazioni della natura che tutte le cose hanno uno scopo nell'universo, fu elaborato nel Medioevo come prova dell'esistenza di Dio. Fu poi debitamente confutato durante l'Illuminismo, prima da David Hume nei suoi *Dialoghi sulla religione naturale* del 1779, poi da Immanuel Kant nella sua *Critica della ragion pura* del 1781. Oggi la parola è usata per caratterizzare le teorie che presuppongono o predicono che un processo ha un fine e una fine, o interpretano retroattivamente un processo come rivolto verso la sua fine. La teoria darwinista dell'evoluzione, benché fin dall'inizio attaccata dalla Chiesa, è oggi comunemente considerata teleologica, così come la concezione marxista della storia.

tropo
Un tropo è una figura del discorso, una parola, una frase o un'espressione, che viene usata in modo figurato, normalmente per ottenere un effetto retorico. La "conoscenza poetica" di Giambattista Vico (vedi SINEDDOCHE) si basa sul potenziale figurativo del linguaggio, sul suo deviare da quello letterale in un insieme di paragoni e contrasti. Tale deviazione è un esempio di "tropo", il più comune dei quali è la metafora.

zaum
Abbreviazione della parola russa *zaumnoe* (transrazionale), il termine venne coniato nel 1913 dai futuristi Aleksej Kručenik e Velemir Klebnikov in riferimento al nuovo linguaggio poetico che avevano inventato, composto di nuove parole senza senso e suoni o, nella sua forma scritta, gruppi di lettere non rappresentazionali. Sostenendo che la parola in quanto tale colpisce direttamente i nostri sensi e possiede un significato indipendentemente da quello a lei ascritto, cercarono di aggirare l'uso razionale del linguaggio e sottolinearono la materialità fonetica delle espressioni linguistiche.

ulteriori letture

GENERALI: FONTI E PANORAMI GENERALI

William C. Agee, *Modern Art in America 1908–1968*, Phaidon, London-New York 2016
Michael Archer, *Art Since 1960*, Thames & Hudson, London-New York 1997
Renato Barilli, *L'arte contemporanea*, Feltrinelli, Milano 2014
Iwona Blazwick e Magnus Af Petersens (a cura di), *Adventures of the Black Square: Abstract Art and Society 1915–2015*, Prestel e Whitechapel Gallery, New York-London 2015
Herschel Chipp, *Theories of Modern Art: A Source Book by Artists and Critics*, University of California Press, Berkeley 1968
Alessandro Del Puppo, *L'arte contemporanea. Il secondo Novecento*, Einaudi, Torino 2013
Francis Frascina e Jonathan Harris (a cura di), *Art in Modern Culture: An Anthology of Critical Texts*, Phaidon, London 1992
Francis Frascina e Jonathan Harris (a cura di), *Modern Art and Modernism: A Critical Anthology*, Harper and Row, New York 1982
Jason Galger e Paul Wood (a cura di), *Art of the Twentieth Century: A Reader*, Yale University Press, New Haven-London 2003
George Heard Hamilton, *Painting and Sculpture in Europe, 1880–1940*, Yale University Press, New Haven-London 1993
Charles Harrison, Francis Frascina e Gill Perry, *Primitivism, Cubism, Abstraction: The Early Twentieth Century*, Yale University Press, New Haven-London 1993
Charles Harrison e Paul Wood (a cura di), *Art in Theory, 1900–2000: An Anthology of Changing Ideas*, Blackwell, Cambridge 2003
Robert Hughes, *Lo shock dell'arte moderna*, trad. it. Idealibri, Milano 1982
David Joselit, *American Art Since 1945*, Thames & Hudson, London 2003
Rosalind Krauss, *Passaggi. Storia della scultura da Rodin alla Land Art*, trad. it. Bruno Mondadori, Milano 1998
Christopher Phillips, *Photography in the Modern Era: European Documents and Critical Writings, 1913–1940*, Metropolitan Museum of Art/Aperture, New York 1989
Alex Potts, *The Sculptural Imagination: Figurative, Modernist, Minimalist*, Yale University Press, New Haven-London 2000
Federica Rovati, *L'arte del primo Novecento*, Einaudi, Torino 2015
Kristin Stiles e Peter Selz (a cura di), *Theories and Documents of Contemporary Art*, University of California Press, Berkeley 1996
Paul Wood et al., *Modernism in Dispute: Art Since the Forties*, Yale University Press, New Haven-London 1993
Paul Wood et al., *Realism, Rationalism, Surrealism: Art Between the Wars*, Yale University Press, New Haven-London 1993

GENERALI: AVANGUARDIA, MODERNISMO, POSTMODERNISMO

Marcia Brennan, *Modernism's Masculine Subjects: Matisse, the New York School, and Post-Painterly Abstraction*, MIT Press, Cambridge (Mass.) 2004
Peter Bürger, *Teoria dell'avanguardia* (1974), trad. it. Bollati Boringhieri, Torino 1990
Douglas Crimp, *Pictures*, in *October*, n. 8, primavera 1979
Thierry de Duve, *Sewn in the Sweatshops of Marx: Beuys, Warhol, Klein, Duchamp*, University of Chicago Press, Chicago 2012
Giuseppe Di Giacomo e Claudio Zambianchi (a cura di), *Alle origini dell'opera d'arte*, Laterza, Roma 2008
Hal Foster (a cura di), *Discussions in Contemporary Culture*, Bay, Seattle 1987
Hal Foster (a cura di), *L'antiestetica. Saggi sulla cultura postmoderna*, trad. it. Postmedia, Milano 2014
Elio Grazioli, *Arte e pubblicità*, Bruno Mondadori, Milano 2001
Serge Guilbaut (a cura di), *Reconstructing Modernism*, MIT Press, Cambridge (Mass.) 1990
Serge Guilbaut, Benjamin H. D. Buchloh e David Solkin (a cura di), *Modernism and Modernity*, The Press of the Nova Scotia College of Art and Design, Halifax 1983
Andreas Huyssen, *After the Great Divide: Modernism, Mass Culture, Postmodernism*, Indiana University Press, Bloomington 1986
Rosalind Krauss, *L'arte nell'epoca della condizione postmediale*, trad. it. Postmedia, Milano 2005
Craig Owens, *The Allegorical Impulse: Towards a Theory of Postmodernism*, in *October*, nn. 12 e 13, primavera ed estate 1980
Brian Wallis (a cura di), *Art After Modernism: Rethinking Representation*, New Museum of Contemporary Art, New York 1994

GENERALI: RACCOLTE DI SAGGI

Yve-Alain Bois, *Painting as Model*, MIT Press, Cambridge (Mass.) 1991
Yve-Alain Bois e Rosalind Krauss, *L'informe: Istruzioni per l'uso*, trad. it. Bruno Mondadori, Milano 2003
Benjamin H. D. Buchloh, *Neo-Avantgarde and Culture Industry: Essays on European and American Art from 1955 to 1975*, MIT Press, Cambridge (Mass.) 2000
T. J. Clark, *Addio a un'idea. Modernismo e arti visive*, trad. it. Einaudi, Torino 2005
Thomas Crow, *Modern Art in the Common Culture*, Yale University Press, New Haven-London 1996
Thierry de Duve, *Kant after Duchamp*, MIT Press, Cambridge (Mass.) 1996
Briony Fer, *On Abstract Art*, Yale University Press, New Haven-London 1997
Hal Foster, *Prosthetic Gods*, MIT Press, Cambridge (Mass.) 2004
Hal Foster, *Il ritorno del reale. L'avanguardia alla fine del Novecento*, trad. it. Postmedia, Milano 2006
Michael Fried, *Art and Objecthood*, University of Chicago Press, Chicago 1998
Elio Grazioli e Riccardo Panattoni (a cura di), *Le scarpe di Van Gogh*, Marcos y Marcos, Milano 2015
Clement Greenberg, *Arte e cultura: Saggi Critici*, trad. it. Umberto Allemandi & C., Torino 1991
Clement Greenberg, *The Collected Essays and Criticism*, voll. 1 e 4, University of Chicago Press, Chicago 1986 e 1993
Clement Greenberg, *Homemade Esthetics: Observations on Art and Taste*, Oxford University Press, Oxford 1999
Rosalind Krauss, *Celibi*, trad. it. Codice, Torino 2004
Rosalind Krauss, *L'inconscio ottico*, trad. it. Bruno Mondadori, Milano 2008
Rosalind Krauss, *L'originalità dell'avanguardia e altri miti modernisti*, trad. it Fazi, Roma 2007
Rosalind Krauss, *Inventario perpetuo*, trad. it. Bruno Mondadori, Milano 2010
Andrea Pinotti e Antonio Somaini (a cura di), *Teorie dell'immagine. Il dibattito contemporaneo*, Raffaello Cortina, Milano 2009
Meyer Schapiro, *L'arte moderna*, trad. it. Einaudi, Torino 1986
Leo Steinberg, *Rodin*, in *Other Criteria: Confrontations with Twentieth-Century Art*, Oxford University Press, London-Oxford-New York 1972
Anne M. Wagner, *Three Artists (Three Women): Georgia O'Keeffe, Lee Krasner, Eva Hesse*, University of California Press, Berkeley-Los Angeles 1997
Peter Wollen, *Raiding the Ice Box: Reflections on Twentieth-Century Culture*, Verso, London 1993

GENERALI: TEORIA E METODOLOGIA

Frederick Antal, *Classicismo e Romanticismo*, trad. it. Einaudi, Torino 1975
Roland Barthes, *Saggi critici*, trad. it. Einaudi, Torino 2002
Roland Barthes, *L'ovvio e l'ottuso*, trad. it. Einaudi, Torino 1985
Roland Barthes, *Miti d'oggi* (1957), trad. it. Einaudi, Torino 1994
Walter Benjamin, *Opere complete*, 9 voll., trad. it. Einaudi, Torino 2000-2008
Walter Benjamin, *Selected Writings*, 4 voll., Harvard University Press, Cambridge (Mass) 1999
Leo Bersani, *The Freudian Body: Psychoanalysis and Art*, Columbia University Press, New York 1986
Benjamin H. D. Buchloh, *Formalism and Historicity: Models and Methods in Twentieth-Century Art*, MIT Press, Cambridge (Mass.) 2015
T. J. Clark, *Immagine del popolo. Gustave Courbet e la rivoluzione del '48*, trad. it. Einaudi, Torino 1978
T. J. Clark, *The Absolute Bourgeois: Artists and Politics in France, 1848–1851*, Thames & Hudson, London 1973
T. J. Clark, *The Painting of Modern Life: Paris in the Art of Manet and his Followers*, Thames & Hudson, London 1984
T. J. Clark, *The Sight of Death: An Experiment in Art Writing*, Yale University Press, New Haven-London 2006
Thomas Crow, *Painters and Public Life in 18th-Century Paris*, Yale University Press, New Haven-London 1985
Thomas Crow, *The Intelligence of Art*, University of North Carolina Press, Chapel Hill (N.C.) 1999
Whitney Davis, *A General Theory of Visual Culture*, Princeton University Press, Princeton 2011

Jacques Derrida, *Della grammatologia*, trad.it. Jaca Book, Milano 1989
Jacques Derrida, *Parergon*, trad. it. in *La verità in pittura*, Newton Compton, Roma 1981
Jacques Derrida, *La doppia seduta*, trad. it. in *La disseminazione*, Jaca Book, Milano 1989
Michel Foucault, *L'archeologia del sapere*, trad. it. Rizzoli, Milano 1996
Michel Foucault, *Che cos'è un autore?*, trad. it. in *Scritti letterari*, Feltrinelli, Milano 2004
Sigmund Freud, *Saggi sull'arte, la letteratura e il linguaggio*, trad. it. Bollati Boringhieri, Torino 1991
Nicos Hadjinicolaou, *Art History and Class Struggle*, Pluto, London 1978
Arnold Hauser, *Storia sociale dell'arte* (1951), trad. it. Einaudi, Torino 1997
Fredric Jameson, *The Prison-House of Language: A Critical Account of Structuralism and Russian Formalism*, Princeton University Press, Princeton 1972
Fredric Jameson (a cura di), *Aesthetics and Politics*, New Left Books, London 1977
Richard Kearney e David Rasmussen, *Continental Aesthetics—Romaticism to Postmodernism: An Anthology*, Blackwell, Malden (Mass.)-Oxford 2001
Francis Klingender, *Art and the Industrial Revolution* (1947), Paladin, London 1975
Sarah Kofman, *The Childhood of Art: An Interpretation of Freud's Aesthetics*, trad. ingl. Columbia University Press, New York 1988
Jean Laplanche e Jean-Bertrand Pontalis, *Enciclopedia della psicanalisi*, trad. it. Laterza, Roma-Bari 1987
Thomas Levin, *Walter Benjamin and the Theory of Art History*, in *October*, n. 47, inverno 1988
Jacqueline Rose, *Sexuality in the Field of Vision*, Verso, London 1986
Ferdinand de Saussure, *Corso di linguistica generale*, trad. it. Laterza, Bari 1967
Meyer Schapiro, *Theory and Philosophy of Art: Style, Artist, and Society*, *Selected Papers*, *vol. 4*, George Braziller, New York 1994
Richard Shone e John-Paul Stonard (a cura di), *The Books that Shaped Art History: From Gombrich and Greenberg to Alpers and Krauss*, Thames & Hudson, London-New York 2013

AVANGUARDIA VIENNESE

Walter Benjamin, *La Parigi del Secondo Impero in Baudelaire*, trad. it. in *Opere complete*, vol. VII, Einaudi, Torino 2006
Gemma Blackshaw, *Facing the Modern: The Portrait in Vienna 1900*, National Gallery, London 2013
Gemma Blackshaw e Leslie Topp (a cura di), *Madness and Modernity: Mental Illness and the Visual Arts in Vienna 1900*, Lund Humphries, London 2009
Allan Janik e Stephen Toulmin, *La grande Vienna*, trad. it. Garzanti, Milano 1984
Adolf Loos, "Ornamento e delitto", trad. it. in *Parole nel vuoto*, Adelphi, Milano 1972
Carl E. Schorske, *Vienna fin de siècle. La culla della cultura mitteleuropea*, trad. it. Bompiani, Milano 2004
Kirk Varnedoe, *Vienna 1900: Art, Architecture, and Design*, Museum of Modern Art, New York 1985

MATISSE E FAUVISMO

Alfred H. Barr, Jr., *Matisse: His Art and His Public*, Museum of Modern Art, New York 1951
Roger Benjamin, *Matisse's "Notes of a Painter": Criticism, Theory, and Context, 1891–1908*, UMI Research Press, Ann Arbor 1987
Yve-Alain Bois, *Matisse and Arche-drawing*, in *Painting as Model*, MIT Press, Cambridge (Mass.) 1990
Yve-Alain Bois, *Matisse and Picasso*, Flammarion, New York 1998
Yve-Alain Bois, *On Matisse: The Blinding*, in *October*, n. 68, primavera 1994
Yve-Alain Bois (a cura di), *Matisse in the Barnes Foundation*, Thames & Hudson, London-New York 2016
Marcia Brennan, *Modernism's Masculine Subjects: Matisse, the New York School, and Post-Painterly Abstraction*, MIT Press, Cambridge (Mass.) 2004
John Elderfield, *Describing Matisse*, in *Henri Matisse: A Retrospective*, Museum of Modern Art, New York 1992
John Elderfield, *The "Wild Beasts": Fauvism and its Affinities*, Museum of Modern Art, New York 1976
Jack D. Flam (a cura di), *Matisse on Art*, University of California Press, Berkeley-Los Angeles 1995
Jack D. Flam, *Matisse: The Man and His Art, 1869–1918*, Cornell University Press, Ithaca (N.Y.)-London 1986
Judi Freeman (a cura di), *The Fauve Landscape*, Abbeville, New York 1990
Lawrence Gowing, *Matisse*, Thames & Hudson, London 1976
James D. Herbert, *Fauve Painting: The Making of Cultural Politics*, Yale University Press, New Haven-London 1992
John Klein, *Matisse Portraits*, Yale University Press, New Haven-London 2001
John O'Brian, *Ruthless Hedonism: The American Reception of Matisse*, Chicago University Press, Chicago-London 1999
Margaret Werth, *The Joy of Life: The Idyllic in French Art, Circa 1900*, University of California Press, Berkeley 2002
Alastair Wright, *Matisse and the Subject of Modernism*, Princeton University Press, Princeton 2004

PRIMITIVISMO

James Clifford, *I frutti puri impazziscono: etnografia, letteratura e arte nel secolo XX*, trad. it. Bollati Boringhieri, Torino 2010
Jack D. Flam (a cura di), *Primitivism and Twentieth-Century Art: A Documentary History*, University of California Press, Berkeley 2003
Hal Foster, *The 'Primitive' Unconscious of Modern Art*, in *October*, n. 34, autunno 1985
Robert Goldberg, *Primitivism in Modern Art* (1938), Vintage Books, New York 1967
Colin Rhodes, *Primitivism and Modern Art*, Thames & Hudson, London 1994
William Rubin (a cura di), *Il primitivismo nell'arte del XX secolo*, trad. it. Mondadori, Milano 1985

ESPRESSIONISMO

Aesthetics and Politics: Debates between Ernst Bloch, Georg Lukács, Bertolt Brecht, Walter Benjamin, Theodor Adorno, New Left Review Books, London 1977
Vivian Endicott Barnett, Michael Baumgartner, Annegret Hoberg e Christine Hopfengart, *Klee and Kandinsky: Neighbors, Friends, Rivals*, Prestel, London-New York 2015
Stephanie Barron, *Espressionismo tedesco: arte e società*, trad. it. Bompiani, Milano 1997
Timothy O. Benson (a cura di), *Expressionism in Germany and France: From Van Gogh to Kandinsky*, Los Angeles County Museum of Art e Prestel, Los Angeles-New York 2014
Lisa Florman, *Concerning the Spiritual—and the Concrete—in Kandinsky's Art*, Stanford University Press, Palo Alto 2014
Donald Gordon, *Expressionism: Art and Idea*, Yale, New Haven-London 1987
Donald Gordon, *On the Origin of the Word 'Expressionism'*, in *Journal of the Warburg and Courtauld Institutes*, vol. 29, 1966
Charles Haxthausen, *'A New Beauty': Ernst Ludwig Kirchner's Images of Berlin*, in Charles Haxthausen e Heidrun Suhr (a cura di), *Berlin: Culture and Metropolis*, University of Minnesota Press, Minneapolis 1990
Yule Heibel, *They danced on Volcanoes: Kandinsky's Breakthrough to Abstraction, the German Avant-Garde and the Eve of the First World War*, in *Art History*, n. 12, settembre 1989
Vasilij Kandinskij, *Lo spirituale nell'arte*, trad. it. SE, Milano 2005
Vasilij Kandinskij e Franz Marc, *Il Cavaliere Azzurro*, trad. it. SE, Milano 1988
Siegfried Kracauer, *Da Caligari a Hitler: una storia psicologica del cinema tedesco*, trad. it. Lindau, Torino 2007
Angela Lampe e Brady Roberts (a cura di), *Kandinsky: A Retrospective*, Centre Georges Pompidou-Milwaukee Art Museum, Paris-Milwaukee 2014
Carolyn Lanchner (a cura di), *Paul Klee*, Museum of Modern Art, New York 1987
Jill Lloyd, *German Expressionism: Primitivism and Modernity*, Yale University Press, New Haven-London 1991
Bibiana K. Obler, *Intimate Collaborations: Kandinsky and Münter, Arp and Taeuber*, Yale University Press, New Haven 2014
Maria Passaro, *L'arte espressionista. Teoria e storia*, Einaudi, Torino 2009
Rose-Carol Washton Long, *German Expressionism: Documents from the End of the Wilhelmine Empire to the Rise of National Socialism*, Macmillan International, New York 1993
Joan Weinstein, *The End of Expressionism: Art and the November Revolution in Germany, 1918–1919*, University of Chicago Press, Chicago 1990
O. K. Werckmeister, *The Making of Paul Klee's Career 1914–1920*, Chicago University Press, Chicago-London 1988

CUBISMO E PICASSO

Mark Antliff e Patricia Leighten, *Cubism and Culture*, Thames & Hudson, London 2001
Alfred H. Barr, Jr., *Cubism and Abstract Art*, Museum of Modern Art, New York 1936
Yve-Alain Bois, *Kahnweiler's Lesson*, in *Painting as Model*, MIT Press, Cambridge (Mass.) 1990
Yve-Alain Bois, *The Semiology of Cubism*, in Lynn Zelevansky (a cura di), *Picasso and Braque: A Symposium*, Museum of Modern Art, New York 1992
T. J. Clark, *Picasso and Truth: From Cubism to Guernica*, Princeton University Press, Princeton 2013
David Cottington, *Cubism in the Shadow of War: The Avant-Garde and Politics in Paris 1905–1914*, Yale University Press, New Halen-London 1998
Lisa Florman, *Myth and Metamorphosis: Picasso's Classical Prints of the 1930s*, MIT Press, Cambridge (Mass.) 2000

Edward Fry, *Cubismo*, trad. it. Mazzotta, Milano 1975
John Golding, *Storia del Cubismo 1907-1914*, trad. it. Mondadori, Milano 1973
Christopher Green, *Juan Gris*, Yale University Press, New Haven-London 1992
Christopher Green (a cura di), *Picasso's Les Demoiselles d'Avignon*, Cambridge University Press, Cambridge 2001
Clement Greenberg, *The Pasted Paper Revolution* (1958), in *The Collected Essays and Criticism*, voll. 1 e 4, University of Chicago Press, Chicago 1986 e 1993
Daniel-Henry Kahnweiler, *The Rise of Cubism*, trad. ingl. Wittenborn, Schultz, New York 1949
Rosalind Krauss, *Nel nome di Picasso*, in *L'originalità dell'avanguardia e altri miti modernisti*, trad. it. Fazi, Roma 2007
Rosalind Krauss, *"Re-Presenting Picasso"*, in *Art in America*, vol. 67, n. 10, dicembre 1980
Rosalind Krauss, *La motivazione del segno*, trad. it. in *Inventario perpetuo*, Bruno Mondadori, Milano 2010
Rosalind Krauss, *The Picasso Papers*, Farrar, Straus & Giroux, New York 1998
Fernand Léger, *Funzioni della pittura*, trad. it. Abscondita, Milano 2005
Patricia Leighten, *Re-Ordering the Universe: Picasso and Anarchism, 1897–1914*, Princeton University Press, Princeton 1989
Marilyn McCully (a cura di), *A Picasso Anthology: Documents, Criticism, Reminiscences*, Princeton University Press, Princeton 1982
Andrea Pinotti (a cura di), *Pittura e idea. Ricerche fenomenologiche sul cubismo*, Alinea, Firenze 1998
Christine Poggi, *In Defiance of Painting: Cubism, Futurism, and the Invention of Collage*, Yale University Press, New Haven-London 1992
Robert Rosenblum, *La storia del cubismo e l'arte nel ventesimo secolo*, trad. it. Il Saggiatore, Milano 1962
William Rubin, *Cezannism and the Beginnings of Cubism*, in *Cezanne: The Late Work*, Museum of Modern Art, New York 1977
William Rubin, *From Narrative to Iconic: The Buried Allegory in "Bread and Fruitdish on a Table" and the Role of "Les Demoiselles d'Avignon"*, in *Art Bulletin*, vol. 65, dicembre 1983
William Rubin, *Pablo and Georges and Leo and Bill*, in *Art in America*, vol. 67, marzo-aprile 1979
William Rubin, *Picasso and Braque: Pioneering Cubism*, Museum of Modern Art, New York 1989
William Rubin, *The Genesis of "Les Demoiselles d'Avignon"*, in *Studies in Modern Art*, n. 3 (numero speciale *Les Demoiselles d'Avignon*), Museum of Modern Art, New York 1994
Leo Steinberg, *Resisting Cézanne: Picasso's Three Woman*, in *Art in America*, vol. 66, n. 6, novembre-dicembre 1978
Leo Steinberg, *The Algerian Women and Picasso at Large*, in *Other Criteria: Confrontations with Twentieth-Century Art*, Oxford University Press, London-Oxford-New York 1972
Leo Steinberg, *The Philosophical Brothel* (1972), in *October*, n. 44, primavera 1988
Leo Steinberg, *The Polemical Part*, in *Art in America*, vol. 67, marzo-aprile 1979
Ann Temkin and Anne Umland (a cura di), *Picasso Sculpture*, Museum of Modern Art, New York 2015
Jeffrey Weiss (a cura di), *Picasso: The Cubist Portraits of Fernande Olivier*, National Gallery of Art, Washington (D.C.) e Princeton University Press, Princeton 2003
Lynn Zelevansky (a cura di), *Picasso and Braque: A Symposium*, Museum of Modern Art, New York 1992

FUTURISMO E VORTICISMO

Mark Antliff e Scott Klein (a cura di), *Vorticism: New Perspectives*, Oxford University Press, Oxford 2013
Viviana Birolli (a cura di), *Manifesti del futurismo*, Abscondita, Milano 2008
Germano Celant, *Futurism and the International Avant-Garde*, Philadelphia Museum of Art, Philadelphia 1980
Hal Foster, *Prosthetic Gods*, MIT Press, Cambridge (Mass.) 2004
Anne Coffin Hanson, *The Futurist Imagination*, Yale University Press, New Haven-London 1983
Pontus Hulten (a cura di), *Futurismo & Futurismi*, Bompiani, Milano 1986
Wyndham Lewis (a cura di), *Blast*, Thames & Hudson, London 2009
Marianne W. Martin, *Futurist Art and Theory 1909–1915*, Clarendon, Oxford 1968
Marjorie Perloff, *The Futurist Moment: Avant-Garde, Avant Guerre, and the Language of Rupture*, University of Chicago Press, Chicago 1986
Raffaella Picello, *Il vorticismo*, De Luca, Roma 2010
Caroline Tisdall e Angelo Bozzolla (a cura di), *Futurismo*, Skira, Milano 2000

DADA

Dawn Ades (a cura di), *Dada and Surrealism Reviewed*, Arts Council of Great Britain, London 1978
Jenny Anger, *Paul Klee and the Decorative in Modern Art*, Cambridge University Press, Cambridge-New York 2004
George Baker, *The Artwork Caught by the Tail: Francis Picabia and Dada in Paris*, MIT Press, Cambridge (Mass.) 2007
Hugo Ball, *La fuga dal tempo*, trad. it. Campanotto, Pasian di Prato (UD) 2006
Timothy Benton (a cura di), *Hans Richter: Encounters*, LACMA, Los Angeles 2013
Annie Bourneuf, *Paul Klee: The Visible and the Legible*, University of Chicago Press, Chicago 2015
William Camfield, *Francis Picabia: His Art, Life, and Times*, Princeton University Press, Princeton 1979
Leah Dickerman (a cura di), *Dada*, National Gallery of Art, Washington 2005
Brigid Doherty, *Montage: The Body and the Work of Art in Dada, Brecht, and Benjamin*, University of California Press, Berkeley 2004
John Elderfield, *Kurt Schwitters*, Thames & Hudson, London 1985
Hal Foster, *Prosthetic Gods*, MIT Press, Cambridge (Mass.) 2004
Elio Grazioli (a cura di), *Francis Picabia*, Marcos y Marcos, Milano 2003
Elio Grazioli (a cura di), *Kurt Schwitters*, Marcos y Marcos, Milano 2009
Ruth Hemus, *Dada's Women*, Yale University Press, New Haven-London 2009
Maud Lavin, *Cut with the Kitchen Knife: The Weimar Photomontages of Hannah Höch*, Yale University Press, New Haven-London 1993
Andreas Marti (a cura di), *Paul Klee: Hand Puppets*, Zentrum Paul Klee, Bern 2006
Robert Motherwell, *The Dada Painters and Poets: An Anthology*, Wittenborn, Schultz, New York 1951
Francis Naumann, *New York Dada, 1915–1923*, Harry N. Abrams, New York 1994
Anson Rabinbach, *In the Shadow of Catastrophe: German Intellectuals Between Apocalypse and Enlightenment*, University of California Press, Berkeley 1997
Hans Richter, *Dada: arte e antiarte*, trad. it. Mazzotta, Milano 1977
William S. Rubin, *L'arte dada e surrealista*, trad. it. Rizzoli, Milano 1972
Isabel Schulz (a cura di), *Kurt Schwitters: Color and Collage*, Yale University Press, New Haven-London 2010
Richard Sheppard, *Modernism—Dada—Postmodernism*, Northwestern University Press, Chicago 1999
Anne Umland e Adrian Sudhalter (a cura di), *Dada in the Collection of the Museum of Modern Art*, Museum of Modern Art, New York 2008
Michael White, *Generation Dada: The Berlin Avant-Garde and the First World War*, Yale University Press, New Haven 2013

DUCHAMP

Dawn Ades, Neil Cox e David Hopkins, *Marcel Duchamp*, Thames & Hudson, London 1999
Martha Buskirk e Mignon Nixon (a cura di), *The Duchamp Effect*, MIT Press, Cambridge (Mass.) 1998
Stefano Chiodi (a cura di), *Marcel Duchamp. Critica, biografia, mito*, Mondadori Electa, Milano 2009
Linda Dalrymple Henderson, *Duchamp in Context: Science and Technology in the Large Glass and Related Works*, Princeton University Press, Princeton 1998
T. J. Demos, *The Exiles of Marcel Duchamp*, MIT Press, Cambridge (Mass.) 2007
Thierry de Duve, *Kant After Duchamp*, MIT Press, Cambridge (Mass.) 1996
Thierry de Duve, *Pictorial Nominalism: On Marcel Duchamp's Passage from Painting to the Readymade*, University of Minnesota Press, Minneapolis 1991
Thierry de Duve (a cura di), *The Definitively Unfinished Marcel Duchamp*, The Press of the Nova Scotia College of Art and Design, Halifax 1991
Marcel Duchamp, *Ingegnere del tempo perduto. Conversazione con Pierre Cabanne*, trad. it. Multipla, Milano 1977
David Joselit, *Infinite Regress: Marcel Duchamp, 1910–1914*, MIT Press, Cambridge (Mass.) 1998
Rudolf Kuenzli e Francis M. Naumann (a cura di), *Marcel Duchamp: Artist of the Century*, MIT Press, Cambridge (Mass.) 1989
Robert Lebel, *Marcel Duchamp*, trad. ingl. Grove, New York 1959
Francis M. Naumann e Hector Obalk (a cura di), *Affect t/Marcel: The Selected Correspondence of Marcel Duchamp*, Thames & Hudson, London 2000
Molly Nesbit, *Their Common Sense*, Black Dog Publishing, London 2001
Arturo Schwarz, *Complete Works of Marcel Duchamp*, Delano Greenridge Editions, New York 2000
Carla Subrizi, *Introduzione a Dichamp*, Laterza, Roma 2008

MONDRIAN E DE STIJL

Carel Blotkamp, *Mondrian: The Art of Destruction*, Harry N. Abrams, New York 1994
Carel Blotkamp et al., *De Stijl: nascita di un movimento*, trad. it. Electa, Milano 1989
Yve-Alain Bois, *Mondrian and the Theory of Architecture*, in *Assemblage*, n. 4, ottobre 1987
Yve-Alain Bois, *The De Stijl Idea e Piet Mondrian: "New York City"*, in *Painting as Model*, MIT Press, Cambridge (Mass.) 1990

Yve-Alain Bois, *The Iconoclast*, in Angelica Rudenstine (a cura di), *Piet Mondrian*, Gemeentemuseum, The Hague; National Gallery of Art, Washington (D.C.); Museum of Modern Art, New York 1994
Harry Cooper, *Mondrian: The Transatlantic Paintings*, Harvard University Art Museums, Cambridge (Mass.) 2001
Gladys Fabre e Doris Wintgens Hötte (a cura di), *Van Doesburg and the International Avant-Garde*, Tate Publishing, London 2009
Hans L. C. Jaffé (a cura di), *De Stijl*, Thames & Hudson, London 1970
Joop Joosten, *Mondrian: Between Cubism and Abstraction*, in *Piet Mondrian Centennial Exhibition*, Guggenheim Museum, New York 1971
Joop Joosten e Robert P. Welsh, *Piet Mondrian, Catalogue Raisonné*, voll. 2, Harry N. Abrams, New York 1998
Francesco Manacorda e Michael White (a cura di), *Mondrian and His Studios: Colour in Space*, Tate Publishing, London 2015
Annette Michelson, *De Stijl, It's Other Face: Abstraction and Cacophony, Or What Was the Matter with Hegel?*, in *October*, n. 22, autunno 1982
Piet Mondrian, *Tutti gli scritti*, trad. it., Mimesis, Milano 2013
Nancy Troy, *The De Stijl Environment*, MIT Press, Cambridge (Mass.) 1983
Nancy Troy, *The Afterlife of Piet Mondrian*, University of Chicago Press, Chicago 2014
Michael White, *De Stijl and Dutch Modernism*, Manchester University Press, Manchester-New York 2003

AVANGUARDIA RUSSA, SUPREMATISMO E COSTRUTTIVISMO
Troels Andersen, *Malevich*, Stedelijk Museum, Amsterdam 1970
Richard Andrews e Milena Kalinovska (a cura di), *Art into Life: Russian Constructivism 1914–32*, Henry Art Gallery, Seattle-Rizzoli, New York 1990
Stephen Bann (a cura di), *The Tradition of Constructivism*, Thames & Hudson, London 1974
Yve-Alain Bois, *El Lissitzky: Radical Reversibility*, in *Art in America*, vol. 76, n. 4, aprile 1988
Yve-Alain Bois, Aleksandra Shatskikh e Magdalena Dabrowski, *Malevich and the American Legacy*, Prestel, London-New York 2011
Achim Borchardt-Hume (a cura di), *Kazimir Malevich*, Tate Publishing, London 2013
John Bowlt (a cura di), *Russian Art of the Avant-Garde*, Thames & Hudson, London 1988
Benjamin H. D. Buchloh, *Cold War Constructivism*, in Serge Guibaut (a cura di), *Reconstructing Modernism*, MIT Press, Cambridge (Mass.) 1990
Benjamin H. D. Buchloh, *From Faktura to Factography*, in *October*, n. 30, autunno 1984
Rainer Crone e David Moos, *Kazemir Malevich: The Climax of Disclosure*, University of Chicago Press, Chicago 2015
Magdalena Dabrowski, Leah Dickerman e Peter Galassi, *Aleksandr Rodchenko*, Museum of Modern Art, New York 1998
Charlotte Douglas, *Birth of a 'Royal Infant': Malevich and 'Victory Over the Sun*, in *Art in America*, vol. 62, n. 2, marzo-aprile 1974
Matthew Drutt (a cura di), *Kasimir Malevich: Suprematism*, Guggenheim Museum, New York 2003
Hal Foster, *Some Uses and Abuses of Russian Constructivism*, in *Art into Life: Russian Constructivism, 1914–1932*, Henry Art Gallery, Seattle; Rizzoli, New York 1990
Hubertus Gassner, *Analytical Sequences*, in David Elliot (a cura di), *Rodchenko and the Arts of Revolutionary Russia*, Pantheon, New York 1979
Hubertus Gassner, *John Heartfield in the USSR*, in *John Heartfield*, Museum of Modern Art, New York 1992
Hubertus Gassner, *The Constructivists: Modernism on the Way to Modernization*, in *The Great Utopia*, Guggenheim Museum, New York 1992
Maria Gough, *In the Laboratory of Constructivism: Karl Ioganson's Cold Structures*, in *October*, n. 84, primavera 1998
Maria Gough, *Tarabukin, Spengler, and the Art of Production*, in *October*, n. 93, estate 2000
Camilla Gray, *Pionieri dell'arte in Russia: 1863–1922*, trad. it. Il Saggiatore, Milano 1964
Selim O. Khan-Magomedov, *Rodchenko: The Complete Work*, MIT Press, Cambridge (Mass.) 1987
Christina Kiaer, *Rodchenko in Paris*, in *October*, n. 75, inverno 1996
Christina Kiaer, *Imagine No Possession: The Socialist Objects of Russian Constructivism*, MIT Press, Cambridge (Mass.) 2005
Alexei Kruchenykh, *Victory over the Sun*, in *Drama Review*, n. 15, autunno 1971
El Lissitzky, *El Lissitzky: pittore, architetto, tipografo, fotografo: ricordi, lettere, scritti*, trad. it. Editori Riuniti, Roma 1992
Sophie Lissitzky-Küpers, *El Lissitzky: Life, Letters, Texts*, Thames & Hudson, London 1968
Christina Lodder, *Russian Constructivism*, Yale University Press, New Haven-London 1983
Nancy Perloff e Brian Reed (a cura di), *Situating El Lissitzky: Vitebsk, Berlin, Moscow*, Getty Research Institute, Los Angeles 2003
Margit Rowell, *Vladimir Tatlin: Form/Faktura*, in *October*, n. 7, inverno 1978
Margit Rowell e Deborah Wye (a cura di), *The Russian Avant-Garde Book 1910–1934*, Museum of Modern Art, New York 2002
Herbert Spencer, *Pioneers of Modern Typography*, MIT Press, Cambridge (Mass.) 2004
Margarita Tupitsyn, *From the Politics of Montage to the Montage of Politics: Soviet Practice, 1919 through 1937*, in Matthew Teitelbaum (a cura di), *Montage and Modern Life, 1919–1942*, MIT Press, Cambridge (Mass.) 1992
Margarita Tupitsyn et al., *El Lissitzky—Beyond the Abstract Cabinet: Photography, Design, Collaboration*, Yale University Press, New Haven-London 1999
Larisa Zhadova, *Malevich: Suprematism and Revolution in Russian Art 1910–1930*, Thames & Hudson, New York 1982
Larisa Zhadova (a cura di), *Tatlin*, Rizzoli, New York 1988

PURISMO, PRECISIONISMO, NUOVA OGGETTIVITÀ E RITORNO ALL'ORDINE
Stephanie Barron e Sabine Eckmann (a cura di), *New Objectivity: Modern German Art in the Weimar Republic 1919–1933*, DelMonico Books-LACMA, New York 2015
Gottfried Boehm, Ulrich Mosch e Katharina Schmidt (a cura di), *Canto d'Amore: Classicism in Modern Art and Music, 1914–1945*, Kunstmuseum, Basel 1996
Benjamin H. D. Buchloh, *Figures of Authority, Ciphers of Regression: Notes on the Return of Representation in European Painting*, in *October*, n. 16, primavera 1981
Carol S. Eliel, *L'Esprit Nouveau: Purism in Paris 1918–1925*, Los Angeles County Museum of Art, Los Angeles-Abrams, New York 2001
Romy Golan, *Modernity and Nostalgia: Art and Politics in France Between the Wars*, Yale University Press, New Haven-London 1995
Christopher Green, *Cubism and its Enemies: Modern Movements and Reaction in French Art, 1916–1928*, Yale University Press, New Haven-London 1987
Jeffrey Herf, *Il modernismo reazionario: tecnologia, cultura e politica nella Germania di Weimar e del Terzo Reich*, trad. it. Il Mulino, Bologna 1988
Anton Kaes, Martin Jay e Edward Dimendberg (a cura di), *Weimar Republic Sourcebook*, University of California Press, Berkeley 1994
Nina Rosenblatt, *Empathy and Anaesthesia: On the Origins of a French Machine Aesthetic*, in *Grey Room*, n. 2, inverno 2001
Kenneth Silver, *Esprit de Corps*, Princeton University Press, Princeton 1989

BAUHAUS E MODERNISMO TEDESCO ANTEGUERRA
Herbert Bayer, Walter Gropius e Ise Gropius, *Bauhaus 1919–1928*, Museum of Modern Art, New York 1938
Christopher Burke, *Active Literature: Jan Tschichold and New Typography*, Hyphen Press, London 2007
Arthur A. Cohen, *Herbert Bayer: The Complete Work*, MIT Press, Cambridge (Mass.) 1984
Giuseppe Di Giacomo, *Introduzione a Klee*, Laterza, Roma 2005
Éva Forgács, *The Bauhaus Idea and Bauhaus Politics*, Central European University Press, Budapest 1995
Mary Emma Harris, *The Arts at Black Mountain College*, MIT Press, Cambridge (Mass.) 1987
Margret Kentgens-Craig, *The Bauhaus and America: First Contacts 1919–1936*, MIT Press, Cambridge (Mass.) 1996
Richard Kostelanetz (a cura di), *Moholy-Nagy*, Allen Lane, London 1971
Ruari MacLean, *Jan Tschichold: Typographer*, David R. Godine, Boston 1975
László Moholy-Nagy, *An Anthology*, De Capo Press, New York 1970
László Moholy-Nagy, *Pittura Fotografia Film*, trad. it. Einaudi, Torino 2011
László Moholy-Nagy, *The New Vision*, Wittenborn, Schultz, New York 1947
Antonino Saggio, *Architettura e modernità. Dal Bauhaus alla rivoluzione informatica*, Carocci, Roma 2010
Michael Siebenbrodt (a cura di), *Bauhaus Weimar*, trad. it. Mondadori Electa, Milano 2008
Herbert Spencer, *Pioneers of Modern Typography*, MIT Press, Cambridge (Mass.) 2004
Frank Whitford, *Bauhaus*, Thames & Hudson, New York 1984
Frank Whitford (a cura di), *The Bauhaus: Masters and Students by Themselves*, The Overlook, Woodstock (N.Y.) 1992
Hans Wingler, *Il Bauhaus: Weimar, Dessau, Berlino, 1919-1933*, trad. it. Feltrinelli, Milano 1987

INIZI DEL MODERNISMO AMERICANO
Allan Antliff, *Anarchist Modernism: Art, Politics, and the First American Avant-Garde*, University of Chicago Press, Chicago 2007
Stephanie Barron e Lisa Mark (a cura di), *Calder and Abstraction: From Avant-Garde to Iconic*, DelMonico Books, New York 2013
Achim Borchardt-Hume (a cura di), *Alexander Calder: Performing Sculpture*, Yale University Press, New Haven 2016
Marcia Brennan, *Painting Gender, Constructing Theory: The Alfred Stieglitz Circle and American Formalist Aesthetics*, MIT Press, Cambridge (Mass.) 2001
Erin B. Coe, Bruce Robertson e Gwendolyn Owens, *Modern Nature: Georgia O'Keeffe and Lake George*, Thames & Hudson, London-New York 2013
Helen Molesworth, *Leap Before You Look: Black Mountain College 1933–1957*, Yale University Press, New Haven 2015
Mark Rawlinson, *Charles Sheeler: Modernism, Precisionism and the Borders of Abstraction*, I. B. Tauris, London 2007
Terry Smith, *Making the Modern: Industry, Art, and Design in America*, University of Chicago Press, Chicago 1993

SURREALISMO
Dawn Ades (a cura di), *Dada e surrealismo*, trad. it. Curcio, Milano 1992
Dawn Ades e Simon Baker, *Undercover Surrealism: Georges Bataille and Documents*, MIT Press, Cambridge (Mass.) 2006
Dawn Ades, Michael Richardson e Krzysztof Fijalkowski (a cura di), *The Surrealism Reader: An Anthology of Ideas*, University of Chicago Press, Chicago 2016
Matthew Affron e Sylvie Ramond (a cura di), *Joseph Cornell and Surrealism*, Penn State University Press, University Park (Penn.) 2015
Anna Balakian, *Surrealism: The Road to the Absolute*, Cambridge University Press, Cambridge 1986
Yve-Alain Bois e Rosalind Krauss, *L'informe: istruzioni per l'uso*, trad. it. Bruno Mondadori, Milano 2003
André Breton, *Introduction to the Discourse on the Paucity of Reality*, in *October*, n. 69, estate 1994
André Breton, *L'Amour fou*, trad. it. Einaudi, Torino 1980
André Breton, *Manifesti del Surrealismo*, trad. it. Einaudi, Torino 2003
André Breton, *Nadja*, trad. it. Einaudi, Torino 1977
André Breton, *What is Surrealism?*, Haskell House Publishers, New York 1974
William Camfield, *Max Ernst: Dada and the Dawn of Surrealism*, Prestel, Munich 1993
Mary Ann Caws (a cura di), *Surrealist Painters and Poets: An Anthology*, MIT Press, Cambridge (Mass.) 2001
Jacqueline Chenieux-Gendron, *Surrealism*, Columbia University Press, New York 1990
Herschel B. Chipp, *Picasso's Guernica: History, Transformation, Meaning*, University of California Press, Berkeley-Los Angeles 1988
Paola Decina Lombardi, *Surrealismo 1919-1969*, Editori Riuniti, Roma 2002
Hal Foster, *Compulsive Beauty*, MIT Press, Cambridge (Mass.) 1993
Michel Foucault, *Questa non è una pipa*, trad. it. SE, Milano 1988
Francis Frascina, *Picasso, Surrealism and Politics in 1937*, in Silvano Levy (a cura di), *Surrealism: Surrealist Visuality*, New York University Press, New York 1997
Carlo Ginzburg, *The Sword and the Lightbulb: A Reading of Guernica*, in Michael S. Roth e Charles G. Salas (a cura di), *Disturbing Remains: Memory, History, and Crisis in the Twentieth Century*, Getty Research Institute, Los Angeles 2001
Jutta Held, *How do the Political Effects of Pictures Come About? The Case of Picasso's Guernica*, in *Oxford Art Journal*, vol. 11, n. 1, 1988, pp. 38-39
Gijs van Hensbergen, *Guernica: biografia di un'icona del Novecento*, trad. it. Il Saggiatore, Milano 2006
Denis Hollier, *Against Architecture: The Writings of Georges Bataille*, trad. ingl. MIT Press, Cambridge (Mass.) 1989
Denis Hollier, *Absent Without Leave: French Literature Under the Threat of War*, trad. ingl. Harvard University Press, Cambridge (Mass.) 1997
Rosalind Krauss, *L'inconscio ottico*, trad. it. Bruno Mondadori, Milano 2008
Rosalind Krauss e Jane Livingston, *L'Amour fou: Surrealism and Photography*, Abbeville, New York 1986
Alice Mahon, *Surrealism and the Politics of Eros 1938-1968*, Thames & Hudson, London 2005
Jennifer Mundy (a cura di), *Surrealism: Desire Unbound*, Tate Publishing, London 2001
Maurice Nadeau, *Storia e antologia del surrealismo*, trad. it. Mondadori, Milano 1972
Sidra Stich, *Picasso's Art and Politics in 1936*, in *Arts Magazine*, vol. 58, ottobre 1983, pp. 113-118
Dickran Tashjian, *A Boatload of Madmen: Surrealism and the American Avant-Garde 1920-1950*, Thames & Hudson, London 2002
Vincenzo Trione, *Atlanti metafisici*, Mondadori Skira, Milano 2005
Lynne Warren, *Alexander Calder and Contemporary Art: Form, Balance, Joy*, Thames & Hudson, London 2010

MURALISTI MESSICANI
Alejandro Anreus, *Orozco in Gringoland: The Years in New York*, University of New Mexico Press, Albuquerque 2001
Jacqueline Barnitz, *Twentieth-Century Art of Latin America*, University of Texas Press, Austin (Texas) 2001
Linda Downs, *Diego Rivera: A Retrospective*, Founders Society, Detroit Institute of Arts in collaborazione con W. W. Norton & Company, New York-London 1986
Desmond Rochfort, *Muralisti messicani: Orozco, Rivera, Siqueiros*, trad. it. Istituto poligrafico e zecca dello Stato, Roma 1997
Antonio Rodriguez, *A History of Mexican Mural Painting*, Thames & Hudson, London 1969

REALISMO SOCIALISTA
Matthew Cullerne Bown, *Socialist Realist Painting*, Yale University Press, New Haven-London 1998
Leah Dickerman, *Camera Obscura: Socialist Realism in the Shadow of Photography*, in *October*, n. 93, estate 2000
David Elliott (a cura di), *Engineers of the Human Soul: Soviet Socialist Realist Painting 1930s–1960s*, Museum of Modern Art, Oxford 1992
Hans Guenther (a cura di), *The Culture of the Stalin Period*, St. Martin's Press, London 1990
Thomas Lahusen e Evgeny Dobrenko (a cura di), *Socialist Realism without Shores*, Duke University Press, Durham (N.C.)-London 1997
Brandon Taylor, *Photo Power: Painting and Iconicity in the First Five Year Plan*, in Dawn Ades e Tim Benton (a cura di), *Art and Power: Europe Under the Dictators 1939–1945*, Thames & Hudson, London 1995
Andrei Zhdanov, *Speech to the Congress of Soviet Writers* (1934), trad. ingl. in Charles Harrison e Paul Wood (a cura di), *Art in Theory 1900–1990*, Blackwell, Oxford-Cambridge (Mass.) 1992

HARLEM RENAISSANCE
Mary Ann Calo, *Distinction and Denial: Race, Nation, and the Critical Construction of the African-American Artist, 1920–40*, University of Michigan Press, Ann Arbor 2007
M. S. Campbell et al., *Harlem Renaissance: Art of Black America*, Studio Museum in Harlem-Harry N. Abrams, New York 1987
David C. Driskell, *Two Centuries of Black American Art*, Alfred A. Knopf-Los Angeles County Museum of Art, New York 1976
Patricia Hills, *Painting Harlem Modern: The Art of Jacob Lawrence*, University of California Press, Berkeley 2010
Alain Locke (a cura di), *The New Negro: An Interpretation* (1925), Atheneum, New York 1968
Guy C. McElroy, Richard J. Powell e Sharon F. Patton, *African-American Artists 1880–1987: Selections from the Evans-Tibbs Collection*, Smithsonian Institution Traveling Exhibition Service, Washington (D.C.) 1989
James A. Porter, *Modern Negro Art* (1943), Howard University Press, Washington (D.C.) 1992
Joanna Skipworth (a cura di), *Rhapsodies in Black: Art of the Harlem Renaissance*, Hayward Gallery, London 1997

ESPRESSIONISMO ASTRATTO
David Anfam, *Abstract Expressionism*, Thames & Hudson, London-New York 2015
David Anfam, *Jackson Pollock's Mural: Energy Made Visible*, Thames & Hudson, London-New York 2015
David Anfam (a cura di), *Mark Rothko: The Works on Canvas*, catalogue raisonné, Yale University Press, New Haven-London 1998
Marcia Brennan, *Modernism's Masculine Subjects: Matisse, the New York School, and Post-Painterly Abstraction*, MIT Press, Cambridge (Mass.) 2004
T. J. Clark, "The Unhappy Consciousness" and "In Defense of Abstract Expressionism", in *Farewell to an Idea*, Yale University Press, New Haven-London 1999
Harry Cooper, *Mark Rothko: An Essential Reader*, Museum of Fine Arts, Houston 2015
John Elderfield (a cura di), *De Kooning: A Retrospective*, Museum of Modern Art, New York 2011
Francis Frascina (a cura di), *Pollock and After: The Critical Debate*, Harper & Row, New York 1985
Serge Guilbaut, *How New York Stole the Idea of Modern Art: Abstract Expressionism, Freedom, and the Cold War*, University of Chicago Press, Chicago 1983

Melissa Ho, *Reconsidering Barnett Newman*, Yale University Press, New Haven-London 2005
Rosalind Krauss, *Willem de Kooning Nonstop: Cherchez La Femme*, University of Chicago Press, Chicago 2015
Ellen G. Landau, *Reading Abstract Expressionism: Context and Critique*, Yale University Press, New Haven-London 2005
Michael Leja, *Reframing Abstract Expressionism: Subjectivity and Painting in the 1940s*, Yale University Press, New Haven-London 1993
Barnett Newman, *Il sublime, adesso*, trad. it. Abscondita, Milano 2010
Francis O'Connor e Eugene Thaw (a cura di), *Jackson Pollock: A Catalogue Raisonné of Paintings, Drawings, and Other Works*, Yale University Press, New Haven-London 1977
Ad Reinhardt, *Art as Art: Selected Writings of Ad Reinhardt*, University of California Press, Berkeley 1991
Harold Rosenberg, *La tradizione del nuovo*, trad. it. Feltrinelli, Milano 1964
Irving Sandler, *Abstract Expressionism: The Triumph of American Painting*, Pall Mall, London 1970
David Shapiro e Cecile Shapiro, *Abstract Expressionism: A Critical Record*, Cambridge University Press, Cambridge 1990
Francesco Tedeschi, La Scuola di New York, Vita e Pensiero, Milano 2004
Kirk Varnedoe e Pepe Karmel, *Jackson Pollock*, Museum of Modern Art, New York 1998
Riccardo Venturi, *Black paintings. Eclissi del modernismo*, Mondadori Electa, Milano 2008
Claudio Zambianchi, *Arte contemporanea: dall'espressionismo astratto alla pop art*, Carocci, Roma 2011

DUBUFFET, FAUTRIER, KLEIN E NOUVEAU RÉALISME
Jean-Paul Ameline, *Les Nouveaux Réalistes*, Centre Georges Pompidou, Paris 1992
Nuit Banai, *Yves Klein*, University of Chicago Press, Chicago 2015
Benjamin H. D. Buchloh, *From Detail to Fragment: Décollage/Affichiste*, in *Décollage: Les Affichistes*, Virginia Zabriske Gallery, New York-Paris 1990
Curtis L. Carter e Karen L. Butler (a cura di), *Jean Fautrier*, Yale University Press, New Haven- London 2002
Bernadette Contensou (a cura di), *1960: Les Nouveaux Réalistes*, Musée d'Art Moderne de la Ville de Paris, Paris 1986
Hubert Damisch, *The Real Robinson*, in *October*, n. 85, estate 1998
Jean Dubuffet, *I valori selvaggi*, trad. it. Feltrinelli, Milano 1971
Catherine Francblin, *Les Nouveaux Réalistes*, Editions du Regard, Paris 1997
Thomas F. McDonough, *"The Beautiful Language of my Century": Reinventing the Language of Contestation in Postwar France, 1945-1968*, MIT Press, Cambridge (Mass.) 2007
Rachel Perry, *Jean Fautrier's "Jolies Juives"*, in *October*, n. 108, primavera 2004
Francis Ponge, *L'Atelier contemporain*, Gallimard, Paris 1977
Jean-Paul Sartre, *Dita e non dita*, trad. it. in *Pensare l'arte*, Marinotti, Milano 2008

RAUSCHENBERG, JOHNS E ALTRI
Yve-Alain Bois, *Ellsworth Kelly: Catalogue Raisonné of Paintings, Reliefs, and Sculpture Vol. 1, 1940–1953*, Thames & Hudson, London-New York 2015
Yve-Alain Bois, *Ellsworth Kelly: The Early Drawings, 1948-1955*, Harvard University Press, Cambridge (Mass.) 1999
Russell Ferguson (a cura di), *Hand-Painted Pop: American Art in Transition, 1955–62*, Museum of Contemporary Art, Los Angeles 1993
Walter Hopps, Susan Davidson et al., *Robert Rauschenberg: A Retrospective*, Guggenheim Museum, New York 1997
Walter Hopps, *Robert Rauschenberg: The Early 1950s*, Menil Collection, Houston 1991
Hiroko Ikegami, *The Greath Migrator: Robert Rauschenberg and the Global Rise of American Art*, MIT Press, Cambridge (Mass.) 2010
Jasper Johns, *Writings, Sketchbook Notes, Interviews*, Museum of Modern Art/ Harry N. Abrams, New York 1996
Branden Joseph (a cura di), *Random Order*, MIT Press, Cambridge (Mass.) 2003
Branden Joseph (a cura di), *Robert Rauschenberg*, October Files 4, MIT Press, Cambridge (Mass.) 2002
Fred Orton, *Figuring Jasper Johns*, Harvard University Press, Cambridge 1994
James Rondeau, *Jasper Johns: Gray*, Art Institute of Chicago, Chicago 2007
Leo Steinberg, *Other Criteria: Confrontations with Twentieth-Century Art*, Oxford University Press, London-Oxford-New York 1972
Kirk Varnedoe, *Jasper Johns: A Retrospective*, Museum of Modern Art, New York 1996
Jeffrey Weiss, *Jasper Johns: An Allegory of Painting, 1955-1965*, Yale University Press, New Haven-London 2007

FONTANA, MANZONI E ARTE POVERA
Yve-Alain Bois, *Fontana's Base Materialism*, in *Art in America*, vol. 77, n. 4, aprile 1989
Germano Celant, *Arte Povera*, Gabriele Mazzotta, Milano 1969
Germano Celant, *The Knot: Arte Povera*, Umberto Allemandi, Torino 1985
Germano Celant (a cura di), *Piero Manzoni*, Serpentine Gallery, London 1998
Carolyn Christov-Bakargiev (a cura di), *Arte Povera*, Phaidon, London 1999
Richard Flood e Frances Morris (a cura di), *Zero to Infinity: Arte Povera 1962–1972*, Walker Art Gallery, Minneapolis; Tate Gallery, London 2002
Lucio Fontana, *Manifesti scritti interviste*, Abscondita, Milano 2015
Michel Foucault, *Questa non è una pipa*, trad. it. SE, Milano 1988
Elio Grazioli, *Piero Manzoni*, Bollati Boringhieri, Torino 2007
Jaleh Mansoor, *Piero Manzoni: 'We Want to Organicize Disintegration'*, in *October*, n. 95, inverno 2001
Jon Thompson (a cura di), *Gravity and Grace: Arte povera/Post Minimalism*, Hayward Gallery, London 993
Anthony White, *Lucio Fontana: Between Utopia and Kitsch*, in *Grey Room*, n. 5, autunno 2001
Sarah Whitfield, *Lucio Fontana*, Hayward Gallery, London 1999

COBRA E SITUAZIONISMO
Iwona Blazwick (a cura di), *An Endless Adventure—An Endless Passion—An Endless Banquet: A Situationist Scrapbook*, Verso, London 1989
Guy Debord, *La società dello spettacolo* (1967), trad. it. Baldini & Castoldi, Milano 1997
Internazionale Situazionista 1958-69, trad. it. Nautilus, Torino 1994
Karen Kurczynski, *The Art and Politics of Asger Jorn: The Avant-Garde Won't Give Up*, Ashgate, London 2014
Thomas F. McDonough (a cura di), *Guy Debord and the Situationist International*, MIT Press, Cambridge (Mass.) 2002
Willemijn Stokvis, *Cobra: The Last Avant-Garde Movement of the Twentieth Century*, Lund-Humphries, Aldershot 2004
Elisabeth Sussman (a cura di), *On the Passage of a Few People Through a Rather Brief Moment in Time*: *The Situationist International 1957–1972*, MIT Press, Cambridge (Mass.) 1989

GUTAI, NEOCONCRETISMO E MODERNISMO NON OCCIDENTALE
Barbara von Bertozzi e Klaus Wolbert (a cura di), *Gutai: Japanese Avant-Garde 1954–1965*, Mathildenhöhe, Darmstadt 1991
Guy Brett et al., *Hélio Oiticica*, Walker Art Center, Minneapolis 1994
Guy Brett et al., *Lygia Clark*, Fundació Antoni Tàpies, Barcelona 1997
Guy Brett et al., *Lygia Pape: Magnetized Space*, Serpentine Gallery, London 2011
Cornelia Butler e Luis Pérez-Oramas, *Lygia Clark: The Abandonment of Art 1948–1988,* Museum of Modern Art, New York 2014
Luciano Figueiredo et al., *Hélio Oiticica: The Body of Color*, Museum of Fine Arts, Houston 2007
Gutai magazine, edizione in facsimile (con traduzione inglese completa), Ashiya City Museum of Art and History, Ashiya 2010
Sergio Martins, *Constructing an Avant-Garde: Art in Brazil 1949–1979*, MIT Press, Cambridge (Mass.) 2013
Tetsuya Oshima, "'Dear Mr. Jackson Pollock': A Letter from Gutai," in Ming Tiampo (a cura di), *"Under Each Other's Spell": Gutai and New York*, Pollock-Krasner House, East Hampton 2009
Ming Tiampo, *Gutai: Decentering Modernism*, Chicago University Press, Chicago 2011
Ming Tiampo e Alexandra Munroe, *Gutai: Splendid Playground*, Guggenheim Museum, New York 2013
Paulo Venancio Filho, *Reinventing the Modern: Brazil*, Gagosian Gallery, Paris 2011

POP ART
Darsie Alexander e Bartholomew Ryan (a cura di), *International Pop*, Walker Art Center, Minneapolis 2015
Lawrence Alloway, *American Pop Art*, Collier Books, New York 1974
Graham Bader, *Roy Lichtenstein*, October Files 7, MIT Press, Cambridge (Mass.) 2009
Graham Bader, *Hall of Mirrors: Roy Lichtenstein and the Face of Painting in the 1960s*, MIT Press, Cambridge (Mass.) 2010
Yve-Alain Bois, *Edward Ruscha, Romance with Liquids*, Gagosian Gallery, New York 1993
Benjamin D. H. Buchloh, *Andy Warhol: Shadows and Other Signs of Like*, Walger König, Köln 1974
Thomas Crow, *The Rise of the Sixties: American and European Art in the Era of Dissent*, Abrams, New York 1996

Hal Foster, *The First Pop Age: Painting and Subjectivity in the Art of Hamilton, Lichtenstein, Warhol, Richter, and Ruscha*, Princeton University Press, Princeton 2014
Hal Foster, *Richard Hamilton*, October Files 10, MIT Press, Cambridge (Mass.) 2010
Hal Foster e Mark Francis, *Pop Art*, Phaidon, London 2005
Elio Grazioli (a cura di), *Andy Warhol*, Marcos y Marcos, Milano 2012
Lucy Lippard, *Pop Art*, trad. it. Mazzotta, Milano 1967
Marco Livingstone, *Pop Art: una storia che continua*, trad. it Leonardo, Milano 1990
Michael Lobel, *Image Duplicator: Roy Lichtenstein and the Emergence of Pop Art*, Yale University Press, New Haven 2002
Michael Lobel, *James Rosenquist: Pop Art, Politics, and History in the 1960s* (Berkeley: University of California Press, 2009
Steven Henry Madoff, *Pop Art: A Critical History*, University of California Press, Berkeley 1997
Kynaston McShine (a cura di), *Andy Warhol: una retrospettiva*, trad. it. Bompiani, Milano 1989
Andrea Mecacci, Introduzione a Andy Warhol, Laterza, Roma 2008
Andrea Mecacci, L'estetica del Pop, Donzelli, Roma 2011
Annette Michelson, *Andy Warhol*, October Files 2, MIT Press, Cambridge (Mass.) 2001
Jessica Morgan e Flavia Frigeri (a cura di), *The World Goes Pop*, Yale University Press, New Haven-London 2015
David Robbins (a cura di), *The Independent Group: Postwar Britain and the Aesthetics of Plenty*, MIT Press, Cambridge (Mass.) 1990
James Rondeau e Sheena Wagstaff, *Roy Lichtenstein: A Retrospective*, Art Institute of Chicago, Chicago 2012
Nadja Rottner (a cura di), *Claes Oldenburg*, October Files 13, MIT Press, Cambridge (Mass.) 2012
Edward Ruscha, *Leave Any Information at the Signal*, MIT Press, Cambridge (Mass.) 2002
John Russell e Suzi Gablik, *Pop Art Redefined*, Praeger, New York 1969
Aleksandra Schwartz, *Ed Ruscha's Los Angeles*, MIT Press, Cambridge (Mass.) 2010
Paul Taylor, *Post-Pop Art*, MIT Press, Cambridge (Mass.) 1989
Cecile Whiting, *A Taste for Pop: Pop Art, Gender, and Consumer Culture*, Cambridge University Press, Cambridge 1997

CAGE, KAPROW E FLUXUS
Elizabeth Armstrong, *In the Spirit of Fluxus*, Walker Art Center, Minneapolis 1993
Benjamin H. D. Buchloh e Judith Rodenbeck (a cura di), *Experiments in the Everyday: Allan Kaprow and Robert Watts—Events, Objects, Documents*, Wallach Gallery, Columbia University, New York 1999
John Cage, *Silenzio*, trad.it. Shake, Milano 2010
Antonio D'Avossa e Nicoletta Ossana Cavadini, *Fluxus. Una rivoluzione creativa*, Skira, Milano 2012
Rudolf Frieling e Boris Groys, *The Art of Partecipation: 1950 to now*, Thames & Hudson, London 2008
Jon Hendricks (a cura di), *Fluxus Codex*, Gilbert and Lila Silverman Fluxus Collection, Detroit 1988
Branden W. Joseph, *Beyond the Dream Syndicate: Tony Conrad and the Arts After Cage*, Zone Books, New York 2008
Allan Kaprow, *Assemblage, Environments & Happenings*, Harry N. Abrams, New York 1966
Allan Kaprow, *Essays on the Blurring of Art and Life*, University of California Press, Berkeley 1993
Liz Kotz, *Post-Cagean Aesthetics and the 'Event' Score*, in *October*, n. 95, inverno 2001
Julia Robinson (a cura di), *John Cage*, October Files 12, MIT Press, Cambridge (Mass.) 2011

ARTE TEDESCA DEL DOPOGUERRA
Adan Adler, *Hanne Darboven: Cultural History 1880-1983*, MIT Press, Cambridge (Mass.) 2009
Daniel Arasse, *Anselm Kiefer*, Thames & Hudson, New York-London 2015
Georg Baselitz e Eugen Schönebeck, *Pandämonium Manifestoes*, estratti in trad. ingl. in Andreas Papadakis (a cura di), *German Art Now*, vol. 5, n. 9–10, 1989
Joseph Beuys, *Where Would I Have Got If I Had Been Intelligent!*, Dia Center for the Arts, New York 1994
Benjamin H. D. Buchloh, *Gerhard Richter, 18 Oktober 1977*, Institute of Contemporary Arts, London 1989
Benjamin H. D. Buchloh, *Gerhard Richter's Atlas: The Anomic Archive*, in *October*, n. 88, primavera 1999
Benjamin H. D. Buchloh, *Joseph Beuys at the Guggenheim*, in *October*, n. 12, primavera 1980
Benjamin H. D. Buchloh, *Gerhard Rochter*, *October Files 8*, MIT Press, Cambridge (Mass.) 2009
Lynne Cooke, Karen Kelly e Barbara Schröde (a cura di), *Blinky Palermo: Retrospective 1964-77*, Yale University Press, New Haven-London 2010
Stefan Germer, *Die Wiederkehr des Verdrängten. Zum Umgang mit deutscher Geschichte bei Baselitz, Kiefer, Immendorf und Richter*, in Julia Bernard (a cura di), *Germeriana: Unveröffentlichte oder übersetzte Schriften von Stefan Germer*, Oktagon Verlag, Koeln 1999
Siegfried Gohr, *In the Absence of Heroes: The Early Work of Georg Baselitz*, in *Artforum*, vol. 20, n. 10, estate 1982
Tom Holert, *Bei Sich, über allem: Der symptomatische Baselitz*, in *Texte zur Kunst*, vol. 3, n. 9, marzo 1993
Andreas Huyssen, *Anselm Kiefer: The Terror of History, the Temptation of Myth*, in *October*, n. 48, primavera 1989
Kevin Power, *Existential Ornament*, in Maria Corral (a cura di), *Georg Baselitz*, Fundacion Caja de Pensiones, Madrid 1990
Gerhard Richter, *La pratica quotidiana della pittura*, trad. it. Postmedia, Milano 2003
Gerhard Richter, *Text: Writings, Interviews and Letters 1961–2007*, Thames & Hudson, London 2009
Margit Rowell, *Sigmar Polke: Works on Paper, 1963–1974*, Museum of Modern Art, New York 1999
Caroline Tisdall, *Joseph Beuys: Coyote*, Thames & Hudson, London 2008

MINIMALISMO, POSTMINIMALISMO E SCULTURA DEL DOPOGUERRA
Carl Andre, *Cuts: Texts, 1959–2004*, MIT Press, Cambridge (Mass.) 2005
Carl Andre e Hollis Frampton, *12 Dialogues, 1962–1963*, The Press of the Nova Scotia College of Art and Design, Halifax 1981
Jo Applin, *Eccentric Objects: Rethinking Sculpture in 1960s America*, Yale University Press, New Haven 2012
Gregory Battcock, *Minimal Art: A Critical Anthology*, Dutton, New York 1968
Tiffany Bell e Frances Morris (a cura di), *Agnes Martin*, Tate, London 2015
Maurice Berger, *Labyrinths: Robert Morris, Minimalism and the 1960s*, Harper & Row, New York 1989
Julia Bryan-Wilson (a cura di), *Robert Morris*, October Files 15, MIT Press, Cambridge (Mass.) 2013
Lynne Cooke e Karen Kelly (a cura di), *Agnes Martin*, Yale University Press, New Haven-London 2011
Hal Foster (a cura di), *Richard Serra*, October Files 1, MIT Press, Cambridge (Mass.) 2000
Ann Goldstein (a cura di), *A Minimal Future? Art as Object 1958–1968*, Museum of Contemporary Art, Los Angeles 2004
Carmen Jimenez, Hal Foster et al., *Richard Serra: The Matter of Time*, Steidl, Göttingen 2005
Suzanne P. Hudson, *Robert Ryman: Used Paint*, MIT Press, Cambridge (Mass.) 2009
Donald Judd, *Donald Judd, Complete Writings, 1959–1975*, The Press of the Nova Scotia College of Art and Design, Halifax 1975
Rosalind Krauss, *Passaggi*, trad. it. Bruno Mondadori, Milano 1998
Rosalind Krauss, *The Sculpture of David Smith: A Catalogue Raisonné*, Garland Publishing, New York 1977
Lucy Lippard, *Eva Hesse*, Da Capo, New York 1992
James Meyer, *Minimalism: Art and Polemics in the Sixties*, Yale University Press, New Haven-London 2001
Robert Morris, *Continuous Project Altered Daily: The Writings of Robert Morris*, MIT Press, Cambridge (Mass.) 1993
Mignon Nixon (a cura di), *Eva Hesse*, October Files 3, MIT Press, Cambridge (Mass.) 2002
Mignon Nixon, *Fantastic Reality: Louise Bourgeois and a Story of Modern Art*, MIT Press, Cambridge (Mass.) 2005
Nancy Princenthal, *Agnes Martin: Her Life and Art*, Thames & Hudson, London-New York 2015
Julia Robinson (a cura di), *New Realisme, 1957-1962: Object Strategies Between Readymade and Spectacle*, Museo Nacional Centro de Arte Reina Sofia, Madrid-MIT Press, Cambridge (Mass.) 2010
Corinna Thierolf e Johannes Vigt, *Dan Flavin: Icons*, Thames & Hudson, London 2009
Clara Weyergraf-Serra e Martha Buskirk (a cura di), *The Destruction of Tilted Arc: Documents*, MIT Press, Cambridge (Mass.) 1991

LAND ART, ARTE PROCESSUALE ED ENTROPIA
Suzaan Boettger, *Earthworks: Art and the Landscape of the Sixties*, University of California Press, Berkeley 2003

Thomas Crow et al., *Gordon Matta Clark*, Phaidon, London 2003
Robert Hobbs, *Robert Smithson: Sculpture*, Cornell University Press, Ithaca (N.Y.) 1981
Bruce Jenkins, *Gordon Matta-Clark: Conical Intersect*, MIT Press, Cambridge (Mass.) 2011
Philipp Kaiser e Miwon Kwon, *Ends of the Earth: Land Art to 1974*, Museum of Contemporary Art, Los Angeles-Prestel, Los Angeles-New York 2012
Pamela Lee, *Chronophobia*, MIT Press, Cambridge (Mass.) 2004
Pamela Lee, *Object to be Destroyed: The Work of Gordon Matta-Clark*, MIT Press, Cambridge (Mass.) 2000
Ann Reynolds, *Robert Smithson: Learning from New Jersey and Elsewhere*, MIT Press, Cambridge (Mass.) 2003
Jennifer L. Roberts, *Mirror-travels: Robert Smithson and History*, Yale University Press, New Haven 2004
Robert Smithson, *The Collected Writings*, University of California Press, Berkeley 1996
Francesco Tedeschi, *Il mondo ridisegnato. Arte e geografia nella contemporaneità*, Vita e Pensiero, Milano 2011
Eugenie Tsai (a cura di), *Robert Smithson*, University of California Press, Berkeley 2004

ARTE CONCETTUALE
Alexander Alberro e Sabeth Buchmann (a cura di), *Art After Conceptual Art*, MIT Press, Cambridge (Mass.) 2007
Alexander Alberro e Blake Stimson (a cura di), *Arte concettuale e strategie pubblicitarie*, trad. it. Johan & Levi, Monza 2011
Mel Bochner, *Solar System & Rest Rooms: Writings and Interviews, 1965-2007*, MIT Press, Cambridge (Mass.) 2008
Benjamin H. D. Buchloh, *Conceptual Art 1962–69: From an Aesthetics of Administration to the Critique of Institutions*, in *October*, n. 55, inverno 1990
Jane Farver e Rachel Weiss (a cura di), *Global Conceptualism: Points of Origin 1950s–1980s*, Queens Museum of Art, New York 1999
Ann Goldstein (a cura di), *Reconsidering the Object of Art: 1965–1975*, Museum of Contemporary Art, Los Angeles 1995
Boris Groys, *History Becomes Form: Moscow Conceptualism*, MIT Press, Cambridge (Mass.) 2010
Boris Groys (a cura di), *Total Enlightenment: Conceptual Art in Moscow 1960–1990*, Schirn Kunsthalle-Hatje Cantz, Frankfurt-Ostfildern 2008
Joseph Kosuth, *L'arte dopo la filosofia*, trad. it. Costa & Nolan, Genova 1991
Liz Kotz, *Words to Be Looked At: Language in 1960s Art*, MIT Press, Cambridge (Mass.) 2007
Lucy Lippard, *Six Years: The Dematerialization of the Art Object 1966–1972*, University of California Press, Berkeley 1973
Ursula Meyer, *Conceptual Art*, Dutton, New York 1972
Kynaston McShine, *Information*, Museum of Modern Art, New York 1970
Peter Osborne (a cura di), *Arte concettuale*, trad. it. Phaidon, Londra 2006
Anne Rorimer, *New Art in the 60s and 70s: Redefining Reality*, Thames & Hudson, New York 2001
Blake Stimson e Alexander Alberro (a cura di), *Conceptual Art: An Anthology of Critical Writings and Documents*, MIT Press, Cambridge (Mass.) 2000
Margarita Tupitsyn, "About Early Moscow Conceptualism," in Luis Camnitzer,

INSTALLAZIONE, CRITICA DELLE ISTITUZIONI E SITE-SPECIFICITY
Alexander Alberro (a cura di), *Museum Highlights: The Writings of Andrea Fraser*, MIT Press, Cambridge (Mass.) 2005
Alexander Alberro e Blake Stimson (a cura di), *Institutional Critique: An Anthology of Artists' Writings*, MIT Press, Cambridge (Mass.) 2009
Michael Asher, *Writings 1973–1983 on Works 1969–1979*, The Press of the Nova Scotia College of Art and Design, Halifax 1983
Claire Bishop, *Installation Art: A Critical History*, Routledge, New York 2005
Marcel Broodthaers, *Broodthaers: Writings, Interviews, Photographs*, MIT Press, Cambridge (Mass.) 1987
Julia Bryan-Wilson, *Art Workers: Radical Practice in the Vietnam War Era*, University of California Press, Berkeley 2009
Daniel Buren, *Daniel Buren: Les Couleurs, Sculptures, Les Formes, Peintures*, Centre Georges Pompidou, Paris 1981
Victor Burgin, *Situational Aesthetics*, in *Studio International*, vol. 178, n. 915, ottobre 1969
Rachel Churner (a cura di), *Hans Haacke*, October Files 18, MIT Press, Cambridge (Mass.) 2015
Rosalyn Deutsche, *Evictions: Art and Spatial Politics*, MIT Press, Cambridge (Mass.) 1996
Dan Graham, *Two-Way Mirror Power: Selected Writings by Dan Graham on His Art*, MIT Press, Cambridge (Mass.) 1999
Dan Graham, *Video, Architecture, Television: Writings on Video and Video Works, 1970–1978*, The Press of the Nova Scotia College of Art and Design, Halifax 1979
Hans Haacke, *Unfinished Business*, MIT Press, Cambridge (Mass.) 1986
Rachel Haidu, *The Absence of Work: Marcel Broodthaers, 1964-1976*, MIT Press, Cambridge (Mass.) 2011
Jennifer King (a cura di), *Michael Asher*, October Files 19, MIT Press, Cambridge (Mass.) 2016
Alex Kitnick (a cura di), *Dan Graham*, October Files 11, MIT Press, Cambridge (Mass.) 2011
Rosalind Krauss, *The Cultural Logic of the Late Capitalist Museum*, in *October*, n. 54, autunno 1990
Miwon Kwon, *One Place After Another: Site-Specific Art and Locational Identity*, MIT Press, Cambridge (Mass.) 2002
Jennifer Licht, *Spaces*, Museum of Modern Art, New York 1969
Brian O'Doherty, *Inside the White Cube: L'ideologia dello spazio espositivo*, trad. it. Johan & Levi, Monza 2012
Spyros Papapetros e Julian Rose (a cura di), *Retracing the Expanded Field: Encounters between Art and Architecture*, MIT Press, Cambridge (Mass.) 2014
Kirsi Peltomäki, *Situation Aesthetics: The Work of Michael Asher*, MIT Press, Cambridge (Mass.) 2010
Birgit Pelzer, Mark Francis e Beatriz Colomina, *Dan Graham*, Phaidon, London 2001
Erica Suderburg (a cura di), *Space, Site, Intervention: Situating Installation Art*, University of Minnesota Press, Minneapolis 2000
Marsha Tucker, *Anti-Illusion: Procedures/Materials*, Whitney Museum of American Art, New York 1969
Fred Wilson, *Mining the Museum*, Museum of Contemporary Art, Baltimore 1994

PERFORMANCE E BODY ART
Sally Banes, *Democracy's Body: Judson Dance Theater, 1962–1964*, Duke University Press, Durham (N.C.) 1993
Stephen Barber, *Performance Projections: Film and the Body in Action*, Reaktion Books, London 2015
Sabine Breitwieser (a cura di), *Simone Forti: Thinking with the Body*, Hirmer, Chicago 2015
Julia Bryan-Wilson, *Art Workers: Radical Practice in the Vietnam War Era*, University of California Press, Berkeley 2009
Rudolf Frieling e Boris Groys, *The Art of Participation: 1950 to Now*, Thames & Hudson, London 2008
RoseLee Goldberg, *Performance Art: From Futurism to the Present*, Thames & Hudson, London-New York 2001
RoseLee Goldberg, *Performance: Live Art Since the 60s*, Thames & Hudson, London 2004
Adrian Heathfield e Tehching Hsieh, *Out of Now: The Lifeworks of Tehching Hsieh*, MIT Press, Cambridge (Mass.) 2009
Fred Hoffman et al., *Chris Burden*, Thames & Hudson, London 2007
Amelia Jones, *Body Art: Performing the Subject*, University of Minnesota Press, Minneapolis 1998
Amelia Jones e Andrew Stephenson (a cura di), *Performing the Body/Performing the Text*, Routledge, London-New York 1999
Carrie Lambert-Beatty, *Being Watched: Yvonne Rainer and the 1960s*, MIT Press, Cambridge (Mass.) 2008
Sallie O'Reilly, *The Body in Contemporary Art*, Thames & Hudson, London 2009
Helena Reckitt (a cura di), *Il corpo dell'artista*, trad. it. Phaidon, Londra 2006
Paul Schimmel e Russell Ferguson (a cura di), *Out of Actions: Between Performance and the Object: 1949–1979*, Museum of Contemporary Art, New York 1998
Kristine Stiles, *Uncorrupted Joy: International Art Actions*, in Paul Schimmel e Russell Ferguson (a cura di), *Out of Actions: Between Performance and the Object 1949–1979*, Thames & Hudson, London 1998
Anne Wagner, *Performance, Video, and the Rhetoric of Presence*, in *October*, n. 91, inverno 2000
Frazer Ward, *Some Relations Between Conceptual and Performance Art*, in *Art Journal*, vol. 56, n. 4, inverno 1997

FEMMINISMO, ARTE POSTCOLONIALE, ARTE IDENTITARIA E ARTE POLITICIZZATA
Jean-Loup Ameselle, *L'arte africana contemporanea*, trad. it. Bollati Boringhieri, Torino 2007
Carol Armstrong e Catherine de Zegher (a cura di), *Women Artists at the Millenium*, MIT Press, Cambridge (Mass.) 2006

Homi Bhabha, *I luoghi della cultura*, trad. it. Meltemi, Roma 2006
Gregg Bordowitz, *General Idea: Imagevirus (The AIDS Project)*, MIT Press, Cambridge (Mass.) 2010
John P. Bowles, *Adrian Piper: Race, Gender, and Embodiment*, Duke University Press, Durham (N.C.) 2011
Julia Bryan-Wilson, *Art Workers: Radical Practice in the Vietnam War Era*, University of California Press, Berkeley 2009
Cornelia H. Butler e Lisa Gabrielle Mark (a cura di), *WACK!: Art and the Feminist Revolution*, MIT Press, Cambridge (Mass.) 2007
Judith Butler, *Gender Trouble: Feminism and the Subversion of Identity*, Routledge, New York 1989
Gavin Butt, *Between You and Me: Queer Disclosures in the New York Art World, 1948–1963*, Duke University Press, Durham (N.C.) 2005
Judy Chicago, *Beyond the Flower: The Autobiography of a Feminist Artist*, Viking, New York 1996
Judy Chicago, *The Dinner Party: Restoring Women to History*, Monacelli Press, New York 2014
Douglas Crimp (a cura di), *AIDS: Cultural Analysis/Cultural Activism*, MIT Press, Cambridge (Mass.) 1988
Douglas Crimp e Adam Rolston (a cura di), *AIDS DEMOgraphics*, Bay, Seattle 1990
Olivier Debroise (a cura di), *The Age of Discrepancies: Art and Visual Culture in Mexico 1968-1997*, Universidad Nacional Autónoma de México-Turner, Mexico City-Madrid 2006
Emanuela De Cecco, *Non volendo aggiungere altre cose al mondo. Politiche dell'arte nella sfera pubblica*, Postmedia, Milano 2016
Darby English, *How to See a Work of Art in Total Darkness*, MIT Press, Cambridge (Mass.) 2007
Ales Erjavac (a cura di), *Postmodernism and the Postsocialist Condition: Politicized Art Under Late Socialism*, University of California Press, Berkeley 2003
Sujatha Fernandes, *Cuba Represented: Cuban Arts, State Power, and the Making of New Revolutionary Cultures*, Duke University Press, Durham (N.C.) 2006
Joanna Frueh, Cassandra L. Langer e Arlene Raven (a cura di), *New Feminist Art Criticism: Art, Identity, Action*, HarperCollins, New York 1994
Coco Fusco, *The Bodies That Were Not Ours*, Routledge, New York 2001
Thelma Golden, *Black Male: Representations of Masculinity in Contemporary Art*, Whitney Museum of American Art, New York 1994
Jennifer A. Gonzáles, *Subject to Display: Reframing Race in Contemporary Installation Art*, MIT Press, Cambridge (Mass.) 2008
Stuart Hall e Mark Sealy, *Different: Contemporary Photography and Black Identity*, Phaidon, London 2001
Harmony Hammond, *Lesbian Art in America: A Contemporary History*, Rizzoli International Publications, New York 2000
Amelia Jones e Erin Silver, *Otherwise: Imagining Queer Feminist Art Histories*, Manchester University Press, Manchester 2016
Jonathan David Katz e Rock Hushka, *Art AIDS America*, University of Washington Press, Seattle 2015
Mary Kelly, *Imaging Desire*, MIT Press, Cambridge (Mass.) 1997
Zoya Kocur (a cura di), *Global Visual Cultures: An Anthology*, Wiley-Blackwell, Chichester 2011
Lucy R. Lippard, *Get the Message? A Decade of Social Change*, Dutton, New York 1984
Lucy R. Lippard, *The Pink Glass Swan: Selected Essays in Feminist Art*, New Press, New York 1995
Jean-Hubert Martin et al., *Les Magiciens de la terre*, Centre Georges Pompidou, Paris 1989
Kobena Mercer, *Welcome to the Jungle: New Positions in Cultural Studies*, Routledge, New York 1994
Gerardo Mosquera e Jean Fisher, *Over Here: International Perspectives on Art and Culture*, MIT Press, Cambridge (Mass.) 2005
Lisa Ryan Musgrave (a cura di), *Feminist Aesthetics and Philosophy of Art: The Power of Critical Visions and Creative Engagement*, Springer, New York 2014
Linda Nochlin, *Women, Art and Power: And Other Essays*, Harper & Row, New York 1988, e Thames & Hudson, London 1989
Linda Nochlin, *Women Artists: The Linda Nochlin Reader*, Thames & Hudson, London-New York2015
Roszika Parker e Griselda Pollock, *Framing Feminism: Art and the Women's Movement 1970–85*, Pandora, London 1987
Roberto Pinto, *Nuove geografie artistiche. Le mostre al tempo della globalizzazione*, Postmedia, Milano 2012
Griselda Pollock, *Vision and Difference: Femininity, Feminism, and Histories of Art*, Routledge, New York 1988
Helaine Posner (a cura di), *Corporal Politics*, MIT List Visual Arts Center, Cambridge (Mass.) 1992
Maura Reilly e Linda Nochlin (a cura di), *Global Feminisms: New Directions in Contemporary Art*, Brooklyn Museum-Merrell Publishers, New York 2007
Blake Stimson e Gregory Sholette (a cura di), *The Art of Social Imagination After 1945*, University of Minnesota Press, Minneapolis 2007
Catherine de Zegher (a cura di), *Inside the Visible: An Elliptical Traverse of 20th-Century Art*, MIT Press, Cambridge (Mass.) 1994

FOTOGRAFIA, FILM, VIDEO E IMMAGINE PROIETTATA

Dawn Ades, *Photomontage*, Thames & Hudson, London 1976
Carol Armstrong, *Scenes in a Library: Reading the Photograph in the Book* (1959), MIT Press, Cambridge (Mass.) 1998
George Baker (a cura di), *James Coleman*, MIT Press, Cambridge (Mass.) 2003
Béla Balázs, *Il film: evoluzione ed essenza di un'arte nuova*, Einaudi, Torino 1987
Peter Barberie, *Paul Strand: Master of Modern Photography*, Philadelphia Museum of Art-Fundacion Mapfre-Yale University Press, New Haven 2014
Roland Barthes, *La camera chiara*, trad. it. Einaudi, Torino 1980
Roland Barthes, "Il messaggio fotografico" e "La retorica dell'immagine", trad. it. in *L'ovvio e l'ottuso*, Einaudi, Torino 1985
Geoffrey Batchen, *Photography Degree Zero*, MIT Press, Cambridge (Mass.) 2009
André Bazin, *Che cosa è il cinema?*, trad. it. Garzanti, Milano 1991
John Berger, *Another Way of Telling*, Pantheon, New York 1982
Jennifer Blessing, *Catherine Opie: American Photographer*, Solomon R. Guggenheim Museum, New York 2008
Jay Bochner, *An American Lens: Scenes from Alfred Stieglitz's New York Secession*, MIT Press, Cambridge (Mass.) 2005
Stan Brakhage, *The Essential Brakhage*, McPherson & Company, Kingston (N.Y.) 2001
Benjamin H. D. Buchloh, *Allegorical Procedures: Appropriation and Montage in Contemporary Art*, in *Artforum*, vol. 21, n. 1, settembre 1982
Noel Burch, *Prassi del cinema*, trad. it. Pratiche, Parma 1990
Johanna Burton (a cura di), *Cindy Sherman*, October Files 6, MIT Press, Cambridge (Mass.) 2006
David Campany (a cura di), *Arte e fotografia*, trad. it. Phaidon, Londra 2006
Stanley Cavell, *The World Viewed: Reflections on the Ontology of Film*, Harvard University Press, Cambridge 1971
Diardmuid Costello e Margaret Iversen (a cura di), *Photography After Conceptual Art (Art History Special Issues)*, Wiley-Blackwell, Chichester 2010
Charlotte Cotton, *La fotografia come arte contemporanea*, trad. it. Einaudi, Torino 2010
Malcolm Daniel, *Stieglitz, Steichen, Strand*, Yale University Press, New Haven-London 2010
Corinne Diserens (a cura di), *Chasing Shadows: Santu Mofokeng—Thirty Years of Photographic Essays*, Prestel, Munich 2011
Mary Ann Doane, *Information, Crisis, Catastrophe*, in Patricia Mellencamp (a cura di), *Logics of Television: Essays in Cultural Criticism*, Indiana University Press, Bloomington 1990
Sergei Eisenstein, *Lezioni di regia*, trad. it. Einaudi, Torino 1977
Okwui Enwezor e Rory Bester (a cura di), *Rise and Fall of Apartheid: Photography and the Bureaucracy of Everyday Life*, International Center of Photography-DelMonico Books/Prestel, New York-Munich 2013
Tamar Garb, *Figures & Fictions: Contemporary South African Photography*, V & A Publishing-Steidl, London-Göttingen 2011
Elio Grazioli, *Corpo e figura umana nella fotografia*, Bruno Mondadori, Milano 1998
Walter Guadagnini, *Una storia della fotografia del XX e XXI secolo,* Zanichelli, Bologna 2010
Robert Hirsch, *Seizing the Light: A History of Photography*, McGraw-Hill, Boston 2000
Chrissie Iles, *Into the Light: The Projected Image in American Art, 1964–1977*, Whitney Museum of American Art, New York 2001
Gabrielle Jennings e Kate Mondloch (a cura di), *Abstract Video: The Moving Image in Contemporary Art*, University of California Press, Oakland 2015
David Joselit, *Feedback: Television against Democracy*, MIT Press, Cambridge (Mass.) 2007
Omar Kholeif (a cura di), *Moving Image*, Documents of Contemporary Art-Whitechapel Gallery-MIT Press, London-Cambridge (Mass.) 2015
Friedrich Kittler, *Gramophone, Film, Typewriter*, Stanford University Press, Stanford 1999
Claudio Marra, *Fotografia e pittura nel Novecento (e oltre)*, Bruno Mondadori, Milano 2012
Elizabeth Ann McCauley, *Industrial Madness: Commercial Photography in Paris 1848–1871*, Yale University Press, New Haven-London 1994

Darren Newbury, *Defiant Images: Photography and Apartheid South Africa*, Unisa Press, Pretoria 2009
Beaumont Newhall, *Storia della fotografia*, trad. it. Einaudi, Torino 1984
Erwin Panofsky, *Tre saggi sullo stile: il barocco, il cinema, la Rolls-Royce*, trad. it. Abscondita, Milano 2011
John Peffer, *Art and the End of Apartheid*, University of Minnesota Press, Minneapolis 2009
John Peffer e Elisabeth L. Cameron (a cura di), *Portraiture and Photography in Africa. African Expressive Cultures*, Indiana University Press, Bloomington 2013
Kira Perov (a cura di), *Bill Viola*, Thames & Hudson, London 2015
Christopher Phillips, *Photography in the Modern Era: European Documents and Critical Writings, 1913–1940*, Metropolitan Museum of Art, New York 1989
Michel Poivert, *La fotografia contemporanea*, trad. it. Einaudi, Torino 2011
Eva Respini, *Cindy Sherman*, Museum of Modern Art, New York 2012
Naomi Rosenblum, *A World History of Photography*, Abbeville, New York 1984
Round Table: Independence in the Cinema, in *October*, n. 91, inverno 2000
Round Table: The Projected Image in Contemporary Art, in *October*, n. 104, primavera 2003
Michael Rush, *Video Art*, Thames & Hudson, London 2007
Allan Sekula, *On the Invention of Photographic Meaning*, in *Artforum*, vol. 13, n. 5, gennaio 1975
Allan Sekula, *The Traffic in Photographs*, in *Art Journal*, vol. 41, n. 1, primavera 1981
P. Adams Sitney, *Modernist Montage: The Obscurity of Vision in Cinema and Literature*, Columbia University Press, New York 1990
P. Adams Sitney, *The Avant-Garde Film: A Reader of Theory and Criticism*, New York University Press, New York 1978
P. Adams Sitney, *Visionary Film: The American Avant-Garde, 1943–2000*, Oxford University Press, Oxford 2002
Abigail Solomon-Godeau, *Photography at the Dock: Essays on Photographic History, Institutions, and Practices*, University of Minnesota Press, Minneapolis 1991
Susan Sontag, *Sulla fotografia*, trad. it. Einaudi, Torino 1992
Yvonne Spielmann, *Video: The Reflexive Medium*, MIT Press, Cambridge (Mass.) 2008
Edward Steichen (a cura di), *The Family of Man*, 60th anniversary edition, Museum of Modern Art, New York 2015
John Tagg, *The Burden of Representation: Essays on Photographies and Histories*, University of Massachusetts Press, Amherst (Mass.) 1988
Matthew Teitelbaum (a cura di), *Montage and Modern Life: 1919–1942*, MIT Press, Cambridge (Mass.) 1992
Chris Townsend (a cura di), *The Art of Bill Viola*, Thames & Hudson, London 2004
Alan Trachtenberg (a cura di), *Classic Essays on Photography*, Leete's Island Books, New Haven-London 1980
Malcolm Turvey, *Jean Epstein's Cinema of Immanence: The Rehabilitation of the Corporeal Eye*, in *October*, n. 83, inverno 1998
Malcolm Turvey, *The Filming of Modern Life: European Avant-Garde Film of the 1920s*, MIT Press, Cambridge (Mass.) 2010
Andrew V. Uroskie, *Between the Black Box and the White Cube: Expanded Cinema and Postwar Art*, University of Chicago Press, Chicago 2014
Dziga Vertov, *Kino-Eye: The Writings of Dziga Vertov*, University of California Press, Berkeley 1984
Jonathan Walley, *The Material of Film and the Idea of Cinema: Contrasting Practices in Sixties and Seventies Avant-Garde Film*, in *October*, n. 103, inverno 2003

MONOGRAFIE DI ARTE E ARTISTI CONTEMPORANEI

Ernst van Alphen, *Staging the Archive: Art and Photography in the Age of New Media*, Reaktion Books, London 2015
The Atlas Group, *The Truth Will Be Known When the Last Witness is Dead: Documents from the Fakhouri File in The Atlas Group Archive*, Walther König, Cologne 2004
George Baker, "An Interview with Pierre Huyghe," in *October*, n. 110, autunno 2004, pp. 80-106
George Baker (a cura di), *James Coleman*, MIT Press, Cambridge (Mass.) 2003
Bernadette Corporation, *Reena Spaulings*, Semiotext(e), New York 2004
Claire Bishop, *Artificial Hells: Participatory Art and the Politics of Spectatorship*, Verso, London 2012
Joline Blais e Jon Ippolito, *At the Edge of Art*, Thames & Hudson, London 2006
Iwona Blazwick, Kasper König e Yve-Alain Bois, *Isa Genzken: Open Sesame!*, Walther König, Köln 2009
Yve-Alain Bois (a cura di), *Gabriel Orozco*, October Files 9, MIT Press, Cambridge (Mass.9 2009
Yve-Alain Bois e Benjamin H. D. Buchloh, *Gabriel Orozco*, Thames & Hudson, London 2007
Sabine Breitwieser, Laura Hoptman, Michael Darling, Jeffrey Grove e Lisa Lee, *Isa Genzken: Retrospective*, Museum of Modern Art, New York 2013
Tania Bruguera et al., *Tania Bruguera*, La Biennale di Venezia, Venezia 2005
Nicolas Bourriaud, *Estetica relazionale*, trad. it. Postmedia, Milano 2010
Benjamin H. D. Buchloh, *Raymond Pettibon: Here's Your Irony Back*, Steidl, Göttingen 2011
Benjamin H. D. Buchloh e David Bussel, *Isa Genzken: Ground Zero*, Steidl, Göttingen 2008
Johanna Burton, *Rites of Silence: On the Art of Wade Guyton*, in *Artforum*, vol. XLVI, n. 10, estate 2008, pp. 364–73, p. 464
Sophie Calle, *Take Care of Yourself*, Dis Voir/Actes Sud, Paris 2007
Melissa Chiu e Benjamin Genocchio, *Contemporary Asian Art*, Thames & Hudson, London 2009
Charlotte Cotton, *La fotografia come arte contemporanea*, trad. it. Einaudi, Torino 2010
Jean-Pierre Criqui (a cura di), *Christian Marclay: Replay*, JRP|Ringier, Zürich 2007
Florence Derieux, *Tom Burr: Extrospective: Works 1994–2006*, JRP Editions, Zürich 2006
Anna Dezeuze, *Thomas Hirschhorn: Deleuze Monument*, Afterall Books, London 2014
Yilmaz Dziewior et al., *Zhang Huan*, Phaidon Press, London 2009
Tom Eccles, David Joselit, e Iwona Blazwick, *Rachel Harrison: Museum without Walls*, Bard College Publications, New York 2010
Antje Ehmann e Kodwo Eshun (a cura di), *Harun Farocki: Against What? Against Whom?*, König Books, London 2009
Richard Flood, Laura Hoptman, Massimiliano Gioni e Trevor Smith, *Unmonumental: The Object in the 21st Century*, Phaidon Press, London 2007
Alison M. Gingeras, Benjamin H.D. Buchloh e Carlos Basualdo, *Thomas Hirschhorn*, Phaidon Press, London 2004
RoseLee Goldberg, *Performance: Live Art Since the 60s*, Thames & Hudson, London 2004
Ann Goldstein, *Martin Kippenberger: The Problem Perspective*, Museum of Contemporary Art, Los Angeles-MIT Press, Cambridge (Mass.) 2008
Rachel Greene, *Internet Art*, Thames & Hudson, London 2004
Kelly Grovier, *Art Since 1989*, Thames & Hudson, London 2015
Eleanor Heartney, *Life Like*, in *Art in America*, vol. 96, n. 5, maggio 2008, pp. 164–5, p. 208
David Joselit, *Dopo l'arte*, trad. it. Postmedia, Milano 2015
Ruba Katrib e Thomas F. McDonough, *Claire Fontaine: Economies*, Museum of Contemporary Art, North Miami 2010
Rosalind Krauss, *La roccia: I disegni per la proiezione di William Kentridge*, trad. it. in *Inventario perpetuo*, Bruno Mondadori, Milano 2010
Carrie Lambert-Beatty, *Political People: Notes on Arte de Conducta*, in *Tania Bruguera: On the Political Imaginary*, Charta, Milano-Neuberger Museum of Art, Purchase (N.Y.) 2009
Carrie Lambert-Beatty, *Make-Believe: Parafiction and Plausibility*, in *October*, n. 129, estate 2009, pp. 51–84
Lars Bang Larsen (a cura di), *Networks, Documents of Contemporary Art*, Whitechapel Gallery and MIT Press, London-Cambridge (Mass.) 2014
Lisa Lee (a cura di), *Isa Genzken*, October Files 17, MIT Press, Cambridge (Mass.) 2015
Charles Merewether, *Ai Weiwei: Under Construction*, University of New South Wales Press, Sydney 2008
Richard Meyer, *What Was Contemporary Art?*, MIT Press, Cambridge (Mass.) 2014
Gao Minglu, *Total Modernity and the Avant-Garde in Twentieth-Century Chinese Art*, MIT Press, Cambridge (Mass.) 2011
Helen Molesworth (a cura di), *Louise Lawler*, October Files 18, MIT Press, Cambridge (Mass.) 2013
Jochen Noth et al., *China Avant-Garde: Counter-Currents in Art and Culture*, Oxford University Press, Oxford 1994
Sally O'Reilly, *Il corpo nell'arte contemporanea*, trad. it. Einaudi, Torino 2011
Christiane Paul, *Digital Art*, Thames & Hudson, London 2008
Michael Rush, *New Media in Art*, Thames & Hudson, London 2005
Michael Rush, *Video Art*, Thames & Hudson, London 2007
Edward A. Shanken (a cura di), *Systems, Documents of Contemporary Art*, Whitechapel Gallery-MIT Press, London-Cambridge (Mass.) 2015
Terry Smith, *What is Contemporary Art?*, The University of Chicago Press, Chicago 2009
Robert Storr, *Jenny Holzer: Redaction Paintings*, Cheim & Reid, New York 2006
Texte zur Kunst, numero speciale "The [Not] Painting Issue", marzo 2010
Chris Townsend (a cura di), *The Art of Rachel Whiteread*, Thames & Hudson, London 2004

Chris Townsend (a cura di), *The Art of Bill Viola*, Thames & Hudson, London 2004
Riccardo Venturi, *Mark Rothko. Lo spazio e la sua disciplina*, Mondadori Electa, Milano 2007
Anton Vidokle, *Produce, Distribute, Discuss, Repeat*, Lukas & Sternberg, New York 2009
Anton Vidokle, *Response to "A Questionnaire on 'The Contemporary"*, in *October*, n. 130, autunno 2009, pp. 41-3
Wu Hung, *Transience: Chinese Experimental Art at the End of the Twentieth Century*, The David and Alfred Smart Museum of Art-University of Chicago Press, Chicago 2005
Wu Hung (a cura di), *Contemporary Chinese Art: Primary Documents*, con l'assistenza di Peggy Wang, Museum of Modern Art, New York- Duke University Press, Durham (N.C.) 2010

LIBRI COLLEGATI
Walter L. Adamson, *Embattled Avant-Gardes: Modernism's Resistance to Commodity Culture in Europe*, University of California Press, Berkeley-Los Angeles 2006
Giorgio Agamben, *L'aperto. L'uomo e l'animale*, Bollati Boringhieri, Torino 2002
Gwen Allen, *Artists' Magazines: An Alternative Space for Art*, MIT Press, Cambridge (Mass.) 2011
Philip Armstrong, Laura Lisbon e Stephen Melville (a cura di), *As Painting: Division and Displacement*, MIT Press, Cambridge (Mass.) 2001
Artforum, vol. XLVI, n. 8, aprile 2008 (numero speciale "Art and its Markets")
Hans Belting, Andrea Buddensieg e Peter Weibel (a cura di), *The Global Contemporary and the Rise of New Art Worlds*, MIT Press, Cambridge (Mass.) 2013
Luc Boltanski e Eve Chiapello, *Il nuovo spirito del capitalismo*, trad. it. Mimesis, Milano 2014
Giovanna Borradori, *Filosofia del terrore: dialoghi con Jürgen Habermas e Jacques Derrida*, Laterza, Roma 2003
T. J. Demos, *The Migrant Image: The Art and Politics of Documentary during Global Crisis*, Duke University Press, Durham (N.C.) 2013
Nestor García Canclini, *Differenti, disuguali, disconnessi: mappe interculturali del sapere*, trad. it. Meltemi, Roma 2010
Romy Golan, *Muralnomads: The Paradox of Wall Painting Europe 1927–1957*, Yale University Press, New Haven-London 2009
Isabelle Graw, *High Price: Art Between the Market and Celebrity Culture*, Sternberg Press, Berlin-New York 2009
Boris Groys, *Art Power*, trad, it. Postmedia, Milano 2012
Boris Groys, *History Becomes Form: Moscow Conceptualism*, MIT Press, Cambridge (Mass.) 2010
Michael Hardt e Antonio Negri, *Impero*, Rizzoli, Milano 2003
Juliet Koss, *Modernism After Wagner*, University of Minnesota Press, Minneapolis 2010
Richard Curt Kraus, *The Party and the Arty in China: The New Politics of Culture*, Rowman & Littlefield Publishers, Lanham 2004
Claude Lichtenstein e Thomas Schregenberger (a cura di), *As Found: The Discovery of the Ordinary*, Lars Müller Publishers, Zürich 2001
Alexander Nagel, *Medieval Modern: Art Out of Time*, Thames & Hudson, London 2013
Gabriel Pérez-Barreiro (a cura di), *The Geometry of Hope: Latin American Abstract Art from the Patricia Phelps Cisneros Collection*, Blanton Museum of Art and Fundación Cisneros, Austin 2006
Martin Puchner, *Poetry of the Revolution: Marx, Manifestos, and the Avant-Gardes (Translation/Transnation)*, Princeton University Press, Princeton 2005
Eric S. Santner, *On Creaturely Life: Rilke, Benjamin, Sebald*, University of Chicago Press, Chicago 2006
Arnd Schneider e Christopher Wright (a cura di), *Between Art and Anthropology: Contemporary Ethnographic Practice*, Berg, Oxford 2010
Edward A. Shanken (a cura di), *Art and Electronic Media*, Phaidon Press, London 2009
Julian Stallabrass, *Art Incorporated*, Verso, London 2004
Barbara Vanderlinden ed Elena Filipovic, *The Manifesta Decade: Debates on Contemporary Art Exhibitions and Biennials in Post-Wall Europe*, MIT Press, Cambridge (Mass.) 2006)
Olav Velthius, *Talking Prices: Symbolic Meanings for Prices on the Market for Contemporary Art*, Princeton University Press, Princeton 2005
Anne M. Wagner, *Mother Stone: The Vitality of Modern British Sculpture*, Yale University Press, New Haven-London 2005

selezione di siti web

Presentiamo qui di seguito una sintetica selezione dei numerosi siti web dedicati all'arte moderna e contemporanea. Ognuno contiene a sua volta collegamenti ad altri siti correlati per coloro che desiderano proseguire la propria ricerca.

INFORMAZIONI GENERALI, PORTALI DI RICERCA E COLLEGAMENTI

http://www.aaa.si.edu L'archivio dell'arte americana, la fonte più vasta e più consultata sulle arti visive americane del mondo
http://www.abcgallery.com "Olga's Gallery": brevi storie dei movimenti, biografie di artisti, immagini di opere d'arte, con numerosi collegamenti ad altri siti
http://americanhistory.si.edu/archives/ac-i.htm Il più grande archivio degli Stati uniti di documentazione primaria sulle arti visive
http://artcyclopedia.com Collegamenti a siti web di artisti e movimenti artistici
http://arthist.net Informazioni, collegamenti e notizie per storici dell'arte
http://the-artists.org Collegamenti a opere d'arte, testi, biografie e siti web di artisti e di musei
http://www.artnet.com Una fonte online su artisti e mercato dell'arte
http://www.askart.com AskART è un database che contiene fino a 300.000 artisti, con informazioni che vanno dalla biografie ai risultati di aste
http://www.bc.edu/bc_org/avp/cas/fnart/links/art_19th20th.html Numerosi collegamenti a siti web di movimenti, periodi e artisti
http://www.biennialfoundation.org Informazioni e collegamenti sulle biennali e triennali d'arte contemporanea di tutto il mondo
https://www.ebscohost.com/academic/art-source Una risorsa online per la ricerca in arte e architettura
http://getty.edu/research/tools/portal/index.html Il portale di ricerca del Getty è una piattaforma gratuita online che fornisce un accesso da tutto il mondo a una vasta collezione di testi di storia dell'arte digitalizzati di un gruppo di istituzioni
http://www.jstor.org JSTOR è una biblioteca digitale di riviste, libri e fonti primarie accademiche
http://www.moma.org/learn/moma_learning Il Museum of Modern Art Learning è una fonte di informazioni online sui temi e i movimenti dell'arte moderna
http://www.nyarc.org Il New York Art Resources Consortium (NYARC) è composto dalle biblioteche di ricerca dei tre principali musei d'arte di New York City: Museo d'arte moderna (MoMA), Frick Collection e Brooklyn Museum
http://www.theartstory.org Vasta fonte di informazioni sui principali stili, movimenti artisti, critici, curatori, gallerie, scuole e idee dell'arte moderna
http://witcombe.sbc.edu/ARTH20thcentury.html Collegamenti a opere d'arte, testi, biografie e siti web di artisti e di musei

BANCHE DI IMMAGINI
http://www.artstor.org Iniziativa non-profit, fondata dalla Andrew W. Mellon Foundation, archivio di centinaia di migliaia di immagini digitali e relativi dati
https://www.google.com/culturalinstitute/project/art-project Sito del Google Cultural Institute's Art Project, che fornisce collegamenti e immagini da una varietà di collezioni da tutto il mondo
http://www.photo.rmn.fr Archivio visivo del circuito nazionale francese d'arte moderna e contemporanea
http://www.videomuseum.fr Archivio visivo d'arte moderna e contemporanea, compresi i nuovi media

MUSEI E ISTITUZIONI ARTISTICHE
http://www.artic.edu Art Institute of Chicago
http://www.berlinbiennale.de Biennale d'Arte Contemporanea di Berlino
http://www.bienalhabana.cult.cu Biennale dell'Havana
http://www.biennaleofsydney.com.au Biennale d'Arte Contemporanea di Sydney
http://www.brandeis.edu/rose Rose Art Museum, Brandeis University
http://www.cmoa.org/ Carnegie Museum of Art, Pittsburgh
http://www.cnac-gp.fr/ Centre Georges Pompidou, Parigi
http://commonpracticeny.org Network di organizzazioni artistiche minori di New York City, comprendente Anthology Film Archives, Artists Space, The Kitchen Center, Printed Matter e altre
http://www.diaart.org Dia Art Foundation, New York
http://www.documenta.de Documenta

http://www.guggenheim.org Solomon R. Guggenheim Museum, New York
http://www.gb.or.kr Biennale d'Arte Contemporanea di Gwanju
https://hammer.ucla.edu Hammer Museum, Los Angeles
http://hirshhorn.si.edu/collection/home/#collection=home Hirshhorn Museum and Sculpture Garden, Washington, D.C.
http://www.icaboston.org Institute of Contemporary Art, Boston
http://www.icp.org International Center of Photography, New York
http://www.istanbulmodern.org Museo d'Arte Moderna di Istanbul
http://www.labiennale.org Biennale di Venezia
http://www.lacma.org Los Angeles County Museum of Art, Los Angeles
http://www.maaala.org Museum of African American Art, Los Angeles
http://mam.org.br Museo d'Arte Moderna di San Paolo
http://www.manifesta.org Manifesta, la biennale d'arte contemporanea europea
http://www.metmuseum.org/ Metropolitan Museum of Art, New York
http://www.mcachicago.org/ Museo d'Arte Contemporanea di Chicago
http://moma.org Museo d'Arte Moderna di New York
http://www.newmuseum.org New Museum of Contemporary Art, New York
http://www.nga.gov/home.html National Gallery of Art, Washington, D.C.
http://njpac-en.ggcf.kr Nam June Paik Center, Yongin, South Korea
http://on1.zkm.de/zkm/e ZKM, Center for Art and Media Karlsruhe
http://performa-arts.org Performa, biennale della performance di New York
http://www.philamuseum.org Philadelphia Museum of Art
http://www.secession.at Vienna Secession, forum per l'arte sperimentale
http://www.sfmoma.org Museo d'Arte Moderna di San Francisco
http://www.stedelijk.nl/ Stedelijk Museum, Amsterdam
http://www.studiomuseum.org Studio Museum, Harlem, New York
http://www.tate.org.uk Tate, Londra
http://ucca.org.cn/en Ullens Center for Contemporary Art, Beijing
http://www.whitney.org Whitney Museum of American Art, New York
(vedi anche "Informazioni generali, portali di ricerca e collegamenti")

SITI WEB DI ARTISTI E MOVIMENTI
http://www.albersfoundation.org Josef and Anni Albers Foundation, Bethany, Connecticut
http://www.artsmia.org/modernism "Pietre miliari del modernismo 1880-1940": breve storia e immagini dei movimenti modernisti
http://www.bauhaus.de/en Bauhaus Archive and Collection, Berlin
http://www.cia.edu/library/artists-books L'importante collezione internazionale di libri d'artista del Cleveland Institute of Art, contenente più di 1700 libri e multipli dagli anni sessanta ad oggi
http://www.dekooning.org Willem de Kooning Foundation, New York
http://www.fundaciomiro-bcn.org Fondazione Joan Miró, Barcelona
http://www.iniva.org/harlem Institute of International Visual Arts, archivio dell'Harlem Renaissance
http://www.lib.uiowa.edu/dada/index.html Archivio del Dadaismo internazionale
http://www.luxonline.org.uk Fonti e archivio online dedicato agli artisti video e filmmaker che vivono in Gran Bretagna
http://www.moma.org/brucke/ L'archivio su Il Ponte del Museo d'Arte Moderna di New York
http://www.mondriantrust.com Mondrian Trust
http://www.musee-picasso.fr Museo Nazionale Picasso di Parigi
http://www.museupicasso.bcn.es/en Museo Picasso di Barcellona
http://www.okeeffemuseum.org/index1.html Museo Georgia o'Keeffe
http://www.paikstudios.com Nam June Paik Estate
https://picasso.shsu.edu Progetto online su Picasso, vasto archivio di opere
http://www.pkf.org Fondazione Pollock-Krasner, New York
http://www.rauschenbergfoundation.org Fondazione Robert Rauschenberg, New York
http://rhizome.org Una fonte online su nuovi media e rapporti tra nuove tecnologie e arte contemporanea
http://sdrc.lib.uiowa.edu/dada/index.html Archivio internazionale del Dadaismo, parte del Dada Archive and Research Center
http://www.surrealismcentre.ac.uk Centro degli studi sul Surrealismo e la sua eredità
http://www.theviennasecession.com Un museo online dedicato alla Secessione viennese
http://www.usc.edu/dept/architecture/slide/babcock Archivio del Cubismo
www.warhol.org Museo Andy Warhol
(vedi anche "Informazioni generali, portali di ricerca e collegamenti")

DIZIONARI E GLOSSARI ONLINE
http://www.artlex.com Dizionari dei termini basilari
http://www.cia.edu/files/resources/14ciaglossaryofartterms.pdf Glossario dei termini dell'arte dell'Istituto d'Arte di Cleveland
http://www.dictionaryofarthistorians.org Dizionario biografico online di studiosi di storia dell'arte, professionisti dei musei e storici dell'arte accademici
http://www.moma.org/learn/moma_learning/glossary Glossario di termini dell'arte del Museo d'Arte Moderna di New York
http://www.oxfordartonline.com/public Autorevole dizionario d'arte e artisti; più di 45.000 articoli sulle belle arti, arti decorative e architettura; testi di oltre 6000 studiosi internazionali; più di 130.000 immagini, con collegamenti a musei e gallerie di tutto il mondo (su abbonamento)
http://www.tate.org.uk/learn/online-resources/glossary Glossario di termini dell'arte della Tate

RIVISTE ED EDITORI ONLINE
http://artcritical.com Rivista online di arte e idee
http://www.artfagcity.com Blog di notizie, recensioni e commenti culturali; collegamenti a gallerie d'arte moderna e contemporanea
http://www.artforum.com Rivista *Artforum*: selezione di testi dai numeri usciti; collegamenti a gallerie d'arte moderna e contemporanea
http://www.artinamericamagazine.com Versione online della rivista *Art in America*, con archivio dei numeri usciti
http://www.artinfo.com Rivista online di notizie su arte e cultura internazionale
http://artlog.com Rivista online e guida dell'arte
http://www.artmonthly.co.uk Versione online della rivista *Art Monthly*, con archivio dei numeri usciti
http://www.artnews.com Versione online della rivista *ArtNews*, con archivio dei numeri usciti
http://www.artsjournal.com Aggregatore online di notizie internazionali ed eventi di arte, cultura e idee
https://www.artsy.net Artsy, fonte online per collezionisti e insegnanti d'arte
http://www.caareviews.org College Art Association: vasto archivio di recensioni di libri e cataloghi
http://canopycanopycanopy.com Rivista online, workspace e piattaforma per attività editoriali e curatoriali
http://www.cia.edu/administrative/academicaffairs/library/cai.asp Vasto elenco di cataloghi di esposizioni d'arte moderna e contemporanea
http://www.contemporaryartdaily.com *Contemporary Art Daily*, quotidiano di mostre internazionali
http://www.e-flux.com Network internazionale che collega più di 50.000 professionisti delle arti visive su una piattaforma quotidiana attraverso il suo sito web, mailing list e progetti speciali. La sua selezione di notizie – e-flux announcements – distribuisce informazioni su esposizioni, pubblicazioni e convegni nel mondo
http://www.flashartonline.com Versione online della rivista *Flash Art*, con archivio dei numeri usciti
http://www.frieze.com/magazine Versione online della rivista *Frieze*, con archivio dei numeri usciti
http://mitpress.mit.edu/catalog/item/default.asp?tid=18&ttype=4 Rivista *October*, con selezione di testi dai numeri usciti
http://newsgrist.typepad.com Blog che fornisce brevi profili, recensioni di mostre, notizie e commenti su pubblicazioni
http://www.textezurkunst.de Versione online della rivista *Texte zur kunst*, con archivio dei numeri usciti; collegamenti a gallerie d'arte moderna e contemporanea
http://www.thameshudson.co.uk Vasto elenco di libri sull'arte moderna e contemporanea; collegamenti a siti web correlati
http://www.theartnewspaper.com Versione online del mensile *newspaper*; collegamenti a gallerie d'arte moderna e contemporanea
http://www.twocoatsofpaint.com articoli, recensioni e testi online sulla pittura
http://www.uchicago.edu/research/jnl-crit-inq/ *Rivista Critical Inquiry*, con selezione di testi dai numeri usciti; collegamenti a siti web di interesse critico
http://universes-in-universe.org/eng Rivista online sul mondo dell'arte globale.

crediti fotografici

Le misure corrispondono ad altezza, larghezza e profondità, in quest'ordine salvo diversa indicazione.

p. 5 (in alto) Ernst Ludwig Kirchner, *La strada, Dresda*, 1908. Olio su tela, 150,5 x 200 cm. Museum of Modern Art, New York. © Dr. Wolfgang & Ingeborg Henze-Ketterer, Wichtrach/Berna; **(seconda in alto)** František Kupka, *Amorfa. Fuga in due colori*, 1912. Olio su tela, 211,8 x 200 cm. Národní Galerie, Praga. © ADAGP, Parigi e DACS, Londra 2004; **(al centro)** Franz Marc, *Il destino gli animali*, 1913. Olio su tela, 194,3 x 261,6 cm. Kunstmuseum, Basilea; **(seconda in basso)** Kazimir Malevi , *Soldato della Prima Divisione*, 1914. Olio e collage su tela, 53,6 x 44,8 cm. Museum of Modern Art, New York; **(in basso)** Marcel Duchamp, *Fontana*, 1917 (replica del 1964). Readymade, porcellana, 36 x 48 x 61 cm. Foto Tate, Londra 2004. © Successione Marcel Duchamp/ ADAGP, Parigi e DACS, Londra 2004; **p. 6 (in alto)** Fernand Léger, *La città*, 1919. Olio su tela, 231,1 x 298,4 cm. ADAGP, Parigi e DACS, Londra 2016; **(seconda in alto)** Gustav Klutsis, *Realizziamo il piano dei grandi progetti*, 1930. Fotomontaggio. Russian State Library, Mosca; **(al centro)** Barbara Hepworth, *Forma grande e forma piccola*, 1934. Alabastro, 23 x 37 x 18 cm. The Pier Gallery Collection, Stromness. © Bowness, Hepworth Estate; **(seconda in basso)** Karl Blossfeldt, *Impatiens Glandulifera; Balsamine, Springkraut*, 1927. Stampa ai sali d'argento. Courtesy Galerie Wilde, Colonia; **(in basso)** Wolfgang Paalen, *Cielo di piovra*, 1938. Fumage e olio su tela, 97 x 130 cm. Collezione privata, Courtesy Paalen Archiv, Berlino; **p. 9 (in alto)** Morris Louis, *Beta Kappa*, 1961. Resina acrilica su tela, 262,3 x 429,4 cm. National Gallery of Art, Washington, D.C. © 1961 Morris Louis; **(seconda in alto)** Ellsworth Kelly, *Colori per grande parete*, 1951. Olio su tela, 64 pannelli, 243,8 x 243,8 cm. Museum of Modern Art, New York. © Ellsworth Kelly; **(al centro)** Mario Merz, *Objet Cache Toi*, 1968-77. Tubi di metallo, vetri, morsetti, rete metallica, neon, 185 x 365 cm. Courtesy Archivo Merz, Torino; **(seconda in basso)** Chris Burden, *Trafitto*, 1974. Performance, Venice (California). Courtesy l'artista; **(in basso)** Bernd e Hilla Becher, *8 vedute di una casa*, 1962-71. Fotografie in bianco e nero. Courtesy Sonnabend Gallery, New York; **p. 10 (in alto)** Gerhard Richter, *18 ottobre, 1977: Confronto 1*, 1988. Olio su tela, 111,6 x 102,2. Museum of Modern Art, New York. Foto Axel Schneider, Francoforte. © Gerhard Richter; **(seconda in alto)** Barbara Bloom, *Il regno del narcisismo*, 1989. Tenica mista, dimensioni variabili. © Barbara Bloom, 1989. Courtesy Gorney Bravin + Lee, New York; **(al centro)** Rachel Whiteread, *(Senza titolo) Casa*, 1993. Distrutta. Commissionata da Artangel. Sponsorizzata da Beck's. Foto Sue Ormera. Courtesy Rachel Whiteread e Gagosian Gallery, Londra; **(seconda in basso)** Kiki Smith, *Pozza di sangue*, 1992. Bronzo dipinto, 35,6 x 99,1 x 55,9 cm. Edizione di due. Collezione dell'artista. Foto Ellen Page Wilson. Courtesy Pace Wildenstein, New York. © Kiki Smith; **(in basso)** Kara Walker, *Signore di Camptown*, 1998 (dettaglio). Carta e adesivo su parete, dimensioni variabili. Courtesy l'artista e Brent Sikkema, New York; **p. 11 (in alto)** Douglas Gordon, *Psycho 24 ore*, 1993. Videoinstallazione. Courtesy Lisson Gallery, Londra; **(seconda in alto)** Rirkrit Tiravanija, *Secessione*, 2002. Installazione e performance alla Vienna Secession. Courtesy Gavin Brown Enterprise © Rirkrit Tiravanija; **(al centro)** John Miller, *Mano felice*, 1998. Tecnica mista, 160 × 81,3 × 38,1 cm. Courtesy l'artista e Metro Pictures; **(seconda in basso)** Thomas Hirschhorn, *Utopia, utopia = un mondo, una guerra, un esercito, un abito*, Institute of Contemporary Art, Boston, 2005. Veduta dell'installazione. Courtesy Gladstone Gallery, New York; **(in basso)** Sharon Hayes, *Nel prossimo futuro*, 2009 (dettaglio). Multiproiezione di diapositive 35mm, 13 proiezioni, edizione di 3 + 1 PA. Courtesy Sharon Hayes; **Introduzione 1: 1** • Museum Folkwang, Essen; **2** • Museum of Modern Art, New York. © DACS 2004; **3** • Collezione William Rubin, Bronxville, New York. © ADAGP, Parigi e DACS, Londra 2004; **4** • Galerie Krikhaar, Amsterdam. © Karel Appel Foundation/DACS, Londra 2004; **5** • Courtesy Ydessa Hendeles Art Foundation, Toronto; **6** • © DACS, Londra/VAGA, New York 2004; **7** • © Lee Miller Archives, Chiddingly, Inghilterra, 2004. All Rights Reserved; **Introduzione 2: 1** • Foto Akademie der Künste der DDR, Berlino. © The Heartfield Community of Heirs/VG Bild-Kunst, Bonn e DACS, Londra 2004; **2** • Da Szymon Bojko, *New Graphic Designs in Revolutionary Russia*, Lund Humphries, Londra, 1972. Lisickij: © DACS 2004; **4** • Martha Rosler, © Martha Rosler, 1969-72. Courtesy l'artista e Gorney Bravin & Lee, New York; **5** • Foto Dave Morgan, Londra. Courtesy Lisson Gallery, Londra; **6** • Courtesy l'artista. © DACS 2004; **7** • Foto Reiner Ruthenbeck. Courtesy Konrad Fischer Galerie. © Gerhard Richter; **Introduzione 3: 1** • Kunstmuseum, Basilea. Dono di Raoul la Roche, 1952. © ADAGP, Parigi e DACS, Londra 2004; **2** • Musée Picasso, Parigi. © Successione Picasso/DACS 2004; **3** • Pablo Picasso, Museum of Modern Art, New York. Dono dell'artista. © Successione Picasso/DACS 2004; **4** • Haags Gemeentemuseum. © 2004 Mondrian/Holtzman Trust; **Introduzione 4: 1** • Städtische Kunsthalle, Düsseldorf. Foto © Gilissen. © DACS 2004; **2** • © ADAGP, Parigi e DACS, Londra 2004; **3** • Museum of Contemporary Art, Chicago, dono di Susan e Lewis Manilow. © Estate of Robert Smithson/VAGA, New York/DACS, Londra 2004; **4** • © l'artista; **5** • © 1981 The University of Chicago; © 1981 Continuum; **6** • Courtesy l'artista e Metro Pictures; ; **Introduzione 5: 3** • *Gutai*, n. 11, novembre 1960, p. 13; **4** • Courtesy Kwon Ohyup; **5** • Terza Biennale dell'Havana, 1989; **6** • Foto Archivio Aldo Menéndez; **7** • Courtesy Queens Museum, New York; **8** • Foto Courtesy Secession/Oliver Ottenschläger **9** • Revolver Verlag/Secession, 2012; **1900: 1** • Foto Dr F. Stoedther; **4** • Leopold Museum, Vienna; **5** • Foto Jörg P. Anders. Nationalgalerie Staatliche Museen Preussischer Kulturbesitz, Berlino. © DACS 2004; **1900b: 1** • Baltimore Museum of Art, The Cone Collection – formata da Dr. Claribel Cone e Miss Etta Cone di Baltimora (Maryland) © Successione H. Matisse/DACS 2004; **2** • Iris & B. Gerald Cantor Collection, Beverly Hills (California); **3** • Museum of Modern Art, New York. Lascito Lillie P. Bliss. Foto Soichi Sunami. © Successione H. Matisse/ DACS 2004; **4** • Museum of Modern Art, New York. Dono di Stephen C. Clark. © ADAGP, Parigi e DACS, Londra 2004; **5** • Museum of Modern Art, New York. Dono di Mrs. Simon Guggenheim Fund. © Successione H. Matisse/DACS 2004; **6** • Museum of Modern Art, New York. Dono di Mrs. Simon Guggenheim Fund. © Successione H. Matisse/DACS 2004; **7** • Museum of Modern Art, New York. Dono di Mrs. Simon Guggenheim Fund. © Successione H. Matisse/DACS 2004; **8** • Museum of Modern Art, New York. Dono di Mrs. Simon Guggenheim Fund. © Successione H. Matisse/DACS 2004; **9** • Museum of Modern Art, New York. Dono di Mrs. Simon Guggenheim Fund. © Successione H. Matisse/DACS 2004; **10** • Baltimore Museum of Art, The Cone Collection. © Successione H. Matisse/DACS 2004; **1903: 1** • Collezione privata. © ADAGP, Parigi e DACS, Londra 2004; **2** • Collezione privata; **3** • Albright Knox Art Gallery, Buffalo, New York, A. Conger Goodyear Collection, 1965; **4** • KunstSammlung Nordrhein-Westfalen, Düsseldorf. © Dr. Wolfgang & Ingeborg Henze-Ketterer, Wichtrach/ Berna; **5** • The Baltimore Museum of Art, The Cone Collection, formata da Dr Claribel Cone e Miss Etta Cone. © Successione H. Matisse/DACS 2004; **1906: 1** • Musée d'Orsay, Parigi. © Successione H. Matisse/DACS 2004; **box** Roger Fry, *Autoritratto*, 1918. Olio su tela, 79,8 x 59,3 cm. Con il permesso del Provost and Fellows of King's College, Cambridge. Foto Fine Art Photography; **2** • San Francisco Museum of Modern Art. Lascito Elise S. Haas. © 2004 Successione H. Matisse/DACS 2004; **3** • Musée Matisse, Nice. © Successione H. Matisse/ DACS 2007; **4** • National Gallery of Art, Washington D.C. © Successione H. Matisse/DACS 2004; **5** • The Barnes Foundation, Merion (Pennsylvania) / The Bridgeman Art Library, Londra. © Successione H. Matisse/DACS 2004; **1907: 1** • Museum of Modern Art, New York, Lascito Lillie P. Bliss. © Successione Picasso/DACS 2004; **2** • Metropolitan Museum of Art. Lascito Gertrude Stein, 1946. © Successione Picasso/DACS 2004; **3** • Offentliche KunstSammlung, Kunstmuseum, Basilea. © Successione Picasso/ DACS 2004; **4** • Fotografato per Gelett Burgess, 1908; **5** • Musée Picasso, Parigi. © Successione Picasso/DACS 2004; **6** • Sergei Pankejeff, disegno per *L'uomo dei lupi e Sigmund Freud*, a cura di Murial Gardiner, Hogarth Press, 1972, p. 174; **7** • The State

Hermitage Museum, San Pietroburgo. © Successione Picasso/DACS 2004; **1908: 1 •** Städtische Galeries im Lenbachhaus, Monaco. © ADAGP, Parigi e DACS, Londra 2004; **2 •** Städtische Galeries im Lenbachhaus, Monaco. GMS 153. © ADAGP, Parigi e DACS, Londra 2004; **3 •** Museum of Modern Art, New York. © Dr. Wolfgang & Ingeborg Henze-Ketterer, Wichtrach/Berna; **4 •** Kunstmuseum, Basilea; **5 •** © Wyndham Lewis e Estate of the Late Mrs G. A. Wyndham Lewis per gentile concessione del Wyndham Lewis Memorial Trust; **1909: 2 •** Civica Galleria d'Arte Moderna, Milano. © DACS 2004; **3 •** Albright-Knox Art Gallery, Buffalo, New York, lascito A. Conger Goodyear e dono di George F. Goodyear, 1964. © DACS 2004; **4 •** Museum of Modern Art, New York. Acquistato grazie al lascito Lillie P. Bliss; **box** Eadweard Muybridge, *Fasi del movimento di un cavallo al galoppo*, 1884-5. Stampa al collodio; Étienne-Jules Marey, *Investigazione sul camminare*, 1884 ca. Cronografia geometrica (da fotografia originale). Collège de France Archives, Parigi; **5 •** Peggy Guggenheim Collection, Venezia; **6 •** Collezione Mattioli, Milano. © DACS 2004; **7 •** Galleria Nazionale d'Arte Moderna, Roma. Donazione Isabella Pakszwer de Chirico. © DACS 2004; **8 •** Pinacoteca di Brera, Milano. Foto © Scala, Firenze/ Courtesy del Ministero Beni e Att. Culturali 1990. © DACS 2004; **1910: 1 •** The State Hermitage Museum, San Pietroburgo. © Successione H. Matisse/DACS 2004; **2 •** The State Hermitage Museum, San Pietroburgo. © Successione H. Matisse/DACS 2004; **3 •** The State Hermitage Museum, San Pietroburgo. © Successione H. Matisse/DACS 2004; **4 •** St. Louis Art Museum, dono di Mr & Mrs Joseph Pulitzer. © Successione H. Matisse/DACS 2004; **5 •** The State Hermitage Museum, San Pietroburgo. © Successione H. Matisse/DACS 2004; **6 •** Musée de Grenoble. Dono dell'artista, in nome della sua famiglia. © Successione H. Matisse/DACS 2004; **1911: box** Pablo Picasso, *Apollinaire ferito*, 1916. Matita su carta, 48,8 x 30,5 cm. © Successione Picasso/ DACS 2004; **1 •** Art Institute of Chicago. Dono di Mrs. Gilbert W. Chapman in memoria di Charles B. Goodspeed. © Successione Picasso/DACS 2004; **2 •** Kunstmuseum, Basilea. Donazione Raoul la Roche. © ADAGP, Parigi e DACS, Londra 2004; **3 •** Museum of Modern Art, New York. Lascito Nelson A. Rockefeller. © Successione Picasso/DACS 2004; **4 •** Museum of Modern Art, New York. Lascito Nelson A. Rockefeller. © Successione Picasso/DACS 2004; **5 •** Musée Picasso, Parigi. Foto © RMN-R. G. Ojeda. © Successione Picasso/DACS 2004; **1912: 1 •** Collezione privata. © ADAGP, Parigi e DACS, Londra 2004; **2 •** Musée National d'Art Moderne, Centre Georges Pompidou, Parigi. Dono di Henri Laugier. © Successione Picasso/DACS 2004; **3 •** Musée National d'Art Moderne, Centre Georges Pompidou, Parigi. Dono di Henri Laugier. © Successione Picasso/DACS 2004; **4 •** Mildred Lane Kemper Art Museum, Washington University in St. Louis. University Purchase, Kende Sale Fund, 1946. © Successione Picasso/DACS 2004; **5 •** Musée National d'Art Moderne, Centre Georges Pompidou, Parigi. Dono di Henri Laugier. © Successione Picasso/DACS 2004; **6 •** Marion Koogler McNay Art Museum, San Antonio. © Successione Picasso/ DACS 2004; **7 •** Foto Pablo Picasso. © Successione Picasso/DACS 2004; **8 •** Éditions Gallimard, Parigi; **1913: 1 •** Collezione privata. © DACS 2004; **2 •** Národní Galerie, Praga. © ADAGP, Parigi e DACS, Londra 2004; **3 •** Philadelphia Museum of Art, The Louise and Walter Arensberg Collection. © ADAGP, Parigi e DACS, Londra 2004; **4 •** Solomon R. Guggenheim Museum, New York. © 2004 Mondrian/ Holtzman Trust; **5 •** © L & M Services B.V. Amsterdam 20040801; **6 •** © L & M Services B.V. Amsterdam 20040801; **7 •** © L & M Services B.V. Amsterdam 20040801; **8 •** Museum of Theatrical and Musical Arts, San Pietroburgo; **1914: 1 •** Philadelphia Museum of Art, The Louise and Walter Arensberg Collection. © Successione Marcel Duchamp/ADAGP, Parigi e DACS, Londra 2004; **2 •** Collocazione sconosciuta. © DACS 2004; **3 •** Foto State Film, Photographic and Sound Archive, San Pietroburgo. © DACS 2004; **4 •** Hessisches Landesmuseum, Darmstadt. © Succession Marcel Duchamp/ADAGP, Paris and DACS, London 2004; **5 •** Photo Tate, London 2004. © Succession Marcel Duchamp/ADAGP, Paris and DACS, London 2004; **1915: 1 •** Museum of Modern Art, New York; **3 •** State Russian Museum, San Pietroburgo; **4 •** Stedelijk Museum, Amsterdam; **5 •** Museum of Modern Art, New York; **1916a: 2 •** Musée National d'Art Moderne, Centre Georges Pompidou, Parigi. © ADAGP, Parigi e DACS, Londra 2004; **3 •** Collezione privata. © DACS 2004; **4 •** bpk/Nationalgalerie, Berlino/Jörg P. Anders. © DACS, 2016; **5 •** Stiftung Arp e.V., Berlino/Rolandswerth. © DACS, 2016; **1916b: 1 •** Metropolitan Museum of Art, New York. © ADAGP, Parigi e DACS, Londra 2004; **2 •** Museum of Modern Art, New York. © ARS, New York e DACS, Londra 2004; **3 •** Museum of Modern Art, New York. Ristampa con il permesso di Joanna T. Steichen; **4 •** Museum of Modern Art, New York. © ARS, New York and DACS, London 2004; **5 •** © 1971 Aperture Foundation Inc., Paul Strand Archive; **6 •** Philadelphia Museum of Art, The Alfred Stieglitz Collection. © ARS, New York e DACS, Londra 2004; **1917a: 1 •** Rijksmuseum Kröller-Müller, Otterlo. © 2011 Mondrian/Holtzman Trust c/o HCR International Virginia; **2 •** Rijksmuseum Kröller-Müller, Otterlo. © 2011 Mondrian/Holtzman Trust c/o HCR International Virginia; **3 •** Gemeentemuseum L'Aia. © 2011 Mondrian/Holtzman Trust c/o HCR International Virginia; **4 •** Stedelijk Museum, Amsterdam. © 2011 Mondrian/Holtzman Trust c/o HCR International Virginia; **5 •** Stedelijk Museum, Amsterdam. © 2011 Mondrian/Holtzman Trust c/o HCR International Virginia; **1917b: 1 •** Rijksdienst voor Beeldende Kunst, L'Aia/Gemeentemuseum, L'Aia. © DACS 2011; **2 •** Gemeentemuseum, L'Aia; **3 •** Nederlands Architectuurinstituut, Rotterdam-Amsterdam; **4 •** British Architectural Library, RIBA. © DACS, Londra 2004; **6 •** Stedelijk Museum, Amsterdam. © DACS 2011; **1918: 1 •** Philadelphia Museum of Art, Walter and Louise Arensberg Collection. © Successione Marcel Duchamp/ADAGP, Parigi e DACS, Londra 2004; **2 •** Museum of Modern Art, New York. Lascito Katherine S. Dreier. © Successione Marcel Duchamp/ADAGP, Parigi e DACS, Londra 2004; **3 •** Museum of Modern Art, New York. © DACS 2004; **4 •** Yale University Art Gallery, New Haven (Connecticut). Dono di Katherine S. Dreier. © Successione Marcel Duchamp/ADAGP, Parigi e DACS, Londra 2004; **5 •** Collezione privata, Parigi. © Successione Marcel Duchamp/ADAGP, Parigi e DACS, Londra 2004. © Man Ray Trust/ADAGP, Parigi e DACS, Londra 2004; **box** Man Ray, *Rrose Sélavy*, 1920-1 ca. Stampa alla gelatina d'argento, 21 x 17,3 cm. Philadelphia Museum of Art. The Samuel S. White 3rd e Vera White Collection. © Man Ray Trust / ADAGP, Parigi e DACS, Londra 2004. © Successione Marcel Duchamp/ADAGP, Parigi e DACS, Londra 2004; **1919: 1 •** Musée Picasso, Parigi. © Successione Picasso/DACS 2004; **box** Pablo Picasso, *Ritratto di Sergej Diaghilev e Alfred Seligsberg*, 1919. Carboncino e matita, 65 x 55 cm. Musée Picasso, Parigi. © Successione Picasso/ DACS 2004; **2 •** collezione privata. © Successione Picasso/DACS 2004; **3 •** © ADAGP, Parigi e DACS, Londra 2004; **4 •** Musée Picasso, Parigi. © Successione Picasso/DACS 2004; **5 •** Yale University Art Gallery, New Haven (Connecticut). Dono della Collection Société Anonyme; **1920: 2 •** Staatliche Museen, Berlin. © DACS 2004; **3 •** Musée National d'Art Moderne, Centre Georges Pompidou, Parigi. © ADAGP, Parigi e DACS, Londra 2004; **4 •** Foto Akademie der Künste der DDR, Berlino. Grosz © DACS, 2004. Heartfield © The Heartfield Community of Heirs/VG Bild-Kunst, Bonn e DACS, Londra 2004; **5 •** Musée National d'Art Moderne, Centre Georges Pompidou, Parigi. © ADAGP, Parigi e DACS, Londra 2004; **6 •** Akademie der Kunst, Berlino. © The Heartfield Community of Heirs/VG Bild- Kunst, Bonn e DACS, Londra 2004; **7 •** Russian State Library, Mosca; **1921a: 1 •** © Successione Picasso/DACS, Londra 2016; **2 •** © Successione Picasso/DACS, Londra 2016; **3 •** © Successione Picasso/DACS, Londra 2016; **4 •** Foto Courtesy Sotheby's, Inc. © 2016. © ADAGP, Parigi e DACS, Londra 2016; **6 •** © ADAGP, Parigi e DACS, Londra 2016; **1921b: 1 •** National Museum, Stoccolma. © DACS 2004; **4 •** Museum of Modern Art, New York. © DACS 2004; **5 •** A. Rodchenko and V. Stepanova Archive, Mosca. © DACS 2004; **1922: 1 •** © DACS 2004; **2 •** Paul Kleestiftung, Kunstmuseum, Berna (inv. G62). © DACS 2004; **3 •** Collezione privata. © ADAGP, Parigi e DACS, Londra 2004; **4 •** Sammlung Prinzhorn der Psychiatrischen Universitätsklinik Heidelbert; **5 •** Lindy and Edwin Bergman Collection. © ADAGP, Parigi e DACS, Londra 2004; **1923: 2 •** Bauhausarchiv, Museum für Gestaltung, Berlino. © DACS 2004; **3 •** President and Fellows, Harvard College, Harvard University Art Museums, Dono di Sibyl Moholy-Nagy. © DACS 2004; **4 •** Bauhaus-Archiv, Museum für Gestaltung, Berlino. © DACS 2004; **5 •** © Dr Franz Stoedtner, Düsseldorf; **6 •** Barry Friedman Ltd, New York; **7 •** Bauhaus-Archiv,

Museum für Gestaltung, Berlino. Brandt © DACS 2004; **1924: 1** • Foto Per-Anders Allsten, Moderna Museet, Stoccolma. © DACS 2004; **2** • Museum of Modern Art, New York. © ADAGP, Parigi e DACS, Londra 2004; **3** • Museum of Modern Art, New York. Dono anonimo. © Salvador Dalí, Gala-Salvador Dalí Foundation. DACS, Londra 2004; **4** • Collezione Jose Mugrabi. © Successió Miró – ADAGP, Parigi e DACS, Londra 2004; **5** • © Man Ray Trust/ADAGP, Parigi e DACS, Londra 2004; **box** Man Ray, copertina di *La Révolution surréaliste*. Fotografia in bianco e nero. © Man Ray Trust/ADAGP, Parigi e DACS, Londra 2004; **6** • © Man Ray Trust/ADAGP, Parigi e DACS, Londra 2004; **7** • Collezione privata, Parigi. © ADAGP, Parigi e DACS, Londra 2004; **1925a: 1** • © FLC/ADAGP, Parigi e DACS, Londra 2004; **2** • Musée National d'Art Moderne, Centre Georges Pompidou, Parigi. Foto © CNAC/MNAM Dist. RMN/ © Jacqueline Hyde. © FLC/ADAGP, Parigi e DACS, Londra 2004; **3** • Museum of Modern Art, New York. Fondo Mrs Simon Guggenheim, 1942. © ADAGP, Parigi e DACS, Londra 2004; **4** • Museum of Modern Art, New York. © ADAGP, Parigi e DACS, Londra 2004; **5** • © ADAGP, Parigi e DACS, Londra 2004; **7** • © DACS 2004; **1925b: 1** • Nationalgalerie, Berlino. © DACS 2004; **2** • Kunstsammlung Nordrhein-Westfalen, Düsseldorf. © DACS 2004; **3** • Collezione privata. © Christian Schad Stiftung Aschaffenburg/ VG Bild-Kunst, Bonn e DACS, Londra 2004; **4** • Musée National d'Art Moderne, Centre Georges Pompidou, Parigi. © DACS 2004; **5** • Museum of Modern Art, New York, Purchase 49.52. © DACS 2004; **1925c: 2** • © DACS 2011; **3** • © DACS 2011; **4** • © DACS 2011; **5** • Sammlung des Landes Rheinland-Pfalz für das Arp Museum, Rolandseck. © DACS 2011; **6** • Zentrum Paul Klee, Livia Klee Donation; **7** • Harvard University Art Museums. Foto Archive C. Raman Schlemmer, 28824 Oggebbio (VB). © 2011 The Oskar Schlemmer Theatre Estate and Archive, Bühnen Archiv Oskar Schlemmer, Secretariat: 28824 Oggebbio, www.schlemmer.org; **1925d: 1** • © ADAGP, Parigi e DACS, Londra 2016; **3** • © Hans Richter Estate; **4** • © ADAGP, Parigi e DACS, Londra 2016; **1926: 1** • Ronald S. Lauder. © DACS 2004; **2** • Stadtbibliothek Hannover, Schwitters Archive. © DACS 2004; **3** • Stedelijk Van Abbe Museum, Eindhoven. © DACS 2004; **4** • Stedelijk Van Abbe Museum, Eindhoven. © DACS 2004; **5** • © DACS 2004; **1927a: 1** • Los Angeles County Museum of Art, acquistato con fondi della Mr e Mrs William Harrison Collection. © ADAGP, Parigi e DACS, Londra 2004; **2** • Musée National d'Art Moderne, Centre Georges Pompidou, Parigi. © ADAGP, Parigi e DACS, Londra 2004; **3** • Collezione privata. © ADAGP, Parigi e DACS, Londra 2004; **1927b: 1** • Philadelphia Museum of Art. © ADAGP, Parigi e DACS, Londra 2004; **2** • Musée National d'Art Moderne, Centre Georges Pompidou, Parigi. © ADAGP, Parigi e DACS, Londra 2004; **3** • Musée National d'Art Moderne, Centre Georges Pompidou, Parigi. © ADAGP, Parigi e DACS, Londra 2004; **4** • National Gallery of Art, Washington D.C. Dono di Taft Schreiber in memoria della moglie Rita Schreiber, 1989. © ADAGP, Parigi e DACS, Londra 2004; **5** • Musée National d'Art Moderne, Centre Georges Pompidou, Parigi. © ADAGP, Parigi e DACS, Londra 2004; **1927c: 1** • Mildred Lane Kemper Art Museum, Washington University in St Louis. University Purchase, Bixby Fund, 1952; **box** Alfred Barr, schema dello "sviluppo dell'arte astratta" preparato per la sovracopertina del catalogo *Cubismo e arte astratta* pubblicato dal Museum of Modern Art di New York, 1936; **2** • The Newark Museum, Newark (NJ); **3** • Whitney Museum of American Art, New York; **4** • Museum of Modern Art, New York; **5** • Whitney Museum of American Art, New York, Purchase 41.3. © Estate of Stuart Davis/VAGA, New York/DACS, Londra 2004; **6** • Metropolitan Museum of Art, New York, Alfred Stieglitz Collection 1969. © ARS, New York e DACS, Londra 2004; **1928a: 1** • © DACS 2004; **3** • Kunsthandel Wolfgang Werner KG, Brema; **4** • Sprengel Museum, Hannover. © DACS 2004; **5** • Muzeum Sztuki, Lódz, Polonia. Foto Mariusz Lukawski; **6** • Muzeum Sztuki, Lódz, Polonia. Foto Piotr Tomczyk; **1928b: 1** • © DACS 2011; **2** • © DACS 2011; **3** • © Hattula Moholy-Nagy/DACS 2011; **4** • © DACS 2011; **5** • © DACS 2011; **6** • © DACS 2011; **1929: 2** • Foto © The Lane Collection; **3** • Kunstbibliothek Preussischer Kulturbesitz, Berlino; **5** • © Albert Renger-Patzsch-Archiv/Ann und Jürgen Wilde, Colonia/VG Bild-Kunst, Bonn e DACS, Londra 2004; **6** • Bauhaus-Archiv, Museum für Gestaltung, Berlino. © DACS 2004; **7** • Courtesy Galerie Wilde, Colonia; **1930a: 1** • Sammlung Ann und Jürgen Wilde, Zülpich, Colonia/ Zülpich. Estate Germaine Krull, Museum Folkwang, Fotografische Sammlung, Essen; **2** • Collezione Lotte Jacobi, University of New Hampshire; **3** • Museum Folkwang, Essen; **4** • Museum für Moderne Kunst, Francoforte. © Gisèle Freund/Agency Nina Beskow; **5** • Collezione Lotte Jacobi, University of New Hampshire; **1930b: 1** • Museum of Modern Art, New York. Purchase. © Successione Miró, DACS, 2004; **2** • Alberto Giacometti Foundation, Zurigo. © ADAGP, Parigi e DACS, Londra 2004; **3** • Collezione privata, Parigi. © Man Ray Trust/ADAGP, Parigi e DACS, Londra 2004; **4** • Musée National d'Art Moderne, Centre Georges Pompidou, Parigi. Estate Brassaï – R.M.N. – © CNAC/MNAM.Dist RMN Jacques Faujour; **5** • Manoukian Collection, Parigi. © Salvador Dalí, Gala-Salvador Dalí Foundation, DACS, Londra 2004; **1931a: 1** • Collezione Lucien Treillard, Parigi. © Man Ray Trust/ADAGP, Parigi e DACS, Londra 2004; **3** • Foto Per-Anders Allsten, Moderna Museet, Stoccolma. © DACS 2004; **4** • National Gallery of Art Washington, D.C. © ADAGP, Parigi e DACS, Londra 2004; **5** • Collezione Robert Lehrman, Washington, D.C. © The Joseph and Robert Cornell Memorial Foundation/VAGA, New York/DACS, Londra 2004; **1931b: 1** • Collezione privata. © Successione Miró/ADAGP, Parigi e DACS, Londra 2011; **2** • National Gallery of Art, Washington, D.C. Dono del Collection Committee, 1981. © Successione Miró/ADAGP, Parigi e DACS, Londra 2011; **3** • Museum of Modern Art, New York. © Successione Miró/ADAGP, Parigi e DACS, Londra 2011; **4** • Museum of Modern Art, New York. Dono della Pierre Matisse Gallery. © Successione Miró/ ADAGP, Parigi e DACS, Londra 2011; **5** • Progettato per il Padiglione spagnolo alla Fiera mondiale di Parigi, luglio 1937. Courtesy Art Resource, New York. © 2011 Calder Foundation, New York/DACS Londra; **6** • Collezione privata. Courtesy Art Resource, New York. © 2011 Calder Foundation, New York/DACS Londra; **7** • Calder Plaza, Vandenberg Center, Grand Rapids, Michigan. Foto © Joel Zatz/Alamy. © 2011 Calder Foundation, New York/DACS Londra; **8** • Tate, Londra. Foto Tate, Londra, 2010. © Successione Picasso/DACS, Londra 2011; **1933: 1** • © DACS 2004; **2** • Foto Bob Schalkwijk, Mexico City. © 2004 Banco de México, Diego Rivera & Frida Kahlo Museums Trust. Del. Cuauhtémoc, México, D.F.; **3** • Mexican Electricians' Syndicate, Mexico City. Courtesy of Laurence P. Hurlbert, Middleton, Wisconsin. © DACS 2004; **4** • © 2004 Banco de México Diego Rivera & Frida Kahlo Museums Trust. Del. Cuauhtémoc, México, D.F.; **1934a: 1** • © DACS 2004; **2** • Historical Museum, Mosca. © DACS 2004; **3** • Tretyakov Gallery, Mosca. © DACS 2004; **4** • Tretyakov Gallery, Mosca; **1934b: 1** • Père Lachaise Cemetery, Parigi. Frantisek Staud/www.fototravels.net. © Tate, Londra 2004; **2** • Birmingham Museums & Art Gallery. © Tate, Londra 2004; **3** • Foto Tate, Londra 2004. Foto David Quinn; **4** • Foto Tate, Londra 2004. Riprodotta su permesso della Henry Moore Foundation; **5** • The Pier Gallery Collection, Stromness. © Bowness, Hepworth Estate; **1935: 1** • Museum of Modern Art, New York. Mr. and Mrs. John Spencer Fund. © DACS 2004; **2** • Die Fotografische Sammlung/SK Stiftung Kultur – August Sander Archiv, Colonia/VG Bild-Kunst, Bonn e DACS, Londra 2004; **3** • Die Fotografische Sammlung/SK Stiftung Kultur – August Sander Archiv, Köln/VG Bild-Kunst, Bonn e DACS, Londra 2004; **5** • Philadelphia Museum of Art, Walter and Louise Arensberg Collection. © Successione Marcel Duchamp/ADAGP, Parigi e DACS, Londra 2004; **1936: 1** • Courtesy the Dorothea Lange Collection, Oakland Museum of California; **2** • Library of Congress, Washington, D.C., LC-USF342- T01-008057; **3** • Library of Congress, Washington, D.C., LC-USZ62-103098; **4** • Archives Photographiques, Parigi; **5** • Library of Congress, Washington, D.C., LCUSZ62-34372; **1937a: 1** • Foto Bildarchiv Preussischer Kulturbesitz, Berlino; **2** • The Merrill C. Berman Collection. © Schawinsky Family; **3** • Nuremberg, Fondi del Reichsparteitag, Breker Museum/marco-VG; **5** • Museo Nacional Centro de Arte Reina Sophia, Madrid. Su permesso del Museo Nacional del Prado, Madrid. © Successione Picasso/ DACS 2004; **1937b: 1** • Foto Tate, Londra 2004. © Angela Verren-Taunt 2004. All Rights Reserved, DACS; **2** • Hamburg Kunsthalle/BPK, Berlino. Foto Elke Walford. © ADAGP, Parigi e DACS, Londra 2004; **3** • Felix Witzinger, Svizzera/The Bridgeman Art Library, Londra; **1937c: 1** • Collezione privata. © Successione Picasso/DACS, Londra 2011; **2** • © Fundacio Josep Renau; **3** • © 2010 Calder Foundation, New York/DACS Londra e ©

Successione Picasso/DACS, Londra 2011; **4** • Museum of Modern Art, New York. © Successione Picasso/DACS, Londra 2011; **5** • © The Heartfield Community of Heirs/VG Bild-Kunst, Bonn e DACS, Londra 2011; **6** • Collezione privata. © The Estate of Roy Lichtenstein/DACS 2011; **1942a: 1** • Collezione privata, Courtesy Paalen Archiv, Berlino; **2** • Estate of William Baziotes, Collection Mary Jane Kamrowski. Pollock: © ARS, New York e DACS, Londra 2004; **3** • Formerly Collection Simone Collinet, Parigi. © ADAGP, Parigi e DACS, Londra 2004; **4** • The Solomon R. Guggenheim Museum, New York. © ADAGP, Parigi e DACS, Londra 2004; **5** • Albright-Knox Art Gallery, Buffalo, New York. Dono di Seymour H. Knox, 1956. © ADAGP, Parigi e DACS, Londra 2004; **6** • Collezione Seattle Art Museum. Dono di Mr. e Mrs. Bagley Wright. © ADAGP, Parigi e DACS, Londra 2004; **1942b: 2** • Morton Neumann Collection, Chicago. © ADAGP, Parigi e DACS, Londra 2004; **3** • © Successione Marcel Duchamp/ ADAGP, Parigi e DACS, Londra 2004; **4** • Courtesy Mrs Frederick Kiesler, New York; **5** • Philadelphia Museum of Art, Dono di Jacqueline, Paul e Peter Matisse in memoria della madre Alexina Duchamp. © Successione Marcel Duchamp/ADAGP, Parigi e DACS, Londra 2004; **1943: 1** • Collezione Schomburg Center for Research in Black Culture, The NY Public Library, The Astor, Lenox e Tilden Foundations, New York. Courtesy of The Meta V. W. Fuller Trust; **2** • © Donna Mussenden VanDerzee; **3** • The Gallery of Art, Howard University, Washington D.C. Courtesy dell'Aaron and Alta Sawyer Douglas Foundation; **4** • National Museum of American Art, Smithsonian Institution. Acquisto reso possibile da Mrs N. H. Green, Dr R. Harlan e Francis Musgrave. © Lois Mailou Jones Pierre-Noel Trust; **5** • The Metropolitan Museum of Art, Arthur Hoppock Hearn Fund, 1942, 42.167. © ARS, New York e DACS, Londra 2004; **6** • The Estate of Reginald Lewis. Courtesy of Landor Fine Arts, Newark, New Jersey. Foto Frank Stewart; **7** • The Gallery Ofcart, Howard University, Washington D.C. © DACS, Londra/VAGA, New York 2004; **1944a: 1** • Collezione privata. Foto Instituut Collectie Nederland. © 2011 Mondrian/ Holtzman Trust c/o HCR International Virginia; **2** • Collezione privata, Basilea. © 2011 Mondrian/ Holtzman Trust c/o HCR International Virginia; **3** • Phillips Collection, Washington D.C. © 2011 Mondrian/Holtzman Trust c/o HCR International Virginia; **4** • Kunstsammlung Nordrhein-Westfalen, Düsseldorf. © 2011 Mondrian/Holtzman Trust c/o HCR International Virginia; **1944b: 1** • Musée National d'Art Moderne, Centre Georges Pompidou, Parigi. © Successione H. Matisse/DACS 2004; **2** • Musée National d'Art Moderne, Centre Georges Pompidou, Parigi. © Successione H. Matisse/DACS 2004; **3** • UCLA Art Galleries, Los Angeles. © Successione H. Matisse/DACS 2004; **4** • Collezione privata. © Successione Picasso/DACS 2004; **5** • Musée National d'Art Moderne, Centre Georges Pompidou, Parigi. © ADAGP, Parigi e DACS, Londra 2004; **6** • Musée National d'Art Moderne, Centre Georges Pompidou, Parigi. © ADAGP, Parigi e DACS, Londra 2004; **7** • Collezione privata. © DACS 2004; **1945: 1** • Indiana University Art Museum, Bloomington, Indiana. Foto Michael Cavanagh, Kevin Montague, Luam #69.151. © Estate of David Smith/ VAGA, New York/DACS, Londra 2004; **2** • Museum of Modern Art, New York. Mrs Solomon Guggenheim Fund. © ADAGP, Parigi e DACS, Londra 2004; **3** • Musée Picasso, Parigi. Foto © RMN Béatrice Hatala. © Successione Picasso/DACS 2004; **4** • Collezione privata. Foto David Smith. © Estate of David Smith/ VAGA, New York/DACS, Londra 2004; **5** • Collezione privata. Foto Robert Lorenzson. © Estate of David Smith/VAGA, New York/DACS, Londra 2004; **6** • Foto Shigeo Anzai. © Sir Anthony Caro; **7** • Whitney Museum of American Art, New York. Dono dell'Albert A. List Family 70.1579a-b. © ARS, New York e DACS, Londra 2004; **1946: 1** • Solomon R. Guggenheim Museum, New York. © ADAGP, Parigi e DACS, Londra 2004; **2** • The Menil Collection, Houston; **3** • Galerie Limmer, Freiburg im Breisgau. © ADAGP, Parigi e DACS, Londra 2004; **4** • Musée d'Art Moderne de la Ville de Paris. © ADAGP, Parigi e DACS, Londra 2004; **5** • Musée National d'Art Moderne, Centre Georges Pompidou, Parigi. Foto Jacques Faujour. © ADAGP, Parigi e DACS, Londra 2004; **1947a: 1** • © DACS 2004; **2** • © The Josef and Anni Albers Foundation/VG Bild-Kunst, Bonn e DACS, Londra 2004; **3** • Foto Tim Nighswander. © The Josef and Anni Albers Foundation/VG Bild-Kunst, Bonn e DACS, Londra 2004; **1947b: 1** • Nina Leen/Getty Images; **2** • Art Institute of Chicago, Mary and Earle Ludgin Collection. © Willem de Kooning Revocable Trust/ARS, New York e DACS, Londra 2004; **3** • Collezione privata. © Dedalus Foundation, Inc/VAGA, New York/DACS, Londra 2004; **4** • Museum of Modern Art, New York. Lascito di Mrs. Mark Rothko attraverso la Mark Rothko Foundation Inc. 428.81. © 1998 Kate Rothko Prizel & Christopher Rothko/DACS 2004; **5** • Collezione privata. © ARS, New York e DACS, Londra 2004; **1949a: 1** • Museum of Modern Art, New York. Sidney and Harriet Janis Collection Fund (come scambio). Foto Scala, Firenze/The Museum of Modern Art, New York. © ARS, New York e DACS, Londra 2004; **2** • Foto Tate, Londra 2004. © ARS, New York e DACS, Londra 2004; **3** • Foto Musée National d'Art Moderne, Centre Georges Pompidou, Parigi. © ARS, New York e DACS, Londra 2000; **4** • Museum of Modern Art, New York. © ARS, New York e DACS, Londra 2004; **5** • Metropolitan Museum of Art, George A. Hearn Fund, 1957 (57.92). © ARS, New York e DACS, Londra 2004; **1949b: 1** • © Karel Appel Foundation; **2** • Foto Tom Haartsen. © Constant Nieuwenhuys, c/o Pictoright Amsterdam; **4** • Collezione Colin St John Wilson. © The Estate of Nigel Henderson; **5** • © The Estate of Nigel Henderson; **6** • Pallant House Gallery, Chichester, UK. Dono Wilson attraverso l'Art Fund/The Bridgeman Art Library. © Trustees of the Paolozzi Foundation, su licenza DACS 2011; **1951: 1** • Museum of Modern Art, New York. Courtesy The Barnett Newman Foundation. © ARS, New York e DACS, Londra 2004; **2** • Museum of Modern Art, New York. Courtesy The Barnett Newman Foundation. © ARS, New York e DACS, Londra 2004; **3** • Courtesy The Barnett Newman Foundation. Foto Hans Namuth. © Hans Namuth Ltd. Pollock © ARS, New York e DACS, Londra 2004; **4** • Courtesy of the Barnett Newman Foundation. © ARS, New York e DACS, Londra 2004; **5** • Collezione David Geffen, Los Angeles. Courtesy The Barnett Newman Foundation. © ARS, New York e DACS, Londra 2004; **1953: 1** • San Francisco Museum of Modern Art, acquistato attraverso un dono di Phyllis Wattis. © Robert Rauschenberg/VAGA, New York/DACS, Londra 2004; **2** • Collezione dell'artista. © Robert Rauschenberg/VAGA, New York/DACS, Londra 2004; **3** • Collezione privata. © Ellsworth Kelly; **4** • Museum of Modern Art, New York. © Ellsworth Kelly; **5** • Marx Collection, Berlin; **1955a: 1** • Foto Hans Namuth. © Hans Namuth Ltd. Pollock © ARS, New York e DACS, Londra 2004; **2** • Hyogo Prefectural Museum of Modern Art, Kobe. Courtesy Matsumoto Co. Ltd; **3** • Courtesy Matsumoto Co. Ltd; **4** • © Makiko Murakami; **5** • Foto Guy Brett. © Cultural Association 'The World of Lygia Clark'. © ADAGP, Parigi e DACS, Londra 2004; **6** • © Kanayama Akira and Tanaka Atsuko Association; **1955b: 1** • Foto Galerie Denise René, Parigi; **2** • Foto Tate, Londra 2004. The Works of Naum Gabo © Nina Williams; **3** • Collezione privata. © ARS, New York e DACS, Londra 2004; **5** • Collezione dell'artista. Foto Clay Perry; **1956: 1** • Foto Tate, Londra 2004. © Eduardo Paolozzi 2004. All Rights Reserved, DACS; **2** • Collezione privata. © Richard Hamilton 2004. All Rights Reserved, DACS; **3** • © The Estate of Nigel Henderson, Courtesy Mayor Gallery, Londra; **4** • © The Estate of Nigel Henderson. Courtesy del Mayor Gallery, Londra; **5** • Courtesy Richard Hamilton. © Richard Hamilton 2004. All Rights Reserved, DACS; **6** • Kunsthalle, Tübingen. Prof. Dr. Georg Zundel Collection. © Richard Hamilton 2004. All Rights Reserved, DACS; **1957a: 1** • Musée Nationale d'Art Moderne, Parigi, Centre Georges Pompidou, Parigi. Jorn © Asger Jorn/DACS 2004; **2** • Musée d'Art Moderne et Contemporain de Strasbourg, Cabinet d'Art Graphique. Foto A. Plisson. © Alice Debord, 2004; **3** • Installazione all'Historisch Museum, Amsterdam. Foto Richard Kasiewicz. © Documenta Archiv; **4** • Courtesy Archivio Gallizio, Torino; **5** • Courtesy Archivio Gallizio, Torino; **6** • Collezione Pierre Alechinsky, Bougival. Foto André Morain, Parigi. © Asger Jorn/DACS 2004; **7** • Collezione Pierre Alechinsky, Bougival. Foto André Morain, Parigi. © Asger Jorn/DACS 2004; **1957b: 1** • Foto Tate, Londra 2004. © ARS, New York e DACS, Londra 2004; **2** • Modern Art Museum of Fort Worth, Texas, Museum Purchase, Sid W. Richardson Foundation Endowment Fund. © Agnes Martin; **3** • The Greenwich Collection Ltd. © Robert Ryman; **4** • Stedelijk Museum, Amsterdam. © Robert Ryman; **1958: 1** • Museum of Modern Art, New York. Dono di Mr & Mrs Robert C. Scull. Foto Scala, Firenze/ Museum of Modern Art, New York 2003. © Jasper Johns/VAGA, New York/DACS, Londra 2004; **2** •

Museum of Modern Art, New York. Dono di Philip Johnson in onore di Alfred Barr. © Jasper Johns/ VAGA, New York/DACS, Londra 2004; **3** • Collezione dell'artista. © Jasper Johns/VAGA, New York/DACS, Londra 2004; **4** • Whitney Museum of American Art, New York. Dono di Mr e Mrs Eugene M. Schwartz. © ARS, New York e DACS, Londra 2004; **5** • Menil Foundation Collection, Houston. © ARS, New York e DACS, Londra 2004; **1959a: 1** • Galerie Bruno Bischofberger, Zurigo. © Fondazione Lucio Fontana, Milano; **2** • Musée National d'Art Moderne, Centre Georges Pompidou, Parigi. © Fondazione Lucio Fontana, Milano; **3** • Collezione privata, Milano. © Fondazione Lucio Fontana, Milano; **4** • Archivio Opera Piero Manzoni, Milano. © DACS 2004; **5** • Herning Kunstmuseum, Danimarca. © DACS 2004; **1959b: 1** • Foto Charles Brittin. © The Wallace Berman Estate; **2** • Foto di *BAMBINO.* Courtesy Bruce Conner. Museum of Modern Art, New York, dono di Philip Johnson; **3** • Foto © Mumok, Museum Moderner Kunst Stiftung Ludwig, Vienna; **4** • Museum Moderner Kunst, Vienna. © Nancy Reddin Kienholz; **5** • Museum Ludwig, Colonia. © Nancy Reddin Kienholz; **1959c: 1** • Collezione privata. © ADAGP, Parigi e DACS, Londra 2004; **2** • Kunsthaus, Zurigo. Alberto Giacometti Foundation. © ADAGP, Parigi e DACS, Londra 2004; **3** • Acquistato con fondi del Coffin Fine Arts Trust; Nathan Emory Coffin Collection of the Des Moines Art Center, 1980. Foto Michael Tropea, Chicago. © Estate of Francis Bacon 2004. All Rights Reserved, DACS; **4** • Hirshhorn Museum and Sculpture Garden, Smithsonian Institution, dono di Joseph H. Hirschhorn, 1966. © Willem de Kooning Revocable Trust/ARS, New York e DACS, Londra 2004; **1959d: 1** • Courtesy Michel Brodovitch; **2** • Courtesy Laurence Miller Gallery, New York. © Helen Levitt; **3** • Courtesy Baudoin Lebon, Parigi; **4** • © Weegee (Arthur Fellig)/ International Centre of Photography/Getty Images; **5** • Museum of Modern Art, New York. © 1971 The Estate of Diane Arbus; **6** • Courtesy Pace/MacGill Gallery, New York. © Robert Frank; **1959e: 1** • Foto Guy Brett. © Associação Cultural "O Mundo de Lygia Clark". © ADAGP, Parigi e DACS, Londra 2004; **2** • Clark Family Collection. Foto Marcelo Correa. Associação Cultural "O Mundo de Lygia Clark". © ADAGP, Parigi e DACS, Londra 2004; **3** • Clark Family Collection. Foto Marcelo Correa. Courtesy Associação Cultural "O Mundo de Lygia Clark". © ADAGP, Parigi e DACS, Londra 2004; **4** • Foto César Oiticica Filho; **5** • Courtesy Associação Cultural "O Mundo de Lygia Clark"; **6** • Foto Claudio Oiticica; **7** • Foto Andreas Valentin; **8** • © Lygia Pape; **1960a: 1** • Photograph © David Gahr, 1960. © DACS 2004; **2** • Foto Jean-Dominique Lajoux. Copyright Christo 1962; **3** • Foto André Morain. Collection Musée National d'Art Moderne, Centre Georges Pompidou, Parigi. Courtesy Ginette Dufrêne, Parigi. © ADAGP, Parigi e DACS, Londra 2004; **4** • Musée National d'Art Moderne, Centre Georges Pompidou, Parigi. Villeglé © ADAGP, Parigi e DACS, Londra 2004. Hains © ADAGP, Parigi e DACS, Londra 2004; **5** • Museum of Modern Art, New York. Foto Scala, Firenze. The Museum of Modern Art, New York 2003. © DACS 2004; **6** • © ADAGP, Parigi e DACS, Londra 2004; **1960b: 1** • Yale University Art Gallery, New Haven. Lascito Richard Brown Baker. © ARS, New York e DACS, Londra 2004; **2** • The Solomon R. Guggenheim Museum, New York. © 1959 Morris Louis; **3** • National Gallery of Art, Washington, D.C., dono di Marcella Louis Brenner. © 1961 Morris Louis; **4** • Des Moines Art Center, acquistato con fondi del Coffin Fine Arts Trust, Nathan Emory Coffin Collection of the Des Moines Art Center, 1974. © Kenneth Noland/VAGA, New York/DACS, Londra 2004; **5** • Collezione dell'artista, su permesso della National Gallery of Art, Washington D.C. © Helen Frankenthaler; **1960c: 1** • Collezione privata. © The Estate of Roy Lichtenstein/DACS 2004; **2** • Scottish National Gallery of Modern Art, Edimburgo. © The Estate of Roy Lichtenstein/DACS 2004; **3** • Musée National d'Art Moderne, Centre Georges Pompidou, Parigi. © James Rosenquist/VAGA, New York/DACS, Londra 2004; **4** • The Eli and Edythe I. Broad Collection. © Ed Ruscha; **5** • Whitney Museum of American Art, New York, acquistato con fondi del Mrs Percy Uris Purchase Fund 85.41. © Ed Ruscha; **6** • Collezione privata. © The Estate of Roy Lichtenstein/DACS 2004; **1961: 1** • Foto © Robert R. McElroy/VAGA, New York/DACS, Londra 2004. © Claes Oldenberg and Coosje van Bruggen; **2** • Research Library, Getty Research Institute, Los Angeles (980063). Foto © Robert R. McElroy/VAGA, New York/DACS, Londra 2004; **3** • Courtesy Research Library, Getty Research Institute, Los Angeles (980063). Foto © Sol Goldberg; **4** • Foto Martha Holmes. © Claes Oldenburg and Coosje van Bruggen; **5** • Whitney Museum of American Art, New York. Dono di Mr. e Mrs. Victor W. Ganz 79.83a-b. Foto Jerry L. Thompson, New York. © Claes Oldenburg and Coosje van Bruggen; **1962a: 1** • Courtesy the Gilbert and Lila Silverman Fluxus Collection, Detroit. Foto George Maciunas; **2** • Courtesy l'artista; **3a** • Foto © DPA. © Nam June Paik; **3b** • Courtesy Museum Wiesbaden. © Nam June Paik; **4** • Courtesy Gilbert and Lila Silverman Fluxus Collection, Detroit. Foto George Maciunas; **5** • Courtesy Gilbert and Lila Silverman Fluxus Collection, Detroit. Foto Paul Silverman; **6** • Courtesy Robert Watts Studio Archive, New York. Foto Larry Miller; **7** • Courtesy Gilbert and Lila Silverman Fluxus Collection, Detroit. Foto R. H. Hensleigh; **8** • Courtesy Gilbert and Lila Silverman Fluxus Collection, Detroit. Foto R. H. Hensleigh; **1962b: 1** • Courtesy Gallery Kranzinger, Vienna; **2** • Courtesy Hermann Nitsch. Foto L. Hoffenreich. © DACS 2004; **3** • Scottish National Gallery of Modern Art, Edimburgo. © L'artista; **4** • © L'artista; **5** • Courtesy l'artista. Foto Werner Schulz. © DACS 2004; **1962c: 1** • Foto Cathy Carver © Dia Art Foundation. Estate of Dan Flavin. © ARS, New York e DACS, Londra 2004; **2** • Formally Saatchi Collection, Londra. © ARS, New York e DACS, Londra 2004; **3** • Courtesy Paula Cooper Gallery, New York. © Carl Andre/VAGA, New York/DACS, Londra 2004; **4** • Foto Tate, Londra 2004. © Carl Andre/VAGA, New York/DACS, Londra 2004; **5** • © Sol LeWitt. © ARS, New York e DACS, Londra 2004; **6** • Collezione Neues Museum Weimar. © Sol LeWitt. © ARS, New York e DACS, Londra 2004; **1962d: 1** • Collezione dell'artista. © Jasper Johns/VAGA, New York/DACS, Londra 2011; **2** • Collezione Sally Ganz, New York. © Jasper Johns/ VAGA, New York/DACS, Londra 2011; **3** • Museum of Modern Art, New York. © ARS, New York e DACS, Londra 2011; **4** • Richmond Hall, The Menil Collection, Houston, 1987-8. © The Andy Warhol Foundation for the Visual Arts/Artists Rights Society (ARS), New York/DACS, Londra 2011; **5** • Thomas Ammann, Zurigo. © The Andy Warhol Foundation for the Visual Arts/Artists Rights Society (ARS), New York/DACS, Londra 2011; **6** • Collezione privata. © ADAGP, Parigi e DACS, Londra 2011; **1963: 1** • Museum Ludwig, Colonia. © Georg Baselitz; **2** • Collezione Verlag Gachnang und Springer, Berna-Berlino. © DACS 2004; **3** • Sammlung Ludwig, Museum Moderner Kunst, Vienna. © Georg Baselitz; **1964a: 1** • Foto Heinrich Riebesehl. © DACS 2004; **2** • Foto Heinrich Riebesehl. © DACS 2004; **3** • Museum Schloss Moyland, Bedburg-Hau. Collezione van der Grinten, MSM 03087. © DACS 2004; **4** • Foto Walter Klein, Düsseldorf. Museum Schloss Moyland, Bedburg-Hau. © DACS 2004; **5** • Hessisches Landesmuseum, Darmstadt. © DACS 2004; **1964b: 1** • Dia Art Foundation, New York. The Menil Collection, Houston. © The Andy Warhol Foundation for the Visual Arts, Inc./ARS, New York e DACS, Londra 2004; **2** • Foto Tate, Londra 2004. © The Andy Warhol Foundation for the Visual Arts, Inc./ ARS, New York e DACS, Londra 2004; **3** • The Menil Collection, Houston. © The Andy Warhol Foundation for the Visual Arts, Inc./ARS, New York e DACS, Londra 2004; **4** • © The Andy Warhol Foundation for the Visual Arts, Inc./ARS, New York e DACS, Londra 2004; **1965: 1** • Art © Judd Foundation. Su licenza di VAGA, New York/DACS, Londra 2004; **2** • © ARS, New York e DACS, Londra 2004; **3.** © ARS, New York e DACS, Londra 2004; **1966a: 1** • Collezione Hirshhorn Museum and Sculpture Garden, Smithsonian Institution, Washington D.C., Joseph H. Hirshhorn Purchase Fund, Holenia Purchase Fund, and Museum Purchase, 1993. Courtesy Sperone Westwater, New York. © ARS, New York e DACS, Londra 2004; **2** • Collezione Jasper Johns, New York. © Successione Marcel Duchamp/ADAGP, Parigi e DACS, Londra 2004; **3** • Philadelphia Museum of Art. Dono di The Cassandra Foundation. © Successione Marcel Duchamp/ADAGP, Parigi e DACS, Londra 2004; **4** • Philadelphia Museum of Art. Dono della Cassandra Foundation. © Successione Marcel Duchamp/ADAGP, Parigi e DACS, Londra 2004; **1966b: 1** • Museum of Modern Art, New York. Foto © Estate of Peter Moore/VAGA, New York/ DACS, Londra 2004. © Louise Bourgeois/VAGA, New York/DACS, Londra 2004; **2** • Courtesy Cheim & Read, New York. Foto Rafael Lobato. © Louise Bourgeois/VAGA, New York/DACS, Londra 2004; **3** • Courtesy l'artista; **4** • National Gallery of Australia, Canberra, 1974. © The Estate of Eva Hesse. Hauser & Wirth, Zurigo e Londra; **5** • Daros Collection,

Svizzera. © The Estate of Eva Hesse. Hauser & Wirth; **1967a: 1** • © Estate of Robert Smithson/VAGA, New York/DACS, Londra 2004; **2** • Collezione Geertjan Visser. Courtesy Sperone Westwater, New York. © ARS, New York e DACS, Londra 2004; **3** • Courtesy Gagosian Gallery, Londra. © Ed Ruscha; **4** • Collezione privata. © ARS, New York e DACS, Londra 2004; **5** • Courtesy The Estate of Gordon Matta-Clark e David Zwirner, New York. © ARS, New York e DACS, Londra 2004; **1967b: 1** • Courtesy Archivio Merz, Torino; **2** • Foto Claudio Abate. Courtesy l'artista; **3** • © L'artista; 4 • Installazione al Centre Georges Pompidou, Parigi, 1972. Foto © Giorgio Colombo, Milano; **5** • Courtesy l'artista; **6** • Galleria civica d'Arte Moderna e Contemporanea, Torino – Fondazione De' Fornaris. Courtesy Fondazione Torino Musei – Archivio Fotografico, Torino; **7** • Foto l'artista; **8** • Collezione Annemarie Sauzeau Boetti, Parigi. © DACS 2004; **1967c: 1** • No 58005/1-4, Collezione Manfred Wandel, Stiftung für Konkrete Kunst, Reutlingen; Courtesy François Morellet. © ADAGP, Parigi e DACS, Londra 2004; **2** • Foto Moderna Museet, Stoccolma. © ADAGP, Parigi e DACS, Londra 2004; **3** • Collezione privata. Foto André Morain. © ADAGP, Parigi e DACS, Londra 2004; **4** • © Foto CNAC/MNAM Dist. RMN; **5** • © D.B. © ADAGP, Parigi e DACS, Londra 2004; **1968a: 1** • Courtesy Sonnabend Gallery, New York; **2** • Courtesy Sonnabend Gallery, New York; **3** • Courtesy l'artista e Marian Goodman Gallery, New York; **4** • Museum of Modern Art, New York. The Fellows of Photography Fund. © DACS 2004; **5** • © DACS 2004; **6** • Courtesy Monika Sprueth Gallery/Philomene magers. © DACS, Londra 2004; **1968b: 1** • Courtesy Gagosian Gallery, Londra. © Ed Ruscha; **2** • Museum Ludwig, Colonia. Courtesy Rheinisches Bildarchiv, Colonia. © Sol LeWitt. © ARS, New York e DACS, Londra 2004; **3** • Museum of Modern Art, New York. © ARS, New York e DACS, Londra 2004; **4** • Musée National d'Art Moderne, Centre Georges Pompidou, Parigi. © ARS, New York e DACS, Londra 2004; **5** • © ARS, New York e DACS, Londra 2004; **6** • Courtesy Lisson Gallery, Londra; **7** • Collezione Van Abbe Museum, Eindhoven. © ARS, New York e DACS, Londra 2004; **8** • Courtesy John Baldessari; **1969: 1** • Formerly Saatchi Collection, Londra. © ARS, New York e DACS, Londra 2004; **2** • Courtesy l'artista. Foto © Estate of Peter Moore/VAGA, New York/DACS, Londra 2004; **3** • Museum of Modern Art, New York. Courtesy l'artista. Foto © Estate of Peter Moore/VAGA, New York/DACS, Londra 2004; **4** • Art Institute of Chicago, attraverso doni di Arthur Keating e Mr. e Mrs. Edward Morris. © The Estate of Eva Hesse. Hauser & Wirth, Zurigo e Londra; **1970: 1** • Foto © Estate of Peter Moore/VAGA, New York/ DACS, Londra 2004; **2** • (sopra) Disegno di Lawrence Kenny. Courtesy l'artista; (in mezzo e sotto) Photo Frank Thomas. Courtesy l'artista; **3** • Solomon R. Guggenheim Museum, New York (Collezione Panza). Courtesy l'artista. Foto © Estate of Peter Moore/ VAGA, New York/DACS, Londra 2004; **4** • © Estate of Robert Smithson/VAGA, New York/DACS, Londra 2004; **1971: 1** • Musée National d'Art Moderne, Centre Georges Pompidou, Parigi. Courtesy l'artista. © DACS 2004; **2** • © D.B. © ADAGP, Parigi e DACS, Londra 2004; **3** • Collezione Daled, Brussels. Courtesy l'artista. © DACS 2004; **1972a: 1** • Collezione Benjamin Katz. © DACS 2004; **2** • Collezione Anne-Marie e Stéphane Rona. © DACS 2004; **3** • Galerie Michael Werner, Colonia. © DACS 2004; **4** • Ruth Kaiser, Courtesy Johannes Cadders. © DACS 2004; **5** • Municipal Van Abbe Museum, Eindhoven. © DACS 2004; **6** • © DACS 2004; **7** • © DACS 2004; **1972b: 1** • Museum Ludwig, Köln. Courtesy Rheinisches Bildarchiv, Colonia; **2** • Courtesy l'artista. © DACS 2004; **3** • Art Institute of Chicago, Barbara Neff Smith & Solomon H. Smith Purchase Fund, 1977.600A-H. Courtesy Sperone Westwater, New York; **4** • Courtesy l'artista. © DACS 2004; **5** • Collezione Kunstmuseum, Bonn. © DACS 2004; **6** • Collezione Speck, Colonia. Copyright l'artista; **1972c: 1** • Archigram Archives 2016. © Archigram 1964; **2** • Venturi, Scott Brown and Associates, Inc.; **3** • Dorling Kindersley Ltd/Alamy Stock Foto; **4** • Courtesy Superstudio; **5** • Foto Diane Andrews Hall. © Ant Farm (Lord, Michels, Shreier), 1975. All Rights Reserved; **6** • Foto Arnaud Chicurel/ Getty Images; **7** • Nikreates/ Alamy Stock Foto; **1973: 1** • Foto © Estate of Peter Moore/VAGA, New York/ DACS, Londra 2004. © Nam June Paik; **2** • Courtesy Electronic Arts Intermix (EAI), New York; **3** • Courtesy Electronic Arts Intermix (EAI), New York; **4** • © ARS, New York e DACS, Londra 2004; **5** • Courtesy Electronic Arts Intermix (EAI), New York; **1974: 1** • Foto Erró. Collezione dell'artista. © ARS, New York e DACS, Londra 2004; **2** • Foto by Minoru Niizuma. © Yoko Ono; **3** • Foto Bill Beckley. Courtesy l'artista; **3** • Foto Bill Beckley. Courtesy l'artista; **4** • Foto Kathy Dillon. Courtesy l'artista; **5** • Courtesy l'artista; **6** • San Francisco Museum of Modern Art. © ARS, New York e DACS, Londra 2004; **1975a: 1** • © Judy Chicago 1972. © ARS, New York e DACS, Londra 2004; **2** • Philip Morris Companies, Inc. Faith Ringgold © 1980; **3** • The Brooklyn Museum of Art, dono di The Elizabeth A. Sackler Foundation. Foto © Donald Woodman. © Judy Chicago 1979. © ARS, New York e DACS, Londra 2004; **4** • Foto David Reynolds. Courtesy l'artista; **5** • Courtesy of the Estate of Ana Mendieta e Galerie Lelong, New York; **6** • Arts Council of Great Britain. Courtesy l'artista; **1975b: 3** • Foto Vlad Burykin. Courtesy of Museum of Avant-Garde Mastery and Knigi WAM, Moscow; **4** • Foto Hermann Feldhaus. Courtesy of Ronald Feldman Fine Arts, New York. © 2016 Komar and Melamid; **5** • Courtesy Andrei Monastyrski; **6** • Courtesy Garage Museum of Contemporary Art, Moscow. © Inspection Medical Hermeneutics; **1976: 1** • Foto E. Lee White, NY, 1978. Courtesy l'artista e The Kitchen, New York; **2** • Foto © Christopher Reenie/Robert Harding; **3** • Permanent Collection the Chinati Foundation, Marfa (Texas). Foto Florian Holzherr. ART © Judd Foundation. Su licenza di VAGA, New York/DACS, Londra 2004; **1977a: 1** • Courtesy l'artista; **2** • Courtesy l'artista e Metro Pictures; **3** • Courtesy l'artista e Metro Pictures; **4** • Courtesy l'artista e Metro Pictures; **5** • Courtesy Ydessa Hendeles Art Foundation, Toronto; **1977b: 1** • © Harmony Hammond/ DACS, Londra/VAGA, NY 2016; **2** • Foto Chie Nishio; **3** • Courtesy Alexander and Bonin, New York. © The Estate of George Paul Thek; **4** • Courtesy Gladstone Gallery, New York e Bruxelles. © Jack Smith Archive; **5** • Foto Ellen Page Wilson. Courtesy l'artista e Koenig & Clinton, New York; **6** • Foto Ellen Page Wilson. Courtesy l'artista e Koenig & Clinton, New York; **7** • Courtesy Regen Projects, Los Angeles. © Catherine Opie; **8** • Courtesy l'artista; **1980: 1** • Courtesy l'artista e Gorney Bravin and Lee, New York. © Sarah Charlesworth, 1978; **2** • Courtesy Barbara Gladstone Gallery, New York; **3** • Courtesy l'artista; **4** • Courtesy Sean Kelly Gallery, New York; **1984a: 1** • Courtesy l'artista; **2** • © ARS, New York e DACS, Londra 2004; **3** • Collezione dell'artista. Fred Lonidier, Visual Arts Department, University of California, San Diego; **3** • Collezione dell'artista. Fred Lonidier, Visual Arts Department, University of California, San Diego; **4** • Courtesy l'artista e Gorney Bravin & Lee, New York. © Martha Rosler, 1967-72; **5** • Courtesy l'artista e Christopher Grimes Gallery, Santa Monica (California); **6** • © Martha Rosler, 1974-5. Courtesy l'artista e Gorney Bravin & Lee, New York; **1984b: 1** • Collezione Mrs. Barbara Schwartz. Foto Courtesy Gagosian Gallery, New York; **2** • Foto Jenny Holzer. © ARS, New York e DACS, Londra 2004; **3** • Courtesy Canal St. Communications; **1986: 1** • © Jeff Koons; **2** • Courtesy l'artista e Jay Jopling/White Cube (Londra). © L'artista; **3** • Courtesy l'artista; **4** • Courtesy l'artista; **5** • © Barbara Bloom, 1989. Courtesy Gorney, Bravin & Lee, New York; **1987: 1** • Courtesy Group Material; **2** • Collezione Ulrich e Harriet Meyer. Foto James Dee. © DACS, Londra/ VAGA, New York 2004; **3** • © Krzysztof Wodiczko. Courtesy Galerie Lelong, New York; **4** • The New York Public Library; **box** Richard Serra, *Arco spezzato*, 1981 (distrutto). Acciaio, 365,8 x 3657 cm. Federal Plaza, New York. Foto Ann Chauvet, Parigi; **5** • The Werner and Elaine Dannheisser Foundation, New York. © The Felix Gonzalez-Torres Foundation. Courtesy Andrea Rosen Gallery, New York; **6** • The Werner and Elaine Dannheisser Foundation, New York. Su permesso a lungo termine del Museum of Modern Art, New York. © The Felix Gonzalez-Torres Foundation. Courtesy Andrea Rosen Gallery, New York; **7** • Philadelphia Museum of Art. Courtesy l'artista; **1988: 1** • Museum of Modern Art, New York. Foto Axel Schneider, Francoforte. © Gerhard Richter; **2** • Museum of Modern Art, New York. Foto Friedrich Rosenstiel, Colonia. © Gerhard Richter; **3** • Städtische Galerie im Lenbachhaus, Monaco. © Gerhard Richter; **4** • Courtesy l'artista; **1989: 1** • Courtesy l'artista; **2** • Foto Dawoud Bey. Courtesy Jack Tilton/Anna Kustera Gallery, New York; **3** • Courtesy Jack Tilton Gallery, New York; **4** • Courtesy Marian Goodman Gallery, New York; **5** • Courtesy Gavin Brown's Enterprise, New York; **1992: 1** • Courtesy of Documenta Archiv. © DACS 2004; **2** • Courtesy l'artista e Metro Pictures Gallery, New York; **3** • Courtesy Galleria Emi Fontana, Milano. Foto Roberto Marossi, Milano; **4** • Courtesy l'artista. Foto Nina Möntmann; **4** • Foto Courtesy De Vleeshal,

Middelberg, American Fine Arts, Co., New York e Tanya Bonakdar Gallery, New York; **1993a: 1** • Collezione Alexina Duchamp, France. © Succession Marcel Duchamp/ADAGP, Parigi e DACS, Londra 2004; **2** • Courtesy l'artista. © ARS, New York e DACS, Londra 2004; **3** • Courtesy James Coleman e Marian Goodman Gallery, New York. © James Coleman; **4** • Courtesy l'artista e Metro Pictures Gallery, New York; **5** • Courtesy l'artista e Metro Pictures Gallery, New York; **1993b: 1** • Collezione privata. Courtesy Paula Cooper Gallery, New York; **2** • Arts Council of England, Londra. Foto Edward Woodman. Courtesy l'artista e Jay Jopling/White Cube (Londra). © L'artista; **3** • Courtesy l'artista; **4** • Commissionato da Artangel. Sponsorizzato da Beck's. Courtesy Rachel Whiteread e Gagosian Gallery, Londra. Foto Sue Ormera; **1993c: 1** • Courtesy Paula Cooper Gallery, New York; **2** • Courtesy l'artista e P.P.O.W. Gallery, New York; **3** • Courtesy Sean Kelly Gallery, New York; **4** • Photograph. © Rotimi Fani-Kayode/Autograph ABP; **5** • Courtesy Stephen Friedman Gallery, Londra; **6** • Courtesy l'artista e Brent Sikkema, New York; **7** • Courtesy l'artista e Hauser & Wirth Foto. Courtesy Gagosian Gallery, New York; **8** • © 2004 Glenn Ligon; **1994a: 1** • Courtesy Sonnabend Gallery, New York; **2** • Collezione dell'artista. Foto Ellen Page Wilson, Courtesy Pace Wildenstein, New York. © Kiki Smith; **3** • Courtesy l'artista e Matthew Marks Gallery. Foto K. Ignatiadis for Jeu de Paume; **4** • Courtesy l'artista; **5** • Collezione privata/Courtesy Jablonka Galerie, Colonia. Foto Nic Tenwiggenhorn, Düsseldorf; **1994b: 1** • Solomon R. Guggenheim Museum, New York. © Sol LeWitt. © ARS, New York e DACS, Londra 2004; **2** • Courtesy Regen Projects, Los Angeles; **3** • Courtesy l'artista; **4** • Courtesy l'artista; **1997: 1** • Courtesy Lunetta Batz, Maker, Johannesburg. © Santu Mofokeng; **2** • © Peter Magubane; **3** • © David Goldblatt; **4** • Courtesy Lunetta Batz, Maker, Johannesburg. © Santu Mofokeng; **5** • Courtesy l'artista e Jack Shainman Gallery, New York. © Zwelethu Mthethwa; **6** • Courtesy Goodman Gallery, Cape Town. © Nontsikelelo Veleko; **7** • Courtesy Stevenson, Cape Town e Johannesburg. © Zanele Muholi; **1998: 1** • Foto Florian Holzherr. © James Turrell; **2** • Courtesy l'artista. Foto © 1997 Fotoworks Benny Chan; **3** • Courtesy Lisson Gallery, Londra; **4** • Courtesy David Zwirner, New York; **1999: 1** • Courtesy l'artista e Marian Goodman Gallery, New York; **2** • Courtesy l'artista e Jay Jopling/White Cube (Londra). © L'artista; **3** • Collezione dell'artista. Courtesy Monika Sprueth Gallery/Philomene Magers. © DACS, Londra 2004; **2003: 1** • Courtesy l'artista e Corvi-Mora, Londra; **2** • Courtesy l'artista e Stephen Friedman Gallery, Londra; **3** • Courtesy Marian Goodman Gallery, New York; **4** • Courtesy l'artista, Frith Street Gallery, Londra e Marian Goodman Galleries, New York e Parigi; **2007a: 1** • Courtesy Paula Cooper Gallery, New York. © Christian Marclay; **2** • Courtesy Paula Cooper Gallery, New York. © Christian Marclay; **3** • Foto Courtesy l'artista e Marian Goodman Gallery, New York. © James Coleman; **4** • Courtesy Paula Cooper Gallery, New York. © ADAGP, Parigi e DACS, Londra 2011; **5** • Foto Courtesy l'artista e Marian Goodman Gallery, New York. © William Kentridge; **6** • Foto Courtesy l'artista e Marian Goodman Gallery, New York. © William Kentridge; **2007b: 1** • © ADAGP, Parigi e DACS, Londra 2011; **2** • Courtesy l'artista e Galerie Daniel Buchholz, Colonia/Berlino; **3** • Courtesy Stuart Shave/Modern Art, Londra. © Tom Burr; **4** • Immagine courtesy l'artista e Kimmerich Gallery, New York; **5** • Courtesy l'artista e Greene Naftali Gallery, New York; **6** • Courtesy l'artista e Metro Pictures; **2007c: 1** • © Hirst Holdings Limited e Damien Hirst. All Rights Reserved, DACS 2011; **2** • Foto Laurent Lecat. © Jeff Koons; **3** • Foto © Andy Rain/Apa/Corbis. © Hirst Holdings Limited e Damien Hirst. All Rights Reserved, DACS 2011; **2009a: 1** • Courtesy Galerie Lelong, New York. © The Estate of Ana Mendieta Collection; **2** • Courtesy Studio Tania Bruguera; **3** • Courtesy Gavin Brown Enterprise © Rirkrit Tiravanija; **4** • Courtesy Gavin Brown Enterprise © Rirkrit Tiravanija; **5** • Courtesy Marian Goodman Gallery, Parigi / New York. © ADAGP, Parigi e DACS, Londra 2011; **6** • Courtesy Anton Vidokle; **2009b: 1** • Veduta dell'installazione *Martin Kippenberger*, Van Abbe Museum, Eindhoven, 2003. © Estate Martin Kippenberger, Galerie Gisela Capitain, Colonia; **2** • Courtesy l'artista, Reena Spaulins, New York e Galerie Daniel Buchholz, Colonia/Berlino; **3** • National Gallery of Art, Washington, D.C., 20 gennaio 2004. Immagine courtesy Friedrich Petzel Gallery, New York. Foto Lammy Foto; **4** • Courtesy l'artista e Galerie Daniel Buchholz, Colonia/Berlino; **5** • Courtesy l'artista e Galerie Daniel Buchholz, Colonia/Berlino; **6** • Immagine courtesy Friedrich Petzel Gallery, New York. Foto Thomas Mueller; **7** • Foto Jeffrey Sturges; **2009c: 1** • Courtesy Gladstone Gallery, New York; **2** • Courtesy Gladstone Gallery, New York; **3** • Courtesy Andrea Geyer; **4** • © Harun Farocki 2009; **5** • Courtesy Cheim & Read Gallery, New York / © ARS, New York e DACS, Londra 2011; **2010a: 1** • Courtesy l'artista; Leister Foundation, Svizzera; Erlenmeyer Stiftung, Svizzera e Galerie Urs Meile, Pechino-Lucerna; **2** • Courtesy l'artista; Leister Foundation, Svizzera; Erlenmeyer Stiftung, Svizzera e Galerie Urs Meile, Pechino-Lucerna; **3** • Foto Tate, Londra, 2011. © Ai Weiwei; **4** • Courtesy l'artista; Leister Foundation, Svizzera; Erlenmeyer Stiftung, Svizzera e Galeriec Urs Meile, Pechino-Lucerna. Foto Frank Schinski; **5** • © Wang Guangyi; **6** • © Zhang Huan; **7** • Courtesy Pace Gallery, New York. © Zhang Huan; **2010b: 1** • Courtesy Bernadette Corporation; **2** • Courtesy John Kelsey; **3** • Immagini dalla mostra itinerante curata da Adriano Pedrosa *Intrusi (Stranieri ovunque, 2004-10)*, 2010, Courtesy l'artista e Gaga Arte Contemporanea, Mexico D.F. e Metro Pictures, New York; **4** • © 2010 Cao Fei, Courtesy Lombard Fried Projects, New York; **5** • Courtesy Anthony Reynolds Gallery, Londra. © l'artista; **6** • Courtesy www.theyesmen.org; **2015: 1** • Foto Ed Lederman; **2** • Courtesy Herzog & de Meuron; **3** • Foto Roland Halbe; **4** • Age Fotostock/Alamy Stock Foto; **5** • Diller Scofidio + Renfro; **6** • Courtesy Jeremy Deller; **7** • Courtesy Sharon Hayes.

indice dei nomi e degli argomenti

I numeri di pagina in *corsivo* si riferiscono alle illustrazioni